BIBLIOTHÈQUE
DE LA PLÉIADE

MARCEL PROUST

À la recherche du temps perdu

II

ÉDITION PUBLIÉE SOUS LA DIRECTION
DE JEAN-YVES TADIÉ
AVEC, POUR CE VOLUME, LA COLLABORATION
DE DHARNTIPAYA KAOTIPAYA, THIERRY LAGET,
PIERRE-LOUIS REY ET BRIAN ROGERS

GALLIMARD

CE VOLUME CONTIENT :

À l'ombre des jeunes filles en fleurs

NOMS DE PAYS : LE PAYS

Texte présenté, établi et annoté par Pierre-Louis Rey
Relevé de variantes par Pierre-Louis Rey

Le Côté de Guermantes

I

Texte présenté, établi et annoté par Thierry Laget
Relevé de variantes par Thierry Laget

II

Texte présenté, établi et annoté
par Thierry Laget et Brian Rogers
Relevé de variantes
par Thierry Laget et Brian Rogers

ESQUISSES

À l'ombre des jeunes filles en fleurs

NOMS DE PAYS : LE PAYS

Texte établi et annoté par Pierre-Louis Rey
Relevé de variantes par Pierre-Louis Rey

Le Côté de Guermantes

I

Texte établi par Dharntipaya Kaotipaya et Thierry Laget
et annoté par Thierry Laget
Relevé de variantes par Dharntipaya Kaotipaya et Thierry Laget

II

Texte établi par Brian Rogers, relu par Thierry Laget
et annoté par Brian Rogers
avec la collaboration de Thierry Laget

Relevé de variantes par Brian Rogers
avec la collaboration de Thierry Laget

Notices,
Notes et variantes

Résumé

Table de concordance

À L'OMBRE
DES JEUNES FILLES
EN FLEURS

[Suite]

NOMS DE PAYS : LE PAYS

J'[a]étais arrivé à une presque complète indifférence à l'égard de Gilberte, quand[b] deux ans plus tard je partis avec ma grand-mère pour Balbec[2]. Quand je subissais le charme d'un visage nouveau, quand c'était à l'aide d'une autre jeune fille que j'espérais connaître les cathédrales gothiques, les palais et les jardins de l'Italie, je me disais tristement que notre amour, en tant qu'il est l'amour d'une certaine créature, n'est peut-être pas quelque chose de bien réel, puisque si des associations de rêveries agréables[c] ou douloureuses peuvent le lier pendant quelque temps à une femme jusqu'à nous faire penser qu'il a été inspiré par elle d'une façon nécessaire, en revanche si nous nous dégageons volontairement ou à notre insu de ces associations, cet amour, comme s'il était au contraire spontané et venait de nous seuls, renaît pour se donner à une autre femme. Pourtant au moment de ce départ pour Balbec et pendant les premiers temps de mon séjour, mon indifférence n'était encore qu'intermittente. Souvent (notre vie étant si peu chronologique, interférant tant d'anachronismes dans la suite des jours), je vivais dans ceux, plus anciens que la veille ou l'avant-veille, où j'aimais[d] Gilberte. Alors ne plus la voir m'était soudain douloureux, comme ce l'eût été dans ce temps-là. Le moi qui l'avait aimée, remplacé déjà presque entièrement par un autre, resurgissait, et il m'était rendu beaucoup plus fréquemment par une chose futile que par une chose importante. Par exemple, pour anticiper sur mon séjour

en Normandie, j'entendis[a] à Balbec un inconnu que je
croisai sur la digue dire : « La famille du directeur du
ministère des Postes. » Or (comme je ne savais pas alors
l'influence que cette famille devait avoir sur ma vie), ce
propos aurait dû me paraître oiseux, mais il me causa une
vive souffrance, celle qu'éprouvait un moi, aboli pour une
grande part depuis longtemps, à être séparé de Gilberte.
C'est que jamais je n'avais repensé à une conversation que
Gilberte avait eue devant moi avec son père, relativement
à la famille du « directeur du ministère des Postes ». Or,
les souvenirs[b] d'amour ne font pas exception aux lois
générales de la mémoire, elles-mêmes régies par les lois
plus générales de l'habitude. Comme celle-ci affaiblit tout,
ce qui nous rappelle le mieux un être, c'est justement ce
que nous avions oublié (parce que c'était insignifiant, et
que nous lui avions ainsi laissé toute sa force). C'est
pourquoi la meilleure part de notre mémoire est hors de
nous, dans un souffle pluvieux, dans l'odeur de renfermé
d'une chambre ou dans l'odeur d'une première flambée,
partout où nous retrouvons de nous-même ce que notre
intelligence, n'en ayant pas l'emploi, avait dédaigné, la
dernière réserve du passé, la meilleure, celle qui, quand
toutes nos larmes semblent taries, sait nous faire pleurer
encore. Hors de nous ? En nous pour mieux dire, mais[c]
dérobée à nos propres regards, dans un oubli plus ou moins
prolongé. C'est grâce à cet oubli seul que nous pouvons
de temps à autre retrouver l'être que nous fûmes, nous
placer vis-à-vis des choses comme cet être l'était, souffrir
à nouveau, parce que nous ne sommes plus nous, mais
lui, et qu'il aimait ce qui nous est maintenant indifférent.
Au grand jour de la mémoire habituelle, les images du
passé pâlissent peu à peu, s'effacent, il ne reste plus rien
d'elles, nous ne le retrouverons plus. Ou plutôt nous ne
le retrouverons plus, si quelques mots (comme « directeur au ministère des Postes ») n'avaient été soigneusement enfermés dans l'oubli, de même qu'on dépose à la
Bibliothèque nationale un exemplaire d'un livre qui sans
cela risquerait de devenir introuvable.

Mais cette souffrance et ce regain d'amour pour Gilberte
ne furent pas plus longs que ceux qu'on a en rêve, et cette
fois au contraire parce qu'à Balbec, l'Habitude ancienne
n'était plus là pour les faire durer. Et si ces effets de
l'Habitude semblent contradictoires, c'est qu'elle obéit à

des lois multiples. À Paris, j'étais devenu de plus en plus
indifférent à Gilberte, grâce à l'Habitude. Le changement
d'habitude, c'est-à-dire la cessation momentanée de l'Habitude, paracheva l'œuvre de l'Habitude quand je partis
pour Balbec. Elle affaiblit mais stabilise, elle amène la
désagrégation mais la fait durer indéfiniment. Chaque jour
depuis des années je calquais tant bien que mal mon état
d'âme sur celui de la veille. À Balbec un lit nouveau, à
côté duquel on m'apportait le matin un petit déjeuner
différent de celui de Paris, ne devait plus soutenir les
pensées dont s'était nourri mon amour pour Gilberte : il
y a des cas (assez rares il est vrai) où la sédentarité
immobilisant les jours, le meilleur moyen de gagner du
temps, c'est de changer de place. Mon voyage à Balbec
fut comme la première sortie d'un convalescent qui
n'attendait plus qu'elle pour s'apercevoir qu'il est guéri[1].

Ce voyage, on le ferait sans doute aujourd'hui en
automobile, croyant le rendre ainsi plus agréable. On verra
qu'accompli de cette façon, il serait même en un sens plus
vrai puisqu'on y suivrait de plus près, dans une intimité
plus étroite, les diverses gradations par lesquelles change
la surface de la terre[a]. Mais enfin le plaisir spécifique du
voyage n'est pas de pouvoir descendre en route et s'arrêter
quand on est fatigué, c'est de rendre la différence entre
le départ et l'arrivée non pas aussi insensible, mais aussi
profonde qu'on peut, de la ressentir dans sa totalité,
intacte, telle qu'elle était dans notre pensée quand[b] notre
imagination nous portait du lieu où nous vivions jusqu'au
cœur d'un lieu désiré, en un bond qui nous semblait moins
miraculeux parce qu'il franchissait une distance que parce
qu'il unissait deux individualités distinctes de la terre, qu'il
nous menait d'un nom à un autre nom, et que schématise
(mieux qu'une promenade où, comme on débarque où l'on
veut, il n'y a guère plus d'arrivée) l'opération mystérieuse
qui s'accomplissait dans ces lieux spéciaux, les gares,
lesquels ne font pas partie pour ainsi dire de la ville[c] mais
contiennent l'essence de sa personnalité de même que sur
un écriteau signalétique elles portent son nom.

Mais en tout genre, notre temps a la manie de vouloir
ne montrer les choses qu'avec ce qui les entoure dans la
réalité, et par là de supprimer l'essentiel, l'acte de l'esprit
qui les isola d'elle. On « présente » un tableau au milieu
de meubles, de bibelots, de tentures de la même époque,

fade décor qu'excelle à composer dans les hôtels d'aujourd'hui la maîtresse de maison la plus ignorante la veille, passant maintenant ses journées dans les archives et les bibliothèques et au milieu duquel le chef-d'œuvre qu'on regarde tout en dînant ne nous donne pas la même enivrante joie qu'on ne doit lui demander que dans une salle de musée, laquelle symbolise bien mieux par sa nudité et son dépouillement de toutes particularités, les espaces intérieurs où l'artiste s'est abstrait pour créer[1].

Malheureusement ces lieux merveilleux que sont les gares, d'où l'on part pour une destination éloignée, sont aussi des lieux tragiques, car si le miracle s'y accomplit grâce auquel les pays qui n'avaient encore d'existence que dans notre pensée vont être ceux au milieu desquels nous vivrons, pour cette raison même il faut renoncer, au sortir de la salle d'attente, à retrouver tout à l'heure la chambre familière où l'on était il y a un instant encore. Il faut laisser toute espérance de rentrer coucher chez soi, une fois qu'on s'est décidé à pénétrer dans l'antre empesté par où l'on accède au mystère, dans un de ces grands ateliers vitrés, comme celui de Saint-Lazare où j'allai chercher le train de Balbec, et qui déployait au-dessus de la ville éventrée un de ces immenses ciels crus et gros de menaces amoncelées de drame, pareils à certains ciels, d'une modernité presque parisienne, de Mantegna ou de Véronèse, et sous lequel ne pouvait s'accomplir que quelque acte terrible et solennel comme un départ en chemin de fer ou l'érection de la Croix[2].

Tant que je m'étais contenté d'apercevoir du fond de mon lit de Paris l'église persane de Balbec au milieu des flocons de la tempête, aucune objection à ce voyage n'avait été faite par mon corps. Elles avaient commencé seulement quand il avait compris qu'il serait de la partie et que le soir de l'arrivée on me conduirait à « ma » chambre[3] qui lui serait inconnue. Sa révolte était d'autant plus profonde que la veille même du départ j'avais appris que ma mère ne nous accompagnerait pas, mon père, retenu au ministère jusqu'au moment où il partirait pour l'Espagne avec M. de Norpois[4], ayant préféré louer une maison dans les environs de Paris. D'ailleurs la contemplation de Balbec ne me semblait pas moins désirable parce qu'il fallait l'acheter au prix d'un mal qui au contraire me semblait figurer et garantir la réalité de l'impression que j'allais chercher, impression que n'aurait remplacée aucun spectacle prétendu équivalent, aucun « panorama » que j'eusse pu aller voir sans être empêché par cela même de rentrer dormir dans mon lit. Ce n'était pas la première fois que je sentais que ceux qui aiment et ceux qui ont du plaisir ne sont pas les mêmes. Je croyais désirer aussi profondément Balbec que le docteur qui me soignait et qui me dit s'étonnant, le matin du départ, de mon air malheureux : « Je vous réponds que si je pouvais seulement trouver huit jours pour aller prendre le frais au bord de la mer, je ne me ferais pas prier. Vous allez avoir les courses, les régates, ce sera exquis. » Pour moi j'avais déjà appris et même bien avant d'aller entendre la Berma, que quelle que fût la chose que j'aimerais, elle ne serait jamais placée qu'au terme d'une poursuite douloureuse au cours de laquelle il me faudrait d'abord sacrifier mon plaisir à ce bien suprême, au lieu de l'y chercher.

Ma grand-mère concevait naturellement notre départ d'une façon un peu différente et toujours aussi désireuse qu'autrefois de donner aux présents qu'on me faisait un caractère artistique, avait voulu, pour m'offrir de ce voyage une « épreuve » en partie ancienne, que nous refissions moitié[a] en chemin de fer, moitié en voiture le trajet qu'avait suivi Mme de Sévigné quand elle était allée de Paris à « L'Orient » en passant par Chaulnes et par « le Pont-Audemer[1] ». Mais ma grand-mère avait été obligée[b] de renoncer à ce projet, sur la défense de mon père, qui savait, quand elle organisait un déplacement en vue de lui faire rendre tout le profit intellectuel qu'il pouvait comporter, combien on pouvait pronostiquer de trains manqués, de bagages perdus, de maux de gorge et de contraventions. Elle se réjouissait du moins à la pensée que jamais au moment d'aller sur la plage, nous ne serions exposés à en être empêchés par la survenue de ce que sa chère Sévigné appelle une chienne de carrossée[2], puisque nous ne connaîtrions personne à Balbec, Legrandin ne nous ayant pas offert de lettre d'introduction pour sa sœur. (Abstention qui n'avait pas été appréciée de même par mes tantes Céline et Victoire[3], lesquelles ayant connu jeune fille celle qu'elles n'avaient appelée jusqu'ici, pour marquer cette intimité d'autrefois, que « Renée de Cambremer », et possédant encore d'elle de ces cadeaux qui meublent une chambre et la conversation mais auxquels la réalité actuelle

ne correspond pas, croyaient venger notre affront en ne
prononçant plus jamais, chez Mme Legrandin mère, le nom
de sa fille, et se bornant à se congratuler une fois sorties
par des phrases comme : « Je n'ai pas fait allusion à qui
tu sais », « Je crois qu'*on* aura compris. »)

Donc nous partirions simplement de Paris par ce train
de une heure vingt-deux[1] que je m'étais plu trop longtemps
à chercher dans l'indicateur des chemins de fer où il me
donnait chaque fois l'émotion, presque la bienheureuse
illusion du départ, pour ne pas me figurer que je le
connaissais. Comme la détermination dans notre imagination des traits d'un bonheur tient plutôt à l'identité des
désirs qu'il nous inspire qu'à la précision des renseignements que nous avons sur lui, je croyais connaître celui-là
dans ses détails, et je ne doutais pas que j'éprouverais dans
le wagon un plaisir spécial quand la journée commencerait
à fraîchir, que je contemplerais tel effet à l'approche d'une
certaine station ; si bien que ce train réveillant toujours
en moi les images des mêmes villes que j'enveloppais dans
la lumière de ces heures de l'après-midi qu'il traverse, me
semblait différent de tous les autres trains ; et j'avais fini,
comme on fait souvent pour un être qu'on n'a jamais vu
mais dont on se plaît à s'imaginer qu'on a conquis l'amitié,
par donner une physionomie particulière et immuable à
ce voyageur artiste et blond qui m'aurait emmené sur sa
route, et à qui j'aurais dit adieu au pied de la cathédrale
de Saint-Lô[2], avant qu'il se fût éloigné vers le couchant.

Comme ma grand-mère[a] ne pouvait se résoudre à aller
« tout bêtement » à Balbec, elle s'arrêterait vingt-quatre
heures chez une de ses amies, de chez laquelle je repartirais
le soir même pour ne pas déranger, et aussi de façon à
voir dans la journée du lendemain l'église de Balbec, qui,
avions-nous appris, était assez éloignée de Balbec-Plage,
et où je ne pourrais peut-être pas aller ensuite au début
de mon traitement de bains. Et peut-être était-il moins
pénible pour moi de sentir l'objet admirable de mon
voyage placé avant la cruelle première nuit où j'entrerais
dans une demeure nouvelle et accepterais d'y vivre. Mais
il avait fallu d'abord quitter l'ancienne ; ma mère avait
arrangé de s'installer ce jour-là même à Saint-Cloud, et elle
avait pris, ou feint de prendre, toutes ses dispositions pour
y aller directement après nous avoir conduits à la gare,
sans avoir à repasser par la maison où elle craignait que

je ne voulusse, au lieu de partir pour Balbec, rentrer avec elle. Et même, sous le prétexte d'avoir beaucoup à faire dans la maison qu'elle venait de louer et d'être à court de temps, en réalité pour m'éviter la cruauté de ce genre d'adieux, elle avait décidé de ne pas rester avec nous jusqu'à ce départ du train où, dissimulée auparavant dans des allées et venues et des préparatifs qui n'engagent pas définitivement, une séparation apparaît brusquement impossible à souffrir, alors qu'elle n'est déjà plus possible à éviter, concentrée tout entière dans un instant immense de lucidité impuissante et suprême.

Pour la première fois je sentais qu'il était possible que ma mère vécût sans moi, autrement que pour moi, d'une autre vie. Elle allait habiter de son côté avec mon père à qui peut-être elle trouvait que ma mauvaise santé, ma nervosité, rendaient l'existence un peu compliquée et triste. Cette séparation me désolait davantage parce que je me disais qu'elle était probablement pour ma mère le terme des déceptions successives que je lui avais causées, qu'elle m'avait tues et après lesquelles elle avait compris la difficulté de vacances communes ; et peut-être aussi le premier essai d'une existence à laquelle elle commençait à se résigner pour l'avenir, au fur et à mesure que les années viendraient pour mon père et pour elle, d'une existence où je la verrais moins, où, ce qui même dans mes cauchemars ne m'était jamais apparu, elle serait déjà pour moi un peu étrangère, une dame qu'on verrait rentrer seule dans une maison où je ne serais pas, demandant au concierge s'il n'y avait pas de lettres de moi.

Je pus à peine répondre à l'employé qui voulut me prendre ma valise. Ma mère[a] essayait pour me consoler des moyens qui lui paraissaient les plus efficaces. Elle croyait inutile d'avoir l'air de ne pas voir mon chagrin, elle le plaisantait doucement :

« Eh bien, qu'est-ce que dirait l'église de Balbec si elle savait que c'est avec cet air malheureux qu'on s'apprête à aller la voir ? Est-ce cela le voyageur ravi dont parle Ruskin[1] ? D'ailleurs, je saurai si tu as été à la hauteur des circonstances, même loin je serai encore avec mon petit loup. Tu auras demain une lettre de ta maman.

— Ma fille, dit ma grand-mère, je te vois comme Mme de Sévigné, une carte devant les yeux et ne nous quittant pas un instant[2]. »

Puis maman cherchait à me distraire, elle me demandait ce que je commanderais pour dîner, elle admirait Françoise, lui faisait compliment d'un chapeau et d'un manteau qu'elle ne reconnaissait pas, bien qu'ils eussent jadis excité son horreur quand elle les avait vus neufs sur ma grand-tante, l'un[a] avec l'immense oiseau qui le surmontait, l'autre surchargé de dessins affreux et de jais. Mais le manteau étant hors d'usage, Françoise l'avait fait retourner et exhibait un envers de drap uni d'un beau ton. Quant à l'oiseau, il y avait longtemps que, cassé, il avait été mis au rancart. Et, de même qu'il est quelquefois[b] troublant de rencontrer les raffinements vers lesquels les artistes les plus conscients s'efforcent, dans une chanson populaire, à la façade de quelque maison de paysan qui fait épanouir au-dessus de la porte une rose blanche ou soufrée juste à la place qu'il fallait — de même le nœud de velours, la coque de ruban qui eussent ravi dans un portrait de Chardin ou de Whistler[1], Françoise les avait placés avec un goût infaillible et naïf sur le chapeau devenu charmant.

Pour remonter à un temps plus ancien, la modestie et l'honnêteté qui donnaient souvent de la noblesse au visage de notre vieille servante ayant gagné les vêtements que, en femme réservée mais sans bassesse, qui sait « tenir son rang et garder sa place », elle avait revêtus pour le voyage afin d'être digne d'être vue avec nous sans avoir l'air de chercher à se faire voir, Françoise, dans le drap cerise mais passé de son manteau et les poils sans rudesse de son collet de fourrure, faisait penser à quelqu'une de ces images d'Anne de Bretagne peintes dans des livres d'heures par un vieux maître[2], et dans lesquelles tout est si bien en place, le sentiment de l'ensemble s'est si également répandu dans toutes les parties que la riche et désuète singularité du costume exprime la même gravité pieuse que les yeux, les lèvres et les mains.

On[c] n'aurait pu parler de pensée à propos de Françoise. Elle ne savait rien, dans ce sens total où ne rien savoir équivaut à ne rien comprendre, sauf les rares vérités que le cœur est capable d'atteindre directement. Le monde immense des idées n'existait pas pour elle. Mais devant la clarté de son regard, devant les lignes délicates de ce nez, de ces lèvres, devant tous ces témoignages absents de tant d'êtres cultivés chez qui ils eussent signifié la distinction suprême, le noble détachement d'un esprit d'élite, on était troublé comme devant le regard intelligent et bon d'un chien à qui on sait pourtant que sont étrangères toutes les conceptions des hommes, et on pouvait se demander s'il n'y a pas parmi ces autres humbles frères, les paysans, des êtres qui sont comme les hommes supérieurs du monde des simples d'esprit, ou plutôt qui, condamnés par une injuste destinée à vivre parmi les simples d'esprit, privés de lumière, mais pourtant plus naturellement, plus essentiellement apparentés aux natures d'élite que ne le sont la plupart des gens instruits, sont comme des membres dispersés, égarés, privés de raison, de la famille sainte, des parents, restés en enfance, des plus hautes intelligences, et auxquels — comme il apparaît dans la lueur impossible à méconnaître de leurs yeux où pourtant elle ne s'applique à rien — il n'a manqué, pour avoir du talent, que du savoir.

Ma mère, voyant que j'avais peine à contenir mes larmes, me disait : « Régulus avait coutume dans les grandes circonstances[1]... Et puis ce n'est pas gentil pour ta maman. Citons Mme de Sévigné, comme ta grand-mère : "Je vais être obligée de me servir de tout le courage que tu n'as pas[2]". » Et se rappelant[a] que l'affection pour autrui détourne des douleurs égoïstes, elle tâchait de me faire plaisir en me disant qu'elle croyait que son trajet de Saint-Cloud s'effectuerait bien, qu'elle était contente du fiacre qu'elle avait gardé, que le cocher était poli et la voiture confortable. Je m'efforçais de sourire à ces détails et j'inclinais la tête d'un air d'acquiescement et de satisfaction. Mais ils ne m'aidaient qu'à me représenter avec plus de vérité le départ de maman et c'est le cœur serré que je la regardais comme si elle était déjà séparée de moi, sous ce chapeau de paille rond qu'elle avait acheté pour la campagne, dans une robe légère qu'elle avait mise à cause de cette longue course par la pleine chaleur, et qui la faisaient autre, appartenant déjà à la villa de « Montretout[3] » où je[b] ne la verrais pas.

Pour éviter les crises de suffocation que me donnerait le voyage, le médecin m'avait conseillé de prendre au moment du départ un peu trop de bière ou de cognac, afin[c] d'être dans cet état qu'il appelait « euphorie », où le système nerveux est momentanément moins vulnérable. J'étais encore incertain si je le ferais, mais je voulais au

moins que ma grand-mère reconnût qu'au cas où je m'y
déciderais, j'aurais pour moi le droit et la sagesse. Aussi
j'en parlais comme si mon hésitation ne portait que sur
l'endroit où je boirais de l'alcool, buffet[a] ou wagon-bar.
Mais aussitôt, à l'air de blâme que prit le visage de ma
grand-mère et de ne pas même vouloir s'arrêter à cette
idée : « Comment », m'écriai-je, me résolvant soudain à
cette action d'aller boire, dont l'exécution devenait
nécessaire à prouver ma liberté puisque son annonce
verbale n'avait pu passer sans protestation, « comment,
tu sais combien je suis malade, tu sais ce que le médecin
m'a dit, et voilà le conseil que tu me donnes ! »

Quand j'eus expliqué mon malaise à ma grand-mère,
elle eut un air si désolé[b], si bon, en répondant : « Mais
alors, va vite chercher de la bière ou une liqueur, si cela[c]
doit te faire du bien » que je me jetai sur elle et la couvris
de baisers. Et si[d] j'allai cependant boire beaucoup trop dans
le bar du train, ce fut parce que je sentais que sans cela
j'aurais un accès trop violent et que c'est encore ce qui
la peinerait le plus. Quand[e], à la première station, je
remontai dans notre wagon, je dis à ma grand-mère
combien j'étais heureux d'aller à Balbec, que je sentais
que tout s'arrangerait bien, qu'au fond je m'habituerais
vite à être loin de maman, que ce train était agréable,
l'homme du bar et les employés si charmants que j'aurais
voulu refaire souvent ce trajet pour avoir la possibilité de
les revoir. Ma grand-mère cependant ne paraissait pas
éprouver la même joie que moi de toutes ces bonnes
nouvelles. Elle me répondit en évitant de me regarder :
« Tu devrais peut-être essayer de dormir un peu », et
tourna les yeux vers la fenêtre dont nous avions abaissé
le rideau qui ne remplissait pas tout le cadre de la vitre,
de sorte que le soleil pouvait glisser sur le chêne ciré de
la portière et le drap de la banquette (comme une réclame
beaucoup plus persuasive pour une vie mêlée à la nature
que celles accrochées trop haut dans le wagon, par les soins
de la Compagnie, et représentant des paysages dont je ne
pouvais pas lire les noms) la même clarté tiède et dormante
qui faisait la sieste dans les clairières.

Mais quand[f] ma grand-mère croyait que j'avais les yeux
fermés, je la voyais par moments sous son voile à gros
pois jeter un regard sur moi puis le retirer, puis
recommencer, comme quelqu'un qui cherche à s'efforcer,

pour s'y habituer, à un exercice qui lui est pénible.

Alors je lui parlais, mais cela ne semblait pas lui être agréable. Et à moi pourtant ma propre voix me donnait du plaisir, et de même les mouvements les plus insensibles, les plus intérieurs de mon corps. Aussi je tâchais de les faire durer, je laissais chacune de mes inflexions s'attarder longtemps aux mots, je sentais chacun de mes regards se trouver bien là où il s'était posé et y rester au-delà du temps habituel. « Allons, repose-toi, me dit ma grand-mère. Si tu ne peux pas dormir, lis quelque chose. » Et elle me passa un volume de Mme de Sévigné que j'ouvris, pendant qu'elle-même s'absorbait dans les *Mémoires* de Mme de Beausergent[1]. Elle ne voyageait jamais sans un tome de l'une et de l'autre. C'était ses deux auteurs de prédilection. Ne bougeant pas volontiers ma tête en ce moment et éprouvant un grand plaisir à garder une position une fois que je l'avais prise, je restai à tenir le volume de Mme de Sévigné sans l'ouvrir, et je n'abaissai pas sur lui mon regard qui n'avait devant lui que le store bleu de la fenêtre. Mais contempler ce store me paraissait admirable et je n'eusse pas pris la peine de répondre à qui eût voulu me détourner de ma contemplation. La couleur bleue du store me semblait non peut-être par sa beauté mais par sa vivacité intense, effacer à tel point toutes les couleurs qui avaient été devant mes yeux depuis le jour de ma naissance jusqu'au moment où j'avais fini d'avaler ma boisson et où elle avait commencé de faire son effet, qu'à côté de ce bleu du store, elles étaient pour moi aussi ternes, aussi nulles, que peut l'être rétrospectivement l'obscurité où ils ont vécu pour les aveugles-nés qu'on opère sur le tard et qui voient enfin les couleurs. Un vieil employé vint nous demander nos billets. Les reflets argentés qu'avaient les boutons en métal de sa tunique ne laissèrent pas de me charmer. Je voulus lui demander de s'asseoir à côté de nous. Mais il passa dans un autre wagon, et je songeai avec nostalgie à la vie des cheminots, lesquels, passant tout leur temps en chemin de fer, ne devaient guère manquer un seul jour de voir ce vieil employé[2]. Le plaisir que j'éprouvais à regarder le store bleu et à sentir que ma bouche était à demi ouverte commença enfin à diminuer. Je devins plus mobile ; je remuai un peu ; j'ouvris le volume que ma grand-mère m'avait tendu et je pus fixer mon attention sur les pages que je choisis çà et là. Tout en lisant je sentais grandir mon admiration pour Mme de Sévigné.

Il ne faut pas se laisser tromper par des particularités purement formelles qui tiennent à l'époque, à la vie de salon et qui font que certaines personnes croient qu'elles ont fait leur Sévigné quand elles ont dit : « Mandez-moi, ma bonne » ou « Ce comte me parut avoir bien de l'esprit », ou « Faner est la plus jolie chose du monde ». Déjà Mme de Simiane s'imagine ressembler à sa grand-mère, parce qu'elle écrit : « M. de la Boulie se porte à merveille, Monsieur, et il est fort en état d'entendre des nouvelles de sa mort », ou « Oh ! mon cher marquis, que votre lettre me plaît ! Le moyen de ne pas y répondre », ou encore : « Il me semble, Monsieur, que vous me devez une réponse, et moi des tabatières de bergamote. Je m'en acquitte pour huit, il en viendra d'autres... ; jamais la terre n'en avait tant porté. C'est apparemment pour vous plaire. » Et elle écrit dans ce même genre la lettre sur la saignée, sur les citrons, etc., qu'elle se figure être des lettres de Mme de Sévigné[1]. Mais ma grand-mère qui était venue à celle-ci par le dedans, par l'amour pour les siens, pour la nature, m'avait appris à en aimer les vraies beautés, qui sont tout autres. Elles devaient bientôt me frapper d'autant plus que Mme de Sévigné est une grande artiste de la même famille qu'un peintre que j'allais rencontrer à Balbec et qui eut une influence si profonde sur ma vision des choses, Elstir[2]. Je me rendis compte à Balbec que c'est de la même façon que lui qu'elle nous présente les choses, dans l'ordre de nos perceptions, au lieu de les expliquer d'abord par leur cause. Mais déjà cet après-midi là, dans ce wagon, en relisant la lettre où apparaît le clair de lune : « Je ne pus résister à la tentation, je mets toutes mes coiffes et casaques qui n'étaient pas nécessaires, je vais dans ce mail dont l'air est bon comme celui de ma chambre ; je trouve mille coquecigrues, *des moines blancs et noirs, plusieurs religieuses grises et blanches, du linge jeté par-ci par-là, des hommes ensevelis tout droits contre des arbres,* etc.[3] », je fus ravi par ce que j'eusse appelé un peu plus tard (ne peint-elle pas les paysages de la même façon que lui, les caractères ?) le côté Dostoïevski des *Lettres de Madame de Sévigné.*

Quand le soir[a], après avoir conduit ma grand-mère et être resté quelques heures chez son amie, j'eus repris seul

le train, du moins je ne trouvai pas pénible la nuit qui
vint ; c'est que je n'avais pas à la passer dans la prison d'une
chambre dont l'ensommeillement me tiendrait éveillé ;
j'étais entouré par la calmante activité de tous ces
mouvements du train, qui me tenaient compagnie,
s'offraient à causer avec moi si je ne trouvais pas le
sommeil, me berçaient de leurs bruits que j'accouplais
comme le son des cloches à Combray tantôt sur un rythme
tantôt sur un autre (entendant selon ma fantaisie d'abord
quatre doubles croches égales, puis une double croche
furieusement précipitée contre une noire) ; ils neutralisaient la force centrifuge de mon insomnie en exerçant
sur elle des pressions contraires qui me maintenaient en
équilibre et sur lesquelles mon immobilité et bientôt mon
sommeil se sentirent portés avec la même impression
rafraîchissante que m'aurait donnée un repos dû à la
vigilance de forces puissantes au sein de la nature et de
la vie, si j'avais pu pour un moment m'incarner en quelque
poisson qui dort dans la mer, promené dans son
assoupissement par les courants et la vague, ou en quelque
aigle étendu sur le seul appui de la tempête.

Les levers de soleil sont un accompagnement des longs
voyages en chemin de fer, comme les œufs durs, les
journaux illustrés, les jeux de cartes, les rivières où des
barques s'évertuent sans avancer. À un moment[a] où je
dénombrais les pensées qui avaient rempli mon esprit
pendant les minutes précédentes, pour me rendre compte
si je venais ou non de dormir (et où l'incertitude même
qui me faisait me poser la question était en train de me
fournir une réponse affirmative), dans le carreau de la
fenêtre, au-dessus d'un petit bois noir, je vis des nuages
échancrés dont le doux duvet était d'un rose fixé, mort,
qui ne changera plus, comme celui qui teint les plumes
de l'aile qui l'a assimilé ou le pastel sur lequel l'a déposé
la fantaisie du peintre. Mais je sentais qu'au contraire cette
couleur n'était ni inertie, ni caprice, mais nécessité et vie.
Bientôt s'amoncelèrent derrière elle des réserves de
lumière. Elle s'aviva, le ciel devint d'un incarnat que je
tâchais, en collant mes yeux à la vitre, de mieux voir car
je le sentais en rapport avec l'existence profonde de la
nature, mais la ligne du chemin de fer ayant changé de
direction, le train tourna, la scène matinale fut remplacée
dans le cadre de la fenêtre par un village nocturne aux

toits bleus de clair de lune, avec un lavoir encrassé de la
nacre opaline de la nuit, sous un ciel encore semé de toutes
ses étoiles, et je me désolais d'avoir perdu ma bande de
ciel rose quand je l'aperçus de nouveau, mais rouge cette
fois, dans la fenêtre d'en face qu'elle abandonna à un
deuxième coude de la voie ferrée ; si bien que je passais
mon temps à courir d'une fenêtre à l'autre pour
rapprocher, pour rentoiler les fragments intermittents et
opposites de mon beau matin écarlate et versatile et en
avoir une vue totale et un tableau continu.

Le paysage[a] devint accidenté, abrupt, le train s'arrêta
à une petite gare entre deux montagnes[1]. On ne voyait
au fond de la gorge, au bord du torrent, qu'une maison
de garde enfoncée dans l'eau qui coulait au ras des
fenêtres. Si un être peut être le produit d'un sol dont on
goûte en lui le charme particulier, plus encore que la
paysanne que j'avais tant désiré voir apparaître quand
j'errais seul du côté de Méséglise, dans les bois de
Roussainville, ce devait[b] être la grande fille que je vis sortir
de cette maison et, sur le sentier qu'illuminait obliquement
le soleil levant, venir vers la gare en portant une jarre de
lait. Dans la vallée à qui ces hauteurs cachaient le reste
du monde, elle ne devait jamais voir personne que dans
ces trains qui ne s'arrêtaient qu'un instant. Elle longea les
wagons, offrant du café au lait à quelques voyageurs
réveillés. Empourpré des reflets du matin, son visage était
plus rose que le ciel. Je ressentis devant elle ce désir de
vivre qui renaît en nous chaque fois que nous prenons
de nouveau conscience de la beauté et du bonheur. Nous
oublions toujours qu'ils sont individuels et, leur substituant
dans notre esprit un type de convention que nous formons
en faisant une sorte de moyenne entre les différents visages
qui nous ont plu, entre les plaisirs que nous avons connus,
nous n'avons que des images abstraites qui sont languis-
santes et fades parce qu'il leur manque précisément ce
caractère d'une chose nouvelle, différente de ce que nous
avons connu, ce caractère qui est propre à la beauté et
au bonheur. Et nous portons sur la vie un jugement
pessimiste et que nous supposons juste, car nous avons cru
y faire entrer en ligne de compte le bonheur et la beauté,
quand nous les avons omis et remplacés par des synthèses
où d'eux il n'y a pas un seul atome. C'est ainsi que bâille
d'avance d'ennui un lettré à qui on parle d'un nouveau

« beau livre », parce qu'il imagine une sorte de composé de tous les beaux livres qu'il a lus, tandis qu'un beau livre est particulier, imprévisible, et n'est pas fait de la somme de tous les chefs-d'œuvre précédents mais de quelque chose que s'être parfaitement assimilé cette somme ne suffit nullement à faire trouver, car c'est justement en dehors d'elle. Dès qu'il a eu connaissance de cette nouvelle œuvre, le lettré*[a]*, tout à l'heure blasé, se sent de l'intérêt pour la réalité qu'elle dépeint. Telle, étrangère aux modèles de beauté que dessinait ma pensée quand je me trouvais seul, la belle fille me donna aussitôt le goût d'un certain bonheur (seule forme, toujours particulière, sous laquelle nous puissions connaître le goût du bonheur), d'un bonheur qui se réaliserait en vivant auprès d'elle. Mais ici encore la cessation momentanée de l'Habitude agissait pour une grande part. Je faisais bénéficier la marchande de lait de ce que c'était mon être au complet, apte à goûter de vives jouissances, qui était en face d'elle. C'est d'ordinaire avec notre être réduit au minimum que nous vivons ; la plupart de nos facultés restent endormies, parce qu'elles se reposent sur l'habitude qui sait ce qu'il y a à faire et n'a pas besoin d'elles. Mais par ce matin de voyage l'interruption de la routine de mon existence, le changement de lieu et d'heure avaient rendu leur présence indispensable. Mon habitude qui était sédentaire et n'était pas matinale, faisait défaut, et toutes mes facultés étaient accourues pour la remplacer, rivalisant entre elles de zèle — s'élevant toutes, comme des vagues, à un même niveau inaccoutumé — de la plus basse à la plus noble, de la respiration, de l'appétit, et de la circulation sanguine à la sensibilité et à l'imagination. Je ne sais si, en me faisant croire que cette fille n'était pas pareille aux autres femmes, le charme sauvage de ces lieux ajoutait au sien, mais elle le leur rendait. La vie m'aurait paru délicieuse si seulement j'avais pu, heure par heure, la passer avec elle, l'accompagner jusqu'au torrent, jusqu'à la vache, jusqu'au train, être toujours à ses côtés, me sentir connu d'elle, ayant ma place dans sa pensée. Elle m'aurait initié aux charmes de la vie rustique et des premières heures du jour. Je lui fis signe qu'elle vînt me donner du café au lait. J'avais besoin d'être remarqué d'elle. Elle ne me vit pas, je l'appelai. Au-dessus de son corps très grand, le teint de sa figure était si doré et si rose qu'elle avait l'air d'être vue à travers un vitrail

illuminé[1]. Elle revint sur ses pas, je ne pouvais détacher
mes yeux de son visage de plus en plus large, pareil à un
soleil qu'on pourrait fixer et qui s'approcherait jusqu'à
venir tout près de vous, se laissant regarder de près, vous
éblouissant d'or et de rouge. Elle posa sur moi son regard
perçant, mais comme les employés fermaient les portières,
le train se mit en marche ; je la vis quitter la gare et
reprendre le sentier, il faisait grand jour maintenant : je
m'éloignais de l'aurore. Que mon exaltation eût été
produite par cette fille, ou au contraire eût causé la plus
grande partie du plaisir que j'avais eu à me trouver près
d'elle, en tout cas elle était si mêlée à lui que mon désir
de la revoir était avant tout le désir moral de ne pas laisser
cet état d'excitation périr entièrement, de ne pas être
séparé à jamais de l'être qui y avait, même à son insu,
participé. Ce n'est pas seulement que cet état fût agréable.
C'est surtout que (comme la tension plus grande d'une
corde ou la vibration plus rapide d'un nerf produit une
sonorité ou une couleur différente) il donnait une autre
tonalité à ce que je voyais, il m'introduisait comme acteur
dans un univers inconnu et infiniment plus intéressant ;
cette belle fille que j'apercevais encore, tandis que le train
accélérait sa marche, c'était comme une partie d'une vie
autre que celle que je connaissais, séparée d'elle par un
liséré, et où les sensations qu'éveillaient les objets n'étaient
plus les mêmes, et d'où sortir maintenant eût été comme
mourir à moi-même. Pour avoir la douceur de me sentir
du moins rattaché à cette vie, il eût suffi que j'habitasse
assez près de la petite station pour pouvoir venir tous les
matins demander du café au lait à cette paysanne. Mais,
hélas ! elle serait toujours absente de l'autre vie vers
laquelle je m'en allais de plus en plus vite et que je ne
me résignais à accepter qu'en combinant des plans qui me
permettraient un jour de reprendre ce même train et de
m'arrêter à cette même gare, projet qui avait aussi
l'avantage de fournir un aliment à la disposition intéressée,
active, pratique, machinale, paresseuse, centrifuge qui est
celle de notre esprit car il se détourne volontiers de l'effort
qu'il faut pour approfondir en soi-même, d'une façon
générale et désintéressée, une impression agréable que
nous avons eue. Et comme d'autre part nous voulons
continuer à penser à elle, il préfère l'imaginer dans
l'avenir, préparer habilement les circonstances qui pour-

ront la faire renaître, ce qui ne nous apprend rien sur son essence, mais nous évite la fatigue de la recréer en nous-même et nous permet d'espérer la recevoir de nouveau du dehors[1].

Certains[a] noms de villes, Vézelay ou Chartres, Bourges[b2] ou Beauvais servent à désigner, par abréviation, leur église principale. Cette acception partielle où nous la prenons si souvent, finit — s'il s'agit de lieux que nous ne connaissons pas encore — par sculpter le nom tout entier qui dès lors, quand nous voudrons y faire entrer l'idée de la ville — de la ville que nous n'avons jamais vue, — lui imposera — comme un moule — les mêmes ciselures, et du même style, en fera une sorte de grande cathédrale. Ce fut pourtant à une station de chemin de fer, au-dessus d'un buffet, en lettres blanches sur un avertisseur bleu, que je lus le nom, presque de style persan, de Balbec. Je traversai vivement la gare et le boulevard qui y aboutissait, je demandai la grève pour ne voir que l'église et la mer ; on n'avait pas l'air de comprendre ce que je voulais dire. Balbec-le-Vieux, Balbec-en-Terre, où je me trouvais, n'était ni une plage ni un port. Certes, c'était bien dans la mer que les pêcheurs avaient trouvé, selon la légende, le Christ miraculeux dont un vitrail de cette église qui était à quelques mètres de moi racontait la découverte ; c'était bien de falaises battues par les flots qu'avait été tirée la pierre de la nef et des tours[3]. Mais cette mer, qu'à cause de cela j'avais imaginée venant mourir au pied du vitrail, était à plus de cinq lieues de distance, à Balbec-Plage, et, à côté de sa coupole, ce clocher que, parce que j'avais lu qu'il était lui-même une âpre falaise normande où s'amassaient les grains, où tournoyaient les oiseaux, je m'étais toujours représenté comme recevant à sa base la dernière écume des vagues soulevées, il se dressait sur une place où était l'embranchement de deux lignes de tramways, en face d'un café qui portait, écrit en lettres d'or, le mot « Billard[4] » ; il se détachait sur un fond de maisons aux toits desquelles[c] ne se mêlait aucun mât. Et l'église — entrant dans mon attention avec le café, avec le passant à qui il avait fallu demander mon chemin, avec la gare où j'allais retourner — faisait un avec tout le reste, semblait un accident, un produit de cette fin d'après-midi, dans laquelle la coupole moelleuse et gonflée sur le ciel était comme un fruit dont la même lumière qui baignait les cheminées des maisons, mûrissait la peau rose, dorée et fondante. Mais je ne voulus plus penser qu'à la signification éternelle des sculptures, quand je reconnus les Apôtres dont j'avais vu les statues moulées au musée du Trocadéro et qui des deux côtés de la Vierge, devant la baie profonde du porche, m'attendaient comme pour me faire honneur. La figure bienveillante, camuse et douce, le dos voûté, ils semblaient s'avancer d'un air de bienvenue en chantant l'*Alleluia* d'un beau jour. Mais on s'apercevait que leur expression était immuable comme celle d'un mort et ne se*a* modifiait que si on tournait autour d'eux. Je me disais : C'est ici, c'est l'église de Balbec. Cette place qui a l'air de savoir sa gloire, est le seul lieu du monde qui possède l'église de Balbec. Ce que j'ai vu jusqu'ici c'était des photographies de cette église, et, de ces Apôtres, de cette Vierge du porche si célèbres, les moulages seulement. Maintenant c'est l'église elle-même, c'est la statue elle-même, ce sont elles ; elles, les uniques, c'est bien plus*b*.

C'était moins aussi peut-être. Comme un jeune homme, un jour d'examen ou de duel, trouve le fait sur lequel on l'a interrogé, la balle qu'il a tirée, bien peu de chose quand il pense aux réserves de science et de courage qu'il possède et dont*c* il aurait voulu faire preuve, de même mon esprit qui avait dressé la Vierge du porche hors des reproductions que j'en avais eues sous les yeux, inaccessible aux vicissitudes qui pouvaient menacer celles-ci, intacte si on les détruisait, idéale, ayant une valeur universelle, s'étonnait de voir la statue qu'il avait mille fois sculptée réduite maintenant à sa propre apparence de pierre, occupant par rapport à la portée de mon bras une place où elle avait pour rivales une affiche électorale et la pointe de ma canne, enchaînée à la Place, inséparable du débouché de la grand-rue, ne pouvant fuir les regards du café et du bureau d'omnibus, recevant sur son visage la moitié du rayon de soleil couchant — et bientôt, dans quelques heures, de la clarté du réverbère — dont le bureau du Comptoir d'escompte recevait l'autre moitié, gagnée, en même temps que cette succursale d'un établissement de crédit, par le relent des cuisines du pâtissier, soumise à la tyrannie du Particulier au point que, si j'avais voulu tracer ma signature sur cette pierre, c'est elle, la Vierge illustre que jusque-là j'avais douée d'une existence générale et d'une intangible

beauté, la Vierge de Balbec, l'unique (ce qui, hélas !
voulait dire la seule), qui, sur son corps encrassé de la
même suie que les maisons voisines, aurait, sans pouvoir
s'en défaire, montré à tous les admirateurs venus là pour
la contempler, la trace de mon morceau de craie et les
lettres de mon nom, et c'était elle enfin, l'œuvre d'art
immortelle et si longtemps désirée, que je trouvais
métamorphosée, ainsi que l'église elle-même, en une petite
vieille de pierre dont je pouvais mesurer la hauteur et
compter les rides[1]. L'heure passait, il fallait retourner à
la gare où je devais attendre ma grand-mère et Françoise
pour gagner ensemble Balbec-Plage. Je me rappelais ce
que j'avais lu sur Balbec, les paroles de Swann : « C'est
délicieux, c'est aussi beau que Sienne. » Et n'accusant de
ma déception que des contingences, la mauvaise disposition où j'étais, ma fatigue, mon incapacité de savoir
regarder, j'essayais de me consoler en pensant qu'il restait
d'autres villes encore intactes pour moi, que je pourrais
prochainement peut-être pénétrer, comme au milieu d'une
pluie de perles, dans le frais gazouillis des égouttements
de Quimperlé, traverser le reflet verdissant et rose qui
baignait Pont-Aven[2] ; mais pour Balbec, dès que j'y étais
entré, ç'avait été comme si j'avais entrouvert un nom, qu'il
eût fallu tenir hermétiquement clos et où, profitant de
l'issue que je leur avais imprudemment offerte en chassant
toutes les images qui y vivaient jusque-là, un tramway, un
café, les gens qui passaient sur la place, la succursale du
Comptoir d'escompte, irrésistiblement poussés par une
pression externe et une force pneumatique, s'étaient
engouffrés à l'intérieur des syllabes qui, refermées sur eux,
les laissaient maintenant encadrer le porche de l'église
persane et ne cesseraient plus de les contenir.

Dans le petit chemin de fer d'intérêt local qui devait
nous conduire à Balbec-Plage, je retrouvai ma grand-mère,
mais l'y retrouvai seule — car elle avait imaginé de faire
partir avant elle pour que tout fût préparé d'avance (mais
lui ayant donné un renseignement faux n'avait réussi qu'à
faire partir dans une mauvaise direction) Françoise qui en
ce moment sans s'en douter filait à toute vitesse sur Nantes
et se réveillerait peut-être à Bordeaux. À peine fus-je assis
dans le wagon rempli par la lumière fugitive du couchant
et par la chaleur persistante de l'après-midi (la première,
hélas ! me permettant de voir en plein sur le visage de

ma grand-mère combien la seconde l'avait fatiguée), elle
me demanda : « Hé bien, Balbec ? » avec un sourire si
ardemment éclairé par l'espérance du grand plaisir qu'elle
pensait que j'avais éprouvé, que je n'osai pas lui avouer
tout d'un coup ma déception. D'ailleurs, l'impression que
mon esprit avait recherchée m'occupait au fur et
à mesure que se rapprochait le lieu auquel mon corps aurait
à s'accoutumer[a]. Au terme, encore éloigné de plus d'une
heure, de ce trajet, je cherchais à imaginer le directeur
de l'hôtel de Balbec pour qui j'étais, en ce moment,
inexistant et j'aurais voulu me présenter à lui dans une
compagnie plus prestigieuse que celle de ma grand-mère
qui allait certainement lui demander des rabais. Il
m'apparaissait empreint d'une morgue certaine, mais très
vague de contours.

À tout moment le petit chemin de fer nous arrêtait à
l'une des stations qui précédaient Balbec-Plage et dont les
noms mêmes (Incarville, Marcouville, Doville, Pont-à-
Couleuvre, Arambouville, Saint-Mars-le-Vieux, Hermonville, Maineville[1]) me semblaient[b] étranges, alors que lus
dans un livre ils auraient eu quelque rapport avec les noms
de certaines localités qui étaient voisines de Combray. Mais
à l'oreille d'un musicien deux motifs, matériellement
composés de plusieurs des mêmes notes, peuvent ne
présenter aucune ressemblance, s'ils diffèrent par la
couleur de l'harmonie et de l'orchestration. De même, rien
moins que ces tristes noms faits de sable, d'espace trop
aéré et vide, et de sel, au-dessus desquels le mot « ville »
s'échappait comme vole dans Pigeon-vole, ne me faisait
penser à ces autres noms de Roussainville ou de
Martinville qui, parce que je les avais entendu prononcer
si souvent par ma grand-tante à table, dans la « salle »,
avaient acquis un certain charme sombre où s'étaient
peut-être mélangés des extraits du goût des confitures, de
l'odeur du feu de bois et du papier d'un livre de Bergotte,
de la couleur de grès de la maison d'en face, et qui,
aujourd'hui encore, quand ils remontent comme une bulle
gazeuse du fond de ma mémoire, conservent leur vertu
spécifique à travers les couches superposées de milieux
différents qu'ils ont à franchir avant d'atteindre jusqu'à
la surface.

C'était, dominant la mer lointaine du haut de leur
dune ou s'accommodant déjà pour la nuit au pied de

collines d'un vert cru et d'une forme désobligeante,
comme celle du canapé d'une chambre d'hôtel où l'on
vient d'arriver, composées de quelques villas que prolongeait un terrain de tennis et quelquefois un casino dont
le drapeau claquait au vent fraîchissant, évidé et anxieux,
de petites stations qui me montraient pour la première fois
leurs hôtes habituels, mais me les montraient par leur
dehors — des joueurs de tennis en casquettes blanches, le
chef[a] de gare vivant là, près de ses tamaris et de ses roses,
une dame coiffée d'un « canotier », qui, décrivant le tracé
quotidien d'une vie que je ne connaîtrais jamais, rappelait
son lévrier qui s'attardait, et rentrait dans son chalet où
la lampe était déjà allumée — et qui blessaient cruellement
de ces images étrangement usuelles et dédaigneusement
familières mes regards inconnus et mon cœur dépaysé.
Mais combien ma souffrance s'aggrava quand nous eûmes
débarqué dans le hall du Grand-Hôtel de Balbec[1], en face
de l'escalier monumental qui imitait le marbre, et pendant
que ma grand-mère, sans souci d'accroître l'hostilité et le
mépris des étrangers au milieu desquels nous allions vivre,
discutait les « conditions » avec le directeur, sorte de
poussah à la figure et à la voix pleines de cicatrices (qu'avait
laissées l'extirpation sur l'une, de nombreux boutons, sur
l'autre des divers accents dus à des origines lointaines et
à une enfance cosmopolite), au smoking de mondain, au
regard de psychologue prenant généralement, à l'arrivée
de l'« omnibus », les grands seigneurs pour des râleux
et les rats d'hôtels pour des grands seigneurs ! Oubliant
sans doute que lui-même ne touchait pas cinq cents francs
d'appointements mensuels, il méprisait profondément les
personnes pour qui cinq cents francs, ou plutôt comme
il disait « vingt-cinq louis » est « une somme » et les
considérait comme faisant partie d'une race de parias à
qui n'était pas destiné le Grand-Hôtel. Il est vrai que dans
ce Palace même, il y avait des gens qui ne payaient pas
très cher tout en étant estimés du directeur, à condition
que celui-ci fût certain qu'ils regardaient à dépenser non
pas par pauvreté mais par avarice. Elle ne saurait en effet
rien ôter au prestige, puisqu'elle est un vice et peut par
conséquent se rencontrer dans toutes les situations sociales.
La situation sociale était la seule chose à laquelle le
directeur fît attention, la situation sociale, ou plutôt les
signes qui lui paraissaient impliquer qu'elle était élevée,

comme de ne pas se découvrir en entrant dans le hall, de
porter des knickerbockers, un paletot à taille, et de sortir
un cigare ceint de pourpre et d'or d'un étui en maroquin
écrasé (tous avantages, hélas ! qui me faisaient défaut). Il
émaillait ses propos commerciaux d'expressions choisies,
mais à contresens.

Tandis que j'entendais ma grand-mère, sans se froisser
qu'il l'écoutât son chapeau sur la tête et tout en sifflotant,
lui demander sur une intonation artificielle : « Et quels
sont... vos prix ?... Oh ! beaucoup trop élevés pour mon
petit budget », attendant sur une banquette, je me
réfugiais au plus profond de moi-même, je m'efforçais
d'émigrer dans des pensées éternelles, de ne laisser rien
de moi, rien de vivant, à la surface de mon corps
— insensibilisée comme l'est celle des animaux qui par
inhibition font les morts quand on les blesse —, afin de
ne pas trop souffrir dans ce lieu où mon manque total
d'habitude m'était rendu plus sensible encore par la vue
de celle que semblaient en avoir au même moment une
dame élégante à qui le directeur témoignait son respect
en prenant des familiarités avec le petit chien dont elle
était suivie, le jeune gandin qui, la plume au chapeau,
rentrait en demandant « s'il avait des lettres », tous ces
gens pour qui c'était regagner leur *home* que de gravir les
degrés en faux marbre. Et en même temps le regard de
Minos, Éaque et Rhadamante (regard dans lequel je
plongeai mon âme dépouillée, comme dans un inconnu
où plus rien ne la protégeait) me fut jeté sévèrement par
des messieurs qui, peu versés peut-être dans l'art de
« recevoir », portaient le titre de « chefs de réception » ;
plus loin, derrière un vitrage clos, des gens étaient assis
dans un salon de lecture pour la description duquel il
m'aurait fallu choisir dans le Dante tour à tour les couleurs
qu'il prête au Paradis et à l'Enfer, selon que je pensais
au bonheur des élus qui avaient le droit d'y lire en toute
tranquillité, ou à la terreur que m'eût causée ma
grand-mère si dans son insouci de ce genre d'impressions,
elle m'eût ordonné d'y pénétrer.

Mon impression*a* de solitude s'accrut encore un moment
après. Comme j'avais avoué à ma grand-mère que je n'étais
pas bien, que je croyais que nous allions être obligés de
revenir à Paris, sans protester elle avait dit qu'elle sortait
pour quelques emplettes, utiles aussi bien si nous partions

que si nous restions (et que je sus ensuite m'être toutes
destinées, Françoise ayant avec elle des affaires qui
m'eussent manqué[1]) ; en l'attendant j'étais allé faire[a] les
cent pas dans les rues encombrées d'une foule qui y
maintenait une chaleur d'appartement et où étaient encore
ouverts la boutique du coiffeur et le salon d'un pâtissier
chez lequel des habitués prenaient des glaces, devant la
statue de Duguay-Trouin[2]. Elle me causa à peu près autant
de plaisir que son image au milieu d'un « illustré » peut
en procurer au malade qui le feuillette dans le cabinet
d'attente d'un chirurgien. Je m'étonnais qu'il y eût des
gens assez différents de moi pour que, cette promenade
dans la ville, le directeur eût pu me la conseiller comme
une distraction, et aussi pour que le lieu de supplice qu'est
une demeure nouvelle pût paraître à certains « un séjour
de délices » comme disait le prospectus de l'hôtel qui
pouvait exagérer, mais pourtant s'adressait à toute une
clientèle dont il flattait les goûts. Il est vrai qu'il invoquait,
pour la faire venir au Grand-Hôtel de Balbec, non
seulement « la chère exquise » et le « coup d'œil féerique
des jardins du Casino », mais encore les « arrêts de Sa
Majesté la Mode, qu'on ne peut violer impunément sans
passer pour un béotien, ce à quoi aucun homme bien élevé
ne voudrait s'exposer ».

Le besoin que j'avais de ma grand-mère était grandi par
ma crainte de lui avoir causé une désillusion. Elle devait
être découragée, sentir que si je ne supportais pas cette
fatigue c'était à désespérer qu'aucun voyage pût me faire
du bien. Je me décidai[b] à rentrer l'attendre ; le directeur
vint lui-même pousser un bouton : et un personnage
encore inconnu de moi, qu'on appelait « lift » (et qui au
point le plus[c] haut de l'hôtel, là où serait le lanternon d'une
église normande, était installé comme un photographe
derrière son vitrage ou comme un organiste dans sa
chambre), se mit à descendre vers moi avec l'agilité d'un
écureuil domestique, industrieux et captif. Puis en glissant
de nouveau le long d'un pilier il m'entraîna à sa suite vers
le dôme de la nef commerciale. À chaque étage, des deux
côtés de petits escaliers de communication, se dépliaient
en éventails de sombres galeries, dans lesquelles, portant
un traversin, passait une femme de chambre. J'appliquais
à son visage rendu indécis par le crépuscule, le masque
de mes rêves les plus passionnés, mais lisais dans son regard

tourné vers moi l'horreur de mon néant. Cependant pour dissiper[a], au cours de l'interminable ascension, l'angoisse mortelle que j'éprouvais à traverser en silence le mystère de ce clair-obscur sans poésie, éclairé d'une seule rangée verticale de verrières que faisait l'unique water-closet de chaque étage, j'adressai la parole au jeune organiste, artisan de mon voyage et compagnon de ma captivité, lequel continuait à tirer les registres de son instrument et à pousser les tuyaux. Je m'excusai de tenir autant de place, de lui donner tellement de peine, et lui demandai si je ne le gênais pas dans l'exercice d'un art à l'endroit duquel, pour flatter le virtuose, je fis plus que manifester de la curiosité, je confessai ma prédilection. Mais il ne me répondit pas, soit étonnement de mes paroles, attention à son travail, souci de l'étiquette, dureté de son ouïe, respect du lieu, crainte du danger, paresse d'intelligence ou consigne du directeur.

Il n'est peut-être rien qui donne plus l'impression de la réalité de ce qui nous est extérieur, que le changement de la position, par rapport à nous, d'une personne même insignifiante, avant que nous l'ayons connue, et après. J'étais le même homme qui avait pris à la fin de l'après-midi le petit chemin de fer de Balbec, je portais en moi la même âme. Mais dans cette âme, à l'endroit où, à six heures, il y avait, avec l'impossibilité d'imaginer le directeur, le Palace, son personnel, une attente vague et craintive du moment où j'arriverais, se trouvaient maintenant les boutons extirpés dans la figure du directeur cosmopolite (en réalité naturalisé Monégasque, bien qu'il fût — comme il disait parce qu'il employait toujours des expressions qu'il croyait distinguées, sans s'apercevoir qu'elles étaient vicieuses — « d'originalité roumaine »), son geste[b] pour sonner le lift, le lift lui-même, toute une frise de personnages de guignol sortis de cette boîte de Pandore qu'était le Grand-Hôtel, indéniables, inamovibles, et comme tout ce qui est réalisé, stérilisants. Mais du moins ce changement dans lequel je n'étais pas intervenu me prouvait qu'il s'était passé quelque chose d'extérieur à moi — si dénuée d'intérêt que cette chose fût en soi — et j'étais comme le voyageur qui ayant eu le soleil devant lui en commençant une course, constate que les heures ont passé quand il le voit derrière lui. J'étais brisé par la fatigue, j'avais la fièvre, je me serais bien couché, mais je n'avais

rien de ce qu'il eût fallu pour cela. J'aurais voulu au moins
m'étendre un instant sur le lit, mais à quoi bon puisque
je n'aurais pu y faire trouver de repos à cet ensemble de
sensations qui est pour chacun de nous son corps conscient,
sinon son corps matériel, et puisque les objets inconnus
qui l'encerclaient, en le forçant à mettre ses perceptions
sur le pied permanent d'une défensive vigilante, auraient
maintenu mes regards, mon ouïe, tous mes sens, dans une
position aussi réduite et incommode (même si j'avais
allongé mes jambes) que celle du cardinal La Balue[1] dans
la cage où il ne pouvait ni se tenir debout ni s'asseoir.
C'est notre attention qui met des objets dans une chambre,
et l'habitude qui les en retire et nous y fait de la place[2].
De la place, il n'y en avait pas pour moi dans ma chambre
de Balbec (mienne de nom seulement), elle était pleine
de choses qui ne me connaissaient pas, me rendirent le
coup d'œil méfiant que je leur jetai et sans tenir aucun
compte de mon existence, témoignèrent que je dérangeais
le train-train de la leur. La pendule — alors qu'à la maison
je n'entendais la mienne que quelques secondes par
semaine, seulement quand je sortais d'une profonde
méditation — continua sans s'interrompre un instant à
tenir dans une langue inconnue des propos qui devaient
être désobligeants pour moi, car les grands rideaux violets
l'écoutaient sans répondre mais dans une attitude analogue
à celle des gens qui haussent les épaules pour montrer que
la vue d'un tiers les irrite. Ils donnaient à cette chambre
si haute[3] un caractère quasi historique qui eût pu la rendre
appropriée à l'assassinat du duc de Guise[4], et plus tard
à une visite de touristes conduits par un guide de l'agence
Cook[5], — mais nullement à mon sommeil. J'étais
tourmenté[a] par la présence de petites bibliothèques à
vitrines, qui couraient le long des murs, mais surtout par
une grande glace à pieds, arrêtée en travers de la pièce
et avant le départ de laquelle je sentais qu'il n'y aurait
pas pour moi de détente possible[6]. Je levais à tout moment
mes regards — que les objets de ma chambre de Paris
ne gênaient pas plus que ne faisaient mes propres
prunelles, car ils n'étaient plus que des annexes de mes
organes, un agrandissement de moi-même — vers le
plafond surélevé de ce belvédère situé[b] au sommet de
l'hôtel et que ma grand-mère avait choisi pour moi ; et,
jusque dans cette région plus intime que celle où nous

voyons et où nous entendons, dans cette région où nous éprouvons la qualité des odeurs, c'était presque à l'intérieur de mon moi que celle du vétiver venait pousser dans mes derniers retranchements son offensive, à laquelle j'opposais non sans fatigue la riposte inutile et incessante d'un reniflement alarmé. N'ayant plus d'univers, plus de chambre, plus de corps que menacé par les ennemis qui m'entouraient[1], qu'envahi jusque dans les os par la fièvre, j'étais seul, j'avais envie de mourir. Alors ma grand-mère entra ; et à l'expansion de mon cœur refoulé s'ouvrirent aussitôt des espaces infinis.

Elle portait une robe de chambre de percale qu'elle revêtait à la maison chaque fois que l'un de nous était malade (parce qu'elle s'y sentait plus à l'aise, disait-elle, attribuant toujours à ce qu'elle faisait des mobiles égoïstes), et qui était pour nous soigner, pour nous veiller, sa blouse de servante et de garde, son habit de religieuse. Mais tandis que les soins de celles-là, la bonté qu'elles ont, le mérite qu'on leur trouve et la reconnaissance qu'on leur doit, augmentent encore l'impression qu'on a d'être, pour elles, un autre, de se sentir seul, gardant pour soi la charge de ses pensées, de son propre désir de vivre, je savais, quand j'étais avec ma grand-mère, si grand chagrin qu'il y eût en moi, qu'il serait reçu dans une pitié plus vaste encore ; que tout ce qui était mien, mes soucis, mon vouloir, serait, en ma grand-mère, étayé sur un désir de conservation et d'accroissement de ma propre vie autrement fort que celui que j'avais moi-même ; et mes pensées se prolongeaient en elle sans subir de déviation parce qu'elles passaient de mon esprit dans le sien sans changer de milieu, de personne. Et — comme quelqu'un qui veut nouer sa cravate devant une glace sans comprendre que le bout qu'il voit n'est pas placé par rapport à lui du côté où il dirige sa main, ou comme un chien qui poursuit à terre l'ombre dansante d'un insecte — trompé par l'apparence du corps comme on l'est dans ce monde où nous ne percevons pas directement les âmes, je me jetai dans les bras de ma grand-mère et je suspendis mes lèvres à sa figure comme si j'accédais ainsi à ce cœur immense qu'elle m'ouvrait. Quand j'avais ainsi ma bouche collée à ses joues, à son front, j'y puisais quelque chose de si bienfaisant, de si nourricier, que je gardais l'immobilité, le sérieux, la tranquille avidité d'un enfant qui tète.

Je regardais ensuite sans me lasser son grand visage découpé comme un beau nuage ardent et calme, derrière lequel on sentait rayonner la tendresse. Et tout ce qui recevait encore, si faiblement que ce fût, un peu de ses sensations, tout ce qui pouvait ainsi être dit encore à elle, en était aussitôt si spiritualisé, si sanctifié que de mes paumes je lissais ses beaux cheveux à peine gris avec autant de respect, de précaution et de douceur que si j'y avais caressé sa bonté. Elle trouvait un tel plaisir dans toute peine qui m'en épargnait une, et, dans un moment d'immobilité et de calme pour mes membres fatigués, quelque chose de si délicieux, que quand, ayant vu qu'elle voulait m'aider à me coucher et me déchausser, je fis le geste de l'en empêcher et de commencer à me déshabiller moi-même, elle arrêta d'un regard suppliant mes mains qui touchaient aux premiers boutons de ma veste et de mes bottines.

« Oh[a], je t'en prie, me dit-elle. C'est une telle joie pour ta grand-mère. Et surtout ne manque pas de frapper au mur si tu as besoin de quelque chose cette nuit, mon lit est adossé au tien, la cloison est très mince. D'ici un moment quand tu seras couché, fais-le, pour voir si nous nous comprenons bien. »

Et, en effet, ce soir-là, je frappai trois coups — que, une semaine plus tard quand je fus souffrant je renouvelai pendant quelques jours tous les matins parce que ma grand-mère voulait me donner du lait de bonne heure. Alors quand je croyais entendre qu'elle était réveillée — pour qu'elle n'attendît pas et pût, tout de suite après, se rendormir — je risquais trois petits coups, timidement, faiblement, distinctement malgré tout, car si je craignais d'interrompre son sommeil dans le cas où je me serais trompé et où elle eût dormi, je n'aurais pas voulu non plus qu'elle continuât d'épier un appel qu'elle n'aurait pas distingué d'abord et que je n'oserais pas renouveler. Et à peine j'avais frappé mes coups que j'en entendais trois autres, d'une intonation différente ceux-là, empreints d'une calme autorité, répétés à deux reprises pour plus de clarté et qui disaient : « Ne t'agite pas, j'ai entendu ; dans quelques instants je serai là » ; et bientôt après ma grand-mère arrivait. Je lui disais que j'avais eu peur qu'elle ne m'entendît pas ou crût que c'était un voisin qui avait frappé ; elle riait :

« Confondre les coups de mon pauvre chou[1] avec[a] d'autres, mais entre mille sa grand-mère les reconnaîtrait ! Crois-tu donc qu'il y en ait d'autres au monde qui soient aussi bêtas, aussi fébriles, aussi partagés entre la crainte de me réveiller et de ne pas être compris ? Mais quand même elle se contenterait d'un grattement on reconnaîtrait tout de suite sa petite souris, surtout quand elle est aussi unique et à plaindre que la mienne. Je l'entendais déjà depuis un moment qui hésitait, qui se remuait dans le lit, qui faisait tous ses manèges. »

Elle entrouvrait les persiennes ; à l'annexe[b] en saillie de l'hôtel, le soleil était déjà installé sur les toits comme un couvreur matinal qui commence tôt son ouvrage et l'accomplit en silence pour ne pas réveiller la ville qui dort encore et de laquelle l'immobilité le fait paraître plus agile. Elle me disait l'heure, le temps qu'il ferait, que ce n'était pas la peine que j'allasse jusqu'à la fenêtre, qu'il y avait de la brume sur la mer, si la boulangerie était déjà ouverte, quelle était cette voiture qu'on entendait : tout cet insignifiant lever de rideau, ce négligeable *introït* du jour auquel personne n'assiste, petit morceau de vie qui n'était qu'à nous deux, que j'évoquerais volontiers dans la journée devant Françoise ou des étrangers en parlant du brouillard à couper au couteau qu'il y avait eu le matin à six heures, avec l'ostentation non d'un savoir acquis, mais d'une marque d'affection reçue par moi seul ; doux instant matinal qui s'ouvrait comme une symphonie par le dialogue rythmé de mes trois coups auquel la cloison pénétrée de tendresse et de joie, devenue harmonieuse, immatérielle, chantant comme les anges, répondait par trois autres coups, ardemment attendus, deux fois répétés, et où elle savait transporter l'âme de ma grand-mère tout entière et la promesse de sa venue, avec une allégresse d'annonciation et une fidélité musicale. Mais cette première nuit d'arrivée, quand ma grand-mère m'eut quitté, je recommençai à souffrir, comme j'avais déjà souffert à Paris au moment de quitter la maison. Peut-être cet effroi que j'avais — qu'ont tant d'autres — de coucher dans une chambre inconnue, peut-être cet effroi n'est-il que la forme la plus humble, obscure, organique, presque inconsciente, de ce grand refus désespéré qu'opposent les choses qui constituent le meilleur de notre vie présente à ce que nous revêtions mentalement de notre acceptation la formule d'un avenir où elles ne figurent pas ; refus qui était au fond de l'horreur que m'avait fait si souvent éprouver la pensée que mes parents mourraient un jour, que les nécessités de la vie pourraient m'obliger à vivre loin de Gilberte, ou simplement à me fixer définitivement dans un pays où je ne verrais plus jamais mes amis ; refus qui était encore au fond de la difficulté que j'avais à penser à ma propre mort ou à une survie comme celle que Bergotte promettait aux hommes dans ses livres, dans laquelle je ne pourrais emporter mes souvenirs, mes défauts, mon caractère qui ne se résignaient pas à l'idée de ne plus être et ne voulaient pour moi ni du néant, ni d'une éternité où ils ne seraient plus.

Quand Swann m'avait dit à Paris, un jour que j'étais particulièrement souffrant : « Vous devriez partir pour ces délicieuses îles de l'Océanie[1], vous verrez que vous n'en reviendrez plus », j'aurais voulu lui répondre : « Mais alors je ne verrai plus votre fille, je vivrai au milieu de choses et de gens qu'elle n'a jamais vus. » Et pourtant ma raison me disait : « Qu'est-ce que cela peut faire, puisque tu n'en seras pas affligé ? Quand M. Swann te dit que tu ne reviendras pas, il entend par là que tu ne voudras pas revenir, et puisque tu ne le voudras pas, c'est que, là-bas, tu seras heureux. » Car ma raison savait que l'habitude — l'habitude qui allait assumer maintenant l'entreprise de me faire aimer ce logis inconnu, de changer la place de la glace, la nuance des rideaux, d'arrêter la pendule — se charge aussi bien de nous rendre chers les compagnons qui nous avaient déplu d'abord, de donner une autre forme aux visages, de rendre sympathique le son d'une voix, de modifier l'inclination des cœurs. Certes ces amitiés nouvelles pour des lieux et des gens ont pour trame l'oubli des anciennes ; mais justement ma raison pensait que je pouvais envisager sans terreur la perspective d'une vie où je serais à jamais séparé d'êtres dont je perdrais le souvenir, et c'est comme une consolation qu'elle offrait à mon cœur une promesse d'oubli qui ne faisait au contraire qu'affoler son désespoir. Ce n'est pas que notre cœur ne doive éprouver, lui aussi, quand la séparation sera consommée, les effets analgésiques de l'habitude ; mais jusque-là il continuera de souffrir. Et la crainte d'un avenir où nous seront enlevés la vue et l'entretien de ceux que nous aimons et d'où nous tirons

aujourd'hui notre plus chère joie, cette crainte, loin de
se dissiper, s'accroît, si à la douleur d'une telle privation
nous pensons que s'ajoutera ce qui pour nous semble
actuellement plus cruel encore : ne pas la ressentir comme
une douleur, y rester indifférent ; car alors notre moi serait
changé : ce ne serait plus seulement le charme de nos
parents, de notre maîtresse, de nos amis, qui ne serait plus
autour de nous ; notre affection pour eux aurait été si
parfaitement arrachée de notre cœur dont elle est
aujourd'hui une notable part, que nous pourrions nous
plaire à cette vie séparée d'eux dont la pensée nous fait
horreur aujourd'hui ; ce serait donc une vraie mort de
nous-même, mort suivie, il est vrai, de résurrection, mais
en un moi différent et jusqu'à l'amour duquel ne peuvent
s'élever les parties de l'ancien moi condamnées à mourir.
Ce sont elles — même les plus chétives, comme les obscurs
attachements aux dimensions, à l'atmosphère d'une chambre — qui s'effarent et refusent, en des rébellions où il
faut voir un mode secret, partiel, tangible et vrai de la
résistance à la mort, de la longue résistance désespérée
et quotidienne à la mort fragmentaire et successive telle
qu'elle s'insère dans toute la durée de notre vie, détachant
de nous à chaque moment des lambeaux de nous-mêmes
sur la mortification desquels des cellules nouvelles multiplieront. Et pour une nature nerveuse comme était la
mienne (c'est-à-dire chez qui les intermédiaires, les nerfs,
remplissent mal leurs fonctions, n'arrêtent pas dans sa
route vers la conscience, mais y laissent au contraire
parvenir, distincte, épuisante, innombrable et douloureuse, la plainte des plus humbles éléments du moi qui
vont disparaître), l'anxieuse alarme que j'éprouvais sous
ce plafond inconnu et trop haut n'était que la protestation
d'une amitié qui survivait en moi pour un plafond familier
et bas. Sans doute cette amitié disparaîtrait, une autre ayant
pris sa place (alors la mort, puis une nouvelle vie auraient,
sous le nom d'Habitude, accompli leur œuvre double) ;
mais jusqu'à son anéantissement, chaque soir elle souffri-
rait, et ce premier soir-là surtout, mise en présence d'un
avenir déjà réalisé où il n'y avait plus de place pour elle,
elle se révoltait, elle me torturait du cri de ses lamentations
chaque fois que mes regards, ne pouvant se détourner de
ce qui les blessait, essayaient de se poser au plafond
inaccessible[1].

Mais le lendemain matin ! — après*ᵃ* qu'un domestique
fut venu m'éveiller et m'apporter de l'eau chaude, et
pendant que je faisais ma toilette et essayais vainement
de trouver les affaires dont j'avais besoin dans ma malle
d'où je ne tirais, pêle-mêle, que celles qui ne pouvaient
me servir à rien, quelle joie, pensant déjà au plaisir du
déjeuner et de la promenade, de voir dans la fenêtre et
dans toutes les vitrines des bibliothèques, comme dans les
hublots d'une cabine de navire, la mer nue, sans ombrages
et pourtant à l'ombre sur une moitié de son étendue que
délimitait une ligne mince et mobile, et de suivre des yeux
les flots qui s'élançaient l'un après l'autre comme des
sauteurs sur un tremplin ! À tous moments, tenant à la main
la serviette raide et empesée où était écrit le nom de
l'hôtel et avec laquelle je faisais d'inutiles efforts pour me
sécher, je retournais près de la fenêtre jeter encore un
regard sur ce vaste cirque éblouissant et montagneux et
sur les sommets neigeux de ses vagues en pierre
d'émeraude çà et là polie et translucide, lesquelles avec
une placide violence et un froncement léonin laissaient
s'accomplir et dévaler l'écroulement de leurs pentes
auxquelles le soleil ajoutait un sourire sans visage. Fenêtre
à laquelle je devais ensuite me mettre chaque matin comme
au carreau d'une diligence dans laquelle on a dormi, pour
voir si pendant la nuit s'est rapprochée ou éloignée une
chaîne désirée — ici ces collines de la mer qui avant de
revenir vers nous en dansant, peuvent reculer si loin que
souvent ce n'était qu'après une longue plaine sablonneuse
que j'apercevais à une grande distance leurs premières
ondulations, dans un lointain transparent, vaporeux et
bleuâtre comme ces glaciers qu'on voit au fond des
tableaux des primitifs toscans[1]. D'autres fois c'était tout
près de moi que le soleil riait sur ces flots d'un vert aussi
tendre que celui que conserve aux prairies alpestres (dans*ᵇ*
les montagnes où le soleil s'étale çà et là comme un géant
qui en descendrait gaiement, par bonds inégaux, les
pentes) moins l'humidité du sol que la liquide mobilité
de la lumière. Au reste, dans cette brèche que la plage
et les flots pratiquent au milieu du reste du monde pour
y faire passer, pour y accumuler la lumière, c'est elle
surtout, selon la direction d'où elle vient et que suit notre
œil, c'est elle qui déplace et situe les vallonnements de
la mer. La diversité de l'éclairage ne modifie pas moins

l'orientation d'un lieu, ne dresse pas moins devant nous
de nouveaux buts qu'il nous donne le désir d'atteindre,
que ne ferait un trajet longuement et effectivement
parcouru en voyage. Quand, le matin, le soleil venait de
derrière l'hôtel, découvrant devant moi les grèves illumi-
nées jusqu'aux premiers contreforts de la mer, il semblait
m'en montrer un autre versant et m'engager à poursuivre,
sur la route tournante de ses rayons, un voyage immobile
et varié à travers les plus beaux sites du paysage accidenté
des heures. Et dès ce premier matin le soleil me désignait
au loin d'un doigt souriant ces cimes bleues de la mer qui
n'ont de nom sur aucune carte géographique, jusqu'à ce
qu'étourdi de sa sublime promenade à la surface retentissante et chaotique de leurs crêtes et de leurs avalanches,
il vînt se mettre à l'abri du vent dans ma chambre, se
prélassant sur le lit défait et égrenant ses richesses sur le
lavabo mouillé, dans la malle ouverte, où, par sa splendeur
même et son luxe déplacé, il ajoutait encore à l'impression
du désordre. Hélas, le vent de mer, une heure plus tard,
dans la grande salle à manger — tandis que nous
déjeunions et que, de la gourde de cuir d'un citron, nous
répandions quelques gouttes d'or sur deux soles qui
bientôt laissèrent dans nos assiettes le panache de leurs
arêtes, frisé comme une plume et sonore comme une
cithare — il parut cruel à ma grand-mère de n'en pas sentir
le souffle vivifiant à cause du châssis transparent mais clos
qui, comme une vitrine, nous séparait de la plage tout en
nous la laissant entièrement voir et dans lequel le ciel
entrait si complètement que son azur avait l'air d'être la
couleur des fenêtres et ses nuages blancs, un défaut du
verre. Me persuadant que j'étais « assis sur le môle » ou
au fond du « boudoir » dont parle Baudelaire, je me
demandais si son « soleil rayonnant sur la mer[1] », ce
n'était pas — bien différent du rayon du soir, simple et
superficiel comme un trait doré et tremblant — celui qui
en ce moment brûlait la mer comme une topaze, la faisait
fermenter, devenir blonde et laiteuse comme de la bière,
écumante comme du lait, tandis que par moments s'y
promenaient çà et là de grandes ombres bleues que
quelque dieu semblait s'amuser à déplacer, en bougeant
un miroir dans le ciel. Malheureusement ce n'était pas
seulement par son aspect que différait de la « salle » de
Combray donnant sur les maisons d'en face, cette salle à

manger de Balbec, nue, emplie de soleil vert comme l'eau d'une piscine, et à quelques mètres de laquelle la marée pleine et le grand jour élevaient, comme devant la cité céleste, un rempart indestructible et mobile d'émeraude et d'or. À Combray, comme nous étions connus de tout le monde, je ne me souciais de personne. Dans la vie de bains de mer on ne connaît pas ses voisins. Je n'étais pas encore assez âgé et j'étais resté trop sensible pour avoir renoncé au désir de plaire aux êtres et de les posséder. Je n'avais pas l'indifférence plus noble qu'aurait éprouvée un homme du monde à l'égard des personnes qui déjeunaient dans la salle à manger, ni des jeunes gens et des jeunes filles passant sur la digue, avec lesquels je souffrais de penser que je ne pourrais pas faire d'excursions, moins pourtant que si ma grand-mère, dédaigneuse des formes mondaines et ne s'occupant que de ma santé, leur avait adressé la demande, humiliante pour moi, de m'agréer comme compagnon de promenade. Soit qu'ils rentrassent vers quelque chalet inconnu, soit qu'ils en sortissent pour se rendre raquette en main à un terrain de tennis, ou montassent sur des chevaux dont les sabots me piétinaient le cœur, je les regardais avec une curiosité passionnée, dans cet éclairage aveuglant de la plage où les proportions sociales sont changées, je suivais tous leurs mouvements à travers la transparence de cette grande baie vitrée qui laissait passer tant de lumière. Mais elle interceptait le vent et c'était un défaut à l'avis de ma grand-mère qui ne pouvant supporter l'idée que je perdisse le bénéfice d'une heure d'air, ouvrit[a] subrepticement un carreau et fit envoler du même coup, avec les menus, les journaux, voiles et casquettes de toutes les personnes qui étaient en train de déjeuner ; elle-même, soutenue par le souffle céleste, restait calme et souriante comme sainte Blandine, au milieu des invectives qui, augmentant mon impression d'isolement et de tristesse, réunissaient contre nous les touristes méprisants, dépeignés et furieux[1].

Pour une certaine partie — ce qui, à Balbec, donnait à la population, d'ordinaire banalement riche et cosmopolite, de ces sortes d'hôtels de grand luxe, un caractère régional assez accentué — ils se composaient de personnalités éminentes des principaux départements de cette partie de la France[2], d'un premier président de Caen, d'un bâtonnier de Cherbourg, d'un grand notaire du Mans qui[b] à l'époque des vacances, partant des points sur lesquels toute l'année ils étaient disséminés en tirailleurs ou comme des pions au jeu de dames, venaient se concentrer dans cet hôtel. Ils y conservaient toujours les mêmes chambres, et, avec leurs femmes qui avaient des prétentions à l'aristocratie, formaient un petit groupe, auquel s'étaient adjoints un grand avocat et un grand médecin de Paris qui le jour du départ leur disaient :

« Ah ! c'est vrai, vous ne prenez pas le même train que nous, vous êtes privilégiés, vous serez rendus pour le déjeuner.

— Comment privilégiés ? Vous qui habitez la capitale, Paris, la grand-ville, tandis que j'habite un pauvre chef-lieu de cent mille âmes, il est vrai cent deux mille au dernier recensement ; mais qu'est-ce à côté de vous qui en comptez deux millions cinq cent mille, et qui allez retrouver l'asphalte et tout l'éclat du monde parisien ? »

Ils le disaient avec un roulement d'*r* paysan, sans y mettre d'aigreur, car c'étaient des lumières de leur province qui auraient pu comme d'autres venir à Paris — on avait plusieurs fois offert au premier président de Caen un siège*ᵃ* à la Cour de cassation — mais avaient préféré rester sur place, par amour de leur ville, ou de l'obscurité, ou de la gloire, ou parce qu'ils étaient réactionnaires, et pour l'agrément des relations de voisinage avec les châteaux. Plusieurs d'ailleurs ne regagnaient pas tout de suite leur chef-lieu.

Car — comme la baie de Balbec était un petit univers à part au milieu du grand, une corbeille des saisons où étaient rassemblés en cercle les jours variés et les mois successifs, si bien que, non seulement les jours où on apercevait Rivebelle[1], ce qui était signe d'orage, on y distinguait du soleil sur les maisons pendant qu'il faisait noir à Balbec, mais encore que quand les froids avaient gagné Balbec, on était certain de trouver sur cette autre rive deux ou trois mois supplémentaires de chaleur — ceux de ces habitués du Grand-Hôtel dont les vacances commençaient tard ou duraient longtemps faisaient, quand arrivaient les pluies et les brumes, à l'approche de l'automne, charger leurs malles sur une barque, et traversaient rejoindre l'été à Rivebelle ou à Costedor. Ce petit groupe de l'hôtel de Balbec regardait d'un air méfiant chaque nouveau venu, et, en ayant l'air de ne pas s'intéresser à lui, tous interrogeaient sur son compte leur ami le maître d'hôtel. Car c'était le même — Aimé[1] — qui[a] revenait tous les ans faire la saison et leur gardait leurs tables ; et mesdames leurs épouses, sachant que sa femme attendait un bébé, travaillaient après les repas chacune à une pièce de la layette, tout en nous toisant avec leur face-à-main, ma grand-mère et moi, parce que nous mangions des œufs durs dans la salade, ce qui était réputé commun et ne se faisait pas dans la bonne société d'Alençon. Ils[b] affectaient une attitude de méprisante ironie à l'égard d'un Français qu'on appelait Majesté et qui s'était, en effet, proclamé lui-même roi d'un petit îlot de l'Océanie peuplé par[c] quelques sauvages. Il habitait l'hôtel avec sa jolie maîtresse, sur le passage de qui, quand elle allait se baigner, les gamins criaient : « Vive la reine ! » parce qu'elle faisait pleuvoir sur eux des pièces de cinquante centimes[2]. Le premier président et le bâtonnier ne voulaient même pas avoir l'air de la voir, et si quelqu'un de leurs amis la regardait, ils croyaient devoir le prévenir que c'était une petite ouvrière[3].

« Mais on m'avait assuré qu'à Ostende ils usaient de la cabine royale.

— Naturellement ! On la loue pour vingt francs. Vous pouvez la prendre si cela vous fait plaisir. Et je sais pertinemment que, lui, avait fait demander une audience au roi qui lui a fait savoir qu'il n'avait pas à connaître ce souverain de Guignol.

— Ah, vraiment, c'est intéressant ! il y a tout de même des gens !... »

Et sans doute tout cela était vrai, mais c'était aussi par ennui de sentir que pour une bonne partie de la foule ils n'étaient, eux, que de bons bourgeois qui ne connaissaient pas ce roi et cette reine prodigues de leur monnaie, que le notaire, le président, le bâtonnier, au passage de ce qu'ils appelaient un carnaval, éprouvaient tant de mauvaise humeur et manifestaient tout haut une indignation au courant de laquelle était leur ami le maître d'hôtel, qui, obligé de faire bon visage aux souverains plus généreux qu'authentiques, cependant tout en prenant leur commande, adressait de loin à ses vieux clients un clignement d'œil significatif. Peut-être y avait-il aussi un peu de ce même ennui d'être par erreur crus moins « chic » et de ne pouvoir expliquer qu'ils l'étaient davantage, au fond du « Joli Monsieur ! » dont ils qualifiaient un jeune gommeux, fils poitrinaire et fêtard d'un grand industriel et qui[a], tous les jours, dans un veston nouveau, une orchidée à la boutonnière, déjeunait au champagne, et allait, pâle, impassible, un sourire d'indifférence aux lèvres, jeter au Casino sur la table de baccara des sommes énormes « qu'il n'a pas les moyens de perdre », disait d'un air renseigné le notaire au premier président duquel la femme « tenait de bonne source » que ce jeune homme « fin de siècle » faisait mourir de chagrin ses parents[1].

D'autre part, le bâtonnier et ses amis ne tarissaient pas de sarcasmes au sujet d'une vieille dame riche et titrée, parce qu'elle ne se déplaçait qu'avec tout son train de maison[b]. Chaque fois que la femme du notaire et la femme du premier président la voyaient dans la salle à manger au moment des repas, elles l'inspectaient insolemment avec leur face-à-main du même air minutieux et défiant que si elle avait été quelque plat au nom pompeux mais à l'apparence suspecte qu'après le résultat défavorable d'une observation méthodique on fait éloigner, avec un geste distant et[c] une grimace de dégoût.

Sans doute par là voulaient-elles seulement montrer que s'il y avait certaines choses dont elles manquaient — dans l'espèce certaines prérogatives de la vieille dame, et être en relations avec elle —, c'était non pas parce qu'elles ne pouvaient, mais ne voulaient pas les posséder. Mais elles avaient fini par s'en convaincre elles-mêmes ; et c'est la suppression de tout désir, de la curiosité pour les formes de la vie qu'on ne connaît pas, de l'espoir de plaire à de nouveaux êtres, remplacés chez ces femmes par un dédain simulé, par une allégresse factice, qui avait l'inconvénient de leur faire mettre du déplaisir sous l'étiquette de contentement et se mentir perpétuellement à elles-mêmes, deux conditions pour qu'elles fussent malheureuses. Mais tout le monde dans cet hôtel agissait sans doute de la même manière qu'elles, bien que sous d'autres formes, et sacrifiait, sinon à l'amour propre, du moins à certains principes d'éducation ou à des habitudes intellectuelles, le trouble délicieux de se mêler à une vie inconnue. Sans doute le microcosme dans lequel s'isolait la vieille dame n'était pas empoisonné de virulentes aigreurs comme le groupe où ricanaient de rage la femme du notaire et du premier président. Il était au contraire, embaumé d'un parfum fin et vieillot mais qui n'était pas moins factice. Car au fond, la vieille dame eût probablement trouvé, à séduire, à s'attacher (en se renouvelant pour cela elle-même) la sympathie mystérieuse d'êtres nouveaux, un charme dont est dénué le plaisir qu'il y a à ne fréquenter que des gens de son monde et à se rappeler que, ce monde étant le meilleur qui soit, le dédain mal informé d'autrui est négligeable. Peut-être sentait-elle que, si elle était arrivée inconnue au Grand-Hôtel de Balbec, elle eût avec sa robe de laine noire et son bonnet démodé fait sourire quelque noceur qui de son « rocking » eût murmuré « quelle purée ! » ou surtout quelque homme de valeur ayant gardé, comme le premier président entre ses favoris poivre et sel, un visage frais et des yeux spirituels comme elle les aimait, et qui eût aussitôt désigné à la lentille rapprochante du face-à-main conjugal l'apparition de ce phénomène insolite ; et peut-être était-ce par inconsciente appréhension de cette première minute qu'on sait courte mais qui n'est pas moins redoutée — comme la première tête qu'on pique dans l'eau — que cette dame envoyait d'avance un domestique mettre l'hôtel au courant de sa personnalité et de ses habitudes, et coupant court aux salutations du directeur gagnait avec une brièveté où il y avait plus de timidité que d'orgueil sa chambre où des rideaux personnels, remplaçant ceux qui pendaient aux fenêtres, des paravents, des photographies, mettaient si bien, entre elle et le monde extérieur auquel il eût fallu s'adapter, la cloison de ses habitudes, que c'était son chez elle, au sein duquel elle était restée, qui voyageait plutôt qu'elle-même.

Dès lors, ayant placé entre elle d'une part, le personnel de l'hôtel et les fournisseurs de l'autre, ses domestiques qui recevaient à sa place le contact de cette humanité nouvelle et entretenaient autour de leur maîtresse l'atmosphère accoutumée, ayant mis ses préjugés entre elle et les baigneurs, insoucieuse de déplaire à des gens que ses amis n'auraient pas reçus, c'est dans son monde qu'elle continuait à vivre par la correspondance avec ses amies, par le souvenir, par la conscience intime qu'elle avait de sa situation, de la qualité de ses manières, de la compétence de sa politesse. Et tous les jours, quand elle descendait pour aller dans sa calèche faire une promenade, sa femme

de chambre qui portait ses affaires derrière elle, son valet
de pied qui la devançait semblaient comme ces sentinelles
qui, aux portes d'une ambassade pavoisée aux couleurs
du pays dont elle dépend, garantissent pour elle, au milieu
d'un sol étranger, le privilège de son exterritorialité. Elle
ne quitta pas sa chambre avant le milieu de l'après-midi,
le jour de notre arrivée, et nous ne l'aperçûmes pas dans
la salle à manger où le directeur, comme nous étions
nouveaux venus, nous conduisit, sous sa protection, à
l'heure du déjeuner, comme un gradé qui mène des bleus
chez le caporal tailleur pour les faire habiller ; mais nous
y vîmes, en revanche, au bout d'un instant un hobereau
et sa fille, d'une obscure mais très ancienne famille de
Bretagne, M. et Mlle de Stermaria[a1], dont on nous avait
fait donner la table, croyant qu'ils ne rentreraient que le
soir. Venus seulement à Balbec pour retrouver des
châtelains qu'ils connaissaient dans le voisinage, ils ne
passaient dans la salle à manger de l'hôtel, entre les
invitations acceptées au dehors et les visites rendues, que
le temps strictement nécessaire. C'était leur morgue qui
les préservait de toute sympathie humaine, de tout intérêt
pour les inconnus assis autour d'eux, et au milieu desquels
M. de Stermaria gardait l'air glacial, pressé, distant, rude,
pointilleux et malintentionné, qu'on a dans un buffet de
chemin de fer au milieu des voyageurs qu'on n'a jamais
vus, qu'on ne reverra pas, et avec qui on ne conçoit
d'autres rapports que de défendre contre eux son poulet
froid et son coin dans le wagon. À peine commencions-
nous à déjeuner qu'on vint nous faire lever sur l'ordre
de M. de Stermaria, lequel venait d'arriver et sans le
moindre geste d'excuse à notre adresse, pria à haute voix
le maître d'hôtel de veiller à ce qu'une pareille erreur ne
se renouvelât pas, car il lui était désagréable que « des
gens qu'il ne connaissait pas » eussent pris sa table.
    Et certes dans le sentiment qui poussait une certaine
actrice (plus connue d'ailleurs à cause de son élégance,
de son esprit, de ses belles collections de porcelaine
allemande que pour quelques rôles joués à l'Odéon), son
amant, jeune hommme très riche pour lequel elle s'était
cultivée, et deux hommes très en vue de l'aristocratie à
faire dans la vie bande à part, à ne voyager qu'ensemble,
à prendre à Balbec leur déjeuner, très tard, quand tout
le monde avait fini, à passer la journée dans leur salon

à jouer aux cartes, il n'entrait aucune malveillance, mais seulement les exigences du goût qu'ils avaient pour certaines formes spirituelles de conversation, pour certains raffinements de bonne chère, lequel leur faisait trouver plaisir à ne vivre, à ne prendre leurs repas qu'ensemble, et leur eût rendu insupportable la vie en commun avec des gens qui n'y avaient pas été initiés. Même devant une table servie ou devant une table à jeu, chacun d'eux avait besoin de savoir que dans le convive ou le partenaire qui était assis en face de lui, reposaient en suspens et inutilisés un certain savoir qui permet de reconnaître la camelote dont tant de demeures parisiennes se parent comme d'un « Moyen Âge » ou d'une « Renaissance » authentiques et, en toutes choses, des critériums communs à eux pour distinguer le bon et le mauvais. Sans doute ce n'était plus, dans ces moments-là, que par quelque rare et drôle interjection jetée au milieu du silence du repas ou de la partie, ou par la robe charmante et nouvelle que la jeune actrice avait revêtue pour déjeuner ou faire un poker, que se manifestait l'existence spéciale dans laquelle ces amis voulaient partout rester plongés. Mais en les enveloppant ainsi d'habitudes qu'ils connaissaient à fond, elle suffisait à les protéger contre le mystère de la vie ambiante. Pendant les longs après-midi, la mer n'était suspendue en face d'eux que comme une toile d'une couleur agréable accrochée dans le boudoir d'un riche célibataire, et ce n'était que dans l'intervalle des coups qu'un des joueurs, n'ayant rien de mieux à faire, levait les yeux vers elle pour en tirer une indication sur le beau temps ou sur l'heure, et rappeler aux autres que le goûter attendait. Et le soir ils ne dînaient pas à l'hôtel où, les sources électriques faisant sourdre à flots la lumière dans la grande salle à manger, celle-ci devenait comme un immense et merveilleux aquarium devant la paroi de verre duquel la population ouvrière de Balbec, les pêcheurs et aussi les familles de petits bourgeois, invisibles dans l'ombre, s'écrasaient au vitrage pour apercevoir, lentement balancée dans des remous d'or, la vie luxueuse de ces gens, aussi extraordinaire pour les pauvres que celle de poissons et de mollusques étranges (une grande question sociale, de savoir si la paroi de verre protégera toujours le festin des bêtes merveilleuses et si les gens obscurs qui regardent avidement dans la nuit ne viendront pas les cueillir dans leur aquarium et les manger[1]). En attendant, peut-être parmi la foule arrêtée et confondue dans la nuit y avait-il quelque écrivain, quelque amateur d'ichtyologie humaine, qui, regardant les mâchoires de vieux monstres féminins se refermer sur un morceau de nourriture engloutie, se complaisait à classer ceux-ci par race, par caractères innés et aussi par ces caractères acquis qui font qu'une vieille dame serbe dont l'appendice buccal est d'un grand poisson de mer, parce que depuis son enfance elle vit dans les eaux douces du faubourg Saint-Germain, mange la salade comme une La Rochefoucauld.

À cette heure-là on apercevait les trois hommes en smoking attendant la femme en retard, laquelle bientôt, en une robe presque chaque fois nouvelle et des écharpes choisies selon un goût particulier à son amant, après avoir, de son étage, sonné le lift, sortait de l'ascenseur comme d'une boîte de joujoux. Et tous les quatre qui trouvaient que le phénomène international du Palace, implanté à Balbec, y avait fait fleurir le luxe plus que la bonne cuisine, s'engouffrant dans une voiture, allaient dîner à une demi-lieue de là dans un petit restaurant réputé où ils avaient avec le cuisinier d'interminables conférences sur la composition du menu et la confection des plats. Pendant ce trajet la route bordée de pommiers[a] qui part de Balbec n'était pour eux que la distance qu'il fallait franchir — peu distincte dans la nuit noire de celle qui séparait leurs domiciles parisiens du Café Anglais ou de la Tour d'Argent — avant d'arriver au petit restaurant élégant où, tandis que les amis du jeune homme riche l'enviaient d'avoir une maîtresse si bien habillée, les écharpes de celle-ci tendaient devant la petite société comme un voile parfumé et souple, mais qui la séparait du monde.

Malheureusement pour ma tranquillité, j'étais bien loin d'être comme tous ces gens. De beaucoup d'entre eux je me souciais ; j'aurais voulu ne pas être ignoré d'un homme au front déprimé[b], au regard fuyant entre les œillères de ses préjugés et de son éducation, le grand seigneur de la contrée, lequel n'était autre que le beau-frère de Legrandin qui venait quelquefois[c] en visite à Balbec et, le dimanche, par la garden-party hebdomadaire que sa femme et lui donnaient, dépeuplait l'hôtel d'une partie de ses habitants, parce qu'un ou deux d'entre eux étaient invités à ces fêtes et parce que les autres, pour ne pas avoir l'air de ne pas l'être, choisissaient ce jour-là pour faire une excursion éloignée. Il avait, d'ailleurs, été le premier jour fort mal reçu à l'hôtel quand le personnel, frais débarqué de la Côte d'Azur, ne savait pas encore qui il était. Non seulement il n'était pas habillé en flanelle blanche, mais par vieille manière française et ignorance de la vie des Palaces, entrant dans un hall où il y avait des femmes, il avait ôté son chapeau dès la porte, ce qui avait fait que le directeur n'avait même pas touché le sien pour lui répondre, estimant que ce devait être quelqu'un de la plus humble extraction, ce qu'il appelait un homme « sortant de l'ordinaire ». Seule la femme du notaire s'était sentie attirée vers le nouveau venu qui fleurait toute la vulgarité gourmée des gens comme il faut et elle avait déclaré, avec le fond de discernement infaillible et d'autorité sans réplique d'une personne pour qui la première société du Mans n'a pas de secrets, qu'on se sentait devant lui en présence d'un homme d'une haute distinction, parfaitement bien élevé et qui tranchait sur tout ce qu'on rencontrait à Balbec et qu'elle jugeait infréquentable tant qu'elle ne le fréquentait pas. Ce jugement favorable qu'elle avait porté sur le beau-frère de Legrandin tenait peut-être au terne aspect de quelqu'un qui n'avait rien d'intimidant, peut-être à ce qu'elle avait reconnu dans ce gentilhomme-fermier à allure de sacristain les signes maçonniques de son propre cléricalisme.

J'avais beau avoir appris que les jeunes gens qui montaient tous les jours à cheval devant l'hôtel étaient les fils du propriétaire véreux d'un magasin de nouveautés et que mon père n'eût jamais consenti à connaître, la « vie de bains de mer » les dressait, à mes yeux, en statues équestres de demi-dieux, et le mieux que je pouvais espérer était qu'ils ne laissassent jamais tomber leurs regards sur le pauvre garçon que j'étais, qui ne quittait la salle à manger de l'hôtel que pour aller s'asseoir sur le sable. J'aurais voulu[a] inspirer de la sympathie même à l'aventurier qui avait été roi d'une île déserte en Océanie, même au jeune tuberculeux dont j'aimais à supposer qu'il cachait sous ses dehors insolents une âme craintive et tendre qui eût peut-être prodigué pour moi seul des trésors d'affection. D'ailleurs (au contraire de ce qu'on dit d'habitude des relations de voyage) comme être vu avec certaines personnes peut vous ajouter, sur une plage où

l'on retourne quelquefois, un coefficient sans équivalent
dans la vraie vie mondaine, il n'y a rien, non pas qu'on
tienne aussi à distance, mais qu'on cultive si soigneusement
dans la vie de Paris, que les amitiés de bains de mer. Je
me souciais[a] de l'opinion que pouvaient avoir de moi toutes
ces notabilités momentanées ou locales que ma disposition
à me mettre à la place des gens et à recréer leur état d'esprit
me faisait situer non à leur rang réel, à celui qu'ils auraient
occupé à Paris par exemple et qui eût été fort bas, mais
à celui qu'ils devaient croire le leur, et qui l'était à vrai
dire à Balbec où l'absence de commune mesure leur
donnait une sorte de supériorité relative et d'intérêt
singulier. Hélas, d'aucune de ces personnes le mépris ne
m'était aussi pénible que celui de M. de Stermaria.

Car j'avais remarqué sa fille dès son entrée, son joli
visage pâle et presque bleuté, ce qu'il y avait de particulier
dans le port de sa haute taille, dans sa démarche, et qui
m'évoquait avec raison son hérédité, son éducation
aristocratique et d'autant plus clairement que je savais son
nom, — comme ces thèmes expressifs inventés par des
musiciens de génie et qui peignent splendidement le
scintillement de la flamme, le bruissement du fleuve et la
paix de la campagne, pour les auditeurs qui en parcourant
préalablement le livret, ont aiguillé leur imagination dans
la bonne voie. La « race » en ajoutant[b] aux charmes de
Mlle de Stermaria l'idée de leur cause les rendait plus
intelligibles, plus complets. Elle les faisait aussi plus
désirables, annonçant qu'ils étaient peu accessibles, comme
un prix élevé ajoute à la valeur d'un objet qui nous a plu.
Et la tige héréditaire donnait à ce teint composé de sucs
choisis la saveur d'un fruit exotique ou d'un cru célèbre.

Or, un hasard mit tout d'un coup entre nos mains le
moyen de nous donner à ma grand-mère et à moi, pour
tous les habitants de l'hôtel un prestige immédiat. En effet,
dès ce premier jour, au moment où la vieille dame
descendait de chez elle, exerçant, grâce au valet de pied
qui la précédait, à la femme de chambre qui courait
derrière avec un livre et une couverture oubliés, une
action[c] sur les âmes et excitant chez tous une curiosité et
un respect auxquels il fut visible qu'échappait moins que
personne M. de Stermaria, le directeur se pencha vers ma
grand-mère, et par amabilité (comme on montre le shah
de Perse ou la reine Ranavalo[1] à un spectateur obscur qui

ne peut évidemment avoir aucune relation avec le puissant souverain, mais peut trouver intéressant de l'avoir vu à quelques pas) il lui coula dans l'oreille : « La marquise de Villeparisis », cependant qu'au même moment cette dame apercevant ma grand-mère ne pouvait retenir un regard de joyeuse surprise.

On peut penser que l'apparition soudaine, sous les traits d'une petite vieille, de la plus puissante des fées ne m'aurait pas causé plus de plaisir, dénué comme j'étais de tout recours pour m'approcher de Mlle de Stermaria, dans un pays où je ne connaissais personne. J'entends personne au point de vue pratique. Esthétiquement, le nombre des types humains est trop restreint pour qu'on n'ait pas bien souvent, dans quelque endroit qu'on aille, la joie de revoir des gens de connaissance, même sans les chercher dans les tableaux des vieux maîtres, comme faisait Swann. C'est ainsi que dès les premiers jours de notre séjour à Balbec, il m'était arrivé de rencontrer Legrandin, le concierge de Swann, et Mme Swann elle-même, devenus le premier un garçon de café, le second un étranger de passage que je ne revis pas, et la dernière un maître baigneur. Et une sorte d'aimantation attire et retient si inséparablement les uns auprès des autres certains caractères de physionomie et de mentalité que quand la nature introduit ainsi une personne dans un nouveau corps, elle ne la mutile pas trop. Legrandin changé en garçon de café gardait intacts sa stature, le profil de son nez et une partie du menton ; Mme Swann dans le sexe masculin et la condition de maître baigneur avait été suivie non seulement par sa physionomie habituelle, mais même par une certaine manière de parler. Seulement elle ne pouvait pas m'être de plus d'utilité entourée de sa ceinture rouge, et hissant, à la moindre houle, le drapeau qui interdit les bains (car les maîtres baigneurs sont prudents, sachant rarement nager), qu'elle ne l'eût pu dans la fresque de la *Vie de Moïse* où Swann l'avait reconnue jadis sous les traits de la fille de Jethro[1]. Tandis que cette Mme de Villeparisis était bien la véritable, elle n'avait pas été victime d'un enchantement qui l'eût dépouillée de sa puissance, mais était capable au contraire d'en mettre un à la disposition de la mienne qu'il centuplerait, et grâce auquel, comme si j'avais été porté par les ailes d'un oiseau fabuleux, j'allais franchir en quelques instants les distances sociales infinies — au moins à Balbec — qui me séparaient de Mlle de Stermaria.

Malheureusement[a], s'il y avait quelqu'un qui, plus que quiconque, vécût enfermé dans son univers particulier, c'était ma grand-mère. Elle ne m'aurait même pas méprisé, elle ne m'aurait pas compris, si elle avait su que j'attachais de l'importance à l'opinion, que j'éprouvais de l'intérêt pour la personne, de gens dont elle ne remarquait seulement pas l'existence et dont elle devait quitter Balbec sans avoir retenu le nom ; je n'osais pas lui avouer que si ces mêmes gens l'avaient vue causer avec Mme de Villeparisis, j'en aurais eu un grand plaisir, parce que je sentais que la marquise avait du prestige dans l'hôtel et que son amitié nous eût posés aux yeux de M. de Stermaria. Non d'ailleurs que l'amie de ma grand-mère me représentât le moins du monde une personne de l'aristocratie : j'étais trop habitué à son nom devenu familier à mes oreilles avant que mon esprit s'arrêtât sur lui, quand tout enfant je l'entendais prononcer à la maison ; et son titre n'y ajoutait qu'une particularité bizarre comme aurait fait un prénom peu usité, ainsi qu'il arrive dans les noms de rue où on n'aperçoit rien de plus noble dans la rue Lord-Byron, dans la si populaire et vulgaire rue Rochechouart, ou dans la rue de Gramont que dans la rue Léonce-Reynaud ou la rue Hippolyte-Lebas[1]. Mme de Villeparisis ne me faisait pas plus penser à une personne d'un monde spécial que son cousin Mac-Mahon que je ne différenciais pas de M. Carnot, président[b] de la République comme lui, et de Raspail dont Françoise avait acheté la photographie avec celle de Pie IX. Ma grand-mère[c] avait pour principe qu'en voyage on ne doit plus avoir de relations, qu'on ne va pas au bord de la mer pour voir des gens, qu'on a tout le temps pour cela à Paris, qu'ils vous feraient perdre en politesses, en banalités, le temps précieux qu'il faut passer tout entier au grand air, devant les vagues ; et trouvant plus commode de supposer que cette opinion était partagée par tout le monde et qu'elle autorisait entre de vieux amis que le hasard mettait en présence dans le même hôtel la fiction d'un incognito réciproque, au nom que lui cita le directeur, elle se contenta de détourner les yeux et eut l'air de ne pas voir Mme de Villeparisis qui, comprenant que ma grand-mère ne tenait pas à faire de reconnaissances, regarda à son tour dans le vague. Elle s'éloigna, et je restai dans mon isolement comme un naufragé de qui a paru s'approcher un vaisseau, lequel a disparu ensuite sans s'être arrêté[2].

Elle prenait[a] aussi ses repas dans la salle à manger, mais à l'autre bout. Elle ne connaissait aucune des personnes qui habitaient l'hôtel ou y venaient en visite, pas même M. de Cambremer ; en effet[b], je vis qu'il ne la saluait pas, un jour où il avait accepté avec sa femme une invitation à déjeuner du bâtonnier, lequel, ivre de l'honneur d'avoir le gentilhomme à sa table, évitait ses amis des autres jours et se contentait de leur adresser de loin un clignement d'œil pour faire à cet événement historique une allusion toutefois assez discrète pour qu'elle ne pût être interprétée comme une invite à s'approcher.

« Eh bien, j'espère que vous vous mettez bien, que vous êtes un homme chic, lui dit le soir la femme du premier président.

— Chic ? pourquoi ? » demanda le bâtonnier, dissimulant sa joie sous un étonnement exagéré ; « à cause de mes invités ? » dit-il en sentant qu'il était incapable de feindre plus longtemps ; « mais qu'est-ce que ça a de chic d'avoir des amis à déjeuner ? Faut bien qu'ils déjeunent quelque part !

— Mais si, c'est chic ! C'était bien les *de* Cambremer[1], n'est-ce pas ? Je les ai bien reconnus. C'est une marquise. Et authentique. Pas par les femmes.

— Oh ! c'est une femme bien simple, elle est charmante, on ne fait pas moins de façons. Je pensais que vous alliez venir, je vous faisais des signes... je vous aurais présenté ! » dit-il en corrigeant par une légère ironie l'énormité de cette proposition, comme Assuérus quand il dit à Esther : « Faut-il de mes États vous donner la moitié[2] ? »

« Non, non, non, non, nous restons cachés, comme l'humble violette.

— Mais[c] vous avez eu tort, je vous le répète », répondit le bâtonnier, enhardi maintenant que le danger était passé. « Ils ne vous auraient pas mangés. Allons-nous faire notre petit bésigue ?

— Mais volontiers, nous n'osions pas vous le proposer, maintenant que vous traitez des marquises !

— Oh ! allez, elles n'ont rien de si extraordinaire. Tenez, j'y dîne demain soir. Voulez-vous y aller à ma place ? C'est de grand cœur. Franchement, j'aime autant rester ici.

— Non, non !... on me révoquerait comme réactionnaire, s'écria le président, riant aux larmes de sa plaisanterie. Mais vous aussi, vous êtes reçu à Féterne[1], ajouta-t-il en se tournant vers le notaire.

— Oh ! je vais là les dimanches, on entre par une porte, on sort par l'autre. Mais ils ne déjeunent pas chez moi comme chez le bâtonnier. »

M. de Stermaria n'était pas ce jour-là à Balbec, au grand regret du bâtonnier. Mais[a] insidieusement il dit au maître d'hôtel :

« Aimé, vous pourrez dire à M. de Stermaria qu'il n'est pas le seul noble qu'il y ait eu dans cette salle à manger. Vous avez bien vu ce monsieur qui a déjeuné avec moi ce matin ? Hein ? petites moustaches, air militaire ? Eh bien, c'est le marquis de Cambremer.

— Ah, vraiment ? cela ne m'étonne pas !

— Ça lui montrera qu'il n'est pas le seul homme titré. Et attrape donc ! Il n'est pas mal de leur rabattre leur caquet à ces nobles. Vous savez, Aimé, ne lui dites rien si vous voulez, moi, ce que j'en dis, ce n'est pas pour moi ; du reste, il le connaît bien. »

Et le lendemain, M. de Stermaria qui savait que le bâtonnier avait plaidé pour un de ses amis, alla se présenter lui-même.

« Nos amis communs, les de Cambremer, voulaient justement nous réunir, nos jours n'ont pas coïncidé, enfin je ne sais plus », dit le bâtonnier, qui comme beaucoup de menteurs s'imaginent qu'on ne cherchera pas à élucider un détail insignifiant qui suffit pourtant (si le hasard vous met en possession de l'humble réalité qui est en contradiction avec lui) pour dénoncer un caractère et inspirer à jamais la méfiance.

Comme[b] toujours, mais plus facilement pendant que son père s'était éloigné pour causer avec le bâtonnier, je regardais Mlle de Stermaria. Autant que la singularité hardie et toujours belle de ses attitudes, comme quand, les deux coudes posés sur la table, elle élevait son verre au-dessus de ses deux avant-bras, la sécheresse[c] d'un regard vite épuisé, la dureté foncière, familiale, qu'on sentait, mal recouverte sous ses inflexions personnelles, au fond de sa voix, et qui avait choqué ma grand-mère, une sorte de cran d'arrêt atavique auquel elle revenait dès que dans un coup d'œil ou une intonation elle avait achevé de donner sa pensée propre ; tout cela ramenait la pensée de celui qui la regardait vers la lignée qui lui avait légué cette

insuffisance de sympathie humaine, des lacunes de sensibilité, un manque d'ampleur dans l'étoffe qui à tout moment faisait faute. Mais[a] à certains regards qui passaient un instant sur le fond si vite à sec de sa prunelle et dans lesquels on sentait cette douceur presque humble que le goût prédominant des plaisirs des sens donne à la plus fière, laquelle bientôt ne reconnaît plus qu'un prestige, celui qu'a pour elle tout être qui peut lui faire éprouver, fût-ce un comédien ou un saltimbanque pour lequel elle quittera peut-être un jour son mari ; à certaine teinte d'un rose sensuel et vif qui s'épanouissait dans ses joues pâles, pareille à celle qui mettait son incarnat au cœur des nymphéas blancs de la Vivonne, je croyais sentir qu'elle eût facilement permis que je vinsse chercher sur elle le goût de cette vie si poétique qu'elle menait en Bretagne, vie à laquelle, soit par trop d'habitude, soit par distinction innée, soit par dégoût de la pauvreté ou de l'avarice des siens, elle ne semblait pas trouver grand prix, mais que pourtant elle contenait enclose en son corps. Dans la chétive réserve de volonté qui lui avait été transmise et qui donnait à son expression quelque chose de lâche, peut-être n'eût-elle pas trouvé les ressources d'une résistance. Et surmonté d'une plume un peu démodée et prétentieuse, le feutre gris qu'elle portait invariablement à chaque repas me la rendait plus douce, non parce qu'il s'harmonisait avec son teint d'argent et de rose, mais parce qu'en me la faisant supposer pauvre, il la rapprochait de moi. Obligée à une attitude de convention par la présence de son père, mais apportant déjà à la perception et au classement des êtres qui étaient devant elle des principes autres que lui, peut-être voyait-elle en moi non le rang insignifiant, mais le sexe et l'âge. Si un jour M. de Stermaria était sorti sans elle, surtout si Mme de Villeparisis en venant s'asseoir à notre table lui avait donné de nous une opinion qui m'eût enhardi à m'approcher d'elle, peut-être aurions-nous pu échanger quelques paroles, prendre un rendez-vous, nous lier davantage. Et, un mois où[b] elle serait restée seule sans ses parents dans son château romanesque, peut-être aurions-nous pu nous promener seuls le soir tous deux dans le crépuscule où luiraient plus doucement au-dessus de l'eau assombrie les fleurs roses des bruyères, sous les chênes battus par le clapotement des vagues. Ensemble nous aurions parcouru cette île empreinte pour moi de tant de charme parce qu'elle avait enfermé la vie habituelle de Mlle de Stermaria et qu'elle reposait dans la mémoire de ses yeux. Car il[a] me semblait que je ne l'aurais vraiment possédée que là, quand j'aurais traversé ces lieux qui l'enveloppaient de tant de souvenirs — voile que mon désir voulait arracher et de ceux que la nature interpose entre la femme et quelques êtres (dans la même intention qui lui fait, pour tous, mettre l'acte de la reproduction entre eux et le plus vif plaisir, et pour les insectes, placer devant le nectar le pollen qu'ils doivent emporter) afin que trompés par l'illusion de la posséder ainsi plus entière ils soient forcés de s'emparer d'abord des paysages au milieu desquels elle vit et qui plus utiles pour leur imagination que le plaisir sensuel, n'eussent pas suffi pourtant, sans lui, à les attirer.

Mais je dus détourner mes regards de Mlle de Stermaria, car déjà, considérant sans doute que faire la connaissance d'une personnalité importante était un acte curieux et bref qui se suffisait à lui-même et qui pour développer tout l'intérêt qu'il comportait n'exigeait qu'une poignée de main et un coup d'œil pénétrant sans conversation immédiate ni relations ultérieures, son père avait pris congé du bâtonnier et retournait s'asseoir en face d'elle, en se frottant les mains comme un homme qui vient de faire une précieuse acquisition. Quant au bâtonnier, la première émotion de cette entrevue une fois passée, comme les autres jours, on l'entendait par moments, s'adressant au maître d'hôtel :

« Mais moi je ne suis pas roi, Aimé ; allez donc près du roi... Dites, Premier, cela a l'air très bon, ces petites truites-là, nous allons en demander à Aimé. Aimé, cela me semble tout à fait recommandable, ce petit poisson que vous avez là-bas : vous allez nous apporter de cela, Aimé, et à discrétion. »

Il répétait tout le temps le nom d'Aimé, ce qui faisait que quand il avait quelqu'un à dîner, son invité lui disait : « Je vois que vous êtes tout à fait bien dans la maison » et croyait devoir aussi prononcer constamment « Aimé » par cette disposition, où il entre à la fois de la timidité, de la vulgarité et de la sottise, qu'ont certaines personnes à croire qu'il est spirituel et élégant d'imiter à la lettre les gens avec qui elles se trouvent. Il le répétait sans cesse, mais avec un sourire, car il tenait à étaler à la fois ses bonnes relations avec le maître d'hôtel et sa supériorité sur lui. Et le maître d'hôtel lui aussi, chaque fois que revenait son nom, souriait d'un air attendri et fier, montrant qu'il ressentait l'honneur et comprenait la plaisanterie.

Si intimidants que fussent toujours pour moi les repas, dans ce vaste restaurant, habituellement comble, du Grand-Hôtel, ils le devenaient davantage encore quand arrivait pour quelques jours le propriétaire (ou directeur général élu par une société de commanditaires, je ne sais) non seulement de ce palace, mais de sept ou huit autres situés aux quatre coins de la France et dans chacun desquels, faisant entre eux la navette, il venait passer, de temps en temps, une semaine. Alors, presque au commencement du dîner, apparaissait chaque soir, à l'entrée de la salle à manger, cet homme petit, à cheveux blancs, à nez rouge, d'une impassibilité et d'une correction extraordinaires, et qui était connu, paraît-il, à Londres aussi bien qu'à Monte-Carlo, pour un des premiers hôteliers de l'Europe. Une fois que j'étais sorti un instant au commencement du dîner, comme en rentrant je passai devant lui, il me salua, sans doute pour montrer que j'étais chez lui, mais avec une froideur dont je ne pus démêler si la cause était la réserve de quelqu'un qui n'oublie pas ce qu'il est, ou le dédain pour un client sans importance. Devant ceux qui en avaient au contraire une très grande, le Directeur général s'inclinait avec autant de froideur mais plus profondément, les paupières abaissées par une sorte de respect pudique, comme s'il eût eu devant lui, à un enterrement, le père de la défunte ou le Saint Sacrement. Sauf pour ces saluts glacés et rares, il ne faisait pas un mouvement, comme pour montrer que ses yeux étincelants qui semblaient lui sortir de la figure, voyaient tout, réglaient tout, assuraient dans « le Dîner au Grand-Hôtel » aussi bien le fini des détails que l'harmonie de l'ensemble. Il se sentait évidemment plus que metteur en scène, que chef d'orchestre, véritable généralissime. Jugeant qu'une contemplation portée à son maximum d'intensité lui suffisait pour s'assurer que tout était prêt, qu'aucune faute commise ne pouvait entraîner la déroute et pour prendre enfin ses responsabilités, il s'abstenait non seulement de tout geste, même de bouger ses yeux pétrifiés par l'attention qui embrassaient et dirigeaient la totalité des opérations. Je sentais que les mouvements de ma cuiller eux-mêmes ne lui échappaient pas, et s'éclipsât-il dès après le potage, pour tout le dîner la revue qu'il venait de passer m'avait coupé l'appétit. Le sien était fort bon, comme on pouvait le voir au déjeuner qu'il prenait comme un simple particulier, à la même heure que tout le monde, dans la salle à manger. Sa table n'avait qu'une particularité, c'est qu'à côté, pendant qu'il mangeait, l'autre directeur, l'habituel, restait debout tout le temps à faire la conversation. Car étant le subordonné du directeur général, il cherchait à le flatter et avait de lui une grande peur. La mienne était moindre pendant ces déjeuners, car perdu alors au milieu des clients, il mettait la discrétion d'un général assis dans un restaurant où se trouvent aussi des soldats, à ne pas avoir l'air de s'occuper d'eux. Néanmoins quand le concierge, entouré de ses « chasseurs », m'annonçait : « Il repart demain matin pour Dinard. De là il va à Biarritz et après à Cannes », je respirais plus librement[1].

Ma vie dans l'hôtel était rendue non seulement triste parce que je n'y avais pas de relations, mais incommode, parce que Françoise en avait noué de nombreuses. Il peut sembler qu'elles auraient dû nous faciliter bien des choses. C'était tout le contraire. Les prolétaires, s'ils avaient quelque peine à être traités en personnes de connaissance par Françoise et ne le pouvaient qu'à de certaines conditions de grande politesse envers elle, en revanche, une fois qu'ils y étaient arrivés, étaient les seules gens qui comptassent pour elle. Son vieux code lui enseignait qu'elle n'était tenue à rien envers les amis de ses maîtres, qu'elle pouvait si elle était pressée envoyer promener une dame venue pour voir ma grand-mère. Mais envers ses relations à elle, c'est-à-dire avec les rares gens du peuple admis à sa difficile amitié, le protocole le plus subtil et le plus absolu réglait ses actions. Ainsi Françoise ayant fait la connaissance du cafetier et d'une petite femme de chambre qui faisait des robes pour une dame belge, ne remontait plus préparer les affaires de ma grand-mère tout de suite après déjeuner, mais seulement une heure plus tard parce que le cafetier voulait lui faire du café ou une tisane à la caféterie[2], que la femme de chambre lui demandait de venir la regarder coudre et que leur refuser eût été impossible et de ces choses qui ne se font pas.

D'ailleurs des égards particuliers étaient dus à la petite femme de chambre qui était orpheline et avait été élevée chez des étrangers auprès desquels elle allait passer parfois quelques jours. Cette situation excitait la pitié de Françoise et aussi son dédain bienveillant. Elle qui avait de la famille, une petite maison qui lui venait de ses parents et où son frère élevait quelques vaches, elle ne pouvait pas considérer comme son égale une déracinée. Et comme cette petite espérait pour le 15 août aller voir ses bienfaiteurs, Françoise ne pouvait se tenir de répéter : « Elle me fait rire. Elle dit : j'espère d'aller chez moi pour le 15 août. Chez moi, qu'elle dit ! C'est seulement pas son pays, c'est des gens qui l'ont recueillie, et ça dit chez moi comme si c'était vraiment chez elle. Pauvre petite ! quelle misère qu'elle peut bien avoir pour qu'elle ne connaisse pas ce que c'est que d'avoir un chez soi. » Mais si encore Françoise ne s'était liée qu'avec des femmes de chambre amenées par des clients, lesquelles dînaient avec elle aux « courriers » et devant son beau bonnet de dentelles et son fin profil la prenaient pour quelque dame, noble peut-être, réduite par les circonstances ou poussée par l'attachement à servir de dame de compagnie à ma grand-mère, si en un mot Françoise n'eût connu que des gens qui n'étaient pas de l'hôtel, le mal n'eût pas été grand, parce qu'elle n'eût pu les empêcher de nous servir à quelque chose, pour la raison qu'en aucun cas, et même inconnus d'elle, ils n'auraient pu nous servir à rien. Mais elle s'était liée aussi avec un sommelier, avec un homme de la cuisine, avec une gouvernante d'étage. Et il en résultait en ce qui concernait notre vie de tous les jours que Françoise qui le jour de son arrivée, quand elle ne connaissait encore personne, sonnait à tort et à travers pour la moindre chose, à des heures où ma grand-mère et moi nous n'aurions pas osé le faire, et si nous lui en faisions une légère observation, répondait : « Mais on paye assez cher pour ça », comme si elle avait payé elle-même, maintenant depuis qu'elle était amie d'une personnalité de la cuisine, ce qui nous avait paru de bon augure pour notre commodité, si ma grand-mère ou moi nous avions froid aux pieds, Françoise, fût-il une heure tout à fait normale, n'osait pas sonner ; elle assurait que ce serait mal vu parce que cela obligerait à rallumer les fourneaux ou gênerait le dîner des domestiques qui seraient mécontents. Et elle finissait par une locution qui malgré la façon incertaine dont elle la prononçait, n'en était pas moins claire et nous donnait nettement tort : « Le fait est... » Nous n'insistions pas, de peur de nous en faire infliger une, bien plus grave : « C'est quelque chose !... » De sorte qu'en somme nous ne pouvions plus avoir d'eau chaude parce que Françoise était devenue l'amie de celui qui la faisait chauffer[1].

À la fin, nous aussi, nous fîmes une relation, malgré mais par ma grand-mère, car elle et Mme de Villeparisis tombèrent[a] un matin l'une sur l'autre dans une porte et furent obligées de s'aborder non sans échanger au préalable des gestes de surprise, d'hésitation, exécuter des mouvements de recul, de doute et enfin des protestations de politesse et de joie comme dans certaines scènes de Molière où deux acteurs monologuant depuis longtemps chacun de son côté à quelques pas l'un de l'autre, sont censés ne pas s'être vus encore, et tout à coup s'aperçoivent, n'en peuvent croire leurs yeux, entrecoupent leurs propos, finalement parlent ensemble, le chœur ayant suivi le dialogue, et se jettent dans les bras l'un de l'autre[2]. Mme de Villeparisis par discrétion voulut au bout d'un instant quitter ma grand-mère qui, au contraire, préféra la retenir jusqu'au déjeuner, désirant apprendre comment elle faisait pour avoir son courrier plus tôt que nous et de bonnes grillades (car Mme de Villeparisis, très gourmande, goûtait fort peu la cuisine de l'hôtel où l'on nous servait des repas que ma grand-mère, citant toujours Mme de Sévigné, prétendait être « d'une magnificence à mourir de faim[3] »). Et la marquise prit l'habitude de venir tous les jours en attendant qu'on la servît, s'asseoir un moment près de nous dans la salle à manger, sans permettre que nous nous levions, que nous nous dérangions en rien. Tout au plus nous attardions-nous souvent à causer avec elle, notre déjeuner fini, à ce moment sordide où les couteaux traînent sur la nappe à côté des serviettes défaites[4]. Pour ma part, afin de garder, pour pouvoir aimer Balbec, l'idée que j'étais sur la pointe extrême de la terre[5], je m'efforçais de regarder plus loin, de ne voir que la mer, d'y chercher des effets décrits par Baudelaire et de ne laisser tomber mes regards sur notre table que les jours où y était servi quelque vaste poisson, monstre marin qui au contraire des couteaux et des fourchettes était contemporain des époques primitives où la vie commençait à affluer dans l'Océan, au temps des Cimmériens[1], et duquel le corps aux innombrables vertèbres, aux nerfs bleus et roses, avait été construit par la nature, mais selon un plan architectural, comme une polychrome cathédrale de la mer.

Comme un coiffeur, voyant un officier qu'il sert avec une considération particulière reconnaître un client qui vient d'entrer et entamer un bout de causette avec lui, se réjouit en comprenant qu'ils sont du même monde et ne peut s'empêcher de sourire en allant chercher le bol de savon, car il sait que dans son établissement, aux besognes vulgaires du simple salon de coiffure s'ajoutent des plaisirs sociaux, voire aristocratiques, tel Aimé, voyant que Mme de Villeparisis avait retrouvé en nous d'anciennes relations, s'en allait chercher nos rince-bouches avec le même sourire orgueilleusement modeste et savamment discret de maîtresse de maison qui sait se retirer à propos. On eût dit aussi un père heureux et attendri qui veille sans le troubler sur le bonheur de fiançailles qui se sont nouées à sa table. Du reste, il suffisait qu'on prononçât le nom d'une personne titrée pour qu'Aimé parût heureux, au contraire de Françoise devant qui on ne pouvait dire « le comte Un tel » sans que son visage s'assombrît et que sa parole devînt sèche et brève, ce qui signifiait qu'elle chérissait la noblesse, non pas moins que ne faisait Aimé, mais davantage. Puis Françoise avait la qualité qu'elle trouvait chez les autres le plus grand des défauts, elle était fière. Elle n'était pas de la race agréable et pleine de bonhomie dont Aimé faisait partie. Ils éprouvent, ils manifestent un vif plaisir quand on leur raconte un fait plus ou moins piquant, mais inédit qui n'est pas dans le journal. Françoise ne voulait pas avoir l'air étonné. On aurait dit devant elle que l'archiduc Rodolphe[2], dont elle n'avait jamais soupçonné l'existence, était non pas mort comme cela passait pour assuré, mais vivant, qu'elle eût répondu « Oui », comme si elle le savait depuis longtemps. Il est, d'ailleurs, à croire que, pour que même de notre bouche à nous, qu'elle appelait si humblement ses maîtres et qui l'avions presque si entièrement domptée, elle ne pût entendre, sans avoir à réprimer un mouvement de colère, le nom d'un noble, il fallait que la famille dont elle était sortie occupât dans son village une situation aisée, indépendante, et qui ne devait être troublée dans la

considération dont elle jouissait que par ces mêmes nobles
chez lesquels au contraire, dès l'enfance, un Aimé a servi
comme domestique, s'il n'y a pas été élevé par charité.
Pour Françoise, Mme de Villeparisis avait donc à se faire
pardonner d'être noble. Mais, en France du moins, c'est
justement le talent, comme la seule occupation, des grands
seigneurs et des grandes dames. Françoise, obéissant à la
tendance des domestiques qui recueillent sans cesse sur
les rapports de leurs maîtres avec les autres personnes des
observations fragmentaires dont ils tirent parfois des
inductions erronées — comme font les humains sur la vie
des animaux —, trouvait à tout moment qu'on nous avait
« manqué », conclusion à laquelle l'amenait facilement,
d'ailleurs, autant que son amour excessif pour nous, le
plaisir qu'elle avait à nous être désagréable. Mais ayant
constaté, sans erreur possible, les mille prévenances dont
nous entourait et dont l'entourait elle-même Mme de
Villeparisis, Françoise l'excusa d'être marquise et comme
elle n'avait jamais cessé de lui savoir gré de l'être, elle
la préféra à toutes les personnes que nous connaissions.
C'est qu'aussi aucune ne s'efforçait d'être aussi continuellement aimable. Chaque fois que ma grand-mère remarquait
un livre que Mme de Villeparisis lisait, ou disait avoir
trouvé beaux des fruits que celle-ci avait reçus d'une amie,
une heure après un valet de chambre montait nous
remettre livre ou fruits. Et quand nous la voyions ensuite,
pour répondre à nos remerciements, elle se contentait de
dire, ayant l'air de chercher une excuse à son présent dans
quelque utilité spéciale : « Ce n'est pas un chef d'œuvre,
mais les journaux arrivent si tard, il faut bien avoir quelque
chose à lire » ou : « C'est toujours plus prudent d'avoir
du fruit dont on est sûr au bord de la mer. »
    « Mais il me semble*ᵃ* que vous ne mangez jamais
d'huîtres, nous dit Mme de Villeparisis (augmentant
l'impression de dégoût que j'avais à cette heure-là, car la
chair vivante des huîtres me répugnait encore plus que
la viscosité des méduses ne me ternissait la plage de
Balbec) ; elles sont exquises sur cette côte ! Ah ! je dirai
à ma femme de chambre d'aller prendre vos lettres en
même temps que les miennes. Comment, votre fille vous
écrit *tous les jours ?* Mais qu'est-ce que vous pouvez trouver
à vous dire ! » Ma grand-mère se tut, mais on peut croire
que ce fut par dédain, elle qui répétait pour maman les

mots de Mme de Sévigné : « Dès que j'ai reçu une lettre,
j'en voudrais tout à l'heure une autre, je ne respire que
d'en recevoir. Peu de gens sont dignes de comprendre
ce que je sens[1]. » Et je craignais qu'elle n'appliquât à
Mme de Villeparisis la conclusion : « Je cherche ceux qui
sont de ce petit nombre, et j'évite les autres. » Elle se
rabattit sur l'éloge des fruits que Mme de Villeparisis nous
avait fait porter la veille. Et ils étaient en effet si beaux
que le directeur, malgré la jalousie de ses compotiers
dédaignés, m'avait dit : « Je suis comme vous, je suis plus
frivole de fruit que de tout autre dessert. » Ma grand-mère
dit à son amie qu'elle les avait d'autant plus appréciés que
ceux qu'on servait à l'hôtel étaient généralement détestables. « Je ne peux[a] pas, ajouta-t-elle, dire comme Mme
de Sévigné que si nous voulions par fantaisie trouver un
mauvais fruit, nous serions obligés de le faire venir de
Paris[2]. — Ah, oui, vous lisez Mme de Sévigné. Je vous
vois depuis le premier jour avec ses *Lettres* (elle oubliait
qu'elle n'avait jamais aperçu ma grand-mère dans l'hôtel
avant de la rencontrer dans cette porte). Est-ce que vous
ne trouvez pas que c'est un peu exagéré ce souci constant
de sa fille, elle en parle trop pour que ce soit bien sincère.
Elle manque de naturel. » Ma grand-mère trouva la
discussion inutile et pour éviter d'avoir à parler des choses
qu'elle aimait devant quelqu'un qui ne pouvait les
comprendre, elle cacha, en posant son sac sur eux, les
Mémoires de Mme de Beausergent.

Quand Mme de Villeparisis rencontrait Françoise au
moment (que celle-ci appelait « le midi ») où, coiffée d'un
beau bonnet et entourée de la considération générale, elle
descendait « manger aux courriers », Mme de Villeparisis
l'arrêtait pour lui demander de nos nouvelles. Et Françoise,
nous transmettant les commissions de la marquise : « Elle
a dit : Vous leur donnerez bien le bonjour », contrefaisant
la voix de Mme de Villeparisis de laquelle elle croyait citer
textuellement les paroles, tout en ne les déformant pas
moins que Platon celles de Socrate ou saint Jean celles
de Jésus. Françoise était naturellement très touchée de ces
attentions. Tout au plus ne croyait-elle pas ma grand-mère
et pensait-elle que celle-ci mentait dans un intérêt de classe,
les gens riches se soutenant les uns les autres, quand elle
assurait que Mme de Villeparisis avait été autrefois
ravissante. Il est vrai qu'il n'en subsistait que de biens

faibles restes dont on n'eût pu, à moins d'être plus artiste que Françoise, restituer la beauté détruite. Car, pour comprendre combien une vieille femme a pu être jolie, il ne faut pas seulement regarder, mais traduire chaque trait.

« Il faudra[a] que je pense une fois à lui demander si je me trompe et si elle n'a pas quelque parenté avec des Guermantes », me dit ma grand-mère qui excita par là mon indignation. Comment aurais-je pu croire à une communauté d'origine entre deux noms qui étaient entrés en moi, l'un par la porte basse et honteuse de l'expérience, l'autre par la porte d'or de l'imagination ?

On voyait souvent passer depuis quelques jours, en pompeux équipage, grande, rousse, belle, avec un nez un peu fort, la princesse[b] de Luxembourg[1] qui était en villégiature pour quelques semaines dans le pays. Sa calèche s'était arrêtée devant l'hôtel, un valet de pied était venu parler au directeur, était retourné à la voiture et avait rapporté des fruits merveilleux (qui unissaient dans une seule corbeille, comme la baie elle-même, diverses saisons), avec une carte : « La princesse de Luxembourg », où étaient écrits quelques mots au crayon. À quel voyageur princier demeurant ici incognito, pouvaient être destinés ces prunes glauques[c], lumineuses et sphériques comme était à ce moment-là la rotondité de la mer, des raisins transparents suspendus au bois desséché comme une claire journée d'automne, des poires d'un outremer céleste ? Car ce ne pouvait être à l'amie de ma grand-mère que la princesse avait voulu faire visite. Pourtant le lendemain soir Mme de Villeparisis nous envoya la grappe de raisins fraîche et dorée et des prunes et des poires que nous reconnûmes aussi, quoique les prunes eussent passé comme la mer à l'heure de notre dîner, au mauve et que dans l'outremer des poires flottassent quelques formes de nuages roses. Quelques jours après nous rencontrâmes Mme de Villeparisis en sortant du concert symphonique qui se donnait le matin sur la plage. Persuadé que les œuvres que j'y entendais (le prélude de *Lohengrin,* l'ouverture de *Tannhäuser,* etc.) exprimaient les vérités les plus hautes, je tâchais de m'élever autant que je pouvais pour atteindre jusqu'à elles, je tirais de moi pour les comprendre, je leur remettais tout ce que je recelais alors de meilleur, de plus profond.

Or, en sortant^a du concert, comme, en reprenant le chemin qui va vers l'hôtel, nous nous étions arrêtés un instant sur la digue, ma grand-mère et moi, pour échanger quelques mots avec Mme de Villeparisis qui nous annonçait qu'elle avait commandé pour nous à l'hôtel des « croque-monsieur » et des œufs à la crème, je vis de loin venir dans notre direction la princesse de Luxembourg, à demi appuyée sur une ombrelle de façon à imprimer à son grand et merveilleux corps cette légère inclinaison, à lui faire dessiner cette arabesque si chère aux femmes qui avaient été belles sous l'Empire et qui savaient, les épaules tombantes, le dos remonté, la hanche creuse, la jambe tendue, faire flotter mollement leur corps comme un foulard, autour de l'armature d'une invisible tige inflexible et oblique qui l'aurait traversé. Elle sortait tous les matins faire son tour de plage presque à l'heure où tout le monde après le bain remontait pour le déjeuner et comme le sien était seulement à une heure et demie, elle ne rentrait à sa villa que longtemps après que les baigneurs avaient abandonné la digue déserte et brûlante. Mme de Villeparisis présenta ma grand-mère, voulut me présenter, mais dut me demander mon nom, car elle ne se le rappelait pas. Elle ne l'avait peut-être jamais su ou, en tous cas, avait oublié depuis bien des années à qui ma grand-mère avait marié sa fille. Ce nom parut faire une vive impression sur Mme de Villeparisis. Cependant la princesse de Luxembourg nous avait tendu la main et, de temps en temps, tout en causant avec la marquise, elle se détournait pour poser de doux regards sur ma grand-mère et sur moi, avec cet embryon de baiser qu'on ajoute au sourire quand celui-ci s'adresse à un bébé avec sa nounou. Même dans son désir de ne pas avoir l'air de siéger dans une sphère supérieure à la nôtre elle avait sans doute mal calculé la distance, car, par une erreur de réglage, ses regards s'imprégnèrent d'une telle bonté que je vis approcher le moment où elle nous flatterait de la main comme deux bêtes sympathiques qui eussent passé la tête vers elle, à travers un grillage, au jardin d'Acclimatation. Aussitôt du reste cette idée d'animaux et de bois de Boulogne prit plus de consistance pour moi. C'était l'heure où la digue est parcourue par des marchands ambulants et criards qui vendent des gâteaux, des bonbons, des petits pains. Ne sachant que faire pour nous témoigner sa

bienveillance, la princesse arrêta le premier qui passa ;
il n'avait plus qu'un pain de seigle, du genre de ceux
qu'on jette aux canards. La princesse le prit et me dit :
« C'est pour votre grand-mère. » Pourtant, ce fut à moi
qu'elle le tendit, en me disant avec un fin sourire : « Vous
le lui donnerez vous-même », pensant qu'ainsi mon plaisir
serait plus complet s'il n'y avait pas d'intermédiaires entre
moi et les animaux. D'autres marchands s'approchèrent,
elle remplit mes poches de tout ce qu'ils avaient, de
paquets tout ficelés, de plaisirs, de babas et de sucres
d'orge. Elle me dit : « Vous en mangerez et vous en
ferez manger aussi à votre grand-mère » et elle fit payer
les marchands par le petit nègre habillé en satin rouge[a]
qui la suivait partout et qui faisait l'émerveillement de
la plage. Puis elle dit adieu à Mme de Villeparisis et
nous tendit la main avec l'intention de nous traiter de
la même manière que son amie, en intimes, et de se
mettre à notre portée. Mais cette fois, elle plaça sans
doute notre niveau un peu moins bas dans l'échelle des
êtres, car son égalité avec nous fut signifiée par la
princesse à ma grand-mère au moyen de ce tendre et
maternel sourire qu'on adresse à un gamin quand on
lui dit au revoir comme à une grande personne. Par un
merveilleux progrès de l'évolution, ma grand-mère n'était
plus un canard ou une antilope, mais déjà ce que Mme
Swann eût appelé un « baby ». Enfin, nous ayant quittés
tous trois, la princesse reprit sa promenade sur la digue
ensoleillée en incurvant sa taille magnifique qui comme
un serpent autour d'une baguette s'enlaçait à l'ombrelle
blanche imprimée de bleu que Mme de Luxembourg
tenait fermée à la main. C'était ma première altesse, je
dis la première, car la princesse Mathilde n'était pas
altesse du tout de façons. La seconde, on le verra plus
tard, ne devait pas moins m'étonner par sa bonne grâce.
Une forme de l'amabilité des grands seigneurs, intermédiaires bénévoles entre les souverains et les bourgeois,
me fut apprise le lendemain quand Mme de Villeparisis
nous dit : « Elle vous a trouvés charmants. C'est une
femme d'un grand jugement, de beaucoup de cœur. Elle
n'est pas comme tant de souveraines ou d'altesses. Elle
a une vraie valeur. » Et Mme de Villeparisis ajouta d'un
air convaincu, et toute ravie de pouvoir nous le dire :
« Je crois qu'elle serait enchantée de vous revoir. »

Mais ce matin-là même, en quittant la princesse de Luxembourg, Mme de Villeparisis me dit une chose qui me frappa davantage et qui n'était pas du domaine de l'amabilité.

« Est-ce que[a] vous êtes le fils du directeur au ministère ? me demanda-t-elle. Ah ! il paraît que votre père est un homme charmant. Il fait un bien beau voyage en ce moment. »

Quelques jours auparavant nous avions appris par une lettre de Maman que mon père et son compagnon M. de Norpois avaient perdu leurs bagages.

« Ils sont retrouvés, ou plutôt ils n'ont jamais été perdus, voici ce qui était arrivé », nous dit Mme de Villeparisis, qui, sans que nous sussions comment, avait l'air beaucoup plus renseigné que nous sur les détails du voyage. « Je crois que votre père avancera son retour à la semaine prochaine, car il renoncera probablement à aller à Algésiras. Mais il a envie de consacrer un jour de plus à Tolède, car il est admirateur d'un élève de Titien dont je ne me rappelle pas le nom et qu'on ne voit bien que là[1]. »

Et je me demandais par quel hasard, dans la lunette indifférente à travers laquelle Mme de Villeparisis considérait d'assez loin l'agitation sommaire, minuscule et vague de la foule des gens qu'elle connaissait, se trouvait intercalé à l'endroit où elle considérait mon père un morceau de verre prodigieusement grossissant qui lui faisait voir avec tant de relief et dans le plus grand détail tout ce qu'il avait d'agréable, les contingences qui le forçaient à revenir, ses ennuis de douane, son goût pour le Greco, et changeant pour elle l'échelle de sa vision, lui montrait ce seul homme si grand au milieu des autres, tout petits, comme ce Jupiter à qui Gustave Moreau a donné, quand il l'a peint à côté d'une faible mortelle, une stature plus qu'humaine[2].

Ma grand-mère prit congé de Mme de Villeparisis pour que nous pussions rester à respirer l'air un instant de plus devant l'hôtel, en attendant qu'on nous fît signe à travers le vitrage que notre déjeuner était servi. On entendit un tumulte. C'était la jeune maîtresse du roi des sauvages, qui venait de prendre son bain et rentrait déjeuner.

« Vraiment c'est un fléau, c'est à quitter la France ! » s'écria rageusement le bâtonnier qui passait à ce moment.

Cependant la femme du notaire attachait des yeux écarquillés sur la fausse souveraine.

« Je ne peux pas vous dire comme Mme Blandais m'agace en regardant ces gens-là comme cela, dit le bâtonnier au président. Je voudrais pouvoir lui donner une gifle. C'est comme cela qu'on donne de l'importance à cette canaille qui naturellement ne demande qu'à ce que l'on s'occupe d'elle. Dites donc à son mari de l'avertir que c'est ridicule ; moi, je ne sors plus avec eux s'ils ont l'air de faire attention aux déguisés. »

Quant à la venue de la princesse de Luxembourg, dont l'équipage, le jour où elle avait apporté des fruits, s'était arrêté devant l'hôtel, elle n'avait pas échappé au groupe de la femme du notaire, du bâtonnier et du premier président, déjà depuis quelque temps fort agitées de savoir si c'était une marquise authentique et non une aventurière que cette Mme de Villeparisis qu'on traitait avec tant d'égards, desquels toutes ces dames brûlaient d'apprendre qu'elle était indigne. Quand Mme de Villeparisis traversait le hall, la femme du premier président, qui flairait partout des irrégulières, levait son nez de sur son ouvrage et la regardait d'une façon qui faisait*a* mourir de rire ses amies.

« Oh ! moi, vous savez, disait-elle avec orgueil, je commence toujours par croire le mal. Je ne consens à admettre qu'une femme est vraiment mariée que quand on m'a sorti les extraits de naissance et les actes notariés. Du reste, n'ayez crainte, je vais procéder à ma petite enquête. »

Et chaque jour toutes ces dames accouraient en riant.

« Nous venons aux nouvelles. »

Mais le soir de la visite de la princesse du Luxembourg, la femme du Premier mit un doigt sur sa bouche.

« Il y a du nouveau.

— Oh ! elle est extraordinaire, Mme Poncin ! je n'ai jamais vu... mais dites, qu'y a-t-il ?

— Hé bien, il y a qu'une femme aux cheveux jaunes, avec un pied de rouge sur la figure, une voiture qui sentait l'horizontale d'une lieue, et comme n'en ont que ces demoiselles, est venue tantôt pour voir la prétendue marquise.

— Ouil you ouil ! patatras ! Voyez-vous ça ! mais c'est cette dame que nous avons vue, vous vous rappelez, bâtonnier, nous avons bien trouvé qu'elle marquait très mal mais nous ne savions pas qu'elle était venue pour la marquise. Une femme avec un nègre, n'est-ce pas ?

— C'est cela même.

— Ah ! vous m'en direz tant. Vous ne savez pas son nom ?

— Si, j'ai fait semblant de me tromper, j'ai pris la carte, elle a comme nom de guerre la princesse de Luxembourg ! Avais-je raison de me méfier ! C'est agréable d'avoir ici une promiscuité avec cette espèce de baronne d'Ange[1]. »

Le bâtonnier cita Mathurin Régnier et *Macette*[2] au premier président.

Il ne faut, d'ailleurs, pas croire que ce malentendu fut momentané comme ceux qui se forment au deuxième acte d'un vaudeville pour se dissiper au dernier. Mme de Luxembourg, nièce du roi d'Angleterre et de l'empereur d'Autriche, et Mme de Villeparisis parurent toujours quand la première venait chercher la seconde pour se promener en voiture deux drôlesses de l'espèce de celles dont on se gare difficilement dans les villes d'eaux. Les trois quarts des hommes du faubourg Saint-Germain passent aux yeux d'une bonne partie de la bourgeoisie pour des décavés crapuleux (qu'ils sont d'ailleurs quelquefois individuellement) et que, par conséquent, personne ne reçoit. La bourgeoisie est trop honnête en cela car leurs tares ne les empêcheraient nullement d'être reçus avec la plus grande faveur là où elle ne le sera jamais. Et eux s'imaginent tellement que la bourgeoisie le sait qu'ils affectent une simplicité en ce qui les concerne, un dénigrement pour leurs amis particulièrement « à la côte[3] », qui achève le malentendu. Si par hasard un homme du grand monde est en rapports avec la petite bourgeoisie parce qu'il se trouve, étant extrêmement riche, avoir la présidence des plus importantes sociétés financières, la bourgeoisie qui voit enfin un noble digne d'être grand bourgeois jurerait qu'il ne fraye pas avec le marquis joueur et ruiné qu'elle croit d'autant plus dénué de relations qu'il est plus aimable. Et elle n'en revient pas quand le duc, président du conseil d'administration de la colossale Affaire, donne pour femme à son fils la fille du marquis joueur, mais dont le nom est le plus ancien de France, de même qu'un souverain fera plutôt épouser à son fils la fille d'un roi détrôné que d'un président de la république en fonctions. C'est dire que les deux mondes ont l'un de l'autre une vue aussi chimérique que les

habitants d'une plage située à une des extrémités de la
baie de Balbec, ont de la plage située à l'autre extrémité :
de Rivebelle on voit un peu Marcouville-l'Orgueilleuse[1] ;
mais cela même trompe, car on croit qu'on est vu de
Marcouville, d'où au contraire les splendeurs de Rivebelle
sont en grande partie invisibles.

Le médecin[a] de Balbec appelé pour un accès de fièvre
que j'avais eu, ayant estimé que je ne devrais pas rester
toute la journée au bord de la mer, en plein soleil, par
les grandes chaleurs, et rédigé à mon usage quelques
ordonnances pharmaceutiques, ma grand-mère prit les
ordonnances avec un respect apparent où je reconnus tout
de suite sa ferme décision de n'en faire exécuter aucune,
mais tint compte du conseil en matière d'hygiène et accepta
l'offre de Mme de Villeparisis de nous faire faire quelques
promenades en voiture. J'allais et je venais, jusqu'à l'heure
du déjeuner, de ma chambre à celle de ma grand-mère[b2].
Elle ne donnait pas directement sur la mer comme la
mienne mais prenait jour de trois côtés différents : sur un
coin de la digue, sur une cour et sur la campagne, et était
meublée autrement, avec des fauteuils brodés de filigranes
métalliques et de fleurs roses d'où semblait émaner
l'agréable et fraîche odeur qu'on trouvait en entrant. Et
à cette heure où des rayons venus d'expositions et comme
d'heures différentes, brisaient les angles du mur, à côté
d'un reflet de la plage mettaient sur la commode un
reposoir diapré comme les fleurs du sentier, suspendaient
à la paroi les ailes repliées, tremblantes et tièdes d'une
clarté prête à reprendre son vol, chauffaient comme un
bain un carré de tapis provincial devant la fenêtre de la
courette que le soleil festonnait comme une vigne,
ajoutaient au charme et à la complexité de la décoration
mobilière en semblant exfolier la soie fleurie des fauteuils
et détacher leur passementerie, cette chambre que je
traversais un moment avant de m'habiller pour la
promenade, avait l'air d'un prisme où se décomposaient
les couleurs de la lumière du dehors, d'une ruche où les
sucs de la journée que j'allais goûter étaient dissociés,
épars, enivrants et visibles, d'un jardin de l'espérance qui
se dissolvait en une palpitation de rayons d'argent et de
pétales de rose. Mais avant tout j'avais ouvert mes rideaux
dans l'impatience de savoir quelle était la Mer qui jouait
ce matin-là au bord du rivage, comme une Néréide. Car

chacune de ces Mers ne restait jamais plus d'un jour. Le lendemain il y en avait une autre qui parfois lui ressemblait. Mais je ne vis jamais deux fois la même.

Il y en avait qui étaient d'une beauté si rare qu'en les apercevant mon plaisir était encore accru par la surprise. Par quel[d] privilège, un matin plutôt qu'un autre, la fenêtre en s'entrouvrant découvrit-elle à mes yeux émerveillés la nymphe Glaukonomè[1], dont[b] la beauté paresseuse et qui respirait mollement, avait la transparence d'une vaporeuse émeraude à travers laquelle je voyais affluer les éléments pondérables qui la coloraient ? Elle faisait jouer le soleil avec un sourire alangui par une brume invisible qui n'était qu'un espace vide réservé autour de sa surface translucide rendue ainsi plus abrégée et plus saisissante, comme ces déesses que le sculpteur détache sur le reste du bloc qu'il ne daigne pas dégrossir. Telle, dans sa couleur unique, elle nous invitait à la promenade sur ces routes grossières et terriennes, d'où, installés dans la calèche de Mme de Villeparisis, nous apercevrions tout le jour et sans jamais l'atteindre la fraîcheur de sa molle palpitation[2].

Mme de Villeparisis[c] faisait atteler de bonne heure, pour que nous eussions le temps d'aller soit jusqu'à Saint-Mars-le-Vêtu, soit jusqu'aux rochers de Quetteholme ou à[d] quelque autre but d'excursion qui, pour une voiture assez lente, était fort lointain et demandait toute la journée. Dans ma joie de la longue promenade que nous allions entreprendre, je fredonnais quelque air récemment écouté, et je faisais les cent pas en attendant que Mme de Villeparisis fût prête. Si c'était dimanche, sa voiture n'était pas seule devant l'hôtel ; plusieurs fiacres loués attendaient non seulement les personnes qui étaient invitées au château de Féterne chez Mme de Cambremer, mais celles qui plutôt que de rester là comme des enfants punis déclaraient que le dimanche était un jour assommant à Balbec et partaient dès après déjeuner se cacher dans une plage voisine ou visiter quelque site. Et même souvent quand on demandait à Mme Blandais si elle avait été chez les Cambremer, elle répondait péremptoirement : « Non, nous étions aux cascades du Bec », comme si c'était là la seule raison pour laquelle elle n'avait pas passé la journée à Féterne. Et le bâtonnier disait charitablement :

« Je vous envie, j'aurais bien changé avec vous, c'est autrement intéressant. »

À côté[a] des voitures, devant le porche où j'attendais, était planté comme un arbrisseau d'une espèce rare un jeune chasseur qui ne frappait pas moins les yeux par l'harmonie singulière de ses cheveux colorés que par son épiderme de plante. À l'intérieur, dans le hall qui correspondait au narthex ou église des catéchumènes des églises romanes, et où les personnes qui n'habitaient pas l'hôtel avaient le droit de passer, les camarades du groom « extérieur » ne travaillaient pas beaucoup plus que lui mais exécutaient du moins quelques mouvements. Il est probable que le matin ils aidaient au nettoyage. Mais l'après-midi ils restaient là seulement comme des choristes qui, même quand ils ne servent à rien, demeurent en scène pour ajouter à la figuration. Le directeur général, celui qui me faisait si peur, comptait augmenter considérablement leur nombre l'année suivante, car il « voyait grand ». Et sa décision affligeait beaucoup le directeur de l'hôtel, lequel trouvait que tous ces enfants n'étaient que des « faiseurs d'embarras », entendant par là qu'ils embarrassaient le passage et ne servaient à rien. Du moins, entre le déjeuner et le dîner, entre les sorties et les rentrées des clients, remplissaient-ils le vide de l'action, comme ces élèves de Mme de Maintenon qui sous le costume de jeunes Israélites, font intermède chaque fois qu'Esther ou Joad s'en vont[1]. Mais le chasseur du dehors, aux nuances précieuses, à la taille élancée et frêle, non loin duquel j'attendais que la marquise descendît, gardait une immobilité à laquelle s'ajoutait de la mélancolie, car ses frères aînés avaient quitté l'hôtel pour des destinées plus brillantes et il se sentait isolé sur cette terre étrangère. Enfin Mme de Villeparisis arrivait. S'occuper de sa voiture et l'y faire monter eût peut-être dû faire partie des fonctions du chasseur. Mais il savait d'une part[2] qu'une personne qui amène ses gens avec soi se fait servir par eux et d'habitude donne peu de pourboires dans un hôtel, que les nobles de l'ancien faubourg Saint-Germain agissent de même. Mme de Villeparisis appartenait à la fois à ces deux catégories. Le chasseur arborescent en concluait qu'il n'avait rien à attendre de la marquise et laissant le maître d'hôtel et la femme de chambre de celle-ci l'installer avec ses affaires, il rêvait tristement au sort envié de ses frères et conservait son immobilité végétale.

Nous partions[a] ; quelque temps après avoir contourné la station du chemin de fer, nous entrions dans une route campagnarde qui me devint bientôt aussi familière que celle de Combray, depuis le coude où elle s'amorçait entre des clos charmants jusqu'au tournant où nous la quittions et qui avait de chaque côté des terres labourées. Au milieu d'elles, on voyait çà et là un pommier, privé il est vrai de ses fleurs et ne portant plus qu'un bouquet de pistils, mais qui suffisait à m'enchanter parce que[b] je reconnaissais ces feuilles inimitables dont la large étendue, comme le tapis d'estrade d'une fête nuptiale maintenant terminée, avait été tout récemment foulée par la traîne de satin blanc des fleurs rougissantes.

Combien de fois à Paris, dans le mois de mai de l'année suivante, il m'arriva d'acheter une branche[c] de pommier chez le fleuriste et de passer ensuite la nuit devant ses fleurs où s'épanouissait la même essence crémeuse qui poudrait encore de son écume les bourgeons de feuilles et entre les blanches corolles desquelles il semblait que ce fût le marchand qui par générosité envers moi, par goût inventif aussi et contraste ingénieux, eût ajouté de chaque côté, en surplus, un seyant bouton rose ; je les regardais, je les faisais poser sous ma lampe — si longtemps que j'étais souvent encore là quand l'aurore leur apportait la même rougeur qu'elle devait faire en même temps à Balbec — et je cherchais à les reporter sur cette route par l'imagination, à les multiplier, à les étendre dans le cadre préparé, sur la toile toute prête, de ces clos dont je savais le dessin par cœur et que j'aurais tant voulu, qu'un jour je devais, revoir, au moment où avec la verve ravissante du génie, le printemps couvre leur canevas de ses couleurs.

Avant de monter en voiture, j'avais composé le tableau de mer que j'allais chercher, que j'espérais voir avec le « soleil rayonnant[1] », et qu'à Balbec je n'apercevais que trop morcelé entre tant d'enclaves vulgaires et que mon rêve n'admettait pas, de baigneurs, de cabines, de yachts de plaisance. Mais quand, la voiture de Mme de Villeparisis étant parvenue en haut d'une côte, j'apercevais la mer entre les feuillages des arbres, alors sans doute de si loin disparaissaient ces détails contemporains qui l'avaient mise comme en dehors de la nature et de l'histoire, et je pouvais en regardant les flots m'efforcer de penser que c'était les mêmes que Leconte de Lisle nous

peint dans *L'Orestie* quand « tel qu'un vol d'oiseaux
carnassiers dans l'aurore », les guerriers chevelus de
l'héroïque Hellas « de cent mille avirons battaient le flot
sonore[1] ». Mais en revanche je n'étais plus assez près de
la mer qui ne me semblait pas vivante, mais figée, je ne
sentais plus de puissance sous ses couleurs étendues comme
celles d'une peinture entre les feuilles où elle apparaissait
aussi inconsistante que le ciel, et seulement plus foncée
que lui.

Mme de Villeparisis voyant[a] que j'aimais les églises me
promettait que nous irions voir une fois l'une, une fois
l'autre, et surtout celle de Carqueville « toute[b] cachée sous
son vieux lierre[2] », dit-elle avec un mouvement de la main
qui semblait envelopper avec goût la façade absente dans
un feuillage invisible et délicat. Mme de Villeparisis avait
souvent, avec ce petit geste descriptif, un mot juste pour
définir le charme et la particularité d'un monument, évitant
toujours les termes techniques, mais ne pouvant dissimuler
qu'elle savait très bien les choses dont elle parlait. Elle
semblait chercher à s'en excuser sur ce qu'un des châteaux
de son père, et où elle avait été élevée, étant situé dans
une région où il y avait des églises du même style
qu'autour de Balbec, il eût été honteux qu'elle n'eût pas
pris le goût de l'architecture, ce château étant d'ailleurs
le plus bel exemplaire de celle de la Renaissance. Mais
comme il était aussi un vrai musée, comme d'autre part
Chopin et Liszt y avaient joué, Lamartine récité des vers,
tous les artistes connus de tout un siècle écrit des pensées,
des mélodies, fait des croquis sur l'album familial, Mme
de Villeparisis ne donnait, par grâce, bonne éducation,
modestie réelle, ou manque d'esprit philosophique, que
cette origine purement matérielle à sa connaissance de tous
les arts, et finissait par avoir l'air de considérer la peinture,
la musique, la littérature et la philosophie comme
l'apanage d'une jeune fille élevée de la façon la plus
aristocratique dans un monument classé et illustre. On
aurait dit qu'il n'y avait pas pour elle d'autres tableaux
que ceux dont on a hérité. Elle fut contente que ma
grand-mère aimât un collier qu'elle portait et qui dépassait
de sa robe. Il était dans le portrait d'une bisaïeule à elle,
par Titien, et qui n'était jamais sorti de la famille. Comme
cela on était sûr que c'était un vrai. Elle ne voulait pas
entendre parler des tableaux achetés on ne sait comment

par un Crésus, elle était d'avance persuadée qu'ils étaient faux et n'avait aucun désir de les voir. Nous savions qu'elle-même faisait des aquarelles de fleurs, et ma grand-mère qui les avait entendu vanter lui en parla. Mme de Villeparisis changea*a* de conversation par modestie, mais sans montrer plus d'étonnement ni de plaisir qu'une artiste suffisamment connue à qui les compliments n'apprennent rien. Elle se contenta de dire que c'était un passe-temps charmant parce que si les fleurs nées du pinceau n'étaient pas fameuses, du moins les peindre vous faisait vivre dans la société des fleurs naturelles, de la beauté desquelles, surtout quand on était obligé de les regarder de plus près pour les imiter, on ne se lassait pas. Mais à Balbec Mme de Villeparisis se donnait congé pour laisser reposer ses yeux.

Nous fûmes étonnés, ma grand-mère et moi, de voir combien elle était plus « libérale » que même la plus grande partie de la bourgeoisie. Elle s'étonnait*b* qu'on fût scandalisé des expulsions des jésuites, disant que cela s'était toujours fait, même sous la monarchie, même en Espagne. Elle défendait la République à laquelle elle ne reprochait son anticléricalisme que dans cette mesure : « Je trouverais tout aussi mauvais qu'on m'empêchât d'aller à la messe si j'en ai envie que d'être forcée d'y aller si je ne le veux pas », lançant même certains mots comme : « Oh ! la noblesse aujourd'hui, qu'est-ce que c'est ! » « Pour moi, un homme qui ne travaille pas, ce n'est rien », peut-être seulement parce qu'elle sentait ce qu'ils prenaient de piquant, de savoureux, de mémorable dans sa bouche.

En entendant souvent exprimer avec franchise des opinions avancées — pas jusqu'au socialisme cependant, qui était la bête noire de Mme de Villeparisis — précisément par une de ces personnes en considération de l'esprit desquelles notre scrupuleuse et timide impartialité se refuse à condamner les idées des conservateurs, nous n'étions pas loin, ma grand-mère et moi, de croire qu'en notre agréable compagne se trouvaient la mesure et le modèle de la vérité en toutes choses. Nous la croyions sur parole tandis qu'elle jugeait ses Titiens, la colonnade de son château, l'esprit de conversation de Louis-Philippe. Mais — comme ces érudits qui émerveillent quand on les met sur la peinture égyptienne et les inscriptions étrusques

et qui parlent d'une façon[a] si banale des œuvres modernes
que nous nous demandons si nous n'avons pas surfait
l'intérêt des sciences où ils sont versés, puisque n'y apparaît
pas cette même médiocrité qu'ils ont pourtant dû y
apporter aussi bien que dans leurs niaises études sur
Baudelaire[b] — Mme de Villeparisis, interrogée par moi
sur Chateaubriand, sur Balzac, sur Victor Hugo, tous reçus
jadis par ses parents et entrevus par elle-même, riait de
mon admiration, racontait sur eux des traits piquants
comme elle venait de faire sur des grands seigneurs ou
des hommes politiques, et jugeait[c] sévèrement ces écrivains, précisément parce qu'ils avaient manqué de cette
modestie, de cet effacement de soi, de cet art sobre qui
se contente d'un seul trait juste et n'appuie pas, qui fuit
plus que tout le ridicule de la grandiloquence, de cet
à-propos, de ces qualités de modération de jugement et
de simplicité, auxquelles on lui avait appris qu'atteint la
vraie valeur ; on voyait qu'elle n'hésitait pas à leur préférer
des hommes qui, peut-être, en effet, avaient eu, à cause
d'elles, l'avantage sur un Balzac, un Hugo, un Vigny, dans
un salon, une académie, un conseil des ministres, Molé,
Fontanes, Vitrolles, Bersot, Pasquier, Lebrun, Salvandy ou
Daru[d1].

    « C'est comme les romans de Stendhal pour qui vous
aviez l'air d'avoir de l'admiration. Vous l'auriez beaucoup
étonné en lui parlant sur ce ton. Mon père qui le voyait
chez M. Mérimée[2] — un homme de talent, au moins,
celui-là — m'a souvent dit que Beyle (c'était son nom)
était d'une vulgarité affreuse, mais spirituel dans un dîner,
et ne s'en faisant pas accroire pour ses livres. Du reste,
vous avez pu voir vous-même par quel haussement
d'épaules il a répondu aux éloges outrés de M. de Balzac.
En cela, du moins, il était homme de bonne compagnie[3]. »
Elle avait de tous ces grands hommes des autographes,
et semblait, se prévalant des relations particulières que sa
famille avait eues avec eux, penser que son jugement à
leur égard était plus juste que celui de jeunes gens qui
comme moi n'avaient pas pu les fréquenter.

    « Je crois que je peux en parler, car ils venaient chez
mon père, et, comme disait M. Sainte-Beuve qui avait bien
de l'esprit, il faut croire sur eux ceux qui les ont vus de
près et ont pu juger plus exactement de ce qu'ils
valaient[4]. »

Parfois, comme la voiture gravissait une route montante entre des terres labourées, rendant les champs plus réels, leur ajoutant une marque d'authenticité, comme la précieuse fleurette dont certains maîtres anciens signaient leurs tableaux, quelques bleuets hésitants pareils à ceux de Combray[1] suivaient notre voiture. Bientôt nos chevaux les distançaient, mais après quelques pas, nous en apercevions un autre qui en nous attendant avait piqué devant nous dans l'herbe son étoile bleue ; plusieurs s'enhardissaient jusqu'à venir se poser au bord de la route et c'était toute une nébuleuse qui se formait avec mes souvenirs lointains et les fleurs apprivoisées.

Nous redescendions la côte ; alors nous croisions, la montant à pied, à bicyclette, en carriole ou en voiture, quelqu'une de ces créatures — fleurs de la belle journée, mais qui ne sont pas comme les fleurs des champs, car chacune recèle quelque chose qui n'est pas dans une autre et qui empêchera que nous puissions contenter avec ses pareilles le désir qu'elle a fait naître en nous —, quelque fille de ferme poussant sa vache ou à demi couchée sur une charrette, quelque fille de boutiquier en promenade, quelque élégante demoiselle assise sur le strapontin d'un landau, en face de ses parents. Certes Bloch m'avait ouvert[a] une ère nouvelle et avait changé pour moi la valeur de la vie, le jour où il m'avait appris que les rêves que j'avais promenés solitairement du côté de Méséglise quand je souhaitais que passât une paysanne que je prendrais dans mes bras, n'étaient pas une chimère qui ne correspondait à rien d'extérieur à moi, mais que toutes les filles qu'on rencontrait, villageoises ou demoiselles, étaient toutes prêtes à en exaucer de pareils. Et dussé-je, maintenant que j'étais souffrant et ne sortais pas seul, ne jamais pouvoir faire l'amour avec elles, j'étais tout de même heureux comme un enfant né dans une prison ou dans un hôpital et qui ayant cru longtemps que l'organisme humain ne peut digérer que du pain sec et des médicaments, a appris tout d'un coup que les pêches, les abricots, le raisin, ne sont pas une simple parure de la campagne, mais des aliments délicieux et assimilables. Même si son geôlier ou son garde-malade ne lui permettent pas de cueillir ces beaux fruits, le monde cependant lui paraît meilleur et l'existence plus clémente. Car un désir nous semble plus beau, nous nous appuyons à lui avec plus de confiance

quand nous savons qu'en dehors de nous la réalité s'y
conforme, même si pour nous il n'est pas réalisable. Et
nous pensons avec plus de joie à une vie où, à condition
que nous écartions pour un instant de notre pensée le petit
obstacle accidentel et particulier qui nous empêche
personnellement de le faire, nous pouvons nous imaginer
l'assouvissant. Pour les belles filles qui passaient, du jour
où j'avais su que leurs joues pouvaient être embrassées,
j'étais devenu curieux de leur âme. Et l'univers m'avait
paru plus intéressant.

La voiture de Mme de Villeparisis allait vite. À peine
avais-je le temps de voir la fillette qui venait dans notre
direction ; et pourtant — comme la beauté des êtres n'est
pas comme celle des choses, et que nous sentons qu'elle
est celle d'une créature unique, consciente et volontaire
— dès que son individualité, âme vague, volonté inconnue
de moi, se peignait en une petite image prodigieusement
réduite, mais complète, au fond de son regard distrait,
aussitôt, mystérieuse réplique des pollens tout préparés
pour les pistils, je sentais saillir en moi l'embryon aussi
vague, aussi minuscule, du désir de ne pas laisser passer
cette fille sans que sa pensée prît conscience de ma
personne, sans que j'empêchasse ses désirs d'aller à
quelqu'un d'autre, sans que je vinsse me fixer dans sa
rêverie et saisir son cœur. Cependant notre voiture
s'éloignait, la belle fille était déjà derrière nous et comme
elle ne possédait de moi aucune des notions qui constituent
une personne, ses yeux, qui m'avaient à peine vu,
m'avaient déjà oublié. Était-ce parce que je ne l'avais
qu'entr'aperçue que je l'avais trouvée si belle ? Peut-être.
D'abord l'impossibilité de s'arrêter auprès d'une femme,
le risque de ne pas la retrouver un autre jour lui donnent
brusquement le même charme qu'à un pays la maladie ou
la pauvreté qui nous empêchent de le visiter, ou qu'aux
jours si ternes qui nous restaient à vivre le combat où nous
succomberons sans doute. De sorte que s'il n'y avait pas
l'habitude, la vie devrait paraître délicieuse à des êtres qui
seraient à chaque heure menacés de mourir, — c'est-à-dire
à tous les hommes. Puis si l'imagination est entraînée par
le désir de ce que nous ne pouvons posséder, son essor
n'est pas limité par une réalité complètement perçue dans
ces rencontres où les charmes de la passante sont
généralement en relation directe avec la rapidité du

passage. Pour peu que la nuit tombe et que la voiture aille vite, à la campagne, dans une ville, il n'y a pas un torse féminin, mutilé comme un marbre antique par la vitesse qui nous entraîne et le crépuscule qui le noie, qui ne tire sur notre cœur, à chaque coin de route, du fond de chaque boutique, les flèches de la Beauté, de la Beauté dont on serait parfois tenté de se demander si elle est en ce monde autre chose que la partie de complément qu'ajoute à une passante fragmentaire et fugitive notre imagination sur-excitée par le regret[1].

Si j'avais pu descendre parler à la fille que nous croisions, peut-être eussé-je été désillusionné par quelque défaut[d] de sa peau que de la voiture je n'avais pas distingué ? (Et alors, tout effort pour pénétrer dans sa vie m'eût semblé soudain impossible. Car la beauté est une suite d'hypothèses que rétrécit la laideur en barrant la route que nous voyions déjà s'ouvrir sur l'inconnu.) Peut-être un seul mot qu'elle eût dit, un sourire, m'eussent fourni une clef, un chiffre inattendus, pour lire l'expression de sa figure et de sa démarche, qui seraient aussitôt devenues banales. C'est possible, car je n'ai jamais rencontré dans la vie des filles aussi désirables que les jours où j'étais avec quelque grave personne que malgré les mille prétextes que j'inventais je ne pouvais quitter : quelques années après celle où j'allai pour la première fois à Balbec, faisant à Paris une course en voiture avec un ami de mon père et ayant aperçu une femme qui marchait vite dans la nuit, je pensai qu'il était déraisonnable de perdre pour une raison de convenances ma part de bonheur dans la seule vie qu'il y ait sans doute[2], et sautant à terre sans m'excuser, je me mis à la recherche de l'inconnue, la perdis au carrefour de deux rues, la retrouvai dans une troisième, et me trouvai enfin, tout essoufflé, sous un réverbère, en face de la vieille Mme Verdurin que j'évitais partout et qui, heureuse et surprise, s'écria : « Oh ! comme c'est aimable d'avoir couru pour me dire bonjour ! ».

Cette année-là, à Balbec, au moment de ces rencontres, j'assurais à ma grand-mère, à Mme de Villeparisis qu'à cause d'un grand mal de tête il valait mieux que je rentrasse seul à pied. Elles refusaient de me laisser descendre. Et j'ajoutais la belle fille (bien plus difficile à retrouver que ne l'est un monument, car elle était anonyme et mobile) à la collection de toutes celles que je me promettais de voir de près. Une pourtant se trouva repasser sous mes yeux, dans des conditions telles que je crus que je pourrais la connaître comme je voudrais. C'était une laitière qui vint d'une ferme apporter un supplément de crème à l'hôtel. Je pensai qu'elle m'avait aussi reconnu et elle me regardait, en effet, avec une attention qui n'était peut-être causée que par l'étonnement que lui causait la mienne. Or le lendemain, jour où je m'étais reposé toute la matinée, quand Françoise vint ouvrir les rideaux vers midi, elle me remit une lettre qui avait été déposée pour moi à l'hôtel. Je ne connaissais personne à Balbec. Je ne doutai pas que la lettre ne fût de la laitière. Hélas, elle n'était que de Bergotte qui, de passage, avait essayé de me voir, mais ayant su que je dormais m'avait laissé un mot charmant pour lequel le liftman avait fait une enveloppe que j'avais crue écrite par la laitière. J'étais affreusement déçu, et l'idée qu'il était plus difficile et plus flatteur d'avoir une lettre de Bergotte, ne me consolait en rien qu'elle ne fût pas de la laitière. Cette fille-là même, je ne la retrouvai pas plus que celles que j'apercevais seulement de la voiture de Mme de Villeparisis. La vue et la perte de toutes accroissaient l'état d'agitation où je vivais et je trouvais quelque sagesse aux philosophes qui nous recommandent de borner nos désirs (si toutefois ils veulent parler du désir des êtres, car c'est le seul qui puisse laisser de l'anxiété, s'appliquant à de l'inconnu conscient. Supposer que la philosophie veut parler du désir des richesses serait trop absurde). Pourtant j'étais disposé à juger cette sagesse incomplète, car je me disais que ces rencontres me faisaient trouver encore plus beau un monde qui fait ainsi croître sur toutes les routes campagnardes des fleurs à la fois singulières et communes, trésors fugitifs de la journée, aubaines de la promenade, dont des circonstances contingentes qui ne se reproduiraient peut-être pas toujours m'avaient seules empêché de profiter, et qui donnent un goût nouveau à la vie.

Mais peut-être, en espérant qu'un jour, plus libre, je pourrais trouver sur d'autres routes de semblables filles, je commençais déjà à fausser ce qu'a d'exclusivement individuel le désir de vivre auprès d'une femme qu'on a trouvée jolie, et du seul fait que j'admettais la possibilité de le faire naître artificiellement, j'en avais implicitement reconnu l'illusion.

Le jour que Mme de Villeparisis nous mena à Carqueville où était cette église couverte de lierre dont elle nous avait parlé et qui, bâtie sur un tertre, domine le village, la rivière qui le traverse et qui a conservé son petit pont du Moyen Âge, ma grand-mère, pensant que je serais content d'être seul pour regarder le monument, proposa à son amie d'aller goûter chez le pâtissier, sur la place qu'on apercevait distinctement et qui sous sa patine dorée était comme une autre partie d'un objet tout entier ancien. Il fut convenu que j'irais les y retrouver. Dans le bloc de verdure devant lequel on me laissa, il fallait pour reconnaître une église faire un effort qui me fît serrer de plus près l'idée d'église ; en effet, comme il arrive aux élèves qui saisissent plus complètement le sens d'une phrase quand on les oblige par la version ou par le thème à la dévêtir des formes auxquelles ils sont accoutumés, cette idée d'église dont je n'avais guère besoin d'habitude devant des clochers qui se faisaient reconnaître d'eux-mêmes, j'étais obligé d'y faire perpétuellement appel pour ne pas oublier, ici que le cintre de cette touffe de lierre était celui d'une verrière ogivale, là, que la saillie des feuilles était due au relief d'un chapiteau. Mais alors un peu de vent soufflait, faisait frémir le porche mobile que parcouraient des remous propagés et tremblants comme une clarté ; les feuilles déferlaient les unes contre les autres ; et frissonnante, la façade végétale entraînait avec elle les piliers onduleux, caressés et fuyants.

Comme je quittais l'église, je vis devant le vieux pont des filles du village qui, sans doute parce que c'était un dimanche, se tenaient attifées, interpellant les garçons qui passaient. Moins bien vêtue que les autres, mais semblant les dominer par quelque ascendant — car elle répondait à peine à ce qu'elles lui disaient —, l'air plus grave et plus volontaire, il y en avait une grande qui assise à demi sur le rebord du pont, laissant pendre ses jambes, avait devant elle un petit pot plein de poissons qu'elle venait probablement de pêcher. Elle avait un teint bruni, des yeux doux, mais un regard dédaigneux de ce qui l'entourait, un nez petit, d'une forme fine et charmante. Mes regards se posaient sur sa peau et mes lèvres à la rigueur pouvaient croire qu'elles avaient suivi mes regards. Mais ce n'est pas seulement son corps que j'aurais voulu atteindre, c'était aussi la personne qui vivait en lui et avec laquelle il n'est qu'une sorte d'attouchement, qui est d'attirer son attention, qu'une sorte de pénétration, y éveiller une idée.

Et cet être intérieur de la belle pêcheuse semblait m'être clos encore, je doutais si j'y étais entré, même après que j'eus aperçu ma propre image se refléter furtivement dans le miroir de son regard, suivant un indice de réfraction qui m'était aussi inconnu que si je me fusse placé dans le champ visuel d'une biche. Mais de même qu'il ne m'eût pas suffi que mes lèvres prissent du plaisir sur les siennes mais leur en donnassent, de même j'aurais voulu que l'idée de moi qui entrerait en cet être, qui s'y accrocherait, n'amenât pas à moi seulement son attention, mais son admiration, son désir, et le forçât à garder mon souvenir jusqu'au jour où je pourrais le retrouver[a]. Cependant, j'apercevais à quelques pas la place où devait m'attendre la voiture de Mme de Villeparisis. Je n'avais qu'un instant ; et déjà je sentais que les filles commençaient à rire de me voir ainsi arrêté. J'avais cinq francs dans ma poche. Je les en sortis, et avant d'expliquer à la belle fille la commission dont je la chargeais, pour avoir plus de chance qu'elle m'écoutât je tins un instant la pièce devant ses yeux :

« Puisque vous avez l'air d'être du pays, dis-je à la pêcheuse, est-ce que vous auriez la bonté de faire une petite course pour moi ? Il faudrait aller devant un pâtissier qui est, paraît-il, sur une place, mais je ne sais pas où c'est, et où une voiture m'attend. Attendez !... pour ne pas confondre vous demanderez si c'est la voiture de la marquise de Villeparisis. Du reste vous verrez bien, elle a deux chevaux. »

C'était cela que je voulais qu'elle sût pour prendre une grande idée de moi. Mais quand j'eus prononcé les mots « marquise » et « deux chevaux », soudain j'éprouvai un grand apaisement. Je sentis que la pêcheuse se souviendrait de moi et se dissiper avec mon effroi[b] de ne pouvoir la retrouver une partie de mon désir de la retrouver. Il me semblait que je venais de toucher sa personne avec des lèvres invisibles et que je lui avais plu. Et cette prise de force de son esprit, cette possession immatérielle, lui avait ôté de son mystère autant que fait la possession physique.

Nous[c] descendîmes sur Hudimesnil ; tout d'un coup je fus rempli de ce bonheur profond que je n'avais pas souvent ressenti depuis Combray, un bonheur analogue à celui que m'avaient donné, entre autres, les clochers de

Martinville. Mais cette fois il resta incomplet. Je venais d'apercevoir, en retrait de la route en dos d'âne que nous suivions, trois arbres qui devaient servir d'entrée à une allée couverte et formaient un dessin que je ne voyais pas pour la première fois, je ne pouvais arriver à reconnaître le lieu dont ils étaient comme détachés mais je sentais qu'il m'avait été familier autrefois ; de sorte que mon esprit ayant trébuché entre quelque année lointaine et le moment présent, les environs de Balbec vacillèrent et je me demandai si toute cette promenade n'était pas une fiction, Balbec un endroit où je n'étais jamais allé que par l'imagination, Mme de Villeparisis un personnage de roman et les trois vieux arbres la réalité qu'on retrouve en levant les yeux de dessus le livre qu'on était en train de lire et qui vous décrivait un milieu dans lequel on avait fini par se croire effectivement transporté.

Je regardais les trois arbres, je les voyais bien[a], mais mon esprit sentait qu'ils recouvraient quelque chose sur quoi il n'avait pas prise, comme sur ces objets placés trop loin dont nos doigts, allongés au bout de notre bras tendu, effleurent seulement par instant l'enveloppe sans arriver à rien saisir. Alors on se repose un moment pour jeter le bras en avant d'un élan plus fort et tâcher d'atteindre plus loin. Mais pour que mon esprit pût ainsi se rassembler, prendre son élan, il m'eût fallu être seul. Que j'aurais voulu pouvoir m'écarter comme je faisais dans les promenades du côté de Guermantes quand je m'isolais de mes parents ! Il me semblait même que j'aurais dû le faire. Je reconnaissais ce genre de plaisir qui requiert, il est vrai, un certain travail de la pensée sur elle-même, mais à côté duquel les agréments de la nonchalance qui vous fait renoncer à lui, semblent bien médiocres. Ce plaisir, dont l'objet n'était que pressenti, que j'avais à créer moi-même, je ne l'éprouvais que de rares fois, mais à chacune d'elles il me semblait que les choses qui s'étaient passées dans l'intervalle n'avaient guère d'importance et qu'en m'attachant à sa seule réalité je pourrais commencer enfin une vraie vie. Je mis[b] un instant ma main devant mes yeux pour pouvoir les fermer sans que Mme de Villeparisis s'en aperçût. Je restai sans penser à rien, puis de ma pensée ramassée, ressaisie avec plus de force, je bondis plus avant dans la direction des arbres, ou plutôt dans cette direction intérieure au bout de laquelle je les voyais en moi-même.

Je sentis de nouveau derrière eux le même objet connu mais vague et que je ne pus ramener à moi. Cependant tous trois, au fur et à mesure que la voiture avançait, je les voyais s'approcher. Où les avais-je déjà regardés ? Il n'y avait aucun lieu autour de Combray où une allée s'ouvrît ainsi. Le site qu'ils me rappelaient, il n'y avait pas de place pour lui davantage dans la campagne allemande où j'étais allé une année avec ma grand-mère prendre les eaux. Fallait-il croire qu'ils venaient d'années déjà si lointaines de ma vie que le paysage qui les entourait avait été entièrement aboli dans ma mémoire et que comme ces pages qu'on est tout d'un coup ému de retrouver dans un ouvrage qu'on s'imaginait n'avoir jamais lu, ils surnageaient seuls du livre oublié de ma première enfance ? N'appartenaient-ils au contraire qu'à ces paysages du rêve, toujours les mêmes, du moins pour moi chez qui[a] leur aspect étrange n'était que l'objectivation dans mon sommeil de l'effort que je faisais pendant la veille, soit pour atteindre le mystère dans un lieu derrière l'apparence duquel je le pressentais, comme cela m'était arrivé si souvent du côté de Guermantes, soit pour essayer de le réintroduire dans un lieu que j'avais désiré connaître et qui du jour où je l'avais connu m'avait paru tout superficiel, comme Balbec ? N'étaient-ils qu'une image toute nouvelle détachée d'un rêve de la nuit précédente mais déjà si effacée qu'elle me semblait venir de beaucoup plus loin ? Ou bien ne les avais-je jamais vus et cachaient-ils derrière eux comme tels arbres, telle touffe d'herbe que j'avais vus du côté de Guermantes, un sens aussi obscur, aussi difficile à saisir qu'un passé lointain de sorte que, sollicité par eux d'approfondir une pensée, je croyais avoir à reconnaître un souvenir ? Ou encore ne cachaient-ils même pas de pensée et était-ce une fatigue de ma vision qui me les faisait voir doubles dans le temps comme on voit quelquefois double dans l'espace ? Je ne savais. Cependant ils venaient vers moi ; peut-être apparition mythique, ronde de sorcières ou de nornes[1] qui me proposait ses oracles. Je crus plutôt que c'étaient des fantômes du passé, de chers compagnons de mon enfance, des amis disparus qui invoquaient nos communs souvenirs. Comme des ombres ils semblaient[b] me demander de les emmener avec moi, de les rendre à la vie. Dans leur gesticulation naïve et passionnée, je reconnaissais le regret impuissant d'un être aimé qui a perdu l'usage de la parole, sent qu'il ne pourra nous dire ce qu'il veut et que nous ne savons pas deviner. Bientôt, à un croisement de routes, la voiture les abandonna. Elle m'entraînait loin de ce que je croyais seul vrai, de ce qui m'eût rendu vraiment heureux, elle ressemblait à ma vie.

Je vis[a] les arbres s'éloigner en agitant leurs bras désespérés, semblant me dire : « Ce que tu n'apprends pas de nous aujourd'hui, tu ne le sauras jamais. Si tu nous laisses retomber au fond de ce chemin d'où nous cherchions à nous hisser jusqu'à toi, toute une partie de toi-même que nous t'apportions tombera pour jamais au néant. » En effet, si dans la suite je retrouvai le genre de plaisir et d'inquiétude que je venais de sentir encore une fois, et si un soir — trop tard, mais pour toujours — je m'attachai à lui, de ces arbres eux-mêmes, en revanche, je ne sus jamais ce qu'ils avaient voulu m'apporter ni où je les avais vus. Et quand, la voiture ayant bifurqué, je leur tournai le dos et cessai de les voir, tandis que Mme de Villeparisis me demandait pourquoi[b] j'avais l'air rêveur, j'étais triste comme si je venais de perdre un ami, de mourir à moi-même, de renier un mort ou de méconnaître un dieu[1].

Il[c] fallait songer au retour. Mme de Villeparisis qui avait un certain sens de la nature, plus froid que celui de ma grand-mère, mais qui savait[d] reconnaître, même en dehors des musées et des demeures aristocratiques, la beauté simple et majestueuse de certaines choses anciennes, disait au cocher de prendre la vieille route de Balbec, peu fréquentée, mais plantée de vieux ormes qui nous semblaient admirables.

Une fois[e2] que nous connûmes cette vieille route, pour changer, nous revînmes, à moins que nous ne l'eussions prise à l'aller, par une autre qui traversait les bois de Chantereine et de Canteloup. L'invisibilité des innombrables oiseaux qui s'y répondaient tout à côté de nous dans les arbres donnait la même impression de repos qu'on a les yeux fermés. Enchaîné à mon strapontin comme Prométhée sur son rocher, j'écoutais mes Océanides[3]. Et quand, par hasard, j'apercevais l'un de ces oiseaux qui passait d'une feuille sous une autre, il y avait si peu de lien apparent entre lui et ces chants, que je ne croyais pas voir la cause de ceux-ci dans ce petit corps sautillant, étonné et sans regard.

Cette route était pareille à bien d'autres de ce genre qu'on rencontre en France, montant en pente assez raide, puis redescendant sur une grande longueur. Au moment même, je ne lui trouvais pas un grand charme, j'étais seulement content de rentrer. Mais elle devint[a] pour moi dans la suite une cause de joies en restant dans ma mémoire comme une amorce où toutes les routes semblables sur lesquelles je passerais plus tard au cours d'une promenade ou d'un voyage s'embrancheraient aussitôt sans solution de continuité et pourraient, grâce à elle, communiquer immédiatement avec mon cœur. Car dès que la voiture ou l'automobile s'engagerait dans une de ces routes qui auraient l'air d'être la continuation de celle que j'avais parcourue avec Mme de Villeparisis, ce à quoi ma conscience actuelle se trouverait immédiatement appuyée comme à mon passé le plus récent, ce serait (toutes les années intermédiaires se trouvant abolies) les impressions que j'avais eues par ces fins d'après-midi-là, en promenade près de Balbec, quand les feuilles sentaient bon, que la brume s'élevait et qu'au-delà du prochain village, on apercevait entre les arbres le coucher du soleil comme s'il avait été quelque localité suivante, forestière, distante et qu'on n'atteindra pas le soir même. Raccordées à celles que j'éprouvais maintenant dans un autre pays, sur une route semblable, s'entourant de toutes les sensations accessoires de libre respiration, de curiosité, d'indolence, d'appétit, de gaieté qui leur étaient communes, excluant toutes les autres, ces impressions se renforceraient, prendraient la consistance d'un type particulier de plaisir, et presque d'un cadre d'existence que j'avais d'ailleurs rarement l'occasion de retrouver, mais dans lequel le réveil des souvenirs mettait au milieu de la réalité matériellement perçue une part assez grande de réalité évoquée, songée, insaisissable, pour me donner, au milieu de ces régions où je passais, plus qu'un sentiment esthétique, un désir fugitif mais exalté, d'y vivre désormais pour toujours[1]. Que de fois, pour avoir simplement senti une odeur de feuillée, être assis sur un strapontin en face de Mme de Villeparisis, croiser la princesse de Luxembourg qui lui envoyait des bonjours de sa voiture, rentrer dîner au Grand-Hôtel, ne m'est-il pas apparu comme un de ces bonheurs ineffables que ni le présent ni l'avenir ne peuvent nous rendre et qu'on ne goûte qu'une fois dans la vie !

Souvent le jour était tombé avant que nous fussions de retour. Timidement je citais à Mme de Villeparisis, en lui montrant la lune dans le ciel, quelque belle expression de Chateaubriand ou de Vigny ou de Victor Hugo : « Elle répandait ce vieux secret de mélancolie » ou « pleurant comme Diane au bord de ses fontaines » ou « L'ombre était nuptiale, auguste et solennelle[1]. »

« Et vous trouvez cela beau ? me demandait-elle, "génial", comme vous dites ? Je vous[a] dirai que je suis toujours étonnée de voir qu'on prend maintenant très au sérieux des choses que les amis de ces messieurs, tout en rendant pleine justice à leurs qualités, étaient les premiers à plaisanter. On ne prodiguait pas le nom de génie comme aujourd'hui, où si vous dites à un écrivain qu'il n'a que du talent il prend cela pour une injure. Vous me citez une grande phrase de M. de Chateaubriand sur le clair de lune[2]. Vous allez voir que j'ai mes raisons pour y être réfractaire. M. de Chateaubriand venait bien souvent chez mon père[3]. Il était du reste agréable quand on était seul parce qu'alors il était simple et amusant, mais dès qu'il y avait du monde il se mettait à poser et devenait ridicule ; devant mon père, il prétendait avoir jeté sa démission à la face du roi et dirigé le conclave, oubliant que mon père avait été chargé par lui de supplier le roi de le reprendre, et l'avait entendu faire sur l'élection du pape les pronostics les plus insensés. Il fallait entendre sur ce fameux conclave M. de Blacas, qui était un autre homme que M. de Chateaubriand[4]. Quant aux phrases[b] de celui-ci sur le clair de lune, elles étaient tout simplement devenues une charge à la maison. Chaque fois qu'il faisait clair de lune autour du château, s'il y avait quelque invité nouveau, on lui conseillait d'emmener M. de Chateaubriand prendre l'air après le dîner. Quand ils revenaient, mon père ne manquait pas de prendre à part l'invité : "M. de Chateaubriand a été bien éloquent ? — Oh ! oui. — Il vous a parlé du clair de lune. — Oui, comment savez-vous ? — Attendez, ne vous a-t-il pas dit, et il lui citait la phrase. — Oui, mais par quel mystère ? — Et il vous a parlé même du clair de lune dans la campagne romaine. — Mais vous êtes sorcier." Mon père n'était pas sorcier, mais M. de Chateaubriand se contentait de servir toujours un même morceau tout préparé[5]. »

Au nom de Vigny elle se mit à rire.

« Celui qui disait : "Je suis le comte Alfred de Vigny."

On est comte ou on n'est pas comte, ça n'a aucune espèce d'importance. »

Et peut-être trouvait-elle que cela en avait tout de même un peu, car elle ajoutait :

« D'abord je ne suis pas sûre qu'il le fût, et il était en tout cas de très petite souche, ce monsieur qui a parlé dans ses vers de son "cimier de gentilhomme". Comme c'est de bon goût et comme c'est intéressant pour le lecteur ! C'est comme Musset, simple bourgeois de Paris, qui disait emphatiquement : "L'épervier d'or dont mon casque est armé." Jamais un vrai grand seigneur ne dit de ces choses-là. Au moins Musset avait du talent comme poète. Mais à part *Cinq-Mars,* je n'ai jamais rien pu lire de M. de Vigny, l'ennui me fait tomber le livre des mains. M. Molé, qui avait autant d'esprit et de tact que M. de Vigny en avait peu, l'a arrangé de belle façon en le recevant à l'Académie. Comment, vous ne connaissez pas son discours ? C'est un chef-d'œuvre de malice et d'impertinence[1]. »

Elle reprochait[a] à Balzac, qu'elle s'étonnait de voir admiré par ses neveux, d'avoir prétendu peindre une société « où il n'était pas reçu », et dont il a raconté mille invraisemblances[2]. Quant à Victor Hugo, elle nous disait que M. de Bouillon[3], son père[b], qui avait des camarades dans la jeunesse romantique, était entré grâce à eux à la première d'*Hernani* mais qu'il n'avait pu rester jusqu'au bout, tant il avait trouvé ridicules les vers de cet écrivain doué mais exagéré et qui n'a reçu le titre de grand poète qu'en vertu d'un marché fait, et comme récompense de l'indulgence intéressée qu'il a professée pour les dangereuses divagations des socialistes.

Nous apercevions déjà l'hôtel, ses lumières si hostiles le premier soir, à l'arrivée, maintenant protectrices et douces, annonciatrices du foyer. Et quand la voiture arrivait près de la porte, le concierge, les grooms, le lift, empressés, naïfs, vaguement inquiets de notre retard, massés sur les degrés à nous attendre, étaient, devenus familiers, de ces êtres qui changent tant de fois au cours de notre vie, comme nous changeons nous-mêmes, mais dans lesquels au moment où ils sont pour un temps le miroir de nos habitudes, nous trouvons de la douceur à nous sentir fidèlement et amicalement reflétés. Nous les préférons à des amis que nous n'avons pas vus depuis longtemps, car ils contiennent davantage de ce que nous

sommes actuellement. Seul le « chasseur », exposé au
soleil dans la journée, avait été rentré pour ne pas
supporter la rigueur du soir, et emmailloté de lainages,
lesquels joints à l'éplorement orangé de sa chevelure et
à la fleur curieusement rose de ses joues, faisaient, au
milieu du hall vitré, penser à une plante de serre qu'on
protège contre le froid. Nous descendions[a] de voiture,
aidés par beaucoup plus de serviteurs qu'il n'était
nécessaire, mais ils sentaient l'importance de la scène et
se croyaient obligés d'y jouer un rôle. J'étais affamé. Aussi,
souvent, pour ne pas retarder le moment de dîner, je ne
remontais pas dans la chambre qui avait fini par devenir
si réellement mienne que revoir les grands rideaux violets
et les bibliothèques basses, c'était me retrouver seul avec
ce moi-même dont les choses, comme les gens, m'offraient
l'image, et nous attendions tous ensemble dans le hall que
le maître d'hôtel vînt nous dire que nous étions servis.
C'était encore l'occasion pour nous d'écouter Mme de
Villeparisis.

« Nous abusons de vous, disait ma grand-mère.

— Mais comment, je suis ravie, cela m'enchante »,
répondait son amie avec un sourire câlin, en filant les sons,
sur un ton mélodieux qui contrastait avec sa simplicité
coutumière.

C'est qu'en effet dans ces moments-là elle n'était pas
naturelle, elle se souvenait de son éducation, des façons
aristocratiques avec lesquelles une grande dame doit
montrer à des bourgeois qu'elle est heureuse de se trouver
avec eux, qu'elle est sans morgue. Et le seul manque de
véritable politesse qu'il y eût en elle était dans l'excès de
ses politesses ; car on y reconnaissait ce pli professionnel[b]
d'une dame du faubourg Saint-Germain, laquelle, voyant
toujours dans certains bourgeois les mécontents qu'elle est
destinée à faire certains jours, profite avidement de toutes
les occasions où il lui est possible, dans le livre de comptes
de son amabilité avec eux, de prendre l'avance d'un solde
créditeur, qui lui permettra prochainement d'inscrire à son
débit le dîner ou le raout où il ne les invitera pas. Ainsi,
ayant agi jadis sur elle une fois pour toutes, et ignorant
que maintenant les circonstances étaient autres, les
personnes différentes, et qu'à Paris elle souhaiterait de
nous voir chez elle[c] souvent, le génie de sa caste poussait
avec une ardeur fiévreuse Mme de Villeparisis et comme

si le temps qui lui était concédé pour être aimable était court, à multiplier avec nous, pendant que nous étions à Balbec, les envois de roses*ᵃ* et de melons, les prêts de livres, les promenades en voiture et les effusions verbales. Et par là — tout autant que la splendeur aveuglante de la plage, que le flamboiement multicolore et les lueurs sous-océaniques des chambres, tout autant même que les leçons d'équitation par lesquelles des fils de commerçants étaient déifiés comme Alexandre de Macédoine — les amabilités quotidiennes de Mme de Villeparisis, et aussi la facilité momentanée, estivale, avec laquelle ma grand-mère les acceptait, sont restées dans mon souvenir comme caractéristiques de la vie de bains de mer.

« Donnez donc vos manteaux*ᵇ* pour qu'on les remonte. »

Ma grand-mère les passait au directeur, et à cause de ses gentillesses pour moi, j'étais désolé de ce manque d'égards dont il paraissait souffrir.

« Je crois que ce monsieur est froissé, disait la marquise. Il se croit probablement trop grand seigneur pour prendre vos châles. Je me rappelle le duc de Nemours[1], quand j'étais encore bien petite, entrant chez mon père qui habitait le dernier étage de l'hôtel Bouillon, avec un gros paquet sous le bras, des lettres et des journaux. Je crois voir le prince dans son habit bleu sous l'encadrement de notre porte qui avait de jolies boiseries, je crois que c'est Bagard[2] qui faisait cela, vous savez ces fines baguettes si souples que l'ébéniste parfois leur faisait former des petites coques, et des fleurs, comme des rubans qui nouent un bouquet. "Tenez, Cyrus, dit-il à mon père, voilà ce que votre concierge m'a donné pour vous. Il m'a dit : 'Puisque vous allez chez M. le comte, ce n'est pas la peine que je monte les étages, mais prenez garde de ne pas gâter la ficelle.' " Maintenant que vous avez donné vos affaires, asseyez-vous, tenez, mettez-vous là, disait-elle à ma grand-mère en lui prenant la main.

— Oh ! si cela vous est égal, pas dans ce fauteuil ! Il est trop petit pour deux, mais trop grand pour moi seule, j'y serais mal.

— Vous me faites penser, car c'était tout à fait le même, à un fauteuil que j'ai eu longtemps, mais que j'ai fini par ne pas pouvoir garder, parce qu'il avait été donné à ma mère par la malheureuse duchesse de Praslin. Ma mère qui était pourtant la personne la plus simple du monde, mais qui avait encore des idées qui viennent d'un autre temps et que déjà je ne comprenais pas très bien, n'avait pas d'abord voulu se laisser présenter à Mme de Praslin qui n'était que Mlle Sebastiani, tandis que celle-ci, parce qu'elle était duchesse, trouvait que ce n'était pas à elle à se faire présenter. Et par le fait », ajoutait Mme de Villeparisis oubliant qu'elle ne comprenait pas ce genre de nuances, « n'eût-elle été que Mme de Choiseul que sa prétention aurait pu se soutenir. Les Choiseul sont tout ce qu'il y a de plus grand, ils sortent d'une sœur du roi Louis le Gros, ils étaient de vrais souverains en Bassigny[1]. J'admets que nous l'emportons par les alliances et l'illustration, mais l'ancienneté est presque la même. Il était résulté de cette question de préséance des incidents comiques, comme un déjeuner qui fut servi en retard de plus d'une grande heure que mit l'une de ces dames à accepter de se laisser présenter. Elles étaient malgré cela devenues de grandes amies et elle avait donné à ma mère un fauteuil du genre de celui-ci et où, comme vous venez de faire, chacun refusait de s'asseoir. Un jour ma mère entend une voiture dans la cour de son hôtel. Elle demande à un petit domestique qui c'est. "C'est Mme la duchesse de La Rochefoucauld, madame la comtesse. — Ah ! bien, je la recevrai." Au bout d'un quart d'heure, personne : "Hé bien, Mme la duchesse de La Rochefoucauld ? où est-elle donc ? — Elle est dans l'escalier, a soufflé[a], Madame la comtesse", répond le petit domestique qui arrivait depuis peu de la campagne où ma mère avait la bonne habitude de les prendre. Elle les avait souvent vus naître. C'est comme cela qu'on a chez soi de braves gens. Et c'est le premier des luxes. En effet, la duchesse de La Rochefoucauld montait difficilement, étant énorme, si énorme que quand elle entra ma mère eut un instant d'inquiétude en se demandant où elle pourrait la placer. À ce moment donné par Mme de Praslin frappa ses yeux : "Prenez donc la peine de vous asseoir", dit ma mère en le lui avançant. Et la duchesse le remplit jusqu'aux bords. Elle était, malgré cette importance[b], restée assez agréable. "Elle fait encore un certain effet quand elle entre", disait un de nos amis. "Elle en fait surtout quand elle sort", répondit ma mère qui avait le mot plus leste qu'il ne serait de mise aujourd'hui. Chez Mme de La

Rochefoucauld même, on ne se gênait pas pour plaisanter
devant elle, qui en riait la première, ses amples proportions. "Mais est-ce que vous êtes seul ?" demanda un jour
à M. de La Rochefoucauld ma mère qui venait faire visite
à la duchesse et qui, reçue à l'entrée par le mari, n'avait
pas aperçu sa femme qui était dans une baie du fond.
"Est-ce que Mme de La Rochefoucauld n'est pas là ? je
ne la vois pas. — Comme vous êtes aimable !" répondit
le duc qui avait un des jugements les plus faux que j'aie
jamais connus, mais ne manquait pas d'un certain esprit. »

Après le dîner, quand j'étais remonté avec ma grand-
mère, je lui disais que les qualités qui nous charmaient
chez Mme de Villeparisis, le tact, la finesse, la discrétion,
l'effacement de soi-même n'étaient peut-être pas bien
précieuses, puisque*a* ceux qui les possédèrent au plus haut
degré ne furent que des Molé et des Loménie[1], et que*b*
si leur absence peut rendre les relations quotidiennes
désagréables, elle n'a pas empêché de devenir Chateaubriand, Vigny, Hugo, Balzac, des vaniteux qui n'avaient
pas de jugement, qu'il était facile de railler, comme
Bloch... Mais au nom de Bloch ma grand-mère se récriait.
Et elle me vantait Mme de Villeparisis. Comme on dit que
c'est l'intérêt de l'espèce qui guide en amour les
préférences de chacun, et pour que l'enfant soit constitué
de la façon la plus normale, fait rechercher les femmes
maigres aux hommes gras et les grasses aux maigres, de
même c'était obscurément les exigences de mon bonheur
menacé par le nervosisme, par mon penchant maladif à
la tristesse, à l'isolement, qui lui faisaient donner le
premier rang aux qualités de pondération et de jugement,
particulières non seulement à Mme de Villeparisis mais
à une société où je pourrais trouver une distraction, un
apaisement, — une société pareille à celle où l'on vit fleurir
l'esprit d'un Doudan, d'un M. de Rémusat, pour ne pas
dire d'une Beausergent, d'un Joubert, d'une Sévigné[2],
esprit*c* qui met plus de bonheur, plus de dignité dans la
vie que les raffinements opposés, lesquels ont conduit un
Baudelaire, un Poe, un Verlaine, un Rimbaud, à des*d*
souffrances, à une déconsidération dont ma grand-mère
ne voulait pas pour son petit-fils. Je l'interrompais pour
l'embrasser et lui demandais si elle avait remarqué telle
phrase que Mme de Villeparisis avait dite et dans laquelle
se marquait la femme qui tenait plus à sa naissance qu'elle

ne l'avouait. Ainsi soumettais-je à ma grand-mère mes impressions, car je ne savais jamais le degré d'estime dû à quelqu'un que quand elle me l'avait indiqué. Chaque soir je venais lui apporter les croquis que j'avais pris dans la journée d'après tous ces êtres inexistants qui n'étaient pas elle. Une fois je lui dis : « Sans toi je ne pourrai pas vivre. — Mais il ne faut pas, me répondit-elle d'une[d] voix troublée. Il faut nous faire un cœur plus dur que ça. Sans cela que deviendrais-tu si je partais en voyage ? J'espère au contraire que tu serais très raisonnable et très heureux. — Je saurais être raisonnable si tu partais pour quelques jours, mais je compterais les heures. — Mais si je partais pour des mois... (à cette seule idée mon cœur se serrait), pour des années... pour... »

Nous nous taisions tous les deux. Nous n'osions pas nous regarder. Pourtant je souffrais plus de son angoisse que de la mienne. Aussi je m'approchai de la fenêtre et distinctement je lui dis en détournant les yeux :

« Tu sais comme je suis un être d'habitudes. Les premiers jours où je viens d'être séparé des gens que j'aime le plus, je suis malheureux. Mais tout en les aimant toujours autant, je m'accoutume, ma vie devient calme, douce ; je supporterais d'être séparé d'eux, des mois, des années... »

Je dus me taire et regarder tout à fait par la fenêtre. Ma grand-mère sortit un instant de la chambre. Mais le lendemain je me mis à parler de philosophie, sur le ton le plus indifférent, en m'arrangeant cependant pour que ma grand-mère fît attention à mes paroles, je dis que c'était curieux, qu'après les dernières découvertes de la science le matérialisme semblait ruiné, et que le plus probable était encore l'éternité des âmes et leur future réunion.

Mme de Villeparisis nous prévint que bientôt elle ne pourrait nous voir aussi souvent. Un jeune neveu qui préparait Saumur, actuellement en garnison dans le voisinage, à Doncières[1], devait venir passer auprès d'elle un congé de quelques semaines et elle lui donnerait beaucoup de son temps. Au cours de nos promenades, elle nous avait vanté sa grande intelligence, surtout son bon cœur ; déjà[b] je me figurais qu'il allait se prendre de sympathie pour moi, que je serais son ami préféré, et quand avant son arrivée, sa tante laissa entendre à ma grand-mère qu'il était malheureusement tombé dans les griffes d'une mauvaise femme dont il était fou et qui ne le lâcherait pas, comme j'étais persuadé que ce genre d'amour finissait fatalement par l'aliénation mentale, le crime et le suicide, pensant au temps si court qui était réservé à notre amitié, déjà si grande dans mon cœur sans que je l'eusse encore vu, je pleurai sur elle et sur les malheurs qui l'attendaient comme sur un être cher dont on vient de nous apprendre qu'il est gravement atteint et que ses jours sont comptés.

Une après-midi de grande chaleur j'étais dans la salle à manger de l'hôtel qu'on avait laissée à demi dans l'obscurité pour la protéger du soleil en tirant des rideaux qu'il jaunissait et qui par leurs interstices laissaient clignoter le bleu de la mer, quand dans la travée centrale qui allait de la plage à la route, je vis, grand, mince, le cou dégagé, la tête haute et fièrement portée, passer un jeune homme aux yeux pénétrants et dont la peau était aussi blonde et les cheveux aussi dorés que s'ils avaient absorbé tous les rayons du soleil. Vêtu d'une étoffe souple et blanchâtre comme je n'aurais jamais cru qu'un homme eût osé en porter, et dont la minceur n'évoquait pas moins que le frais de la salle à manger, la chaleur et le beau temps du dehors, il marchait vite. Ses yeux, de l'un desquels tombait à tout moment un monocle, étaient de la couleur de la mer. Chacun le regarda curieusement passer, on savait que ce jeune marquis de Saint-Loup-en-Bray[1] était célèbre pour son élégance. Tous les journaux avaient décrit le costume dans lequel il avait récemment servi de témoin au jeune duc d'Uzès, dans un duel. Il semblait que la qualité si particulière de ses cheveux, de ses yeux, de sa peau, de sa tournure, qui l'eussent distingué au milieu d'une foule comme un filon précieux d'opale azurée et lumineuse, engainé dans une matière grossière, devait correspondre à une vie différente de celle des autres hommes. Et en conséquence, quand, avant la liaison dont Mme de Villeparisis se plaignait, les plus jolies femmes du grand monde se l'étaient disputé, sa présence, dans une plage par exemple, à côté de la beauté en renom à laquelle il faisait la cour, ne la mettait pas seulement tout à fait en vedette, mais attirait les regards autant sur lui que sur elle. À cause de son « chic », de son impertinence de jeune « lion », à cause de son extraordinaire beauté surtout, certains lui trouvaient même un air efféminé,

mais sans le lui reprocher, car on savait combien il était
viril et qu'il aimait passionnément les femmes. C'était ce
neveu de Mme de Villeparisis duquel elle nous avait parlé.
Je fus ravi de penser que j'allais le connaître pendant
quelques semaines et sûr qu'il me donnerait toute son
affection. Il traversa rapidement l'hôtel dans toute sa
largeur, semblant poursuivre son monocle qui voltigeait
devant lui comme un papillon[a]. Il venait de la plage, et
la mer qui remplissait jusqu'à mi-hauteur le vitrage du hall
lui faisait un fond sur lequel il se détachait en pied, comme
dans certains portraits où des peintres prétendent, sans
tricher en rien sur l'observation la plus exacte de la vie
actuelle, mais en choisissant pour leur modèle un cadre
approprié, pelouse de polo, de golf, champ de courses,
pont de yacht, donner un équivalent moderne de ces toiles
où les primitifs faisaient apparaître la figure humaine au
premier plan d'un paysage. Une voiture à deux chevaux
l'attendait devant la porte ; et tandis que son monocle
reprenait ses ébats sur la route ensoleillée, avec l'élégance
et la maîtrise qu'un grand pianiste trouve le moyen de
montrer dans le trait le plus simple, où il ne semblait pas
possible qu'il sût se montrer supérieur à un exécutant de
deuxième ordre, le neveu de Mme de Villeparisis, prenant
les guides que lui passa le cocher, s'assit à côté de lui et
tout en décachetant une lettre que le directeur de l'hôtel
lui remit, fit partir les bêtes.

Quelle déception j'éprouvai les jours suivants quand,
chaque fois que je le rencontrai dehors ou dans l'hôtel
— le col haut, équilibrant perpétuellement les mouvements de ses membres autour de son monocle fugitif et
dansant qui semblait leur centre de gravité — je pus me
rendre compte qu'il ne cherchait pas à se rapprocher de
nous et vis qu'il ne nous saluait pas quoiqu'il ne pût ignorer
que nous étions les amis de sa tante ! Et me rappelant
l'amabilité que m'avaient témoignée Mme de Villeparisis
et avant elle M. de Norpois, je pensais que peut-être ils
n'étaient que des nobles pour rire et qu'un article secret
des lois qui gouvernent l'aristocratie doit y permettre
peut-être aux femmes et à certains diplomates de manquer
dans leurs rapports avec les roturiers, et pour une raison
qui m'échappait, à la morgue que devait au contraire
pratiquer impitoyablement un jeune marquis. Mon intelligence aurait pu me dire le contraire. Mais la caractéristique

de l'âge ridicule que je traversais — âge nullement ingrat, très fécond — est qu'on n'y consulte pas l'intelligence et que les moindres attributs des êtres semblent faire partie indivisible de leur personnalité. Tout entouré de monstres et de dieux, on ne connaît guère le calme. Il n'y a presque pas un des gestes qu'on a faits alors, qu'on ne voudrait plus tard pouvoir abolir. Mais ce qu'on devrait regretter au contraire, c'est de ne plus posséder la spontanéité qui nous les faisait accomplir. Plus tard on voit les choses d'une façon plus pratique, en pleine conformité avec le reste de la société, mais l'adolescence est le seul temps où l'on ait appris quelque chose.

Cette insolence que je devinais chez M. de Saint-Loup, et tout ce qu'elle impliquait de dureté naturelle, se trouva vérifiée par son attitude chaque fois qu'il passait à côté de nous, le corps aussi inflexiblement élancé, la tête toujours aussi haute, le regard impassible, ce n'est pas assez dire, aussi implacable, dépouillé de ce vague respect qu'on a pour les droits d'autres créatures, même si elles ne connaissent pas votre tante, et qui faisait que je n'étais pas tout à fait le même devant une vieille dame que devant un bec de gaz. Ces manières glacées étaient aussi loin des lettres charmantes que je l'imaginais encore il y a quelques jours, m'écrivant pour me dire sa sympathie, qu'est loin de l'enthousiasme de la Chambre et du peuple qu'il s'est représenté en train de soulever par un discours inoubliable, la situation médiocre, obscure, de l'imaginatif qui après avoir ainsi rêvassé tout seul, pour son compte, à haute voix, se retrouve, les acclamations imaginaires une fois apaisées, Gros-Jean comme devant. Quand Mme de Villeparisis, sans doute*ᵃ* pour tâcher d'effacer la mauvaise impression que nous avaient causée ces dehors révélateurs d'une nature orgueilleuse et méchante, nous reparla de l'inépuisable bonté de son petit-neveu (il était le fils d'une de ses nièces et était un peu plus âgé que moi) j'admirai comme dans le monde, au mépris de toute vérité, on prête des qualités de cœur à ceux qui l'ont si sec, fussent-ils d'ailleurs aimables avec des gens brillants qui font partie de leur milieu. Mme de Villeparisis ajouta elle-même, quoique indirectement, une confirmation aux traits essentiels, déjà certains pour moi, de la nature de son neveu, un jour où je les rencontrai tous deux dans un chemin si étroit qu'elle ne put faire autrement que de me présenter à lui. Il sembla ne pas entendre qu'on lui nommait quelqu'un, aucun muscle de son visage ne bougea ; ses yeux où ne brilla pas la plus faible lueur de sympathie humaine, montrèrent simplement dans l'insensibilité, dans l'inanité du regard, une exagération à défaut de laquelle rien ne les eût différenciés de miroirs sans vie. Puis fixant sur moi ces yeux durs comme s'il eût voulu se renseigner sur moi, avant de me rendre mon salut, par un brusque déclenchement qui sembla plutôt dû à un réflexe musculaire qu'à un acte de volonté, mettant entre lui et moi le plus grand intervalle possible, allongea le bras dans toute sa longueur, et me tendit la main, à distance. Je crus qu'il s'agissait au moins d'un duel, quand le lendemain il me fit passer sa carte. Mais*ᵃ* il ne me parla que de littérature, déclara après une longue causerie qu'il avait une envie extrême de me voir plusieurs heures chaque jour. Il n'avait pas, durant cette visite, fait preuve seulement d'un goût très ardent pour les choses de l'esprit, il m'avait témoigné une sympathie qui allait fort peu avec le salut de la veille. Quand je le lui eus vu refaire chaque fois qu'on lui présentait quelqu'un, je compris que c'était une simple habitude mondaine particulière à une certaine partie de sa famille et à laquelle sa mère, qui tenait à ce qu'il fût admirablement bien élevé, avait plié son corps ; il faisait ces saluts-là sans y penser plus qu'à ses beaux vêtements, à ses beaux cheveux ; c'était une chose dénuée de la signification morale que je lui avais donnée d'abord, une chose purement apprise, comme cette autre habitude qu'il avait aussi de se faire présenter immédiatement aux parents de quelqu'un qu'il connaissait, et qui était devenue chez lui si instinctive que me voyant le lendemain de notre rencontre, il fonça sur moi et, sans me dire bonjour, me demanda de le nommer à ma grand-mère qui était auprès de moi, avec la même rapidité fébrile que si cette requête eût été due à quelque instinct défensif, comme le geste de parer un coup ou de fermer les yeux devant un jet d'eau bouillante, sans le préservatif duquel*ᵇ* il y eût eu péril*ᶜ* à demeurer une seconde de plus.

Les premiers rites d'exorcisme une fois accomplis, comme une fée hargneuse dépouille sa première apparence et se pare de grâces enchanteresses, je vis cet être dédaigneux devenir le plus aimable, le plus prévenant jeune homme que j'eusse jamais rencontré. « Bon, me dis-je, je me suis déjà trompé sur lui, j'avais été victime d'un mirage, mais je n'ai triomphé du premier que pour tomber dans un second, car c'est un grand seigneur féru de noblesse et cherchant à le dissimuler. » Or, toute la charmante éducation, toute l'amabilité de Saint-Loup devaient, en effet, au bout de peu de temps, me laisser voir un autre être mais bien différent de celui que je soupçonnais.

Ce jeune homme qui avait l'air d'un aristocrate et d'un sportsman dédaigneux n'avait d'estime et de curiosité que pour les choses de l'esprit, surtout pour ces manifestations modernistes de la littérature et de l'art qui semblaient si ridicules à sa tante ; il était imbu, d'autre part, de ce qu'elle appelait les déclamations socialistes, rempli du plus profond mépris pour sa caste et passait des heures à étudier Nietzsche et Proudhon. C'était un de ces « intellectuels[1] » prompts à l'admiration qui s'enferment dans un livre, soucieux seulement de haute pensée. Même, chez Saint-Loup l'expression de cette tendance très abstraite et qui l'éloignait tant de mes préoccupations habituelles, tout en me paraissant touchante m'ennuyait un peu. Je peux dire que, quand je sus bien qui avait été son père, les jours où je venais de lire des Mémoires tout nourris d'anecdotes sur ce fameux comte de Marsantes en qui se résume l'élégance si spéciale d'une époque déjà lointaine, l'esprit empli de rêveries, désireux d'avoir des précisions sur la vie qu'avait menée M. de Marsantes, j'enrageais que Robert de Saint-Loup au lieu de se contenter d'être le fils de son père, au lieu d'être capable de me guider dans le roman démodé qu'avait été l'existence de celui-ci, se fût élevé jusqu'à l'amour de Nietzsche et de Proudhon. Son père n'eût pas partagé mes regrets. Il était lui-même un homme intelligent, excédant les bornes de sa vie d'homme du monde. Il n'avait guère eu le temps de connaître son fils, mais avait souhaité qu'il valût mieux que lui. Et je crois bien que contrairement au reste de la famille, il l'eût admiré, se fût réjoui qu'il délaissât ce qui avait fait ses minces divertissements pour d'austères méditations, et sans en rien dire, dans sa modestie de grand seigneur spirituel, eût lu en cachette les auteurs favoris de son fils pour apprécier de combien Robert lui était supérieur.

Il y avait, du reste, cette chose assez triste, c'est que si M. de Marsantes, à l'esprit fort ouvert, eût apprécié un fils si différent de lui, Robert de Saint-Loup parce qu'il

était de ceux qui croient que le mérite est attaché à
certaines formes d'art et de vie, avait un souvenir
affectueux mais un peu méprisant d'un père qui s'était
occupé toute sa vie de chasse et de course, avait bâillé
à Wagner et raffolé d'Offenbach. Saint-Loup n'était pas
assez intelligent pour comprendre que la valeur intellectuelle n'a rien à voir avec l'adhésion à une certaine
formule esthétique, et il avait pour l'« intellectualité » de
M. de Marsantes un peu le même genre de dédain
qu'auraient pu avoir pour Boieldieu ou pour Labiche un
fils Boieldieu ou un fils Labiche qui eussent été des adeptes
de la littérature la plus symboliste et de la musique la plus
compliquée. « J'ai très peu connu mon père, disait Robert.
Il paraît que c'était un homme exquis. Son désastre a été
la déplorable époque où il a vécu. Être né dans le faubourg
Saint-Germain et avoir vécu à l'époque de la *Belle-Hélène,*
cela fait cataclysme dans une existence. Peut-être, petit
bourgeois fanatique du "Ring", eût-il donné tout autre
chose. On me dit même qu'il aimait la littérature. Mais
on ne peut pas savoir, puisque ce qu'il entendait par
littérature se compose d'œuvres périmées. » Et pour ce
qui était de moi, si je trouvais Saint-Loup un peu sérieux,
lui ne comprenait pas que je ne le fusse pas davantage.
Ne jugeant chaque chose qu'au poids d'intelligence qu'elle
contient, ne percevant pas les enchantements d'imagination que me donnaient certaines qu'il jugeait frivoles, il
s'étonnait que moi — moi à qui il s'imaginait être tellement
inférieur — je pusse m'y intéresser.

   Dès les premiers jours[a] Saint-Loup fit la conquête de
ma grand-mère, non seulement par la bonté incessante
qu'il s'ingéniait à nous témoigner à tous deux, mais par
le naturel qu'il y mettait comme en toutes choses. Or, le
naturel — sans doute parce que, sous l'art de l'homme,
il laisse sentir la nature — était la qualité que ma
grand-mère préférait à toutes, tant dans les jardins où elle
n'aimait pas qu'il y eût, comme dans celui de Combray,
de plates-bandes trop régulières, qu'en cuisine où elle
détestait ces « pièces montées » dans lesquelles on
reconnaît à peine les aliments qui ont servi à les faire, ou
dans l'interprétation pianistique qu'elle ne voulait pas trop
fignolée, trop léchée, ayant même eu pour les notes
accrochées, pour les fausses notes, de Rubinstein[1], une
complaisance particulière. Ce naturel, elle le goûtait jusque

dans les vêtements de Saint-Loup, d'une élégance souple
sans rien de « gommeux » ni de « compassé », sans
raideur et sans empois. Elle prisait davantage encore ce
jeune homme riche dans la façon négligente et libre qu'il
avait de vivre dans le luxe sans « sentir l'argent », sans
airs importants ; elle retrouvait même le charme de ce
naturel dans l'incapacité que Saint-Loup avait gardée — et
qui généralement disparaît avec l'enfance en même temps
que certaines particularités physiologiques de cet âge
— d'empêcher son visage de refléter une émotion.
Quelque chose qu'il désirait par exemple et sur quoi il
n'avait pas compté, ne fût-ce qu'un compliment, faisait se
dégager en lui un plaisir si brusque, si brûlant, si volatil,
si expansif, qu'il lui était impossible de le contenir et de
le cacher ; une grimace de plaisir s'emparait irrésistiblement de son visage ; la^a peau trop fine de ses joues laissait
transparaître une vive rougeur, ses yeux reflétaient la
confusion et la joie ; et ma grand-mère était infiniment
sensible à cette gracieuse apparence de franchise et
d'innocence, laquelle d'ailleurs chez Saint-Loup, au moins
à l'époque où je me liai avec lui, ne trompait pas. Mais
j'ai connu un autre être et il y en a beaucoup, chez lequel
la sincérité physiologique de cet incarnat passager
n'excluait nullement la duplicité morale ; bien souvent il
prouve seulement la vivacité avec laquelle ressentent le
plaisir, jusqu'à être désarmées devant lui et à être forcées
de le confesser aux autres, des natures capables des plus
viles fourberies. Mais où ma grand-mère adorait surtout
le naturel de Saint-Loup, c'était dans sa façon d'avouer
sans aucun détour la sympathie qu'il avait pour moi, et
pour l'expression de laquelle il avait de ces mots comme
elle n'eût pas pu en trouver elle-même, disait-elle, de plus
justes, et vraiment aimants, des mots qu'eussent contre-
signés « Sévigné et Beausergent » ; il ne^b se gênait pas
pour plaisanter mes défauts — qu'il avait démêlés avec
une finesse dont elle était amusée — mais comme
elle-même aurait fait, avec tendresse, exaltant au contraire
mes qualités avec une chaleur, un abandon qui ne
connaissait pas les réserves et la froideur grâce auxquelles
les jeunes gens de son âge croient généralement se donner
de l'importance. Et il montrait à prévenir mes moindres
malaises, à remettre des couvertures sur mes jambes si
le temps fraîchissait sans que je m'en fusse aperçu, à

s'arranger sans le dire à rester le soir avec moi plus tard, s'il me sentait triste ou mal disposé, une vigilance que, du point de vue de ma santé, pour laquelle plus d'endurcissement eût peut-être été préférable, ma grand-mère trouvait presque excessive, mais qui comme preuve d'affection pour moi la touchait profondément.

Il fut bien vite convenu entre lui et moi que nous étions devenus de grands amis pour toujours, et il disait « notre amitié » comme s'il eût parlé de quelque chose d'important et de délicieux qui eût existé en dehors de nous-mêmes et qu'il appela bientôt — en mettant à part son amour pour sa maîtresse — la meilleure joie de sa vie. Ces paroles me causaient une sorte de tristesse, et j'étais embarrassé pour y répondre, car je n'éprouvais à me trouver, à causer avec lui — et sans doute c'eût été de même avec tout autre — rien de ce bonheur qu'il m'était au contraire possible de ressentir quand j'étais sans compagnon. Seul, quelquefois, je sentais affluer du fond de moi quelqu'une de ces impressions qui me donnaient un bien-être délicieux. Mais dès que j'étais avec quelqu'un, dès que je parlais à un ami, mon esprit faisait volte-face, c'était vers cet interlocuteur et non vers moi-même qu'il dirigeait ses pensées, et quand elles suivaient ce sens inverse, elles ne me procuraient aucun plaisir. Une fois que j'avais quitté Saint-Loup, je mettais, à l'aide de mots, une sorte d'ordre dans les minutes confuses que j'avais passées avec lui ; je me disais que j'avais un bon ami, qu'un bon ami est une chose rare, et je goûtais, à me sentir entouré de biens difficiles à acquérir, ce qui était justement l'opposé du plaisir qui m'était naturel, l'opposé du plaisir d'avoir extrait de moi-même et amené à la lumière quelque chose qui y était caché dans la pénombre. Si j'avais passé deux ou trois heures à causer avec Robert de Saint-Loup et qu'il eût admiré ce que je lui avais dit, j'éprouvais une sorte de remords, de regret, de fatigue de ne pas être resté seul et prêt enfin à travailler. Mais je me disais qu'on n'est pas intelligent que pour soi-même, que les plus grands ont désiré d'être appréciés, que je ne pouvais pas considérer comme perdues des heures où j'avais bâti une haute idée de moi dans l'esprit de mon ami, je me persuadais facilement que je devais en être heureux et je souhaitais d'autant plus vivement que ce bonheur ne me fût jamais enlevé que je ne l'avais pas ressenti. On craint plus que de tous les autres la disparition des biens restés en dehors de nous parce que notre cœur ne s'en est pas emparé. Je me sentais capable d'exercer les vertus de l'amitié mieux que beaucoup (parce que je ferais toujours passer le bien de mes amis avant ces intérêts personnels auxquels d'autres sont attachés et qui ne comptaient pas pour moi), mais non pas de connaître la joie par un sentiment qui au lieu d'accroître les différences qu'il y avait entre mon âme et celle des autres — comme il y en a entre les âmes de chacun de nous — les effacerait[1]. En revanche par moments ma pensée démêlait en Saint-Loup un être plus général que lui-même, le « noble », et qui comme un esprit intérieur mouvait ses membres, ordonnait ses gestes et ses actions ; alors, à ces moments-là, quoique près de lui, j'étais seul, comme je l'eusse été devant un paysage dont j'aurais compris l'harmonie. Il n'était plus qu'un objet que ma rêverie cherchait à approfondir. À retrouver toujours en lui cet être antérieur, séculaire, cet aristocrate que Robert aspirait justement à ne pas être, j'éprouvais une vive joie, mais d'intelligence, non d'amitié. Dans l'agilité morale et physique qui donnait tant de grâce à son amabilité, dans l'aisance avec laquelle il offrait sa voiture à ma grand-mère et l'y faisait monter, dans son adresse à sauter du siège quand il avait peur que j'eusse froid, pour jeter son propre manteau sur mes épaules, je ne sentais pas seulement la souplesse héréditaire des grands chasseurs qu'avaient été depuis des générations les ancêtres de ce jeune homme qui ne prétendait qu'à l'intellectualité, leur dédain de la richesse qui, subsistant chez lui à côté du goût qu'il avait d'elle rien que pour pouvoir mieux fêter ses amis, lui faisait mettre si négligemment son luxe à leurs pieds ; j'y sentais surtout la certitude ou l'illusion qu'avaient eues ces grands seigneurs d'être « plus que les autres », grâce à quoi ils n'avaient pu léguer à Saint-Loup ce désir de montrer qu'on est « autant que les autres », cette peur de paraître trop empressé qui lui était en effet vraiment inconnue et qui enlaidit de tant de raideur et de gaucherie la plus sincère amabilité plébéienne. Quelquefois je me reprochais de prendre ainsi plaisir à considérer mon ami comme une œuvre d'art, c'est-à-dire à regarder le jeu de toutes les parties de son être comme harmonieusement réglé par une idée générale à laquelle elles étaient suspendues mais qu'il ne connaissait pas et qui par conséquent n'ajoutait rien à ses qualités propres, à cette valeur personnelle d'intelligence et de moralité à quoi il attachait tant de prix.

Et pourtant elle était dans une certaine mesure leur condition. C'est parce qu'il était un gentilhomme que cette activité mentale, ces aspirations socialistes, qui lui faisaient rechercher de jeunes étudiants prétentieux et mal mis, avaient chez lui quelque chose de vraiment pur et désintéressé qu'elles n'avaient pas chez eux. Se croyant l'héritier d'une caste ignorante et égoïste, il cherchait sincèrement à ce qu'ils lui pardonnassent ces origines aristocratiques[1] qui exerçaient sur eux, au contraire, une séduction et à cause desquelles ils le recherchaient, tout en simulant à son égard la froideur et même l'insolence. Il était ainsi amené à faire des avances à des gens dont mes parents, fidèles à la sociologie de Combray, eussent été stupéfaits qu'il ne se détournât pas. Un jour que nous étions assis sur le sable, Saint-Loup et moi, nous entendîmes d'une tente de toile contre laquelle nous étions, sortir des imprécations contre le fourmillement d'Israélites qui infestait Balbec. « On ne peut pas faire deux pas sans en rencontrer, disait la voix. Je ne suis pas par principe irréductiblement hostile à la nationalité juive, mais ici il y a pléthore. On n'entend que : "Dis donc, Apraham, chai fu Chakop." On se croirait rue d'Aboukir. » L'homme qui tonnait ainsi contre Israël sortit enfin de la tente, nous levâmes les yeux sur cet antisémite. C'était mon camarade Bloch[2]. Saint-Loup me demanda immédiatement de rappeler à celui-ci qu'ils s'étaient rencontrés au Concours général où Bloch avait eu le prix d'honneur, puis dans une université populaire.

Tout au plus[a] souriais-je parfois de retrouver chez Robert les leçons des jésuites dans la gêne que la peur de froisser faisait naître en lui, chaque fois que quelqu'un de ses amis intellectuels commettait une erreur mondaine, faisait une chose ridicule, à laquelle lui, Saint-Loup, n'attachait aucune importance, mais dont il sentait que l'autre aurait rougi si l'on s'en était aperçu. Et c'était Robert qui rougissait comme si ç'avait été lui le coupable, par exemple le jour où Bloch lui promettant d'aller le voir à l'hôtel, ajouta :

« Comme je ne peux pas supporter[b] d'attendre parmi le faux chic de ces grands caravansérails, et que les tziganes me feraient trouver mal, dites au "laïft" de les faire taire et de vous prévenir de suite. »

Personnellement, je ne tenais pas beaucoup à ce que
Bloch vînt à l'hôtel. Il était à Balbec, non pas seul,
malheureusement, mais avec ses sœurs qui y avaient
elles-mêmes beaucoup de parents et d'amis. Or cette
colonie juive était plus pittoresque qu'agréable. Il en était
de Balbec comme de certains pays, la Russie ou la
Roumanie, où les cours de géographie nous enseignent
que la population israélite n'y jouit point de la même
faveur et n'y est pas parvenue au même degré
d'assimilation qu'à Paris par exemple. Toujours ensemble,
sans mélange d'aucun autre élément, quand les cousines
et les oncles de Bloch, ou leurs coreligionnaires mâles
ou femelles se rendaient au Casino, les unes pour le
« bal », les autres bifurquant vers le baccara, ils formaient
un cortège homogène en soi et entièrement dissemblable
des gens qui les regardaient passer et les retrouvaient
là tous les ans sans jamais échanger un salut avec eux,
que ce fût la société des Cambremer, le clan du premier
président, ou des grands et petits bourgeois, ou même
de simples[a] grainetiers de Paris, dont les filles, belles,
fières, moqueuses et françaises comme les statues de
Reims, n'auraient pas voulu se mêler à cette horde de
fillasses mal[b] élevées, poussant le souci des modes de
« bains de mer » jusqu'à toujours avoir l'air de revenir
de pêcher la crevette ou d'être en train de danser le tango.
Quant aux hommes, malgré l'éclat des smokings et des
souliers vernis, l'exagération de leur type faisait penser
à ces recherches dites « intelligentes » des peintres qui
ayant à illustrer les Évangiles ou les *Mille et Une Nuits*,
pensent au pays où la scène se passe et donnent à saint
Pierre ou à Ali-Baba précisément la figure qu'avait le
plus gros « ponte » de Balbec[c]. Bloch me présenta ses
sœurs, auxquelles il fermait le bec avec la dernière
brusquerie et qui riaient aux éclats des moindres boutades
de leur frère, leur admiration et leur idole. De sorte qu'il
est probable que ce milieu devait renfermer comme tout
autre, peut-être plus que tout autre, beaucoup d'agréments, de qualités et de vertus. Mais pour les éprouver,
il eût fallu y pénétrer. Or, il ne plaisait pas, le
sentait, voyait là la preuve d'un antisémitisme contre
lequel il faisait front en une phalange compacte et close
où personne d'ailleurs ne songeait à se frayer un
chemin.

Pour ce qui est de « laïft », cela avait d'autant moins lieu de me surprendre que quelques jours auparavant, Bloch m'ayant demandé pourquoi j'étais venu à Balbec (il lui semblait, au contraire, tout naturel que lui-même y fût) et si c'était « dans l'espoir de faire de belles connaissances », comme je lui avais dit que ce voyage répondait à un de mes plus anciens désirs, moins profond pourtant que celui d'aller à Venise, il avait répondu : « Oui, naturellement, pour boire des sorbets avec les belles madames, tout en faisant semblant de lire les *Stones of Venaïce* de Lord John Ruskin[1], sombre raseur et l'un des plus barbifiants bonshommes qui soient. » Bloch croyait donc évidemment qu'en Angleterre non seulement tous les individus du sexe mâle sont lords, mais encore que la lettre *i* s'y prononce toujours *aï*. Quant à Saint-Loup, il trouvait cette faute de prononciation d'autant moins grave qu'il y voyait surtout un manque de ces notions presque mondaines que mon nouvel ami méprisait autant qu'il les possédait. Mais la peur que Bloch, apprenant un jour qu'on dit Venice et que Ruskin n'était pas lord, crût rétrospectivement que Robert l'avait trouvé ridicule, fit que ce dernier se sentit coupable comme s'il avait manqué de l'indulgence dont il débordait et que la rougeur qui colorerait sans doute un jour le visage de Bloch à la découverte de son erreur, il la sentit par anticipation et réversibilité monter au sien. Car il pensait bien que Bloch attachait plus d'importance que lui à cette faute. Ce que Bloch prouva quelque temps après, un jour qu'il m'entendit prononcer « lift », en interrompant : « Ah ! on dit lift. » Et d'un ton sec et hautain : « Cela n'a d'ailleurs aucune espèce d'importance. » Phrase analogue à un réflexe, la même chez tous les hommes qui ont de l'amour-propre, dans les plus graves circonstances aussi bien que dans les plus infimes ; dénonçant alors aussi bien que dans celle-ci combien importante paraît la chose en question à celui qui la déclare sans importance ; phrase tragique parfois qui la première de toutes s'échappe, si navrante alors, des lèvres de tout homme un peu fier à qui on vient d'enlever la dernière espérance à laquelle il se raccrochait, en lui refusant un service : « Ah ! bien, cela n'a aucune espèce d'importance, je m'arrangerai autrement », l'autre arrangement vers lequel il est sans aucune espèce d'importance d'être rejeté étant quelquefois le suicide.

Puis Bloch me dit des choses fort gentilles. Il avait certainement envie d'être très aimable avec moi. Pourtant, il me demanda : « Est-ce par goût de t'élever vers la noblesse — une noblesse très à-côté du reste, mais tu es demeuré naïf — que tu fréquentes de Saint-Loup-en-Bray ? Tu dois être en train de traverser une jolie crise de snobisme. Dis-moi, es-tu snob ? Oui, n'est-ce pas ? » Ce n'est pas que son désir d'amabilité eût brusquement changé. Mais ce qu'on appelle en un français assez incorrect « la mauvaise éducation » était son défaut, par conséquent le défaut dont il ne s'apercevait pas, à plus forte raison dont il ne crût pas que les autres pussent être choqués. Dans l'humanité, la fréquence des vertus identiques pour tous n'est pas plus merveilleuse que la multiplicité des défauts particuliers à chacun. Sans doute, ce n'est pas le bon sens qui est « la chose du monde la plus répandue », c'est la bonté. Dans les coins les plus lointains, les plus perdus, on s'émerveille de la voir fleurir d'elle-même, comme dans un vallon écarté un coquelicot pareil à ceux du reste du monde, lui qui ne les a jamais vus, et n'a jamais connu que le vent qui fait frissonner parfois son rouge chaperon solitaire. Même si cette bonté, paralysée par l'intérêt, ne s'exerce pas, elle existe pourtant, et chaque fois qu'aucun mobile égoïste ne l'empêche de le faire, par exemple pendant la lecture d'un roman ou d'un journal, elle s'épanouit, se tourne, même dans le cœur de celui qui, assassin dans la vie, reste tendre comme amateur de feuilletons, vers le faible, vers le juste et le persécuté. Mais la variété des défauts n'est pas moins admirable que la similitude des vertus. La personne la plus parfaite a un certain défaut qui choque ou qui met en rage. L'une est d'une belle intelligence, voit tout d'un point de vue élevé, ne dit jamais de mal de personne, mais oublie dans sa poche les lettres les plus importantes qu'elle vous a demandé elle-même de lui confier, et vous fait manquer ensuite un rendez-vous capital, sans vous faire d'excuses, avec un sourire, parce qu'elle met sa fierté à ne jamais savoir l'heure. Un autre a tant de finesse, de douceur, de procédés délicats, qu'il ne vous dit jamais de vous-même que les choses qui peuvent vous rendre heureux, mais vous sentez qu'il en tait, qu'il en ensevelit dans son cœur, où elles aigrissent, de toutes différentes, et le plaisir qu'il a à vous voir lui est si cher qu'il vous ferait crever de fatigue plutôt que de vous quitter. Un troisième a plus de sincérité, mais la pousse jusqu'à tenir à ce que vous sachiez, quand vous vous êtes excusé sur votre état de santé de ne pas être allé le voir, que vous avez été vu vous rendant au théâtre et qu'on vous a trouvé bonne mine, ou qu'il n'a pu profiter entièrement de la démarche que vous avez faite pour lui, que d'ailleurs déjà trois autres lui ont proposé de faire et dont il ne vous est ainsi que légèrement obligé. Dans les deux circonstances, l'ami précédent aurait fait semblant d'ignorer que vous étiez allé au théâtre et que d'autres personnes eussent pu lui rendre le même service. Quant à ce dernier ami, il éprouve le besoin de répéter ou de révéler à quelqu'un ce qui peut le plus vous contrarier, est ravi de sa franchise et vous dit avec force : « Je suis comme cela. » Tandis que d'autres vous agacent par leur curiosité exagérée, ou leur incuriosité si absolue, que vous pouvez leur parler des événements les plus sensationnels sans qu'ils sachent de quoi il s'agit ; que d'autres encore restent des mois à vous répondre si votre lettre a trait à un fait qui concerne vous et non eux, ou bien s'ils vous disent qu'ils vont venir vous demander quelque chose et que vous n'osiez pas sortir de peur de les manquer, ne viennent pas et vous laissent attendre des semaines parce que n'ayant pas reçu de vous la réponse que leur lettre ne demandait nullement, ils avaient cru vous avoir fâché. Et certains, consultant leur désir et non le vôtre, vous parlent sans vous laisser placer un mot s'ils sont gais et ont envie de vous voir, quelque travail urgent que vous ayez à faire ; mais, s'ils se sentent fatigués par le temps, ou de mauvaise humeur, vous ne pouvez pas tirer d'eux une parole, ils opposent à vos efforts une inerte langueur et ne prennent pas plus la peine de répondre, même par monosyllabes, à ce que vous dites que s'ils ne vous avaient pas entendus. Chacun de nos amis a tellement ses défauts que pour continuer à l'aimer nous sommes obligés d'essayer de nous consoler d'eux — en pensant à son talent, à sa bonté, à sa tendresse, — ou plutôt de ne pas en tenir compte en déployant pour cela toute notre bonne volonté. Malheureusement notre complaisante obstination à ne pas voir le défaut de notre ami est surpassée par celle qu'il met à s'y adonner à cause de son aveuglement ou de celui qu'il prête aux autres. Car il ne le voit pas ou croit qu'on ne le voit pas. Comme

le risque de déplaire vient surtout de la difficulté
d'apprécier ce qui passe ou non inaperçu, on devrait au
moins, par prudence, ne jamais parler de soi, parce que
c'est un sujet où on peut être sûr que la vue des autres
et la nôtre propre ne concordent jamais. Si on a autant
de surprises qu'à visiter une maison d'apparence quelconque dont l'intérieur est rempli de trésors, de pinces-
monseigneur et de cadavres quand on découvre la vraie
vie des autres, l'univers réel sous l'univers apparent, on
n'en éprouve pas moins si, au lieu de l'image qu'on s'était
faite de soi-même grâce à ce que chacun nous en disait,
on apprend par le langage qu'ils tiennent à notre égard
en notre absence, quelle image entièrement différente ils
portaient en eux de nous et de notre vie. De sorte que
chaque fois que nous avons parlé de nous, nous pouvons
être sûrs que nos inoffensives et prudentes paroles,
écoutées avec une politesse apparente et une hypocrite
approbation, ont donné lieu aux commentaires les plus
exaspérés ou les plus joyeux, en tous cas les moins
favorables. Le moins que nous risquions est d'agacer par
la disproportion qu'il y a entre notre idée de nous-mêmes
et nos paroles, disproportion qui rend généralement les
propos des gens sur eux aussi risibles que ces chantonne-
ments des faux amateurs de musique qui éprouvent le
besoin de fredonner un air qu'ils aiment en compensant
l'insuffisance de leur murmure inarticulé par une mimique
énergique et un air d'admiration que ce qu'ils nous font
entendre ne justifie pas. Et à la mauvaise habitude de parler
de soi et de ses défauts il faut ajouter, comme faisant bloc
avec elle, cette autre de dénoncer chez les autres des
défauts précisément analogues à ceux qu'on a. Or, c'est
toujours de ces défauts-là qu'on parle, comme si c'était
une manière de parler de soi, détournée, et qui joint au
plaisir de s'absoudre celui d'avouer. D'ailleurs il semble
que notre attention, toujours attirée sur ce qui nous
caractérise, le remarque plus que toute autre chose chez
les autres. Un myope dit d'un autre : « Mais il peut à peine
ouvrir les yeux » ; un poitrinaire a des doutes sur
l'intégrité pulmonaire du plus solide ; un malpropre ne
parle que des bains que les autres ne prennent pas ; un
malodorant prétend qu'on sent mauvais ; un mari trompé
voit partout des maris trompés ; une femme légère des
femmes légères ; le snob des snobs. Et puis chaque vice,

comme chaque profession, exige et développe un savoir spécial qu'on n'est pas fâché d'étaler. L'inverti dépiste les invertis, le couturier invité dans le monde n'a pas encore causé avec vous qu'il a déjà apprécié l'étoffe de votre vêtement et que ses doigts brûlent d'en palper les qualités, et si après quelques instants de conversation vous demandiez sa vraie opinion sur vous à un odontalgiste, il vous dirait le nombre de vos mauvaises dents. Rien ne lui paraît plus important, et à vous qui avez remarqué les siennes, plus ridicule. Et ce n'est pas seulement quand nous parlons de nous que nous croyons les autres aveugles ; nous agissons comme s'ils l'étaient. Pour chacun de nous, un dieu spécial est là qui lui cache ou lui promet l'invisibilité de son défaut, de même qu'il ferme les yeux et les narines aux gens qui ne se lavent pas, sur la raie de crasse qu'ils portent aux oreilles et l'odeur de transpiration qu'ils gardent aux creux des bras et les persuade qu'ils peuvent impunément promener l'une et l'autre dans le monde qui ne s'apercevra de rien. Et ceux qui portent ou donnent en présent de fausses perles s'imaginent qu'on les prendra pour des vraies. Bloch était mal élevé, névropathe, snob et appartenant à une famille peu estimée supportait comme au fond des mers les incalculables pressions que faisaient peser sur lui non seulement les chrétiens de la surface, mais les couches superposées des castes juives supérieures à la sienne, chacune accablant de son mépris celle qui lui était immédiatement inférieure. Percer jusqu'à l'air libre en s'élevant de famille juive en famille juive eût demandé à Bloch plusieurs milliers d'années. Il valait mieux chercher à se frayer une issue d'un autre côté.

Quand Bloch me parla de la crise de snobisme que je devais traverser et me demanda de lui avouer que j'étais snob, j'aurais pu lui répondre : « Si je l'étais, je ne te fréquenterais pas. » Je lui dis seulement qu'il était peu aimable. Alors il voulut s'excuser, mais selon le mode qui est justement celui de l'homme mal élevé, lequel est trop heureux, en revenant sur ses paroles, de trouver une occasion de les aggraver. « Pardonne-moi, me disait-il maintenant chaque fois qu'il me rencontrait, je t'ai chagriné, torturé, j'ai été méchant à plaisir. Et pourtant — l'homme en général et ton ami en particulier est un si singulier animal — tu ne peux imaginer, moi qui te taquine si cruellement, la tendresse que j'ai pour toi. Elle va souvent, quand je pense à toi, jusqu'aux larmes. » Et il fit entendre un sanglot.

Ce qui m'étonnait plus chez Bloch que ses mauvaises manières, c'était combien la qualité de sa conversation était inégale. Ce garçon si difficile qui des écrivains les plus en vogue disait : « C'est un sombre idiot, c'est tout à fait un imbécile », par moments racontait avec une grande gaieté des anecdotes qui n'avaient rien de drôle et citait comme « quelqu'un de vraiment curieux » tel homme entièrement médiocre. Cette double balance pour juger de l'esprit, de la valeur, de l'intérêt des êtres, ne laissa pas de m'étonner jusqu'au jour où je connus M. Bloch père.

Je n'avais pas cru que nous serions jamais admis à le connaître, car Bloch fils avait mal parlé de moi à Saint-Loup et de Saint-Loup à moi. Il avait notamment dit à Robert que j'étais (toujours) affreusement snob. « Si, si, il est enchanté de connaître M. LLLLegrandin », dit-il. Cette manière de détacher un mot était chez Bloch le signe à la fois de l'ironie et de la littérature. Saint-Loup qui n'avait jamais entendu le nom de Legrandin s'étonna : « Mais qui est-ce ? — Oh ! c'est quelqu'un de *très bien* », répondit Bloch en riant et en mettant frileusement ses mains dans les poches de son veston, persuadé qu'il était en ce moment en train de contempler le pittoresque aspect d'un extraordinaire gentilhomme provincial auprès de quoi ceux de Barbey d'Aurevilly n'étaient rien. Il se consolait de ne pas savoir peindre M. Legrandin, en lui donnant plusieurs *l* et en savourant ce nom comme un vin de derrière les fagots. Mais ces jouissances subjectives restaient inconnues aux autres. S'il dit à Saint-Loup du mal de moi, d'autre part il ne m'en dit pas moins de Saint-Loup. Nous avions connu le détail de ces médisances chacun dès le lendemain, non que nous nous les fussions répétées l'un à l'autre, ce qui nous eût semblé très coupable, mais paraissait si naturel et presque si inévitable à Bloch que dans son inquiétude, et tenant pour certain qu'il ne ferait qu'apprendre à l'un ou à l'autre ce qu'ils allaient savoir, il préféra prendre les devants, et emmenant Saint-Loup à part lui avoua qu'il avait dit du mal de lui, exprès, pour que cela lui fût redit, lui jura « par le Kroniôn Zeus[1], gardien des serments », qu'il l'aimait, qu'il donnerait sa vie pour lui et essuya une larme. Le même jour, il s'arrangea pour me voir seul, me fit sa confession, déclara qu'il avait agi dans mon intérêt parce qu'il croyait qu'un certain genre de relations mondaines m'était néfaste et que je « valais mieux que cela ». Puis, me prenant la main avec un attendrissement d'ivrogne, bien que son ivresse fût purement nerveuse : « Crois-moi, dit-il, et que la noire Kèr me saisisse à l'instant et me fasse franchir les portes d'Hadès, odieux aux hommes, si hier en pensant à toi, à Combray, à ma tendresse infinie pour toi, à telles après-midi en classe que tu ne te rappelles même pas, je n'ai pas sangloté toute la nuit. Oui, toute la nuit, je te le jure, et hélas, je le sais, car je connais les âmes, tu ne me croiras pas. » Je ne le croyais pas, en effet, et à ces paroles que je sentais inventées à l'instant même et au fur et à mesure qu'il parlait, son serment « par la Kèr » n'ajoutait pas un grand poids, le culte hellénique étant chez Bloch purement littéraire. D'ailleurs, dès qu'il commençait à s'attendrir et désirait qu'on s'attendrît sur un fait faux, il disait : « Je te le jure », plus encore pour la volupté hystérique de mentir que dans l'intérêt de faire croire qu'il disait la vérité. Je ne croyais pas ce qu'il me disait, mais je ne lui en voulais pas, car je tenais de ma mère et de ma grand-mère d'être incapable de rancune, même contre de bien plus grands coupables, et de ne jamais condamner personne.

Ce n'était du reste pas absolument un mauvais garçon que Bloch, il pouvait avoir de grandes gentillesses. Et depuis que la race de Combray, la race d'où sortaient des êtres absolument intacts comme ma grand-mère et ma mère, semble presque éteinte, comme je n'ai plus guère le choix qu'entre d'honnêtes brutes, insensibles et loyales et chez qui le simple son de la voix montre bien vite qu'ils ne se soucient en rien de votre vie — et une autre espèce d'hommes qui tant qu'ils sont auprès de vous vous comprennent, vous chérissent, s'attendrissent jusqu'à pleurer, prennent leur revanche quelques heures plus tard en faisant une cruelle plaisanterie sur vous, mais vous reviennent, toujours aussi compréhensifs, aussi charmants, aussi momentanément assimilés à vous-même, je crois que c'est cette dernière sorte d'hommes dont je préfère, sinon la valeur morale, du moins la société.

« Tu ne peux t'imaginer ma douleur quand je pense à toi, reprit Bloch. Au fond, c'est un côté assez juif chez moi », ajouta-t-il ironiquement en rétrécissant sa prunelle comme s'il s'agissait de doser au microscope une quantité infinitésimale de « sang juif » et comme aurait pu le dire (mais ne l'eût pas dit) un grand seigneur français qui parmi ses ancêtres tous chrétiens eût pourtant compté Samuel Bernard ou plus anciennement encore la Sainte Vierge de qui prétendent descendre, dit-on, les Lévy, « qui reparaît. J'aime assez, ajouta-t-il, faire ainsi dans mes sentiments la part, assez mince d'ailleurs, qui peut tenir à mes origines juives. » Il prononça cette phrase parce que cela lui paraissait à la fois spirituel et brave de dire la vérité sur sa race, vérité que par la même occasion il s'arrangeait à atténuer singulièrement, comme les avares qui se décident à acquitter leurs dettes mais n'ont le courage d'en payer que la moitié. Le genre de fraude qui consiste à avoir l'audace de proclamer la vérité, mais en y mêlant pour une bonne part des mensonges qui la falsifient, est plus répandu qu'on ne pense et même chez ceux qui ne le pratiquent pas habituellement, certaines crises dans la vie, notamment celles où une liaison amoureuse est en jeu, leur donnent l'occasion de s'y livrer.

Toutes ces diatribes confidentielles de Bloch à Saint-Loup contre moi, à moi contre Saint-Loup finirent par une invitation à dîner. Je ne suis pas bien sûr qu'il ne fît pas d'abord une tentative pour avoir Saint-Loup seul. La vraisemblance rend cette tentative probable, le succès ne la couronna pas, car ce fut à moi et à Saint-Loup que Bloch dit un jour : « Cher maître, et vous, cavalier aimé d'Arès, de Saint-Loup-en-Bray, dompteur de chevaux, puisque je vous ai rencontrés sur le rivage d'Amphitrite, résonnant d'écume, près des tentes des Menier aux nefs rapides[1], voulez-vous tous deux venir dîner, un jour de la semaine, chez mon illustre père au cœur irréprochable ? » Il nous adressait cette invitation parce qu'il avait le désir de se lier plus étroitement avec Saint-Loup qui le ferait, espérait-il, pénétrer dans des milieux aristocratiques. Formé par moi, pour moi, ce souhait eût paru à Bloch la marque du plus hideux snobisme, bien conforme à l'opinion qu'il avait de tout un côté de ma nature qu'il ne jugeait pas, jusqu'ici du moins, le principal ; mais le même souhait, de sa part, lui semblait la preuve d'une belle curiosité de son intelligence désireuse de certains dépaysements sociaux où il pouvait peut-être trouver quelque utilité littéraire. M. Bloch père, quand son fils lui avait dit qu'il amènerait dîner un de ses amis, dont il avait décliné sur un ton de satisfaction sarcastique le titre et le nom : « Le marquis de Saint-Loup-en-Bray », avait éprouvé une commotion violente. « Le marquis de Saint-Loup-en-Bray ! Ah ! bougre ! » s'était-il écrié, usant du juron qui était chez lui la marque la plus forte de la déférence sociale. Et il avait jeté sur son fils, capable de s'être fait de telles relations, un regard admiratif qui signifiait : « Il est vraiment étonnant. Ce prodige est-il mon enfant ? » et causa autant de plaisir à mon camarade que si cinquante francs avaient été ajoutés à sa pension mensuelle. Car Bloch était mal à l'aise chez lui et sentait que son père le traitait de dévoyé parce qu'il vivait dans l'admiration de Leconte de Lisle, Heredia et autres « bohèmes ». Mais des relations avec Saint-Loup-en-Bray dont le père avait été président du Canal de Suez ! (ah ! bougre !), c'était un résultat « indiscutable ». On regretta d'autant plus d'avoir laissé à Paris, par crainte de l'abîmer, le stéréoscope[1]. Seul, M. Bloch, le père, avait l'art ou du moins le droit de s'en servir. Il ne le faisait du reste que rarement, à bon escient, les jours où il y avait gala et domestiques mâles en extra. De sorte que de ces séances de stéréoscope émanaient pour ceux qui y assistaient comme une distinction, une faveur de privilégiés et pour le maître de maison qui les donnait, un prestige analogue à celui que le talent confère et qui n'aurait pas pu être plus grand si les vues avaient été prises par M. Bloch lui-même et l'appareil, de son invention. « Vous n'étiez pas invité hier chez Salomon ? disait-on dans la famille. — Non, je n'étais pas des élus ! Qu'est-ce qu'il y avait ? — Un grand tralala, le stéréoscope, toute la boutique. — Ah ! s'il y avait le stéréoscope, je regrette, car il paraît que Salomon est extraordinaire quand il le montre. » « Que veux-tu, dit M. Bloch à son fils, il ne faut pas lui donner tout à la fois, comme cela lui restera quelque chose à désirer. » Il avait bien pensé dans sa tendresse paternelle et pour émouvoir son fils à faire venir l'instrument. Mais le « temps matériel » manquait, ou plutôt on avait cru qu'il manquerait ; mais nous dûmes faire remettre le dîner parce que Saint-Loup ne put se déplacer, attendant un oncle qui allait venir passer quarante-huit heures auprès de Mme de Villeparisis[2]. Comme, très

adonné aux exercices physiques, surtout aux longues
marches, c'était en grande partie à pied, en couchant la
nuit dans les fermes, que cet oncle devait faire la route
depuis le château où il était en villégiature, le moment
où il arriverait à Balbec était assez incertain. Et Saint-Loup
n'osant bouger, me chargea même d'aller porter à
Incarville, où était le bureau télégraphique, la dépêche que
mon ami envoyait quotidiennement à sa maîtresse. L'oncle
qu'on attendait s'appelait Palamède, d'un prénom qu'il
avait hérité des princes de Sicile, ses ancêtres. Et plus tard
quand je retrouvai dans mes lectures historiques, appartenant à tel podestat ou tel prince de l'Eglise, ce prénom
même, belle médaille de la Renaissance — d'aucuns
disaient un véritable antique — toujours restée dans la
famille, ayant glissé de descendant en descendant depuis
le cabinet du Vatican jusqu'à l'oncle de mon ami,
j'éprouvais le plaisir réservé à ceux qui ne pouvant faute
d'argent constituer un médaillier, une pinacothèque,
recherchent les vieux noms (noms de localités, documentaires et pittoresques comme une carte ancienne, une vue
cavalière, une enseigne ou un coutumier, noms de
baptême où résonne et s'entend, dans les belles finales
françaises, le défaut de langue, l'intonation d'une vulgarité
ethnique, la prononciation vicieuse selon lesquels nos
ancêtres faisaient subir aux mots latins et saxons des
mutilations durables, devenues plus tard les augustes
législatrices des grammaires) et en somme grâce à ces
collections de sonorités anciennes se donnent à eux-mêmes
des concerts, à la façon de ceux qui acquièrent des violes
de gambe et des violes d'amour pour jouer de la musique
d'autrefois sur des instruments anciens. Saint-Loup me dit
que même dans la société aristocratique la plus fermée,
son oncle Palamède se distinguait encore comme particulièrement difficile d'accès, dédaigneux, entiché de sa
noblesse, formant avec la femme de son frère et quelques
autres personnes choisies, ce qu'on appelait le cercle des
Phénix. Là même il était si redouté pour ses insolences
qu'autrefois il était arrivé que des gens du monde qui
désiraient le connaître et s'étaient adressés à son propre
frère, avaient essuyé un refus. « Non, ne me demandez
pas de vous présenter à mon frère Palamède. Ma femme,
nous tous, nous nous y attellerions que nous ne pourrions
pas. Ou bien vous risqueriez qu'il ne soit pas aimable et

je ne le voudrais pas. » Au Jockey, il avait avec quelques
amis désigné deux cents membres qu'ils ne se laisseraient
jamais présenter. Et chez le comte de Paris il était connu
sous le sobriquet du « Prince » à cause de son élégance
et de sa fierté.

Saint-Loup me parla de la jeunesse, depuis longtemps
passée, de son oncle[a]. Il amenait tous les jours des femmes
dans une garçonnière qu'il avait en commun avec deux
de ses amis, beaux comme lui, ce qui faisait qu'on les
appelait « les trois Grâces ».

« Un jour un des hommes qui est aujourd'hui des plus
en vue dans le faubourg Saint-Germain, comme eût dit
Balzac[1], mais qui dans une première période assez fâcheuse
montrait des goûts bizarres avait demandé à mon oncle
de venir dans cette garçonnière. Mais à peine arrivé ce
ne fut pas aux femmes, mais à mon oncle Palamède, qu'il
se mit à faire une déclaration. Mon oncle fit semblant de
ne pas comprendre, emmena sous un prétexte ses deux
amis, ils revinrent, prirent le coupable, le déshabillèrent,
le frappèrent jusqu'au sang et, par un froid de dix degrés
au-dessous de zéro, le jetèrent à coups de pieds dehors
où il fut trouvé à demi mort, si bien que la justice fit une
enquête à laquelle le malheureux eut toute la peine du
monde à la faire renoncer[2]. Mon oncle ne se livrerait plus
aujourd'hui à une exécution aussi cruelle et tu n'imagines
pas le nombre d'hommes du peuple, lui si hautain avec
les gens du monde, qu'il prend en affection, qu'il protège,
quitte à être payé d'ingratitude. Ce sera un domestique
qui l'aura servi dans un hôtel et qu'il placera à Paris, ou
un paysan à qui il fera apprendre un métier. C'est même
le côté assez gentil qu'il y a chez lui, par contraste avec
le côté mondain. » Saint-Loup appartenait, en effet, à ce
genre de jeunes gens du monde situés à une altitude où
on a pu faire pousser ces expressions : « Ce qu'il y a même
d'assez gentil chez lui, son côté assez gentil », semences
assez précieuses, produisant très vite une manière de
concevoir les choses dans laquelle on se compte pour rien,
et le « peuple » pour tout ; en somme tout le contraire
de l'orgueil plébéien. « Il paraît[b] qu'on ne peut se figurer
comme il donnait le ton, comme il faisait la loi à toute
la société dans sa jeunesse. Pour lui en toute circonstance
il faisait ce qui lui paraissait le plus agréable, le plus
commode, mais aussitôt c'était imité par les snobs. S'il avait

eu soif au théâtre et s'était fait apporter à boire dans le
fond de sa loge, les petits salons qu'il y avait derrière
chacune se remplissaient, la semaine suivante, de rafraîchissements. Un été très pluvieux où il avait un peu de
rhumatisme, il s'était commandé un pardessus d'une
vigogne souple mais chaude qui ne sert guère que pour
faire des couvertures de voyage et dont il avait respecté
les raies bleues et orange. Les grands tailleurs se virent
commander aussitôt par leurs clients des pardessus bleus
et frangés, à longs poils[1]. Si pour une raison quelconque
il désirait ôter tout caractère de solennité à un dîner dans
un château où il passait une journée, et pour marquer cette
nuance n'avait pas apporté d'habit et s'était mis à table
avec le veston de l'après-midi, la mode devenait de dîner
à la campagne en veston. Que pour manger un gâteau il
se servît, au lieu de sa cuiller, d'une fourchette ou d'un
couvert de son invention commandé par lui à un orfèvre,
ou de ses doigts, il n'était plus permis de faire autrement.
Il avait eu envie de réentendre certains quatuors de
Beethoven (car avec toutes ses idées saugrenues il est loin
d'être bête et est fort doué) et avait fait venir des artistes
pour les jouer chaque semaine, pour lui et quelques amis[2].
La grande élégance fut cette année-là de donner des
réunions peu nombreuses où on entendait de la musique
de chambre. Je crois d'ailleurs qu'il ne s'est pas ennuyé
dans la vie. Beau comme il a été, il a dû en avoir, des
femmes ! Je ne pourrais pas vous dire d'ailleurs exactement
lesquelles parce qu'il est très discret. Mais je sais qu'il a
bien trompé ma pauvre tante. Ce qui n'empêche pas qu'il
était délicieux avec elle, qu'elle l'adorait, et qu'il l'a
pleurée pendant des années. Quand il est à Paris, il va
encore au cimetière presque chaque jour[3]. »

Le lendemain matin[a4] du jour où Robert m'avait ainsi
parlé de son oncle tout en l'attendant, vainement du reste,
comme je passais seul devant le casino en rentrant à
l'hôtel, j'eus la sensation d'être regardé par quelqu'un qui
n'était pas loin de moi. Je tournai la tête et j'aperçus un
homme d'une quarantaine d'années, très grand et assez
gros, avec des moustaches très noires, et qui, tout en
frappant nerveusement son pantalon avec une badine, fixait
sur moi des yeux dilatés par l'attention. Par moments,
ils étaient percés en tous sens par des regards d'une
extrême activité comme en ont seuls devant une personne

qu'ils ne connaissent pas des hommes à qui, pour un motif quelconque, elle inspire des pensées qui ne viendraient pas à tout autre — par exemple des fous ou des espions. Il lança sur moi une suprême œillade à la fois hardie, prudente, rapide et profonde, comme un dernier coup que l'on tire au moment de prendre la fuite, et après avoir regardé tout autour de lui, prenant soudain un air distrait et hautain, par un brusque revirement de toute sa personne il se tourna vers une affiche dans la lecture de laquelle il s'absorba, en fredonnant un air et en arrangeant la rose mousseuse qui pendait à sa boutonnière[1]. Il sortit de sa poche un calepin sur lequel il eut l'air de prendre en note le titre du spectacle annoncé, tira deux ou trois fois sa montre, abaissa sur ses yeux un canotier de paille noire dont il prolongea le rebord avec sa main mise en visière comme pour voir si quelqu'un n'arrivait pas, fit le geste de mécontentement par lequel on croit faire voir qu'on a assez d'attendre, mais qu'on ne fait jamais quand on attend réellement, puis rejetant en arrière son chapeau et laissant voir une brosse coupée ras qui admettait cependant de chaque côté d'assez longues ailes de pigeon ondulées, il exhala le souffle bruyant des personnes qui ont non pas trop chaud mais le désir de montrer qu'elles ont trop chaud. J'eus l'idée d'un escroc d'hôtel qui, nous ayant peut-être déjà remarqués les jours précédents, ma grand-mère et moi, et préparant quelque mauvais coup, venait de s'apercevoir que je l'avais surpris pendant qu'il m'épiait ; pour me donner le change, peut-être cherchait-il seulement, par sa nouvelle attitude, à exprimer la distraction et le détachement, mais c'était avec une exagération si agressive que son but semblait au moins autant que de dissiper les soupçons que j'avais dû avoir, de venger une humiliation qu'à mon insu je lui eusse infligée, de me donner l'idée non pas tant qu'il ne m'avait pas vu, que celle que j'étais un objet de trop petite importance pour attirer son attention. Il cambrait sa taille d'un air de bravade, pinçait les lèvres, relevait ses moustaches et dans son regard ajustait quelque chose d'indifférent, de dur, de presque insultant. Si bien que la singularité de son expression me le faisait prendre tantôt pour un voleur et tantôt pour un aliéné. Pourtant[d] sa mise extrêmement soignée était beaucoup plus grave et beaucoup plus simple que celles de tous les baigneurs que je voyais à Balbec, et rassurante pour mon veston si souvent humilié par la blancheur éclatante et banale de leurs costumes de plage. Mais ma grand-mère venait à ma rencontre, nous fîmes un tour ensemble, et je l'attendais, une heure après, devant l'hôtel où elle était rentrée un instant, quand je vis sortir Mme de Villeparisis avec Robert de Saint-Loup et l'inconnu qui m'avait regardé si fixement devant le casino. Avec la rapidité d'un éclair son regard me traversa ainsi qu'au moment où je l'avais aperçu, et revint, comme s'il ne m'avait pas vu, se ranger, un peu bas, devant ses yeux, émoussé, comme le regard neutre qui feint de ne rien voir au-dehors et n'est capable de rien lire au dedans, le regard qui exprime seulement la satisfaction de sentir autour de soi les cils qu'il écarte de sa rondeur béate, le regard dévot et confit qu'ont certains hypocrites, le regard fat qu'ont certains sots. Je vis qu'il avait changé de costume. Celui qu'il portait était encore plus sombre ; et sans doute c'est que la véritable élégance est moins loin de la simplicité que la fausse ; mais il y avait autre chose : d'un peu près on sentait que si la couleur était presque entièrement absente de ces vêtements, ce n'était pas parce que celui qui l'en avait bannie y était indifférent, mais plutôt parce que, pour une raison quelconque, il se l'interdisait. Et la sobriété qu'ils laissaient paraître semblait de celles qui viennent de l'obéissance à un régime, plutôt que du manque de gourmandise. Un filet de vert sombre s'harmonisait, dans le tissu du pantalon, à la rayure des chaussettes avec un raffinement qui décelait la vivacité d'un goût maté partout ailleurs et à qui cette seule concession avait été faite par tolérance, tandis qu'une tache rouge sur la cravate était imperceptible comme une liberté qu'on n'ose prendre.

« Comment allez-vous ? Je vous présente mon neveu, le baron de Guermantes », me dit Mme de Villeparisis, pendant que l'inconnu, sans me regarder, grommelant un vague : « Charmé » qu'il fit suivre de : « heue, heue, heue » pour donner à son amabilité quelque chose de forcé, et repliant le petit doigt, l'index et le pouce, me tendait le troisième doigt et l'annulaire, dépourvus de toute bague, que je serrai sous son gant de Suède ; puis sans avoir levé les yeux sur moi il se détourna vers Mme de Villeparisis.

« Mon Dieu, est-ce que je perds la tête ? dit celle-ci,

voilà que je t'appelle le baron de Guermantes. Je vous présente le baron de Charlus. Après tout, l'erreur n'est pas si grande, ajouta-t-elle, tu es^d bien un Guermantes tout de même. »

Cependant ma grand-mère sortait, nous fîmes route ensemble. L'oncle de Saint-Loup ne m'honora non seulement pas d'une parole mais même d'un regard. S'il dévisageait les inconnus (et pendant cette courte promenade il lança deux ou trois fois son terrible et profond regard en coup de sonde sur des gens insignifiants et de la plus modeste extraction qui passaient), en revanche il ne regardait à aucun moment, si j'en jugeais par moi, les personnes qu'il connaissait, — comme un policier en mission secrète mais qui tient ses amis en dehors de sa surveillance professionnelle[1]. Les laissant causer ensemble, ma grand-mère, Mme de Villeparisis et lui, je retins Saint-Loup en arrière :

« Dites-moi, ai-je bien entendu ? Madame de Villeparisis a dit à votre oncle qu'il était un Guermantes.

— Mais oui, naturellement, c'est Palamède de Guermantes.

— Mais des mêmes Guermantes qui ont un château près de Combray et qui prétendent descendre de Geneviève de Brabant ?

— Mais absolument : mon oncle qui est on ne peut plus héraldique vous répondrait que notre *cri*, notre cri de guerre, qui devint ensuite Passavant, était d'abord Combraysis, dit-il en riant pour ne pas avoir l'air de tirer vanité de cette prérogative du cri qu'avaient seules les maisons quasi souveraines, les grands chefs des bandes. Il est le frère du possesseur actuel du château. »

Ainsi s'apparentait et de tout près aux Guermantes, cette Mme de Villeparisis, restée si longtemps pour moi la dame qui m'avait donné une boîte de chocolat tenue par un canard, quand j'étais petit, plus éloignée alors du côté de Guermantes que si elle avait été enfermée dans le côté de Méséglise, moins brillante, moins haut située par moi que l'opticien de Combray, et qui maintenant subissait brusquement une de ces hausses fantastiques, parallèles aux dépréciations non moins imprévues d'autres objets que nous possédons, lesquelles — les unes comme les autres — introduisent dans notre adolescence et dans les parties de notre vie où persiste un peu de notre adolescence, des

changements aussi nombreux que les métamorphoses
d'Ovide.

« Est-ce qu'il n'y a pas dans ce château tous les bustes
des anciens seigneurs de Guermantes ?

— Oui, c'est un beau spectacle, dit ironiquement
Saint-Loup. Entre nous, je trouve toutes ces choses-là un
peu falotes. Mais il y a à Guermantes, ce qui est un peu
plus intéressant ! un portrait bien touchant de ma tante
par Carrière[1]. C'est beau comme du Whistler ou du
Velasquez », ajouta Saint-Loup qui dans son zèle de
néophyte ne gardait pas toujours exactement l'échelle des
grandeurs. « Il y a aussi d'émouvantes peintures de
Gustave Moreau. Ma tante[a] est la nièce de votre amie Mme
de Villeparisis, elle a été élevée par elle, et a épousé son
cousin qui était neveu aussi de ma tante Villeparisis, le
duc de Guermantes actuel.

— Et alors qu'est votre oncle[b] ?

— Il porte le titre de baron de Charlus[2]. Régulièrement,
quand mon grand-oncle est mort, mon oncle Palamède
aurait dû prendre le titre de prince des Laumes, qui était
celui de son frère avant qu'il devînt duc de Guermantes,
car dans cette famille-là ils changent de nom comme de
chemise. Mais mon oncle a sur tout cela des idées
particulières. Et comme il trouve qu'on abuse un peu des
duchés italiens, grandesses espagnoles, etc., et bien qu'il
eût le choix entre quatre ou cinq titres de prince, il a gardé
celui de baron de Charlus, par protestation et avec une
apparente simplicité où il y a beaucoup d'orgueil.
"Aujourd'hui, dit-il, tout le monde est prince, il faut
pourtant bien avoir quelque chose qui vous distingue ; je
prendrai un titre de prince quand je voudrai voyager
incognito." Il n'y a pas selon lui de titre plus ancien que
celui de baron de Charlus ; pour vous prouver qu'il est
antérieur à celui des Montmorency, qui se disaient
faussement les premiers barons de France, alors qu'ils
l'étaient seulement de l'Ile-de-France où était leur fief, mon
oncle vous donnera des explications pendant des heures
et avec plaisir parce que quoiqu'il soit très fin, très doué,
il trouve cela un sujet de conversation tout à fait vivant,
dit Saint-Loup avec un sourire. Mais comme je ne suis pas
comme lui, vous n'allez pas me faire parler généalogie,
je ne sais rien de plus assommant, de plus périmé, vraiment
l'existence est trop courte. »

Je reconnaissais[a] maintenant dans le regard dur qui m'avait fait retourner tout à l'heure près du casino celui que j'avais vu fixé sur moi à Tansonville au moment où Mme Swann avait appelé Gilberte.

« Mais parmi les nombreuses maîtresses que vous me disiez qu'avait eues votre oncle, M. de Charlus, est-ce qu'il n'y avait pas Mme Swann ?

— Oh ! pas du tout ! C'est-à-dire qu'il est un grand ami de Swann et l'a toujours beaucoup soutenu. Mais on n'a jamais dit qu'il fût l'amant de sa femme. Vous causeriez beaucoup d'étonnement dans le monde, si vous aviez l'air de croire cela. »

Je n'osai lui répondre qu'on en aurait éprouvé bien plus à Combray, si j'avais eu l'air de ne pas le croire.

Ma grand-mère fut enchantée de M. de Charlus. Sans doute il attachait une extrême importance à toutes les questions de naissance et de situation mondaine, et ma grand-mère l'avait remarqué, mais sans rien de cette sévérité où entrent d'habitude une secrète envie et l'irritation de voir un autre se réjouir d'avantages qu'on voudrait et qu'on ne peut posséder. Comme au contraire ma grand-mère, contente de son sort et ne regrettant nullement de ne pas vivre dans une société plus brillante, ne se servait que de son intelligence pour observer les travers de M. de Charlus, elle parlait de l'oncle de Saint-Loup avec cette bienveillance détachée, souriante, presque sympathique, par laquelle nous récompensons l'objet de notre observation désintéressée du plaisir qu'elle nous procure, et d'autant plus que cette fois l'objet était un personnage dont elle trouvait que les prétentions, sinon légitimes, du moins pittoresques, le faisaient assez vivement trancher sur les personnes qu'elle avait généralement l'occasion de voir. Mais c'était surtout en faveur de l'intelligence et de la sensibilité, qu'on devinait extrêmement vives chez M. de Charlus, au contraire de tant de gens du monde dont se moquait Saint-Loup, que ma grand-mère lui avait si aisément pardonné son préjugé aristocratique. Celui-ci n'avait pourtant pas été sacrifié par l'oncle, comme par le neveu, à des qualités supérieures. M. de Charlus l'avait plutôt concilié avec elles. Possédant comme descendant des ducs de Nemours et des princes de Lamballe, des archives, des meubles, des tapisseries, des portraits faits pour ses aïeux par Raphaël, par

Velasquez, par Boucher, pouvant dire justement qu'il
« visitait » un musée et une incomparable bibliothèque
rien qu'en parcourant ses souvenirs de famille, il plaçait
au contraire au rang d'où son neveu l'avait fait déchoir
tout l'héritage de l'aristocratie. Peut-être aussi, moins
idéologue que Saint-Loup, se payant moins de mots, plus
réaliste observateur des hommes, ne voulait-il pas négliger
un élément essentiel de prestige à leurs yeux et qui, s'il
donnait à son imagination des jouissances désintéressées,
pouvait être souvent pour son activité utilitaire un adjuvant
puissamment efficace. Le débat reste ouvert entre les
hommes de cette sorte et ceux qui obéissent à l'idéal
intérieur qui les pousse à se défaire de ces avantages pour
chercher uniquement à le réaliser, semblables en cela aux
peintres, aux écrivains qui renoncent leur virtuosité, aux
peuples artistes qui se modernisent, aux peuples guerriers
prenant l'initiative du désarmement universel, aux gouvernements absolus qui se font démocratiques et abrogent
de dures lois, bien souvent sans que la réalité récompense
leur noble effort ; car les uns perdent leur talent, les autres
leur prédominance séculaire[a] ; le pacifisme multiplie
quelquefois les guerres et l'indulgence, la criminalité. Si
les efforts de sincérité et d'émancipation de Saint-Loup ne
pouvaient être trouvés que très nobles, à juger par le
résultat extérieur, il était permis de se féliciter qu'ils
eussent fait défaut chez M. de Charlus, lequel avait fait
transporter chez lui une grande partie des admirables
boiseries de l'hôtel Guermantes au lieu de les échanger,
comme son neveu, contre un mobilier modern style, des
Lebourg et des Guillaumin[1]. Il n'en était pas moins vrai
que l'idéal de M. de Charlus était fort factice, et si cette
épithète peut être rapprochée du mot idéal, tout autant
mondain qu'artistique. À quelques femmes de grande
beauté et de rare culture dont les aïeules avaient été deux
siècles plus tôt mêlées à toute la gloire et à toute l'élégance
de l'ancien régime, il trouvait une distinction qui le faisait
pouvoir se plaire seulement avec elles, et sans doute
l'admiration qu'il leur avait vouée était sincère, mais de
nombreuses réminiscences d'histoire et d'art évoquées par
leurs noms y entraient pour une grande part, comme des
souvenirs de l'Antiquité sont une des raisons du plaisir
qu'un lettré trouve à lire une ode d'Horace peut-être
inférieure à des poèmes de nos jours qui laisseraient ce

même lettré indifférent. Chacune de ces femmes à côté d'une jolie bourgeoise était pour lui ce que sont à une toile[d] contemporaine représentant une route ou une noce, ces tableaux anciens dont on sait l'histoire, depuis le Pape ou le Roi qui les commandèrent, en passant par tels personnages auprès de qui leur présence, par don, achat, prise ou héritage, nous rappelle quelque événement ou tout au moins quelque alliance d'un intérêt historique, par conséquent des connaissances que nous avons acquises, leur donne une nouvelle utilité, augmente le sentiment de la richesse des possessions de notre mémoire ou de notre érudition. M. de Charlus se félicitait qu'un préjugé analogue au sien, en empêchant ces quelques grandes dames de frayer avec des femmes d'un sang moins pur, les offrît à son culte intactes dans leur noblesse inaltérée, comme telle façade du XVIIIe siècle soutenue par ses colonnes plates de marbre rose et à laquelle les temps nouveaux n'ont rien changé[1].

M. de Charlus célébrait la véritable *noblesse* d'esprit et de cœur de ces femmes, jouant ainsi sur le mot par une équivoque qui le trompait lui-même et où résidait le mensonge de cette conception bâtarde, de cet ambigu d'aristocratie, de générosité et d'art, mais aussi sa séduction, dangereuse pour des êtres comme ma grand-mère à qui le préjugé plus grossier mais plus innocent d'un noble qui ne regarde qu'aux quartiers et ne se soucie pas du reste, eût semblé trop ridicule, mais qui était sans défense dès que quelque chose se présentait sous les dehors d'une supériorité spirituelle, au point qu'elle trouvait les princes enviables par-dessus tous les hommes parce qu'ils purent avoir un La Bruyère, un Fénelon comme précepteurs[2].

Devant le Grand-Hôtel, les trois Guermantes nous quittèrent ; ils allaient déjeuner chez la princesse de Luxembourg. Au moment où ma grand-mère disait au revoir à Mme de Villeparisis et Saint-Loup à ma grand-mère, M. de Charlus, qui jusque-là ne m'avait pas adressé la parole, fit quelque pas en arrière et arrivé à côté de moi : « Je prendrai le thé ce soir après dîner dans l'appartement de ma tante Villeparisis, me dit-il. J'espère que vous me ferez le plaisir de venir avec madame votre grand-mère. » Et il rejoignit la marquise.

Quoique ce fût dimanche, il n'y avait pas plus de fiacres

devant l'hôtel qu'au commencement de la saison. La
femme du notaire en particulier trouvait que c'était faire
bien des frais que de louer chaque fois une voiture pour
ne pas aller chez les Cambremer, et elle se contentait de
rester dans sa chambre.

« Est-ce que Mme Blandais est souffrante ? demandait-
on au notaire, on ne l'a pas vue aujourd'hui.

— Elle a un peu mal à la tête, la chaleur, cet orage.
Il lui suffit d'un rien ; mais je crois que vous la verrez ce
soir. Je lui ai conseillé de descendre. Cela ne peut lui faire
que du bien. »

J'avais pensé qu'en nous invitant ainsi chez sa tante, que
je ne doutais pas qu'il eût prévenue, M. de Charlus eût
voulu réparer l'impolitesse qu'il m'avait témoignée pendant la promenade du matin. Mais[a] quand arrivé dans le
salon de Mme de Villeparisis je voulus saluer le neveu
de celle-ci, j'eus beau tourner autour de lui qui, d'une voix
aiguë, racontait une histoire assez malveillante pour un
de ses parents, je ne pus pas attraper son regard ; je me
décidai à lui dire bonjour et assez fort, pour l'avertir de
ma présence, mais je compris qu'il l'avait remarquée, car
avant même qu'aucun mot ne fût sorti de mes lèvres, au
moment où je m'inclinais, je vis ses deux doigts tendus
pour que je les serrasse, sans qu'il eût tourné les yeux ou
interrompu la conversation. Il m'avait évidemment vu,
sans le laisser paraître, et je m'aperçus alors que ses yeux
qui n'étaient jamais fixés sur l'interlocuteur, se promenaient perpétuellement dans toutes les directions, comme
ceux de certains animaux effrayés, ou ceux de ces
marchands en plein air qui, tandis qu'ils débitent leur
boniment et exhibent leur marchandise illicite, scrutent,
sans pourtant tourner la tête, les différents points de
l'horizon par où pourrait venir la police. Cependant j'étais
un peu étonné de voir que Mme de Villeparisis, heureuse
de nous voir venir, ne semblait pas s'y être attendue, je
le fus plus encore d'entendre M. de Charlus dire à ma
grand-mère : « Ah ! c'est une très bonne idée que vous
avez eue de venir, c'est charmant, n'est-ce pas, ma tante ? »
Sans doute avait-il remarqué la surprise de celle-ci à notre
entrée et pensait-il, en homme habitué à donner le ton,
le _la,_ qu'il lui suffirait pour changer cette surprise en joie
d'indiquer qu'il en éprouvait lui-même, que c'était bien
le sentiment que notre venue devait exciter. En quoi il

calculait bien, car Mme de Villeparisis qui comptait fort son neveu et savait combien il était difficile de lui plaire, parut soudain avoir trouvé à ma grand-mère de nouvelles qualités et ne cessa de lui faire fête. Mais je ne pouvais comprendre que M. de Charlus eût oublié en quelques heures l'invitation si brève, mais en apparence si intentionnelle, si préméditée qu'il m'avait adressée le matin même et qu'il appelât « bonne idée » de ma grand-mère, une idée qui était toute de lui. Avec un scrupule de précision que je gardai jusqu'à l'âge où je compris que ce n'est pas en la lui demandant qu'on apprend la vérité sur l'intention qu'un homme a eue et que le risque d'un malentendu qui passera probablement inaperçu est moindre que celui d'une naïve insistance : « Mais, monsieur, lui dis-je, vous vous rappelez bien, n'est-ce pas, que c'est vous qui m'avez demandé que nous vinssions ce soir ? » Aucun mouvement, aucun son ne trahit que M. de Charlus eût entendu ma question. Ce que voyant je la répétai comme les diplomates ou ces jeunes gens brouillés qui mettent une bonne volonté inlassable et vaine à obtenir des éclaircissements que l'adversaire est décidé à ne pas donner. M. de Charlus ne me répondit pas davantage. Il me sembla voir flotter sur ses lèvres le sourire de ceux qui de très haut jugent les caractères et les éducations.

Puisqu'il refusait toute explication, j'essayai de m'en donner une, et je n'arrivai qu'à hésiter entre plusieurs dont aucune pouvait n'être la bonne[1]. Peut-être ne se rappelait-il pas, ou peut-être c'était moi qui avais mal compris ce qu'il avait dit le matin... Plus probablement par orgueil ne voulait-il pas paraître avoir cherché à attirer des gens qu'il dédaignait, et préférait-il rejeter sur eux l'initiative de leur venue. Mais alors, s'il nous dédaignait, pourquoi avait-il tenu à ce que nous vinssions, ou plutôt à ce que ma grand-mère vînt, car de nous deux ce fut à elle seule qu'il adressa la parole pendant cette soirée et pas une seule fois à moi. Causant avec la plus grande animation avec elle ainsi qu'avec Mme de Villeparisis, caché en quelque sorte derrière elles, comme il eût été au fond d'une loge, il se contentait seulement, détournant par moments le regard investigateur de ses yeux pénétrants, de l'attacher sur ma figure, avec le même sérieux, le même air de préoccupation, que si elle eût été un manuscrit difficile à déchiffrer.

Sans doute s'il n'y avait pas eu ces yeux[a], le visage de

M. de Charlus était semblable à celui de beaucoup de
beaux hommes. Et quand Saint-Loup en me parlant
d'autres Guermantes me dit plus tard : « Dame, ils n'ont
pas cet air de race, de grand seigneur jusqu'au bout des
ongles qu'a mon oncle Palamède », en confirmant que
l'air de race et la distinction aristocratiques n'étaient rien
de mystérieux et de nouveau, mais consistaient en des
éléments que j'avais reconnus sans difficulté et sans
éprouver d'impression particulière, je devais sentir se
dissiper une de mes illusions. Mais ce visage, auquel une
légère couche de poudre donnait un peu l'aspect d'un
visage de théâtre, M. de Charlus avait beau en fermer
hermétiquement l'expression, les yeux étaient comme une
lézarde, comme une meurtrière que seule il n'avait pu
boucher et par laquelle, selon le point où on était placé
par rapport à lui, on se sentait brusquement croisé du reflet
de quelque engin intérieur qui semblait n'avoir rien de
rassurant, même pour celui qui, sans en être absolument
maître, le portait en soi^a, à l'état d'équilibre instable et
toujours sur le point d'éclater ; et l'expression circonspecte
et incessamment inquiète de ces yeux, avec toute la fatigue
qui, autour d'eux, jusqu'à un cerne descendu très bas, en
résultait pour le visage, si bien composé et arrangé qu'il
fût, faisait penser à quelque incognito, à quelque déguisement d'un homme puissant en danger, ou seulement d'un
individu dangereux, mais tragique. J'aurais voulu deviner
quel était ce secret que ne portaient pas en eux les autres
hommes et qui m'avait déjà rendu si énigmatique le regard
de M. de Charlus quand je l'avais vu le matin près du
casino. Mais avec ce que je savais maintenant de sa parenté,
je ne pouvais plus croire ni que ce fût celui d'un voleur,
ni d'après ce que j'entendais de sa conversation, que ce
fût celui d'un fou. S'il était si froid avec moi, alors qu'il
était tellement aimable avec ma grand-mère, cela ne tenait
peut-être pas à une antipathie personnelle, car d'une^b
manière générale, autant il était bienveillant pour les
femmes, des défauts de qui il parlait sans se départir,
habituellement, d'une grande^c indulgence, autant il avait
à l'égard des hommes, et particulièrement des jeunes gens,
une haine d'une violence qui rappelait celle de certains
misogynes pour les femmes. De deux ou trois « gigolos »
qui étaient de la famille ou de l'intimité de Saint-Loup et
dont celui-ci cita par hasard le nom, M. de Charlus dit

avec une expression presque féroce qui tranchait sur sa
froideur habituelle : « Ce sont de petites canailles. » Je
compris que ce qu'il reprochait surtout aux jeunes gens
d'aujourd'hui, c'était d'être trop efféminés. « Ce sont de
vraies femmes », disait-il avec mépris. Mais quelle vie
n'eût pas semblé efféminée auprès de celle qu'il voulait
que menât un homme et qu'il ne trouvait jamais assez
énergique et virile ? (Lui-même dans ses voyages à
pied, après des heures de course, se jetait brûlant*d* dans
des rivières glacées.) Il n'admettait même pas qu'un
homme portât une seule bague. Mais*b* ce parti pris de
virilité*c* ne l'empêchait pas d'avoir des qualités de
sensibilité des plus fines. À Mme de Villeparisis qui le
priait de décrire pour ma grand-mère un château où avait
séjourné Mme de Sévigné, ajoutant qu'elle voyait un peu
de littérature dans ce désespoir d'être séparée de cette
ennuyeuse Mme de Grignan :

« Rien au contraire, répondit-il, ne me semble plus vrai.
C'était du reste une époque où ces sentiments-là étaient
bien compris. L'habitant du Monomotapa de La Fontaine*[1]*
courant chez son ami qui lui est apparu un peu triste
pendant son sommeil, le pigeon trouvant que le plus grand
des maux est l'absence de l'autre pigeon, vous semblent
peut-être, ma tante, aussi exagérés que Mme de Sévigné
ne pouvant pas attendre le moment où elle sera seule avec
sa fille. C'est si beau ce qu'elle dit quand elle la quitte :
"Cette séparation me fait une douleur à l'âme, que je sens
comme un mal du corps. Dans l'absence on est libéral des
heures. On avance dans un temps auquel on aspire*[2]*" ».
Ma grand-mère était ravie d'entendre parler de ces *Lettres*
exactement de la façon qu'elle eût fait. Elle s'étonnait
qu'un homme pût les comprendre si bien. Elle trouvait
à M. de Charlus des délicatesses, une sensibilité féminines.
Nous nous dîmes plus tard quand nous fûmes seuls et
parlâmes tous les deux de lui, qu'il avait dû subir
l'influence profonde d'une femme, sa mère, ou plus tard
sa fille s'il avait des enfants. Moi je pensai : « Une
maîtresse », en me reportant à l'influence que celle de
Saint-Loup me semblait avoir eue sur lui et qui me
permettait de me rendre compte à quel point les femmes
avec lesquelles ils vivent affinent les hommes.

« Une fois près de sa fille elle n'avait probablement rien
à lui dire, répondit Mme de Villeparisis.

— Certainement si ; fût-ce de ce qu'elle appelait "choses si légères qu'il n'y a que vous et moi qui les remarquions[1]". Et en tout cas, elle était près d'elle. Et La Bruyère nous dit que c'est tout : "Être près des gens qu'on aime, leur parler, ne leur parler point, tout est égal[2]". Il a raison ; c'est le seul bonheur, ajouta M. de Charlus d'une voix mélancolique ; et ce bonheur-là, hélas, la vie est si mal arrangée qu'on le goûte bien rarement ; Mme de Sévigné a été en somme moins à plaindre que d'autres. Elle a passé une grande partie de sa vie auprès de ce qu'elle aimait.

— Tu oublies que ce n'était pas de l'amour, c'était de sa fille qu'il s'agissait.

— Mais l'important dans la vie n'est pas ce qu'on aime », reprit-il d'un ton compétent, péremptoire et presque tranchant, « c'est d'aimer. Ce que ressentait Mme de Sévigné pour sa fille peut prétendre beaucoup plus justement ressembler à la passion que Racine a dépeinte dans *Andromaque* ou dans *Phèdre*, que les banales relations que le jeune Sévigné avait avec ses maîtresses. De même l'amour de tel mystique pour son Dieu. Les démarcations trop étroites que nous traçons autour de l'amour viennent seulement de notre grande ignorance de la vie.

— Tu aimes beaucoup *Andromaque* et *Phèdre* ? demanda Saint-Loup à son oncle, sur un ton légèrement dédaigneux.

— Il y a plus de vérité dans une tragédie de Racine que dans tous les drames de M. Victor Hugo, répondit M. de Charlus.

— C'est tout de même effrayant, le monde, me dit Saint-Loup à l'oreille. Préférer Racine à Victor, c'est quand même quelque chose d'énorme ! » Il était sincèrement attristé des paroles de son oncle, mais le plaisir de dire « quand même » et surtout « énorme » le consolait.

Dans ces réflexions[a] sur la tristesse qu'il y a à vivre loin de ce qu'on aime (qui devaient amener ma grand-mère à me dire que le neveu de Mme de Villeparisis comprenait autrement bien certaines œuvres que sa tante, et surtout avait quelque chose qui le mettait bien au-dessus de la plupart des gens de club), M. de Charlus ne laissait pas seulement paraître une finesse de sentiment que montrent en effet rarement les hommes ; sa voix elle-même, pareille à certaines voix de contralto en qui on n'a pas assez cultivé le médium et dont le chant semble le duo alterné d'un jeune homme et d'une femme, se posait au moment où il exprimait ces pensées si délicates, sur des notes hautes, prenait une douceur imprévue et semblait contenir des chœurs de fiancées, de sœurs, qui répandaient leur tendresse. Mais la nichée de jeunes filles que M. de Charlus, avec son horreur de tout efféminement, aurait été si navré d'avoir l'air d'abriter ainsi dans sa voix, ne s'y bornait pas à l'interprétation, à la modulation des morceaux de sentiment. Souvent, tandis que causait M. de Charlus, on entendait leur rire aigu et frais de pensionnaires ou de coquettes ajuster leur prochain avec des malices de bonnes langues et de fines mouches.

Il raconta qu'une demeure qui avait appartenu à sa famille, où Marie-Antoinette avait couché, dont le parc était de Le Nôtre, appartenait maintenant aux riches financiers Israël, qui l'avaient achetée. « Israël, du moins c'est le nom que portent ces gens, qui me semble un terme générique, ethnique, plutôt qu'un nom propre. On ne sait pas, peut-être que ce genre de personnes ne portent pas de noms et sont seulement désignées par la collectivité à laquelle elles appartiennent. Cela ne fait rien ! Avoir été la demeure des Guermantes et appartenir aux Israël ! ! ! s'écria-t-il. Cela fait penser à cette chambre du château de Blois où le gardien qui le faisait visiter me dit : "C'est ici que Marie Stuart faisait sa prière ; et c'est là maintenant où ce que je mets mes balais." Naturellement je ne veux rien savoir de cette demeure qui s'est déshonorée, pas plus que de ma cousine Clara de Chimay qui a quitté son mari[1]. Mais je conserve la photographie de la première encore intacte, comme celle de la princesse quand ses grands yeux n'avaient de regards que pour mon cousin[a]. La photographie acquiert un peu de la dignité qui lui manque quand elle cesse d'être une reproduction du réel et nous montre des choses qui n'existent plus. Je pourrai vous en donner une, puisque ce genre d'architecture vous intéresse », dit-il à ma grand-mère. À ce moment, apercevant que le mouchoir brodé qu'il avait dans sa poche laissait dépasser des lisérés de couleur, il le rentra vivement avec la mine effarouchée d'une femme pudibonde mais point innocente dissimulant des appas[b] que, par un excès de scrupule, elle juge indécents. « Imaginez-vous, reprit-il, que ces gens ont commencé par détruire le parc de Le Nôtre, ce qui est aussi coupable que de lacérer un tableau de Poussin. Pour cela, ces Israël devraient être en prison. Il est vrai, ajouta-t-il en souriant après un moment de silence, qu'il y a sans doute tant d'autres choses pour lesquelles ils devraient y être ! En tous cas, vous vous imaginez l'effet que produit devant ces architectures un jardin anglais.

— Mais la maison est du même style que le Petit Trianon, dit Mme de Villeparisis, et Marie-Antoinette y a bien fait faire un jardin anglais[1].

— Qui dépare tout de même la façade de Gabriel, répondit M. de Charlus. Évidemment ce serait maintenant une sauvagerie que de détruire le Hameau. Mais quel que soit l'esprit du jour, je doute tout de même qu'à cet égard une fantaisie de Mme Israël ait le même prestige que le souvenir de la Reine. »

Cependant ma grand-mère m'avait fait signe de monter me coucher, malgré l'insistance de Saint-Loup qui, à ma grande honte, avait fait allusion devant M. de Charlus à la tristesse que j'éprouvais souvent le soir avant de m'endormir et que son oncle devait trouver quelque chose de bien peu viril. Je tardai encore quelques instants, puis m'en allai, et fus bien étonné quand un peu après, ayant entendu frapper à la porte de ma chambre et ayant demandé qui était là, j'entendis la voix de M. de Charlus qui disait d'un ton sec :

« C'est Charlus. Puis-je entrer, monsieur ? Monsieur, reprit-il du même ton une fois qu'il eut refermé la porte, mon neveu racontait tout à l'heure que vous étiez un peu ennuyé avant de vous endormir, et d'autre part que vous admiriez les livres de Bergotte. Comme j'en ai dans ma malle un que vous ne connaissez probablement pas, je vous l'apporte pour vous aider à passer ces moments où vous ne vous sentez pas heureux. »

Je remerciai M. de Charlus avec émotion et lui dis que j'avais au contraire eu peur que ce que Saint-Loup lui avait[a] dit de mon malaise à l'approche de la nuit, m'eût fait paraître à ses yeux plus stupide encore que je n'étais.

« Mais non, répondit-il avec un accent plus doux. Vous n'avez peut-être pas de mérite personnel, si peu d'êtres[b] en ont ! Mais, pour un temps du moins, vous avez la jeunesse et c'est toujours une séduction. D'ailleurs, monsieur, la plus grande des sottises, c'est de trouver ridicules ou blâmables les sentiments qu'on n'éprouve pas. J'aime la nuit et vous me dites que vous la redoutez ; j'aime sentir les roses et j'ai un ami à qui leur odeur donne la fièvre. Croyez-vous que je pense pour cela qu'il vaut moins que moi ? Je m'efforce de tout comprendre et je me garde de rien condamner. En somme, ne vous plaignez pas trop, je ne dirai pas que ces tristesses ne sont pas pénibles, je sais ce qu'on peut souffrir pour des choses que les autres ne comprendraient pas. Mais du moins vous avez bien placé votre affection dans votre grand-mère. Vous la voyez beaucoup. Et puis c'est une tendresse permise, je veux dire une tendresse payée de retour. Il y en a tant dont on ne peut pas dire cela ! »

Il marchait de long en large dans la chambre, regardant un objet, en soulevant un autre. J'avais l'impression qu'il avait quelque chose à m'annoncer et ne trouvait pas en quels termes le faire.

« J'ai un autre volume de Bergotte ici, je vais vous le chercher », ajouta-t-il, et il sonna. Un groom vint au bout d'un moment. « Allez me chercher votre maître d'hôtel. Il n'y a que lui ici qui soit capable de faire une commission intelligemment, dit M. de Charlus avec hauteur. — Monsieur Aimé, monsieur ? demanda la groom. — Je ne sais pas son nom, mais si, je me rappelle que je l'ai entendu appeler Aimé. Allez vite, je suis pressé. — Il va être tout de suite ici, monsieur, je l'ai justement vu en bas », répondit le groom qui voulait avoir l'air au courant. Un certain temps se passa. Le groom revint. « Monsieur, M. Aimé est couché. Mais je peux faire la commission. — Non, vous n'avez qu'à le faire lever. — Monsieur, je ne peux pas, il ne couche pas là. — Alors, laissez-nous tranquilles. — Mais, monsieur, dis-je, le groom parti, vous êtes trop bon, un seul volume de Bergotte me suffira. — C'est ce qui me semble, après tout. » M. de Charlus marchait. Quelques minutes se passèrent ainsi, puis, après quelques instants d'hésitation et se reprenant à plusieurs fois, il pivota sur lui-même et de sa voix redevenue cinglante, il me jeta : « Bonsoir, monsieur » et partit. Après tous les sentiments élevés que je lui avais entendu exprimer ce soir-là, le lendemain qui était le jour de son départ, sur la plage, dans la matinée, au moment où j'allais prendre mon bain, comme M. de Charlus s'était approché de moi pour m'avertir que ma grand-mère m'attendait aussitôt que je serais sorti de l'eau, je fus bien étonné de l'entendre me dire, en me pinçant le cou, avec une familiarité et un rire vulgaires :

« Mais on s'en fiche bien de sa vieille grand-mère, hein ? petite fripouille !

— Comment, monsieur, je l'adore !

— Monsieur*, me dit-il en s'éloignant d'un pas, et avec un air glacial, vous êtes encore jeune, vous devriez en profiter pour apprendre deux choses : la première c'est de vous abstenir d'exprimer des sentiments trop naturels pour n'être pas sous-entendus ; la seconde c'est de ne pas partir en guerre pour répondre aux choses qu'on vous dit avant d'avoir pénétré leur signification. Si vous aviez pris cette précaution, il y a un instant, vous vous seriez évité d'avoir l'air de parler à tort et à travers comme un sourd et d'ajouter par là un second ridicule à celui d'avoir des ancres brodées sur votre costume de bain. Je vous ai prêté un livre de Bergotte dont j'ai besoin. Faites-le moi rapporter dans une heure par ce maître d'hôtel au prénom risible et mal porté, qui je suppose, n'est pas couché à cette heure-ci. Vous me faites apercevoir que je vous ai parlé trop tôt hier soir des séductions de la jeunesse, je vous aurais rendu meilleur service en vous signalant son étourderie, ses inconséquences et son incompréhension. J'espère, monsieur, que cette petite douche ne vous sera pas moins salutaire que votre bain. Mais ne restez pas ainsi immobile, car vous pourriez prendre froid. Bonsoir, monsieur[b1]. »

Sans doute eut-il regret de ces paroles, car quelque temps après je reçus — dans une reliure de maroquin sur le plat de laquelle avait été encastrée une plaque de cuir incisé qui représentait en demi-relief une branche de myosotis — le livre qu'il m'avait prêté et que je lui avais fait remettre[2] non par Aimé qui se trouvait « de sortie », mais par le liftier.

Une fois[3] M. de Charlus parti, nous pûmes enfin, Robert et moi, aller dîner chez Bloch. Or je compris pendant cette petite fête que les histoires trop facilement trouvées drôles par notre camarade étaient des histoires de M. Bloch père, et que l'homme « tout à fait curieux » était toujours un de ses amis qu'il jugeait de cette façon. Il y a un certain nombre de gens qu'on admire dans son enfance, un père plus spirituel que le reste de la famille, un professeur qui bénéficie à nos yeux de la métaphysique qu'il nous révèle, un camarade plus avancé que nous (ce que Bloch avait été pour moi) qui méprise le Musset de « L'Espoir en

Dieu[1] » quand nous l'aimons encore, et quand nous en serons venus au père Leconte ou à Claudel[2], ne s'extasiera plus que sur

> *À Saint-Blaise, à la Zuecca,*
> *Vous étiez, vous étiez bien aise...*

en y ajoutant :

> *Padoue est un fort bel endroit*
> *Où de très grands docteurs en droit...*
> *Mais j'aime mieux la polenta...*
> *...Passe dans son domino noir*
> > *La Toppatelle.*

et de toutes les « Nuits » ne retient que :

> *Au Havre, devant l'Atlantique,*
> *À Venise, à l'affreux Lido,*
> *Où vient sur l'herbe d'un tombeau*
> *Mourir la pâle Adriatique[3].*

Or, de quelqu'un[d] qu'on admire de confiance, on recueille, on cite avec admiration, des choses très inférieures à celles que livré à son propre génie on refuserait avec sévérité, de même qu'un écrivain utilise dans un roman, sous prétexte qu'ils sont vrais, des « mots », des personnages qui dans l'ensemble vivant font au contraire poids mort, partie médiocre. Les portraits de Saint-Simon, écrits par lui sans qu'il s'admire sans doute, sont admirables, les traits qu'il cite comme charmants de gens d'esprit qu'il a connus, sont restés médiocres ou devenus incompréhensibles. Il eût dédaigné d'inventer ce qu'il rapporte comme si fin ou si coloré de Mme Cornuel[4] ou de Louis XIV, fait qui du reste est à noter chez bien d'autres et comporte diverses interprétations dont il suffit en ce moment de retenir celle-ci : c'est que dans l'état d'esprit où l'on « observe » on est très au-dessous du niveau où l'on se trouve quand on crée.

Il y avait donc enclavé en mon camarade Bloch, un père Bloch qui retardait de quarante ans sur son fils, débitait des anecdotes saugrenues et en riait autant, au fond de mon ami, que ne faisait le père Bloch extérieur et véritable, puisque au rire que ce dernier lâchait non sans répéter deux ou trois fois le dernier mot pour que son public goûtât bien l'histoire, s'ajoutait le rire bruyant par lequel le fils ne manquait pas à table de saluer les histoires de son père. C'est ainsi qu'après avoir dit les choses les plus intelligentes, Bloch jeune, manifestant l'apport qu'il avait reçu de sa famille, nous racontait pour la trentième fois quelques-uns des mots que le père Bloch sortait seulement (en même temps que sa redingote) les jours solennels où Bloch jeune amenait quelqu'un qu'il valait la peine d'éblouir : un de ses professeurs, un « copain » qui avait tous les prix, ou, ce soir-là, Saint-Loup et moi. Par exemple : « Un critique militaire très fort, qui avait savamment déduit avec preuves à l'appui pour quelles raisons infaillibles, dans la guerre russo-japonaise, les Japonais seraient battus et les Russes vainqueurs[1] » ou bien : « C'est un homme éminent qui passe pour un grand financier dans les milieux politiques et pour un grand politique dans les milieux financiers. » Ces histoires étaient interchangeables avec une du baron de Rothschild[2] et une de sir Rufus Israël, personnages mis en scène d'une manière équivoque qui pouvait donner à entendre que M. Bloch les avait personnellement connus.

J'y fus moi-même pris et, à la manière dont M. Bloch père parla de Bergotte, je crus aussi que c'était un de ses vieux amis. Or, tous les gens célèbres, M. Bloch ne les connaissait que « sans les connaître », pour les avoir vus de loin au théâtre, sur les boulevards. Il s'imaginait du reste que sa propre figure, son nom, sa personnalité ne leur étaient pas inconnus et qu'en l'apercevant, ils étaient souvent obligés de retenir une furtive envie de le saluer. Les gens du monde, parce qu'ils connaissent les gens de talent, d'original, qu'ils les reçoivent à dîner, ne les comprennent pas mieux pour cela. Mais quand on a un peu vécu dans le monde, la sottise de ses habitants vous fait trop souhaiter de vivre, trop supposer d'intelligence, dans les milieux obscurs où l'on ne connaît que « sans connaître ». J'allais m'en rendre compte en parlant de Bergotte. M. Bloch n'était pas le seul qui eût des succès chez lui. Mon camarade en avait davantage encore auprès de ses sœurs qu'il ne cessait d'interpeller sur un ton bougon, en enfonçant sa tête dans son assiette ; il les faisait ainsi rire aux larmes. Elles avaient d'ailleurs adopté la langue de leur frère qu'elles parlaient couramment, comme si elle eût été obligatoire et la seule dont pussent user des personnes intelligentes. Quand nous arrivâmes, l'aînée dit à une de ses cadettes : « Va prévenir notre père prudent et notre^d mère vénérable. — Chiennes, leur dit Bloch, je vous présente le cavalier Saint-Loup, aux javelots rapides, qui est venu pour quelques jours de Doncières aux demeures de pierre polie, féconde en chevaux. » Comme il était aussi vulgaire que lettré, le discours se terminait d'habitude par quelque plaisanterie moins homérique : « Voyons, fermez un peu plus vos peplos aux belles agrafes, qu'est-ce que c'est que ce chichi-là ? Après tout c'est pas mon père[1] ! » Et les demoiselles Bloch s'écroulaient dans une tempête de rires. Je dis à leur frère combien de joies il m'avait données en me recommandant la lecture de Bergotte dont j'avais adoré les livres.

M. Bloch père qui ne connaissait Bergotte que de loin, et la vie de Bergotte que par les racontars du parterre, avait une manière tout aussi indirecte de prendre connaissance de ses œuvres, à l'aide de jugements d'apparence littéraire. Il vivait dans le monde des à peu près, où l'on salue dans le vide, où l'on juge dans le faux. L'inexactitude, l'incompétence, n'y diminuent pas l'assurance, au contraire. C'est le miracle bienfaisant de l'amour-propre que, peu de gens pouvant avoir les relations brillantes et les connaissances profondes, ceux auxquels elles font défaut se croient encore les mieux partagés parce que l'optique des gradins sociaux fait que tout rang semble le meilleur à celui qui l'occupe et qui voit moins favorisés que lui, mal lotis, à plaindre, les plus grands qu'il nomme et calomnie sans les connaître, juge et dédaigne sans les comprendre. Même dans les cas où la multiplication des faibles avantages personnels par l'amour-propre ne suffirait pas à assurer à chacun la dose de bonheur, supérieure à celle accordée aux autres, qui lui est nécessaire, l'envie est là pour combler la différence. Il est vrai que si l'envie s'exprime en phrases dédaigneuses, il faut traduire : « Je ne veux pas le connaître » par « je ne peux pas le connaître ». C'est le sens intellectuel. Mais le sens passionné est bien : « Je ne veux pas le connaître. » On sait que cela n'est pas vrai, mais on ne le dit pas cependant par simple artifice, on le dit parce qu'on éprouve ainsi, et cela suffit pour supprimer la distance, c'est-à-dire pour le bonheur.

L'égocentrisme permettant de la sorte à chaque humain de voir l'univers étagé au-dessous de lui qui est roi, M. Bloch se donnait le luxe d'en être un impitoyable quand le matin en prenant son chocolat, voyant la signature de Bergotte au bas d'un article dans le journal à peine entrouvert, il lui accordait dédaigneusement une audience écourtée, prononçait sa sentence, et s'octroyait le confortable plaisir de répéter entre chaque gorgée du breuvage bouillant : « Ce Bergotte est devenu illisible. Ce que cet animal-là peut être embêtant. C'est à se désabonner. Comme c'est emberlificoté ! Quelle tartine ! » Et il reprenait une beurrée.

Cette importance illusoire, de M. Bloch père était d'ailleurs étendue un peu au-delà du cercle de sa propre perception. D'abord ses enfants le considéraient comme un homme supérieur. Les enfants ont toujours une tendance soit à déprécier, soit à exalter leurs parents, et pour un bon fils, son père est toujours le meilleur des pères, en dehors même de toutes raisons objectives de l'admirer. Or celles-ci ne manquaient pas absolument pour M. Bloch, lequel était instruit, fin, affectueux pour les siens. Dans la famille la plus proche, on se plaisait d'autant plus avec lui que si, dans la « société », on juge les gens d'après un étalon d'ailleurs absurde et selon des règles fausses mais fixes, par comparaison avec la totalité des autres gens élégants, en revanche dans le morcellement de la vie bourgeoise, les dîners, les soirées de famille tournent autour de personnes qu'on déclare agréables, amusantes, et qui dans le monde ne tiendraient pas l'affiche deux soirs. Enfin, dans ce milieu où les grandeurs factices de l'aristocratie n'existent pas, on les remplace par des distinctions plus folles encore. C'est ainsi que pour sa famille et jusqu'à un degré de parenté fort éloigné, une prétendue ressemblance dans la façon de porter la moustache et dans le haut du nez faisait qu'on appelait M. Bloch un « faux duc d'Aumale ». (Dans le monde des « chasseurs » de cercle, l'un qui porte sa casquette de travers et sa vareuse très serrée de manière à se donner l'air, croit-il, d'un officier étranger, n'est-il pas une manière de personnage pour ses camarades ?)

La ressemblance était des plus vagues mais on eût dit que ce fût un titre. On répétait : « Bloch ? lequel ? le duc d'Aumale[1] ? » Comme on dit : « La princesse Murat ? laquelle ? la Reine de (Naples[2]) ? » Un certain nombre d'autres infimes indices achevaient de lui donner aux yeux du cousinage une prétendue distinction. N'allant pas jusqu'à avoir une voiture, M. Bloch louait à certains jours une victoria découverte à deux chevaux de la Compagnie et traversait le bois de Boulogne, mollement étendu de travers, deux doigts sur la tempe, deux autres sous le menton, et si les gens qui ne le connaissaient pas le trouvaient à cause de cela « faiseur d'embarras », on était persuadé dans la famille que pour le chic, l'oncle Salomon aurait pu en remontrer à Gramont-Caderousse[3]. Il était de ces personnes qui quand elles meurent et à cause d'une table commune avec le rédacteur en chef de cette feuille dans un restaurant des boulevards, sont qualifiés de « physionomie bien connue des Parisiens », par la chronique mondaine du *Radical*[4]. M. Bloch nous dit à Saint-Loup et à moi que Bergotte savait si bien pourquoi lui, M. Bloch, ne le saluait pas, que dès qu'il l'apercevait au théâtre ou au cercle, il fuyait son regard. Saint-Loup rougit, car il réfléchit que ce cercle ne pouvait pas être le Jockey dont son père avait été président. D'autre part ce devait être un cercle relativement fermé, car M. Bloch avait dit que Bergotte n'y serait plus reçu aujourd'hui. Aussi est-ce en tremblant de « sous-estimer l'adversaire » que Saint-Loup demanda si ce cercle était le cercle de la rue Royale, lequel était jugé « déclassant » par la famille de Saint-Loup et où il savait qu'étaient reçus certains Israélites[5]. « Non, répondit M. Bloch d'un air négligent, fier et honteux, c'est un petit cercle, mais beaucoup plus agréable, le Cercle des Ganaches. On y juge sévèrement la galerie. — Est-ce que sir Rufus Israël n'en est pas président ? » demanda Bloch fils à son père, pour lui fournir l'occasion d'un mensonge honorable et sans se douter que ce financier n'avait pas le même prestige aux yeux de Saint-Loup qu'aux siens. En réalité, il y avait au Cercle des Ganaches non point sir Rufus Israël, mais un de ses employés. Mais comme il était fort bien avec son patron, il avait à sa disposition des cartes du grand financier, et en donnait une à M. Bloch quand celui-ci partait en voyage sur une ligne dont sir Rufus était administrateur, ce qui faisait dire au père Bloch : « Je vais passer au cercle demander une recommandation de sir

Rufus. » Et la carte lui permettait d'éblouir les chefs de train. Les demoiselles Bloch furent plus intéressées par Bergotte et revenant à lui au lieu de poursuivre sur les « Ganaches », la cadette demanda à son frère du ton le plus sérieux du monde car elle croyait qu'il n'existait pas au monde pour désigner les gens de talent d'autres expressions que celles qu'il employait : « Est-ce un coco vraiment étonnant, ce Bergotte ? Est-il de la catégorie des grands bonshommes, des cocos comme Villiers ou Catulle[1] ? — Je l'ai rencontré à plusieurs générales, dit M. Nissim Bernard. Il est gauche, c'est une espèce de Schlemihl[2]. » Cette allusion au conte de Chamisso n'avait rien de bien grave, mais l'épithète de Schlemihl faisait partie de ce dialecte mi-allemand, mi-juif dont l'emploi ravissait M. Bloch dans l'intimité, mais qu'il trouvait vulgaire et déplacé devant des étrangers. Aussi jeta-t-il un regard sévère sur son oncle. « Il a du talent, dit Bloch. — Ah ! fit gravement sa sœur comme pour dire que dans ces conditions j'étais excusable. — Tous les écrivains ont du talent, dit avec mépris M. Bloch père. — Il paraît même », dit son fils en levant sa fourchette et en plissant ses yeux d'un air diaboliquement ironique, « qu'il va se présenter à l'Académie. — Allons donc ! il n'a pas un bagage suffisant », répondit M. Bloch le père qui ne semblait pas avoir pour l'Académie le mépris de son fils et de ses filles. « Il n'a pas le calibre nécessaire. — D'ailleurs l'Académie est un salon et Bergotte ne jouit d'aucune surface », déclara l'oncle à héritage de Mme Bloch, personnage inoffensif et doux dont le nom de Bernard eût peut-être à lui seul éveillé les dons de diagnostic de mon grand-père, mais eût paru insuffisamment en harmonie avec un visage qui semblait rapporté du palais de Darius et reconstitué par Mme Dieulafoy, si choisi par quelque amateur désireux de donner un couronnement oriental à cette figure de Suse, ce prénom de Nissim n'avait fait planer au-dessus d'elle les ailes de quelque taureau androcéphale de Khorsabad[3]. Mais M. Bloch ne cessait d'insulter son oncle, soit qu'il fût excité par la bonhomie sans défense de son souffre-douleur soit[a] que la villa étant payée par M. Nissim Bernard, le bénéficiaire voulût montrer qu'il gardait son indépendance et surtout qu'il ne cherchait pas par des cajoleries à s'assurer l'héritage à venir du richard. Celui-ci était surtout froissé qu'on le traitât si grossièrement devant le maître d'hôtel. Il murmura une phrase inintelligible où on distinguait seulement : « Quand les Meschorès sont là. » Meschorès désigne dans la Bible le serviteur de Dieu. Entre eux les Bloch s'en servaient pour désigner les domestiques et en étaient toujours égayés parce que leur certitude de n'être compris ni des chrétiens ni des domestiques eux-mêmes exaltait chez M. Nissim Bernard et M. Bloch leur double particularisme de « maîtres » et de « juifs ». Mais cette dernière cause de satisfaction en devenait une de mécontentement quand il y avait du monde. Alors M. Bloch entendant son oncle dire « Meschorès » trouvait qu'il laissait trop paraître son côté oriental, de même[a] qu'une cocotte qui invite de ses amies avec des gens comme il faut, est irritée si elles font allusion à leur métier de cocotte ou emploient des mots malsonnants. Aussi, bien loin que la prière de son oncle produisit quelque effet sur M. Bloch, celui-ci, hors de lui, ne put plus se contenir. Il ne perdit plus une occasion d'invectiver le malheureux oncle. « Naturellement, quand il y a quelque bêtise prudhommesque à dire, on peut être sûr que vous ne la ratez pas. Vous seriez le premier à lui[1] lécher les pieds s'il était là », cria M. Bloch tandis que M. Nissim Bernard attristé inclinait vers son assiette la barbe annelée du roi Sargon. Mon camarade, depuis qu'il portait la sienne qu'il avait aussi crépue et bleutée, ressemblait beaucoup à son grand-oncle. « Comment, vous êtes le fils du marquis de Marsantes ? mais je l'ai très bien connu », dit à Saint-Loup M. Nissim Bernard. Je crus qu'il voulait dire « connu » au sens où le père de Bloch disait qu'il connaissait Bergotte, c'est-à-dire de vue. Mais il ajouta : « Votre père était un de mes bons amis. » Cependant Bloch était devenu excessivement rouge, son père avait l'air profondément contrarié, les demoiselles Bloch riaient en s'étouffant. C'est que chez M. Nissim Bernard le goût de l'ostentation, contenu chez M. Bloch le père et chez ses enfants, avait engendré l'habitude du mensonge perpétuel. Par exemple, en voyage, à l'hôtel, M. Nissim Bernard, comme aurait pu faire M. Bloch le père, se faisait apporter tous ses journaux par son valet de chambre dans la salle à manger, au milieu du déjeuner, quand tout le monde était réuni pour qu'on vît bien qu'il voyageait avec un valet de chambre. Mais aux gens avec qui il se liait dans l'hôtel,

l'oncle disait, ce que le neveu n'eût jamais fait, qu'il était
sénateur. Il avait beau être certain qu'on apprendrait un
jour que le titre était usurpé, il ne pouvait au moment
même résister au besoin de se le donner. M. Bloch souffrait
beaucoup des mensonges de son oncle et de tous les ennuis
qu'ils lui causaient. « Ne faites pas attention, il est
extrêmement blagueur », dit-il à mi-voix à Saint-Loup qui
n'en fut que plus intéressé étant très curieux de la
psychologie des menteurs. « Plus[a] menteur encore que
l'Ithakèsien Odysseus qu'Athénè appelait pourtant le plus
menteur des hommes[1], compléta notre camarade Bloch.
— Ah ! par exemple ! s'écria M. Nissim Bernard, si je
m'attendais à dîner avec le fils de mon ami ! Mais j'ai à
Paris chez moi, une photographie de votre père et combien
de lettres de lui. Il m'appelait toujours "mon oncle", on
n'a jamais su pourquoi. C'était un homme charmant,
étincelant. Je me rappelle un dîner chez moi, à Nice, où
il y avait Sardou, Labiche, Augier... — Molière, Racine,
Corneille, continua ironiquement M. Bloch le père, dont
le fils acheva l'énumération en ajoutant : Plaute, Ménan-
dre, Kalidasa[2]. » M. Nissim Bernard, blessé, arrêta
brusquement son récit et, se privant ascétiquement d'un
grand plaisir, resta muet jusqu'à la fin du dîner.

« Saint-Loup au casque d'airain, dit Bloch, reprenez un
peu de ce canard aux cuisses lourdes de graisse sur
lesquelles l'illustre sacrificateur des volailles a répandu de
nombreuses libations de vin rouge. »

D'habitude, après avoir sorti de derrière les fagots pour
un camarade de marque les histoires sur sir Rufus Israël
et autres, M. Bloch sentant qu'il avait touché son fils
jusqu'à l'attendrissement, se retirait pour ne pas se
« galvauder » aux yeux du « potache ». Cependant[b] s'il
y avait une raison tout à fait capitale, comme quand son
fils par exemple fut reçu à l'agrégation, M. Bloch ajoutait
à[c] la série habituelle des anecdotes cette réflexion ironique
qu'il réservait plutôt pour ses amis personnels et que Bloch
jeune fut extrêmement fier de voir débiter pour ses amis
à lui : « Le gouvernement a été impardonnable. Il n'a pas
consulté M. Coquelin[3] ! M. Coquelin a fait savoir qu'il était
mécontent. » (M. Bloch se piquait d'être réactionnaire et
méprisant pour les gens de théâtre.)

Mais les demoiselles Bloch et leur frère rougirent
jusqu'aux oreilles tant ils furent impressionnés quand Bloch

père, pour se montrer royal jusqu'au bout envers les deux
« labadens[1] » de son[a] fils, donna l'ordre d'apporter du
champagne et annonça négligemment que pour nous
« régaler », il avait fait prendre trois fauteuils pour la
représentation qu'une troupe d'opéra-comique donnait le
soir même au Casino. Il regrettait de n'avoir pu avoir de
loge. Elles étaient toutes prises. D'ailleurs il les avait
souvent expérimentées, on était mieux à l'orchestre.
Seulement, si le défaut de son fils, c'est-à-dire que son
fils croyait invisible aux autres, était la grossièreté, celui
du père était l'avarice. Aussi, c'est dans une carafe qu'il
fit servir sous le nom de champagne un petit vin mousseux
et sous celui de fauteuils d'orchestre il avait fait prendre
des parterres qui coûtaient moitié moins, miraculeusement
persuadé par l'intervention divine de son défaut que ni
à table, ni au théâtre (où toutes les loges étaient vides)
on ne s'apercevrait de la différence. Quand M. Bloch nous
eût laissé tremper nos lèvres dans des coupes plates que
son fils décorait du nom de « cratères aux flancs
profondément creusés », il nous fit admirer un tableau
qu'il aimait tant qu'il l'apportait avec lui à Balbec. Il nous
dit que c'était un Rubens. Saint-Loup lui demanda
naïvement s'il était signé. M. Bloch répondit en rougissant
qu'il avait fait couper la signature à cause du cadre, ce
qui n'avait pas d'importance, puisqu'il ne voulait pas le
vendre. Puis il nous congédia rapidement pour se plonger
dans le *Journal officiel* dont les numéros encombraient la
maison et dont la lecture lui était rendue nécessaire, nous
dit-il, « par sa situation parlementaire » sur la nature
exacte de laquelle il ne nous fournit pas de lumières. « Je
prends un foulard, nous dit Bloch, car Zéphyros et Boréas
se disputent à qui mieux mieux la mer poissonneuse, et
pour peu que nous nous attardions après le spectacle, nous
ne rentrerons qu'aux premières lueurs d'Eôs aux doigts
de pourpre[2]. À propos », demanda-t-il à Saint-Loup quand
nous fûmes dehors (et je tremblai car je compris bien vite
que c'était de M. de Charlus que Bloch parlait sur ce ton
ironique), « quel était cet excellent fantoche en costume
sombre que je vous ai vu promener avant-hier matin sur
la plage ? — C'est mon oncle », répondit Saint-Loup
piqué. Malheureusement, une « gaffe » était bien loin de
paraître à Bloch chose à éviter. Il se tordit de rire : « Tous
mes compliments, j'aurais dû le deviner, il a un excellent

chic, et une impayable bobine de gaga de la plus haute
lignée. — Vous vous trompez du tout au tout, il est très
intelligent, riposta Saint-Loup furieux. — Je le regrette,
car alors il est moins complet. J'aimerais du reste beaucoup
le connaître car je suis sûr que j'écrirais des machines
adéquates sur des bonshommes comme ça. Celui-là, à voir
passer, est crevant. Mais je négligerais le côté caricatural,
au fond assez méprisable pour un artiste épris de la beauté
plastique des phrases, de la binette qui, excusez-moi, m'a
fait gondoler un bon moment, et je mettrais en relief le
côté aristocratique de votre oncle qui en somme fait un
effet bœuf, et la première rigolade passée, frappe par un
très grand style. Mais, dit-il, en s'adressant cette fois à moi,
il y a une chose, dans un tout autre ordre d'idées, sur
laquelle je veux t'interroger, et chaque fois que nous
sommes ensemble, quelque dieu, bienheureux habitant de
l'Olympe, me fait oublier totalement de te demander ce
renseignement qui eût pu m'être déjà et me sera sûrement
fort utile. Quelle est[a] donc cette belle personne avec
laquelle je t'ai rencontré au Jardin d'acclimatation et qui
était accompagnée d'un monsieur que je crois connaître
de vue et d'une jeune fille à la longue chevelure ? » J'avais
bien vu que Mme Swann ne se rappelait pas le nom de
Bloch, puisqu'elle m'en avait dit un autre et avait qualifié
mon camarade d'attaché à un ministère où je n'avais jamais
pensé depuis à m'informer s'il était entré. Mais comment
Bloch qui, à ce qu'elle m'avait dit alors, s'était fait
présenter à elle pouvait-il ignorer son nom ? J'étais si
étonné que je restai un moment sans répondre. « En tous
cas, tous mes compliments, me dit-il, tu n'as pas dû
t'embêter avec elle. Je l'avais rencontrée quelques jours
auparavant dans le train de Ceinture. Elle voulut bien
dénouer la sienne[b] en faveur de ton serviteur, je n'ai jamais
passé de si bons moments et nous allions prendre toutes
dispositions pour nous revoir quand une personne qu'elle
connaissait eut le mauvais goût de monter à l'avant-
dernière station. » Le silence que je gardai ne parut pas
plaire à Bloch. « J'espérais, me dit-il, connaître grâce à
toi son adresse et aller goûter chez elle, plusieurs fois par
semaine, les plaisirs d'Éros, cher aux dieux, mais je
n'insiste pas puisque tu poses pour la discrétion à l'égard
d'une professionnelle qui s'est donnée à moi trois fois de
suite et de la manière la plus raffinée, entre Paris et le

Point-du-Jour. Je la*ᵃ* retrouverai bien, un soir ou l'autre. »

J'allai voir Bloch à la suite de ce dîner, il me rendit ma visite, mais j'étais sorti et il fut aperçu, me demandant, par Françoise, laquelle par hasard, bien qu'il fût venu à Combray, ne l'avait jamais vu jusque-là. De sorte qu'elle savait seulement qu'un « des Monsieur » que je connaissais était passé*ᵇ* pour me voir, elle ignorait « à quel effet », vêtu d'une manière quelconque et qui ne lui avait pas fait grande impression. Or j'avais beau savoir que certaines idées sociales de Françoise me resteraient toujours impénétrables, qui reposaient peut-être en partie sur des confusions entre des mots, des noms qu'elle avait pris une fois, et à jamais, les uns pour les autres, je ne pus m'empêcher, moi qui avais depuis longtemps renoncé à me poser des questions dans ces cas-là, de chercher, vainement d'ailleurs, ce que le nom de Bloch pouvait représenter d'immense pour Françoise. Car à peine lui eus-je dit que ce jeune homme qu'elle avait aperçu était M. Bloch, elle recula de quelques pas, tant furent grandes sa stupeur et sa déception. « Comment, c'est cela, M. Bloch ! » s'écria-t-elle d'un air atterré, comme si un personnage aussi prestigieux eût dû posséder une apparence qui « fît connaître » immédiatement qu'on se trouvait en présence d'un grand de la terre, et à la façon de quelqu'un qui trouve qu'un personnage historique n'est pas à la hauteur de sa réputation, elle répétait, d'un ton impressionné et où on sentait pour l'avenir les germes d'un scepticisme universel : « Comment, c'est ça M. Bloch ! Ah ! vraiment on ne dirait pas à le voir. » Elle avait l'air de m'en garder rancune comme si je lui eusse jamais « surfait » Bloch. Et pourtant elle eût la bonté d'ajouter : « Hé bien, tout M. Bloch qu'il est, Monsieur peut dire qu'il est aussi bien que lui. »

Elle eut bientôt à l'égard de Saint-Loup qu'elle adorait une désillusion d'un autre genre, et d'une moindre durée : elle apprit qu'il était républicain. Or, bien qu'en parlant par exemple de la reine de Portugal, elle dît avec cet irrespect qui dans le peuple est le respect suprême « Amélie, la sœur à Philippe*ⁱ* », Françoise était royaliste. Mais surtout un marquis, un marquis qui l'avait éblouie, et qui était pour la République, ne lui paraissait plus vrai. Elle en marquait la même mauvaise humeur que si je lui eusse donné une boîte qu'elle eût crue d'or, de laquelle

elle m'eût remercié avec effusion et qu'ensuite un bijoutier lui eût révélé être en plaqué. Elle[a] retira aussitôt son estime à Saint-Loup, mais bientôt après la lui rendit, ayant réfléchi qu'il ne pouvait pas, étant le marquis de Saint-Loup, être républicain, qu'il faisait seulement semblant, par intérêt, car avec le gouvernement qu'on avait, cela pouvait lui rapporter gros. De ce jour sa froideur envers lui, son dépit contre moi cessèrent. Et quand elle parlait de Saint-Loup, elle disait : « C'est un hypocrite », avec un large et bon sourire qui faisait bien comprendre qu'elle le « considérait » de nouveau autant qu'au premier jour et qu'elle lui avait pardonné[b].

Or la sincérité et le désintéressement de Saint-Loup étaient au contraire absolus et c'était cette grande pureté morale qui, ne pouvant se satisfaire entièrement dans un sentiment égoïste comme l'amour, ne rencontrant pas d'autre part en lui l'impossibilité qui existait par exemple en moi de trouver sa nourriture spirituelle autre part qu'en soi-même, le rendait vraiment capable, autant que moi incapable, d'amitié.

Françoise ne se trompait pas moins sur Saint-Loup quand elle disait qu'il avait l'air comme ça de ne pas dédaigner le peuple, mais que ce n'était pas[c] vrai, et qu'il n'y avait qu'à le voir quand il était en colère après son cocher. Il était arrivé en effet quelquefois à Robert de le gronder avec une certaine rudesse, qui prouvait chez lui moins le sentiment de la différence que de l'égalité entre les classes. « Mais », me dit-il en réponse aux reproches que je lui faisais d'avoir traité un peu durement ce cocher, « pourquoi affecterais-je de lui parler poliment ? N'est-il pas mon égal ? N'est-il pas aussi près de moi que mes oncles ou mes cousins ? Vous avez l'air de trouver que je devrais le traiter avec égards, comme un inférieur ! Vous parlez comme un aristocrate », ajouta-t-il avec dédain.

En effet, s'il y avait une classe contre laquelle il eût de la prévention et de la partialité, c'était l'aristocratie, et jusqu'à croire aussi difficilement à la supériorité d'un homme du monde, qu'il croyait facilement à celle d'un homme du peuple. Comme je lui parlais de la princesse de Luxembourg que j'avais rencontrée avec sa tante :

« Une carpe, me dit-il, comme toutes ses pareilles. C'est d'ailleurs un peu ma cousine. »

Ayant un préjugé contre les gens qui le fréquentaient,

il allait rarement dans le monde et l'attitude méprisante
ou hostile qu'il y prenait augmentait encore chez tous ses
proches parents le chagrin de sa liaison avec une femme
« de théâtre », liaison qu'ils accusaient de lui être fatale
et notamment d'avoir développé chez lui cet esprit de
dénigrement, ce mauvais esprit, de l'avoir « dévoyé », en
attendant qu'il se « déclassât » complètement. Aussi, bien
des hommes légers du faubourg Saint-Germain étaient-ils
sans pitié quand ils parlaient de la maîtresse de Robert.
« Les grues font leur métier, disait-on, elles valent autant
que d'autres ; mais celle-là, non ! Nous ne lui pardonne-
rons pas ! Elle a fait*ᵃ* trop de mal à quelqu'un que nous
aimons. » Certes, il n'était pas le premier qui eût un fil
à la patte. Mais les autres s'amusaient en hommes du
monde, continuaient à penser en hommes du monde sur
la politique, sur tout. Lui, sa famille le trouvait « aigri ».
Elle ne se rendait pas compte que pour bien des jeunes
gens du monde, lesquels sans cela resteraient incultes
d'esprit, rudes dans leurs amitiés, sans douceur et sans
goût, c'est bien souvent leur maîtresse qui est leur vrai
maître et les liaisons de ce genre, la seule école de morale
où ils soient initiés à une culture supérieure, où ils
apprennent le prix des connaissances désintéressées. Même
dans le bas peuple (qui au point de vue de la grossièreté
ressemble si souvent au grand monde), la femme, plus
sensible, plus fine, plus oisive, a la curiosité de certaines
délicatesses, respecte certaines beautés de sentiment et
d'art que, ne les comprît-elle pas, elle place pourtant
au-dessus de ce qui semblait le plus désirable à l'homme,
l'argent, la situation. Or, qu'il s'agisse de la maîtresse d'un
jeune clubman comme Saint-Loup ou d'un jeune ouvrier
(les électriciens par exemple comptent aujourd'hui dans
les rangs de la Chevalerie véritable), son amant a pour
elle trop d'admiration et de respect pour ne pas les étendre
à ce qu'elle-même respecte et admire ; et pour lui l'échelle
des valeurs s'en trouve renversée. À cause de son sexe
même elle est faible, elle a des troubles nerveux,
inexplicables, qui chez un homme, et même chez une autre
femme, chez une femme dont il est neveu ou cousin
auraient fait sourire ce jeune homme robuste. Mais il ne
peut voir souffrir celle qu'il aime. Le jeune noble qui
comme Saint-Loup a une maîtresse, prend l'habitude
quand il va dîner avec elle au cabaret d'avoir dans sa poche

le valérianate dont elle peut avoir besoin, d'enjoindre au
garçon, avec force et sans ironie, de faire attention à fermer
les portes sans bruit, à ne pas mettre de mousse humide
sur la table, afin d'éviter à son amie ces malaises que pour
sa part il n'a jamais ressentis, qui composent pour lui un
monde occulte à la réalité duquel elle lui a appris à croire,
malaises qu'il plaint maintenant sans avoir besoin pour cela
de les connaître, qu'il plaindra même quand ce sera
d'autres qu'elle qui les ressentiront. La maîtresse de
Saint-Loup — comme les premiers moines du Moyen Âge,
à la chrétienté — lui avait enseigné la pitié envers les
animaux car elle en avait la passion, ne se déplaçant jamais
sans son chien, ses serins, ses perroquets ; Saint-Loup
veillait sur eux avec des soins maternels et traitait de brutes
les gens qui ne sont pas bons avec les bêtes. D'autre part,
une actrice, ou soi-disant telle, comme celle qui vivait avec
lui — qu'elle fût intelligente ou non, ce que j'ignorais
— en lui faisant trouver ennuyeuse la société des femmes
du monde et considérer comme une corvée l'obligation
d'aller dans une soirée, l'avait préservé du snobisme et
guéri de la frivolité. Si grâce à elle les relations mondaines
tenaient moins de place dans la vie de son jeune amant,
en revanche tandis que s'il avait été un simple homme de
salon, la vanité ou l'intérêt auraient dirigé ses amitiés
comme la rudesse les aurait empreintes, sa maîtresse lui
avait appris à y mettre de la noblesse et du raffinement.
Avec son instinct de femme et appréciant plus chez les
hommes certaines qualités de sensibilité que son amant
eût peut-être sans elle méconnues ou plaisantées, elle avait
toujours vite fait de distinguer entre les autres celui des
amis de Saint-Loup qui avait pour lui une affection vraie,
et de le préférer. Elle savait le forcer à éprouver pour
celui-là de la reconnaissance, à la lui témoigner, à
remarquer les choses qui lui faisaient plaisir, celles qui lui
faisaient de la peine. Et bientôt Saint-Loup, sans plus avoir
besoin qu'elle l'avertît, commença à se soucier de tout cela,
et à Balbec où elle n'était pas, pour moi qu'elle n'avait
jamais vu et dont il ne lui avait même peut-être pas encore
parlé dans ses lettres, de lui-même il fermait la fenêtre
d'une voiture où j'étais, emportait les fleurs qui[a] me
faisaient mal, et quand il eut à dire au revoir à la fois à
plusieurs personnes, à son départ s'arrangea à les quitter
un peu plus tôt afin de rester seul et en dernier avec moi,

de mettre cette différence entre elles et moi, de me traiter autrement que les autres. Sa maîtresse avait ouvert son esprit à l'invisible, elle avait mis du sérieux dans sa vie, des délicatesses dans son cœur, mais tout cela échappait à la famille en larmes qui répétait : « Cette gueuse le tuera, et en attendant elle le déshonore. » Il est vrai qu'il avait fini de tirer d'elle tout le bien qu'elle pouvait lui faire ; et maintenant elle était cause seulement qu'il souffrait sans cesse, car elle l'avait pris en horreur et le torturait. Elle avait commencé un beau jour à le trouver bête et ridicule, parce que les amis qu'elle avait parmi de jeunes auteurs et acteurs lui avaient assuré qu'il l'était, et elle répétait à son tour ce qu'ils avaient dit avec cette passion, cette absence de réserves qu'on montre chaque fois qu'on reçoit du dehors et qu'on adopte des opinions ou des usages qu'on ignorait entièrement. Elle professait volontiers, comme ces comédiens, qu'entre elle et Saint-Loup le fossé était infranchissable, parce qu'ils étaient d'une autre race, qu'elle était une intellectuelle et que lui, quoi qu'il prétendît, était, de naissance, un ennemi de l'intelligence. Cette vue lui semblait profonde et elle en cherchait la vérification dans les paroles les plus insignifiantes, les moindres gestes de son amant. Mais quand les mêmes amis l'eurent en outre convaincue qu'elle détruisait dans une compagnie aussi peu faite pour elle les grandes espérances qu'elle avait, disaient-ils, données, que son amant finirait par déteindre sur elle, qu'à vivre avec lui elle gâchait son avenir d'artiste, à son mépris pour Saint-Loup s'ajouta la même haine que s'il s'était obstiné à vouloir lui inoculer une maladie mortelle. Elle le voyait le moins possible tout en reculant encore le moment d'une rupture définitive, laquelle me paraissait à moi bien peu vraisemblable. Saint-Loup faisait pour elle de tels sacrifices que, à moins qu'elle fût ravissante (mais il n'avait jamais voulu me montrer sa photographie, me disant : « D'abord ce n'est pas une beauté, et puis elle vient mal en photographie, ce sont des instantanés que j'ai faits moi-même avec mon Kodak[1] et ils vous donneraient une fausse idée d'elle »), il semblait difficile qu'elle trouvât un second homme qui en consentît de semblables. Je ne songeais pas qu'une certaine toquade de se faire un nom, même quand on n'a pas de talent, que l'estime, rien que l'estime privée, de personnes qui vous imposent, peuvent (ce n'était peut-être du reste pas le cas pour la maîtresse de Saint-Loup) être même pour une petite cocotte, des motifs plus déterminants que le plaisir de gagner de l'argent. Saint-Loup qui[a] sans bien comprendre ce qui se passait dans la pensée de sa maîtresse, ne la croyait pas complètement sincère, ni dans les reproches injustes ni dans les promesses d'amour éternel, avait pourtant à certains moments le sentiment qu'elle romprait quand elle le pourrait, et à cause de cela, mû sans doute par l'instinct de conservation de son amour plus clairvoyant peut-être que Saint-Loup n'était lui-même, usant d'ailleurs d'une habileté pratique qui se conciliait chez lui avec les plus grands et les plus aveugles élans du cœur, il s'était refusé à lui constituer un capital, avait emprunté un argent énorme pour qu'elle ne manquât de rien, mais ne le lui remettait qu'au jour le jour. Et sans doute, au cas où elle eût vraiment songé à le quitter, attendait-elle[b] froidement d'avoir « fait sa pelote », ce qui avec les sommes données par Saint-Loup demanderait sans doute un temps fort court, mais tout de même concédé en supplément pour prolonger le bonheur de mon nouvel ami — ou son malheur.

Cette période dramatique de leur liaison — et qui était arrivée maintenant à son point le plus aigu, le plus cruel pour Saint-Loup, car elle lui avait défendu de rester à Paris où sa présence l'exaspérait et l'avait forcé de prendre son congé à Balbec, à côté de sa garnison — avait commencé un soir chez une tante de Saint-Loup, lequel avait obtenu d'elle que son amie viendrait pour de nombreux invités dire des fragments d'une pièce symboliste qu'elle avait jouée une fois sur une scène d'avant-garde et pour laquelle elle lui avait fait partager l'admiration qu'elle éprouvait elle-même.

Mais quand elle était apparue, un grand lys à la main, dans un costume copié de l'« Ancilla Domini[i] » et qu'elle avait persuadé à Robert être une véritable « vision d'art », son entrée avait été accueillie dans cette assemblée d'hommes de cercle et de duchesses par des sourires que le ton monotone de la psalmodie, la bizarrerie de certains mots, leur fréquente répétition avaient changés en fous rires, d'abord étouffés, puis si irrésistibles que la pauvre récitante n'avait pu continuer. Le lendemain, la tante de Saint-Loup avait été unanimement blâmée d'avoir laissé paraître chez elle une artiste aussi grotesque. Un duc bien

connu ne lui cacha pas qu'elle n'avait à s'en prendre qu'à
elle-même si elle se faisait critiquer :

« Que diable aussi, on ne nous sort pas des numéros
de cette force-là ! Si encore cette femme avait du talent,
mais elle n'en a et n'en aura jamais aucun. Sapristi ! Paris
n'est pas si bête qu'on veut bien le dire. La société n'est
pas composée que d'imbéciles. Cette petite demoiselle a
évidemment cru étonner Paris. Mais Paris est plus difficile
à étonner que cela et il y a tout de même des affaires qu'on
ne nous fera pas avaler. »

Quant à l'artiste, elle sortit en disant à Saint-Loup :
« Chez quelles dindes, chez quelles garces sans éducation,
chez quels goujats m'as-tu fourvoyée ? J'aime mieux te le
dire, il n'y en avait pas un, des hommes présents qui ne
m'eût fait de l'œil, du pied, et c'est parce que j'ai repoussé
leurs avances qu'ils ont cherché à se venger. »

Paroles qui avaient changé l'antipathie de Robert pour
les gens du monde en une horreur autrement profonde
et douloureuse et que lui inspiraient particulièrement ceux
qui la méritaient le moins, des parents dévoués qui,
délégués par la famille avaient cherché à persuader à l'amie
de Saint-Loup de rompre avec lui, démarche qu'elle lui
présentait comme inspirée par leur amour pour elle.
Robert quoiqu'il eût aussitôt cessé de les fréquenter
pensait, quand il était loin de son amie comme maintenant,
qu'eux ou d'autres en profitaient pour revenir à la charge
et avaient peut-être reçu ses faveurs. Et quand il parlait
des viveurs qui trompent leurs amis, cherchent à corrompre les femmes, tâchent de les faire venir dans des maisons
de passe, son visage respirait la souffrance et la haine.

« Je les tuerais avec moins de remords qu'un chien qui
est du moins une bête gentille, loyale et fidèle. En voilà
qui méritent la guillotine, plus que des malheureux qui
ont été conduits au crime par la misère et par la cruauté
des riches. »

Il passait la plus grande partie de son temps à envoyer
à sa maîtresse des lettres et des dépêches. Chaque fois que,
tout en l'empêchant de venir à Paris, elle trouvait, à
distance, le moyen d'avoir une brouille avec lui, je
l'apprenais de sa figure décomposée. Comme sa maîtresse
ne lui disait jamais ce qu'elle avait à lui reprocher,
soupçonnant que, peut-être, si elle ne le lui disait pas, c'est
qu'elle ne le savait pas et qu'elle avait simplement assez

de lui, il aurait pourtant voulu avoir des explications, il lui écrivait : « Dis-moi ce que j'ai fait de mal. Je suis prêt à reconnaître mes torts », le chagrin qu'il éprouvait ayant pour effet de le persuader qu'il avait mal agi.

Mais elle lui faisait attendre indéfiniment des réponses d'ailleurs dénuées de sens. Aussi c'est presque toujours le front soucieux et bien souvent les mains vides que je voyais Saint-Loup revenir de la poste où seul de tout l'hôtel avec Françoise, il allait chercher ou porter lui-même ses lettres, lui par impatience d'amant, elle par méfiance de domestique. (Les dépêches le forçaient à faire beaucoup plus de chemin).

Quand quelques jours après le dîner chez les Bloch, ma grand-mère me dit d'un air joyeux que Saint-Loup venait de lui demander si avant qu'il quittât Balbec elle ne voulait pas qu'il la photographiât, et quand je vis qu'elle avait mis pour cela sa plus belle toilette et hésitait entre diverses coiffures, je me sentis un peu irrité de cet enfantillage qui m'étonnait tellement de sa part. J'en arrivais même à me demander si je ne m'étais pas trompé sur ma grand-mère, si je ne la plaçais pas trop haut, si elle était aussi détachée que j'avais toujours cru de ce qui concernait sa personne, si elle n'avait pas ce que je croyais lui être le plus étranger, de la coquetterie.

Malheureusement, ce mécontentement que me causaient le projet de séance photographique et surtout la satisfaction que ma grand-mère paraissait en ressentir, je le laissai suffisamment apercevoir pour que Françoise le remarquât et s'empressât involontairement de l'accroître en me tenant un discours sentimental et attendri auquel je ne voulus pas avoir l'air d'adhérer.

« Oh ! Monsieur, cette pauvre Madame qui sera si heureuse qu'on tire son portrait, et qu'elle va même mettre le chapeau que sa vieille Françoise, elle lui a arrangé, il faut la laisser faire, Monsieur. »

Je me convainquis que je n'étais pas cruel de me moquer de la sensibilité de Françoise, en me rappelant que ma mère et ma grand-mère, mes modèles en tout, le faisaient souvent aussi. Mais ma grand-mère, s'apercevant que j'avais l'air ennuyé, me dit que si cette séance de pose pouvait me contrarier elle y renoncerait. Je ne le voulus pas, je l'assurai que je n'y voyais aucun inconvénient et la laissai se faire belle, mais crus faire preuve de pénétration et de force en lui disant quelques paroles ironiques et blessantes destinées à neutraliser le plaisir qu'elle semblait trouver à être photographiée, de sorte que si je fus contraint de voir le magnifique chapeau de ma grand-mère, je réussis du moins à faire disparaître de son visage cette expression joyeuse qui aurait dû me rendre heureux et qui, comme il arrive trop souvent tant que sont encore en vie les êtres que nous aimons le mieux, nous apparaît comme la manifestation exaspérante d'un travers mesquin plutôt que comme la forme précieuse du bonheur que nous voudrions tant leur procurer[1]. Ma mauvaise humeur venait surtout de ce que cette semaine-là, ma grand-mère avait paru me fuir et que je n'avais pu l'avoir un instant à moi, pas plus le jour que le soir. Quand je rentrais dans l'après-midi pour être un peu seul avec elle, on me disait qu'elle n'était pas là ; ou bien elle s'enfermait avec Françoise pour de longs conciliabules qu'il ne m'était pas permis de troubler. Et quand ayant passé la soirée dehors avec Saint-Loup, je songeais pendant le trajet du retour au moment où j'allais pouvoir retrouver et embrasser ma grand-mère, j'avais beau attendre qu'elle frappât contre la cloison ces petits coups qui me diraient d'entrer lui dire bonsoir, je n'entendais rien ; je finissais par me coucher, lui en voulant un peu de ce qu'elle me privât, avec une indifférence si nouvelle de sa part, d'une joie sur laquelle j'avais tant compté, je restais encore, le cœur palpitant comme dans mon enfance, à écouter le mur qui restait muet et je m'endormais dans les larmes[a].

Ce jour-là[b2] comme les précédents, Saint-Loup avait été obligé d'aller à Doncières où en attendant qu'il y rentrât d'une manière définitive, on aurait toujours besoin de lui maintenant jusqu'à la fin de l'après-midi. Je regrettais qu'il ne fût pas à Balbec. J'avais vu descendre de voiture et entrer, les unes dans la salle de danse du Casino, les autres chez le glacier, des jeunes[c] femmes qui, de loin, m'avaient paru ravissantes. J'étais dans une de ces périodes de la jeunesse, dépourvues d'un amour particulier, vacantes, où partout — comme un amoureux, la femme dont il est épris — on désire, on cherche, on voit la Beauté. Qu'un seul trait réel — le peu qu'on distingue d'une femme vue de loin, ou de dos — nous permette de projeter la Beauté devant nous, nous nous figurons l'avoir reconnue, notre cœur bat, nous pressons le pas, et nous resterons toujours à demi persuadés que c'était elle, pourvu que la femme ait disparu : ce n'est que si nous pouvons la rattraper que nous comprenons notre erreur.

D'ailleurs, de plus en plus souffrant, j'étais tenté de surfaire les plaisirs les plus simples à cause des difficultés mêmes qu'il y avait pour moi à les atteindre. Des femmes élégantes, je croyais en apercevoir partout, parce que j'étais trop fatigué si c'était sur la plage, trop timide si c'était au Casino ou dans une pâtisserie, pour les approcher nulle part. Pourtant, si je devais bientôt mourir, j'aurais aimé savoir comment étaient faites de près, en réalité, les plus jolies jeunes filles que la vie*ᵃ* pût offrir, quand même c'eût été un autre que moi, ou même personne, qui dût profiter de cette offre (je ne me rendais pas compte, en effet, qu'il y avait un désir de possession à l'origine de ma curiosité). J'aurais osé entrer dans la salle de bal, si*ᵇ* Saint-Loup avait été avec moi. Seul je restai simplement devant le Grand-Hôtel à attendre le moment d'aller retrouver ma grand-mère, quand, presque encore à l'extrémité de la digue où elles faisaient mouvoir une tache singulière, je vis s'avancer cinq ou six fillettes, aussi différentes, par l'aspect et par les façons, de toutes les personnes auxquelles on était accoutumé à Balbec, qu'aurait pu l'être, débarquée on ne sait d'où, une bande de mouettes qui exécute à pas comptés sur la plage — les retardataires rattrapant les autres en voletant — une promenade dont le but semble aussi obscur aux baigneurs qu'elles ne paraissent pas voir, que clairement déterminé pour leur esprit d'oiseaux.

Une de ces inconnues poussait devant elle, de la main, sa bicyclette[1] ; deux autres tenaient des « clubs » de golf*ᶜ* ; et leur accoutrement tranchait sur celui des autres jeunes filles de Balbec, parmi lesquelles quelques-unes, il est vrai, se livraient aux sports, mais sans adopter pour cela une tenue spéciale.

C'était l'heure où dames et messieurs venaient tous les jours faire leur tour de digue, exposés aux feux impitoyables du face-à-main que fixait sur eux, comme s'ils eussent été porteurs de quelque tare qu'elle tenait à inspecter dans ses moindres détails, la femme du premier président, fièrement assise devant le kiosque de musique, au milieu de cette rangée de chaises redoutée où eux-mêmes tout à l'heure, d'acteurs devenus critiques, viendraient s'installer pour juger à leur tour ceux qui défileraient devant eux. Tous ces gens qui longeaient la digue en tanguant aussi fort que si elle avait été le pont d'un bateau (car ils ne savaient pas lever une jambe sans du même coup remuer le bras, tourner les yeux, remettre d'aplomb leurs épaules, compenser par un mouvement balancé du côté opposé le mouvement qu'ils venaient de faire de l'autre côté, et congestionner leur face) et qui faisant semblant de ne pas voir pour faire croire qu'ils ne se souciaient pas d'elles, mais regardant à la dérobée, pour ne pas risquer de les heurter, les personnes qui marchaient à leurs côtés ou venaient en sens inverse, butaient au contraire contre elles, s'accrochaient à elles, parce qu'ils avaient été réciproquement de leur part l'objet de la même attention secrète, cachée sous le même dédain apparent ; l'amour — par conséquent la crainte — de la foule étant un des plus puissants mobiles chez tous les hommes, soit qu'ils cherchent à plaire aux autres ou à les étonner, soit à leur montrer qu'ils les méprisent. Chez le solitaire la claustration même absolue et durant jusqu'à la fin de la vie a souvent pour principe un amour déréglé de la foule qui l'emporte tellement sur tout autre sentiment que, ne pouvant obtenir, quand il sort, l'admiration de la concierge, des passants, du cocher arrêté, il préfère[a] n'être jamais vu d'eux, et pour cela renoncer à toute activité qui rendrait nécessaire de sortir.

Au milieu de tous ces gens dont quelques-uns poursuivaient une pensée, mais en trahissaient alors la mobilité par une saccade de gestes, une divagation de regards, aussi peu harmonieuses que la circonspecte titubation de leurs voisins, les fillettes que j'avais aperçues, avec la maîtrise de gestes que donne un parfait assouplissement de son propre corps et un mépris sincère du reste de l'humanité, venaient droit devant elles, sans hésitation ni raideur, exécutant exactement les mouvements qu'elles voulaient, dans une pleine indépendance de chacun de leurs membres par rapport aux autres, la plus grande partie de leur corps gardant cette immobilité si remarquable chez les bonnes valseuses. Elles n'étaient plus loin de moi. Quoique chacune fût d'un type absolument différent des autres, elles avaient toutes de la beauté ; mais, à vrai dire, je les voyais depuis si peu d'instants et sans oser les regarder fixement que je n'avais encore individualisé aucune d'elles. Sauf une, que son nez droit, sa peau brune mettaient en contraste au milieu des autres comme, dans quelque tableau de la Renaissance, un roi Mage de type arabe, elles ne m'étaient connues, l'une, que par une paire d'yeux durs, butés et rieurs ; une autre que par des joues où le rose avait cette teinte cuivrée qui évoque l'idée de géranium ; et même[a] ces traits je n'avais encore indissolublement attaché aucun d'entre eux à l'une des jeunes filles plutôt qu'à l'autre ; et quand (selon l'ordre dans lequel se déroulait cet ensemble, merveilleux parce qu'y voisinaient les aspects les plus différents, que toutes les gammes de couleurs y étaient rapprochées, mais qui était confus comme une musique où je n'aurais pas su isoler et reconnaître au moment de leur passage les phrases, distinguées mais oubliées aussitôt après) je voyais émerger un ovale blanc, des yeux noirs, des yeux verts, je ne savais pas si c'était les mêmes qui m'avaient déjà apporté du charme tout à l'heure, je ne pouvais pas les rapporter à telle jeune fille que j'eusse séparée des autres et reconnue. Et cette absence, dans ma vision, des démarcations que j'établirais bientôt entre elles, propageait à travers leur groupe un flottement harmonieux, la translation continue d'une beauté fluide, collective et mobile.

Ce n'était[b] peut-être pas, dans la vie, le hasard seul qui, pour réunir ces amies, les avait[c] toutes choisies si belles ; peut-être ces filles (dont l'attitude suffisait à révéler la nature hardie, frivole et dure,) extrêmement sensibles à tout ridicule et à toute laideur, incapables de subir un attrait d'ordre intellectuel ou moral, s'étaient-elles naturellement trouvées, parmi les camarades de leur âge, éprouver de la répulsion pour toutes celles chez qui des dispositions pensives ou sensibles se trahissaient par de la timidité, de la gêne, de la gaucherie, par ce qu'elles devaient appeler « un genre antipathique », et les avaient-elles tenues à l'écart ; tandis qu'elles s'étaient liées au contraire avec d'autres vers qui les attirait un certain mélange de grâce, de souplesse et d'élégance physique, seule forme sous laquelle elles pussent se représenter la franchise d'un caractère séduisant et la promesse de bonnes heures à passer ensemble. Peut-être aussi la classe à laquelle elles appartenaient et que je n'aurais pu préciser, était-elle à ce point de son évolution où, soit grâce à l'enrichissement et au loisir, soit grâce aux habitudes nouvelles de sport, répandues même dans certains milieux populaires[1], et d'une culture physique à laquelle ne s'est pas encore ajoutée celle de l'intelligence, un milieu social pareil aux écoles de sculpture harmonieuses et fécondes qui ne recherchent pas encore l'expression tourmentée produit naturellement, et en abondance, de beaux corps aux belles jambes, aux belles hanches, aux visages sains et reposés, avec un air d'agilité et de ruse. Et n'était-ce[d] pas de nobles et calmes modèles de beauté humaine que je voyais là, devant la mer, comme des statues exposées au soleil sur un rivage de la Grèce ?

Telles que si, du sein de leur bande qui progressait[b] le long de la digue comme une lumineuse comète, elles eussent jugé que la foule environnante était composée d'êtres d'une autre race[c] et dont la souffrance même n'eût pu éveiller en elles un sentiment de solidarité, elles ne paraissaient pas la voir, forçaient les personnes arrêtées à s'écarter ainsi que sur le passage d'une machine qui eût été lâchée et dont il ne fallait pas attendre qu'elle évitât les piétons, et se contentaient tout au plus, si quelque vieux monsieur dont elles n'admettaient pas l'existence et dont elles repoussaient le contact s'était enfui avec des mouvements craintifs ou furieux, mais précipités ou risibles, de se regarder entre elles en riant. Elles n'avaient à l'égard de ce qui n'était pas de leur groupe aucune affectation de mépris, leur mépris sincère suffisait. Mais elles ne pouvaient voir un obstacle sans s'amuser à le franchir en prenant leur élan ou à pieds joints, parce qu'elles étaient toutes remplies, exubérantes de cette jeunesse qu'on a si grand besoin de dépenser que même quand on est triste ou souffrant, obéissant plus aux nécessités de l'âge qu'à l'humeur de la journée, on ne laisse jamais passer une occasion de saut ou de glissade sans s'y livrer consciencieusement, interrompant, semant sa marche lente — comme Chopin la phrase la plus mélancolique — de gracieux détours où le caprice se mêle à la virtuosité. La femme d'un vieux banquier, après[d] avoir hésité pour son mari entre diverses expositions, l'avait assis, sur un pliant, face à la digue, abrité du vent et du soleil par le kiosque des musiciens. Le voyant bien installé, elle venait de le quitter pour aller lui acheter un journal qu'elle lui lirait et qui le distrairait, petites absences pendant lesquelles elle le laissait seul et qu'elle ne prolongeait jamais au-delà de cinq minutes, ce qui lui semblait déjà bien long, mais qu'elle renouvelait assez fréquemment pour que le vieil époux à qui elle prodiguait à la fois et dissimulait ses soins eût l'impression qu'il était encore en état de vivre comme tout le monde et n'avait nul besoin de protection. La tribune des musiciens formait au-dessus de lui un tremplin naturel et tentant sur lequel sans une hésitation l'aînée de la petite bande se mit à courir ; et elle sauta par-dessus le vieillard épouvanté, dont la casquette marine fut effleurée par les pieds agiles, au grand amusement des autres jeunes filles, surtout de deux yeux verts dans une figure poupine qui exprimèrent pour cet acte une admiration et une gaieté où je crus discerner un peu de timidité, d'une timidité honteuse et fanfaronne, qui n'existait pas chez les autres. « C'pauvre vieux, i m'fait d'la peine, il a l'air à moitié crevé », dit l'une de ces filles d'une voix rogommeuse et avec un accent à demi ironique[1]. Elles firent quelques pas encore, puis s'arrêtèrent un moment au milieu du chemin sans s'occuper d'arrêter la circulation des passants, en un agrégat de forme irrégulière, compact, insolite et piaillant, comme un conciliabule d'oiseaux qui s'assemblent au moment de s'envoler ; puis[a] elles reprirent leur lente promenade le long de la digue, au-dessus de la mer[2].

Maintenant, leurs traits charmants n'étaient plus indistincts et mêlés. Je les avais répartis et agglomérés (à défaut du nom de chacune, que j'ignorais) autour de la grande qui avait sauté par-dessus le vieux banquier ; de la petite qui détachait sur l'horizon de la mer ses joues bouffies et roses, ses yeux verts ; de celle au teint bruni, au nez droit, qui tranchait au milieu des autres ; d'une autre, au visage blanc comme un œuf dans lequel un petit nez faisait un arc de cercle comme un bec de poussin, visage comme en ont certains très jeunes gens ; d'une autre encore, grande[b], couverte d'une pèlerine (qui lui donnait un aspect si pauvre et démentait tellement sa tournure élégante que l'explication qui se présentait à l'esprit était que cette jeune fille devait avoir des parents assez brillants et plaçant leur amour-propre assez au-dessus des baigneurs de Balbec et de l'élégance vestimentaire de leurs propres enfants pour qu'il leur fût absolument égal de la laisser se promener sur la digue dans une tenue que de petites gens eussent jugée trop modeste) ; d'une fille aux yeux brillants, rieurs, aux grosses joues mates, sous un « polo » noir, enfoncé sur sa tête, qui poussait une bicyclette avec un dandinement de hanches si dégingandé, en employant des termes d'argot si voyous et criés si fort, quand je passai auprès d'elle (parmi lesquels je distinguai cependant la phrase fâcheuse de « vivre sa vie ») qu'abandonnant l'hypothèse que la pèlerine de sa camarade m'avait fait échafauder, je conclus plutôt que toutes ces filles appartenaient à la population qui fréquente les vélodromes, et devaient être les très jeunes maîtresses de coureurs cyclistes. En tout cas, dans aucune de mes suppositions, ne figurait celle qu'elles eussent pu être vertueuses. À première vue — dans la manière dont elles se regardaient en riant, dans le regard insistant de celle aux joues mates — j'avais compris qu'elles ne l'étaient pas. D'ailleurs, ma grand-mère avait toujours veillé sur moi avec une délicatesse trop timorée pour que je ne crusse pas que l'ensemble des choses qu'on ne doit pas faire est indivisible et que des jeunes filles qui manquent de respect à la vieillesse fussent tout d'un coup arrêtées par des scrupules quand il s'agit de plaisirs plus tentateurs que de sauter par-dessus un octogénaire.

Individualisées maintenant, pourtant la réplique que se donnaient les uns aux autres leurs regards animés de suffisance et d'esprit de camaraderie et dans lesquels se rallumaient d'instant en instant tantôt l'intérêt, tantôt l'insolente indifférence dont brillait chacune, selon qu'il s'agissait de ses amies ou des passants, cette conscience aussi de se connaître entre elles assez intimement pour se promener toujours ensemble, en faisant « bande à part », mettaient entre leurs corps indépendants et séparés, tandis qu'ils s'avançaient lentement, une liaison invisible, mais harmonieuse comme une même ombre chaude, une même atmosphère, faisant d'eux un tout aussi homogène en ses parties qu'il était différent de la foule au milieu de laquelle se déroulait lentement leur cortège[1].

Un instant, tandis que je passais à côté de la brune aux grosses joues qui poussait une bicyclette, je croisai ses regards obliques et rieurs, dirigés du fond de ce monde inhumain qui enfermait la vie de cette petite tribu, inaccessible inconnu où l'idée de ce que j'étais ne pouvait certainement ni parvenir ni trouver place. Tout occupée à ce que disaient ses camarades, cette jeune fille coiffée d'un polo qui descendait très bas sur son front, m'avait-elle vu au moment où le rayon noir émané de ses yeux m'avait rencontré ? Si elle m'avait vu, qu'avais-je pu lui représenter ? Du sein de quel univers me distinguait-elle ? Il m'eût été aussi difficile de le dire que lorsque certaines particularités nous apparaissent grâce au télescope, dans un astre voisin, il est^a malaisé de conclure d'elles que des humains y habitent, qu'ils nous voient, et quelles idées cette vue a pu éveiller en eux.

Si nous pensions que les yeux d'une telle fille ne sont qu'une brillante rondelle de mica, nous ne serions pas avides de connaître et d'unir à nous sa vie. Mais nous sentons que ce qui luit dans ce disque réfléchissant n'est pas dû uniquement à sa composition matérielle ; que ce sont, inconnues de nous, les noires ombres des idées que cet être se fait, relativement aux gens et aux lieux qu'il connaît — pelouses des hippodromes, sable des chemins où, pédalant à travers champs et bois, m'eût entraîné cette petite Péri[1], plus séduisante pour moi que celle du paradis persan — , les ombres aussi de la maison où elle va rentrer, des projets qu'elle forme ou qu'on a formés pour elle ; et surtout que c'est elle, avec ses désirs, ses sympathies, ses répulsions, son obscure et incessante volonté. Je savais que je ne posséderais pas cette jeune cycliste si je ne possédais aussi ce qu'il y avait dans ses yeux. Et c'était par conséquent toute sa vie qui m'inspirait du désir ; désir douloureux, parce que je le sentais irréalisable, mais enivrant, parce que ce qui avait été jusque-là ma vie ayant brusquement cessé d'être ma vie totale, n'étant plus qu'une petite partie de l'espace étendu devant moi que je brûlais de couvrir, et qui était fait de la vie de ces jeunes filles, m'offrait ce prolongement, cette multiplication possible de soi-même, qui est le bonheur. Et, sans doute, qu'il n'y eût entre nous aucune habitude — comme aucune idée — communes, devait me rendre plus difficile de me lier avec elles et de leur plaire. Mais peut-être aussi c'était grâce à ces différences, à la conscience qu'il n'entrait pas, dans la composition de la nature et des actions de ces filles, un seul élément que je connusse ou possédasse, que venait en moi de succéder à la satiété, la soif — pareille à celle dont brûle une terre altérée — d'une vie que mon âme, parce qu'elle n'en avait jamais reçu jusqu'ici une seule goutte, absorberait d'autant plus avidement, à longs traits, dans une plus parfaite imbibition.

J'avais tant regardé cette cycliste aux yeux brillants qu'elle parut s'en apercevoir et dit à la plus grande un mot que je n'entendis pas mais qui fit rire celle-ci. À vrai dire, cette brune n'était pas celle qui me plaisait le plus, justement parce qu'elle était brune et que (depuis le jour où dans le petit raidillon de Tansonville, j'avais vu Gilberte) une jeune fille rousse à la peau dorée était restée pour moi l'idéal inaccessible. Mais Gilberte elle-même, ne l'avais-je pas aimée surtout parce qu'elle m'était apparue nimbée par cette auréole d'être l'amie de Bergotte, d'aller visiter avec lui les cathédrales ? Et de la même façon ne pouvais-je me réjouir d'avoir vu cette brune me regarder (ce qui me faisait espérer qu'il me serait plus facile d'entrer en relations avec elle d'abord), car elle me présenterait aux autres, à l'impitoyable[a] qui avait sauté par-dessus le vieillard, à la cruelle qui avait dit : « Il me fait de la peine, ce pauvre vieux » ; à toutes successivement, desquelles elle avait d'ailleurs le prestige d'être l'inséparable compagne. Et cependant, la supposition que je pourrais un jour être l'ami de telle ou telle de ces jeunes filles, que ces yeux dont les regards inconnus me frappaient parfois en jouant sur moi sans le savoir comme un effet de soleil sur un mur, pourraient jamais par une alchimie miraculeuse laisser transpénétrer entre leurs parcelles ineffables l'idée de mon existence, quelque amitié pour ma personne, que moi-même je pourrais un jour prendre place entre elles, dans la théorie qu'elles déroulaient le long de la mer, — cette supposition me paraissait enfermer en elle une contra-diction aussi insoluble, que si devant quelque frise antique[b] ou quelque fresque figurant un cortège, j'avais cru possible, moi spectateur, de prendre place, aimé d'elles, entre les divines processionnaires.

Le bonheur de connaître ces jeunes filles était-il donc irréalisable ? Certes ce n'eût pas été le premier de ce genre auquel j'eusse renoncé. Je n'avais qu'à me rappeler tant d'inconnues que, même à Balbec, la voiture s'éloignant à toute vitesse m'avait fait à jamais abandonner. Et même le plaisir que me donnait la petite bande noble comme si elle était composée de vierges helléniques, venait de ce qu'elle avait quelque chose de la fuite des passantes sur la route. Cette fugacité des êtres qui ne sont pas connus de nous, qui nous forcent à démarrer de la vie habituelle où les femmes que nous fréquentons finissent[a] par dévoiler leurs tares, nous met dans cet état de poursuite où rien n'arrête plus l'imagination. Or dépouiller d'elle nos plaisirs, c'est les réduire à eux-mêmes, à rien. Offertes chez une de ces entremetteuses que, par ailleurs, on a vu que je ne méprisais pas, retirées de l'élément qui leur donnait tant de nuances et de vague, ces jeunes filles m'eussent[b] moins enchanté. Il faut que l'imagination, éveillée par l'incertitude de pouvoir atteindre son objet, crée un but qui nous cache l'autre, et en substituant au plaisir sensuel l'idée de pénétrer dans une vie, nous empêche de reconnaître ce plaisir, d'éprouver son goût véritable, de le restreindre à sa portée. Il faut qu'entre nous et le poisson qui si nous le voyions pour la première fois servi sur une table ne paraîtrait pas valoir les mille ruses et détours nécessaires pour nous emparer de lui, s'interpose, pendant les après-midi de pêche, le remous à la surface duquel viennent affleurer, sans que nous sachions bien ce que nous voulons en faire, le poli d'une chair, l'indécision d'une forme, dans la fluidité d'un transparent et mobile azur.

Ces jeunes filles bénéficiaient aussi de ce changement des proportions sociales, caractéristiques de la vie de bains de mer. Tous les avantages qui dans notre milieu habituel nous prolongent, nous agrandissent, se trouvent là devenus invisibles, en fait supprimés ; en revanche les êtres à qui on suppose indûment de tels avantages, ne s'avancent qu'amplifiés d'une étendue postiche. Elle rendait plus aisé que des inconnues et ce jour-là ces jeunes filles, prissent à mes yeux une importance énorme, et impossible de leur faire connaître celle que je pouvais avoir.

Mais si la promenade de la petite bande avait pour elle de n'être qu'un extrait de la fuite innombrable de passantes, laquelle m'avait toujours troublé, cette fuite était ici ramenée à un mouvement tellement lent qu'il se rapprochait de l'immobilité. Or, précisément, que dans une phase aussi peu rapide, les visages non plus emportés dans un tourbillon, mais calmes et distincts, me parussent encore beaux, cela m'empêchait de croire, comme je l'avais fait si souvent quand m'emportait la voiture de Mme de Villeparisis, que, de plus près, si je me fusse arrêté un

instant, tels détails, une peau grêlée, un défaut dans les
ailes du nez, un regard banal, la grimace du sourire, une
vilaine taille, eussent remplacé dans le visage et dans le
corps de la femme ceux que j'avais[a] sans doute imaginés ;
car il avait suffi d'une jolie ligne de corps, d'un teint frais
entrevu, pour que de très bonne foi j'y eusse ajouté
quelque ravissante épaule, quelque regard délicieux dont
je portais toujours en moi le souvenir ou l'idée préconçue,
ces déchiffrages rapides d'un être qu'on voit à la volée
nous exposant ainsi aux mêmes erreurs que ces lectures
trop rapides où, sur une seule syllabe et sans prendre le
temps d'identifier les autres, on met à la place du mot qui
est écrit, un tout différent que nous fournit notre mémoire.
Il ne pouvait en être ainsi maintenant. J'avais bien regardé
leurs visages ; chacun d'eux je l'avais vu, non pas dans tous
ses profils, et rarement de face, mais tout de même selon
deux ou trois aspects assez différents pour que je pusse
faire soit la rectification, soit la vérification et la « preuve »
des différentes suppositions de lignes et de couleurs que
hasarde la première vue, et pour voir subsister en eux,
à travers les expressions successives, quelque chose
d'inaltérablement matériel. Aussi, je pouvais me dire avec
certitude que, ni à Paris, ni à Balbec, dans les hypothèses
les plus favorables de ce qu'auraient pu être, même si
j'avais pu rester à causer avec elles, les passantes qui avaient
arrêté mes yeux, il n'y en avait jamais eu dont l'apparition,
puis la disparition sans que je les eusse connues, m'eussent
laissé plus de regrets que ne feraient celles-ci, m'eussent
donné l'idée que leur amitié pût être une telle ivresse.
Ni[b] parmi les actrices, ou les paysannes, ou les demoiselles
de pensionnat[c] religieux, je n'avais rien vu d'aussi beau,
imprégné d'autant d'inconnu, aussi inestimablement précieux, aussi vraisemblablement inaccessible. Elles étaient,
du bonheur inconnu et possible de la vie, un exemplaire
si délicieux et en si parfait état, que c'était presque pour
des raisons intellectuelles que j'étais désespéré de ne pas
pouvoir faire dans des conditions uniques, ne laissant
aucune place à l'erreur possible, l'expérience de ce que
nous offre de plus mystérieux la beauté qu'on désire et
qu'on se console de ne posséder jamais en demandant du
plaisir — comme Swann avait toujours refusé de faire,
avant Odette — à des femmes qu'on n'a pas désirées, si
bien qu'on meurt sans avoir jamais su ce qu'était cet autre

plaisir. Sans doute, il se pouvait qu'il ne fût pas en réalité
un plaisir inconnu, que de près son mystère se dissipât,
qu'il ne fût qu'une projection, qu'un mirage du désir.
Mais, dans ce cas, je ne pourrais m'en prendre qu'à la
nécessité d'une loi de la nature — qui si elle s'appliquait
à ces jeunes filles-ci, s'appliquerait à toutes — et non à
la défectuosité de l'objet. Car il était celui que j'eusse choisi
entre tous, me rendant bien compte, avec une satisfaction
de botaniste, qu'il n'était pas possible de trouver réunies
des espèces plus rares que celles de ces jeunes fleurs qui
interrompaient en ce moment devant moi la ligne du flot
de leur haie légère, pareille à un bosquet de roses de
Pennsylvanie[1], ornement d'un jardin sur la falaise, entre
lesquelles tient tout le trajet de l'océan parcouru par
quelque steamer, si lent à glisser sur le trait horizontal et
bleu qui va d'une tige à l'autre, qu'un papillon paresseux,
attardé au fond de la corolle que la coque du navire a
depuis longtemps dépassée, peut pour s'envoler en étant
sûr d'arriver avant le vaisseau, attendre que rien qu'une
seule parcelle azurée sépare encore la proue de celui-ci
du premier pétale de la fleur vers laquelle il navigue[2].

Je rentrai parce que[a] je devais aller dîner à Rivebelle
avec Robert et que ma grand-mère exigeait qu'avant de
partir je m'étendisse ces soirs-là pendant une heure sur
mon lit, sieste que le médecin de Balbec m'ordonna
bientôt d'étendre à tous les autres soirs.

D'ailleurs, il n'y avait même pas besoin pour rentrer
de quitter la digue et de pénétrer dans l'hôtel par le hall,
c'est-à-dire par derrière. En vertu d'une avance comparable
à celle du samedi où à Combray on déjeunait une heure
plus tôt, maintenant avec le plein de l'été les jours étaient
devenus si longs que le soleil était encore haut dans le
ciel, comme à une heure de goûter, quand on mettait le
couvert pour le dîner au Grand-Hôtel de Balbec. Aussi
les grandes fenêtres vitrées et à coulisses restaient-elles
ouvertes de plain-pied avec la digue. Je n'avais qu'à
enjamber un mince cadre de bois pour me trouver dans
la salle à manger que je quittais aussitôt pour prendre
l'ascenseur.

En passant devant le bureau j'adressai un sourire au
directeur, et sans l'ombre de dégoût, en recueillis un dans
sa figure que, depuis que j'étais à Balbec, mon attention
compréhensive injectait et transformait peu à peu comme

une préparation d'histoire naturelle. Ses traits m'étaient devenus courants, chargés d'un sens médiocre, mais intelligible comme une écriture qu'on lit et ne ressemblaient plus en rien à ces caractères bizarres, intolérables que son visage m'avait présentés ce premier jour où j'avais vu devant moi un personnage maintenant oublié ou, si je parvenais à l'évoquer, méconnaissable, difficile à identifier avec la personnalité insignifiante et polie dont il n'était que la caricature, hideuse et sommaire. Sans la timidité ni la tristesse du soir de mon arrivée, je sonnai le lift qui ne restait plus silencieux pendant que je m'élevais[a] à côté de lui dans l'ascenseur, comme dans une cage thoracique mobile qui se fût déplacée le long de la colonne montante, mais me répétait : « Il y a plus autant de monde comme il y a un mois. On va commencer à s'en aller, les jours baissent. » Il disait cela, non que ce fût vrai, mais parce qu'ayant un engagement pour une partie plus chaude de la côte, il aurait voulu que nous partissions tous le plus tôt possible afin que l'hôtel fermât et qu'il eût quelques jours à lui, avant de « rentrer » dans sa nouvelle place. « Rentrer » et « nouvelle » n'étaient du reste pas des expressions contradictoires, car pour le lift « rentrer » était la forme usuelle du verbe « entrer ». La seule chose qui m'étonnât était qu'il condescendît à dire « place », car il appartenait à ce prolétariat moderne qui désire effacer dans le langage la trace du régime de la domesticité. Du reste, au bout d'un instant, il m'apprit que dans « la situation » où il allait « rentrer », il aurait une plus jolie « tunique » et un meilleur « traitement » ; les mots « livrée » et « gages » lui paraissaient désuets et inconvenants. Et comme, par une contradiction absurde, le vocabulaire a, malgré tout, chez les « patrons », survécu à la conception de l'inégalité, je comprenais toujours mal ce que me disait le lift. Ainsi la seule chose qui m'intéressât était de savoir si ma grand-mère était à l'hôtel. Or, prévenant mes questions, le lift me disait : « Cette dame vient de sortir de chez vous. » J'y étais toujours pris, je croyais que c'était ma grand-mère. « Non, cette dame qui est je crois employée chez vous. » Comme dans l'ancien langage bourgeois qui devrait bien être aboli, une cuisinière ne s'appelle pas une employée, je pensais un instant : « Mais il se trompe, nous ne possédons ni usine, ni employés. » Tout d'un coup, je me rappelais que le nom d'employé est comme le port de la moustache pour les garçons de café, une satisfaction d'amour-propre donnée aux domestiques et que cette dame qui venait de sortir était Françoise (probablement en visite à la caféterie[1] ou en train de regarder coudre la femme de chambre de la dame belge), satisfaction qui ne suffisait pas encore au lift car il disait volontiers en s'apitoyant sur sa propre classe « chez l'ouvrier » ou « chez le petit », se servant du même singulier que Racine quand il dit : « le pauvre[2]... ». Mais d'habitude, car mon zèle et ma timidité du premier jour étaient loin, je ne parlais plus au lift. C'était lui maintenant[a] qui restait sans recevoir de réponses dans la courte traversée dont il filait les nœuds à travers l'hôtel, évidé comme un jouet et qui déployait autour de nous, étage par étage, ses ramifications de couloirs dans les profondeurs desquels la lumière se veloutait, se dégradait, amincissait les portes de communication ou les degrés des escaliers intérieurs qu'elle convertissait en cette ambre dorée, inconsistante et mystérieuse comme un crépuscule, où Rembrandt découpe tantôt l'appui d'une fenêtre ou la manivelle d'un puits[3]. Et à chaque étage une lueur d'or reflétée sur le tapis annonçait le coucher du soleil et la fenêtre des cabinets.

Je me demandais si les jeunes filles que je venais de voir habitaient Balbec et qui elles pouvaient être. Quand le désir est ainsi orienté vers une petite tribu humaine qu'il sélectionne, tout ce qui peut se rattacher à elle devient motif d'émotion, puis de rêverie. J'avais entendu une dame dire sur la digue : « C'est une amie de la petite Simonet[4] » avec l'air de précision avantageuse de quelqu'un qui explique : « C'est le camarade inséparable du petit de la Rochefoucauld. » Et aussitôt on avait senti sur la figure de la personne à qui on apprenait cela une curiosité de mieux regarder la personne favorisée qui était « amie de la petite Simonet ». Un privilège assurément qui ne paraissait pas donné à tout le monde. Car l'aristocratie est une chose relative. Et il y a des petits trous pas chers où le fils d'un marchand de meubles est prince des élégances et règne sur une cour comme un jeune prince de Galles. J'ai souvent cherché depuis à me rappeler comment avait résonné pour moi sur la plage ce nom de Simonet, encore incertain alors dans sa forme que j'avais mal distinguée, et aussi quant à sa signification, à la désignation par lui de telle personne ou peut-être de telle autre ; en somme empreint de ce vague et de cette nouveauté si émouvants pour nous dans la suite, quand ce nom dont les lettres sont à chaque seconde plus profondément gravées en nous par notre attention incessante, est devenu (ce qui ne devait arriver pour moi, à l'égard de la petite Simonet, que quelques années plus tard) le premier vocable que nous retrouvions (soit au moment du réveil, soit après un évanouissement), même avant la notion de l'heure qu'il est, du lieu où nous sommes, presque avant le mot « je », comme si l'être qu'il nomme était plus nous que nous-même, et si après quelques moments d'inconscience, la trêve qui expire avant toute autre était[a] celle pendant laquelle on ne pensait pas à lui. Je ne sais pourquoi je me dis dès le premier jour que le nom de Simonet devait être[b] celui d'une des jeunes filles ; je ne cessai plus de me demander comment je pourrais connaître la famille Simonet ; et cela par des gens qu'elle jugeât supérieurs à elle-même, ce qui ne devait pas être difficile si ce n'étaient que de petites grues du peuple, pour qu'elle[c] ne pût avoir une idée dédaigneuse de moi. Car on ne peut avoir de connaissance parfaite, on ne peut pratiquer l'absorption complète de qui vous dédaigne, tant qu'on n'a pas vaincu ce dédain. Or, chaque fois que l'image de femmes si différentes pénètre en nous, à moins que l'oubli ou la concurrence d'autres images ne l'élimine, nous n'avons de repos que nous n'ayons converti ces étrangères en quelque chose qui soit pareil à nous, notre âme étant à cet égard douée du même genre de réaction et d'activité que notre organisme physique, lequel ne peut tolérer l'immixtion dans son sein d'un corps étranger sans qu'il s'exerce aussitôt à digérer et assimiler l'intrus. La petite Simonet devait être la plus jolie de toutes — celle, d'ailleurs, qui, me semblait-il, aurait pu devenir ma maîtresse, car elle était la seule qui à deux ou trois reprises, détournant à demi la tête, avait paru prendre conscience de mon fixe regard. Je demandai[d] au lift s'il ne connaissait pas à Balbec des Simonet. N'aimant pas à dire qu'il ignorait quelque chose il répondit qu'il lui semblait avoir entendu causer de ce nom-là. Arrivé au dernier étage, je le priai de me faire apporter les dernières listes d'étrangers.

Je sortis de l'ascenseur[e], mais au lieu d'aller vers ma chambre je m'engageai plus avant dans le couloir, car à cette heure-là le valet de chambre de l'étage, quoiqu'il craignît les courants d'air, avait ouvert la fenêtre du bout, laquelle regardait, au lieu de la mer, le côté de la colline et de la vallée, mais ne les laissait jamais voir, car ses vitres, d'un verre opaque, étaient le plus souvent fermées. Je m'arrêtai devant elle en une courte station et le temps de faire mes dévotions à la « vue » que pour une fois elle découvrait au-delà de la colline à laquelle était adossé l'hôtel et qui[a] ne contenait qu'une maison posée à quelque distance mais à laquelle la perspective et la lumière du soir en lui conservant son volume donnaient une ciselure précieuse et un écrin de velours, comme à une de ces architectures en miniature, petit temple ou petite chapelle d'orfèvrerie et d'émaux qui servent de reliquaires et qu'on n'expose qu'à de rares jours à la vénération des fidèles. Mais cet instant d'adoration avait déjà trop duré, car le valet de chambre qui tenait d'une main un trousseau de clefs et de l'autre me saluait en touchant sa calotte de sacristain, mais sans la soulever à cause de l'air pur et frais du soir, venait refermer comme ceux d'une châsse les deux battants de la croisée et dérobait à mon adoration le monument réduit et la relique d'or. J'entrai dans ma chambre. Au fur et à mesure que la saison s'avança, changea le tableau que j'y trouvais dans la fenêtre. D'abord il faisait grand jour, et sombre seulement s'il faisait mauvais temps ; alors, dans le verre glauque et qu'elle boursouflait de ses vagues rondes, la mer, sertie entre les montants de fer de ma croisée comme dans les plombs d'un vitrail, effilochait sur toute la profonde bordure rocheuse de la baie des triangles empennés d'une immobile écume linéamentée avec la délicatesse d'une plume ou d'un duvet dessinés par Pisanello, et fixés par cet émail blanc, inaltérable et crémeux qui figure une couche de neige dans les verreries de Gallé[1].

Bientôt les jours diminuèrent et au moment où j'entrais dans la chambre, le ciel violet, qui semblait stigmatisé[b] par la figure raide, géométrique, passagère et fulgurante du soleil (pareille à la représentation de quelque signe miraculeux, de quelque apparition mystique), s'inclinait vers la mer sur la charnière de l'horizon comme un tableau religieux au-dessus du maître-autel[2], tandis que les parties différentes du couchant, exposées dans les glaces des bibliothèques basses en acajou qui couraient le long des

murs et que je rapportais par la pensée à la merveilleuse
peinture dont elles étaient détachées, semblaient comme
ces scènes différentes que quelque maître ancien exécuta
jadis pour une confrérie sur une châsse et dont on exhibe
à côté les uns des autres dans une salle de musée les volets
séparés que l'imagination seule du visiteur remet à leur
place sur les prédelles du retable[1]. Quelques semaines plus
tard, quand je remontais, le soleil était déjà couché.
Pareille à celle que je voyais à Combray au-dessus du
Calvaire quand je rentrais de promenade et m'apprêtais[a]
à descendre avant le dîner à la cuisine, une bande de ciel
rouge au-dessus de la mer compacte et coupante comme
de la gelée de viande, puis bientôt, sur la mer déjà froide
et bleue comme le poisson appelé mulet, le ciel du même
rose qu'un de ces saumons que nous nous ferions servir
tout à l'heure à Rivebelle ravivaient le plaisir que j'allais
avoir à me mettre en habit pour partir dîner. Sur la mer,
tout près du rivage, essayaient de s'élever, les unes
par-dessus les autres, à étages de plus en plus larges, des
vapeurs d'un noir de suie mais aussi d'un poli, d'une
consistance d'agate, d'une pesanteur visible, si bien que
les plus élevées penchant au-dessus de la tige déformée
et jusqu'en dehors du centre de gravité de celles qui les
avaient soutenues jusqu'ici, semblaient sur le point
d'entraîner cet échafaudage déjà à demi-hauteur du ciel
et de le précipiter dans la mer. La vue d'un vaisseau qui
s'éloignait comme un voyageur de nuit me donnait cette
même impression que j'avais eue en wagon, d'être
affranchi des nécessités du sommeil et de la claustration
dans une chambre. D'ailleurs je ne me sentais pas
emprisonné dans celle où j'étais puisque dans une heure
j'allais la quitter pour monter en voiture. Je me jetais sur
mon lit ; et, comme si j'avais été sur la couchette d'un des
bateaux que je voyais assez près de moi et que la nuit on
s'étonnerait de voir se déplacer lentement dans l'obscurité,
comme des cygnes assombris et silencieux mais qui ne
dorment pas, j'étais de tous côtés entouré des images de
la mer.

Mais bien souvent ce n'était, en effet, que des images ;
j'oubliais que sous leur couleur se creusait le triste vide
de la plage, parcouru par le vent inquiet du soir que j'avais
si anxieusement ressenti à mon arrivée à Balbec ; d'ailleurs,
même dans ma chambre, tout occupé des jeunes filles que

j'avais vues passer, je n'étais plus dans des dispositions
assez calmes ni assez désintéressées pour que pussent se
produire en moi des impressions[a] vraiment profondes de
beauté. L'attente du dîner à Rivebelle rendait mon humeur
plus frivole encore et ma pensée, habitant à ces moments-là
la surface de mon corps que j'allais habiller pour tâcher
de paraître le plus plaisant possible aux regards féminins
qui me dévisageraient dans le restaurant illuminé, était
incapable de mettre de la profondeur derrière la couleur
des choses. Et si, sous ma fenêtre, le vol inlassable et doux
des martinets et des hirondelles n'avait pas monté comme
un jet d'eau, comme un feu d'artifice de vie, unissant
l'intervalle de ses hautes fusées par la filée immobile et
blanche de longs sillages horizontaux, sans le miracle
charmant de ce phénomène naturel et local qui rattachait
à la réalité les paysages que j'avais devant les yeux, j'aurais
pu croire qu'ils n'étaient qu'un choix, chaque jour
renouvelé, de peintures qu'on montrait arbitrairement
dans l'endroit où je me trouvais et sans qu'elles eussent
de rapport nécessaire avec lui. Une fois c'était une
exposition d'estampes japonaises : à côté de la mince
découpure du soleil rouge et rond comme la lune, un
nuage jaune paraissait un lac contre lequel des glaives noirs
se profilaient ainsi que les arbres de sa rive, une barre d'un
rose tendre que je n'avais jamais revu depuis ma première
boîte de couleurs s'enflait comme un fleuve sur les deux
rives duquel des bateaux semblaient attendre à sec qu'on
vînt les tirer pour les mettre à flot. Et avec le regard
dédaigneux, ennuyé et frivole d'un amateur ou d'une
femme parcourant, entre deux visites mondaines, une
galerie, je me disais : « C'est curieux, ce coucher de soleil,
c'est différent, mais enfin j'en ai déjà vu d'aussi délicats,
d'aussi étonnants que celui-ci. » J'avais plus de plaisir les
soirs où un navire absorbé et fluidifié par l'horizon
apparaissait tellement de la même couleur que lui, ainsi
que dans une toile impressionniste, qu'il semblait aussi de
la même matière, comme si on n'eût fait que découper
sa coque et les cordages en lesquels elle s'était amincie
et filigranée[b] dans le bleu vaporeux du ciel. Parfois l'océan
emplissait presque toute ma fenêtre, surélevée qu'elle était
par une bande de ciel bordée en haut seulement d'une
ligne qui était du même bleu que celui de la mer, mais
qu'à cause de cela je croyais être la mer encore[c] et ne

devant sa couleur différente qu'à un effet d'éclairage[1]. Un
autre jour, la mer n'était peinte que dans la partie basse
de la fenêtre dont tout le reste était rempli de tant de
nuages poussés les uns contre les autres par bandes
horizontales, que les carreaux avaient l'air, par une
préméditation ou une spécialité de l'artiste, de présenter
une « étude de nuages », cependant que les différentes
vitrines de la bibliothèque montrant des nuages semblables
mais dans une autre partie de l'horizon et diversement
colorés par la lumière, paraissaient offrir comme la
répétition, chère à certains maîtres contemporains, d'un
seul et même effet, pris toujours à des heures différentes
mais qui maintenant avec l'immobilité de l'art pouvaient
être tous vus ensemble dans une même pièce, exécutés
au pastel et mis sous verre. Et parfois sur le ciel et la mer
uniformément gris, un peu de rose s'ajoutait avec un
raffinement exquis, cependant qu'un petit papillon qui
s'était endormi au bas de la fenêtre semblait apposer avec
ses ailes, au bas de cette « harmonie gris et rose » dans
le goût de celles de Whistler, la signature favorite du
maître de Chelsea[2]. Le rose même disparaissait, il n'y avait
plus rien à regarder. Je me mettais debout un instant et
avant de m'étendre de nouveau, je fermais les grands
rideaux. Au-dessus d'eux, je voyais de mon lit la raie de
clarté qui y restait encore, s'assombrissant, s'amincissant
progressivement, mais c'est sans m'attrister et sans lui
donner de regret que je laissais ainsi mourir au haut des
rideaux l'heure où d'habitude j'étais à table, car je savais
que ce jour-ci était d'une autre sorte que les autres, plus
long comme ceux du pôle que la nuit interrompt seulement
quelques minutes ; je savais que de la chrysalide de ce
crépuscule se préparait à sortir, par une radieuse métamorphose, la lumière éclatante du restaurant de Rivebelle. Je
me disais : « Il est temps » ; je m'étirais sur le lit, je me
levais, j'achevais ma toilette ; et je trouvais du charme à
ces instants inutiles, allégés de tout fardeau matériel, où
tandis qu'en bas les autres dînaient, je n'employais les
forces accumulées pendant l'inactivité de cette fin de
journée qu'à sécher mon corps, à passer un smoking, à
attacher ma cravate, à faire tous ces gestes que guidait déjà
le plaisir attendu de revoir telle femme que j'avais
remarquée la dernière fois à Rivebelle, qui avait paru me
regarder, n'était peut-être sortie un instant de table que

dans l'espoir que je la suivrais ; c'est avec joie que j'ajoutais
à moi tous ces appâts pour me donner entier et dispos à
une vie nouvelle, libre, sans souci, où j'appuierais mes
hésitations au calme de Saint-Loup et choisirais entre les
espèces de l'histoire naturelle et les provenances de tous
les pays, celles qui, composant les plats inusités aussitôt
commandés par mon ami, auraient tenté ma gourmandise
ou mon imagination.

Et tout à la fin, les jours vinrent où je ne pouvais plus
rentrer de la digue par la salle à manger, ses vitres n'étaient
plus ouvertes, car il faisait nuit dehors, et l'essaim des
pauvres et des curieux attirés par le flamboiement qu'ils
ne pouvaient atteindre pendait, en noires grappes morfon-
dues par la bise, aux parois lumineuses et glissantes de
la ruche de verre.

On frappa ; c'était Aimé qui avait tenu à m'apporter
lui-même les dernières listes d'étrangers.

Aimé[a] avant de se retirer, tint à me dire que Dreyfus
était mille fois coupable. « On saura tout, me dit-il, pas
cette année, mais l'année prochaine : c'est un monsieur
très lié dans l'état-major qui me[b] l'a dit[1]. » Je lui demandais
si on ne se déciderait pas à tout découvrir tout de suite
avant la fin de l'année. « Il a posé sa cigarette », continua
Aimé en mimant la scène et en secouant la tête et l'index
comme avait fait son client, voulant[c] dire : il ne faut pas
être trop exigeant. « Pas cette année, Aimé, qu'il m'a dit
en me touchant l'épaule, ce n'est pas possible. Mais à
Pâques, oui ! » Et Aimé me frappa légèrement sur l'épaule
en me disant : « Vous voyez, je vous montre exactement
comme il a fait », soit qu'il fût flatté de cette familiarité
d'un grand personnage, soit[d] pour que je pusse mieux
apprécier en pleine connaissance de cause la valeur de
l'argument et nos raisons d'espérer.

Ce ne fut pas sans un léger choc au cœur qu'à la
première page de la liste des étrangers, j'aperçus les mots :
« Simonet et famille. » J'avais en moi de vieilles rêveries
qui dataient de mon enfance et où toute la tendresse[e] qui
était dans mon cœur mais qui, éprouvée par lui, ne s'en
distinguait pas, m'était apportée par un être aussi différent
que possible de moi. Cet être, une fois de plus je le
fabriquais, en utilisant pour cela le nom de Simonet et le
souvenir de l'harmonie qui régnait entre les jeunes corps
que j'avais vus se déployer sur la plage en une procession

sportive digne de l'antique et de Giotto[1]. Je ne savais pas
laquelle de ces jeunes filles était Mlle Simonet, si aucune
d'elles s'appelait ainsi, mais je savais que j'étais aimé de
Mlle Simonet et que j'allais grâce à Saint-Loup essayer de
la connaître. Malheureusement, n'ayant obtenu qu'à cette
condition une prolongation de congé, il était obligé de
retourner tous les jours à Doncières ; mais, pour le faire
manquer à ses obligations militaires, j'avais cru pouvoir
compter, plus encore que sur son amitié pour moi, sur
cette même curiosité de naturaliste humain que si souvent
— même sans avoir vu la personne dont on parlait et rien
qu'à entendre dire qu'il y avait une jolie caissière chez
un fruitier — j'avais[a] eue de faire connaissance avec une
nouvelle variété de la beauté féminine. Or, cette curiosité,
c'est à tort que j'avais espéré l'exciter chez Saint-Loup en
lui parlant de mes jeunes filles. Car elle était pour
longtemps paralysée en lui par l'amour qu'il avait pour
cette actrice dont il était l'amant. Et même l'eût-il
légèrement ressentie qu'il l'eût réprimée, à cause d'une
sorte de croyance superstitieuse que de sa propre fidélité
pouvait dépendre celle de sa maîtresse. Aussi fut-ce sans
qu'il m'eût promis de s'occuper activement de mes jeunes
filles que nous partîmes dîner à Rivebelle.

Les premiers temps[b], quand nous y arrivions, le soleil
venait de se coucher, mais il faisait encore clair ; dans le
jardin du restaurant dont les lumières n'étaient pas encore
allumées, la chaleur du jour tombait, se déposait, comme
au fond d'un vase le long des parois duquel la gelée
transparente et sombre de l'air semblait si consistante
qu'un grand rosier, appliqué au mur obscurci qu'il veinait
de rose, avait l'air de l'arborisation qu'on voit au fond
d'une pierre d'onyx. Bientôt[c] ce ne fut qu'à la nuit que
nous descendions de voiture, souvent même que nous
partions de Balbec si le temps était mauvais et que nous
eussions retardé le moment de faire atteler, dans l'espoir
d'une accalmie. Mais ces jours-là, c'est sans tristesse que
j'entendais le vent souffler, je savais qu'il ne signifiait pas
l'abandon de mes projets, la réclusion dans une chambre,
je savais que, dans la grande salle à manger du restaurant
où nous entrerions au son de la musique des tziganes, les
innombrables lampes triompheraient aisément de l'obscurité et du froid en leur appliquant leurs larges cautères
d'or, et je montais gaiement à côté de Saint-Loup dans

le coupé qui nous attendait sous l'averse. Depuis quelque temps, les paroles de Bergotte se disant convaincu que, malgré ce que je prétendais, j'étais fait pour goûter surtout les plaisirs de l'intelligence, m'avaient rendu au sujet de ce que je pourrais faire plus tard une espérance que décevait chaque jour l'ennui que j'éprouvais à me mettre devant une table à commencer une étude critique ou un roman. « Après tout, me disais-je, peut-être le plaisir qu'on a eu à l'écrire n'est-il pas le critérium infaillible de la valeur d'une belle page ; peut-être n'est-il qu'un état accessoire qui s'y surajoute souvent, mais dont le défaut ne peut préjuger contre elle. Peut-être certains chefs-d'œuvre ont-ils été composés en bâillant[1]. » Ma grand-mère apaisait mes doutes en me disant que je travaillerais bien et avec joie si je me portais bien. Et, notre médecin ayant trouvé plus prudent de m'avertir des graves risques auxquels pouvait m'exposer mon état de santé, et m'ayant tracé toutes les précautions d'hygiène à suivre pour éviter un accident, je subordonnais tous les plaisirs au but, que je jugeais infiniment plus important qu'eux, de devenir assez fort pour pouvoir réaliser l'œuvre que je portais peut-être en moi, j'exerçais sur moi-même depuis que j'étais à Balbec un contrôle minutieux et constant. On n'aurait pu[a] me faire toucher à la tasse de café qui m'eût privé du sommeil de la nuit, nécessaire pour ne pas être fatigué le lendemain. Mais quand nous arrivions à Rivebelle, aussitôt — à cause de l'excitation d'un plaisir nouveau et me trouvant dans cette zone différente où l'exceptionnel nous fait entrer après avoir coupé le fil, patiemment tissé depuis tant de jours, qui nous conduisait vers la sagesse — comme s'il ne devait plus jamais y avoir de lendemain, ni de fins élevées à réaliser, disparaissait ce mécanisme précis de prudente hygiène qui fonctionnait pour les sauvegarder. Tandis qu'un valet de pied me demandait mon paletot, Saint-Loup me disait :

« Vous n'aurez pas froid ? Vous feriez peut-être[b] mieux de le garder, il ne fait pas très chaud. »

Je répondais : « Non, non », et peut-être je ne sentais pas le froid, mais en tout cas je ne savais plus la peur de tomber malade, la nécessité de ne pas mourir, l'importance de travailler. Je donnais mon paletot ; nous entrions dans la salle du restaurant aux sons de quelque marche guerrière jouée par les tziganes, nous nous avancions entre les rangées des tables servies comme dans un facile chemin de gloire, et, sentant l'ardeur joyeuse imprimée à notre corps par les rythmes de l'orchestre qui nous décernait ses honneurs militaires et ce triomphe immérité, nous la dissimulions sous une mine grave et glacée, sous une démarche pleine de lassitude, pour ne pas imiter ces gommeuses de café-concert qui, venant chanter^d sur un air belliqueux un couplet grivois, entrent en courant sur la scène avec la contenance martiale d'un général vainqueur.

À partir de ce moment-là, j'étais un homme nouveau, qui n'était plus le petit-fils de ma grand-mère et ne se souviendrait d'elle qu'en sortant, mais le frère momentané des garçons qui allaient nous servir.

La dose de bière, à plus forte raison de champagne, qu'à^b Balbec je n'aurais pas voulu atteindre en une semaine, alors pourtant qu'à ma conscience calme et lucide la saveur de ces breuvages représentait un plaisir claire-ment appréciable mais aisément sacrifié, je l'absorbais en une heure en y^c ajoutant quelques gouttes de porto, trop distrait pour pouvoir le goûter, et je donnais au violoniste qui venait de jouer, les deux « louis » que j'avais économisés depuis un mois en vue d'un achat que je ne me rappelais pas. Quelques-uns des garçons qui servaient, lâchés entre les tables, fuyaient à toute vitesse, ayant sur leurs paumes tendues un plat que cela semblait être le but de ce genre de courses de ne pas laisser choir. Et de fait, les soufflés au chocolat arrivaient à destination sans avoir été renversés, les pommes à l'anglaise, malgré le galop qui avait dû les secouer, rangées comme au départ autour de l'agneau de Pauillac. Je remarquai un de ces servants, très grand, emplumé de superbes cheveux noirs, la figure fardée d'un teint qui rappelait davantage certaines espèces d'oiseaux rares que l'espèce humaine et qui, courant sans trêve et, eût-on dit, sans but, d'un bout à l'autre de la salle, faisait penser à quelqu'un de ces « aras » qui remplissent les grandes volières des jardins zoologiques de leur ardent coloris et de leur incompréhensible agitation. Bientôt le spectacle s'ordonna, à mes yeux du moins, d'une façon plus noble et plus calme. Toute cette activité vertigineuse se fixait en une calme harmonie. Je regardais^d les tables rondes dont l'assemblée innombrable emplissait le restau-rant, comme autant de planètes, telles que celles-ci sont figurées dans les tableaux allégoriques d'autrefois. D'ailleurs, une force d'attraction irrésistible s'exerçait entre ces astres divers et à chaque table les dîneurs n'avaient d'yeux que pour les tables où ils n'étaient pas, exception faite pour quelque riche amphitryon, lequel ayant réussi à amener un écrivain célèbre, s'évertuait à tirer de lui, grâce aux vertus de la table tournante, des propos insignifiants dont les dames s'émerveillaient. L'harmonie de ces tables astrales n'empêchait pas l'incessante révolution des servants innombrables, lesquels parce qu'au lieu d'être assis, comme les dîneurs, ils étaient*ᵃ* debout, évoluaient dans une zone supérieure. Sans doute l'un courait porter des hors-d'œuvre, changer le vin, ajouter des verres. Mais malgré ces raisons particulières, leur course perpétuelle entre les tables rondes finissait par dégager la loi de sa circulation vertigineuse et réglée. Assises derrière un massif de fleurs, deux horribles caissières, occupées à des calculs sans fin, semblaient deux magiciennes occupées à prévoir par des calculs astrologiques les bouleversements qui pouvaient parfois se produire dans cette voûte céleste conçue selon la science du Moyen Âge.

Et je plaignais un peu tous les dîneurs parce que je sentais que pour eux les tables rondes n'étaient pas des planètes et qu'ils n'avaient pas pratiqué dans les choses un sectionnement qui nous débarrasse de leur apparence coutumière et nous permet d'apercevoir des analogies. Ils pensaient qu'ils dînaient avec telle ou telle personne, que le repas coûterait à peu près tant, et qu'ils recommenceraient le lendemain. Et ils paraissaient absolument insensibles au déroulement d'un cortège de jeunes commis qui, probablement n'ayant pas à ce moment de besogne urgente, portaient processionnellement des pains dans des paniers. Quelques-uns, trop jeunes, abrutis par les taloches que leur donnaient en passant les maîtres d'hôtel, fixaient mélancoliquement leurs yeux sur un rêve lointain et n'étaient consolés que si quelque client de l'hôtel de Balbec où ils avaient jadis été employés, les reconnaissant, leur adressait la parole et leur disait personnellement d'emporter le champagne, qui n'était pas buvable, ce qui les remplissait d'orgueil.

J'entendais le grondement de mes nerfs dans lesquels il y avait du bien-être, indépendant des objets extérieurs qui peuvent en donner et que le moindre déplacement

que j'occasionnais à mon corps, à mon attention, suffisait
à me faire éprouver, comme à un œil fermé une légère
compression donne la sensation de la couleur. J'avais déjà
bu beaucoup de porto, et si je demandais à en prendre
encore, c'était moins en vue du bien-être que les verres
nouveaux m'apporteraient que par l'effet du bien-être
produit par les verres précédents. Je laissais la musique
conduire elle-même mon plaisir sur chaque note où,
docilement, il venait alors se poser. Si, pareil à ces
industries chimiques grâce auxquelles sont débités en
grandes quantités des corps qui ne se rencontrent dans
la nature que d'une façon accidentelle et fort rarement,
ce restaurant de Rivebelle réunissait[a] en un même moment
plus de femmes au fond desquelles me sollicitaient des
perspectives de bonheur que le hasard des promenades
ou des voyages ne m'en eût fait rencontrer en une année,
d'autre part, cette musique que nous entendions — arrangements de valses, d'opérettes allemandes, de chansons
de cafés-concerts, toutes nouvelles pour moi — était
elle-même comme un lieu de plaisir aérien superposé à
l'autre et plus grisant que lui. Car chaque motif, particulier
comme une femme, ne réservait pas comme elle eût fait,
pour quelque privilégié, le secret de volupté qu'il recélait :
il me le proposait, me reluquait, venait à moi d'une allure
capricieuse ou canaille, m'accostait, me caressait, comme
si j'étais devenu tout d'un coup plus séduisant, plus
puissant ou plus riche ; je leur trouvais bien, à ces airs,
quelque chose de cruel ; c'est que tout sentiment désintéressé de la beauté, tout reflet de l'intelligence leur était
inconnu ; pour eux le plaisir physique existe seul. Et ils
sont l'enfer le plus impitoyable, le plus dépourvu d'issues
pour le malheureux jaloux à qui ils présentent ce plaisir
— ce plaisir que la femme aimée goûte avec un autre —
comme la seule chose qui existe au monde pour celle qui
le remplit tout entier. Mais tandis que je répétais à mi-voix
les notes de cet air et lui rendais son baiser, la volupté
à lui spéciale qu'il me faisait éprouver me devint si chère,
que j'aurais quitté mes parents pour suivre le motif dans
le monde singulier qu'il construisait dans l'invisible, en
lignes tour à tour pleines de langueur et de vivacité.
Quoiqu'un tel plaisir ne soit pas d'une sorte qui donne
plus de valeur à l'être auquel il s'ajoute, car il n'est perçu
que de lui seul, et quoique, chaque fois que dans notre

vie nous avons déplu à une femme qui nous a aperçu elle
ignorât si à ce moment-là nous possédions ou non cette
félicité intérieure et subjective qui, par conséquent, n'eût
rien changé au jugement qu'elle porta sur nous, je me
sentais plus puissant, presque irrésistible. Il me semblait
que mon amour n'était[a] plus quelque chose de déplaisant
et dont on pouvait sourire mais avait précisément la beauté
touchante, la séduction de cette musique, semblable
elle-même à un milieu sympathique où celle que j'aimais
et moi nous nous serions rencontrés, soudain devenus
intimes.

Le restaurant n'était pas fréquenté seulement par des
demi-mondaines, mais aussi par des gens du monde le plus
élégant, qui y venaient goûter vers cinq heures ou y
donnaient de grands dîners. Les goûters avaient lieu dans
une longue galerie vitrée, étroite, en forme de couloir qui,
allant du vestibule à la salle à manger, longeait sur un côté
le jardin, duquel elle n'était séparée en exceptant quelques
colonnes[b] de pierre que par le vitrage qu'on ouvrait ici
ou là. Il en résultait outre de nombreux courants d'air,
des coups de soleil brusques, intermittents, un éclairage
éblouissant et instable, empêchant[c] presque de distinguer
les goûteuses, ce qui faisait que, quand elles étaient là,
empilées deux tables par deux tables dans toute la longueur
de l'étroit goulot, comme elles chatoyaient à tous les
mouvements qu'elles faisaient pour boire leur thé ou se
saluer entre elles, on aurait dit un réservoir, une nasse
où le pêcheur a entassé les éclatants poissons qu'il a pris,
lesquels à moitié hors de l'eau et baignés de rayons
miroitent aux regards en leur éclat changeant.

Quelques heures plus tard, pendant le dîner qui, lui,
était naturellement servi dans la salle à manger, on allumait
les lumières, bien qu'il fît encore clair dehors, de sorte
qu'on voyait devant soi, dans le jardin, à côté de pavillons
éclairés par le crépuscule et qui semblaient les pâles
spectres du soir, des charmilles dont la glauque verdure
était traversée par les derniers rayons et qui de la pièce
éclairée par les lampes où on dînait, apparaissaient au-delà[d]
du vitrage — non plus, comme on aurait dit des dames
qui goûtaient à la fin de l'après-midi le long du couloir
bleuâtre et or, dans un filet étincelant et humide — mais
comme les végétations d'un pâle et vert aquarium géant
à la lumière surnaturelle. On se levait de table ; et si les

convives, pendant le repas, tout en passant leur temps à
regarder, à reconnaître, à se faire nommer les convives
du dîner voisin, avaient été retenus dans une cohésion
parfaite autour de leur propre table, la force attractive qui
les faisait graviter autour de leur amphitryon d'un soir
perdait de sa puissance, au moment où pour prendre le
café ils se rendaient dans ce même couloir qui avait servi
aux goûters ; il arrivait souvent qu'au moment du passage
tel dîner en marche abandonnait l'un ou plusieurs de ses
corpuscules, qui ayant subi trop fortement l'attraction du
dîner rival se détachaient un instant du leur, où ils étaient
remplacés par des messieurs ou des dames qui étaient
venus saluer des amis, avant de rejoindre, en disant : « Il
faut que je me sauve retrouver M. X dont je suis ce soir
l'invité. » Et pendant un instant, on aurait dit de deux
bouquets séparés qui auraient interchangé quelques-unes
de leurs fleurs*a*. Puis le couloir lui-même se vidait. Souvent,
comme il faisait, même après dîner, encore un peu jour,
on n'allumait pas ce long corridor, et côtoyé par les arbres
qui se penchaient au-dehors de l'autre côté du vitrage, il
avait l'air d'une allée dans un jardin boisé et ténébreux.
Parfois, dans l'ombre, une dîneuse s'y attardait. En le
traversant pour sortir, j'y distinguai un soir, assise au milieu
d'un groupe inconnu, la belle princesse de Luxembourg.
Je me découvris sans m'arrêter. Elle me reconnut, inclina
la tête en souriant ; très au-dessus de ce salut, émanant
de ce mouvement même, s'élevèrent mélodieusement
quelques paroles à mon adresse, qui devaient être un
bonsoir un peu long, non pour que je m'arrêtasse, mais
seulement pour compléter le salut, pour en faire un salut
parlé. Mais les paroles restèrent si indistinctes et le son
que seul je perçus se prolongea si doucement et me sembla
si musical, que ce fut comme si, dans la ramure assombrie
des arbres, un rossignol se fût mis à chanter[1]. Si par hasard*b*
pour finir la soirée avec telle bande d'amis à lui que nous
avions rencontrée, Saint-Loup décidait de nous rendre au
Casino d'une plage voisine, et partant avec eux, s'il me
mettait*c* seul dans une voiture, je recommandais au cocher
d'aller à toute vitesse, afin que fussent moins longs les
instants que je passerais sans avoir l'aide de personne pour
me dispenser de fournir moi-même à ma sensibilité — en
faisant machine en arrière et en sortant de la passivité où
j'étais pris comme dans un engrenage — ces modifications

que depuis mon arrivée à Rivebelle je recevais des autres. Le choc possible avec une voiture venant en sens inverse dans ces sentiers où il n'y avait de place que pour une seule et où il faisait nuit noire, l'instabilité du sol souvent éboulé de la falaise, la proximité de son versant à pic sur la mer, rien de tout cela ne trouvait en moi le petit effort qui eût été nécessaire pour amener la représentation et la crainte du danger jusqu'à ma raison. C'est que pas plus que ce n'est le désir de devenir célèbre, mais l'habitude d'être laborieux qui nous permet de produire une œuvre, ce n'est l'allégresse du moment présent, mais les sages réflexions du passé, qui nous aident à préserver le futur. Or, si déjà, en arrivant à Rivebelle, j'avais jeté loin de moi ces béquilles du raisonnement, du contrôle de soi-même qui aident notre infirmité à suivre le droit chemin, et me trouvais en proie à une sorte d'ataxie morale, l'alcool, en tendant exceptionnellement mes nerfs, avait donné aux minutes actuelles une qualité, un charme qui n'avaient pas eu pour effet de me rendre plus apte ni même plus résolu à les défendre ; car en me les faisant préférer mille fois au reste de ma vie, mon exaltation les en isolait ; j'étais enfermé dans le présent, comme les héros, comme les ivrognes ; momentanément éclipsé, mon passé ne projetait plus devant moi cette ombre de lui-même que nous appelons notre avenir ; plaçant le but de ma vie, non plus dans la réalisation des rêves de ce passé, mais dans la félicité de la minute présente, je ne voyais pas plus loin qu'elle. De sorte que par une contradiction qui n'était qu'apparente, c'est au moment où j'éprouvais un plaisir exceptionnel, où je sentais que ma vie pouvait être heureuse, où elle aurait dû avoir à mes yeux plus de prix, c'est à ce moment que, délivré des soucis qu'elle avait pu m'inspirer jusque-là, je la livrais sans hésitation au hasard d'un accident. Je ne faisais, du reste, en somme, que concentrer*a* dans une soirée l'incurie qui pour les autres hommes est diluée dans leur existence entière où journellement ils affrontent sans nécessité le risque d'un voyage en mer, d'une promenade en aéroplane ou en automobile quand les attend à la maison l'être que leur mort briserait ou quand est encore lié à la fragilité de leur cerveau le livre dont la prochaine mise au jour est la seule raison de leur vie[1]. Et de même dans le restaurant de Rivebelle, les soirs où nous y restions, si quelqu'un était venu dans l'intention de me tuer, comme je ne voyais plus que dans un lointain sans réalité ma grand-mère, ma vie à venir, mes livres à composer, comme j'adhérais tout entier à l'odeur de la femme qui était à la table voisine, à la politesse des maîtres d'hôtel, au contour de la valse qu'on jouait, que j'étais collé à la sensation présente, n'ayant pas plus d'extension qu'elle ni d'autre but que de ne pas en être séparé, je serais mort contre elle, je me serais laissé massacrer sans offrir de défense, sans bouger, abeille engourdie par la fumée du tabac, qui n'a plus le souci de préserver la provision de ses efforts accumulés et l'espoir de sa ruche[1].

Je dois du reste dire que cette insignifiance où tombaient les choses les plus graves par contraste avec la violence de mon exaltation finissait par comprendre même Mlle Simonet et ses amies. L'entreprise de les connaître me semblait maintenant facile mais indifférente, car ma sensation présente seule, grâce à son extraordinaire puissance, à la joie que provoquaient ses moindres modifications et même sa simple continuité, avait de l'importance pour moi ; tout le reste, parents, travail, plaisirs, jeunes filles de Balbec, ne pesait pas plus qu'un flocon d'écume dans un grand vent qui ne la[2] laisse pas se poser, n'existait plus que relativement à cette puissance intérieure : l'ivresse réalise pour quelques heures l'idéalisme subjectif, le phénoménisme pur ; tout n'est plus qu'apparences et n'existe plus qu'en fonction de notre sublime nous-même. Ce n'est pas, du reste, qu'un amour véritable, si nous en avons un, ne puisse subsister dans un semblable état. Mais nous sentons si bien, comme dans un milieu nouveau, que des pressions inconnues ont changé les dimensions de ce sentiment que nous ne pouvons pas le considérer pareillement. Ce même amour, nous le retrouvons bien, mais déplacé, ne pesant plus sur nous, satisfait de la sensation que lui accorde le présent et qui nous suffit, car de ce qui n'est pas actuel nous ne nous soucions pas. Malheureusement le coefficient qui change ainsi les valeurs ne les change que dans cette heure d'ivresse. Les personnes qui n'avaient plus d'importance et sur lesquelles nous soufflions comme sur des bulles de savon reprendront le lendemain leur densité ; il faudra essayer de nouveau de se remettre aux travaux qui ne signifiaient plus rien. Chose plus grave encore, cette

mathématique du lendemain, la même que celle d'hier et
avec les problèmes de laquelle nous nous retrouverons
inexorablement aux prises, c'est celle qui nous régit même
pendant ces heures-là, sauf pour nous-même. S'il se trouve
près de nous une femme vertueuse ou hostile, cette chose
si difficile la veille — à savoir que nous arrivions à lui
plaire — nous semble maintenant un million de fois plus
aisée sans l'être devenue en rien, car ce n'est qu'à nos
propres yeux, à nos propres yeux intérieurs que nous avons
changé. Et elle est aussi mécontente à l'instant même que
nous nous soyons permis une familiarité que nous le serons
le lendemain d'avoir donné cent francs au chasseur, et pour
la même raison qui pour nous a été seulement retardée :
l'absence d'ivresse.

Je ne connaissais aucune des femmes qui étaient à
Rivebelle, et qui parce qu'elles faisaient partie de mon
ivresse comme les reflets font partie du miroir, me
paraissaient mille fois plus désirables que la de moins en
moins existante Mlle Simonet. Une jeune blonde, seule,
à l'air triste, sous son chapeau de paille piqué de fleurs
des champs me regarda un instant d'un air rêveur et me
parut agréable. Puis ce fut le tour d'une autre, puis d'une
troisième ; enfin d'une brune au teint éclatant. Presque
toutes étaient connues, à défaut de moi, par Saint-Loup.

Avant qu'il[a] eût fait la connaissance de sa maîtresse
actuelle, il avait en effet tellement vécu dans le monde
restreint de la noce, que de toutes les femmes qui dînaient
ces soirs-là à Rivebelle et dont beaucoup s'y trouvaient
par hasard, étant venues au bord de la mer, certaines pour
retrouver leur amant, d'autres pour tâcher d'en trouver
un, il n'y en avait guère qu'il ne connût pour avoir passé
— lui-même ou tel de ses amis — au moins une nuit avec
elles. Il ne les saluait pas si elles étaient avec un homme,
et elles, tout en le regardant plus qu'un autre parce que
l'indifférence qu'on lui savait pour toute femme qui n'était
pas son actrice lui donnait aux yeux de celles-ci un prestige
singulier, elles avaient l'air de ne pas le connaître. Et l'une
chuchotait : « C'est le petit Saint-Loup. Il paraît qu'il aime
toujours sa grue. C'est la grande amour. Quel joli garçon !
Moi je le trouve épatant ! Et quel chic ! Il y a tout de même
des femmes qui ont une sacrée veine. Et un chic type en
tout. Je l'ai bien connu quand j'étais avec d'Orléans. C'était
les deux inséparables. Il en faisait une noce à ce

moment-là ! Mais ce n'est plus ça ; il ne lui fait pas de queues[1]. Ah ! elle peut dire qu'elle en a une chance. Et je me demande qu'est-ce qu'il peut lui trouver. Il faut qu'il soit tout de même une fameuse truffe. Elle a des pieds comme des bateaux, des moustaches à l'américaine et des dessous[a] sales ! Je crois qu'une petite ouvrière ne voudrait pas de ses pantalons. Regardez-moi un peu quels yeux il a, on se jetterait au feu pour un homme comme ça. Tiens, tais-toi, il m'a reconnue, il rit, oh ! il me connaissait bien. On n'a qu'à lui parler de moi. » Entre elles et lui je surprenais un regard d'intelligence. J'aurais voulu qu'il me présentât à ces femmes, pouvoir leur demander un rendez-vous et qu'elles me l'accordassent même si je n'avais pas pu l'accepter. Car sans cela leur visage resterait éternellement dépourvu, dans ma mémoire, de cette partie de lui-même — et comme si elle était cachée par un voile — qui varie avec toutes les femmes, que nous ne pouvons imaginer chez l'une quand nous ne l'y avons pas vue, et qui apparaît seulement dans le regard qui s'adresse à nous et qui acquiesce à notre désir et nous promet qu'il sera satisfait. Et pourtant même aussi réduit, leur visage était pour moi bien plus que celui des femmes que j'aurais su vertueuses et ne me semblait pas comme le leur, plat, sans dessous, composé d'une pièce unique et sans épaisseur. Sans doute, il n'était pas pour moi ce qu'il devait être pour Saint-Loup qui par la mémoire, sous l'indifférence, pour lui transparente, des traits immobiles qui affectaient de ne pas le connaître ou sous la banalité du même salut que l'on eût adressé aussi bien à tout autre, se rappelait, voyait, entre des cheveux défaits, une bouche pâmée et des yeux mi-clos, tout un tableau silencieux comme ceux que les peintres, pour tromper le gros des visiteurs, revêtent d'une toile décente. Certes, pour moi au contraire qui sentais que rien de mon être n'avait pénétré en telle ou telle de ces femmes et n'y serait emporté dans les routes inconnues qu'elle suivrait pendant sa vie, ces visages restaient fermés. Mais c'était déjà assez de savoir qu'ils s'ouvraient pour qu'ils me semblassent d'un prix que je ne leur aurais pas trouvé s'ils n'avaient été que de belles médailles, au lieu de médaillons sous lesquels se cachaient des souvenirs d'amour. Quant à Robert, tenant à peine en place quand il était assis, dissimulant sous un sourire d'homme de cour l'avidité d'agir en homme de guerre, à le bien regarder, je me rendais compte combien l'ossature énergique de son visage triangulaire devait être la même que celle de ses ancêtres, plus faite pour un ardent archer que pour un lettré délicat. Sous la peau fine, la construction hardie, l'architecture féodale apparaissaient. Sa tête faisait penser à ces tours d'antique donjon dont les créneaux inutilisés restent visibles, mais qu'on a aménagées intérieurement en bibliothèque[1].

En rentrant à Balbec, de telle de ces[a] inconnues à qui il m'avait présenté je me redisais sans m'arrêter une seconde et pourtant sans presque m'en apercevoir : « Quelle femme délicieuse ! » comme on chante un refrain. Certes, ces paroles étaient plutôt dictées par des dispositions nerveuses que par un jugement durable. Il n'en est pas moins vrai que si j'eusse eu mille francs sur moi et qu'il y eût encore des bijoutiers d'ouverts à cette heure-là, j'eusse acheté une bague à l'inconnue[b]. Quand les heures de notre vie se déroulent ainsi que des plans trop différents, on se trouve donner trop de soi pour des personnes diverses qui le lendemain vous semblent sans intérêt. Mais on se sent responsable de ce qu'on leur a dit la veille et on veut y faire honneur.

Comme ces soirs-là je rentrais tard, je retrouvais avec plaisir dans ma chambre qui n'était plus hostile le lit où le jour de mon arrivée, j'avais cru qu'il me serait toujours impossible de me reposer et où maintenant mes membres si las cherchaient un soutien ; de sorte que successivement mes cuisses, mes hanches, mes épaules tâchaient d'adhérer en tous leurs points aux draps qui enveloppaient le matelas, comme si ma fatigue, pareille à un sculpteur, avait voulu prendre un moulage total d'un corps humain. Mais je ne pouvais m'endormir ; je sentais approcher le matin ; le calme, la bonne santé n'étaient plus en moi. Dans ma détresse, il me semblait que jamais je ne les retrouverais plus. Il m'eût fallu dormir longtemps pour les rejoindre. Or, me fussé-je assoupi, que de toutes façons je serais réveillé deux heures après par le concert symphonique. Tout à coup je m'endormais, je tombais dans ce sommeil lourd où se dévoilent pour nous le retour à la jeunesse, la reprise des années passées, des sentiments perdus, la désincarnation, la transmigration des âmes, l'évocation des morts, les illusions de la folie, la régression vers les règnes les plus élémentaires de la nature (car on dit que nous voyons souvent des animaux en rêve, mais on oublie que presque toujours nous y sommes nous-même un animal privé de cette raison qui projette sur les choses une clarté de certitude ; nous n'y offrons au contraire au spectacle de la vie qu'une vision douteuse et à chaque minute anéantie par l'oubli[a], la réalité précédente s'évanouissant devant celle qui lui succède, comme une projection de lanterne magique devant la suivante quand on a changé le verre), tous ces mystères que nous croyons ne pas connaître et auxquels nous sommes en réalité initiés presque toutes les nuits ainsi qu'à l'autre grand mystère de l'anéantissement et de la résurrection. Rendue plus vagabonde par la digestion difficile du dîner de Rivebelle, l'illumination successive et errante de zones assombries de mon passé faisait de moi un être dont le suprême bonheur eût été de rencontrer Legrandin avec lequel je venais de causer en rêve.

Puis, même ma propre vie m'était entièrement cachée par un décor nouveau, comme celui planté tout au bord du plateau et devant lequel pendant que, derrière, on procède aux changements de tableaux, des acteurs donnent un divertissement. Celui où je tenais alors mon rôle était dans le goût des contes orientaux, je n'y savais rien de mon passé ni de moi-même, à cause de cet extrême rapprochement d'un décor interposé ; je n'étais qu'un personnage qui recevais la bastonnade et subissais des châtiments variés pour une faute que je n'apercevais pas mais qui était d'avoir bu trop de porto. Tout à coup je m'éveillais[b], je m'apercevais qu'à la faveur d'un long sommeil, je n'avais pas entendu le concert symphonique. C'était déjà l'après-midi ; je m'en assurais à ma montre, après quelques efforts pour me redresser, efforts infructueux d'abord et interrompus par des chutes sur l'oreiller, mais de ces chutes courtes qui suivent le sommeil comme les autres ivresses, que ce soit le vin qui les procure ou une convalescence ; du reste, avant même d'avoir regardé l'heure, j'étais certain que midi était passé. Hier soir, je n'étais plus qu'un être vidé, sans poids, et (comme il faut avoir été couché pour être capable de s'asseoir et avoir dormi pour l'être de se taire) je ne pouvais cesser de remuer ni de parler, je n'avais plus de consistance, de centre de gravité, j'étais lancé, il me semblait que j'aurais

pu continuer ma morne course jusque dans la lune. Or,
si en dormant mes yeux n'avaient pas vu l'heure, mon
corps avait su la calculer, il avait mesuré le temps non pas
sur un cadran superficiellement figuré, mais par la pesée
progressive de toutes mes forces refaites que, comme une
puissante horloge il avait cran par cran laissé descendre
de mon cerveau dans le reste de mon corps où elles
entassaient maintenant jusqu'au-dessus de mes genoux
l'abondance intacte de leurs provisions. S'il est vrai que
la mer ait été autrefois notre milieu vital où il faille
replonger notre sang pour retrouver nos forces, il en est
de même de l'oubli, du néant mental ; on semble alors
absent du temps pendant quelques heures ; mais les forces
qui se sont rangées pendant ce temps-là sans être dépensées
le mesurent par leur quantité aussi exactement que les
poids de l'horloge ou les croulants monticules du sablier.
On ne sort pas, d'ailleurs, plus aisément d'un tel sommeil
que de la veille prolongée, tant toutes choses tendent à
durer et s'il est vrai que certains narcotiques font dormir,
dormir longtemps est un narcotique plus puissant encore,
après lequel on a bien de la peine à se réveiller. Pareil
à un matelot qui voit bien le quai où amarrer sa barque,
secouée cependant encore par les flots, j'avais bien l'idée
de regarder l'heure et de me lever, mais mon corps était
à tout instant rejeté dans le sommeil ; l'atterrissage était
difficile, et avant de me mettre debout pour atteindre ma
montre et confronter son heure avec celle qu'indiquait la
richesse de matériaux dont disposaient mes jambes
rompues, je retombais encore deux ou trois fois sur mon
oreiller[1].

Enfin je voyais clairement : « Deux heures de l'après-
midi ! », je sonnais, mais aussitôt je rentrais dans un
sommeil qui cette fois devait être infiniment plus long si
j'en jugeais par le repos et la vision d'une immense nuit
dépassée, que je trouvais au réveil. Pourtant comme
celui-ci était causé par l'entrée de Françoise, entrée
qu'avait elle-même motivée mon coup de sonnette, ce
nouveau sommeil qui me paraissait avoir dû être plus long
que l'autre et avait amené en moi tant de bien être et
d'oubli, n'avait duré qu'une demi-minute.

Ma grand-mère ouvrait la porte de ma chambre, je lui
posais quelques questions sur la famille Legrandin.

Ce n'est pas[a] assez dire que j'avais rejoint le calme et

la santé, car c'était plus qu'une simple distance qui les avait
la veille séparés de moi, j'avais eu toute la nuit à lutter
contre un flot contraire, et puis je ne me retrouvais pas
seulement[1] auprès d'eux, ils étaient rentrés en moi. À des
points précis et encore un peu douloureux de ma tête vide
et qui serait un jour brisée, laissant mes idées s'échapper
à jamais, celles-ci avaient une fois encore repris leur place,
et retrouvé cette existence dont hélas ! jusqu'ici elles
n'avaient pas su profiter.

Une fois de plus j'avais échappé à l'impossibilité de
dormir, au déluge, au naufrage des crises nerveuses. Je
ne craignais plus du tout ce qui me menaçait la veille au
soir quand j'étais démuni de repos. Une nouvelle vie
s'ouvrait devant moi ; sans faire un seul mouvement, car
j'étais encore brisé quoique déjà dispos, je goûtais ma
fatigue avec allégresse ; elle[a] avait isolé et rompu les os
de mes jambes, de mes bras, que je sentais assemblés
devant moi, prêts à se rejoindre, et que j'allais relever rien
qu'en chantant comme l'architecte de la fable[2].

Tout à coup je me rappelai la jeune blonde à l'air triste
que j'avais vue à Rivebelle et qui m'avait regardé un
instant. Pendant toute la soirée, bien d'autres m'avaient
semblé agréables, maintenant elle venait seule de s'élever
du fond de mon souvenir. Il me semblait qu'elle m'avait
remarqué, je m'attendais à ce qu'un des garçons de
Rivebelle vînt me dire un mot de sa part. Saint-Loup ne
la connaissait pas et croyait qu'elle était comme il faut.
Il serait bien difficile de la voir, de la voir sans cesse. Mais
j'étais prêt à tout pour cela, je ne pensais plus qu'à elle.
La philosophie parle souvent d'actes libres et d'actes
nécessaires. Peut-être n'en est-il pas de plus complètement
subi par nous que celui qui en vertu d'une force
ascensionnelle comprimée pendant l'action, fait, une fois
notre pensée au repos, remonter ainsi un souvenir jusque-
là nivelé avec les autres[b] par la force oppressive de la
distraction, et s'élancer parce qu'à[c] notre insu il contenait
plus que les autres un charme dont nous ne nous
apercevons que vingt-quatre heures après. Et peut-être n'y
a-t-il pas non plus d'acte aussi libre, car il est encore
dépourvu de l'habitude, de cette sorte de manie mentale
qui dans l'amour favorise la renaissance exclusive de
l'image d'une certaine personne.

Ce jour-là était justement le lendemain de celui où

j'avais vu défiler devant la mer le beau cortège de jeunes filles. J'interrogeai à leur sujet plusieurs clients de l'hôtel qui venaient presque tous les ans à Balbec. Ils ne purent me renseigner. Plus tard une photographie m'expliqua pourquoi. Qui eût pu reconnaître maintenant en elles, à peine mais déjà sorties d'un âge où on change si complètement, telle masse amorphe et délicieuse, encore tout enfantine, de petites filles que, quelques années seulement auparavant, on pouvait voir assises en cercle sur le sable, autour d'une tente : sorte de blanche et vague constellation où l'on n'eût distingué deux yeux plus brillants que les autres, un malicieux visage, des cheveux blonds, que pour les reperdre et les confondre bien vite au sein de la nébuleuse indistincte et lactée ?

Sans doute en ces années-là encore si peu éloignées, ce n'était pas comme la veille dans leur première apparition devant moi, la vision du groupe, mais le groupe lui-même qui manquait de netteté. Alors, ces enfants trop jeunes étaient encore à ce degré élémentaire de formation où la personnalité n'a pas mis son sceau sur chaque visage. Comme ces organismes primitifs où l'individu n'existe guère par lui-même, est plutôt constitué par le polypier que par chacun des polypes qui le composent, elles restaient pressées les unes contre les autres. Parfois l'une faisait tomber sa voisine, et alors un fou rire, qui semblait la seule manifestation de leur vie personnelle, les agitait toutes à la fois, effaçant, confondant ces visages indécis et grimaçants dans la gelée d'une seule grappe scintillatrice et tremblante. Dans une photographie ancienne qu'elles devaient me donner un jour, et que j'ai gardée[a], leur troupe enfantine offre déjà le même nombre de figurantes que, plus tard, leur cortège féminin ; on y sent qu'elles devaient déjà faire sur la plage une tache singulière qui forçait à les regarder, mais on ne peut les y reconnaître individuellement que par le raisonnement, en laissant le champ libre à toutes les transformations possibles pendant la jeunesse jusqu'à la limite où ces formes reconstituées empiéteraient sur une autre individualité qu'il faut identifier aussi et dont le beau visage, à cause de la concomitance d'une grande taille et de cheveux frisés, a chance d'avoir été jadis ce ratatinement de grimace rabougrie présenté par la carte-album ; et la distance parcourue en peu de temps par les caractères physiques de chacune de ces jeunes filles faisant d'eux un critérium fort vague, et d'autre part ce qu'elles avaient de commun et comme de collectif étant dès lors fort marqué, il arrivait parfois à leurs meilleures amies de les prendre l'une pour l'autre sur cette photographie, si bien que le doute ne pouvait finalement être tranché que par tel accessoire de toilette que l'une était certaine d'avoir porté, à l'exclusion des autres. Depuis ces jours si différents de celui où je venais de les voir sur la digue, si différents et pourtant si proches, elles se laissaient encore aller au rire comme je m'en étais rendu compte la veille, mais à un rire qui n'était plus celui intermittent et presque automatique de l'enfance, détente spasmodique qui autrefois faisait à tous moments faire un plongeon à ces têtes comme les blocs de vairons dans la Vivonne se dispersaient et disparaissaient pour se reformer un instant après ; leurs physionomies maintenant étaient devenues maîtresses d'elles-mêmes, leurs yeux étaient fixés sur le but qu'ils poursuivaient ; et il avait fallu hier l'indécision et le tremblé de ma perception première pour confondre indistinctement, comme l'avaient fait l'hilarité ancienne et la vieille photographie, les sporades aujourd'hui individualisées et désunies du pâle madrépore.

Sans doute, bien des fois, au passage de jolies jeunes filles, je m'étais fait la promesse de les revoir. D'habitude, elles ne reparaissent pas ; d'ailleurs[a] la mémoire, qui oublie vite leur existence, retrouverait difficilement leurs traits ; nos yeux ne les reconnaîtraient peut-être pas, et déjà nous avons vu passer de nouvelles jeunes filles que nous ne reverrons pas non plus. Mais d'autres fois, et c'est ainsi que cela devait arriver pour la petite bande insolente, le hasard les ramène avec insistance devant nous. Il nous paraît alors beau, car nous discernons en lui comme un commencement d'organisation, d'effort, pour composer notre vie ; et il nous rend facile, inévitable, et quelquefois — après des interruptions qui ont pu faire espérer de cesser de nous souvenir — cruelle, la fidélité à des images à la possession desquelles nous nous croirons plus tard avoir été prédestinés, et que sans lui nous aurions pu, tout au début, oublier, comme tant d'autres, si aisément.

Bientôt le séjour de Saint-Loup toucha à sa fin. Je n'avais pas revu ces jeunes filles sur la plage. Il restait trop peu l'après-midi à Balbec pour pouvoir s'occuper d'elles et

tâcher de faire, à mon intention, leur connaissance. Le soir
il était plus libre et continuait à m'emmener souvent à
Rivebelle. Il y a dans ces restaurants, comme dans les
jardins publics et les trains, des gens enfermés dans une
apparence ordinaire et dont le nom nous étonne, si l'ayant
par hasard demandé, nous découvrons qu'ils sont non
l'inoffensif premier venu que nous supposions, mais rien
de moins que le ministre ou le duc dont nous avons si
souvent entendu parler. Déjà deux ou trois fois dans le
restaurant de Rivebelle, nous avions, Saint-Loup et moi,
vu venir s'asseoir à une table quand tout le monde
commençait à partir un homme de grande taille, très
musclé, aux traits réguliers, à la barbe grisonnante, mais
de qui le regard songeur restait fixé avec application dans
le vide. Un soir que nous demandions au patron qui était
ce dîneur obscur, isolé et retardataire : « Comment, vous
ne connaissiez pas le célèbre peintre Elstir ? » nous dit-il.
Swann avait une fois[a] prononcé son nom devant moi,
j'avais entièrement oublié à quel propos ; mais l'omission
d'un souvenir, comme celle d'un membre de phrase dans
une lecture, favorise parfois non l'incertitude, mais
l'éclosion d'une certitude prématurée. « C'est un ami de
Swann, et un artiste très connu, de grande valeur », dis-je
à Saint-Loup. Aussitôt passa sur lui et sur moi, comme un
frisson, la pensée qu'Elstir était un grand artiste, un homme
célèbre, puis, que nous confondant avec les autres dîneurs,
il ne se doutait pas de l'exaltation où nous jetait l'idée
de son talent. Sans doute, qu'il ignorât notre admiration
et que nous connaissions Swann, ne nous eût pas été
pénible si nous n'avions pas été aux bains de mer. Mais,
attardés à un âge où l'enthousiasme ne peut rester
silencieux et transportés dans une vie où l'incognito semble
étouffant, nous écrivîmes une lettre signée de nos noms,
où nous dévoilions à Elstir dans les deux dîneurs assis à
quelques pas de lui deux amateurs passionnés de son talent,
deux amis de son grand ami Swann et où nous demandions
à lui présenter nos hommages. Un garçon se chargea de
porter cette missive à l'homme célèbre.

Célèbre, Elstir ne l'était peut-être pas encore à cette
époque tout à fait autant que le prétendait[b] le patron de
l'établissement, et qu'il le fut d'ailleurs bien peu d'années
plus tard. Mais il avait été un des premiers à habiter ce
restaurant alors que ce n'était encore qu'une sorte de

ferme et à y amener une colonie d'artistes (qui avaient du reste tous émigré ailleurs dès que la ferme où l'on mangeait en plein air sous un simple auvent, était devenue un centre élégant ; Elstir lui-même ne revenait en ce moment à Rivebelle qu'à cause d'une absence de sa femme avec laquelle il habitait non loin de là). Mais un grand talent, même quand il n'est pas encore reconnu, provoque nécessairement quelques phénomènes d'admiration, tels que le patron de la ferme avait été à même d'en distinguer dans les questions de plus d'une Anglaise de passage, avide de renseignements sur la vie que menait Elstir, ou dans le nombre de lettres que celui-ci recevait de l'étranger. Alors le patron avait remarqué davantage qu'Elstir n'aimait pas être dérangé pendant qu'il travaillait, qu'il se relevait la nuit pour emmener un petit modèle poser nu au bord de la mer, quand il y avait clair de lune, et il s'était dit que tant de fatigues n'étaient pas perdues, ni l'admiration des touristes injustifiée, quand il avait dans un tableau d'Elstir reconnu une croix de bois qui était plantée à l'entrée de Rivebelle. « C'est bien elle, répétait-il avec stupéfaction. Il y a les quatre morceaux ! Ah ! aussi, il s'en donne une peine ! »

Et il ne savait pas si un petit « lever de soleil sur la mer » qu'Elstir lui avait donné, ne valait pas une fortune.

Nous le vîmes[a] lire notre lettre, la remettre dans sa poche, continuer à dîner, commencer à demander ses affaires, se lever pour partir et nous étions tellement sûrs de l'avoir choqué par notre démarche que nous eussions souhaité maintenant (tout autant que nous l'avions redouté) de partir sans avoir été remarqués par lui. Nous ne pensions pas un seul instant à une chose qui aurait dû pourtant nous sembler la plus importante, c'est que notre enthousiasme pour Elstir, de la sincérité duquel nous n'aurions pas permis qu'on doutât et dont nous aurions pu, en effet, donner comme témoignage notre respiration entrecoupée par l'attente, notre désir de faire n'importe quoi de difficile ou d'héroïque pour le grand homme, n'était pas, comme nous nous le figurions, de l'admiration, puisque nous n'avions[b] jamais rien vu d'Elstir ; notre sentiment pouvait avoir pour objet l'idée creuse de « un grand artiste », non pas une œuvre qui nous était inconnue. C'était tout au plus de l'admiration à vide, le cadre nerveux, l'armature sentimentale d'une admiration

sans contenu, c'est-à-dire quelque chose d'aussi indissolublement attaché à l'enfance que certains organes qui
n'existent plus chez l'homme adulte ; nous étions encore
des enfants. Elstir cependant allait arriver à la porte, quand
tout à coup il fit un crochet et vint à nous. J'étais transporté
d'une délicieuse épouvante comme je n'aurais pu en
éprouver quelques années plus tard, parce que, en même
temps que l'âge diminue la capacité, l'habitude du monde
ôte toute idée de provoquer d'aussi étranges occasions,
de ressentir ce genre d'émotions[1].

Dans les quelques mots[a] qu'Elstir vint nous dire en
s'asseyant à notre table, il ne me répondit jamais, les
diverses fois où je lui parlai de Swann. Je commençai à
croire qu'il ne le connaissait pas. Il ne m'en demanda pas
moins d'aller le voir à son atelier de Balbec, invitation
qu'il n'adressa pas à Saint-Loup, et que me valurent, ce
que n'aurait peut-être pas fait la recommandation de Swann
si Elstir eût été lié avec lui (car la part des sentiments
désintéressés est plus grande qu'on ne croit dans la vie
des hommes), quelques paroles qui lui firent penser que
j'aimais les arts. Il prodigua pour moi une amabilité qui
était[b] aussi supérieure à celle de Saint-Loup que celle-ci
à l'affabilité d'un petit bourgeois. À côté de celle d'un
grand artiste, l'amabilité d'un grand seigneur, si charmante
soit-elle, a l'air d'un jeu d'acteur, d'une simulation.
Saint-Loup cherchait à plaire, Elstir aimait à donner, à se
donner. Tout ce qu'il possédait, idées, œuvres, et le reste
qu'il comptait pour bien moins, il l'eût donné avec joie
à quelqu'un qui l'eût compris. Mais faute d'une société
supportable, il vivait dans un isolement, avec une
sauvagerie que les gens du monde appelaient de la pose
et de la mauvaise éducation, les pouvoirs publics un
mauvais esprit, ses voisins de la folie, sa famille de
l'égoïsme et de l'orgueil.

Et sans doute dans les premiers temps avait-il pensé, dans
la solitude même, avec plaisir que, par le moyen de ses
œuvres, il s'adressait à distance, il donnait une plus haute
idée de lui, à ceux qui l'avaient méconnu ou froissé.
Peut-être alors vécut-il seul, non par indifférence, mais
par[c] amour des autres, et, comme j'avais renoncé à Gilberte
pour lui réapparaître un jour sous des couleurs plus
aimables, destinait-il son œuvre à certains, comme un
retour vers eux, où sans le revoir lui-même, on l'aimerait,

on l'admirerait, on s'entretiendrait de lui ; un renoncement n'est pas toujours total dès le début, quand nous le décidons avec notre âme ancienne et avant que par réaction il n'ait agi sur nous, qu'il s'agisse du renoncement d'un malade, d'un moine, d'un artiste, d'un héros. Mais s'il avait voulu produire en vue de quelques personnes, en produisant, il avait vécu pour lui-même, loin de la société à laquelle il était devenu indifférent ; la pratique de la solitude lui en avait donné l'amour comme il arrive pour toute grande chose que nous avons crainte d'abord, parce que nous la savions incompatible avec de plus petites auxquelles nous tenions et dont elle nous prive moins qu'elle ne nous détache. Avant de la connaître, toute notre préoccupation est de savoir dans quelle mesure nous pourrons la concilier avec certains plaisirs qui cessent d'en être dès que nous l'avons connue[a].

Elstir ne resta pas longtemps à causer avec nous. Je me promettais d'aller à son atelier dans les deux ou trois jours suivants, mais le lendemain de cette soirée, comme j'avais accompagné ma grand-mère tout au bout de la digue vers les falaises de Canapville[1], en revenant, au coin d'une des petites rues qui débouchent, perpendiculairement, sur la plage, nous croisâmes une jeune fille qui, tête basse comme un animal qu'on fait rentrer malgré lui dans l'étable, et tenant des clubs de golf, marchait devant une personne autoritaire, vraisemblablement son « anglaise », ou celle d'une de ses amies, laquelle[b] ressemblait au portrait de *Jeffries* par Hogarth[2], le teint rouge comme si sa boisson favorite avait été plutôt le gin que le thé, et prolongeant par le croc noir d'un reste de chique une moustache grise, mais bien fournie. La fillette qui la précédait ressemblait à celle de la petite bande qui, sous un polo noir, avait dans un visage immobile et joufflu des yeux rieurs. Or, celle qui rentrait en ce moment avait aussi un polo noir, mais elle me semblait encore plus jolie que l'autre, la ligne de son nez était plus droite, à la base l'aile en était plus large et plus charnue. Puis l'autre m'était apparue comme une fière jeune fille pâle, celle-ci comme une enfant domptée et de teint rose. Pourtant, comme elle poussait une bicyclette pareille et comme elle portait les mêmes gants de renne, je conclus que les différences tenaient peut-être à la façon dont j'étais placé et aux circonstances, car il était peu probable qu'il y eût à Balbec une seconde jeune fille de visage malgré tout si semblable et qui dans son accoutrement réunît les mêmes particularités. Elle jeta dans ma direction un regard rapide ; les jours suivants, quand je revis la petite bande sur la plage, et même plus tard quand je connus toutes les jeunes filles qui la composaient, je n'eus jamais la certitude absolue qu'aucune d'elles — même celle qui de toutes lui ressemblait le plus, la jeune fille à la bicyclette — fût bien celle que j'avais vue ce soir-là au bout de la plage, au coin de la rue, jeune fille qui n'était guère, mais était tout de même un peu différente de celle que j'avais remarquée dans le cortège.

À partir de[a] cet après-midi-là, moi, qui les jours précédents avais surtout pensé à la grande, ce fut celle aux clubs de golf, présumée être Mlle Simonet, qui recommença à me préoccuper. Au milieu[b] des autres, elle s'arrêtait souvent, forçant ses amies qui semblaient la respecter beaucoup à interrompre aussi leur marche. C'est ainsi, faisant halte, les yeux brillants sous son « polo » que je la revois encore maintenant, silhouettée sur l'écran[c] que lui fait, au fond, la mer, et séparée de moi par un espace transparent et azuré, le temps écoulé depuis lors, première image, toute mince dans mon souvenir, désirée[d], poursuivie, puis oubliée, puis retrouvée, d'un visage que j'ai souvent depuis projeté dans le passé pour pouvoir me dire d'une jeune fille qui était dans ma chambre : « C'est elle[e] ! »

Mais c'est peut-être encore celle au teint de géranium, aux yeux verts, que j'aurais le plus désiré connaître. Quelle que fût[f], d'ailleurs, tel jour donné, celle que je préférais apercevoir, les autres, sans celle-là, suffisaient à m'émouvoir ; mon désir, même se portant une fois plutôt sur l'une, une fois plutôt sur l'autre, continuait — comme le premier jour ma confuse vision — à les réunir, à faire d'elles le petit monde à part animé d'une vie commune qu'elles avaient, sans doute, d'ailleurs, la prétention de constituer ; j'eusse pénétré en devenant l'ami de l'une d'elles — comme[g] un païen raffiné ou un chrétien scrupuleux chez les barbares — dans une société rajeunissante où régnaient la santé, l'inconscience, la volupté, la cruauté, l'inintellectualité et la joie.

Ma grand-mère, à qui j'avais raconté mon entrevue avec Elstir et qui se réjouissait de tout le profit intellectuel que je pouvais tirer de son amitié, trouvait absurde et peu gentil que je ne fusse pas encore allé lui faire une visite.

Mais je ne pensais qu'à la petite bande, et incertain de l'heure où ces jeunes filles passeraient sur la digue, je n'osais pas m'éloigner. Ma grand-mère s'étonnait aussi de mon élégance, car je m'étais soudain souvenu de costumes que j'avais jusqu'ici laissés au fond de la malle. J'en mettais chaque jour un différent et j'avais même écrit à Paris pour me faire envoyer de nouveaux chapeaux et de nouvelles cravates[1].

C'est un grand charme ajouté à la vie dans une station balnéaire comme était Balbec, si le visage d'une jolie fille, une marchande de coquillages, de gâteaux ou de fleurs, peint en vives couleurs dans notre pensée, est quotidiennement pour nous dès le matin le but de chacune de ces journées oisives et lumineuses qu'on passe sur la plage. Elles sont alors, et par là, bien que désœuvrées, alertes comme des journées de travail, aiguillées, aimantées, soulevées légèrement vers un instant prochain, celui où tout en achetant des sablés, des roses, des ammonites, on se délectera à voir, sur un visage féminin, les couleurs étalées aussi purement que sur une fleur. Mais au moins, ces petites marchandes, d'abord on peut leur parler, ce qui évite d'avoir à construire avec l'imagination les autres côtés que ceux que nous fournit la simple perception visuelle, et à recréer leur vie, à s'exagérer son charme, comme devant un portrait ; surtout, justement parce qu'on leur parle, on peut apprendre où, à quelles heures on peut les retrouver. Or il n'en était nullement ainsi pour moi en ce qui concernait les jeunes filles de la petite bande. Leurs habitudes m'étant inconnues, quand certains jours je ne les apercevais pas, ignorant la cause de leur absence, je cherchais si celle-ci était quelque chose de fixe, si on ne les voyait que tous les deux jours, ou quand il faisait tel temps, ou s'il y avait des jours où on ne les voyait jamais. Je me figurais d'avance ami avec elles et leur disant : « Mais vous n'étiez pas là tel jour ? — Ah ! oui, c'est parce que c'était un samedi, le samedi nous ne venons jamais parce que... » Encore si c'était aussi simple que de savoir que le triste samedi il est inutile de s'acharner, qu'on pourrait parcourir la plage en tous sens, s'asseoir à la devanture du pâtissier, faire semblant de manger un éclair, entrer chez le marchand de curiosités, attendre l'heure du bain, le concert, l'arrivée de la marée, le coucher du soleil, la nuit, sans voir la petite bande désirée. Mais le jour fatal

ne revenait peut-être pas une fois par semaine. Il ne
tombait peut-être pas forcément un samedi. Peut-être
certaines conditions atmosphériques influaient-elles sur lui
ou lui étaient-elles entièrement étrangères. Combien
d'observations patientes, mais non point sereines, il faut
recueillir sur les mouvements en apparence irréguliers de
ces mondes inconnus avant de pouvoir être sûr qu'on ne
s'est pas laissé abuser par des coïncidences, que nos
prévisions ne seront pas trompées, avant de dégager les
lois certaines, acquises au prix d'expériences cruelles, de
cette astronomie passionnée ! Me rappelant que je ne les
avais pas vues le même jour qu'aujourd'hui, je me disais
qu'elles ne viendraient pas, qu'il était inutile de rester sur
la plage. Et justement je les apercevais. En revanche, un
jour où, autant que j'avais pu supposer que des lois
réglaient le retour de ces constellations, j'avais calculé
devoir être un jour faste, elles ne venaient pas. Mais à
cette première incertitude si je les verrais ou non le jour
même venait s'en ajouter une plus grave, si je les reverrais
jamais, car j'ignorais en somme si elles ne devaient pas
partir pour l'Amérique ou rentrer à Paris[a]. Cela suffisait
pour me faire commencer à les aimer. On peut avoir du
goût pour une personne. Mais pour déchaîner cette
tristesse, ce sentiment de l'irréparable, ces angoisses qui
préparent l'amour, il faut — et il est peut-être ainsi, plutôt
que ne l'est une personne, l'objet même que cherche
anxieusement à étreindre la passion — le risque[b] d'une
impossibilité. Ainsi agissaient déjà ces influences qui se
répètent au cours d'amours successives (pouvant du reste
se produire, mais alors plutôt dans l'existence des grandes
villes au sujet d'ouvrières dont on ne sait pas les jours de
congé et qu'on s'effraye de ne pas avoir vues à la sortie
de l'atelier), ou du moins qui se renouvelèrent au cours
des miennes. Peut-être sont-elles inséparables de l'amour ;
peut-être tout ce qui fut une particularité du premier
vient-il s'ajouter aux suivants par souvenir, suggestion,
habitude et à travers les périodes successives de notre vie
donner[c] à ses aspects différents un caractère général.

Je prenais tous les prétextes pour aller sur la plage aux
heures où j'espérais pouvoir les rencontrer. Les ayant
aperçues une fois pendant notre déjeuner je n'y arrivais
plus qu'en retard, attendant indéfiniment sur la digue
qu'elles y passassent ; restant le peu de temps que j'étais

assis dans la salle à manger à interroger des yeux l'azur
du vitrage ; me levant bien avant le dessert pour ne pas
les manquer dans le cas où elles se fussent promenées à
une autre heure et m'irritant contre ma grand-mère,
inconsciemment méchante, quand elle me faisait rester
avec elle au-delà de l'heure qui me semblait propice. Je
tâchais de prolonger l'horizon en mettant ma chaise de
travers ; si par hasard j'apercevais n'importe laquelle des
jeunes filles, comme elles[a] participaient toutes à la même
essence spéciale, c'était[b] comme si j'avais vu projeté en
face de moi par une hallucination mobile et diabolique
un peu du rêve ennemi et pourtant passionnément
convoité qui l'instant d'avant encore, n'existait, y stagnant
d'ailleurs d'une façon permanente, que dans mon cerveau.

Je n'en aimais aucune les aimant toutes, et pourtant leur
rencontre possible était pour mes journées le seul élément
délicieux, faisait seule naître en moi de ces espoirs où on
briserait tous les obstacles, espoirs souvent suivis de rage,
si je ne les avais pas vues. En ce moment, ces jeunes filles
éclipsaient pour moi ma grand-mère ; un voyage m'eût tout
de suite souri si ç'avait été pour aller dans un lieu où elles
dussent se trouver. C'était à elles que ma pensée s'était
agréablement suspendue quand je croyais penser à autre
chose, ou à rien. Mais quand, même ne le sachant pas,
je pensais à elles, plus inconsciemment encore, elles, c'était
pour moi les ondulations montueuses et bleues de la mer,
le profil d'un défilé devant la mer. C'était la mer que
j'espérais retrouver, si j'allais dans quelques villes où elles
seraient. L'amour le plus exclusif pour une personne est
toujours l'amour d'autre chose.

Ma grand-mère me témoignait[c], parce que maintenant
je m'intéressais extrêmement au golf et au tennis et laissais
échapper l'occasion de regarder travailler et entendre
discourir un artiste qu'elle savait des plus grands, un
mépris qui me semblait procéder de vues un peu étroites.
J'avais autrefois entrevu aux Champs-Élysées et je m'étais
mieux rendu compte depuis, qu'en étant amoureux d'une
femme nous projetons simplement en elle un état de notre
âme ; que par conséquent l'important n'est pas la valeur
de la femme mais la profondeur de l'état ; et que les
émotions qu'une jeune fille médiocre nous donne peuvent
nous permettre de faire monter à notre conscience des
parties plus intimes de nous-même, plus personnelles, plus

lointaines, plus essentielles, que ne ferait le plaisir que nous donne la conversation d'un homme supérieur ou même la contemplation admirative de ses œuvres.

Je dus finir par obéir à ma grand-mère avec d'autant plus d'ennui qu'Elstir habitait assez loin de la digue, dans une des avenues les plus nouvelles de Balbec. La chaleur du jour m'obligea à prendre le tramway qui passait par la rue de la Plage, et je m'efforçais, pour penser que j'étais dans l'antique royaume des Cimmériens, dans la patrie peut-être du roi Mark ou sur l'emplacement de la forêt de Brocéliande[1], de ne pas regarder le luxe de pacotille des constructions qui se développaient devant moi et entre lesquelles la villa d'Elstir était peut-être la plus somptueusement laide, louée malgré cela par lui, parce que de toutes celles qui existaient à Balbec, c'était la seule qui pouvait lui offrir un vaste atelier.

C'est aussi en détournant les yeux que je traversai le jardin qui avait une pelouse — en plus petit comme chez n'importe quel bourgeois dans la banlieue de Paris —, une petite statuette de galant jardinier, des boules de verre où l'on se regardait, des bordures de bégonias et une petite tonnelle sous laquelle des rocking-chairs étaient allongés devant une table de fer. Mais après tous ces abords empreints de laideur citadine, je ne fis plus attention aux moulures chocolat des plinthes quand je fus dans l'atelier ; je me sentis parfaitement heureux, car par toutes les études qui étaient autour de moi, je sentais la possibilité de m'élever à une connaissance poétique, féconde en joies, de maintes formes que je n'avais pas isolées jusque-là du spectacle total de la réalité. Et l'atelier d'Elstir m'apparut comme le laboratoire d'une sorte de nouvelle création du monde, où, du chaos que sont toutes choses que nous voyons, il avait tiré, en les peignant sur divers rectangles de toile qui étaient posés dans tous les sens, ici une vague de la mer écrasant avec colère sur le sable son écume lilas, là un jeune homme en coutil blanc accoudé sur le pont d'un bateau. Le veston du jeune homme et la vague éclaboussante avaient pris une dignité nouvelle du fait qu'ils continuaient à être, encore que dépourvus de ce en quoi ils passaient pour consister, la vague ne pouvant plus mouiller, ni le veston habiller personne.

Au moment où j'entrai, le créateur était en train d'achever, avec le pinceau qu'il tenait dans sa main, la forme du soleil à son coucher.

Les stores étaient clos de presque tous les côtés, l'atelier était assez frais et, sauf à un endroit où le grand jour apposait au mur sa décoration éclatante et passagère, obscur ; seule était ouverte une petite fenêtre rectangulaire encadrée de chèvrefeuilles qui, après une bande de jardin, donnait sur une avenue ; de sorte que l'atmosphère de la plus grande partie de l'atelier était sombre, transparente et compacte dans sa masse, mais humide et brillante aux cassures où la sertissait la lumière, comme un bloc de cristal de roche dont une face déjà taillée et polie, çà et là, luit comme un miroir et s'irise. Tandis[a] qu'Elstir, sur ma prière, continuait à peindre, je circulais dans ce clair-obscur, m'arrêtant devant un tableau puis devant un autre.

Le plus grand nombre de ceux qui m'entouraient n'étaient pas ce que j'aurais le plus aimé voir de lui, les peintures appartenant à ses première et deuxième manières, comme disait une revue d'art anglaise qui traînait sur la table du salon du Grand-Hôtel, la manière mythologique et celle où il avait subi l'influence du Japon[1], toutes deux admirablement représentées, disait-on, dans la collection de Mme de Guermantes. Naturellement, ce qu'il avait dans son atelier, ce n'était guère que des marines prises ici, à Balbec. Mais j'y pouvais discerner que le charme de chacune consistait en une sorte de métamorphose des choses représentées, analogue à celle qu'en poésie on nomme métaphore[2] et que si Dieu le Père avait créé les choses en les nommant, c'est en leur ôtant leur nom, ou en leur en donnant un autre qu'Elstir les recréait. Les noms qui désignent les choses répondent toujours à une notion de l'intelligence, étrangère à nos impressions véritables et qui nous force à éliminer d'elles tout ce qui ne se rapporte pas à cette notion.

Parfois à ma fenêtre, dans l'hôtel de Balbec, le matin quand Françoise défaisait les couvertures qui cachaient la lumière, le soir quand j'attendais le moment de partir avec Saint-Loup, il m'était arrivé grâce à un effet de soleil, de prendre une partie plus sombre de la mer pour une côte éloignée, ou de regarder avec joie une zone bleue et fluide sans savoir si elle appartenait à la mer ou au ciel. Bien vite mon intelligence rétablissait entre les éléments la séparation que mon impression avait abolie. C'est ainsi qu'il m'arrivait à Paris, dans ma chambre, d'entendre une dispute, presque une émeute, jusqu'à ce que j'eusse rapporté à sa cause, par exemple une voiture dont le roulement approchait, ce bruit dont j'éliminais alors ces vociférations aiguës et discordantes que mon oreille avait réellement entendues, mais que mon intelligence savait que des roues ne produisaient pas. Mais les rares moments où l'on voit la nature telle qu'elle est, poétiquement, c'était de ceux-là qu'était faite l'œuvre d'Elstir. Une de ses métaphores les plus fréquentes dans les marines qu'il avait près de lui en ce moment était justement celle qui comparant la terre à la mer, supprimait entre elles toute démarcation[1]. C'était cette comparaison, tacitement et inlassablement répétée dans une même toile qui y introduisait cette multiforme et puissante unité, cause, parfois non clairement aperçue par eux, de l'enthousiasme qu'excitait chez certains amateurs la peinture d'Elstir.

C'est par exemple à une métaphore de ce genre — dans un tableau représentant le port de Carquethuit[2], tableau[a] qu'il avait terminé depuis peu de jours et que je regardai longuement — qu'Elstir avait préparé l'esprit du spectateur en n'employant pour la petite ville que des termes marins, et que des termes urbains pour la mer. Soit que les maisons cachassent une partie du port, un bassin de calfatage ou peut-être la mer même s'enfonçant en golfe dans les terres ainsi que cela arrivait constamment dans ce pays de Balbec, de l'autre côté de la pointe avancée où était construite la ville, les toits étaient dépassés (comme ils l'eussent été par des cheminées ou par des clochers) par des mâts, lesquels avaient l'air de faire des vaisseaux auxquels ils appartenaient, quelque chose de citadin, de construit sur terre, impression qu'augmentaient d'autres bateaux, demeurés le long de la jetée, mais en rangs si pressés que les hommes y causaient d'un bâtiment à l'autre sans qu'on pût distinguer leur séparation et l'interstice de l'eau, et ainsi cette flotille de pêche avait moins l'air d'appartenir à la mer que, par exemple, les églises de Criquebec qui, au loin, entourées d'eau de tous côtés parce qu'on les voyait sans la ville, dans un poudroiement de soleil et de vagues, semblaient sortir des eaux, soufflées en albâtre ou en écume et, enfermées dans la ceinture d'un arc-en-ciel versicolore, former un tableau irréel et mystique. Dans le premier plan de la plage, le peintre avait su habituer les yeux à ne pas reconnaître de frontière fixe, de

démarcation absolue, entre la terre et l'océan. Des
hommes qui poussaient des bateaux à la mer couraient
aussi bien dans les flots que sur le sable, lequel, mouillé,
réfléchissait déjà les coques comme s'il avait été de l'eau.
La mer elle-même ne montait pas régulièrement, mais
suivait les accidents de la grève, que la perspective
déchiquetait encore davantage, si bien qu'un navire en
pleine mer, à demi caché par les ouvrages avancés de
l'arsenal, semblait voguer au milieu de la ville ; des femmes
qui ramassaient des crevettes dans les rochers, avaient l'air,
parce qu'elles étaient entourées d'eau et à cause de la
dépression qui, après la barrière circulaire des roches,
abaissait la plage (des deux côtés les plus rapprochés des
terres) au niveau de la mer, d'être dans une grotte marine
surplombée de barques et de vagues, ouverte et protégée
au milieu des flots écartés miraculeusement. Si tout le
tableau donnait cette impression des ports où la mer entre
dans la terre, où la terre est déjà marine et la population
amphibie, la force de l'élément marin éclatait partout ; et
près des rochers, à l'entrée de la jetée, où la mer était
agitée, on sentait, aux efforts des matelots et à l'obliquité
des barques couchées à angle aigu devant la calme
verticalité de l'entrepôt, de l'église, des maisons de la ville,
où les uns rentraient, d'où les autres partaient pour la
pêche, qu'ils trottaient rudement sur l'eau comme sur un
animal fougueux et rapide dont les soubresauts, sans leur
adresse, les eussent jetés à terre. Une bande de promeneurs sortait gaiement en une barque secouée comme une
carriole ; un matelot joyeux, mais attentif aussi la
gouvernait comme avec des guides, menait la voile
fougueuse, chacun se tenait bien à sa place pour ne pas
faire trop de poids d'un côté et ne pas verser, et on courait
ainsi par les champs ensoleillés, dans les sites ombreux,
dégringolant les pentes. C'était une belle matinée malgré
l'orage qu'il avait fait. Et même on sentait encore les
puissantes actions qu'avait à neutraliser le bel équilibre
des barques immobiles, jouissant du soleil et de la
fraîcheur, dans les parties où la mer était si calme que les
reflets avaient presque plus de solidité et de réalité que
les coques vaporisées par un effet de soleil et que la
perspective faisait s'enjamber les unes les autres. Ou plutôt
on n'aurait pas dit d'autres parties de la mer. Car entre
ces parties, il y avait autant de différence qu'entre l'une

d'elles et l'église sortant des eaux, et les bateaux derrière la ville. L'intelligence faisait ensuite un même élément de ce qui était, ici noir dans un effet d'orage, plus loin tout d'une couleur avec le ciel et aussi verni que lui, et là si blanc de soleil, de brume et d'écume, si compact, si terrien, si circonvenu de maisons, qu'on pensait à quelque chaussée de pierres ou à un champ de neige, sur lequel on était effrayé de voir un navire s'élever en pente raide et à sec comme une voiture qui s'ébroue en sortant d'un gué, mais qu'au bout d'un moment, en y voyant sur l'étendue haute et inégale du plateau solide des bateaux titubants, on comprenait, identique en tous ces aspects divers, être encore la mer[1].

Bien qu'on dise avec raison qu'il n'y a pas de progrès, pas de découvertes en art, mais seulement dans les sciences, et que chaque artiste recommençant pour son compte un effort individuel ne peut y être aidé ni entravé par les efforts de tout autre, il faut pourtant reconnaître que dans la mesure où l'art met en lumière certaines lois, une fois qu'une industrie les a vulgarisées, l'art antérieur perd rétrospectivement un peu de son originalité. Depuis les débuts d'Elstir, nous avons connu ce qu'on appelle « d'admirables » photographies de paysages et de villes. Si on cherche à préciser ce que les amateurs désignent dans ce cas par cette épithète, on verra qu'elle s'applique d'ordinaire à quelque image singulière d'une chose connue, image différente de celles que nous avons l'habitude de voir, singulière et pourtant vraie et qui à cause de cela est pour nous doublement saisissante parce qu'elle nous étonne, nous fait sortir de nos habitudes, et tout à la fois nous fait rentrer en nous-même en nous rappelant une impression. Par exemple, telle de ces photographies « magnifiques » illustrera une loi de la perspective, nous montrera telle cathédrale que nous avons l'habitude de voir au milieu de la ville, prise au contraire d'un point choisi d'où elle aura l'air trente fois plus haute que les maisons et faisant éperon au bord du fleuve d'où elle est en réalité distante. Or, l'effort d'Elstir de ne pas exposer les choses telles qu'il savait qu'elles étaient, mais selon ces illusions optiques dont notre vision première est faite[2], l'avait précisément amené à mettre en lumière certaines de ces lois de perspective, plus frappantes alors, car l'art était le premier à les dévoiler. Un fleuve, à cause

du tournant de son cours, un golfe à cause du rapprochement apparent des falaises, avaient l'air de creuser au
milieu de la plaine ou des montagnes un lac absolument
fermé de toutes parts. Dans un tableau pris de Balbec par
une torride journée d'été, un rentrant de la mer semblait,
enfermé dans des murailles de granit rose, n'être pas la
mer, laquelle commençait plus loin. La continuité de
l'océan n'était suggérée que par des mouettes qui,
tournoyant sur ce qui semblait au spectateur de la pierre,
humaient au contraire l'humidité du flot. D'autres lois se
dégageaient de cette même toile comme, au pied des
immenses falaises, la grâce lilliputienne des voiles blanches
sur le miroir bleu où elles semblaient des papillons
endormis, et certains contrastes entre la profondeur des
ombres et la pâleur de la lumière. Ces jeux des ombres,
que la photographie a banalisés aussi, avaient intéressé
Elstir au point qu'il s'était complu autrefois à peindre de
véritables mirages, où un château coiffé d'une tour
apparaissait comme un château complètement circulaire
prolongé d'une tour à son faîte, et en bas d'une tour
inverse, soit que la pureté extraordinaire d'un beau temps
donnât à l'ombre qui se reflétait dans l'eau la dureté et
l'éclat de la pierre, soit que les brumes du matin rendissent
la pierre aussi vaporeuse que l'ombre. De même au-delà
de la mer, derrière une rangée de bois, une autre mer
commençait, rosée par le coucher du soleil, et qui était
le ciel. La lumière, inventant comme de nouveaux solides,
poussait la coque du bateau qu'elle frappait, en retrait de
celle qui était dans l'ombre, et disposait comme les degrés
d'un escalier de cristal sur la surface matériellement plane,
mais brisée par l'éclairage de la mer au matin. Un fleuve
qui passe sous les ponts d'une ville était pris d'un point
de vue tel qu'il apparaissait entièrement disloqué, étalé
ici en lac, aminci là en filet, rompu ailleurs par
l'interposition d'une colline couronnée de bois où le
citadin va le soir respirer la fraîcheur du soir ; et le rythme
même de cette ville bouleversée n'était assuré que par la
verticale inflexible des clochers qui ne montaient pas, mais
plutôt, selon le fil à plomb de la pesanteur marquant la
cadence comme dans une marche triomphale, semblaient
tenir en suspens au-dessous d'eux toute la masse plus
confuse des maisons étagées dans la brume, le long du
fleuve écrasé et décousu[1]. Et (comme les premières œuvres

d'Elstir dataient de l'époque où on agrémentait les paysages par la présence d'un personnage) sur la falaise ou dans la montagne, le chemin, cette partie à demi humaine de la nature, subissait, comme le fleuve ou l'océan, les éclipses de la perspective. Et soit qu'une arête montagneuse, ou la brume d'une cascade, ou la mer empêchât de suivre la continuité de la route, visible pour le promeneur mais non pour nous, le petit personnage humain en habits démodés perdu dans ces solitudes semblait souvent arrêté devant un abîme, le sentier qu'il suivait finissant là, tandis que, trois cents mètres plus haut dans ces bois de sapins, c'est d'un œil attendri et d'un cœur rassuré que nous voyions reparaître la mince blancheur de son sable hospitalier au pas du voyageur, mais dont le versant de la montagne nous avait dérobé, contournant la cascade ou le golfe, les lacets intermédiaires.

L'effort qu'Elstir faisait pour se dépouiller en présence de la réalité de toutes les notions de son intelligence était d'autant plus admirable que cet homme qui avant de peindre se faisait ignorant, oubliait tout par probité (car ce qu'on sait n'est pas à soi), avait justement une intelligence exceptionnellement cultivée. Comme je lui avouais la déception que j'avais eue devant l'église de Balbec : « Comment, me dit-il, vous avez été déçu par ce porche, mais c'est la plus belle Bible historiée que le peuple ait jamais pu lire. Cette Vierge[a] et tous les bas-reliefs qui racontent sa vie, c'est l'expression la plus tendre, la plus inspirée, de ce long poème d'adoration et de louanges que le Moyen Âge déroulera à la gloire de la Madone. Si vous saviez, à côté de l'exactitude la plus minutieuse à traduire le texte saint, quelles trouvailles de délicatesse a eues le vieux sculpteur, que de profondes pensées, quelle délicieuse poésie ! L'idée de ce grand voile dans lequel les Anges portent le corps de la Vierge, trop sacré pour qu'ils osent le toucher directement (je lui dis que le même sujet était traité à Saint-André-des-Champs ; il avait vu des photographies du porche de cette dernière église, mais me fit remarquer que l'empressement de ces petits paysans qui courent tous à la fois autour de la Vierge était autre chose que la gravité des deux grands anges presque italiens, si élancés, si doux) ; l'ange qui emporte l'âme de la Vierge pour la réunir à son corps ; dans la rencontre de la Vierge et d'Élisabeth, le geste de cette

dernière qui touche le sein de Marie et s'émerveille de le
sentir gonflé ; et le bras bandé de la sage-femme qui n'avait
pas voulu croire, sans toucher, à l'Immaculée Conception ;
et la ceinture jetée par la Vierge à saint Thomas pour lui
donner la preuve de sa résurrection ; ce voile, aussi, que
la Vierge arrache de son sein pour en voiler la nudité de
son fils d'un côté de qui l'Église recueille le sang, la liqueur
de l'Eucharistie, tandis que, de l'autre, la Synagogue, dont
le règne est fini, a les yeux bandés, tient un sceptre à demi
brisé et laisse échapper, avec sa couronne qui lui tombe
de la tête, les tables de l'ancienne Loi ; et l'époux qui aidant,
à l'heure du Jugement dernier, sa jeune*a* femme à sortir
du tombeau lui appuie la main contre son propre cœur pour
la rassurer et lui prouver qu'il bat vraiment, est-ce aussi
assez chouette comme idée, assez trouvé ? Et l'ange*b* qui
emporte le soleil et la lune devenus inutiles puisqu'il est
dit que la Lumière de la Croix sera sept fois plus puissante
que celle des astres ; et celui qui trempe sa main dans l'eau
du bain de Jésus pour voir si elle est assez chaude ; et celui
qui sort des nuées pour poser sa couronne sur le front de
la Vierge ; et tous ceux qui penchés du haut du ciel entre
les balustres de la Jérusalem céleste, lèvent les bras
d'épouvante ou de joie à la vue des supplices des méchants
et du bonheur des élus ! Car c'est tous les cercles du ciel,
tout un gigantesque poème théologique et symbolique que
vous avez là. C'est fou, c'est divin, c'est mille fois supérieur
à tout ce que vous verrez en Italie où d'ailleurs ce tympan
a été littéralement copié par des sculpteurs de bien moins
de génie. Parce que, vous comprenez, tout ça c'est une
question de génie. Il n'y a pas eu d'époque où tout le
monde a du génie, tout ça c'est des blagues, ça serait plus
fort que l'âge d'or. Le type qui a sculpté cette façade-là,
croyez bien qu'il était aussi fort, qu'il avait des idées aussi
profondes que les gens de maintenant que vous admirez
le plus[1]. Je vous montrerais cela, si nous y allions ensemble.
Il y a certaines paroles de l'office de l'Assomption qui ont
été traduites avec une subtilité qu'un Redon[2] n'a pas
égalée. »

Cette vaste vision céleste dont il me parlait, ce
gigantesque poème théologique que je comprenais avoir
été écrit là, pourtant quand mes yeux pleins de désirs
s'étaient ouverts devant la façade, ce n'est pas eux que
j'avais vus. Je lui parlai de ces grandes statues de saints

qui montées sur ces échasses forment une sorte d'avenue.

« Elle part des fonds des âges pour aboutir à Jésus-Christ, me dit-il. Ce sont d'un côté ses ancêtres selon l'esprit, de l'autre, les Rois de Juda, ses ancêtres selon la chair. Tous les siècles sont là. Et si vous aviez mieux regardé ce qui vous a paru des échasses, vous auriez pu nommer ceux qui étaient perchés. Car sous les pieds de Moïse, vous auriez reconnu le veau d'or, sous les pieds d'Abraham, le bélier, sous ceux de Joseph, le démon conseillant la femme de Putiphar. »

Je lui dis aussi que je m'étais attendu à trouver un monument presque persan et que ç'avait sans doute été là une des causes de mon mécompte. « Mais non, me répondit-il, il y a beaucoup de vrai. Certaines parties sont tout orientales ; un chapiteau reproduit si exactement un sujet persan que la persistance des traditions orientales ne suffit pas à l'expliquer. Le sculpteur a dû copier quelque coffret apporté par des navigateurs. » Et en effet, il devait me montrer plus tard la photographie d'un chapiteau où je vis des dragons quasi chinois qui se dévoraient, mais à Balbec ce petit morceau de sculpture avait passé pour moi inaperçu dans l'ensemble du monument qui ne ressemblait pas à ce que m'avaient montré ces mots : « église presque persane[1] ».

Les joies intellectuelles que je goûtais dans cet atelier ne m'empêchaient nullement de sentir, quoiqu'ils nous entourassent comme malgré nous, les tièdes glacis, la pénombre étincelante de la pièce, et au bout de la petite fenêtre encadrée de chèvrefeuilles, dans l'avenue toute rustique, la résistante sécheresse de la terre brûlée de soleil que voilait seulement la transparence de l'éloignement et de l'ombre des arbres. Peut-être l'inconscient bien-être que me causait ce jour d'été venait-il agrandir, comme un affluent, la joie que me causait la vue du « Port de Carquethuit ».

J'avais cru Elstir modeste mais je compris que je m'étais trompé[a], en voyant son visage se nuancer de tristesse quand dans une phrase de remerciement je prononçai le mot de gloire. Ceux qui croient leurs œuvres durables — et c'était le cas pour Elstir — prennent l'habitude de les situer dans une époque où eux-même ne seront plus que poussière. Et ainsi en les forçant à réfléchir au néant, l'idée de la gloire les attriste parce qu'elle est inséparable de l'idée de la mort. Je changeai de conversation pour dissiper ce nuage d'orgueilleuse mélancolie dont j'avais sans le vouloir chargé le front d'Elstir. « On m'avait conseillé », lui dis-je en pensant à la conversation que nous avions eue avec Legrandin à Combray et sur laquelle j'étais content d'avoir son avis, « de ne pas aller en Bretagne, parce que c'était malsain pour un esprit déjà porté au rêve. — Mais non, me répondit-il, quand un esprit est porté au rêve, il ne faut pas l'en tenir écarté, le lui rationner. Tant que vous détournerez votre esprit de ses rêves, il ne les connaîtra pas ; vous serez le jouet de mille apparences parce que vous n'en aurez pas compris la nature. Si un peu de rêve est dangereux, ce qui en guérit, ce n'est pas moins de rêve, mais plus de rêve, mais tout le rêve. Il importe qu'on connaisse entièrement ses rêves pour n'en plus souffrir ; il y a une certaine séparation du rêve et de la vie qu'il est si souvent utile de faire que je me demande si on ne devrait pas à tout hasard la pratiquer préventivement comme certains chirurgiens prétendent qu'il faudrait, pour éviter la possibilité d'une appendicite future, enlever l'appendice chez tous les enfants. »

Elstir et moi nous étions allés jusqu'au fond de l'atelier, devant la fenêtre qui donnait derrière le jardin sur une étroite avenue de traverse, presque un petit chemin rustique. Nous étions venus là pour respirer l'air rafraîchi de l'après-midi plus avancé. Je me croyais bien loin des jeunes filles de la petite bande et c'est en sacrifiant pour une fois l'espérance de les voir que j'avais fini par obéir à la prière de ma grand-mère et aller voir Elstir. Car où se trouve ce qu'on cherche on ne le sait pas, et on fuit souvent pendant bien longtemps le lieu où, pour d'autres raisons, chacun nous invite ; mais nous ne soupçonnons pas que nous y verrions justement l'être auquel nous pensons. Je regardais vaguement le chemin campagnard qui, extérieur à l'atelier, passait tout près de lui mais n'appartenait pas à Elstir. Tout à coup[a] y apparut, le suivant à pas rapides, la jeune cycliste de la petite bande avec, sur ses cheveux noirs, son polo abaissé vers ses grosses joues, ses yeux gais et un peu insistants ; et dans ce sentier fortuné miraculeusement rempli de douces promesses, je la vis[b] sous les arbres adresser à Elstir un salut souriant d'amie, arc-en-ciel qui unit pour moi notre monde terraqué à des régions que j'avais jugées jusque-là inaccessibles.

Elle s'approcha[a] même pour tendre la main au peintre, sans s'arrêter, et je vis qu'elle avait un petit grain de beauté au menton. « Vous connaissez cette jeune fille, Monsieur ? » dis-je à Elstir, comprenant qu'il pourrait me présenter à elle, l'inviter chez lui. Et cet atelier paisible avec son horizon rural s'était rempli d'un surcroît délicieux comme il arrive d'une maison où un enfant se plaisait déjà et où il apprend que, en plus, de par la générosité qu'ont les belles choses et les nobles gens à accroître indéfiniment leurs dons, se prépare pour lui un magnifique goûter. Elstir me dit qu'elle s'appelait Albertine Simonet et me nomma aussi ses autres amies que je lui décrivis avec assez d'exactitude pour qu'il n'eût guère d'hésitation. J'avais commis à l'égard de leur situation sociale une erreur, mais pas dans le même sens que d'habitude à Balbec. J'y prenais facilement pour des princes des fils de boutiquiers montant à cheval. Cette fois j'avais situé dans un milieu interlope des filles d'une petite bourgeoisie fort riche, du monde de l'industrie et des affaires. C'était celui qui, de prime abord, m'intéressait le moins, n'ayant pour moi le mystère ni du peuple, ni d'une société comme celle des Guermantes. Et sans doute, si un prestige préalable, qu'elles ne perdraient plus, ne leur avait été conféré, devant mes yeux éblouis, par la vacuité éclatante de la vie de plage, je ne serais peut-être pas arrivé à lutter victorieusement contre l'idée qu'elles étaient les filles de gros négociants. Je ne pus qu'admirer combien la bourgeoisie française était un atelier merveilleux de la sculpture la plus variée[b]. Que de types imprévus, quelle invention dans le caractères des visages, quelle décision, quelle fraîcheur, quelle naïveté dans les traits ! Les vieux bourgeois avares d'où étaient issues ces Dianes et ces nymphes me semblaient les plus grands des statuaires. Avant que[c] j'eusse eu le temps de m'apercevoir de la métamorphose sociale de ces jeunes filles, et tant ces découvertes d'une erreur, ces modifications de la notion qu'on a d'une personne ont l'instantanéité d'une réaction chimique, s'était déjà installée derrière le visage d'un genre si voyou de ces jeunes filles que j'avais prises pour des maîtresses de coureurs cyclistes, de champions de boxe, l'idée qu'elles pouvaient très bien être liées avec la famille de tel notaire que nous[d] connaissions. Je ne savais guère ce qu'était Albertine Simonet. Elle ignorait certes ce qu'elle devait être un jour

pour moi. Même ce nom de Simonet que j'avais déjà
entendu sur la plage, si on m'avait demandé de l'écrire
je l'aurais orthographié avec deux *n*, ne me doutant pas
de l'importance que cette famille attachait à n'en posséder
qu'un seul. Au fur et à mesure que l'on descend dans
l'échelle sociale, le snobisme s'accroche à des riens qui
ne sont peut-être pas plus nuls que les distinctions de
l'aristocratie, mais qui plus obscurs, plus particuliers à
chacun, surprennent davantage. Peut-être y avait-il eu des
Simonet qui avaient fait de mauvaises affaires, ou pis
encore. Toujours est-il que les Simonet s'étaient, paraît-il,
toujours irrités comme d'une calomnie quand on doublait
leur *n*. Ils avaient, d'être les seuls Simonet avec un *n* au
lieu de deux, autant de fierté peut-être que les Montmorency d'être les premiers barons de France. Je demandai[a]
à Elstir si ces jeunes filles habitaient Balbec, il me répondit
oui pour certaines d'entre elles. La villa de l'une était
précisément située tout au bout de la plage, là où
commencent les falaises de Canapville[1]. Comme cette
jeune fille était une grande amie d'Albertine Simonet[2], ce
me fut une raison de plus de croire que c'était bien cette
dernière que j'avais rencontrée, quand j'étais avec ma
grand-mère. Certes il y avait tant de ces petites rues
perpendiculaires à la plage où elles faisaient un angle
pareil, que je n'aurais pu spécifier exactement laquelle[b]
c'était. On voudrait avoir un souvenir exact mais au
moment même la vision a été trouble. Pourtant qu'Albertine et cette jeune fille entrant chez son amie fussent une
seule et même personne, c'était pratiquement une certitude. Malgré cela, tandis que les innombrables images que
m'a présentées dans la suite la brune joueuse de golf, si
différentes qu'elles soient les unes des autres, se superposent (parce que je sais qu'elles lui appartiennent toutes)
et que si je remonte le fil de mes souvenirs, je peux, sous
le couvert de cette identité et comme dans un chemin de
communication intérieure, repasser par toutes ces images
sans sortir d'une même personne, en revanche, si je veux
remonter jusqu'à la jeune fille que je croisai le jour où
j'étais avec ma grand-mère, il me faut ressortir à l'air libre.
Je suis persuadé que c'est Albertine que je retrouve, la
même que celle qui s'arrêtait souvent, au milieu de ses
amies, dans sa promenade, dépassant l'horizon de la mer ;
mais toutes ces images restent séparées de cette autre parce

que je ne peux pas lui conférer rétrospectivement une
identité qu'elle n'avait pas pour moi au moment où elle
a frappé mes yeux ; quoi que puisse m'assurer le calcul
des probabilités, cette jeune fille aux grosses joues qui me
regarda si hardiment au coin de la petite rue et de la plage
et par qui je crois que j'aurais pu être aimé, au sens strict
du mot revoir, je ne l'ai jamais revue.

Mon hésitation[a] entre les diverses jeunes filles de la
petite bande, lesquelles gardaient toutes un peu du charme
collectif qui m'avait d'abord troublé, s'ajouta-t-elle aussi
à ces causes pour me laisser plus tard, même au temps de
mon plus grand — de mon second — amour pour
Albertine, une sorte de liberté intermittente, et bien brève,
de ne l'aimer pas ? Pour avoir erré entre toutes ses amies
avant de se porter définitivement sur elle, mon amour
garda parfois entre lui et l'image d'Albertine un certain
« jeu » qui lui permettait comme un éclairage mal adapté
de se poser sur d'autres avant de revenir s'appliquer à elle ;
le rapport entre le mal que je ressentais au cœur et le
souvenir d'Albertine ne me semblait pas nécessaire,
j'aurais peut-être pu le coordonner avec l'image d'une
autre personne. Ce qui me permettait, l'éclair d'un instant,
de faire évanouir la réalité, non pas seulement la réalité
extérieure comme dans mon amour pour Gilberte (que
j'avais reconnu pour un état intérieur où je tirais de moi
seul la qualité particulière, le caractère spécial de l'être
que j'aimais, tout ce qui le rendait indispensable à mon
bonheur), mais même la réalité intérieure et purement
subjective.

« Il n'y a pas de jour qu'une ou l'autre d'entre elles
ne passe devant l'atelier et n'entre me faire un bout de
visite », me dit Elstir, me désespérant aussi par la pensée
que si j'avais été le voir aussitôt que ma grand-mère m'avait
demandé de le faire, j'eusse probablement depuis longtemps déjà fait la connaissance d'Albertine.

Elle s'était[b] éloignée ; de l'atelier on ne la voyait plus.
Je pensai qu'elle était allée rejoindre ses amies sur la digue.
Si j'avais pu m'y trouver avec Elstir, j'eusse fait leur
connaissance. J'inventai mille prétextes pour qu'il consentît
à venir faire un tour de plage avec moi. Je n'avais plus
le même calme qu'avant l'apparition de la jeune fille dans
le cadre de la petite fenêtre si charmante jusque-là sous
ses chèvrefeuilles et maintenant bien vide. Elstir me causa

une joie mêlée de torture en me disant qu'il ferait quelques pas avec moi, mais qu'il était obligé de terminer d'abord le morceau qu'il était en train de peindre. C'était des fleurs, mais pas de celles dont j'eusse mieux aimé lui commander le portrait que celui d'une personne, afin d'apprendre par la révélation de son génie ce que j'avais si souvent cherché en vain devant elles — aubépines, épines roses, bluets, fleurs de pommiers. Elstir tout en peignant me parlait de botanique, mais je ne l'écoutais guère ; il ne se suffisait plus[a] à lui-même, il n'était plus que l'intermédiaire nécessaire entre ces jeunes filles et moi ; le prestige que quelques instants encore auparavant lui donnait pour moi son talent, ne valait plus qu'en tant qu'il m'en conférait un peu à moi-même aux yeux de la petite bande à qui je serais présenté par lui.

J'allais et venais, impatient qu'il eût fini de travailler ; je saisissais pour les regarder des études dont beaucoup, tournées contre le mur, étaient empilées les unes sur les autres. Je me trouvai ainsi mettre au jour une aquarelle qui devait être d'un temps bien plus ancien de la vie d'Elstir et me causa cette sorte particulière d'enchantement que dispensent des œuvres non seulement d'une exécution délicieuse, mais aussi d'un sujet si singulier et si séduisant que c'est à lui que nous attribuons une partie de leur charme, comme si, ce charme, le peintre n'avait eu qu'à le découvrir, qu'à l'observer, matériellement réalisé déjà dans la nature et à le reproduire. Que de tels objets puissent exister, beaux en dehors même de l'interprétation du peintre, cela contente en nous un matérialisme inné, combattu par la raison, et sert de contrepoids aux abstractions de l'esthétique. C'était — cette aquarelle — le portrait d'une jeune femme pas jolie, mais d'un type curieux, que coiffait un serre-tête assez semblable à un chapeau melon bordé d'un ruban de soie cerise ; une de ses mains gantées de mitaines tenait une cigarette allumée, tandis que l'autre élevait à la hauteur du genou une sorte de grand chapeau de jardin, simple écran de paille contre le soleil. À côté d'elle, un porte-bouquet plein de roses[1] sur une table. Souvent, et c'était le cas ici, la singularité de ces œuvres tient surtout à ce qu'elles ont été exécutées dans des conditions particulières dont nous ne nous rendons pas clairement compte d'abord, par exemple si la toilette étrange d'un modèle féminin est un déguisement

de bal costumé, ou si au contraire le manteau rouge d'un
vieillard qui a l'air de l'avoir revêtu pour se prêter à une
fantaisie du peintre, est sa robe de professeur ou de
conseiller, ou son camail de cardinal. Le caractère ambigu
de l'être dont j'avais le portrait sous les yeux tenait sans
que je le comprisse à ce que c'était une jeune actrice
d'autrefois en demi-travesti. Mais son melon, sous lequel
ses cheveux étaient bouffants, mais courts, son veston de
velours sans revers ouvrant sur un plastron blanc me firent
hésiter sur la date de la mode et le sexe du modèle, de
façon que je ne savais pas exactement ce que j'avais sous
les yeux, sinon le plus clair des morceaux de peinture[1].
Et le plaisir qu'il me donnait était troublé seulement par
la peur qu'Elstir en s'attardant encore me fît manquer les
jeunes filles, car le soleil était déjà oblique et bas[d] dans
la petite fenêtre. Aucune chose dans cette aquarelle n'était
simplement constatée en fait et peinte à cause de son utilité
dans la scène, le costume parce qu'il fallait que la femme
fût habillée, le porte-bouquet pour les fleurs. Le verre du
porte-bouquet, aimé pour lui-même, avait l'air d'enfermer
l'eau où trempaient les tiges des œillets, dans quelque
chose d'aussi limpide, presque d'aussi liquide qu'elle ;
l'habillement de la femme l'entourait d'une matière qui
avait un charme indépendant, fraternel, et si les œuvres
de l'industrie pouvaient rivaliser de charme avec les
merveilles de la nature, aussi délicates, aussi savoureuses
au toucher du regard, aussi fraîchement peintes que la
fourrure d'une chatte, les pétales d'un œillet, les plumes
d'une colombe. La blancheur du plastron, d'une finesse
de grésil et dont le frivole plissage avait des clochettes
comme celles du muguet, s'étoilait des clairs reflets de la
chambre, aigus eux-mêmes et finement nuancés comme
des bouquets de fleurs qui auraient broché le linge. Et le
velours du veston, brillant et nacré, avait çà[b] et là quelque
chose de hérissé, de déchiqueté et de velu qui faisait penser
à l'ébouriffage des œillets dans le vase. Mais surtout on
sentait qu'Elstir, insoucieux de ce que pouvait présenter
d'immoral ce travesti d'une jeune actrice pour qui le talent
avec lequel elle jouerait son rôle avait sans doute moins
d'importance que l'attrait irritant qu'elle allait offrir aux
sens blasés ou dépravés de certains spectateurs, s'était au
contraire attaché à ces traits d'ambiguïté comme à un
élément esthétique qui valait d'être mis en relief et qu'il

avait tout fait pour souligner. Le long des lignes du visage, le sexe avait l'air d'être sur le point d'avouer qu'il était celui d'une fille un peu garçonnière, s'évanouissait, et plus loin se retrouvait, suggérant plutôt l'idée d'un jeune efféminé vicieux et songeur, puis fuyait encore, restait insaisissable. Le caractère de tristesse rêveuse du regard, par son contraste même avec les accessoires appartenant au monde de la noce et du théâtre, n'était pas ce qui était le moins troublant. On pensait du reste qu'il devait être factice et que le jeune être qui semblait s'offrir aux caresses dans ce provocant costume avait probablement trouvé piquant d'y ajouter l'expression romanesque d'un sentiment secret, d'un chagrin inavoué. Au bas du portrait était écrit : *Miss Sacripant*, octobre 1872[1]. Je ne pus contenir mon admiration. « Oh ! ce n'est rien, c'est une pochade de jeunesse, c'était un costume pour une revue des Variétés[2]. Tout cela est bien loin. — Et qu'est devenu le modèle ? » Un étonnement provoqué par mes paroles précéda sur la figure d'Elstir l'air indifférent et distrait qu'au bout d'une seconde il y étendit. « Tenez, passez-moi vite cette toile, me dit-il, j'entends Mme Elstir qui arrive et bien que la jeune personne en melon n'ai joué, je vous assure, aucun rôle dans ma vie, il est inutile que ma femme ait cette aquarelle sous les yeux. Je n'ai gardé cela que comme un document amusant sur le théâtre de cette époque ». Et avant de cacher l'aquarelle derrière lui, Elstir qui peut-être ne l'avait pas vue depuis longtemps y attacha un regard attentif. « Il faudra que je ne garde que la tête, murmura-t-il, le bas est vraiment trop mal peint, les mains sont d'un commençant. » J'étais désolé de l'arrivée de Mme Elstir qui allait encore nous retarder. Le rebord de la fenêtre fut bientôt rose. Notre[d] sortie serait en pure perte. Il n'y avait plus aucune chance de voir les jeunes filles, par conséquent plus aucune importance à ce que Mme Elstir nous quittât plus ou moins vite. Elle ne resta, d'ailleurs, pas très longtemps. Je la trouvai très ennuyeuse ; elle aurait pu être belle, si elle avait eu vingt ans, conduisant un bœuf dans la campagne romaine ; mais ses cheveux noirs blanchissaient ; et elle était commune sans être simple, parce qu'elle croyait que la solennité des manières et la majesté de l'attitude étaient requises par sa beauté sculpturale à laquelle, d'ailleurs, l'âge avait enlevé toutes ses séductions. Elle était mise avec la plus

grande simplicité. Et on était touché mais surpris d'entendre Elstir dire à tout propos et avec une douceur
respectueuse, comme si rien que prononcer ces mots lui
causait de l'attendrissement et de la vénération : « Ma
belle Gabrielle ! » Plus tard, quand je connus la peinture
mythologique d'Elstir, Mme Elstir prit pour moi aussi de
la beauté. Je compris qu'à certain type idéal résumé en
certaines lignes, en certaines arabesques qui se retrouvaient sans cesse dans son œuvre, à un certain canon, il
avait attribué en fait un caractère presque divin, puisque
tout son temps, tout l'effort de pensée dont il était capable,
en un mot toute sa vie, il l'avait consacrée à la tâche de
distinguer mieux ces lignes, de les reproduire plus
fidèlement. Ce qu'un tel idéal inspirait à Elstir, c'était
vraiment un culte si grave, si exigeant, qu'il ne lui
permettait jamais d'être content ; c'était[a] la partie la plus
intime de lui-même : aussi n'avait-il pu le considérer avec
détachement, en tirer des émotions, jusqu'au jour où il
le rencontra, réalisé au-dehors, dans le corps d'une femme,
le corps de celle qui était par la suite devenue Mme Elstir
et chez qui il avait pu — comme cela ne nous est possible
que pour ce qui n'est pas nous-mêmes — le trouver
méritoire, attendrissant, divin. Quel repos[b], d'ailleurs, de
poser ses lèvres sur ce Beau que jusqu'ici il fallait avec
tant de peine extraire de soi, et qui maintenant mystérieusement incarné s'offrait à lui pour une suite de commu-
nions efficaces ! Elstir à cette époque n'était plus dans la
première jeunesse où l'on n'attend que de la puissance
de la pensée la réalisation de son idéal. Il approchait de
l'âge où l'on compte sur les satisfactions du corps pour
stimuler la force de l'esprit, où la fatigue de celui-ci en
nous inclinant au matérialisme et la diminution de l'activité
à la possibilité d'influences passivement reçues commencent à nous faire admettre qu'il y a peut-être bien certains
corps, certains métiers, certains rythmes privilégiés, réali-
sant si naturellement notre idéal, que même sans génie,
rien qu'en copiant le mouvement d'une épaule, la tension
d'un cou, nous ferions un chef-d'œuvre ; c'est l'âge où
nous aimons à caresser la Beauté du regard hors de nous,
près de nous, dans une tapisserie, dans une belle esquisse
de Titien découverte chez un brocanteur, dans une
maîtresse aussi belle que l'esquisse de Titien. Quand j'eus
compris cela, je ne pus plus voir sans plaisir Mme Elstir,

et son corps perdit de sa lourdeur, car je le remplis d'une idée, l'idée qu'elle était une créature immatérielle, un portrait d'Elstir. Elle en était un pour moi et pour lui aussi sans doute[1]. Les données[a] de la vie ne comptent pas pour l'artiste, elles ne sont pour lui qu'une occasion de mettre à nu son génie. On sent bien à voir les uns à côté des autres dix portraits de personnes différentes peintes par Elstir, que ce sont avant tout des Elstir. Seulement[b], après cette marée montante du génie qui recouvre la vie, quand le cerveau se fatigue, peu à peu l'équilibre se rompt, et comme un fleuve qui reprend son cours après le contre-flux d'une grande marée, c'est la vie qui reprend le dessus. Or, pendant que durait la première période, l'artiste a peu à peu dégagé la loi, la formule de son don inconscient. Il sait quelles situations s'il est romancier, quels paysages s'il est peintre, lui fournissent la matière, indifférente en soi, mais nécessaire à ses recherches comme serait un laboratoire ou un atelier. Il sait qu'il a fait ses chefs-d'œuvre avec des effets de lumière atténuée, avec des remords modifiant l'idée d'une faute, avec des femmes posées sous les arbres ou à demi plongées dans l'eau comme des statues. Un jour viendra où par l'usure de son cerveau, il n'aura[c] plus devant ces matériaux dont se servait son génie, la force de faire l'effort intellectuel qui seul peut produire l'œuvre[d] et continuera pourtant à les rechercher, heureux de se trouver près d'eux à cause du plaisir spirituel, amorce du travail, qu'ils éveillent en lui ; et les entourant d'ailleurs d'une sorte de superstition comme s'ils étaient supérieurs à autre chose, si en eux résidait déjà une bonne part de l'œuvre d'art qu'ils porteraient en quelque sorte toute faite, il n'ira pas plus loin que la fréquentation, l'adoration des modèles. Il causera indéfiniment avec des criminels repentis, dont les remords, la régénération a fait jadis l'objet de ses romans ; il achètera une maison de campagne dans un pays où la brume atténue la lumière ; il passera de longues heures à regarder des femmes se baigner ; il collectionnera les belles étoffes. Et ainsi la beauté de la vie, mot en quelque sorte dépourvu de signification, stade situé en deçà de l'art et auquel j'avais vu s'arrêter Swann, était celui où par ralentissement du génie créateur, idolâtrie des formes qui l'avaient favorisé, désir du moindre effort, devait un jour rétrograder peu à peu un Elstir.

Il venait enfin de donner un dernier coup de pinceau à ses fleurs ; je perdis un instant à les regarder ; je n'avais pas de mérite à le faire, puisque je savais que les jeunes filles ne se trouveraient plus sur la plage ; mais j'aurais cru qu'elles y étaient encore et que ces minutes perdues me les faisaient manquer que j'aurais regardé tout de même, car je me serais dit qu'Elstir s'intéressait plus à ses fleurs qu'à ma rencontre avec les jeunes filles. La nature de ma grand-mère, nature qui était juste l'opposé de mon total égoïsme, se reflétait pourtant dans la mienne. Dans une circonstance où quelqu'un qui m'était indifférent, pour qui j'avais toujours feint de l'affection ou du respect, ne risquait qu'un désagrément tandis que je courais un danger, je n'aurais pas pu faire autrement que de le plaindre de son ennui comme d'une chose considérable et de traiter mon danger comme un rien, parce qu'il me semblait que c'était avec ces proportions que les choses devaient lui apparaître. Pour dire les choses telles qu'elles sont, c'est même un peu plus que cela, et pas seulement ne pas déplorer le danger que je courais moi-même, mais aller au-devant de ce danger-là, et pour celui qui concernait les autres, tâcher au contraire, dussé-je avoir plus de chances d'être atteint moi-même, de le leur éviter. Cela tient à plusieurs raisons qui ne sont point à mon honneur. L'une est que si tant que je ne faisais que raisonner, je croyais surtout tenir à la vie, chaque fois qu'au cours de mon existence je me suis trouvé obsédé par des soucis moraux ou seulement par des inquiétudes nerveuses, quelquefois si puériles que je n'oserais pas les rapporter, si une circonstance imprévue survenait alors, amenant pour moi le risque d'être tué, cette nouvelle préoccupation était si légère, relativement aux autres, que je l'accueillais avec un sentiment de détente qui allait jusqu'à l'allégresse. Je me trouve ainsi avoir connu quoique étant l'homme le moins brave du monde, cette chose qui me semblait, quand je raisonnais, si étrangère à ma nature, si inconcevable, l'ivresse du danger. Mais même fussé-je, quand il y en a un, et mortel, qui se présente, dans une période entièrement calme et heureuse, je ne pourrais pas si je suis avec une autre personne, ne pas la mettre à l'abri et choisir pour moi la place dangereuse. Quand un assez grand nombre d'expériences m'eurent appris que j'agissais toujours ainsi, et avec plaisir, je découvris et à ma grande honte, que c'est que contrairement à ce que j'avais toujours cru et affirmé, j'étais très sensible à l'opinion des autres. Cette sorte d'amour-propre inavoué n'a pourtant aucun rapport avec la vanité ni avec l'orgueil. Car ce qui peut contenter l'une ou l'autre ne me causerait aucun plaisir et je m'en suis toujours abstenu. Mais les gens devant qui j'ai réussi à cacher le plus complètement les petits avantages qui auraient pu leur donner une moins piètre idée de moi, je n'ai jamais pu me refuser le plaisir de leur montrer que je mets plus de soin à écarter la mort de leur route que de la mienne. Comme mon mobile est alors l'amour-propre et non la vertu, je trouve bien naturel qu'en toute circonstance ils agissent autrement. Je suis bien loin de les en blâmer, ce que je ferais peut-être si j'avais été mû par l'idée d'un devoir qui me semblerait dans ce cas être obligatoire pour eux aussi bien que pour moi. Au contraire je les trouve fort sages de préserver leur vie, tout en ne pouvant m'empêcher de faire passer au second plan la mienne, ce qui est particulièrement absurde et coupable, depuis que j'ai cru reconnaître que celle de beaucoup de gens devant qui je me place quand éclate une bombe est plus dénuée de prix. D'ailleurs, le jour de cette visite à Elstir, les temps étaient encore loin où je devais prendre conscience de cette différence de valeur, et il ne s'agissait d'aucun danger, mais simplement, signe avant-coureur du pernicieux amour-propre, de ne pas avoir l'air d'attacher au plaisir que je désirais si ardemment plus d'importance qu'à la besogne d'aquarelliste qu'il n'avait pas achevée. Elle le fut enfin. Et, une fois dehors, je m'aperçus que — tant les jours étaient longs dans cette saison-là — il était moins tard que je ne croyais ; nous allâmes sur la digue. Que de ruses^d j'employai pour faire demeurer Elstir à l'endroit où je croyais que ces jeunes filles pouvaient encore passer ! Lui montrant les falaises qui s'élevaient à côté de nous, je ne cessais de lui demander de me parler d'elles, afin de lui faire oublier l'heure et de le faire rester. Il me semblait que nous avions plus de chance de cerner la petite bande en allant vers l'extrémité de la plage. « J'aurais voulu voir d'un tout petit peu près avec vous ces falaises, », dis-je à Elstir, ayant remarqué qu'une de ces jeunes filles s'en allait souvent de ce côté. « Et pendant ce temps-là, parlez-moi de Carquethuit. Ah ! que j'aimerais aller à Carquethuit¹ ! » ajoutai-je sans

penser que le caractère si nouveau qui se manifestait avec
tant de puissance dans le « Port de Carquethuit » d'Elstir
tenait peut-être plus à la vision du peintre qu'à un mérite
spécial de cette plage. « Depuis que j'ai vu ce tableau,
c'est peut-être ce que je désire le plus connaître avec la
Pointe du Raz, qui serait, d'ailleurs, d'ici, tout un voyage[1].
— Et puis même si ce n'était pas plus près je vous
conseillerais peut-être tout de même davantage Carquethuit, me répondit Elstir. La Pointe du Raz est admirable,
mais enfin c'est toujours la grande falaise normande ou
bretonne que vous connaissez. Carquethuit, c'est tout autre
chose avec ses roches sur une plage basse. Je ne connais
rien en France d'analogue, cela me rappelle plutôt certains
aspects de la Floride[2]. C'est très curieux, et du reste
extrêmement sauvage aussi. C'est entre Clitourps et
Nehomme[3], et vous savez combien ces parages sont
désolés ; la ligne des plages est ravissante. Ici, la ligne de
la plage est quelconque ; mais là-bas, je ne peux vous dire
quelle grâce elle a, quelle douceur. »

Le soir tombait ; il fallut revenir ; je ramenais Elstir vers
sa villa, quand tout d'un coup, tel Méphistophélès
surgissant devant Faust, apparurent au bout de l'avenue
— comme une simple objectivation irréelle et diabolique
du tempérament opposé au mien, de la vitalité quasi
barbare et cruelle dont était si dépourvue ma faiblesse,
mon excès de sensibilité douloureuse et d'intellectualité
— quelques taches de l'essence impossible à confondre
avec rien d'autre, quelques sporades de la bande zoophyti-
que des jeunes filles, lesquelles avaient l'air de ne pas me
voir, mais sans aucun doute n'en étaient pas moins en train
de porter sur moi un jugement ironique. Sentant[a] qu'il
était inévitable que la rencontre entre elles et nous se
produisît, et qu'Elstir allait m'appeler, je tournai le dos
comme un baigneur qui va recevoir la lame[4] ; je m'arrêtai
net et laissant mon illustre compagnon poursuivre son
chemin, je restai en arrière, penché, comme si j'étais
subitement intéressé par elle, vers la vitrine du marchand
d'antiquités devant lequel nous passions en ce moment ;
je n'étais pas fâché d'avoir l'air de pouvoir penser à autre
chose qu'à ces jeunes filles, et je savais déjà obscurément
que quand Elstir m'appellerait pour me présenter, j'aurais
la sorte de regard interrogateur qui décèle non la surprise,
mais le désir d'avoir l'air surpris — tant chacun est un

mauvais acteur ou le prochain un bon physiognomoniste
— , que j'irais même jusqu'à indiquer ma poitrine avec
mon doigt pour demander : « C'est bien moi que vous
appelez ? » et accourir vite, la tête courbée par l'obéissance et la docilité, le visage dissimulant froidement
l'ennui d'être arraché à la contemplation de vieilles
faïences pour être présenté à des personnes que je ne
souhaitais pas de connaître. Cependant je considérais la
devanture en attendant le moment où mon nom crié par
Elstir viendrait me frapper comme une balle attendue et
inoffensive. La certitude de la présentation à ces jeunes
filles avait eu pour résultat, non seulement de me faire
à leur égard jouer, mais éprouver, l'indifférence. Désormais inévitable, le plaisir de les connaître fut comprimé,
réduit, me parut plus petit que celui de causer avec
Saint-Loup, de dîner avec ma grand-mère, de faire dans
les environs des excursions que je regretterais d'être
probablement, par le fait de relations avec des personnes
qui devaient peu s'intéresser aux monuments historiques,
contraint de négliger. D'ailleurs ce qui diminuait le plaisir
que j'allais avoir, ce n'était pas seulement l'imminence,
mais l'incohérence de sa réalisation. Des lois aussi précises
que celles de l'hydrostatique maintiennent la superposition
des images que nous formons dans un ordre fixe que la
proximité de l'événement bouleverse. Elstir allait m'appeler. Ce n'était pas du tout de cette façon que je m'étais
souvent, sur la plage, dans ma chambre, figuré que je
connaîtrais ces jeunes filles. Ce qui allait avoir lieu, c'était
un autre événement auquel je n'étais pas préparé. Je n'y
reconnaissais ni mon désir, ni son objet ; je regrettais
presque d'être sorti avec Elstir. Mais, surtout, la
contraction du plaisir que j'avais auparavant cru avoir était
due à la certitude que rien ne pouvait plus me l'enlever.
Et il reprit[a], comme en vertu d'une force élastique, toute
sa hauteur, quand il cessa de subir l'étreinte de cette
certitude, au moment où m'étant décidé à tourner la tête,
je vis Elstir arrêté quelques pas plus loin avec les jeunes
filles, leur dire au revoir. La figure de celle qui était le
plus près de lui, grosse et éclairée par ses[b] regards, avait
l'air d'un gâteau où on eût réservé de la place pour un
peu de ciel. Ses yeux, même fixes, donnaient l'impression
de la mobilité, comme il arrive par ces jours de grand vent
où l'air, quoique invisible, laisse percevoir la vitesse avec

laquelle il passe sur le fond de l'azur. Un instant ses regards croisèrent les miens, comme ces ciels voyageurs des jours d'orage qui approchent d'une nuée moins rapide, la côtoient, la touchent, la dépassent. Mais ils ne se connaissent pas et s'en vont loin l'un de l'autre. Tels nos regards furent un instant face à face, ignorant chacun ce que le continent céleste qui était devant lui contenait de promesses et de menaces pour l'avenir. Au moment seulement où son regard passa exactement sous le mien sans ralentir sa marche, il se voila légèrement. Ainsi, par une nuit claire, la lune emportée par le vent passe sous un nuage et voile un instant son éclat, puis reparaît bien vite. Mais déjà Elstir avait quitté les jeunes filles sans m'avoir appelé. Elles prirent une rue de traverse, il vint vers moi. Tout était manqué.

J'ai dit qu'Albertine ne m'était pas apparue, ce jour-là, la même que les précédents, et que chaque fois elle devait me sembler différente. Mais je sentis à ce moment que certaines modifications dans l'aspect, l'importance, la grandeur d'un être peuvent tenir aussi à la variabilité de certains états interposés entre cet être et nous. L'un de ceux qui jouent à cet égard le rôle le plus considérable est la croyance, (ce soir-là la croyance, puis l'épanouissement de la croyance, que j'allais connaître Albertine, l'avait, à quelques secondes d'intervalle, rendue presque insignifiante puis infiniment précieuse à mes yeux ; quelques années plus tard, la croyance, puis la disparition de la croyance, qu'Albertine m'était fidèle, amena des changements analogues).

Certes, à Combray déjà j'avais vu diminuer ou grandir selon les heures, selon que j'entrais dans l'un ou l'autre des deux grands modes qui se partageaient ma sensibilité[1], le chagrin de n'être pas près de ma mère, aussi imperceptible, tout l'après-midi, que la lumière de la lune tant que brille le soleil et, la nuit venue, régnant seul dans mon âme anxieuse à la place de souvenirs effacés et récents. Mais ce jour-là, en voyant qu'Elstir quittait les jeunes filles sans m'avoir appelé, j'appris que les variations de l'importance qu'ont à nos yeux un plaisir ou un chagrin peuvent ne pas tenir seulement à cette alternance de deux états, mais au déplacement de croyances invisibles, lesquelles par exemple nous font paraître indifférente la mort parce qu'elles répandent sur celle-ci une lumière

d'irréalité, et nous permettent ainsi d'attacher de l'importance à nous rendre à une soirée musicale qui perdrait de
son charme si, à l'annonce que nous allons être guillotinés,
la croyance qui baigne cette soirée se dissipait tout à coup ;
ce rôle des croyances, il est vrai que quelque chose en
moi le savait, c'était la volonté, mais elle le sait en vain
si l'intelligence, la sensibilité continuent à l'ignorer ;
celles-ci sont de bonne foi quand elles croient que nous
avons envie de quitter une maîtresse à laquelle seule notre
volonté sait que nous tenons. C'est qu'elles sont obscurcies
par la croyance que nous la retrouverons dans un instant.
Mais que cette croyance se dissipe, qu'elles apprennent
tout d'un coup que cette[a] maîtresse est partie pour
toujours, alors l'intelligence et la sensibilité, ayant perdu
leur mise au point, sont comme folles, le plaisir infime
s'agrandit à l'infini.

Variation d'une croyance, néant de l'amour aussi,
lequel, préexistant et mobile, s'arrête à l'image d'une
femme simplement parce que cette femme sera presque
impossible à atteindre. Dès lors on pense moins à la
femme, qu'on se représente difficilement, qu'aux moyens
de la connaître. Tout un processus d'angoisses se développe et suffit pour fixer notre amour sur elle, qui en est
l'objet à peine connu de nous. L'amour devient immense,
nous ne songeons pas combien la femme réelle y tient peu
de place. Et si tout d'un coup, comme au moment où j'avais
vu Elstir s'arrêter avec les jeunes filles, nous cessons d'être
inquiets, d'avoir de l'angoisse, comme c'est elle qui est
tout notre amour, il semble brusquement qu'il se soit
évanoui au moment où nous tenons enfin la proie à la
valeur de laquelle nous n'avons pas assez pensé. Que
connaissais-je[b] d'Albertine ? Un ou deux profils sur la mer,
moins beaux assurément que ceux des femmes de
Véronèse que j'aurais dû, si j'avais obéi à des raisons
purement esthétiques, lui préférer. Or, est-ce à d'autres
raisons que je pouvais obéir, puisque[c], l'anxiété tombée,
je ne pouvais retrouver que ces profils muets, je ne
possédais rien d'autre ? Depuis que j'avais vu Albertine,
j'avais fait chaque jour à son sujet des milliers de réflexions,
j'avais poursuivi, avec ce que j'appelais elle, tout un
entretien intérieur où je la faisais questionner, répondre,
penser, agir, et dans la série indéfinie d'Albertines
imaginées qui se succédaient en moi heure par heure,

l'Albertine réelle, aperçue sur la plage, ne figurait qu'en
tête, comme la « créatrice » d'un rôle, l'étoile, ne paraît,
dans une longue série de représentations, que dans les
toutes premières. Cette Albertine-là n'était guère qu'une
silhouette, tout ce qui s'y était superposé était de mon cru,
tant dans l'amour les apports qui viennent de nous l'empor-
tent — à ne se placer même qu'au point de vue de la quantité
— sur ceux qui nous viennent de l'être aimé. Et cela est vrai
des amours les plus effectifs. Il en est[a] qui peuvent non
seulement se former mais subsister autour de bien peu de
chose — et même parmi ceux qui ont reçu leur exaucement
charnel. Un ancien professeur de dessin de ma grand-mère
avait eu d'une maîtresse obscure une fille. La mère mourut
peu de temps après la naissance de l'enfant et le professeur
de dessin en eut un chagrin tel qu'il ne survécut pas
longtemps. Dans les derniers mois de sa vie, ma grand-mère
et quelques dames de Combray, qui n'avaient jamais voulu
faire même allusion devant leur professeur à cette femme
avec laquelle d'ailleurs il n'avait pas officiellement vécu et
n'avait eu que peu de relations, songèrent à assurer le sort
de la petite fille en se cotisant pour lui faire une rente
viagère. Ce fut ma grand-mère qui le proposa, certaines
amies se firent tirer l'oreille : cette petite fille était-elle
vraiment si intéressante, était-elle seulement la fille de celui
qui s'en croyait le père ? Avec des femmes comme était la
mère, on n'est jamais sûr. Enfin on se décida. La petite fille
vint remercier. Elle était laide et d'une ressemblance avec
le vieux maître de dessin qui ôta tous les doutes ; comme[b]
ses cheveux étaient tout ce qu'elle avait de bien, une dame
dit au père qui l'avait conduite : « Comme elle a de beaux
cheveux ! » Et pensant que maintenant, la femme coupable
étant morte et le professeur à demi mort, une allusion à ce
passé qu'on avait toujours feint d'ignorer n'avait plus de
conséquence, ma grand-mère ajouta : « Ça doit être de
famille. Est-ce que sa mère avait ces beaux cheveux-là ? — Je
ne sais pas, répondit naïvement le père. Je ne l'ai jamais vue
qu'en chapeau[1]. »

Il fallait rejoindre Elstir. Je m'aperçus dans une glace.
En plus du désastre de ne pas avoir été présenté, je
remarquai que ma cravate était tout de travers, mon
chapeau laissait voir mes cheveux longs[c], ce qui m'allait
mal ; mais c'était une chance tout de même qu'elles
m'eussent, même ainsi, rencontré avec Elstir et ne pussent

pas m'oublier ; c'en était une autre que j'eusse ce jour-là, sur le conseil de ma grand-mère, mis mon joli gilet qu'il s'en était fallu de si peu que j'eusse remplacé par un affreux, et pris ma plus belle canne ; car un événement que nous désirons ne se produisant jamais comme nous avons pensé, à défaut des avantages sur lesquels nous croyions pouvoir compter, d'autres, que nous n'espérions pas, se sont présentés, le tout se compense ; et nous redoutions tellement le pire que nous sommes finalement enclins à trouver que dans l'ensemble pris en bloc, le hasard nous a, somme toute, plutôt favorisés. « J'aurais été si content de les connaître », dis-je à Elstir en arrivant près de lui. « Aussi pourquoi restez-vous à des lieues ? » Ce furent les paroles qu'il prononça, non qu'elles exprimassent sa pensée, puisque si son désir avait été d'exaucer le mien, m'appeler lui eût été bien facile, mais peut-être parce qu'il avait entendu des phrases de ce genre, familier aux gens vulgaires pris en faute, et parce que même les grands hommes sont, en certaines choses, pareils aux gens vulgaires, prennent les excuses journalières dans le même répertoire qu'eux, comme le pain quotidien chez le même boulanger ; soit que de telles paroles, qui doivent en quelque sorte être lues à l'envers puisque leur lettre signifie le contraire de la vérité, soient l'effet nécessaire, le graphique négatif d'un réflexe. « Elles étaient*ᵃ* pressées. » Je pensai que surtout elles l'avaient empêché d'appeler quelqu'un qui leur était peu sympathique ; sans cela il n'y eût pas manqué, après toutes les questions que je lui avais posées sur elles, et l'intérêt qu'il avait bien vu que je leur portais. « Je vous parlais de Carquethuit, me dit-il, avant que je l'eusse quitté à sa porte. J'ai fait une petite esquisse où on voit bien mieux la cernure de la plage. Le tableau n'est pas trop mal, mais c'est autre chose. Si vous le permettez, en souvenir de notre amitié, je vous donnerai mon esquisse », ajouta-t-il, car les gens qui vous refusent les choses qu'on désire vous en donnent d'autres.

« J'aurais beaucoup aimé, si vous m'en possédiez, avoir une photographie du petit portrait de Miss Sacripant. Mais qu'est-ce que c'est que ce nom ? — C'est celui d'un personnage que tint le modèle dans une stupide petite opérette. — Mais vous savez que je ne la connais nullement, monsieur, vous avez l'air de croire le contraire. » Elstir se tut. « Ce n'est pourtant pas Mme

Swann avant son mariage », dis-je par une de ces brusques rencontres fortuites de la vérité, qui sont somme toute assez rares, mais qui suffisent après coup à donner un certain fondement à la théorie des pressentiments si on prend soin d'oublier toutes les erreurs qui l'infirmeraient. Elstir ne me répondit pas. C'était bien un portrait d'Odette de Crécy. Elle n'avait pas voulu le garder pour beaucoup de raisons dont quelques-unes sont trop évidentes. Il y en avait d'autres. Le portrait était antérieur au moment où Odette disciplinant ses traits avait fait de son visage et de sa taille cette création dont, à travers les années, ses coiffeurs, ses couturiers, elle-même — dans sa façon de se tenir, de parler, de sourire, de poser ses mains, ses regards, de penser — devaient respecter les grandes lignes. Il fallait la dépravation d'un amant rassasié pour que Swann préférât aux nombreuses photographies de l'Odette *ne varietur* qu'était sa ravissante femme, la petite photographie qu'il avait dans sa chambre et où sous un chapeau de paille orné de pensées on voyait une maigre jeune femme assez laide, aux cheveux bouffants, aux traits tirés.

Mais d'ailleurs le portrait eût-il été, non pas antérieur, comme la photographie préférée de Swann, à la systématisation des traits d'Odette en un type nouveau, majestueux et charmant, mais postérieur, qu'il eût suffi de la vision d'Elstir pour désorganiser ce type. Le génie artistique agit à la façon de ces températures extrêmement élevées qui ont le pouvoir de dissocier les combinaisons d'atomes et de grouper ceux-ci suivant un ordre absolument contraire, répondant à un autre type. Toute cette harmonie factice que la femme a imposée à ses traits et dont chaque jour avant de sortir elle surveille la persistance dans sa glace, chargeant l'inclinaison du chapeau, le lissage des cheveux, l'enjouement du regard, d'en assurer la continuité, cette harmonie, le coup d'œil du grand peintre la détruit en une seconde, et à sa place il fait un regroupement des traits de la femme, de manière à donner satisfaction à un certain idéal féminin et pictural qu'il porte en lui. De même, il arrive souvent qu'à partir d'un certain âge, l'œil d'un grand chercheur trouve partout les éléments nécessaires à établir les rapports qui seuls l'intéressent. Comme ces ouvriers et ces joueurs qui ne font pas d'embarras et se contentent de ce qui leur tombe sous la main, ils pourraient dire de n'importe quoi : cela fera l'affaire. Ainsi une

cousine de la princesse de Luxembourg, beauté des plus
altières, s'étant éprise autrefois d'un art qui était nouveau
à cette époque, avait demandé au plus grand des peintres
naturalistes de faire son portrait. Aussitôt l'œil de l'artiste
avait trouvé ce qu'il cherchait partout. Et sur la toile il
y avait à la place de la grande dame un trottin[1] et derrière
lui un vaste décor incliné et violet qui faisait penser à la
place Pigalle. Mais même sans aller jusque-là, non
seulement le portrait d'une femme par un grand artiste
ne cherchera aucunement à donner satisfaction à quelques-
unes des exigences de la femme — comme celles qui, par
exemple, quand elle commence à vieillir, la font se faire
photographier dans des tenues presque de fillette qui font
valoir sa taille restée jeune et la font paraître comme la
sœur ou même la fille de sa fille, celle-ci au besoin
« fagotée » pour la circonstance, à côté d'elle — et mettra
au contraire en relief les désavantages qu'elle cherche à
cacher et qui, comme un teint fiévreux, voire verdâtre,
le tentent d'autant plus parce qu'ils ont du « caractère » ;
mais ils suffisent à désenchanter le spectateur vulgaire et
réduisent pour lui en miettes l'idéal dont la femme
soutenait si fièrement l'armature et qui la plaçait dans sa
forme unique, irréductible, si en dehors, si au-dessus du
reste de l'humanité. Maintenant déchue, située hors de
son propre type où elle trônait invulnérable, elle n'est plus
qu'une femme quelconque en la supériorité de qui nous
avons perdu toute foi. Ce type, nous faisions tellement
consister en lui, non seulement la beauté d'une Odette,
mais sa personnalité, son identité, que devant le portrait
qui l'a dépouillée de lui, nous sommes tentés de nous
écrier non pas seulement : « Comme c'est enlaidi ! »,
mais : « Comme c'est peu ressemblant ! » Nous avons
peine à croire que ce soit elle. Nous ne la reconnaissons
pas. Et pourtant il y a là un être que nous sentons bien
que nous avons déjà vu. Mais cet être-là, ce n'est pas
Odette ; le visage de cet être, son corps, son aspect, nous
sont bien connus. Ils nous rappellent, non pas la femme,
qui ne se tenait jamais ainsi, dont la pose habituelle ne
dessine nullement une telle étrange et provocante arabesque, mais d'autres femmes, toutes celles qu'a peintes Elstir
et que toujours, si différentes qu'elles puissent être, il a
aimé à camper ainsi de face, le pied cambré dépassant de
la jupe, le large chapeau rond tenu à la main, répondant

symétriquement à la hauteur du genou qu'il couvre, à cet autre disque vu de face, le visage. Et enfin non seulement un portrait génial disloque le type d'une femme tel que l'ont défini sa coquetterie et sa conception égoïste de la beauté, mais s'il est ancien, il ne se contente pas de vieillir l'original de la même manière que la photographie, en le montrant dans des atours démodés. Dans le portrait, ce n'est pas seulement la manière que la femme avait de s'habiller qui date, c'est aussi la manière que l'artiste avait de peindre. Cette manière, la première manière d'Elstir, était l'extrait de naissance le plus accablant pour Odette parce qu'il faisait d'elle non pas seulement, comme ses photographies d'alors, une cadette de cocottes connues, mais parce qu'il faisait de son portrait le contemporain d'un des nombreux portraits que Manet ou Whistler[1] ont peints d'après tant de modèles disparus qui appartiennent déjà à l'oubli ou à l'histoire.

C'est dans ces pensées silencieusement ruminées à côté d'Elstir, tandis que je le conduisais chez lui, que m'entraînait la découverte que je venais de faire relativement à l'identité de son modèle, quand cette première découverte m'en fit faire une seconde, plus troublante encore pour moi, concernant l'identité de l'artiste. Il avait fait le portrait d'Odette de Crécy. Serait-il possible que cet homme de génie, ce sage, ce solitaire, ce philosophe à la conversation magnifique et qui dominait toutes choses fût le peintre ridicule et pervers adopté jadis par les Verdurin ? Je lui demandai s'il les avait connus, si par hasard ils ne le surnommaient pas alors M. Biche. Il me répondit que si, sans embarras, comme s'il s'agissait d'une partie déjà un peu ancienne de son existence et s'il ne se doutait pas de la déception extraordinaire qu'il éveillait en moi, mais levant les yeux, il la lut sur mon visage. Le sien eut une expression de mécontentement. Et comme nous étions déjà presque arrivés chez lui, un homme moins éminent par l'intelligence et par le cœur m'eût peut-être simplement dit au revoir un peu sèchement et après cela eût évité de me revoir. Mais[a] ce ne fut pas ainsi qu'Elstir agit avec moi ; en vrai maître — et c'était peut-être au point de vue de la création pure son seul défaut d'en être un, dans ce sens du mot maître, car un artiste pour être tout à fait dans la vérité de la vie spirituelle doit être seul, et ne pas prodiguer de son moi, même à des disciples —, de toute circonstance, qu'elle fût relative à lui ou à d'autres, il cherchait à extraire pour le meilleur enseignement des jeunes gens la part de vérité qu'elle contenait. Il préféra donc aux paroles qui auraient pu venger son amour-propre, celles qui pouvaient m'instruire. « Il n'y a pas d'homme si sage qu'il soit, me dit-il, qui n'ait à telle époque de sa jeunesse prononcé des paroles, ou même mené une vie, dont le souvenir ne lui soit désagréable et qu'il souhaiterait être aboli. Mais il ne doit pas absolument le regretter, parce qu'il ne peut être assuré d'être devenu un sage, dans la mesure où cela est possible, que s'il a passé par toutes les incarnations ridicules ou odieuses qui doivent précéder cette dernière incarnation-là. Je sais qu'il y a des jeunes gens, fils et petit-fils d'hommes distingués, à qui leurs précepteurs ont enseigné la noblesse de l'esprit et l'élégance morale dès le collège. Ils n'ont peut-être rien à retrancher de leur vie, ils pourraient publier et signer tout ce qu'ils ont dit, mais ce sont de pauvres esprits, descendants sans force de doctrinaires, et de qui la sagesse est négative et stérile. On ne reçoit pas la sagesse, il faut la découvrir soi-même après un trajet que personne ne peut faire pour nous, ne peut nous épargner, car elle est un point de vue sur les choses. Les vies que vous admirez, les attitudes que vous trouvez nobles n'ont pas été disposées par le père de famille ou par le précepteur, elles ont été précédées de débuts bien différents, ayant été influencées par ce qui régnait autour d'elles de mal ou de banalité. Elles représentent un combat et une victoire. Je comprends que l'image de ce que nous avons été dans une période première ne soit plus reconnaissable et soit en tous cas déplaisante. Elle ne doit pas être reniée pourtant, car elle est un témoignage que nous avons vraiment vécu, que c'est selon les lois de la vie et de l'esprit que nous avons, des éléments communs de la vie, de la vie des ateliers, des coteries artistiques s'il s'agit d'un peintre, extrait quelque chose qui les dépasse[1]. » Nous étions arrivés devant sa porte. J'étais déçu de ne pas avoir connu ces jeunes filles. Mais enfin maintenant il y aurait[a] une possibilité de les retrouver dans la vie ; elles avaient cessé de ne faire que passer à un horizon où j'avais pu croire que je ne les verrais plus jamais apparaître. Autour d'elles ne flottait plus comme ce grand remous qui nous séparait et qui n'était que la traduction du désir en perpétuelle activité, mobile, urgent, alimenté d'inquiétudes qu'éveillaient en moi leur inaccessibilité, leur fuite peut-être pour toujours. Mon désir d'elles, je pouvais maintenant le mettre au repos, le garder en réserve, à côté de tant d'autres dont, une fois que je la savais possible, j'ajournais la réalisation. Je quittai Elstir, je me retrouvai seul. Alors tout d'un coup malgré ma déception, je vis dans mon esprit tous ces hasards que je n'eusse[a] pas soupçonné pouvoir se produire, qu'Elstir fût justement lié avec ces jeunes filles, que celles qui le matin encore étaient pour moi des figures dans un tableau ayant pour fond la mer, m'eussent vu[b], m'eussent vu lié avec un grand peintre, lequel savait maintenant mon désir de les connaître et le seconderait sans doute. Tout cela avait causé pour moi du plaisir, mais ce plaisir m'était resté caché ; il était de ces visiteurs qui attendent pour nous faire savoir qu'ils sont là, que les autres nous aient quittés, que nous soyons seuls. Alors nous les apercevons, nous pouvons leur dire : je suis tout à vous, et les écouter. Quelquefois entre le moment où ces plaisirs sont entrés en nous et le moment où nous pouvons y rentrer nous-même, il s'est écoulé tant d'heures, nous avons vu tant de gens dans l'intervalle que nous craignons qu'ils ne nous aient pas attendus. Mais ils sont patients, ils ne se lassent pas, et dès que tout le monde est parti, nous les trouvons en face de nous. Quelquefois c'est nous alors qui sommes si fatigués qu'il nous semble que nous n'aurons plus dans notre pensée défaillante assez de force pour retenir ces souvenirs, ces impressions pour qui notre moi fragile est le seul lieu habitable, l'unique mode de réalisation. Et nous le regretterions car l'existence n'a guère d'intérêt que dans les journées où la poussière des réalités est mêlée de sable magique, où quelque vulgaire incident devient un ressort romanesque. Tout un promontoire du monde inaccessible surgit alors de l'éclairage du songe, et entre dans notre vie, dans notre vie où comme le dormeur éveillé nous voyons les personnes dont nous avions si ardemment rêvé que nous avions cru que nous ne les verrions jamais qu'en rêve.

L'apaisement apporté par la probabilité de connaître maintenant ces jeunes filles quand je le voudrais me fut d'autant plus précieux que je n'aurais pu continuer à les guetter les jours suivants, lesquels furent pris par les préparatifs du départ de Saint-Loup. Ma grand-mère était[c] désireuse de témoigner à mon ami sa reconnaissance de tant de gentillesses qu'il avait eues pour elle et pour moi. Je lui dis qu'il était grand admirateur de Proudhon et je lui donnai l'idée de faire venir de nombreuses lettres autographes de ce philosophe qu'elle avait achetées ; Saint-Loup vint les voir à l'hôtel, le jour où elles arrivèrent qui était la veille de son départ. Il les lut avidement, maniant chaque feuille avec respect, tâchant de retenir les phrases, puis s'étant levé, s'excusait déjà auprès de ma grand-mère d'être resté aussi longtemps, quand il l'entendit lui répondre :

« Mais non, emportez-les, c'est à vous, c'est pour vous les donner que je les ai fait venir. »

Il fut pris d'une joie dont il ne fut pas plus le maître que d'un état physique qui se produit sans intervention de la volonté, il devint écarlate comme un enfant qu'on vient de punir, et ma grand-mère fut beaucoup plus touchée de voir tous les efforts qu'il avait faits (sans y réussir) pour contenir la joie qui le secouait, que par tous les remerciements qu'il aurait pu proférer. Mais lui, craignant d'avoir mal témoigné sa reconnaissance, me priait encore de l'en excuser, le lendemain, penché à la fenêtre du petit chemin de fer d'intérêt local qu'il prit pour rejoindre sa garnison. Celle-ci était en effet, très peu éloignée. Il avait pensé s'y rendre, comme il faisait souvent quand il devait revenir le soir et qu'il ne s'agissait pas d'un départ définitif, en voiture. Mais il eût fallu cette fois-ci qu'il mît ses nombreux bagages dans le train. Et il trouva plus simple d'y monter aussi lui-même, suivant en cela l'avis du directeur qui, consulté, répondit que, voiture ou petit chemin de fer, « ce serait à peu près équivoque ». Il entendait signifier par là que ce serait équivalent (en somme, à peu près ce que Françoise eût exprimé en disant que « cela reviendrait du pareil au même »). « Soit, avait conclu Saint-Loup, je prendrai le petit "tortillard". » Je l'aurais pris[a] aussi si je n'avais été fatigué et aurais accompagné mon ami jusqu'à Doncières ; je lui promis du moins, tout le temps que nous restâmes à la gare de Balbec — c'est-à-dire que le chauffeur du petit train passa à attendre des amis retardataires, sans lesquels il ne voulait pas s'en aller, et aussi à prendre quelques rafraîchissements —, d'aller le voir plusieurs fois par semaine. Comme Bloch était venu aussi à la gare — au grand ennui de

Saint-Loup —, ce dernier voyant que notre camarade l'entendait me prier de venir déjeuner, dîner, habiter à Doncières, finit par lui dire d'un ton extrêmement froid, lequel était chargé de corriger l'amabilité forcée de l'invitation et d'empêcher Bloch de la prendre au sérieux : « Si jamais vous passez par Doncières une après-midi où je sois libre, vous pourrez me demander au quartier, mais libre, je ne le suis à peu près jamais. » Peut-être aussi Robert craignait-il que, seul, je ne vinsse pas et pensant que j'étais plus lié avec Bloch que je ne le disais, me mettait-il ainsi en mesure d'avoir un compagnon de route, un entraîneur.

J'avais peur que ce ton, cette manière d'inviter quelqu'un en lui conseillant de ne pas venir, n'eût froissé Bloch, et je trouvais que Saint-Loup eût mieux fait de ne rien dire. Mais je m'étais trompé, car après le départ du train, tant que nous fîmes route ensemble jusqu'au croisement des deux avenues où il fallait nous séparer, l'une allant à l'hôtel, l'autre à la villa de Bloch, celui-ci ne cessa de me demander quel jour nous irions à Doncières, car après « toutes les amabilités que Saint-Loup lui avait faites », il eût été « trop grossier de sa part » de ne pas se rendre à son invitation. J'étais content qu'il n'eût pas remarqué, ou fût assez peu mécontent pour désirer feindre de ne pas avoir remarqué, sur quel ton moins que pressant, à peine poli, l'invitation avait été faite. J'aurais pourtant voulu pour Bloch qu'il s'évitât le ridicule d'aller tout de suite à Doncières. Mais je n'osais pas lui donner un conseil qui n'eût pu que lui déplaire en lui montrant que Saint-Loup avait été moins pressant que lui n'était empressé. Il l'était beaucoup trop et bien que tous les défauts qu'il avait dans ce genre fussent compensés chez lui par de remarquables qualités que d'autres, plus réservés, n'auraient pas eues, il poussait l'indiscrétion à un point dont on était agacé. La semaine ne pouvait, à l'entendre, se passer sans que nous allions à Doncières (il disait « nous », car je crois qu'il comptait un peu sur ma présence pour excuser la sienne). Tout le long de la route, devant le gymnase perdu dans ses arbres, devant le terrain de tennis, devant la mairie, devant le marchand de coquillages, il m'arrêta, me suppliant de fixer un jour et comme je ne le fis pas, me quitta fâché en me disant : « À ton aise, Messire. Moi en tous cas, je suis obligé d'y aller puisqu'il m'a invité. »

Saint-Loup avait si peur d'avoir mal remercié ma grand-mère qu'il me chargeait encore de lui dire sa gratitude le surlendemain, dans une lettre[a] que je reçus de lui de la ville où il était en garnison[1] et qui semblait sur l'enveloppe où la poste en avait timbré le nom, accourir vite vers moi, me dire qu'entre ses murs, dans le quartier de cavalerie Louis XVI, il pensait à moi. Le papier était aux armes de Marsantes, dans lesquelles je distinguai un lion qui surmontait une couronne fermée[b] par un bonnet de pair de France.

« Après un trajet qui, me disait-il, s'est bien effectué, en lisant un livre acheté à la gare, qui est par Arvède Barine (c'est un auteur russe, je pense, cela m'a paru remarquablement écrit pour un étranger[2], mais donnez-moi votre appréciation, car vous devez connaître cela, vous, puits de science qui avez tout lu), me voici revenu au milieu de cette vie grossière, où hélas, je me sens bien exilé, n'y ayant pas ce que j'ai laissé à Balbec ; cette vie où je ne retrouve aucun souvenir d'affection, aucun charme d'intellectualité ; vie dont vous mépriseriez sans doute l'ambiance et qui n'est pourtant pas sans charme. Tout m'y semble avoir changé depuis que j'en étais parti, car dans l'intervalle, une des ères les plus importantes de ma vie, celle d'où notre amitié date, a commencé. J'espère qu'elle ne finira jamais. Je n'ai parlé d'elle, de vous, qu'à une seule personne, qu'à mon amie qui m'a fait la surprise de venir passer une heure auprès de moi. Elle aimerait beaucoup vous connaître et je crois que vous vous accorderiez car elle est aussi extrêmement littéraire. En revanche, pour repenser à nos causeries, pour revivre ces heures que je n'oublierai jamais, je me suis isolé de mes camarades, excellents garçons mais qui eussent été bien incapables de comprendre cela. Ce souvenir des instants passés avec vous, j'aurais presque mieux aimé, pour le premier jour, l'évoquer pour moi seul et sans vous écrire. Mais j'ai craint que vous, esprit subtil et cœur ultra-sensitif, ne vous mettiez martel en tête en ne recevant pas de lettre si toutefois vous avez daigné abaisser votre pensée sur le rude cavalier que vous aurez fort à faire pour dégrossir et rendre un peu plus subtil et plus digne de vous. »

Au fond cette lettre ressemblait beaucoup par sa tendresse à celles que, quand je ne connaissais pas encore

Saint-Loup, je m'étais imaginé qu'il m'écrirait, dans ces songeries d'où la froideur de son premier accueil m'avait tiré en me mettant en présence d'une réalité glaciale qui ne devait pas être définitive. Une fois que je l'eus reçue, chaque fois qu'à l'heure du déjeuner on apportait le courrier, je reconnaissais tout de suite quand c'était de lui[a] que venait une lettre, car elle avait toujours ce second visage qu'un être montre quand il est absent et dans les traits duquel (les caractères de l'écriture) il n'y a aucune raison pour que nous ne croyions pas saisir une âme individuelle aussi bien que dans la ligne du nez ou les inflexions de la voix.

Je restais maintenant volontiers à table pendant qu'on desservait, et si ce n'était pas un moment où les jeunes filles de la petite bande pouvaient passer, ce n'était plus uniquement du côté de la mer que je regardais. Depuis que j'en avais vu dans des aquarelles d'Elstir, je cherchais à retrouver dans la réalité, j'aimais comme quelque chose de poétique, le geste interrompu des couteaux encore de travers, la rondeur bombée d'une serviette défaite où le soleil intercale un morceau de velours jaune, le verre à demi vidé qui montre mieux ainsi le noble évasement de ses formes et au fond de son vitrage translucide et pareil à une condensation du jour, un reste de vin sombre mais scintillant de lumières, le déplacement des volumes, la transmutation des liquides par l'éclairage, l'altération des prunes qui passent du vert au bleu et du bleu à l'or dans le compotier déjà à demi dépouillé, la promenade[b] des chaises vieillottes qui deux fois par jour viennent s'installer autour de la nappe, dressée sur la table ainsi que sur un autel où sont célébrées les fêtes de la gourmandise et sur laquelle au fond des huîtres quelques gouttes d'eau lustrale restent comme dans de petits bénitiers de pierre ; j'essayais de trouver la beauté là où je ne m'étais jamais figuré qu'elle fût, dans les choses les plus usuelles, dans la vie profonde des « natures mortes[1] ».

Quand quelques jours après le départ de Saint-Loup, j'eus réussi à ce qu'Elstir donnât une petite matinée où je rencontrerais Albertine, le charme et l'élégance, tout momentanés, qu'on me trouva au moment où je sortais du Grand-Hôtel (et qui étaient dus à un repos prolongé, à des frais de toilette spéciaux), je regrettai[c] de ne pas pouvoir les réserver (et aussi le crédit d'Elstir) pour la conquête de quelque autre personne plus intéressante, je regrettai de consommer tout cela pour le simple plaisir de faire la connaissance d'Albertine. Mon intelligence jugeait ce plaisir fort peu précieux, depuis qu'il était assuré. Mais en moi, la volonté ne partagea pas un instant cette illusion, la volonté qui est le serviteur persévérant et immuable de nos personnalités successives ; cachée dans l'ombre, dédaignée, inlassablement fidèle, travaillant sans cesse, et sans se soucier des variations de notre moi, à ce qu'il ne manque jamais du nécessaire. Pendant qu'au moment où va se réaliser un voyage désiré, l'intelligence et la sensibilité commencent à se demander s'il vaut vraiment la peine d'être entrepris, la volonté qui sait que ces maîtres oisifs recommenceraient immédiatement à trouver merveilleux ce voyage si celui-ci ne pouvait avoir lieu, la volonté les laisse disserter devant la gare, multiplier les hésitations ; mais elle s'occupe de prendre les billets et de nous mettre en wagon pour l'heure du départ. Elle est aussi invariable que l'intelligence et la sensibilité sont changeantes, mais comme elle est silencieuse, ne donne pas ses raisons, elle semble presque inexistante ; c'est sa ferme détermination que suivent les autres parties de notre moi, mais sans l'apercevoir, tandis qu'elles distinguent nettement leurs propres incertitudes. Ma sensibilité et mon intelligence instituèrent donc une discussion sur la valeur du plaisir qu'il y aurait à connaître Albertine, tandis que je regardais dans la glace de vains et fragiles agréments qu'elles eussent voulu garder intacts pour une autre occasion. Mais ma volonté ne laissa pas passer l'heure où il fallait partir, et ce fut l'adresse d'Elstir qu'elle donna au cocher. Mon intelligence et ma sensibilité eurent le loisir, puisque le sort en était jeté, de trouver que c'était dommage. Si ma volonté avait donné une autre adresse, elles eussent été bien attrapées.

Quand j'arrivai[a] chez Elstir, un peu plus tard, je crus d'abord que Mlle Simonet n'était pas dans l'atelier. Il y avait bien une jeune fille assise, en robe de soie, nu-tête, mais de laquelle je ne connaissais pas la magnifique chevelure, ni le nez, ni ce teint et où je ne retrouvais pas l'entité que j'avais extraite d'une jeune cycliste se promenant coiffée d'un polo, le long de la mer. C'était pourtant Albertine. Mais même quand je le sus, je ne m'occupai pas d'elle. En entrant dans toute réunion mondaine, quand on est jeune, on meurt à soi-même, on devient un homme différent, tout salon étant un nouvel univers où, subissant la loi d'une autre perspective morale, on darde son attention comme si elles devaient nous importer à jamais, sur des personnes, des danses, des parties de cartes, que l'on aura oubliées le lendemain. Obligé de suivre, pour me diriger vers une causerie avec Albertine, un chemin nullement tracé par moi et qui s'arrêtait d'abord devant Elstir, passait par d'autres groupes d'invités à qui on me nommait, puis le long du buffet où m'étaient offertes, et où je mangeais, des tartes aux fraises, cependant que j'écoutais, immobile, une musique qu'on commençait d'exécuter, je me trouvais donner à ces divers épisodes la même importance qu'à ma présentation à Mlle Simonet, présentation qui n'était plus que l'un d'entre eux et que j'avais entièrement oubliée avoir été, quelques minutes auparavant, le but unique de ma venue. D'ailleurs n'en est-il pas ainsi dans la vie active, de nos vrais bonheurs, de nos grands malheurs ? Au milieu d'autres personnes, nous recevons de celle que nous aimons la réponse favorable ou mortelle que nous attendions depuis une année. Mais il faut continuer à causer, les idées s'ajoutent les unes aux autres, développant une surface sous laquelle c'est à peine si, de temps à autre, vient sourdement affleurer le souvenir, autrement profond mais fort étroit, que le malheur est venu pour nous. Si, au lieu du malheur, c'est le bonheur, il peut arriver que ce ne soit que plusieurs années après que nous nous rappelons que le plus grand événement de notre vie sentimentale s'est produit, sans que nous eussions le temps de lui accorder une longue attention, presque d'en prendre conscience, dans une réunion mondaine par exemple, et où nous ne nous étions rendus que dans l'attente de cet événement.

Au moment[a] où Elstir me demanda de venir pour qu'il me présentât à Albertine, assise un peu plus loin, je finis d'abord de manger un éclair au café et demandai avec intérêt à un vieux monsieur dont je venais de faire la connaissance et auquel je crus pouvoir offrir la rose qu'il admirait à ma boutonnière, de me donner des détails sur certaines foires normandes. Ce n'est pas à dire que la présentation qui suivit ne me causa aucun plaisir et n'offrit pas à mes yeux une certaine gravité. Pour le plaisir je[b] ne le connus naturellement qu'un peu plus tard, quand, rentré à l'hôtel, resté seul, je fus redevenu moi-même. Il en est des plaisirs comme des photographies. Ce qu'on prend en présence de l'être aimé, n'est qu'un cliché négatif, on le développe plus tard, une fois chez soi, quand on a retrouvé à sa disposition cette chambre noire intérieure dont l'entrée est « condamnée » tant qu'on voit du monde.

Si la connaissance du plaisir fut ainsi retardée pour moi de quelques heures, en revanche la gravité de cette présentation, je la ressentis tout de suite. Au moment de la présentation, nous avons beau nous sentir tout à coup gratifiés et porteurs d'un « bon », valable pour des plaisirs futurs, après lequel nous courions depuis des semaines, nous comprenons bien que son obtention met fin pour nous, non pas seulement à de pénibles recherches — ce qui ne pourrait que nous remplir de joie — , mais aussi à l'existence d'un certain être, celui que notre imagination avait dénaturé, que notre crainte anxieuse de ne jamais pouvoir être connus de lui avait grandi. Au moment où notre nom résonne dans la bouche du présentateur, surtout si celui-ci l'entoure comme fit Elstir de commentaires élogieux — ce moment sacramentel, analogue à celui où dans une féerie, le génie ordonne à une personne d'en être soudain une autre —, celle que nous avons désiré d'approcher s'évanouit, d'abord comment resterait-elle pareille à elle-même puisque — de par l'attention que l'inconnue est obligée de prêter à notre nom et de marquer à notre personne — dans les yeux hier situés à l'infini (et que[a] nous croyions que les nôtres, errants, mal réglés, désespérés, divergents, ne parviendraient jamais à rencontrer) le regard conscient, la pensée inconnaissable que nous cherchions, viennent d'être[b] miraculeusement et tout simplement remplacés par notre propre image peinte comme au fond d'un miroir qui sourirait ? Si l'incarnation[c] de nous-même en ce qui nous en semblait le plus différent, est ce qui modifie le plus la personne à qui on vient de nous présenter, la forme de cette personne reste encore assez vague ; et nous pouvons nous demander si elle sera dieu, table ou cuvette. Mais, aussi agiles que ces ciroplastes[1] qui font un buste devant nous en cinq minutes, les quelques mots que l'inconnue va nous dire préciseront cette forme et lui donneront quelque chose de définitif qui exclura toutes les hypothèses auxquelles se livraient la veille notre désir et notre imagination. Sans doute, même avant de venir à cette matinée, Albertine n'était plus tout à fait pour moi ce seul fantôme digne de hanter notre vie que reste une passante dont nous ne savons rien, que nous avons à peine discernée. Sa parenté avec Mme Bontemps[a] avait déjà restreint ces hypothèses merveilleuses, en aveuglant une des voies par lesquelles elles pouvaient se répandre. Au fur et à mesure que je me rapprochais de la jeune fille et la connaissais davantage, cette connaissance se faisait par soustraction, chaque partie d'imagination et de désir étant remplacée par une notion qui valait infiniment moins, notion à laquelle il est vrai que venait s'ajouter une sorte d'équivalent, dans le domaine de la vie, de ce que les Sociétés financières donnent après le remboursement de l'action primitive, et qu'elles appellent action de jouissance. Son nom, ses parentés avaient été une première limite apportée à mes suppositions. Son amabilité tandis que tout près d'elle je retrouvais son petit grain de beauté sur la joue au-dessous de l'œil fut une autre borne ; enfin, je fus étonné de l'entendre se servir de l'adverbe « parfaitement » au lieu de « tout à fait », en parlant de deux personnes, disant de l'une « elle est parfaitement folle, mais très gentille tout de même » et de l'autre « c'est un monsieur parfaitement commun et parfaitement ennuyeux ». Si peu plaisant que soit cet emploi de « parfaitement », il indique un degré de civilisation et de culture auquel je n'aurais pu imaginer qu'atteignait la bacchante à bicyclette, la muse orgiaque du golf. Il n'empêche d'ailleurs qu'après cette première métamorphose, Albertine devait changer encore bien des fois pour moi. Les qualités et les défauts qu'un être présente disposés au premier plan de son visage se rangent selon une formation tout autre si nous l'abordons par un côté différent — comme dans une ville les monuments répandus en ordre dispersé sur une seule ligne, d'un autre point de vue s'échelonnent en profondeur et échangent leurs grandeurs relatives. Pour commencer je trouvai Albertine l'air assez intimidée à la place d'implacable ; elle me sembla plus comme il faut que mal élevée, à en juger par les épithètes de « elle a un mauvais genre, elle a un drôle de genre » qu'elle appliqua à toutes les jeunes filles dont je lui parlai ; elle avait enfin comme point de mire du visage une tempe assez enflammée et peu agréable à voir, et non plus le regard singulier auquel j'avais toujours repensé jusque-là. Mais ce n'était qu'une seconde vue et il y en avait d'autres sans doute par lesquelles je devrais successivement passer. Ainsi ce n'est qu'après voir reconnu non sans tâtonnements les erreurs d'optique du début qu'on pourrait arriver à la connaissance exacte d'un être si cette connaissance était possible. Mais elle ne l'est pas ; car tandis que se rectifie la vision que nous avons de lui, lui-même qui n'est pas un objectif inerte change pour son compte, nous pensons le rattraper, il se déplace, et, croyant le voir enfin plus clairement, ce n'est que les images anciennes que nous en avions prises que nous avons réussi à éclaircir, mais qui ne le représentent plus.

Pourtant, quelques déceptions[a] inévitables qu'elle doive apporter, cette démarche vers ce qu'on n'a qu'entrevu, ce qu'on a eu le loisir d'imaginer, cette démarche est la seule qui soit saine pour les sens, qui y entretienne l'appétit. De quel[b] morne ennui est empreinte la vie des gens qui par paresse ou timidité, se rendent directement en voiture chez des amis qu'ils ont connus sans avoir d'abord rêvé d'eux, sans jamais oser sur le parcours s'arrêter auprès de ce qu'ils désirent !

Je rentrai[c] en pensant à cette matinée, en revoyant l'éclair au café que j'avais fini de manger avant de me laisser conduire par Elstir auprès d'Albertine, la rose que j'avais donnée au vieux monsieur, tous ces détails choisis à notre insu par les circonstances et qui composent pour nous, en un arrangement spécial et fortuit, le tableau d'une première rencontre. Mais ce tableau, j'eus l'impression de le voir d'un autre point de vue, de très loin de moi-même, comprenant qu'il n'avait pas existé que pour moi, quand quelques mois plus tard, à mon grand étonnement, comme je parlais à Albertine du premier jour où je l'avais connue, elle me rappela l'éclair, la fleur que j'avais donnée, tout ce que je croyais, je ne peux pas dire n'être important que pour moi, mais n'avoir été aperçu que de moi et que je retrouvais ainsi, transcrit en une version dont je ne soupçonnais pas l'existence, dans la pensée d'Albertine. Dès ce premier jour, quand en rentrant je pus voir le souvenir que je rapportais, je compris quel tour de muscade avait été parfaitement exécuté, et comment j'avais causé un moment avec une personne qui, grâce à l'habileté du prestidigitateur, sans avoir rien de celle que j'avais suivie si longtemps au bord de la mer, lui avait été substituée. J'aurais du reste pu le deviner d'avance, puisque la jeune fille de la plage avait été fabriquée par moi. Malgré cela, comme je l'avais, dans mes conversations avec Elstir, identifiée à Albertine, je me sentais envers celle-ci l'obligation morale de tenir les promesses d'amour faites à l'Albertine imaginaire. On se fiance par procuration, et on se croit obligé d'épouser ensuite la personne interposée. D'ailleurs, si avait disparu provisoirement du moins de ma vie une angoisse qu'eût suffi à apaiser le souvenir des manières comme il faut, de cette expression « parfaitement commun*ᵃ* » et de la tempe enflammée, ce souvenir éveillait en moi un autre genre de désir qui, bien que doux et nullement douloureux, semblable à un sentiment fraternel, pouvait à la longue devenir aussi dangereux en me faisant ressentir à tout moment le besoin d'embrasser cette personne nouvelle dont les bonnes façons et la timidité, la disponibilité inattendue, arrêtaient la course inutile de mon imagination, mais donnaient naissance à une gratitude attendrie. Et puis comme la mémoire commence tout de suite à prendre des clichés indépendants les uns des autres, supprime tout lien, tout progrès, entre les scènes qui y sont figurées, dans la collection de ceux qu'elle expose, le dernier ne détruit pas forcément les précédents. En face de la médiocre et touchante Albertine à qui j'avais parlé, je voyais la mystérieuse Albertine en face de la mer. C'était maintenant des souvenirs, c'est-à-dire des tableaux dont l'un ne me semblait pas plus vrai que l'autre. Pour en finir avec ce premier soir de présentation, en cherchant à revoir ce petit grain de beauté sur la joue au-dessous de l'œil, je me rappelai que de chez Elstir, quand Albertine était partie, j'avais vu ce grain de beauté sur le menton. En somme, quand je la voyais, je remarquais qu'elle avait un grain de beauté, mais ma mémoire errante le promenait ensuite sur la figure d'Albertine et le plaçait tantôt ici tantôt là[1].

J'avais beau*ᵇ* être assez désappointé d'avoir trouvé en Mlle Simonet une jeune fille trop peu différente de tout ce que je connaissais, de même que ma déception devant l'église de Balbec ne m'empêchait pas de désirer aller à Quimperlé, à Pont-Aven et à Venise, je me disais que par

Albertine du moins, si elle-même n'était pas ce que j'avais espéré, je pourrais connaître ses amies de la petite bande.

Je crus d'abord que j'y échouerais. Comme elle devait rester fort longtemps encore à Balbec et moi aussi, j'avais trouvé que le mieux était de ne pas trop chercher à la voir et d'attendre une occasion qui me fît la rencontrer. Mais cela arrivât-il tous les jours, il était fort à craindre qu'elle se contentât de répondre de loin à mon salut, lequel dans ce cas, répété quotidiennement pendant toute la saison, ne m'avancerait à rien.

Peu de temps après, un matin où il avait plu et où il faisait presque froid, je fus abordé sur la digue par une jeune fille portant un toquet et un manchon, si différente de celle que j'avais vue à la réunion d'Elstir que reconnaître en elle la même personne semblait pour l'esprit une opération impossible ; le mien y réussit cependant, mais après une seconde de surprise qui je crois n'échappa pas à Albertine. D'autre part, me souvenant à ce moment-là des « bonnes façons » qui m'avaient frappé, elle me fit éprouver l'étonnement inverse par son ton rude et ses manières « petite bande ». Au reste la tempe avait cessé d'être le centre optique et rassurant du visage, soit que je fusse placé de l'autre côté, soit que le toquet la recouvrît, soit que son inflammation ne fût pas constante. « Quel[a] temps ! me dit-elle, au fond l'été sans fin de Balbec est une vaste blague. Vous ne faites rien ici ? On ne vous voit jamais au golf, aux bals du Casino ; vous ne montez pas à cheval non plus. Comme vous devez vous raser ! Vous ne trouvez pas qu'on se bêtifie à rester tout le temps sur la plage ? Ah ! vous aimez à faire le lézard ? Vous avez du temps de reste. Je vois que vous n'êtes pas comme moi, j'adore tous les sports ! Vous n'étiez pas aux courses de la Sogne ? Nous y sommes allés par le tram et je comprends que ça ne vous amuse pas de prendre un tacot pareil ! Nous avons mis deux heures ! J'aurais fait trois fois l'aller et retour avec ma bécane. » Moi qui avais admiré Saint-Loup quand il avait appelé tout naturellement le petit chemin de fer d'intérêt local le « tortillard » à cause des innombrables détours qu'il faisait, j'étais intimidé par la facilité avec laquelle Albertine disait le « tram », le « tacot ». Je sentais sa maîtrise dans un mode de désignations où j'avais peur qu'elle ne constatât et ne méprisât mon infériorité. Encore la richesse de synonymes que possédait la petite bande pour désigner ce chemin de fer ne m'était-elle pas encore révélée. En parlant[a], Albertine gardait la tête immobile, les narines serrées, ne faisait remuer que le bout des lèvres. Il en résultait ainsi un son traînard et nasal dans la composition duquel entraient peut-être des hérédités provinciales, une affectation juvénile de flegme britannique, les leçons d'une institutrice étrangère et une hypertrophie congestive de la muqueuse du nez. Cette émission, qui cédait bien vite du reste quand elle connaissait plus les gens et redevenait naturellement enfantine, aurait pu passer pour désagréable. Mais elle était particulière et m'enchantait. Chaque fois que j'étais quelques jours sans la rencontrer, je m'exaltais en me répétant : « On ne vous voit jamais au golf », avec le ton nasal sur lequel elle l'avait dit, toute droite, sans bouger la tête. Et je pensais alors qu'il n'existait pas de personne plus désirable.

Nous formions[b] ce matin-là un de ces couples qui piquent çà et là la digue de leur conjonction, de leur arrêt, juste le temps d'échanger quelques paroles avant de se désunir pour reprendre séparément chacun sa promenade divergente. Je profitai de cette immobilité pour regarder et savoir définitivement où était situé le grain de beauté. Or, comme une phrase de Vinteuil qui m'avait enchanté dans la Sonate et que ma mémoire faisait errer de l'andante au finale jusqu'au jour où ayant la partition en main je pus la trouver et l'immobiliser dans mon souvenir à sa place, dans le scherzo, de même le grain de beauté que je m'étais rappelé tantôt sur la joue, tantôt sur le menton, s'arrêta à jamais sur la lèvre supérieure au-dessous du nez. C'est ainsi encore que nous rencontrons avec étonnement des vers que nous savons par cœur, dans une pièce où nous ne soupçonnions pas qu'ils se trouvassent.

À ce moment[c], comme pour que devant la mer se multipliât en liberté, dans la variété de ses formes, tout le riche ensemble décoratif qu'était le beau déroulement des vierges, à la fois dorées et roses, cuites par le soleil et par le vent, les amies[d] d'Albertine, aux belles jambes, à la taille souple, mais si différentes les unes des autres, montrèrent leur groupe qui se développa, s'avançant dans notre direction, plus près de la mer, sur une ligne parallèle. Je demandai à Albertine la permission de l'accompagner pendant quelques instants. Malheureusement elle se

contenta de leur faire bonjour de la main. « Mais vos amies
vont se plaindre si vous les laissez », lui dis-je, espérant
que nous nous promènerions ensemble. Un jeune homme
aux traits réguliers, qui tenait à la main des raquettes,
s'approcha de nous. C'était le joueur de baccara dont les
folies indignaient tant la femme du premier président.
D'un air froid, impassible, en lequel il se figurait
évidemment que consistait la distinction suprême, il dit
bonjour à Albertine. « Vous venez du golf, Octave ? lui
demanda-t-elle. Ça a-t-il bien marché ? Étiez-vous en
forme ? — Oh ! ça me dégoûte, je suis dans les choux,
répondit-il[1]. — Est-ce qu'Andrée y était ? — Oui, elle a
fait soixante-dix-sept. — Oh ! mais c'est un record.
— J'avais fait quatre-vingt-deux hier[2]. » Il était le fils[d] d'un
très riche industriel qui devait jouer un rôle assez
important dans l'organisation de la prochaine Exposition
universelle[3]. Je fus frappé à quel point chez ce jeune
homme et les autres très rares amis masculins de ces jeunes
filles, la connaissance de tout ce qui était vêtements,
manière de les porter, cigares, boissons anglaises, chevaux
— et qu'il possédait jusque dans ses moindres détails avec
une infaillibilité orgueilleuse qui atteignait à la silencieuse
modestie du savant — s'était développée isolément sans
être accompagnée de la moindre culture intellectuelle. Il
n'avait aucune hésitation sur l'opportunité du smoking ou
du pyjama, mais ne se doutait pas du cas où on peut ou
non employer tel mot, même des règles les plus simples
du français. Cette disparité entre les deux cultures devait
être la même chez son père, président du Syndicat des
propriétaires de Balbec, car dans une lettre ouverte aux
électeurs qu'il venait de faire afficher sur tous les murs
il disait : « J'ai voulu voir le maire pour lui en causer,
il n'a pas voulu écouter mes justes griefs. » Octave
obtenait, au Casino, des prix dans tous les concours de
boston, de tango, etc., ce qui lui ferait faire s'il le voulait
un joli mariage dans ce milieu des « bains de mer » où
ce n'est pas au figuré mais au propre que les jeunes filles
épousent leur « danseur ». Il alluma un cigare en disant
à Albertine : « Vous permettez », comme on demande
l'autorisation de terminer tout en causant un travail pressé.
Car il ne pouvait jamais « rester sans rien faire », quoiqu'il
ne fît d'ailleurs jamais rien. Et comme l'inactivité complète
finit par avoir les mêmes effets que le travail exagéré, aussi

bien dans le domaine moral que dans la vie du corps et
des muscles, la constante nullité intellectuelle qui habitait
sous le front songeur d'Octave avait fini par lui donner,
malgré son air calme, d'inefficaces[a] démangeaisons de
penser qui la nuit l'empêchaient de dormir, comme il
aurait pu arriver à un métaphysicien surmené.

Pensant que si je connaissais leurs amis j'aurais plus
d'occasions de voir ces jeunes filles, j'avais été sur le point
de demander à lui être présenté[b]. Je le dis à Albertine,
dès qu'il fut parti en répétant : « Je suis dans les choux. »
Je pensais lui inculquer ainsi l'idée de le faire la prochaine
fois. « Mais voyons, s'écria-t-elle, je ne peux pas vous
présenter à un gigolo ! Ici, ça pullule de gigolos. Mais ils
ne pourraient pas causer avec vous. Celui-ci joue très bien
au golf, un point c'est tout. Je m'y connais, il ne serait
pas du tout votre genre. — Vos amies vont se plaindre
si vous les laissez ainsi, lui dis-je, espérant qu'elle allait
me proposer d'aller avec elle les rejoindre. — Mais non,
elles n'ont aucun besoin de moi. » Nous croisâmes Bloch
qui m'adressa un sourire fin et insinuant, et, embarrassé
au sujet d'Albertine qu'il ne connaissait pas ou du moins
connaissait « sans la connaître », abaissa sa tête vers son
col d'un mouvement raide et rébarbatif. « Comment
s'appelle-t-il, cet ostrogoth-là ? me demanda Albertine. Je
ne sais pas pourquoi il me salue puisqu'il ne me connaît
pas. Aussi je ne lui ai pas rendu son salut. » Je n'eus pas
le temps de répondre à Albertine, car marchant droit sur
nous : « Excuse-moi, dit-il, de t'interrompre, mais je
voulais t'avertir que je vais demain à Doncières. Je ne peux
plus attendre sans impolitesse et je me demande ce que
de Saint-Loup-en-Bray doit penser de moi. Je te préviens
que je prends le train de deux heures. À la disposition[1]. »
Mais je ne pensais plus qu'à revoir Albertine et tâcher de
connaître ses amies et Doncières, comme elles n'y allaient
pas et me ferait rentrer[2] après l'heure où elles allaient sur
la plage, me paraissait au bout du monde. Je dis à Bloch
que cela m'était impossible. « Hé bien, j'irai seul. Selon
les deux ridicules alexandrins du sieur Arouet, je dirai à
Saint-Loup, pour charmer son cléricalisme :

> *Apprends que mon devoir ne dépend pas du sien ;*
> *Qu'il y manque, s'il veut ; je dois faire le mien[3].*

— Je reconnais qu'il est assez joli garçon, me dit Albertine, mais ce qu'il me dégoûte ! »

Je n'avais jamais songé que Bloch pût être joli garçon ; il l'était, en effet. Avec une tête un peu proéminente, un nez très busqué, un air d'extrême finesse et d'être persuadé de sa finesse, il avait un agréable visage. Mais il ne pouvait pas plaire à Albertine. C'était peut-être du reste à cause des mauvais côtés de celle-ci, de la dureté, de l'insensibilité de la petite bande, de sa grossièreté avec tout ce qui n'était pas elle. D'ailleurs plus tard, quand je les présentai, l'antipathie d'Albertine ne diminua pas. Bloch appartenait à un milieu où, entre la blague exercée contre le monde et pourtant le respect suffisant des bonnes manières que doit avoir un homme qui a « les mains propres », on a fait une sorte de compromis spécial qui diffère des manières du monde et est malgré tout une sorte, particulièrement odieuse, de mondanité[a]. Quand on le présentait, il s'inclinait à la fois avec un sourire de scepticisme et un respect exagéré, et si c'était à un homme disait : « Enchanté, monsieur » d'une voix qui se moquait des mots qu'elle prononçait mais avait conscience d'appartenir à quelqu'un qui n'était pas un mufle. Cette première seconde donnée à une coutume qu'il suivait et raillait à la fois (comme il disait le 1ᵉʳ janvier : « Je vous la souhaite bonne et heureuse »), il prenait un air fin et rusé et « proférait des choses subtiles » qui étaient souvent pleines de vérité, mais « tapaient sur les nerfs » d'Albertine. Quand je lui dis ce premier jour qu'il s'appelait Bloch, elle s'écria : « Je l'aurais parié que c'était un youpin. C'est bien leur genre de faire les punaises. » Du reste, Bloch devait dans la suite irriter Albertine d'autre façon. Comme beaucoup d'intellectuels il ne pouvait pas dire simplement les choses simples. Il trouvait pour chacune d'elles un qualificatif précieux, puis généralisait. Cela ennuyait Albertine, laquelle n'aimait pas beaucoup qu'on s'occupât de ce qu'elle faisait, que quand elle s'était foulé le pied et restait tranquille, Bloch dît : « Elle est sur sa chaise longue, mais par ubiquité ne cesse pas de fréquenter simultanément de vagues golfs et de quelconques tennis. » Ce n'était que de la « littérature », mais qui, à cause des difficultés qu'Albertine sentait que cela pouvait lui créer avec des gens chez qui elle avait refusé une invitation en disant qu'elle ne pouvait pas remuer, eût suffi pour lui faire prendre en grippe la figure, le son de voix, du garçon qui disait ces choses. Nous nous quittâmes, Albertine et moi, en nous promettant de sortir une fois ensemble. J'avais causé avec elle sans plus savoir où tombaient mes paroles, ce qu'elles devenaient, que si j'eusse jeté des cailloux dans un abîme sans fond. Qu'elles soient remplies en général par la personne à qui nous les adressons d'un sens qu'elle tire de sa propre substance et qui est très différent de celui que nous avions mis dans ces mêmes paroles, c'est un fait que la vie courante nous révèle perpétuellement. Mais si de plus nous nous trouvons auprès d'une personne dont l'éducation (comme pour moi celle d'Albertine) nous est inconcevable[a], inconnus les penchants, les lectures, les principes, nous ne savons pas si nos paroles éveillent en elle quelque chose qui y ressemble plus que chez un animal à qui pourtant on aurait à faire comprendre certaines choses. De sorte qu'essayer de me lier avec Albertine m'apparaissait comme une mise en contact avec l'inconnu sinon avec l'impossible, comme un exercice aussi malaisé que dresser un cheval, aussi reposant qu'élever des abeilles ou que cultiver des rosiers.

J'avais cru il y avait quelques heures qu'Albertine ne répondrait à mon salut que de loin. Nous venions de nous quitter en faisant le projet d'une excursion ensemble. Je me promis[b1], quand je rencontrerais Albertine, d'être plus hardi avec elle, et je m'étais tracé d'avance le plan de tout ce que je lui dirais et même (maintenant que j'avais tout à fait l'impression qu'elle devait être légère) de tous les plaisirs que je lui demanderais. Mais l'esprit est influençable comme la plante, comme la cellule, comme les éléments chimiques et le milieu qui le modifie si on l'y plonge, ce sont des circonstances, un cadre nouveau. Devenu différent par le fait de sa présence même, quand je me trouvai de nouveau avec Albertine, je lui dis tout autre chose que ce que j'avais projeté. Puis me souvenant de la tempe enflammée, je me demandais si Albertine n'apprécierait[c] pas davantage une gentillesse qu'elle saurait être désintéressée. Enfin j'étais embarrassé devant certains de ses regards, de ses sourires. Ils pouvaient signifier mœurs faciles, mais aussi gaieté un peu bête d'une jeune fille sémillante mais ayant un fond d'honnêteté. Une même expression, de figure comme de langage, pouvant comporter diverses acceptions, j'étais hésitant comme un élève devant les difficultés d'une version grecque.

Cette fois-là nous rencontrâmes presque tout de suite la grande, Andrée, celle qui avait sauté par-dessus le premier président ; Albertine dut me présenter. Son amie avait des yeux extraordinairement clairs, comme est dans un appartement à l'ombre l'entrée, par la porte ouverte, d'une chambre où donnent le soleil et le reflet verdâtre de la mer illuminée.

Cinq messieurs[a] passèrent que je connaissais très bien de vue depuis que j'étais à Balbec. Je m'étais souvent demandé qui ils étaient. « Ce ne sont pas des gens très chics, me dit Albertine en ricanant d'un air de mépris. Le petit vieux, teint, qui a des gants jaunes, il en a une touche, hein, il dégotte bien, c'est le dentiste de Balbec, c'est un brave type ; le gros c'est le maire, pas le tout petit gros, celui-là vous devez l'avoir vu, c'est le professeur de danse, il est assez moche aussi, il ne peut[b] pas nous souffrir parce que nous faisons trop de bruit au Casino, que nous démolissons ses chaises, que nous voulons danser sans tapis, aussi il ne nous a jamais donné le prix quoiqu'il n'y a que nous qui sachions danser. Le dentiste est un brave homme, je lui aurais fait bonjour pour faire rager le maître de danse, mais je ne pouvais pas parce qu'il y a avec eux M. de Sainte-Croix, le conseiller général, un homme d'une très bonne famille qui s'est mis du côté des républicains, pour de l'argent ; aucune personne propre ne le salue plus. Il connaît mon oncle, à cause du gouvernement, mais le reste de ma famille lui a tourné le dos. Le maigre avec un imperméable, c'est le chef d'orchestre. Comment, vous ne le connaissez pas ! Il joue divinement. Vous n'avez pas été entendre *Cavalleria Rusticana*[1] ? Ah ! je trouve ça idéal ! Il donne un concert ce soir, mais nous ne pouvons pas y aller parce que ça a lieu dans la salle de la Mairie. Au Casino ça ne fait rien, mais dans la salle de la Mairie d'où on a enlevé le Christ, la mère d'Andrée tomberait en apoplexie si nous y allions. Vous me direz que le mari de ma tante est dans le gouvernement. Mais qu'est-ce que vous voulez ? Ma tante est ma tante. Ce n'est pas pour cela que je l'aime[c] ! Elle n'a jamais eu qu'un désir, se débarrasser de moi. La personne qui m'a vraiment servi de mère, et qui a eu double mérite puisqu'elle ne m'est rien, c'est une amie que j'aime du reste comme une mère. Je vous montrerai sa photo. » Nous fûmes abordés un

instant par le champion de golf et joueur de baccara,
Octave. Je pensai avoir découvert un lien entre nous, car
j'appris dans la conversation qu'il était un peu parent, et
de plus assez aimé, des Verdurin. Mais il parla avec dédain
des fameux mercredis, et ajouta que M. Verdurin ignorait
l'usage du smoking ce qui rendait assez gênant de le
rencontrer dans certains « music-halls » où on aurait
autant aimé ne pas s'entendre crier : « Bonjour, galopin »
par un monsieur en veston et en cravate noire de notaire
de village. Puis Octave nous quitta, et bientôt après ce
fut le tour d'Andrée, arrivée devant son chalet où elle entra
sans que de toute la promenade elle m'eût dit un seul mot.
Je regrettai d'autant plus son départ que tandis que je
faisais remarquer à Albertine combien son amie avait été
froide avec moi, et rapprochais en moi-même cette
difficulté qu'Albertine semblait avoir à me lier avec ses
amies, de l'hostilité contre laquelle, pour exaucer mon
souhait, paraissait s'être le premier jour heurté Elstir,
passèrent des jeunes filles que je saluai, les demoiselles
d'Ambresac, auxquelles Albertine dit aussi bonjour.

Je pensais que ma situation vis-à-vis d'Albertine allait
en être améliorée. Elles étaient les filles[a] d'une parente
de Mme de Villeparisis et qui connaissait aussi Mme de
Luxembourg. M. et Mme d'Ambresac qui avaient une
petite villa à Balbec, et, excessivement riches, menaient
une vie des plus simples, étaient toujours habillés, le mari
du même veston, la femme d'une robe sombre. Tous deux
faisaient à ma grand-mère d'immenses saluts qui ne
menaient à rien. Les filles, très jolies, s'habillaient avec
plus d'élégance mais une élégance de ville et non de plage.
Dans leurs robes longues, sous leurs grands chapeaux, elles
avaient l'air d'appartenir à une autre humanité qu'Albertine. Celle-ci savait très bien qui elles étaient. « Ah ! vous
connaissez les petites d'Ambresac ? Hé bien, vous connaissez des gens très chics. Du reste, ils sont très simples,
ajouta-t-elle comme si c'était contradictoire. Elles sont[b] très
gentilles mais tellement bien élevées qu'on ne les laisse
pas aller au Casino, surtout à cause de nous, parce que
nous avons trop mauvais genre. Elles vous plaisent ? Dame,
ça dépend. C'est tout à fait les petites oies blanches. Ça
a peut-être son charme. Si vous aimez les petites oies
blanches, vous êtes servi à souhait. Il paraît qu'elles
peuvent plaire puisqu'il y en a déjà une de fiancée au

marquis de Saint-Loup. Et cela fait beaucoup de peine à la cadette qui était amoureuse de ce jeune homme. Moi[a], rien que leur manière de parler du bout des lèvres m'énerve. Et puis elles s'habillent d'une manière ridicule. Elles vont jouer au golf en robes de soie. À leur âge elles sont mises plus prétentieusement que des femmes âgées qui savent s'habiller. Tenez, Mme Elstir, voilà une femme élégante. » Je répondis qu'elle m'avait semblé vêtue avec beaucoup de simplicité. Albertine se mit à rire. « Elle est mise très simplement, en effet, mais elle s'habille à ravir et pour arriver à ce que vous trouvez de la simplicité, elle dépense un argent fou. » Les robes[b] de Mme Elstir passaient inaperçues aux yeux de quelqu'un qui n'avait pas le goût sûr et sobre des choses de la toilette. Il me faisait défaut. Elstir le possédait au suprême degré, à ce que me dit Albertine. Je ne m'en étais pas douté ni que les choses élégantes mais simples qui emplissaient son atelier étaient des merveilles longtemps désirées par lui, qu'il avait suivies de vente en vente, connaissant toute leur histoire, jusqu'au jour où il avait gagné assez d'argent pour pouvoir les posséder. Mais là-dessus, Albertine, aussi ignorante que moi, ne pouvait rien m'apprendre. Tandis que pour les toilettes, avertie par un instinct de coquette et peut-être par un regret de jeune fille pauvre qui goûte avec plus de désintéressement, de délicatesse chez les riches ce dont elle ne pourra se parer elle-même, elle sut me parler très bien des raffinements d'Elstir, si difficile qu'il trouvait toute femme mal habillée, et que mettant tout un monde dans une proportion, dans une nuance, il faisait faire pour sa femme à des prix fous des ombrelles, des chapeaux, des manteaux qu'il avait appris à Albertine à trouver charmants et qu'une personne sans goût n'eût pas plus remarqués que je n'avais fait. Du reste, Albertine qui avait fait un peu de peinture sans avoir d'ailleurs, elle l'avouait, aucune « disposition », éprouvait une grande admiration pour Elstir, et grâce à ce qu'il lui avait dit et montré, s'y connaissait en tableaux d'une façon qui contrastait fort avec son enthousiasme pour *Cavalleria Rusticana*. C'est qu'en réalité, bien que cela ne se vît guère encore, elle était très intelligente et dans les choses qu'elle disait, la bêtise n'était pas sienne, mais celle de son milieu et de son âge. Elstir avait eu sur elle une influence heureuse mais partielle. Toutes les formes de l'intelligence n'étaient pas arrivées chez Albertine au même degré de développement. Le goût de la peinture avait presque rattrapé celui de la toilette et de toutes les formes de l'élégance, mais n'avait pas été suivi par le goût de la musique qui restait fort en arrière.

Albertine avait beau savoir qui étaient les Ambresac, comme qui peut le plus ne peut pas forcément le moins, je ne la trouvai pas, après que j'eusse[1] salué ces jeunes filles, plus disposée à me faire connaître ses amies. « Vous êtes bien bon de leur donner de l'importance[a]. Ne faites pas attention à elles, ce n'est rien du tout. Qu'est-ce que ces petites gosses peuvent compter pour un homme de votre valeur ? Andrée au moins est remarquablement intelligente. C'est une bonne petite fille, quoique parfaitement fantasque, mais les autres sont vraiment très stupides. » Après avoir quitté Albertine, je ressentis tout à coup beaucoup de chagrin que Saint-Loup m'eût caché ses fiançailles, et fît quelque chose d'aussi mal que se marier sans avoir rompu avec sa maîtresse. Peu de jours après pourtant, je fus présenté à Andrée et comme elle parla assez longtemps, j'en profitai pour lui dire que je voudrais bien la voir le lendemain, mais elle me répondit que c'était impossible parce qu'elle avait trouvé sa mère assez mal et ne voulait pas la laisser seule. Deux jours après, étant allé voir Elstir, il me dit la sympathie très grande qu'Andrée avait pour moi ; comme je lui répondais : « Mais c'est moi qui ai eu beaucoup de sympathie pour elle dès le premier jour, je lui avais demandé à la revoir le lendemain, mais elle ne pouvait pas. — Oui, je sais, elle me l'a raconté, me dit Elstir, elle l'a assez regretté, mais elle avait accepté un pique-nique à dix lieues d'ici où elle devait aller en break et elle ne pouvait plus se décommander. » Bien que ce mensonge fût, Andrée me connaissant si peu, fort insignifiant, je n'aurais pas dû continuer à fréquenter une personne qui en était capable. Car ce que les gens ont fait, ils le recommencent indéfiniment. Et qu'on aille voir chaque année un ami qui les premières fois n'a pu venir à votre rendez-vous, ou s'est enrhumé, on le retrouvera avec un autre rhume qu'il aura pris, on le manquera à un autre rendez-vous où il ne sera pas venu, pour une même raison permanente à la place de laquelle il croit voir des raisons variées, tirées des circonstances.

Un des matins[a] qui suivirent celui où Andrée m'avait dit qu'elle était obligée de rester auprès de sa mère, je faisais quelques pas avec Albertine que j'avais aperçue, élevant au bout d'un cordonnet un attribut bizarre qui la faisait ressembler à l'« Idolâtrie » de Giotto[1] ; il s'appelle d'ailleurs un « diabolo[2] » et est tellement tombé en désuétude que devant le portrait d'une jeune fille en tenant un, les commentateurs de l'avenir pourront disserter comme devant telle figure allégorique de l'Arena[3], sur ce qu'elle a dans la main. Au bout d'un moment, leur amie à l'air pauvre et dur, qui avait ricané le premier jour d'un air si méchant : « Il me fait de la peine, ce pauvre vieux » en parlant du vieux monsieur effleuré par les pieds légers d'Andrée, vint[b] dire à Albertine : « Bonjour, je vous dérange ? » Elle avait ôté son chapeau qui la gênait, et ses cheveux comme une variété végétale ravissante et inconnue reposaient sur son front dans la minutieuse délicatesse de leur foliation. Albertine, peut-être irritée de la voir tête nue, ne répondit rien, garda un silence glacial malgré lequel l'autre resta, tenue à distance de moi par Albertine qui s'arrangeait à certains instants pour être seule avec elle, à d'autres pour marcher avec moi, en la laissant derrière. Je fus obligé pour qu'elle me présentât de le lui demander devant l'autre. Alors au moment où Albertine me nomma, sur la figure et dans les yeux bleus de cette jeune fille à qui j'avais trouvé un air si cruel quand elle avait dit : « Ce pauvre vieux, y m' fait d' la peine », je vis passer et briller un sourire cordial, aimant, et elle me tendit la main. Ses cheveux étaient dorés, et ne l'étaient pas seuls ; car si ses joues étaient roses et ses yeux bleus, c'était comme le ciel encore empourpré du matin où partout pointe et brille l'or.

Prenant feu aussitôt, je me dis que c'était une enfant timide quand elle aimait et que c'était pour moi, par amour pour moi, qu'elle était restée avec nous malgré les rebuffades d'Albertine, et qu'elle avait dû être heureuse de pouvoir m'avouer enfin par ce regard souriant et bon qu'elle serait aussi douce avec moi que terrible aux autres. Sans doute m'avait-elle remarqué sur la plage même quand je ne la connaissais pas encore et pensait-elle[c] à moi depuis ; peut-être était-ce pour se faire admirer de moi qu'elle s'était moquée du vieux monsieur et parce qu'elle ne parvenait pas à me connaître qu'elle avait eu les jours

suivants l'air morose. De l'hôtel, je l'avais souvent aperçue
le soir se promenant sur la plage. C'était probablement
avec l'espoir de me rencontrer. Et maintenant, gênée par
la présence d'Albertine autant[a] qu'elle l'eût été par celle
de toute la petite bande, elle ne s'attachait évidemment
à nos pas, malgré l'attitude de plus en plus froide de son
amie, que dans l'espoir de rester la dernière, de prendre
rendez-vous avec moi pour un moment où elle trouverait
moyen de s'échapper sans que sa famille et ses amies le
sussent et me donner rendez-vous dans un lieu sûr avant
la messe ou après le golf. Il était d'autant plus difficile de
la voir qu'Andrée était mal avec elle et la détestait. « J'ai
supporté longtemps sa terrible fausseté, me dit-elle, sa
bassesse, les innombrables crasses qu'elle m'a faites. J'ai
tout supporté à cause des autres. Mais le dernier trait a
tout fait déborder. » Et elle me raconta un potin qu'avait
fait cette jeune fille et qui, en effet, pouvait nuire à Andrée.

Mais les paroles à moi promises par le regard de Gisèle
pour le moment où Albertine nous aurait laissés ensemble
ne purent m'être dites, parce qu'Albertine obstinément
placée entre nous deux, ayant continué à répondre de plus
en plus brièvement, puis ayant cessé de répondre du tout
aux propos de son amie, celle-ci finit par abandonner la
place. Je reprochai à Albertine d'avoir été si désagréable.
« Cela lui apprendra à être plus discrète. Ce n'est pas une
mauvaise fille mais elle est barbante. Elle n'a[b] pas besoin
de venir fourrer son nez partout. Pourquoi se colle-t-elle
à nous sans qu'on lui demande ? Il était moins cinq que je
l'envoie paître. D'ailleurs, je déteste qu'elle ait ses cheveux
comme ça, ça donne mauvais genre. » Je regardais les joues
d'Albertine pendant qu'elle me parlait et je me demandais
quel parfum, quel goût elles pouvaient avoir : ce jour-là
elle était non pas fraîche, mais lisse, d'un rose uni, violacé,
crémeux, comme certaines roses qui ont un vernis de cire.
J'étais passionné pour elles comme on l'est parfois pour
une espèce de fleurs. « Je ne l'avais pas remarqué, lui
répondis-je. — Vous l'avez pourtant assez regardée, on
aurait dit que vous vouliez faire son portrait », me dit-elle
sans être radoucie par le fait qu'en ce moment ce fût
elle-même que je regardais tant. « Je ne crois pourtant
pas qu'elle vous plairait. Elle n'est pas flirt du tout. Vous
devez aimer les jeunes filles flirt, vous. En tout cas, elle
n'aura plus l'occasion d'être collante et de se faire semer,

parce qu'elle repart tantôt pour Paris. — Vos autres amies s'en vont avec elle ? — Non, elle seulement, elle et Miss, parce qu'elle a à repasser ses examens, elle va potasser, la pauvre gosse. Ce n'est pas gai, je vous assure. Il peut arriver qu'on tombe sur un bon sujet. Le hasard est si grand. Ainsi une de nos amies a eu : "Racontez un accident auquel vous avez assisté." Ça c'est une veine. Mais je connais une jeune fille qui a eu à traiter (et à l'écrit encore) : "D'Alceste ou de Philinte, qui préféreriez-vous avoir comme ami[1] ?" Ce que j'aurais séché là-dessus ! D'abord, en dehors de tout, ce n'est pas une question à poser à des jeunes filles. Les jeunes filles sont liées avec d'autres jeunes filles et ne sont pas censées avoir pour amis des messieurs. (Cette phrase, en me montrant que j'avais peu de chance d'être admis dans la petite bande, me fit trembler.) Mais en tous cas, même si la question était posée à des jeunes gens, qu'est-ce que vous voulez qu'on puisse trouver à dire là-dessus ? Plusieurs familles ont écrit au *Gaulois*[2] pour se plaindre de la difficulté de questions pareilles. Le plus fort est que dans un recueil des meilleurs devoirs d'élèves couronnées, le sujet a été traité deux fois d'une façon absolument opposée. Tout dépend de l'examinateur. L'un voulait qu'on dise que Philinte était un homme flatteur et fourbe, l'autre qu'on ne pouvait pas refuser son admiration à Alceste, mais qu'il était par trop acariâtre et que comme ami il fallait lui préférer Philinte. Comment voulez-vous que les malheureuses élèves s'y reconnaissent quand les professeurs ne sont pas d'accord entre eux ? Et encore ce n'est rien, chaque année ça devient plus difficile. Gisèle ne pourrait s'en tirer qu'avec un bon coup de piston. »

Je rentrai[a] à l'hôtel, ma grand-mère n'y était pas, je l'attendis longtemps ; enfin, quand elle rentra, je la suppliai de me laisser aller faire dans des conditions inespérées une excursion qui durerait peut-être quarante-huit heures, je déjeunai avec elle, commandai une voiture et me fis conduire à la gare. Gisèle ne serait pas étonnée de m'y voir ; une fois que nous aurions changé à Doncières, dans le train de Paris, il y avait un wagon-couloir où, tandis que Miss sommeillerait, je pourrais emmener Gisèle dans des coins obscurs, prendre rendez-vous avec elle pour ma rentrée à Paris que je tâcherais de rapprocher le plus possible. Selon la volonté qu'elle m'exprimerait, je l'accompagnerais jusqu'à Caen ou jusqu'à Évreux, et reprendrais le train suivant. Tout de même*ᵃ*, qu'eût-elle pensé si elle avait su que j'avais hésité longtemps entre elle et ses amies, que tout autant que d'elle j'avais voulu être amoureux d'Albertine, de la jeune fille aux yeux clairs, et de Rosemonde ! J'en*ᵇ* éprouvais des remords, maintenant qu'un amour réciproque allait m'unir à Gisèle. J'aurais pu du reste lui assurer très véridiquement qu'Albertine ne me plaisait plus. Je l'avais vue ce matin s'éloigner en me tournant presque le dos, pour parler à Gisèle. Sur sa tête inclinée d'un air boudeur, ses cheveux qu'elle avait derrière différents et plus noirs encore, luisaient comme si elle venait de sortir de l'eau. J'avais pensé à une poule mouillée et ces cheveux m'avaient fait incarner en Albertine une autre âme que jusque-là, la figure violette et le regard mystérieux. Ces cheveux luisants derrière la tête, c'est tout ce que j'avais pu apercevoir d'elle pendant un moment, et c'est cela seulement que je continuais à voir. Notre mémoire ressemble à ces magasins qui, à leurs devantures, exposent d'une certaine personne, une fois une photographie, une fois une autre. Et d'habitude la plus récente reste quelque temps seule en vue. Tandis que*ᶜ* le cocher pressait son cheval, j'écoutais les paroles de reconnaissance et de tendresse que Gisèle me disait, toutes nées de son bon sourire, et de sa main tendue : c'est que dans les périodes de ma vie où je n'étais pas amoureux et où je désirais de l'être, je ne portais pas seulement en moi un idéal physique de beauté qu'on a vu que je reconnaissais de loin dans chaque passante assez éloignée pour que*ᵈ* ses traits confus ne s'opposassent pas à cette identification, mais encore le fantôme moral — toujours prêt à être incarné — de la femme qui allait être éprise de moi, me donner la réplique dans la comédie amoureuse que j'avais tout écrite dans ma tête depuis mon enfance et que toute jeune fille aimable me semblait avoir la même envie de jouer, pourvu qu'elle eût aussi un peu le physique de l'emploi. De cette pièce, quelle que fût la nouvelle « étoile » que j'appelais à créer ou à reprendre le rôle, le scénario, les péripéties, le texte même gardaient une forme *ne varietur*.

Quelques jours plus tard, malgré le peu d'empressement qu'Albertine avait mis à nous présenter, je connaissais toute la petite bande du premier jour, restée au complet

à Balbec (sauf Gisèle, qu'à cause d'un arrêt prolongé
devant la barrière de la gare, et un changement dans
l'horaire, je n'avais pu rejoindre au train, parti cinq
minutes avant mon arrivée, et à laquelle d'ailleurs je ne
pensais plus) et en plus deux ou trois de leurs amies qu'à
ma demande elles me firent connaître. Et ainsi l'espoir du
plaisir que je trouverais avec une jeune fille nouvelle
venant d'une autre jeune fille par qui je l'avais connue,
la plus récente était alors comme une de ces variétés de
roses qu'on obtient grâce à une rose d'une autre espèce[a].
Et remontant de corolle en corolle dans cette chaîne de
fleurs, le plaisir d'en connaître une différente me faisait
retourner vers celle à qui je la devais, avec une
reconnaissance mêlée d'autant de désir que mon espoir
nouveau. Bientôt[b] je passai toutes mes journées avec ces
jeunes filles.

Hélas[c] ! dans la fleur la plus fraîche on peut distinguer
les points imperceptibles qui pour l'esprit averti dessinent
déjà ce qui sera, par la dessiccation ou la fructification des
chairs aujourd'hui en fleur, la forme immuable et déjà
prédestinée de la graine. On suit avec délices un nez pareil
à une vaguelette qui enfle délicieusement une eau matinale
et qui semble immobile, dessinable, parce que la mer est
tellement calme qu'on ne perçoit pas la marée. Les visages
humains ne semblent pas changer au moment qu'on les
regarde parce que la révolution qu'ils accomplissent est
trop lente pour que nous la percevions. Mais il suffisait
de voir à côté de ces jeunes filles leur mère ou leur tante,
pour mesurer les distances que sous l'attraction interne
d'un type généralement affreux, ces traits auraient traver-
sées dans moins de trente ans, jusqu'à l'heure du déclin
des regards, jusqu'à celle où le visage, passé tout entier
au-dessous de l'horizon, ne reçoit plus de lumière. Je savais
que, aussi profond, aussi inéluctable que le patriotisme juif
ou l'atavisme chrétien chez ceux qui se croient le plus
libérés de leur race, habitait sous la rose inflorescence
d'Albertine, de Rosemonde, d'Andrée, inconnu[1] à
elles-mêmes, tenu en réserve pour les circonstances, un
gros nez, une bouche proéminente, un embonpoint qui
étonnerait mais était en réalité dans la coulisse, prêt à
entrer en scène, imprévu, fatal, tout comme tel dreyfusisme, tel cléricalisme, tel héroïsme national et féodal,
soudainement issus, à l'appel des circonstances, d'une

nature antérieure à l'individu lui-même, par laquelle il
pense, vit, évolue, se fortifie ou meurt, sans qu'il puisse
la distinguer des mobiles particuliers qu'il prend pour elle.
Même mentalement, nous dépendons des lois naturelles
beaucoup plus que nous ne croyons et notre esprit possède
d'avance comme certain cryptogame, comme telle grami-
née les particularités que nous croyons choisir. Mais nous
ne saisissons que les idées secondes sans percevoir la cause
première (race juive, famille française, etc.) qui les
produisait nécessairement et que nous manifestons au
moment voulu. Et peut-être, alors que les unes nous
paraissent le résultat d'une délibération, les autres d'une
imprudence dans notre hygiène, tenons-nous[a] de notre
famille, comme les papilionacées la forme de leur graine,
aussi bien les idées dont nous vivons que la maladie dont
nous mourrons.

Comme sur un plant où les fleurs mûrissent à des
époques différentes, je les avais vues, en de vieilles dames,
sur cette plage de Balbec, ces dures graines, ces mous
tubercules, que mes amies seraient un jour. Mais qu'importait ? En ce moment, c'était la saison des fleurs. Aussi quand
Mme de Villeparisis m'invitait à une promenade, je
cherchais une excuse pour n'être pas libre. Je ne fis de
visites à Elstir que celles où mes nouvelles amies
m'accompagnèrent. Je ne pus même pas trouver un
après-midi pour aller à Doncières voir Saint-Loup, comme
je le lui avais promis. Les réunions mondaines, les
conversations sérieuses, voire une amicale causerie, si elles
avaient pris la place de mes sorties avec ces jeunes filles,
m'eussent fait le même effet que si à l'heure du déjeuner
on nous emmenait non pas manger, mais regarder un
album. Les hommes, les jeunes gens, les femmes vieilles
ou mûres avec qui nous croyons nous plaire, ne sont portés
pour nous que sur une plane et inconsistante superficie
parce que nous ne prenons conscience d'eux que par la
perception visuelle réduite à elle-même ; mais c'est comme
déléguée des autres sens qu'elle se dirige vers les jeunes
filles ; ils vont chercher l'une derrière l'autre les diverses
qualités odorantes, tactiles, savoureuses, qu'ils goûtent
ainsi même sans le secours des mains et des lèvres ; et,
capables, grâce aux arts de transposition, au génie de
synthèse où excelle le désir, de restituer sous la couleur
des joues ou de la poitrine, l'attouchement, la dégustation,

les contacts interdits, ils donnent à ces filles la même consistance mielleuse qu'ils font quand ils butinent dans une roseraie, ou dans une vigne dont ils mangent des yeux les grappes.

S'il pleuvait[a], bien que le mauvais temps n'effrayât pas Albertine qu'on voyait parfois, dans son caoutchouc, filer en bicyclette sous les averses, nous passions la journée dans le Casino où il m'eût paru ces jours-là impossible de ne pas aller. J'avais le plus grand mépris pour les demoiselles d'Ambresac qui n'y étaient jamais entrées. Et[b] j'aidais volontiers mes amies à jouer de mauvais tours au professeur de danse. Nous subissions généralement quelques admonestations du tenancier ou des employés usurpant un pouvoir directorial parce que mes amies, même Andrée qu'à cause de cela j'avais crue le premier jour une créature si dionysiaque et qui était au contraire frêle, intellectuelle et cette année-là fort souffrante, mais qui obéissait malgré cela moins à l'état de sa santé qu'au génie de cet âge qui emporte tout et confond dans la gaieté les malades et les vigoureux, ne pouvaient pas aller du vestibule à la salle des fêtes sans prendre leur élan, sauter par-dessus toutes les chaises, revenir sur une glissade en gardant leur équilibre par un gracieux mouvement de bras, en chantant, mêlant tous les arts, dans cette première jeunesse, à la façon de ces poètes des anciens âges pour qui les genres ne sont pas encore séparés et qui mêlent dans un poème épique les préceptes agricoles aux enseignements théologiques[1].

Cette Andrée qui m'avait paru la plus froide le premier jour était infiniment plus délicate, plus affectueuse, plus fine qu'Albertine à qui elle montrait une tendresse caressante et douce de grande sœur. Elle venait au Casino s'asseoir à côté de moi et savait — au contraire d'Albertine — refuser un tour de valse ou même si j'étais fatigué renoncer à aller au Casino pour venir à l'hôtel. Elle exprimait son amitié pour moi, pour Albertine, avec des nuances qui prouvaient le plus délicieuse intelligence des choses du cœur, laquelle était peut-être due en partie à son état maladif. Elle avait toujours un sourire gai pour excuser l'enfantillage d'Albertine qui exprimait avec une violence naïve la tentation irrésistible qu'offraient pour elle des parties de plaisir auxquelles elle ne savait pas, comme Andrée, préférer résolument de causer avec moi... Quand l'heure d'aller à un goûter donné au golf approchait, si nous étions tous ensemble à ce moment-là, elle se préparait, puis venant à Andrée : « Hé bien, Andrée, qu'est-ce que tu attends pour venir ? Tu sais que nous allons goûter au golf. — Non, je reste à causer avec lui, répondait Andrée en me désignant. — Mais tu sais que Mme Durieux t'a invitée », s'écriait Albertine, comme si l'intention d'Andrée de rester avec moi ne pouvait s'expliquer que par l'ignorance où elle devait être qu'elle avait été invitée. « Voyons, ma petite, ne sois pas tellement idiote », répondait Andrée. Albertine n'insistait pas, de peur qu'on lui proposât de rester aussi. Elle secouait la tête : « Fais à ton idée », répondait-elle, comme on dit à un malade qui par plaisir se tue à petit feu, « moi je me trotte, car je crois que ta montre retarde », et elle prenait ses jambes à son cou. « Elle est charmante, mais inouïe », disait Andrée en enveloppant son amie d'un sourire qui la caressait et la jugeait à la fois. Si, en ce goût du divertissement, Albertine avait quelque chose de la Gilberte des premiers temps, c'est qu'une certaine ressemblance existe, tout en évoluant, entre les femmes que nous aimons successivement, ressemblance qui tient à la fixité de notre tempérament parce que c'est lui qui les choisit, éliminant toutes celles qui ne nous seraient pas à la fois opposées et complémentaires, c'est-à-dire propres à satisfaire nos sens et à faire souffrir notre cœur. Elles sont, ces femmes, un produit de notre tempérament, une image, une projection renversées, un « négatif » de notre sensibilité. De sorte qu'un romancier pourrait au cours de la vie de son héros, peindre presque exactement semblables ses successives amours et donner par là l'impression non de s'imiter lui-même mais de créer, puisqu'il y a moins de force dans une innovation artificielle que dans une répétition destinée à suggérer une vérité neuve. Encore devrait-il noter dans le caractère de l'amoureux, un indice de variation qui s'accuse au fur et à mesure qu'on arrive dans de nouvelles régions, sous d'autres latitudes de la vie. Et peut-être exprimerait-il encore une vérité de plus si, peignant pour ses autres personnages des caractères, il s'abstenait d'en donner aucun à la femme aimée. Nous connaissons le caractère des indifférents, comment pourrions-nous saisir celui d'un être qui se confond avec notre vie, que bientôt nous ne séparons plus de nous-même, sur les mobiles duquel nous ne cessons de faire d'anxieuses hypothèses, perpétuellement remaniées ? S'élançant d'au-delà de l'intelligence, notre curiosité de la femme que nous aimons dépasse dans sa course le caractère de cette femme. Nous pourrions nous y arrêter que sans doute nous ne le voudrions pas. L'objet de notre inquiète investigation est plus essentiel que ces particularités de caractère, pareilles à ces petits losanges d'épiderme dont les combinaisons variées font l'originalité fleurie de la chair. Notre radiation intuitive les traverse et les images qu'elle nous rapporte ne sont point celles d'un visage particulier mais représentent la morne et douloureuse universalité d'un squelette.

Comme Andrée était extrêmement riche[a], Albertine pauvre et orpheline, Andrée avec une grande générosité la faisait profiter de son luxe. Quant à ses sentiments pour Gisèle ils n'étaient pas tout à fait ceux que j'avais crus. On eut en effet bientôt des nouvelles de l'étudiante et quand Albertine montra la lettre qu'elle en avait reçue, lettre destinée par Gisèle à donner des nouvelles de son voyage et de son arrivée à la petite bande, en s'excusant sur sa paresse de ne pas écrire encore aux autres, je fus surpris d'entendre Andrée, que je croyais brouillée à mort avec elle, dire : « Je lui écrirai demain, parce que si j'attends sa lettre d'abord, je peux attendre longtemps, elle est si négligente. » Et se tournant vers moi elle ajouta : « Vous ne la trouveriez pas très remarquable évidemment, mais c'est une si brave fille, et puis j'ai vraiment une grande affection pour elle. » Je conclus que les brouilles d'Andrée ne duraient pas longtemps.

Sauf ces jours de pluie, comme nous devions aller en bicyclette sur la falaise ou dans la campagne, une heure d'avance je cherchais à me faire beau et gémissais si Françoise n'avait pas bien préparé mes affaires.

Or, même à Paris, elle redressait fièrement et rageusement sa taille que l'âge commençait à courber, pour peu qu'on la trouvât en faute, elle humble, modeste[b] et charmante quand son amour-propre était flatté. Comme il était le grand ressort de sa vie, la satisfaction et la bonne humeur de Françoise étaient en proportion directe de la difficulté des choses qu'on lui demandait. Celles qu'elle avait à faire à Balbec étaient si aisées qu'elle montrait presque toujours un mécontentement qui était soudain

centuplé et auquel s'alliait une ironique expression
d'orgueil quand je me plaignais, au moment d'aller
retrouver mes amies, que mon chapeau ne fût pas brossé,
ou mes cravates en ordre. Elle qui pouvait se donner tant
de peine sans trouver pour cela qu'elle eût rien fait, à la
simple observation qu'un veston n'était pas à sa place, non
seulement elle vantait avec quel soin elle l'avait « renfermé plutôt que non pas le laisser à la poussière », mais
prononçant un éloge en règle de ses travaux, déplorait
que ce ne fussent guère des vacances qu'elle prenait à
Balbec, qu'on ne trouverait pas une seconde personne
comme elle pour mener une telle vie. « Je ne comprends
pas comment qu'on peut laisser ses affaires comme ça et
allez-y voir si une autre saurait se retrouver dans ce pêle
et mêle. Le diable lui-même y perdrait son latin. » Ou
bien[a] elle se contentait de prendre un visage de reine, me
lançant des regards enflammés, et gardait un silence rompu
aussitôt qu'elle avait fermé la porte et s'était engagée dans
le couloir ; il retentissait alors de propos que je devinais
injurieux, mais qui restaient aussi indistincts que ceux des
personnages qui débitent leurs premières paroles derrière
le portant avant d'être entrés en scène. D'ailleurs, quand
je me préparais ainsi à partir avec mes amies, même si
rien ne manquait et si Françoise était de bonne humeur,
elle se montrait tout de même insupportable. Car se
servant de plaisanteries que dans mon besoin de parler
de ces jeunes filles je lui avais faites sur elles, elle prenait
un air de me révéler ce que j'aurais mieux su qu'elle si
cela avait été exact, mais ce qui ne l'était pas car Françoise
avait mal compris. Elle avait comme tout le monde son
caractère propre ; une personne ne ressemble jamais à[b] une
voie droite, mais nous étonne de ses détours singuliers
et inévitables dont les autres ne s'aperçoivent pas et par
où il nous est pénible d'avoir à passer. Chaque fois que
j'arrivais au point : « Chapeau pas en place », « nom
d'Andrée ou d'Albertine », j'étais obligé par Françoise
de m'égarer dans[c] des chemins détournés et absurdes qui
me retardaient beaucoup. Il en était de même quand je
faisais préparer des sandwiches au chester et à la salade
et acheter des tartes que je mangerais à l'heure du goûter,
sur la falaise, avec ces jeunes filles et qu'elles auraient bien
pu payer à tour de rôle si elles n'avaient été aussi
intéressées, déclarait Françoise au secours de qui venait

alors tout un atavisme de rapacité et de vulgarité provinciales et pour laquelle on eût dit que l'âme divisée de la défunte Eulalie s'était incarnée plus gracieusement qu'en saint Éloi[1] dans les corps charmants de mes amies de la petite bande. J'entendais ces accusations avec la rage de me sentir buter à un des endroits à partir desquels le chemin rustique et familier qu'était le caractère de Françoise devenait impraticable, pas pour longtemps heureusement. Puis le veston retrouvé et les sandwiches prêts, j'allais chercher Albertine, Andrée, Rosemonde, d'autres parfois, et, à pied ou en bicyclette, nous partions.

Autrefois[a] j'eusse préféré que cette promenade eût lieu par le mauvais temps. Alors je cherchais à retrouver dans Balbec « le pays des Cimmériens[2] », et de belles journées étaient une chose qui n'aurait pas dû exister là, une intrusion du vulgaire été des baigneurs dans cette antique région voilée par les brumes. Mais maintenant, tout ce que j'avais dédaigné, écarté de ma vue, non seulement les effets de soleil, mais même les régates, les courses de chevaux, je l'eusse recherché avec passion pour la même raison qu'autrefois je n'aurais voulu que des mers tempétueuses, et qui était qu'elles se rattachaient, les unes comme autrefois les autres à une idée esthétique. C'est qu'avec mes amies nous étions quelquefois allés voir Elstir, et les jours où les jeunes filles étaient là, ce qu'il avait montré de préférence, c'était quelques croquis d'après de jolies yachtswomen ou bien une esquisse prise sur un hippo-drome voisin de Balbec. J'avais d'abord timidement avoué à Elstir que je n'avais pas voulu[b] aller aux réunions qui y avaient été données. « Vous avez eu tort, me dit-il, c'est si joli et si curieux aussi. D'abord cet être particulier, le jockey, sur lequel tant de regards sont fixés, et qui devant le paddock est là morne, grisâtre dans sa casaque éclatante, ne faisant qu'un avec le cheval caracolant qu'il ressaisit, comme ce serait intéressant de dégager ses mouvements professionnels, de montrer la tache brillante qu'il fait et que fait aussi la robe des chevaux, sur le champ de courses ! Quelle transformation de toutes choses dans cette immen-sité lumineuse d'un champ de courses où on est surpris par tant d'ombres, de reflets, qu'on ne voit que là ! Ce que les femmes peuvent y être jolies ! La première[c] réunion surtout était ravissante, et il y avait des femmes d'une extrême élégance, dans une lumière humide, hollandaise, où l'on sentait monter dans le soleil même le froid pénétrant de l'eau. Jamais je n'ai vu les femmes arrivant en voiture, ou leurs jumelles aux yeux, dans une pareille lumière qui tient sans doute à l'humidité marine. Ah ! que j'aurais aimé la rendre ; je suis revenu de ces courses, fou, avec un tel désir de travailler[1] ! » Puis il s'extasia plus encore sur les réunions de yachting que sur les courses de chevaux et je compris que des régates, que des meetings sportifs où des femmes bien habillées baignent dans la glauque lumière d'un hippodrome marin, pouvaient être, pour un artiste moderne, un motif aussi intéressant[a] que les fêtes qu'ils aimaient tant à décrire pour un Véronèse ou un Carpaccio. « Votre comparaison est d'autant plus exacte, me dit Elstir, qu'à cause de la ville où ils peignaient ces fêtes étaient pour une part nautiques. Seulement, la beauté des embarcations de ce temps-là résidait le plus souvent dans leur lourdeur, dans leur complication. Il y avait des joutes sur l'eau, comme ici, données généralement en l'honneur de quelque ambassade pareille à celle que Carpaccio a représentée dans *La Légende de sainte Ursule*[2]. Les navires étaient massifs, construits comme des architectures, et semblaient presque amphibies comme de moindres Venise au milieu de l'autre, quand amarrés à l'aide de ponts volants, recouverts de satin cramoisi et de tapis persans, ils portaient des femmes en brocart cerise ou en damas vert, tout près des balcons incrustés de marbres multicolores où d'autres femmes se penchaient pour regarder, dans leurs robes aux manches noires à crevés blancs serrés de perles ou ornés de guipures. On ne savait plus où finissait la terre, où commençait l'eau, qu'est-ce qui était encore le palais ou déjà le navire, la caravelle, la galéasse, le Bucentaure. » Albertine écoutait avec une attention passionnée ces détails de toilette, ces images de luxe que nous décrivait Elstir. « Oh[b] ! je voudrais bien voir les guipures dont vous me parlez, c'est si joli le point de Venise, s'écriait-elle ; d'ailleurs j'aimerais tant aller à Venise ! — Vous pourrez peut-être bientôt, lui dit Elstir, contempler les étoffes merveilleuses qu'on portait là-bas. On ne les voyait plus que dans les tableaux des peintres vénitiens, ou alors très rarement dans les trésors des églises, parfois même il y en avait une qui passait dans une vente. Mais on dit qu'un artiste de Venise, Fortuny[3] a retrouvé le secret de leur fabrication et qu'avant quelques années les femmes pourront se promener, et surtout rester chez elles dans des brocarts aussi magnifiques que ceux que Venise ornait, pour ses patriciennes, avec des dessins d'Orient. Mais je ne sais pas si j'aimerai beaucoup cela, si ce ne sera pas un peu trop costume anachronique pour des femmes d'aujourd'hui, même paradant aux régates, car pour en[a] revenir à nos modernes bateaux de plaisance, c'est tout le contraire que du temps de Venise, "Reine de l'Adriatique". Le plus grand charme d'un yacht, de l'ameublement d'un yacht, des toilettes de yachting, est leur simplicité de choses de la mer, et j'aime tant la mer ! Je vous avoue que je préfère les modes d'aujourd'hui aux modes du temps de Véronèse et même de Carpaccio. Ce qu'il y a de joli dans nos yachts — et dans les yachts moyens surtout, je n'aime pas les énormes, trop navires, c'est comme pour les chapeaux, il y a une mesure à garder — c'est la chose unie, simple, claire, grise qui par les temps voilés, bleuâtres, prend un flou crémeux. Il faut que la pièce où l'on se tient ait l'air d'un petit café. Les toilettes des femmes sur un yacht, c'est la même chose ; ce qui est gracieux, ce sont ces toilettes légères, blanches et unies, en toile, en linon, en pékin, en coutil, qui au soleil et sur le bleu de la mer font un blanc aussi éclatant qu'une voile blanche. Il y a très peu de femmes du reste qui s'habillent bien, quelques-unes pourtant sont merveilleuses. Aux courses, Mlle Léa avait un petit chapeau blanc et une petite ombrelle blanche, c'était ravissant. Je ne sais pas ce que je donnerais pour avoir cette petite ombrelle. » J'aurais tant voulu savoir en quoi cette petite ombrelle différait des autres, et pour d'autres raisons, de coquetterie féminine, Albertine l'aurait voulu plus encore. Mais comme Françoise qui disait pour les soufflés : « C'est un tour de main », la différence était dans la coupe. « C'était, disait Elstir, tout petit, tout rond, comme un parasol chinois. » Je citai les ombrelles de certaines femmes, mais ce n'était pas cela du tout. Elstir trouvait toutes ces ombrelles affreuses. Homme d'un goût difficile et exquis, il faisait consister dans un rien qui était tout, la différence entre ce que portaient les trois quarts des femmes et qui lui faisait horreur et une jolie chose qui le ravissait, et au contraire de ce qui m'arrivait à moi pour qui tout luxe était stérilisant, exaltait son désir de peindre « pour tâcher de faire des choses aussi jolies ». « Tenez, voilà une petite qui a déjà compris comment étaient le chapeau et l'ombrelle », me dit Elstir en me montrant Albertine, dont les yeux brillaient de convoitise. « Comme j'aimerais être riche pour avoir un yacht ! dit-elle au peintre. Je vous demanderais des conseils pour l'aménager. Quels beaux voyages je ferais ! Et comme ce serait joli d'aller aux régates de Cowes[1] ! Et une automobile ! Est-ce que vous trouvez que c'est joli, les modes des femmes pour les automobiles ? — Non, répondait Elstir, mais cela le sera. D'ailleurs, il y a peu de couturiers, un ou[a] deux, Callot, quoique donnant un peu trop dans la dentelle, Doucet, Cheruit, quelquefois[b] Paquin[2]. Le reste sont des horreurs. — Mais alors, il y a une différence immense entre une toilette de Callot et celle d'un couturier quelconque ? demandai-je à Albertine. — Mais énorme, mon petit bonhomme, me répondit-elle. Oh ! pardon. Seulement, hélas ! ce qui coûte trois cent francs ailleurs coûte deux mille francs chez eux. Mais cela ne se ressemble pas, cela a l'air pareil pour les gens qui n'y connaissent rien. — Parfaitement, répondit Elstir, sans aller pourtant jusqu'à dire que la différence soit aussi profonde qu'entre une statue de la cathédrale de Reims et[c] de l'église Saint-Augustin[3]. Tenez, à propos de cathédrales », dit-il en s'adressant spécialement à moi, parce que cela se référait à une causerie à laquelle ces jeunes filles n'avaient pas pris part et qui d'ailleurs ne les eût nullement intéressées, « je vous parlais l'autre jour de l'église de Balbec comme d'une grande falaise, une grande levée des pierres du pays, mais inversement, me dit-il en me montrant une aquarelle, regardez ces falaises (c'est une esquisse prise tout près d'ici, aux Creuniers[4]), regardez comme ces rochers puissamment et délicatement découpés font penser à une cathédrale. » En effet, on eût dit d'immenses arceaux roses. Mais peints par un jour torride, ils semblaient réduits en poussière, volatilisés par la chaleur, laquelle avait à demi bu la mer, presque passée, dans toute l'étendue de la toile, à l'état gazeux. Dans ce jour où la lumière avait comme détruit la réalité, celle-ci était concentrée dans des créatures sombres et transparentes qui par contraste donnaient une impression de vie plus saisissante, plus proche : les ombres. Altérées de fraîcheur, la plupart désertant le large enflammé s'étaient réfugiées au pied des rochers, à l'abri du soleil ; d'autres nageant lentement sur les eaux comme des dauphins s'attachaient aux flancs de barques en promenade dont elles élargissaient la coque, sur l'eau pâle, de leur corps verni et bleu[1]. C'était peut-être la soif de fraîcheur communiquée par elles qui donnait le plus la sensation de la chaleur de ce jour et qui me fit m'écrier combien je regrettais de ne pas connaître les Creuniers. Albertine et Andrée assurèrent que j'avais dû y aller cent fois. En ce cas, c'était sans le savoir, ni me douter qu'un jour leur vue pourrait m'inspirer une telle soif de beauté, non pas précisément naturelle comme celle que j'avais cherchée jusqu'ici dans les falaises de Balbec, mais plutôt architecturale. Surtout moi qui, parti pour voir le royaume des tempêtes, ne trouvais jamais dans mes promenades avec Mme de Villeparisis où souvent nous ne l'apercevions que de loin, peint dans l'écartement des arbres, l'océan assez réel, assez liquide, assez vivant, donnant assez l'impression de lancer ses masses d'eau, et qui n'aurais aimé le voir immobile que sous un linceul hivernal de brume, je n'eusse guère pu croire que je rêverais maintenant d'une mer qui n'était plus qu'une vapeur blanchâtre ayant perdu la consistance et la couleur. Mais cette mer, Elstir, comme ceux qui rêvaient dans ces barques engourdies par la chaleur, en avait jusqu'à une telle profondeur, goûté l'enchantement qu'il avait su rapporter, fixer sur sa toile, l'imperceptible reflux de l'eau, la pulsation d'une minute heureuse ; et on était soudain devenu si amoureux en voyant ce portrait magique, on ne pensait plus qu'à courir le monde pour retrouver la journée enfuie, dans sa grâce instantanée et dormante.

De sorte que si avant ces visites chez Elstir, avant[a] d'avoir vu une marine de lui où une jeune femme, en robe de barège ou de linon[2], dans un yacht arborant le drapeau américain, mit le « double » spirituel d'une robe de linon blanc et d'un drapeau dans mon imagination qui aussitôt couva un désir insatiable de voir sur-le-champ des robes de linon blanc et des drapeaux près de la mer, comme si cela ne m'était jamais arrivé jusque-là, je m'étais toujours efforcé, devant la mer, d'expulser du champ de ma vision, aussi bien que les baigneurs du premier plan, les yachts aux voiles trop blanches comme un costume de plage, tout[b] ce qui m'empêchait de me persuader que je contemplais le flot immémorial qui déroulait déjà sa même vie mystérieuse avant l'apparition de l'espèce humaine et jusqu'aux jours radieux qui me semblaient revêtir de l'aspect banal de l'universel été cette côte de brumes et de tempêtes, y marquer un simple temps d'arrêt, l'équivalent de ce qu'on appelle en musique une mesure pour rien, or maintenant c'était[a1] le mauvais temps qui me paraissait devenir quelque accident funeste, ne pouvant plus trouver de place dans le monde de la beauté : je désirais vivement aller retrouver dans la réalité ce qui m'exaltait si fort et j'espérais que le temps serait assez favorable pour voir du haut de la falaise les mêmes ombres bleues que dans le tableau d'Elstir.

Le long de la route, je ne me faisais plus d'ailleurs un écran de mes mains comme dans ces jours où concevant la nature comme animée d'une vie antérieure à l'apparition de l'homme et en opposition avec tous ces fastidieux perfectionnements de l'industrie qui m'avaient fait jusqu'ici bâiller d'ennui dans les expositions universelles ou chez les modistes, j'essayais de ne voir de la mer que la section où il n'y avait pas de bateau à vapeur, de façon à me la représenter comme immémoriale, encore contemporaine des âges où elle avait été séparée de la terre, à tout le moins contemporaine des premiers siècles de la Grèce, ce qui me permettait de me redire en toute vérité les vers du « père Leconte » chers à Bloch :

> *Ils sont partis, les rois des nefs éperonnées,*
> *Emmenant sur la mer tempétueuse, hélas !*
> *Les hommes chevelus de l'héroïque Hellas*[2].

Je ne pouvais plus mépriser les modistes puisque Elstir m'avait dit que le geste délicat par lequel elles donnent un dernier chiffonnement, une suprême caresse aux nœuds ou aux plumes d'un chapeau terminé, l'intéresserait autant à rendre que celui des jockeys (ce qui avait ravi Albertine). Mais il fallait attendre mon retour, pour les modistes, à Paris, pour les courses et les régates, à Balbec où on n'en donnerait plus avant l'année prochaine. Même un yacht emmenant des femmes en linon blanc était introuvable.

Souvent nous[b] rencontrions les sœurs de Bloch que j'étais obligé de saluer depuis que j'avais dîné chez leur père. Mes amies ne les connaissaient pas. « On ne me permet pas de jouer avec des israélites », disait Albertine. La façon dont elle prononçait « issraélite » au lieu d'« izraélite » aurait suffi à indiquer, même si on n'avait pas entendu le commencement de la phrase, que ce n'était pas de sentiments de sympathie envers le peuple élu qu'étaient animées ces jeunes bourgeoises, de familles dévotes, et qui devaient croire aisément que les juifs égorgeaient les enfants chrétiens. « Du reste, elles ont un sale genre, vos amies », me disait Andrée avec un sourire qui signifiait qu'elle savait bien que ce n'était pas mes amies. « Comme tout ce qui touche à la tribu », répondait Albertine sur le ton sentencieux d'une personne d'expérience. À vrai dire les sœurs de Bloch, à la fois trop habillées et à demi nues, l'air languissant, hardi, fastueux et souillon, ne produisaient pas une impression excellente. Et une de leurs cousines qui n'avait que quinze ans scandalisait le Casino par l'admiration qu'elle affichait pour Mlle Léa, dont M. Bloch père prisait très fort le talent d'actrice, mais que son goût ne passait pas pour porter surtout du côté des messieurs.

Il y avait des jours où nous goûtions dans l'une des fermes-restaurants du voisinage. Ce sont les fermes dites des Écorres, Marie-Thérèse, de la Croix-d'Heuland, de Bagatelle, de Californie, de Marie-Antoinette[1]. C'est cette dernière qu'avait adoptée la petite bande.

Mais quelquefois au lieu d'aller dans une ferme, nous montions jusqu'au haut de la falaise, et une fois arrivés et assis sur l'herbe, nous défaisions notre paquet de sandwiches et de gâteaux. Mes amies préféraient les sandwiches et s'étonnaient de me voir manger seulement un gâteau au chocolat gothiquement historié de sucre ou une tarte à l'abricot. C'est qu'avec les sandwiches au chester et à la salade, nourriture ignorante et nouvelle, je n'avais rien à dire. Mais les gâteaux étaient instruits, les tartes étaient bavardes. Il y avait dans les premiers des fadeurs de crème et dans les secondes des fraîcheurs de fruits qui en savaient long sur Combray, sur Gilberte, non seulement la Gilberte de Combray, mais celle de Paris aux goûters de qui je les avais retrouvés. Ils me rappelaient ces assiettes à petits fours, des *Mille et Une Nuits*, qui distrayaient tant de leurs « sujets » ma tante Léonie quand Françoise lui apportait, un jour, *Aladin ou la Lampe Merveilleuse*, un autre, *Ali-Baba, le Dormeur éveillé* ou *Simbad*

le Marin embarquant à Bassora avec toutes ses richesses. J'aurais
bien voulu les revoir, mais ma grand-mère ne savait pas
ce qu'elles étaient devenues et croyait d'ailleurs que c'était
de vulgaires assiettes achetées dans le pays. N'importe,
dans le gris et champenois Combray[1], leurs vignettes
s'encastraient multicolores, comme dans la noire Église les
vitraux aux mouvantes pierreries, comme dans le crépuscule de ma chambre les projections de la lanterne magique,
comme devant la vue de la gare et du chemin de fer
départemental les boutons d'or des Indes et les lilas de
Perse, comme la collection de vieux Chine de ma
grand-tante dans sa sombre demeure de vieille dame de
province[2].

Étendu sur la falaise je ne voyais devant moi que des
prés, et, au-dessus d'eux, non pas les sept ciels de la
physique chrétienne, mais la superposition de deux
seulement, un plus foncé — la mer — et en haut un plus
pâle. Nous goûtions[a], et si j'avais emporté aussi quelque
petit souvenir qui pût plaire à l'une ou à l'autre de mes
amies, la joie remplissait avec une violence si soudaine
leur visage translucide en un instant devenu rouge que
leur bouche n'avait pas la force de la retenir et pour la
laisser passer, éclatait de rire. Elles étaient assemblées
autour de moi ; et entre les visages peu éloignés les uns
des autres, l'air qui les séparait traçait des sentiers d'azur
comme frayés par un jardinier qui a voulu mettre un peu
de jour pour pouvoir circuler lui-même au milieu d'un
bosquet de roses.

Nos provisions épuisées, nous jouions à des jeux qui
jusque-là m'eussent paru ennuyeux, quelquefois aussi
enfantins que « La Tour prends garde » ou « À qui rira
le premier », mais auxquels je n'aurais plus renoncé pour
un empire ; l'aurore de jeunesse dont s'empourprait
encore le visage de ces jeunes filles et hors de laquelle
je me trouvais déjà, à mon âge, illuminait tout devant
elles, et, comme la fluide peinture de certains primitifs,
faisait se détacher les détails les plus insignifiants de leur
vie sur un fond d'or. Pour la plupart les visages mêmes
de ces jeunes filles étaient confondus dans cette rougeur
confuse de l'aurore d'où les véritables traits n'avaient pas
encore jailli. On ne voyait qu'une couleur charmante sous
laquelle ce que devait être dans quelques années le profil
n'était pas discernable. Celui d'aujourd'hui n'avait rien de

définitif et pouvait n'être qu'une ressemblance momentanée avec quelque membre défunt de la famille auquel la
nature avait fait cette politesse commémorative. Il vient
si vite, le moment où l'on n'a plus rien à attendre, où le
corps est figé dans une immobilité qui ne promet plus de
surprises, où l'on perd toute espérance en voyant, comme
aux arbres en plein été des feuilles déjà mortes, autour
de visages encore jeunes des cheveux qui tombent ou
blanchissent, il est si court ce matin radieux qu'on en vient
à n'aimer que les très jeunes filles, celles chez qui la chair
comme une pâte précieuse travaille encore. Elles ne sont
qu'un flot de matière ductile pétrie à tout moment par
l'impression passagère qui les domine. On dirait que
chacune est tour à tour une petite statuette de la gaieté,
du sérieux juvénile, de la câlinerie, de l'étonnement,
modelée par une expression franche, complète, mais
fugitive. Cette plasticité donne beaucoup de variété et de
charme aux gentils égards que nous montre une jeune fille.
Certes ils sont indispensables aussi chez la femme, et celle
à qui nous ne plaisons pas ou qui ne nous laisse pas voir
que nous lui plaisons, prend à nos yeux quelque chose
d'ennuyeusement uniforme. Mais ces gentillesses elles-
mêmes, à partir d'un certain âge, n'amènent plus de molles
fluctuations sur un visage que les luttes de l'existence ont
durci, rendu à jamais militant ou extatique. L'un — par
la force continue de l'obéissance qui soumet l'épouse à
son époux — semble, plutôt que d'une femme, le visage
d'un soldat ; l'autre, sculpté par les sacrifices qu'a consentis
chaque jour la mère pour ses enfants, est d'un apôtre. Un
autre encore est, après des années de traverses et d'orages,
le visage d'un vieux loup de mer, chez une femme dont
les vêtements seuls révèlent le sexe. Et certes les attentions
qu'une femme a pour nous peuvent encore, quand nous
l'aimons, semer de charmes nouveaux les heures que nous
passons auprès d'elle. Mais elle n'est pas successivement
pour nous une femme différente. Sa gaieté reste extérieure
à une figure inchangée. Mais l'adolescence est antérieure
à la solidification complète et de là vient qu'on éprouve
auprès des jeunes filles ce rafraîchissement que donne le
spectacle des formes sans cesse en train de changer, à jouer
en une instable opposition qui fait penser à cette
perpétuelle recréation des éléments primordiaux de la
nature qu'on contemple devant la mer[1].

Ce n'était pas[a] seulement une matinée mondaine, une promenade avec Mme de Villeparisis que j'eusse sacrifiées au « furet » ou aux « devinettes » de mes amies. À plusieurs reprises Robert de Saint-Loup me fit dire que puisque je n'allais pas le voir à Doncières, il avait demandé une permission de vingt-quatre heures et la passerait à Balbec. Chaque fois je lui écrivis de n'en rien faire, en invoquant l'excuse d'être obligé de m'absenter justement ce jour-là pour aller remplir dans le voisinage un devoir de famille avec ma grand-mère. Sans doute me jugea-t-il mal en apprenant par sa tante en quoi consistait le devoir de famille et quelles personnes tenaient en l'espèce le rôle de grand-mère. Et pourtant je n'avais peut-être pas tort de sacrifier les plaisirs non seulement de la mondanité, mais de l'amitié, à celui de passer tout le jour dans ce jardin. Les êtres[b] qui en ont la possibilité — il est vrai que ce sont les artistes et j'étais convaincu depuis longtemps que je ne le serais jamais — ont aussi le devoir de vivre pour eux-mêmes ; or l'amitié leur est une dispense de ce devoir, une abdication de soi[1]. La conversation même qui est le mode d'expression de l'amitié est une divagation superficielle, qui ne nous donne rien à acquérir. Nous pouvons causer pendant toute une vie sans rien dire que répéter indéfiniment le vide d'une minute, tandis que la marche de la pensée dans le travail solitaire de la création artistique se fait dans le sens de la profondeur, la seule direction qui ne nous soit pas fermée, où nous puissions progresser, avec plus de peine il est vrai, pour un résultat de vérité. Et l'amitié n'est pas seulement dénuée de vertu comme la conversation, elle est de plus funeste. Car l'impression d'ennui que ne peuvent pas ne pas éprouver auprès de leur ami, c'est-à-dire à rester à la surface de soi-même, au lieu de poursuivre leur voyage de découvertes dans[c] les profondeurs, ceux d'entre nous dont la loi de développement est purement interne, cette impression d'ennui, l'amitié nous persuade de la rectifier quand nous nous retrouvons seuls, de nous rappeler avec émotion les paroles que notre ami nous a dites, de les considérer comme un précieux apport alors que nous ne sommes pas comme des bâtiments à qui on peut ajouter des pierres du dehors, mais comme des arbres qui tirent de leur propre sève le nœud suivant de leur tige, l'étage supérieur de leur frondaison. Je me mentais à moi-même, j'interrompais la croissance dans le sens selon lequel je pouvais en effet véritablement grandir et être heureux, quand je me félicitais d'être aimé, admiré, par un être aussi bon, aussi intelligent, aussi recherché que Saint-Loup, quand j'adaptais mon intelligence, non à mes propres obscures impressions que c'eût été mon devoir de démêler, mais aux paroles de mon ami à qui en me les redisant — en me les faisant redire par cet autre que soi-même qui vit en nous et sur qui on est toujours si content de se décharger du fardeau de penser — je m'efforçais de trouver une beauté, bien différente de celle que je poursuivais silencieusement quand j'étais vraiment seul, mais qui donnerait plus de mérite à Robert, à moi-même, à ma vie. Dans celle qu'un tel ami me faisait, je m'apparaissais comme douillettement préservé de la solitude, noblement désireux de me sacrifier moi-même pour lui, en somme incapable de me réaliser[1]. Près de ces jeunes filles, au contraire, si le plaisir que je goûtais était égoïste, du moins n'était-il pas basé sur le mensonge qui cherche à nous faire croire que nous ne sommes pas irrémédiablement seuls et qui quand nous causons avec un autre nous empêche de nous avouer que ce n'est plus nous qui parlons, que nous nous modelons alors à la ressemblance des étrangers et non d'un moi[a] qui diffère d'eux. Les paroles qui s'échangeaient entre les jeunes filles de la petite bande et moi étaient peu intéressantes, rares d'ailleurs, coupées de ma part de longs silences. Cela ne m'empêchait pas de prendre à les écouter quand elles me parlaient autant de plaisir qu'à les regarder, à découvrir dans la voix de chacune d'elles un tableau vivement coloré. C'est avec délices que j'écoutais leur pépiement. Aimer aide à discerner, à différencier. Dans un bois l'amateur d'oiseaux distingue aussitôt ces gazouillis particuliers à chaque oiseau, que le vulgaire confond. L'amateur de jeunes filles sait que les voix humaines sont encore bien plus variées. Chacune possède plus de notes que le plus riche instrument. Et les combinaisons selon lesquelles elle les groupe sont aussi inépuisables que l'infinie variété des personnalités. Quand je causais avec une de mes amies, je m'apercevais que le tableau original, unique de son individualité, m'était ingénieusement dessiné, tyranniquement imposé aussi bien par les inflexions de sa voix que par celles de son visage et que c'était deux spectacles qui traduisaient, chacun dans son plan, la même réalité singulière. Sans doute les lignes de la voix, comme celles du visage, n'étaient pas encore définitivement fixées ; la première muerait encore, comme le second changerait. Comme les enfants possèdent une glande dont la liqueur les aide à digérer le lait et qui n'existe plus chez les grandes personnes, il y avait dans le gazouillis de ces jeunes filles des notes que les femmes n'ont plus. Et de cet instrument plus varié, elles jouaient avec leurs lèvres, avec cette application, cette ardeur des petits anges musiciens de Bellini[1], lesquelles sont aussi un apanage exclusif de la jeunesse. Plus tard ces jeunes filles perdraient cet accent de conviction enthousiaste qui donnait du charme aux choses les plus simples, soit qu'Albertine sur un ton d'autorité débitât des calembours que les plus jeunes écoutaient avec admiration jusqu'à ce que le fou rire se saisît d'elles avec la violence irrésistible d'un éternuement, soit qu'Andrée mît à parler de leurs travaux scolaires, plus enfantins encore que leurs jeux, une gravité essentiellement puérile ; et leurs paroles détonnaient, pareilles à ces strophes des temps antiques où la poésie encore peu différenciée de la musique se déclamait sur des notes différentes. Malgré tout[a] la voix de ces jeunes filles accusait déjà nettement le parti pris que chacune de ces petites personnes avait sur la vie, parti pris si individuel que c'est user d'un mot bien trop général que de dire pour l'une : « elle prend tout en plaisantant » ; pour l'autre : « elle va d'affirmation en affirmation » ; pour la troisième : « elle s'arrête à une hésitation expectante ». Les traits de notre visage ne sont guère que des gestes devenus, par l'habitude, définitifs. La nature, comme la catastrophe de Pompéi, comme une métamorphose de nymphe, nous a immobilisés dans le mouvement accoutumé. De même nos intonations contiennent notre philosophie de la vie, ce que la personne se dit à tout moment sur les choses. Sans doute ces traits n'étaient pas qu'à ces jeunes filles. Ils étaient à leurs parents. L'individu baigne dans quelque chose de plus général que lui. À ce compte, les parents ne fournissent pas que ce geste habituel que sont les traits du visage et de la voix, mais aussi certaines manières de parler, certaines phrases consacrées, qui presque aussi inconscientes qu'une intonation, presque aussi profondes, indiquent, comme elle, un point de vue sur la vie. Il est vrai que pour les jeunes filles, il y a certaines de ces expressions que leurs parents ne leur donnent pas avant un certain âge, généralement pas avant qu'elles soient des femmes. On les*ᵃ* garde en réserve. Ainsi par exemple si on parlait des tableaux d'un ami d'Elstir, Andrée qui avait encore les cheveux dans le dos ne pouvait encore faire personnellement usage de l'expression dont usaient sa mère et sa sœur mariée : « Il paraît que *l'homme* est charmant. » Mais cela viendrait avec la permission d'aller au Palais-Royal. Et déjà depuis sa première communion, Albertine disait comme une amie de sa tante : « Je trouverais cela assez terrible. » On lui*ᵇ* avait aussi donné en présent l'habitude de faire répéter ce qu'on lui disait pour avoir l'air de s'intéresser et de chercher à se former une opinion personnelle. Si on disait que la peinture d'un peintre était bien, ou sa maison jolie : « Ah ! c'est bien, sa peinture ? Ah ! c'est joli, sa maison ? » Enfin plus générale encore que n'est le legs familial était la savoureuse matière imposée par la province originelle d'où elles tiraient leur voix et à même laquelle mordaient leurs intonations. Quand Andrée pinçait sèchement une note grave, elle ne pouvait faire que la corde périgourdine de son instrument vocal ne rendît un son chantant fort en harmonie d'ailleurs avec la pureté méridionale de ses traits ; et aux perpétuelles gamineries de Rosemonde, la matière de son visage et de sa voix du Nord répondaient, quoi qu'elle en eût, avec l'accent de sa province. Entre cette province et le tempérament de la jeune fille qui dictait les inflexions, je percevais un beau dialogue. Dialogue, non pas discorde. Aucune ne saurait diviser la jeune fille et son pays natal. Elle, c'est lui encore. Du reste cette réaction des matériaux locaux sur le génie qui les utilise et à qui elle donne plus de verdeur ne rend pas l'œuvre moins individuelle, et que ce soit celle d'un architecte, d'un ébéniste, ou d'un musicien, elle ne reflète pas moins minutieusement les traits les plus subtils de la personnalité de l'artiste, parce qu'il a été forcé de travailler dans la pierre meulière de Senlis ou le grès rouge de Strasbourg, qu'il a respecté les nœuds particuliers au frêne, qu'il a tenu compte dans son écriture des ressources et des limites de la sonorité, des possibilités de la flûte ou de l'alto[1].

Je m'en rendais compte et pourtant nous causions si peu ! Tandis qu'avec Mme de Villeparisis ou Saint-Loup, j'eusse démontré par mes paroles beaucoup plus de plaisir que je n'en eusse ressenti, car je les quittais avec fatigue, au contraire couché entre ces jeunes filles, la plénitude de ce que j'éprouvais l'emportait infiniment sur la pauvreté, la rareté de nos propos, et débordait de mon immobilité et de mon silence, en flots de bonheur dont le clapotis venait mourir au pied de ces jeunes roses.

Pour un convalescent qui se repose tout le jour dans un jardin fleuriste ou dans un verger, une odeur de fleurs et de fruits n'imprègne pas plus profondément les mille riens dont se compose son farniente que pour moi cette couleur, cet arôme que mes regards allaient chercher sur ces jeunes filles et dont la douceur finissait par s'incorporer en moi. Ainsi les raisins se sucrent-ils au soleil. Et par[a] leur lente continuité, ces jeux si simples avaient aussi amené en moi, comme chez ceux qui ne font autre chose que rester étendus au bord de la mer à respirer le sel, à se hâler, une détente, un sourire béat, un éblouissement vague qui avait gagné jusqu'à mes yeux.

Parfois une gentille attention de telle ou telle éveillait en moi d'amples vibrations qui éloignaient pour un temps le désir des autres. Ainsi un jour Albertine avait dit : « Qu'est-ce qui a un crayon ? » Andrée l'avait fourni, Rosemonde le papier, Albertine leur avait dit : « Mes petites bonnes femmes, je vous défends de regarder ce que j'écris. » Après s'être appliquée à bien tracer chaque lettre, le papier appuyé à ses genoux, elle me l'avait passé en me disant : « Faites attention qu'on ne voie pas. » Alors je l'avais déplié et j'avais lu ces mots qu'elle m'avait écrits : « Je vous aime bien[1]. »

« Mais au lieu d'écrire des bêtises », cria-t-elle en se tournant d'un air soudainement impétueux et grave vers Andrée et Rosemonde, « il faut que je vous montre la lettre que Gisèle m'a écrite ce matin. Je suis folle, je l'ai dans ma poche, et dire que cela peut nous être si utile ! » Gisèle avait[b] cru devoir adresser à son amie, afin qu'elle la communiquât aux autres, la composition qu'elle avait faite pour son certificat d'études[2]. Les craintes d'Albertine sur la difficulté des sujets proposés avaient encore été dépassées par les deux entre lesquels Gisèle avait eu à opter. L'un était : « Sophocle écrit des Enfers à Racine pour le consoler de l'insuccès d'*Athalie*[3] » ; l'autre : « Vous supposerez qu'après la première représentation d'*Esther*, Mme de Sévigné écrit à Mme de La Fayette pour lui dire combien elle a regretté son absence. » Or Gisèle, par un excès de zèle qui avait dû toucher les examinateurs, avait choisi le premier, le plus difficile, de ces deux sujets, et l'avait traité si remarquablement qu'elle avait eu quatorze et avait été félicitée par le jury. Elle aurait obtenu la mention « très bien » si elle n'avait « séché » dans son examen d'espagnol. La composition dont Gisèle avait envoyé la copie à Albertine nous fut immédiatement lue par celle-ci, car devant elle-même passer le même examen, elle désirait beaucoup avoir l'avis d'Andrée, beaucoup plus forte qu'elles toutes et qui pouvait lui donner de bons tuyaux. « Elle en a une veine, dit Albertine. C'est justement un sujet que lui avait fait piocher ici sa maîtresse de français. » La lettre de Sophocle à Racine, rédigée par Gisèle, commençait ainsi : « Mon cher ami, excusez-moi de vous écrire sans avoir l'honneur d'être personnellement connu de vous, mais votre nouvelle tragédie d'*Athalie* ne montre-t-elle pas que vous avez parfaitement étudié mes modestes ouvrages ? Vous n'avez pas mis de vers que dans la bouche des protagonistes, ou personnages principaux du drame, mais vous en avez écrit, et de charmants, permettez-moi de vous le dire sans cajolerie, pour les chœurs qui ne faisaient pas trop mal à ce qu'on dit dans la tragédie grecque, mais qui sont en France une véritable nouveauté. De plus, votre talent, si délié, si fignolé, si charmeur[a], si fin, si délicat, a atteint à une énergie dont je vous félicite. Athalie, Joad, voilà des personnages que votre rival, Corneille, n'eût pas su mieux charpenter. Les caractères sont virils, l'intrigue est simple et forte. Voilà une tragédie dont l'amour n'est pas le ressort et je vous en fais mes compliments les plus sincères. Les préceptes les plus fameux ne sont pas toujours les plus vrais. Je vous citerai comme exemple :

> *De cette passion la sensible peinture*
> *Est pour aller au cœur la route la plus sûre*[1].

Vous avez montré que le sentiment religieux dont débordent vos chœurs n'est pas moins capable d'attendrir. Le grand public a pu être dérouté, mais les vrais connaisseurs vous rendent justice. J'ai tenu à vous envoyer toutes mes congratulations auxquelles je joins, mon cher confrère, l'expression de mes sentiments les plus distingués. »

Les yeux d'Albertine n'avaient cessé d'étinceler pendant qu'elle faisait cette lecture : « C'est à croire qu'elle a copié cela, s'écria-t-elle quand elle eut fini. Jamais je n'aurais cru Gisèle capable de pondre un devoir pareil. Et ces vers qu'elle cite ! Où a-t-elle pu aller chiper ça ? » L'admiration d'Albertine, changeant il est vrai d'objet, mais encore accrue, ne cessa pas, ainsi que l'application la plus soutenue, de lui faire « sortir les yeux de la tête » tout le temps qu'Andrée, consultée comme plus grande et comme plus calée, d'abord parla du devoir de Gisèle avec une certaine ironie, puis, avec un air de légèreté qui dissimulait mal un sérieux véritable, refit à sa façon la même lettre. « Ce n'est pas mal, dit-elle à Albertine, mais si j'étais toi et qu'on me donne le même sujet, ce qui peut arriver, car on le donne très souvent, je ne ferais pas comme cela. Voilà comment je m'y prendrais. D'abord, si j'avais été Gisèle, je ne me serais pas laissée emballer et j'aurais commencé par écrire sur une feuille à part mon plan. En première ligne, la position de la question et l'exposition du sujet ; puis les idées générales à faire entrer dans le développement. Enfin l'appréciation, le style, la conclusion. Comme cela, en s'inspirant d'un sommaire, on sait où on va. Dès l'exposition du sujet ou si tu aimes mieux, Titine, puisque*ᵃ* c'est une lettre, dès l'entrée en matière, Gisèle a gaffé. Écrivant*ᵇ* à un homme du XVIIᵉ siècle, Sophocle ne devait pas écrire : mon cher ami. — Elle aurait dû, en effet, lui faire dire : mon cher Racine, s'écria fougueusement Albertine. Ç'aurait été bien mieux. — Non, répondit Andrée sur un ton un peu persifleur, elle aurait dû mettre : "Monsieur". De même, pour finir elle aurait dû trouver quelque chose comme : "Souffrez, Monsieur (tout au plus, cher Monsieur), que je vous dise ici les sentiments d'estime avec lesquels j'ai l'honneur d'être votre serviteur." D'autre part, Gisèle dit que les chœurs sont dans *Athalie* une nouveauté. Elle oublie *Esther*, et deux tragédies peu connues, mais qui ont été précisément analysées cette année par le professeur, de sorte que rien qu'en les citant, comme c'est son dada, on est sûre d'être reçue. Ce sont *Les Juives* de Robert Garnier et l'*Aman*, de Montchrestien[1]. » Andrée cita ces deux titres sans parvenir à cacher un sentiment de bienveillante supériorité qui s'exprima dans un sourire, assez gracieux d'ailleurs. Albertine n'y tint plus : « Andrée, tu es renversante, s'écria-t-elle. Tu vas m'écrire ces deux titres-là. Crois-tu ? Quelle chance si je passais là-dessus, même à l'oral, je les citerais aussitôt et je ferais un effet bœuf. » Mais[a] dans la suite, chaque fois qu'Albertine demanda à Andrée de lui redire les noms des deux pièces pour qu'elle les inscrivît, l'amie si savante prétendit les avoir oubliés et ne les lui rappela jamais. « Ensuite », reprit Andrée sur un ton d'imperceptible dédain à l'égard de camarades plus puériles, mais heureuse pourtant de se faire admirer et attachant à la manière dont elle aurait fait sa composition plus d'importance qu'elle ne voulait le laisser voir, « Sophocle aux Enfers doit être bien informé. Il doit donc savoir que ce n'est pas devant le grand public, mais devant le Roi-Soleil et quelques courtisans privilégiés que fut représentée *Athalie*. Ce que Gisèle dit à ce propos de l'estime des connaisseurs n'est pas mal du tout, mais pourrait être complété. Sophocle, devenu immortel, peut très bien avoir le don de la prophétie et annoncer que selon Voltaire *Athalie* ne sera pas seulement "le chef-d'œuvre de Racine, mais celui de l'esprit humain[1]". » Albertine buvait toutes ces paroles. Ses prunelles étaient en feu. Et c'est avec l'indignation la plus profonde qu'elle repoussa la proposition de Rosemonde de se mettre à jouer. « Enfin », dit Andrée du même ton détaché, désinvolte, un peu railleur et assez ardemment convaincu, « si Gisèle avait posément noté d'abord les idées générales qu'elle avait à développer, elle aurait peut-être pensé à ce que j'aurais fait, moi, montrer la différence qu'il y a dans l'inspiration religieuse des chœurs de Sophocle et de ceux de Racine. J'aurais fait faire par Sophocle la remarque que si les chœurs de Racine sont empreints de sentiments religieux comme ceux de la tragédie grecque, pourtant il ne s'agit pas des mêmes dieux. Celui de Joad n'a rien à voir avec celui de Sophocle. Et cela amène tout naturellement, après la fin du développement, la conclusion : "Qu'importe que les croyances soient différentes ?" Sophocle se ferait un scrupule d'insister là-dessus. Il craindrait de blesser les convictions de Racine et glissant à ce propos quelques mots sur ses maîtres de Port-Royal, il préfère féliciter son émule de l'élévation de son génie poétique. »

L'admiration et l'attention avaient donné si chaud à
Albertine qu'elle suait à grosses gouttes. Andrée gardait
le flegme souriant d'un dandy femelle. « Il ne serait pas
mauvais non plus de citer quelques jugements de critiques
célèbres[a] », dit-elle avant qu'on se remît à jouer. « Oui,
répondit Albertine, on m'a dit cela. Les plus recommanda-
bles en général, n'est-ce pas, sont les jugements de
Sainte-Beuve et de Merlet[1] ? — Tu ne te trompes pas
absolument », répliqua Andrée qui se refusa d'ailleurs à
lui écrire les deux autres noms malgré les supplications
d'Albertine, « Merlet et Sainte-Beuve ne font pas mal.
Mais il faut surtout citer Deltour et Gasc-Desfossés[2]. »

Pendant ce temps je songeais à la petite feuille de
bloc-notes que m'avait passée Albertine : « Je vous aime
bien », et une heure plus tard, tout en descendant les
chemins qui ramenaient, un peu trop à pic à mon gré, vers
Balbec, je me disais que c'était avec elle que j'aurais mon
roman[b].

L'état caractérisé par l'ensemble de signes auxquels nous
reconnaissons d'habitude que nous sommes amoureux,
tels les ordres que je donnais à l'hôtel de ne m'éveiller
pour aucune visite, sauf si c'était celle d'une ou l'autre
de ces jeunes filles, ces battements de cœur en les
attendant (quelle que fût celle qui dût venir) et ces jours-là
ma rage si je n'avais pu trouver un coiffeur pour me raser
et devais paraître enlaidi devant Albertine, Rosemonde
ou Andrée[c], sans doute cet état, renaissant alternativement
pour l'une ou l'autre, était[d] aussi différent de ce que nous
appelons amour que diffère de la vie humaine celle des
zoophytes où[e] l'existence, l'individualité, si l'on peut dire,
est répartie entre différents organismes. Mais l'histoire
naturelle nous apprend qu'une telle organisation animale
est observable et notre propre vie, pour peu qu'elle soit
déjà un peu avancée, n'est pas moins affirmative sur la
réalité d'états insoupçonnés de nous autrefois et par
lesquels nous devons passer, quitte à les abandonner
ensuite : tel pour moi cet état amoureux divisé simultanément entre plusieurs jeunes filles. Divisé ou plutôt indivis,
car le plus souvent ce qui m'était délicieux, différent du
reste du monde, ce qui commençait à me devenir cher
au point que l'espoir de le retrouver le lendemain était
la meilleure joie de ma vie, c'était plutôt tout le groupe
de ces jeunes filles, pris dans l'ensemble de ces après-midi

sur la falaise, pendant ces heures éventées, sur cette bande
d'herbe où étaient posées ces figures si excitantes pour
mon imagination d'Albertine, de Rosemonde, d'Andrée ;
et cela, sans que j'eusse pu dire laquelle me rendait ces
lieux si précieux, laquelle j'avais le plus envie d'aimer. Au[a]
commencement d'un amour comme à sa fin, nous ne
sommes pas exclusivement attachés à l'objet de cet amour,
mais plutôt le désir d'aimer dont il va procéder (et plus
tard le souvenir qu'il laisse) erre voluptueusement dans
une zone de charmes interchangeables — charmes parfois
simplement de nature, de gourmandise, d'habitation
— assez harmoniques entre eux pour qu'il ne se sente,
auprès d'aucun, dépaysé. D'ailleurs[b] comme, devant elles,
je n'étais pas encore blasé par l'habitude, j'avais la faculté
de les voir, autant dire d'éprouver un étonnement profond
chaque fois que je me retrouvais en leur présence. Sans
doute pour une part cet étonnement tient à ce que l'être
nous présente alors une nouvelle face de lui-même ; mais,
tant est grande la multiplicité de chacun, la richesse des
lignes de son visage et de son corps, lignes desquelles si
peu se retrouvent, aussitôt que nous ne sommes plus auprès
de la personne, dans la simplicité arbitraire de notre
souvenir, comme la mémoire a choisi telle particularité
qui nous a frappé, l'a isolée, l'a exagérée, faisant d'une
femme qui nous a paru grande une étude où la longueur
de sa taille est démesurée, ou d'une femme qui nous a
semblé rose et blonde une pure « Harmonie en rose et
or[1] », au moment où de nouveau cette femme est près
de nous, toutes les autres qualités oubliées qui font
équilibre à celle-là nous assaillent, dans leur complexité
confuse, diminuant la hauteur, noyant le rose, et substituant à ce que nous sommes venus exclusivement chercher
d'autres particularités que nous nous rappelons avoir
remarquées la première fois et dont nous ne comprenons
pas que nous ayons pu si peu nous attendre à les revoir.
Nous nous souvenions, nous allions au-devant, d'un paon
et nous trouvons une pivoine. Et cet étonnement inévitable
n'est pas le seul ; car à côté de celui-là il y en a un autre
né de la différence, non plus entre les stylisations du
souvenir et la réalité, mais entre l'être que nous avons vu
la dernière fois et celui qui nous apparaît aujourd'hui sous
un autre angle, nous montrant un nouvel aspect. Le visage
humain est vraiment comme celui du Dieu d'une

théogonie orientale, toute une grappe de visages juxtaposés dans des plans différents et qu'on ne voit pas à la
fois.

Mais pour[a] une grande part, notre étonnement vient
surtout de ce que l'être nous présente aussi une même
face. Il nous faudrait un si grand effort pour recréer tout
ce qui nous a été fourni par ce qui n'est pas nous — fût-ce
le goût d'un fruit — qu'à peine l'impression reçue, nous
descendons insensiblement la pente du souvenir et sans
nous en rendre compte, en très peu de temps, nous sommes
très loin de ce que nous avons senti. De sorte que chaque
nouvelle entrevue est une espèce de redressement qui nous
ramène à ce que nous avions bien vu. Nous ne nous en
souvenions déjà plus, tant ce qu'on appelle se rappeler
un être c'est en réalité l'oublier. Mais aussi longtemps que
nous savons encore voir, au moment[b] où le trait oublié
nous apparaît, nous le reconnaissons, nous sommes obligés
de[c] rectifier la ligne déviée et ainsi la perpétuelle et
féconde surprise qui rendait si salutaires et assouplissants
pour moi ces rendez-vous quotidiens avec les belles jeunes
filles du bord de la mer, était faite, tout autant que de
découvertes, de réminiscence. En ajoutant à cela l'agitation
éveillée par ce qu'elles étaient pour moi, qui n'était jamais
tout à fait ce que j'avais cru et qui faisait que l'espérance
de la prochaine réunion n'était plus semblable à la
précédente espérance mais au souvenir encore vibrant du
dernier entretien, on comprendra que chaque promenade
donnait un violent coup de barre à mes pensées et non
pas du tout dans le sens que dans la solitude de ma chambre
j'avais pu tracer à tête reposée. Cette direction-là était
oubliée, abolie, quand je rentrais vibrant comme une ruche
des propos qui m'avaient troublé, et qui retentissaient
longtemps en moi. Chaque être est détruit quand nous
cessons de le voir ; puis son apparition suivante est une
création nouvelle, différente de celle qui l'a immédiatement précédée, sinon de toutes. Car le minimum de variété
qui puisse régner dans ces créations est de deux. Nous
souvenant d'un coup d'œil énergique, d'un air hardi, c'est
inévitablement la fois suivante par un profil quasi languide,
par une sorte de douceur rêveuse, choses négligées par
nous dans le précédent souvenir que nous serons, à la
prochaine rencontre, étonnés, c'est-à-dire presque uniquement frappés. Dans la confrontation de notre souvenir à

la réalité nouvelle, c'est cela qui marquera notre déception ou notre surprise, nous apparaîtra comme la retouche de la réalité en nous avertissant que nous nous étions mal rappelé. À son tour l'aspect, la dernière fois négligé, du visage, et à cause de cela même, le plus saisissant cette fois-ci, le plus réel, le plus rectificatif, deviendra matière à rêverie, à souvenirs. C'est un profil langoureux et rond, une expression douce, rêveuse que nous désirerons revoir. Et alors de nouveau la fois suivante, ce qu'il y a de volontaire dans les yeux perçants, dans le nez pointu, dans les lèvres serrées, viendra corriger l'écart entre notre désir et l'objet auquel il a cru correspondre. Bien entendu, cette fidélité aux impressions premières, et purement physiques, retrouvées à chaque fois auprès de mes amies, ne concernait pas que les traits de leur visage puisqu'on a vu que j'étais aussi sensible à leur voix, plus troublante peut-être (car elle n'offre pas seulement les mêmes surfaces singulières et sensuelles que lui, elle fait partie de l'abîme inaccessible qui donne le vertige des baisers sans espoir), leur voix pareille au son unique d'un petit instrument où chacune se mettait tout entière et qui n'était qu'à elle. Tracée par une inflexion, telle ligne profonde d'une de ces voix m'étonnait quand je la reconnaissais après l'avoir oubliée. Si bien que les rectifications qu'à chaque rencontre nouvelle j'étais obligé de faire, pour le retour à la parfaite justesse, étaient aussi bien d'un accordeur ou d'un maître de chant que d'un dessinateur.

Quant à l'harmonieuse cohésion où se neutralisaient depuis quelque temps, par la résistance que chacune apportait à l'expansion des autres, les diverses ondes sentimentales propagées en moi par ces jeunes filles, elle fut rompue en faveur d'Albertine, une après-midi que nous jouions au furet. C'était dans un petit bois sur la falaise. Placé entre deux jeunes filles étrangères à la petite bande et que celle-ci avait emmenées parce que nous devions être ce jour-là fort nombreux, je regardais avec envie le voisin d'Albertine, un jeune homme, en me disant que si j'avais eu sa place j'aurais pu toucher les mains de mon amie pendant ces minutes inespérées qui ne reviendraient peut-être pas et eussent pu me conduire très loin. Déjà à lui seul et même sans les conséquences qu'il eût entraînées sans doute, le contact des mains d'Albertine m'eût été délicieux. Non que j'eusse jamais vu de plus

belles mains que les siennes. Même dans le groupe de ses
amies, celles d'Andrée, maigres et bien plus fines, avaient
comme une vie particulière, docile au commandement de
la jeune fille, mais indépendante, et elles s'allongeaient
souvent devant elle comme de nobles lévriers, avec des
paresses, de longs rêves, de brusques étirements d'une
phalange, à cause desquels Elstir avait fait plusieurs études
de ces mains. Et dans l'une où on voyait Andrée les
chauffer devant le feu, elles avaient sous l'éclairage la
diaphanéité dorée de deux feuilles d'automne. Mais, plus
grasses, les mains d'Albertine cédaient un instant, puis
résistaient à la pression de la main qui la serrait, donnant
une sensation toute particulière. La pression[a] de la main
d'Albertine avait une douceur sensuelle qui était comme
en harmonie avec la coloration rose, légèrement mauve
de sa peau. Cette pression semblait vous faire pénétrer
dans la jeune fille, dans la profondeur de ses sens, comme
la sonorité de son rire, indécent à la façon d'un
roucoulement ou de certains cris. Elle était de ces femmes
à qui c'est un si grand plaisir de serrer la main qu'on est
reconnaissant à la civilisation d'avoir fait du shake-hand
un acte permis entre jeunes gens et jeunes filles qui
s'abordent. Si les habitudes arbitraires de la politesse
avaient remplacé la poignée de mains par un autre geste,
j'eusse tous les jours regardé les mains intangibles
d'Albertine avec une curiosité de connaître leur contact
aussi ardente qu'était celle de savoir la saveur de ses joues.
Mais dans le plaisir de tenir longtemps ses mains entre
les miennes, si j'avais été son voisin au furet, je
n'envisageais pas que ce plaisir même : que d'aveux, de
déclarations tus jusqu'ici par timidité j'aurais pu confier
à certaines pressions de mains ; de son côté comme il lui
eût été facile en répondant par d'autres pressions de me
montrer qu'elle acceptait ; quelle complicité, quel
commencement de volupté ! Mon amour pouvait faire plus
de progrès en quelques minutes passées ainsi à côté d'elle
qu'il n'avait fait depuis que je la connaissais. Sentant
qu'elles dureraient peu, étaient bientôt à leur fin, car on
ne continuerait sans doute pas longtemps ce petit jeu, et
qu'une fois qu'il serait fini, ce serait trop tard, je ne tenais
pas en place. Je me laissai exprès prendre la bague et une
fois au milieu, quand elle passa je fis semblant de ne pas
m'en apercevoir et la suivis des yeux[b] attendant le moment

où elle arriverait dans les mains du voisin d'Albertine, laquelle riant de toutes ses forces, et dans l'animation et la joie du jeu, était tout rose. « Nous sommes justement dans le bois joli », me dit Andrée en me désignant les arbres qui nous entouraient, avec un sourire du regard qui n'était que pour moi et semblait passer par-dessus les joueurs comme si nous deux étions seuls assez intelligents pour nous dédoubler et faire à propos du jeu une remarque d'un caractère poétique. Elle poussa même la délicatesse d'esprit jusqu'à chanter sans en avoir envie : « Il a passé par ici, le furet du Bois, Mesdames, il a passé par ici, le furet du Bois joli », comme les personnes qui ne peuvent aller à Trianon sans y donner une fête Louis XVI ou qui trouvent piquant de faire chanter un air dans le cadre pour lequel il fut écrit. J'eusse sans doute été au contraire attristé de ne pas trouver du charme à cette réalisation, si j'avais eu le loisir d'y penser. Mais mon esprit était bien ailleurs. Joueurs et joueuses commençaient à s'étonner de ma stupidité et que je ne prisse pas la bague. Je regardais Albertine si belle, si indifférente, si gaie, qui, sans le prévoir, allait devenir ma voisine quand enfin j'arrêterais la bague dans les mains qu'il faudrait, grâce à un manège qu'elle ne soupçonnait pas et dont sans cela elle se fût irritée. Dans la fièvre du jeu, les longs cheveux d'Albertine s'étaient à demi défaits et, en mèches bouclées, tombaient sur ses joues dont ils faisaient encore mieux ressortir, par leur brune sécheresse, la rose carnation. « Vous avez les tresses de Laura Dianti, d'Éléonore de Guyenne, et de sa descendante si aimée de Chateaubriand[1]. Vous[a] devriez porter toujours les cheveux un peu tombants », lui dis-je à l'oreille pour me rapprocher d'elle. Tout d'un coup la bague passa au voisin d'Albertine. Aussitôt je m'élançai lui ouvris brutalement les mains, saisis la bague ; il fut obligé d'aller à ma place au milieu du cercle et je pris la sienne à côté d'Albertine. Peu de minutes auparavant, j'enviais ce jeune homme quand je voyais ses mains, en glissant sur la ficelle, rencontrer à tout moment celles d'Albertine. Maintenant que mon tour était venu, trop timide pour rechercher, trop ému pour goûter ce contact, je ne sentais plus rien que le battement rapide et douloureux de mon cœur. À un moment, Albertine pencha vers moi d'un air d'intelligence sa figure pleine et rose, faisant ainsi semblant d'avoir la bague, afin de

tromper le furet et de l'empêcher de regarder du côté où
celle-ci était en train de passer. Je compris tout de suite
que c'était à cette ruse que s'appliquaient les sous-entendus
du regard d'Albertine, mais je fus troublé en voyant ainsi
passer dans ses yeux l'image, purement simulée pour les
besoins du jeu, d'un secret, d'une entente qui n'existaient
pas entre elle et moi, mais qui dès lors me semblèrent
possibles et m'eussent été divinement doux. Comme cette
pensée m'exaltait, je sentis une légère pression de la main
d'Albertine contre la mienne, et son doigt caressant qui
se glissait sous mon doigt, et je vis qu'elle m'adressait en
même temps un clin d'œil qu'elle cherchait à rendre
imperceptible. D'un seul coup, une foule d'espoirs
jusque-là invisibles à moi-même cristallisèrent : « Elle
profite du jeu pour me faire sentir qu'elle m'aime bien »,
pensai-je au comble d'une joie d'où je retombai aussitôt
quand j'entendis Albertine me dire avec rage : « Mais
prenez-la donc, voilà une heure que je vous la passe. »
Étourdi de chagrin, je lâchai la ficelle, le furet aperçut la
bague, se jeta sur elle, je dus me remettre au milieu,
désespéré, regardant la ronde effrénée qui continuait
autour de moi, interpellé par les moqueries de toutes les
joueuses, obligé, pour y répondre, de rire quand j'en avais
si peu envie, tandis qu'Albertine ne cessait de dire : « On
ne joue pas quand on ne veut pas faire attention et pour
faire perdre les autres. On ne l'invitera plus les jours où
on jouera, Andrée, ou bien moi je ne viendrai pas[1]. »
Andrée, supérieure au jeu et qui chantait son « Bois joli »,
que par esprit d'imitation reprenait sans conviction
Rosemonde, voulut faire diversion aux reproches d'Albertine en me disant : « Nous sommes à deux pas de ces
Creuniers que vous vouliez tant voir. Tenez, je vais vous
mener jusque-là par un joli petit chemin pendant que ces
folles font les enfants de huit ans. » Comme Andrée était
extrêmement gentille avec moi, en route je lui dis
d'Albertine tout ce qui me semblait propre à me faire
aimer de celle-ci. Elle me répondit qu'elle aussi l'aimait
beaucoup, la trouvait charmante ; pourtant mes compliments à l'adresse de son amie n'avaient pas l'air de lui
faire plaisir. Tout d'un coup, dans le petit chemin creux,
je m'arrêtai touché au cœur par un doux souvenir
d'enfance : je venais de reconnaître, aux feuilles découpées
et brillantes qui s'avançaient sur le seuil, un buisson

d'aubépines défleuries, hélas, depuis la fin du printemps. Autour de moi flottait une atmosphère d'anciens mois de Marie, d'après-midi du dimanche, de croyances, d'erreurs oubliées. J'aurais voulu la saisir. Je m'arrêtai une seconde et Andrée, avec une divination charmante, me laissa causer un instant avec les feuilles de l'arbuste[1]. Je leur demandai des nouvelles des fleurs, ces fleurs de l'aubépine pareilles à de gaies jeunes filles étourdies, coquettes et pieuses. « Ces demoiselles sont parties depuis déjà longtemps », me disaient les feuilles. Et peut-être pensaient-elles que pour le grand ami d'elles que je prétendais être, je ne semblais guère renseigné sur leurs habitudes. Un grand ami, mais qui ne les avais[2] pas revues depuis tant d'années, malgré ses promesses. Et pourtant, comme Gilberte avait été mon premier amour pour une jeune fille, elles avaient été mon premier amour pour une fleur. « Oui, je sais, elles s'en vont vers la mi-juin, répondis-je, mais cela me fait plaisir de voir l'endroit qu'elles habitaient ici. Elles sont venues me voir à Combray dans ma chambre, amenées par ma mère quand j'étais malade. Et nous nous retrouvions le samedi soir au mois de Marie. Elles peuvent y aller ici ? — Oh ! naturellement ! Du reste on tient beaucoup à avoir ces demoiselles à l'église de Saint-Denis-du-Désert qui est[a] la paroisse la plus voisine. — Alors maintenant, pour les voir ? — Oh ! pas avant le mois de mai de l'année prochaine. — Mais je peux être sûr qu'elles seront là ? — Régulièrement tous les ans. — Seulement je ne sais pas si je retrouverai bien la place. — Que si ! ces demoiselles sont si gaies, elles ne s'interrompent de rire que pour chanter des cantiques, de sorte qu'il n'y a pas d'erreur possible et que du bout du sentier vous reconnaîtrez leur parfum. »

Je rejoignis Andrée, recommençai[b] à lui faire des éloges d'Albertine. Il me semblait impossible qu'elle ne les lui répétât pas, étant donnée l'insistance que j'y mis. Et pourtant je n'ai jamais appris qu'Albertine les eût sus. Andrée avait pourtant bien plus qu'elle l'intelligence des choses du cœur, le raffinement dans la gentillesse ; trouver le regard, le mot, l'action qui pouvaient le plus ingénieusement faire plaisir, taire une réflexion qui risquait de peiner, faire le sacrifice (et en ayant l'air que ce ne fût pas un sacrifice) d'une heure de jeu, voire d'une matinée, d'une garden-party, pour rester auprès d'un ami ou d'une amie triste et lui montrer ainsi qu'elle préférait sa simple société à des plaisirs frivoles, telles étaient ses délicatesses coutumières. Mais quand on la connaissait un peu plus on aurait dit qu'il en était d'elle comme de ces héroïques poltrons qui ne veulent pas avoir peur, et de qui la bravoure est particulièrement méritoire ; on aurait dit qu'au fond de sa nature, il n'y avait rien de cette bonté qu'elle manifestait à tout moment par distinction morale, par sensibilité, par noble volonté de se montrer bonne amie. À écouter les charmantes choses qu'elle me disait d'une affection possible entre Albertine et moi, il semblait qu'elle eût dû travailler de toutes ses forces à la réaliser. Or, par hasard peut-être, du moindre des riens dont elle avait la disposition et qui eussent pu m'unir à Albertine, elle ne fit jamais usage, et je ne jurerais pas que mon effort pour être aimé d'Albertine n'ait, sinon provoqué de la part de son amie des manèges secrets destinés à le contrarier, mais éveillé en elle une colère bien cachée d'ailleurs, et contre laquelle par délicatesse elle luttait peut-être elle-même. De mille raffinements de bonté qu'avait Andrée, Albertine eût été incapable, et cependant je n'étais pas certain de la bonté profonde de la première comme je le fus plus tard de celle de la seconde. Se montrant toujours tendrement indulgente à l'exubérante frivolité d'Albertine, Andrée avait avec elle des paroles, des sourires qui étaient d'une amie, bien plus elle agissait en amie. Je l'ai vue, jour par jour, pour faire profiter de son luxe, pour rendre heureuse cette amie pauvre, prendre, sans y avoir aucun intérêt, plus de peine qu'un courtisan qui veut capter la faveur du souverain. Elle[a] était charmante de douceur, de mots tristes et délicieux, quand on plaignait devant elle la pauvreté d'Albertine et se donnait mille fois plus de peine pour elle qu'elle n'eût fait pour[b] une amie riche. Mais si quelqu'un avançait qu'Albertine n'était peut-être pas aussi pauvre qu'on disait, un nuage à peine discernable voilait le front et les yeux d'Andrée ; elle semblait de mauvaise humeur. Et si on allait jusqu'à dire qu'après tout elle serait peut-être moins difficile à marier qu'on pensait[c], elle vous contredisait avec force et répétait presque rageusement : « Hélas si, elle sera immariable ! Je le sais bien, cela me fait assez de peine ! » Même, en ce qui me concernait, elle était la seule de ces jeunes filles qui jamais ne m'eût répété quelque chose de peu agréable qu'on avait pu dire de moi ;

bien plus, si c'était moi-même qui le racontais, elle faisait
semblant de ne pas le croire ou en donnait une explication
qui rendît le propos inoffensif ; c'est l'ensemble de ces
qualités qui s'appelle le tact. Il est l'apanage des gens qui,
si nous allons sur le terrain, nous félicitent et ajoutent qu'il
n'y avait pas lieu de le faire, pour augmenter encore à
nos yeux le courage dont nous avons fait preuve, sans y
avoir été contraint. Ils sont l'opposé des gens qui dans la
même circonstance disent : « Cela a dû bien vous ennuyer
de vous battre, mais d'un autre côté vous ne pouviez pas
avaler un tel affront, vous ne pouviez faire autrement[1]. »
Mais comme en tout il y a du pour et du contre, si le plaisir
ou du moins l'indifférence de nos amis à nous répéter
quelque chose d'offensant qu'on a dit sur nous prouve
qu'ils ne se mettent guère dans notre peau au moment
où ils nous parlent, et y enfoncent l'épingle et le couteau
comme dans de la baudruche, l'art de nous cacher toujours
ce qui peut nous être désagréable dans ce qu'ils ont
entendu dire de nos actions ou de l'opinion qu'elles leur
ont à eux-mêmes inspirée, peut prouver chez l'autre
catégorie d'amis, chez les amis pleins de tact, une forte
dose de dissimulation. Elle est sans inconvénient si, en
effet, ils ne peuvent penser du mal et si celui qu'on dit
les fait seulement souffrir comme il nous ferait souffrir
nous-même. Je pensais que tel était le cas pour Andrée
sans en être cependant absolument sûr.

   Nous étions sortis du petit bois et avions suivi un lacis
de chemins assez peu fréquentés où Andrée se retrouvait
fort bien. « Tenez, me dit-elle tout à coup, voici vos fameux
Creuniers, et encore vous avez de la chance, juste par le
temps, dans la lumière où Elstir les a peints. » Mais j'étais
encore trop triste d'être tombé pendant le jeu du furet d'un
tel faîte d'espérances. Aussi ne fut-ce pas avec le plaisir que
j'aurais sans doute éprouvé sans cela que je pus[a] distinguer
tout d'un coup à mes pieds, tapies entre les roches où elles
se protégeaient contre la chaleur, les Déesses marines
qu'Elstir avait guettées et surprises, sous un sombre glacis
aussi beau qu'eût été celui d'un Léonard, les merveilleuses
Ombres abritées et furtives, agiles et silencieuses, prêtes au
premier remous de lumière à se glisser sous la pierre, à se
cacher dans un trou et promptes, la menace du rayon passée,
à revenir auprès de la roche ou de l'algue dont, sous le soleil
émietteur des falaises et de l'Océan décoloré, elles sem-

blent veiller l'assoupissement, gardiennes immobiles et légères, laissant paraître à fleur d'eau leur corps gluant et le regard attentif de leurs yeux foncés.

Nous allâmes[a] retrouver les autres jeunes filles pour rentrer. Je savais maintenant que j'aimais Albertine ; mais hélas ! je ne me souciais pas de le lui apprendre. C'est que, depuis le temps des jeux aux Champs-Élysées, ma conception de l'amour était devenue différente si les êtres auxquels s'attachait successivement mon amour demeuraient presque identiques. D'une part l'aveu, la déclaration de ma tendresse à celle que j'aimais ne me semblait plus une des scènes capitales et nécessaires de l'amour ; ni celui-ci, une réalité extérieure mais seulement un plaisir subjectif. Et ce plaisir je sentais qu'Albertine ferait d'autant plus ce qu'il fallait pour l'entretenir qu'elle ignorerait que je l'éprouvais.

Pendant[b] tout ce retour, l'image d'Albertine noyée dans la lumière qui émanait des autres jeunes filles ne fut pas seule à exister pour moi. Mais comme la lune qui n'est qu'un petit nuage blanc d'une forme plus caractérisée et plus fixe pendant le jour, prend toute sa puissance dès que celui-ci s'est éteint, ainsi quand je fus rentré à l'hôtel, ce fut la seule image d'Albertine qui s'éleva de mon cœur et se mit à briller. Ma chambre me semblait tout d'un coup nouvelle. Certes, il y avait bien longtemps qu'elle n'était plus la chambre ennemie du premier soir. Nous modifions inlassablement notre demeure autour de nous ; et au fur et à mesure que l'habitude nous dispense de sentir, nous supprimons les éléments nocifs de couleur, de dimension et d'odeur qui[c] objectivaient notre malaise. Ce n'était plus davantage la chambre, assez puissante encore sur ma sensibilité, non certes pour me faire souffrir, mais pour me donner de la joie, la cuve des beaux jours, semblable à une piscine à mi-hauteur de laquelle ils faisaient miroiter un azur mouillé de lumière, que recouvrait un moment, impalpable et blanche comme une émanation de la chaleur, une voile reflétée et fuyante ; ni la chambre purement esthétique des soirs picturaux ; c'était la chambre où j'étais depuis tant de jours que je ne la voyais plus. Or voici que je venais de recommencer à ouvrir les yeux sur elle, mais cette fois-ci de ce point de vue égoïste[d] qui est celui de l'amour. Je songeais que la belle glace oblique, les élégantes bibliothèques vitrées donneraient à Albertine si elle venait me voir une bonne idée de moi. À la place d'un lieu de transition où je passais un instant avant de m'évader vers la plage ou vers Rivebelle, ma chambre me redevenait réelle et chère, se renouvelait car j'en regardais et en appréciais chaque meuble avec les yeux d'Albertine.

Quelques jours après la partie de furet, comme, nous étant laissés entraîner trop loin dans une promenade, nous avions été fort heureux de trouver à Maineville deux petits « tonneaux » à deux places qui nous permettraient de revenir pour l'heure du dîner, la vivacité déjà grande de mon amour pour Albertine eut pour effet que ce fut successivement à Rosemonde et à Andrée que je proposai de monter avec moi, et pas une fois à Albertine ; ensuite que tout en invitant de préférence Andrée ou Rosemonde, j'amenai tout le monde, par des considérations secondaires d'heure, de chemin et de manteaux, à décider*a* comme contre mon gré que le plus pratique était que je prisse avec moi Albertine, à la compagnie de laquelle je feignis de me résigner tant bien que mal. Malheureusement l'amour tendant à l'assimilation complète d'un être, comme aucun n'est comestible par la seule conversation, Albertine eut beau être aussi gentille que possible pendant ce retour, quand je l'eus déposée chez elle, elle me laissa heureux, mais affamé d'elle encore que je n'étais au départ et ne comptant les moments que nous venions de passer ensemble que comme un prélude, sans grande importance par lui-même, à ceux qui suivraient. Il avait pourtant ce premier charme qu'on ne retrouve pas. Je n'avais encore rien demandé à Albertine. Elle pouvait imaginer ce que je désirais, mais n'en étant pas sûre, supposer que je ne tendais qu'à des relations sans but précis auxquelles mon amie devait trouver ce vague délicieux, riche de surprises attendues, qui est le romanesque*b*.

Dans la semaine qui suivit je ne cherchai guère à voir Albertine. Je faisais semblant de préférer Andrée. L'amour commence, on voudrait rester pour celle qu'on aime l'inconnu qu'elle peut aimer, mais on a besoin d'elle, on a besoin de toucher moins son corps que son attention, son cœur. On glisse dans une lettre une méchanceté qui forcera l'indifférente à vous demander une gentillesse, et l'amour, suivant une technique infaillible, resserre pour nous d'un mouvement alterné l'engrenage dans lequel on ne peut plus ni ne pas aimer, ni être aimé. Je donnais à Andrée les heures où les autres allaient à quelque matinée que je savais qu'Andrée me sacrifierait par plaisir, et[a] qu'elle m'eût sacrifiées même avec ennui, par élégance morale, pour ne pas donner aux autres ni à elle-même l'idée qu'elle attachait du prix à un plaisir relativement mondain. Je[b] m'arrangeais ainsi à l'avoir chaque soir toute à moi, pensant non pas rendre Albertine jalouse, mais accroître à ses yeux mon prestige ou du moins ne pas le perdre en apprenant à Albertine que c'était elle et non Andrée que j'aimais. Je ne le disais pas non plus à Andrée de peur qu'elle le lui répétât. Quand je parlais d'Albertine avec Andrée, j'affectais une froideur dont Andrée fut peut-être moins dupe que moi de sa crédulité apparente. Elle faisait semblant de croire à mon indifférence pour Albertine, de désirer l'union la plus complète possible entre Albertine et moi. Il est probable qu'au contraire elle ne croyait pas à la première ni ne souhaitait la seconde. Pendant que je lui disais me soucier assez peu de son amie, je ne pensais qu'à une chose, tâcher d'entrer en relations avec[c] Mme Bontemps, qui était pour quelques jours près de Balbec et chez qui Albertine devait bientôt aller passer trois jours. Naturellement, je ne laissais pas voir ce désir à Andrée et quand je lui parlais de la famille d'Albertine, c'était de l'air le plus inattentif. Les réponses explicites d'Andrée ne paraissaient pas mettre en doute ma sincérité. Pourquoi donc lui échappa-t-il un de ces jours-là de me dire : « J'ai *justement* vu la tante à Albertine » ? Certes elle ne m'avait pas dit : « J'ai bien démêlé sous vos paroles, jetées comme par hasard, que vous ne pensiez qu'à vous lier avec la tante d'Albertine. » Mais c'est bien à la présence, dans l'esprit d'Andrée, d'une telle idée qu'elle trouvait plus poli de me cacher, que semblait se rattacher le mot « justement ». Il était de la famille de certains regards, de certains gestes, qui, bien que n'ayant pas une forme logique, rationnelle, directement élaborée pour l'intelligence de celui qui écoute, lui parviennent cependant avec leur signification véritable, de même que la parole humaine, changée en électricité dans le téléphone, se refait parole pour être entendue. Afin d'effacer de l'esprit d'Andrée l'idée que je m'intéressais à Mme Bontemps, je ne parlai plus d'elle avec distraction seulement, mais avec malveillance ; je dis avoir rencontré autrefois cette espèce de folle et que j'espérais bien que cela ne m'arriverait plus. Or je cherchais au contraire de toute façon à la rencontrer.

Je tâchai[a] d'obtenir d'Elstir, mais sans dire à personne
que je l'en avais sollicité, qu'il lui parlât de moi et me
réunît avec elle. Il me promit de me la faire connaître,
s'étonnant toutefois que je le souhaitasse car il la jugeait
une femme méprisable, intrigante et aussi inintéressante
qu'intéressée. Pensant que si je voyais Mme Bontemps,
Andrée le saurait tôt ou tard, je crus qu'il valait mieux
l'avertir. « Les choses qu'on cherche le plus à fuir sont
celles qu'on arrive à ne pouvoir éviter, lui dis-je. Rien
au monde ne peut m'ennuyer autant que de retrouver
Mme Bontemps, et pourtant je n'y échapperai pas, Elstir
doit m'inviter avec elle. — Je n'en ai jamais douté un seul
instant », s'écria Andrée d'un ton amer, pendant que son
regard grandi et altéré par le mécontentement se rattachait
à je ne sais quoi d'invisible. Ces paroles d'Andrée ne
constituaient pas l'exposé le plus ordonné d'une pensée
qui peut se résumer ainsi[b] : « Je sais bien que vous aimez
Albertine et que vous faites des pieds et des mains pour
vous rapprocher de sa famille. » Mais elles étaient les
débris informes et reconstituables de cette pensée que
j'avais fait exploser, en la heurtant, malgré Andrée. De
même que le « justement », ces paroles n'avaient de
signification qu'au second degré. C'est dire qu'elles[c]
étaient de celles qui (et non pas les affirmations directes)
nous inspirent de l'estime ou de la méfiance à l'égard de
quelqu'un, nous brouillent avec lui.

Puisque Andrée ne m'avait pas cru quand je lui disais
que la famille d'Albertine m'était indifférente, c'est qu'elle
pensait que j'aimais Albertine. Et probablement n'en
était-elle pas heureuse.

Elle était généralement en tiers dans mes rendez-vous
avec son amie. Cependant il y avait des jours où je devais
voir Albertine seule, jours que j'attendais dans la fièvre,
qui passaient sans rien m'apporter de décisif, sans avoir
été ce jour capital dont je confiais immédiatement le rôle
au jour suivant, qui ne le tiendrait pas davantage ; ainsi
s'écroulaient l'un après l'autre, comme des vagues, ces
sommets aussitôt[d] remplacés par d'autres.

Environ un mois après[e] le jour où nous avions joué au
furet, on me dit qu'Albertine devait partir le lendemain
matin pour aller passer quarante-huit heures chez Mme
Bontemps et obligée de prendre le train de bonne heure
viendrait coucher la veille au Grand-Hôtel, d'où avec

l'omnibus elle pourrait, sans déranger les amies chez qui elle habitait, prendre le premier train. J'en parlai à Andrée. « Je ne le crois pas du tout, me répondit Andrée d'un air mécontent. D'ailleurs cela ne vous avancerait à rien, car je suis bien certaine qu'Albertine ne voudra pas vous voir, si elle vient seule à l'hôtel. Ce ne serait pas protocolaire », ajouta-t-elle en usant d'un adjectif qu'elle aimait beaucoup, depuis peu, dans le sens "ce qui se fait". « Je vous dis cela parce que je connais les idées d'Albertine. Moi, qu'est-ce que vous voulez que cela me fasse, que vous la voyiez ou non ? Cela*a* m'est bien égal. »

Nous fûmes rejoints par Octave qui ne fit pas de difficulté pour dire à Andrée le nombre de points qu'il avait faits la veille au golf, puis par Albertine qui se promenait en manœuvrant son diabolo comme une religieuse son chapelet. Grâce à ce jeu elle pouvait rester des heures seule sans s'ennuyer. Aussitôt qu'elle nous eut rejoints m'apparut la pointe mutine de son nez, que j'avais omise en pensant à elle ces derniers jours ; sous ses cheveux noirs, la verticalité de son front s'opposa, et ce n'était pas la première fois, à l'image indécise que j'en avais gardée, tandis que par sa blancheur il mordait fortement dans mes regards ; sortant de la poussière du souvenir, Albertine se reconstruisait devant moi. Le golf donne l'habitude des plaisirs solitaires. Celui que procure le diabolo l'est assurément. Pourtant après nous avoir rejoints Albertine continua à y jouer, tout en causant avec nous, comme une dame à qui des amies sont venues faire une visite ne s'arrête pas pour cela de travailler à son crochet. « Il paraît que Mme de Villeparisis, dit-elle à Octave, a fait une réclamation auprès de votre père » (et j'entendis derrière ce mot « il paraît » une*b* de ces notes qui étaient propres à Albertine ; chaque fois que je constatais que je les avais oubliées, je me rappelais en même temps avoir entr'aperçu déjà derrière elles la mine décidée et française d'Albertine. J'aurais pu être aveugle et connaître aussi bien certaines de ses qualités alertes et un peu provinciales dans ces notes-là que dans la pointe de son nez. Les unes et l'autre se valaient et auraient pu se suppléer, et sa voix était comme celle que réalisera, dit-on, le photo-téléphone de l'avenir : dans le son se découpait nettement l'image visuelle). « Elle*c* n'a du reste

pas écrit seulement à votre père, mais en même temps au
maire de Balbec pour qu'on ne joue plus au diabolo sur
la digue, on lui a envoyé une balle dans la figure.

— Oui, j'ai entendu parler de cette réclamation. C'est
ridicule. Il n'y a déjà pas tant de distractions ici. »

Andrée ne se mêla pas à la conversation, elle ne
connaissait pas, non plus d'ailleurs qu'Albertine ni*[d]*
Octave, Mme de Villeparisis. « Je ne sais pas pourquoi
cette dame a fait toute une histoire, dit pourtant Andrée,
la vieille Mme de Cambremer a reçu une balle aussi et
elle ne s'est pas plainte. — Je vais vous expliquer la
différence, répondit gravement Octave en frottant une
allumette, c'est qu'à mon avis, Mme de Cambremer est
une femme du monde et Mme de Villeparisis est une
arriviste. Est-ce que vous irez au golf cet après-midi ? »
et il nous quitta, ainsi qu'Andrée. Je restai seul avec
Albertine. « Voyez-vous me dit-elle, j'arrange maintenant
mes cheveux comme vous les aimez, regardez ma mèche.
Tout le monde se moque de cela et personne ne sait pour
qui je le fais. Ma tante va se moquer de moi aussi. Je ne
lui dirai pas non plus la raison. » Je voyais*[b]* de côté les
joues d'Albertine qui souvent paraissaient pâles, mais ainsi,
étaient arrosées d'un sang clair qui les illuminait, leur
donnait ce brillant qu'ont certaines matinées d'hiver où
les pierres partiellement ensoleillées semblent être du
granit rose et dégagent de la joie. Celle que me donnait
en ce moment la vue des joues d'Albertine était aussi vive,
mais conduisait à un autre désir qui n'était pas celui de
la promenade, mais du baiser. Je lui demandai si les projets
qu'on lui prêtait étaient vrais : « Oui, me dit-elle, je passe
cette nuit-là à votre hôtel, et même, comme je suis un peu
enrhumée, je me coucherai avant le dîner. Vous pourrez
venir assister à mon dîner à côté de mon lit et après nous
jouerons à ce que vous voudrez. J'aurais été contente que
vous veniez à la gare demain matin, mais j'ai peur que
cela ne paraisse drôle, je ne dis pas à Andrée qui est
intelligente, mais aux autres qui y seront ; ça ferait des
histoires si on le répétait à ma tante ; mais nous pourrions
passer cette soirée ensemble. Cela, ma tante n'en saura
rien. Je vais dire au revoir à Andrée. Alors à tout à l'heure.
Venez tôt pour que nous ayons de bonnes heures à nous »,
ajouta-t-elle en souriant. À ces mots, je remontai plus loin
qu'aux temps où j'aimais Gilberte, à ceux où l'amour me

semblait une entité non pas seulement extérieure, mais réalisable. Tandis que la Gilberte que je voyais aux Champs-Élysées était une autre que celle que je retrouvais en moi dès que j'étais seul, tout d'un coup dans l'Albertine réelle, celle que je voyais tous les jours, que je croyais pleine de préjugés bourgeois et si franche avec sa tante, venait de s'incarner l'Albertine imaginaire, celle par qui, quand je ne la connaissais pas encore, je m'étais cru furtivement regardé sur la digue, celle qui avait eu l'air de rentrer à contrecœur pendant qu'elle me voyait m'éloigner.

J'allai dîner avec ma grand-mère, je sentais en moi un secret qu'elle ne connaissait pas. De même, pour Albertine, demain ses amies seraient avec elle sans savoir ce qu'il y avait de nouveau entre nous, et quand elle embrasserait sa nièce sur le front, Mme Bontemps ignorerait que j'étais entre elles deux, dans cet arrangement de cheveux qui avait pour but, caché à tous, de me plaire, à moi, à moi qui avais jusque-là tant envié Mme Bontemps parce qu'apparentée aux mêmes personnes que sa nièce, elle avait les mêmes deuils à porter, les mêmes visites de famille à faire ; or, je me trouvais être pour Albertine plus que n'était sa tante elle-même. Auprès de sa tante, c'est à moi qu'elle penserait. Qu'allait-il se passer tout à l'heure, je ne le savais pas trop. En tous cas le Grand-Hôtel, la soirée, ne me semblaient plus vides ; ils contenaient mon bonheur. Je sonnai le lift pour monter à la chambre qu'Albertine avait prise, du côté de la vallée. Les moindres mouvements, comme m'asseoir sur la banquette de l'ascenseur, m'étaient doux, parce qu'ils étaient en relation immédiate avec mon cœur ; je ne voyais dans les cordes à l'aide desquelles l'appareil s'élevait, dans les quelques marches qui me restaient à monter, que les rouages, que les degrés matérialisés de ma joie. Je n'avais plus que deux ou trois pas à faire dans le couloir avant d'arriver à cette chambre où était renfermée la substance précieuse de ce corps rose — cette chambre qui même s'il devait s'y dérouler des actes délicieux, garderait cette permanence, cet air d'être, pour un passant non informé, semblable à toutes les autres, qui font des choses les témoins obstinément muets, les scrupuleux confidents, les inviolables dépositaires du plaisir. Ces quelques pas du palier à la chambre d'Albertine, ces quelques pas que personne ne pouvait plus

arrêter, je les fis avec délices, avec prudence, comme
plongé dans un élément nouveau, comme si en avançant
j'avais lentement déplacé du bonheur, et en même temps
avec un sentiment inconnu de toute-puissance, et d'entrer
enfin dans un héritage qui m'eût de tout temps appartenu.
Puis tout à coup je pensai que j'avais tort d'avoir des
doutes, elle m'avait dit de venir quand elle serait couchée.
C'était clair, je trépignais de joie, je renversai à demi
Françoise qui était sur mon chemin, je courais, les yeux
étincelants, vers la chambre de mon amie. Je trouvai[a]
Albertine dans son lit. Dégageant son cou, sa chemise
blanche changeait les proportions de son visage qui
congestionné par le lit, ou le rhume, ou le dîner, semblait
plus rose ; je pensai aux couleurs que j'avais eues quelques
heures auparavant à côté de moi, sur la digue, et desquelles
j'allais[b] enfin savoir le goût ; sa joue était traversée de haut
en bas par une de ses longues tresses noires et bouclées
que pour me plaire elle avait défaites entièrement. Elle
me regardait en souriant. À côté d'elle, dans la fenêtre,
la vallée était éclairée par le clair de lune. La vue du cou
nu d'Albertine, de ces joues trop roses, m'avait jeté dans
une telle ivresse (c'est-à-dire avait tellement mis[c] pour moi
la réalité du monde non plus dans la nature, mais dans
le torrent des sensations que j'avais peine à contenir) que
cette vue avait rompu l'équilibre entre la vie immense,
indestructible qui roulait dans mon être et la vie de
l'univers, si chétive en comparaison. La mer, que
j'apercevais à côté de la vallée dans la fenêtre, les seins
bombés des premières falaises de Maineville, le ciel[d] où
la lune n'était pas encore montée au zénith, tout cela
semblait plus léger à porter que des plumes pour les globes
de mes prunelles qu'entre mes paupières je sentais dilatés,
résistants, prêts à soulever bien d'autres fardeaux, toutes
les montagnes du monde, sur leur surface délicate. Leur
orbe ne se trouvait plus suffisamment rempli par la sphère
même de l'horizon. Et tout ce que la nature eût pu
m'apporter de vie m'eût semblé bien mince, les souffles
de la mer m'eussent paru bien courts pour l'immense
aspiration qui soulevait ma poitrine. Je me penchai vers
Albertine pour l'embrasser. La mort eût dû me frapper
en ce moment que cela m'eût paru indifférent ou plutôt
impossible, car la vie n'était pas hors de moi, elle[e] était
en moi ; j'aurais souri de pitié si un philosophe eût émis

l'idée qu'un jour, même éloigné, j'aurais à mourir, que les forces éternelles de la nature me survivraient, les forces de cette nature sous les pieds divins de qui je n'étais qu'un grain de poussière ; qu'après moi il y aurait encore ces falaises arrondies et bombées, cette mer, ce clair de lune, ce ciel ! Comment cela eût-il été possible, comment le monde eût-il pu durer plus que moi, puique je n'étais pas perdu en lui, puisque c'était lui qui était enclos en moi, en moi qu'il était bien loin de remplir, en moi où, en sentant la place d'y entasser tant d'autres trésors, je jetais dédaigneusement dans un coin ciel, mer et falaises[1] ? « Finissez ou je sonne », s'écria Albertine voyant que je me jetais sur elle pour l'embrasser. Mais je me disais que ce n'était pas pour ne rien faire qu'une jeune fille fait venir un jeune homme en cachette, en s'arrangeant pour que sa tante ne le sache pas, que d'ailleurs l'audace réussit à ceux qui savent profiter des occasions ; dans l'état d'exaltation où j'étais, le visage[d] rond d'Albertine, éclairé d'un feu intérieur comme par une veilleuse, prenait pour moi un tel relief qu'imitant la rotation d'une sphère ardente, il me semblait tourner telles ces figures de Michel-Ange qu'emporte un immobile et vertigineux tourbillon[2]. J'allais savoir l'odeur, le goût, qu'avait ce fruit rose inconnu. J'entendis un son précipité, prolongé et criard. Albertine avait sonné de toutes ses forces[3].

J'avais cru que l'amour que j'avais pour Albertine n'était pas fondé sur l'espoir de la possession physique. Pourtant, quand il m'eût paru résulter de l'expérience de ce soir-là que cette possession était impossible et qu'après n'avoir pas douté, le premier jour, sur la plage, qu'Albertine ne fût dévergondée, puis être passé par des suppositions intermédiaires, il me sembla acquis d'une manière défini-tive qu'elle était absolument vertueuse ; quand à son retour de chez sa tante, huit jours plus tard, elle me dit avec froideur : « Je vous pardonne, je regrette même de vous avoir fait de la peine, mais ne recommencez jamais », au contraire de ce qui s'était produit quand Bloch m'avait dit qu'on pouvait avoir toutes les femmes, et comme si, au lieu d'une jeune fille réelle, j'avais connu une poupée de cire, il arriva que peu à peu se détacha d'elle mon désir de pénétrer dans sa vie, de la suivre dans les pays où elle avait passé son enfance, d'être initié par elle à une vie de

sport ; ma curiosité intellectuelle de ce qu'elle pensait sur
tel ou tel sujet ne survécut pas à la croyance que je pourrais
l'embrasser. Mes rêves l'abandonnèrent dès qu'ils cessèrent d'être alimentés par l'espoir d'une possession dont
je les avais crus indépendants. Dès lors ils se retrouvèrent
libres de se reporter — selon le charme que je lui avais
trouvé un certain jour, surtout selon la possibilité et les
chances que j'entrevoyais d'être aimé par elle — sur telle*ᵃ*
ou telle des amies d'Albertine, et d'abord sur Andrée.
Pourtant si Albertine n'avait pas existé, peut-être n'aurais-
je pas eu le plaisir que je commençai à prendre de plus
en plus, les jours qui suivirent, à la gentillesse que me
témoignait Andrée. Albertine ne raconta à personne
l'echec que j'avais essuyé auprès d'elle. Elle était une de
ces jolies filles qui, dès leur extrême jeunesse, pour leur
beauté, mais surtout pour un agrément, un charme qui
restent assez mystérieux et qui ont leur source peut-être
dans des réserves de vitalité où de moins favorisés par la
nature viennent*ᵇ* se désaltérer, toujours — dans leur
famille, au milieu de leurs amies, dans le monde — ont
plu davantage que de plus belles, de plus riches ; elle était
de ces êtres à qui, avant l'âge de l'amour et bien plus
encore quand il est venu, on demande plus qu'eux ne
demandent et même qu'ils ne peuvent donner. Dès son
enfance Albertine avait toujours eu en admiration devant
elle quatre ou cinq petites camarades, parmi lesquelles se
trouvait Andrée qui lui était si supérieure et le savait (et
peut-être cette attraction qu'Albertine exerçait bien involontairement avait-elle été à l'origine, avait-elle servi à la
fondation de la petite bande). Cette attraction s'exerçait
même assez loin dans des milieux relativement plus
brillants où s'il y avait une pavane à danser on demandait
Albertine plutôt*ᶜ* qu'une jeune fille mieux née. La
conséquence était que, n'ayant pas un sou de dot, vivant
assez mal, d'ailleurs, à la charge de M. Bontemps qu'on
disait véreux et qui souhaitait se débarrasser d'elle, elle
était pourtant invitée non seulement à dîner, mais à
demeure, chez des personnes qui aux yeux de Saint-Loup
n'eussent eu aucune élégance, mais qui pour la mère de
Rosemonde ou pour la mère d'Andrée, femmes très riches
mais qui ne connaissaient pas ces personnes, représentaient
quelque chose d'énorme. Ainsi Albertine passait tous les
ans quelques semaines dans la famille d'un régent de la

Banque de France, président du Conseil d'administration d'une grande Compagnie de chemins de fer. La femme de ce financier recevait des personnages importants et n'avait jamais dit son « jour » à la mère d'Andrée, laquelle trouvait cette dame impolie, mais n'en était pas moins prodigieusement intéressée par tout ce qui se passait chez elle. Aussi exhortait-elle tous les ans Andrée à inviter Albertine dans leur villa, parce que*, disait-elle, c'était une bonne œuvre d'offrir un séjour à la mer à une fille qui n'avait pas elle-même les moyens de voyager et dont la tante ne s'occupait guère ; la mère d'Andrée n'était probablement pas mue par l'espoir que le régent de la Banque et sa femme, apprenant qu'Albertine était choyée par elle et sa fille, concevraient d'elles deux une bonne opinion ; à plus forte raison n'espérait-elle pas qu'Albertine pourtant si bonne et adroite, saurait la faire inviter, ou tout au moins faire inviter Andrée aux garden-parties du financier. Mais chaque soir à dîner, tout en prenant un air dédaigneux et indifférent, elle était enchantée d'entendre Albertine lui raconter ce qui s'était passé au château pendant qu'elle y était, les gens qui y avaient été reçus et qu'elle connaissait presque tous de vue ou de nom. Même la pensée qu'elle ne les connaissait que de cette façon, c'est-à-dire ne les connaissait pas (elle appelait cela connaître les gens « de tout temps ») donnait à la mère d'Andrée une pointe de mélancolie tandis qu'elle posait à Albertine des questions sur eux d'un air hautain et distrait, du bout des lèvres et eût pu la laisser incertaine et inquiète sur l'importance de sa propre situation si elle ne s'était rassurée elle-même et replacée dans la « réalité de la vie » en disant au maître d'hôtel : « Vous direz au chef que ses petits pois ne sont pas assez fondants. » Elle retrouvait alors sa sérénité. Et elle était bien décidée à ce qu'Andrée n'épousât qu'un homme, d'excellente famille naturellement, mais assez riche pour qu'elle pût avoir elle aussi un chef et deux cochers. C'était cela le positif, la vérité effective d'une situation. Mais qu'Albertine eût dîné au château du régent de la Banque avec telle ou telle dame, que cette dame l'eût même invitée pour l'hiver suivant, cela n'en donnait pas moins à la jeune fille, pour la mère d'Andrée, une sorte de considération particulière qui s'alliait très bien à la pitié et même au mépris excités par son infortune, mépris augmenté par le

fait que M. Bontemps eût trahi son drapeau et se fût
— même vaguement panamiste[1], disait-on — rallié au
gouvernement. Ce qui n'empêchait pas, d'ailleurs, la mère
d'Andrée, par amour de la vérité, de foudroyer de son
dédain les gens qui avaient l'air de croire qu'Albertine
était d'une basse extraction. « Comment, c'est tout ce qu'il
y a de mieux, ce sont des Simonet, avec un seul *n*. » Certes,
à cause du milieu où tout cela évoluait, où l'argent joue
un tel rôle, et où l'élégance vous fait inviter mais non
épouser, aucun mariage « potable » ne semblait pouvoir
être pour Albertine la conséquence utile de la considération si distinguée dont elle jouissait et qu'on n'eût pas
trouvée compensatrice de sa pauvreté. Mais même à eux
seuls, et n'apportant pas l'espoir d'une conséquence
matrimoniale, ces « succès » excitaient l'envie de certaines
mères méchantes, furieuses de voir Albertine être reçue
comme « l'enfant de la maison » par la femme du régent
de la Banque, même par la mère d'Andrée, qu'elles
connaissaient à peine. Aussi disaient-elles à des amis
communs d'elles et de ces deux dames que celles-ci seraient
indignées si elles savaient la vérité, c'est-à-dire qu'Albertine racontait chez l'une (et « vice versa ») tout[a] ce que
l'intimité où on l'admettait imprudemment lui permettait
de découvrir chez l'autre, mille petits secrets qu'il eût été
infiniment désagréable à l'intéressée de voir dévoilés. Ces
femmes envieuses disaient cela pour que cela fût répété
et pour brouiller Albertine avec ces protectrices. Mais ces
commissions comme il arrive souvent n'avaient aucun
succès. On sentait trop la méchanceté qui les dictait et cela
ne faisait que faire mépriser un peu plus celles qui en
avaient pris l'initiative. La mère d'Andrée était trop fixée
sur le compte d'Albertine pour changer d'opinion à son
égard. Elle la considérait comme une « malheureuse »
mais d'une nature excellente et qui ne savait qu'inventer
pour faire plaisir.

Si cette sorte de vogue qu'avait obtenue Albertine ne
paraissait devoir comporter aucun résultat pratique, elle
avait imprimé à l'amie d'Andrée le caractère distinctif des
êtres qui, toujours recherchés, n'ont jamais besoin de
s'offrir (caractère qui se retrouve aussi, pour des raisons
analogues, à une autre extrémité de la société, chez des
femmes d'une grande élégance) et qui est de ne pas faire
montre des succès qu'ils ont, de les cacher plutôt. Elle

ne disait jamais de quelqu'un : « Il a[a] envie de me voir »,
parlait de tous avec une grande bienveillance et comme
si ce fût elle qui eût couru après, recherché les autres. Si
on parlait d'un jeune homme qui quelques minutes
auparavant venait de lui faire en tête à tête les plus
sanglants reproches parce qu'elle lui avait refusé un
rendez-vous, bien loin de s'en vanter publiquement ou de
lui en vouloir à lui, elle faisait son éloge : « C'est un si
gentil garçon ! » Elle était même ennuyée de tellement
plaire, parce que cela l'obligeait à faire de la peine, tandis
que, par nature, elle aimait à faire plaisir. Elle aimait même
à faire plaisir au point d'en être arrivée à pratiquer un
mensonge spécial à certaines personnes utilitaires, à
certains hommes arrivés. Existant d'ailleurs à l'état[b]
embryonnaire chez un nombre énorme de personnes, ce
genre d'insincérité consiste à ne pas savoir se contenter,
pour un seul acte, de faire, grâce à lui, plaisir à une seule
personne. Par exemple, si la tante d'Albertine désirait que
sa nièce l'accompagnât à une matinée peu amusante,
Albertine en s'y rendant aurait pu trouver suffisant d'en
tirer le profit moral d'avoir fait plaisir à sa tante. Mais
accueillie gentiment par les maîtres de maison, elle aimait
mieux leur dire qu'elle désirait depuis si longtemps les
voir qu'elle avait choisi cette occasion et sollicité la
permission de sa tante. Cela ne suffisait pas encore : à cette
matinée se trouvait une des amies d'Albertine qui avait
un gros chagrin. Albertine lui disait : « Je n'ai pas voulu
te laisser seule, j'ai pensé que ça te ferait du bien de
m'avoir près de toi. Si tu veux que nous laissions la
matinée, que nous allions ailleurs, je ferai ce que tu
voudras, je désire avant tout te voir moins triste » (ce qui
était vrai aussi, du reste). Parfois, il arrivait pourtant que
le but fictif détruisait le but réel. Ainsi Albertine ayant
un service à demander pour une de ses amies allait pour
cela voir une certaine dame. Mais arrivée chez cette dame
bonne et sympathique, la jeune fille, obéissant à son insu
au principe de l'utilisation multiple d'une seule action,
trouvait plus affectueux d'avoir l'air d'être venue seulement à cause du plaisir qu'elle avait senti qu'elle
éprouverait à revoir cette dame. Celle-ci était infiniment
touchée qu'Albertine eût accompli un long trajet par pure
amitié. En voyant la dame presque émue, Albertine
l'aimait encore davantage. Seulement il arrivait ceci : elle

éprouvait si vivement le plaisir d'amitié pour lequel elle avait prétendu mensongèrement être venue, qu'elle craignait de faire douter la dame des sentiments en réalité sincères, si elle lui demandait le service pour l'amie. La dame croirait qu'Albertine était venue pour cela, ce qui était vrai, mais elle conclurait qu'Albertine n'avait pas de plaisir désintéressé à la voir, ce qui était faux. De sorte qu'Albertine repartait sans avoir demandé le service, comme les hommes qui ont été si bons avec une femme dans l'espoir d'obtenir ses faveurs, qu'ils ne font pas leur déclaration pour garder à cette bonté un caractère de noblesse. Dans^a d'autres cas on ne peut pas dire que le véritable but fût sacrifié au but accessoire et imaginé après coup, mais le premier était tellement opposé au second que si la personne qu'Albertine attendrissait en lui déclarant l'un avait appris l'autre, son plaisir se serait aussitôt changé en la peine la plus profonde. La suite du récit fera, beaucoup plus loin, mieux comprendre ce genre de contradictions^b. Disons par un exemple emprunté à un ordre de faits tout différents qu'elles sont très fréquentes dans les situations les plus diverses que présente la vie. Un mari a installé sa maîtresse dans la ville où il est en garnison. Sa femme restée à Paris, et à demi au courant de la vérité, se désole, écrit à son mari des lettres de jalousie. Or, la maîtresse est obligée de venir passer un jour à Paris. Le mari ne peut résister à ses prières de l'accompagner et obtient une permission de vingt-quatre heures. Mais comme il est bon et souffre de faire de la peine à sa femme, il arrive chez celle-ci et lui dit en versant quelques larmes sincères, qu'affolé par ses lettres il a trouvé le moyen de s'échapper pour venir la consoler et l'embrasser. Il a trouvé ainsi le moyen de donner par un seul voyage une preuve d'amour à la fois à sa maîtresse et à sa femme. Mais si cette dernière apprenait pour quelle raison il est venu à Paris, sa joie se changerait sans doute en douleur, à moins que voir l'ingrat ne la rendît malgré tout plus heureuse qu'il ne la fait souffrir¹ par ses mensonges. Parmi les hommes qui m'ont paru pratiquer avec le plus de suite le système des fins multiples se trouve M. de Norpois. Il acceptait quelquefois de s'entremettre entre deux amis brouillés, et cela faisait qu'on l'appelait le plus obligeant des hommes. Mais il ne lui suffisait pas d'avoir l'air de rendre service à celui qui était venu le

solliciter, il présentait à l'autre la démarche qu'il faisait
auprès de lui comme entreprise non à la requête du
premier, mais dans l'intérêt du second, ce qu'il persuadait
facilement à un interlocuteur suggestionné d'avance par
l'idée qu'il avait devant lui « le plus serviable des
hommes ». De cette façon, jouant sur les deux tableaux,
faisant ce qu'on appelle en termes de coulisse de la
contre-partie[1], il ne laissait jamais courir aucun risque à
son influence, et les services qu'il rendait ne constituaient
pas une aliénation, mais une fructification d'une partie de
son crédit. D'autre part, chaque service, semblant doublement rendu, augmentait d'autant plus sa réputation d'ami
serviable, et encore d'ami serviable avec efficacité, qui ne
donne pas des coups d'épée dans l'eau, dont toutes les
démarches portent, ce que démontrait la reconnaissance
des deux intéressés. Cette duplicité dans l'obligeance était,
et avec des démentis comme en toute créature humaine,
une partie importante du caractère de M. de Norpois. Et
souvent au ministère, il se servit de mon père, lequel était
assez naïf, en lui faisant croire qu'il le servait.

Plaisant[a] plus qu'elle ne voulait et n'ayant pas besoin
de claironner ses succès, Albertine garda le silence sur la
scène qu'elle avait eue avec moi auprès de son lit, et qu'une
laide aurait voulu faire connaître à l'univers. D'ailleurs son
attitude dans cette scène, je ne parvenais pas à me
l'expliquer. Pour ce qui concerne l'hypothèse d'une vertu
absolue (hypothèse à laquelle j'avais d'abord attribué la
violence avec laquelle Albertine avait refusé de se laisser
embrasser et prendre par moi et qui n'était du reste
nullement indispensable à ma conception de la bonté, de
l'honnêteté foncière de mon amie), je ne laissai pas de
la remanier à plusieurs reprises. Cette hypothèse était
tellement le contraire de celle que j'avais bâtie le premier
jour où j'avais vu Albertine ! Puis tant d'actes différents,
tous de gentillesse pour moi (une gentillesse caressante,
parfois inquiète, alarmée, jalouse de ma prédilection pour
Andrée) baignaient de tous côtés le geste de rudesse par
lequel, pour m'échapper, elle avait tiré sur la sonnette[b].
Pourquoi donc m'avait-elle demandé de venir passer la
soirée près de son lit ? Pourquoi parlait-elle tout le temps
le langage de la tendresse ? Sur quoi repose le désir de
voir un ami, de craindre qu'il vous préfère votre amie,
de chercher à lui faire plaisir, de lui dire romanesquement

que les autres ne sauront pas qu'il a passé la soirée auprès de vous, si vous lui refusez un plaisir aussi simple et si ce n'est pas un plaisir pour vous ? Je ne pouvais croire tout de même que la vertu d'Albertine allât jusque-là et j'en arrivais à me demander s'il n'y avait pas eu à sa violence une raison de coquetterie, par exemple une odeur désagréable qu'elle aurait cru avoir sur elle et par laquelle elle eût craint de me déplaire, ou de pusillanimité, si par exemple elle croyait, dans son ignorance des réalités de l'amour que mon état de faiblesse nerveuse pouvait[d] avoir quelque chose de contagieux par le baiser.

Elle fut certainement désolée de n'avoir pu me faire plaisir et me donna un petit crayon d'or, par cette vertueuse perversité des gens qui, attendris par votre gentillesse et ne souscrivant pas à vous accorder ce qu'elle réclame, veulent cependant faire en votre faveur autre chose : le critique dont l'article flatterait le romancier l'invite, à la place, à dîner, la duchesse n'emmène pas le snob avec elle au théâtre, mais lui envoie sa loge pour un soir où elle ne l'occupera pas. Tant ceux qui font le moins et pourraient ne rien faire sont poussés par le scrupule à faire quelque chose ! Je dis à Albertine qu'en me donnant ce crayon, elle me faisait un grand plaisir, moins grand pourtant que celui que j'aurais eu si le soir où elle était venue coucher à l'hôtel, elle m'avait permis de l'embrasser. « Cela m'aurait rendu si heureux ! Qu'est-ce que cela pouvait vous faire ? Je suis étonné que vous me l'ayez refusé. — Ce qui m'étonne, me répondit-elle, c'est que vous trouviez cela étonnant. Je me demande quelles jeunes filles vous avez pu connaître pour que ma conduite vous ait surpris. — Je suis désolé de vous avoir fâchée, mais, même maintenant, je ne peux pas vous dire que je je trouve que j'ai eu tort. Mon avis est que ce sont des choses qui n'ont aucune importance, et je ne comprends pas qu'une jeune fille qui peut si facilement faire plaisir, n'y consente pas. Entendons-nous, ajoutai-je pour donner une demi-satisfaction à ses idées morales en me rappelant comment elle et ses amies avaient flétri l'amie de l'actrice Léa, je ne veux pas dire qu'une jeune fille puisse tout faire et qu'il n'y ait rien d'immoral. Ainsi, tenez, ces relations dont vous parliez l'autre jour à propos d'une petite qui habite Balbec et qui existeraient entre elle et une actrice, je trouve cela ignoble, tellement

ignoble que je pense que ce sont des ennemis de la jeune
fille qui auront inventé cela et que ce n'est pas vrai. Cela
me semble improbable, impossible. Mais se laisser
embrasser et même plus par un ami, puisque vous dites
que je suis votre ami... — Vous l'êtes, mais j'en ai eu
d'autres avant vous, j'ai connu des jeunes gens qui, je
vous assure, avaient pour moi tout autant d'amitié. Hé
bien, il n'y en a pas un qui aurait osé une chose pareille.
Ils savaient la paire de calottes qu'ils auraient reçue.
D'ailleurs ils n'y songeaient même pas, on se serrait la
main bien franchement, bien amicalement, en bons
camarades ; jamais on n'aurait parlé de s'embrasser et on
n'en était pas moins amis pour cela. Allez, si vous tenez
à mon amitié, vous pouvez être content, car il faut que
je vous aime joliment pour vous pardonner. Mais je suis
sûre que vous vous fichez bien de moi. Avouez que c'est
Andrée qui vous plaît. Au fond, vous avez raison, elle
est beaucoup plus gentille que moi, et elle, elle est
ravissante ! Ah ! les hommes ! » Malgré ma déception
récente, ces paroles si franches, en me donnant une grande
estime pour Albertine, me causaient une impression très
douce. Et peut-être cette impression eut-elle plus tard
pour moi de grandes et fâcheuses conséquences, car ce fut par
elle que commença à se former ce sentiment presque
familial, ce noyau moral qui devait toujours subsister au
milieu de mon amour pour Albertine. Un tel sentiment
peut-être la cause des plus grandes peines. Car pour
souffrir vraiment par une femme, il faut avoir cru
complètement en elle. Pour le moment, cet embryon
d'estime morale, d'amitié, restait au milieu de mon âme
comme une pierre d'attente. Il n'eût rien pu, à lui seul,
contre mon bonheur s'il fût demeuré ainsi sans s'accroître,
dans une inertie qu'il devait garder l'année suivante et
à plus forte raison pendant ces dernières semaines de mon
premier séjour à Balbec. Il était en moi comme un de
ces hôtes qu'il serait malgré tout plus prudent qu'on
expulsât, mais qu'on laisse à leur place sans les inquiéter,
tant les rend provisoirement inoffensifs leur faiblesse et
leur isolement au milieu d'une âme étrangère.

Mes rêves se retrouvaient libres maintenant de se
reporter sur telle ou telle des amies d'Albertine et d'abord
sur Andrée, dont les gentillesses m'eussent peut-être moins
touché si je n'avais été certain qu'elles seraient connues

d'Albertine. Certes la préférence[a] que depuis longtemps j'avais feinte pour Andrée m'avait fourni — en habitudes de causeries, de déclarations de tendresses — comme la matière d'un amour tout prêt pour elle auquel il n'avait jusqu'ici manqué qu'un sentiment sincère qui s'y ajoutât et que maintenant mon cœur redevenu libre aurait pu fournir. Mais pour que j'aimasse vraiment Andrée, elle était trop intellectuelle, trop nerveuse, trop maladive, trop semblable à moi. Si Albertine me semblait maintenant vide, Andrée était[b] remplie de quelque chose que je connaissais trop. J'avais cru le premier jour voir sur la plage une maîtresse de coureur, enivrée de l'amour des sports, et Andrée me disait que si elle s'était mise à en faire, c'était sur l'ordre de son médecin pour soigner sa neurasthénie et ses troubles de nutrition, mais que ses meilleures heures étaient celles où elle traduisait un roman de George Eliot[1]. Ma déception, suite d'une erreur initiale sur ce qu'était Andrée, n'eut, en fait, aucune importance pour moi. Mais l'erreur était du genre de celles qui, si elles permettent à l'amour de naître et ne sont reconnues pour des erreurs que lorsqu'il n'est plus modifiable, deviennent une cause de souffrances. Ces erreurs — qui peuvent être différentes de celles que je commis pour Andrée et même inverses — tiennent souvent, dans le cas d'Andrée en particulier, à ce qu'on prend suffisamment l'aspect, les façons de ce qu'on n'est pas mais qu'on voudrait être, pour faire illusion au premier abord. À l'apparence extérieure, l'affectation, l'imitation, le désir d'être admiré, soit des bons, soit des méchants, ajoutent les faux semblants des paroles, des gestes. Il y a des cynismes, des cruautés qui ne résistent pas plus à l'épreuve que certaines bontés, certaines générosités. De même qu'on découvre souvent un avare vaniteux dans un homme connu pour ses charités, sa forfanterie de vice nous fait supposer une Messaline dans une honnête fille pleine de préjugés. J'avais cru trouver en Andrée une créature saine et primitive, alors qu'elle n'était qu'un être cherchant la santé, comme étaient peut-être beaucoup de ceux en qui elle avait cru la trouver et qui n'en avait pas plus la réalité qu'un gros arthritique à figure rouge et en veste de flanelle blanche n'est forcément un Hercule. Or, il est telles[c] circonstances où il n'est pas indifférent pour le bonheur que la personne qu'on a aimée pour ce qu'elle paraissait avoir de sain, ne

fût en réalité qu'un de ces malades qui ne reçoivent leur
santé que d'autres, comme les planètes empruntent leur
lumière, comme certains corps ne font que laisser passer
l'électricité.

N'importe, Andrée, comme Rosemonde et Gisèle,
même[a] plus qu'elles, était tout de même une amie
d'Albertine, partageant sa vie, imitant ses façons au point
que le premier jour je ne les avais pas distinguées d'abord
l'une de l'autre. Entre ces jeunes filles, tiges de roses dont
le principal charme était de se détacher sur la mer, régnait[b]
la même indivision qu'au temps où je ne les connaissais
pas et où l'apparition de n'importe laquelle me causait tant
d'émotion en m'annonçant que la petite bande n'était pas
loin. Maintenant encore la vue de l'une me donnait un
plaisir où entrait, dans une proportion que je n'aurais pas
su dire de voir les autres la suivre plus tard[c], et même
si elles ne venaient pas ce jour-là de parler d'elles et de
savoir qu'il leur serait dit que j'étais allé sur la plage.

Ce n'était plus simplement l'attrait des premiers jours,
c'était une véritable velléité d'aimer qui hésitait entre
toutes, tant chacune était naturellement le substitut de
l'autre. Ma plus grande tristesse n'aurait pas été d'être
abandonné par celle de ces jeunes filles que je préférais,
mais j'aurais aussitôt préféré parce que j'aurais fixé sur elle
la somme de tristesse et de rêve qui flottait indistinctement
entre toutes, celle qui m'eût abandonné. Encore dans ce
cas est-ce toutes ses amies, aux yeux desquelles j'eusse
bientôt perdu tout prestige, que j'eusse, en celle-là,
inconsciemment regrettées, leur ayant voué cette sorte
d'amour collectif qu'ont l'homme politique ou l'acteur
pour le public dont ils ne se consolent pas d'être délaissés
après en avoir eu toutes les faveurs. Même celles que je
n'avais pu obtenir d'Albertine, je les espérais tout d'un coup
de telle ou telle qui m'avait quitté le soir en me disant un
mot, en me jetant un regard ambigus, grâce auxquels c'était
vers celle-là que, pour une journée, se tournait mon désir[d].

Il errait entre elles d'autant plus voluptueusement que
sur ces visages mobiles[e], une fixation relative des traits était
suffisamment commencée pour qu'on en pût distinguer,
dût-elle changer encore, la malléable et flottante effigie.
Aux différences qu'il y avait entre eux, étaient bien loin
de correspondre sans doute des différences égales dans
la longueur et la largeur des traits, lesquels, de l'une à

l'autre de ces jeunes filles, et si dissemblables qu'elles parussent, eussent peut-être été presque superposables. Mais notre connaissance des visages n'est pas mathématique. D'abord, elle ne commence pas par mesurer les parties, elle a pour point de départ une expression, un ensemble. Chez Andrée par exemple, la finesse des yeux doux semblait rejoindre le nez étroit, aussi mince qu'une simple courbe qui aurait été tracée pour que pût se poursuivre sur une seule ligne l'intention de délicatesse divisée antérieurement dans le double sourire des regards jumeaux. Une ligne[a] aussi fine était creusée dans ses cheveux, souple et profonde comme celle dont le vent sillonne le sable. Et là elle devait être héréditaire, car les[b] cheveux tout blancs de la mère d'Andrée étaient fouettés de la même manière, formant ici un renflement, là une dépression comme la neige qui se soulève ou s'abîme selon les inégalités du terrain. Certes, comparé à la fine délinéation de celui d'Andrée, le nez de Rosemonde semblait offrir de larges surfaces comme une haute tour assise sur une base puissante. Que l'expression suffise à faire croire à d'énormes différences entre ce que sépare un infiniment petit — qu'un infiniment petit puisse à lui seul créer une expression absolument particulière, une individualité, — ce n'était pas que l'infiniment petit de la ligne et l'originalité de l'expression qui faisaient apparaître ces visages comme irréductibles les uns aux autres. Entre ceux de mes amies la coloration mettait une séparation plus profonde encore, non pas tant par la beauté variée des tons qu'elle leur fournissait, si opposés que je prenais devant Rosemonde — inondée d'un rose soufré sur lequel réagissait encore la lumière verdâtre des yeux — et devant Andrée — dont les joues blanches recevaient tant d'austère distinction de ses cheveux noirs — le même genre de plaisir que si j'avais regardé tour à tour un géranium au bord de la mer ensoleillée et un camélia dans la nuit ; mais surtout parce que les différences infiniment petites des lignes se trouvaient démesurément grandies, les rapports des surfaces entièrement changés par cet élément nouveau de la couleur, lequel tout aussi bien que dispensateur des teintes est un grand générateur ou tout au moins modificateur des dimensions. De sorte que des visages peut-être construits de façon peu dissemblable, selon qu'ils étaient éclairés par les feux d'une rousse

chevelure d'un teint rose, par la lumière blanche d'une
mate pâleur, s'étiraient ou s'élargissaient, devenaient une
autre chose comme ces accessoires des ballets russes,
consistant parfois, s'ils sont vus en plein jour, en une simple
rondelle de papier et que le génie d'un Bakst[1], selon
l'éclairage incarnadin ou lunaire où il plonge le décor, fait
s'y incruster durement comme une turquoise à la façade
d'un palais ou s'y épanouir avec mollesse, rose de bengale
au milieu d'un jardin. Ainsi en prenant connaissance des
visages, nous les mesurons bien, mais en peintres, non en
arpenteurs.

   Il en était[a] d'Albertine comme de ses amies. Certains
jours, mince, le teint gris, l'air maussade, une transparence
violette descendant obliquement au fond de ses yeux
comme il arrive quelquefois pour la mer, elle semblait
éprouver une tristesse d'exilée. D'autres[b] jours, sa figure
plus lisse engluait les désirs[c] à sa surface vernie et les
empêchait d'aller au-delà ; à moins que je ne la visse tout
à coup de côté, car ses joues mates comme une blanche
cire à la surface étaient roses par transparence, ce qui
donnait tellement envie de les embrasser, d'atteindre ce
teint différent qui se dérobait. D'autres fois le bonheur
baignait ses joues d'une clarté si mobile que la peau,
devenue fluide et vague, laissait passer comme des regards
sous-jacents qui la faisaient paraître d'une autre couleur,
mais non d'une autre matière que les yeux ; quelquefois,
sans y penser, quand on regardait sa figure ponctuée de
petits points bruns et où flottaient seulement deux taches
plus bleues, c'était comme on eût fait d'un oeuf de
chardonneret, souvent comme d'une agate opaline travaillée et polie à deux places seulement, où, au milieu de la
pierre brune, luisaient comme les ailes transparentes d'un
papillon d'azur, les yeux où la chair devient miroir et nous
donne l'illusion de nous laisser plus qu'en les autres parties
du corps, approcher de l'âme. Mais[d] le plus souvent aussi
elle était plus colorée, et alors plus animée ; quelquefois
seul était rose, dans sa figure blanche, le bout de son nez,
fin comme celui d'une petite chatte sournoise avec qui l'on
aurait eu envie de jouer ; quelquefois ses joues étaient si
lisses que le regard glissait comme sur celui d'une
miniature sur leur émail rose que faisait encore paraître
plus délicat, plus intérieur, le couvercle entrouvert et
superposé de ses cheveux noirs ; il arrivait que le teint

de ses joues atteignît le rose violacé du cyclamen, et parfois
même, quand elle était congestionnée ou fiévreuse, et
donnant alors l'idée d'une complexion maladive qui
rabaissait mon désir à quelque chose de plus sensuel et
faisait exprimer à son regard quelque chose de plus pervers
et de plus malsain, la sombre pourpre de certaines roses
d'un rouge presque noir ; et chacune de ces Albertine était
différente, comme est différente chacune des apparitions
de la danseuse dont sont transmutées les couleurs, la
forme, le caractère, selon les jeux innombrablement variés
d'un projecteur lumineux. C'est peut-être parce qu'étaient
si divers les êtres que je contemplais en elle à cette époque
que plus tard je pris l'habitude de devenir moi-même un
personnage autre selon celle des Albertine à laquelle je
pensais : un jaloux, un indifférent, un voluptueux, un
mélancolique, un furieux, recréés non seulement au hasard
du souvenir qui renaissait, mais selon la force de la
croyance interposée, pour un même souvenir, par la façon
différente dont je l'appréciais. Car c'est toujours à cela qu'il
fallait revenir, à ces croyances qui la plupart du temps
remplissent notre âme à notre insu, mais qui ont pourtant
plus d'importance pour notre bonheur que tel être que
nous voyons, car c'est à travers elles que nous le voyons,
ce sont elles qui assignent sa grandeur passagère à l'être
regardé. Pour être exact, je devrais donner un nom
différent à chacun des moi qui dans la suite pensa à
Albertine ; je devrais plus encore donner un nom différent
à chacune de ces Albertine qui apparaissaient devant moi,
jamais la même, comme — appelées simplement par moi
pour plus de commodité la mer — ces mers qui se
succédaient et devant lesquelles, autre nymphe, elle se
détachait. Mais surtout — de la même manière mais bien
plus utilement qu'on dit, dans un récit, le temps qu'il faisait
tel jour — je devrais donner toujours son nom à la
croyance qui tel jour où je voyais Albertine régnait sur
mon âme, en faisait l'atmosphère, l'aspect des êtres,
comme celui des mers, dépendant de ces nuées à peine
visibles qui changent la couleur de chaque chose par leur
concentration, leur mobilité, leur dissémination, leur fuite,
— comme celle qu'Elstir avait déchirée, un soir, en ne
me présentant pas aux jeunes filles avec qui il s'était arrêté
et dont les images m'étaient soudain apparues plus belles
quand elles s'éloignaient — nuée qui s'était reformée

quelques jours plus tard quand je les avais connues, voilant
leur éclat, s'interposant souvent entre elles et mes yeux,
opaque et douce, pareille à la Leucothea de Virgile[1].

Sans doute leurs visages à toutes avaient bien changé
pour moi de sens depuis que la façon dont il fallait les
lire m'avait été dans une certaine mesure indiquée par
leurs propos, propos auxquels je pouvais attribuer une
valeur d'autant plus grande que par mes questions je les
provoquais à mon gré, les faisais varier comme un
expérimentateur qui demande à des contre-épreuves la
vérification de ce qu'il a supposé. Et c'est en somme une
façon comme une autre de résoudre le problème de
l'existence, qu'approcher suffisamment les choses et les
personnes qui nous ont paru de loin belles et mystérieuses,
pour nous rendre compte qu'elles sont sans mystère et sans
beauté ; c'est une des hygiènes entre lesquelles on peut
opter, une hygiène qui n'est peut-être pas très recommandable, mais elle nous donne un certain calme pour passer
la vie, et aussi — comme elle permet de ne rien regretter,
en nous persuadant que nous avons atteint le meilleur, et
que le meilleur n'était pas grand-chose — pour nous
résigner à la mort.

J'avais remplacé[a] au fond du cerveau de ces jeunes filles
le mépris de la chasteté, le souvenir de quotidiennes
passades par d'honnêtes principes, capables peut-être de
fléchir mais ayant jusqu'ici préservé de tout écart celles
qui les avaient reçus de leur milieu bourgeois. Or quand
on s'est trompé dès le début, même pour les petites choses,
quand une erreur[b] de supposition ou de souvenirs vous
fait chercher l'auteur d'un potin malveillant ou l'endroit
où on a égaré un objet dans une fausse direction, il peut
arriver qu'on ne découvre son erreur que pour lui
substituer non pas la vérité, mais une autre erreur. Je tirais
en ce qui concernait leur manière de vivre et la conduite
à tenir avec elles, toutes les conséquences du mot
innocence que j'avais lu, en causant familièrement avec
elles, sur leur visage. Mais peut-être l'avais-je lu étourdiment, dans le lapsus d'un déchiffrage trop rapide, et n'y
était-il pas plus écrit que le nom de Jules Ferry sur le
programme de la matinée où j'avais entendu pour la
première fois la Berma, ce qui ne m'avait pas empêché
de soutenir à M. de Norpois que Jules Ferry, sans doute
possible, écrivait des levers de rideau.

Pour[a] n'importe laquelle de mes amies de la petite bande, comment le dernier visage que je lui avais vu n'eût-il pas été le seul que je me rappelasse, puisque, de nos souvenirs relatifs à une personne, l'intelligence élimine tout ce qui ne concourt pas à l'utilité immédiate de nos relations quotidiennes (même et surtout si ces relations sont imprégnées d'un peu d'amour, lequel, toujours insatisfait, vit dans le moment qui va venir) ? Elle laisse filer la chaîne des jours passés, n'en garde fortement que le dernier bout, souvent d'un tout autre métal que les chaînons disparus dans[b] la nuit, et dans le voyage que nous faisons à travers la vie, ne tient pour réel que le pays où nous sommes présentement. Mes toutes premières impressions, déjà si lointaines, ne pouvaient pas trouver contre leur déformation journalière un recours dans ma mémoire ; pendant les longues heures que je passais à causer, à goûter, à jouer avec ces jeunes filles, je ne me souvenais même pas qu'elles étaient les mêmes vierges impitoyables et sensuelles que j'avais vues, comme dans une fresque, défiler devant la mer.

Les géographes[c], les archéologues nous conduisent bien dans l'île de Calypso[1], exhument bien le palais de Minos[2]. Seulement Calypso n'est plus qu'une femme, Minos qu'un roi[d] sans rien de divin. Même les qualités et les défauts que l'histoire nous enseigne alors avoir été l'apanage de ces personnes fort réelles, diffèrent souvent beaucoup de ceux que nous avions prêtés aux êtres fabuleux qui portaient le même nom. Ainsi s'était dissipée toute la gracieuse mythologie océanique que j'avais composée les premiers jours. Mais il n'est pas tout à fait[e] indifférent qu'il nous arrive au moins quelquefois de passer notre temps dans la familiarité de ce que nous avons cru inaccessible et que nous avons désiré. Dans le commerce des personnes que nous avons d'abord trouvées désagréables, persiste toujours même au milieu du plaisir factice qu'on peut finir par goûter auprès d'elles, le goût frelaté des défauts qu'elles ont réussi à dissimuler. Mais dans des relations comme celles que j'avais avec Albertine et ses amies, le plaisir vrai qui est à leur origine laisse ce parfum qu'aucun artifice ne parvient à[f] donner aux fruits forcés, aux raisins qui n'ont pas mûri au soleil. Les créatures surnaturelles qu'elles avaient été un instant pour moi mettaient encore, même à mon insu, quelque merveilleux dans les rapports les plus banals que j'avais avec elles, ou plutôt préservaient ces rapports d'avoir jamais rien de banal. Mon désir avait cherché avec tant d'avidité la signification des yeux qui[a] maintenant me connaissaient et me souriaient, mais qui, le premier jour, avaient croisé mes regards comme des rayons d'un autre univers, il avait distribué si largement et si minutieusement la couleur et le parfum sur les surfaces carnées de ces jeunes filles qui, étendues sur la falaise, me tendaient simplement des sandwiches ou jouaient aux devinettes, que souvent dans l'après-midi pendant que j'étais allongé, comme ces peintres qui, cherchant la[b] grandeur de l'antique dans la vie moderne, donnent à une femme qui se coupe un ongle de pied la noblesse du « Tireur d'épine[1] » ou qui, comme Rubens, font des déesses avec des femmes de leur connaissance pour composer une scène mythologique[2], ces beaux corps bruns et blonds, de types si opposés, répandus autour de moi dans l'herbe, je les regardais sans les vider peut-être de tout le médiocre contenu dont l'expérience journalière les avait remplis, et pourtant sans me rappeler expressément leur céleste origine comme si, pareil à Hercule ou à Télémaque, j'avais été en train de jouer au milieu des nymphes.

Puis les concerts[c] finirent, le mauvais temps arriva, mes amies quittèrent Balbec, non pas toutes ensemble, comme les hirondelles, mais dans la même semaine. Albertine[d] s'en alla la première, brusquement, sans qu'aucune de ses amies eût pu comprendre, ni alors, ni plus tard, pourquoi elle était rentrée tout à coup à Paris, où ni travaux, ni distractions ne la rappelaient[3]. « Elle n'a dit ni quoi ni qu'est-ce et puis elle est partie », grommelait Françoise qui aurait d'ailleurs voulu que nous en fissions autant. Elle nous trouvait indiscrets vis-à-vis des employés, pourtant déjà bien réduits en nombre, mais retenus par les rares clients qui restaient, vis-à-vis du directeur qui « mangeait de l'argent ». Il est vrai que depuis longtemps l'hôtel qui n'allait pas tarder à fermer avait vu partir presque tout le monde ; jamais il n'avait été aussi agréable. Ce n'était pas l'avis du directeur ; tout le long des salons où l'on gelait et à la porte desquels ne veillait plus aucun groom, il arpentait les corridors, vêtu d'une redingote neuve, si soigné par le coiffeur que sa figure fade avait l'air de consister en un mélange où pour une partie de chair il

y en aurait eu trois de cosmétique, changeant sans cesse
de cravates (ces élégances coûtent moins cher que
d'assurer le chauffage et de garder le personnel, et tel qui
ne peut plus envoyer dix mille francs à une œuvre de
bienfaisance fait encore sans peine le généreux en donnant
cent sous de pourboire au télégraphiste qui lui apporte
une dépêche). Il avait l'air d'inspecter le néant, de vouloir
donner grâce à sa bonne tenue personnelle un air
provisoire à la misère que l'on sentait dans cet hôtel où
la saison n'avait pas été bonne, et paraissait comme le
fantôme d'un souverain qui revient hanter les ruines de
ce qui fut jadis son palais. Il fut surtout mécontent quand
le chemin de fer d'intérêt local, qui n'avait plus assez de
voyageurs, cessa de fonctionner pour jusqu'au printemps
suivant. « Ce qui manque ici, disait le directeur, ce sont
les moyens de commotion. » Malgré le déficit qu'il
enregistrait, il faisait pour les années suivantes des projets
grandioses. Et comme il était tout de même capable de
retenir exactement de belles expressions quand elles
s'appliquaient à l'industrie hôtelière et avaient pour effet
de la magnifier : « Je n'étais pas suffisamment secondé
quoique à la salle à manger j'avais une bonne équipe,
disait-il ; mais les chasseurs laissaient un peu à désirer ;
vous verrez l'année prochaine quelle phalange je saurai
réunir. » En attendant, l'interruption des services du
B.C.B. l'obligeait à envoyer chercher les lettres et
quelquefois conduire les voyageurs dans une carriole. Je
demandais souvent à monter à côté du cocher et cela me
fit faire des promenades par tous les temps, comme dans
l'hiver que j'avais passé à Combray[1].

Parfois pourtant la pluie trop cinglante nous retenait,
ma grand-mère et moi ; le Casino étant fermé[a], dans des
pièces presque complètement vides, comme à fond de cale
d'un bateau quand le vent souffle, et où chaque jour,
comme au cours d'une traversée, une nouvelle personne
d'entre celles près de qui nous avions passé trois mois sans
les connaître, le premier président de Rennes, le bâtonnier
de Caen, une dame américaine et ses filles, venaient à nous,
entamaient la conversation, inventaient[b] quelque manière
de trouver les heures moins longues, révélaient un talent,
nous enseignaient un jeu, nous invitaient à prendre le thé,
ou à faire de la musique, à nous réunir à une certaine
heure, à combiner ensemble de ces distractions qui

possèdent le vrai secret de nous faire donner du plaisir,
lequel est de n'y pas prétendre mais seulement de nous
aider à passer le temps de notre ennui, enfin nouaient avec
nous sur la fin de notre séjour des amitiés que le lendemain
leurs départs successifs venaient interrompre. Je fis* même
la connaissance du jeune homme riche, d'un de ses deux
amis nobles et de l'actrice qui était revenue pour quelques
jours ; mais la petite société ne se composait plus que de
trois personnes, l'autre ami était rentré à Paris. Ils me
demandèrent de venir dîner avec eux dans leur restaurant.
Je crois qu'ils furent assez contents que je n'acceptasse pas.
Mais ils avaient fait l'invitation le plus aimablement
possible, et bien qu'elle vînt en réalité du jeune homme
riche puisque les autres personnes n'étaient que ses hôtes,
comme l'ami qui l'accompagnait, le marquis Maurice de
Vaudémont, était de très grande maison, instinctivement
l'actrice, en me demandant si je ne voudrais pas venir,
me dit pour me flatter :

« Cela fera tant de plaisir à Maurice. »

Et quand dans le hall je les rencontrai tous trois, ce fut
M. de Vaudémont, le jeune homme riche s'effaçant, qui
me dit :

« Vous ne nous ferez pas le plaisir de dîner avec
nous ? »

En somme j'avais bien peu profité de Balbec, ce qui
ne me donnait que davantage le désir d'y revenir. Il me
semblait que j'y étais resté trop peu de temps. Ce n'était
pas l'avis de mes amis qui m'écrivaient pour me demander
si je comptais y vivre définitivement. Et de voir que c'était
le nom de Balbec qu'ils étaient obligés de mettre sur
l'enveloppe, comme ma fenêtre donnait, au lieu que ce
fût sur une campagne ou sur une rue, sur les champs de
la mer, que j'entendais pendant la nuit sa rumeur, à
laquelle j'avais, avant de m'endormir, confié, comme une
barque, mon sommeil, j'avais l'illusion que cette promiscuité avec les flots devait matériellement, à mon insu, faire
pénétrer en moi la notion de leur charme, à la façon de
ces leçons qu'on apprend en dormant.

Le directeur m'offrait pour l'année prochaine de
meilleures chambres, mais j'étais attaché maintenant à la
mienne où j'entrais sans plus jamais sentir l'odeur du
vétiver, et dont ma pensée, qui s'y élevait jadis si
difficilement, avait fini par prendre si exactement les

dimensions que je fus obligé de lui faire subir un traitement inverse quand je dus coucher à Paris dans mon ancienne chambre, laquelle était basse de plafond.

Il avait fallu quitter Balbec en effet, le froid et l'humidité étant devenus trop pénétrants pour rester plus longtemps dans cet hôtel dépourvu de cheminées et de calorifère. J'oubliai d'ailleurs presque immédiatement ces dernières semaines. Ce que je revis presque invariablement quand je pensai à Balbec, ce furent les moments où chaque matin, pendant la belle saison, comme je devais l'après-midi sortir avec Albertine et ses amies, ma grand-mère sur l'ordre du médecin me força à rester couché dans l'obscurité. Le directeur donnait des ordres pour qu'on ne fît pas de bruit à mon étage et veillait lui-même à ce qu'ils fussent obéis. À cause de la trop grande lumière, je gardais fermés le plus longtemps possible les grands rideaux violets qui m'avaient témoigné tant d'hostilité le premier soir. Mais comme malgré les épingles avec lesquelles, pour que le jour ne passât pas, Françoise les attachait chaque soir et qu'elle seule savait défaire, comme malgré les couvertures, le dessus de table en cretonne rouge, les étoffes prises ici ou là qu'elle y ajustait, elle n'arrivait pas à les faire joindre exactement, l'obscurité n'était pas complète et ils laissaient se répandre sur le tapis comme un écarlate effeuillement d'anémones parmi lesquelles je ne pouvais m'empêcher de venir un instant poser mes pieds nus. Et sur le mur qui faisait face à la fenêtre, et qui se trouvait partiellement éclairé, un cylindre d'or que rien ne soutenait était verticalement posé et se déplaçait lentement comme la colonne lumineuse qui précédait les Hébreux dans le désert[1]. Je me recouchais ; obligé de goûter, sans bouger, par l'imagination seulement, et tous à la fois, les plaisirs des jeux, du bain, de la marche, que la matinée conseillait, la joie faisait battre bruyamment mon cœur comme une machine en pleine action, mais immobile, et qui ne peut que décharger sa vitesse sur place en tournant sur elle-même.

Je savais que mes amies étaient sur la digue mais je ne les voyais pas, tandis qu'elles passaient devant les chaînons inégaux de la mer, tout au fond de laquelle, et perchée au milieu de ses cimes bleuâtres comme une bourgade italienne, se distinguait parfois dans une éclaircie la petite ville de Rivebelle, minutieusement détaillée par le soleil.

Je ne voyais pas mes amies, mais (tandis qu'arrivaient jusqu'à mon belvédère l'appel des marchands de journaux, des « journalistes », comme les nommait Françoise, les appels des baigneurs et des enfants qui jouaient, ponctuant à la façon des cris des oiseaux de mer le bruit du flot qui doucement se brisait), je devinais leur présence, j'entendais leur rire enveloppé comme celui des Néréides dans le doux déferlement qui montait jusqu'à mes oreilles. « Nous avons regardé, me disait le soir Albertine, pour voir si vous descendriez. Mais vos volets sont restés fermés même à l'heure du concert. » À dix heures, en effet, il éclatait sous mes fenêtres. Entre les intervalles des instruments, si la mer était pleine, reprenait, coulé et continu, le glissement de l'eau d'une vague qui semblait envelopper les traits du violon dans ses volutes de cristal et faire jaillir son écume au-dessus des échos intermittents d'une musique sous-marine. Je m'impatientais qu'on ne fût pas encore venu me donner mes affaires pour que je puisse m'habiller. Midi sonnait, enfin arrivait Françoise. Et pendant des mois de suite, dans ce Balbec que j'avais tant désiré parce que je ne l'imaginais que battu par la tempête et perdu dans les brumes, le beau temps avait été si éclatant et si fixe que quand elle venait ouvrir la fenêtre, j'avais pu toujours, sans être trompé, m'attendre à trouver le même pan de soleil plié à l'angle du mur extérieur, et d'une couleur immuable qui était moins émouvante comme un signe de l'été qu'elle n'était morne comme celle d'un émail inerte et factice. Et tandis que Françoise ôtait les épingles des impostes, détachait les étoffes, tirait les rideaux, le jour d'été qu'elle découvrait semblait aussi mort, aussi immémorial qu'une somptueuse et millénaire momie que notre vieille servante n'eût fait que précautionneusement désemmailloter de tous ses linges, avant de la faire apparaître, embaumée dans sa robe d'or[a1].

LE CÔTÉ
DE GUERMANTES[a]

À Léon Daudet

À l'auteur

du Voyage de Shakespeare,
du Partage de l'enfant,
de L'Astre noir,
de Fantômes et vivants,
du Monde des images
de tant de chefs-d'œuvre.

À l'incomparable ami,
en témoignage
de reconnaissance et d'admiration[1].

M. P.

I

Le pépiement[a] matinal des oiseaux semblait insipide à
Françoise. Chaque parole des « bonnes » la faisait
sursauter ; incommodée par tous leurs pas, elle s'interrogeait sur eux ; c'est que nous avions déménagé. Certes les
domestiques ne remuaient pas moins dans le « sixième »
de notre ancienne demeure ; mais elle les connaissait ; elle
avait fait de leurs allées et venues des choses amicales.
Maintenant elle portait au silence même une attention
douloureuse. Et comme notre nouveau quartier paraissait
aussi calme que le boulevard sur lequel nous avions donné
jusque-là était bruyant, la chanson (distincte même de loin,
quand elle est faible comme un motif d'orchestre) d'un
homme[b] qui passait, faisait venir des larmes aux yeux de
Françoise en exil. Aussi, si je m'étais moqué d'elle qui,
navrée d'avoir eu à quitter un immeuble où l'on était « si
bien estimé de partout », avait fait ses malles en pleurant,
selon les rites de Combray, et en déclarant supérieure à
toutes les maisons possibles celle qui avait été la nôtre, en
revanche, moi qui assimilais aussi difficilement les nouvelles choses que j'abandonnais aisément les anciennes[c],
je me rapprochai de notre vieille servante quand je vis
que l'installation dans une maison où elle n'avait pas reçu
du concierge qui ne nous connaissait pas encore les
marques de considération nécessaires à sa bonne nutrition
morale, l'avait plongée dans un état voisin du dépérissement. Elle seule pouvait me comprendre ; ce n'était certes
pas son jeune valet de pied qui l'eût fait ; pour lui qui

était aussi peu de Combray que possible, emménager, habiter un autre quartier, c'était comme prendre des vacances où la nouveauté des choses donnait le même repos que si l'on eût voyagé ; il se croyait à la campagne ; et un rhume de cerveau lui apporta, comme un « coup d'air » pris dans un wagon où la glace ferme mal, l'impression délicieuse qu'il avait vu du pays ; à chaque éternuement, il se réjouissait d'avoir trouvé une si chic place, ayant toujours désiré des maîtres qui voyageraient beaucoup. Aussi, sans songer à lui, j'allai droit à Françoise ; comme j'avais ri de ses larmes à un départ qui m'avait laissé indifférent[a] elle se montra glaciale à l'égard de ma tristesse, parce qu'elle la partageait. Avec la « sensibilité » prétendue des nerveux grandit leur égoïsme ; ils ne peuvent supporter de la part des autres l'exhibition des malaises auxquels ils prêtent chez eux-mêmes de plus en plus d'attention. Françoise, qui ne laissait pas passer le plus léger de ceux qu'elle éprouvait, si je souffrais détournait la tête pour que je n'eusse pas le plaisir de voir ma souffrance plainte, même remarquée. Elle fit de même dès que je voulus lui parler de notre nouvelle maison. Du reste, ayant dû au bout de deux jours aller chercher des vêtements oubliés dans celle que nous venions de quitter, tandis que j'avais encore, à la suite de l'emménagement, de la « température » et que, pareil à un boa qui vient d'avaler un bœuf, je me sentais péniblement bossué par un long bahut que ma vue avait à « digérer », Françoise, avec l'infidélité des femmes, revint en disant qu'elle avait cru étouffer sur notre ancien boulevard, que pour s'y rendre elle s'était trouvée toute « déroutée », que jamais elle n'avait vu des escaliers si mal commodes, qu'elle ne retournerait pas habiter là-bas « pour un empire » et lui donnât-on des millions — hypothèses gratuites — et que *tout* (c'est-à-dire ce qui concernait la cuisine et les couloirs) était beaucoup mieux « agencé » dans notre nouvelle maison. Or, il est temps de dire que celle-ci — et nous étions venus y habiter parce que ma grand-mère ne se portant pas très bien, raison que nous nous étions gardés de lui donner, avait besoin d'un air[b] plus pur — était un appartement qui dépendait de l'hôtel de Guermantes.

À l'âge[c] où les Noms, nous offrant l'image de l'inconnaissable que nous avons versé en eux, dans le même moment où ils désignent aussi pour nous un lieu réel, nous forcent par là à identifier l'un à l'autre au point que nous partons chercher dans une cité une âme qu'elle ne peut contenir mais que nous n'avons plus le pouvoir d'expulser de son nom, ce n'est pas seulement aux villes et aux fleuves qu'ils donnent une individualité, comme le font les peintures allégoriques, ce n'est pas seulement l'univers physique qu'ils diaprent de différences, qu'ils peuplent de merveilleux[d], c'est aussi l'univers social : alors chaque château, chaque hôtel ou palais fameux a sa dame ou sa fée comme les forêts leurs génies et leurs divinités les eaux[b]. Parfois, cachée au fond de son nom, la fée se transforme au gré de la vie de notre imagination qui la nourrit ; c'est ainsi que l'atmosphère où Mme de Guermantes existait en moi[c], après n'avoir été pendant des années que le reflet d'un verre de lanterne magique et d'un vitrail d'église, commençait à éteindre ses couleurs, quand des rêves tout autres l'imprégnèrent[d] de l'écumeuse humidité des torrents.

Cependant, la fée dépérit si nous nous approchons de la personne réelle à laquelle correspond son nom, car, cette personne, le nom alors commence à la refléter et elle ne contient rien de la fée ; la fée peut renaître si nous nous éloignons de la personne ; mais si nous restons auprès d'elle, la fée meurt définitivement et avec elle le nom, comme cette famille de Lusignan qui devait s'éteindre le jour où disparaîtrait la fée Mélusine[1]. Alors le Nom, sous les repeints[e] successifs duquel nous pourrions finir par retrouver à l'origine le beau portrait d'une étrangère que nous n'aurons jamais connue, n'est plus que la simple carte photographique d'identité à laquelle nous nous reportons pour savoir si nous connaissons, si nous devons ou non saluer une personne qui passe. Mais qu'une sensation d'une année d'autrefois — comme ces instruments de musique enregistreurs qui gardent le son et le style des différents artistes qui en jouèrent[2] — permette à notre mémoire de nous faire entendre ce nom avec le timbre particulier qu'il avait alors pour notre oreille, et ce nom en apparence non changé, nous sentons la distance qui sépare l'un de l'autre les rêves que signifièrent successivement pour nous ses syllabes identiques. Pour un instant, du ramage réentendu qu'il avait en tel printemps ancien, nous pouvons tirer, comme des petits tubes dont on se sert pour peindre[f], la nuance juste, oubliée, mystérieuse

et fraîche des jours que nous avions cru nous rappeler,
quand, comme les mauvais peintres, nous donnions à tout
notre passé étendu sur une même toile les tons conventionnels et tous pareils de la mémoire volontaire. Or, au
contraire, chacun des moments qui le composèrent
employait, pour une création originale, dans une harmonie
unique, les couleurs d'alors que nous ne connaissons plus
et qui, par exemple, me ravissent encore tout à coup si,
grâce à quelque hasard, le nom de Guermantes ayant repris
pour un instant après tant d'années le son, si différent de
celui d'aujourd'hui, qu'il avait pour moi le jour du mariage
de Mlle Percepied, il me rend ce mauve si doux, trop
brillant, trop neuf, dont se veloutait la cravate gonflée de
la jeune duchesse, et, comme une pervenche incueillissable
et refleurie, ses yeux ensoleillés d'un sourire bleu. Et le
nom de Guermantes d'alors est aussi comme un de ces
petits ballons dans lesquels on a enfermé de l'oxygène ou
un autre gaz : quand j'arrive à le crever, à en faire sortir
ce qu'il contient, je respire l'air de Combray de cette
année-là, de ce jour-là, mêlé d'une odeur d'aubépines
agitée par le vent du coin de la place, précurseur de la
pluie, qui tour à tour faisait envoler le soleil, le laissait
s'étendre sur le tapis de laine rouge de la sacristie et le
revêtir d'une carnation brillante, presque rose, de géranium, et de cette douceur, pour ainsi dire wagnérienne,
dans l'allégresse, qui conserve tant de noblesse à la
festivité[1]. Mais même en dehors des rares minutes comme
celles-là, où brusquement nous sentons l'entité originale
tressaillir et reprendre sa forme et sa ciselure au sein des
syllabes mortes aujourd'hui, si dans le tourbillon[a] vertigineux de la vie courante, où ils n'ont plus qu'un usage
entièrement pratique, les noms ont perdu toute couleur
comme une toupie prismatique qui tourne trop vite et qui
semble grise, en revanche quand dans la rêverie, nous
réfléchissons, nous cherchons, pour revenir sur le passé,
à ralentir, à suspendre le mouvement perpétuel où nous
sommes entraînés, peu à peu nous revoyons apparaître,
juxtaposées, mais entièrement distinctes les unes des
autres, les teintes qu'au cours de notre existence nous
présenta successivement un même nom.

Sans doute, quelle forme se découpait à mes yeux en
ce nom de Guermantes, quand ma nourrice — qui sans
doute ignorait, autant que moi-même aujourd'hui, en

l'honneur de qui elle avait été composée — me berçait
de cette vieille chanson : *Gloire[a] à la marquise de Guermantes*
ou quand, quelques années plus tard, le vieux maréchal
de Guermantes remplissant ma bonne d'orgueil, s'arrêtait
aux Champs-Élysées en disant : « Le bel enfant ! » et
sortait d'une bonbonnière de poche une pastille de
chocolat, cela je ne le sais pas[b]. Ces années de ma première
enfance ne sont plus en moi, elles me sont extérieures,
je n'en peux rien apprendre que, comme pour ce qui a
eu lieu avant notre naissance, par les récits des autres. Mais
plus tard je trouve successivement dans la durée en moi
de ce même nom sept ou huit figures différentes ; les
premières[c] étaient les plus belles : peu à peu mon rêve,
forcé par la réalité d'abandonner une position intenable[d],
se retranchait à nouveau un peu en deçà jusqu'à ce qu'il
fût obligé de reculer encore. Et, en même temps[e] que
Mme de Guermantes, changeait sa demeure, issue elle
aussi de ce nom que fécondait d'année en année telle ou
telle parole entendue qui modifiait mes rêveries ; cette
demeure les reflétait dans ses pierres mêmes devenues
réfléchissantes comme la surface d'un nuage ou d'un lac.
Un donjon[f] sans épaisseur qui n'était qu'une bande de
lumière orangée et du haut duquel le seigneur et sa dame
décidaient de la vie et de la mort de leurs vassaux avait
fait place — tout au bout de ce « côté de Guermantes »
où, par tant de beaux après-midi, je suivais avec mes
parents le cours de la Vivonne — à cette terre torrentueuse[g] où la duchesse m'apprenait à pêcher la truite et
à connaître le nom des fleurs aux grappes violettes et
rougeâtres qui décoraient[h] les murs bas des enclos
environnants[2] ; puis ç'avait été la terre héréditaire, le
poétique domaine, où cette race altière de Guermantes,
comme une tour jaunissante et fleuronnée qui traverse les
âges, s'élevait déjà sur la France, alors que le ciel était
encore vide là où devaient plus tard surgir Notre-Dame
de Paris et Notre-Dame de Chartres[3] ; alors qu'au sommet
de la colline de Laon la nef de la cathédrale ne s'était pas
posée comme l'Arche du Déluge au sommet du mont
Ararat, emplie de Patriarches et de Justes anxieusement
penchés aux fenêtres pour voir si la colère de Dieu s'est
apaisée, emportant avec elle les types des végétaux qui
multiplieront sur la terre, débordante d'animaux qui
s'échappent jusque par les tours où des bœufs, se

promenant paisiblement sur la toiture, regardent de haut
les plaines de Champagne[1] ; alors que le voyageur[d] qui
quittait Beauvais à la fin du jour ne voyait pas encore le
suivre en tournoyant, dépliées sur l'écran d'or du
couchant, les ailes noires et ramifiées de la cathédrale[2].
C'était, ce Guermantes, comme le cadre d'un roman, un
paysage imaginaire que j'avais peine à me représenter et
d'autant plus le désir de découvrir, enclavé au milieu de
terres et de routes réelles qui tout à coup s'imprégneraient
de particularités héraldiques, à deux lieues d'une gare ;
je me rappelais les noms des localités[b] voisines comme si
elles avaient été situées au pied du Parnasse ou de
l'Hélicon, et elles me semblaient précieuses comme les
conditions matérielles — en science topographique — de
la production d'un phénomène mystérieux. Je revoyais les
armoiries qui sont peintes aux soubassements des vitraux
de Combray, et dont les quartiers s'étaient remplis, siècle
par siècle, de toutes les seigneuries que, par mariages ou
acquisitions, cette illustre maison avait fait voler à elle de
tous les coins de l'Allemagne, de l'Italie et de la France :
terres immenses[c] du Nord, cités puissantes du Midi, venues
se rejoindre et se composer en Guermantes et, perdant
leur matérialité, inscrire allégoriquement leur donjon de
sinople ou leur château d'argent dans son champ d'azur[3].
J'avais entendu parler des célèbres tapisseries de Guermantes et je les voyais, médiévales et bleues, un peu
grosses, se détacher comme un nuage sur le nom amarante
et légendaire, au pied de l'antique forêt où chassa si
souvent Childebert[4], et ce fin fond mystérieux des terres,
ce lointain des siècles, il me semblait qu'aussi bien que
par un voyage je pénétrerais dans leurs secrets, rien qu'en
approchant un instant à Paris Mme de Guermantes,
suzeraine du lieu et dame du lac[5], comme si son visage
et ses paroles eussent dû posséder le charme local des
futaies et des rives, et les mêmes particularités séculaires
que le vieux coutumier de ses archives. Mais alors j'avais
connu Saint-Loup ; il m'avait appris[d] que le château ne
s'appelait Guermantes que depuis le XVIIe siècle où sa
famille l'avait acquis. Elle avait résidé jusque-là dans le
voisinage, et son titre ne venait pas de cette région. Le
village de Guermantes avait reçu son nom du château après
lequel il avait été construit, et pour qu'il n'en détruisît
pas les perspectives, une servitude restée en vigueur réglait

le tracé des rues et limitait la hauteur des maisons. Quant aux tapisseries, elles étaient de Boucher*[a]*, achetées au XIX[e] siècle par un Guermantes amateur, et étaient placées, à côté de tableaux de chasse médiocres qu'il avait peints lui-même, dans un fort vilain salon drapé d'andrinople et de peluche[1]. Par ces révélations, Saint-Loup avait introduit dans le château*[b]* des éléments étrangers au nom de Guermantes qui ne me permirent plus de continuer à extraire uniquement de la sonorité des syllabes la maçonnerie des constructions. Alors, au fond de ce nom s'était effacé le château reflété dans son lac, et ce qui m'était apparu autour de Mme de Guermantes comme sa demeure, ç'avait été son hôtel de Paris, l'hôtel de Guermantes, limpide comme son nom, car aucun élément matériel et opaque n'en venait interrompre et aveugler la transparence. Comme l'église ne signifie pas seulement le temple, mais aussi l'assemblée des fidèles, cet hôtel de Guermantes comprenait tous ceux qui partageaient la vie de la duchesse, mais ces intimes que je n'avais jamais vus n'étaient pour moi que des noms célèbres et poétiques, et, connaissant uniquement des personnes qui n'étaient elles aussi que des noms, ne faisaient qu'agrandir et protéger le mystère de la duchesse en étendant autour d'elle un vaste halo qui allait tout au plus en se dégradant.

Dans les fêtes qu'elle donnait, comme je n'imaginais pour les invités aucun corps, aucune moustache, aucune bottine, aucune phrase prononcée qui fût banale, ou même originale d'une manière humaine et rationnelle, ce tourbillon de noms introduisant moins de matière que n'eût fait un repas de fantômes ou un bal de spectres, autour de cette statuette en porcelaine de Saxe qu'était Mme de Guermantes, gardait une transparence de vitrine à son hôtel de verre. Puis quand Saint-Loup m'eut raconté*[c]* des anecdotes relatives au chapelain, aux jardiniers de sa cousine, l'hôtel de Guermantes était devenu — comme avait pu être autrefois quelque Louvre[2] — une sorte de château entouré, au milieu de Paris même, de ses terres possédées héréditairement, en vertu d'un droit antique bizarrement survivant, et sur lesquelles elle exerçait encore des privilèges féodaux. Mais cette dernière demeure s'était elle-même évanouie quand nous étions venus habiter tout près de Mme de Villeparisis un des appartements voisins de celui de Mme de Guermantes dans une aile de son hôtel[a]. C'était une de ces vieilles demeures comme il en existe peut-être encore et dans lesquelles la cour d'honneur — soit alluvions apportées par le flot montant de la démocratie, soit legs de temps plus anciens où les divers métiers étaient groupés[b] autour du seigneur — avait souvent sur ses côtés des arrière-boutiques, des ateliers, voire quelque échoppe de cordonnier ou de tailleur, comme celles qu'on voit accotées aux flancs des cathédrales[c] que l'esthétique des ingénieurs n'a pas dégagées, un concierge savetier, qui élevait des poules et cultivait des fleurs — et au fond, dans le logis « faisant hôtel », une « comtesse » qui, quand elle sortait dans sa vieille calèche à deux chevaux, montrant sur son chapeau quelques capucines semblant échappées du jardinet de la loge (ayant à côté du cocher un valet de pied qui descendait corner des cartes à chaque hôtel aristocratique du quartier), envoyait indistinctement des sourires et des petits bonjours de la main aux enfants du portier et aux locataires bourgeois de l'immeuble qui passaient à ce moment-là et qu'elle confondait dans sa dédaigneuse affabilité et sa morgue égalitaire.

Dans la maison que nous étions venus habiter, la grande dame du fond de la cour était une duchesse, élégante et encore jeune. C'était Mme de Guermantes, et grâce à Françoise, je possédai assez vite des renseignements sur l'hôtel. Car les Guermantes (que Françoise désignait souvent par les mots de « en dessous », « en bas ») étaient sa constante préoccupation depuis le matin où, jetant, pendant qu'elle coiffait Maman, un coup d'œil défendu, irrésistible et furtif dans la cour, elle disait : « Tiens, deux bonnes sœurs ; cela va sûrement en dessous » ou : « Oh ! les beaux faisans à la fenêtre de la cuisine, il n'y a pas besoin de demander d'où qu'ils deviennent, le duc aura-t-été à la chasse », jusqu'au soir où, si elle entendait, pendant qu'elle me donnait mes affaires de nuit, un bruit de piano, un écho de chansonnette, elle induisait : « Ils ont du monde en bas, c'est à la gaieté » ; dans son visage régulier[d], sous ses cheveux blancs maintenant, un sourire de sa jeunesse animé et décent mettait alors pour un instant chacun de ses traits à sa place, les accordait dans un ordre apprêté et fin, comme avant une contredanse.

Mais le moment de la vie des Guermantes qui excitait le plus vivement l'intérêt de Françoise, lui donnait le plus de satisfaction et lui faisait aussi le plus de mal, c'était précisément celui où, la porte cochère s'ouvrant à deux battants, la duchesse montait dans sa calèche. C'était habituellement peu de temps après que nos domestiques avaient fini de célébrer cette sorte de pâque solennelle que nul ne doit interrompre, appelée leur déjeuner, et pendant laquelle ils étaient tellement « tabous » que mon père lui-même ne se fût pas permis de les sonner, sachant d'ailleurs qu'aucun ne se fût pas plus dérangé au cinquième coup qu'au premier, et qu'il eût ainsi commis cette inconvenance en pure perte, mais non pas sans dommage pour lui. Car Françoise (qui, depuis qu'elle était une vieille femme, se faisait à tout propos ce qu'on appelle une tête de circonstance) n'eût pas manqué de lui présenter toute la journée une figure couverte de petites marques cunéiformes et rouges qui déployaient au-dehors, mais d'une façon peu déchiffrable, le long mémoire de ses doléances, et les raisons profondes de son mécontente-ment. Elle les développait d'ailleurs, à la cantonade, mais sans que nous puissions bien distinguer les mots. Elle appelait cela — qu'elle croyait désespérant pour nous, « mortifiant », « vexant », — dire toute la sainte journée des « messes basses ».

Les derniers rites[a] achevés, Françoise, qui était à la fois, comme dans l'église primitive, le célébrant et l'un des fidèles, se servait un dernier verre de vin, détachait de son cou sa serviette, la pliait en essuyant à ses lèvres un reste d'eau rougie et de café, la passait dans un rond[b], remerciait d'un œil dolent « son » jeune valet de pied qui pour faire du zèle lui disait : « Voyons, Madame, encore un peu de raisin ; il est esquis », et allait aussitôt[c] ouvrir la fenêtre sous le prétexte qu'il faisait trop chaud « dans cette misérable cuisine ». En jetant avec dextérité, dans le même temps qu'elle tournait la poignée de la croisée et prenait l'air, un coup d'œil désintéressé sur le fond de la cour, elle y dérobait furtivement la certitude que la duchesse n'était pas encore prête, couvait un instant de ses regards dédaigneux et passionnés la voiture attelée, et, cet instant d'attention une fois donné par ses yeux aux choses de la terre, les levait au ciel dont elle avait d'avance deviné la pureté en sentant la douceur de l'air et la chaleur du soleil ; et elle regardait à l'angle du toit la place où, chaque printemps, venaient faire leur nid, juste au-dessus de la cheminée de ma chambre[a], des pigeons pareils à ceux qui roucoulaient dans sa cuisine, à Combray.

« Ah ! Combray, Combray », s'écriait-elle. (Et le ton presque chanté sur lequel elle déclamait cette invocation eût pu, chez Françoise, autant que l'arlésienne[1] pureté de son visage, faire soupçonner une origine méridionale et que la patrie perdue qu'elle pleurait n'était qu'une patrie d'adoption. Mais peut-être se fût-on trompé, car il semble qu'il n'y ait pas de province qui n'ait pas son « Midi », et combien ne rencontre-t-on pas de Savoyards et de Bretons chez qui l'on trouve toutes les douces transpositions de longues et de brèves qui caractérisent le méridional !) « Ah ! Combray, quand est-ce que je te reverrai[b], pauvre terre ! Quand est-ce que je pourrai passer toute la sainte journée sous tes aubépines et nos pauvres lilas en écoutant les pinsons et la Vivonne qui fait comme le murmure de quelqu'un qui chuchoterait, au lieu d'entendre cette misérable sonnette de notre jeune maître qui ne reste jamais une demi-heure sans me faire courir le long de ce satané couloir. Et encore il ne trouve pas que je vas assez vite, il faudrait qu'on ait entendu avant qu'il ait sonné, et si vous êtes d'une minute en retard, il "rentre" dans des colères épouvantables. Hélas ! pauvre Combray ! peut-être[c] que je ne te reverrai que morte, quand on me jettera comme une pierre dans le trou de la tombe. Alors, je ne les sentirai plus, tes belles aubépines toutes blanches. Mais dans le sommeil de la mort, je crois que j'entendrai encore ces trois coups de la sonnette qui m'auront déjà damnée dans ma vie. »

Mais elle était interrompue par les appels du giletier de la cour[d], celui qui avait tant plu autrefois à ma grand-mère le jour où elle était allée voir Mme de Villeparisis et n'occupait pas un rang moins élevé dans la sympathie de Françoise. Ayant levé la tête en entendant ouvrir notre fenêtre, il cherchait déjà depuis un moment à attirer l'attention de sa voisine pour lui dire bonjour. La coquetterie de la jeune fille qu'avait été Françoise affinait alors pour M. Jupien le visage ronchonneur de notre vieille cuisinière alourdie par l'âge, la mauvaise humeur et par la chaleur du fourneau, et c'est avec un mélange charmant de réserve, de familiarité et de pudeur qu'elle adressait au giletier un gracieux salut[e] mais sans lui répondre de la voix, car si elle enfreignait les recommandations de maman en regardant dans la cour, elle n'eût pas osé les braver jusqu'à causer par la fenêtre, ce qui avait le don, selon Françoise, de lui valoir, de la part de Madame, « tout un chapitre ». Elle lui montrait[a] la calèche attelée en ayant l'air de dire : « De beaux chevaux, hein ! » mais tout en murmurant : « Quelle vieille sabraque[1] ! » et surtout parce qu'elle savait[b] qu'il allait lui répondre, en mettant la main devant la bouche pour être entendu tout en parlant à mi-voix : « *Vous* aussi vous pourriez en avoir si vous vouliez, et même peut-être plus qu'eux, mais vous n'aimez pas tout cela. »

Et Françoise, après un signe modeste, évasif et ravi dont la signification était à peu près : « Chacun son genre ; ici c'est à la simplicité », refermait la fenêtre de peur que maman n'arrivât. Ces « vous » qui eussent pu avoir plus de chevaux que les Guermantes, c'était nous, mais Jupien avait raison[c] de dire « vous », car, sauf pour certains plaisirs d'amour-propre purement personnels (comme celui, quand elle toussait sans arrêter et que toute la maison avait peur de prendre son rhume, de prétendre avec un ricanement irritant qu'elle n'était pas enrhumée), pareille à ses plantes[d] qu'un animal auquel elles sont entièrement unies nourrit d'aliments qu'il attrape, mange, digère pour elles et qu'il leur offre dans son dernier et tout assimilable résidu, Françoise vivait avec nous en symbiose ; c'est nous qui, avec nos vertus, notre fortune, notre train de vie, notre situation, devions nous charger d'élaborer les petites satisfactions d'amour-propre dont était formée — en y ajoutant le droit reconnu d'excercer librement le culte du déjeuner suivant la coutume ancienne comportant la petite gorgée d'air à la fenêtre quand il était fini, quelque flânerie dans la rue en allant faire ses emplettes et une sortie le dimanche pour aller voir sa nièce — la part[e] de contentement indispensable à sa vie. Aussi comprend-on que Françoise avait pu dépérir, les premiers jours, en proie — dans une maison où tous les titres honorifiques de mon père n'étaient pas encore connus — à un mal qu'elle appelait elle-même l'ennui, l'ennui dans ce sens énergique qu'il a chez Corneille[2] ou sous la plume des soldats qui finissent par se suicider parce qu'ils s'« ennuient » trop après leur fiancée, leur village. L'ennui de Françoise avait été vite guéri par Jupien précisément, car il lui procura tout de suite un plaisir aussi vif et plus raffiné que celui qu'elle aurait eu si nous nous étions décidés à avoir une voiture. « Du bien bon monde, ces Julien (Françoise assimilant volontiers les mots nouveaux à ceux qu'elle connaissait déjà), de biens braves gens, et ils le portent sur la figure. » Jupien sut en effet comprendre et enseigner à tous que si nous n'avions pas d'équipage, c'est que nous ne voulions pas. Cet ami de Françoise vivait peu chez lui, ayant obtenu une place d'employé dans un ministère. Giletier d'abord avec la « gamine » que ma grand-mère avait prise pour sa fille, il avait perdu tout avantage à en exercer le métier quand la petite qui presque encore enfant savait déjà très bien recoudre une jupe, quand ma grand-mère était allée autrefois faire une visite à Mme de Villeparisis, s'était tournée vers la couture pour dames et était devenue jupière. D'abord « petite main » chez une couturière, employée à faire un point, à recoudre un volant, à attacher un bouton ou une « pression », à ajuster un tour de taille avec des agrafes, elle avait vite passé deuxième puis première, et s'étant fait une clientèle de dames du meilleur monde, elle travaillait chez elle, c'est-à-dire dans notre cour, le plus souvent avec une ou deux de ses petites camarades de l'atelier qu'elle employait comme apprenties. Dès lors la présence de Jupien avait été moins utile. Sans doute la petite, devenue grande, avait encore souvent à faire des gilets. Mais aidée de ses amies elle n'avait besoin de personne. Aussi Jupien, son oncle, avait-il sollicité un emploi. Il fut libre d'abord de rentrer à midi, puis, ayant remplacé définitivement celui qu'il secondait seulement, pas avant l'heure du dîner. Sa « titularisation » ne se produisit heureusement que quelques semaines après notre emménagement, de sorte que la gentillesse de Jupien put s'exercer assez longtemps pour aider Françoise à franchir sans trop de souffrances les premiers temps si difficiles. D'ailleurs, sans méconnaître l'utilité qu'il eut ainsi pour Françoise à titre de « médicament de transition », je dois reconnaître que Jupien ne m'avait pas plu beaucoup au premier abord. À quelques pas de distance, détruisant entièrement l'effet qu'eussent produit sans cela ses grosses joues et son teint fleuri, ses yeux débordés par un regard compatissant, désolé et rêveur, faisaient penser qu'il était très malade ou venait d'être frappé d'un grand deuil. Non seulement il n'en était rien, mais dès qu'il parlait, parfaitement bien d'ailleurs, il était plutôt froid et railleur. Il résultait de ce désaccord entre son regard et sa parole quelque chose de faux qui n'était pas sympathique et par quoi il avait l'air lui-même de se sentir aussi gêné qu'un invité en veston dans une soirée où tout le monde est en habit, ou que quelqu'un qui ayant à répondre à une Altesse ne sait pas au juste comment il faut lui parler et tourne la difficulté en réduisant ses phrases à presque rien. Celles de Jupien — car c'est pure comparaison — étaient au contraire charmantes. Correspondant peut-être à cette inondation du visage par les yeux (à laquelle on ne faisait plus attention quand on le connaissait), je discernai vite, en effet, chez lui une intelligence rare et l'une des plus naturellement littéraires qu'il m'ait été donné de connaître, en ce sens que, sans culture probablement, il possédait ou s'était assimilé, rien qu'à l'aide de quelques livres hâtivement parcourus, les tours les plus ingénieux de la langue. Les gens les plus doués que j'avais connus étaient morts très jeunes. Aussi étais-je persuadé que la vie de Jupien finirait vite. Il avait de la bonté, de la pitié, les sentiments les plus délicats, les plus généreux. Son rôle dans la vie de Françoise avait vite cessé d'être indispensable. Elle avait appris à le doubler.

Même quand un fournisseur[a] ou un domestique venait nous apporter quelque paquet, tout en ayant l'air de ne pas s'occuper de lui, et en lui désignant seulement d'un air détaché une chaise, pendant qu'elle continuait son ouvrage, Françoise mettait si habilement à profit les quelques instants qu'il passait dans la cuisine en attendant la réponse de maman, qu'il était bien rare qu'il repartît sans avoir indestructiblement gravée en lui la certitude que « si nous n'en avions pas, c'est que nous ne voulions pas ». Si elle tenait tant d'ailleurs à ce que l'on sût que nous avions « d'argent » (car elle ignorait l'usage de ce que Saint-Loup appelait les articles partitifs et disait : « avoir d'argent », « apporter d'eau »), à ce qu'on nous sût riches[b], ce n'est pas que la richesse sans plus, la richesse sans la vertu, fût aux yeux de Françoise le bien suprême, mais la vertu sans la richesse n'était pas non plus son idéal. La richesse était pour elle comme une condition nécessaire de la vertu, à défaut de laquelle la vertu serait sans mérite et sans charme. Elle les séparait si peu qu'elle avait fini par prêter à chacune les qualités de l'autre, à exiger quelque confortable dans la vertu, à reconnaître[a] quelque chose d'édifiant dans la richesse.

Une fois la fenêtre refermée, assez rapidement (sans cela, maman lui eût, paraît-il, « raconté toutes les injures imaginables »), Françoise commençait[b] en soupirant à ranger la table de la cuisine.

« Il y a des Guermantes qui restent rue de la Chaise, disait le valet de chambre, j'avais un ami qui y avait travaillé ; il était second cocher chez eux. Et je connais quelqu'un, pas mon copain alors, mais son beau-frère, qui avait fait son temps au régiment avec un piqueur du baron de Guermantes. "Et après tout allez-y donc, c'est pas mon père !" » ajoutait le valet de chambre qui avait l'habitude, comme il fredonnait les refrains de l'année[1], de parsemer ses discours des plaisanteries nouvelles.

Françoise, avec la fatigue de ses yeux de femme déjà âgée et qui d'ailleurs voyaient tout de Combray, dans un vague lointain, distingua non la plaisanterie qui était dans ces mots, mais qu'il devait y en avoir une, car ils n'étaient pas en rapport avec la suite du propos, et avaient été lancés avec force par quelqu'un qu'elle savait farceur. Aussi sourit-elle d'un air bienveillant et ébloui et comme si elle disait : « Toujours le même, ce Victor ! » Elle était du reste heureuse, car elle savait qu'entendre des traits de ce genre se rattache de loin à ces plaisirs honnêtes de la société pour lesquels dans tous les mondes on se dépêche de faire toilette, on risque de prendre froid. Enfin elle croyait que le valet de chambre était un ami pour elle car il ne cessait de lui dénoncer avec indignation les mesures terribles que la République allait prendre contre le clergé. Françoise n'avait pas encore compris que les plus cruels de nos adversaires ne sont pas ceux qui nous contredisent et essayent de nous persuader, mais ceux qui grossissent ou inventent les nouvelles qui peuvent nous désoler, en se gardant bien de leur donner une apparence de justification qui diminuerait notre peine et nous donnerait peut-être une légère estime pour un parti qu'ils tiennent à nous montrer, pour notre complet supplice, à la fois atroce et triomphant.

« La duchesse doit être alliancée avec tout ça », dit Françoise en reprenant la conversation aux Guermantes de la rue de la Chaise, comme on recommence un morceau à l'andante. « Je ne sais plus qui qui m'a dit qu'un de ceux-là avait marié une cousine au duc. En tout cas c'est de la même "parenthèse". C'est une grande famille que les Guermantes ! » ajoutait-elle avec respect, fondant la grandeur de cette famille à la fois sur le nombre de ses membres et l'éclat de son illustration, comme Pascal, la vérité de la religion sur la raison et l'autorité des Écritures[1]. Car n'ayant que ce seul mot de « grand » pour les deux choses, il lui semblait qu'elles n'en formaient qu'une seule, son vocabulaire, comme certaines pierres, présentant ainsi par endroits un défaut qui projetait de l'obscurité jusque dans la pensée de Françoise.

« Je me demande si ce serait pas "eusse" qui ont leur château à Guermantes, à dix lieues de Combray, alors ça doit être parent aussi à leur cousine d'Alger. » Nous nous demandâmes longtemps ma mère et moi qui pouvait être cette cousine d'Alger, mais nous comprîmes enfin que Françoise entendait par le nom d'Alger la ville d'Angers. Ce qui est lointain peut nous être plus connu que ce qui est proche. Françoise, qui savait le nom d'Alger à cause d'affreuses dattes que nous recevions au jour de l'An, ignorait celui d'Angers. Son langage, comme la langue française elle-même, et surtout sa toponymie, était parsemé d'erreurs. « Je voulais en causer à leur maître d'hôtel. — Comment donc qu'on lui dit ? » s'interrompit-elle, comme se posant une question de protocole ; elle se répondit à elle-même : « Ah oui ! c'est Antoine qu'on lui dit », comme si Antoine avait été un titre. « C'est lui qu'aurait pu m'en dire, mais c'est un vrai seigneur, un grand pédant, on dirait qu'on lui a coupé la langue ou qu'il a oublié d'apprendre à parler. Il ne vous fait même pas réponse quand on lui cause », ajoutait Françoise qui disait « faire réponse », comme Mme de Sévigné[2]. « Mais, ajouta-t-elle sans sincérité, du moment que je sais ce qui cuit dans ma marmite, je ne m'occupe pas de celles des autres. En tout cas, tout ça n'est pas catholique. Et puis c'est pas un homme courageux (cette appréciation aurait pu faire croire que Françoise avait changé d'avis sur la bravoure qui, selon elle, à Combray, ravalait les hommes aux animaux féroces, mais il n'en était rien. Courageux signifiait seulement travailleur). On dit aussi qu'il est voleur comme une pie, mais il ne faut pas toujours croire les cancans. Ici tous les employés partent, rapport à la loge, les concierges sont jaloux et ils montent la tête à la duchesse. Mais on peut bien dire que c'est un vrai feignant que cet Antoine, et son "Antoinesse" ne vaut pas mieux que lui », ajoutait Françoise qui, pour trouver au nom d'Antoine un féminin qui désignât la femme du maître d'hôtel, avait sans doute dans sa création grammaticale un inconscient ressouvenir de chanoine et chanoinesse. Elle ne parlait pas mal en cela. Il existe encore près de Notre-Dame une rue appelée rue Chanoinesse, nom qui lui avait été donné (parce qu'elle n'était habitée que par des chanoines[1]) par ces Français de jadis, dont Françoise était, en réalité, la contemporaine. On avait d'ailleurs, immédiatement après, un nouvel exemple de cette manière de former les féminins, car Françoise ajoutait : « Mais sûr et certain que c'est à la duchesse qu'est le château de Guermantes. Et c'est elle dans le pays qu'est madame la mairesse. C'est quelque chose.

— Je comprends que c'est quelque chose », disait avec conviction le valet de pied, n'ayant pas démêlé l'ironie.

« Penses-tu, mon garçon, que c'est quelque chose ? mais pour des gens comme "eusse", être maire et mairesse c'est trois fois rien. Ah ! si c'était à moi le château de Guermantes[a], on ne me verrait pas souvent à Paris. Faut-il tout de même que des maîtres, des personnes qui ont de quoi comme Monsieur et Madame, en aient des idées pour rester dans cette misérable ville plutôt que non pas aller à Combray dès l'instant qu'ils sont libres de faire et que personne ne les retient. Qu'est-ce qu'ils attendent[b] pour prendre leur retraite puisqu'ils ne manquent de rien ; d'être morts ? Ah ! si j'avais seulement du pain sec à manger et du bois pour me chauffer l'hiver, il y a beau temps que je serais chez moi dans la pauvre maison de mon frère à Combray. Là-bas on se sent vivre au moins, on n'a pas toutes ces maisons devant soi, il y a si peu de bruit que la nuit on entend les grenouilles chanter[c] à plus de deux lieues.

— Ça doit être vraiment beau, madame », s'écriait le jeune valet de pied avec enthousiasme, comme si ce dernier trait avait été aussi particulier à Combray que la vie en gondole à Venise.

D'ailleurs, plus récent dans la maison que le valet de chambre, il parlait à Françoise des sujets qui pouvaient intéresser non lui-même, mais elle. Et Françoise, qui faisait la grimace quand on la traitait de cuisinière, avait pour le valet de pied, qui disait en parlant d'elle « la gouvernante », la bienveillance spéciale qu'éprouvent certains princes de second ordre envers les jeunes gens bien intentionnés qui leur donnent de l'Altesse.

« Au moins on sait ce qu'on fait et dans quelle saison qu'on vit. Ce n'est pas comme ici qu'il n'y aura pas plus un méchant bouton d'or à la sainte Pâques qu'à la Noël, et que je ne distingue pas seulement un petit angélus quand je lève ma vieille carcasse. Là-bas, on entend chaque heure[a], ce n'est qu'une pauvre cloche, mais tu te dis : "Voilà mon frère qui rentre des champs", tu vois le jour qui baisse, on sonne pour les biens de la terre[1], tu as le temps[b] de te retourner avant d'allumer ta lampe. Ici il fait jour, il fait nuit, on va se coucher qu'on ne pourrait seulement pas plus dire que les bêtes ce qu'on a fait[c].

— Il paraît que Méséglise aussi c'est bien joli, madame », interrompait le jeune valet de pied au gré de qui la conversation prenait un tour un peu abstrait et qui se souvenait par hasard de nous avoir entendus parler à table de Méséglise.

« Oh ! Méséglise », disait Françoise avec le large sourire qu'on amenait toujours sur ses lèvres quand on prononçait ces noms de Méséglise, de Combray, de Tansonville. Ils faisaient[d] tellement partie de sa propre existence qu'elle éprouvait à les rencontrer au-dehors, à les entendre dans une conversation, une gaieté assez voisine de celle qu'un professeur excite dans sa classe en faisant allusion à tel personnage contemporain dont ses élèves n'auraient pas cru que le nom pût jamais tomber du haut de la chaire[e]. Son plaisir venait aussi de sentir que ces pays-là étaient pour elle quelque chose qu'ils n'étaient pas pour les autres, de vieux camarades avec qui on a fait bien des parties ; et elle leur souriait comme si elle leur trouvait de l'esprit, parce qu'elle retrouvait en eux beaucoup d'elle-même.

« Oui, tu peux le dire, mon fils, c'est assez joli Méséglise, reprenait-elle en riant finement ; mais comment que tu en as eu entendu causer, toi, de Méséglise ?

— Comment que j'ai entendu causer de Méséglise ? mais c'est bien connu ; on m'en a causé et même souventes fois causé », répondait-il avec cette criminelle inexactitude des informateurs qui, chaque fois que nous cherchons à nous rendre compte objectivement de l'importance que peut

avoir pour les autres une chose qui nous concerne, nous
mettent dans l'impossibilité d'y réussir.

« Ah ! je vous réponds qu'il fait meilleur là sous les
cerisiers que près du fourneau. »

Elle leur parlait même d'Eulalie comme d'une bonne
personne. Car depuis qu'Eulalie était morte, Françoise
avait complètement oublié qu'elle l'avait peu aimée durant
sa vie, comme elle aimait peu toute personne qui n'avait
rien à manger chez soi, qui « crevait la faim » et venait
ensuite, comme une propre à rien, grâce à la bonté des
riches, « faire des manières ». Elle ne souffrait plus de
ce qu'Eulalie eût si bien su se faire chaque semaine
« donner la pièce » par ma tante. Quant à celle-ci,
Françoise ne cessait de chanter ses louanges.

« Mais c'est à Combray même, chez une cousine de
Madame, que vous étiez, alors ? demandait le jeune valet
de pied.

— Oui, chez Mme Octave, ah ! une bien sainte femme,
mes pauvres enfants, et où il y avait toujours de quoi, et
du beau et du bon, une bonne femme, vous pouvez dire,
qui ne plaignait pas les perdreaux, ni les faisans, ni rien,
que vous pouviez arriver dîner à cinq, à six, ce n'était pas
la viande qui manquait, et de première qualité encore, et
vin blanc, et vin rouge, tout ce qu'il fallait. » (Françoise
employait le verbe « plaindre » dans le même sens que
fait la Bruyère[1].) « Tout était toujours à ses dépens, même
si la famille, elle restait des mois et *an*-nées. » (Cette
réflexion n'avait rien de désobligeant pour nous, car
Françoise était d'un temps où « dépens » n'était pas
réservé au style judiciaire et signifiait seulement dépense.)
« Ah ! je vous réponds qu'on ne partait pas de là avec
la faim. Comme M. le curé nous l'a eu fait ressortir bien
des fois, s'il y a une femme qui peut compter d'aller près
du bon Dieu, sûr et certain que c'est elle. Pauvre Madame,
je l'entends encore qui me disait de sa petite voix :
"Françoise, vous savez, moi je ne mange pas, mais je veux
que ce soit aussi bon pour tout le monde que si je
mangeais." Bien sûr que c'était pas pour elle. Vous l'auriez
vue, elle ne pesait pas plus qu'un paquet de cerises ; il
n'y en avait pas. Elle ne voulait pas me croire, elle ne
voulait jamais aller au médecin. Ah ! ce n'est pas là-bas
qu'on aurait rien mangé à la va-vite. Elle voulait que ses
domestiques soient bien nourris. Ici, encore ce matin, nous

n'avons pas seulement eu le temps de casser la croûte. Tout se fait à la sauvette. »

Elle était surtout exaspérée par les biscottes de pain grillé que mangeait mon père. Elle était persuadée qu'il en usait pour faire des manières et la faire « valser ». « Je peux dire, approuvait le jeune valet de pied, que j'ai jamais vu ça ! » Il le disait comme s'il avait tout vu et si en lui les enseignements d'une expérience millénaire s'étendaient à tous les pays et à leurs usages parmi lesquels ne figurait nulle part celui du pain grillé. « Oui, oui, grommelait le maître d'hôtel, mais tout cela pourrait bien changer, les ouvriers doivent faire une grève au Canada et le ministre a dit l'autre soir à Monsieur qu'il a touché pour ça deux cent mille francs. » Le maître d'hôtel était loin de l'en blâmer, non qu'il ne fût lui-même parfaitement honnête, mais croyant tous les hommes politiques véreux, le crime de concussion lui paraissait moins grave que le plus léger délit de vol. Il ne se demandait même pas s'il avait bien entendu cette parole historique et il n'était pas frappé de l'invraisemblance qu'elle eût été dite par le coupable lui-même à mon père, sans que celui-ci l'eût mis dehors. Mais la philosophie de Combray empêchait que Françoise pût espérer que les grèves du Canada eussent une répercussion sur l'usage des biscottes : « Tant que le monde sera monde, voyez-vous, disait-elle, il y aura des maîtres pour nous faire trotter et des domestiques pour faire leurs caprices. » En dépit de la théorie de cette trotte perpétuelle, déjà depuis un quart d'heure ma mère, qui n'usait probablement pas des mêmes mesures que Françoise pour apprécier la longueur du déjeuner de celle-ci, disait : « Mais qu'est-ce qu'ils peuvent bien faire, voilà plus de deux heures qu'ils sont à table. » Et elle sonnait timidement trois ou quatre fois. Françoise, son valet de pied, le maître d'hôtel entendaient les coups de sonnette non comme un appel et sans songer à venir, mais pourtant comme les premiers sons des instruments qui s'accordent quand un concert va bientôt recommencer et qu'on sent qu'il n'y aura plus que quelques minutes d'entracte. Aussi quand les coups commençaient à se répéter et à devenir plus insistants, nos domestiques se mettaient à y prendre garde et, estimant qu'ils n'avaient plus beaucoup de temps devant eux et que la reprise du travail était proche, à un tintement de la sonnette un peu plus sonore que les autres,

ils poussaient un soupir et, prenant leur parti, le valet de
pied descendait fumer une cigarette devant la porte,
Françoise, après quelques réflexions sur nous, telles que
« ils ont sûrement la bougeotte », montait ranger ses
affaires dans son sixième, et le maître d'hôtel ayant été
chercher du papier à lettres dans ma chambre, expédiait
rapidement sa correspondance privée.

Malgré l'air de morgue[a] de leur maître d'hôtel,
Françoise[b] avait pu, dès les premiers jours, m'apprendre
que les Guermantes n'habitaient pas leur hôtel en vertu
d'un droit immémorial mais d'une location assez récente,
et que le jardin sur lequel il donnait du côté que je ne
connaissais pas était assez petit et semblable à tous les
jardins contigus ; et je sus enfin qu'on n'y voyait ni gibet
seigneurial, ni moulin fortifié, ni sauvoir[1], ni colombier
à piliers, ni four banal, ni grange à nef, ni châtelet, ni ponts
fixes ou levis, voire volants non plus que péagers, ni
aiguilles, chartes murales ou montjoies. Mais comme Elstir,
quand la baie de Balbec, ayant perdu son mystère, était
devenue[c] pour moi une partie quelconque, interchangeable avec toute autre, des quantités d'eau salée qu'il y a
sur le globe, lui avait tout d'un coup rendu une
individualité en me disant que c'était le golfe d'opale de
Whistler dans ses harmonies bleu argent[2], ainsi le nom de
Guermantes avait vu mourir sous les coups de Françoise
la dernière demeure issue de lui, quand un vieil ami de
mon père nous dit[d] un jour en parlant de la duchesse :
« Elle a la plus grande situation dans le faubourg
Saint-Germain, elle a la première maison du faubourg de
Saint-Germain. » Sans doute le premier salon, la première
maison du faubourg Saint-Germain, c'était bien peu de
chose auprès des autres demeures que j'avais successivement rêvées. Mais enfin celle-ci encore, et ce devait être
la dernière, avait quelque chose, si humble ce fût-il, qui
était, au-delà de sa propre matière, une différenciation
secrète.

Et cela m'était d'autant plus nécessaire de pouvoir
chercher dans le « salon » de Mme de Guermantes, dans
ses amis, le mystère de son nom, que je ne le trouvais
pas dans sa personne quand je la voyais sortir le matin
à pied ou l'après-midi en voiture. Certes déjà dans l'église
de Combray, elle m'était apparue dans l'éclair d'une
métamorphose avec des joues irréductibles, impénétrables

à la couleur du nom de Guermantes et des après-midi au
bord de la Vivonne, à la place de mon rêve foudroyé,
comme un cygne ou un saule en lequel a été changé un
dieu ou une nymphe et qui désormais soumis aux lois de
la nature glissera*ᵃ* dans l'eau ou sera agité par le vent[1].
Pourtant ces reflets évanouis, à peine l'avais-je eu quittée*ᵇ*
qu'ils s'étaient reformés comme les reflets roses et verts
du soleil couché, derrière la rame qui les a brisés, et dans
la solitude de ma pensée le nom avait eu vite fait de
s'approprier le souvenir du visage. Mais maintenant
souvent je la voyais à sa fenêtre, dans la cour, dans la rue ;
et moi du moins si je ne parvenais pas à intégrer en elle
le nom de Guermantes, à penser qu'elle était Mme de
Guermantes, j'en accusais l'impuissance de mon esprit à
aller jusqu'au bout de l'acte que je lui demandais ; mais
elle, notre voisine, elle semblait commettre la même
erreur ; bien plus, la commettre sans trouble, sans aucun
de mes scrupules, sans même le soupçon que ce fût une
erreur. Ainsi Mme de Guermantes montrait dans ses robes
le même souci de suivre la mode que si, se croyant devenue
une femme comme les autres, elle avait aspiré à cette
élégance de la toilette dans laquelle des femmes quelconques pouvaient l'égaler, la surpasser peut-être ; je
l'avais vue dans la rue regarder avec admiration une actrice
bien habillée ; et le matin, au moment où elle allait sortir
à pied, comme si l'opinion des passants dont elle faisait
ressortir la vulgarité en promenant familièrement au milieu
d'eux sa vie inaccessible, pouvait être un tribunal pour
elle, je pouvais l'apercevoir devant sa glace, jouant, avec
une conviction exempte de dédoublement et d'ironie, avec
passion, avec mauvaise humeur, avec amour-propre,
comme une reine qui a accepté de représenter une
soubrette dans une comédie de cour, ce rôle, si inférieur
à elle, de femme élégante ; et dans l'oubli mythologique
de sa grandeur native, elle regardait si sa voilette était bien
tirée, aplatissait ses manches, ajustait son manteau, comme
le cygne divin fait tous les mouvements de son espèce
animale, garde ses yeux peints des deux côtés de son bec
sans y mettre de regards et se jette tout d'un coup sur
un bouton ou un parapluie*ᶜ*, en cygne, sans se souvenir
qu'il est un dieu. Mais comme le voyageur, déçu par le
premier aspect d'une ville, se dit qu'il en pénétrera
peut-être le charme en en visitant les musées, en liant

connaissance avec le peuple, en travaillant dans les bibliothèques, je me disais que si j'avais été reçu chez Mme de Guermantes, si j'étais de ses amis, si je pénétrais dans son existence, je connaîtrais ce que sous son enveloppe orangée et brillante son nom enfermait réellement, objectivement, pour les autres, puisque enfin l'ami de mon père avait dit que le milieu des Guermantes était quelque chose d'à part dans le faubourg Saint-Germain.

La vie*a* que je supposais y être menée dérivait d'une source si différente de l'expérience et me semblait devoir être si particulière, que je n'aurais pu imaginer aux soirées de la duchesse la présence de personnes que j'eusse autrefois fréquentées, de personnes réelles. Car ne pouvant changer subitement de nature, elles auraient tenu là des propos analogues à ceux que je connaissais ; leurs partenaires se seraient peut-être abaissés à leur répondre dans le même langage humain ; et pendant une soirée dans le premier salon du faubourg Saint-Germain, il y aurait eu des instants identiques à des instants que j'avais déjà vécus : ce qui était impossible. Il est vrai que mon esprit était embarrassé par certaines difficultés, et la présence du corps de Jésus-Christ dans l'hostie ne me semblait pas un mystère plus obscur que ce premier salon du Faubourg situé sur la rive droite et dont je pouvais de ma chambre entendre battre les meubles le matin. Mais la ligne de démarcation qui me séparait du faubourg Saint-Germain, pour être seulement idéale, ne m'en semblait que plus réelle ; je sentais bien que c'était déjà le Faubourg, le paillasson des Guermantes étendu de l'autre côté de cet Équateur et dont ma mère avait osé dire, l'ayant aperçu comme moi, un jour que leur porte était ouverte, qu'il était en bien mauvais état. Au reste, comment leur salle à manger, leur galerie obscure, aux meubles de peluche rouge, que je pouvais apercevoir quelquefois par la fenêtre de notre cuisine, ne m'auraient-ils pas semblé posséder le charme mystérieux du faubourg Saint-Germain, en faire partie d'une façon essentielle, y être géographiquement situés, puisque avoir été reçu dans cette salle à manger, c'était être allé dans le faubourg Saint-Germain, en avoir respiré l'atmosphère, puisque ceux qui, avant d'aller à table, s'asseyaient à côté de Mme de Guermantes sur le canapé de cuir de la galerie, étaient tous du faubourg Saint-Germain ? Sans doute, ailleurs que dans le faubourg, dans certaines soirées, on pouvait voir parfois, trônant majestueusement au milieu du peuple vulgaire des élégants, l'un de ces hommes qui ne sont que des noms et qui prennent tour à tour quand on cherche à se les représenter l'aspect d'un tournoi et d'une forêt domaniale. Mais ici, dans le premier salon du faubourg Saint-Germain, dans la galerie obscure, il n'y avait qu'eux. Ils étaient, en une matière précieuse, les colonnes qui soutenaient le temple[1]. Même pour les réunions familières, ce n'était que parmi eux que Mme de Guermantes pouvait choisir ses convives, et dans les dîners de douze personnes, assemblés autour de la nappe servie, ils étaient comme les statues d'or des apôtres de la Sainte-Chapelle, piliers symboliques et consécrateurs, devant la Sainte Table[2]. Quant au petit bout de jardin qui s'étendait entre de hautes murailles, derrière l'hôtel et où l'été Mme de Guermantes faisait après dîner servir des liqueurs et l'orangeade, comment n'aurais-je pas pensé que s'asseoir, entre neuf et onze heures du soir, sur ses chaises de fer — douées d'un aussi grand pouvoir que le canapé de cuir — sans respirer les brises[a] particulières au faubourg Saint-Germain, était aussi impossible que de faire la sieste dans l'oasis de Figuig[3], sans être par cela même en Afrique ? Il n'y a que l'imagination et la croyance qui peuvent différencier des autres certains objets, certains êtres, et créer une atmosphère. Hélas ! ces sites pittoresques, ces accidents naturels, ces curiosités locales, ces ouvrages d'art du faubourg Saint-Germain, il ne me serait sans doute jamais donné de poser mes pas parmi eux. Et je me contentais de tressaillir en apercevant de la haute mer (et sans espoir d'y jamais aborder), comme un minaret avancé, comme un premier palmier, comme le commencement de l'industrie ou de la végétation exotiques, le paillasson usé du rivage.

Mais si l'hôtel de Guermantes commençait pour moi à la porte de son vestibule, ses dépendances devaient s'étendre beaucoup plus loin au jugement du duc qui, tenant tous les locataires pour fermiers, manants, acquéreurs de biens nationaux, dont l'opinion ne compte pas, se faisait la barbe le matin en chemise de nuit à sa fenêtre, descendait dans la cour, selon qu'il avait plus ou moins chaud, en bras de chemise, en pyjama, en veston écossais de couleur rare, à longs poils, en petits paletots clairs plus

courts que son veston, et faisait trotter en main devant
lui par un de ses piqueurs quelque nouveau cheval qu'il
avait acheté. Plus d'une fois même le cheval abîma la
devanture de Jupien, lequel indigna le duc en demandant
une indemnité. « Quand ce ne serait qu'en considération
de tout le bien que Madame la Duchesse fait dans la maison
et dans la paroisse, disait M. de Guermantes, c'est une
infamie de la part de ce quidam de nous réclamer quelque
chose. » Mais Jupien avait tenu bon, paraissant ne pas du
tout savoir quel « bien » avait jamais fait la duchesse.
Pourtant elle en faisait, mais, comme on ne peut l'étendre
sur tout le monde, le souvenir d'avoir comblé l'un est une
raison pour s'abstenir à l'égard d'un autre chez qui on
excite d'autant plus de mécontentement. À d'autres points
de vue d'ailleurs que celui de la bienfaisance, le quartier
ne paraissait au duc — et cela jusqu'à de grandes distances
— qu'un prolongement de sa cour, une piste plus étendue
pour ses chevaux. Après avoir vu comment un nouveau
cheval trottait seul, il le faisait atteler, traverser toutes les
rues avoisinantes, le piqueur courant le long de la voiture
en tenant les guides, le faisant passer et repasser devant
le duc arrêté sur le trottoir, debout, géant, énorme, habillé
de clair, le cigare à la bouche, la tête en l'air, le monocle
curieux, jusqu'au moment où il sautait sur le siège, menait
le cheval lui-même pour l'essayer, et partait avec le nouvel
attelage retrouver sa maîtresse aux Champs-Élysées.
M. de Guermantes disait bonjour dans la cour à deux
couples qui tenaient plus ou moins à son monde : un
ménage de cousins à lui, qui, comme les ménages
d'ouvriers, n'était jamais à la maison pour soigner les
enfants, car dès le matin la femme partait à la « Schola[1] »
apprendre le contrepoint et la fugue, et le mari à son atelier
faire de la sculpture sur bois et des cuirs repoussés ; puis
le baron et la baronne de Norpois, habillés[a] toujours en
noir, la femme en loueuse de chaises et le mari en
croque-mort, qui sortaient plusieurs fois par jour pour aller
à l'église. Ils étaient les neveux de l'ancien ambassadeur
que nous connaissions et que justement mon père avait
rencontré sous la voûte de l'escalier mais sans comprendre
d'où il venait ; car mon père pensait qu'un personnage
aussi considérable, qui s'était trouvé en relation avec les
hommes les plus éminents de l'Europe et était probablement fort indifférent à de vaines distinctions aristocrati-

ques, ne devait guère fréquenter ces nobles obscurs, cléricaux et bornés. Ils habitaient depuis peu dans la maison ; Jupien étant venu dire un mot dans la cour au mari qui était en train de saluer M. de Guermantes, l'appela « M. Norpois », ne sachant pas exactement son nom.

« Ah ! monsieur Norpois, ah ! c'est vraiment trouvé ! Patience ! bientôt ce particulier vous appellera citoyen Norpois ! » s'écria, en se tournant vers le baron, M. de Guermantes. Il pouvait enfin exhaler sa mauvaise humeur contre Jupien qui lui disait « monsieur » et non « monsieur le duc. »

Un jour que M. de Guermantes avait besoin d'un renseignement qui se rattachait à la profession de mon père, il s'était présenté lui-même avec beaucoup de grâce. Depuis il avait souvent quelque service de voisin à lui demander, et dès qu'il l'apercevait en train de descendre l'escalier tout en songeant à quelque travail et désireux d'éviter toute rencontre, le duc quittait ses hommes d'écuries, venait à mon père dans la cour, lui arrangeait le col de son pardessus, avec la serviabilité héritée des anciens valets de chambre du Roi, lui prenait la main et la retenant dans la sienne, la lui caressant même pour lui prouver, avec une impudeur de courtisane, qu'il ne lui marchandait pas le contact de sa chair précieuse, il le menait en laisse, fort ennuyé et ne pensant qu'à s'échapper, jusqu'au-delà de la porte cochère. Il nous avait fait de grands saluts un jour qu'il nous avait croisés au moment où il sortait en voiture avec sa femme, il avait dû lui dire mon nom, mais quelle chance y avait-il pour qu'elle se le fût rappelé, ni mon visage ? Et puis quelle piètre recommandation que d'être désigné seulement comme étant un de ses locataires ! Une plus importante eût été de rencontrer la duchesse chez Mme de Villeparisis qui justement m'avait fait demander par ma grand-mère d'aller la voir, et, sachant que j'avais eu l'intention de faire de la littérature, avait ajouté que je rencontrerais chez elle des écrivains. Mais mon père trouvait que j'étais encore bien jeune pour aller dans le monde et, comme l'état de ma santé ne laissait pas de l'inquiéter, il ne tenait pas à me fournir des occasions inutiles de sorties nouvelles.

Comme un des valets de pied de Mme de Guermantes causait beaucoup avec Françoise, j'entendis nommer quelques-uns des salons où elle allait, mais je ne me les représentais pas : du moment qu'ils étaient une partie de sa vie, de sa vie que je ne voyais qu'à travers son nom, n'étaient-ils pas inconcevables ?

« Il y a ce soir grande soirée d'ombres chinoises chez la princesse de Parme, disait le valet de pied, mais nous n'irons pas, parce que, à cinq heures, Madame prend le train de Chantilly pour aller passer deux jours chez le duc d'Aumale[1], mais[a] c'est la femme de chambre et le valet de chambre qui y vont. Moi je reste ici. Elle ne sera pas contente, la princesse de Parme, elle a écrit plus de quatre fois à Madame la Duchesse.

— Alors vous n'êtes plus pour aller au château de Guermantes cette année ?

— C'est la première fois que nous n'y serons pas : à cause des rhumatismes à Monsieur le Duc, le docteur a défendu qu'on y retourne avant qu'il y ait un calorifère, mais avant ça tous les ans on y était pour jusqu'en janvier. Si le calorifère n'est pas prêt, peut-être Madame ira quelques jours à Cannes chez la duchesse de Guise[2], mais[b] ce n'est pas encore sûr.

— Et au théâtre est-ce que vous y allez ?

— Nous allons quelquefois à l'Opéra, quelquefois aux soirées d'abonnement de la princesse de Parme, c'est tous les huit jours ; il paraît que c'est très chic ce qu'on voit : il y a pièces, opéra, tout. Madame la Duchesse n'a pas voulu prendre d'abonnements mais nous y allons tout de même une fois dans une loge d'une amie à Madame, une autre fois dans une autre, souvent dans la baignoire de la princesse de Guermantes, la femme du cousin à Monsieur le Duc. C'est la sœur au duc de Bavière. — Et alors vous remontez comme ça chez vous, disait le valet de pied qui, bien qu'identifié aux Guermantes, avait cependant des *maîtres* en général une notion politique qui lui permettait de traiter Françoise avec autant de respect que si elle avait été placée chez une duchesse. Vous êtes d'une bonne santé, madame.

— Ah ! sans ces maudites jambes ! En plaine encore ça va bien » (en plaine voulait dire dans la cour, dans les rues où Françoise ne détestait pas de se promener, en un mot en terrain plat), « mais ce sont ces satanés escaliers. Au revoir, monsieur, on vous verra peut-être encore ce soir. »

Elle désirait d'autant plus causer encore avec le valet de pied qu'il lui avait appris que les fils des ducs portent souvent un titre de prince qu'ils gardent jusqu'à la mort de leur père. Sans doute le culte de la noblesse, mêlé et s'accommodant d'un certain esprit de révolte contre elle, doit, héréditairement puisé sur les glèbes de France, être bien fort en son peuple. Car Françoise, à qui on pouvait parler du génie de Napoléon ou de la télégraphie sans fil[1] sans réussir à attirer son attention et sans qu'elle ralentît un instant les mouvements par lesquels elle retirait les cendres de la cheminée ou mettait le couvert, si seulement elle apprenait ces particularités et que le fils cadet du duc de Guermantes s'appelait généralement le prince d'Oléron, s'écriait : « C'est beau ça ! » et restait éblouie comme devant un vitrail.

Françoise apprit aussi par le valet de chambre du prince d'Agrigente, qui s'était lié avec elle en venant souvent porter des lettres chez la duchesse, qu'il avait, en effet, fort entendu parler dans le monde du mariage du marquis de Saint-Loup avec Mlle d'Ambresac et que c'était presque décidé.

Cette villa, cette baignoire[a], où Mme de Guermantes transvasait sa vie, ne me semblaient pas des lieux moins féeriques que ses appartements. Les noms de Guise, de Parme, de Guermantes-Bavière, différenciaient de toutes les autres les villégiatures où se rendait la duchesse, les fêtes quotidiennes que le sillage de sa voiture reliait à son hôtel. S'ils me disaient[b] qu'en ces villégiatures, en ces fêtes consistait successivement la vie de Mme de Guermantes, ils ne m'apportaient sur elle aucun éclaircissement. Elles donnaient chacune à la vie de la duchesse une détermination différente, mais ne faisaient que la changer de mystère sans qu'elle laissât rien évaporer du sien, qui se déplaçait seulement, protégé par une cloison, enfermé dans un vase, au milieu des flots de la vie de tous. La duchesse pouvait déjeuner devant la Méditerranée à l'époque de Carnaval, mais dans la villa de Mme de Guise, où la reine[c] de la société parisienne n'était plus, dans sa robe de piqué blanc, au milieu de nombreuses princesses, qu'une invitée pareille aux autres, et par là plus émouvante encore pour moi, plus elle-même d'être renouvelée comme une étoile de la danse qui, dans la fantaisie d'un pas, vient prendre successivement la place de chacune des ballerines ses sœurs ; elle pouvait regarder des ombres chinoises, mais à une soirée de la princesse de Parme ; écouter la tragédie ou l'opéra, mais dans la baignoire de la princesse de Guermantes.

Comme nous localisons dans le corps d'une personne toutes les possibilités de sa vie, le souvenir des êtres qu'elle connaît et qu'elle vient de quitter, ou s'en va rejoindre, si, ayant appris par Françoise que Mme de Guermantes irait à pied déjeuner chez la princesse de Parme, je la voyais vers midi descendre de chez elle en sa robe de satin chair, au-dessus de laquelle son visage était de la même nuance, comme un nuage au soleil couché, c'était tous les plaisirs du faubourg Saint-Germain que je voyais tenir devant moi, sous ce petit volume, comme dans une coquille, entre ces valves glacées de nacre rose.

Mon père avait au ministère un ami, un certain A.J. Moreau, lequel, pour se distinguer des autres Moreau, avait soin de toujours faire précéder son nom de ces deux initiales, de sorte qu'on l'appelait pour abréger, A.J.[1]. Or, je ne sais comment cet A.J. se trouva possesseur d'un fauteuil pour une soirée de gala à l'Opéra ; il l'envoya à mon père et, comme la Berma[a] que je n'avais plus vue jouer depuis ma première déception devait jouer un acte de *Phèdre*, ma grand-mère obtint que mon père me donnât cette place.

À vrai dire je n'attachais aucun prix à cette possibilité d'entendre la Berma qui, quelques années auparavant, m'avait causé tant d'agitation. Et ce ne fut pas sans mélancolie que je constatai mon indifférence à ce que jadis j'avais préféré à la santé, au repos. Ce n'est pas que fût moins passionné qu'alors mon désir de pouvoir contempler de près les parcelles précieuses de réalité qu'entrevoyait mon imagination. Mais celle-ci ne les situait plus maintenant dans la diction d'une grande actrice ; depuis mes visites chez Elstir, c'est sur certaines tapisseries, sur certains tableaux modernes, que j'avais reporté la foi intérieure que j'avais eue jadis en ce jeu, en cet art tragique de la Berma ; ma foi, mon désir ne venant plus rendre à la diction et aux attitudes de la Berma un culte incessant, le « double » que je possédais d'eux, dans mon cœur, avait dépéri peu à peu comme ces autres « doubles » des trépassés de l'ancienne Égypte qu'il fallait constamment nourrir pour entretenir leur vie[2]. Cet art était devenu mince et minable. Aucune âme profonde ne l'habitait plus.

Au moment[a] où, profitant du billet reçu par mon père, je montais le grand escalier de l'Opéra, j'aperçus devant moi un homme que je pris d'abord pour M. de Charlus duquel il avait le maintien ; quand il tourna[b] la tête pour demander un renseignement à un employé, je vis que je m'étais trompé, mais je n'hésitai pas cependant à situer l'inconnu dans la même classe sociale d'après la manière non seulement dont il était habillé, mais encore dont il parlait au contrôleur et aux ouvreuses qui le faisaient attendre. Car, malgré les particularités individuelles, il y avait encore à cette époque, entre tout homme gommeux et riche de cette partie de l'aristocratie et tout homme gommeux et riche du monde de la finance ou de la haute industrie, une différence très marquée. Là où l'un de ces derniers eût cru affirmer son chic par un ton tranchant, hautain à l'égard d'un inférieur, le grand seigneur, doux, souriant, avait l'air de considérer, d'exercer l'affectation de l'humilité et de la patience, la feinte d'être l'un quelconque des spectateurs, comme un privilège de sa bonne éducation. Il est probable qu'à le voir ainsi dissimulant sous un sourire plein de bonhomie le seuil infranchissable du petit univers spécial qu'il portait en lui, plus d'un fils de riche banquier, entrant à ce moment au théâtre, eût pris ce grand seigneur pour un homme de peu, s'il ne lui avait trouvé une étonnante ressemblance avec le portrait, reproduit récemment par les journaux illustrés, d'un neveu de l'empereur d'Autriche, le prince de Saxe qui se trouvait[c] justement à Paris en ce moment. Je le savais grand ami des Guermantes. En arrivant moi-même près du contrôleur, j'entendis le prince de Saxe, ou supposé tel, dire en souriant : « Je ne sais pas le numéro de la loge, c'est sa cousine qui m'a dit que je n'avais qu'à demander sa loge. »

Il était peut-être le prince de Saxe ; c'était peut-être la duchesse de Guermantes (que dans ce cas je pourrais apercevoir en train de vivre un des moments de sa vie inimaginable, dans la baignoire de sa cousine) que ses yeux voyaient en pensée quand il disait : « sa cousine qui m'a dit que je n'avais qu'à demander sa loge », si bien que ce regard souriant et particulier, et ces mots si simples, me caressaient le cœur (bien plus que n'eût fait une rêverie abstraite), avec les antennes alternatives d'un bonheur possible et d'un prestige incertain. Du moins en disant cette phrase au contrôleur il embranchait sur une vulgaire soirée de ma vie quotidienne un passage éventuel vers un monde nouveau ; le couloir qu'on lui désigna après avoir prononcé le mot de baignoire et dans lequel il s'engagea, était humide et lézardé et semblait conduire à des grottes marines, au royaume mythologique des nymphes des eaux. Je n'avais devant moi qu'un monsieur en habit qui s'éloignait ; mais je faisais jouer auprès de lui, comme avec un réflecteur maladroit, et sans réussir à l'appliquer exactement sur lui, l'idée qu'il était le prince de Saxe et allait voir la duchesse de Guermantes. Et, bien qu'il fût seul, cette idée extérieure à lui, impalpable, immense et saccadée comme une projection, semblait le précéder et le conduire comme cette Divinité, invisible pour le reste des hommes, qui se tient auprès du guerrier grec[1].

Je gagnai ma place, tout en cherchant à retrouver un vers de *Phèdre* dont je ne me souvenais pas exactement. Tel que je me le récitais, il n'avait pas le nombre de pieds voulus, mais comme je n'essayais pas de les compter, entre son déséquilibre et un vers classique il me semblait qu'il n'existait aucune commune mesure. Je n'aurais pas été étonné qu'il eût fallu ôter plus de six syllabes à cette phrase monstrueuse pour en faire un vers de douze pieds. Mais tout à coup je me le rappelai, les irréductibles aspérités d'un monde inhumain s'anéantirent magiquement ; les syllabes du vers remplirent aussitôt la mesure d'un alexandrin, ce qu'il avait de trop se dégagea avec autant d'aisance et de souplesse qu'une bulle d'air qui vient crever à la surface de l'eau. Et en effet cette énormité avec laquelle j'avais lutté n'était qu'un seul pied.

Un certain nombre de fauteuils d'orchestre[a] avaient été mis en vente au bureau et achetés par des snobs ou des curieux qui voulaient contempler des gens qu'ils n'auraient pas d'autre occasion de voir de près. Et c'était bien, en effet, un peu de leur vraie vie mondaine habituellement cachée qu'on pourrait considérer publiquement, car la princesse de Parme ayant placé elle-même parmi ses amis les loges, les balcons et les baignoires, la salle était comme un salon où chacun changeait de place, allait s'asseoir ici ou là, près d'une amie.

À côté de moi étaient des gens vulgaires qui, ne

connaissant pas les abonnés, voulaient montrer qu'ils
étaient capables de les reconnaître et les nommaient tout
haut. Ils ajoutaient que ces abonnés venaient ici comme
dans leur salon, voulant dire par là qu'ils ne faisaient pas
attention aux pièces représentées. Mais c'est le contraire
qui avait lieu. Un étudiant génial*a* qui a pris un fauteuil
pour entendre la Berma, ne pense qu'à ne pas salir ses
gants, à ne pas gêner, à se concilier le voisin que le hasard
lui a donné, à poursuivre d'un sourire intermittent le
regard fugace, à fuir d'un air impoli le regard rencontré,
d'une personne de connaissance qu'il a découverte dans
la salle et qu'après mille perplexités il se décide à aller
saluer au moment où les trois coups, en retentissant avant
qu'il soit arrivé jusqu'à elle, le forcent à s'enfuir comme
les Hébreux dans la mer Rouge[1] entre les flots houleux
des spectateurs et des spectatrices qu'il a fait lever et dont
il déchire les robes ou écrase les bottines. Au contraire,
c'était parce que les gens du monde étaient dans leurs loges
(derrière le balcon en terrasse) comme dans des petits
salons suspendus dont une cloison eût été enlevée, ou dans
de petits cafés, où l'on va prendre une bavaroise, sans être
intimidé par les glaces encadrées d'or et les sièges rouges
de l'établissement du genre napolitain ; c'est parce qu'ils
posaient une main indifférente sur les fûts dorés des
colonnes qui soutenaient ce temple de l'art lyrique, c'est
parce qu'ils n'étaient pas émus des honneurs excessifs que
semblaient leur rendre deux figures sculptées qui tendaient
vers les loges des palmes et des lauriers, que seuls ils
auraient eu l'esprit libre pour écouter la pièce si seulement
ils avaient eu de l'esprit.

D'abord il n'y eut que de vagues ténèbres*b* où on
rencontrait tout d'un coup, comme le rayon d'une pierre
précieuse qu'on ne voit pas, la phosphorescence de deux
yeux célèbres, ou, comme un médaillon d'Henri IV
détaché sur un fond noir, le profil incliné du duc d'Aumale, à qui une dame invisible criait : « Que Monseigneur
me permette de lui ôter son pardessus », cependant que
le prince répondait : « Mais voyons, comment donc,
madame d'Ambresac. » Elle le faisait malgré cette vague
défense et était enviée par tous à cause d'un pareil
honneur.

Mais, dans les autres baignoires, presque partout,
les blanches déités qui*c* habitaient ces sombres séjours

s'étaient réfugiées contre les parois obscures et restaient invisibles. Cependant, au fur et à mesure que le spectacle s'avançait, leurs formes vaguement humaines se détachaient mollement l'une après l'autre des profondeurs de la nuit qu'elles tapissaient et, s'élevant vers le jour, laissaient émerger leurs corps demi-nus et venaient s'arrêter à la limite verticale et à la surface clair-obscur où leurs brillants visages apparaissaient derrière le déferlement rieur, écumeux et léger de leurs éventails de plumes, sous leurs chevelures de pourpre emmêlées de perles que semblait avoir courbées l'ondulation du flux ; après commençaient les fauteuils d'orchestre, le séjour des mortels à jamais séparé du sombre et transparent royaume auquel çà et là servaient de frontière, dans leur surface liquide et plane, les yeux limpides et réfléchissants des déesses des eaux. Car les strapontins du rivage, les formes des monstres de l'orchestre se peignaient dans ces yeux suivant les seules lois de l'optique et selon leur angle d'incidence comme il arrive pour ces deux parties de la réalité extérieure auxquelles, sachant qu'elles ne possèdent pas, si rudimentaire soit-elle, d'âme analogue à la nôtre, nous nous jugerions insensés d'adresser un sourire ou un regard : les minéraux et les personnes avec qui nous ne sommes pas en relations. En deçà, au contraire, de la limite de leur domaine, les radieuses filles de la mer se retournaient à tout moment en souriant vers des tritons barbus pendus aux anfractuosités de l'abîme, ou vers quelque demi-dieu aquatique ayant pour crâne un galet poli sur lequel le flot avait ramené une algue lisse et pour regard un disque en cristal de roche. Elles se penchaient vers eux, elles leur offraient des bonbons ; parfois le flot s'entrouvrait devant une nouvelle néréide qui, tardive, souriante et confuse, venait de s'épanouir du fond de l'ombre ; puis, l'acte fini, n'espérant plus entendre les rumeurs mélodieuses de la terre qui les avaient attirées à la surface, plongeant toutes à la fois, les divines sœurs[a] disparaissaient dans la nuit. Mais de toutes ces retraites au seuil desquelles le souci léger d'apercevoir les œuvres des hommes amenait les déesses curieuses, qui ne se laissent pas approcher, la plus célèbre était le bloc de demi-obscurité connu sous le nom de baignoire de la princesse de Guermantes.

Comme une grande déesse qui préside de loin aux jeux

des divinités inférieures, la princesse était restée volontairement un peu au fond sur un canapé latéral, rouge comme un rocher de corail, à côté d'une large réverbération vitreuse qui était probablement une glace et faisait penser à quelque section qu'un rayon aurait pratiquée, perpendiculaire, obscure et liquide, dans le cristal ébloui des eaux. À la fois plume et corolle, ainsi que certaines floraisons marines, une grande fleur blanche, duvetée comme une aile, descendait du front de la princesse le long d'une de ses joues dont elle suivait l'inflexion avec une souplesse coquette, amoureuse et vivante, et semblait l'enfermer à demi comme un œuf rose dans la douceur d'un nid d'alcyon[1]. Sur la chevelure de la princesse, et s'abaissant jusqu'à ses sourcils, puis reprise plus bas à la hauteur de sa gorge, s'étendait une résille faite de ces coquillages blancs qu'on pêche dans certaines mers australes et qui étaient mêlés à des perles, mosaïque marine à peine sortie des vagues qui par moments se trouvait plongée dans l'ombre au fond de laquelle, même alors, une présence humaine était révélée par la motilité éclatante des yeux de la princesse. La beauté qui mettait celle-ci bien au-dessus des autres filles fabuleuses de la pénombre n'était pas tout entière matériellement et inclusivement inscrite dans sa nuque, dans ses épaules, dans ses bras, dans sa taille. Mais la ligne délicieuse et inachevée de celle-ci était l'exact point de départ, l'amorce inévitable de lignes invisibles en lesquelles l'oeil ne pouvait s'empêcher de les prolonger, merveilleuses, engendrées autour de la femme comme le spectre d'une figure idéale projetée sur les ténèbres.

« C'est la princesse de Guermantes », dit ma voisine au monsieur qui était avec elle, en ayant soin de mettre devant le mot princesse plusieurs *p* indiquant que cette appellation était risible. « Elle n'a pas économisé ses perles. Il me semble que si j'en avais autant, je n'en ferais pas un pareil étalage ; je ne trouve pas que cela ait l'air comme il faut. »

Et cependant, en reconnaissant la princesse, tous ceux qui cherchaient à savoir qui était dans la salle sentaient se relever dans leur cœur le trône légitime de la beauté. En effet pour la duchesse de Luxembourg, pour Mme de Morienval, pour Mme de Saint-Euverte, pour tant d'autres, ce qui permettait[a] d'identifier leur visage, c'était la connexité d'un gros nez rouge avec un bec-de-lièvre, ou

de deux joues ridées avec une fine moustache. Ces traits
étaient d'ailleurs suffisants pour charmer, puisque, n'ayant
que la valeur conventionnelle d'une écriture, ils donnaient
à lire un nom célèbre et qui imposait ; mais aussi, ils
finissaient par donner l'idée que la laideur a quelque chose
d'aristocratique, et qu'il est indifférent que le visage d'une
grande dame, s'il est distingué, soit beau. Mais comme
certains artistes qui, au lieu des lettres de leur nom, mettent
au bas de leur toile une forme belle par elle-même, un
papillon, un lézard, une fleur[1], de même c'était la forme
d'un corps et d'un visage délicieux que la princesse
apposait à l'angle de sa loge, montrant par là que la beauté
peut être la plus noble des signatures ; car la présence de
Mme de Guermantes, qui n'amenait au théâtre que des
personnes qui le reste du temps faisaient partie de son
intimité, était, aux yeux des amateurs d'aristocratie, le
meilleur certificat d'authenticité du tableau que présentait
sa baignoire, sorte d'évocation d'une scène de la vie
familière et spéciale de la princesse dans ses palais de
Munich et de Paris.

Notre imagination[a] étant comme un orgue de Barbarie
détraqué qui joue toujours autre chose que l'air indiqué,
chaque fois que j'avais entendu parler de la princesse de
Guermantes-Bavière, le souvenir de certaines œuvres du
XVIe siècle avait commencé à chanter en moi. Il me fallait
l'en dépouiller maintenant[b] que je la voyais en train d'offrir
des bonbons glacés à un gros monsieur en frac. Certes
j'étais bien loin d'en conclure qu'elle et ses invités fussent
des êtres pareils aux autres. Je comprenais bien que ce
qu'ils faisaient là n'était qu'un jeu, et que pour préluder
aux actes de leur vie véritable (dont sans doute ce n'est
pas ici qu'ils vivaient la partie importante) il convenait en
vertu de rites ignorés de moi qu'ils feignissent d'offrir[c]
et de refuser des bonbons, geste dépouillé de sa
signification et réglé d'avance comme le pas d'une
danseuse qui tour à tour s'élève sur sa pointe et tourne
autour d'une écharpe. Qui sait ? peut-être au moment où
elle offrait ses bonbons, la Déesse disait-elle sur ce ton
d'ironie (car je la voyais sourire) : « Voulez-vous des
bonbons[2] ? » Que m'importait ? J'aurais trouvé d'un
délicieux raffinement la sécheresse voulue, à la Mérimée
ou à la Meilhac, de ces mots adressés par une déesse à
un demi-dieu qui, lui, savait quelles étaient les pensées

sublimes que tous deux résumaient, sans doute pour le moment où ils se remettraient à vivre leur vraie vie, et qui, se prêtant à ce jeu, répondait avec la même mystérieuse malice : « Oui, je veux bien une cerise. » Et j'aurais écouté ce dialogue avec la même avidité que telle scène du *Mari de la débutante*[1], où l'absence de poésie, de grandes pensées, choses si familières pour moi et que je suppose que Meilhac eût été mille fois capable d'y mettre, me semblait à elle seule une élégance, une élégance conventionnelle, et par là d'autant plus mystérieuse et plus instructive.

« Ce gros-là, c'est le marquis de Ganançay », dit d'un air renseigné mon voisin[d] qui avait mal entendu le nom chuchoté derrière lui.

Le marquis de Palancy, le cou tendu, la figure oblique, son gros œil rond collé contre le verre du monocle, se déplaçait lentement dans l'ombre transparente et paraissait ne pas plus voir le public de l'orchestre qu'un poisson qui passe, ignorant de la foule des visiteurs curieux, derrière la cloison vitrée d'un aquarium[2]. Par moments il s'arrêtait, vénérable, soufflant et moussu, et les spectateurs n'auraient pu dire s'il souffrait, dormait, nageait, était en train de pondre ou respirait seulement. Personne n'excitait en moi autant d'envie que lui, à cause de l'habitude qu'il avait l'air d'avoir de cette baignoire et de l'indifférence avec laquelle il laissait la princesse lui tendre des bonbons ; elle jetait alors sur lui un regard de ses beaux yeux taillés dans un diamant que semblaient bien fluidifier, à ces moments-là, l'intelligence et l'amitié, mais qui, quand ils étaient au repos, réduits à leur pure beauté matérielle, à leur seul éclat minéralogique, si le moindre réflexe les déplaçait légèrement, incendiaient la profondeur du parterre de leurs feux inhumains, horizontaux et splendides. Cependant, parce que l'acte de *Phèdre* que jouait la Berma allait commencer, la princesse vint sur le devant de la baignoire ; alors comme si elle-même était une apparition de théâtre, dans la zone différente de lumière qu'elle traversa, je vis changer non seulement la couleur mais la matière de ses parures. Et dans la baignoire asséchée, émergée, qui n'appartenait plus au monde des eaux, la princesse cessant d'être une néréide apparut enturbannée de blanc et de bleu comme quelque merveilleuse[b] tragédienne costumée en Zaïre ou peut-être en Orosmane[3] ; puis quand elle se fut assise au premier rang, je vis que le doux nid d'alcyon qui protégeait tendrement la nacre rose de ses joues était douillet, éclatant et velouté, un immense oiseau de paradis.

Cependant mes regards furent détournés de la baignoire de la princesse de Guermantes par une petite femme mal vêtue, laide, les yeux en feu, qui vint, suivie de deux jeunes gens, s'asseoir à quelques places de moi. Puis le rideau se leva. Je ne pus constater sans mélancolie qu'il ne me restait rien de mes dispositions d'autrefois quand, pour ne rien perdre du phénomène extraordinaire que j'aurais été contempler au bout du monde, je tenais mon esprit préparé comme ces plaques sensibles que les astronomes vont installer en Afrique, aux Antilles, en vue de l'observation scrupuleuse d'une comète ou d'une éclipse[1] ; quand je tremblais que quelque nuage (mauvaise disposition de l'artiste, incident dans le public) empêchât le spectacle de se produire dans son maximum d'intensité ; quand j'aurais cru ne pas y assister dans les meilleurs conditions si je ne m'étais pas rendu dans le théâtre même qui lui était consacré comme un autel, où me semblaient alors faire encore partie, quoique partie accessoire, de son apparition sous le petit rideau rouge, les contrôleurs à œillet blanc nommés par elle, le soubassement de la nef au-dessus d'un parterre plein de gens mal habillés, les ouvreuses vendant un programme avec sa photographie, les marronniers du square, tous ces compagnons, ces confidents de mes impressions d'alors et qui m'en semblaient inséparables. *Phèdre*, la « scène de la déclaration[2] », la Berma avaient alors pour moi une sorte d'existence absolue. Situées en retrait du monde de l'expérience courante, elles existaient par elles-mêmes, il me fallait aller vers elles, je pénétrerais d'elles ce que je pourrais, et en ouvrant mes yeux et mon âme tout grands j'en absorberais encore bien peu. Mais comme la vie me paraissait agréable : l'insignifiance de celle que je menais n'avait aucune importance, pas plus que les moments où on s'habille, où on se prépare pour sortir, puisque au-delà existaient, d'une façon absolue, bonnes et difficiles à approcher, impossibles à posséder tout entières, ces réalités plus solides, *Phèdre*, la « manière dont disait la Berma ». Saturé par ces rêveries sur la perfection dans l'art dramatique desquelles on eût pu alors extraire une dose importante, si l'on avait dans ces temps-là analysé mon esprit à quelque minute du jour, et peut-être de la nuit, que ce fût, j'étais comme une pile qui développe son électricité. Et il était arrivé un moment où, malade, même si j'avais cru en mourir, il aurait fallu que j'allasse entendre la Berma. Mais maintenant, comme une colline qui au loin semble faite d'azur et qui de près rentre dans notre vision vulgaire des choses, tout cela avait quitté le monde de l'absolu et n'était plus qu'une chose pareille aux autres, dont je prenais connaissance parce que j'étais là, les artistes étaient des gens de même essence que ceux que je connaissais, tâchant de dire le mieux possible ces vers de *Phèdre* qui eux ne formaient plus une essence sublime et individuelle, séparée de tout, mais des vers plus ou moins réussis, prêts à rentrer dans l'immense matière des vers français où ils étaient mêlés. J'en éprouvais un découragement d'autant plus profond que si l'objet de mon désir têtu et agissant n'existait plus, en revanche les mêmes dispositions à une rêverie fixe, qui changeait d'année en année, mais me conduisait à une impulsion brusque, insoucieuse du danger, persistaient. Tel jour où, malade, je partais pour aller voir dans un château un tableau d'Elstir, une tapisserie gothique, ressemblait tellement au jour où j'avais dû partir pour Venise, à celui où j'étais allé entendre la Berma, ou parti pour Balbec, que d'avance je sentais que l'objet présent de mon sacrifice me laisserait indifférent au bout de peu de temps, que je pourrais alors passer très près de lui sans aller regarder ce tableau, ces tapisseries pour lesquelles j'eusse en ce moment affronté tant de nuits sans sommeil, tant de crises douloureuses. Je sentais par l'instabilité de son objet la vanité de mon effort, et en même temps son énormité à laquelle je n'avais pas cru, comme ces neurasthéniques dont on double la fatigue en leur faisant remarquer qu'ils sont fatigués. En attendant, ma songerie donnait du prestige à tout ce qui pouvait se rattacher à elle. Et même dans mes désirs les plus charnels toujours orientés d'un certain côté, concentrés autour d'un même rêve, j'aurais pu reconnaître comme premier moteur une idée, une idée à laquelle j'aurais sacrifié ma vie, et au point le plus central de laquelle, comme dans mes rêveries pendant les après-midi de lecture au jardin à Combray, était l'idée de perfection.

Je n'eus[a] plus la même indulgence qu'autrefois pour les justes intentions de tendresse ou de colère que j'avais remarquées alors dans le débit et le jeu d'Aricie, d'Ismène et d'Hippolyte[1]. Ce n'est pas que ces artistes — c'étaient les mêmes — ne cherchassent toujours avec la même intelligence à donner ici à leur voix une inflexion caressante ou une ambiguïté calculée, là à leurs gestes une ampleur tragique ou une douceur suppliante. Leurs intonations commandaient à cette voix : « Sois douce, chante comme un rossignol, caresse », ou au contraire : « Fais-toi furieuse », et alors se précipitaient sur elle pour tâcher de l'emporter dans leur frénésie. Mais elle, rebelle, extérieure à leur diction, restait irréductiblement leur voix naturelle, avec ses défauts ou ses charmes matériels, sa vulgarité ou son affectation quotidiennes, et étalait ainsi un ensemble de phénomènes acoustiques ou sociaux que n'avait pas altéré le sentiment des vers récités.

De même le geste de ces artistes disait à leurs bras, à leur péplum : « Soyez majestueux ». Mais les membres insoumis laissaient se pavaner entre l'épaule et le coude un biceps qui ne savait rien du rôle ; ils continuaient à exprimer l'insignifiance de la vie de tous les jours et à mettre en lumière, au lieu des nuances raciniennes, des connexités musculaires ; et la draperie qu'ils soulevaient retombait selon une verticale où ne le disputait aux lois de la chute des corps qu'une souplesse insipide et textile. À ce moment la petite dame qui était près de moi s'écria : « Pas un applaudissement ! Et comme elle est ficelée ! Mais elle est trop vieille, elle ne peut plus, on renonce dans ces cas-là. »

Devant les « chut » des voisins, les deux jeunes gens qui étaient avec elle tâchèrent de la faire tenir tranquille, et sa fureur ne se déchaînait plus que dans ses yeux. Cette fureur ne pouvait d'ailleurs s'adresser qu'au succès, à la gloire, car la Berma qui avait gagné tant d'argent n'avait que des dettes. Prenant toujours des rendez-vous d'affaires ou d'amitié auxquels elle ne pouvait pas se rendre, elle avait dans toutes les rues des chasseurs qui couraient la décommander, dans les hôtels des appartements retenus à l'avance et qu'elle ne venait jamais occuper, des océans de parfums pour laver ses chiennes, des dédits à payer à tous les directeurs. À défaut de frais plus considérables, et moins voluptueuse que Cléopâtre, elle aurait trouvé le moyen de manger en pneumatiques et en voitures de l'Urbaine[2] des provinces et des royaumes. Mais la petite dame était une actrice[a] qui n'avait pas eu de chance et avait voué une haine mortelle à la Berma. Celle-ci venait d'entrer en scène. Et alors, ô miracle, comme ces leçons que nous nous sommes vainement épuisés à apprendre le soir et que nous retrouvons en nous, sues par cœur, après que nous avons dormi, comme aussi ces visages des morts que les efforts passionnés de notre mémoire poursuivent sans les retrouver et qui, quand nous ne pensons plus à eux, sont là devant nos yeux, avec la ressemblance de la vie, le talent de la Berma qui m'avait fui quand je cherchais si avidement à en saisir l'essence, maintenant, après ces années d'oubli, dans cette heure d'indifférence, s'imposait avec la force de l'évidence à mon admiration. Autrefois, pour tâcher d'isoler ce talent, je défalquais en quelque sorte de ce que j'entendais le rôle lui-même, le rôle, partie commune à toutes les actrices qui jouaient Phèdre et que j'avais étudié d'avance pour que je fusse capable de le soustraire, de ne recueillir comme résidu que le talent de Mme Berma. Mais ce talent que je cherchais à apercevoir en dehors du rôle, il ne faisait qu'un avec lui. Tel pour un grand musicien (il paraît que c'était le cas pour Vinteuil quand il jouait du piano) son jeu est d'un si grand pianiste qu'on ne sait même plus du tout si cet artiste est pianiste, parce que (n'interposant pas tout cet appareil d'efforts musculaires, çà et là couronnés de brillants effets, toute cette éclaboussure de notes où du moins l'auditeur qui ne sait où se prendre croit trouver le talent dans sa réalité matérielle, tangible) ce jeu est devenu si transparent, si rempli de ce qu'il interprète que lui-même on ne le voit plus, et qu'il n'est plus qu'une fenêtre qui donne sur un chef-d'œuvre. Les intentions entourant comme une bordure majestueuse ou délicate la voix et la mimique[b] d'Aricie, d'Ismène, d'Hippolyte, j'avais pu les distinguer ; mais Phèdre se les était intériorisées, et mon esprit n'avait pas réussi à arracher à la diction et aux attitudes, à appréhender dans l'avare simplicité de leurs surfaces unies, ces trouvailles, ces effets qui n'en dépassaient pas tant ils s'y étaient profondément résorbés. La voix de la Berma, en laquelle ne subsistait plus un seul déchet de matière inerte et réfractaire à l'esprit, ne laissait pas discerner autour d'elle cet excédent de larmes qu'on voyait couler, parce qu'elles n'avaient pu s'y imbiber, sur la voix de marbre d'Aricie ou d'Ismène, mais avait été[c] délicatement

assouplie en ses moindres cellules comme l'instrument
d'un grand violoniste chez qui on veut, quand on dit qu'il
a un beau son, louer non pas une particularité physique
mais une supériorité d'âme ; et comme dans le paysage
antique où à la place d'une nymphe disparue il y a une
source inanimée, une intention discernable et consciente
s'y était[a] changée en quelque qualité du timbre, d'une
limpidité étrange, appropriée et froide. Les bras de la
Berma que les vers eux-mêmes, de la même émission par
laquelle ils faisaient sortir sa voix de ses lèvres, semblaient
soulever sur sa poitrine, comme ces feuillages que l'eau
déplace en s'échappant ; son attitude en scène qu'elle avait
lentement constituée, qu'elle modifierait encore, et qui
était faite de raisonnements d'une autre profondeur que
ceux dont on apercevait la trace dans les gestes de ses
camarades, mais de raisonnements ayant perdu leur origine
volontaire, fondus dans une sorte de rayonnement où ils
faisaient palpiter, autour du personnage de Phèdre, des
éléments riches et complexes, mais que le spectateur
fasciné prenait, non pour une réussite de l'artiste, mais
pour une donnée de la vie ; ces blancs voiles eux-mêmes,
qui, exténués et fidèles, semblaient de la matière vivante
et avoir été filés par la souffrance mi-païenne, mi-
janséniste, autour de laquelle ils se contractaient comme
un cocon fragile et frileux ; tout cela, voix, attitudes,
gestes, voiles, n'était, autour de ce corps d'une idée qu'est
un vers (corps qui au contraire des corps humains n'est
pas devant l'âme comme un obstacle opaque qui empêche
de l'apercevoir mais comme un vêtement purifié, vivifié,
où elle se diffuse et où on la retrouve), que des enveloppes[b]
supplémentaires qui au lieu de la cacher ne rendaient que
plus splendidement l'âme qui se les était assimilées et s'y
était répandue, comme des coulées[c] de substances diverses,
devenues translucides, dont la superposition ne fait que
réfracter plus richement le rayon central et prisonnier qui
les traverse et rendre plus étendue, plus précieuse et plus
belle la matière imbibée de flamme où il est engainé. Telle
l'interprétation de la Berma était autour de l'œuvre, une
seconde œuvre, vivifiée aussi par le génie.

Mon impression, à vrai dire, plus agréable que celle
d'autrefois, n'était pas différente. Seulement je ne la
confrontais plus à une idée préalable, abstraite et fausse,
du génie dramatique, et je comprenais que le génie

dramatique c'était justement cela. Je pensais tout à l'heure que, si je n'avais pas eu de plaisir la première fois que j'avais entendu la Berma, c'est que, comme jadis quand je retrouvais Gilberte aux Champs-Élysées, je venais à elle avec un trop grand désir. Entre les deux déceptions il n'y avait peut-être pas seulement cette ressemblance, une autre aussi, plus profonde. L'impression que nous cause une personne, une œuvre (ou une interprétation) fortement caractérisées, est particulière. Nous avons apporté avec nous les idées de « beauté », « largeur de style », « pathétique », que nous pourrions à la rigueur avoir l'illusion de reconnaître dans la banalité d'un talent, d'un visage corrects, mais notre esprit attentif a devant lui l'insistance d'une forme dont il ne possède pas d'équivalent intellectuel, dont il lui faut dégager l'inconnu. Il entend un son aigu, une intonation bizarrement interrogative. Il se demande : « Est-ce beau ? Ce que j'éprouve, est-ce de l'admiration ? Est-ce cela, la richesse de coloris, la noblesse, la puissance ? » Et ce qui lui répond de nouveau, c'est une voix aiguë, c'est un ton curieusement questionneur, c'est l'impression despotique causée par un être qu'on ne connaît pas, toute matérielle, et dans laquelle aucun espace vide n'est laissé pour la « largeur de l'interprétation ». Et à cause de cela ce sont les œuvres vraiment belles, si elles sont sincèrement écoutées, qui doivent le plus nous décevoir, parce que, dans la collection de nos idées, il n'y en a aucune qui réponde à une impression individuelle.

C'était précisément ce que me montrait le jeu de la Berma. C'était bien cela, la noblesse, l'intelligence de la diction. Maintenant je me rendais compte des mérites d'une interprétation large, poétique, puissante ; ou plutôt, c'était cela à quoi on a convenu de décerner ces titres, mais comme on donne le nom de Mars, de Vénus, de Saturne à des étoiles qui n'ont rien de mythologique. Nous sentons dans un monde, nous pensons, nous nommons dans un autre, nous pouvons entre les deux établir une concordance mais non combler l'intervalle. C'est bien un peu cet intervalle, cette faille, que j'avais eu à franchir quand, le premier jour où j'étais allé voir jouer la Berma, l'ayant écoutée de toutes mes oreilles, j'avais eu quelque peine à rejoindre mes idées de « noblesse d'interprétation », d'« originalité » et n'avais éclaté en applaudissements qu'après un moment de vide et comme s'ils naissaient non pas de mon impression même, mais comme si je les rattachais à mes idées préalables, au plaisir que j'avais à me dire :« J'entends enfin la Berma. » Et la différence qu'il y a entre une personne, une œuvre fortement individuelle et l'idée de beauté, existe aussi grande entre ce qu'elles nous font ressentir et les idées d'amour, d'admiration. Aussi ne les reconnaît-on pas. Je n'avais pas eu de plaisir à entendre la Berma (pas plus que je n'en avais à voir Gilberte). Je m'étais dit : « Je ne l'admire donc pas. » Mais cependant je ne songeais alors qu'à approfondir le jeu de la Berma, je n'étais préoccupé que de cela, je tâchais d'ouvrir ma pensée le plus largement possible pour recevoir tout ce qu'il contenait : je comprenais maintenant que c'était justement cela, admirer.

Ce génie dont l'interprétation de la Berma n'était seulement que la révélation, était-ce bien seulement le génie de Racine[a] ?

Je le crus d'abord. Je devais être détrompé, une fois l'acte de *Phèdre* fini, après les rappels du public, pendant lesquels ma vieille voisine rageuse, redressant sa taille minuscule, posant son corps de biais, immobilisa les muscles de son visage et plaça ses bras en croix sur sa poitrine pour montrer qu'elle ne se mêlait pas aux applaudissements des autres et rendre plus évidente une protestation qu'elle jugeait sensationnelle, mais qui passa inaperçue. La pièce suivante était une des nouveautés[b] qui jadis me semblaient, à cause du défaut de célébrité, devoir paraître minces, particulières, dépourvues qu'elles étaient d'existence en dehors de la représentation qu'on en donnait[1]. Mais je n'avais pas comme pour une pièce classique cette déception de voir l'éternité d'un chef-d'œuvre ne tenir que la longueur de la rampe et la durée d'une représentation qui l'accomplissait aussi bien qu'une pièce de circonstance. Puis à chaque tirade que je sentais que le public aimait et qui serait un jour fameuse, à défaut de la célébrité qu'elle n'avait pu avoir dans le passé, j'ajoutais celle qu'elle aurait dans l'avenir, par un effort d'esprit inverse de celui qui consiste à se représenter des chefs-d'œuvre au temps de leur grêle apparition, quand leur titre qu'on n'avait encore jamais entendu ne semblait pas devoir être mis un jour, confondu dans une même lumière, à côté de ceux des autres œuvres de l'auteur. Et ce rôle serait mis un jour dans la liste de ses plus beaux, auprès de celui de *Phèdre*. Non qu'en lui-même il ne fût dénué de toute valeur littéraire ; mais la Berma y était aussi sublime que dans *Phèdre*. Je compris alors que l'œuvre de l'écrivain n'était pour la tragédienne qu'une matière, à peu près indifférente en soi-même, pour la création de son chef-d'œuvre d'interprétation, comme le grand peintre que j'avais connu à Balbec, Elstir, avait trouvé le motif de deux tableaux qui se valent, dans un bâtiment scolaire sans caractère et dans une cathédrale*ᵃ* qui est, par elle-même, un chef-d'œuvre. Et comme le peintre dissout maison, charrette, personnages, dans quelque grand effet de lumière qui les fait homogènes, la Berma étendait de vastes nappes de terreur, de tendresse, sur les mots fondus également, tous aplanis ou relevés, et qu'une artiste médiocre eût détachés l'un après l'autre. Sans doute chacun avait une inflexion propre, et la diction de la Berma n'empêchait pas qu'on perçût le vers. N'est-ce pas déjà un premier élément de complexité ordonnée, de beauté, quand en entendant une rime, c'est-à-dire quelque chose qui est à la fois pareil et autre que la rime précédente, qui est motivé par elle, mais y introduit la variation d'une idée nouvelle, on sent deux systèmes qui se superposent, l'un de pensée, l'autre de métrique ? Mais la Berma faisait pourtant entrer les mots, même les vers, même les « tirades », dans des ensembles plus vastes*ᵇ* qu'eux-mêmes, à la frontière desquels c'était un charme de les voir obligés de s'arrêter, s'interrompre ; ainsi un poète prend plaisir à faire hésiter un instant, à la rime, le mot qui va s'élancer et un musicien à confondre les mots divers du livret dans un même rythme qui les contrarie et les entraîne. Ainsi dans les phrases du dramaturge moderne comme dans les vers de Racine, la Berma savait introduire ces vastes images de douleur, de noblesse, de passion, qui étaient ses chefs-d'œuvre à elle, et où on la reconnaissait comme, dans des portraits qu'il a peints d'après des modèles différents, on reconnaît un peintre.

Je n'aurais plus souhaité comme autrefois de pouvoir immobiliser les attitudes de la Berma, le bel effet de couleur qu'elle donnait un instant seulement dans un éclairage aussitôt évanoui et qui ne se reproduisait pas, ni lui faire redire cent fois un vers. Je comprenais que mon désir d'autrefois était plus exigeant que la volonté du poète,

de la tragédienne, du grand artiste décorateur qu'était son
metteur en scène, et que ce charme répandu au vol sur
un vers, ces gestes instables perpétuellement transformés,
ces tableaux successifs, c'était le résultat fugitif, le but
momentané, le mobile chef-d'œuvre que l'art théâtral se
proposait et que détruirait en voulant le fixer l'attention
d'un auditeur trop épris. Même je ne tenais pas à venir
un autre jour réentendre la Berma ; j'étais satisfait d'elle ;
c'est quand j'admirais trop pour ne pas être déçu par l'objet
de mon admiration, que cet objet fût Gilberte ou la Berma,
que je demandais d'avance à l'impression du lendemain
le plaisir que m'avait refusé l'impression de la veille. Sans
chercher à approfondir la joie que je venais d'éprouver
et dont j'aurais peut-être pu faire un plus fécond usage,
je me disais comme autrefois certain de mes camarades
de collège : « C'est vraiment la Berma que je mets en
premier », tout en sentant confusément que le génie de
la Berma n'était peut-être pas traduit très exactement par
cette affirmation de ma préférence et de cette place de
« première » décernée, quelque calme d'ailleurs qu'elles
m'apportassent.

   Au moment[a] où cette seconde pièce commença, je
regardai du côté de la baignoire de Mme de Guermantes.
Cette princesse venait, par un mouvement générateur
d'une ligne délicieuse que mon esprit poursuivait dans le
vide, de tourner la tête vers le fond de la baignoire ; les
invités étaient debout, tournés aussi vers le fond, et entre
la double haie qu'ils faisaient, dans son assurance et sa
grandeur de déesse, mais avec une douceur inconnue due
à la feinte et souriante confusion d'arriver si tard et de
faire lever tout le monde au milieu de la représentation,
entra, tout enveloppée de blanches mousselines, la
Duchesse de Guermantes. Elle alla droit vers sa cousine[b],
fit une profonde révérence à un jeune homme blond qui
était assis au premier rang et, se retournant vers les
monstres marins et sacrés flottant au fond de l'antre, fit
à ces demi-dieux du Jockey-Club — qui à ce moment-là,
et particulièrement M. de Palancy, furent les hommes que
j'aurais le plus aimé être — un bonjour[c] familier de vieille
amie, allusion à l'au-jour-le-jour de ses relations avec eux
depuis quinze ans. Je ressentais le mystère mais ne pouvais
déchiffrer l'énigme de ce regard souriant qu'elle adressait
à ses amis, dans l'éclat bleuté dont il brillait tandis qu'elle

abandonnait sa main aux uns et aux autres, et qui, si j'eusse pu en décomposer le prisme, en analyser les cristallisations, m'eût peut-être révélé l'essence de la vie inconnue qui y apparaissait à ce moment-là. Le duc de Guermantes suivait sa femme, les reflets de son monocle, le rire de sa dentition, la blancheur de son œillet ou de son plastron plissé, écartant pour faire place à leur lumière ses sourcils, ses lèvres, son frac ; d'un geste de sa main étendue qu'il abaissa sur leurs épaules, tout droit, sans bouger la tête, il commanda de se rasseoir aux monstres inférieurs qui lui faisaient place, et s'inclina profondément devant le jeune homme blond. On eût dit que la duchesse avait deviné que sa cousine, dont elle raillait, disait-on, ce qu'elle appelait les exagérations (nom que de son point de vue spirituellement français et tout modéré prenaient vite la poésie et l'enthousiasme germaniques), aurait ce soir une de ces toilettes où la duchesse la trouvait « costumée », et qu'elle avait voulu lui donner une leçon de goût. Au lieu des merveilleux et doux plumages qui de la tête de la princesse descendaient jusqu'à son cou, au lieu de sa résille de coquillages et de perles, la duchesse n'avait dans les cheveux qu'une simple aigrette qui, dominant son nez busqué et ses yeux à fleur de tête, avait l'air de l'aigrette d'un oiseau. Son cou et ses épaules sortaient d'un flot neigeux de mousseline sur lequel venait battre un éventail en plumes de cygne, mais ensuite la robe, dont le corsage avait pour seul ornement d'innombrables paillettes soit de métal, en baguettes et en grains, soit de brillants, moulait son corps avec une précision toute britannique. Mais si différentes que les deux toilettes fussent l'une de l'autre, après que la princesse eut donné à sa cousine la chaise qu'elle occupait jusque-là, on les vit, se retournant l'une vers l'autre, s'admirer réciproquement[1].

Peut-être Mme de Guermantes aurait-elle le lendemain un sourire quand elle parlerait de la coiffure un peu trop compliquée de la princesse, mais certainement elle déclarerait que celle-ci n'en était pas moins ravissante et merveilleusement arrangée ; et la princesse, qui, par goût, trouvait quelque chose d'un peu froid, d'un peu sec, d'un peu couturier, dans la façon dont s'habillait sa cousine, découvrirait dans cette stricte sobriété un raffinement exquis. D'ailleurs entre elles l'harmonie, l'universelle gravitation préétablie de leur éducation, neutralisaient les contrastes non seulement d'ajustement mais d'attitude. À ces lignes invisibles et aimantées que l'élégance des manières tendait entre elles, le naturel expansif de la princesse venait expirer, tandis que vers elles, la rectitude de la duchesse se laissait attirer, infléchir, se faisait douceur et charme. Comme dans la pièce que l'on était en train de représenter, pour comprendre ce que la Berma dégageait de poésie personnelle, on n'avait qu'à confier le rôle qu'elle jouait, et qu'elle seule pouvait jouer, à n'importe quelle autre actrice, le spectateur qui eût levé les yeux vers le balcon eût vu, dans deux loges, un « arrangement » qu'elle croyait rappeler ceux de la princesse de Guermantes, donner simplement à la baronne de Morienval l'air*a* excentrique, prétentieux et mal élevé, et un effort à la fois patient et coûteux pour imiter les toilettes et le chic de la duchesse de Guermantes*b*, faire seulement ressembler Mme de Cambremer à quelque pensionnaire provinciale, montée sur fil de fer, droite, sèche et pointue, un plumet de corbillard verticalement dressé dans les cheveux. Peut-être la place de cette dernière n'était-elle pas dans une salle où c'était seulement avec les femmes les plus brillantes de l'année que les loges (et même celles des plus hauts étages qui d'en bas semblaient de grosses bourriches piquées de fleurs humaines et attachées au cintre de la salle par les brides rouges de leurs séparations de velours) composaient un panorama éphémère que les morts, les scandales, les maladies, les brouilles modifieraient bientôt, mais qui en ce moment était immobilisé par l'attention, la chaleur, le vertige, la poussière, l'élégance et l'ennui, dans cette espèce d'instant éternel et tragique d'inconsciente attente et de calme engourdissement qui, rétrospectivement, semble avoir précédé l'explosion d'une bombe ou la première flamme d'un incendie.

La raison pour quoi Mme de Cambremer se trouvait là était que la princesse de Parme, dénuée de snobisme comme la plupart des véritables altesses et, en revanche, dévorée d'orgueil, le désir de la charité qui égalait chez elle le goût de ce qu'elle croyait les Arts, avait cédé çà et là quelques loges à des femmes comme Mme de Cambremer qui ne faisaient pas partie de la haute société aristocratique, mais avec lesquelles elle était en relation pour ses œuvres de bienfaisance. Mme de Cambremer ne quittait pas des yeux la duchesse et la princesse de Guermantes, ce qui lui était d'autant plus aisé que, n'étant pas en relations véritables avec elles, elle ne pouvait avoir l'air de quêter un salut. Être reçue chez ces deux grandes dames était pourtant le but qu'elle poursuivait depuis dix ans avec une inlassable patience. Elle avait calculé qu'elle y serait sans doute parvenue dans cinq ans. Mais atteinte d'une maladie qui ne pardonne pas et dont, se piquant de connaissances médicales, elle croyait connaître le caractère inexorable, elle craignait de ne pouvoir vivre jusque-là. Elle était du moins heureuse ce soir-là de penser que toutes les femmes qu'elle ne connaissait guère verraient auprès d'elle un homme de leurs amis, le jeune marquis de Beausergent, frère de Mme d'Argencourt, lequel fréquentait également les deux sociétés, et de la présence de qui les femmes de la seconde aimaient beaucoup à se parer sous les yeux de celles de la première. Il s'était assis derrière Mme de Cambremer sur une chaise placée en travers pour pouvoir lorgner dans les autres loges. Il y connaissait tout le monde et, pour saluer, avec la ravissante élégance de sa jolie tournure cambrée, de sa fine tête aux cheveux blonds, il soulevait à demi son corps redressé, un sourire à ses yeux bleus, avec un mélange de respect et de désinvolture, gravant ainsi avec précision dans le rectangle du plan oblique où il était placé comme une de ces vieilles estampes qui figurent un grand seigneur hautain et courtisan. Il acceptait souvent de la sorte d'aller au théâtre avec Mme de Cambremer ; dans la salle et à la sortie, dans le vestibule, il restait bravement auprès d'elle au milieu de la foule des amies plus brillantes qu'il avait là et à qui il évitait de parler, ne voulant pas les gêner, et comme s'il avait été en mauvaise compagnie. Si alors passait la princesse de Guermantes, belle et légère comme Diane, laissant traîner derrière elle un manteau incomparable, faisant se détourner toutes les têtes et suivie par tous les yeux (par ceux de Mme de Cambremer plus que par tous les autres), M. de Beausergent s'absorbait dans une conversation avec sa voisine, ne répondait au sourire amical et éblouissant de la princesse que contraint et forcé et avec la réserve bien élevée et la charitable froideur de quelqu'un dont l'amabilité peut être devenue momentanément gênante.

Mme de Cambremer n'eût-elle pas su que la baignoire

appartenait à la princesse qu'elle eût cependant reconnu
que Mme de Guermantes était l'invitée, à l'air d'intérêt
plus grand qu'elle portait au spectacle de la scène et de
la salle afin d'être aimable envers son hôtesse. Mais en
même temps que cette force centrifuge, une force inverse
développée par le même désir d'amabilité ramenait
l'attention de la duchesse vers sa propre toilette, sur son
aigrette, son collier, son corsage et aussi vers celle de la
princesse elle-même, dont la cousine semblait se proclamer
la sujette, l'esclave, venue ici seulement pour la voir, prête
à la suivre ailleurs s'il avait pris fantaisie à la titulaire de
la loge de s'en aller, et ne regardant que comme composée
d'étrangers curieux à considérer le reste de la salle où elle
comptait pourtant nombre d'amis dans la loge desquels
elle se trouvait d'autres semaines et à l'égard de qui elle
ne manquait pas de faire preuve alors du même loyalisme
exclusif, relativiste et hebdomadaire. Mme de Cambremer
était étonnée de voir la duchesse ce soir. Elle savait[a] que
celle-ci restait très tard à Guermantes et supposait qu'elle
y était encore. Mais on lui avait raconté que parfois, quand
il y avait à Paris un spectacle qu'elle jugeait intéressant,
Mme de Guermantes faisait atteler une de ses voitures
aussitôt qu'elle avait pris le thé avec les chasseurs et, au
soleil couchant, partait au grand trot, à travers la forêt
crépusculaire, puis par la route, prendre le train à Combray
pour être à Paris le soir. « Peut-être[b] vient-elle de
Guermantes exprès pour entendre la Berma », pensait
avec admiration Mme de Cambremer. Et elle se rappelait
avoir entendu dire à Swann, dans ce jargon ambigu qu'il
avait en commun avec M. de Charlus : « La duchesse est
un des êtres[c] les plus nobles de Paris, de l'élite la plus
raffinée, la plus choisie. » Pour moi qui faisais dériver du
nom de Guermantes, du nom de Bavière et du nom de
Condé la vie, la pensée des deux cousines (je ne le pouvais
plus pour leurs visages puisque je les avais vus), j'aurais[d]
mieux aimé connaître leur jugement sur *Phèdre* que celui
du plus grand critique du monde. Car dans le sien je
n'aurais trouvé que de l'intelligence, de l'intelligence
supérieure à la mienne, mais de même nature. Mais ce
que pensaient la duchesse et la princesse de Guermantes,
et qui m'eût fourni sur la nature de ces deux poétiques
créatures un document inestimable, je l'imaginais à l'aide
de leurs noms, j'y supposais un charme irrationnel et, avec

la soif et la nostalgie d'un fiévreux, ce que je demandais à leur opinion sur *Phèdre* de me rendre, c'était le charme des après-midi d'été où je m'étais promené du côté de Guermantes.

Mme de Cambremer[a] essayait de distinguer quelle sorte de toilette portaient les deux cousines. Pour moi, je ne doutais pas que ces toilettes ne leur fussent particulières, non pas seulement dans le sens où la livrée à col rouge ou à revers bleu appartenait jadis exclusivement aux Guermantes et aux Condé, mais plutôt comme pour un oiseau le plumage qui n'est pas seulement un ornement de sa beauté, mais une extension de son corps. La toilette de ces deux femmes me semblait comme une matérialisation neigeuse ou diaprée de leur activité intérieure, et, comme les gestes que j'avais vu faire à la princesse de Guermantes et que je n'avais pas douté correspondre à une idée cachée, les plumes qui descendaient du front de la princesse et le corsage éblouissant et pailleté de sa cousine semblaient avoir une signification, être pour chacune des deux femmes un attribut qui n'était qu'à elle et dont j'aurais voulu connaître la signification : l'oiseau de paradis me semblait inséparable de l'une, comme le paon de Junon[1] ; je ne pensais pas qu'aucune femme pût usurper le corsage pailleté de l'autre plus que l'égide étincelante et frangée de Minerve[2]. Et quand je portais mes yeux sur cette baignoire, bien plus qu'au plafond du théâtre où étaient peintes de froides allégories[3], c'était comme si j'avais aperçu, grâce au déchirement miraculeux des nuées coutumières, l'assemblée des Dieux en train de contempler le spectacle des hommes, sous un velum rouge, dans une éclaircie lumineuse, entre deux piliers du Ciel. Je contemplais cette apothéose momentanée avec un trouble que mélangeait de paix le sentiment d'être ignoré des Immortels ; la duchesse m'avait bien vu une fois avec son mari, mais ne devait certainement pas s'en souvenir, et je ne souffrais pas qu'elle se trouvât, par la place qu'elle occupait dans la baignoire, regarder les madrépores anonymes et collectifs du public de l'orchestre, car je sentais heureusement mon être dissous au milieu d'eux, quand, au moment où en vertu des lois de la réfraction vint sans doute se peindre dans le courant impassible des deux yeux bleus la forme confuse du protozoaire dépourvu d'existence individuelle que j'étais, je vis une clarté les

illuminer : la duchesse, de déesse devenue femme et me
semblant tout d'un coup mille fois plus belle, leva vers
moi la main gantée de blanc qu'elle tenait appuyée sur
le rebord de la loge, l'agita en signe d'amitié, mes regards
se sentirent croisés par l'incandescence involontaire et les
feux des yeux de la princesse, laquelle les avait fait entrer
à son insu en conflagration rien qu'en les bougeant pour
chercher à voir à qui sa cousine venait de dire bonjour,
et celle-ci, qui m'avait reconnu, fit pleuvoir sur moi l'averse
étincelante et céleste de son sourire[a].

Maintenant tous les matins, bien avant l'heure où elle
sortait, j'allais par un long détour me poster à l'angle de
la rue qu'elle descendait d'habitude, et, quand le moment
de son passage me semblait proche, je remontais d'un air
distrait, regardant dans une direction opposée et levant
les yeux vers elle dès que j'arrivais à sa hauteur mais
comme si je ne m'étais nullement attendu à la voir[1]. Même
les premiers jours, pour être plus sûr de ne pas la manquer,
j'attendais devant la maison. Et chaque fois que la porte
cochère s'ouvrait (laissant passer successivement tant de
personnes qui n'étaient pas celle que j'attendais), son
ébranlement se prolongeait ensuite dans mon cœur en
oscillations qui mettaient longtemps à se calmer. Car jamais
fanatique d'une grande comédienne qu'il ne connaît pas,
allant faire « le pied de grue » devant la sortie des artistes,
jamais foule exaspérée ou idolâtre réunie pour insulter ou
porter en triomphe le condamné ou le grand homme qu'on
croit être sur le point de passer chaque fois qu'on entend
du bruit venu de l'intérieur de la prison ou du palais, ne
furent aussi émus que je l'étais, attendant le départ de cette
grande dame qui, dans sa toilette simple, savait, par la
grâce de sa marche (toute différente de l'allure qu'elle
avait quand elle entrait dans un salon ou dans une loge),
faire de sa promenade matinale — il n'y avait pour moi
qu'elle au monde qui se promenât — tout un poème
d'élégance et la plus fine parure, la plus curieuse fleur du
beau temps. Mais après trois jours, pour que le concierge
ne pût se rendre compte de mon manège, je m'en allai
beaucoup plus loin, jusqu'à un point quelconque du
parcours habituel de la duchesse. Souvent avant[b] cette
soirée au théâtre, je faisais ainsi de petites sorties avant
le déjeuner, quand le temps était beau ; s'il avait plu, à

la première éclaircie je descendais faire quelques pas, et tout d'un coup, venant sur le trottoir encore mouillé, changé par la lumière en laque d'or, dans l'apothéose d'un carrefour poudroyant d'un brouillard que tanne et blondit le soleil, j'apercevais une pensionnaire suivie de son institutrice ou une laitière avec ses manches blanches, je restais sans mouvement, une main contre mon cœur qui s'élançait déjà vers une vie étrangère ; je tâchais de me rappeler la rue, l'heure, la porte sous laquelle la fillette (que quelquefois je suivais) avait disparu sans ressortir. Heureusement la fugacité de ces images caressées et que je me promettais de chercher à revoir, les empêchait de se fixer fortement dans mon souvenir. N'importe, j'étais moins triste d'être malade, de n'avoir jamais eu encore le courage de me mettre à travailler, à commencer un livre, la terre me paraissait plus agréable à habiter, la vie plus intéressante à parcourir depuis que je voyais que les rues de Paris comme les routes de Balbec étaient fleuries de ces beautés inconnues que j'avais si souvent cherché à faire surgir des bois de Méséglise, et dont chacune excitait un désir voluptueux qu'elle seule semblait capable d'assouvir.

En rentrant de l'Opéra, j'avais[a] ajouté pour le lendemain à celles que depuis quelques jours je souhaitais de retrouver, l'image de Mme de Guermantes, grande, avec sa coiffure haute de cheveux blonds et légers, avec la tendresse[b] promise dans le sourire qu'elle m'avait adressé de la baignoire de sa cousine. Je suivrais le chemin que Françoise m'avait dit que prenait la duchesse et je tâcherais pourtant, pour retrouver deux jeunes filles que j'avais vues l'avant-veille, de ne pas manquer la sortie d'un cours et d'un catéchisme. Mais, en attendant, de temps à autre, le scintillant sourire de Mme de Guermantes, la sensation de douceur qu'il m'avait donnée, me revenaient. Et sans trop savoir ce que je faisais, je m'essayais à les placer (comme une femme regarde l'effet que ferait sur une robe une certaine sorte de boutons de pierreries qu'on vient de lui donner) à côté des idées romanesques que je possédais depuis longtemps et que la froideur d'Albertine, le départ prématuré de Gisèle et, avant cela, la séparation voulue et trop prolongée d'avec Gilberte avaient libérées (l'idée par exemple d'être aimé d'une femme, d'avoir une vie en commun avec elle) ; puis c'était l'image de l'une ou l'autre des deux jeunes filles que j'approchais de ces idées auxquelles, aussitôt après, je tâchais d'adapter le souvenir de la duchesse. Auprès de ces idées, le souvenir de Mme de Guermantes à l'Opéra était bien peu de chose, une petite étoile à côté de la longue queue de sa comète flamboyante ; de plus je connaissais très bien ces idées longtemps avant de connaître Mme de Guermantes ; le souvenir, lui, au contraire, je le possédais imparfaitement ; il m'échappait par moments ; ce fut pendant les heures où, de flottant en moi au même titre que les images d'autres femmes jolies, il passa peu à peu à une association unique et définitive — exclusive de toute autre image féminine — avec mes idées romanesques si antérieures à lui, ce fut pendant ces quelques heures où je me le rappelais le mieux que j'aurais dû m'aviser de savoir exactement quel il était ; mais, je ne savais pas alors l'importance qu'il allait prendre pour moi ; il était doux seulement comme un premier rendez-vous de Mme de Guermantes en moi-même, il était la première esquisse, la seule vraie, la seule faite d'après la vie, la seule qui fût réellement Mme de Guermantes ; durant les quelques heures où j'eus le bonheur de le détenir sans savoir faire attention à lui, il devait être bien charmant pourtant, ce souvenir, puisque c'est toujours à lui, librement encore, à ce moment-là, sans hâte sans fatigue, sans rien de nécessaire ni d'anxieux, que mes idées d'amour revenaient ; ensuite, au fur et à mesure que ces idées le fixèrent plus définitivement, il acquit d'elles une plus grande force, mais devint lui-même plus vague ; bientôt je ne sus plus le retrouver ; et dans mes rêveries, je le déformais sans doute complètement, car, chaque fois que je voyais Mme de Guermantes, je constatais un écart, d'ailleurs toujours différent, entre ce que j'avais imaginé et ce que je voyais. Chaque jour[a] maintenant, certes, au moment que Mme de Guermantes débouchait au haut de la rue, j'apercevais encore sa taille haute, ce visage au regard clair sous une chevelure légère, toutes choses pour lesquelles j'étais là ; mais en revanche, quelques secondes plus tard, quand, ayant détourné les yeux dans une autre direction pour avoir l'air de ne pas m'attendre à cette rencontre que j'étais venu chercher, je les levais sur la duchesse au moment où j'arrivais au même niveau de la rue qu'elle, ce que je voyais alors, c'étaient des marques rouges, dont je ne savais si elles étaient dues au grand air ou à la couperose, sur un visage maussade qui, par un signe fort sec et bien éloigné de l'amabilité du soir de *Phèdre*, répondait à ce salut que je lui adressais quotidiennement avec un air de surprise et qui ne semblait pas lui plaire. Pourtant, au bout de quelques jours pendant lesquels le souvenir des deux jeunes filles lutta avec des chances inégales pour la domination de mes idées amoureuses avec celui de Mme de Guermantes, ce fut celui-ci, comme de lui-même, qui finit par renaître le plus souvent pendant que ses concurrents s'éliminaient ; ce fut sur lui que je finis par avoir, en somme volontairement encore et comme par choix et plaisir, transféré toutes mes pensées d'amour. Je ne songeai plus aux fillettes du catéchisme, ni à une certaine laitière ; et pourtant je n'espérais plus de retrouver dans la rue ce que j'étais venu y chercher, ni la tendresse promise au théâtre dans un sourire, ni la silhouette et le visage clair sous la chevelure blonde qui n'étaient tels que de loin. Maintenant[a] je n'aurais même pu dire comment était Mme de Guermantes, à quoi je la reconnaissais, car chaque jour, dans l'ensemble de sa personne, la figure était autre comme la robe et le chapeau.

Pourquoi tel jour, voyant s'avancer de face sous une capote mauve une douce et lisse figure aux charmes distribués avec symétrie autour de deux yeux bleus et dans laquelle la ligne du nez semblait résorbée, apprenais-je d'une commotion joyeuse que je ne rentrerais pas sans avoir aperçu Mme de Guermantes ? Pourquoi ressentais-je le même trouble, affectais-je la même indifférence, détournais-je les yeux de la même façon distraite que la veille à l'apparition de profil, dans une rue de traverse et sous un toquet bleu marine, d'un nez en bec d'oiseau, le long d'une joue rouge, barrée d'un œil perçant, comme quelque divinité égyptienne ? Une fois ce ne fut pas seulement une femme à bec d'oiseau que je vis, mais comme un oiseau même : la robe et jusqu'au toquet de Mme de Guermantes étaient en fourrures et, ne laissant ainsi voir aucune étoffe, elle semblait naturellement fourrée, comme certains vautours dont le plumage épais, uni, fauve et doux, a l'air d'une sorte de pelage. Au milieu de ce plumage naturel, la petite tête recourbait son bec d'oiseau et les yeux à fleur de tête étaient perçants et bleus.

Tel jour, je venais[b] de me promener de long en large dans la rue pendant des heures sans apercevoir Mme de

Guermantes, quand tout d'un coup, au fond d'une
boutique de crémier cachée entre deux hôtels dans ce
quartier aristocratique et populaire, se détachait le visage
confus et nouveau d'une femme élégante qui était en train
de se faire montrer des « petits suisses » et, avant que
j'eusse eu le temps de la distinguer, venait me frapper,
comme un éclair qui aurait mis moins de temps à arriver
à moi que le reste de l'image, le regard de la duchesse ;
une autre fois, ne l'ayant pas rencontrée et entendant
sonner midi, je comprenais que ce n'était plus la peine
de rester à attendre, je reprenais tristement le chemin de
la maison ; et, absorbé dans ma déception, regardant sans
la voir une voiture qui s'éloignait, je comprenais tout d'un
coup que le mouvement de tête qu'une dame avait fait
de la portière était pour moi, et que cette dame, dont les
traits dénoués et pâles ou au contraire tendus et vifs[a],
composaient, sous un chapeau rond au bas[b] d'une haute
aigrette, le visage d'une étrangère que j'avais cru ne pas
reconnaître, était Mme de Guermantes par qui je m'étais
laissé saluer sans même lui répondre. Et quelquefois je
la trouvais en rentrant, au coin de la loge, où le détestable
concierge dont je haïssais les coups d'œil investigateurs
était en train de lui faire de grands saluts et sans doute
aussi des « rapports ». Car tout le personnel des Guermantes, dissimulé derrière les rideaux des fenêtres, épiait
en tremblant le dialogue qu'il n'entendait pas et à la suite
duquel la duchesse ne manquait pas de priver de ses sorties
tel ou tel domestique que le « pipelet » avait vendu. À
cause de toutes les apparitions[c] successives de visages
différents qu'offrait Mme de Guermantes, visages occupant
une étendue relative et variée, tantôt étroite, tantôt vaste,
dans l'ensemble de sa toilette, mon amour n'était pas
attaché à telle ou telle de ces parties changeantes de chair
et d'étoffe qui prenaient, selon les jours, la place des autres
et qu'elle pouvait modifier et renouveler presque entièrement sans altérer mon trouble parce qu'à travers elles, à
travers le nouveau collet et la joue inconnue, je sentais
que c'était toujours Mme de Guermantes. Ce que j'aimais,
c'était la personne invisible qui mettait en mouvement tout
cela, c'était elle, dont l'hostilité me chagrinait, dont
l'approche me bouleversait, dont j'eusse voulu capter la
vie et chasser les amis. Elle pouvait arborer une plume
bleue ou montrer un teint de feu, sans que ses actions

perdissent pour moi de leur importance.

Je n'aurais[a] pas senti moi-même que Mme de Guermantes était excédée de me rencontrer tous les jours que je l'aurais indirectement appris du visage plein de froideur, de réprobation et de pitié qui était celui de Françoise quand elle m'aidait à m'apprêter pour ces sorties matinales. Dès que je lui demandais mes affaires, je sentais s'élever un vent contraire dans les traits rétractés et battus de sa figure. Je n'essayais même pas de gagner la confiance de Françoise, je sentais que je n'y arriverais pas. Elle avait, pour[b] savoir immédiatement tout ce qui pouvait nous arriver, à mes parents et à moi, de désagréable, un pouvoir dont la nature m'est toujours restée obscure. Peut-être n'était-il pas surnaturel et aurait-il pu s'expliquer par des moyens d'information qui lui étaient spéciaux ; c'est ainsi que des peuplades sauvages apprennent certaines nouvelles plusieurs jours avant que la poste les ait apportées à la colonie européenne, et qui leur ont été en réalité transmises, non par télépathie, mais de colline en colline à l'aide de feux allumés. Ainsi dans le cas particulier de mes promenades, peut-être les domestiques de Mme de Guermantes avaient-ils entendu leur maîtresse exprimer sa lassitude de me trouver inévitablement sur son chemin[c] et avaient-ils répété ces propos à Françoise. Mes parents, il est vrai, auraient pu affecter à mon service quelqu'un d'autre que Françoise, je n'y aurais pas gagné. Françoise en un sens était moins domestique que[d] les autres. Dans sa manière de sentir, d'être bonne et pitoyable, d'être dure et hautaine, d'être fine et bornée, d'avoir la peau blanche et les mains rouges, elle était la demoiselle de village dont les parents « étaient bien de chez eux », mais, ruinés, avaient été obligés de la mettre en condition. Sa présence dans notre maison, c'était l'air de la campagne et la vie sociale dans une ferme, il y a cinquante ans, transportés chez nous, grâce à une sorte de voyage inverse où c'est la villégiature qui vient vers le voyageur. Comme la vitrine d'un musée régional l'est par ces curieux ouvrages que les paysannes exécutent et passementent encore dans certaines provinces, notre appartement parisien était décoré par les paroles de Françoise inspirées d'un sentiment traditionnel et local et qui obéissaient à des règles très anciennes. Et elle savait y retracer, comme avec des fils de couleur, les cerisiers et les oiseaux de son enfance, le lit où était morte sa mère, et qu'elle voyait encore. Mais malgré tout cela, dès qu'elle était entrée à Paris à notre service, elle avait partagé — et à plus forte raison toute autre l'eût fait à sa place — les idées, les jurisprudences d'interprétation des domestiques des autres étages, se rattrapant du respect qu'elle était obligée de nous témoigner, en nous répétant ce que la cuisinière du quatrième disait de grossier à sa maîtresse, et avec une telle satisfaction de domestique que, pour la première fois de notre vie, nous sentant une sorte de solidarité avec la détestable locataire du quatrième, nous nous disions que peut-être, en effet, nous étions des maîtres. Cette altération du caractère de Françoise était peut-être inévitable. Certaines existences sont si anormales qu'elles doivent engendrer fatalement certaines tares, telle celle que le Roi menait à Versailles entre ses courtisans, aussi étrange que celle d'un pharaon ou d'un doge, et, bien plus que celle du Roi, la vie des courtisans. Celle des domestiques est sans doute d'une étrangeté plus monstrueuse encore et que seule l'habitude nous voile. Mais c'est jusque dans des détails encore plus particuliers que j'aurais été condamné, même si j'avais renvoyé Françoise, à garder le même domestique. Car divers autres purent entrer plus tard à mon service ; déjà pourvus des défauts généraux des domestiques, ils n'en subissaient pas moins chez moi une rapide transformation. Comme les lois de l'attaque commandent celles de la riposte, pour ne pas être entamés par les aspérités de mon caractère, tous pratiquaient dans le leur un rentrant identique et au même endroit ; et, en revanche, ils profitaient de mes lacunes pour y installer des avancées. Ces lacunes, je ne les connaissais pas, non plus que les saillants auxquels leur entre-deux donnait lieu, précisément parce qu'elles étaient des lacunes. Mais mes domestiques, en se gâtant peu à peu, me les apprirent. Ce fut par leurs défauts invariablement acquis que j'appris mes défauts naturels et invariables, leur caractère me présenta une sorte d'épreuve négative du mien. Nous nous étions beaucoup moqués autrefois, ma mère et moi, de Mme Sazerat qui disait en parlant des domestiques : « Cette race, cette espèce. » Mais je dois dire que la raison pourquoi je n'avais pas lieu de souhaiter de remplacer Françoise par quelque autre est que cette autre aurait appartenu tout autant et inévitablement à la race générale des domestiques et à l'espèce particulière des miens.

Pour en revenir à Françoise, je n'ai jamais dans ma vie éprouvé une humiliation sans avoir trouvé d'avance sur le visage de Françoise des condoléances toutes prêtes ; et lorsque dans ma colère d'être plaint par elle, je tentais de prétendre avoir au contraire remporté un succès, mes mensonges venaient inutilement se briser à son incrédulité respectueuse mais visible et à la conscience qu'elle avait de son infaillibilité. Car elle savait la vérité ; elle la taisait et faisait seulement un petit mouvement des lèvres comme si elle avait encore la bouche pleine et finissait un bon morceau. Elle la taisait ? du moins je l'ai cru longtemps, car à cette époque-là je me figurais encore que c'était au moyen de paroles qu'on apprend aux autres la vérité. Même les paroles qu'on me disait déposaient si bien leur signification inaltérable dans mon esprit sensible, que je ne croyais pas plus possible que quelqu'un qui m'avait dit m'aimer ne m'aimât pas, que Françoise elle-même n'aurait pu douter, quand elle l'avait lu dans un journal*ᵃ*, qu'un prêtre ou un monsieur quelconque fût capable, contre une demande adressée par la poste, de nous envoyer gratuitement un remède infaillible contre toutes les maladies ou un moyen de centupler nos revenus. (En revanche, si notre médecin lui donnait la pommade la plus simple contre le rhume de cerveau, elle, si dure aux plus rudes souffrances, gémissait de ce qu'elle avait dû renifler, assurant que cela lui « plumait le nez », et qu'on ne savait plus où vivre.) Mais la première, Françoise me donna l'exemple (que je ne devais comprendre que plus tard quand il me fut donné de nouveau et plus douloureusement, comme on le verra dans les derniers volumes de cet ouvrage, par une personne qui m'était plus chère[1]) que la vérité n'a pas besoin d'être dite pour être manifestée, et qu'on peut peut-être la recueillir plus sûrement, sans attendre les paroles et sans tenir même aucun compte d'elles, dans mille signes extérieurs, même dans certains phénomènes invisibles, analogues dans le monde des caractères à ce que sont, dans la nature physique, les changements atmosphériques. J'aurais peut-être pu m'en douter, puisque à moi-même, alors, il m'arrivait souvent de dire des choses où il n'y avait nulle vérité, tandis que je la manifestais par tant de confidences involontaires de mon corps et de mes actes (lesquelles étaient fort bien interprétées par Françoise) ;

j'aurais peut-être pu m'en douter, mais pour cela il aurait fallu que j'eusse su que j'étais alors quelquefois menteur et fourbe. Or le mensonge et la fourberie étaient chez moi, comme chez tout le monde, commandés d'une façon si immédiate et contingente, et pour sa défensive, par un intérêt particulier, que mon esprit, fixé sur un bel idéal, laissait mon caractère accomplir dans l'ombre ces besognes urgentes et chétives et ne se détournait pas pour les apercevoir. Quand Françoise, le soir, était gentille avec moi, me demandait la permission de s'asseoir dans ma chambre, il me semblait que son visage devenait transparent et que j'apercevais en elle la bonté et la franchise. Mais Jupien, lequel avait des parties d'indiscrétion que je ne connus que plus tard, révéla depuis qu'elle disait que je ne valais pas la corde pour me pendre et que j'avais cherché à lui faire tout le mal possible. Ces paroles de Jupien tirèrent aussitôt devant moi, dans une teinte inconnue, une épreuve de mes rapports avec Françoise si différente de celle sur laquelle je me complaisais souvent à reposer mes regards et où, sans la plus légère indécision, Françoise m'adorait et ne perdait pas une occasion de me célébrer, que je compris que ce n'est pas le monde physique seul qui diffère de l'aspect sous lequel nous le voyons ; que toute réalité est peut-être aussi dissemblable de celle que nous croyons percevoir directement et que nous composons à l'aide d'idées qui ne se montrent pas mais sont agissantes, de même que les arbres[a], le soleil et le ciel ne seraient pas tels que nous les voyons, s'ils étaient connus par des êtres ayant des yeux autrement constitués que les nôtres, ou bien possédant pour cette besogne des organes autres que des yeux et qui donneraient des arbres, du ciel et du soleil des équivalents mais non visuels. Telle qu'elle fut, cette brusque échappée que m'ouvrit une fois Jupien sur le monde réel m'épouvanta. Encore ne s'agissait-il que de Françoise dont je ne me souciais guère. En était-il ainsi dans tous les rapports sociaux ? Et jusqu'à quel désespoir cela pourrait-il me mener un jour, s'il en était de même dans l'amour ? C'était le secret de l'avenir. Alors, il ne s'agissait encore que de Françoise. Pensait-elle sincèrement ce qu'elle avait dit à Jupien ? L'avait-elle dit seulement pour brouiller Jupien avec moi, peut-être pour qu'on ne prît pas la nièce de Jupien[b] pour la remplacer ? Toujours est-il que je compris l'impossibilité de savoir d'une manière directe et certaine si Françoise m'aimait ou me détestait. Et ainsi ce fut elle qui la première me donna l'idée qu'une personne n'est pas, comme j'avais cru, claire et immobile devant nous avec ses qualités, ses défauts, ses projets, ses intentions à notre égard (comme un jardin qu'on regarde, avec toutes ses plates-bandes, à travers une grille), mais est une ombre où nous ne pouvons jamais pénétrer, pour laquelle il n'existe pas de connaissance directe, au sujet de quoi nous nous faisons des croyances nombreuses à l'aide de paroles et même d'actions, lesquelles les unes et les autres ne nous donnent que des renseignements insuffisants et d'ailleurs contradictoires, une ombre où nous pouvons tour à tour imaginer avec autant de vraisemblance que brillent la haine et l'amour.

J'aimais vraiment^a Mme de Guermantes. Le plus grand bonheur que j'eusse pu demander à Dieu eût été de faire fondre sur elle toutes les calamités, et que ruinée, déconsidérée, dépouillée de tous les privilèges qui me séparaient d'elle, n'ayant plus de maison où habiter ni gens qui consentissent à la saluer, elle vînt me demander asile. Je l'imaginais le faisant. Et même les soirs où quelque changement dans l'atmosphère ou dans ma propre santé amenait dans ma conscience quelque rouleau oublié sur lequel étaient inscrites des impressions d'autrefois, au lieu de profiter des forces de renouvellement qui venaient de naître en moi, au lieu de les employer à déchiffrer en moi-même des pensées qui d'habitude m'échappaient, au lieu de me mettre enfin au travail, je préférais parler tout haut, penser d'une manière mouvementée, extérieure, qui n'était qu'un discours et une gesticulation inutiles, tout un roman purement d'aventures, stérile et sans vérité, où la duchesse, tombée dans la misère, venait m'implorer, moi qui étais devenu par suite de circonstances inverses riche et puissant. Et quand j'avais passé des heures ainsi à imaginer des circonstances, à prononcer les phrases que je dirais à la duchesse en l'accueillant sous mon toit, la situation restait la même ; j'avais, hélas dans la réalité, choisi précisément pour l'aimer la femme qui réunissait peut-être le plus d'avantages différents ; et aux yeux de qui, à cause de cela, je ne pouvais espérer avoir aucun prestige ; car elle était aussi riche que le plus riche qui n'eût pas été noble ; sans compter ce charme personnel qui la mettait à la mode, en faisant entre toutes une sorte de reine.

Je sentais que je lui déplaisais en allant chaque matin au-devant d'elle ; mais si même j'avais eu le courage de rester deux ou trois jours sans le faire, peut-être cette abstention qui eût représenté pour moi un tel sacrifice, Mme de Guermantes ne l'eût pas remarquée, ou l'aurait attribuée à quelque empêchement indépendant de ma volonté. Et en effet je n'aurais pu réussir à cesser d'aller sur sa route qu'en m'arrangeant à être dans l'impossibilité de le faire, car le besoin sans cesse renaissant de la rencontrer, d'être pendant un instant l'objet de son attention, la personne à qui s'adressait son salut, ce besoin-là était plus fort que l'ennui de lui déplaire. Il aurait fallu m'éloigner pour quelque temps ; je n'en avais pas le courage. J'y songeais quelquefois. Je disais alors à Françoise de faire mes malles, puis aussitôt après de les défaire. Et comme le démon du pastiche, et de ne pas paraître vieux jeu, altère la forme la plus naturelle et la plus sûre de soi, Françoise, empruntant cette expression au vocabulaire de sa fille, disait que j'étais dingo[1]. Elle n'aimait pas cela, elle disait que je « balançais » toujours, car elle usait, quand elle ne voulait pas rivaliser avec les modernes, du langage de Saint-Simon[2]. Il est vrai qu'elle aimait encore moins quand je parlais en maître. Elle savait que cela ne m'était pas naturel et ne me seyait pas, ce qu'elle traduisait en disant que « le voulu ne m'allait pas ». Je n'aurais eu le courage de partir que dans une direction qui me rapprochât de Mme de Guermantes. Ce n'était pas une chose impossible[a]. Ne serait-ce pas en effet me trouver plus près d'elle que je ne l'étais le matin dans la rue, solitaire, humilié, sentant que pas une seule des pensées que j'aurais voulu lui adresser n'arrivait jamais jusqu'à elle, dans ce piétinement sur place de mes promenades, qui pourraient durer indéfiniment sans m'avancer en rien, — si j'allais à beaucoup de lieues de Mme de Guermantes, mais chez quelqu'un qu'elle connût, qu'elle sût difficile dans le choix de ses relations et qui m'appréciât, qui pourrait lui parler de moi, et sinon obtenir d'elle ce que je voulais, au moins le lui faire savoir, quelqu'un grâce à qui, en tout cas, rien que parce que j'envisagerais avec lui s'il pourrait se charger ou non de tel ou tel message auprès d'elle, je donnerais à mes songeries solitaires et muettes une forme nouvelle, parlée, active, qui me semblerait un progrès, presque une réalisation ? Ce qu'elle faisait durant la vie mystérieuse de la « Guermantes » qu'elle était, cela, qui était l'objet de ma rêverie constante, y intervenir, même de façon indirecte, comme avec un levier[a], en mettant en œuvre quelqu'un à qui ne fussent pas interdits l'hôtel de la duchesse, ses soirées, la conversation prolongée avec elle, ne serait-ce pas un contact plus distant mais plus effectif que ma contemplation dans la rue tous les matins ?

L'amitié, l'admiration que Saint-Loup avait[b] pour moi, me semblaient imméritées et m'étaient restées indifférentes. Tout d'un coup j'y attachai du prix, j'aurais voulu qu'il les révélât à Mme de Guermantes, j'aurais été capable de lui demander de le faire. Car dès qu'on est amoureux, tous les petits privilèges inconnus qu'on possède, on voudrait[c] pouvoir les divulguer à la femme qu'on aime, comme font dans la vie les déshérités et les fâcheux. On souffre qu'elle les ignore, on cherche à se consoler en se disant que justement parce qu'ils ne sont jamais visibles, peut-être ajoute-t-elle à l'idée qu'elle a de vous cette possibilité d'avantages qu'on ne sait pas.

Saint-Loup ne pouvait[d] pas depuis longtemps venir à Paris, soit comme il le disait à cause des exigences de son métier, soit plutôt à cause de chagrins que lui causait sa maîtresse avec laquelle il avait déjà deux fois été sur le point de rompre. Il m'avait[e] souvent dit le bien que je lui ferais en allant le voir dans cette garnison dont, le surlendemain du jour où il avait quitté Balbec, le nom m'avait causé tant de joie quand je l'avais lu sur l'enveloppe de la première lettre que j'eusse reçue de mon ami. C'était, moins loin de Balbec que le paysage tout terrien ne l'aurait fait croire, une de ces petites cités[f] aristocratiques et militaires, entourées d'une campagne étendue où, par les beaux jours, flotte si souvent dans le lointain une sorte de buée sonore intermittente qui — comme un rideau de peupliers par ses sinuosités dessine le cours d'une rivière qu'on ne voit pas — révèle les changements de place d'un régiment à la manœuvre, que l'atmosphère même des rues, des avenues et des places a fini par contracter une sorte de perpétuelle vibratilité musicale et guerrière, et que le bruit le plus grossier de chariot ou de tramway s'y prolonge en vagues appels de clairon ressassés indéfiniment, aux oreilles hallucinées, par le silence. Elle n'était pas située tellement loin de Paris que je ne pusse, en descendant du rapide, rentrer, retrouver[d] ma mère et ma grand-mère et coucher dans mon lit. Aussitôt que je l'eus compris, troublé d'un douloureux désir, j'eus trop peu de volonté pour décider de ne pas revenir à Paris et de rester dans la ville ; mais trop peu aussi pour empêcher un employé de porter ma valise jusqu'à un fiacre et pour ne pas prendre, en marchant derrière lui, l'âme dépourvue d'un voyageur qui surveille ses affaires et qu'aucune grand-mère n'attend, pour ne pas monter dans la voiture avec la désinvolture de quelqu'un qui, ayant cessé de penser à ce qu'il veut, a l'air de savoir ce qu'il veut, et ne pas donner au cocher l'adresse du quartier de cavalerie. Je pensais que Saint-Loup viendrait[b] coucher cette nuit-là à l'hôtel où je descendrais afin de me rendre moins angoissant le premier contact avec cette ville inconnue. Un homme de garde alla le chercher, et je l'attendis à la porte du quartier, devant ce grand vaisseau tout retentissant du vent de novembre et d'où, à chaque instant, car c'était six heures du soir, des hommes sortaient deux par deux dans la rue, titubant comme s'ils descendaient à terre dans quelque port exotique où ils eussent momentanément stationné.

Saint-Loup arriva, remuant dans tous les sens, laissant voler son monocle devant lui : je n'avais pas fait dire mon nom, j'étais impatient de jouir de sa surprise et de sa joie.

« Ah ! quel ennui », s'écria-t-il en m'apercevant tout à coup et en devenant rouge jusqu'aux oreilles, « je viens de prendre la semaine et je ne pourrai pas sortir avant huit jours ! »

Et préoccupé par l'idée de me voir passer seul cette première nuit, car il connaissait mieux que personne mes angoisses du soir qu'il avait souvent remarquées et adoucies à Balbec, il interrompait[c] ses plaintes pour se retourner vers moi, m'adresser de petits sourires, de tendres regards inégaux, les uns venant directement de son œil, les autres à travers son monocle, et qui tous étaient une allusion à l'émotion qu'il avait de me revoir, une allusion aussi à cette chose importante que je ne comprenais toujours pas mais qui m'importait maintenant, notre amitié.

« Mon Dieu ! et où allez-vous coucher ? Vraiment, je ne vous conseille pas l'hôtel où nous prenons pension, c'est à côté de l'Exposition où des fêtes vont commencer, vous auriez un monde fou. Non, il vaudrait mieux l'hôtel de Flandre, c'est un ancien petit palais du XVIIIe siècle avec de vieilles tapisseries. Ça "fait" assez "vieille demeure historique". »

Saint-Loup employait à tout propos ce mot de « faire » pour « avoir l'air », parce que la langue parlée, comme la langue écrite, éprouve de temps en temps le besoin de ces altérations du sens des mots, de ces raffinements d'expression. Et de même que souvent les journalistes ignorent de quelle école littéraire proviennent les « élégances » dont ils usent, de même le vocabulaire, la diction même de Saint-Loup étaient faits de l'imitation de trois esthètes différents dont il ne connaissait aucun, mais dont ces modes de langage lui avaient été indirectement inculqués. « D'ailleurs, conclut-il, cet hôtel est assez adapté à votre hyperesthésie auditive. Vous n'aurez pas de voisins. Je reconnais que c'est un piètre avantage, et comme en somme un autre voyageur peut y arriver demain, cela ne vaudrait pas la peine de choisir cet hôtel-là pour des résultats de précarité. Non, c'est à cause de l'aspect que je vous le recommande. Les chambres sont assez sympathiques, tous les meubles anciens et confortables, ça a quelque chose de rassurant. » Mais pour moi, moins artiste que Saint-Loup, le plaisir que peut donner une jolie maison était superficiel, presque nul, et ne pouvait pas calmer mon angoisse commençante, aussi pénible que celle que j'avais^a jadis à Combray quand ma mère ne venait pas me dire bonsoir ou celle que j'avais ressentie le jour de mon arrivée à Balbec dans la chambre trop haute qui sentait le vétiver. Saint-Loup le comprit à mon regard fixe.

« Mais vous vous en fichez bien, mon pauvre petit, de ce joli palais, vous êtes tout pâle ; moi, comme une grande brute, je vous parle de tapisseries que vous n'aurez pas même le cœur de regarder. Je connais la chambre où on vous mettrait, personnellement je la trouve très gaie, mais je me rends bien compte que pour vous avec votre sensibilité ce n'est pas pareil. Ne croyez pas que je ne vous comprenne pas, moi je ne ressens pas la même chose, mais je me mets bien à votre place. »

Un sous-officier qui essayait un cheval dans la cour, très occupé à le faire sauter, ne répondant pas aux saluts des soldats, mais envoyant des bordées d'injures à ceux qui se mettaient sur son chemin, adressa à ce moment un sourire à Saint-Loup et, s'apercevant alors que celui-ci avait un ami avec lui, salua. Mais son cheval se dressa de toute sa hauteur, écumant. Saint-Loup se jeta à sa tête, le prit par la bride, réussit à le calmer et revint à moi.

« Oui, me dit-il, je vous assure que je me rends compte, que je souffre de ce que vous éprouvez ; je suis malheureux », ajouta-t-il, en posant affectueusement sa main sur mon épaule, « de penser que si j'avais pu rester près de vous, peut-être j'aurais pu, en causant avec vous jusqu'au matin, vous ôter un peu de votre tristesse. Je vous prêterais bien des livres, mais vous ne pourrez pas lire si vous êtes comme cela. Et jamais je n'obtiendrai de me faire remplacer ici ; voilà deux fois de suite que je l'ai fait parce que ma gosse était venue. »

Et il fronçait le sourcil à cause de son ennui et aussi de sa contention à chercher, comme un médecin, quel remède il pourrait appliquer à mon mal.

« Cours donc faire du feu dans ma chambre, dit-il à un soldat qui passait. Allons, plus vite que ça, grouille-toi. »

Puis de nouveau, il se détournait vers moi et le monocle et le regard myope faisaient allusion à notre grande amitié :

« Non ! vous ici, dans ce quartier où j'ai tant pensé à vous, je ne peux pas en croire mes yeux, je crois que je rêve. En somme, la santé, cela va-t-il plutôt mieux ? Vous allez me raconter tout cela tout à l'heure. Nous allons monter chez moi, ne restons pas trop dans la cour, il fait un bon dieu de vent, moi je ne le sens même plus, mais pour vous qui n'êtes pas habitué, j'ai peur que vous n'ayez froid. Et le travail[a], vous y êtes-vous mis ? Non ? que vous êtes drôle ! Si j'avais vos dispositions, je crois que j'écrirais du matin au soir. Cela vous amuse davantage de ne rien faire. Quel malheur que ce soient les médiocres comme moi qui soient toujours prêts à travailler et que ceux qui pourraient ne veuillent pas ! Et je ne vous ai pas seulement demandé des nouvelles de madame votre grand-mère. Son Proudhon ne me quitte pas[1]. »

Un officier, grand, beau, majestueux, déboucha à pas lents et solennels d'un escalier. Saint-Loup le salua et immobilisa la perpétuelle instabilité de son corps le temps de tenir la main à la hauteur du képi. Mais il l'y avait

précipitée avec tant de force, se redressant d'un mouvement si sec, et aussitôt le salut fini la fit retomber par un
déclenchement si brusque en changeant toutes les positions
de l'épaule, de la jambe et du monocle, que ce moment
fut moins d'immobilité que d'une vibrante tension où se
neutralisaient les mouvements excessifs qui venaient de
se produire et ceux qui allaient commencer. Cependant
l'officier, sans se rapprocher, calme, bienveillant, digne,
impérial, représentant en somme tout l'opposé de Saint-
Loup, leva, lui aussi, mais sans se hâter, la main vers son
képi.

« Il faut que je dise un mot au capitaine, me chuchota
Saint-Loup, soyez assez gentil pour aller m'attendre dans
ma chambre, c'est la seconde à droite, au troisième étage,
je vous rejoins dans un moment. »

Et, partant au pas de charge, précédé de son monocle
qui volait en tous sens, il marcha droit vers le digne et
lent capitaine dont on amenait à ce moment le cheval et
qui, avant de se préparer à y monter, donnait quelques
ordres avec une noblesse de gestes étudiée comme dans
quelque tableau historique et s'il allait partir pour une
bataille du premier Empire, alors qu'il rentrait simplement
chez lui, dans la demeure qu'il avait louée pour le temps
qu'il resterait à Doncières¹ et qui était sise sur une place,
nommée, comme par une ironie anticipée à l'égard de ce
napoléonide, place de la République ! Je m'engageaiᵈ dans
l'escalier, manquant à chaque pas de glisser sur ces marches
cloutées, apercevant des chambrées aux murs nus, avec
le double alignement des lits et des paquetages. On
m'indiqua la chambre de Saint-Loup. Je restai un instant
devant la porte fermée, car j'entendais remuer ; on
bougeait une chose, on en laissait tomber une autre ; je
sentais que la chambre n'était pas vide et qu'il y avait
quelqu'un. Mais ce n'était que le feu allumé qui brûlait.
Il ne pouvait pas se tenir tranquille, il déplaçait les bûches
et fort maladroitement. J'entrai ; il en laissa rouler une,
en fit fumer une autre. Et même quand il ne bougeait pas,
comme les gens vulgaires il faisait tout le temps entendre
des bruits qui, du moment que je voyais monter la flamme,
se montraient à moi des bruits de feu, mais que, si j'eusse
été de l'autre côté du mur, j'aurais cru venir de quelqu'un
qui se mouchait et marchait. Enfin, je m'assis dans la
chambre. Des tentures de liberty et de vieilles étoffes

allemandes du XVIIIe siècle la préservaient de l'odeur
qu'exhalait le reste du bâtiment, grossière, fade et
corruptible comme celle du pain bis. C'est là, dans cette
chambre charmante, que j'eusse[a] dîné et dormi avec
bonheur et avec calme. Saint-Loup y semblait presque
présent grâce aux livres de travail qui étaient sur sa table
à côté des photographies parmi lesquelles je reconnus la
mienne et celle de Mme de Guermantes, grâce au feu qui
avait fini par s'habituer à la cheminée et, comme une bête
couchée en une attente ardente, silencieuse et fidèle,
laissait seulement de temps à autre tomber une braise qui
s'émiettait, ou léchait d'une flamme la paroi de la
cheminée[b]. J'entendais le tic-tac de la montre de Saint-
Loup, laquelle ne devait pas être bien loin de moi. Ce
tic-tac changeait de place à tout moment, car je ne voyais
pas la montre ; il me semblait venir de derrière moi, de
devant, d'à droite, d'à gauche, parfois s'éteindre comme
s'il était très loin. Tout d'un coup je découvris la montre
sur la table. Alors j'entendis le tic-tac en un lieu fixe d'où
il ne bougea plus. Je croyais l'entendre à cet endroit-là ;
je ne l'y entendais pas, je l'y voyais, les sons n'ont pas
de lieu. Du moins les rattachons-nous à des mouvements
et par là ont-ils l'utilité de nous prévenir de ceux-ci, de
paraître les rendre nécessaires et naturels. Certes il arrive
quelquefois qu'un malade auquel on a hermétiquement
bouché les oreilles n'entende plus le bruit d'un feu pareil
à celui qui rabâchait en ce moment dans la cheminée de
Saint-Loup, tout en travaillant à faire des tisons et des
cendres qu'il laissait ensuite tomber dans sa corbeille ;
n'entende pas non plus le passage des tramways dont la
musique prenait son vol, à intervalles réguliers, sur la
grand-place de Doncières. Alors, que le malade lise, et
les pages se tourneront silencieusement comme si elles
étaient feuilletées par un dieu. La lourde rumeur d'un bain
qu'on prépare s'atténue, s'allège et s'éloigne comme un
gazouillement céleste. Le recul du bruit, son amincisse-
ment, lui ôtent toute puissance agressive à notre égard ;
affolés tout à l'heure par des coups de marteau qui
semblaient ébranler le plafond sur notre tête, nous nous
plaisons maintenant à les recueillir, légers, caressants,
lointains comme un murmure de feuillages jouant sur la
route avec le zéphir. On fait des réussites avec des cartes
qu'on n'entend pas, si bien qu'on croit ne pas les avoir

remuées, qu'elles bougent d'elles-mêmes et, allant au-devant de notre désir de jouer avec elles, se sont mises à jouer avec nous. Et à ce propos on peut se demander si pour l'Amour (ajoutons même à l'Amour l'amour de la vie, l'amour de la gloire, puisqu'il y a, paraît-il, des gens qui connaissent ces deux derniers sentiments) on ne devrait pas agir comme ceux qui, contre le bruit, au lieu d'implorer qu'il cesse, se bouchent les oreilles ; et, à leur imitation, reporter notre attention, notre défensive, en nous-même, leur donner comme objet à réduire, non pas l'être extérieur que nous aimons, mais notre capacité de souffrir par lui.

Pour revenir au son, qu'on épaississe encore les boules qui ferment le conduit auditif, elles obligent au pianissimo la jeune fille qui jouait au-dessus de notre tête un air turbulent ; qu'on enduise une de ces boules d'une matière grasse, aussitôt son despotisme est obéi par toute la maison, ses lois mêmes s'étendent au-dehors. Le pianissimo ne suffit plus, la boule fait instantanément fermer le clavier et la leçon de musique est brusquement finie ; le monsieur qui marchait sur notre tête cesse d'un seul coup sa ronde ; la circulation des voitures et des tramways est interrompue comme si on attendait un chef d'État. Et cette atténuation des sons trouble même quelquefois le sommeil au lieu de le protéger. Hier encore les bruits incessants, en nous décrivant d'une façon continue les mouvements dans la rue et dans la maison, finissaient par nous endormir comme un livre ennuyeux ; aujourd'hui, à la surface de silence étendue sur notre sommeil, un heurt plus fort que les autres arrive à se faire entendre, léger comme un soupir, sans lien avec aucun autre son, mystérieux ; et la demande d'explication qu'il exhale suffit à nous éveiller. Qu'on retire, au contraire, pour un instant au malade les cotons superposés à son tympan, et soudain la lumière, le plein soleil du son se montre de nouveau, aveuglant, renaît dans l'univers ; à toute vitesse rentre le peuple des bruits exilés ; on assiste, comme si elles étaient psalmodiées par des anges musiciens, à la résurrection des voix. Les rues vides sont remplies pour un instant par les ailes rapides et successives des tramways chanteurs. Dans la chambre elle-même, le malade vient de créer, non pas, comme Prométhée, le feu, mais le bruit du feu[1]. Et en augmentant, en relâ-chant les tampons d'ouate, c'est comme si on faisait jouer alternativement l'une et l'autre des deux pédales qu'on a ajoutées à la sonorité du monde extérieur.

Seulement il y a aussi des suppressions du bruit qui ne sont pas momentanées. Celui qui est devenu entièrement sourd ne peut même pas faire chauffer auprès de lui une bouillote de lait sans devoir guetter des yeux, sur le couvercle ouvert, le reflet blanc, hyperboréen, pareil à celui d'une tempête de neige et qui est le signe prémonitoire auquel il est sage d'obéir en retirant, comme le Seigneur arrêtant les flots, les prises électriques ; car déjà l'œuf ascendant et spasmodique du lait qui bout accomplit sa crue en quelques soulèvements obliques, enfle, arrondit quelques voiles à demi chavirées qu'avait plissées la crème, en lance dans la tempête une en nacre et que l'interruption des courants, si l'orage électrique est conjuré à temps, fera toutes tournoyer sur elles-mêmes et jettera à la dérive, changées en pétales de magnolia. Si le malade n'avait pas pris assez vite les précautions nécessaires bientôt ses livres et sa montre engloutis émergeraient à peine d'une mer blanche après ce mascaret lacté, il serait obligé d'appeler au secours sa vieille bonne qui, fût-il lui-même un homme politique illustre ou un grand écrivain, lui dirait qu'il n'a pas plus de raison qu'un enfant de cinq ans. À d'autres moments dans la chambre magique, devant la porte fermée, une personne qui n'était pas là tout à l'heure a fait son apparition, c'est un visiteur qu'on n'a pas entendu entrer et qui fait seulement des gestes comme dans un de ces petits théâtres de marionnettes, si reposants pour ceux qui ont pris en dégoût le langage parlé. Et pour ce sourd total, comme la perte d'un sens ajoute autant de beauté au monde que ne fait son acquisition, c'est avec délices qu'il se promène maintenant sur une Terre presque édénique où le son n'a pas encore été créé. Les plus hautes cascades déroulent pour ses yeux seuls leur nappe de cristal, plus calmes que la mer immobile, pures comme des cataractes du Paradis. Comme le bruit était pour lui, avant sa surdité, la forme perceptible que revêtait la cause d'un mouvement, les objets remués sans bruit semblent l'être sans cause ; dépouillés de toute qualité sonore, ils montrent une activité spontanée, ils semblent vivre ; ils remuent, s'immobilisent, prennent feu d'eux-mêmes. D'eux-mêmes ils s'envolent comme les monstres ailés de la préhistoire. Dans la maison solitaire et sans voisins du

sourd, le service qui, avant que l'infirmité fût complète,
montrait déjà plus de réserve, se faisait silencieusement,
est assuré maintenant, avec quelque chose de subreptice,
par des muets, ainsi qu'il arrive pour un roi de féerie.
Comme sur la scène encore, le monument que le sourd
voit de sa fenêtre — caserne, église, mairie — n'est qu'un
décor. Si un jour il vient à s'écrouler, il pourra émettre
un nuage de poussière et des décombres visibles ; mais,
moins matériel même qu'un palais de théâtre dont il n'a
pourtant pas la minceur, il tombera dans l'univers magique
sans que la chute de ses lourdes pierres de taille ternisse
de la vulgarité d'aucun bruit la chasteté du silence.

Celui, bien plus relatif, qui régnait dans la petite
chambre militaire où je me trouvais depuis un moment,
fut rompu. La porte s'ouvrit, et*ᵃ* Saint-Loup, laissant
tomber son monocle, entra vivement.

« Ah ! Robert, qu'on*ᵇ* est bien chez vous, lui dis-je ;
comme il serait bon qu'il fût permis d'y dîner et d'y
coucher. »

Et en effet, si cela n'avait pas été défendu, quel repos
sans tristesse j'aurais goûté là, protégé par cette atmosphère de tranquillité, de vigilance et de gaieté qu'entretenaient mille volontés réglées et sans inquiétude, mille
esprits insouciants, dans cette grande communauté qu'est
une caserne où, le temps ayant pris la forme de l'action,
la triste cloche des heures était remplacée par la même
joyeuse fanfare de ces appels dont était perpétuellement
tenu en suspens sur les pavés de la ville, émietté et
pulvérulent, le souvenir sonore, — voix sûre d'être
écoutée, et musicale, parce qu'elle n'était pas seulement
le commandement de l'autorité à l'obéissance mais aussi
de la sagesse au bonheur.

« Ah ! vous aimeriez mieux coucher ici près de moi que
de partir seul à l'hôtel, me dit Saint-Loup en riant.

— Oh ! Robert, vous êtes cruel de prendre cela avec
ironie, lui dis-je, puisque vous savez que c'est impossible
et que je vais tant souffrir là-bas.

— Hé bien ! vous me flattez, me dit-il, car j'ai justement
eu, de moi-même, cette idée que vous aimeriez mieux
rester ici ce soir. Et c'est précisément cela que j'étais allé
demander au capitaine.

— Et il a permis ? m'écriai-je.

— Sans aucune difficulté.

— Oh ! je l'adore !

— Non, c'est trop. Maintenant*ᵃ* laissez-moi appeler mon ordonnance pour qu'il s'occupe de notre dîner », ajouta-t-il, pendant que je me détournais pour cacher mes larmes*ᵇ*.

Plusieurs fois entrèrent l'un ou l'autre des camarades de Saint-Loup. Il les jetait à la porte.

« Allons, fous le camp. »

Je lui demandais de les laisser rester.

« Mais non, ils vous assommeraient : ce sont des êtres tout à fait incultes, qui ne peuvent parler que courses, si ce n'est pansage. Et puis, même pour moi, ils me gâteraient ces instants si précieux que j'ai tant désirés. Remarquez que si je parle de la médiocrité de mes camarades, ce n'est pas que tout ce qui est militaire manque d'intellectualité. Bien loin de là. Nous avons un commandant qui est un homme admirable. Il a fait un cours où l'histoire militaire est traitée comme une démonstration, comme une espèce d'algèbre. Même esthétiquement c'est d'une beauté tour à tour inductive et déductive à laquelle vous ne seriez pas insensible.

— Ce n'est pas le capitaine qui m'a permis de rester ici ?

— Non, Dieu merci, car l'homme que vous "adorez" pour peu de chose est le plus grand imbécile que la terre ait jamais porté. Il est parfait pour s'occuper de l'ordinaire et de la tenue de ses hommes ; il passe des heures avec le maréchal des logis chef et le maître tailleur. Voilà sa mentalité. Il méprise d'ailleurs beaucoup, comme tout le monde, l'admirable commandant dont je vous parle. Personne ne fréquente celui-là, parce qu'il est franc-maçon et ne va pas à confesse. Jamais le prince de Borodino[1] ne recevrait chez lui ce petit-bourgeois. Et c'est tout de même un fameux culot de la part d'un homme dont l'arrière-grand-père était un petit fermier et qui, sans les guerres de Napoléon, serait probablement fermier aussi. Du reste il se rend bien un peu compte de la situation ni chair ni poisson qu'il a dans la société. Il va à peine au Jockey, tant il y est gêné, ce prétendu prince », ajouta Robert, qui, ayant été amené par un même esprit d'imitation à adopter les théories sociales de ses maîtres et les préjugés mondains de ses parents, unissait, sans s'en rendre compte, à l'amour de la démocratie le dédain de la noblesse d'Empire.

Je regardais la photographie de sa tante et la pensée que, Saint-Loup possédant cette photographie, il pourrait peut-être me la donner, me fit le chérir davantage et souhaiter de lui rendre mille services qui me semblaient peu de choses en échange d'elle. Car cette photographie c'était comme une rencontre de plus ajoutée à celles que j'avais déjà faites de Mme de Guermantes ; bien mieux, une rencontre prolongée, comme si, par un brusque progrès dans nos relations, elle s'était arrêtée auprès de moi, en chapeau de jardin, et m'avait laissé pour la première fois regarder à loisir ce gras de joue, ce tournant de nuque, ce coin de sourcils (jusqu'ici voilés pour moi par la rapidité de son passage, l'étourdissement de mes impressions, l'inconsistance du souvenir) ; et leur contemplation, autant que celle de la gorge et des bras d'une femme que je n'aurais jamais vue qu'en robe montante, m'était une voluptueuse découverte, une faveur. Ces lignes qu'il me semblait presque défendu de regarder, je pourrais les étudier là comme dans un traité de la seule géométrie qui eût de la valeur pour moi. Plus tard, en regardant Robert, je m'aperçus que lui aussi était un peu comme une photographie de sa tante, et par un mystère presque aussi émouvant pour moi puisque, si sa figure à lui n'avait pas été directement produite par sa figure à elle, toutes deux avaient cependant une origine commune. Les traits de la duchesse de Guermantes qui étaient épinglés dans ma vision de Combray, le nez en bec de faucon, les yeux perçants, semblaient avoir servi aussi à découper — dans un autre exemplaire analogue et mince d'une peau trop fine — la figure de Robert presque superposable à celle de sa tante. Je regardais sur lui avec envie ces traits caractéristiques des Guermantes, de cette race restée si particulière au milieu du monde, où elle ne se perd pas et où elle reste isolée dans sa gloire divinement ornithologique, car elle semble issue, aux âges de la mythologie, de l'union d'une déesse et d'un oiseau.

Robert, sans en connaître les causes, était touché de mon attendrissement. Celui-ci d'ailleurs s'augmentait du bien-être causé par la chaleur du feu et par le vin de Champagne qui faisait perler en même temps des gouttes de sueur à mon front et des larmes à mes yeux ; il arrosait des perdreaux ; je les mangeais avec l'émerveillement d'un profane, de quelque sorte qu'il soit, quand il trouve dans

une certaine vie qu'il ne connaissait pas ce qu'il avait cru
qu'elle excluait (par exemple d'un libre penseur faisant
un dîner exquis dans un presbytère). Et le lendemain matin
en m'éveillant, j'allai jeter par la fenêtre de Saint-Loup
qui, située fort haut, donnait sur tout le pays, un regard
de curiosité pour faire la connaissance de ma voisine, la
campagne, que je n'avais pas pu apercevoir la veille, parce
que j'étais arrivé trop tard, à l'heure où elle dormait déjà
dans la nuit. Mais de si bonne heure qu'elle fût éveillée,
je ne la vis pourtant en ouvrant la croisée, comme on la
voit d'une fenêtre de château, du côté de l'étang,
qu'emmitouflée encore dans sa douce et blanche robe
matinale de brouillard qui ne me laissait presque rien
distinguer. Mais je savais qu'avant que les soldats qui
s'occupaient des chevaux dans la cour eussent fini leur
pansage, elle l'aurait dévêtue. En attendant je ne pouvais
voir qu'une maigre colline, dressant tout contre le quartier
son dos déjà dépouillé d'ombre, grêle et rugueux. À
travers les rideaux ajourés de givre, je ne quittais pas des
yeux cette étrangère qui me regardait pour la première
fois. Mais quand j'eus pris l'habitude de venir au quartier,
la conscience que la colline était là, plus réelle par
conséquent, même quand je ne la voyais pas, que l'hôtel
de Balbec, que notre maison de Paris auxquels je pensais
comme à des absents, comme à des morts, c'est-à-dire sans
plus guère croire à leur existence, fit que, même sans que
je m'en rendisse compte, sa forme réverbérée se profila
toujours sur les moindres impressions que j'eus à
Doncières et, pour commencer par ce matin-là, sur la
bonne impression de chaleur que me donna le chocolat
préparé par l'ordonnance de Saint-Loup dans cette
chambre confortable qui avait l'air d'un centre optique
pour regarder la colline (l'idée de faire autre chose que
la regarder et de s'y promener étant rendue impossible
par ce même brouillard qu'il y avait). Imbibant la forme
de la colline, associé au goût du chocolat et à toute la trame
de mes pensées d'alors, ce brouillard, sans que je pensasse
le moins du monde à lui, vint mouiller toutes mes pensées
de ce temps-là, comme tel or inaltérable et massif était
resté allié à mes impressions de Balbec, ou comme la
présence voisine des escaliers extérieurs de grès noirâtre
donnait quelque grisaille à mes impressions de Combray.
Il ne persista d'ailleurs pas tard dans la matinée, le soleil

commença par user inutilement contre lui quelques flèches
qui le passementèrent de brillants puis en eurent raison.
La colline put offrir sa croupe grise aux rayons qui, une
heure plus tard, quand je descendis dans la ville, donnaient
aux rouges des feuilles d'arbres, aux rouges et aux bleus
des affiches électorales posées sur les murs une exaltation
qui me soulevait moi-même et me faisait battre, en
chantant, les pavés sur lesquels je me retenais pour ne pas
bondir de joie.

Mais, dès le second jour, il me fallut*ᵃ* aller coucher à
l'hôtel. Et je savais d'avance que fatalement j'allais y
trouver la tristesse. Elle était comme un arôme irrespirable
que depuis ma naissance exhalait pour moi toute chambre
nouvelle, c'est-à-dire toute chambre : dans celle que j'habitais d'ordinaire, je n'étais pas présent, ma pensée restait
ailleurs et à sa place envoyait seulement l'Habitude. Mais
je ne pouvais charger cette servante moins sensible de
s'occuper de mes affaires dans un pays nouveau, où je la
précédais, où j'arrivais seul, où il me fallait faire entrer
en contact avec les choses ce « moi » que je ne retrouvais
qu'à des années d'intervalles, mais toujours le même,
n'ayant pas grandi depuis Combray, depuis ma première
arrivée à Balbec, pleurant, sans pouvoir être consolé, sur
le coin d'une malle défaite.

Or, je m'étais trompé*ᵇ*. Je n'eus pas le temps d'être triste,
car je ne fus pas un instant seul. C'est qu'il restait du palais
ancien un excédent de luxe, inutilisable dans un hôtel
moderne, et qui, détaché de toute affectation pratique,
avait pris dans son désœuvrement une sorte de vie :
couloirs revenant sur leurs pas, dont on croisait à tous
moments les allées et venues sans but, vestibules longs
comme des corridors et ornés comme des salons, qui
avaient plutôt l'air d'habiter là que de faire partie de
l'habitation, qu'on n'avait pu faire entrer dans aucun
appartement, mais qui rôdaient autour du mien et vinrent
tout de suite m'offrir leur compagnie — sorte de voisins
oisifs mais non bruyants, de fantômes subalternes du passé
à qui on avait concédé de demeurer sans bruit à la porte
des chambres qu'on louait, et qui chaque fois que je les
trouvais sur mon chemin se montraient pour moi d'une
prévenance silencieuse. En somme, l'idée d'un logis,
simple contenant de notre existence actuelle et nous
préservant seulement du froid, de la vue des autres, était

absolument inapplicable à cette demeure, ensemble de
pièces, aussi réelles qu'une colonie de personnes, d'une
vie il est vrai silencieuse, mais qu'on était obligé de
rencontrer, d'éviter, d'accueillir, quand on rentrait. On
tâchait de ne pas déranger et on ne pouvait regarder sans
respect le grand salon qui avait pris, depuis le XVIIIᵉ siècle,
l'habitude de s'étendre entre ses appuis de vieil or, sous
les nuages de son plafond peint. Et on était pris d'une
curiosité plus familière pour les petites pièces qui, sans
aucun souci de la symétrie, couraient autour de lui,
innombrables, étonnées, fuyant en désordre jusqu'au
jardin où elles descendaient si facilement par trois marches
ébréchées.

Si je voulais*a* sortir ou rentrer sans prendre l'ascenseur
ni être vu dans le grand escalier, un plus petit, privé, qui
ne servait plus, me tendait ses marches si adroitement
posées, l'une tout près de l'autre, qu'il semblait exister
dans leur gradation une proportion parfaite du genre de
celles qui dans les couleurs, dans les parfums, dans les
saveurs, viennent souvent émouvoir en nous une sensualité
particulière. Mais celle qu'il y a à monter et à descendre,
il m'avait fallu*b* venir ici pour la connaître, comme jadis
dans une station alpestre pour savoir que l'acte, habituellement non perçu, de respirer, peut être une constante
volupté. Je reçus cette dispense d'effort que nous accordent
seules les choses dont nous avons un long usage, quand
je posai mes pieds pour la première fois sur ces marches,
familières avant d'être connues, comme si elles possédaient, peut-être déposée, incorporée en elles par les
maîtres d'autrefois qu'elles accueillaient chaque jour, la
douceur anticipée d'habitudes que je n'avais pas
contractées encore et qui qui même ne pourraient que
s'affaiblir quand elles seraient devenues miennes. J'ouvris
une chambre, la double porte se referma derrière moi,
la draperie fit entrer un silence sur lequel je me sentis
comme une sorte d'enivrante royauté ; une cheminée de
marbre ornée de cuivres ciselés dont on aurait eu tort de
croire qu'elle ne savait que représenter l'art du Directoire
me faisait du feu, et un petit fauteuil bas sur pieds m'aida
à me chauffer aussi confortablement que si j'eusse été assis
sur le tapis. Les murs étreignaient la chambre, la séparant
du reste du monde et, pour y laisser entrer, y enfermer
ce qui la faisait complète, s'écartaient devant la bibliothè-

que, réservaient l'enfoncement du lit des deux côtés duquel des colonnes soutenaient légèrement le plafond surélevé de l'alcôve. Et la chambre était prolongée dans le sens de la profondeur par deux cabinets aussi larges qu'elle, dont le dernier suspendait à son mur, pour parfumer le recueillement qu'on y vient chercher, un voluptueux rosaire de grains d'iris ; les portes, si je les laissais ouvertes pendant que je me retirais dans ce dernier retrait, ne se contentaient pas de le tripler, sans qu'il cessât d'être harmonieux, et ne faisaient pas seulement goûter à mon regard le plaisir de l'étendue après celui de la concentration, mais encore ajoutaient au plaisir de ma solitude, qui restait inviolable et cessait d'être enclose, le sentiment de la liberté. Ce réduit donnait sur une cour^a, belle solitaire que je fus heureux d'avoir pour voisine quand, le lendemain matin, je la découvris, captive entre ses hauts murs où ne prenait jour aucune fenêtre, et n'ayant que deux arbres jaunis qui suffisaient à donner une douceur mauve au ciel pur.

Avant de me coucher je voulus sortir de ma chambre pour explorer tout mon féerique domaine. Je marchai en suivant une longue galerie qui me fit successivement hommage de tout ce qu'elle avait à m'offrir si je n'avais pas sommeil, un fauteuil placé dans un coin, une épinette, sur une console un pot de faïence bleu rempli de cinéraires, et dans un cadre ancien le fantôme d'une dame d'autrefois aux cheveux poudrés mêlés de fleurs bleues et tenant à la main un bouquet d'œillets. Arrivé au bout, son mur plein où ne s'ouvrait aucune porte me dit naïvement : « Maintenant il faut revenir, mais tu vois, tu es chez toi », tandis que le tapis moelleux ajoutait pour ne pas demeurer en reste que si je ne dormais pas cette nuit je pourrais très bien venir nu-pieds, et que les fenêtres sans volets qui regardaient la campagne m'assuraient qu'elles passeraient une nuit blanche et qu'en venant à l'heure que je voudrais je n'avais à craindre de réveiller personne. Et derrière une tenture je surpris seulement un petit cabinet qui, arrêté par la muraille et ne pouvant se sauver, s'était caché là, tout penaud, et me regardait avec effroi de son œil-de-bœuf rendu bleu par le clair de lune. Je me couchai, mais la présence de l'édredon, des colonnettes, de la petite cheminée, en mettant mon attention à un cran où elle n'était pas à Paris, m'empêcha de me livrer au train-train habituel de mes rêvasseries. Et comme c'est cet état particulier de l'attention qui enveloppe le sommeil et agit sur lui, le modifie, le met de plain-pied avec telle ou telle série de nos souvenirs, les images qui remplirent mes rêves, cette première nuit, furent empruntées à une mémoire entièrement distincte de celle que mettait d'habitude à contribution mon sommeil. Si j'avais été tenté en dormant de me laisser réentraîner vers ma mémoire coutumière, le lit auquel je n'étais pas habitué, la douce attention que j'étais obligé de prêter à mes positions quand je me retournais, suffisaient à rectifier ou à maintenir le fil nouveau de mes rêves. Il en est du sommeil comme de la perception du monde extérieur. Il suffit d'une modification dans nos habitudes pour le rendre poétique, il suffit qu'en nous déshabillant nous nous soyons endormi sans le vouloir sur notre lit, pour que les dimensions du sommeil soient changées et sa beauté sentie. On s'éveille, on voit quatre heures à sa montre, ce n'est que quatre heures du matin, mais nous croyons que toute la journée s'est écoulée, tant ce sommeil de quelques minutes et que nous n'avions pas cherché nous a paru descendu du ciel, en vertu de quelque droit divin, énorme et plein comme le globe d'or d'un empereur. Le matin, ennuyé de penser que mon grand-père était prêt et qu'on m'attendait pour partir du côté de Méséglise, je fus éveillé par la fanfare d'un régiment qui tous les jours passa sous mes fenêtres. Mais deux ou trois fois — et je le dis, car on ne peut bien décrire la vie des hommes, si on ne la fait baigner dans le sommeil où elle plonge et qui, nuit après nuit, la contourne comme une presqu'île est cernée par la mer — le sommeil interposé[a] fut en moi assez résistant pour soutenir le choc de la musique et je n'entendis rien. Les autres jours il céda un instant ; mais encore veloutée d'avoir dormi, ma conscience, comme[b] ces organes préalablement anesthésiés, par qui une cautérisation, restée d'abord insensible, n'est perçue que tout à fait à sa fin et comme une légère brûlure, n'était touchée qu'avec douceur par les pointes aiguës des fifres qui la caressaient d'un vague et frais gazouillis matinal ; et après cette étroite interruption où le silence s'était fait musique, il reprenait avec mon sommeil avant même que les dragons eussent fini de passer, me dérobant les dernières gerbes épanouies du bouquet jaillissant et sonore. Et la zone de ma conscience que ses tiges jaillissantes avaient effleurée était si étroite, si circonvenue de sommeil, que plus tard, quand Saint-Loup me demandait si j'avais entendu la musique, je n'étais pas certain que le son de la fanfare n'eût pas été aussi imaginaire que celui que j'entendais dans le jour s'élever après le moindre bruit au-dessus des pavés de la ville. Peut-être ne l'avais-je entendu qu'en un rêve par la crainte[a] d'être réveillé, ou au contraire de ne pas l'être et de ne pas voir le défilé. Car souvent quand je restais endormi au moment où j'avais pensé au contraire que le bruit m'aurait réveillé, pendant une heure encore je croyais l'être, tout en sommeillant, et je me jouais à moi-même en minces ombres sur l'écran de mon sommeil les divers spectacles auxquels il m'empêchait mais auxquels j'avais l'illusion d'assister[b].

Ce qu'on aurait fait le jour, il arrive en effet, le sommeil venant, qu'on ne l'accomplisse qu'en rêve, c'est-à-dire après l'inflexion de l'ensommeillement, en suivant une autre voie qu'on n'eût fait éveillé. La même histoire tourne et a une autre fin. Malgré tout, le monde dans lequel on vit pendant le sommeil est tellement différent que ceux qui ont de la peine à s'endormir cherchent avant tout à sortir du nôtre. Après avoir désespérément, pendant des heures, les yeux clos, roulé des pensées pareilles à celles qu'ils auraient eues les yeux ouverts, ils reprennent courage s'ils s'aperçoivent que la minute précédente a été tout alourdie d'un raisonnement en contradiction formelle avec les lois de la logique et l'évidence du présent, cette courte « absence » signifiant que la porte est ouverte par laquelle ils pourront peut-être s'échapper tout à l'heure de la perception du réel, aller faire une halte plus ou moins loin de lui, ce qui leur donnera un plus ou moins « bon » sommeil. Mais un grand pas est déjà fait quand on tourne le dos au réel, quand on atteint[c] les premiers antres où les « autosuggestions » préparent comme des sorcières l'infernal fricot des maladies imaginaires[1] ou de la recrudescence des maladies nerveuses, et guettent l'heure où les crises remontées pendant le sommeil inconscient se déclencheront assez fortes pour le faire cesser.

Non loin de là est le jardin réservé où croissent comme des fleurs inconnues les sommeils si différents les uns des autres, sommeil du datura, du chanvre indien, des multiples extraits de l'éther, sommeil de la belladone, de l'opium, de la valériane, fleurs qui restent closes jusqu'au jour où l'inconnu prédestiné viendra les toucher, les épanouir, et pour de longues heures dégager l'arôme de leurs rêves particuliers en un être émerveillé et surpris[1]. Au fond du jardin est le couvent aux fenêtres ouvertes où l'on entend répéter les leçons apprises avant de s'endormir et qu'on ne saura qu'au réveil ; tandis que, présage de celui-ci, fait résonner son tic-tac ce réveille-matin intérieur que notre préoccupation a réglé si bien que, quand notre ménagère viendra nous dire : il est sept heures, elle nous trouvera déjà prêt. Aux parois obscures de cette chambre qui s'ouvre sur les rêves, et où travaille sans cesse cet oubli des chagrins amoureux duquel est parfois interrompue et défaite par un cauchemar plein de réminiscences la tâche vite recommencée, pendent même après qu'on est réveillé, les souvenirs des songes[2], mais si enténébrés que souvent nous ne les apercevons pour la première fois qu'en pleine après-midi quand le rayon d'une idée similaire vient fortuitement les frapper ; quelques-uns déjà, harmonieusement clairs pendant qu'on dormait, mais devenus si méconnaissables que, ne les ayant pas reconnus, nous ne pouvons que nous hâter de les rendre à la terre, ainsi que des morts trop vite décomposés ou que des objets si gravement atteints et près de la poussière que le restaurateur le plus habile ne pourrait leur rendre une forme, et rien en tirer.

Près de la grille est la carrière où les sommeils profonds viennent chercher des substances qui imprègnent la tête d'enduits si durs que pour éveiller le dormeur sa propre volonté est obligée, même dans un matin d'or, de frapper à grands coups de hache, comme un jeune Siegfried[3]. Au-delà encore[a] sont les cauchemars dont les médecins prétendent stupidement qu'ils fatiguent plus que l'insomnie, alors qu'ils permettent au contraire au penseur de s'évader de l'attention ; les cauchemars[b] avec leurs albums fantaisistes, où nos parents qui sont morts viennent de subir un grave accident qui n'exclut pas une guérison prochaine. En attendant nous les tenons dans une petite cage à rats, où ils sont plus petits que des souris blanches et, couverts de gros boutons rouges, plantés chacun d'une plume, nous tiennent des discours cicéroniens. À côté de cet album est le disque tournant du réveil grâce auquel nous subissons un instant l'ennui d'avoir à rentrer tout à l'heure dans une maison qui est détruite depuis cinquante ans, et dont l'image est effacée, au fur et à mesure que le sommeil s'éloigne, par plusieurs autres, avant que nous arrivions à celle qui ne se présente qu'une fois le disque arrêté et qui coïncide avec celle que nous verrons avec nos yeux ouverts.

Quelquefois je n'avais rien entendu, étant dans un de ces sommeils où l'on tombe comme dans un trou duquel on est tout heureux d'être tiré un peu plus tard, lourd, surnourri, digérant tout ce que nous ont apporté, pareilles aux nymphes qui nourrissaient Hercule[1], ces agiles puissances végétatives, à l'activité redoublée pendant que nous dormons.

On appelle cela un sommeil de plomb, il semble qu'on soit devenu, soi-même, pendant quelques instants après qu'un tel sommeil a cessé, un simple bonhomme de plomb. On n'est plus personne. Comment, alors, cherchant sa pensée, sa personnalité comme on cherche un objet perdu, finit-on par retrouver son propre moi plutôt que tout autre ? Pourquoi, quand on se remet à penser, n'est-ce pas alors une autre personnalité que l'antérieure qui s'incarne en nous ? On ne voit pas ce qui dicte le choix et pourquoi, entre les millions d'êtres humains qu'on pourrait être, c'est sur celui qu'on était la veille qu'on met juste la main. Qu'est-ce qui nous guide, quand il y a eu vraiment interruption (soit que le sommeil ait été complet, ou les rêves entièrement différents de nous) ? Il y a eu vraiment mort, comme quand le cœur a cessé de battre et que des tractions rythmées de la langue nous raniment. Sans doute la chambre, ne l'eussions-nous vue qu'une fois, éveille-t-elle des souvenirs auxquels de plus anciens sont suspendus ; ou quelques-uns dormaient-ils en nous-mêmes, dont nous prenons conscience. La résurrection au réveil — après ce bienfaisant accès d'aliénation mentale qu'est le sommeil — doit ressembler au fond à ce qui se passe quand on retrouve un nom, un vers, un refrain oubliés. Et peut-être la résurrection de l'âme après la mort est-elle concevable comme un phénomène de mémoire.

Quand j'avais fini de dormir, attiré[a] par le ciel ensoleillé, mais retenu par la fraîcheur de ces derniers matins si lumineux et si froids où commence l'hiver, pour regarder les arbres où les feuilles n'étaient plus indiquées que par une ou deux touches d'or ou de rose qui semblaient être

restées en l'air, dans une trame invisible, je levais la tête
et tendais le cou tout en gardant le corps à demi caché
dans mes couvertures ; comme une chrysalide en voie de
métamorphose, j'étais une créature double aux diverses
parties de laquelle ne convenait pas le même milieu ; à
mon regard suffisait de la couleur, sans chaleur ; ma
poitrine par contre se souciait de chaleur et non de couleur.
Je ne me levais que quand mon feu était allumé et je
regardais le tableau si transparent et si doux de la matinée
mauve et dorée à laquelle je venais d'ajouter artificiellement les parties de chaleur qui lui manquaient, tisonnant
mon feu qui brûlait et fumait comme une bonne pipe et
qui me donnait, comme elle eût fait, un plaisir à la fois
grossier parce qu'il reposait sur un bien-être matériel et
délicat parce que derrière lui s'estompait une pure vision.
Mon cabinet de toilette était tendu d'un papier d'un rouge
violent que parsemaient des fleurs noires et blanches,
auxquelles il semble que j'aurais dû avoir quelque peine
à m'habituer. Mais elles ne firent que me paraître
nouvelles, que me forcer à entrer non en conflit mais en
contact avec elles, que modifier la gaieté et les chants de
mon lever, elles ne firent que me mettre de force au cœur
d'une sorte de coquelicot pour regarder le monde, que
je voyais tout autre qu'à Paris, de ce gai paravent qu'était
cette maison nouvelle, autrement orientée que celle de
mes parents et où affluait un air pur. Certains jours, j'étais
agité par l'envie de revoir ma grand-mère ou par la peur
qu'elle ne fût souffrante ; ou bien c'était le souvenir de
quelque affaire laissée en train à Paris, et qui ne marchait
pas : parfois aussi quelque difficulté dans laquelle, même
ici, j'avais trouvé le moyen de me jeter. L'un ou l'autre
de ces soucis m'avait empêché de dormir, et j'étais sans
force contre ma tristesse, qui en un instant remplissait pour
moi toute l'existence. Alors, de l'hôtel, j'envoyais
quelqu'un au quartier, avec un mot pour Saint-Loup : je
lui disais que si cela lui était[a] matériellement possible — je
savais que c'était très difficile — il fût assez bon pour passer
un instant. Au bout d'une heure il arrivait ; et en entendant
son coup de sonnette je me sentais délivré de mes
préoccupations. Je savais que si elles étaient plus fortes
que moi, il était plus fort qu'elles et mon attention se
détachait d'elles et se tournait vers lui qui avait à décider.
Il venait d'entrer et déjà il avait mis autour de moi le plein

air où il déployait tant d'activité depuis le matin, milieu vital fort différent de ma chambre et auquel je m'adaptais immédiatement par des réactions appropriées.

« J'espère[a] que vous ne m'en voulez pas de vous avoir dérangé ; j'ai quelque chose qui me tourmente, vous avez dû le deviner.

— Mais non, j'ai pensé simplement que vous aviez envie de me voir et j'ai trouvé ça très gentil. J'étais enchanté que vous m'ayez fait demander. Mais quoi ? ça ne va pas, alors ? Qu'est-ce qu'il y a pour votre service ? »

Il écoutait mes explications, me répondait avec précision ; mais avant même qu'il eût parlé, il m'avait fait semblable à lui ; à côté des occupations importantes qui le faisaient si pressé, si alerte, si content, les ennuis qui m'empêchaient tout à l'heure de rester un instant sans souffrir me semblaient, comme à lui, négligeables ; j'étais comme un homme qui, ne pouvant ouvrir les yeux depuis plusieurs jours, fait appeler un médecin lequel avec adresse et douceur lui écarte la paupière, lui enlève et lui montre un grain de sable ; le malade est guéri et rassuré. Tous mes tracas se résolvaient en un télégramme que Saint-Loup se chargeait de faire partir. La vie me semblait si différente, si belle, j'étais inondé d'un tel trop-plein de force que je voulais agir.

« Que faites-vous maintenant ? disais-je à Saint-Loup.

— Je vais vous quitter, car on part en marche dans trois quarts d'heure et on a besoin de moi.

— Alors ça vous a beaucoup gêné de venir ?

— Non, ça ne m'a pas gêné, le capitaine a été très gentil, il a dit que du moment que c'était pour vous il fallait que je vienne, mais enfin je ne veux pas avoir l'air d'abuser.

— Mais si je me levais vite et si j'allais de mon côté à l'endroit où vous allez manœuvrer, cela m'intéresserait beaucoup, et je pourrais peut-être causer avec vous dans les pauses.

— Je ne vous le conseille pas ; vous êtes resté éveillé, vous vous êtes mis martel en tête pour une chose qui, je vous assure, est sans aucune conséquence, mais maintenant qu'elle ne vous agite plus, retournez-vous sur votre oreiller et dormez, ce qui sera excellent contre la déminéralisation de vos cellules nerveuses ; ne vous endormez pas trop vite[b] parce que notre garce de musique va passer sous vos fenêtres ; mais aussitôt après, je pense que vous aurez la paix, et nous nous reverrons ce soir à dîner. »

' Mais un peu plus tard j'allai souvent voir le régiment faire du service en campagne, quand je commençai à m'intéresser aux théories militaires que développaient à dîner les amis de Saint-Loup et que cela devint le désir de mes journées de voir de plus près leurs différents chefs, comme quelqu'un qui fait de la musique sa principale étude et vit dans les concerts a du plaisir à fréquenter les cafés où l'on est mêlé à la vie des musiciens de l'orchestre. Pour arriver au terrain des manœuvres il me fallait faire de grandes marches. Le soir, après le dîner, l'envie de dormir faisait par moments tomber ma tête comme un vertige. Le lendemain, je m'apercevais que je n'avais pas plus entendu la fanfare qu'à Balbec, le lendemain des soirs où Saint-Loup m'avait emmené dîner à Rivebelle, je n'avais entendu le concert de la plage. Et au moment où je voulais me lever, j'en éprouvais délicieusement l'incapacité ; je me sentais attaché à un sol invisible et profond par les articulations, que la fatigue me rendait sensibles, de radicelles musculeuses et nourricières. Je me sentais plein de force, la vie s'étendait plus longue devant moi ; c'est que j'avais reculé jusqu'aux bonnes fatigues de mon enfance à Combray, le lendemain des jours où nous nous étions promenés du côté de Guermantes. Les poètes prétendent que nous retrouvons un moment ce que nous avons jadis été en rentrant dans telle maison, dans tel jardin où nous avons vécu jeunes. Ce sont là pèlerinages fort hasardeux et à la suite desquels on compte autant de déceptions que de succès. Les lieux fixes, contemporains d'années différentes, c'est en nous-même qu'il vaut mieux les trouver. C'est à quoi peuvent, dans une certaine mesure, nous servir une grande fatigue que suit une bonne nuit. Celles-là, pour nous faire descendre dans les galeries les plus souterraines du sommeil, où aucun reflet de la veille, aucune lueur de mémoire n'éclairent plus le monologue intérieur, si tant est que lui-même n'y cesse pas, retournent si bien le sol et le tuf de notre corps qu'elles nous font retrouver, là où nos muscles plongent et tordent leurs ramifications et aspirent la vie nouvelle, le jardin où nous avons été enfant. Il n'y a pas besoin de voyager pour le revoir, il faut descendre pour le retrouver. Ce qui a couvert la terre n'est plus sur elle, mais dessous, l'excursion ne suffit pas pour visiter la ville morte, les fouilles sont nécessaires. Mais on verra combien certaines impressions fugitives et fortuites ramènent bien mieux encore vers le passé, avec une précision plus fine, d'un vol plus léger, plus immatériel, plus vertigineux, plus infaillible, plus immortel, que ces dislocations organiques.

Quelquefois ma fatigue était plus grande encore : j'avais, sans pouvoir me coucher, suivi les manœuvres pendant plusieurs jours. Que le retour à l'hôtel était alors béni ! En entrant dans mon lit, il me semblait avoir enfin échappé à des enchanteurs, à des sorciers, tels que ceux qui peuplent les « romans » aimés de notre XVIIe siècle[1]. Mon sommeil et ma grasse matinée du lendemain n'étaient plus qu'un charmant conte de fées. Charmant ; bienfaisant peut-être aussi. Je me disais que les pires souffrances ont leur lieu d'asile, qu'on peut toujours, à défaut de mieux, trouver le repos. Ces pensées me menaient fort loin.

Les jours[a] où il y avait repos et où Saint-Loup ne pouvait cependant pas sortir, j'allais souvent le voir au quartier. C'était loin ; il fallait sortir de la ville, franchir le viaduc, des deux côtés duquel j'avais une immense vue. Une forte brise soufflait presque toujours sur ces hauts lieux et emplissait les bâtiments construits sur trois côtés de la cour, qui grondaient sans cesse comme un antre des vents. Tandis que, pendant qu'il était occupé à quelque service, j'attendais Robert, devant la porte de sa chambre ou au réfectoire, en causant avec tels de ses amis auxquels il m'avait présenté (et que je vins ensuite voir quelquefois, même quand il ne devait pas être là), voyant par la fenêtre, à cent mètres au-dessous de moi, la campagne dépouillée mais où çà et là des semis nouveaux, souvent encore mouillés de pluie et éclairés par le soleil, mettaient quelques bandes vertes d'un brillant et d'une limpidité translucide d'émail, il m'arrivait[b] d'entendre parler de lui ; et je pus bien vite me rendre compte combien il était aimé et populaire. Chez plusieurs engagés, appartenant à d'autres escadrons, jeunes bourgeois riches qui ne voyaient la haute société aristocratique que du dehors et sans y pénétrer, la sympathie qu'excitait en eux ce qu'ils savaient du caractère de Saint-Loup se doublait du prestige qu'avait à leurs yeux le jeune homme que souvent, le samedi soir, quand ils venaient en permission à Paris, ils avaient vu souper au Café de la Paix[2] avec le duc d'Uzès[3] et le prince d'Orléans[4]. Et à cause de cela, dans sa jolie figure, dans sa façon dégingandée de marcher, de saluer, dans le perpétuel lancé de son monocle, dans « la fantaisie » de ses képis trop hauts, de ses pantalons d'un drap trop fin et trop rose, ils avaient introduit l'idée d'un « chic » dont ils assuraient qu'étaient dépourvus les officiers les plus élégants du régiment, même le majestueux capitaine à qui j'avais dû de coucher au quartier, lequel semblait, par comparaison, trop solennel et presque commun.

L'un disait que le capitaine avait acheté un nouveau cheval. « Il peut acheter tous les chevaux qu'il veut. J'ai rencontré Saint-Loup dimanche matin allée des Acacias, il monte avec un autre chic ! » répondait l'autre ; et en connaissance de cause ; car ces jeunes gens appartenaient à une classe qui, si elle ne fréquente pas le même personnel mondain, pourtant, grâce à l'argent et au loisir, ne diffère pas de l'aristocratie dans l'expérience de toutes celles des élégances qui peuvent s'acheter. Tout au plus la leur avait-elle, par exemple en ce qui concernait les vêtements, quelque chose de plus appliqué, de plus impeccable, que cette libre et négligente élégance de Saint-Loup qui plaisait tant à ma grand-mère. C'était une petite émotion pour ces fils de grands banquiers ou d'agents de change, en train de manger des huîtres après le théâtre, de voir à une table voisine de la leur le sous-officier Saint-Loup. Et que de récits faits au quartier le lundi, en rentrant de permission, par l'un d'eux qui était de l'escadron de Robert et à qui il avait dit bonjour « très gentiment », par un autre qui n'était pas du même escadron mais qui croyait bien que malgré cela Saint-Loup l'avait reconnu, car deux ou trois fois il avait braqué son monocle dans sa direction.

« Oui, mon frère l'a aperçu à "la Paix", disait un autre qui avait passé la journée chez sa maîtresse, il paraît même qu'il avait un habit[a] trop large et qui ne tombait pas bien.

— Comment était son gilet ?

— Il n'avait pas de gilet blanc, mais mauve avec des espèces de palmes, époilant[1] ! »

Pour[b] les anciens (hommes du peuple ignorant le Jockey et qui mettaient seulement Saint-Loup dans la catégorie des sous-officiers très riches, où ils faisaient entrer tous ceux qui, ruinés ou non, menaient un certain train, avaient un chiffre assez élevé de revenus ou de dettes et étaient généreux avec les soldats), la démarche, le monocle, les pantalons, les képis de Saint-Loup, s'ils n'y voyaient rien d'aristocratique, n'offraient pas cependant moins d'intérêt et de signification. Ils reconnaissaient dans ces particularités le caractère, le genre qu'ils avaient assignés une fois pour toutes à ce plus populaire des gradés du régiment, manières pareilles à celles de personne, dédain de ce que pourraient penser les chefs, et qui leur semblait la conséquence naturelle de sa bonté pour le soldat. Le café du matin dans la chambrée, ou le repos sur les lits pendant l'après-midi, paraissaient meilleurs, quand quelque ancien servait à l'escouade gourmande et paresseuse quelque savoureux détail sur un képi qu'avait Saint-Loup.

« Aussi haut comme mon paquetage.

— Voyons, vieux, tu veux nous la faire à l'oseille, il ne pouvait pas être aussi haut que ton paquetage », interrompait un jeune licencié ès lettres qui cherchait[d] en usant de ce dialecte à ne pas avoir l'air d'un bleu et en osant cette contradiction à se faire confirmer un fait qui l'enchantait.

« Ah ! il n'est pas aussi haut que mon paquetage ? Tu l'as mesuré peut-être. Je te dis que le lieutenant-colon le fixait comme s'il voulait le mettre au bloc. Et faut pas croire que mon fameux Saint-Loup s'épatait, il allait, il venait, il baissait la tête, il la relevait, et toujours ce coup du monocle. Faudra voir ce que va dire le capiston. Ah ! il se peut qu'il ne dise rien, mais pour sûr que cela ne lui fera pas plaisir. Mais ce képi-là, il n'a encore rien d'épatant. Il paraît que chez lui, en ville, il en a plus de trente.

— Comment que tu le sais, vieux ? Par notre sacré cabot ? » demandait le jeune licencié avec pédantisme, étalant[b] les nouvelles formes grammaticales qu'il n'avait apprises que de fraîche date et dont il était fier de parer sa conversation.

« Comment que je le sais ? Par son ordonnance, pardi !

— Tu parles qu'en voilà un qui ne doit pas être malheureux !

— Je comprends ! Il a plus de braise que moi, pour sûr ! Et encore[c] il lui donne tous ses effets, et tout et tout. Il n'avait pas à sa suffisance à la cantine. Voilà mon de Saint-Loup qui s'est amené et le cuistot en a entendu : "Je veux qu'il soit bien nourri, ça coûtera ce que ça coûtera." »

Et l'ancien rachetait l'insignifiance des paroles par l'énergie de l'accent, en une imitation médiocre qui avait le plus grand succès.

Au sortir du quartier je faisais un tour, puis, en attendant

le moment où j'allais quotidiennement dîner avec Saint-
Loup, à l'hôtel où lui et ses amis avaient pris pension, je
me dirigeais vers le mien, sitôt le soleil couché, afin d'avoir
deux heures pour me reposer et lire. Sur la place, le soir
posait aux toits en poudrière du château de petits nuages
roses assortis à la couleur des briques et achevait le raccord
en adoucissant celles-ci d'un reflet. Un tel courant de vie
affluait à mes nerfs qu'aucun de mes mouvements ne
pouvait l'épuiser ; chacun de mes pas, après avoir touché
un pavé de la place, rebondissait, il me semblait avoir aux
talons les ailes de Mercure[1]. L'une des fontaines[a] était
pleine d'une lueur rouge, et dans l'autre déjà le clair de
lune rendait l'eau de la couleur d'une opale. Entre elles
des marmots jouaient, poussaient des cris, décrivaient des
cercles, obéissant à quelque nécessité de l'heure, à la façon
des martinets ou des chauves-souris. A côté de l'hôtel, les
anciens palais nationaux et l'orangerie de Louis XVI dans
lesquels se trouvaient maintenant la Caisse d'épargne et
le corps d'armée étaient éclairés du dedans par les
ampoules pâles et dorées du gaz déjà allumé qui, dans le
jour encore clair, seyait à ces hautes et vastes fenêtres du
XVIIIe siècle où n'était pas encore effacé le dernier reflet
du couchant, comme eût fait à une tête avivée de rouge
une parure d'écaille blonde, et me persuadait d'aller
retrouver mon feu et ma lampe qui, seule dans la façade
de l'hôtel que j'habitais, luttait contre le crépuscule et pour
laquelle je rentrais, avant qu'il fût tout à fait nuit, par
plaisir, comme on fait pour le goûter. Je gardais, dans mon
logis, la même plénitude de sensation que j'avais eue
dehors. Elle bombait de telle façon l'apparence de surfaces
qui nous semblent si souvent plates et vides, la flamme
jaune du feu, le papier gros bleu du ciel sur lequel le soir
avait brouillonné, comme un collégien, les tire-bouchons
d'un crayonnage rose, le tapis à dessin singulier de la table
ronde sur laquelle une rame de papier écolier et un encrier
m'attendaient avec un roman de Bergotte, que, depuis,
ces choses ont continué à me sembler riches de toute une
sorte particulière d'existence qu'il me semble que je saurais
extraire d'elles s'il m'était donné de les retrouver. Je
pensais avec joie à ce quartier que je venais de quitter
et duquel la girouette tournait à tous les vents. Comme
un plongeur respirant dans un tube qui monte jusqu'au-
dessus de la surface de l'eau, c'était pour moi comme être

relié à la vie salubre, à l'air libre, que de me sentir pour point d'attache ce quartier, ce haut observatoire dominant la campagne sillonnée de canaux d'émail vert, et sous les hangars et dans les bâtiments duquel je comptais pour un précieux privilège, que je souhaitais durable, de pouvoir me rendre quand je voulais, toujours sûr d'être bien reçu.

À sept heures je m'habillais et je ressortais pour aller dîner avec Saint-Loup à l'hôtel où il avait pris pension. J'aimais[a] m'y rendre à pied. L'obscurité était profonde, et dès le troisième jour commença à souffler, aussitôt la nuit venue, un vent glacial qui semblait annoncer la neige. Tandis que je marchais, il semble que j'aurais dû ne pas cesser un instant de penser à Mme de Guermantes ; ce n'était que pour tâcher d'être rapproché d'elle que j'étais venu dans la garnison de Robert. Mais un souvenir, un chagrin, sont mobiles. Il y a des jours où ils s'en vont si loin que nous les apercevons à peine, nous les croyons partis. Alors nous faisons attention à d'autres choses. Et les rues de cette ville n'étaient[b] pas encore pour moi, comme là où nous avons l'habitude de vivre, de simples moyens d'aller d'un endroit à un autre. La vie[c] que menaient les habitants de ce monde inconnu me semblait devoir être merveilleuse, et souvent les vitres éclairées de quelque demeure me retenaient longtemps immobile dans la nuit en mettant sous mes yeux les scènes véridiques et mystérieuses d'existences où je ne pénétrais pas. Ici le génie du feu me montrait en un tableau empourpré la taverne d'un marchand de marrons où deux sous-officiers, leurs ceinturons posés sur des chaises, jouaient aux cartes sans se douter qu'un magicien les faisait surgir de la nuit, comme dans une apparition de théâtre, et les évoquait tels qu'ils étaient effectivement à cette minute même, aux yeux d'un passant arrêté qu'ils ne pouvaient voir. Dans un petit magasin de bric-à-brac, une bougie à demi consumée, en projetant sa lueur rouge sur une gravure, la transformait en sanguine, pendant que, luttant contre l'ombre, la clarté de la grosse lampe basanait un morceau de cuir, niellait un poignard de paillettes étincelantes, sur des tableaux qui n'étaient que de mauvaises copies déposait une dorure précieuse comme la patine du passé ou le vernis d'un maître, et faisait enfin de ce taudis où il n'y avait que du toc et des croûtes, un inestimable Rembrandt. Parfois je levais les yeux jusqu'à quelque vaste appartement ancien dont les volets n'étaient pas fermés et où des hommes et des femmes amphibies, se réadaptant chaque soir à vivre dans un autre élément que le jour, nageaient lentement dans la grasse liqueur qui, à la tombée de la nuit, sourd incessamment du réservoir des lampes pour remplir les chambres jusqu'au bord de leurs parois de pierre et de verre, et au sein de laquelle ils propageaient, en déplaçant leurs corps, des remous onctueux et dorés. Je reprenais mon chemin, et souvent dans la ruelle noire qui passe devant la cathédrale, comme jadis dans le chemin de Méséglise, la force de mon désir m'arrêtait ; il me semblait qu'une femme allait surgir pour le satisfaire ; si dans l'obscurité je sentais tout d'un coup passer une robe, la violence même du plaisir que j'éprouvais m'empêchait de croire que ce frôlement fût fortuit et j'essayais d'enfermer dans mes bras une passante effrayée. Cette ruelle gothique avait pour moi quelque chose de si réel, que si j'avais pu y lever et y posséder une femme, il m'eut été impossible de ne pas croire que c'était l'antique volupté qui allait nous unir, cette femme eût-elle été une simple raccrocheuse postée là tous les soirs, mais à laquelle aurait prêté leur mystère l'hiver, le dépaysement, l'obscurité et le Moyen Âge. Je songeais à l'avenir : essayer d'oublier Mme de Guermantes me semblait affreux, mais raisonnable et, pour la première fois, possible, facile peut-être. Dans le calme absolu de ce quartier, j'entendais devant moi des paroles et des rires qui devaient venir de promeneurs à demi avinés qui rentraient. Je m'arrêtais pour les voir, je regardais du côté où j'avais entendu le bruit. Mais j'étais obligé d'attendre longtemps, car le silence environnant était si profond qu'il avait laissé passer avec une netteté et une force extrêmes des bruits encore lointains. Enfin, les promeneurs arrivaient non pas devant moi comme j'avais cru, mais fort loin derrière. Soit que le croisement des rues, l'interposition des maisons eût causé par réfraction cette erreur d'acoustique, soit qu'il soit très difficile de situer un son dont la place ne nous est pas connue, je m'étais trompé, tout autant que sur la distance, sur la direction.

Le vent[a] grandissait. Il était tout hérissé et grenu d'une approche de neige ; je regagnais la grand-rue et sautais dans le petit tramway où de la plate-forme un officier qui semblait ne pas les voir répondait aux saluts des soldats balourds qui passaient sur le trottoir, la face peinturlurée par le froid ; et elle faisait penser, dans cette cité que le brusque saut de l'automne dans ce commencement d'hiver semblait avoir entraînée plus avant dans le nord, à la face rubiconde que Breughel donne à ses paysans joyeux, ripailleurs et gelés.

Et précisément à l'hôtel où j'avais rendez-vous avec Saint-Loup et ses amis et où les fêtes qui commençaient attiraient beaucoup de gens du voisinage et d'étrangers, c'était, pendant que je traversais directement la cour qui s'ouvrait sur de rougeoyantes cuisines où tournaient des poulets embrochés, où grillaient des porcs, où des homards encore vivants étaient jetés dans ce que l'hôtelier appelait le « feu éternel[1] », une affluence (digne de quelque « Dénombrement devant Bethléem[2] » comme en peignaient les vieux maîtres flamands) d'arrivants qui s'assemblaient par groupes dans la cour, demandant au patron ou à l'un de ses aides (qui leur indiquaient de préférence un logement dans la ville quand ils ne les trouvaient pas d'assez bonne mine) s'ils pourraient être servis et logés, tandis qu'un garçon passait en tenant par le cou une volaille qui se débattait. Et dans la grande salle à manger que je traversai le premier jour, avant d'atteindre la petite pièce où m'attendait mon ami, c'était aussi à un repas de l'Évangile figuré avec la naïveté du vieux temps et l'exagération des Flandres que faisait penser le nombre des poissons, des poulardes, des coqs de bruyère, des bécasses, des pigeons, apportés tout décorés et fumants par des garçons hors d'haleine qui glissaient sur le parquet pour aller plus vite et les déposaient sur l'immense console où ils étaient découpés aussitôt, mais où — beaucoup de repas touchant à leur fin, quand j'arrivais — ils s'entassaient inutilisés ; comme si leur profusion et la précipitation de ceux qui les apportaient répondaient, beaucoup plutôt qu'aux demandes des dîneurs, au respect du texte sacré scrupuleusement suivi dans sa lettre, mais naïvement illustré par des détails réels empruntés à la vie locale, et au souci esthétique et religieux de montrer aux yeux l'éclat de la fête par la profusion des victuailles et l'empressement des serviteurs. Un d'entre eux au bout de la salle songeait, immobile près d'un dressoir ; et pour demander à celui-là, qui seul paraissait assez calme pour me répondre, dans quelle pièce on avait préparé notre table, m'avançant entre

les réchauds allumés çà et là afin d'empêcher que se
refroidissent les plats des retardataires (ce qui n'empêchait
pas qu'au centre de la salle les desserts étaient tenus par
les mains d'un énorme bonhomme quelquefois supporté
sur les ailes d'un canard en cristal, semblait-il, en réalité
en glace, ciselée chaque jour au fer rouge, par un cuisinier
sculpteur, dans un goût bien flamand), j'allai droit, au
risque d'être renversé par les autres, vers ce serviteur dans
lequel je crus reconnaître un personnage qui est de
tradition dans ces sujets sacrés et dont il reproduisait
scrupuleusement la figure camuse, naïve et mal dessinée,
l'expression rêveuse, déjà à demi presciente du miracle
d'une présence divine que les autres n'ont pas encore
soupçonnée. Ajoutons qu'en raison sans doute des fêtes
prochaines, à cette figuration fut ajouté un supplément
céleste recruté tout entier dans un personnel de chérubins
et de séraphins. Un jeune ange musicien, aux cheveux
blonds encadrant une figure de quatorze ans, ne jouait à
vrai dire d'aucun instrument, mais rêvassait devant un
gong ou une pile d'assiettes, cependant que des anges
moins enfantins s'empressaient à travers les espaces
démesurés de la salle, en y agitant l'air du frémissement
incessant des serviettes qui descendaient le long de leur
corps en formes d'ailes de primitifs, aux pointes aiguës.
Fuyant ces régions mal définies, voilées d'un rideau de
palmes, d'où les célestes serviteurs avaient l'air, de loin, de
venir de l'empyrée, je me frayai un chemin jusqu'à la petite
salle où était la table de Saint-Loup. J'y trouvai[a] quelques-
uns de ses amis qui dînaient toujours avec lui, nobles, sauf
un ou deux roturiers, mais en qui les nobles avaient dès le
collège flairé des amis et avec qui ils s'étaient liés volontiers,
prouvant ainsi qu'ils n'étaient pas, en principe, hostiles aux
bourgeois, fussent-ils républicains, pourvu qu'ils eussent les
mains propres et allassent à la messe. Dès la première fois,
avant qu'on se mît à table, j'entraînai Saint-Loup dans un
coin de la salle à manger, et devant tous les autres, mais qui
ne nous entendaient pas, je lui dis :

« Robert, le moment et l'endroit sont mal choisis pour
vous dire cela[b], mais cela ne durera qu'une seconde.
Toujours j'oublie de vous le demander au quartier ; est-ce
que ce n'est pas Mme de Guermantes dont vous avez la
photographie sur la table ?

— Mais si, c'est ma bonne tante.

— Tiens, mais c'est vrai, je suis fou, je l'avais su autrefois, je n'y avais jamais songé ; mon Dieu, vos amis doivent s'impatienter, parlons vite, ils nous regardent, ou bien une autre fois, cela n'a aucune importance.

— Mais si, marchez toujours, ils sont là pour attendre.

— Pas du tout, je tiens à être poli ; ils sont si gentils ; vous savez, du reste, je n'y tiens pas autrement.

— Vous la connaissez, cette brave Oriane ? »

Cette « brave Oriane », comme il eût dit cette « bonne Oriane », ne signifiait pas que Saint-Loup considérât Mme de Guermantes comme particulièrement bonne. Dans ce cas, bonne, excellente, brave, sont de simples renforcements de « cette », désignant une personne qu'on connaît tous deux et dont on ne sait trop que dire avec quelqu'un qui n'est pas de votre intimité. « Bonne » sert de hors-d'œuvre et permet d'attendre un instant qu'on ait trouvé : « Est-ce que vous la voyez souvent ? » ou « Il y a des mois que je ne l'ai vue », ou « Je la vois mardi » ou « Elle ne doit plus être de la première jeunesse. »

« Je ne peux[a] pas vous dire comme cela m'amuse que ce soit sa photographie, parce que nous habitons maintenant dans sa maison et j'ai appris sur elle des choses inouïes (j'aurais été bien embarrassé de dire lesquelles) qui font qu'elle m'intéresse beaucoup, à un point de vue littéraire, vous[b] comprenez, comment dirai-je, à un point de vue balzacien, vous qui êtes tellement intelligent, vous comprenez cela à demi-mot, mais finissons vite, qu'est-ce que vos amis doivent penser de mon éducation !

— Mais ils ne pensent rien du tout ; je leur ai dit que vous êtes sublime et ils sont beaucoup plus intimidés que vous.

— Vous êtes trop gentil. Mais justement, voilà : Mme de Guermantes ne se doute pas que je vous connais, n'est-ce pas ?

— Je n'en sais rien ; je ne l'ai pas vue depuis l'été dernier puisque je ne suis pas venu en permission depuis qu'elle est rentrée.

— C'est que je vais vous dire, on m'a assuré qu'elle me croit tout à fait idiot.

— Cela, je ne le crois pas : Oriane n'est pas un aigle, mais elle n'est tout de même pas stupide.

— Vous savez que je ne tiens pas du tout en général à ce que vous publiiez les bons sentiments que vous avez

pour moi, car je n'ai pas d'amour-propre. Aussi je regrette
que vous ayez dit des choses aimables sur mon compte
à vos amis (que nous allons rejoindre dans deux secondes).
Mais pour Mme de Guermantes, si vous pouviez lui faire
savoir, même avec un peu d'exagération, ce que vous
pensez de moi, vous me feriez un grand plaisir.

— Mais très volontiers, si vous n'avez que cela à me
demander, ce n'est pas trop difficile, mais quelle importance cela peut-il avoir, ce qu'elle peut penser de vous ?
Je suppose que vous vous en moquez bien ; en tout cas
si ce n'est que cela, nous pourrons en parler devant tout
le monde ou quand nous serons seuls, car j'ai peur que
vous vous fatiguiez à parler debout et d'une façon si
incommode, quand nous avons tant d'occasions d'être en
tête à tête. »

C'était bien justement cette incommodité qui m'avait
donné le courage de parler à Robert ; la présence des
autres était pour moi un prétexte m'autorisant à donner
à mes propos un tour bref et décousu, à la faveur duquel
je pouvais plus aisément dissimuler le mensonge que je
faisais en disant à mon ami que j'avais oublié sa parenté
avec la duchesse et pour ne pas lui laisser le temps[a] de
me poser sur mes motifs de désirer que Mme de
Guermantes me sût lié avec lui, intelligent, etc., des
questions qui m'eussent d'autant plus troublé que je
n'aurais pas pu y répondre.

« Robert, pour vous si intelligent, cela m'étonne que
vous ne compreniez pas qu'il ne faut pas discuter ce qui
fait plaisir à ses amis, mais le faire. Moi, si vous me
demandiez n'importe quoi, et même je tiendrais beaucoup
à ce que vous me demandiez quelque chose, je vous assure
que je ne vous demanderais pas d'explications. Je vais plus
loin que ce que je désire ; je ne tiens pas à connaître Mme
de Guermantes ; mais j'aurais dû, pour vous éprouver,
vous dire que je désirerais dîner avec Mme de Guermantes
et je sais que vous ne l'auriez pas fait.

— Non seulement je l'aurais fait, mais je le ferai.

— Quand cela ?

— Dès que je viendrai à Paris, dans trois semaines, sans
doute.

— Nous verrons, d'ailleurs elle ne voudra pas. Je ne
peux[b] pas vous dire comme je vous remercie.

— Mais non, ce n'est rien.

— Ne me dites pas cela, c'est énorme, parce que maintenant je vois l'ami que vous êtes ; que la chose que je vous demande soit importante ou non, désagréable ou non*ᵃ*, que j'y tienne en réalité ou seulement pour vous éprouver, peu importe, vous dites que vous le ferez, et vous montrez par là la finesse de votre intelligence et de votre cœur. Un ami bête eût discuté. »

C'était justement ce qu'il venait de faire ; mais peut-être je voulais le prendre par l'amour-propre ; peut-être aussi j'étais sincère, la seule pierre de touche du mérite me semblant être l'utilité dont on pouvait être pour moi à l'égard de l'unique chose qui me semblât importante, mon amour. Puis j'ajoutai, soit par duplicité, soit par un surcroît véritable de tendresse produit par la reconnaissance, par l'intérêt et par tout ce que la nature avait mis des traits mêmes de Mme de Guermantes en son neveu Robert :

« Mais voilà qu'il faut rejoindre les autres et je ne vous ai demandé que l'une des deux choses, la moins importante, l'autre l'est plus pour moi, mais je crains que vous ne me la refusiez ; cela vous ennuierait-il que nous nous tutoyions ?

— Comment m'ennuyer, mais voyons ! *joie ! pleurs de joie ! félicité inconnue*[1] !

— Comme je vous remercie... te remercie. Quand vous aurez commencé ! Cela me fait un tel plaisir que vous pouvez ne rien faire pour Mme de Guermantes si vous voulez, le tutoiement me suffit.

— On fera les deux.

— Oh ! Robert ! Écoutez, dis-je encore*ᵇ* à Saint-Loup pendant le dîner — oh ! c'est d'un comique cette conversation à propos interrompus et du reste je ne sais pas pourquoi —, vous savez la dame dont je viens de vous parler ?

— Oui.

— Vous savez bien qui je veux dire ?

— Mais voyons, vous me prenez pour un crétin du Valais[2], pour un *demeuré*.

— Vous ne voudriez*ᶜ* pas me donner sa photographie ? »

Je comptais lui demander seulement de me la prêter. Mais au moment de parler, j'éprouvai de la timidité, je trouvai ma demande indiscrète, et, pour ne pas le laisser voir, je la formulai plus brutalement et la grossis encore, comme si elle avait été toute naturelle.

« Non, il faudrait que je lui demande la permission d'abord », me répondit-il.

Aussitôt il rougit. Je compris qu'il avait une arrière-pensée, qu'il m'en prêtait une, qu'il ne servirait mon amour qu'à moitié, sous la réserve de certains principes de moralité, et je le détestai.

Et pourtant j'étais touché de voir combien Saint-Loup se montrait autre à mon égard depuis que je n'étais plus seul avec lui et que ses amis étaient en tiers. Son amabilité plus grande m'eût laissé indifférent si j'avais cru qu'elle était voulue ; mais je la sentais involontaire et faite seulement de tout ce qu'il devait dire à mon sujet quand j'étais absent et qu'il taisait quand j'étais seul avec lui. Dans nos tête-à-tête, certes, je soupçonnais le plaisir qu'il avait à causer avec moi, mais ce plaisir restait presque toujours inexprimé. Maintenant les mêmes propos de moi, qu'il goûtait d'habitude sans le marquer, il surveillait du coin de l'œil s'ils produisaient chez ses amis l'effet sur lequel il avait compté et qui devait répondre à ce qu'il leur avait annoncé. La mère d'une débutante ne suspend pas davantage son attention aux répliques de sa fille et à l'attitude du public. Si j'avais dit un mot dont, devant moi seul, il n'eût que souri, il craignait qu'on ne l'eût pas bien compris, il me disait : « Comment, comment ? » pour me faire répéter, pour faire faire attention, et aussitôt se tournant vers les autres et se faisant, sans le vouloir, en les regardant avec un bon rire, l'entraîneur de leur rire, il me présentait pour la première fois l'idée qu'il avait de moi et qu'il avait dû souvent leur exprimer. De sorte que je m'apercevais tout d'un coup moi-même du dehors, comme quelqu'un qui lit son nom dans le journal ou qui se voit dans une glace.

Il m'arriva un de ces soirs-là de vouloir raconter une histoire assez comique sur Mme Blandais mais je m'arrêtai immédiatement car je me rappelai que Saint-Loup la connaissait déjà et qu'ayant voulu la lui dire le lendemain de mon arrivée, il m'avait interrompu en me disant : « Vous me l'avez déjà racontée à Balbec. » Je fus donc surpris de le voir m'exhorter à continuer, en m'assurant qu'il ne connaissait pas cette histoire et qu'elle l'amuserait beaucoup. Je lui dis : « Vous avez un moment d'oubli, mais vous allez bientôt la reconnaître. — Mais non, je te jure que tu confonds. Jamais tu ne me l'as dite. Va. » Et pendant toute l'histoire il attachait fiévreusement ses regards ravis tantôt sur moi, tantôt sur ses camarades. Je compris seulement quand j'eus fini au milieu des rires de tous qu'il avait songé qu'elle donnerait une haute idée de mon esprit à ses camarades et que c'était pour cela qu'il avait feint de ne pas la connaître. Telle est l'amitié.

Le troisième soir[a], un de ses amis auquel je n'avais pas eu l'occasion de parler les deux premières fois, causa très longuement avec moi ; et je l'entendais qui disait à mi-voix à Saint-Loup le plaisir qu'il y trouvait. Et de fait nous causâmes presque toute la soirée ensemble devant nos verres de sauternes que nous ne vidions pas, séparés[b], protégés des autres par les voiles magnifiques d'une de ces sympathies entre hommes qui, lorsqu'elles n'ont pas d'attrait physique à leur base, sont les seules qui soient tout à fait mystérieuses. Tel, de nature énigmatique, m'était apparu à Balbec ce sentiment que Saint-Loup ressentait pour moi, qui ne se confondait pas avec l'intérêt de nos conversations, détaché de tout lien matériel, invisible, intangible et dont pourtant il éprouvait la présence en lui-même comme une sorte de phlogistique[1], de gaz, assez pour en parler en souriant. Et peut-être y avait-il quelque chose de plus surprenant encore dans cette sympathie née ici en une seule soirée, comme une fleur qui se serait ouverte en quelques minutes dans la chaleur de cette petite pièce. Je ne pus me tenir de demander à Robert, comme il me parlait de Balbec, s'il était vraiment décidé qu'il épousât Mlle d'Ambresac. Il me déclara que non seulement ce n'était pas décidé, mais qu'il n'en avait jamais été question, qu'il ne l'avait jamais vue, qu'il ne savait pas qui c'était. Si j'avais vu à ce moment-là quelques-unes des personnes du monde qui avaient annoncé ce mariage, elles m'eussent fait part de celui de Mlle d'Ambresac avec quelqu'un qui n'était pas Saint-Loup et de celui de Saint-Loup avec quelqu'un qui n'était pas Mlle d'Ambresac. Je les eusse beaucoup étonnées en leur rappelant leurs prédictions contraires et encore si récentes. Pour que ce petit jeu puisse continuer et multiplier les fausses nouvelles en en accumulant successivement sur chaque nom le plus grand nombre possible, la nature a donné à ce genre de joueurs une mémoire d'autant plus courte que leur crédulité est plus grande.

Saint-Loup m'avait parlé d'un autre de ses camarades qui était là aussi, avec qui il s'entendait particulièrement bien, car ils étaient dans ce milieu les deux seuls partisans de la révision du procès Dreyfus[1].

« Oh ! lui ce n'est pas comme Saint-Loup, c'est un énergumène, me dit mon nouvel ami ; il n'est même pas de bonne foi. Au début, il[a] disait : "Il n'y a qu'à attendre, il y a là un homme que je connais bien, plein de finesse, de bonté, le général de Boisdeffre ; on pourra, sans hésiter, accepter son avis." Mais quand il a su que Boisdeffre proclamait la culpabilité de Dreyfus, Boisdeffre ne valait plus rien[2] ; le cléricalisme, les préjugés de l'état-major l'empêchaient de juger sincèrement, quoique personne ne soit, ou du moins ne fût aussi clérical, avant son Dreyfus, que notre ami. Alors[b] il nous a dit qu'en tout cas on saurait la vérité, car l'affaire allait être entre les mains de Saussier, et que celui-là, soldat républicain (notre ami est d'une famille ultra-monarchiste), était[c] un homme de bronze, une conscience inflexible[3]. Mais quand Saussier a proclamé l'innocence d'Esterhazy[4], il a trouvé à ce verdict des explications nouvelles, défavorables non à Dreyfus, mais au général Saussier. C'était l'esprit militariste qui aveuglait Saussier (et remarquez que lui est aussi militariste que clérical, ou du moins qu'il l'était, car je ne sais plus que penser de lui). Sa famille est désolée de le voir dans ces idées-là.

— Voyez-vous », dis-je et en me tournant à demi vers Saint-Loup, pour ne pas avoir l'air de m'isoler, ainsi que vers son camarade, et pour le faire participer à la conversation, « c'est que[d] l'influence qu'on prête au milieu est surtout vraie du milieu intellectuel. On est l'homme de son idée ; il y a beaucoup moins d'idées que d'hommes, ainsi tous les hommes d'une même idée sont pareils. Comme une idée n'a rien de matériel, les hommes qui ne sont que matériellement autour de l'homme d'une idée ne la modifient en rien[e]. »

À ce moment je fus interrompu par Saint-Loup parce qu'un des jeunes militaires venait en souriant de me désigner à lui en disant : « Duroc, tout à fait Duroc. » Je ne savais pas ce que ça voulait dire, mais je sentais que l'expression du visage intimidé était plus que bienveillante. Saint-Loup ne se contenta pas de ce rapprochement. Dans un délire de joie que redoublait sans doute celle qu'il avait à me faire briller devant ses amis, avec une volubilité extrême il me répétait en me bouchonnant comme un cheval arrivé le premier au poteau : « Tu es l'homme le plus intelligent que je connaisse, tu sais. » Il se reprit et ajouta : « Avec Elstir. Cela ne te fâche pas, n'est-ce pas ? Tu comprends, scrupule. Comparaison : je te le dis comme on aurait dit à Balzac, vous êtes le plus grand romancier du siècle, avec Stendhal. Excès de scrupule, tu comprends, au fond immense admiration. Non ? Tu ne marches pas pour Stendhal ? » ajoutait-il avec une confiance naïve dans mon jugement, qui se traduisait par une charmante interrogation souriante, presque enfantine, de ses yeux verts. « Ah ! bien, je vois que tu es de mon avis, Bloch déteste Stendhal, je trouve cela idiot de sa part. *La Chartreuse*, c'est tout de même quelque chose d'énorme ? Je suis content que tu sois de mon avis. Qu'est-ce que tu aimes le mieux dans *La Chartreuse* ? réponds », me disait-il avec une impétuosité juvénile. Et sa force physique, menaçante, donnait presque quelque chose d'effrayant à sa question. « Mosca ? Fabrice[1] ? » Je répondais timidement que Mosca avait quelque chose de M. de Norpois. Sur quoi, tempête de rire du jeune Siegfried[2]- Saint-Loup. Je n'avais pas fini d'ajouter : « Mais Mosca est bien plus intelligent, moins pédantesque » que j'entendais Robert crier bravo en battant effectivement des mains, en riant à s'étouffer, et en criant : « D'une justesse ! Excellent ! Tu es inouï. » Quand[a] je parlais, l'approbation des autres semblait encore de trop à Saint-Loup, il exigeait le silence. Et comme un chef d'orchestre interrompt ses musiciens en frappant avec son archet parce que quelqu'un a fait du bruit, il réprimanda le perturbateur : « Gibergue, dit-il, il faut vous taire quand on parle. Vous direz ça après. Allez, continuez », me dit-il.

Je respirai, car j'avais craint qu'il ne me fît tout recommencer.

« Et comme une idée, continuai-je, est quelque chose qui ne peut participer aux intérêts humains et ne pourrait jouir de leurs avantages, les hommes d'une idée ne sont pas influencés par l'intérêt.

— Dites donc, ça vous en bouche un coin, mes enfants, s'exclama après que j'eus fini de parler Saint-Loup, qui m'avait suivi des yeux avec la même sollicitude anxieuse que si j'avais marché sur la corde raide. Qu'est-ce que vous vouliez dire, Gibergue ?

— Je disais que Monsieur me rappelait beaucoup le commandant Duroc[1]. Je croyais l'entendre.

— Mais j'y ai pensé bien souvent, répondit Saint-Loup, il y a bien des rapports, mais vous verrez que celui-ci a mille choses que n'a pas Duroc. »

De même qu'un frère[a] de cet ami de Saint-Loup, élève à la Schola cantorum, pensait sur toute nouvelle œuvre musicale, nullement comme son père, sa mère, ses cousins, ses camarades de club, mais exactement comme tous les autres élèves de la Schola, de même ce sous-officier noble (dont Bloch se fit une idée extraordinaire quand je lui en parlai, parce que, touché d'apprendre qu'il était du même parti que lui, il l'imaginait cependant, à cause de ses origines aristocratiques et de son éducation religieuse et militaire, on ne peut plus différent, paré du même charme qu'un natif d'une contrée lointaine) avait une « mentalité[2] », comme on commençait à dire, analogue à celle de tous les dreyfusards en général et de Bloch en particulier, et sur laquelle ne pouvaient avoir aucune espèce de prise les traditions de sa famille et les intérêts de sa carrière. C'est ainsi qu'un cousin de Saint-Loup avait épousé une jeune princesse d'Orient qui, disait-on, faisait des vers aussi beaux que ceux de Victor Hugo ou d'Alfred de Vigny et à qui, malgré cela, on supposait un esprit autre que ce qu'on pouvait concevoir, un esprit de princesse d'Orient recluse dans un palais des *Mille et Une Nuits.* Aux écrivains qui eurent le privilège de l'approcher fut réservée la déception, ou plutôt la joie, d'entendre une conversation qui donnait l'idée non de Schéhérazade[3], mais d'un être de génie du genre d'Alfred de Vigny ou de Victor Hugo[b4].

Je me plaisais surtout à causer avec ce jeune homme, comme avec les autres amis de Robert du reste, et avec Robert lui-même, du quartier, des officiers de la garnison, de l'armée en général. Grâce à cette échelle immensément agrandie à laquelle nous voyons les choses, si petites qu'elles soient, au milieu desquelles nous mangeons, nous causons, nous menons notre vie réelle, grâce à cette formidable majoration qu'elles subissent et qui fait que le reste, absent du monde, ne peut lutter avec elles et prend, à côté, l'inconsistance d'un songe, j'avais commencé à m'intéresser aux diverses personnalités du quartier, aux officiers que j'apercevais dans la cour quand j'allais voir

Saint-Loup ou, si j'étais réveillé, quand le régiment passait sous mes fenêtres. J'aurais voulu avoir des détails sur le commandant qu'admirait tant Saint-Loup et sur le cours d'histoire militaire qui m'aurait ravi « même esthétiquement ». Je savais que chez Robert un certain verbalisme était trop souvent un peu creux, mais d'autres fois signifiait l'assimilation d'idées profondes qu'il était fort capable de comprendre. Malheureusement, au point de vue armée, Robert était surtout préoccupé en ce moment de l'affaire Dreyfus. Il en parlait peu parce que seul de sa table il était dreyfusard ; les autres étaient violemment hostiles à la révision, excepté mon voisin de table, mon nouvel ami dont les opinions paraissaient assez flottantes. Admirateur convaincu du colonel, qui passait pour un officier remarquable et qui avait flétri l'agitation contre l'armée en divers ordres du jour qui le faisaient passer pour antidreyfusard, mon voisin avait appris que son chef avait laissé échapper quelques assertions qui avaient donné à croire qu'il avait des doutes sur la culpabilité de Dreyfus et gardait son estime à Picquart[1]. Sur ce dernier point, en tout cas, le bruit de dreyfusisme relatif du colonel était mal fondé comme tous les bruits venus on ne sait d'où qui se produisent autour de toute grande affaire. Car, peu après, ce colonel, ayant été chargé d'interroger l'ancien chef du Bureau des renseignements, le traita avec une brutalité et un mépris, qui n'avaient encore jamais été égalés. Quoi qu'il en fût et bien qu'il ne se fût pas permis de se renseigner directement auprès du colonel, mon voisin avait fait à Saint-Loup la politesse de lui dire — du ton dont une dame catholique annonce à une dame juive que son curé blâme les massacres de Juifs en Russie[2] et admire la générosité de certains israélites — que le colonel n'était pas pour le dreyfusisme — pour un certain dreyfusisme au moins — l'adversaire fanatique, étroit, qu'on avait représenté.

« Cela ne m'étonne pas, dit Saint-Loup, car c'est un homme intelligent. Mais, malgré tout, les préjugés de naissance et surtout le cléricalisme l'aveuglent. Ah ! me dit-il, le commandant Duroc, le professeur d'histoire militaire dont je t'ai parlé, en voilà un qui, paraît-il, marche à fond dans nos idées. Du reste, le contraire m'eût étonné, parce qu'il est non seulement sublime d'intelligence, mais radical-socialiste et franc-maçon. »

Autant par politesse pour ses amis à qui les professions de foi dreyfusardes de Saint-Loup étaient pénibles que parce que le reste m'intéressait davantage, je demandai à mon voisin si c'était exact que ce commandant fît, de l'histoire militaire, une démonstration d'une véritable beauté esthétique.

« C'est absolument vrai.

— Mais qu'entendez-vous par là ?

— Hé bien ! par exemple, tout ce que vous lisez, je suppose, dans le récit d'un narrateur militaire, les plus petits faits, les plus petits événements, ne sont que les signes d'une idée qu'il faut dégager et qui souvent en recouvre d'autres, comme dans un palimpseste. De sorte que vous avez un ensemble aussi intellectuel que n'importe quelle science ou n'importe quel art et qui est satisfaisant pour l'esprit[1].

— Exemples, si je n'abuse pas.

— C'est difficile à te dire comme cela, interrompit Saint-Loup. Tu lis par exemple que tel corps a tenté... Avant même d'aller plus loin, le nom du corps, sa composition, ne sont pas sans signification. Si ce n'est pas la première fois que l'opération est essayée, et si pour la même opération nous voyons apparaître un autre corps, ce peut être le signe que les précédents ont été anéantis ou fort endommagés par ladite opération, qu'ils ne sont plus en état de la mener à bien. Or, il faut s'enquérir quel était ce corps aujourd'hui anéanti ; si c'étaient des troupes de choc, mises en réserve pour de puissants assauts, un nouveau corps de moindre qualité a peu de chance de réussir là où elles ont échoué. De plus, si ce n'est pas au début d'une campagne, ce nouveau corps lui-même peut être composé de bric et de broc, ce qui, sur les forces dont dispose encore le belligérant, sur la proximité du moment où elles seront inférieures à celles de l'adversaire, peut fournir des indications qui donneront à l'opération elle-même que ce corps va tenter une signification différente, parce que, s'il n'est plus en état de réparer ses pertes, ses succès eux-mêmes ne feront que l'acheminer, arithmétiquement, vers l'anéantissement final. D'ailleurs le numéro désignatif du corps qui lui est opposé n'a pas moins de signification. Si, par exemple, c'est une unité beaucoup plus faible et qui a déjà consommé plusieurs unités importantes de l'adversaire, l'opération elle-même change de caractère car, dût-elle se terminer par la perte de la position que tenait le défenseur, l'avoir tenue quelque temps peut être un grand succès, si avec de très petites forces cela a suffi à en détruire de très importantes chez l'adversaire. Tu peux comprendre que si, dans l'analyse des corps engagés, on trouve ainsi des choses importantes, l'étude de la position elle-même, des routes, des voies ferrées qu'elle commande, des ravitaillements qu'elle protège est de plus grande conséquence. Il faut étudier ce que j'appellerai tout le contexte géographique, ajouta-t-il en riant. (Et en effet, il fut si content de cette expression, que, dans la suite, chaque fois qu'il l'employa, même des mois après, il eut toujours le même rire.) Pendant que l'opération est préparée par l'un des belligérants, si tu lis qu'une de ses patrouilles est anéantie dans les environs de la position par l'autre belligérant, une des conclusions que tu peux tirer est que le premier cherchait à se rendre compte des travaux défensifs par lesquels le deuxième a l'intention de faire échec à son attaque. Une action particulièrement violente sur un point peut signifier le désir de le conquérir, mais aussi le désir de retenir là l'adversaire, de ne pas lui répondre là où il a attaqué, ou même n'être qu'une feinte et cacher, par ce redoublement de violence, des prélèvements de troupes à cet endroit[1]. (C'est une feinte classique dans les guerres de Napoléon.) D'autre part[a], pour comprendre la signification d'une manœuvre, son but probable et, par conséquent, de quelles autres elle sera accompagnée ou suivie, il n'est pas indifférent de consulter beaucoup moins ce qu'en annonce le commandement et qui peut être destiné à tromper l'adversaire, à masquer un échec possible, que les règlements militaires du pays. Il est toujours à supposer que la manœuvre qu'a voulu tenter une armée est celle que prescrivait le règlement en vigueur dans les circonstances analogues. Si, par exemple, le règlement prescrit d'accompagner une attaque de front par une attaque de flanc, si, cette seconde attaque ayant échoué, le commandement prétend qu'elle était sans lien avec la première et n'était qu'une diversion, il y a chance pour que la vérité doive être cherchée dans le règlement et non dans les dires du commandement. Et il n'y a pas que les règlements de chaque armée, mais leurs traditions, leurs habitudes, leurs doctrines. L'étude de l'action diplomatique, toujours en perpétuel état d'action ou de réaction sur l'action militaire, ne doit pas être négligée non plus. Des incidents en apparence insignifiants, mal compris à l'époque, t'expliqueront que l'ennemi, comptant sur une aide dont ces incidents trahissent qu'il a été privé, n'a exécuté en réalité qu'une partie de son action stratégique. De sorte que, si tu sais lire l'histoire militaire, ce qui est récit confus pour le commun des lecteurs est pour toi un enchaînement aussi rationnel qu'un tableau pour l'amateur qui sait regarder ce que le personnage porte sur lui, tient dans les mains, tandis que le visiteur ahuri des musées se laisse étourdir et migrainer par de vagues couleurs. Mais, comme pour certains tableaux où il ne suffit pas de remarquer que le personnage tient un calice, mais où il faut savoir pourquoi le peintre lui a mis dans les mains un calice, ce qu'il symbolise par là, ces opérations militaires, en dehors même de leur but immédiat, sont habituellement, dans l'esprit du général qui dirige la campagne, calquées sur des batailles plus anciennes qui sont, si tu veux, comme le passé, comme la bibliothèque, comme l'érudition, comme l'étymologie, comme l'aristo-cratie des batailles nouvelles. Remarque que je ne parle pas en ce moment de l'identité locale, comment dirais-je, spatiale des batailles. Elle existe aussi. Un champ de bataille n'a pas été ou ne sera pas à travers les siècles que le champ d'une seule bataille. S'il a été champ de bataille, c'est qu'il réunissait certaines conditions de situation géographique, de nature géologique, de défauts même propres à gêner l'adversaire (un fleuve, par exemple, le coupant en deux) qui en ont fait une bon champ de bataille. Donc il l'a été, il le sera. On ne fait pas un atelier de peinture avec n'importe quelle chambre, on ne fait pas un champ de bataille avec n'importe quel endroit. Il y a des lieux prédestinés. Mais encore une fois, ce n'est pas de cela que je parlais, mais du type de bataille qu'on imite, d'une espèce de décalque stratégique, de pastiche tactique, si tu veux : la bataille d'Ulm, de Lodi, de Leipzig[1], de Cannes[2]. Je ne sais s'il y aura encore des guerres ni entre quels peuples ; mais s'il y en a, sois sûr qu'il y aura (et sciemment de la part du chef) un Cannes, un Austerlitz[3], un Rossbach[4], un Waterloo[5], sans parler des autres. Quelques-uns ne se gênent pas pour le dire. Le maréchal von Schlieffen[6] et le général de Falkenhausen[7] ont d'avance préparé contre la France une bataille de Cannes, genre Hannibal avec fixation de l'adversaire sur tout le front et avance par les deux ailes, surtout par la droite en Belgique, tandis que Bernhardi[1] préfère l'ordre oblique[2] de Frédéric le Grand, Leuthen[3] plutôt que Cannes[4]. D'autres exposent moins crûment leurs vues, mais je te garantis[a] bien, mon vieux, que Beauconseil, ce chef d'escadrons à qui je t'ai présenté l'autre jour et qui est un officier du plus grand avenir, a potassé sa petite attaque du Pratzen[5], la connaît dans ses coins, la tient en réserve et que si jamais il a l'occasion de l'exécuter, il ne ratera pas le coup et nous la servira dans les grandes largeurs. L'enfoncement du centre à Rivoli[6], va, ça se refera s'il y a encore des guerres. Ce n'est pas plus périmé que l'*Iliade*. J'ajoute qu'on est presque condamné aux attaques frontales parce qu'on ne veut pas retomber dans l'erreur de 70, mais faire de l'offensive, rien que de l'offensive[7]. La seule chose qui me trouble est que, si je ne vois que des esprits retardataires s'opposer à cette magnifique doctrine, pourtant un de mes plus jeunes maîtres qui est un homme de génie, Mangin[8], voudrait qu'on laisse sa place, place provisoire, naturellement, à la défensive. On est bien embarrassé de lui répondre quand il cite comme exemple Austerlitz où la défensive n'est que le prélude de l'attaque et de la victoire[9]. »

Ces théories de Saint-Loup[b] me rendaient heureux. Elles me faisaient espérer que peut-être je n'étais pas dupe dans ma vie de Doncières, à l'égard de ces officiers dont j'entendais parler en buvant du sauternes qui projetait sur eux son reflet charmant, de ce même grossissement qui m'avait fait paraître énormes, tant que j'étais à Balbec, le roi et la reine d'Océanie, la petite société des quatre gourmets, le jeune homme joueur, le beau-frère de Legrandin, maintenant diminués à mes yeux jusqu'à me paraître inexistants. Ce qui me plaisait aujourd'hui ne me deviendrait peut-être pas indifférent demain, comme cela m'était toujours arrivé jusqu'ici, l'être que j'étais encore en ce moment n'était peut-être pas voué à une destruction prochaine, puisque, à la passion ardente et fugitive que je portais, ces quelques soirs, à tout ce qui concernait la vie militaire, Saint-Loup, par ce qu'il venait de me dire touchant l'art de la guerre, ajoutait un fondement intellectuel, d'une nature permanente, capable de m'attacher assez fortement pour que je pusse croire, sans essayer

de me tromper moi-même, qu'une fois parti, je continuerais à m'intéresser aux travaux de mes amis de Doncières
et ne tarderais pas à revenir parmi eux. Afin d'être plus
assuré pourtant que cet art de la guerre fût bien un art
au sens spirituel du mot :

« Vous m'intéressez, pardon, tu m'intéresses beaucoup,
dis-je à Saint-Loup, mais dis-moi, il y a un point qui
m'inquiète. Je sens que je pourrais me passionner pour
l'art militaire, mais pour cela il faudrait que je ne le crusse
pas différent à tel point des autres arts, que la règle apprise
n'y fût pas tout. Tu me dis qu'on calque des batailles. Je
trouve cela en effet esthétique, comme tu disais, de voir
sous une bataille moderne une plus ancienne, je ne peux
te dire comme cette idée me plaît. Mais alors, est-ce que
le génie du chef n'est rien ? Ne fait-il vraiment qu'appliquer des règles ? Ou bien, à science égale, y a-t-il des
grands généraux comme il y a de grands chirurgiens qui,
les éléments fournis par deux états maladifs étant les
mêmes au point de vue matériel, sentent pourtant à un
rien, peut-être fait de leur expérience, mais interprété, que
dans tel cas ils ont plutôt à faire ceci, dans tel cas plutôt
à faire cela, que dans tel cas il convient plutôt d'opérer,
dans tel cas de s'abstenir ?

— Mais je crois bien ! Tu verras Napoléon ne pas
attaquer quand toutes les règles voulaient qu'il attaquât,
mais une obscure divination le lui déconseillait. Par
exemple, vois à Austerlitz ou bien, en 1806, ses instructions
à Lannes[1]. Mais tu verras des généraux imiter scolastique-
ment telle manœuvre de Napoléon et arriver au résultat
diamétralement opposé. Dix exemples de cela en 1870[2].
Mais même pour l'interprétation de ce que *peut* faire
l'adversaire, ce qu'il fait n'est qu'un symptôme qui peut
signifier beaucoup de choses différentes. Chacune de ces
choses a autant de chance d'être la vraie, si on s'en tient
au raisonnement et à la science, de même que, dans
certains cas complexes, toute la science médicale du monde
ne suffira pas à décider si la tumeur[a] invisible est fibreuse
ou non, si l'opération doit être faite ou pas. C'est le flair,
la divination genre Mme de Thèbes[3] (tu me comprends)
qui décide chez le grand général comme chez le grand
médecin. Ainsi je t'ai dit, pour te prendre un exemple,
ce que pouvait signifier une reconnaissance au début d'une
bataille. Mais elle peut signifier dix autres choses, par

exemple faire croire à l'ennemi qu'on va attaquer sur un point pendant qu'on veut attaquer sur un autre, tendre un rideau qui l'empêchera de voir les préparatifs de l'opération réelle, le forcer à amener des troupes, à les fixer, à les immobiliser dans un autre endroit que celui où elles sont nécessaires, se rendre compte des forces dont il dispose, le tâter, le forcer à découvrir son jeu. Même quelquefois, le fait qu'on engage dans une opération des troupes énormes n'est pas la preuve que cette opération soit la vraie ; car on peut l'exécuter pour de bon, bien qu'elle ne soit qu'une feinte, pour que cette feinte ait plus de chances de tromper. Si j'avais le temps de te raconter à ce point de vue les guerres de Napoléon, je t'assure que ces simples mouvements classiques que nous étudions, et que tu nous verras faire en service en campagne, par simple plaisir de promenade, jeune cochon ; non, je sais que tu es malade, pardon ! eh bien, dans une guerre, quand on sent derrière eux la vigilance, le raisonnement et les profondes recherches du haut commandement, on est ému devant eux comme devant les simples feux d'un phare, lumière matérielle, mais émanation de l'esprit et qui fouille l'espace pour signaler le péril aux vaisseaux. J'ai même peut-être tort de te parler seulement littérature de guerre. En réalité, comme la constitution du sol, la direction du vent et de la lumière indiquent de quel côté un arbre poussera, les conditions dans lesquelles se fait une campagne, les caractéristiques du pays où on manœuvre, commandent en quelque sorte et limitent les plans entre lesquels le général peut choisir. De sorte que le long des montagnes, dans un système de vallées, sur telles plaines, c'est presque avec le caractère de nécessité et de beauté grandiose des avalanches que tu peux prédire la marche des armées.

— Tu me refuses maintenant la liberté chez le chef, la divination chez l'adversaire qui veut lire dans ses plans, que tu m'octroyais tout à l'heure.

— Mais pas du tout ! Tu te rappelles ce livre de philosophie que nous lisions ensemble à Balbec, la richesse du monde des possibles par rapport au monde réel[1]. Eh bien ! c'est encore ainsi en art militaire. Dans une situation donnée il y aura quatre plans qui s'imposent et entre lesquels le général a pu choisir, comme une maladie peut suivre diverses évolutions auxquelles le médecin doit

s'attendre. Et là encore la faiblesse et la grandeur humaines
sont des causes nouvelles d'incertitude. Car entre ces
quatre plans, mettons que des raisons contingentes
(comme des buts accessoires à atteindre, ou le temps qui
presse, ou le petit nombre et le mauvais ravitaillement de
ses effectifs) fassent préférer au général le premier plan
qui est moins parfait, mais d'une exécution moins coûteuse,
plus rapide, et ayant pour terrain un pays plus riche pour
nourrir son armée. Il peut, ayant commencé par ce premier
plan dans lequel l'ennemi, d'abord incertain, lira bientôt,
ne pas pouvoir y réussir, à cause d'obstacles trop grands
— c'est ce que j'appelle l'aléa né de la faiblesse
humaine —, l'abandonner et essayer du deuxième ou du
troisième ou du quatrième plan[1]. Mais il se peut aussi qu'il
n'ait essayé du premier — et c'est ici ce que j'appelle la
grandeur humaine — que par feinte pour fixer l'adversaire
de façon à le surprendre là où il ne croyait pas être attaqué.
C'est ainsi[a] qu'à Ulm, Mack, qui attendait l'ennemi à
l'ouest, fut enveloppé par le nord où il se croyait bien
tranquille. Mon exemple n'est du reste pas très bon. Et
Ulm est un meilleur type de bataille d'enveloppement que
l'avenir verra se reproduire parce qu'il n'est pas seulement
un exemple classique dont les généraux s'inspireront mais
une forme en quelque sorte nécessaire (nécessaire entre
d'autres, ce qui laisse le choix, la variété), comme un type
de cristallisation[2]. Mais tout cela ne fait rien parce que ces
cadres sont malgré tout factices. J'en reviens à notre livre
de philosophie, c'est comme les principes rationnels, ou
les lois scientifiques, la réalité se conforme à cela, à peu
près, mais rappelle-toi le grand mathématicien Poincaré,
il n'est pas sûr que les mathématiques soient rigoureusement exactes[3]. Quant aux[b] règlements eux-mêmes, dont
je t'ai parlé, ils sont en somme d'une importance
secondaire et d'ailleurs on les change de temps en temps.
Ainsi pour nous autres cavaliers, nous vivons sur le *Service
en campagne* de 1895 dont on peut dire qu'il est périmé,
puisqu'il repose sur la vieille et désuète doctrine qui
considère que le combat de cavalerie n'a guère qu'un effet
moral par l'effroi que la charge produit sur l'adversaire[4].
Or, les plus intelligents de nos maîtres, tout ce qu'il y a
de meilleur dans la cavalerie, et notamment le commandant dont je te parlais, envisagent au contraire que la
décision sera obtenue par une véritable mêlée où on

s'escrimera du sabre et de la lance et où le plus tenace sera vainqueur non pas simplement moralement et par impression de terreur, mais matériellement.

— Saint-Loup a raison et il est probable que le prochain *Service en campagne* portera la trace de cette évolution, dit mon voisin.

— Je ne suis pas fâché de ton approbation, car tes avis semblent faire plus impression que les miens sur mon ami », dit en riant Saint-Loup, soit que cette sympathie naissante entre son camarade et moi l'agaçât un peu, soit qu'il trouvât gentil de la consacrer en la constatant officiellement. « Et puis j'ai peut-être diminué l'importance des règlements. On les change, c'est certain. Mais en attendant ils commandent la situation militaire, les plans de campagne et de concentration. S'ils reflètent une fausse conception stratégique, ils peuvent être le principe initial de la défaite. Tout cela, c'est un peu technique pour toi, me dit-il. Au fond, dis-toi bien que ce qui précipite[a] le plus l'évolution de l'art de la guerre, ce sont les guerres elles-mêmes. Au cours d'une campagne, si elle est un peu longue, on voit l'un des belligérants profiter des leçons que lui donnent les succès et les fautes de l'adversaire, perfectionner les méthodes de celui-ci qui, à son tour, enchérit. Mais cela c'est du passé. Avec les terribles progrès de l'artillerie, les guerres futures, s'il y a encore des guerres, seront si courtes qu'avant qu'on ait pu songer à tirer parti de l'enseignement, la paix sera faite.

— Ne sois pas si susceptible », dis-je à Saint-Loup, répondant à ce qu'il avait dit avant ces dernières paroles. « Je t'ai écouté avec assez d'avidité !

— Si tu veux bien ne plus prendre la mouche et le permettre, reprit l'ami de Saint-Loup, j'ajouterai à ce que tu viens de dire que, si les batailles s'imitent et se superposent, ce n'est pas seulement à cause de l'esprit du chef. Il peut arriver qu'une erreur du chef (par exemple son appréciation insuffisante de la valeur de l'adversaire) l'amène à demander à ses troupes des sacrifices exagérés, sacrifices que certaines unités accompliront avec une abnégation si sublime que leur rôle sera par là analogue à celui de telle autre unité dans telle autre bataille, et seront cités dans l'histoire comme des exemples interchangeables : pour nous en tenir à 1870, la garde prussienne à Saint-Privat[1], les turcos à Frœschwiller et à Wissembourg[2].

— Ah ! interchangeables, très exact ! excellent ! tu es intelligent » dit Saint-Loup.

Je n'étais pas indifférent à ces derniers exemples, comme chaque fois que sous le particulier on me montrait le général. Mais pourtant le génie du chef, voilà ce qui m'intéressait, j'aurais voulu me rendre compte en quoi il consistait, comment, dans une circonstance donnée, où le chef sans génie ne pourrait résister à l'adversaire, s'y prendrait le chef génial pour rétablir la bataille compromise, ce qui, au dire de Saint-Loup, était très possible et avait été réalisé par Napoléon plusieurs fois. Et pour comprendre ce que c'était que la valeur militaire, je demandais des comparaisons entre les généraux dont je savais les noms, lequel avait le plus une nature de chef, des dons de tacticien, quitte à ennuyer mes nouveaux amis, qui du moins ne le laissaient pas voir et me répondaient avec une infatigable bonté.

Je me sentais[a] séparé (non seulement de la grande nuit glacée qui s'étendait au loin et dans laquelle nous entendions de temps en temps le sifflet d'un train qui ne faisait que rendre plus vif le plaisir d'être là, ou les tintements d'une heure qui heureusement était encore éloignée de celle où ces jeunes gens devraient reprendre leurs sabres et rentrer) mais aussi de toutes les préoccupations extérieures, presque du souvenir de Mme de Guermantes, par la bonté de Saint-Loup à laquelle celle de ses amis qui s'y ajoutait donnait comme plus d'épaisseur, par la chaleur aussi de cette petite salle à manger, par la saveur des plats raffinés qu'on nous servait. Ils donnaient autant de plaisir à mon imagination qu'à ma gourmandise ; parfois le petit morceau de nature d'où ils avaient été extraits, bénitier rugueux de l'huître dans lequel restent quelques gouttes d'eau salée, ou sarment noueux, pampres jaunis d'une grappe de raisin, les entourait encore, incomestible, poétique et lointain comme un paysage, et faisant se succéder au cours du dîner les évocations d'une sieste sous une vigne et d'une promenade en mer ; d'autres soirs c'est par le cuisinier seulement qu'était mise en relief cette particularité originale des mets, qu'il présentait dans son cadre naturel comme une œuvre d'art ; et un poisson cuit au court-bouillon était apporté dans un long plat en terre, où, comme il se détachait en relief sur des jonchées d'herbes bleuâtres, infrangible mais contourné encore d'avoir été jeté vivant dans l'eau bouillante, entouré d'un cercle de coquillages, d'animalcules satellites, crabes, crevettes et moules, il avait l'air d'apparaître dans une céramique de Bernard Palissy[1].

« Je suis jaloux, je suis furieux », me dit Saint-Loup, moitié en riant, moitié sérieusement, faisant allusion aux interminables conversations à part que j'avais avec son ami. « Est-ce que vous le trouvez plus intelligent que moi ? Est-ce que vous l'aimez mieux que moi ? Alors, comme ça, il n'y en a plus que pour lui ? » (Les hommes qui aiment énormément une femme, qui vivent dans une société d'hommes à femmes se permettent des plaisanteries que d'autres qui y verraient moins d'innocence n'oseraient pas.)

Dès que la conversation devenait générale, on évitait de parler de Dreyfus de peur de froisser Saint-Loup. Pourtant, une semaine plus tard, deux de ses camarades firent remarquer combien[a] il était curieux que, vivant dans un milieu si militaire, il fût tellement dreyfusard, presque antimilitariste : « C'est, dis-je, ne voulant pas entrer dans des détails, que l'influence du milieu n'a pas l'importance qu'on croit... » Certes, je comptais m'en tenir là et ne pas reprendre les réflexions que j'avais présentées à Saint-Loup quelques jours plus tôt. Malgré cela, comme ces mots-là, du moins, je les lui avais dits presque textuellement, j'allais m'en excuser en ajoutant : « C'est justement ce que l'autre jour... » Mais j'avais compté sans le revers qu'avait la gentille admiration de Robert pour moi et pour quelques autres personnes. Cette admiration se complétait d'une si entière assimilation de leurs idées qu'au bout de quarante-huit heures il avait oublié que ces idées n'étaient pas de lui. Aussi en ce qui concernait ma modeste thèse, Saint-Loup, absolument comme si elle eût toujours habité son cerveau et si je ne faisais que chasser sur ses terres, crut devoir me souhaiter[b] la bienvenue avec chaleur et m'approuver.

« Mais oui ! le milieu n'a pas d'importance. »

Et avec la même force que s'il avait eu peur que je l'interrompisse ou ne le comprisse pas :

« La vraie influence, c'est celle du milieu intellectuel ! On est l'homme de son idée ! »

Il s'arrêta un instant, avec le sourire de quelqu'un qui a bien digéré, laissa tomber son monocle, et posant son regard comme une vrille sur moi :

« Tous[a] les hommes d'une même idée sont pareils »,
me dit-il[b], d'un air de défi. Il n'avait sans doute aucun
souvenir que je lui avais dit peu de jours auparavant ce
qu'il s'était en revanche si bien rappelé.

Je n'arrivais pas tous les soirs au restaurant de Saint-Loup
dans les mêmes dispositions. Si un souvenir, un chagrin
qu'on a, sont capables de nous laisser, au point que nous
ne les apercevions plus, ils reviennent aussi et parfois de
longtemps ne nous quittent. Il y avait[c] des soirs où, en
traversant la ville pour aller vers le restaurant, je regrettais
tellement Mme de Guermantes, que j'avais peine à
respirer : on aurait dit[d] qu'une partie de ma poitrine avait
été sectionnée par un anatomiste habile, enlevée, et
remplacée par une partie égale de souffrance immatérielle,
par un équivalent de nostalgie et d'amour. Et les points
de suture ont beau avoir été bien faits, on vit assez
malaisément quand le regret d'un être est substitué aux
viscères, il a l'air de tenir plus de place qu'eux, on le sent
perpétuellement, et puis, quelle ambiguïté d'être obligé
de *penser* une partie de son corps ! Seulement il semble
qu'on vaille davantage. À la moindre brise on soupire
d'oppression, mais aussi de langueur. Je regardais le ciel.
S'il était clair, je me disais : « Peut-être elle est à la
campagne, elle regarde les mêmes étoiles, et qui sait si,
en arrivant au restaurant, Robert ne va pas me dire : "Une
bonne nouvelle, ma tante vient de m'écrire, elle voudrait
te voir, elle va venir ici." ». Ce n'est pas dans le firmament
seul que je mettais la pensée de Mme de Guermantes. Un
souffle d'air un peu doux qui passait semblait m'apporter
un message d'elle, comme jadis de Gilberte, dans les blés
de Méséglise : on ne change pas, on fait entrer dans le
sentiment qu'on rapporte à un être bien des éléments
assoupis qu'il réveille mais qui lui sont étrangers. Et puis
ces sentiments particuliers, toujours quelque chose en nous
s'efforce de les amener à plus de vérité, c'est-à-dire de les
faire se rejoindre à un sentiment plus général, commun
à toute l'humanité, avec lequel les individus et les peines
qu'ils nous causent nous sont seulement une occasion de
communier : ce qui mêlait quelque plaisir à ma peine, c'est
que je la savais une petite partie de l'universel amour. Sans
doute, de[e] ce que je croyais reconnaître des tristesses que
j'avais éprouvées à propos de Gilberte, ou bien quand le

soir, à Combray, maman ne restait pas dans ma chambre, et aussi le souvenir de certaines pages de Bergotte, dans la souffrance que j'éprouvais et à laquelle Mme de Guermantes, sa froideur, son absence, n'étaient pas liées clairement comme la cause l'est à l'effet dans l'esprit d'un savant, je ne concluais pas que Mme de Guermantes ne fût pas cette cause. N'y a-t-il pas telle douleur physique diffuse, s'étendant par irradiation dans des régions extérieures à la partie malade, mais qu'elle abandonne pour se dissiper entièrement si un praticien touche le point précis d'où elle vient ? Et pourtant, avant cela, son extension lui donnait pour nous un tel caractère de vague et de fatalité qu'impuissants à l'expliquer, à la localiser même, nous croyions impossible de la guérir. Tout en m'acheminant vers le restaurant je me disais : « Il y a déjà quatorze jours que je n'ai vu Mme de Guermantes. » Quatorze jours, ce qui ne paraissait une chose énorme qu'à moi qui, quand il s'agissait de Mme de Guermantes, comptais par minutes. Pour moi ce n'était plus[a] seulement les étoiles et la brise, mais jusqu'aux divisions arithmétiques du temps qui prenaient quelque chose de douloureux et de poétique. Chaque jour[b] était maintenant comme la crête mobile d'une colline incertaine : d'un côté, je sentais que je pouvais descendre vers l'oubli ; de l'autre, j'étais emporté par le besoin de revoir la duchesse. Et j'étais tantôt plus près de l'un ou de l'autre, n'ayant pas d'équilibre stable. Un jour je me dis : « Il y aura peut-être une lettre ce soir » et en arrivant dîner j'eus le courage de demander à Saint-Loup :

« Tu n'as pas par hasard des nouvelles de Paris ?

— Si, me répondit-il d'un air sombre, elles sont mauvaises. »

Je respirai en comprenant que[c] ce n'était que lui qui avait du chagrin et que les nouvelles étaient celles de sa maîtresse. Mais je vis bientôt qu'une de leurs conséquences serait d'empêcher Robert de me mener, de longtemps, chez sa tante.

J'appris qu'une querelle avait éclaté entre lui et sa maîtresse, soit par correspondance, soit qu'elle fût venue un matin le voir entre deux trains. Et les querelles, même moins graves, qu'ils avaient eues jusqu'ici, semblaient toujours devoir être insolubles. Car elle était de mauvaise humeur, trépignait, pleurait, pour des raisons aussi incompréhensibles que les enfants qui s'enferment dans un cabinet noir, ne viennent pas dîner, refusant toute explication, et ne font que redoubler de sanglots quand, à bout de raisons, on leur donne des claques. Saint-Loup souffrit horriblement de cette brouille, mais c'est une manière de dire qui est trop simple et fausse par là l'idée qu'on doit se faire de cette douleur. Quand il se retrouva seul, n'ayant plus qu'à songer à sa maîtresse partie avec le respect pour lui qu'elle avait éprouvé en le voyant si énergique, les anxiétés qu'il avait eues les premières heures prirent fin devant l'irréparable, et la cessation d'une anxiété est une chose si douce que la brouille, une fois certaine, prit pour lui un peu du même genre de charme qu'aurait eu une réconciliation. Ce dont il commença à souffrir un peu plus tard, ce furent une douleur, un accident secondaires, dont les flux venaient incessamment de lui-même, à l'idée que peut-être elle aurait bien voulu se rapprocher, qu'il n'était pas impossible qu'elle attendît un mot de lui, qu'en attendant, pour se venger, elle ferait peut-être, tel soir, à tel endroit, telle chose, et qu'il n'y aurait qu'à lui télégraphier qu'il arrivait pour qu'elle n'eût pas lieu, que d'autres peut-être profitaient du temps qu'il laissait perdre, et qu'il serait trop tard dans quelques jours pour la retrouver, car elle serait prise. De toutes ces possibilités il ne savait rien, sa maîtresse gardait un silence qui finit par affoler sa douleur jusqu'à lui faire se demander si elle n'était pas cachée à Doncières ou partie pour les Indes.

On a dit que le silence était une force ; dans un tout autre sens il en est une terrible à la disposition de ceux qui sont aimés. Elle accroît l'anxiété de qui attend. Rien n'invite tant à s'approcher d'un être que ce qui en sépare et quelle plus infranchissable barrière que le silence ? On a dit aussi que le silence était un supplice, et capable de rendre fou celui qui y était astreint dans les prisons. Mais quel supplice — plus grand que de garder le silence — de l'endurer de ce qu'on aime ! Robert se disait : « Que fait-elle donc pour qu'elle se taise ainsi ? Sans doute, elle me trompe avec d'autres ? » Il se disait encore : « Qu'ai-je donc fait pour qu'elle se taise ainsi ? Elle me hait peut-être, et pour toujours. » Et il s'accusait. Ainsi le silence le rendait fou, en effet, par la jalousie et par le remords. D'ailleurs, plus cruel que celui des prisons, ce silence-là est prison lui-même. Une clôture immatérielle, sans doute, mais impénétrable, cette tranche interposée d'atmosphère vide, mais que les rayons visuels de l'abandonné ne peuvent traverser. Est-il un plus terrible éclairage que le silence qui ne nous montre pas une absente, mais mille, et chacune se livrant à quelque autre trahison ? Parfois, dans une brusque détente, ce silence, Robert croyait qu'il allait cesser à l'instant, que la lettre attendue allait venir. Il la voyait, elle arrivait, il épiait chaque bruit, il était déjà désaltéré, il murmurait : « La lettre ! La lettre ! » Après avoir entrevu ainsi une oasis imaginaire de tendresse, il se retrouvait piétinant dans le désert réel du silence sans fin.

Il souffrait d'avance, sans en oublier une, toutes les douleurs d'une rupture qu'à d'autres moments il croyait pouvoir éviter, comme les gens qui règlent toutes leurs affaires en vue d'une expatriation qui ne s'effectuera pas, et dont la pensée, qui ne sait plus où elle devra se situer le lendemain, s'agite momentanément, détachée d'eux, pareille à ce cœur qu'on arrache à un malade et qui continue à battre, séparé du reste du corps. En tout cas, cette espérance que sa maîtresse reviendrait lui donnait le courage de persévérer dans la rupture, comme la croyance qu'on pourra revenir vivant du combat aide à affronter la mort. Et comme l'habitude est, de toutes les plantes humaines, celle qui a le moins besoin de sol nourricier pour vivre et qui apparaît la première sur le roc en apparence le plus désolé, peut-être en pratiquant d'abord la rupture par feinte, aurait-il fini par s'y accoutumer sincèrement. Mais l'incertitude entretenait chez lui un état qui, lié au souvenir de cette femme, ressemblait à l'amour. Il se forçait cependant à ne pas lui écrire, pensant peut-être que le tourment était moins cruel de vivre sans sa maîtresse qu'avec elle dans certaines conditions, ou qu'après la façon dont ils s'étaient quittés, attendre ses excuses était nécessaire pour qu'elle conservât ce qu'il croyait qu'elle avait pour lui sinon d'amour, du moins d'estime et de respect. Il se contentait d'aller au téléphone qu'on venait d'installer à Doncières, et de demander des nouvelles, ou de donner des instructions[a] à une femme de chambre qu'il avait placée auprès de son amie. Ces communications étaient du reste compliquées et lui prenaient plus de temps parce que suivant les opinions de

ses amis littéraires relativement à la laideur de la capitale
mais surtout en considération de ses bêtes, de ses chiens,
de son singe, de ses serins et de son perroquet, dont son
propriétaire de Paris avait cessé de tolérer les cris
incessants, la maîtresse de Robert venait de louer une
petite propriété aux environs de Versailles. Cependant lui,
à Doncières, ne dormait*a* plus un instant la nuit. Une fois,
chez moi, vaincu par la fatigue, il s'assoupit un peu. Mais
tout d'un coup, il commença à parler, il voulait courir,
empêcher quelque chose, il disait : « Je l'entends, vous
ne... vous ne... » Il s'éveilla. Il me dit qu'il venait de rêver
qu'il était à la campagne chez le maréchal des logis chef.
Celui-ci avait tâché de l'écarter d'une certaine partie de
la maison. Saint-Loup avait deviné que le maréchal des
logis avait chez lui un lieutenant très riche et très vicieux
qu'il savait désirer beaucoup son amie. Et tout à coup dans
son rêve il avait distinctement entendu les cris intermittents
et réguliers qu'avait l'habitude de pousser sa maîtresse aux
instants de volupté. Il avait voulu forcer le maréchal des
logis de le mener à la chambre. Et celui-ci le maintenait
pour l'empêcher d'y aller, tout en ayant un certain air
froissé de tant d'indiscrétion, que Robert disait qu'il ne
pourrait jamais oublier.

« Mon rêve*b* est idiot », ajouta-t-il encore tout essoufflé.
Mais je vis bien que, pendant l'heure qui suivit, il fut
plusieurs fois sur le point de téléphoner à sa maîtresse pour
lui demander de se réconcilier. Mon père avait le
téléphone depuis peu mais je ne sais si cela eût beaucoup
servi à Saint-Loup. D'ailleurs il ne me semblait pas très
convenable de donner à mes parents, même seulement à
un appareil posé chez eux, ce rôle d'intermédiaire entre
Saint-Loup et sa maîtresse, si distinguée et noble de
sentiments que pût être celle-ci. Le cauchemar qu'avait eu
Saint-Loup s'effaça un peu de son esprit. Le regard distrait
et fixe, il vint me voir durant tous ces jours atroces qui
dessinèrent pour moi, en se suivant l'un l'autre, comme
la courbe magnifique de quelque rampe durement forgée
d'où Robert restait à se demander quelle résolution son
amie allait prendre.

Enfin, elle*c* lui demanda s'il consentirait à pardonner.
Aussitôt qu'il eut compris que la rupture était évitée, il
vit tous les inconvénients d'un rapprochement. D'ailleurs
il souffrait déjà moins et avait presque accepté une douleur

dont il faudrait, dans quelques mois peut-être, retrouver à nouveau la morsure si sa liaison recommençait. Il n'hésita pas longtemps. Et peut-être n'hésita-t-il que parce qu'il était enfin certain de pouvoir reprendre sa maîtresse, de le pouvoir, donc de le faire. Seulement elle lui demandait, pour qu'elle retrouvât son calme, de ne pas revenir à Paris au 1er janvier. Or, il n'avait*a* pas le courage d'aller à Paris sans la voir. D'autre part elle avait consenti à voyager avec lui, mais pour cela il lui fallait un véritable congé que le capitaine de Borodino ne voulait pas lui accorder.

« Cela m'ennuie*b* à cause de notre visite chez ma tante qui se trouve ajournée. Je retournerai*c* sans doute à Paris à Pâques.

— Nous ne pourrons pas aller chez Mme de Guermantes à ce moment-là, car je serai déjà à Balbec. Mais ça ne fait absolument rien.

— À Balbec ? Mais vous n'y étiez allé qu'au mois d'août.

— Oui, mais cette année, à cause de ma santé, on doit m'y envoyer plus tôt. »

Toute sa crainte était que je ne jugeasse mal sa maîtresse, après ce qu'il m'avait raconté. « Elle est violente seulement parce qu'elle est trop franche, trop entière dans ses sentiments. Mais c'est un être sublime. Tu ne peux pas t'imaginer les délicatesses de poésie qu'il y a chez elle. Elle va passer tous les ans le jour des morts à Bruges[1]. C'est "bien", n'est-ce pas ? Si jamais tu la connais, tu verras, elle a une grandeur... » Et comme il était imbu d'un certain langage qu'on parlait autour de cette femme dans des milieux littéraires : « Elle a quelque chose de sidéral et même de vatique[2], tu comprends ce que je veux dire, le poète qui était presque un prêtre. »

Je cherchai*d* pendant tout le dîner un prétexte qui permît à Saint-Loup de demander à sa tante de me recevoir sans attendre qu'il vînt à Paris. Or, ce prétexte me fut fourni par le désir que j'avais de revoir des tableaux d'Elstir, le grand peintre que Saint-Loup et moi nous avions connu à Balbec. Prétexte où il y avait d'ailleurs, quelque vérité car si, dans mes visites à Elstir, j'avais demandé à sa peinture de me conduire à la compréhension et à l'amour de choses meilleures qu'elle-même, un dégel véritable, une authentique place de province, de vivantes femmes sur la plage (tout au plus lui eussé-je commandé le portrait des réalités que je n'avais pas su approfondir, comme un chemin d'aubépine, non pour qu'il me conservât leur beauté mais me la découvrît), maintenant au contraire, c'était l'originalité, la séduction de ces peintures qui excitaient mon désir, et ce que je voulais surtout voir, c'était d'autres tableaux d'Elstir.

Il me semblait[a] d'ailleurs que ses moindres tableaux, à lui, étaient quelque chose d'autre que les chefs-d'œuvre de peintres même plus grands. Son œuvre était comme un royaume clos, aux frontières infranchissables, à la matière sans seconde. Collectionnant avidement les rares revues où on avait publié des études sur lui, j'y avais appris que ce n'était que récemment qu'il avait commencé à peindre des paysages et des natures mortes, mais qu'il avait commencé par des tableaux mythologiques (j'avais vu les photographies de deux d'entre eux dans son atelier), puis avait été longtemps impressionné par l'art japonais.

Certaines des œuvres les plus caractéristiques de ses diverses manières se trouvaient en province. Telle maison des Andelys[b1] où était un de ses plus beaux paysages m'apparaissait aussi précieuse, me donnait un aussi vif désir du voyage, qu'un village chartrain dans la pierre meulière duquel est enchâssé un glorieux vitrail ; et vers le possesseur de ce chef-d'œuvre, vers cet homme qui au fond de sa maison grossière, sur la grand-rue, enfermé comme un astrologue, interrogeait un de ces miroirs du monde qu'est un tableau d'Elstir et qu'il avait peut-être acheté plusieurs milliers de francs, je me sentais porté par cette sympathie qui unit jusqu'aux cœurs, jusqu'aux caractères de ceux qui pensent de la même façon que nous sur un sujet capital. Or, trois œuvres importantes de mon peintre préféré étaient désignées dans l'une de ces revues comme appartenant à Mme de Guermantes. Ce fut donc en somme sincèrement que le soir où Saint-Loup m'avait annoncé le voyage de son amie à Bruges je pus, pendant le dîner, devant ses amis, lui jeter comme à l'improviste :

« Écoute, tu permets ? Dernière conversation au sujet de la dame dont nous avons parlé. Tu te rappelles Elstir, le peintre que j'ai connu à Balbec ?

— Mais, voyons, naturellement.

— Tu te rappelles mon admiration pour lui ?

— Très bien, et la lettre que nous lui avions fait remettre.

— Eh bien, une des raisons, pas des plus importantes, une raison accessoire pour laquelle je désirerais connaître ladite dame, tu sais toujours bien laquelle ?

— Mais oui ! que de parenthèses !

— C'est qu'elle a chez elle au moins un très beau tableau d'Elstir.

— Tiens, je ne savais pas.

— Elstir sera sans doute à Balbec à Pâques, vous savez qu'il passe maintenant presque toute l'année sur cette côte. J'aurais beaucoup aimé avoir vu ce tableau avant mon départ. Je ne sais si vous êtes en termes assez intimes avec votre tante : ne pourriez-vous pas, en me faisant assez habilement valoir à ses yeux pour qu'elle ne refuse pas, lui demander de me laisser aller voir le tableau sans vous, puisque vous ne serez pas là ?

— C'est entendu, je réponds pour elle, j'en fais mon affaire.

— Robert, comme je vous aime.

— Vous êtes gentil de m'aimer, mais vous le seriez aussi de me tutoyer comme vous l'aviez promis et comme tu avais commencé de le faire.

— J'espère que ce n'est pas votre départ que vous complotez, me dit un des amis de Robert. Vous savez, si Saint-Loup part en permission, cela ne doit rien changer, nous sommes là. Ce sera peut-être moins amusant pour vous, mais on se donnera tant de peine pour tâcher de vous faire oublier son absence ! »

En effet, au moment où on croyait que l'amie de Robert irait seule à Bruges, on venait d'apprendre que le capitaine de Borodino, jusque-là d'un avis contraire, venait de faire accorder au sous-officier Saint-Loup une longue permission pour Bruges. Voici ce qui s'était passé. Le prince, très fier de son opulente chevelure, était un client assidu du plus grand coiffeur de la ville, autrefois garçon de l'ancien coiffeur de Napoléon III. Le capitaine de Borodino était au mieux avec le coiffeur car il était, malgré ses façons majestueuses, simple avec les petites gens. Mais le coiffeur, chez qui le prince avait une note arriérée d'au moins cinq ans et que les flacons de « Portugal[1] », d'« Eau des Souverains », les fers, les rasoirs, les cuirs enflaient non moins que les schampooings, les coupes de cheveux, etc., plaçait plus haut Saint-Loup qui payait rubis sur l'ongle, avait plusieurs voitures et des chevaux de selle. Mis au courant de l'ennui de Saint-Loup de ne pouvoir partir avec sa maîtresse, il en parla chaudement au prince ligoté d'un surplis blanc dans le moment que le barbier lui tenait la tête renversée et menaçait sa gorge. Le récit de ces aventures galantes d'un jeune homme arracha au capitaine-prince un sourire d'indulgence bonapartiste. Il est peu probable qu'il pensa à sa note impayée, mais la recommandation du coiffeur l'inclinait autant à la bonne humeur qu'à la mauvaise celle d'un duc. Il avait encore du savon plein le menton que la permission était promise et elle fut signée le soir-même. Quant au coiffeur qui avait l'habitude de se vanter sans cesse et, afin de le pouvoir, s'attribuait, avec une faculté de mensonge extraordinaire, des prestiges entièrement inventés, pour une fois qu'il rendit un service signalé à Saint-Loup, non seulement il n'en fit pas sonner le mérite, mais, comme si la vanité avait besoin de mentir, et, quand il n'y a pas lieu de le faire, cède la place à la modestie, n'en reparla jamais à Robert.

Tous les amis de Robert me dirent qu'aussi longtemps que je resterais à Doncières, ou à quelque époque que j'y revinsse, s'il n'était pas là[a], leurs voitures, leurs chevaux, leurs maisons, leurs heures de liberté seraient à moi et je sentais que c'était de grand cœur que ces jeunes gens mettaient leur luxe, leur jeunesse, leur vigueur au service de ma faiblesse.

« Pourquoi du reste », reprirent les amis de Saint-Loup après avoir insisté pour que je restasse, « ne reviendriez-vous pas tous les ans ? Vous voyez bien que cette petite vie vous plaît ! Et, même, vous vous intéressez à tout ce qui se passe au régiment comme un ancien. »

Car je continuais à leur demander avidement de classer les différents officiers dont je savais les noms, selon l'admiration plus ou moins grande qu'ils leur semblaient mériter, comme jadis, au collège, je faisais faire à mes camarades pour les acteurs du Théâtre-Français[b]. Si à la place d'un des généraux que j'entendais toujours citer en tête de tous les autres, un Galliffet[1] ou un Négrier[2], quelque ami de Saint-Loup disait : « Mais Négrier est un officier général des plus médiocres » et jetait[c] le nom nouveau, intact et savoureux de Pau[3] ou de Geslin de Bourgogne[4], j'éprouvais la même surprise heureuse que jadis quand les noms épuisés de Thiron[5] ou de Febvre[6] se trouvaient refoulés par l'épanouissement[d] soudain du nom inusité d'Amaury[1]. « Même supérieur à Négrier ? Mais en quoi ? Donnez-moi un exemple. » Je voulais qu'il existât des différences profondes jusqu'entre les officiers subalternes du régiment, et j'espérais, dans la raison de ces différences, saisir l'essence de ce qu'était la supériorité militaire. L'un de ceux dont cela m'eût le plus intéressé d'entendre parler, parce que c'est lui que j'avais aperçu le plus souvent, était le prince[a] de Borodino. Mais ni Saint-Loup, ni ses amis, s'ils rendaient en lui justice au bel officier qui assurait à son escadron une tenue incomparable, n'aimaient l'homme. Sans parler de lui évidemment sur le même ton que de certains officiers sortis du rang et francs-maçons, qui ne fréquentaient pas les autres et gardaient à côté d'eux un aspect farouche d'adjudants, ils ne semblaient pas situer M. de Borodino au nombre des autres officiers nobles, desquels à vrai dire, même à l'égard de Saint-Loup, il différait beaucoup par l'attitude. Eux, profitant de ce que Robert n'était que sous-officier et qu'ainsi sa puissante famille pouvait être heureuse qu'il fût invité chez des chefs qu'elle eût dédaignés sans cela, ne perdaient pas une occasion de le recevoir à leur table quand s'y trouvait quelque gros bonnet capable d'être utile à un jeune maréchal des logis. Seul, le capitaine de Borodino n'avait que des rapports de service, d'ailleurs excellents, avec Robert. C'est que le prince, dont le grand-père avait été fait maréchal et prince-duc par l'Empereur, à la famille de qui il s'était ensuite allié par son mariage, puis dont le père avait épousé une cousine de Napoléon III et avait été deux fois ministre après le coup d'État[2] sentait que malgré cela il n'était pas grand-chose pour Saint-Loup et la société des Guermantes, lesquels à leur tour, comme il ne se plaçait pas au même point de vue qu'eux, ne comptaient guère pour lui. Il se doutait que, pour Saint-Loup, il était — lui apparenté aux Hohenzollern[3] — non pas un vrai noble mais le petit-fils d'un fermier, mais, en revanche, considérait Saint-Loup comme le fils d'un homme dont le comté avait été confirmé par l'Empereur — on appelait cela dans le faubourg Saint-Germain, les comtes refaits — et avait sollicité de lui une préfecture, puis tel autre poste placé bien bas sous les ordres de S.A. le prince[b] de Borodino, ministre d'État à qui l'on écrivait « Monseigneur » et qui était neveu du souverain.

Plus que neveu peut-être[a]. La première princesse de Borodino passait pour avoir eu des bontés pour Napoléon Ier qu'elle suivit à l'île d'Elbe et la seconde pour Napoléon III. Et si, dans la face placide du capitaine, on retrouvait de Napoléon Ier, sinon les traits naturels du visage, du moins la majesté étudiée du masque, l'officier avait, surtout dans le regard mélancolique et bon, dans la moustache tombante, quelque chose qui faisait penser à Napoléon III ; et cela d'une façon si frappante qu'ayant demandé après Sedan à pouvoir rejoindre l'Empereur[1], et ayant été éconduit par Bismarck auprès de qui on l'avait mené, ce dernier levant par hasard les yeux sur le jeune homme qui se disposait à s'éloigner, fut saisi soudain par cette ressemblance et, se ravisant, le rappela et lui accorda l'autorisation que comme à tout le monde il venait de lui refuser.

Si le prince de Borodino ne voulait pas faire d'avances à Saint-Loup ni aux autres membres de la société du faubourg Saint-Germain qu'il y avait dans le régiment (alors qu'il invitait beaucoup deux lieutenants roturiers qui étaient des hommes agréables), c'est que, les considérant tous du haut de sa grandeur impériale, il faisait, entre ces inférieurs, cette différence que les uns étaient des inférieurs qui se savaient l'être et avec qui il était charmé de frayer, étant, sous ses apparences de majesté, d'une humeur simple et joviale, et les autres des inférieurs qui se croyaient supérieurs, ce qu'il n'admettait pas. Aussi, alors que tous les officiers du régiment faisaient fête à Saint-Loup, le prince de Borodino à qui il avait été recommandé par le maréchal de X[2] se borna à être obligeant pour lui dans le service, où Saint-Loup était d'ailleurs exemplaire, mais il ne le reçut jamais chez lui, sauf en une circonstance particulière où il fut en quelque sorte forcé de l'inviter, et, comme elle se présentait pendant mon séjour, lui demanda de m'amener. Je pus facilement, ce soir-là, en voyant Saint-Loup à la table de son capitaine, discerner jusque dans les manières et l'élégance de chacun d'eux la différence qu'il y avait entre les deux aristocraties : l'ancienne noblesse et celle de l'Empire. Issu d'une caste dont les défauts, même s'il les répudiait de toute son intelligence, avaient passé dans son sang, et qui, ayant cessé d'exercer une autorité réelle depuis au moins un siècle, ne voit plus dans l'amabilité protectrice qui fait partie de l'éducation qu'elle reçoit, qu'un exercice comme l'équitation ou l'escrime, cultivé sans but sérieux, par divertissement, à l'encontre des bourgeois que cette noblesse méprise assez pour croire que sa familiarité les flatte et que son sans-gêne les honorerait, Saint-Loup prenait amicalement la main de n'importe quel bourgeois qu'on lui présentait et dont il n'avait peut-être pas entendu le nom, et en causant avec lui (sans cesser de croiser et de décroiser les jambes, se renversant en arrière, dans une attitude débraillée, le pied dans la main) l'appelait « mon cher ». Mais au contraire, d'une noblesse dont les titres gardaient encore leur signification, tout pourvus qu'ils restaient de riches majorats récompensant de glorieux services et rappelant le souvenir de hautes fonctions dans lesquelles on commande à beaucoup d'hommes et où l'on doit connaître les hommes, le prince de Borodino — sinon distinctement et dans sa conscience personnelle et claire, du moins en son corps qui le révélait par ses attitudes et ses façons — considérait son rang comme une prérogative effective ; à ces mêmes roturiers que Saint-Loup eût touchés à l'épaule et pris par le bras, il s'adressait avec une affabilité majestueuse, où une réserve pleine de grandeur tempérait la bonhomie souriante qui lui était naturelle, sur un ton empreint à la fois d'une bienveillance sincère et d'une hauteur voulue. Cela tenait sans doute à ce qu'il était moins éloigné des grandes ambassades et de la cour, où son père avait eu les plus hautes charges et où les manières de Saint-Loup, le coude sur la table et le pied dans la main, eussent été mal reçues, mais surtout cela tenait à ce que cette bourgeoisie, il la méprisait moins, qu'elle était le grand réservoir où le premier empereur avait pris ses maréchaux, ses nobles, où le second avait trouvé un Fould[1], un Rouher[2].

Sans doute, fils ou petit-fils d'empereur, et qui n'avait plus qu'à commander un escadron, les préoccupations de son père et de son grand-père ne pouvaient, faute d'objets à quoi s'appliquer, survivre réellement dans la pensée de M. de Borodino. Mais comme l'esprit d'un artiste continue à modeler bien des années après qu'il est éteint la statue qu'il sculpta, elles avaient pris corps en lui, s'y étaient matérialisées, incarnées, c'était elles que reflétait son visage. C'est avec, dans la voix, la vivacité du premier

empereur qu'il adressait un reproche à un brigadier, avec
la mélancolie songeuse du second qu'il exhalait la bouffée
d'une cigarette. Quand il passait en civil dans les rues de
Doncières, un certain[a] éclat dans ses yeux, s'échappant de
sous le chapeau melon, faisait reluire autour du capitaine
un incognito souverain ; on tremblait quand il entrait dans
le bureau du maréchal des logis chef, suivi de l'adjudant
et du fourrier, comme de Berthier et de Masséna[1]. Quand
il choisissait l'étoffe d'un pantalon pour son escadron, il
fixait sur le brigadier tailleur un regard capable de déjouer
Talleyrand[2] et tromper Alexandre[3] ; et parfois, en train
de passer une revue d'installe, il s'arrêtait, laissant rêver
ses admirables yeux bleus, tortillait sa moustache, avait l'air
d'édifier une Prusse et une Italie nouvelles[4]. Mais aussitôt,
redevenant de Napoléon III Napoléon Ier, il faisait
remarquer que le paquetage n'était pas astiqué et voulait
goûter à l'ordinaire des hommes. Et chez lui, dans sa vie
privée, c'était pour les femmes d'officiers bourgeois (à la
condition qu'ils ne fussent pas francs-maçons) qu'il faisait[b]
servir non seulement une vaisselle de sèvres bleu de roi,
digne d'un ambassadeur (donnée à son père par Napoléon[c]
et qui paraissait plus précieuse encore dans la maison
provinciale qu'il habitait sur le Mail, comme ces porcelaines rares que les touristes admirent avec plus de plaisir
dans l'armoire rustique d'un vieux manoir aménagé en
ferme achalandée et prospère), mais encore d'autres
présents de l'empereur : ces nobles et charmantes manières
qui elles aussi eussent fait merveille dans quelque poste
de représentation, si pour certains ce n'était pas être voué
pour toute sa vie au plus injuste des ostracismes que d'être
« né », des gestes familiers, la bonté, la grâce et,
enfermant sous un émail bleu de roi aussi, des images
glorieuses, la relique mystérieuse, éclairée et survivante
du regard. Et à propos des relations bourgeoises que le
prince avait à Doncières, il convient de dire ceci. Le
lieutenant-colonel jouait admirablement du piano, la
femme du médecin-chef chantait comme si elle avait eu
un premier prix au Conservatoire. Ce dernier couple, de
même que le lieutenant-colonel et sa femme, dînaient
chaque semaine chez M. de Borodino. Ils étaient certes
flattés, sachant que, quand le prince allait à Paris en
permission, il dînait chez Mme de Pourtalès[5], chez les
Murat[6], etc. Mais ils se disaient : « C'est un simple

capitaine, il est trop heureux que nous venions chez lui.
C'est du reste un vrai ami pour nous. » Mais quand
M. de Borodino, qui faisait depuis longtemps des
démarches pour se rapprocher de Paris, fut nommé à
Beauvais, il fit son déménagement, oublia aussi complètement les deux couples musiciens que le théâtre de
Doncières et le petit restaurant d'où il faisait souvent venir
son déjeuner, et à leur grande indignation ni le lieutenant-
colonel, ni le médecin-chef, qui avaient si souvent dîné
chez lui, ne reçurent plus, de toute leur vie, de ses
nouvelles.

Un matin, Saint-Loup m'avoua[a] qu'il avait écrit à ma
grand-mère pour lui donner de mes nouvelles et lui
suggérer l'idée, puisqu'un service téléphonique fonctionnait entre Doncières et Paris, de causer[b] avec moi. Bref,
le même jour, elle devait me faire appeler à l'appareil et
il me conseilla d'être vers quatre heures moins un quart
à la poste. Le téléphone n'était pas encore à cette époque
d'un usage aussi courant qu'aujourd'hui[1]. Et pourtant
l'habitude met si peu de temps à dépouiller de leur mystère
les forces sacrées avec lesquelles nous sommes en contact
que, n'ayant pas eu ma communication immédiatement,
la seule pensée que j'eus, ce fut que c'était bien long, bien
incommode, et presque l'intention d'adresser une plainte :
comme nous tous maintenant, je ne trouvais pas assez
rapide à mon gré, dans ses brusques changements,
l'admirable féerie à laquelle quelques instants suffisent
pour qu'apparaisse près de nous, invisible mais présent,
l'être à qui nous voulions parler et qui, restant à sa table,
dans la ville qu'il habite (pour ma grand-mère c'était
Paris), sous un ciel différent du nôtre, par un temps qui
n'est pas forcément le même, au milieu de circonstances
et de préoccupations que nous ignorons et que cet être
va nous dire, se trouve tout à coup transporté à des
centaines de lieues (lui et toute l'ambiance où il reste
plongé) près de notre oreille, au moment où notre caprice
l'a ordonné. Et nous sommes comme le personnage du
conte à qui une magicienne sur le souhait qu'il en exprime,
fait apparaître, dans une clarté surnaturelle, sa grand-mère
ou sa fiancée en train de feuilleter un livre, de verser des
larmes, de cueillir des fleurs, tout près du spectateur
et pourtant très loin, à l'endroit même où elle se
trouve réellement. Nous n'avons, pour que ce miracle

s'accomplisse, qu'à approcher nos lèvres de la planchette magique et à appeler — quelquefois un peu trop longtemps, je le veux bien — les Vierges Vigilantes[1] dont nous entendons chaque jour la voix sans jamais connaître le visage, et qui sont nos Anges gardiens dans les ténèbres vertigineuses dont elles surveillent jalousement les portes ; les Toutes-Puissantes par qui les absents surgissent à notre côté, sans qu'il soit permis de les apercevoir ; les Danaïdes de l'invisible qui sans cesse vident, remplissent, se transmettent les urnes des sons[2] ; les ironiques Furies qui, au moment que nous murmurions une confidence à une amie, avec l'espoir que personne ne nous entendait, nous crient cruellement[3] : « J'écoute » ; les servantes toujours irritées du Mystère, les ombrageuses prêtresses de l'Invisible, les Demoiselles du téléphone !

Et aussitôt que notre appel a retenti, dans la nuit pleine d'apparitions sur laquelle nos oreilles s'ouvrent seules, un bruit léger — un bruit abstrait — celui de la distance supprimée — et la voix de l'être cher s'adresse à nous.

C'est lui, c'est sa voix qui nous parle, qui est là. Mais comme elle est loin ! Que de fois je n'ai pu l'écouter sans angoisse, comme si devant cette impossibilité de voir, avant de longues heures de voyage, celle dont la voix était si près de mon oreille, je sentais mieux ce qu'il y a de décevant dans l'apparence du rapprochement le plus doux, et à quelle distance nous pouvons être des personnes aimées au moment où il semble que nous n'aurions qu'à étendre la main pour les retenir. Présence réelle que cette voix si proche — dans la séparation effective ! Mais anticipation aussi d'une séparation éternelle ! Bien souvent, écoutant de la sorte, sans voir celle qui me parlait de si loin, il m'a semblé que cette voix clamait des profondeurs d'où l'on ne remonte pas, et j'ai connu l'anxiété qui allait m'étreindre un jour, quand une voix reviendrait ainsi (seule, et ne tenant plus à un corps que je ne devais jamais revoir) murmurer à mon oreille des paroles que j'aurais voulu embrasser au passage sur des lèvres à jamais en poussière[4].

Ce jour-là, hélas, à Doncières, le miracle n'eut pas lieu. Quand j'arrivai au bureau de poste, ma grand-mère m'avait déjà demandé ; j'entrai[a] dans la cabine, la ligne était prise, quelqu'un causait qui ne savait pas sans doute qu'il n'y avait personne pour lui répondre car, quand j'amenai à moi le récepteur, ce morceau de bois se mit à parler comme Polichinelle ; je le fis taire, ainsi qu'au guignol, en le remettant à sa place, mais, comme Polichinelle, dès que je le ramenais près de moi, il recommençait son bavardage. Je finis en désespoir de cause, en raccrochant définitivement le récepteur, par étouffer les convulsions de ce tronçon sonore qui jacassa jusqu'à la dernière seconde et j'allai chercher l'employé qui me dit d'attendre un instant ; puis je parlai et après quelques instants de silence, tout d'un coup j'entendis cette voix que je croyais à tort connaître si bien, car jusque-là, chaque fois que ma grand-mère avait causé avec moi, ce qu'elle me disait, je l'avais toujours suivi sur la partition ouverte de son visage où les yeux tenaient beaucoup de place, mais sa voix elle-même, je l'écoutais aujourd'hui pour la première fois[a]. Et parce que cette voix m'apparaissait changée dans ses proportions dès l'instant qu'elle était un tout, et m'arrivait ainsi seule et sans l'accompagnement des traits de la figure, je découvris combien cette voix était douce ; peut-être d'ailleurs ne l'avait-elle jamais été à ce point, car ma grand-mère, me sentant loin et malheureux, croyait pouvoir s'abandonner à l'effusion d'une tendresse que, par « principes » d'éducatrice, elle contenait et cachait d'habitude. Elle était douce, mais aussi comme elle était triste, d'abord à cause de sa douceur même, presque décantée, plus que peu de voix humaines ont jamais dû l'être, de toute dureté, de tout élément de résistance aux autres, de tout égoïsme ; fragile à force de délicatesse, elle semblait à tout moment prête à se briser, à expirer en un pur flot de larmes, puis l'ayant seule près de moi, vue sans le masque du visage, j'y remarquais, pour la première fois, les chagrins qui l'avaient fêlée au cours de la vie.

Était-ce d'ailleurs uniquement la voix qui, parce qu'elle était seule, me donnait cette impression nouvelle qui me déchirait ? Non pas ; mais plutôt que cet isolement de la voix était comme un symbole, une évocation, un effet direct d'un autre isolement, celui de ma grand-mère, pour la première fois séparée de moi. Les commandements ou défenses qu'elle m'adressait à tout moment dans l'ordinaire de la vie, l'ennui de l'obéissance ou la fièvre de la rébellion qui neutralisaient la tendresse que j'avais pour elle, étaient supprimés en ce moment et même pouvaient l'être pour l'avenir (puisque ma grand-mère n'exigeait plus

de m'avoir près d'elle sous sa loi, était en train de me dire
son espoir que je resterais tout à fait à Doncières, ou en
tout cas que j'y prolongerais mon séjour le plus longtemps
possible, ma santé et mon travail pouvant s'en bien
trouver) ; aussi, ce que j'avais sous cette petite cloche
approchée de mon oreille, c'était, débarrassée des pressions opposées qui chaque jour lui avaient fait contrepoids,
et dès lors irrésistible, me soulevant tout entier, notre
mutuelle tendresse. Ma grand-mère, en me disant de
rester, me donna un besoin anxieux et fou de revenir.
Cette liberté qu'elle me laissait désormais, et à laquelle
je n'avais jamais entrevu qu'elle pût consentir, me parut
tout d'un coup aussi triste que pourrait être ma liberté
après sa mort (quand je l'aimerais encore et qu'elle aurait
à jamais renoncé à moi). Je criais : « Grand-mère,
grand-mère », et j'aurais voulu l'embrasser[a] ; mais je
n'avais près de moi que cette voix, fantôme aussi
impalpable que celui qui reviendrait peut-être me visiter
quand ma grand-mère serait morte. « Parle-moi » ; mais
alors il arriva que, me laissant plus seul encore, je cessai
tout d'un coup de percevoir cette voix. Ma grand-mère
ne m'entendait plus, elle n'était plus en communication
avec moi, nous avions cessé d'être en face l'un de l'autre,
d'être l'un pour l'autre audibles, je continuais à l'interpeller en tâtonnant dans la nuit, sentant que des appels d'elle
aussi devaient s'égarer. Je palpitais de la même angoisse
que, bien loin dans le passé, j'avais éprouvée autrefois,
un jour que petit enfant, dans une foule, je l'avais perdue,
angoisse moins de ne pas la retrouver que de sentir qu'elle
me cherchait, de sentir qu'elle se disait que je la cherchais ;
angoisse assez semblable à celle que j'éprouverais le jour
où on parle à ceux qui ne peuvent plus répondre et de
qui on voudrait au moins tant faire entendre tout ce qu'on
ne leur a pas dit, et l'assurance qu'on ne souffre pas. Il
me semblait que c'était déjà une ombre chérie que je
venais de laisser se perdre parmi les ombres, et seul devant
l'appareil, je continuais à répéter en vain : « Grand-mère,
grand-mère », comme Orphée, resté seul, répète le nom
de la morte[1]. Je me décidai à quitter la poste, à aller
retrouver Robert à son restaurant pour lui dire que, allant
peut-être recevoir une dépêche qui m'obligerait à revenir,
je voudrais savoir à tout hasard l'horaire des trains. Et
pourtant, avant de prendre cette résolution, j'aurais voulu

une dernière fois invoquer les Filles de la Nuit, les Messagères de la parole, les divinités sans visage ; mais les capricieuses Gardiennes n'avaient plus voulu ouvrir les Portes merveilleuses, ou sans doute elles ne le purent pas ; elles eurent beau invoquer inlassablement, selon leur coutume, le vénérable inventeur de l'imprimerie et le jeune prince amateur de peinture impressionniste et chauffeur (lequel était neveu du capitaine de Borodino), Gutenberg et Wagram[1] laissèrent leurs supplications sans réponse et je partis, sentant que l'Invisible sollicité resterait sourd[2].

En arrivant auprès de Robert et de ses amis, je ne leur avouai pas que mon cœur n'était plus avec eux, que mon départ était déjà irrévocablemnt décidé[a]. Saint-Loup parut me croire, mais j'ai su depuis qu'il avait, dès la première minute, compris que mon incertitude était simulée, et que le lendemain il ne me retrouverait pas. Tandis que, laissant les plats refroidir auprès d'eux, ses amis cherchaient avec lui dans l'indicateur le train que je pourrais prendre pour rentrer à Paris, et qu'on entendait dans la nuit étoilée et froide les sifflements des locomotives, je n'éprouvais certes plus la même paix que m'avaient donnée ici tant de soirs l'amitié des uns, le passage lointain des autres. Ils ne manquaient pas pourtant, ce soir, sous une autre forme à ce même office. Mon départ m'accabla moins quand je ne fus plus obligé d'y penser seul, quand je sentis employer à ce qui s'effectuait l'activité plus normale et plus saine de mes énergiques amis, les camarades de Robert, et de ces autres êtres forts, les trains, dont l'allée et venue, matin et soir, de Doncières à Paris[b], émiettait rétrospectivement ce qu'avait de trop compact et insoutenable mon long isolement d'avec ma grand-mère, en des possibilités quotidiennes de retour.

« Je ne doute pas de la vérité de tes paroles et que tu ne comptes pas partir encore, me dit en riant Saint-Loup, mais fais comme si tu partais et viens me dire adieu demain matin de bonne heure, sans cela je cours le risque de ne pas te revoir ; je déjeune justement en ville, le capitaine m'a donné l'autorisation ; il faut que je sois rentré à deux heures au quartier car on va en marche toute la journée. Sans doute, le seigneur chez qui je déjeune à trois kilomètres d'ici me ramènera à temps pour être au quartier à deux heures. »

À peine disait-il ces mots qu'on vint me chercher de mon hôtel, on m'avait demandé de la poste au téléphone. J'y courus car elle allait fermer. Le mot « interurbain » revenait sans cesse dans les réponses que me donnaient les employés. J'étais au comble de l'anxiété, car c'était ma grand-mère qui me demandait. Le bureau allait fermer. Enfin j'eus la communication. « C'est toi, grand-mère ? » Une voix de femme avec un fort accent anglais me répondit : « Oui, mais je ne reconnais pas votre voix. » Je ne reconnaissais pas davantage la voix qui me parlait, puis ma grand-mère ne me disait pas « vous ». Enfin, tout s'expliqua. Le jeune homme que sa grand-mère avait fait demander au téléphone portait un nom presque identique au mien et habitait une annexe de l'hôtel. M'interpellant le jour même où j'avais voulu téléphoner à ma grand-mère, je n'avais pas douté un seul instant que ce fût elle qui me demandât. Or c'était par une simple coïncidence que la poste et l'hôtel venaient de faire une double erreur.

Le lendemain matin, je me mis en retard, je ne trouvai pas Saint-Loup déjà parti pour déjeuner[a] dans ce château voisin. Vers une heure et demie, je me préparais à aller à tout hasard au quartier pour y être dès son arrivée, quand, en traversant une des avenues qui y conduisait, je vis, dans la direction même où j'allais, un tilbury qui, en passant près de moi, m'obligea à me garer ; un sous-officier le conduisait, le monocle à l'œil, c'était Saint-Loup. À côté de lui était l'ami chez qui il avait déjeuné et que j'avais déjà rencontré une fois à l'hôtel où Robert dînait. Je n'osai pas appeler Robert comme il n'était pas seul, mais voulant qu'il s'arrêtât pour me prendre avec lui, j'attirai son attention par un grand salut qui était censé motivé par la présence d'un inconnu. Je savais Robert myope, j'aurais pourtant cru que, si seulement il me voyait, il ne manquerait pas de me reconnaître ; or, il vit bien le salut et le rendit, mais sans s'arrêter ; et, s'éloignant à toute vitesse, sans un sourire, sans qu'un muscle de sa physionomie bougeât, il se contenta de tenir pendant deux minutes sa main levée au bord de son képi, comme il eût répondu à un soldat qu'il n'eût pas connu. Je courus jusqu'au quartier, mais c'était encore loin ; quand j'arrivai, le régiment se formait dans la cour où on ne me laissa pas rester, et j'étais désolé de n'avoir pu dire adieu à Saint-Loup ; je montai à sa chambre, il n'y était plus ; je pus m'informer de lui à un groupe de soldats malades, des recrues dispensées de marche, le jeune bachelier, un ancien, qui regardaient le régiment se former.

« Vous n'avez pas vu le maréchal des logis Saint-Loup ? demandai-je.

— Monsieur, il est déjà descendu, dit l'ancien.

— Je ne l'ai pas vu, dit le bachelier.

— Tu ne l'as pas vu, dit l'ancien, sans plus s'occuper de moi, tu n'as pas vu notre fameux Saint-Loup, ce qu'il dégotte avec son nouveau falzar[1] ! Quand le capiston va voir ça, du drap d'officier ?

— Ah ! tu en as des bonnes, du drap d'officier », dit le jeune bachelier qui, malade à la chambre, n'allait pas en marche et s'essayait non sans une certaine inquiétude à être hardi avec les anciens. « Ce drap d'officier, c'est du drap comme ça.

— Monsieur[a] ? » demanda avec colère l' « ancien » qui avait parlé du falzar.

Il était indigné que le jeune bachelier mît en doute que ce falzar fût en drap d'officier, mais, breton, né dans un village qui s'appelle Penguern-Stereden, ayant[b] appris le français aussi difficilement que s'il eût été anglais ou allemand, quand il se sentait possédé par une émotion, il disait deux ou trois fois « Monsieur » pour se donner le temps de trouver ses paroles, puis après cette préparation il se livrait à son éloquence, se contentant de répéter quelques mots qu'il connaissait mieux que les autres, mais sans hâte, en prenant ses précautions contre son manque d'habitude de la prononciation.

« Ah! c'est du drap comme ça ? » reprit-il, avec une colère dont s'accroissaient progressivement l'intensité et la lenteur de son débit. « Ah ! c'est du drap comme ça ! quand je te dis que c'est du drap d'officier, quand-je-te-le-dis, puisque-je-te-le-dis, c'est que je le sais, je pense. C'est pas à nous qu'il faut faire des boniments à la noix de coco.

— Ah[c] ! alors, dit le jeune bachelier vaincu par cette argumentation.

— Tiens, v'là justement le capiston qui passe. Non, mais regarde un peu Saint-Loup ; c'est ce coup de lancer la jambe ; et puis sa tête. Dirait-on un sous-off ? Et le monocle ; ah ! il va un peu partout. »

Je demandai à ces soldats que ma présence ne troublait

pas à regarder aussi par la fenêtre. Ils ne m'en empêchèrent pas, ni ne se dérangèrent. Je vis le capitaine de Borodino passer majestueusement en faisant trotter son cheval, et semblant avoir l'illusion qu'il se trouvait à la bataille d'Austerlitz. Quelques passants étaient assemblés devant la grille du quartier pour voir le régiment sortir. Droit sur son cheval, le visage un peu gras, les joues d'une plénitude impériale, l'œil lucide, le prince devait être le jouet de quelque hallucination, comme je l'étais moi-même chaque fois qu'après le passage du tramway le silence qui suivait son roulement me semblait parcouru et strié par une vague palpitation musicale[a]. J'étais désolé de ne pas avoir dit adieu à Saint-Loup, mais je partis tout de même, car mon seul souci était de retourner auprès de ma grand-mère : jusqu'à ce jour, dans cette petite ville, quand je pensais à ce que ma grand-mère faisait seule, je me la représentais telle qu'elle était avec moi, mais en me supprimant, sans tenir compte des effets sur elle de cette suppression ; maintenant, j'avais à me délivrer au plus vite, dans ses bras, du fantôme, insoupçonné jusqu'alors et soudain évoqué par sa voix, d'une grand-mère réellement séparée de moi, résignée, ayant, ce que je ne lui avais encore jamais connu, un âge, et qui venait de recevoir une lettre de moi dans l'appartement vide où j'avais déjà imaginé Maman quand j'étais parti pour Balbec.

Hélas, ce fantôme-là, ce fut lui que j'aperçus quand, entré au salon sans que ma grand-mère fût avertie de mon retour, je la trouvai en train de lire. J'étais là, ou plutôt je n'étais pas encore là puisqu'elle ne le savait pas, et, comme une femme qu'on surprend en train de faire un ouvrage qu'elle cachera si on entre, elle était livrée à des pensées qu'elle n'avait jamais montrées devant moi. De moi — par ce privilège qui ne dure pas et où nous avons, pendant le court instant du retour, la faculté d'assister brusquement à notre propre absence — il n'y avait là que le témoin, l'observateur, en chapeau et manteau de voyage, l'étranger qui n'est pas de la maison, le photo-graphe qui vient prendre un cliché des lieux qu'on ne reverra plus. Ce qui, mécaniquement, se fit à ce moment dans mes yeux quand j'aperçus ma grand-mère, ce fut bien une photographie. Nous ne voyons jamais les êtres chéris que dans le système animé, le mouvement perpétuel de notre incessante tendresse, laquelle, avant de laisser les images que nous présente leur visage arriver jusqu'à nous, les prend dans son tourbillon, les rejette sur l'idée que nous nous faisons d'eux depuis toujours, les fait adhérer à elle, coïncider avec elle. Comment, puisque le front, les joues de ma grand-mère, je leur faisais signifier ce qu'il y avait de plus délicat et de plus permanent dans son esprit, comment, puisque tout regard habituel est une nécromancie et chaque visage qu'on aime, le miroir du passé, comment n'en eussé-je[d] pas omis ce qui en elle avait pu s'alourdir et changer, alors que, même dans les spectacles les plus indifférents de la vie, notre œil, chargé de pensée, néglige, comme ferait une tragédie classique, toutes les images qui ne concourent pas à l'action et ne retient que celles qui peuvent en rendre intelligible le but ? Mais[b] qu'au lieu de notre œil, ce soit un objectif purement matériel, une plaque photographique, qui ait regardé, alors ce que nous verrons, par exemple dans la cour de l'Institut, au lieu de la sortie d'un académicien qui veut appeler un fiacre, ce sera sa titubation, ses précautions pour ne pas tomber en arrière, la parabole de sa chute, comme s'il était ivre ou que le sol fût couvert de verglas[1]. Il en est de même quand quelque cruelle ruse du hasard empêche notre intelligente et pieuse tendresse d'accourir à temps pour cacher à nos regards ce qu'ils ne doivent jamais contempler, quand elle est devancée par eux qui, arrivés les premiers sur place et laissés à eux-mêmes fonctionnent mécaniquement à la façon de pellicules, et nous montrent, au lieu de l'être aimé qui n'existe plus depuis longtemps mais dont elle n'avait jamais voulu que la mort nous fût révélée, l'être nouveau que cent fois par jour elle revêtait d'une chère et menteuse ressemblance. Et, comme un malade qui, ne s'étant pas regardé depuis longtemps et composant à tout moment le visage qu'il ne voit pas d'après l'image idéale qu'il porte de soi-même dans sa pensée, recule en apercevant dans une glace, au milieu d'une figure aride et déserte, l'exhaussement oblique et rose d'un nez gigantesque comme une pyramide d'Égypte, moi pour qui[c] ma grand-mère c'était encore moi-même, moi qui ne l'avais jamais vue que dans mon âme, toujours à la même place du passé, à travers la transparence des souvenirs contigus et superposés, tout d'un coup, dans notre salon qui faisait partie d'un monde nouveau, celui du Temps, celui où vivent les étrangers

dont on dit « il vieillit bien », pour[a] la première fois et
seulement pour un instant car elle disparut bien vite,
j'aperçus sur le canapé, sous la lampe, rouge, lourde et
vulgaire, malade, rêvassant, promenant au-dessus d'un
livre des yeux un peu fous, une vieille femme accablée
que je ne connaissais pas.

À ma demande d'aller voir les Elstir de Mme de Guermantes, Saint-Loup m'avait dit : « Je réponds pour elle. »
Et malheureusement, en effet, pour elle ce n'était que lui
qui avait répondu. Nous répondons aisément des autres
quand, disposant dans notre pensée les petites images qui
les figurent, nous faisons manœuvrer celles-ci à notre
guise. Sans doute même à ce moment-là nous tenons
compte des difficultés provenant de la nature de chacun,
différente de la nôtre, et nous ne manquons pas d'avoir
recours à tel ou tel moyen d'action puissant sur elle,
intérêt, persuasion, émoi, qui neutralisera des penchants
contraires. Mais ces différences d'avec notre nature, c'est
encore notre nature qui les imagine ; ces difficultés, c'est
nous qui les levons ; ces mobiles efficaces, c'est nous qui
les dosons. Et quand les mouvements que dans notre esprit
nous avons fait répéter à l'autre personne, et qui la font
agir à notre gré, nous voulons les lui faire exécuter dans
la vie, tout change, nous nous heurtons à des résistances
imprévues qui peuvent être invincibles. L'une des plus
fortes est sans doute celle que peut développer en une
femme qui n'aime pas, le dégoût que lui inspire,
insurmontable et fétide, l'homme qui l'aime : pendant les
longues semaines que Saint-Loup resta encore sans venir
à Paris, sa tante, à qui je ne doutai pas qu'il eût écrit pour
la supplier de le faire, ne me demanda pas une fois de
venir chez elle voir les tableaux d'Elstir.

Je reçus des marques de froideur de la part d'une autre
personne de la maison. Ce fut de Jupien. Trouvait-il que
j'aurais dû entrer lui dire bonjour, à mon retour de
Doncières, avant même de monter chez moi ? Ma mère
me dit que non, qu'il ne fallait pas s'étonner. Françoise
lui avait dit qu'il était ainsi, sujet à de brusques mauvaises
humeurs, sans raison. Cela se dissipait toujours au bout
de peu de temps.

Cependant l'hiver finissait. Un matin, après quelques
semaines de giboulées et de tempêtes, j'entendis dans ma
cheminée — au lieu du vent informe, élastique et sombre

qui me secouait de l'envie d'aller au bord de la mer — le roucoulement des pigeons qui nichaient dans la muraille : irisé, imprévu comme une première jacinthe déchirant doucement son cœur nourricier pour qu'en jaillît, mauve et satinée, sa fleur sonore, faisant entrer, comme une fenêtre ouverte, dans ma chambre encore fermée et noire, la tiédeur, l'éblouissement, la fatigue d'un premier beau jour. Ce matin-là, je me surpris à fredonner un air de café-concert que j'avais oublié depuis l'année où j'avais dû aller à Florence et à Venise. Tant l'atmosphère, selon le hasard des jours, agit profondément sur notre organisme et tire des réserves obscures où nous les avions oubliées les mélodies inscrites que n'a pas déchiffrées notre mémoire. Un rêveur plus conscient accompagna bientôt ce musicien que j'écoutais en moi, sans même avoir reconnu tout de suite ce qu'il jouait.

Je sentais bien que les raisons n'étaient pas particulières à Balbec pour lesquelles, quand j'y étais arrivé, je n'avais plus trouvé à son église le charme qu'elle avait pour moi avant que je la connusse ; qu'à Florence, à Parme ou à Venise, mon imagination ne pourrait pas davantage se substituer à mes yeux pour regarder. Je le sentais. De même, un soir du Ier janvier, à la tombée de la nuit, devant une colonne d'affiches, j'avais découvert l'illusion qu'il y a à croire que certains jours de fête diffèrent essentiellement des autres. Et pourtant je ne pouvais pas empêcher que le souvenir du temps pendant lequel j'avais cru passer à Florence la Semaine sainte ne continuât à faire d'elle comme l'atmosphère de la cité des Fleurs, à donner à la fois au jour de Pâques quelque chose de florentin, et à Florence quelque chose de pascal. La semaine de Pâques était encore loin ; mais dans la rangée des jours qui s'étendait devant moi, les jours saints se détachaient plus clairs au bout des jours mitoyens. Touchés d'un rayon comme certaines maisons d'un village qu'on aperçoit au loin dans un effet d'ombre et de lumière, ils retenaient sur eux tout le soleil[1].

Le temps était devenu plus doux. Et mes parents eux-mêmes, en me conseillant de me promener, me fournissaient un prétexte à continuer mes sorties du matin. J'avais voulu les cesser parce que j'y rencontrais Mme de Guermantes. Mais c'est à cause de cela même que je pensais tout le temps à ces sorties, ce qui me faisait trouver à chaque instant une raison nouvelle de les faire, laquelle n'avait aucun rapport avec Mme de Guermantes et me persuadait aisément que, n'eût-elle pas existé, je ne m'en fusse pas moins promené à cette même heure.

Hélas ! si pour moi[a] rencontrer toute autre personne qu'elle eût été indifférent, je sentais que, pour elle, rencontrer n'importe qui excepté moi eût été supportable. Il[b] lui arrivait, dans ses promenades matinales, de recevoir le salut de bien des sots et qu'elle jugeait tels. Mais elle tenait leur apparition sinon pour une promesse de plaisir, du moins pour un effet du hasard. Et elle les arrêtait quelquefois car il y a des moments où on a besoin de sortir de soi, d'accepter l'hospitalité de l'âme des autres, à condition que cette âme, si modeste et laide soit-elle, soit une âme étrangère, tandis que dans mon cœur elle sentait avec exaspération que ce qu'elle eût retrouvé, c'était elle. Aussi, même[c] quand j'avais pour prendre le même chemin une autre raison que de la voir, je tremblais comme un coupable au moment où elle passait ; et quelquefois, pour neutraliser ce que mes avances pouvaient avoir d'excessif, je répondais à peine à son salut, ou je la fixais du regard sans la saluer, ni réussir qu'à l'irriter davantage et à faire qu'elle commençât en plus à me trouver insolent et mal élevé.

Elle avait[d] maintenant des robes plus légères, ou du moins plus claires, et descendait la rue où déjà, comme si c'était le printemps, devant les étroites boutiques intercalées entre les vastes façades des vieux hôtels aristocratiques, à l'auvent de la marchande de beurre, de fruits, de légumes, des stores étaient tendus contre le soleil. Je me disais que la femme que je voyais de loin marcher, ouvrir son ombrelle, traverser la rue, était, de l'avis des connaisseurs, la plus grande artiste actuelle dans l'art d'accomplir ces mouvements et d'en faire quelque chose de délicieux. Cependant elle s'avançait : ignorant de cette réputation éparse, son corps étroit, réfractaire et qui n'en avait rien absorbé était obliquement cambré sous une écharpe de surah violet ; ses yeux maussades et clairs regardaient distraitement devant elle et m'avaient peut-être aperçu ; elle mordait le coin de sa lèvre ; je la voyais redresser son manchon, faire l'aumône à un pauvre, acheter un bouquet de violettes à une marchande, avec la même curiosité que j'aurais eue à regarder un grand peintre donner des coups de pinceau. Et quand, arrivée à ma hauteur, elle me faisait un salut auquel s'ajoutait parfois un mince sourire, c'était comme si elle eût exécuté pour moi, en y ajoutant une dédicace, un lavis qui était un chef-d'œuvre. Chacune de ses robes m'apparaissait comme une ambiance naturelle, nécessaire, comme la projection d'un aspect particulier de son âme. Un de ces matins de carême où elle allait déjeuner en ville, je la rencontrai dans une robe d'un velours rouge clair, laquelle était légèrement échancrée au cou. Le visage de Mme de Guermantes paraissait rêveur sous ses cheveux blonds. J'étais moins triste que d'habitude parce que la mélancolie de son expression, l'espèce de claustration que la violence de la couleur mettait entre elle et le reste du monde, lui donnaient quelque chose de malheureux et de solitaire qui me rassurait. Cette robe me semblait la matérialisation autour d'elle des rayons écarlates d'un cœur que je ne lui connaissais pas et que j'aurais peut-être pu consoler ; réfugiée dans la lumière mystique de l'étoffe aux flots adoucis elle me faisait penser à quelque sainte des premiers âges chrétiens. Alors j'avais honte d'affliger par ma vue cette martyre. « Mais après tout, la rue est à tout le monde. »

« La rue est à tout le monde », reprenais-je en donnant à ces mots un sens différent et en admirant qu'en effet dans la rue populeuse souvent mouillée de pluie, et qui devenait précieuse comme est parfois la rue dans les vieilles cités de l'Italie, la duchesse de Guermantes mêlât à la vie publique des moments de sa vie secrète, se montrant ainsi à chacun, mystérieuse, coudoyée de tous, avec la splendide gratuité des grands chefs-d'œuvre. Comme je sortais le matin après être resté éveillé toute la nuit, l'après-midi mes parents me disaient de me coucher un peu et de chercher le sommeil. Il n'y a pas besoin pour savoir le trouver de beaucoup de réflexion, mais l'habitude y est très utile et même l'absence de la réflexion. Or, à ces heures-là, les deux me faisaient défaut. Avant de m'endormir je pensais si longtemps que je ne le pourrais, que, même endormi, il me restait un peu de pensée. Ce n'était qu'une lueur dans la presque obscurité, mais elle suffisait pour faire se refléter dans mon sommeil, d'abord l'idée que je ne pourrais dormir, puis, reflet de ce reflet, que c'était en dormant que j'avais eu l'idée que je ne

dormais pas, puis, par une réfraction nouvelle, mon éveil...
à un nouveau somme où je voulais raconter à des amis
qui étaient entrés dans ma chambre que, tout à l'heure
en dormant, j'avais cru que je ne dormais pas. Ces ombres
étaient à peine distinctes : il eût fallu une grande et bien
vaine délicatesse de perception pour les saisir. Ainsi plus
tard, à Venise, bien après le coucher du soleil, quand il
semble qu'il fasse tout à fait nuit, j'ai vu, grâce à l'écho
invisible pourtant d'une dernière note de lumière indéfiniment tenue sur les canaux comme par l'effet de quelque
pédale optique, les reflets des palais déroulés comme à
tout jamais en velours plus noir sur le gris crépusculaire
des eaux. Un de mes rêves était la synthèse de ce que mon
imagination avait souvent cherché à se représenter,
pendant la veille, d'un certain paysage marin et de son
passé médiéval. Dans mon sommeil je voyais une cité
gothique au milieu d'une mer aux flots immobilisés comme
sur un vitrail. Un bras de mer divisait en deux la ville ;
l'eau verte s'étendait à mes pieds ; elle baignait sur la rive
opposée une église orientale, puis des maisons qui
existaient encore dans le XIVe siècle, si bien qu'aller vers
elles, c'eût été remonter le cours des âges. Ce rêve où
la nature avait appris l'art, où la mer était devenue
gothique, ce rêve où je désirais, où je croyais aborder à
l'impossible, il me semblait l'avoir déjà fait souvent. Mais
comme c'est le propre de ce qu'on imagine en dormant
de se multiplier dans le passé, et de paraître, bien qu'étant
nouveau, familier, je crus m'être trompé. Je m'aperçus au
contraire que je faisais en effet souvent ce rêve.

Les amoindrissements mêmes qui caractérisent le sommeil se reflétaient dans le mien, mais d'une façon
symbolique : je ne pouvais pas dans l'obscurité distinguer
le visage des amis qui étaient là, car on dort les yeux
fermés ; moi qui me tenais sans fin des raisonnements
verbaux en rêvant, dès que je voulais parler à ces amis
je sentais le son s'arrêter dans ma gorge, car on ne parle
pas distinctement dans le sommeil ; je voulais aller à eux
et je ne pouvais pas déplacer mes jambes, car on n'y
marche pas non plus ; et tout à coup, j'avais honte de
paraître devant eux, car on dort déshabillé. Telle, les yeux
aveugles, les lèvres scellées, les jambes liées, le corps nu,
la figure du sommeil que projetait mon sommeil lui-même
avait l'air de ces grandes figures allégoriques où Giotto

a représenté l'Envie avec un serpent dans la bouche, et que Swann m'avait données[1].

Saint-Loup vint à Paris[a] pour quelques heures seulement. Tout en m'assurant qu'il n'avait pas eu l'occasion de parler à sa cousine : « Elle n'est pas gentille du tout, Oriane, me dit-il, en se trahissant naïvement, ce n'est plus mon Oriane d'autrefois, on me l'a changée. Je t'assure qu'elle ne vaut pas la peine que tu t'occupes d'elle. Tu lui fais beaucoup trop d'honneur. Tu ne veux pas que je te présente à ma cousine Poictiers ? » ajouta-t-il sans se rendre compte que cela ne pourrait me faire aucun plaisir. « Voilà une jeune femme intelligente et qui te plairait. Elle a épousé mon cousin, le duc de Poictiers, qui est un bon garçon, mais un peu simple pour elle. Je lui ai parlé de toi. Elle m'a demandé de t'amener. Elle est autrement jolie qu'Oriane et plus jeune. C'est quelqu'un de gentil, tu sais, c'est quelqu'un de bien. » C'étaient des expressions nouvellement — d'autant plus ardemment — adoptées par Robert et qui signifiaient qu'on avait une nature délicate : « Je ne te dis pas qu'elle soit dreyfusarde, il faut aussi tenir compte de son milieu, mais enfin elle dit : "S'il était innocent, quelle horreur ce serait qu'il fût à l'île du Diable[2] !" Tu comprends, n'est-ce pas ? Et puis enfin c'est une personne qui fait beaucoup pour ses anciennes institutrices, elle a défendu qu'on les fasse monter par l'escalier de service. Je t'assure, c'est quelqu'un de très bien. Dans le fond Oriane ne l'aime pas parce qu'elle la sent plus intelligente. »

Quoique absorbée par la pitié que lui inspirait un valet de pied des Guermantes — lequel ne pouvait aller voir sa fiancée même quand la duchesse était sortie car cela eût été immédiatement rapporté par la loge — Françoise fut navrée de ne s'être pas trouvée là au moment de la visite de Saint-Loup, mais c'est qu'elle maintenant en faisait aussi. Elle sortait infailliblement les jours où j'avais besoin d'elle. C'était toujours pour aller voir son frère, sa nièce, et surtout sa propre fille arrivée depuis peu à Paris. Déjà la nature familiale de ces visites que faisait Françoise ajoutait à mon agacement d'être privé de ses services, car je prévoyais qu'elle parlerait de chacune comme d'une de ces choses dont on ne peut se dispenser, selon les lois enseignées à Saint-André-des-Champs. Aussi je n'écoutais jamais ses excuses sans une mauvaise humeur fort injuste

et à laquelle venait mettre le comble la manière dont
Françoise disait non pas : « J'ai été voir mon frère, j'ai
été voir ma nièce », mais : « J'ai été voir le frère, je suis
entrée "en courant" donner le bonjour à la nièce (ou à
ma nièce la bouchère) ». Quant à sa fille, Françoise eût
voulu la voir retourner à Combray. Mais la nouvelle
Parisienne, usant, comme une élégante, d'abréviatifs, mais
vulgaires, disait que la semaine qu'elle devrait aller passer
à Combray lui semblerait bien longue sans avoir seulement
L'Intran[1]. Elle voulait encore moins aller chez la sœur de
Françoise dont la province était montagneuse, car « les
montagnes, disait la fille de Françoise en donnant à
intéressant un sens affreux et nouveau, ce n'est guère
intéressant ». Elle ne pouvait se décider à retourner à
Méséglise où « le monde est si bête », où, au marché,
les commères, les « pétrousses » se découvriraient un
cousinage avec elle et diraient : « Tiens, mais c'est-il pas
la fille au défunt Bazireau ? » Elle aimerait mieux mourir
que de retourner se fixer là-bas, « maintenant qu'elle avait
goûté à la vie de Paris », et Françoise, traditionaliste,
souriait pourtant avec complaisance à l'esprit d'innovation
qu'incarnait la nouvelle « parisienne » quand elle disait :
« Eh bien, mère, si tu n'as pas ton jour de sortie, tu n'as
qu'à m'envoyer un pneu. »

Le temps était redevenu froid. « Sortir ? Pourquoi ?
Pour prendre la crève », disait Françoise qui aimait mieux
rester à la maison pendant la semaine que sa fille, le frère
et la bouchère étaient allés passer à Combray. D'ailleurs,
dernière sectatrice en qui survécût obscurément la doctrine
de ma tante Léonie touchant la physique, Françoise ajoutait
en parlant de ce temps hors de saison : « C'est le restant
de la colère de Dieu ! » Mais je ne répondais à ses plaintes
que par un sourire plein de langueur, d'autant plus
indifférent à ces prédictions que, de toutes manières, il
ferait beau pour moi ; déjà je voyais briller le soleil du
matin sur la colline de Fiesole, je me chauffais à ses rayons ;
leur force m'obligeait à ouvrir et à fermer à demi les
paupières en souriant, et, comme des veilleuses d'albâtre,
elles se remplissaient d'une lueur rose. Ce n'était pas
seulement les cloches qui revenaient d'Italie, l'Italie était
venue avec elles. Mes mains fidèles ne manqueraient pas
de fleurs pour honorer l'anniversaire du voyage que j'avais
dû faire jadis, car depuis qu'à Paris le temps était redevenu

froid, comme une autre année au moment de nos
préparatifs de départ à la fin du carême, dans l'air liquide
et glacial qui baignait les marronniers, les platanes des
boulevards, l'arbre de la cour de notre maison, entrouvraient déjà leurs feuilles, comme dans une coupe d'eau
pure, les narcisses, les jonquilles, les anémones du Ponte
Vecchio[1].

Mon père nous avait raconté qu'il savait maintenant par
A.J. où allait M. de Norpois quand il le rencontrait dans
la maison.

« C'est[a] chez Mme de Villeparisis, il la connaît
beaucoup, je n'en savais rien. Il paraît que c'est une
personne délicieuse, une femme supérieure. Tu devrais
aller la voir, me dit-il. Du reste, j'ai été très étonné. Il
m'a parlé de M. de Guermantes comme d'un homme tout
à fait distingué ; je l'avais toujours pris pour une brute.
Il paraît qu'il sait infiniment de choses, qu'il a un goût
parfait, il est seulement très fier de son nom et de ses
alliances. Mais du reste, au dire de Norpois, sa situation
est énorme, non seulement ici, mais partout en Europe.
Il paraît que l'empereur d'Autriche, l'empereur de Russie
le traitent tout à fait en ami. Le père Norpois m'a dit que
Mme de Villeparisis t'aimait[b] beaucoup et que tu ferais
dans son salon la connaissance de gens intéressants. Il m'a
fait un grand éloge de toi, tu le retrouveras chez elle et
il pourrait être pour toi d'un bon conseil même si tu dois
écrire. Car je vois que tu ne feras pas autre chose. On
peut trouver cela une belle carrière, moi ce n'est pas ce
que j'aurais préféré pour toi, mais tu seras bientôt un
homme, nous ne serons pas toujours auprès de toi, et il
ne faut pas que nous t'empêchions de suivre ta vocation. »

Si, au moins, j'avais pu commencer à écrire ! Mais,
quelles que fussent[c] les conditions dans lesquelles j'abor-
dasse ce projet (de même, hélas ! que celui de ne plus
prendre d'alcool, de me coucher de bonne heure, de
dormir, de me bien porter), que ce fût avec emportement,
avec méthode, avec plaisir, en me privant d'une promenade, en l'ajournant et en la réservant comme récompense,
en profitant d'une heure de bonne santé, en utilisant
l'inaction forcée d'un jour de maladie, ce qui finissait
toujours par sortir de mes efforts, c'était une page blanche,
vierge de toute écriture, inéluctable comme cette carte
forcée que dans certains tours on finit fatalement par tirer,

de quelque façon qu'on eût préalablement brouillé le jeu.
Je n'étais que l'instrument d'habitudes de ne pas travailler,
de ne pas me coucher, de ne pas dormir, qui devaient se
réaliser coûte que coûte; si je ne leur résistais pas, si je
me contentais du prétexte qu'elles tiraient de la première
circonstance venue que leur offrait ce jour-là pour les
laisser agir à leur guise, je m'en tirais sans trop de
dommage, je reposais quelques heures tout de même à
la fin de la nuit, je lisais un peu, je ne faisais pas trop
d'excès, mais si je voulais les contrarier, si je prétendais
entrer tôt dans mon lit, ne boire que de l'eau, travailler,
elles s'irritaient, elles avaient recours aux grands moyens,
elles me rendaient tout à fait malade, j'étais obligé de
doubler la dose d'alcool, je ne me mettais pas au lit de
deux jours, je ne pouvais même plus lire, et je me
promettais une autre fois d'être plus raisonnable, c'est-à-
dire moins sage, comme une victime qui se laisse voler
de peur, si elle résiste, d'être assassinée.

Mon père dans l'intervalle avait rencontré une fois ou
deux M. de Guermantes, et maintenant que M. de Norpois
lui avait dit que le duc était un homme remarquable, il
faisait plus attention à ses paroles. Justement ils parlèrent,
dans la cour, de Mme de Villeparisis. « Il m'a dit que
c'était sa tante ; il prononce Viparisi. Il m'a dit qu'elle était
extraordinairement intelligente. Il a même ajouté qu'elle
tenait un *bureau d'esprit* », ajouta mon père impressionné
par le vague de cette expression qu'il avait bien lue une
ou deux fois dans des Mémoires, mais à laquelle il
n'attachait pas un sens précis[1]. Ma mère avait tant de
respect pour lui que, le voyant ne pas trouver indifférent
que Mme de Villeparisis tînt bureau d'esprit, elle jugea
que ce fait était de quelque conséquence. Bien que par
ma grand-mère elle sût de tout temps ce que valait
exactement la marquise, elle s'en fit immédiatement une
idée plus avantageuse. Ma grand-mère, qui était un peu
souffrante, ne fut pas d'abord favorable à la visite, puis
s'en désintéressa. Depuis que nous habitions notre nouvel
appartement, Mme de Villeparisis lui avait demandé
plusieurs fois d'aller la voir. Et toujours ma grand-mère
avait répondu qu'elle ne sortait pas en ce moment, dans
une de ces lettres que, par une habitude nouvelle et que
nous ne comprenions pas, elle ne cachetait plus jamais
elle-même et laissait à Françoise le soin de fermer. Quant

à moi, sans bien me représenter ce « bureau d'esprit », je n'aurais pas été très étonné de trouver la vieille dame de Balbec installée devant un « bureau », ce qui, du reste, arriva.

Mon père aurait bien voulu par surcroît savoir si l'appui de l'ambassadeur lui vaudrait beaucoup de voix à l'Institut où il comptait se présenter comme membre libre[1]. À vrai dire, tout en n'osant pas douter de l'appui de M. de Norpois, il n'avait pourtant pas de certitude. Il avait cru avoir affaire à de mauvaises langues quand on lui avait dit au ministère que M. de Norpois, désirant être seul à y représenter l'Institut, ferait tous les obstacles possibles à une candidature qui d'ailleurs le gênerait particulièrement en ce moment où il en soutenait une autre. Pourtant, quand M. Leroy-Beaulieu[2] lui avait conseillé de se présenter et avait supputé ses chances, il avait été impressionné de voir que, parmi les collègues sur qui il pouvait compter en cette circonstance, l'éminent économiste n'avait pas cité M. de Norpois. Mon père n'osait poser directement la question à l'ancien ambassadeur mais espérait que je reviendrais de chez Mme de Villeparisis avec son élection faite. Cette visite était imminente. La propagande de M. de Norpois, capable en effet d'assurer à mon père les deux tiers de l'Académie, lui paraissait d'ailleurs d'autant plus probable que l'obligeance de l'ambassadeur était proverbiale, les gens qui l'aimaient le moins reconnaissant que personne n'aimait autant que lui à rendre service. Et d'autre part, au ministère sa protection s'étendait sur mon père d'une façon beaucoup plus marquée que sur tout autre fonctionnaire.

Mon père fit une autre rencontre mais qui, celle-là, lui causa un étonnement, puis une indignation extrêmes. Il passa dans la rue près de Mme Sazerat dont la pauvreté relative réduisait la vie à Paris à de rares séjours chez une amie. Personne autant que Mme Sazerat n'ennuyait mon père, au point que maman était obligée une fois par an de lui dire d'une voix douce et suppliante : « Mon ami, il faudrait bien que j'invite une fois Mme Sazerat, elle ne restera pas tard » et même : « Écoute, mon ami, je vais te demander un grand sacrifice, va faire une petite visite à Mme Sazerat. Tu sais que je n'aime pas t'ennuyer, mais ce serait si gentil de ta part. » Il riait, se fâchait un peu, et allait faire cette visite. Malgré donc que Mme Sazerat ne le divertît pas, la rencontrant, il alla vers elle en se découvrant, mais, à sa profonde surprise, Mme Sazerat se contenta d'un salut glacé, forcé par la politesse envers quelqu'un qui est coupable d'une mauvaise action ou est condamné à vivre désormais dans un hémisphère différent. Mon père était rentré fâché, stupéfait. Le lendemain ma mère rencontra Mme Sazerat dans un salon. Celle-ci ne lui tendit pas la main, et lui sourit d'un air vague et triste comme à une personne avec qui on a joué dans son enfance, mais avec qui on a cessé depuis lors toutes relations parce qu'elle a mené une vie de débauches, épousé un forçat ou, qui pis est, un homme divorcé. Or de tous temps mes parents accordaient et inspiraient à Mme Sazerat l'estime la plus profonde. Mais (ce que ma mère ignorait) Mme Sazerat, seule de son espèce à Combray, était dreyfusarde. Mon père, ami de M. Méline[1] était convaincu de la culpabilité de Dreyfus. Il avait envoyé promener avec mauvaise humeur des collègues qui lui avaient demandé de signer une liste révisionniste. Il ne me reparla pas de huit jours quand il apprit que j'avais suivi une ligne de conduite différente[2]. Ses opinions étaient connues. On n'était pas loin de le traiter de nationaliste. Quant à ma grand-mère que, seule de la famille, paraissait devoir enflammer un doute généreux, chaque fois qu'on lui parlait de l'innocence possible de Dreyfus, elle avait un hochement de tête dont nous ne comprenions pas alors le sens, et qui était semblable à celui d'une personne qu'on vient déranger dans des pensées plus sérieuses. Ma mère, partagée entre son amour pour mon père et l'espoir que je fusse intelligent, gardait une indécision qu'elle traduisait par le silence. Enfin mon grand-père, adorant l'armée (bien que ses obligations de garde national eussent été le cauchemar de son âge mûr[3]), ne voyait jamais à Combray un régiment défiler devant la grille sans se découvrir quand passaient le colonel et le drapeau. Tout cela était assez pour que Mme Sazerat, qui connaissait à fond la vie de désintéressement et d'honneur de mon père et de mon grand-père, les considérât comme des suppôts de l'Injustice. On pardonne les crimes individuels, mais non la participation à un crime collectif. Dès qu'elle le sut antidreyfusard, elle mit entre elle et lui des continents et des siècles. Ce qui explique qu'à une pareille distance dans le temps et dans l'espace, son salut ait paru imperceptible à mon père et qu'elle n'eût pas songé à une poignée de main et à des paroles, lesquelles n'eussent pu franchir les mondes qui les séparaient.

Saint-Loup, devant[a] venir à Paris, m'avait promis de me mener chez Mme de Villeparisis où j'espérais, sans le lui avoir dit, que nous rencontrerions Mme de Guermantes. Il me demanda de déjeuner au restaurant avec sa maîtresse que nous conduirions ensuite à une répétition. Nous devions aller la chercher le matin, aux environs de Paris où elle habitait.

J'avais demandé à Saint-Loup que le restaurant où nous déjeunerions (dans la vie des jeunes nobles qui dépensent de l'argent le restaurant joue un rôle aussi important que les caisses d'étoffes dans les contes arabes) fût de préférence celui où Aimé m'avait annoncé qu'il devait entrer comme maître d'hôtel en attendant la saison de Balbec. C'était un grand charme pour moi qui rêvais à tant de voyages et en faisais si peu, de revoir quelqu'un qui faisait partie plus que de mes souvenirs de Balbec, mais de Balbec même, qui y allait tous les ans, qui, quand la fatigue ou mes cours me forçaient à rester à Paris, n'en regardait pas moins, pendant les longues fins d'après-midi de juillet, en attendant que les clients vinssent dîner, le soleil descendre et se coucher dans la mer, à travers les panneaux de verre de la grande salle à manger derrière lesquels, à l'heure où il s'éteignait, les ailes immobiles des vaisseaux lointains et bleuâtres avaient l'air de papillons exotiques et nocturnes dans une vitrine. Magnétisé lui-même par son contact avec le puissant aimant de Balbec, ce maître d'hôtel devenait à son tour aimant pour moi. J'espérais en causant avec lui être déjà en communication avec Balbec, avoir réalisé sur place un peu du charme du voyage.

Je quittai dès le matin la maison, où je laissai Françoise gémissante parce que le valet de pied fiancé n'avait pu encore une fois, la veille au soir, aller voir sa promise. Françoise l'avait trouvé en pleurs, il avait failli aller gifler le concierge mais s'était contenu car il tenait à sa place.

Avant d'arriver chez Saint-Loup qui devait m'attendre devant sa porte, je rencontrai Legrandin, que nous avions perdu de vue depuis Combray et qui, tout grisonnant maintenant, avait gardé[b] son air jeune et candide. Il s'arrêta.

« Ah ! vous voilà, me dit-il, homme chic, et en redingote encore ! Voilà une livrée dont mon indépendance ne s'accomoderait pas. Il est vrai que vous devez être un mondain, faire des visites ! Pour aller rêver comme je le fais devant quelque tombe à demi détruite[1], ma lavallière et mon veston ne sont pas déplacés. Vous savez que j'estime la jolie qualité de votre âme ; c'est vous dire combien je regrette que vous alliez la renier parmi les Gentils[2]. En étant capable de rester un instant dans l'atmosphère nauséabonde, irrespirable pour moi, des salons, vous rendez contre votre avenir[d] la condamnation, la damnation du Prophète. Je vois cela d'ici, vous fréquentez les "cœurs légers", la société des châteaux ; tel est le vice de la bourgeoisie contemporaine. Ah ! les aristocrates, la Terreur a été bien coupable de ne pas leur couper le cou à tous[3]. Ce sont tous de sinistres crapules quand ce ne sont pas tout simplement de sombres idiots. Enfin, mon[b] pauvre enfant, si cela vous amuse ! Pendant que vous irez à quelque *five o'clock*, votre vieil ami sera plus heureux que vous, car seul dans un faubourg, il regardera monter dans le ciel violet la lune rose[c]. La vérité est que je n'appartiens guère à cette terre où je me sens si exilé ; il faut toute la force de la loi de gravitation pour m'y maintenir et que je ne m'évade pas dans une autre sphère. Je suis d'une autre planète. Adieu, ne prenez pas en mauvaise part la vieille franchise du paysan de la Vivonne qui[d] est aussi resté le paysan du Danube[4]. Pour vous prouver que je fais cas de vous, je vais vous envoyer mon dernier roman. Mais vous n'aimerez pas cela ; ce n'est pas assez déliquescent, assez fin de siècle pour vous, c'est trop franc, trop honnête ; vous, il vous faut du Bergotte, vous l'avez avoué, du faisandé pour les palais blasés de jouisseurs raffinés. On doit me considérer dans votre groupe comme un vieux pompier ; j'ai[e] le tort de mettre du cœur dans ce que j'écris, cela ne se porte plus ; et puis la vie du peuple, ce n'est pas assez distingué pour intéresser vos snobinettes. Allons, tâchez de vous rappeler quelquefois la parole du Christ : "Faites cela et vous vivrez[5]". Adieu, ami[f]. »

Ce n'est pas de trop mauvaise humeur contre Legrandin que je le quittai. Certains souvenirs sont comme des amis communs, ils savent faire des réconciliations ; jeté au milieu des champs semés de boutons d'or où s'entassaient des ruines féodales, le petit pont de bois nous unissait, Legrandin et moi, comme les deux bords de la Vivonne.

Ayant quitté Paris où, malgré le printemps commençant, les arbres[a] des boulevards étaient à peine pourvus de leurs premières feuilles, quand le train de ceinture nous arrêta, Saint-Loup et moi, dans le village de banlieue où habitait sa maîtresse, ce fut un émerveillement de voir chaque jardinet pavoisé par les immenses reposoirs blancs des arbres fruitiers en fleurs. C'était comme une des fêtes singulières, poétiques, éphémères et locales qu'on vient de très loin contempler à époques fixes, mais celle-là donnée par la nature. Les fleurs des cerisiers sont si étroitement collées aux branches, comme un blanc fourreau, que de loin, parmi les arbres qui n'étaient presque ni fleuris, ni feuillus, on aurait pu croire, par ce jour de soleil encore si froid, que c'était de la neige, fondue ailleurs, qui était encore restée après les arbustes. Mais les grands poiriers enveloppaient chaque maison, chaque modeste cour d'une blancheur plus vaste, plus unie, plus éclatante, comme si tous les logis, tous les enclos du village fussent en train de faire, à la même date, leur première communion.

Ces villages des environs de Paris gardent encore à leurs portes des parcs du XVIIe et du XVIIIe siècle, qui furent les « folies » des intendants et des favorites. Un horti-culteur avait utilisé l'un d'eux situé en contrebas de la route pour la culture des arbres fruitiers (ou peut-être conservé simplement le dessin d'un immense verger de ce temps-là). Cultivés en quinconces, ces poiriers, plus espacés, moins avancés que ceux que j'avais vus, formaient de grands quadrilatères — séparés par des murs bas — de fleurs blanches, sur chaque côté desquels la lumière venait se peindre différemment, si bien que toutes ces chambres sans toit et en plein air avaient l'air d'être celles du Palais du Soleil, tel qu'on aurait pu le retrouver dans quelque Crète[1] ; et elles faisaient penser aussi aux chambres d'un réservoir ou de telles parties de la mer que l'homme pour quelque pêche ou ostréiculture subdivise, quand on voyait, selon l'exposition, la lumière venir se jouer sur les espaliers comme sur les eaux printanières et faire déferler çà et là, étincelant parmi le treillage à claire-voie et rempli d'azur des branches, l'écume blanchissante d'une fleur ensoleillée et mousseuse.

C'était un village ancien, avec sa vieille mairie cuite et dorée devant laquelle, en guise de mâts de cocagne et d'oriflammes, trois grands poiriers étaient, comme pour une fête civique et locale, galamment pavoisés de satin blanc.

Jamais Robert ne me parla plus tendrement de son amie que pendant ce trajet. Seule elle avait des racines dans son cœur ; l'avenir qu'il avait dans l'armée, sa situation mondaine, sa famille, tout cela ne lui était pas indifférent certes, mais ne comptait en rien auprès des moindres choses qui concernaient sa maîtresse. Cela seul avait pour lui du prestige, infiniment plus de prestige que les Guermantes et tous les rois de la terre. Je ne sais pas s'il se formulait à lui-même qu'elle était d'une essence supérieure à tout, mais je sais qu'il n'avait de considération, de souci, que pour ce qui la touchait. Par elle, il était capable de souffrir, d'être heureux, peut-être de tuer. Il n'y avait vraiment d'intéressant, de passionnant pour lui, que ce que voulait, ce que ferait sa maîtresse, que ce qui se passait, discernable tout au plus par des expressions fugitives, dans l'espace étroit de son visage et sous son front privilégié. Si délicat pour tout le reste, il envisageait la perspective d'un brillant mariage, seulement pour pouvoir continuer à l'entretenir, à la garder. Si on s'était demandé à quel prix il l'estimait, je crois qu'on n'eût jamais pu imaginer un prix assez élevé. S'il ne l'épousait pas, c'est parce qu'un instinct pratique lui faisait sentir que, dès qu'elle n'aurait plus rien à attendre de lui, elle le quitterait ou du moins vivrait à sa guise, et qu'il fallait la tenir par l'attente du lendemain. Car il supposait que peut-être elle ne l'aimait pas. Sans doute, l'affection générale appelée amour devait le forcer — comme elle fait pour tous les hommes — à croire par moments qu'elle l'aimait. Mais pratiquement il sentait que cet amour qu'elle avait pour lui n'empêchait pas qu'elle ne restât avec lui qu'à cause de son argent, et que le jour où elle n'aurait plus rien à attendre de lui elle s'empresserait (victime des théories de ses amis de la littérature et tout en l'aimant, pensait-il) de le quitter.

« Je lui ferai aujourd'hui, si elle est gentille, me dit-il, un cadeau qui lui fera plaisir. C'est un collier qu'elle a vu chez Boucheron[1]. C'est un peu cher pour moi en ce moment, trente mille francs[a]. Mais ce pauvre loup, elle n'a pas tant de plaisir dans la vie. Elle va être joliment contente. Elle m'en avait parlé et elle m'avait dit qu'elle connaissait quelqu'un qui le lui donnerait peut-être. Je ne crois pas que ce soit vrai, mais je me suis à tout hasard entendu avec Boucheron qui est le fournisseur de ma famille, pour qu'il me le réserve. Je suis heureux de penser que tu vas la voir ; elle n'est pas extraordinaire comme figure, tu sais » (je vis bien qu'il pensait tout le contraire et ne disait cela que pour que mon admiration fût plus grande), « elle a surtout un jugement merveilleux ; devant toi elle n'osera peut-être pas beaucoup parler, mais je me réjouis d'avance de ce qu'elle me dira ensuite de toi ; tu sais, elle dit des choses qu'on peut approfondir indéfiniment, elle a vraiment quelque chose de pythique ! »

Pour arriver à la maison*ᵃ* qu'elle habitait, nous longions de petits jardins, et je ne pouvais m'empêcher de m'arrêter, car ils avaient toute une floraison de cerisiers et de poiriers ; sans doute vides et inhabités hier encore comme une propriété qu'on n'a pas louée, ils étaient subitement peuplés et embellis par ces nouvelles venues arrivées de la veille et dont à travers les grillages on apercevait les belles robes blanches au coin des allées.

« Écoute, puisque je vois que tu veux regarder tout cela, être poétique, me dit Robert, attends-moi là, mon amie habite tout près, je vais aller la chercher. »

En l'attendant je fis quelques pas, je passais devant de modestes jardins. Si je levais la tête, je voyais quelquefois des jeunes filles aux fenêtres, mais même en plein air et à la hauteur d'un petit étage, çà et là, souples et légères, dans leur fraîche toilette mauve, suspendues dans les feuillages, de jeunes touffes de lilas se laissaient balancer par la brise sans s'occuper du passant qui levait les yeux jusqu'à leur entresol de verdure. Je reconnaissais en elles les pelotons violets disposés à l'entrée du parc de M. Swann, passé la petite barrière blanche, dans les chauds après-midi du printemps, pour une ravissante tapisserie provinciale. Je pris*ᵇ* un sentier qui aboutissait à une prairie. Un air froid*ᶜ* y soufflait, vif comme à Combray ; mais, au milieu de la terre grasse, humide et campagnarde qui eût pu être au bord de la Vivonne, n'en avait pas moins surgi, exact au rendez-vous comme toute la bande de ses compagnons, un grand poirier blanc qui agitait en souriant et opposait au soleil, comme un rideau de lumière matérialisée et palpable, ses fleurs convulsées par la brise, mais lissées et glacées d'argent par les rayons.

Tout à coup, Saint-Loup[a] apparut, accompagné de sa maîtresse, et alors, dans cette femme qui était pour lui tout l'amour, toutes les douceurs possibles de la vie, dont la personnalité, mystérieusement enfermée dans un corps comme dans un Tabernacle, était l'objet encore sur[b] lequel travaillait sans cesse l'imagination de mon ami, qu'il sentait qu'il ne connaîtrait jamais, dont il se demandait perpétuellement ce qu'elle était en elle-même, derrière le voile des regards et de la chair, dans cette femme je reconnus à l'instant « Rachel quand du Seigneur[1] », celle qui, il y a quelques années — les femmes changent si vite de situation dans ce monde-là, quand elles en changent — disait à la maquerelle : « Alors, demain soir, si vous avez besoin de moi pour quelqu'un, vous me ferez chercher. »

Et quand on était « venu la chercher » en effet et qu'elle se trouvait seule dans la chambre avec ce quelqu'un, elle savait si bien ce qu'on voulait d'elle qu'après avoir fermé à clef, par précaution de femme prudente, ou par geste rituel, elle commençait à ôter toutes ses affaires, comme on fait devant le docteur qui va vous ausculter, et ne s'arrêtait en route que si le « quelqu'un », n'aimant pas la nudité, lui disait qu'elle pouvait garder sa chemise, comme certains praticiens qui, ayant l'oreille très fine et la crainte de faire se refroidir leur malade, se contentent d'écouter la respiration et le battement du cœur à travers un linge. À cette femme dont toute la vie, toutes les pensées, tout le passé, tous les hommes par qui elle avait pu être possédée, m'étaient chose si indifférente que, si elle me l'eût conté, je ne l'eusse écoutée que par politesse et à peine entendue, je sentis que l'inquiétude, le tourment, l'amour de Saint-Loup s'étaient appliqués jusqu'à faire — de ce qui était pour moi un jouet mécanique — un objet de souffrances infinies, ayant le prix même de l'existence. Voyant ces deux éléments dissociés (parce que j'avais connu « Rachel quand du Seigneur » dans une maison de passe), je comprenais que bien des femmes pour lesquelles des hommes vivent, souffrent, se tuent, peuvent être en elles-mêmes ou pour d'autres ce que Rachel était pour moi. L'idée qu'on pût avoir une curiosité douloureuse à l'égard de sa vie me stupéfiait.

J'aurais pu apprendre bien des coucheries d'elle à Robert, lesquelles me semblaient la chose la plus indifférente du monde. Et combien elles l'eussent peiné. Et que n'avait-il pas donné pour les connaître, sans y réussir.

Je me rendais^a compte de tout ce qu'une imagination humaine peut mettre derrière un petit morceau de visage comme était celui de cette femme, si c'est l'imagination qui l'a connue d'abord ; et, inversement, en quels misérables éléments matériels et dénués de toute valeur pouvait se décomposer ce qui était le but de tant de rêveries, si, au contraire, cela avait été perçu d'une manière opposée, par la connaissance la plus triviale. Je comprenais que ce qui m'avait paru ne pas valoir vingt francs quand cela m'avait été offert pour vingt francs dans la maison de passe où c'était seulement pour moi une femme désireuse de gagner vingt francs, peut valoir plus qu'un million, que la famille, que toutes les situations enviées, si on a commencé par imaginer en elle un être inconnu, curieux à connaître, difficile à saisir, à garder. Sans doute c'était le même mince et étroit visage que nous voyions Robert et moi. Mais nous étions arrivés à lui par les deux routes opposées qui ne communiqueraient jamais, et nous n'en verrions jamais la même face. Ce visage, avec ses regards, ses sourires, les mouvements de sa bouche, moi je l'avais connu du dehors comme étant celui d'une femme quelconque qui pour vingt francs ferait tout ce que je voudrais. Aussi les regards, les sourires, les mouvements de bouche m'avaient paru seulement significatifs d'actes généraux, sans rien d'individuel, et sous eux je n'aurais pas eu la curiosité de chercher une personne. Mais ce qui m'avait en quelque sorte été offert au départ, ce visage consentant, ç'avait été pour Robert un point d'arrivée vers lequel il s'était dirigé à travers combien d'espoirs, de doutes, de soupçons, de rêves. Il donnait plus d'un million pour avoir, pour que ne fût pas offert à d'autres ce qui m'avait été offert comme à chacun pour vingt francs. Pour quel motif il ne l'avait pas eue à ce prix, cela peut tenir au hasard d'un instant, d'un instant pendant lequel celle qui semblait prête à se donner se dérobe, ayant peut-être un rendez-vous, quelque raison qui la rende plus difficile ce jour-là. Si elle a affaire à un sentimental, même si elle ne s'en aperçoit pas, et surtout si elle s'en aperçoit, un jeu terrible commence. Incapable de surmonter sa décep-

tion, de se passer de cette femme, il la relance, elle le fuit,
si bien qu'un sourire qu'il n'osait plus espérer eſt payé mille
fois ce qu'eussent dû l'être les dernières faveurs. Il arrive
même parfois dans ce cas, quand on a eu, par un mélange
de naïveté dans le jugement et de lâcheté devant la
souffrance, la folie de faire d'une fille une inaccessible
idole, que ces dernières faveurs, ou même le premier
baiser, on ne l'obtiendra jamais, on n'ose même plus le
demander pour ne pas démentir des assurances de platonique amour. Et c'eſt une grande souffrance alors de quitter
la vie sans avoir jamais su ce que pouvait être le baiser de
la femme qu'on a le plus aimée. Les faveurs de Rachel,
Saint-Loup pourtant avait réussi par chance à les avoir
toutes. Certes, s'il avait su maintenant qu'elles avaient été
offertes à tout le monde pour un louis[1], il eût sans doute
terriblement souffert, mais n'eût pas moins donné un
million pour les conserver, car[a] tout ce qu'il eût appris n'eût
pas pu le faire sortir — car ce qui eſt au-dessus des forces
de l'homme ne peut arriver que malgré lui, par l'action de
quelque grande loi naturelle — de la route dans laquelle
il était et d'où ce visage ne pouvait lui apparaître qu'à
travers les rêves qu'il avait formés. L'immobilité de ce
mince visage, comme celle d'une feuille de papier soumise
aux colossales pressions de deux atmosphères, me semblait
équilibrée par deux infinis qui venaient aboutir à elle sans
se rencontrer, car elle les séparait. Et en effet, la regardant
tous les deux, Robert et moi, nous ne la voyions pas du
même côté du myſtère.

Ce n'était pas[b] « Rachel quand du Seigneur » qui me
semblait peu de chose, c'était la puissance de l'imagination
humaine, l'illusion sur laquelle reposaient les douleurs de
l'amour que je trouvais grandes. Robert vit que j'avais
l'air ému. Je détournai les yeux vers les poiriers et les
cerisiers du jardin d'en face pour qu'il crût que c'était leur
beauté qui me touchait. Et elle me touchait un peu de la
même façon, elle mettait aussi près de moi de ces choses
qu'on ne voit pas qu'avec ses yeux, mais qu'on sent dans
son cœur. Ces arbuſtes que j'avais vus dans le jardin, en
les prenant pour des dieux étrangers, ne m'étais-je[c] pas
trompé comme Madeleine quand, dans un autre jardin,
un jour dont l'anniversaire allait bientôt venir, elle vit une
forme humaine et « crut que c'était le jardinier[2] » ?
Gardiens des souvenirs de l'âge d'or, garants de la

promesse que la réalité n'est pas ce qu'on croit, que la splendeur de la poésie, que l'éclat merveilleux de l'innocence peuvent y resplendir et pourront être la récompense que nous nous efforcerons de mériter, les grandes créatures blanches merveilleusement penchées au-dessus de l'ombre propice à la sieste, à la pêche, à la lecture, n'était-ce pas plutôt des anges ? J'échangeai quelques mots avec la maîtresse de Saint-Loup. Nous coupâmes par le village. Les maisons en étaient sordides. Mais à côté des plus misérables, de celles qui avaient l'air d'avoir été brûlées par une pluie de salpêtre, un mystérieux voyageur, arrêté pour un jour dans la cité maudite, un ange resplendissant se tenait debout[1] étendant largement sur elle l'éblouissante protection de ses ailes d'innocence en fleurs : c'était un poirier. Saint-Loup[a] fit quelques pas en avant avec moi :

« J'aurais aimé que nous puissions, toi et moi, attendre ensemble, j'aurais même été plus content de déjeuner seul avec toi, et que nous restions seuls jusqu'au moment d'aller chez ma tante. Mais ma pauvre gosse, ça lui fait tant de plaisir, et elle est si gentille pour moi, tu sais, je n'ai pu lui refuser. Du reste elle te plaira, c'est une chose littéraire, une vibrante, et puis c'est une chose si gentille de déjeuner avec elle au restaurant, elle est si agréable, si simple, toujours contente de tout. »

Je crois pourtant que, précisément ce matin-là, et probablement pour la seule fois, Robert s'évada un instant hors de la femme que, tendresse après tendresse, il avait lentement composée, et aperçut tout d'un coup à quelque distance de lui une autre Rachel, un double d'elle, mais absolument différent et qui figurait une simple petite grue. Quittant le beau verger, nous allions prendre le train pour rentrer à Paris quand, à la gare, Rachel marchant à quelques pas de nous, fut reconnue et interpellée par de vulgaires « poules » comme elle était, et qui d'abord, la croyant seule, lui crièrent : « Tiens, Rachel, tu montes avec nous, Lucienne et Germaine sont dans le wagon et il y a justement encore de la place, viens, on ira ensemble au skating[2] ». Elles s'apprêtaient à lui présenter deux « calicots[3] », leurs amants, qui les accompagnaient, quand, devant l'air légèrement gêné de Rachel, elles levèrent curieusement les yeux un peu plus loin, nous aperçurent et s'excusant lui dirent adieu en recevant d'elle un adieu aussi, un peu embarrassé mais amical. C'étaient deux pauvres petites poules, avec des collets en fausse loutre, ayant à peu près l'aspect qu'avait Rachel quand Saint-Loup l'avait rencontrée la première fois. Il ne les connaissait pas, ni leur nom, et voyant qu'elles avaient l'air très liées avec son amie, eut l'idée que celle-ci avait peut-être eu sa place, l'avait peut-être encore, dans une vie insoupçonnée de lui, fort différente de celle qu'il menait avec elle, une vie où on avait les femmes pour un louis tandis qu'il donnait plus de cent mille francs par an à Rachel. Il ne fit pas qu'entrevoir cette vie, mais aussi au milieu une Rachel tout autre que celle qu'il connaissait, une Rachel pareille à ces deux petites poules, une Rachel à vingt francs. En somme Rachel s'était un instant dédoublée pour lui, il avait aperçu à quelque distance de sa Rachel la Rachel petite poule, la Rachel réelle, à supposer que la Rachel poule fût plus réelle que l'autre. Robert eut peut-être l'idée alors que cet enfer où il vivait, avec la perspective et la nécessité d'un mariage riche, d'une vente de son nom, pour pouvoir continuer à donner cent mille francs par an à Rachel, il aurait peut-être pu s'en arracher aisément et avoir les faveurs de sa maîtresse, comme ces calicots celles de leurs grues, pour peu de chose. Mais comment faire ? Elle n'avait démérité en rien. Moins comblée, elle serait moins gentille, ne lui dirait plus, ne lui écrirait plus de ces choses qui le touchaient tant et qu'il citait avec un peu d'ostentation à ses camarades, en prenant soin de faire remarquer combien c'était gentil d'elle, mais en omettant qu'il l'entretenait fastueusement, même qu'il lui donnât quoi que ce fût, que ces dédicaces sur une photographie ou cette formule pour terminer une dépêche, c'était la transmutation sous sa forme la plus réduite et la plus précieuse de cent mille francs. S'il se gardait de dire que ces rares gentillesses de Rachel étaient payées par lui, il serait faux — et pourtant ce raisonnement simpliste, on en use absurdement pour tous les amants qui casquent, pour tant de maris — de dire que c'était par amour-propre, par vanité. Saint-Loup était assez intelligent pour se rendre compte que tous les plaisirs de la vanité, il les aurait trouvés aisément et gratuitement dans le monde, grâce à son grand nom, à son joli visage, et que sa liaison avec Rachel, au contraire, était ce qui l'avait mis un peu hors du monde, faisait qu'il y était moins coté. Non, cet amour-propre à

vouloir paraître avoir gratuitement les marques apparentes
de prédilection de celle qu'on aime, c'est simplement un
dérivé de l'amour, le besoin de se représenter à soi-même
et aux autres comme aimé par ce qu'on aime tant. Rachel
se rapprocha de nous, laissant les deux poules monter dans
leur compartiment ; mais, non moins que la fausse loutre
de celles-ci et l'air guindé des calicots, les noms de Lucienne
et de Germaine maintinrent un instant devant Robert la
Rachel nouvelle[a]. Un instant il imagina une vie de la place
Pigalle, avec des amis inconnus, des bonnes fortunes
sordides, des après-midi de plaisirs naïfs, promenade ou
partie de plaisir, dans ce Paris où l'ensoleillement des rues
depuis le boulevard de Clichy ne lui sembla pas le même
que la clarté solaire où il se promenait avec sa maîtresse,
mais devoir être autre, car l'amour, et la souffrance qui fait
un avec lui, ont comme l'ivresse le pouvoir de différencier
pour nous les choses. Ce fut presque comme un Paris
inconnu au milieu de Paris même, qu'il soupçonna ; sa
liaison lui apparut comme l'exploration d'une vie étrange,
car si avec lui Rachel était un peu semblable à lui-même,
pourtant c'était bien une partie de sa vie réelle que Rachel
vivait avec lui, même la partie la plus précieuse à cause des
sommes folles qu'il lui donnait, la partie qui la faisait
tellement envier des amies et lui permettrait un jour de se
retirer à la campagne ou de se lancer dans les grands
théâtres, après avoir fait sa pelote. Robert aurait voulu
demander à son amie qui étaient Lucienne et Germaine,
les choses qu'elles lui eussent dites si elle était montée dans
leur compartiment, à quoi elles eussent ensemble, elle et
ses camarades, passé une journée qui eût peut-être fini
comme divertissement suprême, après les plaisirs du
skating, à la taverne de l'Olympia[1], si lui, Robert, et moi
n'avions pas été présents. Un instant les abords de
l'Olympia, qui jusque-là lui avaient paru assommants,
excitèrent sa curiosité, sa souffrance, et le soleil de ce jour
printanier donnant dans la rue Caumartin où, peut-être, si
elle n'avait pas connu Robert, Rachel fût allée tantôt et eût
gagné un louis, lui donna une vague nostalgie. Mais à quoi
bon poser à Rachel des questions, quand il savait d'avance
que la réponse serait ou un simple silence ou un mensonge
ou quelque chose de très pénible pour lui sans pourtant
lui décrire rien ? Les employés fermaient les portières, nous
montâmes vite dans une voiture de première, les perles

admirables de Rachel rapprirent à Robert qu'elle était une femme d'un grand prix, il la caressa, la fit rentrer dans son propre cœur où il la contempla, intériorisée, comme il avait toujours fait jusqu'ici — sauf pendant ce bref instant où il l'avait vue sur une place Pigalle de peintre impressionniste[1] — et le train partit.

C'était du reste vrai qu'elle était une « littéraire ». Elle ne s'interrompit de me parler livres, art nouveau, tolstoïsme, que pour faire des reproches à Saint-Loup qu'il bût trop de vin.

« Ah ! si tu pouvais vivre un an avec moi on verrait, je te ferais boire de l'eau et tu en serais bien mieux.

— C'est entendu, partons.

— Mais tu sais bien que j'ai beaucoup à travailler (car elle prenait au sérieux l'art dramatique). D'ailleurs que dirait ta famille ? »

Et elle se mit à me faire sur la famille de Robert des reproches qui me semblèrent du reste fort justes et auxquels Saint-Loup tout en désobéissant à Rachel sur l'article du champagne adhéra entièrement. Moi qui craignais tant le vin pour Saint-Loup et sentais la bonne influence de sa maîtresse, j'étais tout prêt à lui conseiller d'envoyer promener sa famille. Les larmes montèrent aux yeux de la jeune femme parce que j'eus l'imprudence de parler de Dreyfus.

« Le pauvre martyr, dit-elle en retenant un sanglot, ils le feront mourir là-bas.

— Tranquillise-toi, Zézette[2], il reviendra, il sera acquitté, l'erreur sera reconnue.

— Mais avant cela, il sera mort ! Enfin au moins ses enfants porteront un nom sans tache. Mais penser à ce qu'il doit souffrir, c'est ce qui me tue ! Et croyez-vous que la mère de Robert, une femme pieuse, dit qu'il faut qu'il reste à l'île du Diable, même s'il est innocent, n'est-ce pas une horreur ?

— Oui, c'est absolument vrai, elle le dit, affirma Robert. C'est ma mère, je n'ai rien à objecter, mais il est bien certain qu'elle n'a pas la sensibilité de Zézette. »

En réalité, ces déjeuners[a], « choses si gentilles », se passaient toujours fort mal. Car dès[b] que Saint-Loup se trouvait avec sa maîtresse dans un endroit public, il s'imaginait qu'elle regardait tous les hommes présents, il devenait sombre, elle s'apercevait de sa mauvaise humeur qu'elle s'amusait peut-être à attiser, mais que, plus probablement, par amour-propre bête, elle ne voulait pas, blessée par son ton, avoir l'air de chercher à désarmer ; elle faisait semblant de ne pas détacher ses yeux de tel ou tel homme, et d'ailleurs ce n'était pas toujours par pur jeu. En effet, que le monsieur qui au théâtre ou au café se trouvait leur voisin, que tout simplement le cocher du fiacre qu'ils avaient pris, eût quelque chose d'agréable, Robert, aussitôt averti par sa jalousie, l'avait remarqué avant sa maîtresse ; il voyait immédiatement en lui un de ces êtres immondes dont il m'avait parlé à Balbec, qui pervertissent et déshonorent les femmes pour s'amuser, il suppliait sa maîtresse de détourner de lui ses regards et par là-même le lui désignait. Or, quelquefois elle trouvait que Robert avait eu si bon goût dans ses soupçons qu'elle finissait même par cesser de le taquiner pour qu'il se tranquillisât et consentît à aller faire une course pour lui laisser le temps d'entrer en conversation avec l'inconnu, souvent de prendre rendez-vous, quelquefois même d'expédier une passade. Je vis bien dès notre entrée au restaurant que Robert avait l'air soucieux. C'est que Robert avait immédiatement remarqué, ce qui nous avait échappé à Balbec, que, au milieu de ses camarades vulgaires, Aimé[a], avec un éclat modeste, dégageait, bien involontairement, le romanesque qui émane pendant un certain nombre d'années de cheveux légers et d'un nez grec, grâce à quoi il se distinguait au milieu de la foule des autres serviteurs. Ceux-ci, presque tous assez âgés, offraient des types extraordinairement laids et accusés de curés hypocrites, de confesseurs papelards, plus souvent d'anciens acteurs comiques dont on ne retrouve plus guère le front en pain de sucre que dans les collections de portraits exposés dans le foyer humblement historique de petits théâtres désuets où ils sont représentés jouant des rôles de valets de chambre ou de grands pontifes, et dont ce restaurant semblait, grâce à un recrutement sélectionné et peut-être à un mode de nomination héréditaire, conserver le type solennel en une sorte de collège augural. Malheureusement, Aimé nous ayant reconnus, ce fut lui qui vint prendre notre commande, tandis que s'écoulait vers d'autres tables le cortège des grands prêtres d'opérette. Aimé s'informa de la santé de ma grand-mère, je lui demandai des nouvelles de sa femme et de ses enfants. Il me les donna avec émotion car il était homme de famille. Il avait un air[b] intelligent, énergique, mais respectueux.

La maîtresse de Robert se mit à le regarder avec une étrange attention. Mais les yeux enfoncés d'Aimé, auxquels une légère myopie donnait une sorte de profondeur dissimulée, ne trahirent aucune impression au milieu de sa figure immobile. Dans l'hôtel de province où il avait servi bien des années avant de venir à Balbec, le joli dessin, un peu jauni et fatigué maintenant, qu'était sa figure, et que pendant tant d'années, comme telle gravure représentant le prince Eugène[1], on avait vu toujours à la même place, au fond de la salle à manger presque toujours vide[a], n'avait pas dû attirer bien des regards curieux. Il était donc resté longtemps, sans doute faute de connaisseurs, ignorant de la valeur artistique de son visage, et d'ailleurs peu disposé à la faire remarquer, car il était d'un tempérament froid. Tout au plus quelque Parisienne de passage, s'étant arrêtée une fois dans la ville, avait-elle levé les yeux sur lui, lui avait-elle demandé de venir la servir dans sa chambre avant de reprendre le train, et dans le vide translucide, monotone et profond de cette existence de bon mari et de domestique de province, avait enfoui le secret d'un caprice sans lendemain que personne n'y viendrait jamais découvrir. Pourtant Aimé dut s'apercevoir de l'insistance avec laquelle les yeux de la jeune artiste restaient attachés sur lui. En tout cas elle n'échappa pas à Robert sous le visage duquel je voyais s'amasser une rougeur non pas vive comme celle qui l'empourprait s'il avait une brusque émotion, mais faible, émiettée.

« Ce maître d'hôtel est très intéressant, Zézette ? » demanda-t-il à sa maîtresse après avoir renvoyé Aimé assez brusquement. « On dirait que tu veux faire une étude d'après lui.

— Voilà que ça commence, j'en étais sûre !

— Mais qu'est-ce qui commence, mon petit ? Si j'ai eu tort, je n'ai rien dit, je veux bien. Mais j'ai tout de même le droit de te mettre en garde contre ce larbin que je connais de Balbec (sans cela je m'en ficherais pas mal), et qui est une des plus grandes fripouilles que la terre ait jamais portées. »

Elle parut vouloir obéir à Robert et engagea avec moi une conversation littéraire à laquelle il se mêla. Je ne m'ennuyais pas en causant avec elle car elle connaissait très bien les œuvres que j'admirais et était à peu près d'accord avec moi dans ses jugements ; mais comme j'avais entendu dire par Mme de Villeparisis qu'elle n'avait pas de talent, je n'attachais pas grande importance à cette culture. Elle plaisantait finement de mille choses, et eût été vraiment agréable si elle n'eût pas affecté d'une façon agaçante le jargon des cénacles et des ateliers. Elle l'étendait d'ailleurs à tout, et, par exemple, ayant pris l'habitude de dire d'un tableau s'il était impressionniste ou d'un opéra, s'il était wagnérien : « Ah ! c'est *bien* », un jour qu'un jeune homme l'avait embrassée sur l'oreille et que, touché qu'elle simulât un frisson, il faisait le modeste, elle dit : « Si, comme sensation, je trouve que c'est *bien*. » Mais surtout ce qui m'étonnait, c'est que les expressions propres à Robert (et qui d'ailleurs étaient peut-être venues à celui-ci de littérateurs connus par elle), elle les employait devant lui, lui devant elle, comme si c'eût été un langage nécessaire et sans se rendre compte du néant d'une originalité qui est à tous.

Elle était, en mangeant, maladroite de ses mains à un degré qui laissait supposer qu'en jouant la comédie sur la scène, elle devait se montrer bien gauche. Elle ne retrouvait de la dextérité que dans l'amour par cette touchante prescience des femmes qui aiment tant le corps de l'homme qu'elles devinent du premier coup ce qui fera le plus de plaisir à ce corps pourtant si différent du leur.

Je cessai de prendre part à la conversation quand on parla théâtre car sur ce chapitre Rachel était trop malveillante. Elle prit, il est vrai, sur un ton de commisération — contre Saint-Loup, ce qui prouvait qu'elle l'attaquait souvent devant lui — la défense de la Berma, en disant : « Oh ! non, c'est une femme remarquable. Évidemment ce qu'elle fait ne nous touche plus, cela ne correspond plus tout à fait à ce que nous cherchons, mais il faut la placer au moment où elle est venue, on lui doit beaucoup. Elle a fait des choses bien, tu sais. Et puis c'est une si brave femme, elle a un si grand cœur, elle n'aime pas naturellement les choses qui nous intéressent, mais elle a eu, avec un visage assez émouvant, une jolie qualité d'intelligence. » (Les doigts n'accompagnent pas de même tous les jugements esthétiques. S'il s'agit de peinture, pour montrer que c'est un beau morceau, en pleine pâte, on se contente de faire saillir le pouce. Mais la « jolie qualité d'esprit » est plus exigeante. Il lui faut deux doigts, ou plutôt deux ongles,

comme s'il s'agissait de faire sauter une poussière.) Mais
— cette exception faite — la maîtresse de Saint-Loup
parlait des artistes les plus connus sur un ton d'ironie et
de supériorité qui m'irritait, parce que je croyais — faisant
erreur en cela — que c'était elle qui leur était inférieure.
Elle s'aperçut[a] très bien que je devais la tenir pour une
artiste médiocre et avoir au contraire beaucoup de
considération pour ceux qu'elle méprisait. Mais elle ne s'en
froissa pas, parce qu'il y a dans le grand talent non reconnu
encore, comme était le sien, si sûr qu'il puisse être de
lui-même, une certaine humilité, et que nous proportion-
nons les égards que nous exigeons non à nos dons cachés
mais à notre situation acquise. (Je devais, une heure plus
tard, voir au théâtre la maîtresse de Saint-Loup montrer
beaucoup de déférence envers les mêmes artistes sur
lesquels elle portait un jugement si sévère.) Aussi, si peu
de doute qu'eût dû lui laisser mon silence, n'en insista-
t-elle pas moins pour que nous dînions le soir ensemble,
assurant que jamais la conversation de personne ne lui
avait autant plu que la mienne. Si nous n'étions pas encore
au théâtre, où nous devions aller après le déjeuner,
nous avions l'air de nous trouver dans un « foyer »
qu'illustraient des portraits anciens de la troupe, tant les
maîtres d'hôtel avaient de ces figures qui semblent perdues
avec toute une génération d'artistes hors ligne, du
Palais-Royal[b] ; ils avaient l'air d'académiciens aussi : arrêté
devant un buffet, l'un examinait des poires avec la figure
et la curiosité désintéressée qu'eût pu avoir M. de Jussieu[1].
D'autres, à côté de lui, jetaient sur la salle les regards
empreints de curiosité et de froideur que des membres
de l'Institut déjà arrivés jettent sur le public tout en
échangeant quelques mots qu'on n'entend pas. C'étaient
des figures célèbres parmi les habitués. Cependant on s'en
montrait un nouveau, au nez raviné, à la lèvre papelarde,
qui avait l'air d'église et entrait en fonctions pour la
première fois, et chacun regardait avec intérêt le nouvel
élu. Mais bientôt[c], peut-être pour faire partir Robert afin
de se trouver seule avec Aimé, Rachel se mit à faire de
l'œil à un jeune boursier qui déjeunait à une table voisine
avec un ami.

« Zézette, je te prierai de ne pas regarder ce jeune
homme comme cela », dit Saint-Loup sur le visage de qui
les hésitantes rougeurs de tout à l'heure s'étaient concen-

trées en une nuée sanglante qui dilatait et fonçait les traits distendus de mon ami, si tu dois nous donner en spectacle, j'aime mieux déjeuner de mon côté et aller t'attendre au théâtre. »

À ce moment on vint dire à Aimé qu'un monsieur le priait de venir lui parler à la portière de sa voiture. Saint-Loup, toujours inquiet et craignant qu'il ne s'agît d'une commission amoureuse à transmettre à sa maîtresse regarda par la vitre et aperçut au fond de son coupé, les mains serrées dans des gants blancs rayés de noir, une fleur à la boutonnière, M. de Charlus.

« Tu vois, me dit-il à voix basse, ma famille me fait traquer jusqu'ici. Je t'en prie, moi je ne peux pas, mais puisque tu connais bien le maître d'hôtel, qui va sûrement nous vendre, demande-lui de ne pas aller à la voiture. Au moins que ce soit un garçon qui ne me connaisse pas. Si on dit à mon oncle qu'on ne me connaît pas, je sais comment il est, il ne viendra pas voir dans le café, il déteste ces endroits-là. N'est-ce pas tout de même dégoûtant qu'un vieux coureur de femmes comme lui, qui n'a pas dételé, me donne perpétuellement des leçons et vienne m'espionner ! »

Aimé, ayant reçu mes instructions, envoya un de ses commis qui devait dire qu'il ne pouvait pas se déranger et, si on demandait le marquis de Saint-Loup, qu'on ne le connaissait pas. La voiture repartit bientôt. Mais la maîtresse de Saint-Loup, qui n'avait pas entendu nos propos chuchotés à voix basse et avait cru qu'il s'agissait du jeune homme à qui Robert lui reprochait de faire de l'œil, éclata en injures.

« Allons bon[a] ! c'est ce jeune homme maintenant ? tu fais bien de me prévenir ; oh ! c'est délicieux de déjeuner dans ces conditions ! Ne vous occupez pas de ce qu'il dit, il est un peu piqué et surtout, ajouta-t-elle en se tournant vers moi, il dit cela parce qu'il croit que ça fait élégant, que ça fait grand seigneur d'avoir l'air jaloux. »

Et elle se mit[b] à donner avec ses pieds et avec ses mains des signes d'énervement.

« Mais, Zézette, c'est pour moi que c'est désagréable. Tu nous rends ridicules aux yeux de ce monsieur qui va être persuadé que tu lui fais des avances et qui m'a l'air tout ce qu'il y a de pis.

— Moi, au contraire, il me plaît beaucoup ; d'abord il a des yeux ravissants, et qui ont une manière de regarder les femmes, on sent qu'il doit les aimer.

— Tais-toi au moins jusqu'à ce que je sois parti, si tu es folle, s'écria Robert. Garçon[a], mes affaires. »

Je ne savais si je devais le suivre.

« Non, j'ai besoin d'être seul, » me dit-il sur le même ton dont il venait de parler à sa maîtresse et comme s'il était tout aussi fâché contre moi. Sa colère était comme une même phrase musicale sur laquelle dans un opéra se chantent plusieurs répliques, entièrement différentes entre elles, dans le livret, de sens et de caractère, mais qu'elle réunit par un même sentiment. Quand Robert fut parti, sa maîtresse appela Aimé et lui demanda différents renseignements. Elle voulait ensuite savoir comment je le trouvais.

« Il a un regard amusant, n'est-ce pas ? Vous comprenez, ce qui m'amuserait ce serait de savoir ce qu'il peut penser, d'être souvent servie par lui, de l'emmener en voyage. Mais pas plus que ça. Si on était obligé d'aimer tous les gens qui vous plaisent, ce serait au fond *assez terrible*. Robert a tort de se faire des idées. Tout ça, ça se forme dans ma tête, Robert devrait être bien tranquille. » Elle regardait toujours Aimé. « Tenez, regardez les yeux noirs qu'il a, je voudrais savoir ce qu'il y a dessous. »

Bientôt[b] on vint lui dire que Robert la faisait demander dans un cabinet particulier où, en passant par une autre entrée, il était allé finir de déjeuner sans retraverser le restaurant. Je restai ainsi seul, puis à mon tour Robert me fit appeler. Je trouvai sa maîtresse étendue sur un sofa, riant sous les baisers, les caresses qu'il lui prodiguait. Ils buvaient du champagne. « Bonjour, vous ! » lui dit-elle, car elle avait appris récemment cette formule qui lui paraissait le dernier mot de la tendresse et de l'esprit. J'avais mal déjeuné[c], j'étais mal à l'aise, et sans que les paroles de Legrandin y fussent pour quelque chose, je regrettais de penser que je commençais dans un cabinet de restaurant et finirais dans des coulisses de théâtre cette première après-midi de printemps. Après avoir regardé l'heure pour voir si elle ne se mettrait pas en retard, elle m'offrit du champagne, me tendit une de ses cigarettes d'Orient et détacha pour moi une rose de son corsage. Je me dis alors : « Je n'ai pas trop à regretter ma journée ; ces heures passées auprès de cette

jeune femme ne sont pas perdues pour moi puisque par
elle j'ai, chose gracieuse et qu'on ne peut payer trop cher,
une rose, une cigarette parfumée, une coupe de champagne. » Je me le disais parce qu'il me semblait que c'était
douer d'un caractère esthétique, et par là justifier, sauver
ces heures d'ennui. Peut-être aurais-je dû penser que le
besoin même que j'éprouvais d'une raison qui me consolât
de mon ennui, suffisait à prouver que je ne ressentais rien
d'esthétique. Quant à Robert et à sa maîtresse, ils avaient[a]
l'air de ne garder aucun souvenir de la querelle qu'ils
avaient eue quelques instants auparavant, ni que j'y eusse
assisté. Ils n'y firent aucune allusion, ils ne lui cherchèrent
aucune excuse, pas plus qu'au contraste que faisaient avec
elle leurs façons de maintenant. À force de boire du
champagne avec eux, je commençai à éprouver un peu
de l'ivresse que je ressentais à Rivebelle, probablement
pas tout à fait la même. Non seulement chaque genre
d'ivresse, de celle que donne le soleil ou le voyage à celle
que donne la fatigue ou le vin, mais chaque degré
d'ivresse, et qui devrait porter une « cote » différente
comme les fonds dans la mer, met à nu en nous exactement
à la profondeur où il se trouve un homme spécial. Le
cabinet où se trouvait Saint-Loup était petit, mais la glace
unique qui le décorait était de telle sorte qu'elle semblait
en réfléchir une trentaine d'autres, le long d'une perspective infinie ; et l'ampoule électrique placée au sommet
du cadre devait le soir, quand elle était allumée, suivie
de la procession d'une trentaine de reflets pareils à
elle-même, donner au buveur, même solitaire, l'idée que
l'espace autour de lui se multipliait en même temps que
ses sensations exaltées par l'ivresse et qu'enfermé seul dans
ce petit réduit, il régnait pourtant sur quelque chose de
bien plus étendu en sa courbe indéfinie et lumineuse,
qu'une allée du « Jardin de Paris[1] ». Or, étant alors à
ce moment-là ce buveur, tout d'un coup, le cherchant
dans la glace, je l'aperçus, hideux, inconnu, qui me
regardait. La joie de l'ivresse était plus forte que le dégoût ;
par gaieté ou bravade, je lui souris et en même temps il
me souriait. Et je me sentais tellement sous l'empire
éphémère et puissant de la minute où les sensations sont
si fortes que je ne sais si ma seule tristesse ne fut pas de
penser que le moi affreux que je venais d'apercevoir était
peut-être à son dernier jour et que je ne rencontrerais plus

jamais cet étranger dans le cours de ma vie.

Robert était seulement fâché que je ne voulusse pas
briller davantage aux yeux de sa maîtresse.

« Voyons, ce monsieur que tu as rencontré ce matin
et qui mêle le snobisme et l'astronomie, raconte-le-lui, je
ne me rappelle pas bien — et il la regardait du coin de
l'œil.

— Mais, mon petit, il n'y a rien à dire d'autre que ce
que tu viens de dire.

— Tu es assommant. Alors raconte les choses de
Françoise aux Champs-Élysées, cela lui plaira tant.

— Oh oui ! Bobbey m'a tant parlé de Françoise. » Et
en prenant Saint-Loup par le menton, elle redit, par
manque d'invention, en attirant ce menton vers la lumière :
« Bonjour, vous ! »

Depuis que les acteurs[a] n'étaient plus exclusivement
pour moi les dépositaires, en leur diction et leur jeu, d'une
vérité artistique, ils m'intéressaient en eux-mêmes ; je
m'amusais, croyant avoir devant moi les personnages d'un
vieux roman comique[1], de voir, au visage nouveau d'un
jeune seigneur qui venait d'entrer dans la salle, l'ingénue
écouter distraitement la déclaration que lui faisait le jeune
premier dans la pièce, tandis que celui-ci, dans le feu
roulant de sa tirade amoureuse, n'en dirigeait pas moins
une œillade enflammée vers une vieille dame assise dans
une loge voisine, et dont les magnifiques perles l'avaient
frappé ; et ainsi, surtout grâce aux renseignements que
Saint-Loup me donnait sur la vie privée des artistes, je
voyais une autre pièce, muette et expressive, se jouer sous
la pièce parlée, laquelle d'ailleurs, quoique médiocre,
m'intéressait ; car j'y sentais germer et s'épanouir pour une
heure à la lumière de la rampe — faites de l'agglutinement
sur le visage d'un acteur d'un autre visage de fard et de
carton, sur son âme personnelle des paroles d'un rôle
— ces individualités éphémères et vivaces que sont les
personnages d'une pièce, séduisantes aussi, qu'on aime,
qu'on admire, qu'on plaint, qu'on voudrait retrouver
encore, une fois qu'on a quitté le théâtre, mais qui déjà
se sont désagrégées en un comédien qui n'a plus la
condition qu'il avait dans la pièce, en un texte qui ne
montre plus le visage du comédien, en une poudre colorée
qu'efface le mouchoir, qui sont retournées en un mot à
des éléments qui n'ont plus rien d'elles, à cause de leur

dissolution, consommée sitôt après la fin du spectacle, et qui fait, comme celle d'un être aimé, douter de la réalité du moi et méditer sur le mystère de la mort[1].

Un numéro du programme me fut extrêmement pénible. Une jeune femme que détestaient Rachel et plusieurs de ses amies devait y faire dans des chansons anciennes un début sur lequel elle avait fondé toutes ses espérances d'avenir et celles des siens. Cette jeune femme avait une croupe trop proéminente, presque ridicule, et une voix jolie mais trop menue, encore affaiblie par l'émotion et qui contrastait avec cette puissante musculature. Rachel avait aposté dans la salle un certain nombre d'amis et d'amies dont le rôle était de décontenancer par leurs sarcasmes la débutante, qu'on savait timide, de lui faire perdre la tête de façon qu'elle fît un fiasco complet après lequel le directeur ne conclurait pas d'engagement. Dès les premières notes de la malheureuse, quelques spectateurs, recrutés pour cela, se mirent à se montrer son dos en riant, quelques femmes qui étaient du complot rirent tout haut, chaque note flûtée augmentait l'hilarité voulue qui tournait au scandale. La malheureuse, qui suait de douleur sous son fard, essaya un instant de lutter, puis jeta autour d'elle sur l'assistance des regards désolés, indignés, qui ne firent que redoubler les huées. L'instinct d'imitation, le désir de se montrer spirituelles et braves, mirent de la partie de jolies actrices qui n'avaient pas été prévenues, mais qui lançaient aux autres des œillades de complicité méchante, se tordaient de rire, avec de violents éclats, si bien qu'à la fin de la seconde chanson et bien que le programme en comportât encore cinq, le régisseur fit baisser le rideau. Je m'efforçai de ne pas plus penser à cet incident qu'à la souffrance de ma grand-mère quand mon grand-oncle, pour la taquiner, faisait prendre du cognac à mon grand-père, l'idée de la méchanceté ayant pour moi quelque chose de trop douloureux. Et pourtant, de même que la pitié pour le malheur n'est peut-être pas très exacte, car par l'imagination nous recréons toute une douleur sur laquelle le malheureux, obligé de lutter contre elle, ne songe pas à s'attendrir, de même la méchanceté n'a probablement pas dans l'âme du méchant cette pure et voluptueuse cruauté qui nous fait si mal à imaginer. La haine l'inspire, la colère lui donne une ardeur, une activité qui n'ont rien de très joyeux ; il faudrait le sadisme pour en extraire du plaisir, le méchant croit que c'est un méchant qu'il fait souffrir. Rachel s'imaginait certainement que l'actrice qu'elle faisait souffrir était loin d'être intéressante, en tout cas qu'en la faisant huer, elle-même vengeait le bon goût et donnait une leçon à une mauvaise camarade. Néanmoins, je préférai ne pas parler de cet incident puisque je n'avais eu ni le courage ni la puissance de l'empêcher ; il m'eût été trop pénible, en disant du bien de la victime, de faire ressembler aux satisfactions de la cruauté les sentiments qui animaient les bourreaux de cette débutante.

Mais le commencement de cette représentation m'intéressa d'une autre manière. Il me fit comprendre en partie la nature de l'illusion dont Saint-Loup était victime à l'égard de Rachel et qui avait mis un abîme entre les images que nous avions de sa maîtresse, Robert et moi, quand nous la voyions ce matin même sous les poiriers en fleurs. Rachel jouait un rôle presque de simple figurante, dans la petite pièce. Mais vue ainsi, c'était une autre femme. Rachel avait un de ces visages que l'éloignement — et pas nécessairement celui de la salle à la scène, le monde n'étant pour cela qu'un plus grand théâtre — dessine et qui, vus de près, retombent en poussière. Placé à côté d'elle, on ne voyait qu'une nébuleuse, une voie lactée de taches de rousseur, de tout petits boutons, rien d'autre. À une distance convenable, tout cela cessait d'être visible et, des joues effacées, résorbées, se levait, comme un croissant de lune, un nez si fin, si pur, qu'on aurait souhaité être l'objet de l'attention de Rachel, la revoir autant qu'on aurait voulu, la posséder auprès de soi, si jamais on ne l'avait vue autrement et de près. Ce n'était pas mon cas, mais c'était celui de Saint-Loup quand il l'avait vue jouer la première fois. Alors, il s'était demandé comment l'approcher, comment la connaître, en lui s'était ouvert tout un domaine merveilleux — celui où elle vivait — d'où émanaient des radiations délicieuses mais où il ne pourrait pénétrer. Il partit du théâtre se disant qu'il serait fou de lui écrire, qu'elle ne lui répondrait pas, tout prêt à donner sa fortune et son nom pour la créature qui vivait en lui dans un monde tellement supérieur à ces réalités trop connues, un monde embelli par le désir et le rêve, quand du théâtre, vieille petite construction qui avait elle-même l'air d'un décor, il vit à la sortie des artistes, par une porte, déboucher la troupe gaie et gentiment chapeautée des artistes qui avaient joué. Des jeunes gens qui les connaissaient étaient là à les attendre. Le nombre des pions humains étant moins nombreux que celui des combinaisons qu'ils peuvent former, dans une salle où font défaut toutes les personnes qu'on pouvait connaître, il s'en trouve une qu'on ne croyait jamais avoir l'occasion de revoir et qui vient si à point que le hasard semble providentiel, auquel pourtant quelque autre hasard se fût sans doute substitué si nous avions été non dans ce lieu mais dans un différent où seraient nés d'autres désirs et où se serait rencontrée quelque autre vieille connaissance pour les seconder. Les portes d'or du monde des rêves s'étaient refermées sur Rachel avant que Saint-Loup l'eût vue sortir du théâtre, de sorte que les taches de rousseur et les boutons eurent peu d'importance. Ils lui déplurent cependant, d'autant que, n'étant plus seul, il n'avait plus le même pouvoir de rêver qu'au théâtre. Mais elle, bien qu'il ne pût plus l'apercevoir, continuait à régir ces actes comme ces astres qui nous gouvernent par leur attraction, même pendant les heures où ils ne sont pas visibles à nos yeux. Aussi, le désir de la comédienne aux fins traits qui n'étaient même pas présents au souvenir de Robert, fit que, sautant sur l'ancien camarade qui était là par hasard, il se fit présenter à la personne sans traits et aux taches de rousseur, puisque c'était la même, et en se disant que plus tard on aviserait de savoir laquelle des deux cette même personne était en réalité. Elle était pressée, elle n'adressa même pas, cette fois-là, la parole à Saint-Loup, et ce ne fut qu'après plusieurs jours qu'il put enfin, obtenant qu'elle quittât ses camarades, revenir avec elle. Il l'aimait déjà. Le besoin de rêve, le désir d'être heureux par celle à qui on a rêvé, font que beaucoup de temps n'est pas nécessaire pour qu'on confie toutes ses chances de bonheur à celle qui quelques jours auparavant n'était qu'une apparition fortuite, inconnue, indifférente, sur les planches de la scène.

Quand, le rideau[a] tombé, nous passâmes sur le plateau, intimidé de m'y promener, je voulus parler avec vivacité à Saint-Loup ; de cette façon mon attitude, comme je ne savais pas laquelle on devait prendre dans ces lieux nouveaux pour moi, serait entièrement accaparée par notre conversation et on penserait que j'y étais si absorbé, si distrait, qu'on trouverait naturel que je n'eusse pas les expressions de physionomie que j'aurais dû avoir dans un endroit où, tout à ce que je disais, je savais à peine que je me trouvais ; et saisissant, pour aller plus vite, le premier sujet de conversation :

« Tu sais, dis-je à Robert, que j'ai été pour te dire adieu le jour de mon départ, nous n'avons jamais eu l'occasion d'en causer. Je t'ai salué dans la rue.

— Ne m'en parle pas, me répondit-il, j'en ai été désolé ; nous nous sommes rencontrés tout près du quartier, mais je n'ai pas pu m'arrêter parce que j'étais déjà très en retard. Je t'assure que j'étais navré. »

Ainsi il m'avait reconnu ! Je revoyais encore le salut entièrement impersonnel qu'il m'avait adressé en levant la main à son képi, sans un regard dénonçant qu'il me connût, sans un geste qui manifestât qu'il regrettait de ne pouvoir s'arrêter. Évidemment cette fiction qu'il avait adoptée à ce moment-là, de ne pas me reconnaître, avait dû lui simplifier beaucoup les choses. Mais j'étais stupéfait qu'il eût su s'y arrêter si rapidement et avant qu'un réflexe eût décelé sa première impression. J'avais déjà remarqué à Balbec que, à côté de cette sincérité naïve de son visage dont la peau laissait voir par transparence le brusque afflux de certaines émotions, son corps avait été admirablement dressé par l'éducation à un certain nombre de dissimulations de bienséance et que, comme un parfait comédien, il pouvait dans sa vie de régiment, dans sa vie mondaine, jouer l'un après l'autre des rôles différents. Dans l'un de ses rôles il m'aimait profondément, il agissait à mon égard presque comme s'il était mon frère ; mon frère, il l'avait été, il l'était redevenu, mais pendant un instant il avait été un autre personnage qui ne me connaissait pas et qui, tenant les rênes, le monocle à l'œil, sans un regard ni un sourire, avait levé la main à la visière de son képi pour me rendre correctement le salut militaire !

Les décors encore plantés entre lesquels je passais, vus ainsi de près, et dépouillés de tout ce que leur ajoutent l'éloignement et l'éclairage que le grand peintre qui les avait brossés avait calculés, étaient misérables, et Rachel, quand je m'approchai d'elle, ne subit pas un moindre pouvoir de destruction. Les ailes de son nez charmant étaient restées dans la perspective, entre la salle et la scène, tout comme le relief des décors. Ce n'était plus elle, je ne la reconnaissais que grâce à ses yeux où son identité s'était réfugiée. La forme, l'éclat de ce jeune astre si brillant tout à l'heure avaient disparu. En revanche, comme si nous nous approchions de la lune et qu'elle cessât de nous paraître de rose et d'or, sur ce visage si uni tout à l'heure je ne distinguais plus que des protubérances, des taches, des fondrières. Malgré l'incohérence où se résolvaient de près, non seulement le visage féminin mais les toiles peintes, j'étais heureux d'être là, de cheminer parmi les décors, tout ce cadre qu'autrefois mon amour de la nature m'eût fait trouver ennuyeux et factice, mais auquel sa peinture par Goethe dans *Wilhelm Meiſter*[1] avait donné pour moi une certaine beauté ; et j'étais déjà charmé[a] d'apercevoir, au milieu de journalistes ou de gens du monde amis des actrices, qui saluaient, causaient, fumaient comme à la ville, un jeune homme en toque de velours noir, en jupe hortensia, les joues crayonnées de rouge comme une page d'album de Watteau[2], lequel, la bouche souriante, les yeux au ciel, esquissant de gracieux signes avec les paumes de ses mains, bondissant légèrement, semblait tellement d'une autre espèce que les gens raisonnables en veston et en redingote au milieu desquels il poursuivait comme un fou son rêve extasié, si étranger aux préoccupations de leur vie, si antérieur aux habitudes de leur civilisation, si affranchi des lois de la nature[b], que c'était quelque chose d'aussi reposant et d'aussi frais que de voir un papillon[3] égaré dans une foule, de suivre des yeux, entre les frises, les arabesques naturelles qu'y traçaient ses ébats ailés, capricieux et fardés[4]. Mais au même instant Saint-Loup s'imagina que sa maîtresse faisait attention à ce danseur en train de repasser une dernière fois une figure du divertissement dans lequel il allait paraître, et sa figure se rembrunit.

« Tu pourrais regarder d'un autre côté, lui dit-il d'un air sombre. Tu sais que ces danseurs ne valent pas la corde sur laquelle ils feraient bien de monter pour se casser les reins, et ce sont des gens à aller après se vanter que tu as fait attention à eux. Du reste tu entends bien qu'on te dit d'aller dans ta loge t'habiller. Tu vas encore être en retard. »

Trois messieurs — trois journalistes — voyant l'air furieux de Saint-Loup, se rapprochèrent, amusés, pour entendre ce qu'on disait. Et comme on plantait un décor de l'autre côté nous fûmes resserrés contre eux.

« Oh ! mais je le reconnais, c'est mon ami, s'écria la maîtresse de Saint-Loup en regardant le danseur. Voilà qui est bien fait, regardez-moi ces petites mains qui dansent comme tout le reste de sa personne ! »

Le danseur tourna la tête vers elle, et sa personne humaine apparaissait sous le sylphe qu'il s'exerçait à être, la gelée droite et grise de ses yeux trembla et brilla entre ses cils raidis et peints, et un sourire prolongea des deux côtés sa bouche dans sa face pastellisée de rouge ; puis, pour amuser la jeune femme, comme une chanteuse qui nous fredonne par complaisance l'air où nous lui avons dit que nous l'admirions, il se mit à refaire le mouvement de ses paumes, en se contrefaisant lui-même avec une finesse de pasticheur et une bonne humeur d'enfant.

« Oh ! c'est trop gentil, ce coup de s'imiter soi-même, s'écria-t-elle en battant des mains.

— Je t'en supplie, mon petit, lui dit Saint-Loup d'une voix désolée, ne te donne pas en spectacle comme cela, tu me tues, je te jure que si tu dis un mot de plus, je ne t'accompagne pas à ta loge, et je m'en vais ; voyons, ne fais pas la méchante. Ne reste pas comme cela dans la fumée du cigare, cela va te faire mal », ajouta-t-il en se tournant vers moi avec cette sollicitude qu'il me témoignait depuis Balbec.

« Oh ! quel bonheur si tu t'en vas !

— Je te préviens que je ne reviendrai plus.

— Je n'ose pas l'espérer.

— Écoute, tu sais, je t'ai promis le collier si tu étais gentille, mais du moment que tu me traites comme cela...

— Ah ! voilà une chose qui ne m'étonne pas de toi. Tu m'avais fait une promesse, j'aurais bien dû penser que tu ne la tiendrais pas. Tu veux faire sonner que tu as de l'argent, mais je ne suis pas intéressée comme toi. Je m'en fous de ton collier. J'ai quelqu'un qui me le donnera.

— Personne d'autre ne pourra te le donner, car je l'ai retenu chez Boucheron et j'ai sa parole qu'il ne le vendra qu'à moi.

— C'est bien cela, tu as voulu me faire chanter, tu as pris toutes tes précautions d'avance. C'est bien ce qu'on dit : Marsantes, *Mater Semita*, ça sent la race », répondit Rachel répétant une étymologie qui reposait sur un grossier contresens car *semita* signifie « sente » et non « sémite[1] », mais que les nationalistes appliquaient à Saint-Loup à cause des opinions dreyfusardes qu'il devait pourtant à l'actrice. (Elle était moins bien venue que personne à traiter de Juive Mme de Marsantes à qui les ethnographes de la société ne pouvaient arriver à trouver de juif que sa parenté avec les Lévy-Mirepoix[1].) « Mais tout n'est pas fini, sois-en sûr. Une parole donnée dans ces conditions n'a aucune valeur. Tu as agi par traîtrise avec moi. Boucheron le saura et on lui en donnera le double, de son collier. Tu auras bientôt de mes nouvelles, sois tranquille. »

Robert avait cent fois raison. Mais les circonstances sont toujours si embrouillées que celui qui a cent fois raison peut avoir eu une fois tort. Et[a] je ne pus m'empêcher de me rappeler ce mot désagréable et pourtant bien innocent qu'il avait eu à Balbec : « De cette façon, j'ai barre sur elle. »

« Tu as mal compris ce que j'ai dit pour le collier. Je ne te l'avais pas promis d'une façon formelle. Du moment que tu fais tout ce qu'il faut pour que je te quitte, il est bien naturel, voyons, que je ne te le donne pas ; je ne comprends pas où tu vois de la traîtrise là-dedans, ni que je suis intéressé. On ne peut pas dire que je fais sonner mon argent, je te dis toujours que je suis un pauvre bougre qui n'a pas le sou. Tu as tort de le prendre comme ça, mon petit. En quoi suis-je intéressé ? Tu sais bien que mon seul intérêt, c'est toi.

— Oui, oui, tu peux continuer, » lui dit-elle ironiquement, en esquissant le geste de quelqu'un qui vous fait la barbe. Et se tournant vers le danseur :

« Ah ! vraiment il est épatant avec ses mains. Moi qui suis une femme, je ne pourrais pas faire ce qu'il fait là. » Et se tournant vers lui en lui montrant les traits convulsés de Robert : « Regarde, il souffre », lui dit-elle tout bas, dans l'élan momentané d'une cruauté sadique qui n'était d'ailleurs nullement en rapport avec ses vrais sentiments d'affection pour Saint-Loup.

« Écoute, pour la dernière fois, je te jure que tu auras beau faire[b], tu pourras avoir dans huit jours tous les regrets du monde, je ne reviendrai pas, la coupe est pleine, fais attention, c'est irrévocable, tu le regretteras un jour, il sera trop tard. »

Peut-être était-il sincère et le tourment de quitter sa maîtresse lui semblait-il moins cruel que celui de rester près d'elle dans certaines conditions.

« Mais, mon petit, ajouta-t-il en s'adressant à moi, ne reste pas là, je te dis, tu vas te mettre à tousser. »

Je lui montrai le décor qui m'empêchait de me déplacer.

Il toucha légérement son chapeau et dit au journaliste :

« Monsieur, est-ce que vous voudriez bien jeter votre cigare, la fumée fait mal à mon ami. »

Sa maîtresse, ne l'attendant pas, s'en allait vers sa loge, et se retournant :

« Est-ce qu'elles font aussi comme ça avec les femmes, ces petites mains-là ? » jeta-t-elle au danseur du fond du théâtre, avec une voix facticement mélodieuse et innocente d'ingénue. « Tu as l'air d'une femme toi-même, je crois qu'on pourrait très bien s'entendre avec toi et une de mes amies.

— Il n'est pas défendu*d* de fumer, que je sache ; quand on est malade, on n'a qu'à rester chez soi » dit le journaliste.

Le danseur sourit mystérieusement à l'artiste.

« Oh ! tais-toi, tu me rends folle, lui cria-t-elle, on en fera des parties !

— En tout cas, Monsieur, vous n'êtes pas très aimable », dit Saint-Loup au journaliste, toujours sur un ton poli et doux, avec l'air de constatation de quelqu'un qui vient de juger rétrospectivement un incident terminé.

À ce moment-là, je vis Saint-Loup lever son bras verticalement au-dessus de sa tête comme s'il avait fait signe à quelqu'un que je ne voyais pas, ou comme un chef d'orchestre, et en effet — sans plus de transition que, sur un simple geste d'archet, dans une symphonie ou un ballet, des rythmes violents succèdent à un gracieux andante — après les paroles courtoises qu'il venait de dire, il abattit sa main, en une gifle retentissante, sur la joue du journaliste.

Maintenant qu'aux conversations cadencées des diplomates, aux arts riants de la paix, avait succédé l'élan furieux de la guerre, les coups appelant les coups, je n'eusse pas été trop étonné de voir les adversaires baignant dans leur sang. Mais ce que je ne pouvais pas comprendre (comme les personnes qui trouvent que ce n'est pas de jeu que survienne une guerre entre deux pays quand il n'a encore été question que d'une rectification de frontière, ou la mort d'un malade alors qu'il n'était question que d'une grosseur du foie), c'était comment Saint-Loup avait pu faire suivre ces paroles qui appréciaient une nuance d'amabilité, d'un geste qui ne sortait nullement d'elles, qu'elles n'annonçaient pas, le geste de ce bras levé non seulement au mépris du droit des gens, mais du principe de causalité, en une génération spontanée de colère, ce geste créé *ex nihilo*. Heureusement le journaliste qui, trébuchant sous la violence du coup, avait pâli et hésité un instant, ne riposta pas. Quant à ses amis, l'un avait aussitôt détourné la tête en regardant avec attention du côté des coulisses quelqu'un qui évidemment ne s'y trouvait pas ; le second fit semblant qu'un grain de poussière lui était entré dans l'œil et se mit à pincer sa paupière en faisant des grimaces de souffrance ; pour le troisième[1], il s'était élancé en s'écriant :

« Mon Dieu, je crois qu'on va lever le rideau, nous n'aurons pas nos places. »

J'aurais voulu parler à Saint-Loup, mais il était tellement rempli par son indignation contre le danseur, qu'elle venait adhérer exactement à la surface de ses prunelles ; comme une armature intérieure, elle tendait ses joues, de sorte que son agitation intérieure se traduisant par une entière inamovibilité extérieure, il n'avait même pas le relâchement, le « jeu » nécessaire pour accueillir un mot de moi et y répondre. Les amis du journaliste, voyant que tout était terminé, revinrent auprès de lui, encore tremblants. Mais honteux de l'avoir abandonné, ils tenaient absolument à ce qu'il crût qu'ils ne s'étaient rendu compte de rien. Aussi s'étendaient-ils l'un sur sa poussière dans l'œil, l'autre sur la fausse alerte qu'il avait eue en se figurant qu'on levait le rideau, le troisième sur l'extraordinaire ressemblance d'une personne qui avait passé, avec son frère. Et même ils lui témoignèrent une certaine mauvaise humeur de ce qu'il n'avait pas partagé leurs émotions.

« Comment, cela ne t'a pas frappé ? Tu ne vois donc pas clair ?

— C'est-à-dire que vous êtes tous des capons », grommela le journaliste giflé.

Inconséquents avec la fiction qu'ils avaient adoptée et en vertu de laquelle ils auraient dû — mais ils n'y songèrent pas — avoir l'air de ne pas comprendre ce qu'il voulait dire, ils proférèrent une phrase qui est de tradition en ces circonstances : « Voilà que tu t'emballes, ne prends pas la mouche, on dirait que tu as le mors aux dents ! »

J'avais compris le matin, devant les poiriers en fleurs, l'illusion sur laquelle reposait l'amour de Robert pour « Rachel quand du Seigneur ». Je ne me rendais pas moins compte de ce qu'avaient au contraire de réel les souffrances qui naissaient de cet amour. Peu à peu celle qu'il ressentait depuis une heure, sans cesser, se rétracta[a], rentra en lui, une zone disponible et souple parut dans ses yeux. Nous quittâmes le théâtre, Saint-Loup et moi, et marchâmes d'abord un peu. Je m'étais attardé un instant à un angle de l'avenue Gabriel d'où je voyais souvent jadis arriver Gilberte. J'essayai pendant quelques secondes de me rappeler ces impressions lointaines, et j'allais rattraper Saint-Loup au pas « gymnastique », quand je vis qu'un monsieur assez mal habillé avait l'air de lui parler d'assez près. J'en conclus que c'était un ami personnel de Robert ; cependant ils semblaient se rapprocher encore l'un de l'autre ; tout à coup, comme apparaît au ciel un phénomène astral, je vis des corps ovoïdes prendre avec une rapidité vertigineuse toutes les positions qui leur permettaient de composer, devant Saint-Loup, une instable constellation. Lancés comme par une fronde ils me semblèrent être au moins au nombre de sept. Ce n'étaient pourtant que les deux poings de Saint-Loup, multipliés par leur vitesse à changer de place dans cet ensemble en apparence idéal et décoratif. Mais cette pièce d'artifice n'était qu'une roulée qu'administrait Saint-Loup et dont le caractère agressif au lieu d'esthétique me fut d'abord révélé par l'aspect du monsieur médiocrement habillé, lequel parut perdre à la fois toute contenance, une mâchoire, et beaucoup de sang. Il donna des explications mensongères aux personnes qui s'approchaient pour l'interroger, tourna la tête et voyant que Saint-Loup s'éloignait définitivement pour me rejoindre, resta à le regarder d'un air de rancune et d'accablement, mais nullement furieux. Saint-Loup au contraire l'était, bien qu'il n'eût rien reçu, et ses yeux étincelaient encore de colère quand il me rejoignit. L'incident ne se rapportait en rien, comme je l'avais cru, aux gifles du théâtre. C'était un promeneur passionné qui, voyant le beau militaire qu'était Saint-Loup, lui avait fait des propositions. Mon ami n'en revenait pas de l'audace de cette « clique » qui n'attendait même plus les ombres nocturnes pour se hasarder, et il parlait des propositions qu'on lui avait faites avec la même indignation que les journaux, d'un vol à main armée, osé en plein jour, dans un quartier central de Paris. Pourtant le monsieur battu était excusable en ceci qu'un plan incliné rapproche assez vite le désir de la jouissance pour que la seule beauté apparaisse déjà comme un consentement. Or, que Saint-Loup fût beau n'était pas discutable. Des coups de poing comme ceux qu'il venait de donner ont cette utilité, pour des hommes du genre de celui qui l'avait accosté tout à l'heure, de leur donner sérieusement à réfléchir, mais toutefois pendant trop peu de temps pour qu'ils puissent se corriger et échapper ainsi à des châtiments judiciaires. Aussi, bien que Saint-Loup eût donné sa raclée sans beaucoup réfléchir, toutes celles de ce genre, même si elles viennent en aide aux lois, n'arrivent pas à homogénéiser les mœurs.

Ces incidents, et sans doute celui auquel il pensait le plus, donnèrent sans doute à Robert le désir d'être un peu seul. Au bout d'un moment il me demanda de nous séparer et que j'allasse de mon côté chez Mme de Villeparisis ; il m'y retrouverait[a], mais aimait mieux que nous n'entrions pas ensemble pour qu'il eût l'air d'arriver seulement à Paris plutôt que de donner à imaginer que nous avions déjà passé l'un avec l'autre une partie de l'après-midi.

Comme je l'avais supposé avant de faire la connaissance de Mme de Villeparisis à Balbec, il y avait une grande différence entre le milieu où elle vivait et celui de Mme de Guermantes[1]. Mme de Villeparisis était une de ces femmes[b] qui, nées dans une maison glorieuse, entrées par leur mariage dans une autre qui ne l'était pas moins, ne jouissent pas cependant d'une grande situation mondaine, et, en dehors de quelques duchesses qui sont leurs nièces ou leurs belles-sœurs, et même d'une ou deux têtes couronnées, vieilles relations de famille, n'ont dans leur salon qu'un public de troisième ordre, bourgeoisie, noblesse de province ou tarée, dont la présence a depuis longtemps éloigné les gens élégants et snobs qui ne sont pas obligés d'y venir par devoirs de parenté ou d'intimité trop ancienne. Certes je n'eus au bout de quelques instants aucune peine à comprendre pourquoi Mme de Villeparisis s'était trouvée, à Balbec, si bien informée, et mieux que nous-mêmes, des moindres détails du voyage que mon père faisait alors en Espagne avec M. de Norpois. Mais il n'était pas possible malgré cela de s'arrêter à l'idée que la liaison, depuis plus de vingt ans, de Mme de Villeparisis avec l'ambassadeur pût être la cause du déclassement de la marquise dans un monde[c] où les femmes les plus brillantes affichaient des amants moins respectables que celui-ci, lequel d'ailleurs n'était probablement plus depuis longtemps pour la marquise autre chose qu'un vieil ami. Mme de Villeparisis avait-elle eu jadis d'autres aventures ? Étant alors d'un caractère plus passionné que maintenant, dans une vieillesse apaisée et pieuse qui devait peut-être pourtant un peu de sa couleur à ces années ardentes et consumées, n'avait-elle pas su, en province où elle avait vécu longtemps, éviter certains scandales, inconnus des nouvelles générations, lesquelles en constataient seulement l'effet dans la composition mêlée et défectueuse d'un salon fait, sans cela, pour être un des plus purs de tout médiocre alliage ? Cette « mauvaise langue » que son neveu lui attribuait lui avait-elle, dans ces temps-là, fait des ennemis ? l'avait-elle poussée à profiter de certains succès auprès des hommes pour exercer des vengeances contre des femmes ? Tout cela était possible ; et ce n'est pas la façon exquise, sensible — nuançant si délicatement non seulement les expressions mais les intonations — avec laquelle Mme de Villeparisis parlait de la pudeur, de la bonté, qui pouvait infirmer cette supposition ; car ceux qui non seulement parlent bien de certaines vertus, mais même en ressentent le charme et les comprennent à merveille (qui sauront en peindre dans leurs mémoires une digne image), sont souvent issus, mais ne font pas eux-mêmes partie, de la génération muette, fruste et sans art, qui les pratiqua. Celle-ci se reflète en eux, mais ne s'y continue pas. À la place du caractère qu'elle avait, on trouve une sensibilité, une intelligence, qui ne servent pas à l'action. Et qu'il y eût ou non dans la vie de Mme de Villeparisis de ces scandales qu'eût effacés l'éclat de son nom, c'est cette intelligence, une intelligence presque d'écrivain de second ordre bien plus que de femme du monde, qui était certainement la cause de sa déchéance mondaine.

Sans doute c'étaient des qualités assez peu exaltantes, comme la pondération et la mesure, que prônait surtout Mme de Villeparisis ; mais pour parler de la mesure d'une façon entièrement adéquate, la mesure ne suffit pas et il faut certains mérites d'écrivain qui supposent une exaltation peu mesurée ; j'avais remarqué à Balbec que le génie de certains grands artistes restait incompris de Mme de Villeparisis, et qu'elle ne savait que les railler finement, et donner à son incompréhension une forme spirituelle et

gracieuse. Mais cet esprit et cette grâce, au degré où ils
étaient poussés chez elle, devenaient eux-mêmes — dans
un autre plan, et fussent-ils déployés pour méconnaître les
plus hautes œuvres — de véritables qualités artistiques.
Or, de telles qualités exercent sur toute situation mondaine
une action morbide élective, comme disent les médecins,
et si désagrégeante que les plus solidement assises ont
peine à y résister quelques années. Ce que les artistes
appellent intelligence semble prétention pure à la société
élégante qui, incapable de se placer au seul point de vue
d'où ils jugent tout, ne comprenant jamais l'attrait
particulier auquel ils cèdent en choisissant une expression
ou en faisant un rapprochement, éprouve auprès d'eux une
fatigue, une irritation d'où naît très vite l'antipathie.
Pourtant dans sa conversation, et il en est de même des
Mémoires d'elle qu'on a publiés depuis, Mme de Villeparis-
sis ne montrait qu'une sorte de grâce tout à fait mondaine.
Ayant passé à côté de grandes choses sans les approfondir,
quelquefois sans les distinguer, elle n'avait guère retenu
des années où elle avait vécu, et qu'elle dépeignait
d'ailleurs avec beaucoup de justesse et de charme, que ce
qu'elles avaient offert de plus frivole. Mais un ouvrage,
même s'il s'applique seulement à des sujets qui ne sont
pas intellectuels, est encore une œuvre de l'intelligence,
et pour donner dans un livre, ou dans une causerie qui
en diffère peu, l'impression achevée de la frivolité, il faut
une dose de sérieux dont une personne purement frivole
serait incapable. Dans certains mémoires écrits par une
femme et considérés comme un chef-d'œuvre, telle phrase
qu'on cite comme un modèle de grâce légère m'a toujours
fait supposer que pour arriver à une telle légèreté l'auteur
avait dû posséder autrefois une science un peu lourde, une
culture rébarbative, et que, jeune fille, elle semblait
probablement à ses amies un insupportable bas-bleu. Et
entre certaines qualités littéraires et l'insuccès mondain,
la connexité est si nécessaire, qu'en[d] lisant aujourd'hui les
Mémoires de Mme de Villeparisis, telle épithète juste, telles
métaphores qui se suivent, suffiront au lecteur pour qu'à
leur aide il reconstitue le salut profond, mais glacial, que
devait adresser à la vieille marquise, dans l'escalier d'une
ambassade, telle snob comme Mme Leroi, qui lui cornait
peut-être un carton en allant chez les Guermantes, mais ne
mettait jamais les pieds dans son salon de peur de s'y

déclasser parmi toutes ces femmes de médecins ou de notaires. Un bas-bleu, Mme de Villeparisis en avait peut-être été un dans sa prime jeunesse, et ivre alors de son savoir n'avait peut-être pas su retenir contre des gens du monde moins intelligents et moins instruits qu'elle, des traits acérés que le blessé n'oublie pas.

Puis le talent n'est pas un appendice postiche qu'on ajoute artificiellement à ces qualités différentes qui font réussir dans la société, afin de faire, avec le tout, ce que les gens du monde appellent une « femme complète ». Il est le produit vivant d'une certaine complexion morale où généralement beaucoup de qualités font défaut et où prédomine une sensibilité dont d'autres manifestations que nous ne percevons pas dans un livre peuvent se faire sentir assez vivement au cours de l'existence, par exemple telles curiosités, telles fantaisies, le désir d'aller ici ou là pour son propre plaisir, et non en vue de l'accroissement, du maintien, ou pour le simple fonctionnement des relations mondaines. J'avais vu à Balbec Mme de Villeparisis enfermée entre ses gens et ne jetant pas un coup d'œil sur les personnes assises dans le hall de l'hôtel. Mais j'avais eu le pressentiment que cette abstention n'était pas de l'indifférence, et il paraît qu'elle ne s'y était pas toujours cantonnée. Elle se toquait de connaître tel ou tel individu qui n'avait aucun titre à être reçu chez elle, parfois parce qu'elle l'avait trouvé beau, ou seulement parce qu'on lui avait dit qu'il était amusant, ou qu'il lui avait semblé différent des gens qu'elle connaissait, lesquels, à cette époque où elle ne les appréciait pas encore parce qu'elle croyait qu'ils ne la lâcheraient jamais, appartenaient tous au plus pur faubourg Saint-Germain. Ce bohème, ce petit bourgeois qu'elle avait distingué, elle était obligée de lui adresser ses invitations, dont il ne pouvait pas apprécier la valeur, avec une insistance qui la dépréciait peu à peu aux yeux des snobs habitués à coter un salon d'après les gens que la maîtresse de maison exclut plutôt que d'après ceux qu'elle reçoit[a]. Certes, si à un moment donné de sa jeunesse, Mme de Villeparisis, blasée sur la satisfaction d'appartenir à la fine fleur de l'aristocratie, s'était en quelque sorte amusée à scandaliser les gens parmi lesquels elle vivait, à défaire délibérément sa situation, elle s'était mise à attacher de l'importance à cette situation après qu'elle l'eut perdue. Elle avait voulu montrer aux duchesses qu'elle était plus qu'elles, en disant, en faisant tout ce que celles-ci n'osaient pas dire, n'osaient pas faire. Mais maintenant que celles-ci, sauf celles de sa proche parenté, ne venaient plus chez elle, elle se sentait amoindrie et souhaitait encore de régner, mais d'une autre manière que par l'esprit. Elle eût voulu attirer toutes celles qu'elle avait pris tant de soin d'écarter. Combien de vies de femmes, vies peu connues d'ailleurs (car chacun, selon son âge, en a connu un moment différent[d], et la discrétion des vieillards empêche les jeunes gens de se faire une idée du passé et d'embrasser tout le cycle), ont été divisées ainsi en périodes contrastées, la dernière tout employée à reconquérir ce qui dans la deuxième avait été si gaiement jeté au vent ! Jeté au vent de quelle manière ? Les jeunes gens se le figurent d'autant moins qu'ils ont sous les yeux une vieille et respectable marquise de Villeparisis et n'ont pas l'idée que la grave mémorialiste d'aujourd'hui, si digne sous sa perruque blanche, ait pu être jadis une gaie soupeuse qui fit peut-être alors les délices, mangea peut-être la fortune, d'hommes couchés depuis dans la tombe. Qu'elle se fût employée aussi à défaire, avec une industrie persévérante et naturelle, la situation qu'elle tenait de sa grande naissance, ne signifie d'ailleurs nullement que, même à cette époque reculée, Mme de Villeparisis n'attachât pas un grand prix à sa situation. De même l'isolement, l'inaction où vit un neurasthénique peuvent être ourdis par lui du matin au soir sans lui paraître pour cela supportables, et tandis qu'il se dépêche d'ajouter une nouvelle maille au filet qui le retient prisonnier, il est possible qu'il ne rêve que bals, chasses et voyages. Nous travaillons à tout moment à donner sa forme à notre vie, mais en copiant malgré nous comme un dessin les traits de la personne que nous sommes et non de celle qu'il nous serait agréable d'être. Les saluts dédaigneux de Mme Leroi pouvaient exprimer en quelque manière la nature véritable de Mme de Villeparisis, ils ne répondaient aucunement à son désir.

Sans doute, au même moment où Mme Leroi, selon une expression chère à Mme Swann, « coupait » la marquise, celle-ci pouvait chercher à se consoler en se rappelant qu'un jour la reine Marie-Amélie[1] lui avait dit : « Je vous aime comme une fille. » Mais de telles amabilités royales, secrètes et ignorées, n'existaient que pour la marquise,

poudreuses comme le diplôme d'un ancien premier prix
du Conservatoire. Les seuls vrais avantages mondains sont
ceux qui créent de la vie, ceux qui peuvent disparaître
sans que celui qui en a bénéficié ait à chercher à les retenir
ou à les divulguer, parce que dans la même journée cent
autres leur succèdent. Se rappelant de telles paroles de
la reine, Mme de Villeparisis les eût pourtant volontiers
troquées contre le pouvoir permanent d'être invitée que
possédait Mme Leroi, comme, dans un restaurant, un
grand artiste inconnu, et de qui le génie n'est écrit ni dans
les traits de son visage timide, ni dans la coupe désuète
de son veston râpé, voudrait bien être même le jeune
coulissier du dernier rang de la société mais qui déjeune
à une table voisine avec deux actrices, et vers qui, dans
une course obséquieuse et incessante, s'empressent patron,
maître d'hôtel, garçons, chasseurs et jusqu'aux marmitons
qui sortent de la cuisine en défilés pour le saluer comme
dans les féeries, tandis que s'avance le sommelier, aussi
poussérieux que ses bouteilles, bancroche et ébloui comme
si, venant de la cave, il s'était tordu le pied avant de
remonter au jour.

Il faut dire pourtant que, dans le salon de Mme de Villeparisis, l'absence de Mme Leroi, si elle désolait la maîtresse
de maison, passait inaperçue aux yeux d'un grand nombre
de ses invités. Ils ignoraient totalement la situation
particulière de Mme Leroi, connue seulement du monde
élégant, et ne doutaient[a] pas que les réceptions de
Mme de Villeparisis ne fussent, comme en sont persuadés
aujourd'hui les lecteurs de ses Mémoires, les plus brillantes
de Paris.

À cette première visite qu'en quittant Saint-Loup j'allai
faire à Mme de Villeparisis, suivant le conseil que
M. de Norpois avait donné à mon père, je la trouvai dans
son salon tendu de soie jaune sur laquelle les canapés et
les admirables fauteuils en tapisserie de Beauvais se
détachaient en une couleur rose, presque violette, de
framboises mûres. À côté des portraits des Guermantes,
des Villeparisis, on en voyait — offerts par le modèle
lui-même — de la reine Marie-Amélie, de la reine des
Belges, du prince de Joinville[1], de l'impératrice d'Autriche[2]. Mme de Villeparisis[b], coiffée d'un bonnet de
dentelles noires de l'ancien temps (qu'elle conservait avec
le même instinct avisé de la couleur locale ou historique

qu'un hôtelier breton qui, si parisienne que soit devenue sa clientèle, croit plus habile de faire garder à ses servantes la coiffe et les grandes manches), était assise à un petit bureau, où devant elle, à côté de ses pinceaux, de sa palette et d'une aquarelle de fleurs commencée, il y avait dans des verres, dans des soucoupes, dans des tasses, des roses mousseuses, des zinnias, des cheveux de Vénus, qu'à cause de l'affluence à ce moment-là des visites elle s'était arrêtée de peindre et qui avaient l'air d'achalander le comptoir d'une fleuriste dans quelque estampe du XVIIIe siècle. Dans ce salon légèrement chauffé à dessein, parce que la marquise s'était enrhumée en revenant de son château, il y avait, parmi les personnes présentes quand j'arrivai, un archiviste^a avec qui Mme de Villeparisis avait classé le matin les lettres autographes de personnages historiques à elle adressées et qui étaient destinées à figurer en *fac-similés* comme pièces justificatives dans les Mémoires qu'elle était en train de rédiger, et un historien solennel et intimidé qui, ayant appris qu'elle possédait par héritage un portrait de la duchesse de Montmorency[1], était venu lui demander la permission de reproduire ce portrait dans une planche de son ouvrage sur la Fronde, visiteurs auxquels vint se joindre mon ancien camarade Bloch, maintenant jeune auteur dramatique, sur qui elle comptait pour lui procurer à l'œil des artistes qui joueraient à ses prochaines matinées. Il est vrai que le kaléidoscope social était en train de tourner et que l'affaire Dreyfus allait précipiter les Juifs au dernier rang de l'échelle sociale. Mais d'une part le cyclone dreyfusiste avait beau faire rage, ce n'est pas au début d'une tempête que les vagues atteignent leur plus grand courroux. Puis Mme de Villeparisis, laissant toute une partie de sa famille tonner contre les Juifs, était jusqu'ici restée entièrement étrangère à l'Affaire et ne s'en souciait pas. Enfin un jeune homme comme Bloch que personne ne connaissait pouvait passer inaperçu, alors que de grands Juifs représentatifs de leur parti étaient déjà menacés. Il avait maintenant le menton ponctué d'un « bouc », il portait un binocle, une longue redingote, un gant, comme un rouleau de papyrus à la main. Les Roumains, les Égyptiens et les Turcs peuvent détester les Juifs. Mais dans un salon français les différences entre ces peuples ne sont pas si perceptibles et un Israélite faisant son entrée comme s'il sortait du fond du désert, le corps

penché comme une hyène, la nuque obliquement inclinée
et se répandant en grands « salams[1] », contente parfaitement un goût d'orientalisme. Seulement il faut pour cela
que le Juif n'appartienne pas au « monde », sans quoi il
prend facilement l'aspect d'un lord, et ses façons sont
tellement francisées que chez lui un nez rebelle, poussant,
comme les capucines, dans des directions imprévues, fait
penser au nez de Mascarille[2] plutôt qu'à celui de Salomon.
Mais Bloch n'ayant pas été assoupli par la gymnastique
du « Faubourg », ni ennobli par un croisement avec
l'Angleterre ou l'Espagne, restait, pour un amateur
d'exotisme, aussi étrange et savoureux à regarder, malgré
son costume européen, qu'un Juif de Decamps[3]. Admirable puissance de la race qui du fond des siècles pousse
en avant jusque dans le Paris moderne, dans les couloirs
de nos théâtres, derrière les guichets de nos bureaux, à
un enterrement, dans la rue, une phalange intacte, stylisant
la coiffure moderne, absorbant, faisant oublier, disciplinant
la redingote, demeurée en somme toute pareille à celle
des scribes assyriens peints en costume de cérémonie qui[a]
à la frise d'un monument de Suse défend les portes du
palais de Darius[4]. (Une heure plus tard, Bloch allait se
figurer que c'était par malveillance antisémitique que
M. de Charlus s'informait s'il portait un prénom juif,
alors que c'était simplement par curiosité esthétique et
amour de la couleur locale.) Mais, au reste, parler de
permanence de races rend inexactement l'impression que
nous recevons des Juifs, des Grecs, des Persans, de tous
ces peuples auxquels il vaut mieux laisser leur variété.
Nous connaissons, par les peintures antiques, le visage des
anciens Grecs, nous avons vu des Assyriens au fronton d'un
palais de Suse. Or il nous semble, quand nous rencontrons
dans le monde des Orientaux appartenant à tel ou tel
groupe, être en présence de créatures que la puissance du
spiritisme aurait fait apparaître. Nous ne connaissions
qu'une image superficielle ; voici qu'elle a pris de la
profondeur, qu'elle s'étend dans les trois dimensions,
qu'elle bouge. La jeune dame grecque, fille d'un riche
banquier, et à la mode en ce moment, a l'air d'une de
ces figurantes qui, dans un ballet historique et esthétique
à la fois, symbolisent, en chair et en os, l'art hellénique[5] ;
encore, au théâtre, la mise en scène banalise-t-elle ces
images ; au contraire, le spectacle auquel l'entrée dans un

salon d'une Turque, d'un Juif, nous fait assister, en animant les figures, les rend plus étranges, comme s'il s'agissait en effet d'êtres évoqués par un effort médiumnimique. C'est l'âme (ou plutôt le peu de chose auquel se réduit, jusqu'ici du moins, l'âme, dans ces sortes de matérialisations), c'est l'âme, entrevue auparavant par nous dans les seuls musées, l'âme des Grecs anciens, des anciens Juifs, arrachée à une vie tout à la fois insignifiante et transcendentale, qui semble exécuter devant nous cette mimique déconcertante. Dans la jeune dame grecque qui se dérobe, ce que nous voudrions vainement étreindre, c'est une figure jadis admirée aux flancs d'un vase. Il me semblait que si j'avais dans la lumière du salon de Mme de Villeparisis pris des clichés d'après Bloch, ils eussent donné d'Israël cette même image, si troublante parce qu'elle ne paraît pas émaner de l'humanité, si décevante parce que tout de même elle ressemble trop à l'humanité, que nous montrent les photographies spirites. Il n'est pas, d'une façon plus générale, jusqu'à la nullité des propos tenus par les personnes au milieu desquelles nous vivons qui ne nous donne l'impression du surnaturel, dans notre pauvre monde de tous les jours où même un homme de génie de qui nous attendons, rassemblés comme autour d'une table tournante, le secret de l'infini, prononce seulement ces paroles — les mêmes qui venaient de sortir des lèvres de Bloch : « Qu'on fasse attention à mon chapeau haute forme. »

« Mon Dieu, les ministres, mon cher Monsieur » était en train de dire Mme de Villeparisis s'adressant plus particulièrement à mon ancien camarade et renouant le fil[a] d'une conversation que mon entrée avait interrompue, « personne ne voulait les voir. Si petite que je fusse, je me rappelle encore le roi priant mon grand-père d'inviter M. Decazes[1] à une redoute où mon père devait danser avec la duchesse de Berry[2]. "Vous[b] me ferez plaisir, Florimond", disait le roi. Mon grand-père, qui était un peu sourd, ayant entendu M. de Castries[3], trouvait la demande toute naturelle. Quand il comprit qu'il s'agissait de M. Decazes, il eut un moment de révolte, mais s'inclina et écrivit[c] le soir même à M. Decazes en le suppliant de lui faire la grâce et l'honneur d'assister à son bal qui avait lieu la semaine suivante[4]. Car on était poli, monsieur, dans ce temps-là, et une maîtresse de maison n'aurait pas su se contenter d'envoyer sa carte en ajoutant à la main : "une tasse de thé", ou "thé dansant", ou "thé musical". Mais si on savait la politesse, on n'ignorait pas non plus l'impertinence. M. Decazes accepta, mais la veille[a] du bal on apprenait que mon grand-père se sentant souffrant avait décommandé la redoute. Il avait obéi au roi, mais il n'avait pas eu M. Decazes à son bal[b]... Oui, monsieur, je me souviens très bien de M. Molé, c'était un homme d'esprit, il l'a prouvé quand il a reçu M. de Vigny à l'Académie, mais il était très solennel et je le vois encore descendant dîner chez lui son chapeau haute forme à la main[1].

— Ah ! c'est bien évocateur d'un temps assez pernicieusement philistin, car c'était sans doute une habitude universelle d'avoir son chapeau à la main chez soi », dit Bloch, désireux de profiter de cette occasion si rare de s'instruire, auprès d'un témoin oculaire, des particularités de la vie aristocratique d'autrefois, tandis que l'archiviste, sorte de secrétaire intermittent de la marquise, jetait sur elle des regards attendris et semblait nous dire : « Voilà comme elle est, elle sait tout, elle a connu tout le monde, vous pouvez l'interroger sur ce que vous voudrez, elle est extraordinaire. »

« Mais non », répondit Mme de Villeparisis tout en disposant plus près d'elle le verre où trempaient les cheveux de Vénus que tout à l'heure elle recommencerait à peindre, « c'était une habitude à M. Molé, tout simplement[2]. Je n'ai jamais vu mon père avoir son chapeau chez lui, excepté, bien entendu, quand le roi venait, puisque le roi étant partout chez lui, le maître de la maison n'est plus qu'un visiteur dans son propre salon.

— Aristote nous a dit dans le chapitre II[3]... », hasarda M. Pierre, l'historien de la Fronde, mais si timidement que personne n'y fit attention. Atteint depuis quelques semaines d'insomnies nerveuses qui résistaient à tous les traitements, il ne se couchait plus et, brisé de fatigue, ne sortait que quand ses travaux rendaient nécessaire qu'il se déplaçât. Incapable de recommencer souvent ces expéditions si simples pour d'autres mais qui lui coûtaient autant que si pour les faire il descendait de la lune, il était surpris de trouver souvent que la vie de chacun n'était pas organisée d'une façon permanente pour donner leur maximum d'utilité aux brusques élans de la sienne. Il trouvait parfois fermée une bibliothèque qu'il n'était allé voir qu'en se campant artificiellement debout et dans une redingote comme un homme de Wells[1]. Par bonheur il avait rencontré Mme de Villeparisis chez elle et allait voir le portrait.

Bloch lui coupa la parole.

« Vraiment », dit-il en répondant à ce que venait de dire Mme de Villeparisis au sujet du protocole réglant les visites royales, « je ne savais absolument pas cela » (comme s'il était étrange qu'il ne le sût pas).

« À propos de ce genre de visites, vous savez la plaisanterie stupide que m'a faite hier matin mon neveu Basin ? demanda Mme de Villeparisis à l'archiviste. Il m'a fait dire, au lieu de s'annoncer, que c'était la reine de Suède[2] qui demandait à me voir.

— Ah ! il vous a fait dire cela froidement comme cela ! Il en a de bonnes ! » s'écria Bloch en s'esclaffant, tandis que l'historien souriait avec une timidité majestueuse[a].

« J'étais assez étonnée parce que je n'étais revenue de la campagne que depuis quelques jours ; j'avais demandé pour être un peu tranquille qu'on ne dise à personne que j'étais à Paris, et je me demandais comment la reine de Suède le savait déjà », reprit[b] Mme de Villeparisis laissant ses visiteurs étonnés qu'une visite de la reine de Suède ne fût en elle-même rien d'anormal pour leur hôtesse.

Certes[c] si le matin Mme de Villeparisis avait compulsé avec l'archiviste la documentation de ses Mémoires, en ce moment elle en essayait à son insu le mécanisme et le sortilège sur un public moyen, représentatif de celui où se recruteraient un jour ses lecteurs. Le salon de Mme de Villeparisis pouvait se différencier d'un salon véritablement élégant d'où auraient été absentes beaucoup de bourgeoises qu'elle recevait et où on aurait vu en revanche telles des dames brillantes que Mme Leroi avait fini par attirer, mais cette nuance n'est pas perceptible dans ses Mémoires, où certaines relations médiocres qu'avait l'auteur disparaissent, parce qu'elles n'ont pas l'occasion d'y être citées ; et des visiteuses qu'il n'avait pas n'y font pas faute, parce que dans l'espace forcément restreint qu'offrent ces Mémoires, peu de personnes peuvent figurer et que, si ces personnes sont des personnages princiers, des personnalités historiques, l'impression maximum d'élégance que des Mémoires puissent donner au public se trouve atteinte. Au jugement de Mme Leroi, le salon de Mme de Villeparisis était un salon de troisième ordre ; et Mme de Villeparisis souffrait du jugement de Mme Leroi. Mais personne ne sait plus guère aujourd'hui qui était Mme Leroi, son jugement s'est évanoui, et c'est le salon de Mme de Villeparisis, où fréquentait la reine de Suède, où avaient fréquenté le duc d'Aumale, le duc de Broglie, Thiers[1], Montalembert[2], Mgr Dupanloup[3], qui sera[a] considéré comme un des plus brillants du XIXe siècle par cette postérité qui n'a pas changé depuis les temps d'Homère et de Pindare, et pour qui le rang enviable c'est la haute naissance, royale ou quasi royale, l'amitié des rois, des chefs du peuple, des hommes illustres[4].

Or, de tout cela Mme de Villeparisis avait un peu dans son salon actuel et dans les souvenirs, quelquefois retouchés légèrement, à l'aide desquels elle le prolongeait dans le passé. Puis M. de Norpois, qui n'était pas capable de refaire une vraie situation à son amie, lui amenait en revanche les hommes d'État étrangers ou français qui avaient besoin de lui et savaient que la seule manière efficace de lui faire leur cour était de fréquenter chez Mme de Villeparisis. Peut-être Mme Leroi connaissait-elle aussi ces éminentes personnalités européennes. Mais en femme agréable et qui fuit le ton des bas bleus, elle se gardait de parler de la question d'Orient[5] aux premiers ministres aussi bien que de l'essence de l'amour aux romanciers et aux philosophes. « L'amour ? avait-elle répondu une fois à une dame prétentieuse qui lui avait demandé : "Que pensez-vous de l'amour ?" L'amour ? je le fais souvent mais je n'en parle jamais[6]. » Quand elle avait chez elle de ces célébrités de la littérature et de la politique, elle se contentait, comme la duchesse de Guermantes, de les faire jouer au poker[b]. Ils aimaient souvent mieux cela que les grandes conversations à idées générales où les contraignait Mme de Villeparisis. Mais ces conversations, peut-être ridicules dans le monde, ont fourni aux « Souvenirs » de Mme de Villeparisis de ces morceaux excellents, de ces dissertations politiques qui font bien dans des Mémoires comme dans les tragédies à la Corneille[c]. D'ailleurs les salons des Mme de Villeparisis peuvent seuls passer à la postérité parce que les Mme Leroi ne savent pas écrire et, le sauraient-elles, n'en auraient pas

le temps. Et si les dispositions littéraires des Mme de Villeparisis sont la cause du dédain des Mme Leroi, à son tour
le dédain des Mme Leroi sert singulièrement les dispositions littéraires des Mme de Villeparisis en faisant aux
dames bas bleus le loisir que réclame la carrière des lettres.
Dieu qui veut qu'il y ait quelques livres bien écrits souffle
pour cela ces dédains dans le cœur des Mme Leroi, car
il sait que si elles invitaient à dîner les Mme de Villeparisis,
celles-ci laisseraient immédiatement leur écritoire et
feraient atteler pour huit heures[a1].

Au bout d'un instant entra d'un pas lent et solennel une
vieille dame d'une haute taille et qui, sous son chapeau de
paille relevé, laissait voir une monumentale coiffure blanche à la Marie-Antoinette. Je ne savais pas alors qu'elle était
une des trois femmes[b] qu'on pouvait observer encore dans
la société parisienne et qui, comme Mme de Villeparisis,
tout en étant d'une grande naissance, avaient été réduites
pour des raisons qui se perdaient dans la nuit des temps et
qu'aurait pu nous dire seul quelque vieux beau de cette
époque à ne recevoir qu'une lie de gens dont on ne voulait
pas ailleurs. Chacune de ces dames[2] avait sa « duchesse de
Guermantes », sa nièce brillante qui venait lui rendre des
devoirs, mais ne serait pas parvenue à attirer chez elle la
« duchesse de Guermantes » d'une des deux autres.
Mme de Villeparisis était fort liée avec ces trois dames, mais
elle ne les aimait pas. Peut-être leur situation assez analogue
à la sienne lui en présentait-elle une image qui ne lui était
pas agréable. Puis, aigries, bas bleus, cherchant, par le
nombre des saynètes qu'elles faisaient jouer, à se donner
l'illusion d'un salon, elles avaient entre elles des rivalités
qu'une fortune assez délabrée au cours d'une existence peu
tranquille, les forçant à compter, à profiter du concours
gracieux d'un artiste, transformait en une sorte de lutte pour
la vie. De plus la dame à la coiffure de Marie-Antoinette,
chaque fois qu'elle voyait Mme de Villeparisis, ne pouvait
s'empêcher de penser que la duchesse de Guermantes
n'allait pas à ses vendredis. Sa consolation était qu'à ces
mêmes vendredis ne manquait jamais, en bonne parente,
la princesse de Poix[3], laquelle était sa Guermantes à elle et
qui n'allait jamais chez Mme de Villeparisis quoique
Mme de Poix fût amie intime de la duchesse.

Néanmoins de l'hôtel du quai Malaquais aux salons de
la rue de Tournon, de la rue de la Chaise et du faubourg

Saint-Honoré, un lien aussi fort que détesté unissait les trois divinités[a] déchues desquelles j'aurais bien voulu apprendre, en feuilletant quelque dictionnaire mythologique de la société, quelle aventure galante, quelle outrecuidance sacrilège, avaient amené la punition. La même origine brillante, la même déchéance actuelle entraient peut-être pour beaucoup dans telle nécessité qui les poussait, en même temps qu'à se haïr, à se fréquenter. Puis chacune d'elles trouvait dans les autres un moyen commode de faire des politesses à ses visiteurs[b]. Comment ceux-ci n'eussent-ils pas cru pénétrer dans le faubourg le plus fermé, quand on les présentait à une dame fort titrée dont la sœur avait[c] épousé un duc de Sagan ou un prince de Ligne ? D'autant plus qu'on parlait infiniment plus dans les journaux de ces prétendus salons que des vrais. Même les neveux « gratin » à qui un camarade demandait de les mener dans le monde (Saint-Loup tout le premier) disaient : « Je vous conduirai chez ma tante Villeparisis, ou chez ma tante X, c'est un salon intéressant. » Ils savaient surtout que cela leur donnerait moins de peine que de faire pénétrer lesdits amis chez les nièces ou belles-sœurs élégantes de ces dames. Les hommes très âgés, les jeunes femmes qui l'avaient appris d'eux, me dirent que si ces vieilles dames n'étaient pas reçues, c'était à cause du dérèglement extraordinaire de leur conduite, lequel, quand j'objectai que ce n'est pas un empêchement à l'élégance, me fut représenté comme ayant dépassé toutes les proportions aujourd'hui connues. L'inconduite de ces dames solennelles qui se tenaient assises toutes droites prenait, dans la bouche de ceux qui en parlaient, quelque chose que je ne pouvais imaginer, proportionné à la grandeur des époques antéhistoriques, à l'âge du Mammouth. Bref ces trois Parques à cheveux blancs, bleus ou roses avaient filé le mauvais coton d'un nombre incalculable de messieurs[1]. Je pensais que les hommes d'aujourd'hui exagéraient les vices de ces temps fabuleux, comme les Grecs qui composèrent Icare, Thésée, Hercule avec des hommes qui avaient été peu différents de ceux qui longtemps après les divinisaient. Mais on ne fait la somme des vices d'un être que quand il n'est plus guère en état de les exercer, et qu'à la grandeur du châtiment social, qui commence à s'accomplir et qu'on constate seul, on mesure, on imagine, on exagère celle du crime qui a été commis. Dans cette galerie de figures symboliques qu'est le « monde », les femmes véritablement légères, les Messalines[1] complètes, présentent toujours l'aspect solennel d'une dame d'au moins soixante-dix ans, hautaine, qui reçoit tant qu'elle peut, mais non qui elle veut, chez qui ne consentent pas à aller les femmes dont la conduite prête un peu à redire, à laquelle le pape donne toujours sa « rose d'or[2] », et qui quelquefois a écrit sur la jeunesse de Lamartine un ouvrage couronné par l'Académie française[3]. « Bonjour Alix[a] », dit Mme de Villeparisis à la dame à coiffure blanche de Marie-Antoinette, laquelle dame jetait un regard perçant sur l'assemblée afin de dénicher s'il n'y avait pas dans ce salon quelque morceau qui pût être utile pour le sien et que, dans ce cas, elle devrait découvrir elle-même, car Mme de Villeparisis, elle n'en doutait pas, serait assez maligne pour essayer de le lui cacher. C'est ainsi que Mme de Villeparisis eut grand soin de ne pas présenter Bloch à la vieille dame de peur qu'il ne fît jouer la même saynète que chez elle dans l'hôtel du quai Malaquais. Ce n'était d'ailleurs qu'un rendu. Car la vieille dame avait eu la veille Mme Ristori[4] qui avait dit des vers, et avait eu soin que Mme de Villeparisis à qui elle avait chipé l'artiste italienne ignorât l'événement avant qu'il fût accompli. Pour que celle-ci ne l'apprît pas par les journaux et ne s'en trouvât pas froissée, elle venait le lui raconter, comme ne se sentant pas coupable. Mme de Villeparisis, jugeant que ma présentation n'avait pas les mêmes inconvénients que celle de Bloch, me nomma à la Marie-Antoinette du quai. Celle-ci[b] cherchant, en faisant le moins de mouvements possible, à garder dans sa vieillesse cette ligne de déesse de Coysevox[5] qui avait[c], il y a bien des années, charmé la jeunesse élégante et que de faux hommes de lettres célébraient maintenant dans des bouts rimés — ayant pris d'ailleurs l'habitude de la raideur hautaine et compensatrice, commune à toutes les personnes qu'une disgrâce particulière oblige à faire perpétuellement des avances — abaissant légèrement la tête avec une majesté glaciale et la tournant d'un autre côté ne s'occupa pas plus de moi que si je n'eusse pas existé. Son attitude à double fin semblait dire à Mme de Villeparisis : « Vous voyez que je n'en suis pas à une relation près et que les petits jeunes — à aucun point de vue, mauvaise langue — ne m'intéressent pas. » Mais quand, un quart d'heure après, elle se retira, profitant du tohu-bohu elle me glissa à l'oreille de venir le vendredi suivant dans sa loge, avec une des trois dont[a] le nom éclatant — elle était d'ailleurs née Choiseul[1] — me fit un prodigieux effet.

« Monsieur, j'crrois[b] que vous voulez écrire quelque chose sû Mme la duchesse[c] de Montmorency », dit Mme de Villeparisis à l'historien de la Fronde, avec cet air bougon dont, à son insu, sa grande amabilité était froncée par le recroquevillement boudeur, le dépit physiologique de la vieillesse, ainsi que par l'affectation d'imiter le ton presque paysan de l'ancienne aristocratie. « J'vais vous montrer son portrait, l'original de la copie qui est au Louvre. »

Elle se leva en posant ses pinceaux près de ses fleurs, et le petit tablier qui apparut alors à sa taille et qu'elle portait pour ne pas se salir avec ses couleurs, ajoutait encore à l'impression presque d'une campagnarde que donnaient son bonnet et ses grosses lunettes et contrastait avec le luxe de sa domesticité, du maître d'hôtel qui avait apporté le thé et les gâteaux, du valet de pied en livrée qu'elle sonna pour éclairer le portrait de la duchesse de Montmorency, abbesse dans un des plus célèbres chapitres de l'Est[2]. Tout le monde s'était levé. « Ce qui est assez amusant, dit-elle, c'est que dans ces chapitres où nos grand-tantes étaient souvent abbesses, les filles du roi de France n'eussent pas été admises. C'étaient des chapitres très fermés. — Pas admises, les filles du Roi, pourquoi cela ? demanda Bloch stupéfait. — Mais parce que la Maison de France n'avait plus assez de quartiers depuis qu'elle s'était mésalliée. » L'étonnement de Bloch allait grandissant. « Mésalliée, la Maison de France ? Comment ça ? — Mais en s'alliant aux Médicis[3], répondit Mme de Villeparisis du ton le plus naturel. Le portrait est beau, n'est-ce pas ? et dans un état de conservation parfaite », ajouta-t-elle.

« Ma chère amie, dit la dame coiffée à la Marie-Antoinette, vous vous rappelez que quand je vous ai amené Liszt, il vous a dit que c'était celui-là qui était la copie.

— Je m'inclinerai devant une opinion de Liszt en musique, mais pas en peinture ! D'ailleurs, il était déjà gâteux et je ne me rappelle pas qu'il ait jamais dit cela. Mais ce n'est pas vous qui me l'avez amené. J'avais dîné vingt fois avec lui, chez la princesse de Sayn-Wittgenstein[1]. »

Le coup d'Alix avait raté, elle se tut, resta debout et immobile. Des couches de poudre plâtrant son visage, celui-ci avait l'air d'un visage de pierre. Et comme le profil était noble, elle semblait, sur un socle triangulaire et moussu caché par le mantelet, la déesse effritée d'un parc.

« Ah ! voilà[a] encore un autre beau portrait », dit l'historien.

La porte s'ouvrit et la duchesse de Guermantes entra.

« Tiens, bonjour[b] » lui dit sans un signe de tête Mme de Villeparisis en tirant d'une poche de son tablier une main qu'elle tendit à la nouvelle arrivante ; et cessant aussitôt de s'occuper d'elle pour se retourner vers l'historien. « C'est le portrait de la duchesse de La Rochefoucauld... »

Un jeune domestique, à l'air hardi et à la figure charmante (mais rognée si juste pour rester parfaite que le nez était un peu rouge et la peau légèrement enflammée, comme s'ils gardaient quelque trace de la récente et sculpturale incision) entra portant une carte sur un plateau.

« C'est ce monsieur qui est déjà venu plusieurs fois pour voir Madame la marquise.

— Est-ce que vous lui avez dit que je recevais ?

— Il a entendu causer.

— Hé bien ! soit, faites-le entrer. C'est un monsieur qu'on m'a présenté, dit Mme de Villeparisis. Il m'a dit qu'il désirait beaucoup être reçu ici. Jamais je ne l'ai autorisé à venir. Mais enfin voilà cinq fois qu'il se dérange, il ne faut pas froisser les gens. Monsieur, me dit-elle, et vous, Monsieur, ajouta-t-elle en désignant l'historien de la Fronde, je vous présente ma nièce, la duchesse de Guermantes. »

L'historien s'inclina profondément ainsi que moi et, semblant supposer que quelque réflexion cordiale devait suivre ce salut, ses yeux s'animèrent et il s'apprêtait à ouvrir la bouche quand il fut refroidi par l'aspect de Mme de Guermantes qui avait profité de l'indépendance de son torse pour le jeter en avant avec une politesse exagérée et le ramener avec justesse sans que son visage et son regard eussent paru avoir remarqué qu'il y avait quelqu'un devant eux ; après avoir poussé un léger soupir, elle se contenta de manifester la nullité de l'impression que lui produisaient la vue de l'historien et la mienne en exécutant certains mouvements des ailes du nez avec une précision qui attestait l'inertie absolue de son attention désœuvrée.

Le visiteur importun entra, marchant droit vers Mme de Villeparisis d'un air ingénu et fervent, c'était Legrandin.

« Je vous remercie beaucoup de me recevoir, Madame » dit-il en insistant sur le mot « beaucoup » : c'est un plaisir d'une qualité tout à fait rare et subtile que vous faites à un vieux solitaire, je vous assure que sa répercussion... »

Il s'arrêta net en m'apercevant.

« Je montrais à monsieur le beau portrait de la duchesse de La Rochefoucauld, femme de l'auteur des *Maximes*[1], il me vient de famille. »

Mme de Guermantes, elle, salua Alix, en s'excusant de n'avoir pu, cette année comme les autres, aller la voir. « J'ai eu de vos nouvelles par Madeleine[2] », ajouta-t-elle.

« Elle a déjeuné chez moi ce matin » dit la marquise du quai Malaquais avec la satisfaction de penser que Mme de Villeparisis n'en pourrait jamais dire autant.

Cependant je causais avec Bloch et craignant, d'après ce qu'on m'avait dit du changement à son égard de son père, qu'il n'enviât ma vie, je lui dis que la sienne devait être plus heureuse. Ces paroles étaient de ma part un simple effet de l'amabilité. Mais elle persuade aisément de leur bonne chance ceux qui ont beaucoup d'amour-propre, ou leur donne le désir d'en persuader les autres. « Oui, j'ai en effet une vie délicieuse, me dit Bloch d'un air de béatitude. J'ai trois grands amis, je n'en voudrais pas un de plus, une maîtresse adorable, je suis infiniment heureux. Rare est le mortel à qui le père Zeus accorde tant de félicités. » Je crois qu'il cherchait surtout à se louer et à me faire envie. Peut-être aussi y avait-il quelque désir d'originalité dans son optimisme. Il fut visible qu'il ne voulait pas répondre les mêmes banalités que tout le monde : « Oh ! ce n'était rien, etc. » quand, à ma question : « Était-ce joli ? » posée à propos d'une matinée dansante donnée chez lui et à laquelle je n'avais pu aller, il me répondit d'un air uni, indifférent comme s'il s'était agi d'un autre : « Mais oui, c'était très joli, on ne peut plus réussi. C'était vraiment ravissant. »

« Ce que vous nous apprenez là[a] m'intéresse infiniment,

dit Legrandin à Mme de Villeparisis, car je me disais justement l'autre jour que vous teniez beaucoup de lui par la netteté alerte du tour, par quelque chose que j'appellerai de deux termes contradictoires, la rapidité lapidaire et l'instantané immortel. J'aurais voulu ce soir prendre en note toutes les choses que vous dites ; mais je les retiendrai. Elles sont, d'un mot qui est je crois de Joubert, amies de la mémoire[1]. Vous n'avez jamais lu Joubert ? Oh ! vous lui auriez tellement plu ! Je me permettrai dès ce soir de vous envoyer ses œuvres, très fier de vous présenter son esprit. Il n'avait pas votre force. Mais il avait aussi bien de la grâce. »

J'avais voulu tout de suite aller dire bonjour à Legrandin, mais il se tenait constamment le plus éloigné de moi qu'il pouvait, sans doute dans l'espoir que je n'entendisse pas les flatteries qu'avec un grand raffinement d'expression, il ne cessait à tout propos de prodiguer à Mme de Villeparisis.

Elle haussa[a] les épaules en souriant comme s'il avait voulu se moquer et se tourna vers l'historien.

« Et celle-ci, c'est la fameuse Marie de Rohan, duchesse de Chevreuse, qui avait épousé en premières noces[b] M. de Luynes[2].

— Ma chère, Mme de Luynes me fait penser à Yolande[3] ; elle est venue hier chez moi, si j'avais su que vous n'aviez votre soirée prise par personne, je vous aurais envoyé chercher ; Mme Ristori, qui est venue à l'improviste, a dit devant l'auteur des vers de la reine Carmen Sylva[4], c'était d'une beauté ! »

« Quelle perfidie ! pensa Mme de Villeparisis. C'est sûrement de cela qu'elle parlait tout bas, l'autre jour, à Mme de Beaulaincourt et à Mme de Chaponay[5]. » « J'étais libre, mais je ne serais pas venue, répondit-elle. J'ai entendu Mme Ristori dans son beau temps, ce n'est plus qu'une ruine. Et puis je déteste les vers de Carmen Sylva. La Ristori est venue ici une fois, amenée par la duchesse d'Aoste[6], dire un chant de *L'Enfer*, de Dante. Voilà où elle est incomparable. »

Alix supporta le coup sans faiblir. Elle restait de marbre. Son regard était perçant et vide, son nez noblement arqué. Mais une joue s'écaillait. Des végétations légères, étranges, vertes et roses, envahissaient le menton. Peut-être un hiver de plus la jetterait bas.

« Tenez, Monsieur, si vous aimez la peinture, regardez le portrait de Mme de Montmorency » dit Mme de Villeparisis à Legrandin pour interrompre les compliments qui recommençaient.

Profitant de ce qu'il s'était éloigné, Mme de Guermantes le désigna à sa tante d'un regard ironique et interrogateur.

« C'est M. Legrandin, dit à mi-voix Mme de Villeparisis, il a une sœur qui s'appelle Mme de Cambremer, ce qui ne doit pas du reste te dire plus qu'à moi.

— Comment, mais je la connais parfaitement, s'écria en mettant sa main devant sa bouche Mme de Guermantes. Ou plutôt je ne la connais pas, mais je ne sais pas ce qui à pris à Basin, qui rencontre Dieu sait où le mari, de dire à cette grosse femme de venir me voir. Je ne peux pas vous dire ce que ç'a été que sa visite. Elle m'a raconté qu'elle était allée à Londres, elle m'a énuméré tous les tableaux du British[1]. Telle que vous me voyez, en sortant de chez vous je vais fourrer un carton chez ce monstre. Et ne croyez pas que ce soit des plus faciles, car sous prétexte qu'elle est mourante elle est toujours chez elle et, qu'on y aille à sept heures du soir ou à neuf heures du matin, elle est prête à vous offrir des tartes aux fraises. Mais bien entendu, voyons, c'est un monstre, dit Mme de Guermantes à un regard interrogatif de sa tante. C'est une personne impossible : elle dit "plumitif", enfin des choses comme ça. — Qu'est-ce que ça veut dire "plumitif" ? demanda Mme de Villeparisis à sa nièce.

— Mais je n'en sais rien ! s'écria la duchesse avec une indignation feinte. Je ne veux pas le savoir. Je ne parle pas ce français-là. » Et voyant que sa tante ne savait vraiment pas ce que voulait dire plumitif, pour avoir la satisfaction de montrer qu'elle était savante autant que puriste et pour se moquer de sa tante après s'être moquée de Mme de Cambremer : « Mais si », dit-elle avec un demi-rire que les restes de la mauvaise humeur jouée réprimaient, « tout le monde sait ça, un plumitif c'est un écrivain, c'est quelqu'un qui tient une plume. Mais c'est une horreur de mot. C'est à vous faire tomber vos dents de sagesse. Jamais on ne me ferait dire ça. Comment, c'est le frère ! je n'ai pas encore réalisé. Mais au fond ce n'est pas incompréhensible. Elle a la même humilité de descente de lit et les mêmes ressources de bibliothèque tournante. Elle est aussi flagorneuse que lui et aussi embêtante. Je commence à me faire assez bien à l'idée de cette parenté.

— Assieds-toi, on va prendre un peu de thé, dit Mme de Villeparisis à Mme de Guermantes, sers-toi toi-même, toi tu n'as pas besoin de voir les portraits de tes arrière-grand-mères, tu les connais aussi bien que moi. »

Mme de Villeparisis revint bientôt s'asseoir et se mit à peindre. Tout le monde se rapprocha, j'en profitai pour aller vers Legrandin et, ne trouvant rien de coupable à sa présence chez Mme de Villeparisis, je lui dis sans songer combien j'allais à la fois le blesser et lui faire croire à l'intention de le blesser : « Eh bien, Monsieur, je suis presque excusé d'être dans un salon puisque je vous y trouve. » M. Legrandin conclut de ces paroles (ce fut du moins le jugement qu'il porta sur moi quelques jours plus tard) que j'étais un petit être foncièrement méchant qui ne se plaisait qu'au mal.

« Vous pourriez avoir la politesse de commencer par me dire bonjour », me répondit-il sans me donner la main et d'une voix rageuse et vulgaire que je ne lui soupçonnais pas et qui, nullement en rapport rationnel avec ce qu'il disait d'habitude, en avait un autre plus immédiat et plus saisissant avec quelque chose qu'il éprouvait. C'est que, ce que nous éprouvons, comme nous sommes décidés à toujours le cacher, nous n'avons jamais pensé à la façon dont nous l'exprimerions. Et tout d'un coup, c'est en nous une bête immonde et inconnue qui se fait entendre et dont l'accent parfois peut aller jusqu'à faire aussi peur à qui reçoit cette confidence involontaire, elliptique et presque irrésistible de votre défaut ou de votre vice, que ferait l'aveu soudain indirectement et bizarrement proféré par un criminel ne pouvant s'empêcher de confesser un meurtre dont vous ne le saviez pas coupable. Certes je savais bien que l'idéalisme, même subjectif, n'empêche pas de grands philosophes de rester gourmands ou de se présenter avec ténacité à l'Académie. Mais vraiment Legrandin n'avait pas besoin de rappeler si souvent qu'il appartenait à une autre planète quand tous ses mouvements convulsifs de colère ou d'amabilité étaient gouvernés par le désir d'avoir une bonne position dans celle-ci.

« Naturellement, quand on me persécute vingt fois de suite pour me faire venir quelque part, continua-t-il à voix basse, quoique j'aie bien droit à ma liberté, je ne peux pourtant pas agir comme un rustre. »

Mme de Guermantes s'était assise. Son nom[a], comme il était accompagné de son titre, ajoutait à sa personne physique son duché qui se projetait autour d'elle et faisait régner la fraîcheur ombreuse et dorée des bois de Guermantes au milieu du salon, à l'entour du pouf où elle était. Je me sentais seulement étonné que leur ressemblance ne fût pas plus lisible sur le visage de la duchesse, lequel n'avait rien de végétal et où tout au plus le couperosé des joues — qui auraient dû, semblait-il, être blasonnées par le nom de Guermantes — était l'effet, mais non l'image, de longues chevauchées au grand air. Plus tard, quand elle me fut devenue indifférente, je connus bien des particularités de la duchesse, et notamment (afin de m'en tenir pour le moment à ce dont je subissais déjà le charme alors sans savoir le distinguer) ses yeux, où était captif comme dans un tableau le ciel bleu d'une après-midi de France, largement découvert, baigné de lumière même quand elle ne brillait pas ; et une voix qu'on eût crue, aux premiers sons enroués, presque canaille, où traînait, comme sur les marches de l'église de Combray ou la pâtisserie de la place, l'or paresseux et gras d'un soleil de province. Mais ce premier jour je ne discernais rien, mon ardente attention volatilisait immédiatement le peu que j'eusse pu recueillir et où j'aurais pu retrouver quelque chose du nom de Guermantes. En tout cas je me disais que c'était bien elle que désignait[a] pour tout le monde le nom de duchesse de Guermantes : la vie inconcevable que ce nom signifiait, ce corps la contenait bien ; il venait de l'introduire au milieu d'êtres différents, dans ce salon qui la circonvenait de toutes parts et sur lequel elle exerçait une réaction si vive que je croyais voir, là où cette vie cessait de s'étendre, une frange d'effervescence en délimiter les frontières ; dans la circonférence que découpait sur le tapis le ballon de la jupe de pékin bleu, et dans les prunelles claires de la duchesse, à l'intersection des préoccupations, des souvenirs, de la pensée incompréhensible, méprisante, amusée et curieuse qui les remplissaient, et des images étrangères qui s'y reflétaient. Peut-être eussé-je été un peu moins ému si je l'eusse rencontrée chez Mme de Villeparisis à une soirée, au lieu de la voir ainsi à un des « jours » de la marquise, à un de ces thés qui ne sont pour les femmes qu'une courte halte au milieu de leur sortie et où gardant le chapeau avec lequel elles viennent de faire leurs courses elles apportent dans l'enfilade des salons la qualité de l'air du dehors et donnent plus jour sur Paris à la fin de l'après-midi que ne font les hautes fenêtres ouvertes dans lesquelles on entend les roulements des victorias : Mme de Guermantes était coiffée d'un canotier fleuri de bleuets ; et ce qu'ils m'évoquaient, ce n'était pas, sur les sillons de Combray où si souvent j'en avais cueilli, sur le talus contigu à la haie de Tansonville, les soleils[a] des lointaines années, c'était l'odeur et la poussière du crépuscule, telles qu'elles étaient tout à l'heure, au moment où Mme de Guermantes venait de les traverser, rue de la Paix. D'un air souriant, dédaigneux et vague, tout en faisant la moue avec ses lèvres serrées, de la pointe de son ombrelle comme de l'extrême antenne de sa vie mystérieuse, elle dessinait des ronds sur le tapis, puis, avec cette attention indifférente qui commence par ôter tout point de contact entre ce que l'on considère et soi-même, son regard fixait tour à tour chacun de nous, puis inspectait les canapés et les fauteuils mais en s'adoucissant alors de cette sympathie humaine qu'éveille la présence même insignifiante d'une chose que l'on connaît, d'une chose qui est presque une personne ; ces meubles n'étaient pas comme nous, ils étaient vaguement de son monde, ils étaient liés à la vie de sa tante ; puis du meuble de Beauvais ce regard était ramené à la personne qui y était assise et reprenait alors le même air de perspicacité et d'une désapprobation[b] que le respect de Mme de Guermantes pour sa tante l'eût empêchée d'exprimer, mais enfin qu'elle eût éprouvée si elle eût constaté sur les fauteuils au lieu de notre présence celle d'une tache de graisse ou d'une couche de poussière[c].

L'excellent écrivain G*** entra[d] ; il venait faire à Mme de Villeparisis une visite qu'il considérait comme une corvée. La duchesse, qui fut enchantée de le retrouver, ne lui fit pourtant pas signe, mais tout naturellement il vint près d'elle, le charme qu'elle avait, son tact, sa simplicité la lui faisant considérer comme une femme d'esprit. D'ailleurs la politesse lui faisait un devoir d'aller auprès d'elle, car, comme il était agréable et célèbre, Mme de Guermantes l'invitait souvent à déjeuner, même en tête à tête avec elle et son mari, ou, l'automne, à Guermantes, profitait de cette intimité pour le convier certains soirs à dîner avec des altesses curieuses de le rencontrer. Car la duchesse aimait à recevoir certains hommes d'élite, à la condition toutefois qu'ils fussent garçons, condition que, même mariés, ils remplissaient toujours pour elle, car comme leurs femmes, toujours plus ou moins vulgaires, eussent fait tache dans un salon où il n'y avait que les plus élégantes beautés de Paris, c'est toujours sans elles qu'ils étaient invités ; et le duc, pour prévenir toute susceptibilité, expliquait à ces veufs malgré eux que la duchesse ne recevait pas de femmes, ne supportait pas la société des femmes, presque comme si c'était par ordonnance du médecin et comme il eût dit qu'elle ne pouvait rester dans une chambre où il y avait des odeurs, manger trop salé, voyager en arrière ou porter un corset. Il est vrai que ces grands hommes voyaient chez les Guermantes la princesse de Parme, la princesse de Sagan (que Françoise, entendant toujours parler d'elle, finit par appeler, croyant ce féminin exigé par la grammaire, la Sagante), et bien d'autres, mais[a] on justifiait leur présence en disant que c'était la famille, ou des amies d'enfance qu'on ne pouvait éliminer. Persuadés ou non par les explications que le duc de Guermantes leur avait données sur la singulière maladie de la duchesse de ne pouvoir fréquenter des femmes, les grands hommes les transmettaient à leurs épouses. Quelques-unes pensaient que la maladie n'était qu'un prétexte pour cacher sa jalousie, parce que la duchesse voulait être seule à régner sur une cour d'adorateurs. De plus naïves encore pensaient que peut-être la duchesse avait un genre singulier, voire un passé scandaleux, que les femmes ne voulaient pas aller chez elle, et qu'elle donnait le nom de sa fantaisie à la nécessité. Les meilleures, entendant leur mari dire monts et merveilles de l'esprit de la duchesse, estimaient que celle-ci était si supérieure au reste des femmes qu'elle s'ennuyait dans leur société car elles ne savent parler de rien. Et il est vrai que la duchesse s'ennuyait auprès des femmes, si leur qualité princière ne leur donnait pas un intérêt particulier. Mais les épouses éliminées se trompaient quand elles s'imaginaient qu'elle ne voulait recevoir que des hommes pour pouvoir parler littérature, science et philosophie. Car elle n'en parlait jamais, du moins avec les grands intellectuels. Si, en vertu de la même tradition de famille qui fait que les filles de grands militaires gardent au milieu de leurs préoccupations les plus vaniteuses le respect des choses de l'armée, petite-fille de femmes qui avaient été liées avec Thiers, Mérimée et Augier, elle pensait qu'avant tout il faut garder dans son salon une place

aux gens d'esprit, mais avait d'autre part retenu de la façon
à la fois condescendante et intime dont ces hommes
célèbres étaient reçus à Guermantes le pli de considérer
les gens de talent comme des relations familières dont le
talent ne vous éblouit pas, à qui on ne parle pas de leurs
œuvres, ce qui ne les intéresserait d'ailleurs pas. Puis le
genre d'esprit Mérimée et Meilhac et Halévy, qui[a] était
le sien, la portait, par constraste avec le sentimentalisme
verbal d'une époque[b] antérieure, à un genre de conversation qui rejette tout ce qui est grandes phrases et
expression de sentiments élevés, et faisait qu'elle mettait
une sorte d'élégance quand elle était avec un poète ou
un musicien à ne parler que des plats qu'on mangeait ou
de la partie de cartes qu'on allait faire. Cette abstention
avait, pour un tiers peu au courant, quelque chose de
troublant qui allait jusqu'au mystère. Si Mme de Guermantes lui demandait s'il lui ferait plaisir d'être invité avec
tel poète célèbre, dévoré de curiosité il arrivait à l'heure
dite. La duchesse parlait au poète du temps qu'il faisait.
On passait à table. « Aimez-vous cette façon de faire les
œufs ? » demandait-elle au poète. Devant son assentiment,
qu'elle partageait, car tout ce qui était chez elle lui
paraissait exquis, jusqu'à un cidre affreux qu'elle faisait
venir de Guermantes : « Redonnez[c] des œufs à Monsieur », ordonnait-elle au maître d'hôtel, cependant que
le tiers, anxieux, attendait toujours ce qu'avaient sûrement
eu l'intention de se dire, puisqu'ils[d] avaient arrangé de
se voir malgré mille difficultés avant le départ du poète,
celui-ci et la duchesse. Mais le repas continuait, les plats
étaient enlevés les uns après les autres, non sans fournir
à Mme de Guermantes l'occasion de spirituelles plaisanteries ou de fines historiettes. Cependant le poète mangeait
toujours sans que duc ou duchesse eussent eu l'air de se
rappeler qu'il était poète. Et bientôt le déjeuner était fini
et on se disait adieu, sans avoir dit un mot de la poésie
que tout le monde pourtant aimait, mais dont, par une
réserve analogue à celle dont Swann m'avait donné
l'avant-goût, personne[e] ne parlait. Cette réserve était
simplement de bon ton. Mais pour le tiers, s'il y
réfléchissait un peu, elle avait quelque chose de fort
mélancolique et les repas du milieu Guermantes faisaient
alors penser à ces heures que des amoureux timides passent
souvent ensemble à parler de banalités jusqu'au moment

de se quitter, et sans que, soit timidité, pudeur, ou
maladresse, le grand secret qu'ils seraient plus heureux
d'avouer ait pu jamais passer de leur cœur à leurs lèvres.
D'ailleurs il faut ajouter que ce silence gardé sur les choses
profondes qu'on attendait toujours en vain le moment de
voir aborder, s'il pouvait passer pour caractéristique de
la duchesse, n'était pas chez elle absolu. Mme de Guermantes avait passé sa jeunesse dans un milieu un peu
différent, aussi aristocratique, mais moins brillant et surtout
moins futile que celui où elle vivait aujourd'hui, et de
grande culture. Il avait laissé à sa frivolité actuelle une
sorte de tuf plus solide, invisiblement nourricier et où
même la duchesse allait chercher (fort rarement car elle
détestait le pédantisme) quelque citation de Victor Hugo
ou de Lamartine qui, fort bien appropriée, dite avec un
regard senti de ses beaux yeux, ne manquait pas de
surprendre et de charmer. Parfois même[a], sans prétentions, avec pertinence et simplicité, elle donnait à un auteur
dramatique académicien quelque conseil sagace, lui faisait
atténuer une situation ou changer un dénouement.

Si, dans le salon de Mme de Villeparisis, tout autant
que dans l'église de Combray, au mariage de Mlle Percepied, j'avais peine à retrouver dans le beau visage, trop
humain, de Mme de Guermantes, l'inconnu de son nom,
je pensais du moins que, quand elle parlerait, sa causerie,
profonde, mystérieuse, aurait une étrangeté de tapisserie
médiévale, de vitrail gothique[b]. Mais pour que je n'eusse
pas été déçu[c] par les paroles que j'entendrais prononcer
à une personne qui s'appelait Mme de Guermantes, même
si je ne l'eusse pas aimée, il n'eût pas suffi que les paroles
fussent fines, belles et profondes, il eût fallu[d] qu'elles
reflétassent cette couleur amarante de la dernière syllabe
de son nom, cette couleur que je m'étais dès le premier
jour étonné de ne pas trouver dans sa personne et que
j'avais fait se réfugier dans sa pensée. Sans doute j'avais
déjà entendu Mme de Villeparisis, Saint-Loup, des gens
dont l'intelligence n'avait rien d'extraordinaire, prononcer
sans précaution ce nom de Guermantes, simplement
comme étant celui d'une personne qui allait venir en visite
ou avec qui on devait dîner, en n'ayant pas l'air de sentir
dans ce nom des arpents de bois[e] jaunissants et tout un
mystérieux coin de province. Mais ce devait être une
affectation de leur part comme quand les poètes classiques

ne nous avertissent pas des intentions profondes qu'ils ont
cependant eues, affectation que moi aussi je m'efforçais
d'imiter en disant sur le ton le plus naturel : la duchesse
de Guermantes, comme un nom qui eût ressemblé à
d'autres. Du reste tout le monde assurait que c'était une
femme très intelligente, d'une conversation spirituelle,
vivant dans une petite coterie des plus intéressantes :
paroles qui se faisaient complices de mon rêve. Car quand
ils disaient coterie intelligente, conversation spirituelle, ce
n'est nullement l'intelligence telle que je la connaissais que
j'imaginais, fût-ce celle des plus grands esprits, ce n'était
nullement de gens comme Bergotte que je composais cette
coterie. Non, par intelligence, j'entendais une faculté
ineffable, dorée, imprégnée d'une fraîcheur sylvestre.
Même en tenant les propos les plus intelligents (dans le
sens où je prenais le mot « intelligent » quand il s'agissait
d'un philosophe ou d'un critique), Mme de Guermantes
aurait peut-être déçu plus encore mon attente d'une faculté
si particulière, que si, dans une conversation insignifiante,
elle s'était contentée de parler de recettes de cuisine ou
de mobilier de château, de citer des noms de voisines ou
de parents à elle, qui m'eussent évoqué sa vie.

« Je croyais[a] trouver Basin ici[b], il comptait venir vous
voir, dit Mme de Guermantes à sa tante.

— Je ne l'ai pas vu, ton mari, depuis plusieurs jours,
répondit d'un ton susceptible et fâché Mme de Villeparisis.
Je ne l'ai pas vu, ou enfin peut-être une fois, depuis cette
charmante plaisanterie de se faire annoncer comme la reine
de Suède. »

Pour sourire Mme de Guermantes pinça le coin de ses
lèvres comme si elle avait mordu sa voilette.

« Nous avons dîné avec elle hier chez Blanche Leroi,
vous ne la reconnaîtriez pas, elle est devenu énorme, je
suis sûre qu'elle est malade.

— Je disais justement à ces messieurs que tu lui trouvais
l'air d'une grenouille. »

Mme de Guermantes fit entendre une espèce de bruit
rauque qui signifiait qu'elle ricanait par acquit de
conscience.

« Je ne savais pas que j'avais fait cette jolie comparaison,
mais, dans ce cas, maintenant c'est la grenouille qui a réussi
à devenir aussi grosse que le bœuf[1]. Ou plutôt ce n'est
pas tout à fait cela, parce que toute sa grosseur s'est

amoncelée sur le ventre, c'est plutôt une grenouille dans une position intéressante.

— Ah ! je trouve ton image drôle », dit Mme de Villeparisis qui était au fond assez fière pour ses visiteurs de l'esprit de sa nièce.

« Elle est surtout *arbitraire* », répondit Mme de Guermantes en détachant ironiquement cette épithète choisie, comme eût fait Swann, « car j'avoue n'avoir jamais vu de grenouille en couches. En tout cas cette grenouille, qui d'ailleurs ne demande pas de roi[1], car je ne l'ai jamais vue plus folâtre que depuis la mort de son époux, doit venir dîner à la maison un jour[a] de la semaine prochaine. J'ai dit que je vous préviendrais à tout hasard. »

Mme de Villeparisis fit entendre un sorte de grommellement indistinct[b].

« Je sais qu'elle a dîné avant-hier chez Mme de Mecklembourg, ajouta-t-elle. Il y avait Hannibal de Bréauté. Il est venu me le raconter, assez drôlement je dois dire.

— Il y avait à ce dîner quelqu'un de bien plus spirituel encore que Babal », dit Mme de Guermantes qui, si intime qu'elle fût avec M. de Bréauté-Consalvi, tenait à le montrer en l'appelant par ce diminutif. « C'est M. Bergotte. »

Je n'avais pas songé que Bergotte pût être considéré comme spirituel ; de plus il m'apparaissait comme mêlé à l'humanité intelligente, c'est-à-dire infiniment distant de ce royaume mystérieux que j'avais aperçu sous les voiles de pourpre[c] d'une baignoire et où M. de Bréauté, faisant rire la duchesse, tenait avec elle, dans la langue des Dieux, cette chose inimaginable : une conversation entre gens du faubourg Saint-Germain. Je fus navré de voir l'équilibre se rompre et Bergotte passer par-dessus M. de Bréauté. Mais, surtout, je fus[d] désespéré d'avoir évité Bergotte le soir de *Phèdre*, de ne pas être allé à lui, en entendant Mme de Guermantes dire à Mme de Villeparisis :

« C'est la seule personne que j'aie envie de connaître », ajouta la duchesse en qui on pouvait toujours, comme au moment d'une marée spirituelle, voir le flux d'une curiosité à l'égard des intellectuels célèbres croiser en route le reflux du snobisme aristocratique. « Cela[e] me ferait un plaisir ! »

La présence de Bergotte à côté de moi, présence qu'il m'eût été si facile d'obtenir, mais que j'aurais crue capable de donner une mauvaise idée de moi à Mme de Guermantes, eût sans doute eu au contraire pour résultat qu'elle m'eût fait signe de venir dans sa baignoire et m'eût demandé d'amener un jour déjeuner le grand écrivain.

« Il paraît qu'il n'a pas été très aimable, on l'a présenté à M. de Cobourg et il ne lui a pas dit un mot », ajouta Mme de Guermantes, en signalant ce trait curieux comme elle aurait raconté qu'un Chinois se serait mouché avec du papier. « Il ne lui a pas dit une fois "Monseigneur" », ajouta-t-elle, d'un air amusé par ce détail aussi important pour elle que le refus par un protestant, au cours d'une audience du pape, de se mettre à genoux devant Sa Sainteté.

Intéressée par ces particularités de Bergotte, elle n'avait d'ailleurs pas l'air de les trouver blâmables, et paraissait plutôt lui en faire un mérite sans qu'elle sût elle-même exactement de quel genre. Malgré cette façon étrange de comprendre l'originalité de Bergotte, il m'arriva plus tard de ne pas trouver tout à fait négligeable que Mme de Guermantes, au grand étonnement de beaucoup, trouvât Bergotte plus spirituel que M. de Bréauté. Ces jugements subversifs, isolés et malgré tout justes, sont ainsi portés dans le monde par de rares personnes supérieures aux autres. Et ils y dessinent les premiers linéaments de la hiérarchie des valeurs telle que l'établira la génération suivante au lieu de s'en tenir éternellement à l'ancienne.

Le comte d'Argencourt[a], chargé d'affaires de Belgique et petit-cousin par alliance de Mme de Villeparisis, entra[b] en boitant[c], suivi bientôt de deux jeunes gens, le baron de Guermantes et S. A. le duc de Châtellerault, à qui Mme de Guermantes dit : « Bonjour, mon petit Châtellerault », d'un air distrait et sans bouger de son pouf, car elle était une grande amie de la mère du jeune duc, lequel avait, à cause de cela et depuis son enfance, un extrême respect pour elle. Grands, minces, la peau et les cheveux dorés, tout à fait dans le type Guermantes, ces deux jeunes gens avaient l'air d'une condensation de la lumière printanière et vespérale qui inondait le grand salon. Suivant une habitude qui était à la mode à ce moment-là, ils posèrent leurs hauts de forme par terre, près d'eux. L'historien de la Fronde pensa qu'ils étaient gênés comme un paysan entrant à la mairie et ne sachant que faire de son chapeau. Croyant devoir venir charitablement en aide à la gaucherie et à la timidité qu'il leur supposait : « Non, «

non, leur dit-il, ne les posez pas par terre, vous allez les abîmer. »

Un regard du baron de Guermantes, en rendant oblique le plan de ses prunelles, y roula tout à coup une couleur d'un bleu cru et tranchant qui glaça le bienveillant historien.

« Comment s'appelle ce monsieur ? » me demanda le baron, qui venait de m'être présenté par Mme de Villeparisis.

« M. Pierre, répondis-je à mi-voix.

— Pierre de quoi ?

— Pierre, c'est son nom, c'est un historien de grande valeur.

— Ah !... vous m'en direz tant.

— Non, c'est une nouvelle habitude qu'ont ces messieurs de poser leurs chapeaux à terre, expliqua Mme de Villeparisis, je suis comme vous, je ne m'y habitue pas. Mais j'aime mieux cela que mon neveu Robert qui laisse toujours le sien dans l'antichambre[1]. Je lui dis, quand je le vois entrer ainsi, qu'il a l'air de l'horloger et je lui demande s'il vient remonter les pendules.

— Vous parliez tout à l'heure, madame la marquise, du chapeau de M. Molé, nous allons bientôt arriver à faire, comme Aristote, un chapitre des chapeaux[2] », dit l'historien de la Fronde, un peu rassuré par l'intervention de Mme de Villeparisis, mais pourtant d'une voix encore si faible que, sauf moi, personne ne l'entendit.

« Elle est vraiment étonnante, la petite duchesse », dit M. d'Argencourt en montrant Mme de Guermantes qui causait avec G. « Dès qu'il y a un homme en vue dans un salon, il est toujours à côté d'elle. Évidemment cela ne peut être que le grand pontife qui se trouve là. Cela ne peut pas être tous les jours M. de Borelli[3], Schlumberger[4] ou d'Avenel[5]. Mais alors ce sera M. Pierre Loti[6] ou M. Edmond Rostand[7]. Hier soir, chez les Doudeauville[8], où, entre parenthèses, elle était splendide sous son diadème d'émeraudes, dans une grande robe rose à queue, elle avait d'un côté d'elle M. Deschanel[9], de l'autre l'ambassadeur d'Allemagne[10] : elle leur tenait tête sur la Chine ; le gros public, à distance respectueuse, et qui n'entendait pas ce qu'ils disaient, se demandait s'il n'allait pas y avoir[a] la guerre. Vraiment on aurait dit une reine qui tenait le cercle. »

Chacun s'était rapproché de Mme de Villeparisis pour la voir peindre[a].

« Ces fleurs sont d'un rose vraiment céleste, dit Legrandin, je veux dire couleur de ciel rose. Car il y a un rose ciel comme il y a un bleu ciel. Mais, murmura-t-il pour tâcher de n'être entendu que de la marquise, je crois que je penche encore pour le soyeux, pour l'incarnat vivant de la copie que vous en faites. Ah ! vous laissez bien loin derrière vous Pisanello[1] et Van Huysum[2], leur herbier minutieux et mort[b]. »

Un artiste, si modeste qu'il soit, accepte toujours d'être préféré à ses rivaux et tâche seulement de leur rendre justice.

« Ce qui vous fait cet effet-là, c'est qu'ils peignaient des fleurs de ce temps-là que nous ne connaissons plus, mais ils avaient une bien grande science.

— Ah ! des fleurs de ce temps-là, comme c'est ingénieux, s'écria Legrandin.

— Vous peignez en effet de belles fleurs de cerisier... ou des roses de mai », dit l'historien de la Fronde non sans hésitation quant à la fleur, mais avec de l'assurance dans la voix, car il commençait à oublier l'incident des chapeaux.

« Non, ce sont des fleurs de pommier, dit la duchesse de Guermantes en s'adressant à sa tante.

— Ah ! je vois que tu es une bonne campagnarde ; comme moi, tu sais distinguer les fleurs.

— Ah ! oui, c'est vrai ! mais je croyais que la saison des pommiers était déjà passée, dit au hasard l'historien de la Fronde pour s'excuser.

— Mais non, au contraire, ils ne sont pas en fleurs, ils ne le seront pas avant une quinzaine, peut-être trois semaines », dit l'archiviste qui, gérant un peu les propriétés de Mme de Villeparisis, était plus au courant des choses de la campagne.

« Oui, et encore dans les environs de Paris où ils sont très en avance. En Normandie, par exemple, chez son père, dit-elle en désignant le duc de Châtellerault, qui a de magnifiques pommiers au bord de la mer, comme sur un paravent japonais, ils ne sont vraiment roses qu'après le 20 mai.

— Je ne les vois jamais, dit le jeune duc, parce que ça me donne la fièvre des foins, c'est épatant.

— La fièvre des foins, je n'ai jamais entendu parler de cela, dit l'historien.

— C'est la maladie à la mode, dit l'archiviste.

— Ça dépend, cela ne vous donnerait peut-être rien si c'est une année où il y a des pommes[a]. Vous savez le mot du Normand. Pour une année où il y a des pommes[1] », dit M. d'Argencourt, qui n'étant pas tout à fait français, cherchait à se donner l'air parisien.

« Tu as raison, répondit à sa nièce Mme de Villeparisis, ce sont des pommiers du Midi. C'est une fleuriste qui m'a envoyé ces branches-là en me demandant de les accepter. Cela vous étonne, monsieur Vallenères, dit-elle[b] en se tournant vers l'archiviste, qu'une fleuriste m'envoie des branches de pommier. Mais j'ai beau être une vieille dame, je connais du monde, j'ai quelques amis », ajouta-t-elle en souriant, par simplicité, crut-on généralement, plutôt, me sembla-t-il, parce qu'elle trouvait du piquant à tirer vanité de l'amitié d'une fleuriste quand on avait d'aussi grandes relations.

Bloch se leva pour venir à son tour admirer les fleurs que peignait Mme de Villeparisis.

« N'importe, marquise, dit l'historien regagnant sa chaise, quand même reviendrait une de ces révolutions qui ont si souvent ensanglanté l'histoire de France — et, mon Dieu, par les temps où nous vivons on ne peut savoir », ajouta-t-il en jetant un regard circulaire et circonspect comme pour voir s'il ne se trouvait aucun « mal pensant » dans le salon, encore qu'il n'en doutât pas, — « avec un talent pareil et vos cinq langues, vous seriez toujours sûre de vous tirer d'affaire. » L'historien de la Fronde goûtait quelque repos, car il avait oublié ses insomnies. Mais il se rappela soudain qu'il n'avait pas dormi depuis six jours ; alors une dure fatigue, née de son esprit, s'empara des jambes, lui fit courber les épaules, et son visage désolé pendait, pareil à celui d'un vieillard.

Bloch[c] voulut faire un geste pour exprimer son admiration mais d'un coup de coude il renversa le vase où était la branche et toute l'eau se répandit sur le tapis[2].

« Vous avez vraiment des doigts de fée », dit à la marquise l'historien qui, tournant le dos à ce moment-là, ne s'était pas aperçu de la maladresse de Bloch.

Mais celui-ci crut que ces mots s'appliquaient à lui, et pour cacher sous une insolence la honte de sa gaucherie :

« Cela ne présente aucune importance, dit-il, car je ne suis pas mouillé. »

Mme de Villeparisis sonna et un valet de pied vint essuyer le tapis et ramasser les morceaux de verre. Elle invita les deux jeunes gens à sa matinée[a] ainsi que la duchesse de Guermantes à qui elle recommanda :

« Pense à dire à Gisèle et à Berthe » (les duchesses d'Auberjon et de Portefin)« d'être là[b] un peu avant deux heures pour m'aider », comme elle aurait dit à des maîtres d'hôtel extras d'arriver d'avance pour faire les compotiers.

Elle n'avait avec ses parents princiers, pas plus qu'avec M. de Norpois, aucune de ces amabilités qu'elle avait avec l'historien, avec Cottard, avec Bloch, avec moi, et ils semblaient n'avoir pour elle d'autre intérêt que de les offrir en pâture à notre curiosité. C'est qu'elle savait qu'elle n'avait pas à se gêner avec des gens pour qui elle n'était pas une femme plus ou moins brillante, mais la sœur susceptible, et ménagée, de leur père ou de leur oncle. Il ne lui eût servi à rien de chercher à briller vis-à-vis d'eux, à qui cela ne pouvait donner le change sur le fort ou le faible de sa situation, et qui mieux que personne connaissaient son histoire et respectaient la race illustre dont elle était issue. Mais surtout ils n'étaient plus pour elle qu'un résidu mort qui ne fructifierait plus, ils ne lui feraient pas connaître leurs nouveaux amis, partager leurs plaisirs. Elle ne pouvait obtenir que leur présence ou la possibilité de parler d'eux à sa réception de cinq heures, comme plus tard dans ses Mémoires dont celle-ci n'était qu'une sorte de répétition, de première lecture à haute voix devant un petit cercle. Et la compagnie que tous ces nobles parents lui servaient à intéresser, à éblouir, à enchaîner, la compagnie des Cottard, des Bloch, des auteurs dramatiques notoires, historiens de la Fronde de tout genre, c'était dans celle-là que pour Mme de Villeparisis — à défaut de la partie du monde élégant qui n'allait pas chez elle — étaient le mouvement, la nouveauté, les divertissements et la vie ; c'étaient ces gens-là dont elle pouvait tirer des avantages sociaux (qui valaient bien qu'elle leur fît rencontrer quelquefois, sans qu'ils la connussent jamais, la duchesse de Guermantes) : des dîners avec des hommes remarquables dont les travaux l'avaient intéressée, un opéra-comique ou une pantomime toute montée que l'auteur faisait représenter chez elle, des loges pour des spectacles curieux. Bloch se leva pour partir. Il avait dit tout haut que l'incident du vase de fleurs renversé n'avait aucune importance, mais ce qu'il disait tout bas était différent, plus différent encore ce qu'il pensait : « Quand on n'a pas des domestiques assez bien stylés pour savoir placer un vase sans risquer de tremper et même de blesser les visiteurs, on ne se mêle pas d'avoir de ces luxes-là », grommelait-il tout bas. Il était de ces gens susceptibles et « nerveux » qui ne peuvent supporter d'avoir commis une maladresse qu'ils ne s'avouent pourtant pas, pour qui elle gâte toute la journée. Furieux, il se sentait des idées noires, ne voulait plus retourner dans le monde. C'était le moment où un peu de distraction est nécessaire. Heureusement, dans une seconde, Mme de Villeparisis allait le retenir. Soit parce qu'elle connaissait les opinions de ses amis et le flot d'antisémitisme qui commençait à monter, soit par distraction, elle ne l'avait pas présenté aux personnes qui se trouvaient là. Lui, cependant, qui avait peu l'usage du monde, crut qu'en s'en allant il devait les saluer, par savoir-vivre, mais sans amabilité ; il inclina[a] plusieurs fois le front, enfonça son menton barbu dans son faux col, regardant successivement chacun à travers son lorgnon, d'un air froid et mécontent. Mais Mme de Villeparisis l'arrêta ; elle avait encore à lui parler du petit acte qui devait être donné chez elle et d'autre part elle n'aurait pas voulu qu'il partît sans avoir eu la satisfaction de connaître M. de Norpois (qu'elle s'étonnait de ne pas voir entrer), et bien que cette présentation fût superflue, car Bloch était déjà résolu à persuader aux deux artistes dont il avait parlé de venir chanter à l'œil chez la marquise dans l'intérêt de leur gloire, à une de ces réceptions où fréquentait l'élite de l'Europe. Il avait même proposé en plus une tragédienne « aux yeux pers, belle comme Héra[1] », qui dirait des proses lyriques avec le sens de « la beauté plastique ». Mais à son nom Mme de Villeparisis avait refusé, car c'était l'amie de Saint-Loup.

« J'ai de meilleures nouvelles, me dit-elle à l'oreille, je crois que cela ne bat plus que d'une aile et qu'ils ne tarderont pas à être séparés. Malgré un officier qui a joué un rôle abominable dans tout cela », ajouta-t-elle. (Car la famille de Robert commençait à en vouloir à mort à M. de Borodino qui avait donné la permission pour

Bruges, sur les instances du coiffeur, et l'accusait de favoriser une liaison infâme.) « C'est quelqu'un de très mal », me dit Mme de Villeparisis avec l'accent vertueux des Guermantes même les plus dépravés. « De très, très mal », reprit-elle en mettant trois *t* à très. On sentait qu'elle ne doutait pas qu'il ne fût en tiers dans toutes les orgies. Mais comme l'amabilité était chez la marquise l'habitude dominante, son expression de sévérité froncée envers l'horrible capitaine dont elle dit avec une emphase ironique le nom : le prince de Borodino, en femme pour qui l'Empire ne compte pas, s'acheva en un tendre sourire à mon adresse avec un clignement d'oeil mécanique de connivence vague avec moi.

« J'aimais beaucoup de Saint-Loup-en-Bray, dit Bloch, quoiqu'il soit un mauvais chien, parce qu'il est extrêmement bien élevé. J'aime beaucoup, pas lui, mais les personnes extrêmement bien élevées, c'est si rare », continua-t-il sans se rendre compte, parce qu'il était lui-même très mal élevé, combien ses paroles déplaisaient. « Je vais vous citer une preuve que je trouve très frappante de sa parfaite éducation. Je l'ai rencontré une fois avec un jeune homme, comme il allait monter sur son char aux belles jantes, après avoir passé lui-même les courroies splendides à deux chevaux nourris d'avoine et d'orge et qu'il n'est pas besoin d'exciter avec le fouet étincelant. Il nous présenta, mais je n'entendis pas le nom du jeune homme, car on n'entend jamais le nom des personnes à qui on vous présente, ajouta-t-il en riant parce que c'était une plaisanterie de son père. De Saint-Loup-en-Bray resta simple, ne fit pas de frais exagérés pour le jeune homme, ne parut gêné en aucune façon. Or, par hasard, j'ai appris quelques jours après que le jeune homme était le fils de sir Rufus Israëls ! »

La fin de cette histoire parut moins choquante que son début, car elle resta incompréhensible pour les personnes présentes. En effet, sir Rufus Israëls, qui semblait à Bloch et à son père un personnage presque royal devant lequel Saint-Loup devait trembler, était au contraire aux yeux du milieu Guermantes un étranger parvenu, toléré par le monde, et de l'amitié de qui on n'eût pas eu l'idée de s'enorgueillir, bien au contraire !

« Je l'ai appris, dit Bloch, par le fondé de pouvoir de sir Rufus Israëls, lequel est un ami de mon père et un homme tout à fait extraordinaire. Ah ! un individu absolument curieux », ajouta-t-il, avec cette énergie affirmative, cet accent d'enthousiasme qu'on n'apporte qu'aux convictions qu'on ne s'est pas formées soi-même. « Mais dis-moi, reprit Bloch en me parlant tout bas, quelle fortune peut avoir Saint-Loup ? Tu comprends bien que, si je te demande cela, je m'en moque comme de l'an quarante, mais c'est au point de vue balzacien, tu comprends. Et tu ne sais même pas en quoi c'est placé, s'il a des valeurs françaises, étrangères, des terres ? »

Je ne pus le renseigner en rien. Cessant de parler à mi-voix, Bloch demanda très haut la permission d'ouvrir les fenêtres et, sans attendre la réponse, se dirigea vers celles-ci. Mme de Villeparisis dit qu'il était impossible d'ouvrir, qu'elle était enrhumée. « Ah ! si ça doit vous faire du mal ! répondit Bloch, déçu. Mais on peut dire qu'il fait chaud ! » Et se mettant à rire, il fit faire à ses regards qui tournèrent autour de l'assistance une quête qui réclamait un appui contre Mme de Villeparisis. Il ne le rencontra pas, parmi ces gens bien élevés. Ses yeux allumés, qui n'avaient pu débaucher personne, reprirent avec résignation leur sérieux ; il déclara en matière de défaite : « Il fait au moins vingt-deux degrés. Vingt-cinq ? Cela ne m'étonne pas. Je suis presque en nage. Et je n'ai pas, comme le sage Anténor, fils du fleuve Alpheios, la faculté de me tremper dans l'onde paternelle, pour étancher ma sueur, avant de me mettre dans une baignoire polie et de m'oindre d'une huile parfumée[1]. » Et avec ce besoin qu'on a d'esquisser à l'usage des autres des théories médicales dont l'application serait favorable à notre propre bien-être : « Puisque vous croyez que c'est bon pour vous ! Moi je crois tout le contraire. C'est justement ce qui vous enrhume. »

Bloch[a] s'était montré enchanté de l'idée de connaître M. de Norpois. Il eût aimé, disait-il, le faire parler sur l'affaire Dreyfus.

« Il y a là une mentalité que je connais mal et ce serait assez piquant de prendre une interview à ce diplomate considérable », dit-il d'un ton sarcastique pour ne pas avoir l'air de se juger inférieur à l'ambassadeur.

Mme de Villeparisis regretta qu'il eût dit cela aussi tout haut mais n'y attacha pas grande importance quand elle vit que l'archiviste, dont les opinions nationalistes la tenaient pour ainsi dire à la chaîne, se trouvait placé trop loin pour avoir pu entendre. Elle fut plus choquée d'entendre que Bloch, entraîné par le démon de sa mauvaise éducation qui l'avait préalablement rendu aveugle, lui demandait, en riant à la plaisanterie paternelle :

« N'ai-je pas lu de lui une savante étude où il démontrait pour quelles raisons irréfutables la guerre russo-japonaise devait se terminer par la victoire des Russes et la défaite des Japonais[1] ? Et n'est-il pas un peu gâteux ? Il me semble que c'est lui que j'ai vu viser son siège, avant d'aller s'y asseoir, en glissant comme sur des roulettes[2].

— Jamais de la vie ! Attendez un instant, ajouta la marquise, je ne sais pas ce qu'il peut faire. »

Elle sonna[a] et quand le domestique fut entré, comme elle ne dissimulait nullement et même aimait à montrer que son vieil ami passait la plus grande partie de son temps chez elle :

« Allez[b] donc dire à M. de Norpois de venir, il est en train de classer des papiers dans mon bureau, il a dit qu'il viendrait dans vingt minutes et voilà une heure trois quarts que je l'attends. Il vous parlera de l'affaire Dreyfus, de tout ce que vous voudrez, dit-elle d'un ton boudeur à Bloch, il n'approuve pas beaucoup ce qui se passe. »

Car M. de Norpois était mal avec le ministère actuel, et Mme de Villeparisis, bien qu'il ne se fût pas permis de lui amener des personnes du gouvernement (elle gardait tout de même sa hauteur de dame de la grande aristocratie et restait en dehors et au-dessus des relations qu'il était obligé de cultiver), était par lui au courant de ce qui se passait. Pareillement, ces hommes politiques[c] du régime n'auraient pas osé demander à M. de Norpois de les présenter à Mme de Villeparisis. Mais plusieurs étaient allés le chercher chez elle à la campagne, quand ils avaient eu besoin de son concours dans des circonstances graves. On savait l'adresse. On allait au château. On ne voyait pas la châtelaine. Mais au dîner elle disait : « Monsieur, je sais qu'on est venu vous déranger. Les affaires vont-elles mieux ? »

« Vous n'êtes pas trop pressé ? demanda Mme de Villeparisis à Bloch.

— Non, non, je voulais partir parce que je ne suis pas très bien, il est même question que je fasse une cure à Vichy pour ma vésicule biliaire, dit-il en articulant ces mots avec une ironie satanique.

— Tiens, mais justement mon petit-neveu Châtellerault
doit y aller, vous devriez arranger cela ensemble. Est-ce
qu'il est encore là ? Il est gentil, vous savez », dit
Mme de Villeparisis de bonne foi peut-être, et pensant
que des gens qu'elle connaissait tous deux n'avaient aucune
raison de ne pas se lier.

« Oh ! je ne sais si ça lui plairait, je ne le connais...
qu'à peine, il est là-bas plus loin » dit Bloch confus et ravi.

Le maître d'hôtel[a] n'avait pas dû exécuter d'une façon
complète la commission dont il venait d'être chargé pour
M. de Norpois. Car celui-ci, pour faire croire qu'il arrivait
du dehors et n'avait pas encore vu la maîtresse de la maison,
prit au hasard dans l'antichambre un chapeau et vint baiser
cérémonieusement la main de Mme de Villeparisis, en lui
demandant de ses nouvelles avec le même intérêt qu'on
manifeste après une longue absence[1]. Il ignorait que la
marquise avait préalablement ôté toute vraisemblance à
cette comédie, à laquelle elle coupa court d'ailleurs en
emmenant M. de Norpois et Bloch dans un salon voisin.
Bloch qui avait vu toutes les amabilités qu'on faisait à celui
qu'il ne savait pas encore être M. de Norpois, et les saluts
compassés, gracieux et profonds par lesquels l'ambassadeur
y répondait, Bloch se sentant inférieur à tout ce cérémonial
et vexé de penser qu'il ne s'adresserait jamais à lui, m'avait
dit pour avoir l'air à l'aise : « Qu'est-ce que cette espèce
d'imbécile ? » Peut-être du reste toutes les salutations de
M. de Norpois choquant ce qu'il y avait de meilleur en
Bloch, la franchise plus directe d'un milieu moderne, est-ce
en partie sincèrement qu'il les trouvait ridicules. En tout
cas elles cessèrent de le lui paraître et même l'enchantèrent
dès la seconde où ce fut lui, Bloch, qui se trouva en être
l'objet.

« Monsieur l'ambassadeur, dit Mme de Villeparisis, je
voudrais[b] vous faire connaître monsieur. Monsieur Bloch,
monsieur le marquis de Norpois. » Elle tenait malgré la
façon dont elle rudoyait M. de Norpois, à lui dire :
« Monsieur l'ambassadeur » par savoir-vivre, par considération exagérée du rang d'ambassadeur, considération que
le marquis lui avait inculquée, et enfin pour appliquer ces
manières moins familières, plus cérémonieuses à l'égard
d'un certain homme, lesquelles dans le salon d'une femme
distinguée, tranchant avec la liberté dont elle use avec ses
autres habitués, désignent aussitôt son amant.

M. de Norpois noya*ᵃ* son regard bleu dans sa barbe blanche, abaissa profondément sa haute taille comme s'il l'inclinait devant tout ce que lui représentait de notoire et d'imposant le nom de Bloch, murmura : « Je suis enchanté », tandis que son jeune interlocuteur, ému mais trouvant que le célèbre diplomate allait trop loin, rectifia avec empressement et dit : « Mais pas du tout, au contraire, c'est moi qui suis enchanté ! » Mais cette cérémonie, que M. de Norpois par amitié pour Mme de Villeparisis renouvelait avec chaque inconnu que sa vieille amie lui présentait, ne parut pas à celle-ci une politesse suffisante pour Bloch à qui elle dit :

« Mais demandez-lui tout ce que vous voulez savoir, emmenez-le à côté si cela est plus commode ; il sera enchanté de causer avec vous. Je crois que vous vouliez lui parler de l'affaire Dreyfus », ajouta-t-elle sans plus se préoccuper si cela faisait plaisir à M. de Norpois qu'elle n'eût pensé à demander leur agrément au portrait de la duchesse de Montmorency avant de le faire éclairer pour l'historien, ou au thé avant d'en offrir une tasse.

« Parlez-lui fort, dit-elle à Bloch, il est un peu sourd, mais il vous dira tout ce que vous voulez ; il a très bien connu Bismarck, Cavour. N'est-ce pas, Monsieur, dit-elle avec force, vous avez bien connu Bismarck ?

— Avez-vous quelque chose sur le chantier ? » me demanda M. de Norpois avec un signe d'intelligence en me serrant la main cordialement. J'en profitai pour le débarrasser obligeamment du chapeau qu'il avait cru devoir apporter en signe de cérémonie, car je venais de m'apercevoir que c'était le mien qu'il avait pris au hasard. « Vous m'aviez montré une œuvrette un peu tarabiscotée où vous coupiez les cheveux en quatre. Je vous ai donné franchement mon avis ; ce que vous aviez fait ne valait pas la peine que vous le couchiez sur le papier. Nous préparez-vous quelque chose ? Vous êtes très féru de Bergotte, si je me souviens bien. — Ah ! ne dites pas de mal de Bergotte, s'écria la duchesse. — Je ne conteste pas son talent de peintre, nul ne s'en aviserait, duchesse. Il sait graver au burin ou à l'eau-forte, sinon brosser, comme M. Cherbuliez[1], une grande composition. Mais il me semble que notre temps fait une confusion de genres et que le propre du romancier est plutôt de nouer une intrigue et d'élever les cœurs que de fignoler à la pointe sèche un frontispice ou un cul-de-lampe. Je verrai votre père dimanche chez ce brave A. J. » ajouta-t-il en se tournant vers moi.

J'espérai un instant, en le voyant parler à Mme de Guermantes, qu'il me prêterait peut-être pour aller chez elle l'aide qu'il m'avait refusée pour aller chez Mme Swann. « Une autre de mes grandes admirations, lui dis-je, c'est Elstir. Il paraît que la duchesse de Guermantes en a de merveilleux, notamment cette admirable botte de radis[1], que j'ai aperçue à l'Exposition et que j'aimerais tant revoir ; quel chef-d'œuvre que ce tableau ! » Et en effet, si j'avais été un homme en vue, et qu'on m'eût demandé le morceau de peinture que je préférais, j'aurais cité cette botte de radis.

« Un chef-d'œuvre ? s'écria M. de Norpois avec un air d'étonnement et de blâme. Ce n'a même pas la prétention d'être un tableau, mais une simple esquisse » (il avait raison). « Si vous appelez chef-d'œuvre cette vive pochade, que direz-vous de la *Vierge* d'Hébert[2] ou de Dagnan-Bouveret[3] ?

— J'ai entendu[a] que vous refusiez l'amie de Robert », dit Mme de Guermantes à sa tante après que Bloch eut pris à part l'ambassadeur, « je crois que vous n'avez rien à regretter, vous savez que c'est une horreur, elle n'a pas l'ombre de talent, et en plus elle est grotesque.

— Mais comment la connaissez-vous, duchesse ? dit M. d'Argencourt.

— Comment, vous ne savez pas qu'elle a joué chez moi avant tout le monde, je n'en suis pas plus fière pour cela », dit en riant Mme de Guermantes, heureuse pourtant, puisqu'on parlait de cette actrice, de faire savoir qu'elle avait eu la primeur de ses ridicules[b]. « Allons, je n'ai plus qu'à partir », ajouta-t-elle sans bouger.

Elle venait de voir entrer son mari, et par les mots qu'elle prononçait, faisait allusion au comique d'avoir l'air de faire ensemble une visite de noces, nullement aux rapports souvent difficiles qui existaient entre elle et cet énorme gaillard vieillissant, mais qui menait toujours une vie de jeune homme. Promenant[c] sur le grand nombre de personnes qui entouraient la table à thé les regards affables, malicieux et un peu éblouis par les rayons du soleil couchant, de ses petites prunelles rondes et exactement logées dans l'œil comme les « mouches » que savait viser

et atteindre si parfaitement l'excellent tireur qu'il était,
le duc s'avançait avec une lenteur émerveillée et prudente comme si, intimidé par une si brillante assemblée,
il eût craint de marcher sur les robes et de déranger
les conversations. Un sourire permanent de bon roi
d'Yvetot légèrement pompette[1], une main à demi dé-
pliée flottant, comme l'aileron d'un requin, à côté de sa
poitrine, et qu'il laissait presser indistinctement par ses
vieux amis et par les inconnus qu'on lui présentait, lui
permettaient, sans avoir à faire un seul geste ni à
interrompre sa tournée débonnaire, fainéante et royale,
de satisfaire à l'empressement de tous, en murmurant
seulement : « Bonsoir, mon bon, bonsoir, mon cher ami,
charmé, monsieur Bloch, bonsoir, Argencourt », et près
de moi, qui fus le plus favorisé, quand il eut entendu mon
nom : « Bonsoir, mon petit voisin, comment va votre
père ? Quel brave homme ! » Il ne fit[a] de grandes
démonstrations que pour Mme de Villeparisis qui lui dit
bonjour d'un signe de tête en sortant une main de son
petit tablier.

Formidablement riche dans un monde où on l'est de
moins en moins, ayant assimilé à sa personne d'une façon
permanente la notion de cette énorme fortune, en lui
la vanité du grand seigneur était doublée de celle
de l'homme d'argent, l'éducation raffinée du premier
arrivant tout juste à contenir la suffisance du second. On
comprenait d'ailleurs que ses succès de femmes qui
faisaient le malheur de la sienne ne fussent pas dus qu'à
son nom et à sa fortune, car il était encore d'une grande
beauté, avec, dans le profil, la pureté, la décision de
contour de quelque dieu grec.

« Vraiment, elle[b] a joué chez vous ? demanda M. d'Argencourt à la duchesse.

— Mais voyons, elle est venue réciter[c], avec un bouquet
de lis dans la main et d'autres lis "su" sa robe. »
(Mme de Guermantes mettait, comme Mme de Villeparisis, de l'affectation à prononcer certains mots d'une façon
très paysanne, quoiqu'elle ne roulât nullement les *r* comme
faisait sa tante.)

Avant que M. de Norpois, contraint et forcé, n'emmenât
Bloch dans la petite baie où ils pourraient causer ensemble,
je revins un instant vers le vieux diplomate et lui glissai
un mot d'un fauteuil académique pour mon père. Il voulut

d'abord remettre la conversation à plus tard. Mais j'objectai que j'allais partir pour Balbec. « Comment ! vous allez de nouveau à Balbec. Mais vous êtes un véritable globe-trotteur ! » Puis il m'écouta. Au nom de Leroy-Beaulieu, M. de Norpois me regarda d'un air soup-çonneux. Je me figurai qu'il avait peut-être tenu à M. Leroy-Beaulieu des propos désobligeants pour mon père, et qu'il craignait que l'économiste ne les lui eût répétés. Aussitôt, il parut animé d'une véritable affection pour mon père. Et après un de ces ralentissements du débit où tout d'un coup une parole éclate, comme malgré celui qui parle et chez qui l'irrésistible conviction emporte les efforts bégayants qu'il faisait pour se taire : « Non, non, me dit-il avec émotion, il ne *faut pas* que votre père se présente. Il ne le faut pas dans son intérêt, pour lui-même, par respect pour sa valeur qui est grande et qu'il com-promettrait dans une pareille aventure. Il vaut mieux que cela. Fût-il nommé, il aurait tout à perdre et rien à gagner. Dieu merci, il n'est pas orateur. Et c'est la seule chose qui compte auprès de mes chers collègues quand même ce qu'on dit ne serait que turlutaines. Votre père a un but important dans la vie ; il doit y marcher droit, sans se laisser détourner à battre les buissons, fût-ce les buissons, d'ailleurs plus épineux que fleuris, du jardin d'Academus[1]. Du reste, il ne réunirait[a] que quelques voix. L'Académie aime à faire faire un stage au postulant avant de l'admettre dans son giron. Actuellement, il n'y a rien à faire. Plus tard je ne dis pas. Mais il faut que ce soit la Compagnie elle-même qui vienne le chercher. Elle pratique avec plus de fétichisme que de bonheur le *Farà da sé*[2] de nos voisins d'au-delà des Alpes. Leroy-Beaulieu m'a parlé de tout cela d'une manière qui ne m'a pas plu. Il m'a du reste semblé à vue de nez avoir partie liée avec votre père ? Je lui ai peut-être fait sentir un peu vivement qu'habitué à s'occuper de cotons et de métaux[3], il méconnaissait le rôle des impondérables, comme disait Bismarck[4]. Ce qu'il faut éviter avant tout, c'est que votre père se présente : *Principiis obsta*[5]. Ses amis se trouveraient dans une position délicate s'il les mettait en présence du fait accompli. Tenez, dit-il brusquement d'un air de franchise, en fixant ses yeux bleus sur moi, je vais vous dire une chose qui va vous étonner de ma part à moi qui aime tant votre père. Eh bien, justement parce que je l'aime (nous sommes les deux inséparables, *Arcades ambo*[1]), justement parce que je sais les services qu'il peut rendre à son pays, les écueils qu'il peut lui éviter s'il reste à la barre, par affection, par haute estime, par patriotisme, je ne voterais pas pour lui. Du reste, je crois l'avoir laissé entendre » (Et je crus apercevoir dans ses yeux le profil assyrien et sévère de Leroy-Beaulieu.) « Donc lui donner ma voix serait de ma part une sorte de palinodie. » À plusieurs reprises, M. de Norpois traita ses collègues de fossiles. En dehors des autres raisons, tout membre d'un club ou d'une Académie aime à investir ses collègues du genre de caractère le plus contraire au sien, moins pour l'utilité de pouvoir dire : « Ah ! si cela ne dépendait que de moi ! » que pour la satisfaction de présenter le titre qu'il a obtenu comme plus difficile et plus flatteur. « Je vous dirai, conclut-il, que, dans votre intérêt à tous, j'aime mieux pour votre père une élection triomphale dans dix ou quinze ans. » Paroles qui furent jugées par moi comme dictées, sinon par la jalousie, au moins par un manque absolu de serviabilité et qui se trouvèrent recevoir plus tard, de l'événement même, un sens différent.

« Vous n'avez pas l'intention d'entretenir l'Institut du prix du pain pendant la Fronde ? demanda timidement l'historien de la Fronde à M. de Norpois. Vous pourriez trouver là un succès considérable (ce qui voulait dire me faire une réclame monstre) », ajouta-t-il en souriant à l'ambassadeur avec une pusillanimité mais aussi une tendresse qui lui fit lever les paupières et découvrir ses yeux, grands comme un ciel. Il me semblait avoir vu ce regard, pourtant je ne connaissais que d'aujourd'hui l'historien. Tout d'un coup je me rappelai : ce même regard, je l'avais vu dans les yeux d'un médecin brésilien qui prétendait guérir les étouffements du genre de ceux que j'avais par d'absurdes inhalations d'essences de plantes. Comme, pour qu'il prît plus soin de moi, je lui avais dit que je connaissais le professeur Cottard, il m'avait répondu, comme dans l'intérêt de Cottard : « Voilà un traitement, si vous lui en parliez, qui lui fournirait la matière d'une retentissante communication à l'Académie de médecine ! » Il n'avait osé insister mais m'avait regardé de ce même air d'interrogation timide, intéressée et suppliante que je venais d'admirer chez l'historien de la Fronde. Certes ces deux hommes ne se connaissaient pas

et ne se ressemblaient guère, mais les lois psychologiques
ont comme les lois physiques une certaine généralité. Et,
si les conditions nécessaires sont les mêmes, un même
regard éclaire des animaux humains différents, comme un
même ciel matinal des lieux de la terre situés bien loin
l'un de l'autre et qui ne se sont jamais vus. Je n'entendis
pas la réponse de l'ambassadeur, car tout le monde, avec
un peu de brouhaha, s'était approché de Mme de Villeparisis pour la voir peindre.

« Vous savez de qui nous parlons, Basin ? dit la
duchesse à son mari.

— Naturellement, je devine, dit le duc. Ah ! ce n'est
pas ce que nous appelons une comédienne de la grande
lignée.

— Jamais, reprit Mme de Guermantes s'adressant à
M. d'Argencourt, vous n'avez imaginé*a* quelque chose de
plus risible.

— C'était même drolatique », interrompit M. de Guermantes dont le bizarre vocabulaire permettait à la fois aux
gens du monde de dire qu'il n'était pas un sot et aux gens
de lettres de le trouver le pire des imbéciles.

« Je ne peux pas comprendre, reprit la duchesse,
comment Robert a jamais pu l'aimer*b*. Oh ! je sais bien
qu'il ne faut jamais discuter ces choses-là*c* », ajouta-t-elle
avec une jolie moue de philosophe et de sentimentale*d*
désenchantée. « Je sais que n'importe qui peut aimer
n'importe quoi. Et, ajouta-t-elle — car si elle se moquait
encore de la littérature nouvelle, celle-ci, peut-être par la
vulgarisation des journaux ou à travers certaines conversations, s'était un peu infiltrée en elle — c'est même ce qu'il
y a de beau dans l'amour, parce ce que c'est justement
ce qui le rend "mystérieux".

— Mystérieux ! Ah ! j'avoue que c'est un peu fort pour
moi, ma cousine, dit le comte d'Argencourt.

— Mais si, c'est très mystérieux, l'amour », reprit la
duchesse avec un doux sourire de femme du monde
aimable, mais aussi avec l'intransigeante conviction d'une
wagnérienne qui affirme à un homme de cercle qu'il n'y
a pas que du bruit dans *La Walkyrie*[1]. « Du reste, au fond,
on ne sait pas pourquoi une personne en aime une autre ;
ce n'est peut-être pas du tout pour ce que nous croyons »,
ajouta-t-elle en souriant, repoussant ainsi tout d'un coup
par son interprétation l'idée qu'elle venait d'émettre. « Et

puis, au fond*ᵃ* on ne sait jamais rien, conclut-elle d'un air sceptique et fatigué. Aussi, voyez-vous, c'est plus "intelligent" : il ne faut jamais discuter le choix des amants. »

Mais après avoir posé ce principe, elle y manqua immédiatement en critiquant le choix de Saint-Loup.

« Voyez-vous, tout de même, je trouve étonnant*ᵇ* qu'on puisse trouver de la séduction à une personne ridicule. »

Bloch entendant que nous parlions de Saint-Loup, et comprenant qu'il était à Paris, se mit à en dire un mal si épouvantable que tout le monde en fut révolté. Il commençait à avoir des haines, et on sentait que pour les assouvir il ne reculerait devant rien. Ayant posé en principe qu'il avait une haute valeur morale, et que l'espèce de gens qui fréquentait la Boulie (cercle sportif qu'il croyait élégant) méritait le bagne, tous les coups qu'il pouvait leur porter lui semblaient méritoires. Il alla une fois jusqu'à parler d'un procès qu'il voulait intenter à un de ses amis de la Boulie. Au cours de ce procès il comptait déposer d'une façon mensongère et dont l'inculpé ne pourrait pas cependant prouver la fausseté. De cette façon, Bloch, qui ne mit du reste pas à exécution son projet, pensait le désespérer et l'affoler davantage. Quel mal y avait-il à cela, puisque celui qu'il voulait frapper ainsi était un homme qui ne pensait qu'au chic, un homme de la Boulie, et que contre de telles gens toutes les armes sont permises, surtout à un saint, comme lui, Bloch ?

« Pourtant, voyez Swann », objecta M. d'Argencourt qui, venant enfin de comprendre le sens des paroles qu'avait prononcées sa cousine, était frappé de leur justesse et cherchait dans sa mémoire l'exemple de gens ayant aimé des personnes qui à lui ne lui eussent pas plu.

« Ah ! Swann ce n'est pas du tout le même cas, protesta la duchesse. C'était très étonnant tout de même parce que c'était une brave idiote, mais elle n'était pas ridicule et elle a été jolie.

— Hou, hou, grommela Mme de Villeparisis.

— Ah ! vous ne la trouviez pas jolie ? si, elle avait des choses "ch"armantes, de bien jolis yeux, de jolis cheveux, elle s'habillait et elle s'habille encore merveilleusement. Maintenant, je reconnais qu'elle est immonde, mais elle a été une ravissante personne. Ça ne m'a fait pas moins de chagrin que Charles l'ait épousée, parce que c'était tellement inutile. » La duchesse ne croyait pas dire

quelque chose de remarquable mais, comme M. d'Argencourt se mit à rire, elle répéta la phrase, soit qu'elle la
trouvât drôle, ou seulement qu'elle trouvât gentil le rieur
qu'elle se mit à regarder d'un air câlin, pour ajouter
l'enchantement de la douceur à celui de l'esprit. Elle
continua : « Oui, n'est-ce pas, ce n'était pas la peine, mais
enfin elle n'était pas sans charme et je comprends
parfaitement qu'on l'aimât, tandis que la demoiselle de
Robert, je vous assure qu'elle est à mourir de rire. Je sais
bien qu'on m'objectera cette vieille rengaine d'Augier :
"Qu'importe le flacon pourvu qu'on ait l'ivresse[1] !" Hé
bien, Robert a peut-être l'ivresse, mais il n'a vraiment pas
fait preuve de goût dans le choix du flacon ! D'abord,
imaginez-vous qu'elle avait eu la prétention[d] que je fisse
dresser un escalier au beau milieu de mon salon. C'est
un rien, n'est-ce pas, et elle m'avait annoncé qu'elle
resterait couchée à plat ventre sur les marches. D'ailleurs,
si vous aviez entendu ce qu'elle disait, je ne connais
qu'une scène, mais je ne crois pas qu'on puisse imaginer quelque chose de pareil : cela s'appelle *Les Sept
Princesses*[2]. »

— *Les Sept Princesses*, oh ! oïl, oïl, quel snobisme ! s'écria
M. d'Argencourt. Ah ! mais attendez, je connais toute la
pièce. L'auteur l'a envoyée au Roi qui n'y a rien compris
et m'a demandé de lui expliquer.

— Ce n'est pas par hasard du Sâr Peladan[3] ? » demanda
l'historien de la Fronde avec une intention de finesse et
d'actualité, mais si bas que sa question passa inaperçue.

« Ah ! vous connaissez[b] *Les Sept Princesses* ? répondit la
duchesse à M. d'Argencourt. Tous mes compliments ! Moi
je n'en connais qu'une, mais cela m'a ôté la curiosité de
faire la connaissance de six autres. Si elles sont toutes
pareilles à celle que j'ai vue ! »

« Quelle buse ! » pensais-je, irrité de l'accueil glacial
qu'elle m'avait fait. Je trouvais une sorte d'âpre satisfaction
à constater sa complète incompréhension de Maeterlinck.
« C'est pour une pareille femme[c] que tous les matins je
fais tant de kilomètres, vraiment j'ai de la bonté !
Maintenant[d] c'est moi qui ne voudrais pas d'elle. » Tels
étaient les mots que je me disais ; ils étaient le contraire
de ma pensée ; c'étaient de purs mots de conversation,
comme nous nous en disons dans ces moments où trop
agités pour rester seuls avec nous-mêmes nous éprouvons

le besoin, à défaut d'autre interlocuteur, de causer avec nous, sans sincérité, comme avec un étranger.

« Je ne peux pas vous donner une idée, continua la duchesse, c'était à se tordre de rire. On ne s'en est pas fait faute, trop même, car la petite personne n'a pas aimé cela, et dans le fond Robert m'en a toujours voulu. Ce que je ne regrette pas du reste, car si cela avait bien tourné, la demoiselle serait peut-être revenue et je me demande jusqu'à quel point cela aurait charmé Marie-Aynard. »

On appelait ainsi dans la famille la mère de Robert, Mme de Marsantes, veuve d'Aynard de Saint-Loup, pour la distinguer de sa cousine la princesse de Guermantes-Bavière, autre Marie, au prénom de qui ses neveux, cousins et beaux-frères ajoutaient, pour éviter la confusion, soit le prénom de son mari, soit un autre de ses prénoms à elle, ce qui donnait soit Marie-Gilbert, soit Marie-Hedwige.

« D'abord la veille il y eut une espèce de répétition qui était une bien belle chose ! poursuivit ironiquement Mme de Guermantes. Imaginez qu'elle disait une phrase, pas même, un quart de phrase, et puis elle s'arrêtait ; elle ne disait plus rien, mais je n'exagère pas, pendant cinq minutes.

— Oïl, oïl, oïl ! s'écria M. d'Argencourt.

— Avec toute la politesse du monde je me suis permis d'insinuer que cela étonnerait peut-être un peu. Et elle m'a répondu textuellement : "Il faut toujours dire une chose comme si on était en train de la composer soi-même." Si vous y réfléchissez, c'est monumental, cette réponse.

— Mais je croyais[a] qu'elle ne disait pas mal les vers, dit un des deux jeunes gens.

— Elle ne se doute pas de ce que c'est, répondit Mme de Guermantes. Du reste je n'ai pas eu besoin de l'entendre. Il m'a suffi de la voir arriver avec des lis ! J'ai tout de suite compris qu'elle n'avait pas de talent quand j'ai vu les lis ! »

Tout le monde rit[b].

« Ma tante, vous ne m'en avez pas voulu de ma plaisanterie de l'autre jour au sujet de la reine de Suède ? je viens vous demander l'aman.

— Non, je ne t'en veux pas ; je te donne même le droit de goûter si tu as faim.

— Allons, monsieur Vallenères[a], faites la jeune fille »,
dit Mme de Villeparisis à l'archiviste, selon une plaisanterie consacrée.

M. de Guermantes se redressa dans le fauteuil où il
s'était affalé, son chapeau à côté de lui sur le tapis, examina
d'un air de satisfaction les assiettes de petits fours qui lui
étaient présentées.

« Mais volontiers, maintenant que je commence à être
familiarisé avec cette noble assistance, j'accepterai un baba,
ils semblent excellents.

— Monsieur remplit à merveille son rôle de jeune
fille », dit M. d'Argencourt qui, par esprit d'imitation,
reprit la plaisanterie de Mme de Villeparisis.

L'archiviste présenta l'assiette de petits fours à l'historien de la Fronde.

« Vous vous acquittez à merveille de vos fonctions »,
dit celui-ci par timidité et pour tâcher de conquérir la
sympathie générale.

Aussi jeta-t-il à la dérobée un regard de connivence sur
ceux qui avaient déjà fait comme lui.

« Dites-moi, ma bonne tante, demanda M. de Guermantes à Mme de Villeparisis, qu'est-ce que ce monsieur
assez bien de sa personne qui sortait comme j'entrais ? Je
dois le connaître parce qu'il m'a fait un grand salut, mais
je ne l'ai pas remis, vous savez, je suis brouillé avec les noms,
ce qui est bien désagréable, dit-il d'un air de satisfaction.

— M. Legrandin.

— Ah ! mais Oriane a une cousine dont la mère, sauf
erreur, est née Grandin. Je sais très bien, ce sont des
Grandin de l'Éprevier.

— Non, répondit Mme de Villeparisis, cela n'a aucun
rapport. Ceux-ci sont Grandin tout simplement, Grandin
de rien du tout. Mais ils ne demandent qu'à l'être de tout
ce que tu voudras. La sœur de celui-ci s'appelle
Mme de Cambremer.

— Mais voyons, Basin, vous savez bien de qui ma tante
veut parler, s'écria la duchesse avec indignation, c'est le
frère de cette énorme herbivore que vous avez eu l'étrange
idée d'envoyer venir me voir l'autre jour. Elle est restée
une heure, j'ai pensé que je deviendrais folle. Mais j'ai
commencé par croire que c'était elle qui l'était en voyant
entrer chez moi une personne que je ne connaissais pas
et qui avait l'air d'une vache.

— Écoutez, Oriane, elle m'avait demandé votre jour ; je ne pouvais pourtant pas lui faire une grossièreté, et puis, voyons, vous exagérez, elle n'a pas l'air d'une vache », ajouta-t-il d'un air plaintif, mais non sans jeter à la dérobée un regard souriant sur l'assistance.

Il savait que la verve de sa femme avait besoin d'être stimulée par la contradiction, la contradiction du bon sens qui proteste que, par exemple, on ne peut pas prendre une femme pour une vache (c'est ainsi que Mme de Guermantes enchérissant sur une première image était souvent arrivée à produire ses jolis mots). Et le duc se présentait naïvement pour l'aider, sans en avoir l'air, à réussir son tour, comme, dans un wagon, le compère inavoué d'un joueur de bonneteau.

« Je reconnais qu'elle n'a pas l'air d'une vache, car elle a l'air de plusieurs, s'écria Mme de Guermantes. Je vous jure que j'étais bien embarrassée voyant ce troupeau de vaches qui entrait en chapeau dans mon salon et qui me demandait comment j'allais. D'un côté j'avais envie de lui répondre : "Mais, troupeau de vaches, tu confonds, tu ne peux pas être en relations avec moi, puisque tu es un troupeau de vaches", et d'autre part ayant cherché dans ma mémoire j'ai fini par croire que votre Cambremer était l'infante Dorothée qui avait dit qu'elle viendrait une fois et qui est assez *bovine* aussi, de sorte que j'ai failli dire Votre Altesse royale et parler à la troisième personne à un troupeau de vaches. Elle a aussi le genre de gésier de la reine de Suède. Du reste cette attaque de vive force avait été préparée par un tir à distance, selon toutes les règles de l'art. Depuis je ne sais combien de temps j'étais bombardée de ses cartes, j'en trouvais partout, sur tous les meubles, comme des prospectus. J'ignorais le but de cette réclame. On ne voyait chez moi que "Marquis et Marquise de Cambremer" avec une adresse que je ne me rappelle pas et dont je suis d'ailleurs résolue à ne jamais me servir.

— Mais[a] c'est très flatteur de ressembler à une reine, dit l'historien de la Fronde.

— Oh ! mon Dieu, Monsieur, les rois et les reines, à notre époque ce n'est pas grand-chose ! » dit M. de Guermantes parce qu'il avait la prétention d'être un esprit libre et moderne, et aussi pour n'avoir pas l'air de faire cas des relations royales auxquelles il tenait beaucoup.

Bloch et M. Norpois[a] qui s'étaient levés se trouvèrent plus près de nous.

« Monsieur, dit Mme de Villeparisis, lui avez-vous parlé de l'affaire Dreyfus ? »

M. de Norpois leva les yeux au ciel, mais en souriant, comme pour attester l'énormité des caprices auxquels sa Dulcinée lui imposait le devoir d'obéir. Néanmoins il parla à Bloch, avec beaucoup d'affabilité, des années affreuses, peut-être mortelles, que traversait la France. Comme cela signifiait probablement que M. de Norpois (à qui Bloch cependant avait dit croire à l'innocence de Dreyfus) était ardemment antidreyfusard, l'amabilité de l'ambassadeur, l'air qu'il avait de donner raison à son interlocuteur, de ne pas douter qu'ils fussent du même avis, de se liguer en complicité avec lui pour accabler le gouvernement, flattaient la vanité de Bloch et excitaient sa curiosité. Quels étaient les points importants que M. de Norpois ne spécifiait point mais sur lesquels il semblait implicitement admettre que Bloch et lui étaient d'accord, quelle opinion avait-il donc de l'affaire, qui pût les réunir ? Bloch était d'autant plus étonné de l'accord mystérieux qui semblait exister entre lui et M. de Norpois que cet accord ne portait pas que sur la politique, Mme de Villeparisis ayant assez longuement parlé à M. de Norpois des travaux littéraires de Bloch.

« Vous n'êtes pas de votre temps, dit à celui-ci l'ancien ambassadeur, et je vous en félicite, vous n'êtes pas de ce temps où les études désintéressées n'existent plus, où on ne vend plus au public que des obscénités ou des inepties. Des efforts tels que les vôtres devraient être encouragés si nous avions un gouvernement. »

Bloch était flatté de surnager seul dans le naufrage universel. Mais là encore il aurait voulu des précisions, savoir de quelles inepties voulait parler M. de Norpois. Bloch avait le sentiment de travailler dans la même voie que beaucoup, il ne s'était pas cru si exceptionnel. Il revint à l'affaire Dreyfus, mais ne put arriver à démêler[b] l'opinion de M. de Norpois. Il tâcha de le faire parler des officiers dont le nom revenait souvent dans les journaux à ce moment-là ; ils excitaient plus la curiosité que les hommes politiques mêlés à la même affaire, parce qu'ils n'étaient pas déjà connus comme ceux-ci et, dans un costume spécial, du fond d'une vie différente et d'un silence religieusement gardé, venaient seulement de surgir et de parler, comme Lohengrin descendant d'une nacelle conduite par un cygne[1]. Bloch avait pu, grâce à un avocat nationaliste qu'il connaissait, entrer à plusieurs audiences du procès Zola[2]. Il arrivait là le matin, pour n'en sortir que le soir, avec une provision de sandwiches et une bouteille de café, comme au concours général ou aux compositions de baccalauréat, et ce changement d'habitudes réveillant l'éréthisme nerveux que le café et les émotions du procès portaient à son comble, il sortait de là tellement amoureux de tout ce qui s'y était passé que, le soir, rentré chez lui, il voulait se replonger dans le beau songe et courait retrouver dans un restaurant fréquenté par les deux partis des camarades avec qui il reparlait sans fin de ce qui s'était passé dans la journée et réparait par un souper commandé sur un ton impérieux qui lui donnait l'illusion du pouvoir, le jeûne et les fatigues d'une journée commencée si tôt et où on n'avait pas déjeuné[3]. L'homme jouant perpétuellement entre les deux plans de l'expérience et de l'imagination voudrait approfondir la vie idéale des gens qu'il connaît et connaître les êtres dont il a eu à imaginer la vie. Aux questions de Bloch, M. de Norpois répondit :

« Il y a deux officiers mêlés à l'affaire en cours et dont j'ai entendu parler[a] autrefois par un homme dont le jugement m'inspirait grande confiance et qui faisait d'eux le plus grand cas (M. de Miribel[4]), c'est[b] le lieutenant-colonel Henry[5] et le lieutenant-colonel Picquart[6].

— Mais, s'écria Bloch, la divine Athénè, fille de Zeus, a mis dans l'esprit de chacun le contraire de ce qui est dans l'esprit de l'autre. Et ils luttent l'un contre l'autre, tels deux lions. Le colonel Picquart avait une grande situation dans l'armée, mais sa Moire[7] l'a conduit du côté qui n'était pas le sien. L'épée des nationalistes tranchera son corps délicat et il servira de pâture aux animaux carnassiers et aux oiseaux qui se nourrissent de la graisse des morts. »

M. de Norpois[c] ne répondit pas.

« De quoi palabrent-ils là-bas dans un coin ? » demanda M. de Guermantes à Mme de Villeparisis en montrant M. de Norpois et Bloch.

« De l'affaire Dreyfus.

— Ah ! Diable ! À propos, saviez-vous qui est partisan enragé de Dreyfus ? Je vous le donne en mille. Mon neveu

Robert ! Je vous dirai même qu'au Jockey, quand on a appris ces prouesses, cela a été une levée de boucliers, un véritable tollé. Comme on le présente dans huit jours...

— Évidemment, interrompit la duchesse, s'ils sont tous comme Gilbert qui*ª* a toujours soutenu qu'il fallait renvoyer tous les juifs à Jérusalem...

— Ah ! alors, le prince de Guermantes est tout à fait dans mes idées », interrompit M. d'Argencourt.

Le duc se parait de sa femme mais ne l'aimait pas. Très « suffisant », il détestait d'être interrompu, puis il avait dans son ménage l'habitude d'être brutal avec elle. Frémissant d'une double colère de mauvais mari à qui on parle et de beau parleur qu'on n'écoute pas, il s'arrêta net et lança sur la duchesse un regard qui embarrassa tout le monde.

« Qu'est-ce qu'il vous prend de nous parler de Gilbert et de Jérusalem ? dit-il enfin. Il ne s'agit pas de cela. Mais, ajouta-t-il d'un ton radouci, vous m'avouerez*ᵇ* que si un des nôtres était refusé au Jockey et surtout Robert dont le père y a été pendant dix ans président, ce serait un comble. Que voulez-vous, ma chère, ça les a fait tiquer, ces gens, ils ont ouvert de gros yeux. Je ne peux pas leur donner tort ; personnellement vous savez que je n'ai aucun préjugé de races, je trouve que ce n'est pas de notre époque et j'ai la prétention de marcher avec mon temps, mais enfin que diable ! quand on s'appelle le marquis de Saint-Loup, on n'est pas dreyfusard, que voulez-vous que je vous dise ! »

M. de Guermantes prononça ces mots : « quand on s'appelle le marquis de Saint-Loup » avec emphase. Il savait pourtant bien que c'était une plus grande chose encore de s'appeler « le duc de Guermantes ». Mais si son amour-propre avait des tendances à s'exagérer plutôt la supériorité du titre de duc de Guermantes, ce n'était peut-être pas tant les règles du bon goût que les lois de l'imagination qui le poussaient à le diminuer. Chacun voit en plus beau ce qu'il voit à distance, ce qu'il voit chez les autres. Car les lois générales qui règlent la perspective dans l'imagination s'appliquent aussi bien aux ducs qu'aux autres hommes. Non seulement les lois de l'imagination, mais celles du langage. Or, l'une ou l'autre de deux lois du langage pouvaient s'appliquer ici. L'une veut qu'on s'exprime comme les gens de sa classe mentale et non de sa caste d'origine. Par là M. de Guermantes pouvait être dans ses expressions, même quand il voulait parler de la noblesse, tributaire de très petits bourgeois qui auraient dit : « quand on s'appelle le duc de Guermantes », tandis qu'un homme lettré, un Swann, un Legrandin ne l'eussent pas dit. Un duc peut écrire des romans d'épicier, même sur les mœurs du grand monde, les parchemins n'étant là de nul secours, et l'épithète d'aristocratique être méritée par les écrits d'un plébéien. Quel était dans ce cas le bourgeois à qui M. de Guermantes, avait entendu dire : « quand on s'appelle », il n'en savait sans doute rien. Mais une autre loi du langage est que de temps en temps, comme font leur apparition et s'éloignent certaines maladies dont on n'entend plus parler ensuite, il naît on ne sait trop comment, soit spontanément, soit par un hasard comparable à celui qui fit germer en France une mauvaise herbe d'Amérique dont la graine prise après la peluche d'une couverture de voyage était tombée sur un talus de chemin de fer, des modes d'expressions qu'on entend dans la même décade dites par des gens qui ne se sont pas concertés pour cela. Or, de même qu'une certaine année j'entendis Bloch dire en parlant de lui-même : « Comme les gens les plus charmants, les plus brillants, les mieux posés, les plus difficiles, se sont aperçus qu'il n'y avait qu'un seul être qu'ils trouvaient intelligent, agréable, dont ils ne pouvaient se passer, c'était Bloch », et la même phrase dans la bouche de bien d'autres jeunes gens qui ne le connaissaient pas et qui remplaçaient seulement Bloch par leur propre nom, de même je devais entendre souvent le « quand on s'appelle ».

« Que voulez-vous, continua le duc, avec l'esprit qui règne là, c'est assez compréhensible.

— C'est surtout comique, répondit la duchesse, étant donné les idées de sa mère qui nous rase avec la Patrie française[1] du matin au soir.

— Oui, mais il n'y a pas que sa mère, il ne faut pas nous raconter de craques. Il y a une donzelle, une cascadeuse de la pire espèce, qui a plus d'influence sur lui et qui est précisément compatriote du sieur Dreyfus. Elle a passé à Robert son état d'esprit.

— Vous ne saviez[a] peut-être pas, monsieur le duc, qu'il y a un mot nouveau pour exprimer un tel genre d'esprit, dit l'archiviste qui était secrétaire des comités anti-

révisionnistes. On dit*ᵃ* "mentalité[1]". Cela signifie exactement la même chose, mais au moins personne ne sait ce
qu'on veut dire. C'est le fin du fin et, comme on dit, le
"dernier cri". »

Cependant, ayant entendu le nom de Bloch, il le voyait
poser des questions à M. de Norpois avec une inquiétude
qui en éveilla une différente mais aussi forte chez la
marquise. Tremblant devant l'archiviste en faisant l'antidreyfusarde avec lui, elle craignait ses reproches s'il se
rendait compte qu'elle avait reçu un juif plus ou moins
affilié au « Syndicat[2] ».

« Ah ! mentalité, j'en prends*ᵇ* note, je le resservirai, dit
le duc. » (Ce n'était pas une figure, le duc avait un petit
carnet rempli de « citations » et qu'il relisait avant les
grands dîners.) « Mentalité me plaît*ᶜ*. Il y a comme cela
des mots nouveaux qu'on lance, mais ils ne durent pas.
Dernièrement, j'ai lu comme cela qu'un écrivain était
"talentueux". Comprenne qui pourra. Puis je ne l'ai plus
jamais revu.

— Mais mentalité est plus employé que talentueux, dit
l'historien de la Fronde pour se mêler à la conversation.
Je suis membre d'une*ᵈ* Commission au ministère de
l'Instruction publique où je l'ai entendu employer plusieurs fois, et aussi à mon cercle, le cercle Volney[3], et
même à dîner chez M. Émile Ollivier[4].

— Moi qui n'ai pas l'honneur de faire partie du ministère
de l'Instruction publique », répondit le duc avec une feinte
humilité mais avec une vanité si profonde que sa bouche
ne pouvait s'empêcher de sourire et ses yeux de jeter à
l'assistance des regards pétillants de joie sous l'ironie
desquels rougit le pauvre historien, « moi qui n'ai pas
l'honneur de faire partie du ministère de l'Instruction
publique, reprit-il s'écoutant parler, ni du cercle Volney (je
ne suis que de l'Union[5] et du Jockey), vous n'êtes pas du
Jockey, monsieur ? » demanda-t-il à l'historien qui, rougissant encore davantage, flairant une insolence et ne la
comprenant pas, se mit à trembler de tous ses membres,
« moi qui ne dîne même pas chez M. Émile Ollivier,
j'avoue que je ne connaissais pas mentalité. Je suis sûr que
vous êtes dans mon cas, Argencourt. Vous savez pourquoi
on ne peut pas montrer les preuves de la trahison de
Dreyfus. Il paraît que c'est parce qu'il est l'amant de la
femme du ministre de la Guerre, cela se dit sous le manteau.

— Ah ! je croyais de la femme du président du Conseil, dit M. d'Argencourt.

— Je vous trouve tous aussi assommants les uns que les autres avec cette affaire », dit la duchesse de Guermantes qui, au point de vue mondain, tenait toujours à montrer qu'elle ne se laissait mener par personne. « Elle ne peut pas avoir de conséquence pour moi au point de vue des Juifs pour la bonne raison que je n'en ai pas dans mes relations et compte toujours rester dans cette bienheureuse ignorance. Mais, d'autre part, je trouve insupportable que, sous prétexte qu'elles sont bien pensantes, qu'elles n'achètent rien aux marchands juifs ou qu'elles ont "Mort aux Juifs" écrit sur leur ombrelle, une quantité de dames Durand ou Dubois, que nous n'aurions jamais connues, nous soient imposées par Marie-Aynard ou par Victurnienne[1]. Je suis allée chez Marie-Aynard avant-hier. C'était charmant autrefois. Maintenant on y trouve toutes les personnes qu'on a passé sa vie à éviter, sous prétexte qu'elles sont contre Dreyfus, et d'autres dont on n'a pas idée qui c'est.

— Non, c'est la femme du ministre de la Guerre[a]. C'est du moins un bruit qui court les ruelles », reprit le duc qui employait ainsi dans la conversation certaines expressions qu'il croyait Ancien Régime. « Enfin en tout cas, personnellement, on sait que je pense tout le contraire de mon cousin Gilbert. Je ne suis pas un féodal comme lui, je me promènerais[b] avec un nègre s'il était de mes amis, et je me soucierais de l'opinion du tiers et du quart comme de l'an quarante, mais enfin tout de même vous m'avouerez que, quand on s'appelle Saint-Loup, on ne s'amuse pas à prendre le contrepied des idées de tout le monde qui a plus d'esprit que Voltaire[2] et même que mon neveu. Et surtout on ne se livre pas à ce que j'appellerai ces acrobaties de sensibilité huit jours[c] avant de se présenter au Cercle ! Elle est un peu roide ! Non, c'est probablement sa petite grue qui lui aura monté le bourrichon. Elle lui aura persuadé qu'il se classerait parmi les "intellectuels". Les intellectuels, c'est le "tarte à la crème" de ces messieurs. Du reste cela a fait faire un assez joli jeu de mots, mais très méchant. »

Et le duc cita tout bas pour la duchesse et M. d'Argencourt : *Mater Semita*[3] qui en effet se disait déjà au Jockey, car de toutes les graines voyageuses, celle à qui sont attachées les ailes les plus solides qui lui permettent d'être

disséminée à une plus grande distance de son lieu
d'éclosion, c'est encore une plaisanterie.

« Nous pourrions demander des explications à monsieur, qui a l'air d'*une* érudit, dit-il en montrant l'historien.
Mais il est préférable de n'en pas parler, d'autant plus que
le fait est parfaitement faux. Je ne suis pas si ambitieux
que ma cousine Mirepoix qui prétend qu'elle peut suivre
la filiation de sa maison avant Jésus-Christ jusqu'à la tribu
de Lévi[1], et je me fais fort de démontrer qu'il n'y a jamais
eu une goutte de sang juif dans notre famille. Mais enfin
il ne faut tout de même pas nous la faire à l'oseille, il est
bien certain que les charmantes opinions de monsieur mon
neveu peuvent faire assez de bruit dans Landerneau[2].
D'autant plus que Fezensac est malade, ce sera Duras qui
mènera tout, et vous savez s'il aime à faire des embarras »,
dit le duc qui n'était jamais arrivé à connaître le sens précis
de certains mots et qui croyait que faire des embarras
voulait dire faire non pas de l'esbroufe, mais des
complications.

« En tout cas, si ce Dreyfus est innocent, interrompit
la duchesse, il ne le prouve guère. Quelles lettres idiotes,
emphatiques, il écrit de son île ! Je ne sais pas si
M. Esterhazy vaut mieux que lui, mais il a un autre chic
dans la façon de tourner les phrases, une autre couleur[3].
Cela ne doit pas faire plaisir aux partisans de M. Dreyfus.
Quel malheur pour eux qu'ils ne puissent pas changer
d'innocent[4]. » Tout le monde éclata de rire. « Vous avez
entendu le mot d'Oriane ? demanda avidement le duc de
Guermantes à Mme de Villeparisis. — Oui, je le trouve
très drôle. » Cela ne suffisait pas au duc : « Eh bien, moi,
je ne le trouve pas drôle ; ou plutôt cela m'est tout à fait
égal qu'il soit drôle ou non. Je ne fais aucun cas de
l'esprit. » M. d'Argencourt protestait. « Il ne pense pas
un mot de ce qu'il dit », murmura la duchesse. « C'est
sans doute parce que j'ai fait partie des Chambres où j'ai
entendu des discours brillants qui ne signifiaient rien. J'ai
appris à y apprécier surtout la logique. C'est sans doute
à cela que je dois de n'avoir pas été réélu. Les choses drôles
me sont indifférentes. — Basin, ne faites pas le Joseph
Prudhomme[5], mon petit, vous savez bien que personne
n'aime plus l'esprit que vous. — Laissez-moi finir. C'est
justement parce que je suis insensible à un certain genre
de facéties, que je prise souvent l'esprit de ma femme.

Car il part généralement d'une observation juste. Elle raisonne comme un homme, elle formule comme un écrivain. »

Bloch cherchait[a] à pousser M. de Norpois sur le colonel Picquart.

« Il est hors de conteste, répondit M. de Norpois, que sa déposition était nécessaire. Je sais qu'en soutenant cette opinion j'ai fait pousser à plus d'un de mes collègues des cris d'orfraie, mais, à mon sens, le gouvernement avait le devoir de laisser parler le colonel. On ne sort pas d'une pareille impasse par une simple pirouette, ou alors on risque de tomber dans un bourbier. Pour l'officier lui-même, cette déposition produisit à la première audience une impression des plus favorables. Quand on l'a vu, bien pris[b] dans le joli uniforme des chasseurs, venir sur un ton parfaitement simple et franc raconter ce qu'il avait vu, ce qu'il avait cru, dire : "Sur mon honneur de soldat" » (et ici la voix de M. de Norpois vibra d'un léger trémolo patriotique) « "telle est ma conviction", il n'y a pas à nier que l'impression a été profonde[1]. »

« Voilà, il est dreyfusard, il n'y a plus l'ombre d'un doute », pensa Bloch.

« Mais ce qui lui a aliéné entièrement les sympathies qu'il avait pu rallier d'abord, cela a été sa confrontation avec l'archiviste Gribelin[2], quand on entendit ce vieux serviteur, cet homme qui n'a qu'une parole » (et M. de Norpois accentua avec l'énergie des convictions sincères les mots qui suivirent), « quand on le vit regarder dans les yeux son supérieur, ne pas craindre de lui tenir la dragée haute et de lui dire d'un ton qui n'admettait pas de réplique : "Voyons, mon colonel, vous savez bien que je n'ai jamais menti, vous savez bien qu'en ce moment, comme toujours, je dis la vérité." Le vent tourna, M. Picquart eut beau remuer ciel et terre dans les audiences suivantes, il fit bel et bien fiasco. »

« Non, décidément[c] il est antidreyfusard, c'est couru, se dit Bloch. Mais s'il croit Picquart un traître qui ment, comment peut-il tenir compte de ses révélations et les évoquer comme s'il y trouvait du charme et les croyait sincères ? Et si au contraire il voit en lui un juste qui délivre sa conscience, comment peut-il le supposer mentant dans sa confrontation avec Gribelin ? »

Peut-être[a] la raison pour laquelle M. de Norpois parlait ainsi à Bloch comme s'ils eussent été d'accord venait-elle de ce qu'il était tellement antidreyfusard que, trouvant que le gouvernement ne l'était pas assez, il en était l'ennemi tout autant qu'étaient les dreyfusards. Peut-être parce que l'objet auquel il s'attachait en politique était quelque chose de plus profond, situé dans un autre plan, et d'où le dreyfusisme apparaissait comme une modalité sans importance et qui ne mérite pas de retenir un patriote soucieux des grandes questions extérieures. Peut-être, plutôt, parce que les maximes de sa sagesse politique ne s'appliquant qu'à des questions de forme, de procédé, d'opportunité, elles étaient aussi impuissantes à résoudre les questions de fond qu'en philosophie la pure logique l'est à trancher les questions d'existence, ou que cette sagesse même lui fît trouver dangereux de traiter de ces sujets et que, par prudence, il ne voulût parler que de circonstances secondaires. Mais où Bloch se trompait, c'est quand il croyait que M. de Norpois, même moins prudent de caractère et d'esprit moins exclusivement formel, eût pu, s'il l'avait voulu, lui dire la vérité sur le rôle d'Henry, de Picquart, de du Paty de Clam[1], sur tous les points de l'affaire. La vérité, en effet, sur toutes ces choses, Bloch ne pouvait douter que M. de Norpois la connût. Comment l'aurait-il ignorée puisqu'il connaissait les ministres ? Certes, Bloch pensait que la vérité politique peut être approximativement reconstituée par les cerveaux les plus lucides, mais il s'imaginait, tout comme le gros du public, qu'elle habite toujours, indiscutable et matérielle, le dossier secret du président de la République et du président du Conseil, lesquels en donnent connaissance aux ministres. Or, même quand la vérité politique comporte des documents, il est rare que ceux-ci aient plus que la valeur d'un cliché radioscopique où le vulgaire croit que la maladie du patient s'inscrit en toutes lettres, tandis qu'en fait, ce cliché fournit un simple élément d'appréciation qui se joindra à beaucoup d'autres sur lesquels s'appliquera le raisonnement du médecin et d'où il tirera son diagnostic. Aussi la vérité politique, quand on se rapproche des hommes renseignés et qu'on croit l'atteindre, se dérobe. Même plus tard, et pour en rester à l'affaire Dreyfus, quand se produisit un fait aussi éclatant que l'aveu d'Henry, suivi de son suicide[2], ce fait fut aussitôt interprété de façon opposée par des ministres dreyfusards, et par Cavaignac et Cuignet qui avaient eux-mêmes fait la découverte du faux et conduit l'interrogatoire[1] ; bien plus, parmi les ministres dreyfusards eux-mêmes, et de même nuance, jugeant non seulement sur les mêmes pièces, mais dans le même esprit, le rôle d'Henry fut expliqué de façon entièrement opposée, les uns voyant en lui un complice d'Estherhazy, les autres assignant au contraire ce rôle à du Paty de Clam, se ralliant ainsi à une thèse de leur adversaire Cuignet et étant en complète opposition avec leur partisan Reinach[2]. Tout ce que Bloch[a] put tirer de M. de Norpois c'est que, s'il était vrai que le chef d'état-major, M. de Boisdeffre, eût fait faire une communication secrète à M. Rochefort, il y avait évidemment là quelque chose de singulièrement regrettable[3].

« Tenez pour assuré que le ministre de la Guerre a dû, *in petto*[4] du moins, vouer son chef d'état-major aux dieux infernaux. Un désaveu officiel n'eût pas été à mon sens une superfétation. Mais le ministre de la Guerre s'exprime fort crûment là-dessus *inter pocula*[5]. Il y a du reste certains sujets sur lesquels il est fort imprudent de créer une agitation dont on ne peut ensuite rester maître.

— Mais ces pièces[b] sont manifestement fausses », dit Bloch.

M. de Norpois ne répondit pas, mais déclara qu'il n'approuvait pas les manifestations du prince Henri d'Orléans[6] :

« D'ailleurs elles ne peuvent que troubler la sérénité du prétoire et encourager des agitations qui dans un sens comme dans l'autre seraient à déplorer. Certes il faut mettre le holà aux menées antimilitaristes mais nous n'avons non plus que faire d'un grabuge encouragé par ceux des éléments de droite qui, au lieu de servir l'idée patriotique, songent à s'en servir. La France, Dieu merci, n'est pas une réplique sud-américaine et le besoin ne se fait pas sentir d'un général de pronunciamiento. »

Bloch ne put[c] arriver à le faire parler de la question de la culpabilité de Dreyfus ni donner un pronostic[d] sur le jugement qui interviendrait dans l'affaire civile actuellement en cours. En revanche M. de Norpois parut prendre plaisir à donner des détails sur les suites de ce jugement.

« Si c'est une condamnation, dit-il, elle sera probablement cassée, car il est rare que, dans un procès où les

dépositions de témoins sont aussi nombreuses, il n'y ait
pas de vices de forme que les avocats puissent invoquer[1].
Pour en finir sur l'algarade du prince Henri d'Orléans,
je doute fort qu'elle ait été du goût de son père[2].

— Vous croyez que Chartres est pour Dreyfus ?
demanda la duchesse en souriant, les yeux ronds, les joues
roses, le nez dans son assiette de petits fours, l'air
scandalisé.

— Nullement, je voulais seulement dire qu'il y a dans
toute la famille, de ce côté-là, un sens politique dont on
a pu voir, chez l'admirable princesse Clémentine[3], le *nec
plus ultra*, et que son fils le prince Ferdinand[4] a gardé
comme un précieux héritage. Ce n'est pas le prince de
Bulgarie qui eût serré le commandant Esterhazy dans ses
bras.

— Il aurait préféré un simple soldat », murmura
Mme de Guermantes qui dînait souvent avec le Bulgare
chez le prince de Joinville et qui lui avait répondu une
fois, comme il lui demandait si elle n'était pas jalouse :
« Si, monseigneur, de vos bracelets ».

« Vous n'allez pas[a] ce soir au bal de Mme de Sagan ? »
dit M. de Norpois à Mme de Villeparisis pour couper court
à l'entretien avec Bloch. Celui-ci ne déplaisait pas à
l'ambassadeur qui nous dit plus tard non sans naïveté, et sans
doute à cause des quelques traces qui subsistaient dans le
langage de Bloch de la mode néo-homérique qu'il avait
pourtant abandonnée : « Il est assez amusant, avec sa
manière de parler un peu vieux jeu, un peu solennelle. Pour
un peu il dirait : "les Doctes Sœurs" comme Lamartine ou
Jean-Baptiste Rousseau[5]. C'est devenu assez rare dans la
jeunesse actuelle et cela l'était même dans celle qui l'avait
précédée. Nous-mêmes nous étions un peu romantiques. »
Mais si singulier que lui parût l'interlocuteur, M. de Norpois trouvait que l'entretien n'avait que trop duré.

« Non, Monsieur[b], je ne vais plus au bal, répondit-elle
avec un joli sourire de vieille femme. Vous y allez, vous
autres ? C'est de votre âge », ajouta-t-elle en englobant
dans un même regard M. de Châtellerault, son ami, et
Bloch[c]. « Moi aussi j'ai été invitée », dit-elle en affectant
par plaisanterie d'en tirer vanité. « On est même venu
m'inviter. » (On : c'était la princesse de Sagan.)

« Je n'ai pas de carte d'invitation », dit Bloch, pensant
que Mme de Villeparisis allait lui en offrir une, et que

Mme de Sagan serait heureuse de recevoir l'ami d'une femme qu'elle était venue inviter en personne.

La marquise ne répondit rien, et Bloch n'insista pas, car il avait une affaire plus sérieuse à traiter avec elle et pour laquelle il venait de lui demander un rendez-vous pour le surlendemain. Ayant entendu les deux jeunes gens dire qu'ils avaient donné leur démission du cercle de la rue Royale où on entrait comme dans un moulin, il voulait demander à Mme de Villeparisis de l'y faire recevoir.

« Est-ce que[a] ce n'est pas assez faux chic, assez snob à côté, ces Sagan[b] ? dit-il d'un air sarcastique.

— Mais pas du tout, c'est ce que nous faisons de mieux dans le genre, répondit M. d'Argencourt qui avait adopté toutes les plaisanteries parisiennes.

— Alors, dit Bloch à demi ironiquement, c'est ce qu'on appelle une des *solennités*, des grandes *assises mondaines* de la saison ! »

Mme de Villeparisis dit gaiement[c] à Mme de Guermantes :

« Voyons, est-ce une grande solennité mondaine, le bal de Mme de Sagan[1] ?

— Ce n'est pas à moi qu'il faut demander cela, lui répondit ironiquement la duchesse, je ne suis pas encore arrivée à savoir ce que c'était qu'une solennité mondaine. Du reste, les choses mondaines ne sont pas mon fort.

— Ah ! je croyais le contraire », dit Bloch qui[d] se figurait que Mme de Guermantes avait parlé sincèrement.

Il continua, au grand désespoir de M. de Norpois, à lui poser nombre de questions sur l'affaire Dreyfus ; celui-ci déclara qu'à « vue de nez » le colonel du Paty de Clam lui faisait l'effet d'un cerveau un peu fumeux et qui n'avait peut-être pas été très heureusement choisi pour conduire cette chose délicate, qui exige tant de sang-froid et de discernement, une instruction[2].

« Je sais que le parti socialiste réclame sa tête à cor et à cri, ainsi que l'élargissement immédiat du prisonnier de l'île du Diable. Mais je pense que nous n'en sommes pas encore réduits à passer ainsi sous les fourches caudines de MM. Gérault-Richard et consorts[3]. Cette affaire-là, jusqu'ici, c'est la bouteille à l'encre. Je ne dis pas que d'un côté comme de l'autre il n'y ait à cacher d'assez vilaines turpitudes. Que même certains protecteurs plus ou moins désintéressés de votre client puissent avoir de bonnes intentions, je ne prétends pas le contraire mais vous savez que l'enfer en est pavé, ajouta-t-il avec un regard fin. Il est essentiel que le gouvernement donne l'impression qu'il n'est pas plus aux mains des factions de gauche qu'il n'a à se rendre pieds et poings liés aux sommations de je ne sais quelle armée prétorienne qui, croyez-moi, n'est pas l'Armée. Il va de soi que si un fait nouveau se produisait, une procédure de révision serait entamée. La conséquence saute aux yeux. Réclamer cela, c'est enfoncer une porte ouverte. Ce jour-là le gouvernement saura parler haut et clair ou il laisserait tomber en quenouille ce qui est sa prérogative essentielle. Les coq-à-l'âne ne suffiront plus. Il faudra donner des juges à Dreyfus. Et ce sera chose facile car, quoique l'on ait pris l'habitude dans notre douce France où l'on aime à se calomnier soi-même, de croire ou de laisser croire que pour faire entendre les mots de vérité et de justice il est indispensable de traverser la Manche, ce qui n'est bien souvent qu'un moyen détourné de rejoindre la Sprée[1], il n'y a pas de juges qu'à Berlin[2]. Mais une fois l'action gouvernementale mise en mouvement, le gouvernement saurez-vous l'écouter ? Quand il vous conviera à remplir votre devoir civique, saurez-vous l'écouter, vous rangerez-vous autour de lui ? À son appel patriotique saurez-vous ne pas rester sourds et répondre : "Présent !" ? »

M. de Norpois posait ces questions à Bloch avec une véhémence qui tout en intimidant mon camarade le flattait aussi ; car l'ambassadeur avait l'air de s'adresser en lui à tout un parti, d'interroger Bloch comme s'il avait reçu les confidences de ce parti et pouvait assumer la responsabilité des décisions qui seraient prises. « Si vous ne désarmiez pas », continua M. de Norpois sans attendre la réponse collective de Bloch, « si, avant même que fût séchée l'encre du décret qui instituerait la procédure de révision, obéissant à je ne sais quel insidieux mot d'ordre vous ne désarmiez pas, mais vous confiniez dans une opposition stérile qui semble pour certains l'*ultima ratio*[3] de la politique, si vous vous retiriez sous votre tente et brûliez vos vaisseaux, ce serait à votre grand dam. Êtes-vous prisonnier des fauteurs de désordre ? Leur avez-vous donné des gages ? » Bloch était embarrassé pour répondre. M. de Norpois ne lui en laissa pas le temps. « Si la négative est vraie, comme je veux le croire, et si vous avez un peu de ce qui me semble malheureusement manquer à certains de vos chefs et de vos amis, quelque esprit politique, le jour même où la Chambre criminelle sera saisie, si vous ne vous laissez pas embrigader par les pêcheurs en eau trouble, vous aurez ville gagnée. Je ne réponds pas que tout l'état-major puisse tirer son épingle du jeu, mais c'est déjà bien beau si une partie tout au moins peut sauver la face sans mettre le feu aux poudres. Il va de soi d'ailleurs que c'est au gouvernement qu'il appartient de dire le droit et de clore la liste trop longue des crimes impunis, non, certes, en obéissant aux excitations socialistes ni de je ne sais quelle soldatesque, ajouta-t-il, en regardant Bloch dans les yeux et peut-être avec l'instinct qu'ont tous les conservateurs de se ménager des appuis dans le camp adverse. L'action gouvernementale doit s'exercer sans souci des surenchères, d'où qu'elles viennent. Le gouvernement n'est, Dieu merci, aux ordres ni du colonel Driant[1], ni, à l'autre pôle, de M. Clemenceau[2]. Il faut mater les agitateurs de profession et les empêcher de relever la tête. La France dans son immense majorité désire le travail dans l'Ordre ! Là-dessus ma religion est faite. Mais il ne faut pas craindre d'éclairer l'opinion ; et si quelques moutons, de ceux qu'a si bien connus notre Rabelais[3], se jetaient à l'eau tête baissée, il conviendrait de leur montrer que cette eau est trouble, qu'elle a été troublée à dessein par une engeance qui n'est pas de chez nous, pour en dissimuler les dessous dangereux. Et il ne doit pas se donner l'air de sortir de sa passivité à son corps défendant quand il exercera le droit qui est essentiellement le sien, j'entends de mettre en mouvement Dame Justice. Le gouvernement acceptera toutes vos suggestions. S'il est avéré qu'il y ait eu erreur judiciaire, il sera assuré d'une majorité écrasante qui lui permettrait de se donner du champ.

— Vous, monsieur[a] », dit Bloch, en se tournant vers M. d'Argencourt à qui on l'avait nommé en même temps que les autres personnes, « vous êtes certainement dreyfusard : à l'étranger tout le monde l'est.

— C'est une affaire qui ne regarde que les Français entre eux, n'est-ce pas ? » répondit M. d'Argencourt avec cette insolence particulière qui consiste à prêter à l'interlocuteur une opinion qu'on sait manifestement qu'il ne partage pas, puisqu'il vient d'en émettre une opposée.

Bloch rougit ; M. d'Argencourt sourit, en regardant autour de lui, et si ce sourire, pendant qu'il l'adressa aux autres visiteurs, fut malveillant pour Bloch, il le tempéra de cordialité en l'arrêtant finalement sur mon ami afin d'ôter à celui-ci le prétexte de se fâcher des mots qu'ils venaient d'entendre et qui n'en restaient pas moins cruels. Mme de Guermantes dit à l'oreille de M. d'Argencourt quelque chose que je n'entendis pas mais qui devait avoir trait à la religion de Bloch, car il passa à ce moment dans la figure de la duchesse cette expression à laquelle la peur qu'on a d'être remarqué par la personne dont on parle donne quelque chose d'hésitant et de faux et où se mêle la gaieté curieuse et malveillante qu'inspire un groupement humain auquel nous nous sentons radicalement étrangers. Pour se rattraper Bloch se tourna vers le duc de Châtellerault : « Vous, Monsieur, qui êtes français, vous savez certainement qu'on est dreyfusard à l'étranger, quoiqu'on prétende qu'en France on ne sait jamais ce qui se passe à l'étranger. Du reste je sais qu'on peut causer avec vous, Saint-Loup me l'a dit. » Mais le jeune duc, qui sentait que tout le monde se mettait contre Bloch et qui était lâche comme on l'est souvent dans le monde, usant d'ailleurs d'un esprit précieux et mordant que, par atavisme, il semblait tenir de M. de Charlus : « Excusez-moi, monsieur, de ne pas discuter de Dreyfus avec vous, mais c'est une affaire dont j'ai pour principe de ne parler qu'entre Japhétiques[1]. » Tout le monde sourit, excepté Bloch, non qu'il n'eût l'habitude de prononcer des phrases ironiques sur ses origines juives, sur son côté qui tenait un peu au Sinaï. Mais au lieu d'une de ces phrases, lesquelles sans doute n'étaient pas prêtes, le déclic de la machine intérieure en fit monter une autre à la bouche de Bloch. Et on ne put recueillir que ceci : « Mais comment avez-vous pu savoir ? Qui vous a dit ? » comme s'il avait été le fils d'un forçat. D'autre part, étant donné son nom, qui ne passe pas précisément pour chrétien, et son visage, son étonnement montrait quelque naïveté.

Ce que lui avait dit M. de Norpois ne l'ayant pas complètement satisfait, il s'approcha de l'archiviste et lui demanda si on ne voyait pas quelquefois chez Mme de Villeparisis M. du Paty de Clam ou M. Joseph Reinach. L'archiviste ne répondit rien ; il était nationaliste et ne cessait de prêcher à la marquise qu'il y aurait bientôt une guerre sociale et qu'elle devrait être plus prudente dans le choix de ses relations. Il se demanda si Bloch n'était pas un émissaire secret du Syndicat venu pour le renseigner et alla immédiatement répéter à Mme de Villeparisis ces questions que Bloch venait de lui poser. Elle jugea qu'il était au moins mal élevé, peut-être dangereux pour la situation de M. de Norpois. Enfin elle voulait donner satisfaction à l'archiviste, la seule personne qui lui inspirât quelque crainte, et par lequel elle était endoctrinée, sans grand succès (chaque matin il lui lisait l'article de M. Judet dans *Le Petit Journal*[1]). Elle voulut donc signaler à Bloch qu'il eût à ne pas revenir et elle trouva tout naturellement dans son répertoire mondain la scène par laquelle une grande dame met quelqu'un à la porte de chez elle, scène qui ne comporte nullement le doigt levé et les yeux flambants que l'on se figure. Comme Bloch s'approchait d'elle pour lui dire au revoir, enfoncée dans son grand fauteuil, elle parut à demi tirée d'une vague somnolence. Ses regards noyés n'eurent que la lueur faible et charmante d'une perle. Les adieux de Bloch, déplissant à peine dans la figure de la marquise un languissant sourire, ne lui arrachèrent pas une parole, et elle ne lui tendit pas la main. Cette scène mit Bloch au comble de l'étonnement, mais comme un cercle de personnes en était témoin alentour, il ne pensa pas qu'elle pût se prolonger sans inconvénient pour lui et, pour forcer la marquise, la main qu'on ne venait pas lui prendre, de lui-même il la tendit. Mme de Villeparisis fut choquée. Mais sans doute, tout en tenant à donner une satisfaction immédiate à l'archiviste et au clan antidreyfusard, voulait-elle pourtant ménager l'avenir, elle se contenta d'abaisser les paupières et de fermer à demi les yeux.

« Je crois qu'elle dort », dit Bloch à l'archiviste qui, se sentant soutenu par la marquise, prit un air indigné. « Adieu, madame » cria-t-il.

La marquise fit le léger mouvement de lèvres d'une mourante qui voudrait ouvrir la bouche, mais dont le regard ne reconnaît plus. Puis elle se tourna, débordante d'une vie retrouvée, vers le marquis d'Argencourt tandis que Bloch s'éloignait, persuadé qu'elle était « ramollie ». Plein de curiosité et du dessein d'éclairer un incident si étrange, il revint la voir quelques jours après. Elle le reçut très bien parce qu'elle était bonne femme, que l'archiviste n'était pas là, qu'elle tenait à la saynète que Bloch devait faire jouer chez elle, et qu'enfin elle avait fait le jeu de grande dame qu'elle désirait, lequel fut universellement admiré et commenté le soir même dans divers salons, mais d'après une version qui n'avait déjà plus aucun rapport avec la vérité.

« Vous parliez*ᵃ* des *Sept Princesses*, duchesse, vous savez (je n'en suis pas plus fier pour ça) que l'auteur de ce... comment dirai-je, de ce factum, est un de mes compatriotes », dit M. d'Argencourt avec une ironie mêlée de la satisfaction de connaître mieux que les autres l'auteur d'une œuvre dont on venait de parler. « Oui, il est belge[1], de son état, ajouta-t-il.

— Vraiment ? Non, nous ne vous accusons pas d'être pour quoi que ce soit dans *Les Sept Princesses*. Heureusement pour vous et pour vos compatriotes, vous ne ressemblez pas à l'auteur de cette ineptie. Je connais des Belges très aimables, vous, votre roi qui est un peu timide mais plein d'esprit, mes cousins Ligne et bien d'autres, mais heureusement vous ne parlez pas le même langage que l'auteur des *Sept Princesses*. Du reste, si vous voulez que je vous dise, c'est trop d'en parler parce que surtout ce n'est rien. Ce sont des gens qui cherchent à avoir l'air obscur et au besoin qui s'arrangent d'être ridicules pour cacher qu'ils n'ont pas d'idées. S'il y avait quelque chose dessous, je vous dirais que je ne crains pas certaines audaces, ajouta-t-elle d'un ton sérieux, du moment qu'il y a de la pensée. Je ne sais pas si vous avez vu la pièce de Borrelli. Il y a des gens que cela a choqués ; moi, quand je devrais me faire lapider », ajouta-t-elle sans se rendre compte qu'elle ne courait pas de grands risques, « j'avoue que j'ai trouvé cela infiniment curieux*ᵇ*[2]. Mais *Les Sept Princesses* ! L'une d'elles a beau avoir des bontés pour mon neveu, je ne peux pas pousser les sentiments de famille... »

La duchesse s'arrêta net, car une dame entrait qui était la vicomtesse de Marsantes, la mère de Robert. Mme de Marsantes était considérée*ᶜ* dans le faubourg Saint-Germain comme un être supérieur, d'une bonté, d'une résignation angéliques. On me l'avait dit et je n'avais pas de raison particulière pour en être surpris, ne sachant pas à ce moment-là qu'elle était la propre sœur du duc de Guermantes. Plus tard j'ai toujours été étonné chaque fois que j'appris, dans cette société, que des femmes mélancoli-

ques, pures, sacrifiées, vénérées comme d'idéales saintes
de vitrail, avaient fleuri sur la même souche généalogique
que des frères brutaux, débauchés et vils. Des frères et
sœurs, quand ils sont tout à fait pareils de visage comme
étaient le duc de Guermantes et Mme de Marsantes, me
semblaient devoir avoir en commun une seule intelligence,
un même cœur, comme aurait une personne qui peut avoir
de bons ou de mauvais moments mais dont on ne peut
attendre tout de même de vastes vues si elle est d'esprit
borné, et une abnégation sublime si elle est de cœur dur.

Mme de Marsantes suivait les cours de Brunetière[1]. Elle
enthousiasmait le faubourg Saint-Germain et, par sa vie
de sainte, l'édifiait aussi. Mais la connexité morphologique
du joli nez et du regard pénétrant m'incitait pourtant à
classer Mme de Marsantes dans la même famille intellectuelle et morale que son frère le duc. Je ne pouvais[a]
croire que le seul fait d'être une femme et peut-être d'avoir
été malheureuse et d'avoir l'opinion de tous pour soi,
pouvait faire qu'on fût aussi différent des siens, comme
dans les chansons de geste où toutes les vertus et les grâces
sont réunies en la sœur de frères farouches. Il me semblait
que la nature, moins libre que les vieux poètes, devait se
servir à peu près exclusivement des éléments communs
à la famille et je ne pouvais lui attribuer tel pouvoir
d'innovation qu'elle fît, avec les matériaux analogues à
ceux qui composaient un sot et un rustre, un grand esprit
sans aucune tare de sottise, une sainte sans aucune souillure
de brutalité[b]. Mme de Marsantes avait une robe de surah
blanc à grandes palmes, sur lesquelles se détachaient des
fleurs en étoffe, lesquelles étaient noires. C'est qu'elle avait
perdu, il y a trois semaines, son cousin M. de Montmorency, ce qui ne l'empêchait pas de faire des visites, d'aller
à de petits dîners, mais en deuil. C'était une grande dame.
Par atavisme son âme était remplie par la frivolité des
existences de cour, avec tout ce qu'elles ont de superficiel
et de rigoureux. Mme de Marsantes n'avait pas eu la force
de regretter longtemps son père et sa mère, mais pour
rien au monde elle n'eût porté de couleurs dans le mois
qui suivait la mort d'un cousin. Elle fut plus qu'aimable
avec moi parce que j'étais l'ami de Robert et parce que
je n'étais pas du même monde que Robert. Cette bonté
s'accompagnait d'une feinte timidité, de l'espèce de
mouvement de retrait intermittent de la voix, du regard,

de la pensée qu'on ramène à soi comme une jupe
indiscrète, pour ne pas prendre trop de place, pour rester
bien droite, même dans la souplesse, comme le veut la
bonne éducation. Bonne éducation qu'il ne faut pas
prendre trop au pied de la lettre d'ailleurs, plusieurs de
ces dames versant très vite dans le dévergondage des
mœurs sans perdre jamais la correction presque enfantine
des manières. Mme de Marsantes agaçait un peu dans la
conversation parce que, chaque fois qu'il s'agissait d'un
roturier, par exemple de Bergotte, d'Elstir, elle disait en
détachant le mot, en le faisant valoir, et en le psalmodiant
sur deux tons différents en une modulation qui était
particulière aux Guermantes : « J'ai eu l'*honneur*, le grand
hon-neur de rencontrer Monsieur Bergotte, de faire la
connaissance de Monsieur Elstir », soit pour faire admirer
son humilité, soit par le même goût qu'avait M. de Guermantes de revenir aux formes désuètes, pour protester
contre les usages de mauvaise éducation actuelle où on
ne se dit pas assez « honoré ». Quelle que fût[a] celle de
ces deux raisons qui fût la vraie, de toute façon on sentait
que, quand Mme de Marsantes disait : « J'ai eu l'*honneur*,
le grand *hon*-neur », elle croyait remplir un grand rôle,
et montrer qu'elle savait accueillir les noms des hommes
de valeur comme elle les eût reçus eux-mêmes dans son
château, s'ils s'étaient trouvés dans le voisinage. D'autre
part[b], comme sa famille était nombreuse, qu'elle l'aimait
beaucoup, que, lente de débit et amie des explications,
elle voulait faire comprendre les parentés, elle se trouvait
(sans aucun désir d'étonner et tout en n'aimant sincèrement parler que de paysans touchants et de gardes-chasse
sublimes) citer à tout instant toutes les familles médiatisées
d'Europe, ce que les personnes moins brillantes ne lui
pardonnaient pas et, si elles étaient un peu intellectuelles,
raillaient comme de la stupidité.

À la campagne, Mme de Marsantes était adorée pour
le bien qu'elle faisait, mais surtout parce que la pureté d'un
sang où depuis plusieurs générations on ne rencontrait que
ce qu'il y a de plus grand dans l'histoire de France, avait
ôté à sa manière d'être tout ce que les gens du peuple
appellent « des manières » et lui avait donné la parfaite
simplicité. Elle ne craignait pas d'embrasser une pauvre
femme qui était malheureuse et lui disait d'aller chercher
un char de bois au château. C'était, disait-on, la parfaite

chrétienne. Elle tenait à faire faire un mariage colossalement riche à Robert. Être grande dame, c'est jouer à la grande dame, c'est-à-dire, pour une part, jouer la simplicité. C'est un jeu qui coûte extrêmement cher, d'autant plus que la simplicité ne ravit qu'à la condition que les autres sachent que vous pourriez ne pas être simples, c'est-à-dire que vous êtes très riches. On me dit plus tard, quand je racontai que je l'avais vue : « Vous avez dû vous rendre compte qu'elle a été ravissante. » Mais la vraie beauté est si particulière, si nouvelle, qu'on ne la reconnaît pas pour la beauté. Je me dis seulement ce jour-là qu'elle avait un nez tout petit, des yeux très bleus, le cou long et l'air triste.

« Écoute, dit Mme de Villeparisis à la duchesse de Guermantes, je crois que j'aurai tout à l'heure la visite d'une femme que tu ne veux pas connaître, j'aime mieux te prévenir pour que cela ne t'ennuie pas. D'ailleurs, tu peux être tranquille, je ne l'aurai jamais chez moi plus tard, mais elle doit venir pour une seule fois aujourd'hui. C'est la femme de Swann. »

Mme Swann, voyant les proportions que prenait l'affaire Dreyfus, et craignant que les origines de son mari ne se tournassent contre elle, l'avait supplié de ne plus jamais parlé de l'innocence du condamné. Quand il n'était pas là, elle allait plus loin et faisait profession du nationalisme le plus ardent ; elle ne faisait que suivre en cela d'ailleurs Mme Verdurin chez qui un antisémitisme bourgeois et latent s'était réveillé et avait atteint une véritable exaspération. Mme Swann avait gagné à cette attitude d'entrer dans quelques-unes des ligues de femmes du monde antisémites qui commençaient à se former et avait noué des relations avec plusieurs personnes de l'aristocratie. Il peut paraître étrange que, loin de les imiter, la duchesse de Guermantes, si amie de Swann, eût, au contraire, toujours résisté au désir qu'il ne lui avait pas caché de lui présenter sa femme. Mais on verra plus tard que c'était un effet du caractère particulier de la duchesse qui jugeait qu'elle « n'avait pas » à faire telle ou telle chose, et imposait avec despotisme ce qu'avait décidé son « libre arbitre » mondain, fort arbitraire.

« Je vous remercie[a] de me prévenir, répondit la duchesse. Cela me serait en effet très désagréable. Mais comme je la connais de vue, je me lèverai à temps.

— Je t'assure, Oriane, elle est très agréable, c'est une excellente femme, dit Mme de Marsantes.

— Je n'en doute pas, mais je n'éprouve aucun besoin de m'en assurer par moi-même.

— Est-ce que tu es invitée chez Lady Israëls ? » demanda[a] Mme de Villeparisis à la duchesse, pour changer la conversation.

« Mais, Dieu merci, je ne la connais pas, répondit Mme de Guermantes. C'est à Marie-Aynard qu'il faut[b] demander cela. Elle la connaît et je me suis toujours demandé pourquoi.

— Je l'ai en effet connue, répondit Mme de Marsantes, je confesse mes erreurs. Mais je suis décidée à ne plus la connaître. Il paraît que c'est une des pires et qu'elle ne s'en cache pas. Du reste, nous avons tous été trop confiants, trop hospitaliers. Je ne fréquenterai plus personne de cette nation. Pendant qu'on avait de vieux cousins de province du même sang, à qui on fermait sa porte, on l'ouvrait aux Juifs. Nous voyons maintenant leur remerciement. Hélas ! je n'ai rien à dire, j'ai un fils adorable et qui débite, en jeune fou qu'il est, toutes les insanités possibles », ajouta-t-elle en entendant que M. d'Argencourt avait fait allusion à Robert. « Mais, à propos de Robert, est-ce que vous ne l'avez pas vu ? demanda-t-elle à Mme de Villeparisis ; comme c'est samedi, je pensais qu'il aurait pu passer vingt-quatre heures à Paris et dans ce cas il serait sûrement venu vous voir. »

En réalité Mme de Marsantes pensait que son fils n'aurait pas de permission[c] ; mais comme, en tout cas, elle savait que s'il en avait eu une il ne serait pas venu chez Mme de Villeparisis, elle espérait, en ayant l'air de croire qu'elle l'eût trouvé ici, lui faire pardonner par sa tante susceptible, toutes les visites qu'il ne lui aurait pas faites.

« Robert ici ! Mais je n'ai pas même eu un mot de lui ; je crois que je ne l'ai pas vu depuis Balbec.

— Il est si occupé, il a tant à faire », dit Mme de Marsantes.

Un imperceptible[d] sourire fit onduler les cils de Mme de Guermantes qui regarda le cercle qu'avec la pointe de son ombrelle elle traçait sur le tapis. Chaque fois que le duc avait délaissé trop ouvertement sa femme, Mme de Marsantes avait pris avec éclat contre son propre frère le parti de sa belle-sœur. Celle-ci gardait de cette protection un souvenir reconnaissant et rancunier, et elle n'était qu'à demi fâchée des fredaines de Robert. À ce moment la porte s'étant ouverte de nouveau, celui-ci entra[a].

« Tiens, quand on parle du Saint-Loup », dit Mme de Guermantes.

Mme de Marsantes, qui[b] tournait le dos à la porte, n'avait pas vu entrer son fils. Quand elle l'aperçut, en cette mère la joie battit véritablement comme un coup d'aile, le corps de Mme de Marsantes se souleva à demi, son visage palpita et elle attachait sur Robert des yeux émerveillés :

« Comment, tu es venu ! Quel bonheur ! Quelle surprise !

— Ah ! *quand on parle du Saint-Loup*, je comprends, dit le diplomate belge en riant aux éclats.

— C'est délicieux », répliqua sèchement Mme de Guermantes qui détestait les calembours et n'avait hasardé celui-là qu'en ayant l'air de se moquer d'elle-même. « Bonjour, Robert, dit-elle ; eh bien ! voilà comme on oublie sa tante. »

Ils causèrent un instant ensemble et sans doute de moi, car tandis que Saint-Loup se rapprochait de sa mère, Mme de Guermantes se tourna vers moi.

« Bonjour, comment allez-vous[c] ? » me dit-elle.

Elle laissa pleuvoir sur moi la lumière de son regard bleu, hésita un instant, déplia et tendit la tige de son bras, pencha en avant son corps qui se redressa rapidement en arrière comme un arbuste qu'on a couché et qui, laissé libre, revient à sa position naturelle. Ainsi agissait-elle sous le feu des regards de Saint-Loup qui l'observait et faisait à distance des efforts désespérés pour obtenir un peu plus encore de sa tante. Craignant que la conversation ne tombât, il vint l'alimenter et répondit pour moi :

« Il ne va pas très bien, il est un peu fatigué ; du reste, il irait peut-être mieux s'il te voyait plus souvent, car je ne te cache pas qu'il aime beaucoup te voir.

— Ah ! mais, c'est très aimable », dit Mme de Guermantes d'un ton volontairement banal, comme si je lui eusse apporté son manteau. « Je suis très flattée.

— Tiens, je vais[d] un peu près de ma mère, je te donne ma chaise », me dit Saint-Loup en me forçant ainsi à m'asseoir à côté de sa tante.

Nous nous tûmes tous deux.

« Je vous aperçois quelquefois le matin », me dit-elle comme si ce fût une nouvelle qu'elle m'eût apprise et comme si moi je ne la voyais pas. « Ça fait[a] beaucoup de bien à la santé.

— Oriane, dit à mi-voix Mme de Marsantes, vous disiez que vous alliez voir Mme de Saint-Ferréol, est-ce que vous auriez été assez gentille pour lui dire qu'elle ne m'attende pas à dîner ? Je resterai chez moi puisque j'ai Robert. Si même j'avais osé vous demander de dire en passant qu'on achète tout de suite de ces cigares que Robert aime, ça s'appelle des "Corona", il n'y en a plus. »

Robert se rapprocha ; il avait seulement entendu le nom de Mme de Saint-Ferréol.

« Qu'est-ce que c'est encore que ça, Mme de Saint-Ferréol ? » demanda-t-il sur un ton d'étonnement et de décision, car il affectait d'ignorer tout ce qui concernait le monde.

« Mais voyons, mon chéri, tu sais bien, dit sa mère, c'est la sœur de Vermandois ; c'est elle qui t'avait donné ce beau jeu de billard que tu aimais tant[b]. »

— Comment, c'est la sœur de Vermandois, je n'en avais pas la moindre idée. Ah ! ma famille est épatante », dit-il en se tournant à demi vers moi et en prenant sans s'en rendre compte les intonations de Bloch comme il empruntait ses idées, « elle connaît des gens inouïs, des gens qui s'appellent plus ou moins Saint-Ferréol (et détachant la dernière consonne de chaque mot), elle va au bal, elle se promène en victoria, elle mène une existence fabuleuse. C'est prodigieux[c]. »

Mme de Guermantes fit avec la gorge ce bruit léger, bref et fort comme d'un sourire forcé qu'on ravale et qui était destiné à montrer qu'elle prenait part, dans la mesure où la parenté l'y obligeait, à l'esprit de son neveu. On vint annoncer que le prince de Faffenheim-Munsterburg-Weinigen faisait[d] dire à M. de Norpois qu'il était là.

« Allez le chercher, monsieur » dit Mme de Villeparisis à l'ancien ambassadeur qui se porta au-devant du premier ministre allemand.

Mais[e] la marquise le rappela :

« Attendez, monsieur ; faudra-t-il que je lui montre la miniature de l'impératrice Charlotte[1] ?

— Ah ! je crois qu'il sera ravi, dit l'ambassadeur d'un ton pénétré et comme s'il enviait ce fortuné ministre de la faveur qui l'attendait.

— Ah ! je sais qu'il est très *bien pensant*, dit Mme de Marsantes, et c'est si rare parmi les étrangers. Mais je suis renseignée. C'est l'antisémitisme en personne. »

Le nom du prince gardait, dans la franchise avec laquelle ses premières syllabes étaient — comme on dit en musique — attaquées, et dans la bégayante répétition qui les scandait, l'élan, la naïveté maniérée, les lourdes « délicatesses » germaniques projetées comme des branchages verdâtres sur le « Heim[1] » d'émail bleu sombre qui déployait la mysticité d'un vitrail rhénan derrière les dorures pâles et finement ciselées du XVIIIe siècle allemand. Ce nom contenait parmi les noms divers dont il était formé, celui d'une petite ville d'eaux allemande où tout enfant j'avais été avec ma grand-mère[2], au pied d'une montagne[3] honorée par les promenades de Goethe, et des vignobles de laquelle nous buvions au Kurhof les crus illustres à l'appellation composée et retentissante comme les épithètes qu'Homère donne à ses héros. Aussi à peine eus-je entendu prononcer le nom du prince qu'avant de m'être rappelé la station thermale il me parut diminuer, s'imprégner d'humanité, trouver assez grande pour lui une petite place dans ma mémoire à laquelle il adhéra, familier, terre à terre, pittoresque, savoureux, léger, avec quelque chose d'autorisé, de prescrit. Bien plus, M. de Guermantes, en expliquant qui était le prince, cita plusieurs fois de ses titres, et je reconnus le nom d'un village traversé par la rivière où chaque soir, la cure finie, j'allais en barque, à travers les moustiques ; et celui d'une forêt assez éloignée pour que le médecin ne m'eût pas permis d'y aller en promenade. Et en effet il était compréhensible que la suzeraineté du seigneur s'étendît aux lieux circonvoisins et associât à nouveau dans l'énumération de ses titres les noms qu'on pouvait lire à côté les uns des autres sur une carte. Ainsi sous la visière du prince du Saint-Empire et de l'écuyer de Franconie[4], ce fut le visage d'une terre aimée où s'étaient souvent arrêtés pour moi les rayons du soleil de six heures que je vis, du moins avant que le prince, rhingrave et électeur palatin, fût entré. Car j'appris en quelques instants que les revenus qu'il tirait de la forêt

et de la rivière peuplées de gnomes et d'ondines, de la
montagne enchantée où s'élève le vieux Burg[1] qui garde
le souvenir de Luther et de Louis le Germanique[2], il en
usait pour avoir cinq automobiles Charron[3], un hôtel à
Paris et un à Londres, une loge le lundi à l'Opéra et une
aux « mardis » des « Français ». Il ne me semblait pas,
et il ne semblait pas lui-même le croire, qu'il différât des
hommes de même fortune et de même âge qui avaient
une moins poétique origine. Il avait leur culture, leur idéal,
se réjouissait de son rang mais seulement à cause des
avantages qu'il lui conférait, et n'avait plus qu'une
ambition dans la vie, celle d'être élu membre correspondant de l'Académie des sciences morales et politiques,
raison pour laquelle il était venu chez Mme de Villeparisis.
Si lui, dont la femme[a] était à la tête de la coterie la
plus fermée de Berlin, avait[b] sollicité d'être présenté
chez la marquise, ce n'était pas qu'il en eût éprouvé
d'abord le désir. Rongé depuis des années par cette
ambition d'entrer à l'Institut, il n'avait malheureusement
jamais pu voir monter au-desssus de cinq le nombre des
Académiciens qui semblaient prêts à voter pour lui. Il
savait que M. de Norpois disposait à lui seul d'au moins
une dizaine de voix auxquelles il était capable, grâce à
d'habiles tractations, d'en ajouter[c] d'autres. Aussi le prince
qui l'avait connu en Russie quand ils y étaient tous deux
ambassadeurs, était-il allé[d] le voir et avait-il fait tout ce
qu'il avait pu pour se le concilier. Mais il avait eu beau
multiplier les amabilités, faire avoir au marquis des
décorations russes, le citer dans des articles de politique
étrangère, il avait[e] eu devant lui un ingrat, un homme pour
qui toutes ces prévenances avaient l'air de ne pas compter,
qui n'avait pas fait avancer sa candidature d'un pas, ne
lui avait même pas promis sa voix ! Sans doute M. de Norpois le recevait avec une extrême politesse, même ne
voulait pas qu'il se dérangeât et « prît la peine de venir
jusqu'à sa porte », se rendait lui-même à l'hôtel du prince
et, quand le chevalier teutonique avait lancé : « Je
voudrais[f] bien être votre collègue », répondait d'un ton
pénétré : « Ah ! je serais très heureux ! » Et sans doute
un naïf, un docteur Cottard, se fût dit : « Voyons, il est
là chez moi, c'est lui qui a tenu à venir parce qu'il me
considère comme un personnage plus important que lui,
il me dit qu'il serait heureux que je sois de l'Académie,

les mots ont tout de même un sens, que diable ! sans doute s'il ne me propose pas de voter pour moi, c'est qu'il n'y pense pas. Il parle trop de mon grand pouvoir, il doit croire que les alouettes me tombent toutes rôties, que j'ai autant de voix que j'en veux, et c'est pour cela qu'il ne m'offre pas la sienne, mais je n'ai qu'à le mettre au pied du mur, là, entre nous deux, et à lui dire : Hé bien ! votez pour moi, et il sera obligé de le faire. »

Mais le prince de Faffenheim n'était pas un naïf ; il était ce que le docteur Cottard eût appelé « un fin diplomate » et il savait que M. de Norpois n'en était pas un moins fin, ni un homme qui ne se fût pas avisé de lui-même qu'il pourrait être agréable à un candidat en votant pour lui. Le prince, dans ses ambassades et comme ministre des Affaires étrangères, avait tenu*ᵈ*, pour son pays au lieu que ce fût comme maintenant pour lui-même, de ces conversations où on sait d'avance jusqu'où on veut aller et ce qu'on ne vous fera pas dire. Il n'ignorait pas que dans le langage diplomatique causer signifie offrir. Et c'est pour cela qu'il avait fait avoir à M. de Norpois le cordon de Saint-André[1]. Mais s'il eût dû rendre compte à son gouvernement de l'entretien qu'il avait eu après cela avec M. de Norpois, il eût pu énoncer dans sa dépêche : « J'ai compris que j'avais fait fausse route. » Car dès qu'il avait recommencé à parler Institut, M. de Norpois lui avait redit :

« J'aimerais cela beaucoup, beaucoup pour mes collègues. Ils doivent, je pense, se sentir vraiment honorés que vous ayez pensé à eux. C'est une candidature tout à fait intéressante, un peu en dehors de nos habitudes. Vous savez, l'Académie est très routinière, elle s'effraye de tout ce qui rend un son un peu nouveau. Personnellement je l'en blâme. Que de fois il m'est arrivé de le laisser entendre à mes collègues. Je ne sais pas même pas, Dieu me pardonne, si le mot d'encroûtés n'est pas sorti une fois de mes lèvres », avait-il ajouté avec un sourire scandalisé, à mi-voix, presque *à parte*, comme dans un effet de théâtre et en jetant sur le prince un coup d'œil rapide et oblique de son œil bleu, comme un vieil acteur qui veut juger de son effet. « Vous comprenez, prince, que je ne voudrais pas laisser une personnalité aussi éminente que la vôtre s'embarquer dans une partie perdue d'avance. Tant que les idées de mes collègues resteront aussi arriérées, j'estime que la sagesse est de s'abstenir. Croyez bien d'ailleurs que si je

voyais jamais un esprit un peu plus nouveau, un peu plus
vivant, se dessiner dans ce collège qui tend à devenir une
nécropole, si j'escomptais une chance possible pour vous,
je serais le premier à vous en avertir. »

« Le cordon de Saint-André est une erreur, pensa le
prince ; les négociations n'ont pas fait un pas ; ce n'est pas
cela qu'il voulait*. Je n'ai pas mis la main sur la bonne
clef. »

C'était un genre de raisonnement dont M. de Norpois,
formé à la même école que le prince, eût été capable. On
peut railler la pédantesque niaiserie avec laquelle les
diplomates à la Norpois s'extasient devant une parole
officielle à peu près insignifiante. Mais leur enfantillage
a sa contrepartie : les diplomates savent que, dans la
balance qui assure cet équilibre, européen ou autre, qu'on
appelle la paix, les bons sentiments, les beaux discours,
les supplications pèsent fort peu ; et que le poids lourd,
le vrai, le déterminant, consiste en autre chose, en la
possibilité que l'adversaire a, s'il est assez fort, ou n'a pas,
de contenter, par moyen d'échange, un désir. Cet ordre
de vérités, qu'une personne entièrement désintéressée
comme ma grand-mère, par exemple, n'eût pas compris,
M. de Norpois, le prince von ***[b] avaient souvent été aux
prises avec lui. Chargé d'affaires dans des pays avec
lesquels nous avions été à deux doigts d'avoir la guerre,
M. de Norpois, anxieux de la tournure que les événements
allaient prendre, savait très bien que ce n'était pas par le
mot « Paix », ou par le mot « Guerre », qu'ils lui seraient
signifiés, mais par un autre, banal en apparence, terrible
ou béni, que[c] le diplomate, à l'aide de son chiffre, saurait
immédiatement lire, et auquel, pour sauvegarder la dignité
de la France, il répondrait par un autre mot tout aussi banal
mais sous lequel le ministre de la nation ennemie verrait
aussitôt : Guerre. Et même, selon une coutume ancienne,
analogue à celle qui donnait au premier rapprochement
de deux être promis l'un à l'autre la forme d'une entrevue
fortuite à une représentation du théâtre du Gymnase[1], le
dialogue où le destin dicterait le mot « Guerre » ou le
mot « Paix » n'avait généralement pas eu lieu dans le
cabinet du ministre, mais sur le banc d'un « Kurgarten[2] »
où le ministre et M. de Norpois allaient l'un et l'autre
à des fontaines thermales boire à la source de petits verres
d'une eau curative. Par une sorte de convention tacite,

ils se rencontraient à l'heure de la cure, faisaient d'abord ensemble quelques pas d'une promenade que, sous son apparence bénigne, les deux interlocuteurs savaient aussi tragique qu'un ordre de mobilisation. Or, dans une affaire privée comme cette présentation à l'Institut, le prince avait usé du même système d'inductions qu'il avait fait dans la Carrière, de la même méthode de lecture à travers des symboles superposés.

Et certes on ne peut prétendre que ma grand-mère et ses rares pareils eussent été seuls à ignorer ce genre de calculs. En partie, la moyenne de l'humanité, exerçant des professions tracées d'avance, rejoint par son manque d'intuition l'ignorance que ma grand-mère devait à son haut désintéressement. Il faut souvent descendre jusqu'aux êtres entretenus, hommes ou femmes, pour avoir à chercher le mobile de l'action ou des paroles en apparence les plus innocentes, dans l'intérêt, dans la nécessité de vivre. Quel homme ne sait que, quand une femme qu'il va payer lui dit : « Ne parlons pas d'argent », cette parole doit être comptée, ainsi qu'on dit en musique, comme « une mesure pour rien », et que si plus tard elle lui déclare : « Tu m'as fait trop de peine, tu m'as souvent caché la vérité, je suis à bout », il doit interpréter : « Un autre protecteur lui offre davantage » ? Encore n'est-ce là que le langage d'une cocotte assez rapprochée des femmes du monde. Les apaches fournissent des exemples plus frappants. Mais M. de Norpois et le prince allemand, si les apaches leur étaient inconnus, avaient accoutumé de vivre sur le même plan que les nations, lesquelles sont aussi, malgré leur grandeur, des êtres, d'égoïsme et de ruse, qu'on ne dompte que par la force, par la considération de leur intérêt, qui peut les pousser jusqu'au meurtre, un meurtre symbolique souvent lui aussi, la simple hésitation à se battre ou le refus de se battre pouvant signifier pour une nation : « périr ». Mais comme tout cela n'est pas dit dans les divers Livres jaunes[a1] et autres, le peuple est volontiers pacifiste ; s'il est guerrier, c'est instinctivement, par haine, par rancune, non par les raisons qui ont décidé les chefs d'État avertis par les Norpois.

L'hiver[b] suivant, le prince fut très malade, il guérit mais son cœur resta irrémédiablement atteint.

« Diable ! se dit-il, il ne faudrait pas perdre de temps pour l'Institut ; car, si je suis trop long, je risque de mourir avant d'être nommé. Ce serait vraiment désagréable. »

Il fit sur la politique de ces vingt dernières années une étude pour la *Revue des Deux Mondes* et s'y exprima à plusieurs reprises dans les termes les plus flatteurs sur M. de Norpois. Celui-ci alla le voir et le remercia. Il ajouta qu'il ne savait comment exprimer sa gratitude. Le prince se dit[a], comme quelqu'un qui vient d'essayer d'une autre clef pour une serrure : « Ce n'est pas encore celle-ci », et se sentant un peu essoufflé en reconduisant M. de Norpois, pensa : « Sapristi, ces gaillards-là me laisseront crever avant de me faire entrer. Dépêchons. »

Le même soir, il rencontra M. de Norpois à l'Opéra :

« Mon cher ambassadeur, lui dit-il, vous me disiez ce matin que vous ne saviez pas comment me prouver votre reconnaissance ; c'est fort exagéré, car vous ne m'en devez aucune, mais je vais avoir l'indélicatesse de vous prendre au mot. »

M. de Norpois n'estimait pas moins le tact du prince que le prince le sien. Il comprit immédiatement que ce n'était pas une demande qu'allait lui faire le prince de Faffenheim, mais une offre, et avec une affabilité souriante il se mit en devoir de l'écouter.

« Voilà, vous allez me trouver très indiscret. Il y a deux personnes auxquelles je suis très attaché et tout à fait diversement comme vous allez le comprendre, et qui se sont fixées depuis peu à Paris où elles comptent vivre désormais : ma femme et la grande-duchesse Jean. Elles vont donner quelques dîners, notamment en l'honneur du roi et de la reine d'Angleterre[1], et leur rêve[b] aurait été de pouvoir offrir à leurs convives une personne pour laquelle sans la connaître elles éprouvent toutes deux une grande admiration. J'avoue que je ne savais comment faire pour contenter leur désir quand j'ai appris tout à l'heure, par le plus grand des hasards, que vous connaissiez cette personne ; je sais qu'elle vit très retirée, ne veut voir que peu de monde, *happy few*[2] ; mais[c] si vous me donniez votre appui, avec la bienveillance que vous me témoignez, je suis sûr qu'elle permettrait que vous me présentiez chez elle et que je lui transmette le désir de la grande-duchesse et de la princesse. Peut-être consentirait-elle à venir dîner avec la reine d'Angleterre et, qui sait, si nous ne l'ennuyons pas trop, passer les vacances de Pâques avec nous à Beaulieu chez la grande-duchesse Jean. Cette personne s'appelle la marquise[d] de Villeparisis. J'avoue

que l'espoir de devenir l'un des habitués d'un pareil
bureau d'esprit me consolerait, me ferait envisager sans
ennui de renoncer à me présenter à l'Institut. Chez elle
aussi on tient commerce d'intelligence et de fines
causeries. »

Avec un sentiment de plaisir inexprimable le prince
sentit que la serrure ne résistait pas et qu'enfin cette clef-là
y entrait.

« Une telle option est bien inutile, mon cher prince,
répondit M. de Norpois ; rien ne s'accorde mieux avec
l'Institut que le salon dont vous parlez et qui est une
véritable pépinière d'académiciens. Je transmettrai votre
requête à Mme la marquise de Villeparisis : elle en sera
certainement flattée. Quant à aller dîner chez vous, elle
sort très peu et ce sera peut-être plus difficile. Mais je vous
présenterai et vous plaiderez vous-même votre cause. Il
ne faut surtout pas renoncer à l'Académie ; je déjeune
précisément, de demain en quinze, pour aller ensuite avec
lui à une séance importante, chez Leroy-Beaulieu sans
lequel on ne peut faire une élection ; j'avais déjà laissé
tomber devant lui votre nom qu'il connaît naturellement
à merveille. Il avait émis certaines objections. Mais il se
trouve qu'il a besoin de l'appui de mon groupe pour
l'élection prochaine, et j'ai l'intention de revenir à la
charge ; je lui dirai très franchement les liens tout à fait
cordiaux qui nous unissent, je ne lui cacherai pas que, si
vous vous présentiez, je demanderais à tous mes amis de
voter pour vous (le prince eut un profond soupir de
soulagement) et il sait que j'ai des amis. J'estime que si
je parvenais à m'assurer son concours, vos chances
deviendraient fort sérieuses. Venez ce soir-là à six heures
chez Mme de Villeparisis, je vous introduirai et je pourrai
vous rendre compte de mon entretien du matin. »

C'est ainsi que le prince de Faffenheim avait été amené
à venir voir Mme de Villeparisis. Ma profonde désillusion
eut lieu quand il parla. Je n'avais pas songé que, si une
époque a des traits particuliers et généraux plus forts
qu'une nationalité, de sorte que, dans un dictionnaire
illustré où l'on donne jusqu'au portrait authentique de
Minerve, Leibniz avec sa perruque et sa fraise diffère peu
de Marivaux ou de Samuel Bernard[1], une nationalité a des
traits particuliers plus forts qu'une caste. Or ils se
traduisirent devant moi, non par un discours où je croyais

d'avance que j'entendrais le frôlement des Elfes et la danse des Kobolds, mais par une transposition qui ne certifiait pas moins cette poétique origine : le fait qu'en s'inclinant, petit, rouge et ventru, devant Mme de Villeparisis, le Rhingrave lui dit : « Ponchour, matame la marquise » avec le même accent qu'un concierge alsacien.

« Vous ne voulez[a] pas que je vous donne une tasse de thé ou un peu de tarte, elle est très bonne », me dit Mme de Guermantes, désireuse d'avoir été aussi aimable que possible. « Je fais les honneurs de cette maison comme si c'était la mienne », ajouta-t-elle sur un ton ironique qui donnait quelque chose d'un peu guttural à sa voix, comme si elle avait étouffé un rire rauque.

« Monsieur, dit Mme de Villeparisis à M. de Norpois vous penserez tout à l'heure que vous avez quelque chose à dire au prince au sujet de l'Académie ? »

Mme de Guermantes baissa les yeux, fit faire un quart de cercle à son poignet pour regarder l'heure.

« Oh ! mon Dieu ; il est temps que je dise au revoir à ma tante, si je dois encore passer chez Mme de Saint-Ferréol, et je dîne chez Mme Leroi. »

Et elle se leva sans me dire adieu[b]. Elle venait d'apercevoir Mme Swann qui parut assez gênée de me rencontrer. Elle se rappelait sans doute qu'avant personne elle m'avait dit être convaincue de l'innocence de Dreyfus.

« Je ne veux pas que ma mère me présente à Mme Swann, me dit Saint-Loup. C'est une ancienne grue. Son mari est juif et elle nous le fait au nationalisme. Tiens, voici mon oncle Palamède[c]. »

La présence de Mme Swann avait pour moi un intérêt particulier dû à un fait qui s'était produit quelques jours auparavant, et qu'il est nécessaire de relater à cause des conséquences, qu'il devait avoir beaucoup plus tard, et qu'on suivra, dans leur détail, quand le moment sera venu. Donc, quelques jours avant cette visite, j'en avais reçu une à laquelle je ne m'attendais guère, celle de Charles Morel, le fils, inconnu de moi, de l'ancien valet de chambre de mon grand-oncle. Ce grand-oncle (celui chez lequel j'avais vu la dame en rose[1]) était mort, l'année précédente. Son valet de chambre avait manifesté à plusieurs reprises l'intention de venir me voir ; je ne savais pas le but de sa visite, mais je l'aurais vu volontiers car j'avais appris par Françoise qu'il avait gardé un vrai culte pour la

mémoire de mon oncle et faisait, à chaque occasion, le pèlerinage du cimetière. Mais obligé d'aller se soigner dans son pays, et comptant y rester longtemps, il me déléguait son fils. Je fus surpris de voir entrer un beau garçon de dix-huit ans, habillé plutôt richement qu'avec goût, mais qui pourtant avait l'air de tout, excepté d'un valet de chambre. Il tint du reste, dès l'abord, à couper le câble avec la domesticité d'où il sortait, en m'apprenant avec un sourire satisfait qu'il était premier prix du Conservatoire. Le but de sa visite était celui-ci : son père avait, parmi les souvenirs de mon oncle Adolphe, mis de côté certains qu'il avait jugé inconvenant d'envoyer à mes parents mais qui, pensait-il, étaient de nature à intéresser un jeune homme de mon âge. C'étaient les photographies des actrices célèbres, des grandes cocottes que mon oncle avait connues, les dernières images de cette vie de vieux viveur qu'il séparait, par une cloison étanche, de sa vie de famille. Tandis que le jeune Morel me les montrait, je me rendis compte qu'il affectait de me parler comme à un égal. Il avait à dire « vous », et le moins souvent possible «monsieur », le plaisir de quelqu'un dont le père n'avait jamais employé, en s'adressant à mes parents, que la « troisième personne ». Presque toutes les photographies portaient une dédicace telle que : « À mon meilleur ami. ». Une actrice plus ingrate et plus avisée avait écrit : « Au meilleur des amis[1] », ce qui lui permettait, m'a-t-on assuré, de dire que mon oncle n'était nullement et à beaucoup près son meilleur ami, mais l'ami qui lui avait rendu le plus de petits services, l'ami dont elle se servait, un excellent homme, presque une vieille bête. Le jeune Morel avait beau chercher à s'évader de ses origines, on sentait que l'ombre de mon oncle Adolphe, vénérable et démesurée aux yeux du vieux valet de chambre, n'avait cessé de planer, presque sacrée, sur l'enfance et la jeunesse du fils. Pendant que je regardais les photographies, Charles Morel examinait ma chambre. Et comme je cherchais où je pourrais les serrer : « Mais comment se fait-il, me dit-il (d'un ton où le reproche n'avait pas besoin de s'exprimer tant il était dans les paroles mêmes), que je n'en voie pas une seule de votre oncle dans votre chambre ? » Je sentis le rouge me monter au visage, et balbutiai : « Mais je crois que je n'en ai pas.
— Comment, vous n'avez pas une seule photographie de

votre oncle Adolphe qui vous aimait tant ! Je vous en enverrai une que je prendrai dans les quantités qu'a mon paternel et j'espère que vous l'installerez à la place d'honneur au-dessus de cette commode qui vous vient justement de votre oncle. » Il est vrai que, comme je n'avais même pas une photographie de mon père ou de ma mère dans ma chambre, il n'y avait rien de si choquant à ce qu'il ne s'en trouvât pas de mon oncle Adolphe. Mais il n'était pas difficile de deviner que pour Morel, lequel avait enseigné cette manière de voir à son fils, mon oncle était le personnage important de la famille, duquel mes parents tiraient seulement un éclat amoindri. J'étais plus en faveur parce que mon oncle disait tous les jours que[a] je serais une espèce de Racine, de Vaulabelle[1], et Morel me considérait à peu près comme un fils adoptif, comme un enfant d'élection de mon oncle. Je me rendis vite compte que le fils de Morel était très « arriviste ». Ainsi ce jour-là il me demanda, étant un peu compositeur aussi, et capable de mettre quelques vers en musique, si je ne connaissais pas de poète ayant une situation importante dans le monde « aristo ». Je lui en citai un. Il ne connaissait pas les œuvres de ce poète et n'avait jamais entendu son nom, qu'il prit en note. Or je sus que peu après il avait écrit à ce poète pour lui dire qu'admirateur fanatique de ses œuvres, il avait fait de la musique sur un sonnet de lui et serait heureux que le librettiste en fît donner une audition chez la comtesse ***. C'était aller un peu vite et démasquer son plan. Le poète, blessé, ne répondit pas.

Au reste Charles Morel semblait avoir, à côté de l'ambition, un vif penchant vers des réalités plus concrètes. Il avait remarqué dans la cour la nièce de Jupien en train de faire un gilet et, bien qu'il me dît seulement avoir justement besoin d'un gilet « de fantaisie », je sentis que la jeune fille avait produit une grande impression[b] sur lui. Il n'hésita pas à me demander de descendre et de le présenter, « mais pas par rapport à votre famille, vous m'entendez, je compte sur votre discrétion quant à mon père, dites seulement un grand artiste de vos amis, vous comprenez, il faut faire bonne impression aux commerçants ». Bien qu'il m'eût insinué que, ne le connaissant pas assez pour l'appeler, il le comprenait, « cher ami », je pourrais lui dire devant la jeune fille quelque chose comme « pas cher Maître évidemment... quoique, mais si cela vous plaît : cher grand artiste », j'évitai dans la boutique de le « qualifier », comme eût dit Saint-Simon, et me contentai de répondre à ses « vous » par des « vous ». Il avisa, parmi quelques pièces de velours, une du rouge le plus vif et si criard que, malgré le mauvais goût qu'il avait, il ne put jamais, par la suite, porter ce gilet. La jeune fille se remit à travailler avec ses deux « apprenties » mais il me sembla que l'impression avait été réciproque et que Charles Morel, qu'elle crut « de mon monde » (plus élégant seulement et plus riche), lui avait plu singulièrement. Comme j'avais été très étonné de trouver parmi les photographies que m'envoyait son père une du portrait de Miss Sacripant (c'est-à-dire Odette) par Elstir, je dis à Charles Morel, en l'accompagnant jusqu'à la porte cochère : « Je crains que vous ne puissiez me renseigner. Est-ce que mon oncle connaissait beaucoup cette dame ? Je ne vois pas à quelle époque de la vie de mon oncle je puis la situer ; et cela m'intéresse à cause de M. Swann... — Justement j'oubliais de vous dire que mon père m'avait recommandé d'attirer votre attention sur cette dame. En effet, cette demi-mondaine déjeunait chez votre oncle le dernier jour que vous l'avez vu. Mon père ne savait pas trop s'il pouvait vous faire entrer. Il paraît que vous aviez plu beaucoup à cette femme légère, et elle espérait vous revoir. Mais justement à ce moment-là il y a eu de la fâche dans la famille, à ce que m'a dit mon père, et vous n'avez jamais revu votre oncle. » Il sourit à ce moment, pour lui dire adieu de loin, à la nièce de Jupien. Elle le regardait et admirait sans doute son visage maigre, d'un dessin régulier, ses cheveux légers, ses yeux gais. Moi, en lui serrant la main, je pensais à Mme Swann, et je me disais avec étonnement, tant elles étaient séparées et différentes dans mon souvenir, que j'aurais désormais à l'identifier avec la « dame en rose ».

M. de Charlus[a] fut bientôt assis à côté de Mme Swann. Dans toutes les réunions où il se trouvait, et dédaigneux à l'égard des hommes[b], courtisé par les femmes, il avait vite fait d'aller faire corps avec la plus élégante, de la toilette de laquelle il se sentait empanaché. La redingote ou le frac du baron le faisait ressembler à ces portraits par[c] un grand coloriste, d'un homme en noir, mais qui a près de lui, sur une chaise, un manteau éclatant qu'il va revêtir pour

quelque bal costumé. Ce tête-à-tête, généralement avec
quelque Altesse, procurait à M. de Charlus de ces
distinctions qu'il aimait. Il avait, par exemple, pour
conséquence que les maîtresses de maison laissaient, dans
une fête, le baron avoir seul une chaise sur le devant dans
un rang de dames, tandis que les autres hommes se
bousculaient dans le fond. De plus, fort absorbé, semblait-
il, à raconter, très haut, d'amusantes histoires à la dame
charmée, M. de Charlus était dispensé d'aller dire bonjour
aux autres, donc d'avoir des devoirs à rendre. Derrière
la barrière parfumée que lui faisait la beauté choisie, il était
isolé au milieu d'un salon comme au milieu d'une salle de
spectacle dans une loge et, quand on venait le saluer, au
travers pour ainsi dire de la beauté de sa compagne, il était
excusable de répondre fort brièvement et sans s'interrompre de parler à une femme. Certes Mme Swann n'était
guère du rang des personnes avec qui il aimait ainsi à
s'afficher. Mais il faisait profession d'admiration pour elle,
d'amitié pour Swann, savait qu'elle serait flattée de son
empressement, et était flatté lui-même d'être compromis
par la plus jolie personne qu'il y eût là.

Mme de Villeparisis n'était d'ailleurs qu'à demi contente
d'avoir la visite de M. de Charlus. Celui-ci, tout en trouvant
de grands défauts à sa tante, l'aimait beaucoup. Mais, par
moments, sous le coup de la colère, de griefs imaginaires,
il lui adressait, sans résister à ses impulsions, des lettres
de la dernière violence dans lesquelles il faisait état de
petites choses qu'il semblait jusque-là n'avoir pas remarquées. Entre autres exemples je peux citer ce fait, parce
que mon séjour à Balbec me mit au courant de lui :
Mme de Villeparisis, craignant de ne pas avoir emporté
assez d'argent pour prolonger sa villégiature à Balbec, et
n'aimant pas, comme elle était avare et craignait les frais
superflus, faire venir de l'argent de Paris, s'était fait prêter
trois mille francs par M. de Charlus. Celui-ci, un mois plus
tard, mécontent de sa tante pour une raison insignifiante,
les lui réclama par mandat télégraphique. Il reçut deux
mille neuf cent quatre-vingt dix et quelques francs. Voyant
sa tante quelques jours après à Paris et causant amicalement
avec elle, il lui fit avec beaucoup de douceur remarquer l'erreur commise par la banque chargée de l'envoi.
« Mais il n'y a pas erreur, répondit Mme de Villeparisis,
le mandat télégraphique coûte six francs soixante-quinze.

— Ah ! du moment que c'est intentionnel, c'est parfait, répliqua M. de Charlus. Je vous l'avais dit seulement pour le cas où vous l'auriez ignoré, parce que dans ce cas-là, si la banque avait agi de même avec des personnes moins liées avec vous que moi, cela aurait pu vous contrarier. — Non, non, il n'y a pas d'erreur. — Au fond vous avez eu parfaitement raison », conclut gaiement M. de Charlus en baisant tendrement la main de sa tante. En effet, il ne lui en voulait nullement et souriait seulement de cette petite mesquinerie. Mais quelque temps après, ayant cru que dans une chose de famille sa tante avait voulu le jouer et « monter contre lui tout un complot », comme celle-ci se retranchait assez bêtement derrière des hommes d'affaires avec qui il l'avait précisément soupçonnée d'être alliée contre lui, il lui avait écrit une lettre qui débordait de fureur et d'insolence. « Je ne me contenterai pas de me venger, ajoutait-il en post-scriptum, je vous rendrai ridicule. Je vais dès demain aller raconter à tout le monde l'histoire du mandat télégraphique et des six francs soixante-quinze que vous m'avez retenus sur les trois mille francs que je vous avais prêtés, je vous déshonorerai. » Au lieu de cela il était allé le lendemain demander pardon à sa tante Villeparisis, ayant regret d'une lettre où il y avait des phrases vraiment affreuses. D'ailleurs à qui eût-il pu apprendre l'histoire du mandat télégraphique ? Ne voulant pas de vengeance mais une sincère réconciliation, cette histoire du mandat, c'est maintenant qu'il l'aurait tue. Mais auparavant il l'avait racontée partout, tout en étant très bien avec sa tante, il l'avait racontée sans méchanceté, pour faire rire, et parce qu'il était l'indiscrétion même. Il l'avait racontée, mais sans que Mme de Villeparisis le sût. De sorte qu'ayant appris par sa lettre qu'il comptait la déshonorer en divulguant une circonstance où il lui avait déclaré à elle-même qu'elle avait bien agi, elle avait pensé qu'il l'avait trompée alors et mentait en feignant de l'aimer. Tout cela s'était apaisé mais chacun des deux ne savait pas exactement l'opinion que l'autre avait de lui. Certes il s'agit là d'un cas de brouilles intermittentes un peu particulier. D'ordre différent étaient celles de Bloch et de ses amis. D'un autre encore celles de M. de Charlus, comme on le verra, avec des personnes tout autres que Mme de Ville-parisis. Malgré cela il faut se rappeler que l'opinion que nous avons les uns des autres, les rapports d'amitié, de

famille, n'ont rien de fixe qu'en apparence, mais sont aussi
éternellement mobiles que la mer. De là tant de bruits
de divorce entre des époux qui semblaient si parfaitement
unis et qui, bientôt après, parlent tendrement l'un de
l'autre ; tant d'infamies dites par un ami sur un ami dont
nous le croyions inséparable et avec qui nous le trouverons
réconcilié avant que nous ayons eu le temps de revenir
de notre surprise ; tant de renversements d'alliances en
si peu de temps, entre les peuples.

« Mon Dieu, ça chauffe[a] entre mon oncle et
Mme Swann, me dit Saint-Loup. Et Maman qui, dans son
innocence, vient les déranger. Aux pures tout est pur[1] ! »

Je regardais M. de Charlus. La houppette de ses cheveux
gris, son œil dont le sourcil était relevé par le monocle
et qui souriait, sa boutonnière en fleurs rouges, formaient
comme les trois sommets mobiles d'un triangle convulsif
et frappant. Je n'avais pas osé le saluer, car il ne m'avait
fait aucun signe. Or, bien qu'il ne fût pas tourné de mon
côté, j'étais persuadé qu'il m'avait vu ; tandis qu'il débitait
quelque histoire à Mme Swann dont flottait jusque sur un
genou du baron le magnifique manteau couleur pensée,
les yeux errants de M. de Charlus, pareils à ceux d'un
marchand en plein vent qui craint l'arrivée de la *Rousse*,
avaient certainement exploré chaque partie du salon et
découvert toutes les personnes qui s'y trouvaient.
M. de Châtellerault vint lui dire bonjour sans que rien
décelât dans le visage de M. de Charlus qu'il eût aperçu
le jeune duc avant le moment où celui-ci se trouva devant
lui. C'est ainsi que, dans les réunions un peu nombreuses
comme était celle-ci, M. de Charlus gardait d'une façon
presque constante un sourire sans direction déterminée ni
destination particulière, et qui, préexistant de la sorte aux
saluts des arrivants, se trouvait, quand ceux-ci entraient
dans sa zone, dépouillé de toute signification d'amabilité
pour eux. Néanmoins il fallait bien que j'allasse dire
bonjour à Mme Swann. Mais, comme elle ne savait pas
si je connaissais Mme de Marsantes et M. de Charlus, elle
fut assez froide, craignant sans doute que je lui demandasse
de me présenter. Je m'avançai alors vers M. de Charlus
et aussitôt le regrettai car, devant très bien me voir, il ne
le marquait en rien. Au moment où je m'inclinai devant
lui, je trouvai, distant de son corps dont il m'empêchait
d'approcher de toute la longueur de son bras tendu, un

doigt veuf, eût-on dit, d'un anneau épiscopal dont il avait l'air d'offrir, pour qu'on la baisât, la place consacrée, et dus paraître avoir pénétré, à l'insu du baron et par une effraction dont il me laissait la responsabilité, dans la permanence, la dispersion anonyme et vacante de son sourire. Cette froideur ne fut pas pour encourager beaucoup Mme Swann à se départir de la sienne.

« Comme tu as l'air*ᵃ* fatigué et agité », dit Mme de Marsantes à son fils qui était venu dire bonjour à M. de Charlus.

Et en effet les regards de Robert semblaient par moments atteindre à une profondeur qu'ils quittaient aussitôt comme un plongeur qui a touché le fond. Ce fond, qui faisait si mal à Robert quand il le touchait qu'il le quittait aussitôt pour y revenir un instant après, c'était l'idée qu'il avait rompu avec sa maîtresse.

« Ça ne fait rien, ajouta sa mère, en lui caressant la joue, ça ne fait rien, c'est bon*ᵇ* de voir son petit garçon. »

Mais cette tendresse paraissant agacer Robert, Mme de Marsantes entraîna son fils dans le fond du salon, là où, dans une baie tendue de soie jaune, quelques fauteuils de Beauvais massaient leurs tapisseries violacées comme des iris empourprés dans un champ de boutons d'or. Mme Swann se trouvant seule et ayant compris que j'étais lié avec Saint-Loup, me fit signe de venir auprès d'elle. Ne l'ayant pas vue depuis si longtemps je ne savais de quoi lui parler. Je ne perdais pas de vue mon chapeau parmi tous ceux qui se trouvaient sur le tapis, mais me demandais curieusement à qui pouvait en appartenir un qui n'était pas celui du duc de Guermantes et dans la coiffe duquel un G était surmonté de la couronne ducale. Je savais qui étaient tous les visiteurs et n'en trouvais pas un seul dont ce pût être le chapeau.

« Comme M. de Norpois est sympathique, dis-je à Mme Swann en le lui montrant. Il est vrai que Robert de Saint-Loup me dit que c'est une peste, mais...

— Il a raison », répondit-elle.

Et voyant que son regard se reportait à quelque chose qu'elle me cachait, je la pressai de questions. Peut-être contente d'avoir l'air d'être très occupée par quelqu'un dans ce salon où elle ne connaissait presque personne, elle m'emmena dans un coin.

« Voilà sûrement ce que M. de Saint-Loup a voulu vous dire, me répondit-elle, mais ne le lui répétez pas, car il

me trouverait indiscrète et je tiens beaucoup à son estime,
je suis très " honnête homme ", vous savez. Dernièrement
Charlus a dîné chez la princesse de Guermantes ; je ne
sais pas comment on a parlé de vous. M. de Norpois leur
aurait dit — c'est inepte, n'allez pas vous mettre martel
en tête pour cela, personne n'y a attaché d'importance,
on savait trop de quelle bouche cela tombait — que vous
étiez un flatteur à moitié hystérique. »

J'ai raconté bien auparavant ma stupéfaction qu'un ami
de mon père comme était M. de Norpois eût pu s'exprimer
ainsi en parlant de moi. J'en éprouvai une plus grande
encore à savoir que mon émoi de ce jour ancien où j'avais
parlé de Mme Swann et de Gilberte était connu par la
princesse de Guermantes de qui je me croyais ignoré.
Chacune de nos actions, de nos paroles, de nos attitudes
est séparée du « monde », des gens qui ne l'ont pas
directement perçue, par un milieu dont la perméabilité
varie à l'infini et nous reste inconnue ; ayant appris par
l'expérience que tel propos important que nous avions
souhaité vivement être propagé (tels ceux si enthousiastes
que je tenais autrefois à tout le monde et en toute occasion
sur Mme Swann, pensant que parmi tant de bonnes graines
répandues il s'en trouverait bien une qui lèverait) s'est
trouvé, souvent à cause de notre désir même, immédiatement mis sous le boisseau, combien à plus forte raison
étions-nous éloignés de croire que telle parole minuscule,
oubliée de nous-mêmes, voire jamais prononcée par nous
et formée en route par l'imparfaite réfraction d'une parole
différente, serait transportée, sans que jamais sa marche
s'arrêtât, à des distances infinies — en l'espèce jusque chez
la princesse de Guermantes — et allât divertir à nos dépens
le festin des dieux. Ce que nous nous rappelons de notre
conduite reste ignoré de notre plus proche voisin ; ce que
nous avons oublié avoir dit, ou même ce que nous n'avons
jamais dit, va provoquer l'hilarité jusque dans une autre
planète, et l'image que les autres se font de nos faits et
gestes ne ressemble pas plus à celle que nous nous en
faisons nous-même qu'à un dessin quelque décalque raté
où tantôt au trait noir correspondrait un espace vide, et
à un blanc un contour inexplicable. Il peut du reste arriver
que ce qui n'a pas été transcrit soit quelque trait irréel
que nous ne voyons que par complaisance, et que ce qui
nous semble ajouté nous appartienne au contraire, mais

si essentiellement que cela nous échappe. De sorte que cette étrange épreuve qui nous semble si peu ressemblante a quelquefois le genre de vérité, peu flatteur certes mais profond et utile, d'une photographie par les rayons X. Ce n'est pas une raison pour que nous nous y reconnaissions. Quelqu'un qui a l'habitude de sourire dans la glace à sa belle figure et à son beau torse, si on lui montre leur radiographie, aura devant ce chapelet osseux, indiqué comme étant une image de lui-même, le même soupçon d'une erreur que le visiteur d'une exposition qui devant un portrait de jeune femme lit dans le catalogue : *Dromadaire couché.* Plus tard cet écart entre notre image selon qu'elle est dessinée par nous-même, ou par autrui, je devais m'en rendre compte pour d'autres que moi, vivant béatement au milieu d'une collection de photographies qu'ils avaient tirées d'eux-mêmes tandis qu'alentour grimaçaient d'effroyables images, habituellement invisibles pour eux-mêmes, mais qui les plongeaient dans la stupeur si un hasard les leur montrait en leur disant : « C'est vous. »

Il y a quelques années j'aurais été bien heureux de dire à Mme Swann « à quel sujet » j'avais été si tendre pour M. de Norpois, puisque ce « sujet » était le désir de la connaître. Mais je ne le ressentais plus, je n'aimais plus Gilberte. D'autre part, je ne parvenais pas à identifier Mme Swann à la dame en rose de mon enfance. Aussi je parlai de la femme qui me préoccupait en ce moment.

« Avez-vous vu tout à l'heure la duchesse de Guermantes ? » demandai-je à Mme Swann.

Mais comme la duchesse ne saluait pas Mme Swann, celle-ci voulait avoir l'air de la considérer comme une personne sans intérêt et de la présence de laquelle on ne s'aperçoit même pas.

« Je ne sais pas, je n'ai pas *réalisé* », me répondit-elle d'un air désagréable, en employant un terme traduit de l'anglais.

J'aurais pourtant voulu[a] avoir des renseignements non seulement sur Mme de Guermantes mais sur tous les êtres qui l'approchaient, et, tout comme Bloch, avec le manque de tact des gens qui cherchent dans leur conversation non à plaire aux autres mais à élucider, en égoïstes, des points qui les intéressent, pour tâcher de me représenter exactement la vie de Mme de Guermantes, j'interrogeai Mme de Villeparisis sur Mme Leroi.

« Oui, je sais, répondit-elle avec un dédain affecté, la fille de ces gros marchands de bois. Je sais qu'elle voit du monde maintenant, mais je vous dirai que je suis bien vieille pour faire de nouvelles connaissances. J'ai connu des gens si intéressants, si aimables, que vraiment je crois que Mme Leroi n'ajouterait rien à ce que j'ai. »

Mme de Marsantes qui faisait la dame d'honneur de la marquise me présenta au prince et elle n'avait pas fini que M. de Norpois me présentait aussi, dans les termes les plus chaleureux. Peut-être trouvait-il commode de me faire une politesse qui n'entamait en rien son crédit puisque je venais justement d'être présenté, peut-être parce qu'il pensait qu'un étranger, même illustre, était moins au courant des salons français et pouvait croire qu'on lui présentait un jeune homme du grand monde, peut-être pour exercer une de ses prérogatives, celle d'ajouter le poids de sa propre recommandation d'ambassadeur, ou par le goût d'archaïsme de faire revivre en l'honneur du prince l'usage flatteur pour cette Altesse que deux parrains étaient nécessaires si on voulait lui être présenté.

Mme de Villeparisis interpella M. de Norpois, éprouvant[a] le besoin de me faire dire par lui qu'elle n'avait pas à regretter de ne pas connaître Mme Leroi.

« N'est-ce pas, monsieur l'ambassadeur, que Mme Leroi est une personne sans intérêt, très inférieure à toutes celles qui fréquentent ici et que j'ai eu raison de ne pas l'attirer ? »

Soit indépendance, soit fatigue, M. de Norpois se contenta de répondre par un salut plein de respect mais vide de signification.

« Monsieur, lui dit Mme de Villeparisis en riant, il y a des gens bien ridicules. Croyez-vous que j'ai eu aujourd'hui la visite d'un monsieur qui a voulu me faire croire qu'il avait plus de plaisir à embrasser ma main que celle d'une jeune femme. »

Je compris tout de suite que c'était Legrandin. M. de Norpois sourit avec un léger clignement d'œil, comme s'il s'agissait d'une concupiscence si naturelle qu'on ne pouvait en vouloir à celui qui l'éprouvait, presque d'un commencement de roman qu'il était prêt à absoudre, voire à encourager, avec une indulgence perverse à la Voisenon[1] ou à la Crébillon fils[2].

« Bien des mains*ᵃ* de jeunes femmes seraient incapables de faire ce que j'ai vu là », dit le prince en montrant les aquarelles commencées de Mme de Villeparisis.

Et il lui demanda si elle avait vu les fleurs de Fantin-Latour qui venaient d'être exposées[1].

« Elles sont de premier ordre et, comme on dit aujourd'hui, d'un beau peintre, d'un des maîtres de la palette, déclara M. de Norpois ; je trouve cependant qu'elles ne peuvent pas soutenir la comparaison avec celles de Mme de Villeparisis où je reconnais mieux le coloris de la fleur. »

Même en supposant que la partialité de vieil amant, l'habitude de flatter, les opinions admises dans une coterie, dictassent ces paroles à l'ancien ambassadeur, celles-ci prouvaient pourtant sur quel néant de goût véritable repose le jugement artistique des gens du monde, si arbitraire qu'un rien peut le faire aller aux pires absurdités, sur le chemin desquelles il ne rencontre pour l'arrêter aucune impression vraiment sentie.

« Je n'ai aucun mérite à connaître les fleurs, j'ai toujours vécu aux champs, répondit modestement Mme de Villeparisis. Mais, ajouta-t-elle gracieusement en s'adressant au prince, si j'en ai eu toute jeune des notions un peu plus sérieuses que les autres enfants de la campagne, je le dois à un homme bien distingué de votre nation, M. de Schlegel[2]. Je l'ai rencontré à Broglie[3] où ma tante Cordelia (la maréchale de Castellane[4]) m'avait amenée. Je me rappelle très bien que M. Lebrun, M. de Salvandy[5], M. Doudan[6] le faisaient parler sur les fleurs. J'étais une toute petite fille, je ne pouvais pas bien comprendre ce qu'il disait. Mais il s'amusait à me faire jouer et, revenu dans votre pays, il m'envoya un bel herbier en souvenir d'une promenade que nous avions été faire en phaéton au Val Richer[7] et où je m'étais endormie sur ses genoux. J'ai toujours conservé cet herbier et il m'a appris à remarquer bien des particularités des fleurs qui ne m'auraient pas frappée sans cela. Quand Mme de Barante a publié quelques lettres de Mme de Broglie[8], belles et affectées comme elle était elle-même, j'avais espéré y trouver quelques-unes de ces conversations de M. de Schlegel. Mais c'était une femme qui ne cherchait dans la nature que des arguments pour la religion. »

Robert m'appela*ᵇ* dans le fond du salon où il était avec sa mère.

« Que tu as été gentil, lui dis-je, comment te remercier ? Pouvons-nous dîner demain ensemble ?

— Demain, si tu veux, mais alors avec Bloch ; je l'ai rencontré devant la porte ; après un instant de froideur, parce que j'avais, malgré moi, laissé sans réponse deux lettres de lui (il ne m'a pas dit que c'était cela qui l'avait froissé mais je l'ai compris), il a été d'une tendresse telle que je ne peux pas me montrer ingrat envers un tel ami. Entre nous, de sa part au moins, je sens bien que c'est à la vie, à la mort. »

Je ne crois pas que Robert se trompât absolument. Le dénigrement furieux était souvent chez Bloch l'effet d'une vive sympathie qu'il avait cru qu'on ne lui rendait pas. Et comme il imaginait peu la vie des autres, ne songeait pas qu'on peut avoir été malade ou en voyage, etc., un silence de huit jours lui paraissait vite provenir d'une froideur voulue. Aussi je n'ai jamais cru que ses pires violences d'ami, et plus tard d'écrivain, fussent bien profondes. Elles s'exaspéraient si l'on y répondait par une dignité glacée, ou par une platitude qui l'encourageait à redoubler ses coups, mais cédaient souvent à une chaude sympathie. « Quant à gentil, continua Saint-Loup, tu prétends que je l'ai été pour toi, mais je n'ai pas été gentil[a] du tout, ma tante dit que c'est toi qui la fuis, que tu ne lui dis pas un mot. Elle se demande si tu n'as pas quelque chose contre elle. »

Heureusement pour moi, si j'avais été dupe de ces paroles, notre départ, que je croyais imminent, pour Balbec m'eût empêché d'essayer de revoir Mme de Guermantes, de lui assurer que je n'avais rien contre elle et de la mettre ainsi dans la nécessité de me prouver que c'était elle qui avait quelque chose contre moi. Mais je n'eus qu'à me rappeler qu'elle ne m'avait pas même offert d'aller voir les Elstir. D'ailleurs ce n'était pas une déception ; je ne m'étais nullement attendu à ce qu'elle m'en parlât ; je savais que je ne lui plaisais pas, que je n'avais pas à espérer me faire aimer d'elle ; le plus que j'avais pu souhaiter, c'est que, grâce à sa bonté, j'eusse d'elle, puisque je ne devais pas la revoir avant de quitter Paris, une impression entièrement douce, que j'emporterais à Balbec indéfiniment prolongée, intacte, au lieu d'un souvenir mêlé d'anxiété et de tristesse.

À tous moments Mme de Marsantes s'interrompait de causer avec Robert pour me dire combien il lui avait souvent parlé de moi, combien il m'aimait ; elle était avec moi d'un empressement qui me faisait presque de la peine parce que je le sentais dicté par la crainte qu'elle avait d'être fâchée par moi avec ce fils qu'elle n'avait pas encore vu aujourd'hui, avec qui elle était impatiente de se trouver seule, et sur lequel elle croyait donc que l'empire qu'elle exerçait n'égalait pas et devait ménager le mien. M'ayant entendu auparavant demander à Bloch des nouvelles de M. Nissim Bernard, son oncle, Mme de Marsantes s'informa si c'était celui qui avait habité Nice.

« Dans ce cas, il y a connu M. de Marsantes avant qu'il m'épousât, avait répondu Mme de Marsantes. Mon mari m'en a souvent parlé comme d'un homme excellent, d'un cœur délicat et généreux. »

« Dire que pour une fois il n'avait pas menti, c'est incroyable », eût pensé Bloch.

Tout le temps que j'aurai voulu dire à Mme de Marsantes que Robert[a] avait pour elle infiniment plus d'affection que pour moi, et que, m'eût-elle témoigné de l'hostilité, je n'étais pas d'une nature à chercher à le prévenir contre elle, à le détacher d'elle. Mais depuis que Mme de Guermantes était partie, j'étais plus libre d'observer Robert, et je m'aperçus seulement alors que de nouveau une sorte de colère semblait s'être élevée en lui, affleurant à son visage durci et sombre. Je craignais qu'au souvenir de la scène de l'après-midi il ne fût humilié vis-à-vis de moi de s'être laissé traiter si durement par sa maîtresse, sans riposter.

Brusquement il s'arracha d'auprès de sa mère qui lui avait passé un bras autour du cou et venant à moi il m'entraîna derrière le petit comptoir fleuri de Mme de Villeparisis où celle-ci s'était rassise, et il me fit signe de le suivre dans le petit salon. Je m'y dirigeais assez vivement quand M. de Charlus, qui avait pu croire que j'allais vers la sortie, quitta brusquement M. de Faffenheim avec qui il causait, fit un tour rapide qui l'amena en face de moi. Je vis avec inquiétude qu'il avait pris le chapeau au fond duquel il y avait un G et une couronne ducale. Dans l'embrasure de la porte du petit salon il me dit sans me regarder :

« Puisque je vois que vous allez dans le monde maintenant, faites-moi donc le plaisir de venir me voir.

Mais c'est assez compliqué », ajouta-t-il d'un air d'inattention et de calcul et comme s'il s'était agi d'un plaisir qu'il avait peur de ne plus retrouver une fois qu'il aurait laissé échapper l'occasion de combiner avec moi les moyens de le réaliser. « Je suis peu chez moi, il faudrait que vous m'écriviez. Mais j'aimerais mieux vous expliquer cela plus tranquillement. Je vais partir dans un moment. Voulez-vous faire deux pas avec moi ? Je ne vous retiendrai qu'un instant.

— Vous ferez bien de faire attention, monsieur, lui dis-je. Vous avez pris par erreur le chapeau d'un des visiteurs.

— Vous voulez m'empêcher de prendre mon chapeau ? »

Je supposai, l'aventure m'étant arrivée à moi-même peu auparavant, que, quelqu'un lui ayant enlevé son chapeau, il en avait avisé un au hasard pour ne pas rentrer nu-tête et que je le mettais dans l'embarras en dévoilant sa ruse. Aussi je n'insistai pas. Je lui dis qu'il fallait d'abord que je dise quelques mots à Saint-Loup. « Il est en train de parler avec cet idiot de duc de Guermantes, ajoutai-je. — C'est charmant ce que vous dites là, je le dirai à mon frère. — Ah ! vous croyez que cela peut intéresser M. de Charlus ? » (Je me figurais que, s'il avait un frère, ce frère devait s'appeler Charlus aussi. Saint-Loup m'avait bien donné quelques explications là-dessus à Balbec, mais je les avais oubliées.) « Qui est-ce qui vous parle de M. de Charlus ? me dit le baron d'un air insolent[1]. Allez auprès de Robert. Je sais que vous avez participé ce matin à un de ces déjeuners d'orgie qu'il a avec une femme qui le déshonore. Vous devriez bien user de votre influence sur lui pour lui faire comprendre le chagrin qu'il cause à sa pauvre mère, et à nous tous en traînant notre nom dans la boue. »

J'aurais voulu répondre qu'au déjeuner avilissant on n'avait parlé que d'Emerson[2], d'Ibsen, de Tolstoï[3], et que la jeune femme avait prêché Robert pour qu'il ne bût que de l'eau. Afin de tâcher d'apporter quelque baume à Robert de qui je croyais la fierté blessée, je cherchai à excuser sa maîtresse. Je ne savais pas qu'en ce moment, malgré sa colère contre elle, c'était à lui-même qu'il adressait des reproches. Même dans les querelles entre un bon et une méchante et quand le droit est tout entier d'un côté, il arrive toujours qu'il y a une vétille qui peut donner à la méchante l'apparence de n'avoir pas tort sur un point. Et comme tous les autres points, elle les néglige, pour peu que le bon ait besoin d'elle, soit démoralisé par la séparation, son affaiblissement le rendra scrupuleux, il se rappellera les reproches absurdes qui lui ont été faits et se demandera s'ils n'ont pas quelque fondement.

« Je crois que j'ai eu tort dans cette affaire du collier, me dit Robert. Bien sûr je ne l'avais pas fait dans une mauvaise intention, mais je sais bien que les autres ne se mettent pas au même point de vue que nous-mêmes. Elle a eu une enfance très dure. Pour elle je suis tout de même le riche qui croit qu'on arrive à tout par son argent, et contre lequel le pauvre ne peut pas lutter, qu'il s'agisse d'influencer Boucheron ou de gagner un procès devant un tribunal. Sans doute elle a été bien cruelle, moi qui n'ai jamais cherché que son bien. Mais je me rends bien compte, elle croit que j'ai voulu lui faire sentir qu'on pouvait la tenir par l'argent, et ce n'est pas vrai. Elle qui m'aime tant, que doit-elle se dire ! Pauvre chérie, si tu savais, elle a de telles délicatesses, je ne peux pas te dire, elle a souvent fait pour moi des choses adorables. Ce qu'elle doit être malheureuse en ce moment ! En tout cas, quoi qu'il arrive je ne veux pas qu'elle me prenne pour un mufle, je cours chez Boucheron chercher le collier. Qui sait, peut-être en voyant que j'agis ainsi reconnaîtra-t-elle ses torts. Vois-tu, c'est l'idée*ᵃ* qu'elle souffre en ce moment que je ne peux pas supporter ! Ce qu'on souffre, soi, on le sait, ce n'est rien. Mais elle, se dire qu'elle souffre et ne pas pouvoir se le représenter, je crois que je deviendrais fou, j'aimerais mieux ne la revoir jamais que de la laisser souffrir. Qu'elle soit heureuse sans moi s'il le faut, c'est tout ce que je demande. Écoute, tu sais, pour moi, tout ce qui la touche c'est immense, cela prend quelque chose de cosmique, je cours chez le bijoutier et après cela lui demander pardon. Jusqu'à*ᵇ* ce que je sois là-bas, qu'est-ce qu'elle va pouvoir penser de moi ? Si elle savait seulement que je vais venir ! À tout hasard tu pourras venir chez elle ; qui sait, tout s'arrangera peut-être. Peut-être », dit-il avec un sourire, comme n'osant pas croire à un tel rêve, « nous irons dîner tous les trois à la campagne. Mais on ne peut pas savoir encore, je sais si mal la prendre ; pauvre petite, je vais peut-être encore la blesser. Et puis sa décision est peut-être irrévocable. »

Robert m'entraîna[a] brusquement vers sa mère.

« Adieu, lui dit-il ; je suis forcé de partir. Je ne sais quand je reviendrai en permission, sans doute pas avant un mois. Je vous l'écrirai dès que je le saurai[b]. »

Certes Robert n'était nullement de ces fils qui, quand ils sont dans le monde avec leur mère, croient qu'une attitude exaspérée à son égard doit faire contrepoids aux sourires et aux saluts qu'ils adressent aux étrangers. Rien n'est plus répandu que cette odieuse vengeance de ceux qui semblent croire[c] que la grossièreté envers les siens complète tout naturellement la tenue de cérémonie. Quoi que la pauvre mère dise, son fils, comme s'il avait été emmené malgré lui et voulait faire payer cher sa présence, contrebat immédiatement d'une contradiction ironique, précise, cruelle, l'assertion timidement risquée ; la mère se range aussitôt, sans le désarmer pour cela, à l'opinion de cet être supérieur qu'elle continuera à vanter à chacun en son absence, comme une nature délicieuse, et qui ne lui épargne pourtant aucun de ses traits les plus acérés. Saint-Loup était tout autre, mais l'angoisse que provoquait l'absence de Rachel faisait que, pour des raisons différentes, il n'était pas moins dur avec sa mère que ne le sont ces fils-là avec la leur. Et aux paroles qu'il prononça je vis le même battement, pareil à celui d'une aile, que Mme de Marsantes n'avait pu réprimer à l'arrivée de son fils, la dresser encore tout entière[d] ; mais maintenant c'était un visage anxieux, des yeux désolés qu'elle attachait sur lui.

« Comment, Robert, tu t'en vas ? C'est sérieux ? Mon petit enfant ! Le seul jour où je pouvais t'avoir ! »

Et presque bas, sur le ton le plus naturel, d'une voix d'où elle s'efforçait de bannir toute tristesse pour ne pas inspirer à son fils une pitié qui eût peut-être été cruelle pour lui, ou inutile et bonne seulement à l'irriter, comme un argument de simple bon sens elle ajouta :

« Tu sais que ce n'est pas gentil ce que tu fais là. »

Mais à cette simplicité elle ajoutait tant de timidité pour lui montrer qu'elle n'entreprenait pas sur sa liberté, tant de tendresse pour qu'il ne lui reprochât pas d'entraver ses plaisirs, que Saint-Loup ne put pas ne pas apercevoir en lui-même comme la possibilité d'un attendrissement, c'est-à-dire un obstacle à passer la soirée avec son amie. Aussi se mit-il en colère :

« C'est regrettable, mais gentil ou non, c'est ainsi. »

Et il fit à sa mère les reproches que sans doute il se sentait peut-être mériter ; c'est ainsi que les égoïstes ont toujours le dernier mot ; ayant posé d'abord que leur résolution est inébranlable, plus le sentiment auquel on fait appel en eux pour qu'ils y renoncent est touchant, plus ils trouvent condamnables, non pas eux qui y résistent, mais ceux qui les mettent dans la nécessité d'y résister, de sorte que leur propre dureté peut aller jusqu'à la plus extrême cruauté sans que cela fasse à leurs yeux qu'aggraver d'autant la culpabilité de l'être assez indélicat pour souffrir, pour avoir raison, et leur causer ainsi lâchement la douleur d'agir contre leur propre pitié. D'ailleurs, d'elle-même Mme de Marsantes cessa d'insister, car elle sentait qu'elle ne le retiendrait plus.

« Je te laisse, me dit-il, mais, Maman, ne le gardez pas longtemps parce qu'il faut qu'il aille faire une visite tout à l'heure. »

Je sentais bien que ma présence ne pouvait faire aucun plaisir à Mme de Marsantes, mais j'aimais mieux en ne partant pas avec Robert qu'elle ne crût pas que j'étais mêlé à ces plaisirs qui la privaient de lui. J'aurais voulu trouver quelque excuse à la conduite de son fils, moins par affection pour lui que par pitié pour elle. Mais ce fut elle qui parla la première :

« Pauvre petit, me dit-elle, je suis sûre que je lui ai fait de la peine. Voyez-vous, monsieur, les mères sont très égoïstes, il n'a pourtant pas tant de plaisirs lui qui vient si peu à Paris. Mon Dieu, s'il n'était pas encore parti, j'aurais voulu le rattraper, non pas pour le retenir certes, mais pour lui dire que je ne lui en veux pas, que je trouve qu'il a eu raison. Cela ne vous ennuie pas que je regarde sur l'escalier ? »

Et nous allâmes jusque-là :

« Robert ! Robert ! cria-t-elle. Non, il est parti, il est trop tard. »

Maintenant je me serais aussi volontiers chargé d'une mission pour faire rompre Robert et sa maîtresse qu'il y a quelques heures pour qu'il partît vivre tout à fait avec elle. Dans un cas Saint-Loup m'eût jugé un ami traître, dans l'autre cas sa famille m'eût appelé son mauvais génie. J'étais pourtant le même homme à quelques heures de distance.

Nous rentrâmes dans le salon. En ne voyant pas rentrer
Saint-Loup, Mme de Villeparisis échangea avec M. de Norpois ce regard dubitatif, moqueur et sans grande pitié
qu'on a en montrant une épouse trop jalouse ou une mère
trop tendre (lesquelles donnent aux autres la comédie) et
qui signifie : « Tiens, il a dû y avoir de l'orage. »

Robert alla chez sa maîtresse en lui apportant le
splendide bijou que, d'après leurs conventions, il n'aurait
pas dû lui donner. Mais d'ailleurs cela revint au même
car elle n'en voulut pas, et même dans la suite il ne réussit
jamais à le lui faire accepter. Certains amis de Robert
pensaient que ces preuves de désintéressement qu'elle
donnait étaient un calcul pour se l'attacher. Pourtant elle
ne tenait pas à l'argent, sauf peut-être pour pouvoir le
dépenser sans compter. Je lui ai vu faire à tort et à travers,
à des gens qu'elle croyait pauvres, des charités insensées.
« En ce moment », disaient à Robert ses amis pour faire
contrepoids par leurs mauvaises paroles à un acte de
désintéressement de Rachel, « en ce moment elle doit être
au promenoir des Folies-Bergère. Cette Rachel, c'est une
énigme, un véritable sphinx. » Au reste combien de
femmes intéressées, puisqu'elles sont entretenues, ne
voit-on pas, par une délicatesse qui fleurit au milieu de
cette existence, poser elles-mêmes mille petites bornes à
la générosité de leur amant !

Robert ignorait presque toutes les infidélités de sa
maîtresse et faisait travailler son esprit sur ce qui n'était
que des riens insignifiants auprès de la vraie vie de Rachel,
vie qui ne commençait chaque jour que lorsqu'il venait
de la quitter. Il ignorait presque toutes ces infidélités. On
aurait pu les lui apprendre sans ébranler sa confiance en
Rachel ; car c'est une charmante loi de nature qui se
manifeste au sein des sociétés les plus complexes, qu'on
vive dans l'ignorance parfaite de ce qu'on aime. D'un côté
du miroir, l'amoureux se dit : « C'est un ange, jamais elle
ne se donnera à moi, je n'ai plus qu'à mourir, et pourtant
elle m'aime ; elle m'aime tant que peut-être... mais non
ce ne sera pas possible ! » Et dans l'exaltation de son désir,
dans l'angoisse de son attente, que de bijoux il met aux
pieds de cette femme, comme il court emprunter de
l'argent pour lui éviter un souci ! Cependant, de l'autre
côté de la cloison à travers laquelle ces conversations ne
passeront pas plus que celles qu'échangent les promeneurs

devant un aquarium, le public dit : « Vous ne la connaissez
pas ? Je vous en félicite, elle a volé, ruiné je ne sais pas combien de gens, il n'y a pas pis que ça comme fille. C'est une
pure escroqueuse. Et roublarde ! » Et peut-être le public
n'a-t-il pas absolument tort en ce qui concerne cette dernière
épithète, car même l'homme sceptique qui n'est pas vraiment amoureux de cette femme et à qui elle plaît seulement
dit à ses amis : « Mais non, mon cher, ce n'est pas du tout
une cocotte ; je ne dis pas que dans sa vie elle n'ait pas eu
deux ou trois caprices, mais ce n'est pas une femme qu'on
paye, ou alors ce serait trop cher. Avec elle c'est cinquante
mille francs ou rien du tout. » Or lui a dépensé cinquante
mille francs pour elle, il l'a eue une fois, mais elle, trouvant
d'ailleurs pour cela un complice chez lui-même, dans la
personne de son amour-propre, elle a su lui persuader qu'il
était de ceux qui l'avaient eue pour rien. Telle est la société,
où chaque être est double, et où le plus percé à jour, le plus
mal famé, ne sera jamais connu par un certain autre qu'au
fond et sous la protection d'une coquille, d'un doux cocon,
d'une délicieuse curiosité naturelle. Il y avait à Paris deux
honnêtes gens que Saint-Loup ne saluait plus, et dont il ne
parlait jamais sans que sa voix tremblât, les appelant exploi-
teurs de femmes : c'est qu'ils avaient été ruinés par Rachel.

« Je ne me reproche[a] qu'une chose, me dit tout bas
Mme de Marsantes, c'est de lui avoir dit qu'il n'était pas
gentil. Lui, ce fils adorable, unique, comme il n'y en a
pas d'autres, pour la seule fois où je le vois, lui avoir dit
qu'il n'était pas gentil, j'aimerais mieux avoir reçu un coup
de bâton, parce que je suis certaine que, quelque plaisir
qu'il ait ce soir, lui qui n'en a pas tant, il lui sera gâté
par cette parole injuste. Mais, monsieur, je ne vous retiens
pas, puisque vous êtes pressé[b]. »

Mme de Marsantes me dit au revoir avec anxiété. Ces
sentiments se rapportaient à Robert, elle était sincère. Mais
elle cessa de l'être pour redevenir grande dame :

« J'ai été *intéressée, si heureuse, flattée*, de causer un peu
avec vous. Merci ! Merci ! »

Et d'un air humble elle attachait sur moi des regards
reconnaissants, enivrés, comme si ma conversation était
un des plus grands plaisirs qu'elle eût connus dans la vie.
Ces regards charmants allaient fort bien avec les fleurs
noires sur la robe blanche à ramages ; ils étaient d'une
grande dame qui sait son métier.

« Mais je ne suis pas pressé, Madame, répondis-je ; d'ailleurs j'attends M. de Charlus[a] avec qui je dois m'en aller. »

Mme de Villeparisis entendit ces derniers mots. Elle en parut contrariée. S'il ne s'était agi d'une chose qui ne pouvait intéresser un sentiment de cette nature, il m'eût paru que ce qui semblait en alarme à ce moment-là chez Mme de Villeparisis, c'était la pudeur. Mais cette hypothèse ne se présenta même pas à mon esprit. J'étais content de Mme de Guermantes, de Saint-Loup, de Mme de Marsantes, de M. de Charlus, de Mme de Villeparisis, je ne réfléchissais pas, et je parlais gaiement, à tort et à travers.

« Vous devez[b] partir avec mon neveu Palamède ? » me dit-elle.

Pensant que cela pouvait produire une impression très favorable sur Mme de Villeparisis que je fusse lié avec un neveu qu'elle prisait si fort : « Il m'a demandé[c] de revenir avec lui, répondis-je avec joie. J'en suis enchanté. Du reste nous sommes plus amis que vous ne croyez, madame et je suis décidé à tout pour que nous le soyons davantage. »

De contrariée, Mme de Villeparisis sembla devenue soucieuse : « Ne l'attendez pas[d], me dit-elle d'un air préoccupé, il cause avec M. de Faffenheim. Il ne pense déjà plus à ce qu'il vous a dit. Tenez, partez, profitez vite pendant qu'il a le dos tourné. »

Ce premier émoi de Mme de Villeparisis eût ressemblé, n'eussent été les circonstances, à celui de la pudeur. Son insistance, son opposition auraient pu, si l'on n'avait consulté que son visage, paraître dictées par la vertu. Je n'étais, pour ma part, guère pressé d'aller retrouver Robert et sa maîtresse. Mais Mme de Villeparisis semblait tenir tant à ce que je partisse que, pensant peut-être qu'elle avait à causer d'affaires importantes avec son neveu, je lui dis au revoir. À côté d'elle M. de Guermantes, superbe et olympien, était lourdement assis. On aurait dit que la notion omniprésente en tous ses membres de ses grandes richesses lui donnait une densité particulièrement élevée, comme si elles avaient été fondues au creuset en un seul lingot humain, pour faire cet homme qui valait si cher. Au moment où je lui dis au revoir, il se leva poliment de son siège et je sentis la masse inerte de trente millions que la vieille éducation française faisait mouvoir, soulevait, et qui se tenait debout devant moi. Il me semblait voir cette statue de Jupiter Olympien que Phidias, dit-on, avait fondue tout en or[1]. Telle était la puissance que l'éducation des jésuites avait sur M. de Guermantes, sur le corps de M. de Guermantes du moins, car elle ne régnait pas aussi en maîtresse sur l'esprit du duc. M. de Guermantes riait de ses bons mots, mais ne se déridait pas à ceux des autres.

Dans l'escalier[a], j'entendis derrière moi une voix qui m'interpellait :

« Voilà comme vous m'attendez, monsieur. »

C'était M. de Charlus.

« Cela vous est égal de faire quelques pas à pied ? me dit-il sèchement, quand nous fûmes dans la cour. Nous marcherons jusqu'à ce que j'aie trouvé un fiacre qui me convienne.

— Vous vouliez parler de quelque chose, monsieur[b] ?

— Ah ! voilà, en effet, j'avais certaines choses à vous dire, mais je ne sais trop si je vous les dirai. Certes[c] je crois qu'elles pourraient être pour vous le point de départ d'avantages inappréciables. Mais j'entrevois aussi qu'elles amèneraient dans mon existence, à mon âge où on commence à tenir à la tranquillité, bien des pertes de temps, bien des dérangements de tout ordre ; or, je me demande si vous valez la peine que je vous donne pour vous tout ce tracas, et je n'ai pas le plaisir de vous connaître assez pour en décider. Peut-être[d] d'ailleurs n'avez-vous pas de ce que je pourrais faire pour vous un assez grand désir pour que je me donne tant d'ennuis, car je vous le répète très franchement, monsieur, pour moi ce ne peut-être que de l'ennui. »

Je protestai qu'alors il n'y fallait pas songer. Cette rupture des pourparlers ne parut pas être de son goût.

« Cette politesse ne signifie rien, me dit-il d'un ton dur. Il n'y a rien de plus agréable que de se donner de l'ennui pour une personne qui en vaille la peine. Pour les meilleurs d'entre nous, l'étude des arts, le goût de la brocante, les collections, les jardins, ne sont que des ersatz, des succédanés, des alibis. Dans le fond de notre tonneau, comme Diogène, nous demandons un homme[2]. Nous cultivons les bégonias, nous taillons les ifs, par pis-aller, parce que les ifs et les bégonias se laissent faire. Mais nous aimerions mieux donner notre temps à un arbuste humain, si nous étions sûrs qu'il en valût la peine. Toute la question

est là ; vous devez vous connaître un peu. En valez-vous
la peine ou non ?

— Je ne voudrais[a], monsieur, pour rien au monde, être
pour vous une cause de soucis, lui dis-je, mais quant à mon
plaisir, croyez bien que tout ce qui me viendra de vous
m'en causera un très grand. Je suis profondément touché
que vous veuilliez bien faire ainsi attention à moi et
chercher à m'être utile. »

À mon grand étonnement ce fut presque avec effusion
qu'il me remercia de ces paroles. Passant son bras sous
le mien avec cette familiarité intermittente qui m'avait déjà
frappé à Balbec et qui contrastait avec la dureté de son
accent :

« Avec l'inconsidération de votre âge, me dit-il, vous
pourriez parfois avoir des paroles capables de creuser un
abîme infranchissable entre nous. Celles que vous venez
de prononcer au contraire sont du genre qui est justement
capable de me toucher et de me faire faire beaucoup pour
vous. »

Tout en marchant bras dessus bras dessous avec moi
et en me disant ces paroles qui, bien que mêlées de dédain,
étaient si affectueuses, M. de Charlus tantôt fixait ses
regards sur moi avec cette fixité intense, cette dureté
perçante qui m'avaient frappé le premier matin où je l'avais
aperçu devant le casino à Balbec, et même bien des années
avant, près de l'épinier rose, à côté de Mme Swann que
je croyais alors sa maîtresse, dans le parc de Tansonville,
tantôt les faisait errer autour de lui et examiner les fiacres
qui passaient assez nombreux à cette heure de relais, avec
tant d'insistance que plusieurs s'arrêtèrent, le cocher ayant
cru qu'on voulait le prendre. Mais M. de Charlus les
congédiait aussitôt.

« Aucun ne fait mon affaire, me dit-il, tout cela est une
question de lanternes, du quartier où ils rentrent. Je
voudrais, monsieur, me dit-il, que vous ne puissiez pas vous
méprendre sur le caractère purement désintéressé et
charitable de la proposition que je vais vous adresser. »

J'étais frappé combien sa diction ressemblait à celle de
Swann encore plus qu'à Balbec.

« Vous êtes assez intelligent, je suppose, pour ne pas
croire qu'elle est inspirée par "manque de relations", par
crainte de la solitude et de l'ennui. De ma famille je n'ai
pas à vous parler, car je pense qu'un garçon de votre âge

appartenant à la petite bourgeoisie » (il accentua ce mot
avec satisfaction) « doit savoir l'histoire de France. Ce sont
les gens de mon monde qui ne lisent rien et ont une
ignorance de laquais. Jadis les valets de chambre du Roi
étaient recrutés parmi les grands seigneurs, maintenant les
grands seigneurs ne sont guère plus que des valets de
chambre. Mais les jeunes bourgeois comme vous lisent,
vous connaissez certainement sur les miens la belle page
de Michelet : "Je les vois bien grands, ces puissants
Guermantes. Et qu'est auprès d'eux le pauvre petit roi de
France enfermé dans son palais de Paris[1] ?" Quant à ce que
je suis personnellement, c'est un sujet, monsieur, dont je
n'aime pas beaucoup à parler, mais enfin, vous[a] l'avez
peut-être appris, un article assez retentissant du *Times*[2] y a
fait allusion, l'empereur d'Autriche, qui m'a toujours
honoré de sa bienveillance et veut bien entretenir avec moi
des relations de cousinage, a déclaré naguère dans un
entretien rendu public que si M. le comte de Chambord
avait eu auprès de lui un homme possédant aussi à fond
que moi les dessous de la politique européenne, il serait
aujourd'hui roi de France[3]. J'ai souvent pensé, monsieur,
qu'il y avait en moi, du fait non de mes faibles dons, mais
de circonstances que vous apprendrez peut-être un jour,
un trésor d'expérience, une sorte de dossier secret et
inestimable, que je n'ai pas cru devoir utiliser personnellement, mais qui serait sans prix pour un jeune homme à
qui je livrerais en quelques mois ce que j'ai mis plus de
trente ans à acquérir et que je suis peut-être seul à posséder.
Je ne parle pas des jouissances intellectuelles que vous
auriez à apprendre certains secrets qu'un Michelet de nos
jours donnerait des années[b] de sa vie pour connaître et
grâce auxquels certains événements prendraient à ses yeux
un aspect entièrement différent. Et je ne parle pas
seulement des événements accomplis, mais de l'enchaînement de circonstances » (c'était une des expressions
favorites de M. de Charlus et souvent quand il la prononçait
il conjoignait ses deux mains comme quand on veut prier,
mais les doigts raides, et comme pour faire comprendre par
ce complexus ces circonstances qu'il ne spécifiait pas et leur
enchaînement.) « Je vous donnerais une explication inconnue non seulement du passé, mais de l'avenir. »
	M. de Charlus s'interrompit pour me poser des
questions sur Bloch dont on avait parlé sans qu'il eût l'air

d'entendre, chez Mme de Villeparisis. Et de cet accent qu'il savait si bien détacher de ce qu'il disait qu'il avait l'air de penser à tout autre chose et de parler machinalement par simple politesse, il me demanda si mon camarade était jeune, était beau, etc. Bloch, s'il l'eût entendu, eût été plus en peine encore que pour M. de Norpois, mais à cause de raisons bien différentes, de savoir si M. de Charlus était pour ou contre Dreyfus. « Vous n'avez pas tort, si vous voulez vous instruire, me dit M. de Charlus après m'avoir posé ces questions sur Bloch, d'avoir parmi vos amis quelques étrangers. » Je répondis que Bloch était français. « Ah ! dit M. de Charlus, j'avais cru qu'il était juif. » La déclaration de cette incompatibilité me fit croire que M. de Charlus était plus antidreyfusard qu'aucune des personnes que j'avais rencontrées. Il protesta au contraire contre l'accusation de trahison portée contre Dreyfus. Mais ce fut sous cette forme : « Je crois que les journaux disent que Dreyfus a commis un crime contre sa patrie, je crois qu'on le dit, je ne fais pas attention aux journaux ; je les lis comme je me lave les mains, sans trouver que cela vaille la peine de m'intéresser. En tout cas le crime est inexistant, le compatriote de votre ami aurait commis un crime contre sa patrie s'il avait trahi la Judée, mais qu'est-ce qu'il a à voir avec la France ? » J'objectai que, s'il y avait jamais une guerre, les Juifs seraient aussi bien mobilisés que les autres. « Peut-être, et il n'est pas certain que ce ne soit pas une imprudence. Mais si on fait venir des Sénégalais et des Malgaches, je ne pense pas qu'ils mettront grand cœur à défendre la France et c'est bien naturel. Votre Dreyfus pourrait plutôt être condamné pour infraction aux règles de l'hospitalité. Mais laissons cela. Peut-être pourriez-vous demander à votre ami de me faire assister à quelque belle fête au Temple, à une circoncision, à des chants juifs. Il pourrait peut-être louer une salle et me donner quelque divertissement biblique, comme les filles de Saint-Cyr jouèrent des scènes tirées des *Psaumes* par Racine pour distraire Louis XIV[1]. Vous pourriez peut-être arranger même des parties pour faire rire. Par exemple, une lutte entre votre ami et son père où il le blesserait comme David Goliath[2]. Cela composerait une farce assez plaisante. Il pourrait même, pendant qu'il y est, frapper à coups redoublés sur sa charogne, ou, comme dirait ma vieille bonne, sur sa carogne[3] de mère. Voilà qui serait fort bien fait et ne serait pas pour nous déplaire, hein ! petit ami, puisque nous aimons les spectacles exotiques et que frapper cette créature extra-européenne, ce serait donner une correction méritée à un vieux chameau. » En disant ces mots affreux et presque fous, M. de Charlus me serrait le bras à me faire mal. Je me souvenais de la famille de M. de Charlus citant tant de traits de bonté admirables, de la part du baron, à l'égard de cette vieille bonne dont il venait de rappeler le patois moliéresque et je me disais que les rapports, peu étudiés jusqu'ici, me semblait-il, entre la bonté et la méchanceté dans un même cœur, pour divers qu'ils puissent être, seraient intéressants à établir.

Je l'avertis qu'en tout cas Mme Bloch n'existait plus, et que quant à M. Bloch je me demandais jusqu'à quel point il se plairait à un jeu qui pourrait parfaitement lui crever les yeux. M. de Charlus sembla fâché. « Voilà, dit-il, une femme qui a eu grand tort de mourir. Quant aux yeux crevés, justement la Synagogue est aveugle, elle ne voit pas les vérités de l'Évangile[1]. En tout cas, pensez, en ce moment où tous ces malheureux Juifs tremblent devant la fureur stupide des chrétiens, quel honneur pour eux de voir un homme comme moi condescendre à s'amuser de leurs jeux ! » À ce moment j'aperçus M. Bloch père qui passait, allant sans doute au-devant de son fils. Il ne nous voyait pas, mais j'offris à M. de Charlus de le lui présenter. Je ne me doutais pas de la colère que j'allais déchaîner chez mon compagnon : « Me le présenter ! Mais il faut que vous ayez bien peu le sentiment des valeurs ! On ne me connaît pas si facilement que ça. Dans le cas actuel l'inconvenance serait double à cause de la juvénilité du présentateur et de l'indignité du présenté. Tout au plus, si on me donne un jour le spectacle asiatique que j'esquissais, pourrai-je adresser à cet affreux bonhomme quelques paroles empreintes de bonhomie. Mais à condition qu'il se soit laissé copieusement rosser par son fils. Je pourrais aller jusqu'à exprimer ma satisfaction. » D'ailleurs M. Bloch ne faisait nulle attention à nous. Il était en train d'adresser à Mme Sazerat de grands saluts fort bien accueillis d'elle. J'en étais surpris car jadis, à Combray, elle avait été indignée que mes parents eussent reçu le jeune Bloch, tant elle était antisémite. Mais le dreyfusisme, comme une chasse d'air, avait fait il y a

quelques jours voler jusqu'à elle M. Bloch. Le père de
mon ami avait trouvé Mme Sazerat charmante et était
particulièrement flatté de l'antisémitisme de cette dame
qu'il trouvait une preuve de la sincérité de sa foi et de
la vérité de ses opinions dreyfusardes, et qui donnait aussi
du prix à la visite qu'elle l'avait autorisé à lui faire. Il n'avait
même pas été blessé qu'elle eût dit étourdiment devant
lui : « M. Drumont[1] a la prétention de mettre les
révisionnistes dans le même sac que les protestants et les
Juifs. C'est charmant cette promiscuité ! » « Bernard,
avait-il dit avec orgueil, en rentrant, à M. Nissim Bernard,
tu sais, elle a le préjugé ! » Mais M. Nissim Bernard n'avait
rien répondu et avait levé au ciel un regard d'ange.
S'attristant du malheur des Juifs, se souvenant de ses
amitiés chrétiennes, devenant maniéré et précieux au fur
et à mesure que les années venaient, pour des raisons que
l'on verra plus tard, il avait maintenant l'air d'une larve
préraphaélite où des poils se seraient malproprement
implantés, comme des cheveux noyés dans une opale.

    « Toute cette affaire Dreyfus, reprit le baron qui tenait
toujours mon bras, n'a qu'un inconvénient : c'est qu'elle
détruit la société (je ne dis pas la bonne société, il y a
longtemps que la société ne mérite plus cette épithète
louangeuse) par l'afflux de messieurs et de dames du
Chameau, de la Chamellerie, de la Chamellière, enfin des
gens inconnus que je trouve même chez mes cousines parce
qu'ils font partie de la ligue de la Patrie française, antijuive,
je ne sais quoi, comme si une opinion politique donnait
droit à une qualification sociale. »

    Cette frivolité de M. de Charlus l'apparentait davantage
à la duchesse de Guermantes. Je lui soulignai le
rapprochement. Comme il semblait croire que je ne la
connaissais pas, je lui rappelai la soirée de l'Opéra où il
avait semblé vouloir se cacher de moi. Il me dit avec tant
de force ne m'avoir nullement vu que j'aurais fini par le
croire si bientôt un petit incident ne m'avait donné à
penser que M. de Charlus, trop orgueilleux peut-être,
n'aimait pas à être vu avec moi.

    « Revenons à vous, me dit-il, et à mes projets sur vous.
Il existe entre certains hommes, Monsieur, une franc-
maçonnerie dont je ne puis vous parler, mais qui compte
dans ses rangs en ce moment quatre souverains de
l'Europe. Or l'entourage de l'un deux, qui est l'empereur

d'Allemagne, veut le guérir de sa chimère[1]. Cela est une chose très grave et peut nous amener la guerre. Oui, monsieur, parfaitement. Vous connaissez l'histoire de cet homme qui croyait tenir dans une bouteille la princesse de la Chine. C'était une folie. On l'en guérit. Mais dès qu'il ne fut plus fou, il devint bête[2]. Il y a des maux dont il ne faut pas chercher à guérir parce qu'ils nous protègent seuls contre de plus graves. Un des mes cousins avait une maladie de l'estomac, il ne pouvait rien digérer. Les plus savants spécialistes de l'estomac le soignèrent sans résultat. Je l'amenai à un certain médecin (encore un être bien curieux, entre parenthèses, et sur lequel il y aurait beaucoup à dire). Celui-ci devina aussitôt que la maladie était nerveuse, il persuada son malade, lui ordonna de manger sans crainte ce qu'il voudrait et qui serait toujours bien toléré. Mais mon cousin avait aussi de la néphrite. Ce que l'estomac digère parfaitement, le rein finit par ne plus pouvoir l'éliminer, et mon cousin, au lieu de vivre vieux avec une maladie d'estomac imaginaire qui le forçait à suivre un régime, mourut à quarante ans, l'estomac guéri mais le rein perdu. Ayant une formidable[a] avance sur votre propre vie, qui sait, vous serez peut-être ce qu'eût pu être un homme éminent du passé si un génie bien-faisant lui avait dévoilé, au milieu d'une humanité qui les ignorait, les lois de la vapeur et de l'électricité. Ne soyez pas bête, ne refusez pas par discrétion. Comprenez que si je vous rends un grand service, je n'estime pas que vous m'en rendiez un moins grand. Il y a longtemps que les gens du monde ont cessé de m'intéresser, je n'ai plus qu'une passion, chercher à racheter les fautes de ma vie en faisant profiter de ce que je sais une âme encore vierge et capable d'être enflammée par la vertu. J'ai eu de grands chagrins, monsieur, et que je vous dirai peut-être un jour, j'ai perdu ma femme qui était l'être le plus beau, le plus noble, le plus parfait qu'on pût rêver. J'ai de jeunes parents qui ne sont pas, je ne dirai pas dignes, mais capables de recevoir[b] l'héritage moral dont je vous parle. Qui sait si vous n'êtes pas celui entre les mains de qui il peut aller, celui dont je pourrai diriger et élever si haut la vie ? La mienne y gagnerait par surcroît. Peut-être en vous apprenant les grandes affaires diplomati-

ques y reprendrais-je goût de moi-même et me mettrais-je
enfin à faire des choses intéressantes où vous seriez de
moitié. Mais avant de le savoir, il faudrait que je vous visse
souvent, très souvent, chaque jour. »

Je voulais profiter de ces bonnes dispositions inespérées
de M. de Charlus pour lui demander s'il ne pourrait pas
me faire rencontrer sa belle-sœur, mais, à ce moment, j'eus
le bras vivement déplacé par une secousse comme
électrique. C'était M. de Charlus qui venait de retirer[a]
précipitamment son bras de dessous le mien. Bien que tout
en parlant il promenât ses regards dans toutes les
directions, il venait seulement d'apercevoir M. d'Argencourt qui débouchait d'une rue transversale. En nous
voyant M. d'Argencourt parut contrarié, jeta sur moi un
regard de méfiance, presque ce regard destiné à un être
d'une autre race que Mme de Guermantes avait eu pour
Bloch, et tâcha de nous éviter. Mais on eût dit que
M. de Charlus tenait à lui montrer qu'il ne cherchait
nullement à ne pas être vu de lui, car il l'appela et pour
lui dire une chose fort insignifiante. Et craignant peut-être
que M. d'Argencourt ne me reconnût pas, M. de Charlus
lui dit que j'étais un grand ami de Mme de Villeparisis,
de la duchesse de Guermantes, de Robert de Saint-Loup,
que lui-même, Charlus, était un vieil ami de ma
grand-mère, heureux de reporter sur le petit-fils un peu
de la sympathie qu'il avait pour elle. Néanmoins je
remarquai que M. d'Argencourt à qui pourtant j'avais été
à peine nommé chez Mme de Villeparisis et à qui
M. de Charlus venait de parler longuement de ma famille
fut plus froid avec moi qu'il n'avait été il y a une heure,
et dès lors, pendant très longtemps il en fut ainsi chaque
fois qu'il me rencontrait. Il m'observa ce soir-là avec une
curiosité qui n'avait rien de sympathique et sembla même
avoir à vaincre une résistance quand, en nous quittant,
après une hésitation, il me tendit une main qu'il retira
aussitôt.

« Je regrette cette rencontre, me dit M. de Charlus. Cet
Argencourt, bien né mais mal élevé, diplomate plus que
médiocre, mari détestable et coureur, fourbe comme dans
les pièces, est un de ces hommes[b] incapables de comprendre, mais très capables de détruire les choses vraiment
grandes. J'espère que notre amitié le sera, si elle doit se
fonder un jour, et j'espère que vous me ferez l'honneur

de la tenir autant que moi à l'abri des coups de pied d'un de ces ânes qui, par désœuvrement, par maladresse, par méchanceté, écrasent ce qui semblait fait pour durer. C'est malheureusement sur ce moule que sont faits la plupart des gens du monde.

— La duchesse de Guermantes semble très intelligente. Nous parlions tout à l'heure d'une guerre possible. Il paraît qu'elle a là-dessus des lumières spéciales.

— Elle n'en a aucune, me répondit sèchement M. de Charlus. Les femmes, et beaucoup d'hommes d'ailleurs, n'entendent rien aux choses dont je voulais parler. Ma belle-sœur est une femme charmante qui s'imagine être encore au temps des romans de Balzac où les femmes influaient sur la politique. Sa fréquentation ne pourrait actuellement exercer sur vous qu'une action fâcheuse, comme d'ailleurs toute fréquentation mondaine. Et c'est justement[a] une des premières choses que j'allais vous dire quand ce sot m'a interrompu. Le premier sacrifice qu'il faut me faire — j'en exigerai autant que je vous ferai de dons — c'est de ne pas aller dans le monde. J'ai souffert tantôt de vous voir à cette réunion ridicule. Vous me direz que j'y étais bien, mais pour moi ce n'est pas une réunion mondaine, c'est une visite de famille. Plus tard, quand vous serez un homme arrivé, si cela vous amuse de descendre un moment dans le monde, ce sera peut-être sans inconvénients. Alors je n'ai pas besoin de vous dire de quelle utilité je pourrai vous être. Le "Sésame" de l'hôtel Guermantes et de tous ceux qui valent la peine que la porte s'ouvre grande devant vous, c'est moi qui le détiens. Je serai juge et entends rester maître de l'heure. Actuellement vous êtes un catéchumène. Votre présence là-haut avait quelque chose de scandaleux. Il faut avant tout éviter l'indécence. »

Comme M. de Charlus parlait de cette visite chez Mme de Villeparisis, je voulus lui demander sa parenté exacte avec la marquise, la naissance de celle-ci, mais la question se posa sur mes lèvres autrement que je n'aurais voulu et je demandai ce que c'était que la famille Villeparisis.

« Mon Dieu, la réponse n'est pas très facile », me répondit d'une voix qui semblait patiner sur les mots, M. de Charlus. « C'est comme si vous me demandiez de vous dire ce que c'est que rien. Ma tante qui peut tout se permettre a eu la fantaisie, en se remariant avec un certain petit M. Thirion, de plonger dans le néant le plus grand nom de France. Ce Thirion a pensé qu'il pourrait sans inconvénient, comme on fait dans les romans, prendre un nom aristocratique et éteint. L'histoire ne dit pas s'il fut tenté par La Tour d'Auvergne, s'il hésita entre Toulouse et Montmorency. En tout cas il fit un choix autre et devint M. de Villeparisis. Comme il n'y en a plus depuis 1702, j'ai pensé qu'il voulait modestement signifier par là qu'il était un monsieur de Villeparisis, petite localité près de Paris[1], qu'il avait une étude d'avoué ou une boutique de coiffeur à Villeparisis. Mais ma tante n'entendait pas de cette oreille-là — elle arrive d'ailleurs à l'âge où l'on n'entend plus d'aucune. Elle prétendit que ce marquisat était dans la famille, elle nous a écrit à tous, elle a voulu faire les choses régulièrement, je ne sais pas pourquoi. Du moment qu'on prend un nom auquel on n'a pas droit, le mieux est de ne pas faire tant d'histoires, comme notre excellent amie, la prétendue comtesse de M*** qui malgré les conseils de Mme Alphonse Rothschild[2] refusa de grossir les deniers de Saint-Pierre[3] pour un titre qui n'en serait pas rendu plus vrai. Le comique est que, depuis ce moment-là, ma tante a fait le trust de toutes les peintures se rapportant aux Villeparisis véritables, avec lesquels feu Thirion n'avait aucune parenté. Le château de ma tante est devenu une sorte de lieu d'accaparement de leurs portraits, authentiques ou non, sous le flot grandissant desquels certains Guermantes et certains Condé qui ne sont pourtant pas de la petite bière, ont dû disparaître. Les marchands de tableaux lui en fabriquent tous les ans. Et elle a même dans sa salle à manger à la campagne un portrait de Saint-Simon à cause du premier mariage de sa nièce avec M. de Villeparisis et bien que l'auteur des *Mémoires* ait peut-être d'autres titres à l'intérêt des visiteurs que n'avoir pas été le bisaïeul de M. Thirion. »

Mme de Villeparisis n'étant que Mme Thirion acheva la chute qu'elle avait commencée dans mon esprit quand j'avais vu la composition mêlée de son salon. Je trouvais injuste qu'une femme dont même le titre et le nom étaient presque tout récents, pût faire illusion aux contemporains et dût faire illusion à la postérité grâce à des amitiés royales. Redevenant ce qu'elle m'avait paru être dans mon enfance, une personne qui n'avait rien d'aristocratique, ces grandes parentés qui l'entouraient me semblèrent lui rester étrangères. Elle ne cessa dans la suite d'être charmante pour nous. J'allais quelquefois la voir et elle m'envoyait de temps en temps un souvenir. Mais je n'avais nullement l'impression qu'elle fût du faubourg Saint-Germain, et si j'avais eu quelque renseignement à demander sur lui, elle eût été une des dernières personnes à qui je me fusse adressé.

« Actuellement, continua M. de Charlus, en allant dans le monde, vous ne feriez que nuire*a* à votre situation, déformer votre intelligence et votre caractère. Du reste il faudrait surveiller même et surtout vos camaraderies. Ayez des maîtresses si votre famille n'y voit pas d'inconvénient, cela ne me regarde pas et même je ne peux que vous y encourager, jeune polisson, jeune polisson qui allez avoir bientôt besoin de vous faire raser, me dit-il en me touchant le menton. Mais le choix des amis hommes a une autre importance. Sur dix jeunes gens, huit sont de petites fripouilles, de petits misérables capables de vous faire un tort que vous ne réparerez jamais. Tenez, mon neveu Saint-Loup est à la rigueur un bon camarade pour vous. Au point de vue de votre avenir, il ne pourra vous être utile en rien ; mais pour cela, moi je suffis. Et, somme toute, pour sortir avec vous, aux moments où vous aurez assez de moi, il me semble ne pas présenter d'inconvénient sérieux, à ce que je crois. Du moins, lui c'est un homme, ce n'est pas un de ces efféminés comme on en rencontre tant aujourd'hui, qui ont l'air de petits truqueurs et qui mèneront peut-être demain à l'échafaud leurs innocentes victimes. » (Je ne savais pas le sens de cette expression d'argot : « truqueur[1] ». « Quiconque l'eût connue eût été aussi surpris que moi. Les gens du monde aiment volontiers à parler argot, et les gens à qui on peut reprocher certaines choses, à montrer qu'ils ne craignent pas de parler d'elles. Preuve d'innocence à leurs yeux. Mais ils ont perdu l'échelle, ne se rendent plus compte du degré à partir duquel une certaine plaisanterie deviendra trop spéciale, trop choquante, sera plutôt une preuve de corruption que de naïveté.) Il n'est pas comme les autres*b*, il est très gentil, très sérieux. »

Je ne pus m'empêcher de sourire de cette épithète de « sérieux » à laquelle l'intonation que lui prêta M. de Charlus semblait donner le sens de « vertueux »,

de « rangé », comme on dit d'une petite ouvrière qu'elle
est sérieuse. À ce moment un fiacre passa qui allait tout
de travers ; un jeune cocher, ayant déserté son siège, le
conduisait du fond de la voiture où il était assis sur les
coussins, l'air à moitié gris. M. de Charlus l'arrêta
vivement. Le cocher parlementa un moment.

« De quel côté allez-vous ?

— Du vôtre » (cela m'étonnait, car M. de Charlus avait
déjà refusé plusieurs fiacres ayant des lanternes de la même
couleur.)

« Mais je ne veux pas remonter sur le siège. Ça vous
est égal que je reste dans la voiture ?

— Oui, seulement, baissez la capote. Enfin pensez à ma
proposition, me dit M. de Charlus avant de me quitter,
je vous donne quelques jours pour y réfléchir, écrivez-moi.
Je vous le répète, il faudra que je vous voie chaque jour
et que je reçoive de vous des garanties de loyauté, de
discrétion que d'ailleurs, je dois le dire, vous semblez
offrir. Mais, au cours de ma vie, j'ai été si souvent trompé
par les apparences que je ne veux plus m'y fier. Sapristi !
c'est bien le moins qu'avant d'abandonner un trésor je
sache en quelles mains je le remets. Enfin, rappelez-vous
bien ce que je vous offre, vous êtes comme Hercule dont,
malheureusement pour vous, vous ne me semblez pas avoir
la forte musculature, au carrefour de deux routes[1]. Tâchez
de ne pas avoir à regretter toute votre vie de n'avoir pas
choisi celle qui conduisait à la vertu. Comment, dit-il au
cocher, vous n'avez pas encore baissé la capote ? je vais
plier les ressorts moi-même. Je crois du reste qu'il faudra
aussi que je conduise, étant donné l'état où vous semblez
être. »

Et il sauta à côté du cocher, au fond du fiacre qui partit
au grand trot[a].

Pour ma part, à peine rentré à la maison, j'y retrouvai
le pendant de la conversation qu'avaient échangée un peu
auparavant Bloch et M. de Norpois, mais sous une forme
brève, invertie et cruelle : c'était une dispute entre notre
maître d'hôtel qui était dreyfusard et celui des Guermantes
qui était antidreyfusard. Les vérités et contre-vérités qui
s'opposaient en haut chez les intellectuels de la Ligue de
la Patrie française et celle des Droits de l'homme[2] se
propageaient en effet jusque dans les profondeurs du
peuple. M. Reinach manœuvrait par le sentiment des gens

qui ne l'avaient jamais vu, alors que pour lui l'affaire Dreyfus se posait seulement devant sa raison comme un théorème irréfutable et qu'il « démontra en effet », par la plus étonnnante réussite de politique rationnelle (réussite contre la France, dirent certains) qu'on ait jamais vue. En deux ans il remplaça un ministère Billot[1] par un ministère Clemenceau[2], changea[d] de fond en comble l'opinion publique, tira de sa prison Picquart pour le mettre, ingrat, au Ministère de la Guerre[3]. Peut-être ce rationaliste manœuvreur de foules était-il lui-même manœuvré par son ascendance[4]. Quand les systèmes philosophiques qui contiennent le plus de vérité sont dictés à leurs auteurs, en dernière analyse, par une raison de sentiment, comment supposer que, dans une simple affaire politique comme l'affaire Dreyfus, des raisons de ce genre ne puissent, à l'insu du raisonneur, gouverner sa raison ? Bloch croyait avoir logiquement choisi son dreyfusisme, et savait pourtant que son nez, sa peau et ses cheveux lui avaient été imposés par sa race. Sans doute la raison est plus libre ; elle obéit pourtant à certaines lois qu'elle ne s'est pas données. Le cas du maître d'hôtel des Guermantes et du nôtre était particulier. Les vagues des deux courants de dreyfusisme et d'antidreyfusisme qui de haut en bas divisaient la France, étaient assez silencieuses, mais les rares échos qu'elles émettaient étaient sincères. En entendant quelqu'un, au milieu d'une causerie qui s'écartait volontairement de l'Affaire, annoncer furtivement une nouvelle politique, généralement fausse mais toujours souhaitée, on pouvait induire de l'objet de ses prédictions l'orientation de ses désirs. Ainsi s'affrontaient sur quelques points, d'un côté un timide apostolat, de l'autre une sainte indignation. Les deux maîtres d'hôtel que j'entendis en rentrant faisaient exception à la règle. Le nôtre laissa entendre que Dreyfus était coupable, celui des Guermantes qu'il était innocent. Ce n'était pas pour dissimuler leurs convictions, mais par méchanceté et âpreté au jeu. Notre maître d'hôtel, incertain si la révision se ferait, voulait d'avance, pour le cas d'un échec, ôter au maître d'hôtel des Guermantes la joie de croire une juste cause battue. Le maître d'hôtel des Guermantes pensait qu'en cas de refus de révision, le nôtre serait plus ennuyé de voir maintenir à l'île du Diable un innocent. Le concierge les regardait. J'eus l'impression que ce n'était pas lui qui mettait la division dans la domesticité des Guermantes.

Je remontai et trouvai ma grand-mère plus souffrante. Depuis quelque temps[a], sans trop savoir ce qu'elle avait, elle se plaignait de sa santé. C'est dans la maladie que nous nous rendons compte que nous ne vivons pas seuls mais enchaînés à un être d'un règne différent, dont des abîmes nous séparent, qui ne nous connaît pas et duquel il est impossible de nous faire comprendre : notre corps. Quelque brigand que nous rencontrions sur une route, peut-être pourrons-nous arriver à le rendre sensible à son intérêt personnel sinon à notre malheur. Mais demander pitié à notre corps, c'est discourir devant une pieuvre, pour qui nos paroles, ne peuvent pas avoir plus de sens que le bruit de l'eau, et avec laquelle nous serions épouvantés d'être condamnés à vivre. Les malaises de ma grand-mère passaient souvent inaperçus à son attention, toujours détournée vers nous. Quand elle en souffrait trop, pour arriver à les guérir, elle s'efforçait en vain de les comprendre. Si les phénomènes morbides dont son corps était le théâtre restaient obscurs et insaisissables à sa pensée, ils étaient clairs et intelligibles pour des êtres appartenant au même règne physique qu'eux, de ceux à qui l'esprit humain a fini par s'adresser pour comprendre ce que lui dit son corps, comme devant les réponses d'un étranger on va chercher quelqu'un du même pays qui servira d'interprète. Eux peuvent causer avec notre corps, nous dire si sa colère est grave ou s'apaisera bientôt. Cottard, qu'on avait appelé auprès de ma grand-mère et qui nous avait agacés en nous demandant avec un sourire fin, dès la première minute où nous lui avions dit qu'elle était malade : « Malade ? Ce n'est pas au moins une maladie diplomatique ? », Cottard essaya, pour calmer l'agitation de sa malade, le régime lacté. Mais les perpétuelles soupes au lait ne firent pas d'effet parce que ma grand-mère y mettait beaucoup de sel[1], dont on ignorait l'inconvénient en ce temps-là (Widal n'ayant pas encore fait ses découvertes[2]). Car la médecine étant un compendium des erreurs successives et contradictoires des médecins, en appelant à soi les meilleurs d'entre eux on a grande chance d'implorer une vérité qui sera reconnue fausse quelques années plus tard. De sorte que croire à la médecine serait la suprême folie, si n'y pas croire n'en était pas une plus grande car de cet amoncellement d'erreurs se sont dégagées à la longue quelques vérités. Cottard avait recommandé qu'on prît sa température[a]. On alla chercher un thermomètre. Dans presque toute sa hauteur le tube était vide de mercure. À peine si l'on distinguait, tapie au fond de sa petite cuve, la salamandre d'argent. Elle semblait morte. On plaça le chalumeau de verre dans la bouche de ma grand-mère. Nous n'eûmes pas besoin de l'y laisser longtemps ; la petite sorcière n'avait pas été longue à tirer son horoscope. Nous la trouvâmes immobile, perchée à mi-hauteur de sa tour et n'en bougeant plus, nous montrant avec exactitude le chiffre que nous lui avions demandé et que toutes les réflexions qu'eût pu faire sur soi-même l'âme de ma grand-mère eussent été bien incapables de lui fournir : 38° 3. Pour la première fois nous ressentîmes quelque inquiétude. Nous secouâmes bien fort le thermomètre pour effacer le signe fatidique, comme si nous avions pu par là abaisser la fièvre en même temps que la température marquée. Hélas ! il fut bien clair que la petite sibylle dépourvue de raison n'avait pas donné arbitrairement cette réponse, car le lendemain, à peine le thermomètre fut-il replacé entre les lèvres de ma grand-mère que presque aussitôt, comme d'un seul bond, belle de certitude et de l'intuition d'un fait pour nous invisible, la petite prophétesse était venue s'arrêter au même point, en une immobilité implacable, et nous montrait encore ce chiffre 38° 3, de sa verge étincelante. Elle ne disait rien d'autre, mais nous avions eu beau désirer, vouloir, prier, sourde, il semblait que ce fût son dernier mot avertisseur et menaçant. Alors, pour tâcher de la contraindre à modifier sa réponse, nous nous adressâmes à une autre créature du même règne, mais plus puissante, qui ne se contente pas d'interroger le corps mais peut lui commander, un fébrifuge du même ordre que l'aspirine, non encore employée alors[1]. Nous n'avions pas[b] fait baisser le thermomètre au delà de 37° 5 dans l'espoir qu'il n'aurait pas ainsi à remonter. Nous fîmes prendre ce fébrifuge à ma grand-mère et remîmes alors le thermomètre. Comme un gardien implacable à qui on montre l'ordre d'une autorité supérieure auprès de laquelle on a fait jouer une protection, et qui le trouvant en règle répond : « C'est bien, je n'ai rien à dire, du moment que c'est comme ça, passez », la vigilante tourière ne bougea pas cette fois. Mais, morose, elle semblait dire : « À quoi cela vous servira-t-il ? Puisque vous connaissez la quinine, elle me donnera l'ordre de ne pas bouger, une fois, dix fois, vingt fois. Et puis elle se lassera, je la connais, allez. Cela ne durera pas toujours. Alors vous serez bien avancés. » Alors ma grand-mère éprouva la présence, en elle, d'une créature qui connaissait mieux le corps humain que ma grand-mère, la présence d'une contemporaine des races disparues, la présence du premier occupant — bien antérieur à la création de l'homme qui pense ; elle sentit cet allié millénaire qui la tâtait, un peu durement même, à la tête, au cœur, au coude, il reconnaissait les lieux, organisait tout pour le combat préhistorique qui eut lieu aussitôt après. En un moment, Python écrasé[1], la fièvre fut vaincue par le puissant élément chimique, que ma grand-mère, à travers les règnes, passant par-dessus tous les animaux et les végétaux, aurait voulu pouvoir remercier. Et elle restait émue de cette entrevue qu'elle venait d'avoir à travers tant de siècles, avec un élément antérieur à la création même des plantes. De son côté le thermomètre, comme une Parque momentanément vaincue par un dieu plus ancien, tenait immobile[a] son fuseau d'argent. Hélas ! d'autres créatures inférieures, que l'homme a dressées à la chasse de ces gibiers mystérieux qu'il ne peut pas poursuivre au fond de lui-même, nous apportaient cruellement tous les jours un chiffre d'albumine faible, mais assez fixe pour que lui aussi parût en rapport avec quelque état persistant que nous n'apercevions pas[b]. Bergotte avait choqué en moi l'instinct scrupuleux qui me faisait subordonner mon intelligence, quand il m'avait parlé du docteur du Boulbon comme d'un médecin qui ne m'ennuierait pas, qui trouverait des traitements, fussent-ils en apparence bizarres, mais qui s'adapteraient à la singularité de mon intelligence. Mais les idées se transforment en nous, elles triomphent des résistances que nous leur opposions d'abord et se nourrissent de riches réserves intellectuelles toutes prêtes, que nous ne savions pas faites pour elles. Maintenant, comme il arrive chaque fois que les propos entendus, au sujet de quelqu'un que nous ne connaissons pas, ont eu la vertu d'éveiller en nous l'idée d'un grand talent, d'une sorte de génie, au fond de mon esprit je faisais bénéficier le docteur du Boulbon de cette confiance sans limites que nous inspire celui qui d'un œil plus profond qu'un autre perçoit la vérité. Je savais certes qu'il était plutôt un spécialiste des maladies nerveuses, celui à qui Charcot avant de mourir avait prédit qu'il régnerait sur la neurologie et la psychiatrie[1]. « Ah ! je ne sais pas, c'est très possible », dit Françoise qui était là et qui entendait pour la première fois le nom de Charcot comme celui de du Boulbon. Mais cela ne l'empêchait nullement de dire : « C'est possible. » Ses « c'est possible », ses « peut-être », ses « je ne sais pas » étaient exaspérants en pareil cas. On avait envie de lui répondre : « Bien entendu que vous ne le saviez pas puisque vous ne connaissez rien à la chose dont il s'agit ; comment pouvez-vous même dire que c'est possible ou pas, vous n'en savez rien ? En tout cas, maintenant vous ne pouvez pas dire que vous ne savez pas ce que Charcot a dit à du Boulbon, etc., vous le savez puisque nous vous l'avons dit, et vos "peut-être", vos "c'est possible" ne sont pas de mise puisque c'est certain. »

Malgré cette compétence plus particulière en matière cérébrale et nerveuse, comme je savais que du Boulbon était un grand médecin, un homme supérieur, d'une intelligence inventive et profonde, je suppliai ma mère de le faire venir, et l'espoir[a] que, par une vue juste du mal, il le guérirait peut-être, finit par l'emporter sur la crainte que nous avions, si nous appelions un consultant, d'effrayer ma grand-mère. Ce qui décida ma mère fut que, inconsciemment encouragée par Cottard, ma grand-mère ne sortait plus, ne se levait guère. Elle avait beau nous répondre par la lettre de Mme de Sévigné sur Mme de La Fayette : « On disait qu'elle était folle de ne vouloir point sortir. Je disais à ces personnes si précipitées dans leur jugement : "Mme de La Fayette n'est pas folle" et je m'en tenais là. Il a fallu qu'elle soit morte pour faire voir qu'elle avait raison de ne pas sortir[2]. » Du Boulbon appelé donna tort, sinon à Mme de Sévigné qu'on ne lui cita pas, du moins à ma grand-mère. Au lieu de l'ausculter, tout en posant[b] sur elle ses admirables regards où il y avait peut-être l'illusion de scruter profondément la malade, ou le désir de lui donner cette illusion, qui semblait spontanée mais devait être devenue machinale, ou de ne pas lui laisser voir qu'il pensait à tout autre chose, ou de prendre de l'empire sur elle, — il commença à parler de Bergotte.

« Ah ! je crois bien, Madame, c'est admirable ; comme vous avez raison de l'aimer ! Mais lequel de ses livres préférez-vous ? Ah ! vraiment ! Mon Dieu, c'est peut-être en effet le meilleur. C'est en tout cas son roman le mieux composé : Claire y est bien charmante ; comme personnage d'homme lequel vous y est le plus sympathique ? »

Je crus d'abord qu'il la faisait ainsi parler littérature parce que, lui, la médecine l'ennuyait, peut-être aussi pour faire montre de sa largeur d'esprit, et même, dans un but plus thérapeutique, pour rendre confiance à la malade, lui montrer qu'il n'était pas inquiet, la distraire de son état. Mais, depuis, j'ai compris que, surtout particulièrement remarquable comme aliéniste et pour ses études sur le cerveau, il avait voulu se rendre compte par ses questions si la mémoire de ma grand-mère était bien intacte. Comme à contre-cœur il l'interrogea un peu sur sa vie, l'œil sombre et fixe. Puis tout à coup, comme apercevant la vérité et décidé à l'atteindre coûte que coûte, avec un geste préalable qui semblait avoir peine à s'ébrouer, en les écartant du flot des dernières hésitations qu'il pouvait avoir et de toutes les objections que nous aurions pu faire, regardant ma grand-mère d'un œil lucide, librement et comme enfin sur la terre ferme, ponctuant les mots sur un ton doux et prenant, dont l'intelligence nuançait toutes les inflexions (sa voix du reste, pendant toute la visite, resta, ce qu'elle était naturellement, caressante, et sous ses sourcils embroussaillés, ses yeux ironiques étaient remplis de bonté) :

« Vous irez[a] bien, madame, le jour lointain ou proche, et il dépend de vous que ce soit aujourd'hui même, où vous comprendrez que vous n'avez rien et où vous aurez repris la vie commune. Vous m'avez dit que vous ne mangiez pas, que vous ne sortiez pas ?

— Mais, monsieur, j'ai un peu de fièvre. »

Il toucha sa main.

« Pas en ce moment en tout cas. Et puis la belle excuse ! Ne savez-vous pas que nous laissons au grand air, que nous suralimentons, des tuberculeux qui ont jusqu'à 39° ?

— Mais j'ai aussi un peu d'albumine.

— Vous ne devriez pas le savoir. Vous avez ce que j'ai décrit sous le nom d'albumine mentale. Nous avons tous eu, au cours d'une indisposition, notre petite crise d'albumine que notre médecin s'est empressé de rendre durable en nous la signalant. Pour une affection que les médecins guérissent avec des médicaments (on assure, du moins, que cela est arrivé quelquefois), ils en produisent dix chez des sujets bien portants, en leur inoculant cet agent pathogène, plus virulent mille fois que tous les microbes, l'idée qu'on est malade. Une telle croyance, puissante sur le tempérament de tous, agit avec une efficacité particulière chez les nerveux. Dites-leur qu'une fenêtre fermée est ouverte dans leur dos, ils commencent à éternuer ; faites-leur croire que vous avez mis de la magnésie dans leur potage, ils seront pris de coliques ; que leur café était plus fort que d'habitude, ils ne fermeront pas l'œil de la nuit. Croyez-vous, madame, qu'il ne m'a pas suffi de voir vos yeux, d'entendre seulement la façon dont vous vous exprimez, que dis-je ? de voir madame votre fille et votre petit-fils qui vous ressemble tant, pour connaître à qui j'avais affaire ?

— Ta grand-mère pourrait peut-être aller s'asseoir, si le docteur le lui permet, dans une allée calme des Champs-Élysées, près de ce massif de lauriers devant lequel tu jouais autrefois », me dit ma mère consultant ainsi indirectement du Boulbon et de laquelle la voix prenait à cause de cela quelque chose de timide et de déférent qu'elle n'aurait pas eu si elle s'était adressée à moi seul. Le docteur se tourna vers ma grand-mère et, comme il n'était pas moins lettré que savant :

« Allez aux Champs-Élysées, madame, près du massif de lauriers qu'aime votre petit-fils. Le laurier vous sera salutaire. Il purifie. Après avoir exterminé le serpent Python, c'est une branche de laurier à la main qu'Apollon fit son entrée dans Delphes[1]. Il voulait ainsi se préserver des germes mortels de la bête venimeuse. Vous voyez que le laurier est le plus ancien, le plus vénérable et j'ajouterai — ce qui a sa valeur en thérapeutique, comme en prophylaxie — le plus beau des antiseptiques. »

Comme une grande partie de ce que savent les médecins leur est enseignée par les malades, ils sont facilement portés à croire que ce savoir des « patients » est le même chez tous, et ils se flattent d'étonner celui auprès de qui ils se trouvent avec quelque remarque apprise de ceux qu'ils ont auparavant soignés. Aussi fut-ce avec le fin sourire d'un Parisien qui, causant avec un paysan, espérerait l'étonner en se servant d'un mot de patois, que le docteur du Boulbon dit à ma grand-mère : « Proba-

blement les temps de vent réussissent à vous faire dormir
là où échoueraient les plus puissants hypnotiques. — Au
contraire, Monsieur, le vent m'empêche absolument de
dormir. » Mais les médecins sont susceptibles. « Ach ! »
murmura du Boulbon en fronçant les sourcils, comme si
on lui avait marché sur le pied et si les insomnies de ma
grand-mère par les nuits de tempête étaient pour lui une
injure personnelle. Il n'avait pas tout de même trop
d'amour-propre, et comme, en tant qu'« esprit supérieur », il croyait de son devoir de ne pas ajouter foi à
la médecine, il reprit vite sa sérénité philosophique.

Ma mère, par désir[a] passionné d'être rassurée par l'ami
de Bergotte, ajouta à l'appui de son dire qu'une cousine
germaine de ma grand-mère, en proie à une affection
nerveuse, était restée sept ans cloîtrée dans sa chambre
à coucher de Combray, sans se lever qu'une fois ou deux
par semaine.

« Vous voyez, madame, je ne le savais pas, et j'aurais
pu vous le dire.

— Mais, Monsieur, je ne suis nullement comme elle,
au contraire, mon médecin ne peut pas me faire rester
couchée », dit ma grand-mère, soit qu'elle fût un peu
agacée par les théories du docteur ou désireuse de lui
soumettre les objections qu'on y pouvait faire, dans
l'espoir qu'il les réfuterait, et que, une fois qu'il serait parti,
elle n'aurait plus en elle-même aucun doute à élever sur
son heureux diagnostic.

« Mais naturellement, madame, on ne peut pas avoir,
pardonnez-moi le mot, toutes les vésanies[1], vous en avez
d'autres, vous n'avez pas celle-là. Hier, j'ai visité une
maison de santé pour neurasthéniques. Dans le jardin, un
homme était debout sur un banc, immobile comme un
fakir, le cou incliné dans une position qui devait être fort
pénible. Comme je lui demandais ce qu'il faisait là, il me
répondit sans faire un mouvement ni tourner la tête :
"Docteur, je suis extrêmement rhumatisant et enrhumable,
je viens de prendre trop d'exercice, et pendant que je me
donnais bêtement chaud ainsi, mon cou était appuyé contre
mes flanelles. Si maintenant je l'éloignais de ces flanelles
avant d'avoir laissé tomber ma chaleur, je suis sûr de
prendre un torticolis et peut-être une bronchite[2]." Et il
l'aurait pris, en effet. "Vous êtes un joli neurasthénique,
voilà ce que vous êtes", lui dis-je. Savez-vous la raison qu'il

me donna pour me prouver que non ? C'est que, tandis que tous les malades de l'établissement avaient la manie de prendre leur poids, au point qu'on avait dû mettre un cadenas à la balance pour qu'ils ne passassent pas toute la journée à se peser, lui on était obligé de le forcer à monter sur la bascule, tant il en avait peu envie. Il triomphait de n'avoir pas la manie des autres, sans penser qu'il avait aussi la sienne et que c'était elle qui le préservait d'une autre. Ne soyez pas blessée de la comparaison, madame, car cet homme qui n'osait pas tourner le cou de peur de s'enrhumer est le plus grand poète de notre temps. Ce pauvre maniaque est la plus haute intelligence que je connaisse. Supportez d'être appelée une nerveuse. Vous appartenez à cette famille magnifique et lamentable qui est le sel de la terre. Tout ce que nous connaissons de grand nous vient des nerveux. Ce sont eux et non pas d'autres qui ont fondé les religions et composé les chefs-d'œuvre. Jamais le monde ne saura tout ce qu'il leur doit et surtout ce qu'eux ont souffert pour le lui donner. Nous goûtons les fines musiques, les beaux tableaux, mille délicatesses, mais nous ne savons pas ce qu'elles ont coûté à ceux qui les inventèrent, d'insomnies, de pleurs, de rires spasmodiques, d'urticaires, d'asthmes, d'épilepsies, d'une angoisse de mourir qui est pire que tout cela, et que vous connaissez peut-être, madame, ajouta-t-il en souriant à ma grand-mère, car, avouez-le, quand je suis venu, vous n'étiez pas très rassurée. Vous vous croyiez malade, dangereusement malade peut-être. Dieu sait de quelle affection vous croyiez découvrir en vous les symptômes. Et vous ne vous trompiez pas, vous les aviez. Le nervosisme est un pasticheur de génie. Il n'y a pas de maladie qu'il ne contrefasse à merveille. Il imite à s'y méprendre la dilatation des dyspeptiques, les nausées de la grossesse, l'arythmie du cardiaque, la fébricité du tuberculeux. Capable de tromper le médecin, comment ne tromperait-il pas le malade ? Ah ! ne croyez pas que je raille vos maux, je n'entreprendrais pas de les soigner si je ne savais pas les comprendre. Et, tenez, il n'y a de bonne confession que réciproque. Je vous ai dit que sans maladie nerveuse il n'est pas de grand artiste, qui plus est, ajouta-t-il en élevant gravement l'index, il n'y a pas de grand savant. J'ajouterai que, sans qu'il soit atteint lui-même de maladie nerveuse, il n'est pas, ne me faites pas dire de bon médecin,

mais seulement de médecin correct des maladies nerveuses. Dans la pathologie nerveuse, un médecin qui ne
dit pas trop de bêtises, c'est un malade à demi guéri,
comme un critique est un poète qui ne fait plus de vers,
un policier un voleur qui n'exerce plus. Moi, madame,
je ne me crois pas comme vous albuminurique, je n'ai pas
la peur nerveuse de la nourriture, du grand air, mais je
ne peux pas m'endormir sans m'être relevé plus de vingt
fois pour voir si ma porte est fermée. Et cette maison de
santé où j'ai trouvé hier un poète qui ne tournait pas le
cou, j'y allais retenir une chambre, car, ceci entre nous,
j'y passe mes vacances à me soigner quand j'ai augmenté
mes maux en me fatiguant trop à guérir ceux des autres.

— Mais, monsieur, devrais-je faire une cure semblable ?
dit avec effroi ma grand-mère.

— C'est inutile, madame. Les manifestations que vous
accusez céderont devant ma parole. Et puis vous avez près
de vous quelqu'un de très puissant que je constitue désormais votre médecin. C'est votre mal, votre suractivité
nerveuse. Je saurais la manière de vous en guérir, je me
garderais bien de le faire. Il me suffit de lui commander. Je
vois sur votre table un ouvrage de Bergotte. Guérie de
votre nervosisme, vous ne l'aimeriez plus. Or, me sentirais-je le
droit d'échanger les joies qu'il procure contre une intégrité
nerveuse qui serait bien incapable de vous les donner ? Mais
ces joies mêmes, c'est un puissant remède, le plus puissant
de tous peut-être. Non, je n'en veux pas à votre énergie
nerveuse. Je lui demande seulement de m'écouter ; je vous
confie à elle. Qu'elle fasse machine en arrière. La force
qu'elle mettait pour vous empêcher de vous promener, de
prendre assez de nourriture, qu'elle l'emploie à vous faire
manger, à vous faire lire, à vous faire sortir, à vous distraire
de toutes façons. Ne me dites pas que vous êtes fatiguée. La
fatigue est la réalisation organique d'une idée préconçue.
Commencez par ne pas la penser. Et si jamais[a] vous avez une
petite indisposition, ce qui peut arriver à tout le monde, ce
sera comme si vous ne l'aviez pas, car elle aura fait de vous,
selon un mot profond de M. de Talleyrand, un bien-portant
imaginaire[1]. Tenez, elle a commencé à vous guérir, vous
m'écoutez toute droite sans vous être appuyée une fois, l'œil
vif, la mine bonne, et il y a de cela une demi-heure d'horloge
et vous ne vous en êtes pas aperçue. Madame, j'ai bien
l'honneur de vous saluer. »

Quand, après avoir reconduit le docteur du Boulbon, je rentrai dans la chambre où ma mère était seule, le chagrin qui m'oppressait depuis plusieurs semaines s'envola, je sentis que ma mère allait laisser éclater sa joie et qu'elle allait voir la mienne, j'éprouvai cette impossibilité de supporter l'attente de l'instant prochain où près de nous une personne va être émue qui, dans un autre ordre, est un peu comme la peur qu'on éprouve quand on sait que quelqu'un va entrer pour vous effrayer par une porte qui est encore fermée, je voulus dire un mot à Maman, mais ma voix se brisa, et fondant en larmes, je restai longtemps, la tête sur son épaule, à pleurer, à goûter, à accepter, à chérir la douleur, maintenant que je savais qu'elle était sortie de ma vie, comme nous aimons à nous exalter de vertueux projets que les circonstances ne nous permettent pas de mettre à exécution. Françoise m'exaspéra en ne prenant pas part à notre joie. Elle était tout émue parce qu'une scène terrible avait éclaté entre le valet de pied et le concierge rapporteur. Il avait fallu que la duchesse, dans sa bonté, intervînt, rétablît un semblant de paix et pardonnât au valet de pied. Car elle était bonne, et ç'aurait été la place idéale si elle n'avait pas écouté les « racontages ».

On commençait déjà depuis plusieurs jours à savoir ma grand-mère souffrante et à prendre de ses nouvelles. Saint-Loup m'avait écrit : « Je ne veux pas profiter de ces heures où ta chère grand-mère n'est pas bien pour te faire ce qui est beaucoup plus que des reproches et où elle n'est pour rien. Mais je mentirais en te disant, fût-ce par prétérition, que j'oublierai jamais la perfidie de ta conduite et qu'il y aura jamais un pardon pour ta fourberie et ta trahison. » Mais des amis, jugeant ma grand-mère peu souffrante ou ignorant même qu'elle le fût du tout, m'avaient demandé[a] de les prendre le lendemain aux Champs-Élysées pour aller de là faire une visite et assister, à la campagne, à un dîner qui m'amusait. Je n'avais plus aucune raison de renoncer à ces deux plaisirs. Quand on avait dit à ma grand-mère qu'il faudrait maintenant, pour obéir au docteur du Boulbon, qu'elle se promenât beaucoup, on a vu qu'elle avait tout de suite parlé des Champs-Élysées. Il me serait aisé de l'y conduire ; pendant qu'elle serait assise à lire, de m'entendre avec mes amis sur le lieu où nous retrouver, et j'aurais encore le temps,

en me dépêchant, de prendre avec eux le train pour
Ville-d'Avray. Au moment convenu, ma grand-mère ne
voulut pas sortir, se trouvant fatiguée. Mais ma mère,
instruite par du Boulbon, eut l'énergie de se fâcher et de
se faire obéir. Elle pleurait presque à la pensée que ma
grand-mère allait retomber dans sa faiblesse nerveuse, et
ne s'en relèverait plus. Jamais un temps aussi beau et chaud
ne se prêtait si bien à sa sortie. Le soleil changeant de place
intercalait çà et là dans la solidité rompue du balcon ses
inconsistantes mousselines et donnait à la pierre de taille
un tiède épiderme, un halo d'or imprécis. Comme
Françoise n'avait pas eu le temps d'envoyer un « tube »
à sa fille, elle nous quitta dès après le déjeuner. Ce fut
déjà bien beau qu'avant, elle entrât chez Jupien pour faire
faire un point au mantelet que ma grand-mère mettrait
pour sortir. Rentrant moi-même à ce moment-là de ma
promenade matinale, j'allai avec elle chez le giletier.
« Est-ce votre jeune maître qui vous amène ici, dit Jupien
à Françoise, est-ce vous qui me l'amenez, ou bien est-ce
quelque bon vent et la Fortune qui vous amènent tous
les deux ? » Bien qu'il n'eût pas fait ses classes, Jupien
respectait aussi naturellement la syntaxe que M. de
Guermantes, malgré bien des efforts, la violait. Une fois
Françoise partie et le mantelet réparé, il fallut que ma
grand-mère s'habillât. Ayant refusé obstinément que
Maman restât avec elle, elle mit, toute seule, un temps
infini[a] à sa toilette, et maintenant que je savais qu'elle était
bien portante, avec cette étrange indifférence que nous
avons pour nos parents tant qu'ils vivent, qui fait que nous
les faisons passer après tout le monde, je la trouvais bien
égoïste d'être si longue, de risquer de me mettre en retard
quand elle savait que j'avais rendez-vous avec des amis
et devais dîner à Ville-d'Avray. D'impatience, je finis par
descendre d'avance, après qu'on m'eut dit deux fois qu'elle
allait être prête. Enfin elle me rejoignit, (sans me
demander pardon de son retard comme elle faisait
d'habitude dans ces cas-là, rouge et distraite ainsi qu'une
personne qui est pressée et qui a oublié la moitié de ses
affaires), au moment où j'arrivais[b] près de la porte vitrée
entrouverte qui, sans les en réchauffer le moins du monde,
laissait entrer l'air liquide, gazouillant et tiède du dehors,
comme si on avait ouvert un réservoir entre les glaciales
parois de l'hôtel.

« Mon Dieu, puisque tu vas voir des amis, j'aurais pu mettre un autre mantelet. J'ai l'air un peu malheureux avec cela. »

Je fus frappé de la trouver très congestionnée[a] et compris que s'étant mise en retard elle avait dû beaucoup se dépêcher. Comme nous venions de quitter le fiacre à l'entrée de l'avenue Gabriel, dans les Champs-Élysées, je vis ma grand-mère qui sans me parler s'était détournée et se dirigeait vers le petit pavillon ancien, grillagé de vert, où un jour j'avais attendu Françoise. Le même garde forestier qui s'y trouvait alors y était encore auprès de la « marquise », quand, suivant ma grand-mère[b] qui, parce qu'elle avait sans doute une nausée, tenait sa main devant sa bouche, je montai les degrés du petit théâtre rustique édifié au milieu des jardins. Au contrôle, comme dans ces cirques forains où le clown, prêt à entrer en scène et tout enfariné, reçoit lui-même à la porte le prix des places, la « marquise », percevant les entrées, était toujours là avec son museau énorme et irrégulier enduit de plâtre grossier, et son petit bonnet de fleurs rouges et de dentelle noire surmontant sa perruque rousse. Mais je ne crois pas qu'elle me reconnut. Le garde, délaissant la surveillance des verdures, à la couleur desquelles était assorti son uniforme, causait, assis à côté d'elle.

« Alors, disait-il, vous êtes toujours là. Vous ne pensez pas à vous retirer.

— Et pourquoi que je me retirerais, monsieur ? Voulez-vous me dire où je serais mieux qu'ici, où j'aurais plus mes aises et tout le confortable ? Et puis toujours du va-et-vient, de la distraction ; c'est ce que j'appelle mon petit Paris : mes clients me tiennent au courant de ce qui se passe. Tenez, monsieur, il y en a un qui est sorti il n'y a pas plus de cinq minutes, c'est un magistrat tout ce qu'il y a de plus haut placé. Eh bien ! monsieur », s'écria-t-elle avec ardeur, comme prête à soutenir cette assertion par la violence si l'agent de l'autorité avait fait mine d'en contester l'exactitude, « depuis huit ans, vous m'entendez bien, tous les jours que Dieu a faits, sur le coup de 3 heures, il est ici, toujours poli, jamais un mot plus haut que l'autre, ne salissant jamais rien, il reste plus d'une demi-heure pour lire ses journaux en faisant ses petits besoins. Un seul jour il n'est pas venu. Sur le moment je ne m'en suis pas aperçue, mais le soir tout d'un coup je me suis dit : "Tiens, mais ce monsieur n'est pas venu, il est peut-être mort." Ça m'a fait quelque chose parce que je m'attache quand le monde est bien. Aussi j'ai été bien contente quand je l'ai revu le lendemain, je lui ai dit : "Monsieur, il ne vous était rien arrivé hier ?" Alors il m'a dit comme ça qu'il ne lui était rien arrivé à lui, que c'était sa femme qui était morte, et qu'il avait été si retourné qu'il n'avait pas pu venir. Il avait l'air triste assurément, vous comprenez, des gens qui étaient mariés depuis vingt-cinq ans, mais il avait l'air content tout de même de revenir. On sentait qu'il avait été tout dérangé dans ses petites habitudes. J'ai tâché de le remonter, je lui ai dit : "Il ne faut pas se laisser aller. Venez comme avant, dans votre chagrin ça vous fera une petite distraction." »

La « marquise » reprit un ton plus doux, car elle avait constaté que le protecteur[a] des massifs et des pelouses l'écoutait avec bonhomie sans songer à la contredire, gardant inoffensive au fourreau une épée qui avait plutôt l'air de quelque instrument de jardinage ou de quelque attribut horticole.

« Et puis, dit-elle, je choisis mes clients, je ne reçois pas tout le monde dans ce que j'appelle mes salons. Est-ce que ça n'a pas l'air d'un salon, avec mes fleurs ? Comme j'ai des clients très aimables, toujours l'un ou l'autre veut m'apporter une petite branche de beau lilas, de jasmin, ou des roses, ma fleur préférée. »

L'idée que nous étions peut-être mal jugés par cette dame en ne lui apportant jamais ni lilas, ni belles roses, me fit rougir, et pour tâcher d'échapper physiquement — ou de n'être jugé par elle que par contumace — à un mauvais jugement, je m'avançai vers la porte de sortie. Mais ce ne sont pas toujours dans la vie les personnes qui apportent les belles roses pour qui on est le plus aimable, car la « marquise », croyant que je m'ennuyais, s'adressa à moi :

« Vous ne voulez pas que je vous ouvre une petite cabine ? »

Et comme je refusais :

« Non, vous ne voulez pas ? ajouta-t-elle avec un sourire ; c'était de bon cœur, mais je sais bien que ce sont des besoins qu'il ne suffit pas de ne pas payer pour les avoir. »

À ce moment une femme mal vêtue entra précipitamment qui semblait précisément les éprouver. Mais elle ne faisait pas partie du monde de la « marquise », car celle-ci, avec une férocité de snob, lui dit sèchement :

« Il n'y a rien de libre, madame.

— Est-ce que ce sera long ? demanda la pauvre dame, rouge sous ses fleurs jaunes.

— Ah ! madame, je vous conseille d'aller ailleurs, car, vous voyez, il y a encore ces deux messieurs qui attendent, dit-elle en nous montrant moi et le garde, et je n'ai qu'un cabinet, les autres sont en réparation... Ça a une tête de mauvais payeur », dit la « marquise ». « Ce n'est pas le genre d'ici, ça n'a pas de propreté, pas de respect, il aurait fallu que ce soit moi qui passe une heure à nettoyer pour madame. Je ne regrette pas ses deux sous. »

Enfin ma grand-mère sortit, et[a] songeant qu'elle ne chercherait pas à effacer par un pourboire l'indiscrétion qu'elle avait montrée en restant un temps pareil, je battis en retraite pour ne pas avoir une part du dédain que lui témoignerait sans doute la « marquise », et je m'engageai dans une allée, mais lentement, pour que ma grand-mère pût facilement me rejoindre et continuer avec moi. C'est ce qui arriva bientôt. Je pensais que ma grand-mère allait me dire : « Je t'ai fait bien attendre, j'espère que tu ne manqueras tout de même pas tes amis », mais elle ne prononça pas une seule parole, si bien qu'un peu déçu, je ne voulus pas lui parler le premier ; enfin levant les yeux vers elle, je vis que, tout en marchant auprès de moi, elle tenait la tête tournée de l'autre côté. Je craignis qu'elle n'eût encore mal au cœur. Je la regardai mieux et fus frappé de sa démarche saccadée. Son chapeau était de travers, son manteau sale, elle avait l'aspect désordonné et mécontent, la figure rouge et préoccupée d'une personne qui vient d'être bousculée par une voiture ou qu'on a retirée d'un fossé.

« J'ai eu peur que tu n'aies eu une nausée, grand-mère ; te sens-tu mieux ? » lui dis-je.

Sans doute pensa-t-elle qu'il lui était impossible, sans m'inquiéter, de ne pas me répondre.

« J'ai entendu toute la conversation entre la "marquise" et le garde, me dit-elle. C'était on ne peut plus Guermantes et petit noyau Verdurin. Dieu ! qu'en termes galants ces choses-là étaient mises[1]. » Et elle ajouta encore, avec

application, ceci de sa marquise à elle, Mme de Sévigné :
« En les écoutant je pensais qu'ils me préparaient les
délices d'un adieu[2]. »

Voilà le propos[a] qu'elle me tint et où elle avait mis toute
sa finesse, son goût des citations, sa mémoire des classiques,
un peu plus même qu'elle n'eût fait d'habitude et comme
pour montrer qu'elle gardait bien tout cela en sa
possession. Mais ces phrases, je les devinai plutôt que je
ne les entendis, tant elle les prononça d'une voix
ronchonnante et en serrant les dents plus que ne pouvait
l'expliquer la peur de vomir.

« Allons, lui dis-je assez légèrement pour n'avoir pas
l'air de prendre trop au sérieux son malaise, puisque tu
as un peu mal au cœur, si tu veux bien nous allons rentrer,
je ne veux pas promener aux Champs-Élysées une
grand-mère qui a une indigestion.

— Je n'osais pas te le proposer à cause de tes amis, me
répondit-elle. Pauvre petit ! Mais puisque tu le veux bien,
c'est plus sage. »

J'eus peur qu'elle ne remarquât la façon dont elle
prononçait ces mots.

« Voyons, lui dis-je brusquement, ne te fatigue donc
pas à parler, puisque tu as mal au cœur, c'est absurde,
attends au moins que nous soyons rentrés. »

Elle me sourit tristement et me serra la main. Elle avait
compris qu'il n'y avait pas à me cacher ce que j'avais deviné
tout de suite : qu'elle venait[b] d'avoir une petite attaque[c].

CHAPITRE PREMIER[a]

Maladie de ma grand-mère. — Maladie de Bergotte. — Le duc et le médecin. — Déclin de ma grand-mère. — Sa mort.

Nous retraversâmes l'avenue Gabriel, au milieu de la foule des promeneurs. Je fis asseoir ma grand-mère sur un banc et j'allai chercher un fiacre. Elle, au cœur de qui je me plaçais toujours pour juger la personne la plus insignifiante, elle m'était maintenant fermée, elle était devenue une partie du monde extérieur, et plus qu'à de simples passants, j'étais forcé de lui taire ce que je pensais de son état, de lui taire mon inquiétude. Je n'aurais pu lui en parler avec plus de confiance qu'à une étrangère. Elle venait de me restituer les pensées, les chagrins, que depuis mon enfance je lui avais confiés[b] pour toujours. Elle n'était pas morte encore. J'étais déjà seul. Et même ces allusions qu'elle avait faites aux Guermantes, à Molière, à nos conversations sur le petit noyau, prenaient un air sans appui, sans cause, fantastique, parce qu'elles sortaient du néant de ce même être qui, demain peut-être, n'existerait plus, pour lequel elles n'auraient plus aucun sens, de ce[c] néant — incapable de les concevoir — que ma grand-mère serait bientôt.

« Monsieur, je ne dis pas, mais vous n'avez pas pris de rendez-vous avec moi, vous n'avez pas de numéro. D'ailleurs, ce n'est pas mon jour de consultation. Vous devez avoir votre médecin. Je ne peux pas me substituer, à moins qu'il ne me fasse appeler en consultation. C'est une question de déontologie... »

Au moment où je faisais signe à un fiacre, j'avais

rencontré le fameux professeur E***, presque ami de mon
père et de mon grand-père, en tout cas en relations
avec eux, lequel demeurait avenue Gabriel et, pris
d'une inspiration subite, je l'avais arrêté au moment où
il rentrait, pensant qu'il serait peut-être d'un excellent
conseil pour ma grand-mère. Mais, pressé, après avoir pris
ses lettres, il voulait m'éconduire, et je ne pus lui parler
qu'en montant avec lui dans l'ascenseur, dont il me pria
de le laisser manœuvrer les boutons, c'était chez lui
une manie.

« Mais, Monsieur, je ne demande pas que vous receviez
ma grand-mère, vous comprendrez après ce que je veux
vous dire, elle est peu en état, je vous demande au
contraire de passer d'ici une demi-heure chez nous, où
elle sera rentrée.

— Passer chez vous ? Mais, Monsieur, vous n'y pensez
pas. Je dîne chez le ministre du Commerce, il faut que
je fasse une visite avant, je vais m'habiller tout de suite,
pour comble de malheur un de mes deux habits noirs a
été déchiré[a] et l'autre n'a pas de boutonnière pour passer
les décorations. Je vous en prie, faites-moi le plaisir de
ne pas toucher les boutons de l'ascenseur, vous ne savez
pas le manœuvrer, il faut être prudent en tout. Cette
boutonnière va me retarder encore. Enfin, par amitié pour
les vôtres, si votre grand-mère vient tout de suite, je la
recevrai. Mais je vous préviens que je n'aurai qu'un quart
d'heure bien juste à lui donner. »

J'étais reparti aussitôt, n'étant même pas sorti de
l'ascenseur que le professeur E*** avait mis lui-même en
marche pour me faire descendre, non sans me regarder
avec méfiance.

Nous disons bien[b] que l'heure de la mort est incertaine,
mais quand nous disons cela, nous nous représentons cette
heure comme située dans un espace vague et lointain, nous
ne pensons pas qu'elle ait un rapport quelconque avec la
journée déjà commencée et puisse signifier que la mort
— ou sa première prise de possession partielle de nous,
après laquelle elle ne nous lâchera plus — pourra se
produire dans cet après-midi même, si peu incertain, cet
après-midi où l'emploi de toutes les heures est réglé
d'avance. On tient à sa promenade pour avoir dans un
mois le total de bon air nécessaire, on a hésité sur le choix
d'un manteau à emporter, du cocher à appeler, on est en

fiacre, la journée est tout entière devant vous, courte,
parce qu'on veut être rentré à temps pour recevoir une
amie ; on voudrait qu'il fît aussi beau le lendemain ;
et on ne se doute pas que la mort qui cheminait en
vous dans un autre plan, a choisi précisément[a] ce jour-là
pour entrer en scène, dans quelques minutes, à peu près
à l'instant où la voiture atteindra les Champs-Élysées.
Peut-être ceux que hante d'habitude l'effroi de la
singularité particulière à la mort, trouveront-ils quelque
chose de rassurant à ce genre de mort-là — à ce genre
de premier contact avec la mort — parce qu'elle y revêt
une apparence connue, familière, quotidienne. Un bon
déjeuner l'a précédée et la même sortie que font des
gens bien portants. Un retour en voiture découverte
se superpose à sa première atteinte ; si malade que fût
ma grand-mère, en somme plusieurs personnes auraient
pu dire qu'à six heures, quand nous[b] revînmes des
Champs-Élysées, elles l'avaient saluée, passant en voiture
découverte, par un temps superbe. Legrandin, qui se
dirigeait vers la place de la Concorde, nous donna un
coup de chapeau, en s'arrêtant, l'air étonné. Moi qui
n'étais pas encore détaché de la vie, je demandai à ma
grand-mère si elle lui avait répondu, lui rappelant qu'il
était susceptible. Ma grand-mère, me trouvant sans doute
bien léger, leva sa main comme pour dire[c] : « Qu'est-ce
que cela fait ? cela n'a aucune importance. »

Oui, on aurait pu dire tout à l'heure pendant que je
cherchais un fiacre, que ma grand-mère était assise sur un
banc, avenue Gabriel, qu'un peu après elle avait passé en
voiture découverte. Mais eût-ce été bien vrai ? Le banc,
lui, pour qu'il se tienne dans une avenue — bien qu'il
soit soumis aussi à certaines conditions d'équilibre — n'a
pas besoin d'énergie. Mais pour qu'un être vivant soit
stable, même appuyé sur un banc ou dans une voiture,
il faut une tension de forces que nous ne percevons pas,
d'habitude, plus que nous ne percevons (parce qu'elle
s'exerce dans tous les sens) la pression atmosphérique.
Peut-être si on faisait le vide en nous et qu'on nous laissât
supporter la pression de l'air, sentirions-nous pendant
l'instant qui précéderait notre destruction, le poids terrible
que rien ne neutraliserait plus. De même, quand les abîmes
de la maladie et de la mort s'ouvrent en nous et que nous
n'avons plus rien à opposer au tumulte avec lequel le

monde et notre propre corps se ruent sur nous, alors
soutenir même la pesée de nos muscles, même le frisson
qui dévaste nos moelles, alors, même nous tenir immobile
dans ce que nous croyons d'habitude n'être rien que la
simple position négative d'une chose, exige, si l'on veut
que la tête reste droite et le regard calme, de l'énergie
vitale, et devient l'objet d'une lutte épuisante.

Et si Legrandin[a] nous avait regardés de cet air étonné,
c'est qu'à lui comme à ceux qui passaient alors, dans le
fiacre où ma grand-mère semblait assise sur la banquette,
elle était apparue sombrant, glissant à l'abîme, se retenant
désespérément aux coussins qui pouvaient à peine retenir
son corps précipité, les cheveux en désordre, l'œil égaré,
incapable de plus faire face à l'assaut des images que ne
réussissait plus à porter sa prunelle. Elle était apparue, bien
qu'à côté de moi, plongée dans ce monde inconnu au sein
duquel elle avait déjà reçu les coups dont elle portait les
traces quand je l'avais vue tout à l'heure aux Champs-
Élysées, son chapeau, son visage, son manteau dérangés
par la main de l'ange invisible avec lequel elle avait lutté[b].

J'ai pensé, depuis, que ce moment de son attaque n'avait
pas dû surprendre entièrement ma grand-mère, que
peut-être même elle l'avait prévu longtemps d'avance,
avait vécu dans son attente. Sans doute, elle n'avait pas
su quand ce moment fatal viendrait, incertaine, pareille
aux amants qu'un doute du même genre porte tour à tour
à fonder des espoirs déraisonnables et des soupçons
injustifiés sur la fidélité de leur maîtresse. Mais il est rare
que ces grandes maladies, telles que celle qui venait enfin
de la frapper en plein visage, n'élisent pas pendant
longtemps domicile chez le malade avant de le tuer, et
durant cette période ne se fassent pas assez vite, comme
un voisin ou un locataire « liant », connaître de lui. C'est
une terrible connaissance, moins par les souffrances qu'elle
cause que par l'étrange nouveauté des restrictions définitives qu'elle impose à la vie. On se voit mourir, dans ce
cas, non pas à l'instant même de la mort, mais des mois,
quelquefois des années auparavant, depuis qu'elle est
hideusement venue habiter chez nous. La malade fait sa
connaissance de l'étranger qu'elle entend aller et venir
dans son cerveau. Certes elle ne le connaît pas de vue,
mais des bruits qu'elle l'entend régulièrement faire elle
déduit ses habitudes. Est-ce un malfaiteur ? Un matin, elle

ne l'entend plus. Il est parti. Ah ! si c'était pour toujours !
Le soir, il est revenu[1]. Quels sont ses desseins ? Le médecin
consultant, soumis à la question, comme une maîtresse
adorée, répond par des serments tel jour crus, tel jour mis
en doute. Au reste, plutôt que celui de la maîtresse, le
médecin joue le rôle des serviteurs interrogés. Ils ne sont
que des tiers. Celle que nous pressons, dont nous soupçonnons qu'elle est sur le point de nous trahir, c'est la vie
elle-même, et malgré que nous ne la sentions plus la même,
nous croyons encore en elle, nous demeurons en tout cas
dans le doute jusqu'au jour qu'elle nous a enfin abandonnés.

Je mis ma grand-mère dans l'ascenseur du professeur
E*** et au bout d'un instant il vint à nous et nous fit passer
dans son cabinet. Mais là, si pressé qu'il fût, son air rogue
changea, tant les habitudes sont fortes, et il avait celle
d'être aimable, voire enjoué, avec ses malades. Comme
il savait ma grand-mère très lettrée et qu'il l'était aussi,
il se mit à lui citer pendant deux ou trois minutes et par
allusion au temps radieux qu'il faisait, de beaux vers sur
l'été. Il l'avait assise[a] dans un fauteuil, lui à contre-jour,
de manière à bien la voir. Son examen fut minutieux,
nécessita même que je sortisse un instant. Il le continua
encore, puis ayant fini, se mit, bien que le quart d'heure
touchât à sa fin, à refaire des citations[b] à ma grand-mère.
Il lui adressa même quelques plaisanteries assez fines, que
j'eusse préféré entendre un autre jour, mais qui me
rassurèrent complètement par le ton amusé du docteur.
Je me rappelai alors que M. Fallières, président du Sénat,
avait eu, il y avait nombre d'années, une fausse attaque,
et qu'au désespoir de ses concurrents il s'était mis trois
jours après à reprendre ses fonctions, préparant même,
disait-on[c], une candidature plus ou moins lointaine à la
présidence de la République[2]. Ma confiance en un prompt
rétablissement de ma grand-mère fut d'autant plus
complète que, au moment où je me rappelais l'exemple
de M. Fallières, je fus tiré de la pensée de ce rapprochement par un franc éclat de rire qui termina une plaisanterie
du professeur E***. Sur quoi il tira sa montre, fronça
fiévreusement le sourcil en voyant qu'il était en retard de
cinq minutes, et tout en nous disant adieu sonna pour
qu'on apportât immédiatement son habit. Je laissai ma
grand-mère passer devant, refermai la porte et demandai
la vérité au savant.

« Votre grand-mère est perdue, me dit-il. C'est une attaque provoquée par l'urémie. En soi, l'urémie n'est pas fatalement un mal mortel, mais le cas me paraît désespéré. Je n'ai pas besoin de vous dire que j'espère me tromper. Du reste, avec Cottard, vous êtes en excellentes mains. Excusez-moi », me dit-il en voyant entrer une femme de chambre qui portait sur le bras l'habit noir du professeur. « Vous savez que je dîne chez le ministre du Commerce, j'ai une visite à faire avant. Ah ! la vie n'est pas que roses, comme on le croit à votre âge. »

Et il me tendit gracieusement la main. J'avais refermé la porte et un valet nous guidait dans l'antichambre, ma grand-mère et moi, quand nous entendîmes de grands cris de colère. La femme de chambre avait oublié de percer la boutonnière pour les décorations. Cela allait demander encore dix minutes. Le professeur tempêtait toujours pendant que je regardais sur le palier ma grand-mère qui était perdue. Chaque personne est bien seule. Nous repartîmes vers la maison.

Le soleil déclinait[a] ; il enflammait un interminable mur que notre fiacre avait à longer avant d'arriver à la rue que nous habitions, mur sur lequel l'ombre, projetée par le couchant, du cheval et de la voiture, se détachait en noir du fond rougeâtre[b], comme un char funèbre dans une terre cuite de Pompéi[1]. Enfin nous arrivâmes. Je fis asseoir la malade en bas de l'escalier dans le vestibule, et je montai prévenir ma mère. Je lui dis que ma grand-mère rentrait un peu souffrante, ayant eu un étourdissement. Dès mes premiers mots, le visage de ma mère atteignit au paroxysme d'un désespoir pourtant déjà si résigné, que je compris que depuis bien des années elle le tenait tout prêt en elle pour un jour incertain et final. Elle ne me demanda rien ; il semblait, de même que la méchanceté aime à exagérer les souffrances des autres, que par tendresse elle ne voulût pas admettre que sa mère fût très atteinte, surtout d'une maladie qui peut toucher à l'intelligence. Maman frissonnait, son visage pleurait sans larmes, elle courut dire qu'on allât chercher le médecin, mais comme Françoise demandait qui était malade, elle ne put répondre, sa voix s'arrêta dans sa gorge. Elle descendit en courant avec moi, effaçant de sa figure le sanglot qui la plissait. Ma grand-mère attendait en bas sur le canapé du vestibule, mais dès qu'elle nous entendit, se redressa, se tint debout, fit à Maman des signes gais de la main. Je lui avais enveloppé à demi la tête avec une mantille en dentelle blanche, lui disant que c'était pour qu'elle n'eût pas froid dans l'escalier. Je ne voulais pas que ma mère remarquât trop l'altération du visage, la déviation de la bouche ; ma précaution était inutile : ma mère s'approcha de grand-mère, embrassa sa main comme celle de son Dieu, la soutint, la souleva jusqu'à l'ascenseur, avec des précautions infinies où il y avait, avec la peur de n'être pas adroite et de lui faire mal*ᵃ*, l'humilité de qui se sent indigne de toucher ce qu'il connaît de plus précieux ; mais pas une fois elle ne leva les yeux et ne regarda le visage de la malade. Peut-être fut-ce pour que celle-ci ne s'attristât pas en pensant que sa vue avait pu inquiéter sa fille. Peut-être par crainte d'une douleur trop forte qu'elle n'osa pas affronter. Peut-être par respect, parce qu'elle ne croyait pas qu'il lui fût permis sans impiété de constater la trace de quelque affaiblissement intellectuel dans le visage vénéré. Peut-être pour mieux garder plus tard*ᵇ* intacte l'image du vrai visage de sa mère, rayonnant d'esprit et de bonté. Ainsi montèrent-elles l'une à côté de l'autre, ma grand-mère à demi cachée dans sa mantille, ma mère détournant les yeux.

Pendant ce temps il y avait une personne qui ne quittait pas des siens ce qui pouvait se deviner des traits modifiés de ma grand-mère que sa fille n'osait pas voir, une personne qui attachait sur eux un regard ébahi, indiscret et de mauvais augure : c'était Françoise. Non qu'elle n'aimât sincèrement ma grand-mère (même elle avait été déçue et presque scandalisée par la froideur de maman qu'elle aurait voulu voir se jeter en pleurant dans les bras de sa mère), mais elle avait un certain penchant à envisager toujours le pire, elle avait gardé de son enfance deux particularités qui sembleraient devoir s'exclure, mais qui, quand elles sont assemblées, se fortifient : le manque d'éducation des gens du peuple qui ne cherchent pas à dissimuler l'impression, voire l'effroi douloureux causé en eux par la vue d'un changement physique qu'il serait plus délicat de ne pas paraître remarquer, et la rudesse insensible de la paysanne qui arrache les ailes des libellules avant qu'elle ait l'occasion de tordre le cou aux poulets et manque de la pudeur qui lui ferait cacher l'intérêt qu'elle éprouve à voir la chair qui souffre*ᶜ*.

Quand, grâce aux soins parfaits de Françoise, ma grand-mère fut couchée, elle se rendit compte qu'elle parlait plus facilement[a], le petit déchirement ou encombrement d'un vaisseau qu'avait produit l'urémie avait sans doute été très léger[1]. Alors elle voulut ne pas faire faute à Maman, l'assister dans les instants les plus cruels que celle-ci eût encore traversés.

« Hé bien ! ma fille », lui dit-elle, en lui prenant la main, et en gardant l'autre devant sa bouche pour donner cette cause apparente à la légère difficulté qu'elle avait encore à prononcer certains mots[2], « voilà comme tu plains ta mère ! tu as l'air de croire que ce n'est pas désagréable, une indigestion ! »

Alors pour la première fois les yeux de ma mère se posèrent passionnément sur ceux de ma grand-mère, ne voulant pas voir le reste de son visage, et elle dit, commençant la liste de ces faux serments que nous ne pouvons pas tenir :

« Maman, tu seras bientôt guérie, c'est ta fille qui s'y engage. »

Et enfermant son amour le plus fort, toute sa volonté que sa mère guérît, dans un baiser à qui elle les confia et qu'elle accompagna de sa pensée, de tout son être jusqu'au bord de ses lèvres, elle alla le déposer humblement, pieusement sur le front adoré.

Ma grand-mère se plaignait d'une espèce d'alluvion de couvertures qui se faisait tout le temps du même côté sur sa jambe gauche et qu'elle ne pouvait pas arriver à soulever. Mais elle ne se rendait pas compte qu'elle en était elle-même la cause (de sorte que chaque jour elle accusa injustement Françoise de mal « retaper » son lit). Par un mouvement convulsif, elle rejetait de ce côté tout le flot de ces écumantes couvertures de fine laine qui s'y amoncelaient comme les sables dans une baie bien vite transformée en grève (si on n'y construit une digue) par les apports successifs du flux.

Ma mère et moi (de qui le mensonge était d'avance percé à jour par Françoise, perspicace et offensante), nous ne voulions même pas dire que ma grand-mère fût très malade, comme si cela eût pu faire plaisir aux ennemis que d'ailleurs elle n'avait pas, et été plus affectueux de trouver qu'elle n'allait pas si mal que ça, en somme par le même sentiment instinctif qui m'avait fait supposer qu'Andrée plaignait trop Albertine pour l'aimer beaucoup. Les mêmes phénomènes se reproduisent des particuliers à la masse, dans les grandes crises. Dans une guerre celui qui n'aime pas son pays n'en dit pas de mal, mais le croit perdu, le plaint, voit les choses en noir.

Françoise nous rendait[a] un service infini par sa faculté de se passer de sommeil, de faire les besognes les plus dures. Et si, étant allée se coucher après plusieurs nuits passées debout, on était obligé de l'appeler un quart d'heure après qu'elle s'était endormie, elle était si heureuse de pouvoir faire des choses pénibles comme si elles eussent été les plus simples du monde que, loin de rechigner, elle montrait sur son visage de la satisfaction et de la modestie. Seulement quand arrivait l'heure de la messe, et l'heure du premier déjeuner, ma grand-mère eût-elle été agonisante, Françoise se fût éclipsée à temps pour ne pas être en retard. Elle ne pouvait ni ne voulait être suppléée par son jeune valet de pied. Certes elle avait apporté de Combray une idée très haute des devoirs de chacun envers nous ; elle n'eût pas toléré qu'un de nos gens nous « manquât ». Cela avait fait d'elle une si noble, si impérieuse, si efficace éducatrice, qu'il n'y avait jamais eu chez nous de domestiques si corrompus qui n'eussent vite modifié, épuré leur conception de la vie jusqu'à ne plus toucher le « sou du franc[1] » et à se précipiter — si peu serviables qu'ils eussent été jusqu'alors — pour me prendre des mains et ne pas me laisser me fatiguer à porter le moindre paquet. Mais, à Combray aussi, Françoise avait contracté — et importé à Paris — l'habitude de ne pouvoir supporter une aide quelconque dans son travail. Se voir prêter un concours lui semblait recevoir une avanie, et des domestiques sont restés des semaines sans obtenir d'elle une réponse à leur salut matinal, sont même partis en vacances sans qu'elle leur dît adieu et qu'ils devinassent pourquoi, en réalité pour la seule raison qu'ils avaient voulu faire un peu de sa besogne, un jour qu'elle était souffrante. Et en ce moment où ma grand-mère était si mal, la besogne de Françoise lui semblait particulièrement sienne. Elle ne voulait pas, elle la titulaire, se laisser chiper son rôle dans ces jours de gala. Aussi son jeune valet de pied, écarté par elle, ne savait que faire, et non content d'avoir, à l'exemple de Victor, pris mon papier dans mon bureau, il s'était mis, de plus, à emporter des volumes de

vers de ma bibliothèque. Il les lisait, une bonne moitié
de la journée, par admiration pour les poètes qui les
avaient composés, mais aussi afin, pendant l'autre partie
de son temps, d'émailler de citations les lettres qu'il
écrivait à ses amis de village. Certes, il pensait ainsi les
éblouir. Mais, comme il avait peu de suite dans les idées,
il s'était formé celle-ci que ces poèmes, trouvés dans ma
bibliothèque, étaient chose connue de tout le monde et
à quoi il est courant de se reporter. Si bien qu'écrivant
à ces paysans dont il escomptait la stupéfaction, il
entremêlait ses propres réflexions de vers de Lamartine,
comme il eût dit : qui vivra verra, ou même : bonjour.

À cause[a] des souffrances de ma grand-mère on lui
permit la morphine. Malheureusement si celle-ci les
calmait, elle augmentait aussi la dose d'albumine. Les
coups que nous destinions au mal qui s'était installé en
ma grand-mère portaient toujours à faux ; c'était elle,
c'était son pauvre corps interposé qui les recevait, sans
qu'elle se plaignît qu'avec un faible gémissement. Et les
douleurs que nous lui causions n'étaient pas compensées
par un bien que nous ne pouvions lui faire. Le mal féroce
que nous aurions voulu exterminer, c'est à peine si nous
l'avions frôlé, nous ne faisions que l'exaspérer davantage
hâtant peut-être l'heure où la captive serait dévorée[1]. Les
jours où la dose d'albumine avait été trop forte, Cottard
après une hésitation refusait la morphine. Chez cet homme
si insignifiant, si commun, il y avait, dans ces courts
moments où il délibérait, où les dangers d'un traitement
et d'un autre se disputaient en lui jusqu'à ce qu'il s'arrêtât
à l'un, la sorte de grandeur d'un général qui, vulgaire
dans le reste de la vie, est un grand stratège, et dans
un moment périlleux, après avoir réfléchi un instant,
conclut pour ce qui militairement est le plus sage et dit :
« Faites[b] face à l'Est. » Médicalement, si peu d'espoir
qu'il y eût de mettre un terme à cette crise d'urémie,
il ne fallait pas fatiguer le rein. Mais, d'autre part, quand
ma grand-mère n'avait pas de morphine, ses douleurs
devenaient intolérables ; elle recommençait perpétuellement un certain mouvement qui lui était difficile à
accomplir sans gémir : pour une grande part, la souffrance
est une sorte de besoin de l'organisme de prendre
conscience d'un état nouveau qui l'inquiète, de rendre
la sensibilité adéquate à cet état. On peut discerner

cette origine de la douleur dans le cas d'incommodités qui n'en sont pas pour tout le monde. Dans une chambre remplie d'une fumée à l'odeur pénétrante, deux hommes grossiers entreront et vaqueront à leurs affaires ; un troisième, d'organisation plus fine, trahira un trouble incessant. Ses narines ne cesseront de renifler anxieusement l'odeur qu'il devrait, semble-t-il, essayer de ne pas sentir et qu'il cherchera chaque fois à faire adhérer, par une connaissance plus exacte, à son odorat incommodé. De là vient sans doute qu'une vive préoccupation empêche de se plaindre d'une rage de dents. Quand ma grand-mère souffrait ainsi, la sueur[a] coulait sur son grand front mauve, y collant les mèches blanches, et si elle croyait que nous n'étions pas dans la chambre, elle poussait des cris : « Ah ! c'est affreux ! » mais si elle apercevait ma mère, aussitôt[b] elle employait toute son énergie à effacer de son visage les traces de douleur, ou, au contraire, répétait les mêmes plaintes en les accompagnant d'explications qui donnaient rétrospectivement un autre sens à celles que ma mère avait pu entendre :

« Ah ! ma fille, c'est affreux, rester couchée par ce beau soleil quand on voudrait aller se promener, je pleure de rage contre vos prescriptions. »

Mais elle ne pouvait empêcher le gémissement de ses regards, la sueur de son front, le sursaut convulsif, aussitôt réprimé, de ses membres.

« Je n'ai pas mal, je me plains parce que je suis mal couchée, je me sens les cheveux en désordre, j'ai mal au cœur, je me suis cognée contre le mur. »

Et ma mère, au pied du lit, rivée à cette souffrance comme si, à force de percer de son regard ce front douloureux, ce corps qui recelait le mal, elle eût dû finir par l'atteindre et l'emporter, ma mère disait :

« Non, ma petite Maman, nous ne te laisserons pas souffrir comme ça, on va trouver quelque chose, prends patience une seconde, me permets-tu de t'embrasser sans que tu aies à bouger ? »

Et penchée sur le lit, les jambes fléchissantes, à demi agenouillée, comme si, à force d'humilité, elle avait plus de chance de faire exaucer le don passionné d'elle-même, elle inclinait vers ma grand-mère toute sa vie dans son visage comme dans un ciboire qu'elle lui tendait, décoré en reliefs de fossettes et de plissements si passionnés, si désolés et si doux qu'on ne savait pas s'ils y étaient creusés par le ciseau d'un baiser, d'un sanglot ou d'un sourire[a]. Ma grand-mère essayait, elle aussi, de tendre vers Maman son visage. Il avait tellement changé que sans doute, si elle eût eu la force de sortir, on ne l'eût reconnue qu'à la plume de son chapeau. Ses traits, comme dans des séances de modelage, semblaient s'appliquer, dans un effort qui la détournait de tout le reste, à se conformer à certain modèle que[b] nous ne connaissions pas. Ce travail du statuaire touchait à sa fin et, si la figure[c] de ma grand-mère avait diminué, elle avait également durci. Les veines qui la traversaient semblaient celles, non pas d'un marbre, mais[d] d'une pierre plus rugueuse. Toujours penchée en avant par la difficulté de respirer en même temps que repliée sur elle-même par la fatigue, sa figure fruste, réduite, atrocement expressive, semblait, dans une sculpture primitive, presque préhistorique, la figure rude, violâtre, rousse, désespérée de quelque sauvage gardienne de tombeau. Mais toute l'œuvre n'était pas accomplie. Ensuite, il faudrait la briser, et puis, dans ce tombeau — qu'on avait si péniblement gardé, avec cette dure contraction — descendre[1].

Dans un de ces moments où, selon l'expression populaire, on ne sait plus à quel saint se vouer, comme ma grand-mère toussait et éternuait beaucoup, on suivit le conseil d'un parent qui affirmait qu'avec le spécialiste X on était hors d'affaire en trois jours. Les gens du monde disent cela de leur médecin, et on les croit comme Françoise croyait les réclames des journaux. Le spécialiste vint avec sa trousse chargée de tous les rhumes de ses clients, comme l'outre d'Éole[2]. Ma grand-mère refusa net de se laisser examiner. Et nous, gênés pour le praticien[e] qui s'était dérangé inutilement, nous déférâmes au désir qu'il exprima de visiter nos nez respectifs, lesquels pourtant n'avaient rien. Il prétendait que si, et que migraine ou colique, maladie de cœur ou diabète, c'est une maladie du nez mal comprise. À chacun de nous il dit : « Voilà une petite cornée que je serais bien aise de revoir. N'attendez pas trop. Avec quelques pointes de feu je vous débarrasserai. » Certes nous pensions à tout autre chose. Pourtant nous nous demandâmes : « Mais débarrasser de quoi ? » Bref tous nos nez étaient malades ; il ne se trompa qu'en mettant la chose au présent. Car dès le lendemain son examen et son pansement provisoire avaient accompli leur effet. Chacun de nous eut son catarrhe. Et comme il rencontrait dans la rue mon père secoué par des quintes, il sourit à l'idée qu'un ignorant pût croire le mal dû à son intervention. Il nous avait examinés au moment où nous étions déjà malades.

La maladie de ma grand-mère donna lieu à diverses personnes de manifester un excès ou une insuffisance de sympathie qui nous surprirent tout autant que le genre de hasard par lequel les unes ou*ᵈ* les autres nous découvraient des chaînons de circonstances, ou même d'amitiés, que nous n'eussions pas soupçonnées. Et les marques d'intérêt, données par les personnes qui venaient sans cesse prendre des nouvelles, nous révélaient la gravité d'un mal que jusque-là nous n'avions pas assez isolé, séparé des mille impressions douloureuses ressenties auprès de ma grand-mère. Prévenues par dépêche, ses sœurs ne quittèrent pas Combray. Elles avaient découvert un artiste qui leur donnait des séances d'excellente musique de chambre, dans l'audition de laquelle elles pensaient trouver, mieux qu'au chevet de la malade, un recueillement, une élévation douloureuse, desquels la forme ne laissa pas de paraître insolite. Mme Sazerat écrivit à Maman, mais comme une personne dont les fiançailles*ᵇ* brusquement rompues (la rupture était le dreyfusisme) nous ont à jamais séparés. En revanche Bergotte vint passer tous les jours plusieurs heures avec moi*ᶜ*.

Il avait toujours aimé à venir se fixer pendant quelque temps dans une même maison où il n'eût pas de frais à faire. Mais autrefois c'était pour y parler sans être interrompu, maintenant pour garder longuement le silence, sans qu'on lui demandât de parler. Car il était très malade les uns disaient d'albuminurie, comme ma grand-mère. Selon d'autres il avait une tumeur. Il allait en s'affaiblissant ; c'est avec difficulté qu'il montait notre escalier, avec une plus grande encore qu'il le descendait. Bien qu'appuyé à la rampe il trébuchait souvent, et je crois qu'il serait resté chez lui s'il n'avait pas craint de perdre entièrement l'habitude, la possibilité de sortir, lui l'« homme à barbiche » que j'avais connu alerte, il n'y avait pas si longtemps. Il n'y voyait plus goutte, et sa parole même s'embarrassait souvent.

Mais en même temps, tout au contraire, ses œuvres*ᵈ*, connues seulement des lettrés*ᵉ* à l'époque où Mme Swann patronnait leurs timides efforts de dissémination, maintenant grandies et fortes aux yeux de tous, avaient pris[a] dans le grand public une extraordinaire puissance d'expansion. Sans doute il arrive que c'est après sa mort seulement qu'un écrivain devient célèbre. Mais c'était en vie encore et durant son lent acheminement vers la mort non encore atteinte, qu'il assistait à celui de ses œuvres vers la Renommée. Un auteur mort est du moins illustre sans fatigue. Le rayonnement de son nom s'arrête à la pierre de sa tombe. Dans la surdité du sommeil éternel, il n'est pas importuné par la Gloire. Mais pour Bergotte l'antithèse n'était pas entièrement achevée. Il existait encore assez pour souffrir du tumulte. Il remuait encore, bien que péniblement, tandis que ses œuvres, bondissantes comme des filles qu'on aime mais dont l'impétueuse jeunesse et les bruyants plaisirs vous fatiguent, entraînaient chaque jour jusqu'au pied de son lit des admirateurs nouveaux.

Les visites qu'il nous faisait maintenant venaient pour moi quelques années trop tard, car je ne l'admirais plus autant. Ce qui n'est pas en contradiction avec ce grandissement de sa renommée. Une œuvre est rarement tout à fait comprise et victorieuse, sans que celle d'un autre écrivain, obscure encore, n'ait commencé, auprès de quelques esprits plus difficiles, de substituer un nouveau culte à celui qui a presque fini de s'imposer. Dans les livres de Bergotte que je relisais souvent, ses phrases étaient aussi claires devant mes yeux que mes propres idées, les meubles dans ma chambre et les voitures dans la rue. Toutes choses s'y voyaient aisément, sinon telles qu'on les avait toujours vues, du moins telles qu'on avait l'habitude de les voir maintenant. Or un nouvel écrivain avait commencé à publier des œuvres où les rapports entre les choses étaient si différents de ceux qui les liaient pour moi que je ne comprenais presque rien de ce qu'il écrivait. Il disait par exemple : « Les tuyaux d'arrosage admiraient le bel entretien des routes » (et cela c'était facile, je glissais le long de ces routes) « qui partaient toutes les cinq minutes de Briand et de Claudel[1] ». Alors je ne comprenais plus parce que j'avais attendu un nom de ville et qu'il m'était donné un nom de personne. Seulement je sentais que ce n'était pas la phrase qui était mal faite, mais moi pas assez fort et agile pour aller jusqu'au bout. Je reprenais mon élan, m'aidais des pieds et des mains pour arriver à l'endroit d'où je verrais les rapports nouveaux entre les choses. Chaque fois, parvenu à peu près à la moitié de la phrase, je retombais, comme plus tard au régiment dans l'exercice appelé portique[1]. Je n'en avais pas moins pour le nouvel écrivain l'admiration d'un enfant gauche et à qui on donne zéro pour la gymnastique, devant un autre enfant plus adroit. Dès lors j'admirai moins Bergotte dont la limpidité me parut de l'insuffisance. Il y eut un temps où on reconnaissait bien les choses quand c'était Fromentin[2] qui les peignait et où on ne les reconnaissait plus quand c'était Renoir.

Les gens de goût nous disent aujourd'hui que Renoir est un grand peintre du XVIIIᵉ siècle. Mais en disant cela ils oublient le Temps et qu'il en a fallu beaucoup, même en plein XIXᵉ, pour que Renoir fût salué grand artiste[3]. Pour réussir à être ainsi reconnus, le peintre original, l'artiste original procèdent à la façon des oculistes. Le traitement par leur peinture, par leur prose, n'est pas toujours agréable. Quand il est terminé, le praticien nous dit : « Maintenant regardez. » Et voici que le monde (qui n'a pas été créé une fois, mais aussi souvent qu'un artiste original est survenu) nous apparaît entièrement différent de l'ancien, mais parfaitement clair. Des femmes passent dans la rue, différentes de celles d'autrefois, puisque ce sont des Renoir, ces Renoir où nous nous refusions jadis à voir des femmes. Les voitures aussi sont des Renoir, et l'eau, et le ciel : nous avons envie de nous promener dans la forêt pareille à celle qui le premier jour nous semblait tout excepté une forêt, et par exemple une tapisserie aux nuances nombreuses mais où manquaient justement les nuances propres aux forêts. Tel est l'univers nouveau et périssable qui vient d'être créé. Il durera jusqu'à la prochaine catastrophe géologique que déchaîneront un nouveau peintre ou un nouvel écrivain originaux.

Celui qui avait remplacé pour moi Bergotte me lassait non par l'incohérence mais par la nouveauté, parfaitement cohérente, de rapports que je n'avais pas l'habitude de suivre. Le point toujours le même où je me sentais retomber indiquait l'identité de chaque tour de force à faire. Du reste, quand une fois sur mille je pouvais suivre l'écrivain jusqu'au bout de sa phrase, ce que je voyais était toujours d'une drôlerie, d'une vérité, d'un charme, pareils à ceux que j'avais trouvés jadis dans la lecture de Bergotte, mais plus délicieux. Je songeais qu'il n'y avait pas tant d'années qu'un même renouvellement du monde, pareil à celui que j'attendais de son successeur, c'était Bergotte qui me l'avait apporté. Et j'arrivais à me demander s'il y avait quelque vérité en cette distinction que nous faisons toujours entre l'art, qui n'est pas plus avancé qu'au temps d'Homère, et la science aux progrès continus. Peut-être l'art ressemblait-il au contraire en cela à la science ; chaque nouvel écrivain original me semblait en progrès sur celui qui l'avait précédé ; et qui me disait que dans vingt ans, quand je saurais accompagner sans fatigue le nouveau d'aujourd'hui, un autre ne surviendrait pas, devant qui l'actuel filerait rejoindre Bergotte ? Je[a] parlai à ce dernier du nouvel écrivain. Il me dégoûta de lui moins en m'assurant que son art était rugueux, facile et vide, qu'en me racontant l'avoir vu, ressemblant, au point de s'y méprendre, à Bloch. Cette image se profila désormais sur les pages écrites et je ne me crus plus astreint à la peine de comprendre[1]. Si Bergotte m'avait mal parlé de lui, c'était moins, je crois, par jalousie de son succès que par ignorance de son œuvre. Il ne lisait presque rien. Déjà la plus grande partie de sa pensée avait passé de son cerveau dans ses livres. Il était amaigri comme s'il avait été opéré d'eux. Son instinct reproducteur ne l'induisait plus à l'activité, maintenant qu'il avait produit au-dehors presque tout ce qu'il pensait. Il menait la vie végétative d'un convalescent, d'une accouchée ; ses beaux yeux restaient immobiles, vaguement éblouis, comme les yeux d'un homme étendu au bord de la mer qui dans une vague rêverie regarde seulement chaque petit flot. D'ailleurs si j'avais moins d'intérêt à causer avec lui que je n'aurais eu jadis, de cela je n'éprouvais pas de remords. Il était tellement homme d'habitude que les simples comme les plus luxueuses, une fois qu'il les avait prises, lui devenaient indispensables pendant un certain temps. Je ne sais ce qui le fit venir une première fois, mais ensuite chaque jour ce fut pour la raison qu'il était venu la veille. Il arrivait à la maison comme il fût allé au café, pour qu'on ne lui parlât pas, pour qu'il pût — bien rarement — parler, de sorte qu'on n'aurait pu[b] en somme trouver un signe qu'il fût ému de notre chagrin ou prît plaisir à se trouver avec moi[c], si l'on avait voulu induire quelque chose d'une telle assiduité. Elle*ᵃ* n'était pas indifférente à ma mère, sensible à tout ce qui pouvait être considéré comme un hommage à sa malade. Et tous les jours elle me disait : « Surtout n'oublie pas de bien le remercier. »

Nous eûmes — discrète attention de femme, comme le goûter que nous sert entre deux séances de pose la compagne d'un peintre — supplément à titre gracieux de celles que nous faisait son mari, la visite de Mme Cotttard. Elle venait nous offrir sa « cameriste[1] », si nous aimions mieux le service d'un homme, allait se « mettre en campagne » ; et, devant nos refus*ᵇ*, nous dit qu'elle espérait du moins que ce n'était pas là de notre part une « défaite », mot qui dans son monde signifie un faux prétexte pour ne pas accepter une invitation. Elle nous assura que le professeur, qui ne parlait jamais chez lui de ses malades, était aussi triste que s'il s'était agi d'elle-même. On verra plus tard[2] que même si cela eût été vrai, cela eût été à la fois bien peu et beaucoup, de la part du plus infidèle et plus reconnaissant des maris.

Des offres aussi utiles, et infiniment plus touchantes par la manière (qui était un mélange de la plus haute intelligence, du plus grand cœur, et d'un rare bonheur d'expression), me furent adressées par le grand-duc héritier de Luxembourg. Je l'avais connu à Balbec où il était venu voir une de ses tantes, la princesse de Luxembourg, alors qu'il n'était encore que comte de Nassau. Il avait épousé quelques mois après la ravissante fille d'une autre princesse de Luxembourg, excessivement riche parce qu'elle était la fille unique d'un prince à qui appartenait une immense affaire de farines[3]. Sur quoi le grand-duc de Luxembourg, qui n'avait pas d'enfants et qui adorait son neveu Nassau, avait fait approuver par la Chambre qu'il fût déclaré grand-duc héritier. Comme dans tous les mariages de ce genre, l'origine de la fortune est l'obstacle, comme elle est aussi la cause efficiente. Je me rappelais ce comte de Nassau comme un des plus remarquables jeunes gens que j'aie rencontrés, déjà dévoré alors d'un sombre et éclatant amour pour sa fiancée. Je fus très touché des lettres qu'il ne cessa de m'écrire pendant la maladie de ma grand-mère, et Maman elle-même émue, reprenait*ᶜ* tristement un mot de sa mère : Sévigné n'aurait pas mieux dit[4].

Le sixième jour, Maman, pour obéir aux prières de grand-mère, dut la quitter un moment et faire semblant d'aller se reposer. J'aurais voulu, pour que ma grand-mère s'endormît, que Françoise restât sans bouger. Malgré mes supplications, elle sortit de la chambre ; elle aimait ma grand-mère ; avec sa clairvoyance et son pessimisme elle la jugeait perdue. Elle aurait donc voulu lui donner tous les soins possibles. Mais on venait de dire qu'il y avait un ouvrier électricien, très ancien dans sa maison, beau-frère de son patron, estimé dans notre immeuble où il venait travailler depuis de longues années, et surtout de Jupien. On avait commandé cet ouvrier avant que ma grand-mère tombât malade. Il me semblait qu'on eût pu le faire repartir ou le laisser attendre. Mais le protocole de Françoise ne le permettait pas, elle aurait manqué de délicatesse envers ce brave homme, l'état de ma grand-mère ne comptait plus. Quand au bout d'un quart d'heure, exaspéré, j'allai la chercher à la cuisine, je la trouvai causant avec lui sur le « carré » de l'escalier de service, dont la porte était ouverte, procédé qui avait l'avantage de permettre, si l'un de nous arrivait, de faire semblant qu'on allait se quitter, mais l'inconvénient d'envoyer d'affreux courants d'air. Françoise quitta donc l'ouvrier, non sans lui avoir encore crié quelques compliments, qu'elle avait oubliés, pour sa femme et son beau-frère. Souci caractéristique de Combray, de ne pas manquer à la délicatesse que Françoise portait jusque dans la politique extérieure. Les niais s'imaginent que les grosses dimensions des phénomènes sociaux sont une excellente occasion de pénétrer plus avant dans l'âme humaine ; ils devraient au contraire comprendre que c'est en descendant en profondeur dans une individualité qu'ils auraient chance de comprendre ces phénomènes. Françoise avait mille fois répété au jardinier de Combray que la guerre est le plus insensé des crimes et que rien ne vaut, sinon vivre. Or, quand éclata la guerre russo-japonaise, elle était gênée, vis-à-vis du czar, que nous ne fussions pas mis en guerre pour aider « les pauvres Russes », « puisqu'on est alliancé », disait-elle[1]. Elle ne trouvait pas cela délicat envers Nicolas II qui avait toujours eu « de si bonnes paroles pour nous » ; c'était un effet du même code qui l'eût empêchée de refuser de Jupien[a] un petit verre dont elle savait qu'il allait « contrarier sa digestion », et qui faisait que, si près de la mort de ma grand-mère, la même malhonnêteté dont elle jugeait coupable la France restée neutre à l'égard du Japon, elle eût cru la commettre en n'allant pas s'excuser elle-même auprès de ce bon ouvrier électricien qui avait pris tant de dérangement.

Nous fûmes heureusement très vite débarrassés de la fille de Françoise qui eut à s'absenter plusieurs semaines. Aux conseils habituels qu'on donnait à Combray à la famille d'un malade : « Vous n'avez pas essayé d'un petit voyage, le changement d'air, retrouver l'appétit, etc. » elle avait ajouté l'idée presque unique qu'elle s'était spécialement forgée et qu'aussi[a] elle répétait chaque fois qu'on la voyait, sans se lasser, et comme pour l'enfoncer dans la tête des autres : « Elle aurait dû se soigner *radicalement* dès le début. » Elle ne préconisait pas un genre de cure plutôt qu'un autre, pourvu que cette cure fût *radicale.* Quant à Françoise, elle voyait qu'on donnait peu de médicaments à ma grand-mère. Comme, selon elle, ils ne servent qu'à vous abîmer l'estomac, elle en était heureuse, mais plus encore humiliée. Elle avait dans le Midi des cousins — riches relativement — dont la fille, tombée malade en pleine adolescence, était morte à vingt-trois ans ; pendant quelques années le père et la mère s'étaient ruinés en remèdes, en docteurs différents, en pérégrinations d'une « station » thermale à une autre, jusqu'au décès. Or cela paraissait à Françoise, pour ces parents-là, une espèce de luxe, comme s'ils avaient eu des chevaux de courses, un château. Eux-mêmes, si affligés qu'ils fussent, tiraient une certaine vanité de tant de dépenses. Ils n'avaient plus rien, ni surtout le bien le plus précieux, leur enfant, mais ils aimaient à répéter qu'ils avaient fait pour elle autant et plus que les gens les plus riches. Les rayons ultra-violets, à l'action desquels on avait, plusieurs fois par jour, pendant des mois, soumis la malheureuse, les flattaient particulièrement. Le père, enorgueilli dans sa douleur par une espèce de gloire, en arrivait quelquefois à parler de sa fille comme d'une étoile de l'Opéra pour laquelle il se fût ruiné. Françoise n'était pas insensible à tant de mise en scène ; celle qui entourait la maladie de ma grand-mère lui semblait un peu pauvre, bonne pour une maladie sur un petit théâtre de province[b].

Il y eut un moment où les troubles de l'urémie se portèrent sur les yeux de ma grand-mère. Pendant quelques jours, elle ne vit plus du tout. Ses yeux n'étaient nullement ceux d'une aveugle et restaient les mêmes. Et

je compris seulement qu'elle ne voyait pas, à l'étrangeté
d'un certain sourire d'accueil qu'elle avait dès qu'on
ouvrait la porte, jusqu'à ce qu'on lui eût pris la main pour
lui dire bonjour, sourire qui commençait trop tôt, et restait
stéréotypé sur ses lèvres, fixe, mais toujours de face et
tâchant à être vu de partout, parce qu'il n'y avait plus l'aide
du regard pour le régler, lui indiquer le moment, la
direction, le mettre au point, le faire varier au fur et à
mesure du changement de place ou d'expression de la
personne qui venait d'entrer ; parce qu'il restait seul, sans
un sourire[a] des yeux qui eût détourné un peu de lui
l'attention du visiteur, et prenait par là, dans sa gaucherie,
une importance excessive, donnant l'impression d'une
amabilité exagérée. Puis la vue revint complètement, des
yeux le mal nomade passa aux oreilles. Pendant quelques
jours, ma grand-mère fut sourde. Et comme elle avait peur
d'être surprise par l'entrée soudaine de quelqu'un qu'elle
n'aurait pas entendu venir, à tout moment (bien que
couchée du côté du mur) elle détournait brusquement la
tête vers la porte. Mais le mouvement de son cou était
maladroit, car on ne se fait pas en quelques jours à cette
transposition, sinon de regarder les bruits, du moins
d'écouter avec les yeux. Enfin les douleurs diminuèrent,
mais l'embarras de la parole augmenta[b]. On était obligé
de faire répéter à ma grand-mère à peu près tout ce qu'elle
disait.

Maintenant[c] ma grand-mère, sentant qu'on ne la
comprenait plus, renonçait à prononcer un seul mot et
restait immobile. Quand elle m'apercevait, elle avait une
sorte de sursaut comme ceux qui tout d'un coup manquent
d'air, elle voulait me parler, mais n'articulait que des sons
inintelligibles. Alors, domptée par son impuissance même,
elle laissait retomber sa tête, s'allongeait à plat sur le lit,
le visage grave, de marbre, les mains immobiles sur le
drap, ou s'occupant d'une action toute matérielle comme
de s'essuyer les doigts avec son mouchoir. Elle ne voulait
pas penser[1]. Puis elle commença à avoir une agitation
constante. Elle désirait sans cesse se lever. Mais on
l'empêchait, autant qu'on pouvait, de le faire, de peur
qu'elle ne se rendît compte de sa paralysie. Un jour qu'on
l'avait laissée un instant seule, je la trouvai, debout, en
chemise de nuit, qui essayait d'ouvrir la fenêtre. À Balbec,
un jour où on avait sauvé, malgré elle, une veuve qui s'était

jetée à l'eau, elle m'avait dit (mue peut-être par un de ces pressentiments que nous lisons parfois dans le mystère si obscur pourtant de notre vie organique, mais où il semble que se reflète l'avenir) qu'elle ne connaissait pas cruauté pareille à celle d'arracher une désespérée à la mort qu'elle a voulue et de la rendre à son martyre.

Nous n'eûmes que le temps de saisir ma grand-mère, elle soutint contre ma mère une lutte presque brutale, puis vaincue, rassise de force dans un fauteuil, elle cessa de vouloir, de regretter, son visage redevint impassible et elle se mit à enlever soigneusement les poils de fourrure qu'avait laissés sur sa chemise de nuit un manteau qu'on avait jeté sur elle.

Son regard changea tout à fait, souvent inquiet, plaintif, hagard, ce n'était plus son regard d'autrefois, c'était le regard maussade d'une vieille femme qui radote.

À force de lui demander si elle ne désirait pas être coiffée, Françoise finit par se persuader que la demande venait de ma grand-mère. Elle apporta des brosses, des peignes, de l'eau de Cologne, un peignoir. Elle disait : « Cela ne peut pas fatiguer madame Amédée, que je la peigne ; si faible qu'on soit on peut toujours être peignée. » C'est-à-dire, on n'est jamais trop faible pour qu'une autre personne ne puisse, en ce qui la concerne, vous peigner. Mais quand j'entrai dans la chambre, je vis entre les mains cruelles de Françoise, ravie comme si elle était en train de rendre la santé à ma grand-mère, sous l'éplorement d'une vieille chevelure qui n'avait pas la force de supporter le contact du peigne, une tête qui, incapable de garder la pose qu'on lui donnait, s'écroulait dans un tourbillon incessant où l'épuisement des forces alternait avec la douleur. Je sentis que le moment où Françoise allait avoir terminé s'approchait et je n'osai pas le hâter[d] en lui disant : « C'est assez », de peur qu'elle ne me désobéît. Mais en revanche je me précipitai quand, pour que ma grand-mère vît si elle se trouvait bien coiffée, Françoise, innocemment féroce, approcha une glace. Je fus d'abord heureux d'avoir pu l'arracher à temps de ses mains, avant que ma grand-mère, de qui on avait soigneusement éloigné tout miroir, eût aperçu par mégarde une image d'elle-même qu'elle ne pouvait se figurer. Mais, hélas ! quand, un instant après, je me penchai vers elle pour baiser ce beau front qu'on avait tant fatigué, elle me regarda d'un air étonné, méfiant, scandalisé : elle ne m'avait pas reconnu[1].

Selon notre médecin c'était un symptôme que la congestion du cerveau augmentait. Il fallait le dégager. Cottard hésitait. Françoise espéra un instant qu'on mettrait des ventouses « clarifiées ». Elle en chercha les effets dans mon dictionnaire mais ne put les trouver. Eût-elle bien dit « scarifiées » au lieu de « clarifiées » qu'elle n'eût pas trouvé davantage cet adjectif, car elle ne le cherchait pas plus à la lettre *c* qu'à la lettre *s ;* elle disait en effet « clarifiées » mais écrivait (et par conséquent croyait que c'était écrit) « esclarifié ». Cottard, ce qui la déçut, donna, sans beaucoup d'espoir, la préférence aux sangsues. Quand[a], quelques heures après, j'entrai chez ma grand-mère, attachés à sa nuque, à ses tempes, à ses oreilles, les petits serpents noirs se tordaient dans sa chevelure ensanglantée, comme dans celle de Méduse[2]. Mais dans son visage pâle et pacifié, entièrement immobile, je vis grands ouverts, lumineux et calmes, ses beaux yeux d'autrefois (peut-être encore plus surchargés d'intelligence qu'ils n'étaient avant sa maladie, parce que, comme elle ne pouvait pas parler, ne devait pas bouger, c'est à ses yeux seuls qu'elle confiait sa pensée, la pensée qui tantôt tient en nous une place immense, nous offrant des trésors insoupçonnés, tantôt semble réduite à rien, puis peut renaître comme par génération spontanée grâce à quelques gouttes de sang qu'on tire), ses yeux, doux et liquides comme de l'huile, sur lesquels le feu rallumé qui brûlait éclairait devant la malade l'univers reconquis. Son calme n'était plus la sagesse du désespoir mais de l'espérance. Elle comprenait qu'elle allait mieux, voulait être prudente, ne pas remuer, et me fit seulement le don d'un beau sourire pour que je susse qu'elle se sentait mieux et me pressa légèrement la main[b].

Je savais quel dégoût ma grand-mère avait de voir certaines bêtes, à plus forte raison d'être touchée par elles. Je savais que c'était en considération d'une utilité supérieure qu'elle supportait les sangsues. Aussi Françoise m'exaspérait-elle en lui répétant avec ces petits rires qu'on a avec un enfant qu'on veut faire jouer : « Oh ! les petites bébêtes qui courent sur Madame. » C'était, de plus, traiter notre malade sans respect, comme si elle était tombée en enfance. Mais ma grand-mère, dont la figure avait pris la calme bravoure d'un stoïcien, n'avait même pas l'air d'entendre.

Hélas ! aussitôt les sangsues retirées, la congestion reprit de plus en plus grave. Je fus surpris qu'à ce moment où ma grand-mère était si mal, Françoise disparût à tout moment. C'est qu'elle s'était commandé une toilette de deuil et ne voulait pas faire attendre la couturière. Dans la vie de la plupart des femmes, tout, même le plus grand chagrin, aboutit à une question d'essayage[a].

Quelques jours plus tard, comme je dormais, ma mère vint m'appeler au milieu de la nuit. Avec les douces attentions que, dans les grandes circonstances, les gens qu'une profonde douleur accable témoignent fût-ce aux petits ennuis des autres :

« Pardonne-moi de venir troubler ton sommeil, me dit-elle.

— Je ne dormais pas », répondis-je en m'éveillant.

Je le disais de bonne foi. La grande modification qu'amène en nous le réveil est moins de nous introduire dans la vie claire de la conscience que de nous faire perdre le souvenir de la lumière un peu plus tamisée où reposait notre intelligence, comme au fond opalin des eaux. Les pensées à demi voilées sur lesquelles nous voguions il y a un instant encore, entraînaient en nous un mouvement parfaitement suffisant pour que nous ayons pu les désigner sous le nom de veille. Mais les réveils trouvent alors une interférence de mémoire. Peu après, nous les qualifions sommeil parce que nous ne nous les rappelons plus. Et quand luit cette brillante étoile qui, à l'instant du réveil, éclaire derrière le dormeur son sommeil tout entier, elle lui fait croire pendant quelques secondes que c'était non du sommeil, mais de la veille ; étoile filante à vrai dire qui emporte avec sa lumière l'existence mensongère, mais les aspects aussi du songe, et permet seulement à celui qui s'éveille de se dire : « J'ai dormi[b]. ».

D'une voix si douce qu'elle semblait craindre de me faire mal, ma mère me demanda si cela ne me fatiguerait pas trop de me lever, et me caressant les mains :

« Mon pauvre petit, ce n'est plus maintenant que sur ton papa et sur ta maman que tu pourras compter. »

Nous entrâmes dans la chambre. Courbée en demi-cercle sur le lit, un autre être que ma grand-mère, une espèce de bête qui se serait affublée de ses cheveux et

couchée dans ses draps, haletait, geignait, de ses convulsions secouait les couvertures. Les paupières étaient closes
et c'est parce qu'elles fermaient mal plutôt que parce
qu'elles s'ouvraient qu'elles laissaient voir un coin de
prunelle, voilé, chassieux, reflétant l'obscurité d'une vision
organique et d'une souffrance interne. Toute cette
agitation ne s'adressait pas à nous qu'elle ne voyait pas,
ni ne connaissait. Mais si ce n'était plus qu'une bête qui
remuait là, ma grand-mère où était-elle ? On reconnaissait
pourtant la forme de son nez, sans proportion maintenant
avec le reste de la figure, mais au coin duquel un grain
de beauté restait attaché, sa main qui écartait les
couvertures d'un geste qui eût autrefois signifié que ces
couvertures la gênaient et qui maintenant ne signifiait rien.

Maman me demanda d'aller chercher un peu d'eau et
de vinaigre pour imbiber le front de grand-mère. C'était
la seule chose qui la rafraîchissait, croyait Maman qui la
voyait essayer d'écarter ses cheveux. Mais on me fit signe
par la porte de venir. La nouvelle que ma grand-mère était
à toute extrémité s'était immédiatement répandue dans la
maison. Un de ces « extras » qu'on fait venir dans les
périodes exceptionnelles pour soulager la fatigue des
domestiques, ce qui fait que les agonies ont quelque chose
des fêtes, venait d'ouvrir au duc de Guermantes, lequel,
resté dans l'antichambre, me demandait ; je ne pus lui
échapper.

« Je viens, mon cher monsieur, d'apprendre ces
nouvelles macabres. Je voudrais en signe de sympathie
serrer la main à monsieur votre père. »

Je m'excusai sur la difficulté de le déranger en ce
moment. M. de Guermantes tombait comme au moment
où on part en voyage. Mais il sentait tellement l'importance
de la politesse qu'il nous faisait, que cela lui cachait le reste
et qu'il voulait absolument entrer au salon. En général,
il avait l'habitude de tenir à l'accomplissement entier des
formalités dont il avait décidé d'honorer quelqu'un et il
s'occupait peu que les malles fussent faites ou le cercueil
prêt.

« Avez-vous fait venir Dieulafoy[1] ? Ah ! c'est une grave
erreur. Et si vous me l'aviez demandé, il serait venu pour
moi, il ne me refuse rien, bien qu'il ait refusé à la duchesse
de Chartres[2]. Vous voyez, je me mets carrément au-dessus
d'une princesse du sang. D'ailleurs devant la mort nous

sommes tous égaux », ajouta-t-il, non pour me persuader
que ma grand-mère devenait son égale, mais ayant
peut-être senti qu'une conversation prolongée relativement à son pouvoir sur Dieulafoy et à sa prééminence sur
la duchesse de Chartres ne serait pas de très bon goût.
Son conseil du reste ne m'étonnait pas. Je savais que chez
les Guermantes on citait toujours le nom de Dieulafoy
(avec un peu plus de respect seulement) comme celui d'un
« fournisseur » sans rival. Et la vieille duchesse de
Mortemart, née Guermantes[1] (il est impossible de
comprendre pourquoi dès qu'il s'agit d'une duchesse on
dit presque toujours : « la vieille duchesse de » ou tout
au contraire, d'un air fin et Watteau, si elle est jeune, la
« petite duchesse de ») préconisait presque mécaniquement en clignant de l'œil dans les cas graves « Dieulafoy,
Dieulafoy » comme si on avait besoin d'un glacier « Poiré
Blanche » ou pour des petits fours « Rebattet, Rebattet[2] ». Mais j'ignorais que mon père venait précisément
de faire demander Dieulafoy.

À ce moment ma mère, qui attendait avec impatience
des ballons d'oxygène qui devaient rendre plus aisée la
respiration de ma grand-mère, entra elle-même dans
l'antichambre où elle ne savait guère trouver M. de
Guermantes. J'aurais voulu le cacher n'importe où. Mais
persuadé que rien n'était plus essentiel, ne pouvait
d'ailleurs la flatter davantage et n'était plus indispensable
à maintenir sa réputation de parfait gentilhomme, il me
prit violemment par le bras et malgré que je me défendisse
comme contre un viol par des : « Monsieur, Monsieur,
Monsieur » répétés, il m'entraîna vers Maman en me
disant : « Voulez-vous me faire le grand honneur de me
présenter à madame votre *mère ?* » en déraillant un peu
sur le mot mère. Et il trouvait tellement que l'honneur
était pour elle qu'il ne pouvait s'empêcher de sourire tout
en faisant une figure de circonstance. Je ne pus faire
autrement que de le nommer, ce qui déclencha aussitôt
de sa part des courbettes, des entrechats, et il allait
commencer toute la cérémonie[a] complète du salut. Il
pensait même entrer en conversation, mais ma mère, noyée
dans sa douleur, me dit de venir vite, et ne répondit même
pas aux phrases de M. de Guermantes qui, s'attendant à
être reçu en visite et se trouvant au contraire laissé seul dans
l'antichambre, eût fini par sortir, si au même moment il

n'avait vu entrer Saint-Loup arrivé le matin même à Paris et accouru aux nouvelles. « Ah ! elle est bien bonne ! » s'écria joyeusement le duc en attrapant son neveu par sa manche qu'il faillit arracher, sans se soucier de la présence de ma mère qui retraversait l'antichambre. Saint-Loup n'était pas fâché, je crois, malgré son sincère chagrin, d'éviter[a] de me voir, étant donné ses dispositions pour moi. Il partit entraîné par son oncle qui, ayant quelque chose de très important à lui dire, et ayant failli pour cela partir à Doncières, ne pouvait pas en croire sa joie d'avoir pu économiser un tel dérangement. « Ah ! si on m'avait dit que je n'avais qu'à traverser la cour et que je te trouverais ici, j'aurais cru à une vaste blague. Comme dirait ton camarade M. Bloch, c'est assez farce. » Et tout en s'éloignant avec Robert qu'il tenait par l'épaule : « C'est égal, répétait-il, on voit bien que je viens de toucher de la corde de pendu ou tout comme ; j'ai une sacrée veine. » Ce n'est pas que le duc de Guermantes fût mal élevé, au contraire. Mais il était de ces hommes incapables de se mettre à la place des autres, de ces hommes ressemblant en cela à la plupart des médecins et aux croque-morts, et qui, après avoir pris une figure de circonstance et dit : « Ce sont des instants très pénibles », vous avoir au besoin embrassé et conseillé le repos, ne considèrent plus une agonie ou un enterrement que comme une réunion mondaine plus ou moins restreinte où, avec une jovialité comprimée un moment ils cherchent des yeux la personne à qui ils peuvent parler de leurs petites affaires, demander de les présenter à une autre ou « offrir une place » dans leur voiture pour les « ramener ». Le duc de Guermantes, tout en se félicitant du « bon vent » qui l'avait poussé vers son neveu, resta si étonné de l'accueil pourtant si naturel de ma mère, qu'il déclara plus tard qu'elle était aussi désagréable que mon père était poli, qu'elle avait des « absences » pendant lesquelles elle semblait même ne pas entendre les choses qu'on lui disait et qu'à son avis elle n'était pas dans son assiette et peut-être même n'avait pas toute sa tête à elle. Il voulut bien cependant, à ce qu'on me dit, mettre cela en partie sur le compte des « circonstances » et déclarer que ma mère lui avait paru très « affectée » par cet événement. Mais il avait encore dans les jambes tout le reste des saluts et révérences à reculons qu'on l'avait empêché de mener à leur fin et se rendait d'ailleurs si peu compte de ce que c'était que le chagrin de maman, qu'il demanda, la veille de l'enterrement, si je n'essayais pas de la distraire.

Un beau-frère de ma grand-mère qui était religieux, et que je ne connaissais pas, télégraphia en Autriche où était le chef de son ordre, et ayant par faveur exceptionnelle obtenu l'autorisation, vint ce jour-là. Accablé de tristesse, il lisait à côté du lit des textes de prières et de méditations sans cependant détacher ses yeux en vrille de la malade. À un moment où ma grand-mère était sans connaissance, la vue de la tristesse de ce prêtre me fit mal, je le regardai. Il parut surpris de ma pitié et il se produisit alors quelque chose de singulier. Il joignit ses mains sur sa figure comme un homme absorbé dans une méditation douloureuse, mais, comprenant que j'allais détourner de lui les yeux, je vis qu'il avait laissé un petit écart entre les doigts. Et, au moment où mes regards le quittaient, j'aperçus son œil aigu qui avait profité de cet abri de ses mains pour observer si ma douleur était sincère. Il était embusqué là comme dans l'ombre d'un confessionnal. Il s'aperçut que je le voyais et aussitôt clôtura hermétiquement le grillage qu'il avait laissé entrouvert. Je l'ai revu plus tard, et jamais entre nous il ne fut question de cette minute. Il fut tacitement convenu que je n'avais pas remarqué qu'il m'épiait. Chez le prêtre comme chez l'aliéniste, il y a toujours quelque chose du juge d'instruction. D'ailleurs quel est l'ami, si cher soit-il, dans le passé, commun avec le nôtre, de qui il n'y ait pas de ces minutes dont nous ne trouvons plus commode de nous persuader qu'il a dû les oublier ?

Le médecin fit une piqûre de morphine et pour rendre la respiration moins pénible demanda des ballons d'oxygène[a]. Ma mère[b], le docteur, la sœur[1] les tenaient dans leurs mains ; dès que l'un était fini, on leur en passait un autre. J'étais sorti un moment de la chambre. Quand je rentrai je me trouvai comme devant un miracle. Accompagnée en sourdine par un murmure incessant, ma grand-mère semblait nous adresser un long chant heureux qui remplissait la chambre, rapide et musical. Je compris bientôt qu'il n'était guère moins inconscient, qu'il était aussi purement mécanique, que le râle de tout à l'heure. Peut-être reflétait-il dans une faible mesure quelque bien-être apporté par la morphine. Il résultait surtout, l'air ne passant plus tout à fait de la même façon dans les bronches, d'un changement de registre de la respiration. Dégagé par la double action de l'oxygène et de la morphine, le souffle de ma grand-mère ne peinait plus, ne geignait plus, mais vif, léger, glissait, patineur, vers le fluide délicieux. Peut-être à l'haleine, insensible comme celle du vent dans la flûte d'un roseau, se mêlait-il dans ce chant quelques-uns de ces soupirs plus humains qui, libérés à l'approche de la mort, font croire à des impressions de souffrance ou de bonheur chez ceux qui déjà ne sentent plus, et venaient ajouter un accent plus mélodieux, mais sans changer son rythme, à cette longue phrase qui s'élevait, montait encore, puis retombait, pour s'élancer de nouveau, de la poitrine allégée, à la poursuite de l'oxygène. Puis parvenu si haut, prolongé avec tant de force le chant, mêlé d'un murmure de supplication dans la volupté, semblait à certains moments s'arrêter tout à fait comme une source s'épuise.

Françoise, quand elle avait un grand chagrin, éprouvait le besoin si inutile, mais ne possédait pas l'art si simple, de l'exprimer. Jugeant ma grand-mère tout à fait perdue, c'était ses impressions à elle, Françoise, qu'elle tenait à nous faire connaître. Et elle ne savait que répéter : « Cela me fait quelque chose », du même ton dont elle disait, quand elle avait pris trop de soupe aux choux : « J'ai comme un poids sur l'estomac », ce qui dans les deux cas était plus naturel qu'elle ne semblait le croire. Si faiblement traduit, son chagrin n'en était pas moins très grand, aggravé d'ailleurs par l'ennui que sa fille, retenue à Combray (que la jeune Parisienne appelait maintenant la « cambrousse[a] » et où elle se sentait devenir « pétrousse[1] »), ne pût vraisemblablement revenir pour la cérémonie mortuaire que Françoise sentait devoir être quelque chose de superbe. Sachant que nous nous épanchions peu, elle avait à tout hasard convoqué d'avance Jupien pour tous les soirs de la semaine. Elle savait qu'il ne serait pas libre à l'heure de l'enterrement. Elle voulait du moins, au retour, le lui « raconter ».

Depuis[b] plusieurs nuits mon père, mon grand-père, un de nos cousins veillaient et ne sortaient plus de la maison. Leur dévouement continu finissait par prendre un masque d'indifférence et l'interminable oisiveté autour de cette agonie leur faisait tenir ces mêmes propos qui sont inséparables d'un séjour prolongé dans un wagon de chemin de fer. D'ailleurs ce cousin (le neveu de ma grand-tante) excitait chez moi autant d'antipathie qu'il méritait et obtenait généralement d'estime.

On le « trouvait » toujours dans les circonstances graves, et il était si assidu auprès des mourants que les familles, prétendant qu'il était délicat de santé, malgré son apparence robuste, sa voix de basse-taille et sa barbe de sapeur, le conjuraient toujours avec les périphrases d'usage de ne pas venir à l'enterrement. Je savais d'avance que maman, qui pensait aux autres au milieu de la plus immense douleur, lui dirait sous une tout autre forme ce qu'il avait l'habitude de s'entendre toujours dire :

« Promettez-moi que vous ne viendrez pas "demain". Faites-le pour "elle". Au moins n'allez pas "là-bas". Elle vous aurait demandé de ne pas venir. »

Rien n'y faisait ; il était toujours le premier à la « maison », à cause de quoi on lui avait donné, dans un autre milieu, le surnom que nous ignorions de « ni fleurs ni couronnes ». Et avant d'aller à « tout », il avait toujours « pensé à tout », ce qui lui valait ces mots : « Vous, on ne vous dit pas merci. »

« Quoi ? » demanda d'une voix forte mon grand-père qui était devenu un peu sourd et qui n'avait pas entendu quelque chose que mon cousin venait de dire à mon père.

« Rien, répondit le cousin. Je disais seulement que j'avais reçu ce matin une lettre de Combray où il fait un temps épouvantable et ici un soleil trop chaud.

— Et pourtant le baromètre est très bas, dit mon père.

— Où ça dites-vous qu'il fait mauvais temps ? demanda mon grand-père.

— À Combray.

— Ah ! cela ne m'étonne pas, chaque fois qu'il fait mauvais ici, il fait beau à Combray et vice versa. Mon Dieu ! vous parlez de Combray : a-t-on pensé à prévenir Legrandin ?

— Oui, ne vous tourmentez pas, c'est fait », dit mon cousin dont les joues bronzées par une barbe trop forte sourirent imperceptiblement[a] de la satisfaction d'y avoir pensé.

À ce moment, mon père se précipita, je crus qu'il y avait du mieux ou du pire. C'était seulement le docteur Dieulafoy qui venait d'arriver. Mon père alla le recevoir dans le salon voisin, comme l'acteur qui doit venir jouer.

On l'avait fait demander non pour soigner mais pour constater, en espèce de notaire. Le docteur Dieulafoy a pu en effet être un grand médecin, un professeur merveilleux ; à ces rôles divers où il excella, il joignait un autre dans lequel il fut pendant quarante ans sans rival, un rôle aussi original que le raisonneur, le scaramouche ou le père noble, et qui était de venir constater l'agonie ou la mort. Son nom déjà présageait la dignité avec laquelle il tiendrait l'emploi et quand la servante disait : « M. Dieulafoy », on se croyait chez Molière[1]. À la dignité de l'attitude concourait sans se laisser voir la souplesse d'une taille charmante. Un visage en soi-même trop beau était amorti par la convenance à des circonstances douloureuses. Dans sa noble redingote noire, le professeur entrait, triste sans affectation, ne donnait pas une seule condoléance qu'on eût pu croire feinte et ne commettait pas non plus la plus légère infraction au tact. Aux pieds d'un lit de mort, c'était lui et non le duc de Guermantes qui était le grand seigneur. Après avoir regardé ma grand-mère sans la fatiguer, et avec un excès de réserve qui était une politesse au médecin traitant, il dit à voix basse quelques mots à mon père, s'inclina respectueusement devant ma mère, à qui je sentis que mon père se retenait pour ne pas dire : « Le professeur Dieulafoy ». Mais déjà celui-ci avait détourné la tête, ne voulant pas importuner, et sortit de la plus belle façon du monde, en prenant simplement le cachet qu'on lui remit. Il n'avait pas eu l'air de le voir, et nous-mêmes nous demandâmes un moment si nous le lui avions remis tant il avait mis de la souplesse d'un prestidigitateur à le faire disparaître, sans pour cela perdre rien de sa gravité plutôt accrue de grand consultant à la longue redingote à revers de soie, à la belle tête pleine d'une noble commisération. Sa lenteur et sa vivacité montraient que, si cent visites l'attendaient encore, il ne voulait pas avoir l'air pressé. Car il était le tact, l'intelligence et la bonté mêmes. Cet homme éminent n'est plus. D'autres médecins, d'autres professeurs ont pu l'égaler, le dépasser peut-être. Mais l'« emploi » où son savoir, ses dons physiques, sa haute éducation le faisaient triompher, n'existe plus, faute de successeurs qui aient su le tenir. Maman n'avait même pas aperçu M. Dieulafoy, tout ce qui n'était pas ma grand-mère n'existant pas. Je me souviens (et j'anticipe ici) qu'au cimetière, où on la vit, comme une apparition surnaturelle, s'approcher timidement de la tombe et semblant regarder un être envolé qui était déjà loin d'elle, mon père lui ayant dit : « Le père Norpois est venu à la maison, à l'église, au cimetière, il a manqué une commission très importante pour lui, tu devrais lui dire un mot, cela le toucherait beaucoup », ma mère, quand l'ambassadeur s'inclina vers elle, ne put que pencher avec douceur son visage qui n'avait pas pleuré. Deux jours plus tôt — et pour anticiper encore avant de revenir à l'instant même auprès du lit où la malade agonisait — pendant qu'on veillait ma grand-mère morte, Françoise, qui, ne niant pas absolument les revenants, s'effrayait au moindre bruit, disait : « Il me semble que c'est elle. » Mais au lieu d'effroi, c'était une douceur infinie que ces mots éveillèrent chez ma mère qui aurait tant voulu que les morts revinssent, pour avoir quelquefois sa mère auprès d'elle.

Pour revenir maintenant à ces heures de l'agonie :

« Vous savez[a] ce que ses sœurs nous ont télégraphié ? demanda mon grand-père à mon cousin.

— Oui, Beethoven[1], on m'a dit, c'est à encadrer, cela ne m'étonne pas.

— Ma pauvre femme qui les aimait tant, dit mon grand-père en essuyant une larme. Il ne faut pas leur en vouloir. Elles sont folles à lier, je l'ai toujours dit. Qu'est-ce qu'il y a, on ne donne plus d'oxygène ? »

Ma mère dit :

« Mais, alors, maman va recommencer à mal respirer. »

Le médecin répondit :

« Oh ! non, l'effet de l'oxygène durera encore un bon moment, nous recommencerons tout à l'heure. »

Il me semblait qu'on n'aurait pas dit cela pour une mourante, que, si ce bon effet devait durer, c'est qu'on pouvait quelque chose sur sa vie. Le sifflement de l'oxygène cessa pendant quelques instants. Mais la plainte heureuse de la respiration jaillissait toujours, légère, tourmentée, inachevée, sans cesse recommençante. Par moments, il semblait que tout fût fini, le souffle s'arrêtait, soit par ces mêmes changements d'octaves qu'il y a dans la respiration d'un dormeur, soit par une intermittence naturelle, un effet de l'anesthésie, le progrès de l'asphyxie, quelque défaillance du cœur. Le médecin reprit le pouls de ma grand-mère, mais déjà, comme si un affluent venait apporter son tribut au courant asséché, un nouveau chant s'embranchait à la phrase interrompue. Et celle-ci reprenait à un autre diapason, avec le même élan inépuisable. Qui sait si, sans même que ma grand-mère en eût conscience, tant d'états heureux et tendres comprimés par la souffrance ne s'échappaient pas d'elle maintenant comme ces gaz plus légers qu'on refoula longtemps ? On aurait dit que tout ce qu'elle avait à nous dire s'épanchait, que c'était à nous qu'elle s'adressait avec cette prolixité, cet empressement, cette effusion. Au pied du lit, convulsée par tous les souffles de cette agonie, ne pleurant pas mais par moments trempée de larmes, ma mère avait la désolation sans pensée d'un feuillage que cingle la pluie et retourne le vent. On me fit m'essuyer les yeux avant que j'allasse embrasser ma grand-mère.

« Mais je croyais qu'elle ne voyait plus, dit mon père.

— On ne peut jamais savoir », répondit le docteur.

Quand mes lèvres la touchèrent, les mains de ma grand-mère s'agitèrent, elle fut parcourue tout entière d'un long frisson, soit réflexe, soit que certaines tendresses aient leur hyperesthésie qui reconnaît à travers le voile de l'inconscience ce qu'elles n'ont presque pas besoin des sens pour chérir. Tout d'un coup[a] ma grand-mère se dressa à demi, fit un effort violent, comme quelqu'un qui défend sa vie. Françoise ne put résister à cette vue et éclata en sanglots. Me rappelant ce que le médecin avait dit, je voulus la faire sortir de la chambre. À ce moment, ma grand-mère ouvrit les yeux. Je me précipitai sur Françoise pour cacher ses pleurs, pendant que mes parents parleraient à la malade. Le bruit de l'oxygène s'était tu, le médecin s'éloigna du lit. Ma grand-mère était morte.

Quelques heures plus tard, Françoise[b] put une dernière fois et sans les faire souffrir peigner ces beaux cheveux qui grisonnaient seulement et jusqu'ici avaient semblé être moins âgés qu'elle. Mais maintenant, au contraire, ils étaient seuls à imposer la couronne de la vieillesse sur le visage redevenu jeune d'où avaient disparu les rides, les contractions, les empâtements, les tensions, les fléchissements que, depuis tant d'années, lui avait ajoutés la souffrance. Comme au temps lointain où ses parents lui avaient choisi un époux, elle avait les traits délicatement tracés par la pureté et la soumission, les joues brillantes d'une chaste espérance, d'un rêve de bonheur, même d'une innocente gaieté, que les années avaient peu à peu détruits. La vie en se retirant venait d'emporter les désillusions de la vie. Un sourire semblait posé sur les lèvres de ma grand-mère. Sur ce lit funèbre, la mort, comme le sculpteur du Moyen Âge, l'avait couchée sous l'apparence d'une jeune fille[1].

CHAPITRE DEUXIÈME[a]

Visite d'Albertine. — *Perspective d'un riche mariage pour quelques amis de Saint-Loup.* — *L'esprit des Guermantes devant la princesse de Parme.* — *Étrange visite à M. de Charlus.* — *Je comprends de moins en moins son caractère.* — *Les souliers rouges de la duchesse.*

Bien que[b] ce fût simplement un dimanche d'automne, je venais de renaître, l'existence était intacte devant moi, car dans la matinée, après une série de jours doux, il avait fait un brouillard froid qui ne s'était levé que vers midi. Or, un changement de temps suffit à recréer le monde et nous-mêmes. Jadis, quand le vent soufflait dans ma cheminée, j'écoutais les coups qu'il frappait contre la trappe avec autant d'émotion que si, pareils aux fameux coups d'archet par lesquels débute la *Symphonie en ut mineur*[2], ils avaient été les appels irrésistibles d'un mystérieux destin. Tout changement à vue de la nature nous offre une transformation semblable, en adaptant au mode nouveau des choses nos désirs harmonisés. La brume, dès le réveil, avait fait de moi, au lieu de l'être centrifuge qu'on est par les beaux jours, un homme replié, désireux du coin du feu et du lit partagé, Adam frileux en quête d'une Ève sédentaire[3], dans ce monde différent. Entre la couleur grise et douce d'une campagne matinale et le goût d'une tasse de chocolat, je faisais tenir toute l'originalité de la vie physique, intellectuelle et morale que j'avais apportée environ une année auparavant à Doncières[c], et qui, blasonnée de la forme oblongue d'une colline pelée — toujours présente même quand elle était invisible — formait en moi une série de plaisirs entièrement distincte de tous autres, indicibles à des amis en ce sens que les impressions richement tissées les unes dans les autres qui les orchestraient, les caractérisaient bien plus pour moi et à mon insu que les faits que j'aurais pu raconter. À ce point de vue le monde nouveau dans lequel le brouillard de ce matin m'avait plongé était un monde déjà connu de moi (ce qui ne lui donnait que plus de vérité), et oublié depuis quelque temps (ce qui lui rendait toute sa fraîcheur). Et je pus regarder quelques-uns des tableaux de brume que ma mémoire avait acquis, notamment des « Matin à Doncières », soit le premier jour au quartier, soit une autre fois, dans un château voisin où Saint-Loup m'avait emmené passer vingt-quatre heures : de la fenêtre dont j'avais soulevé les rideaux à l'aube, avant de me recoucher, dans le premier un cavalier, dans le second (à la mince lisière d'un étang et d'un bois dont tout le reste était englouti dans la douceur uniforme et liquide de la brume) un cocher en train d'astiquer une courroie, m'étaient apparus comme ces rares personnages, à peine distincts pour l'œil obligé de s'adapter au vague mystérieux des pénombres, qui émergent d'une fresque effacée.

C'est de mon lit que je regardais aujourd'hui ces souvenirs, car je m'étais recouché pour attendre le moment où, profitant de l'absence de mes parents, partis pour quelques jours à Combray, je comptais ce soir même aller entendre une petite pièce qu'on jouait chez Mme de Villeparisis. Eux revenus, je n'aurais peut-être pas osé le faire ; ma mère, dans les scrupules de son respect pour le souvenir de ma grand-mère, voulait que les marques de regret qui lui étaient données le fussent librement, sincèrement ; elle ne m'aurait pas défendu cette sortie, elle l'eût désapprouvée. De Combray au contraire, consultée, elle ne m'eût pas répondu par un triste : « Fais ce que tu veux, tu es assez grand pour savoir ce que tu dois faire », mais se reprochant de m'avoir laissé seul à Paris, et jugeant mon chagrin d'après le sien, elle eût souhaité pour lui des distractions qu'elle se fût refusées à elle-même et qu'elle se persuadait que ma grand-mère, soucieuse avant tout de ma santé et de mon équilibre nerveux, m'eût conseillées.

Depuis le matin on avait allumé le nouveau calorifère à eau. Son bruit désagréable qui poussait de temps à autre une sorte de hoquet n'avait aucun rapport avec mes souvenirs de Doncières. Mais sa rencontre prolongée avec eux en moi, cet après-midi, allait lui faire contracter avec eux une affinité telle que, chaque fois que (un peu) déshabitué[a] de lui, j'entendrais de nouveau le chauffage central, il me les rappellerait.

Il n'y avait[b] à la maison que Françoise. Le jour gris, tombant comme une pluie fine, tissait sans arrêt de transparents filets dans lesquels les promeneurs dominicaux semblaient s'argenter. J'avais rejeté à mes pieds *Le Figaro* que tous les jours je faisais acheter consciencieusement depuis que j'y avais envoyé un article qui n'y avait pas paru ; malgré l'absence de soleil, l'intensité du jour m'indiquait que nous n'étions encore qu'au milieu de l'après-midi. Les rideaux de tulle de la fenêtre, vaporeux et friables, comme ils n'auraient pas été par un beau temps, avaient ce même mélange de douceur et de cassant qu'ont les ailes de libellules et les verres de Venise. Il me pesait d'autant plus d'être seul ce dimanche-là que j'avais fait porter le matin une lettre à Mlle de Stermaria. Robert de Saint-Loup, que sa mère avait réussi à faire rompre, après de douloureuses tentatives avortées, avec sa maîtresse, et qui depuis ce moment avait été envoyé au Maroc pour oublier celle qu'il n'aimait déjà plus depuis quelque temps, m'avait écrit un mot, reçu la veille, où il m'annonçait sa prochaine arrivée en France pour un congé très court. Comme il ne ferait que toucher barre à Paris (où sa famille craignait sans doute de le voir renouer avec Rachel), il m'avertissait, pour me montrer qu'il avait pensé à moi, qu'il avait rencontré[c] à Tanger Mlle ou plutôt Mme de Stermaria, car elle avait divorcé après trois mois de mariage. Et Robert se souvenant de ce que je lui avais dit à Balbec avait demandé de ma part un rendez-vous à la jeune femme. Elle dînerait très volontiers avec moi, lui avait-elle répondu, l'un des jours que, avant de regagner la Bretagne, elle passerait à Paris. Il me disait de me hâter d'écrire à Mme de Stermaria, car elle était certainement arrivée. La lettre de Saint-Loup ne m'avait pas étonné, bien que je n'eusse pas reçu de nouvelles de lui depuis qu'au moment de la maladie de ma grand-mère il m'eut accusé de perfidie et de trahison. J'avais très bien compris alors ce qui s'était passé. Rachel, qui aimait à exciter sa jalousie — elle avait des raisons accessoires aussi de m'en vouloir — avait persuadé à son amant que j'avais

fait de sournoises tentatives pour avoir, pendant l'absence
de Robert, des relations avec elle. Il est probable qu'il
continuait à croire que c'était vrai, mais il avait cessé d'être
épris d'elle, de sorte que, vrai ou non, cela lui était devenu
parfaitement égal et que notre amitié seule subsistait.
Quand, une fois que je l'eus revu, je voulus essayer de
lui parler de ses reproches, il eut seulement un bon et
tendre sourire par lequel il avait l'air de s'excuser, puis
il changea la conversation. Ce n'est pas qu'il ne dût un
peu plus tard, à Paris, revoir quelquefois Rachel. Les
créatures qui ont joué un grand rôle dans notre vie, il est
rare qu'elles en sortent tout d'un coup d'une façon
définitive. Elles reviennent s'y poser par moments (au
point que certains croient à un recommencement d'amour)
avant de la quitter à jamais. La rupture de Saint-Loup avec
Rachel lui était très vite devenue moins douloureuse, grâce
au plaisir apaisant que lui apportaient les incessantes
demandes d'argent de son amie. La jalousie, qui prolonge
l'amour, ne peut pas contenir beaucoup plus de choses
que les autres formes de l'imagination. Si l'on emporte,
quand on part en voyage, trois ou quatre images qui du
reste se perdront en route (les lys et les anémones du Ponte
Vecchio, l'église persane dans les brumes, etc.[1]), la malle
est déjà bien pleine. Quand on quitte une maîtresse, on
voudrait bien, jusqu'à ce qu'on l'ait un peu oubliée, qu'elle
ne devînt pas la possession de trois ou quatre entreteneurs
possibles et qu'on se figure, c'est-à-dire dont on est jaloux :
tous ceux qu'on ne se figure pas ne sont rien. Or, les
demandes d'argent fréquentes d'une maîtresse quittée ne
vous donnent pas plus une idée complète de sa vie que
des feuilles de température élevée ne donneraient de sa
maladie. Mais les secondes seraient tout de même un signe
qu'elle est malade, et les premières fournissent une
présomption, assez vague il est vrai, que la délaissée ou
délaisseuse n'a pas dû trouver grand-chose comme riche
protecteur. Aussi chaque demande est-elle accueillie avec
la joie que produit une accalmie dans la souffrance du
jaloux, et suivie immédiatement d'envois d'argent, car on
veut qu'elle ne manque de rien, sauf d'amants (d'un des
trois amants qu'on se figure), le temps de se rétablir un
peu soi-même et de pouvoir apprendre sans faiblesse le
nom du successeur. Quelquefois Rachel revint assez tard
dans la soirée pour demander à son ancien amant la

permission de dormir à côté de lui jusqu'au matin. C'était une grande douceur pour Robert, car il se rendait compte combien ils avaient tout de même vécu intimement ensemble, rien qu'à voir que, même s'il prenait à lui seul une grande moitié du lit, il ne la dérangeait en rien pour dormir. Il comprenait qu'elle était, près de son corps, plus commodément qu'elle n'eût été ailleurs, qu'elle se retrouvait[a] à son côté — fût-ce à l'hôtel — comme dans une chambre anciennement connue où l'on a ses habitudes, où on dort mieux. Il sentait que ses épaules, ses jambes, tout lui, étaient pour elle, même quand il remuait trop par insomnie ou travail à faire, de ces choses si parfaitement usuelles qu'elles ne peuvent gêner et que leur perception ajoute encore à la sensation du repos.

Pour revenir en arrière, j'avais été d'autant plus troublé par la lettre que Saint-Loup m'avait écrite du Maroc que je lisais[b] entre les lignes ce qu'il n'avait pas osé écrire plus explicitement. « Tu peux très bien l'inviter en cabinet particulier, me disait-il. C'est une jeune personne charmante, d'un délicieux caractère, vous vous entendrez parfaitement et je suis certain d'avance que tu passeras une très bonne soirée. » Comme mes parents rentraient à la fin de la semaine, samedi ou dimanche, et qu'après je serais forcé de dîner tous les soirs à la maison, j'avais aussitôt écrit à Mme de Stermaria pour lui proposer le jour qu'elle voudrait, jusqu'à vendredi. On avait répondu que j'aurais une lettre, vers huit heures ce soir même. Je l'aurais atteint assez vite si j'avais eu pendant l'après-midi qui me séparait de lui le secours d'une visite. Quand les heures s'enveloppent de causeries, on ne peut plus les mesurer, même les voir, elles s'évanouissent, et tout d'un coup c'est bien loin du point où il vous avait échappé que reparaît devant votre attention le temps agile et escamoté. Mais si nous sommes seuls, la préoccupation, en ramenant devant nous le moment encore éloigné et sans cesse attendu, avec la fréquence et l'uniformité d'un tic-tac, divise ou plutôt multiplie les heures par toutes les minutes qu'entre amis nous n'aurions pas comptées. Et confrontée, par le retour incessant de mon désir, à l'ardent plaisir que je goûterais dans quelques jours seulement, hélas ! avec Mme de Stermaria, cette après-midi, que j'allais achever seul, me paraissait bien vide et bien mélancolique.

Par moments, j'entendais le bruit de l'ascenseur qui montait, mais il était suivi d'un second bruit, non celui que j'espérais, l'arrêt à mon étage, mais d'un autre fort différent que l'ascenseur faisait pour continuer sa route élancée vers les étages supérieurs et qui, parce qu'il signifia si souvent la désertion du mien quand j'attendais une visite, est resté pour moi plus tard, et même quand je n'en désirais plus aucune, un bruit par lui-même douloureux, où résonnait comme une sentence d'abandon. Lasse, résignée, occupée pour plusieurs heures encore à sa tâche immémoriale, la grise journée filait sa passementerie de nacre et je m'attristais de penser que j'allais rester seul en tête à tête avec elle qui ne me connaissait pas plus qu'une ouvrière qui, installée près de la fenêtre pour voir plus clair en faisant sa besogne, ne s'occupe nullement de la personne présente dans la chambre. Tout d'un coup, sans[a] que j'eusse entendu sonner, Françoise vint ouvrir la porte, introduisant Albertine qui entra souriante, silencieuse, replète, contenant dans la plénitude de son corps, préparés pour que je continuasse à les vivre, venus vers moi, les jours passés dans ce Balbec où je n'étais jamais retourné. Sans doute, chaque fois que nous revoyons une personne avec qui nos rapports — si insignifiants soient-ils — se trouvent changés, c'est comme une confrontation de deux époques. Il n'y a pas besoin pour cela qu'une ancienne maîtresse vienne nous voir en amie, il suffit de la visite à Paris de quelqu'un que nous avons connu dans l'au-jour-le-jour d'un certain genre de vie, et que cette vie ait cessé, fût-ce depuis une semaine seulement. Sur chaque trait rieur, interrogatif et gêné du visage d'Albertine, je pouvais épeler ces questions : « Et Mme de Villeparisis ? Et le maître de danse ? Et le pâtissier ? » Quand elle s'assit, son dos eut l'air de dire : « Dame, il n'y a pas de falaise ici, vous permettez que je m'asseye tout de même près de vous, comme j'aurais fait à Balbec ? » Elle semblait une magicienne me présentant un miroir du temps. En cela elle était pareille à tous ceux que nous revoyons rarement, mais qui jadis vécurent plus intimement avec nous. Mais avec Albertine il y avait plus que cela. Certes, même[b] à Balbec, dans nos rencontres quotidiennes, j'étais toujours surpris en l'apercevant, tant elle était journalière. Mais maintenant on avait peine à la reconnaître. Dégagés de la vapeur rose qui les baignait, ses traits avaient sailli comme une statue. Elle avait un autre visage, ou plutôt elle avait enfin un visage ; son corps avait grandi. Il ne restait presque plus rien de la gaine où elle avait été enveloppée et sur la surface de laquelle, à Balbec, sa forme future se dessinait à peine.

Albertine, cette fois, rentrait à Paris plus tôt que de coutume. D'ordinaire elle n'y arrivait qu'au printemps, de sorte que, déjà troublé depuis quelques semaines par les orages sur les premières fleurs, je ne séparais pas, dans le plaisir que j'avais, le retour d'Albertine et celui de la belle saison. Il suffisait qu'on me dise qu'elle était à Paris et qu'elle était passée chez moi pour que je la revisse comme une rose au bord de la mer. Je ne sais trop si c'était le désir de Balbec ou d'elle qui s'emparait de moi alors, peut-être le désir d'elle étant lui-même une forme paresseuse, lâche et incomplète de posséder Balbec, comme si posséder matériellement une chose, faire sa résidence d'une ville, équivalait à la posséder spirituellement. Et d'ailleurs, même matériellement quand elle était non plus balancée par mon imagination devant l'horizon marin, mais immobile auprès de moi, elle me semblait souvent une bien pauvre rose devant laquelle j'aurais bien voulu fermer les yeux pour ne pas voir tel défaut des pétales et pour croire que je respirais sur la plage.

Je peux le dire ici, bien que je ne susse pas alors ce qui ne devait arriver que dans la suite. Certes, il est plus raisonnable de sacrifier sa vie aux femmes qu'aux timbres-poste, aux vieilles tabatières, même aux tableaux et aux statues. Seulement, l'exemple des autres collections devrait nous avertir de changer, de n'avoir pas une seule femme, mais beaucoup. Ces mélanges charmants qu'une jeune fille fait avec une plage, avec la chevelure tressée d'une statue d'église, avec une estampe, avec tout ce à cause de quoi on aime en l'une d'elles, chaque fois qu'elle entre, un tableau charmant, ces mélanges ne sont pas très stables. Vivez tout à fait avec la femme, et vous ne verrez plus rien de ce qui vous l'a fait aimer ; certes les deux éléments désunis, la jalousie peut à nouveau les rejoindre. Si après un long temps de vie commune je devais finir par ne plus voir en Albertine qu'une femme ordinaire, quelque intrigue d'elle avec un être qu'elle eût aimé à Balbec eût peut-être suffi pour réincorporer en elle et amalgamer la plage et le déferlement du flot. Seulement ces mélanges secondaires ne ravissant plus nos yeux, c'est à notre cœur qu'ils sont sensibles et funestes. On ne peut, sous une forme si dangereuse, trouver souhaitable le renouvellement du miracle. Mais j'anticipe les années. Et je dois seulement ici regretter de n'être pas resté assez sage pour avoir eu simplement ma collection de femmes comme on en a de lorgnettes[a] anciennes, jamais assez nombreuses derrière la vitrine où toujours une place vide attend une lorgnette nouvelle et plus rare.

Contrairement à l'ordre habituel de ses villégiatures, cette année elle venait[b] directement de Balbec et encore y était-elle restée bien moins tard que d'habitude. Il y avait longtemps que je ne l'avais vue. Et comme je ne connaissais pas, même de nom, les personnes qu'elle fréquentait à Paris, je ne savais rien d'elle pendant les périodes où elle restait sans venir me voir. Celles-ci étaient souvent assez longues. Puis, un beau jour, surgissait brusquement Albertine dont les roses apparitions et les silencieuses visites me renseignaient assez peu sur ce qu'elle avait pu faire dans leur intervalle, qui restait plongé dans cette obscurité de sa vie que mes yeux ne se souciaient guère de percer.

Cette fois-ci pourtant, certains signes semblaient indiquer que des choses nouvelles avaient dû se passer dans cette vie. Mais il fallait peut-être tout simplement induire d'eux qu'on change très vite à l'âge qu'avait Albertine. Par exemple, son intelligence se montrait mieux, et quand je lui reparlai du jour où elle avait mis tant d'ardeur à imposer son idée de faire écrire par Sophocle : « Mon cher Racine », elle fut la première à rire de bon cœur[1]. « C'est Andrée qui avait raison, j'étais stupide, dit-elle, il fallait que Sophocle écrive : "Monsieur" ». Je lui répondis que le « monsieur » et le « cher monsieur » d'Andrée n'étaient pas moins comiques que son « mon cher Racine » à elle et le « mon cher ami » de Gisèle, mais qu'il n'y avait, au fond, de stupides que des professeurs faisant adresser par Sophocle une lettre à Racine. Là, Albertine ne me suivit plus. Elle ne voyait pas ce que cela avait de bête ; son intelligence s'entrouvrait, mais n'était pas développée. Il y avait des nouveautés plus attirantes en elle ; je sentais, dans la même jolie fille[c] qui venait de s'asseoir près de mon lit, quelque chose de différent et, dans ces lignes qui dans le regard et les traits du visage expriment la volonté habituelle, un changement de front, une demi-conversion comme si avaient été détruites ces résistances contre lesquelles je m'étais brisé à Balbec, un soir déjà lointain où nous formions un couple symétrique mais inverse de celui de l'après-midi actuelle, puisque alors c'était elle qui était couchée et moi, à côté de son lit. Voulant et n'osant m'assurer si maintenant elle se laisserait embrasser, chaque fois qu'elle se levait pour partir, je lui demandais de rester encore. Ce n'était pas très facile à obtenir, car bien qu'elle n'eût rien à faire (sans cela, elle eût bondi au-dehors), c'était une personne exacte et d'ailleurs peu aimable avec moi, ne semblant plus guère se plaire dans ma compagnie. Pourtant chaque fois, après[a] avoir regardé sa montre, elle se rasseyait à ma prière, de sorte qu'elle avait passé plusieurs heures avec moi et sans que je lui eusse rien demandé ; les phrases que je lui disais se rattachaient à celles que je lui avais dites pendant les heures précédentes, et ne rejoignaient en rien ce à quoi je pensais, ce que je désirais, lui restaient indéfiniment parallèles. Il n'y a rien comme le désir pour empêcher les choses qu'on dit d'avoir aucune ressemblance avec ce qu'on a dans la pensée. Le temps presse et pourtant il semble qu'on veuille gagner du temps en parlant de sujets absolument étrangers à celui qui nous préoccupe. On cause, alors que la phrase qu'on voudrait prononcer serait déjà accompagnée d'un geste, à supposer même que, — pour se donner le plaisir de l'immédiat et assouvir la curiosité qu'on éprouve à l'égard des réactions qu'il amènera — sans mot dire, sans demander aucune permission, on n'ait pas fait ce geste. Certes je n'aimais nullement Albertine : fille de la brume[b] du dehors, elle pouvait seulement contenter le désir imaginatif que le temps nouveau avait éveillé en moi et qui était intermédiaire entre les désirs que peuvent satisfaire d'une part les arts de la cuisine et ceux de la sculpture monumentale, car il me faisait rêver à la fois de mêler à ma chair une matière différente et chaude, et d'attacher par quelque point à mon corps étendu un corps divergent, comme le corps d'Ève tenait à peine[c] par les pieds à la hanche d'Adam, au corps duquel elle est presque perpendiculaire dans ces bas-reliefs romans de la cathédrale[1] de Balbec qui figurent d'une façon si noble et paisible, presque encore comme une frise antique, la création de la femme[2] ; Dieu y est

partout suivi, comme par deux ministres, de deux petits
anges dans lesquels on reconnaît — telles ces créatures
ailées et tourbillonnantes de l'été que l'hiver a surprises
et épargnées — des Amours d'Herculanum encore en vie
en plein XIIIe siècle[1], et traînant leur dernier vol, las mais
ne manquant pas à la grâce qu'on peut attendre d'eux,
sur toute la façade du porche.

Or, ce plaisir qui en accomplissant mon désir m'eût
délivré de cette rêverie, et que j'eusse tout aussi volontiers
cherché en n'importe quelle autre jolie femme, si l'on
m'avait demandé sur quoi — au cours de ce bavardage
interminable où je taisais à Albertine la seule chose à
laquelle je pensasse — se basait mon hypothèse optimiste
au sujet des complaisances possibles, j'aurais peut-être
répondu que cette hypothèse était due (tandis que les traits
oubliés de la voix d'Albertine redessinaient pour moi le
contour de sa personnalité) à l'apparition de certains mots
qui ne faisaient pas partie de son vocabulaire, au moins
dans l'acception qu'elle leur donnait maintenant. Comme
elle me disait qu'Elstir était bête et que je me récriais :
« Vous ne me comprenez pas, répliqua-t-elle en
souriant, je veux dire qu'il a été bête en cette circonstance,
mais je sais parfaitement que c'est quelqu'un de tout à fait
distingué. »

De même, pour dire du golf de Fontainebleau[2] qu'il
était élégant, elle déclara :

« C'est tout à fait une sélection. »

À propos d'un duel que j'avais eu, elle me dit de mes
témoins : « Ce sont des témoins de choix[3] », et regardant
ma figure avoua qu'elle aimerait me voir « porter la
moustache ». Elle alla même, et mes chances me parurent
alors très grandes, jusqu'à prononcer, terme que, je l'eusse
juré, elle ignorait l'année précédente, que depuis qu'elle
avait vu Gisèle il s'était passé un certain « laps de temps ».
Ce n'est pas qu'Albertine ne possédât déjà quand j'étais
à Balbec un lot très sortable de ces expressions qui décèlent
immédiatement qu'on est issu d'une famille aisée, et que
d'année en année une mère abandonne à sa fille comme
elle lui donne, au fur et à mesure qu'elle grandit, dans
les circonstances importantes, ses propres bijoux. On avait
senti qu'Albertine avait cessé d'être une petite enfant
quand un jour, pour remercier d'un cadeau qu'une
étrangère lui avait fait, elle avait répondu : « Je suis

confuse. » Mme Bontemps n'avait pu s'empêcher de
regarder son mari, qui avait répondu :

« Dame, elle va sur ses quatorze ans. »

La nubilité plus accentuée s'était marquée quand
Albertine, parlant d'une jeune fille qui avait mauvaise
façon, avait dit : « On ne peut même pas distinguer si
elle est jolie, elle a un *pied de rouge* sur la figure. » Enfin,
quoique jeune fille encore, elle prenait déjà des façons
de femme de son milieu et de son rang en disant, si
quelqu'un faisait des grimaces : « Je ne peux pas le voir
parce que j'ai envie d'en faire aussi », ou si on s'amusait
à des imitations : « Le plus drôle, quand vous la
contrefaites, c'est que vous lui ressemblez[1]. » Tout cela
est tiré du trésor social. Mais justement le milieu
d'Albertine ne me paraissait pas pouvoir lui fournir
« distingué » dans le sens où mon père disait de tel de
ses collègues qu'il ne connaissait pas encore et dont on
lui vantait la grande intelligence : « Il paraît que c'est
quelqu'un de tout à fait distingué. » « Sélection », même
pour le golf, me parut aussi incompatible avec la famille
Simonet qu'il le serait, accompagné de l'adjectif « naturelle », avec un texte antérieur de plusieurs siècles aux
travaux de Darwin[2]. « Laps de temps » me sembla de
meilleur augure encore. Enfin m'apparut l'évidence de
bouleversements que je ne connaissais pas, mais propres
à autoriser pour moi toutes les espérances, quand Albertine
me dit, avec la satisfaction d'une personne dont l'opinion
n'est pas indifférente :

« C'est, *à mon sens,* ce qui pouvait arriver de mieux...
J'estime que c'est la meilleure solution, la solution
élégante. »

C'était si nouveau, si visiblement une alluvion laissant
soupçonner de si capricieux détours à travers des terrains
jadis inconnus d'elle que, dès les mots « à mon sens »,
j'attirai Albertine, et à « j'estime » je l'assis sur mon lit.

Sans doute[a] il arrive que des femmes peu cultivées,
épousant un homme fort lettré, reçoivent dans leur apport
dotal de telles expressions. Et peu après la métamorphose
qui suit la nuit de noces, quand elles font leurs visites et
sont réservées avec leurs anciennes amies, on remarque
avec étonnement qu'elles sont devenues femmes si, en
décrétant qu'une personne est intelligente, elles mettent
deux *l* au mot intelligente ; mais cela est justement le signe

d'un changement, et il me semblait qu'entre le vocabulaire de l'Albertine que j'avais connue — celui où les plus grandes hardiesses étaient de dire d'une personne bizarre : « C'est un type », ou, si on proposait à Albertine de jouer : « Je n'ai pas d'argent à perdre », ou encore, si telle de ses amies lui faisait un reproche qu'elle ne trouvait pas justifié : « Ah ! vraiment, je te trouve magnifique ! », phrases dictées dans ces cas-là par une sorte de tradition bourgeoise presque aussi ancienne que le *Magnificat*[1] lui-même et qu'une jeune fille un peu en colère et sûre de son droit emploie ce qu'on appelle « tout naturellement », c'est-à-dire parce qu'elle les a apprises de sa mère comme à faire sa prière ou à saluer[a]. Toutes celles-là, Mme Bontemps les lui avait apprises en même temps que la haine des Juifs et que l'estime pour le noir où on est toujours convenable et comme il faut, même sans que Mme Bontemps le lui eût formellement enseigné, mais comme se modèle au gazouillement des parents chardonnerets celui des chardonnerets récemment nés, de sorte qu'ils deviennent de vrais chardonnerets eux-mêmes. Malgré tout, « sélection » me parut allogène et « j'estime » encourageant. Albertine n'était plus la même, donc elle n'agirait peut-être pas, ne réagirait pas de même[b2].

Non seulement[c] je n'avais plus d'amour pour elle, mais je n'avais même plus à craindre, comme j'aurais pu à Balbec, de briser en elle une amitié pour moi qui n'existait plus. Il n'y avait aucun doute que je lui fusse depuis longtemps devenu fort indifférent. Je me rendais compte que pour elle je ne faisais plus du tout partie de la « petite bande » à laquelle j'avais autrefois tant cherché, et j'avais ensuite été si heureux de réussir à être agrégé. Puis comme elle n'avait même plus, comme à Balbec, un air de franchise et de bonté, je n'éprouvais pas de grands scrupules ; pourtant je crois que ce qui me décida fut une dernière découverte philologique. Comme, continuant à ajouter un nouvel anneau à la chaîne extérieure de propos sous laquelle je cachais mon désir intime, je parlais, tout en ayant maintenant Albertine au coin de mon lit, d'une des filles de la petite bande, plus menue que les autres, mais que je trouvais tout de même assez jolie : « Oui, me répondit Albertine, elle a l'air d'une petite mousmé. » De toute évidence, quand j'avais connu Albertine, le mot

de « mousmé » lui était inconnu[1]. Il est vraisemblable
que, si les choses eussent suivi leur cours normal, elle ne
l'eût jamais appris et je n'y aurais vu pour ma part aucun
inconvénient, car nul n'est plus horripilant. À l'entendre
on se sent le même mal de dents que si on a mis un trop
gros morceau de glace dans sa bouche. Mais chez
Albertine, jolie comme elle était, même « mousmé » ne
pouvait m'être déplaisant. En revanche, il me parut
révélateur sinon d'une initiation extérieure, au moins
d'une évolution interne. Malheureusement, il était l'heure
où il eût fallu que je lui dise au revoir si je voulais qu'elle
rentrât à temps pour son dîner et aussi que je me levasse
assez tôt pour le mien. C'était Françoise qui le préparait,
elle n'aimait pas qu'il attendît et devait déjà trouver
contraire à un des articles de son code qu'Albertine, en
l'absence de mes parents, m'eût fait une visite aussi
prolongée et qui allait tout mettre en retard. Mais devant
« mousmé » ces raisons tombèrent, et je me hâtai de dire :

« Imaginez-vous[a] que je suis pas chatouilleux du tout,
vous pourriez me chatouiller pendant une heure que je
ne le sentirais même pas.

— Vraiment !

— Je vous assure. »

Elle comprit sans doute que c'était l'expression maladroite d'un désir, car comme quelqu'un qui vous offre une
recommandation que vous n'osiez pas solliciter, mais dont
vos paroles lui ont prouvé qu'elle pouvait vous être utile :

« Voulez-vous que j'essaye ? dit-elle avec l'humilité de
la femme[2].

— Si vous voulez, mais alors ce serait plus commode
que vous vous étendiez tout à fait sur mon lit.

— Comme cela ?

— Non, enfoncez-vous.

— Mais je ne suis pas trop lourde ? »

Comme elle finissait cette phrase la porte s'ouvrit, et
Françoise portant une lampe entra. Albertine n'eut que
le temps de se rasseoir sur la chaise. Peut-être Françoise
avait-elle choisi cet instant pour nous confondre, étant à
écouter à la porte ou même à regarder par le trou de la
serrure. Mais je n'avais pas besoin de faire une telle
supposition, elle avait pu dédaigner de s'assurer par les
yeux de ce que son instinct avait dû suffisamment flairer,
car à force de vivre avec moi et mes parents, la crainte,

la prudence, l'attention et la ruse avaient fini par lui donner de nous cette sorte de connaissance instinctive et presque divinatoire qu'a de la mer le matelot, du chasseur le gibier, et de la maladie, sinon le médecin, du moins souvent le malade. Tout ce qu'elle arrivait à savoir aurait pu stupéfier à aussi bon droit que l'état avancé de certaines connaissances chez les anciens, vu les moyens presque nuls d'information qu'ils possédaient (les siens n'étaient pas plus nombreux ; c'était quelques propos, formant à peine le vingtième de notre conversation à dîner, recueillis à la volée par le maître d'hôtel et inexactement transmis à l'office). Encore ses erreurs tenaient-elles plutôt, comme les leurs, comme les fables auxquelles Platon croyait[1], à une fausse conception du monde et à des idées préconçues qu'à l'insuffisance des ressources matérielles. C'est ainsi que de nos jours encore les plus grandes découvertes dans les mœurs des insectes ont pu être faites par un savant qui ne disposait d'aucun laboratoire, de nul appareil[2]. Mais[a] si les gênes qui résultaient de sa position de domestique ne l'avaient pas empêchée d'acquérir une science indispensable à l'art qui en était le terme — et qui consistait à nous confondre en nous communiquant les résultats — la contrainte avait fait plus ; là l'entrave ne s'était pas contentée de ne pas paralyser l'essor, elle y avait puissamment aidé. Sans doute Françoise ne négligeait aucun adjuvant, celui de la diction et de l'attitude par exemple. Comme (si elle ne croyait jamais ce que nous lui disions et que nous souhaitions qu'elle crût) elle admettait sans l'ombre d'un doute ce que toute personne de sa condition lui racontait de plus absurde et qui pouvait en même temps choquer nos idées, autant sa manière d'écouter nos assertions témoignait de son incrédulité, autant l'accent avec lequel elle rapportait (car le discours indirect lui permettait de nous adresser les pires injures avec impunité) le récit[b] d'une cuisinière qui lui avait raconté qu'elle avait menacé ses maîtres et, en les traitant devant tout le monde de « fumier », en avait obtenu mille faveurs, montrait que c'était pour elle parole d'Évangile. Françoise ajoutait même : « Moi, si j'avais été patronne, je me serais trouvée vexée. » Nous avions beau, malgré notre peu de sympathie originelle pour la dame du quatrième, hausser les épaules, comme à une fable invraisemblable, à ce récit d'un si mauvais exemple, en le faisant, le ton de la narratrice savait prendre le cassant, le tranchant de la plus indiscutable et plus exaspérante affirmation.

Mais surtout, comme les écrivains arrivent souvent à une puissance de concentration dont les eût dispensés le régime de la liberté politique ou de l'anarchie littéraire, quand ils sont ligotés par la tyrannie d'un monarque ou d'une poétique, par les sévérités des règles prosodiques ou d'une religion d'État, ainsi Françoise, ne pouvant nous répondre d'une façon explicite, parlait comme Tirésias et eût écrit comme Tacite[1]. Elle savait faire tenir tout ce qu'elle ne pouvait exprimer directement, dans une phrase que nous ne pouvions incriminer sans nous accuser, dans moins qu'une phrase même, dans un silence, dans la manière dont elle plaçait un objet.

Ainsi, quand il m'arrivait de laisser, par mégarde, sur ma table, au milieu d'autres lettres, une certaine qu'il n'eût pas fallu qu'elle vît, par exemple parce qu'il y était parlé d'elle avec une malveillance qui en supposait une aussi grande à son égard chez le destinataire que chez l'expéditeur, le soir, si je rentrais inquiet et allais droit à ma chambre, sur mes lettres rangées bien en ordre en une pile parfaite, le document compromettant frappait tout d'abord mes yeux comme il n'avait pas pu ne pas frapper ceux de Françoise, placé par elle tout en dessus, presque à part, en une évidence qui était un langage, avait son éloquence, et dès la porte me faisait tressaillir comme un cri. Elle excellait à régler ces mises en scène destinées à instruire si bien le spectateur, Françoise absente, qu'il savait déjà qu'elle savait tout quand ensuite elle faisait son entrée. Elle avait, pour faire parler ainsi un objet inanimé, l'art à la fois génial et patient d'Irving[2] et de Frédérick Lemaître[3]. En ce moment, tenant au-dessus d'Albertine et de moi la lampe allumée qui ne laissait dans l'ombre aucune des dépressions encore visibles que le corps de la jeune fille avait creusées dans les couvre-pieds, Françoise avait l'air de *La Justice éclairant le Crime*[4]. La figure d'Albertine ne perdait pas à cet éclairage. Il découvrait sur les joues le même vernis ensoleillé qui m'avait charmé à Balbec. Ce visage[a] d'Albertine, dont l'ensemble avait quelquefois, dehors, une espèce de pâleur blême, montrait, au contraire, au fur et à mesure que la lampe les éclairait, des surfaces si brillamment, si uniformément colorées, si résistantes et si lisses qu'on aurait pu les comparer aux carnations soutenues de certaines fleurs. Surpris[a] pourtant par l'entrée inattendue de Françoise, je m'écriai :

« Comment, déjà la lampe ? Mon Dieu que cette lumière est vive ! »

Mon but était sans doute par la seconde de ces phrases de dissimuler mon trouble, par la première d'excuser mon retard. Françoise répondit avec une ambiguïté cruelle :

« Faut-il que j'éteinde ?

— Teigne ? » glissa à mon oreille Albertine, me laissant charmé par la vivacité familière avec laquelle, me prenant à la fois pour maître et pour complice, elle insinua cette affirmation psychologique dans le ton interrogatif d'une question grammaticale.

Quand Françoise fut sortie de la chambre et Albertine rassise sur mon lit :

« Savez-vous ce dont j'ai peur, lui dis-je, c'est que si nous continuons comme cela, je ne puisse pas m'empêcher de vous embrasser.

— Ce serait un beau malheur. »

Je n'obéis pas tout de suite à cette invitation. Un autre l'eût même pu trouver superflue, car Albertine avait une prononciation si charnelle et si douce que, rien qu'en vous parlant, elle semblait vous embrasser. Une parole d'elle était une faveur, et sa conversation vous couvrait de baisers. Et pourtant[b] elle m'était bien agréable, cette invitation. Elle me l'eût été même d'une autre jolie fille du même âge ; mais qu'Albertine me fût maintenant si facile, cela me causait plus que du plaisir, une confrontation d'images empreintes de beauté. Je me rappelais Albertine d'abord devant la plage, presque peinte sur le fond de la mer, n'ayant pas pour moi une existence plus réelle que ces visions de théâtre où on ne sait pas si on a affaire à l'actrice qui est censée apparaître, à une figurante qui la double à ce moment-là, ou à une simple projection. Puis la femme vraie s'était détachée du faisceau lumineux, elle était venue à moi, mais simplement pour que je pusse m'apercevoir qu'elle n'avait nullement, dans le monde réel, cette facilité amoureuse qu'on lui supposait dans le tableau magique. J'avais appris qu'il n'était pas possible de la toucher, de l'embrasser, qu'on pouvait seulement causer avec elle, que pour moi elle n'était pas une femme plus que des raisins de jade, décoration incomestible des

tables d'autrefois, ne sont des raisins. Et voici que dans
un troisième plan elle m'apparaissait réelle, comme dans
la seconde connaissance que j'avais eue d'elle, mais facile
comme dans la première ; facile, et d'autant plus délicieusement que j'avais cru si longtemps qu'elle ne l'était pas.
Mon surplus de science sur la vie (sur la vie moins unie,
moins simple que je ne l'avais cru d'abord) aboutissait
provisoirement à l'agnosticisme. Que peut-on affirmer,
puisque ce qu'on avait cru probable d'abord s'est montré
faux ensuite, et se trouve en troisième lieu être vrai ? (Et
hélas, je n'étais pas au bout de mes découvertes avec
Albertine.) En tout cas, même s'il n'y avait pas eu l'attrait
romanesque de cet enseignement d'une plus grande
richesse de plans découverts l'un après l'autre par la vie
(cet attrait inverse de celui que Saint-Loup goûtait, pendant
les dîners de Rivebelle, à retrouver, parmi les masques
que l'existence avait superposés dans une calme figure, des
traits qu'il avait jadis tenus sous ses lèvres), savoir
qu'embrasser les joues d'Albertine était une chose
possible, c'était pour moi un plaisir peut-être plus grand
encore que celui de les embrasser. Quelle différence entre
posséder une femme sur laquelle notre corps seul
s'applique parce qu'elle n'est qu'un morceau de chair, et
posséder la jeune fille qu'on apercevait sur la plage avec
ses amies, certains jours, sans même savoir pourquoi ces
jours-là plutôt que tels autres, ce qui faisait qu'on tremblait
de ne pas la revoir. La vie vous avait complaisamment
révélé tout au long le roman de cette petite fille, vous avait
prêté pour la voir un instrument d'optique, puis un autre,
et ajouté au désir charnel l'accompagnement, qui le
centuple et le diversifie, de ces désirs plus spirituels et
moins assouvissables qui ne sortent pas de leur torpeur
et le laissent aller seul quand il ne prétend qu'à la saisie
d'un morceau de chair, mais qui, pour la possession de
toute une région de souvenirs d'où ils se sentaient
nostalgiquement exilés, s'élèvent en tempête à côté de lui,
le grossissent, ne peuvent le suivre jusqu'à l'accomplissement, jusqu'à l'assimilation, impossible sous la forme où
elle est souhaitée, d'une réalité immatérielle, mais attendent ce désir à mi-chemin, et au moment du souvenir, du
retour, lui font à nouveau escorte ; baiser, au lieu des joues
de la première venue, si fraîches soient-elles, mais
anonymes, sans secret, sans prestige, celles auxquelles

j'avais si longtemps rêvé, serait connaître le goût, la saveur, d'une couleur bien souvent regardée. On a vu une femme, simple image dans le décor de la vie, comme Albertine profilée sur la mer, et puis cette image, on*a* peut la détacher, la mettre près de soi, et voir peu à peu son volume, ses couleurs, comme si on l'avait fait passer derrière les verres d'un stéréoscope[1]. C'est pour cela que les femmes un peu difficiles, qu'on ne possède pas tout de suite, dont on ne sait même pas tout de suite qu'on pourra jamais les posséder, sont les seules intéressantes. Car les connaître, les approcher, les conquérir, c'est faire varier de forme, de grandeur, de relief l'image humaine, c'est une leçon*b* de relativisme dans l'appréciation d'un corps, d'une femme, belle à réapercevoir quand elle a repris sa minceur de silhouette dans le décor de la vie. Les femmes qu'on connaît d'abord chez l'entremetteuse n'intéressent pas, parce qu'elles restent invariables.

D'autre part Albertine tenait, liées autour d'elle, toutes les impressions d'une série maritime qui m'était particulièrement chère[2]. Il me semblait que j'aurais pu, sur les deux joues de la jeune fille, embrasser toute la plage de Balbec.

« Si vraiment vous permettez que je vous embrasse, j'aimerais mieux remettre cela à plus tard et bien choisir mon moment. Seulement il ne faudrait pas que vous oubliiez alors que vous m'avez permis. Il me faut un "bon pour un baiser".

— Faut-il que je le signe ?

— Mais si je le prenais tout de suite, en aurais-je un tout de même plus tard ?

— Vous m'amusez avec vos bons, je vous en referai de temps en temps.

— Dites-moi encore un mot, vous savez, à Balbec, quand je ne vous connaissais pas encore, vous aviez souvent un regard dur, rusé, vous ne pouvez pas me dire à quoi vous pensiez à ces moments-là ?

— Ah ! je n'ai aucun souvenir.

— Tenez, pour vous aider, un jour votre amie Gisèle a sauté à pieds joints par-dessus la chaise où était assis un vieux monsieur. Tâchez de vous rappeler ce que vous avez pensé à ce moment-là.

— Gisèle était celle que nous fréquentions le moins, elle était de la bande si vous voulez, mais pas tout à fait. J'ai dû penser qu'elle était bien mal élevée et commune.

— Ah ! c'est tout ? »

J'aurais bien voulu, avant de l'embrasser, pouvoir la remplir à nouveau du mystère qu'elle avait pour moi sur la plage avant que je la connusse, retrouver en elle le pays où elle avait vécu auparavant ; à sa place du moins, si je ne le connaissais pas, je pouvais insinuer tous les souvenirs de notre vie à Balbec, le bruit du flot déferlant sous ma fenêtre, les cris des enfants. Mais en laissant mon regard[a] glisser sur le beau globe rose de ses joues, dont les surfaces doucement incurvées venaient mourir aux pieds des premiers plissements de ses beaux cheveux noirs qui couraient en chaînes mouvementées, soulevaient leurs contreforts escarpés et modelaient les ondulations de leurs vallées, je dus me dire : « Enfin, n'y ayant pas réussi à Balbec, je vais savoir le goût de la rose inconnue que sont les joues d'Albertine. Et puisque les cercles que nous pouvons faire traverser aux choses et aux êtres, pendant le cours de notre existence, ne sont pas bien nombreux, peut-être pourrai-je considérer la mienne comme en quelque manière accomplie quand, ayant fait sortir de son cadre lointain le visage fleuri que j'avais choisi entre tous, je l'aurai amené dans ce plan nouveau, où j'aurai enfin de lui la connaissance par les lèvres. » Je me disais cela parce que je croyais qu'il est une connaissance par les lèvres ; je me disais que j'allais connaître le goût de cette rose charnelle, parce que je n'avais pas songé que l'homme, créature évidemment moins rudimentaire que l'oursin ou même la baleine, manque cependant encore d'un certain nombre d'organes essentiels, et notamment n'en possède aucun qui serve au baiser. À cet organe absent il supplée par les lèvres, et par là arrive-t-il peut-être à un résultat un peu plus satisfaisant que s'il était réduit à caresser la bien-aimée avec une défense de corne. Mais les lèvres, faites pour amener au palais la saveur de ce qui les tente, doivent se contenter, sans comprendre leur erreur et sans avouer leur déception, de vaguer à la surface et de se heurter à la clôture de la joue impénétrable et désirée. D'ailleurs à ce moment-là, au contact même de la chair, les lèvres, même dans l'hypothèse où elles deviendraient plus expertes et mieux douées, ne pour- raient sans doute pas goûter davantage la saveur que la nature les empêche actuellement de saisir, car dans cette zone désolée où elles ne peuvent trouver leur nourriture, elles sont seules, le regard, puis l'odorat les ont abandon-

nées depuis longtemps. D'abord au fur et à mesure que
ma bouche commença à s'approcher des joues que mes
regards lui avaient proposé d'embrasser, ceux-ci se
déplaçant virent des joues nouvelles ; le cou, aperçu de
plus près et comme à la loupe, montra, dans ses gros grains,
une robustesse qui modifia le caractère de la figure.

Les dernières applications de la photographie — qui
couchent aux pieds d'une cathédrale toutes les maisons
qui nous parurent si souvent, de près, presque aussi hautes
que les tours, font successivement manœuvrer comme un
régiment, par files, en ordre dispersé, en masses serrées,
les mêmes monuments, rapprochent l'une contre l'autre
les deux colonnes de la Piazzetta tout à l'heure si distantes,
éloignent la proche Salute et dans un fond pâle et dégradé
réussissent à faire tenir un horizon immense sous l'arche
d'un pont, dans l'embrasure d'une fenêtre, entre les
feuilles d'un arbre situé au premier plan et d'un ton plus
vigoureux, donnent successivement pour cadre à une
même église les arcades de toutes les autres[1] — je ne vois
que cela qui puisse, autant que le baiser, faire surgir de
ce que nous croyions une chose à aspect défini, les cent
autres choses qu'elle est tout aussi bien, puisque chacune
est relative à une perspective non moins légitime. Bref,
de même qu'à Balbec, Albertine m'avait souvent paru
différente, maintenant, comme si, en accélérant prodigieusement la rapidité des changements de perspective et des
changements de coloration que nous offre une personne
dans nos diverses rencontres avec elle, j'avais voulu les
faire tenir toutes en quelques secondes pour recréer
expérimentalement le phénomène qui diversifie l'individualité d'un être et tirer les unes des autres, comme d'un
étui, toutes les possibilités qu'il enferme, dans ce court
trajet[a] de mes lèvres vers sa joue, c'est dix Albertines que
je vis ; cette seule jeune fille étant comme une déesse à
plusieurs têtes, celle que j'avais vue en dernier, si je tentais
de m'approcher d'elle, faisait place à une autre. Du moins
tant que je ne l'avais pas touchée, cette tête, je la voyais,
un léger parfum venait d'elle jusqu'à moi. Mais hélas !
— car pour le baiser, nos narines et nos yeux sont aussi
mal placés que nos lèvres, mal faites — tout d'un coup,
mes yeux cessèrent de voir, à son tour mon nez, s'écrasant,
ne perçut plus aucune odeur, et sans connaître pour cela
davantage le goût du rose désiré, j'appris, à ces détestables

signes, qu'enfin j'étais en train d'embrasser la joue d'Albertine.

Était-ce parce que nous jouions (figurée par la révolution d'un solide) la scène inverse de celle de Balbec[1], que j'étais, moi, couché, et elle levée, capable d'esquiver une attaque brutale et de diriger le plaisir à sa guise, qu'elle me laissa prendre avant tant de facilité maintenant ce qu'elle avait refusé jadis avec une mine si sévère ? (Sans doute, de cette mine d'autrefois, l'expression voluptueuse que prenait aujourd'hui son visage à l'approche de mes lèvres ne différait que par une déviation de lignes infinitésimale, mais dans laquelle peut tenir toute la distance qu'il y a entre le geste d'un homme qui achève un blessé et d'un qui le secourt, entre un portrait sublime ou affreux.) Sans savoir si j'avais à faire honneur et savoir gré de son changement d'attitude à quelque bienfaiteur involontaire qui, un de ces mois derniers, à Paris ou à Balbec, avait travaillé pour moi, je pensai que la façon dont nous étions placés était la principale cause de ce changement. C'en fut pourtant une autre que me fournit Albertine ; exactement celle-ci : « Ah ! c'est qu'à ce moment-là, à Balbec, je ne vous connaissais pas, je pouvais croire que vous aviez de mauvaises intentions. » Cette raison me laissa perplexe. Albertine me la donna sans doute sincèrement. Une femme a tant de peine à reconnaître dans les mouvements de ses membres, dans les sensations éprouvées par son corps, au cours d'un tête-à-tête avec un camarade, la faute inconnue où elle tremblait qu'un étranger préméditât de la faire tomber !

En tout cas, quelles que fussent les modifications survenues depuis quelque temps dans sa vie (et qui eussent peut-être expliqué qu'elle eût accordé si aisément à mon désir momentané et purement physique ce qu'à Balbec elle avait avec horreur refusé à mon amour) une bien plus étonnante se produisit en Albertine, ce soir-là même, aussitôt que ses caresses eurent amené chez moi la satisfaction dont elle dut bien s'apercevoir et dont j'avais même craint qu'elle ne lui causât le petit mouvement de répulsion et de pudeur offensée que Gilberte avait eu à un moment semblable, derrière le massif de lauriers, aux Champs-Élysées[2].

Ce fut tout le contraire. Déjà, au moment[a] où je l'avais couchée sur mon lit et où j'avais commencé à la caresser,

Albertine avait pris un air que je ne lui connaissais pas,
de bonne volonté docile, de simplicité presque puérile.
Effaçant d'elle toutes préoccupations, toutes prétentions
habituelles, le moment qui précède le plaisir, pareil en cela
à celui qui suit la mort, avait rendu à ses traits rajeunis
comme l'innocence du premier âge[1]. Et sans doute tout
être dont le talent est soudain mis en jeu, devient modeste,
appliqué et charmant ; surtout si, par ce talent, il sait nous
donner un grand plaisir, il en est lui-même heureux, veut
nous le donner bien complet. Mais dans cette expression
nouvelle du visage d'Albertine il y avait plus que du
désintéressement et de la conscience, de la générosité
professionnelles, une sorte de dévouement conventionnel
et subit ; et c'est plus loin qu'à sa propre enfance, mais
à la jeunesse de sa race qu'elle était revenue. Bien
différente de moi qui n'avais rien souhaité de plus qu'un
apaisement physique, enfin obtenu, Albertine semblait
trouver[a] qu'il y eût eu de sa part quelque grossièreté à
croire que ce plaisir matériel allât sans un sentiment moral
et terminât quelque chose. Elle, si pressée tout à l'heure,
maintenant, et parce qu'elle trouvait sans doute que les
baisers impliquent l'amour et que l'amour l'emporte sur
tout autre devoir, disait, quand je lui rappelais son dîner :
    « Mais ça ne fait rien du tout, voyons, j'ai tout mon
temps. »
    Elle[b] semblait gênée de se lever tout de suite après ce
qu'elle venait de faire, gênée par bienséance, comme
Françoise, quand elle avait cru, sans avoir soif, devoir
accepter avec une gaieté décente le verre de vin que Jupien
lui offrait, n'aurait pas osé partir aussitôt la dernière gorgée
bue, quelque devoir impérieux qui l'eût rappelée. Albertine[c] — et c'était peut-être, avec une autre que l'on verra
plus tard, une des raisons qui m'avaient à mon insu fait
la désirer — était une des incarnations de la petite paysanne
française dont le modèle est en pierre à Saint-André-des-
Champs[2]. De Françoise, qui devait pourtant bientôt
devenir sa mortelle ennemie, je reconnus en elle la
courtoisie envers l'hôte et l'étranger, la décence, le respect
de la couche.
    Françoise, qui, après la mort de ma tante, ne croyait
pouvoir parler que sur un ton apitoyé, dans les mois qui
précédèrent le mariage de sa fille, eût trouvé choquant,
quand celle-ci se promenait avec son fiancé, qu'elle ne le

tînt pas par le bras. Albertine, immobilisée auprès de moi, me disait :

« Vous avez de jolis cheveux, vous avez de beaux yeux, vous êtes gentil. »

Comme, lui ayant fait remarquer qu'il était tard, j'ajoutais : « Vous ne me croyez pas ? », elle me répondit, ce qui était peut-être vrai mais seulement depuis deux minutes et pour quelques heures :

« Je vous crois toujours. »

Elle me parla de moi, de ma famille, de mon milieu social. Elle me dit : « Oh ! je sais que vos parents connaissent des gens très bien. Vous êtes ami de Robert Forestier et de Suzanne Delage. » À la première minute, ces noms ne me dirent absolument rien. Mais tout d'un coup, je me rappelai que j'avais en effet joué aux Champs-Élysées avec Robert Forestier que je n'avais jamais revu. Quant à Suzanne Delage, c'était la petite-nièce de Mme Blandais, et j'avais dû une fois aller à une leçon de danse, et même tenir un petit rôle dans une comédie de salon, chez ses parents. Mais la peur d'avoir le fou rire[1], et des saignements de nez m'avaient empêché, de sorte que je ne l'avais jamais vue. J'avais tout au plus cru comprendre autrefois que l'institutrice à plumet des Swann avait été chez ses parents, mais peut-être n'était-ce qu'une sœur de cette institutrice ou une amie. Je protestai à Albertine que Robert Forestier et Suzanne Delage tenaient peu de place dans ma vie. « C'est possible, vos mères sont liées, cela permet de vous situer. Je croise souvent Suzanne Delage avenue de Messine, elle a du chic. » Nos mères ne se connaissaient que dans l'imagination de Mme Bontemps qui, ayant su que j'avais joué jadis avec Robert Forestier auquel, paraît-il, je récitais des vers, en avait conclu que nous étions liés par des relations de famille. Elle ne laissait jamais, m'a-t-on dit, passer le nom de maman sans dire : « Ah ! oui, c'est le milieu des Delage, des Forestier, etc. », donnant à mes parents un bon point qu'ils ne méritaient pas.

Du reste, les notions sociales d'Albertine étaient d'une sottise extrême. Elle croyait les Simonnet avec deux *n* inférieurs non seulement aux Simonet avec un seul *n*, mais à toutes les autres personnes possibles. Que quelqu'un ait le même nom que vous, sans être de votre famille, est une grande raison de le dédaigner. Certes il y a des exceptions. Il peut arriver que deux Simonnet (présentés l'un à l'autre dans une de ces réunions où l'on éprouve le besoin de parler de n'importe quoi et où on se sent d'ailleurs plein de dispositions optimistes, par exemple dans le cortège d'un enterrement qui se rend au cimetière), voyant qu'ils s'appellent de même, cherchent avec une bienveillance réciproque, et sans résultat, s'ils n'ont aucun lien de parenté. Mais ce n'est qu'une exception. Beaucoup d'hommes sont peu honorables, mais nous l'ignorons ou n'en avons cure. Mais si l'homonymie fait qu'on nous remet des lettres à eux destinées, ou vice versa, nous commençons par une méfiance, souvent justifiée, quant à ce qu'ils valent. Nous craignons des confusions, nous les prévenons par une moue de dégoût si l'on nous parle d'eux. En lisant notre nom porté par eux, dans le journal, ils nous semblent l'avoir usurpé. Les péchés des autres membres du corps social nous sont indifférents. Nous en chargeons plus lourdement nos homonymes. La haine que nous portons aux autres Simonnet est d'autant plus forte qu'elle n'est pas indivi-duelle, mais se transmet héréditairement. Au bout de deux générations on se souvient seulement de la moue insultante que les grands-parents avaient à l'égard des autres Simon-net ; on ignore la cause ; on ne serait pas étonné d'ap-prendre que cela a commencé par un assassinat. Jusqu'au jour fréquent où, entre une Simonnet et un Simonnet qui ne sont pas parents du tout, cela finit par un mariage.

Non seulement Albertine me parla de Robert Forestier et de Suzanne Delage, mais spontanément, par un devoir de confidence, que le rapprochement des corps crée, au début du moins, durant une première phase et avant qu'il ait engendré une duplicité spéciale et le secret envers le même être, Albertine me raconta sur sa famille et un oncle d'Andrée une histoire dont elle avait, à Balbec, refusé de me dire un seul mot, mais elle ne pensait pas qu'elle dût paraître avoir encore des secrets à mon égard. Maintenant[a] sa meilleure amie lui eût raconté quelque chose contre moi qu'elle se fût fait un devoir de me le rapporter. J'insistai pour qu'elle rentrât, elle finit par partir, mais si confuse pour moi de ma grossièreté qu'elle riait presque pour m'excuser, comme une maîtresse de maison chez qui on va en veston, qui vous accepte ainsi mais à qui cela n'est pas indifférent.

« Vous riez ? lui dis-je.

— Je ne ris pas, je vous souris, me répondit-elle tendrement. Quand est-ce que je vous revois ? » ajouta-t-elle comme n'admettant pas que ce que nous venions de faire, puisque c'en est d'habitude le couronnement, ne fût pas au moins le prélude d'une amitié grande, d'une amitié préexistante et que nous nous devions de découvrir, de confesser, et qui seule pouvait expliquer ce à quoi nous nous étions livrés.

« Puisque vous m'y autorisez, quand je pourrai je vous ferai chercher. »

Je n'osai lui dire que je voulais tout subordonner à la possibilité de voir Mme de Stermaria.

« Hélas ! ce sera à l'improviste, je ne sais jamais d'avance, lui dis-je. Serait-ce possible que je vous fisse chercher le soir quand je serai libre ?

— Ce sera très possible bientôt car j'aurai une entrée indépendante de celle de ma tante. Mais en ce moment c'est impraticable. En tous cas je viendrai à tout hasard demain ou après-demain dans l'après-midi. Vous ne me recevrez que si vous le pouvez. »

Arrivée à la porte, étonnée que je ne l'eusse pas devancée, elle me tendit sa joue, trouvant qu'il n'y avait nul besoin d'un grossier désir physique pour que maintenant nous nous embrassions. Comme les courtes relations que nous avions eues tout à l'heure ensemble étaient de celles auxquelles conduisent parfois une intimité absolue et un choix du cœur, Albertine avait cru devoir improviser et ajouter momentanément aux baisers que nous avions échangés sur mon lit, le sentiment dont ils eussent été le signe pour un chevalier et sa dame tels que pouvait les concevoir un jongleur gothique.

Quand m'eut quitté la jeune Picarde, qu'aurait pu sculpter à son porche l'imagier de Saint-André-des-Champs, Françoise m'apporta une lettre qui me remplit de joie, car elle était de Mme de Stermaria[a], laquelle acceptait à dîner pour mercredi. De Mme de Stermaria, c'est-à-dire, pour moi, plus que de la Mme de Stermaria réelle, de celle à qui j'avais pensé toute la journée avant l'arrivée d'Albertine. C'est la terrible tromperie de l'amour qu'il commence par nous faire jouer avec une femme non du monde extérieur, mais avec une poupée intérieure à notre cerveau, la seule d'ailleurs que nous

ayons toujours à notre disposition, la seule que nous
posséderons, que l'arbitraire du souvenir, presque aussi
absolu que celui de l'imagination, peut avoir faite aussi
différente de la femme réelle que du Balbec réel avait été
pour moi le Balbec rêvé ; création factice à laquelle peu
à peu, pour notre souffrance, nous forcerons la femme
réelle à ressembler.

Albertine m'avait tant retardé que la comédie venait
de finir quand j'arrivai chez Mme de Villeparisis ; et peu
désireux de prendre à revers le flot des invités qui
s'écoulait en commentant la grande nouvelle, la séparation
qu'on disait déjà accomplie entre le duc et la duchesse
de Guermantes, je m'étais[a], en attendant de pouvoir saluer
la maîtresse de maison, assis sur une bergère vide dans
le deuxième salon, quand du premier, où sans doute elle
avait été assise tout à fait au premier rang des chaises, je
vis déboucher, majestueuse, ample et haute dans une
longue robe de satin jaune à laquelle étaient attachés en
relief d'énormes pavots noirs, la duchesse. Sa vue ne me
causait plus aucun trouble. Un certain jour, m'imposant
les mains sur le front (comme c'était son habitude quand
elle avait peur de me faire de la peine), en me disant[b] :
« Ne continue pas tes sorties pour rencontrer Mme de
Guermantes, tu es la fable de la maison. D'ailleurs, vois
comme ta grand-mère est souffrante, tu as vraiment des
choses plus sérieuses que de te poster sur le chemin d'une
femme qui se moque de toi », d'un seul coup, comme
un hypnotiseur qui vous fait revenir du lointain pays où
vous vous imaginiez être, et vous rouvre les yeux, ou
comme le médecin qui, vous rappelant au sentiment du
devoir et de la réalité, vous guérit d'un mal imaginaire
dans lequel vous vous complaisiez, ma mère m'avait
réveillé d'un trop long songe. La journée[c] qui avait suivi
avait été consacrée à dire un dernier adieu à ce mal auquel
je renonçais ; j'avais chanté des heures de suite en pleurant
l'*Adieu* de Schubert :

> ... *Adieu, des voix étranges*
> *T'appellent loin de moi, céleste sœur des Anges*[1].

Et puis ç'avait été fini. J'avais cessé mes sorties du matin,
et si facilement que je tirai alors le pronostic, qu'on verra
se trouver faux plus tard, que je m'habituerais[d] aisément,

dans le cours de ma vie, à ne plus voir une femme. Et quand ensuite Françoise m'eut raconté que Jupien, désireux de s'agrandir, cherchait une boutique dans le quartier, désireux de lui en trouver une (tout heureux aussi, en flânant dans la rue que déjà de mon lit j'entendais crier lumineusement comme une plage, de voir, sous le rideau de fer levé des crémeries, les petites laitières à manches blanches), j'avais pu recommencer ces sorties. Fort librement du reste ; car j'avais conscience de ne plus les faire dans le but de voir Mme de Guermantes : telle une femme qui prend des précautions infinies tant qu'elle a un amant, du jour qu'elle a rompu avec lui laisse traîner ses lettres, au risque de découvrir à son mari le secret d'une faute dont elle a fini de s'effrayer en même temps que de la commettre.

Ce qui me faisait de la peine, c'était d'apprendre que presque toutes les maisons étaient habitées par des gens malheureux. Ici la femme pleurait sans cesse parce que son mari la trompait. Là c'était l'inverse. Ailleurs une mère travailleuse, rouée de coups par un fils ivrogne, tâchait de cacher sa souffrance aux yeux des voisins. Toute une moitié de l'humanité pleurait. Et quand je la connus, je vis qu'elle était si exaspérante que je me demandai si ce n'était pas le mari ou la femme adultères, qui l'étaient seulement parce que le bonheur légitime leur avait été refusé et se montraient charmants et loyaux envers tout autre que leur femme ou leur mari, qui avaient raison. Bientôt je n'avais même plus eu la raison d'être utile à Jupien pour continuer mes pérégrinations matinales. Car on apprit que l'ébéniste de notre cour, dont les ateliers n'étaient séparés de la boutique de Jupien que par une cloison fort mince, allait recevoir congé du gérant parce qu'il frappait des coups trop bruyants. Jupien ne pouvait espérer mieux, les ateliers avaient un sous-sol où mettre les boiseries, et qui communiquait avec nos caves. Jupien y mettrait son charbon, ferait abattre la cloison et aurait une seule et vaste boutique. Même, comme Jupien, trouvant le prix que M. de Guermantes faisait très élevé, laissait visiter pour que, découragé de ne pas trouver de locataire, le duc se résignât à lui faire une diminution, Françoise, ayant remarqué que, même après l'heure où on ne visitait pas, le concierge laissait « contre » la porte de la boutique à louer, flaira un piège dressé par le concierge pour attirer la fiancée du valet de pied des

Guermantes (ils y trouveraient une retraite d'amour) et
ensuite les surprendre.

Quoi qu'il en fût, bien que n'ayant plus à chercher une
boutique pour Jupien, je continuai à sortir avant le
déjeuner. Souvent, dans ces sorties, je rencontrais M. de
Norpois. Il arrivait que, causant avec un collègue, il jetait
sur moi des regards qui, après m'avoir entièrement
examiné, se détournaient vers son interlocuteur sans
m'avoir plus souri ni salué que s'il ne m'avait pas connu
du tout. Car chez ces importants diplomates, regarder
d'une certaine manière n'a pas pour but de vous faire
savoir qu'ils vous ont vu, mais qu'ils ne vous ont pas vu
et qu'ils ont à parler avec leur collègue de quelque
question sérieuse. Une grande femme que je croisais
souvent près de la maison était moins discrète avec moi.
Car bien que je ne la connusse pas, elle se retournait vers
moi, m'attendait — inutilement — devant les vitrines des
marchands, me souriait, comme si elle allait m'embrasser,
faisait le geste de s'abandonner. Elle reprenait un air glacial
à mon égard si elle rencontrait quelqu'un qu'elle connût.
Depuis longtemps déjà dans ces courses du matin, selon
ce que j'avais à faire, fût-ce à acheter le plus insignifiant
journal, je choisissais le chemin le plus direct, sans regret
s'il était en dehors du parcours habituel que suivaient les
promenades de la duchesse et, s'il en faisait au contraire
partie, sans scrupules et sans dissimulation parce qu'il ne
me paraissait plus le chemin défendu où j'arrachais à une
ingrate la faveur de la voir malgré elle. Mais je n'avais
pas songé que ma guérison, en me donnant à l'égard de
Mme de Guermantes une attitude[a] normale, accomplirait
parallèlement la même œuvre en ce qui la concernait et
rendrait possible une amabilité, une amitié qui ne
m'importaient plus. Jusque-là les efforts du monde entier
ligués pour me rapprocher d'elle eussent expiré devant
le mauvais sort que jette un amour malheureux. Des fées
plus puissantes que les hommes ont décrété que, dans ces
cas-là, rien ne pourra servir jusqu'au jour où nous aurons
dit sincèrement dans notre cœur la parole : « Je n'aime
plus. » J'en avais voulu à Saint-Loup de ne m'avoir pas
mené chez sa tante. Mais pas plus que n'importe qui, il
n'était capable de briser un enchantement. Tant que j'aimais Mme de Guermantes, les marques de gentillesse que
je recevais des autres, les compliments, me faisaient de

la peine, non seulement parce que cela ne venait pas d'elle, mais parce qu'elle ne les apprenait pas. Or, les eût-elle sus que cela n'eût été d'aucune utilité. Même dans les détails d'une affection, une absence, le refus d'un dîner, une rigueur involontaire, inconsciente, servent plus que tous les cosmétiques et les plus beaux habits. Il y aurait des parvenus, si on enseignait dans ce sens l'art de parvenir.

Au moment où elle traversait le salon*ᵃ* où j'étais assis, la pensée pleine du souvenir des amis que je ne connaissais pas et qu'elle allait peut-être retrouver tout à l'heure dans une autre soirée, Mme de Guermantes m'aperçut sur ma bergère, véritable indifférent qui ne cherchais qu'à être aimable, alors que, tandis que j'aimais, j'avais tant essayé de prendre, sans y réussir, l'air d'indifférence ; elle obliqua, vint à moi et retrouvant le sourire du soir de l'Opéra et que le sentiment*ᵇ* pénible d'être aimée par quelqu'un qu'elle n'aimait pas, n'effaçait plus :

« Non, ne vous dérangez pas, vous permettez que je m'asseye un instant à côté de vous ? » me dit-elle en relevant gracieusement son immense jupe qui sans cela eût occupé la bergère dans son entier.

Plus grande que moi et accrue encore de tout le volume de sa robe, j'étais presque effleuré par son admirable bras nu autour duquel un duvet imperceptible et innombrable faisait fumer perpétuellement comme une vapeur dorée, et par la torsade blonde de ses cheveux qui m'envoyaient leur odeur. N'ayant guère de place, elle ne pouvait se tourner facilement vers moi et, obligée de regarder plutôt devant elle que de mon côté, prenait une expression rêveuse et douce, comme dans un portrait.

« Avez-vous des nouvelles de Robert ? » me dit-elle.

Mme de Villeparisis passa à ce moment-là.

« Hé bien ! vous arrivez à une jolie heure, Monsieur, pour une fois qu'on vous voit. »

Et remarquant que je parlais avec sa nièce, supposant peut-être que nous étions plus liés qu'elle ne savait :

« Mais je ne veux pas déranger votre conversation avec Oriane, ajouta-t-elle (car les bons offices de l'entremetteuse font partie des devoirs d'une maîtresse de maison). Vous ne voulez pas venir dîner mercredi avec elle*ᶜ* ? »

C'était le jour où je devais dîner avec Mme de Stermaria, je refusai.

« Et samedi ? »

Ma mère[a] revenant le samedi ou le dimanche, c'eût été peu gentil de ne pas rester tous les soirs à dîner avec elle ; je refusai donc encore.

« Ah ! vous n'êtes pas un homme facile à avoir chez soi. »

« Pourquoi ne venez-vous jamais me voir ? » me dit Mme de Guermantes quand Mme de Villeparisis se fut éloignée pour féliciter les artistes et remettre à la diva un bouquet de roses dont la main qui l'offrait faisait seule tout le prix, car il n'avait coûté que vingt francs. (C'était du reste son prix maximum quand on n'avait chanté qu'une fois. Celles qui prêtaient leur concours à toutes les matinées et soirées recevaient des roses peintes par la marquise.) « C'est ennuyeux[b] de ne jamais se voir que chez les autres. Puisque vous ne voulez pas dîner avec moi chez ma tante, pourquoi ne viendrez-vous pas dîner chez moi ? »

Certaines personnes, étant restées le plus longtemps possible, sous des prétextes quelconques, mais qui sortaient enfin, voyant la duchesse assise pour causer avec un jeune homme, sur un meuble si étroit qu'on n'y pouvait tenir que deux, pensèrent qu'on les avait mal renseignées, que c'était non la duchesse, mais le duc, qui demandait la séparation, à cause de moi[c], puis elles se hâtèrent de répandre cette nouvelle. J'étais plus à même que personne d'en connaître la fausseté. Mais j'étais surpris que, dans ces périodes difficiles où s'effectue une séparation non encore consommée, la duchesse, au lieu de s'isoler, invitât justement quelqu'un qu'elle connaissait aussi peu. J'eus le soupçon que le duc avait été seul à ne pas vouloir qu'elle me reçût et que, maintenant qu'il la quittait, elle ne voyait plus d'obstacle à s'entourer des gens qui lui plaisaient.

Deux minutes auparavant j'eusse[d] été stupéfait si on m'avait dit que Mme de Guermantes allait me demander d'aller la voir, encore plus de venir dîner. J'avais beau savoir que le salon Guermantes ne pouvait pas présenter les particularités que j'avais extraites de ce nom, le fait qu'il m'avait été interdit d'y pénétrer, en m'obligeant à lui donner le même genre d'existence qu'aux salons dont nous avons lu la description dans un roman ou vu l'image dans un rêve, me le faisait, même quand j'étais certain qu'il était pareil à tous les autres, imaginer tout différent ; entre moi et lui il y avait la barrière où finit le réel. Dîner chez les Guermantes, c'était comme entreprendre un voyage longtemps désiré, faire passer un désir de ma tête devant mes yeux et lier connaissance avec un songe. Du moins eussé-je pu croire qu'il s'agissait d'un de ces dîners auxquels les maîtres de maison invitent quelqu'un en lui disant : « Venez, il n'y aura *absolument* que nous », feignant d'attribuer au paria la crainte qu'ils éprouvent de le voir mêlé à leurs amis, et cherchant même à transformer en un enviable privilège réservé aux seuls intimes la quarantaine de l'exclu, malgré lui sauvage et favorisé. Je sentis, au contraire, que Mme de Guermantes avait le désir de me faire goûter à ce qu'elle avait de plus agréable quand elle me dit, mettant d'ailleurs devant mes yeux comme la beauté violâtre d'une arrivée chez la tante de Fabrice et le miracle d'une présentation au comte Mosca[1] :

« Vendredi vous ne seriez pas libre, en petit comité ? Ce serait gentil. Il y aura la princesse de Parme qui est charmante ; d'abord je ne vous inviterais pas si ce n'était pas pour rencontrer des gens agréables. »

Désertée dans les milieux mondains intermédiaires qui sont livrés à un mouvement perpétuel d'ascension, la famille joue, au contraire, un rôle important dans les milieux immobiles comme la petite bourgeoisie et comme l'aristocratie princière, qui ne peut chercher à s'élever puisque, au-dessus d'elle, à son point de vue spécial, il n'y a rien. L'amitié que me témoignaient « la tante Villeparisis » et Robert avait peut-être fait de moi pour Mme de Guermantes et ses amis, vivant toujours sur eux-mêmes et dans une même coterie, l'objet d'une attention curieuse que je ne soupçonnais pas.

Elle avait de ces parents-là une connaissance familiale, quotidienne, vulgaire, fort différente de ce que nous imaginons, et dans laquelle, si nous nous y trouvons compris, loin que nos actions en soient expulsées comme le grain de poussière de l'œil ou la goutte d'eau de la trachée-artère, elles peuvent rester gravées, être commentées, racontées encore des années après que nous les avons oubliées nous-mêmes, dans le palais où nous sommes étonnés de les retrouver comme une lettre de nous dans une précieuse collection d'autographes.

De simples gens élégants peuvent défendre leur porte[a] trop envahie. Mais celle des Guermantes ne l'était pas. Un étranger n'avait presque jamais l'occasion de passer devant elle. Pour une fois que la duchesse s'en voyait désigner un, elle ne songeait pas à se préoccuper de la valeur mondaine qu'il apporterait, puisque c'était chose qu'elle conférait et ne pouvait recevoir. Elle ne pensait qu'à ses qualités réelles, Mme de Villeparisis et Saint-Loup lui avaient dit que j'en possédais. Et sans doute ne les eût-elle pas crus, si elle n'avait remarqué qu'ils ne pouvaient jamais arriver à me faire venir quand ils le voulaient, donc que je ne tenais pas au monde, ce qui semblait à la duchesse le signe qu'un étranger faisait partie des « gens agréables ».

Il fallait voir, parlant de femmes qu'elle n'aimait guère, comme elle changeait de visage aussitôt, si on nommait, à propos de l'une, par exemple sa belle-sœur. « Oh ! elle est charmante », disait-elle d'un air de finesse et de certitude. La seule raison qu'elle en donnât était que cette dame avait refusé d'être présentée à la marquise de Chaussegros et à la princesse de Silistrie. Elle n'ajoutait pas que cette dame avait refusé de lui être présentée à elle-même, duchesse de Guermantes. Cela avait eu lieu pourtant, et depuis ce jour l'esprit de la duchesse travaillait sur ce qui pouvait bien se passer chez la dame difficile à connaître. Elle mourait d'envie d'être reçue chez elle. Les gens du monde ont tellement l'habitude qu'on les recherche que qui les fuit leur semble un phénix et accapare leur attention.

Le motif véritable de m'inviter était-il, dans l'esprit de Mme de Guermantes (depuis que je ne l'aimais plus), que je ne recherchais pas ses parents quoique étant recherché d'eux ? Je ne sais. En tout cas, s'étant décidée à m'inviter, elle voulait me faire les honneurs de ce qu'elle avait de meilleur chez elle, et éloigner ceux de ses amis qui auraient pu m'empêcher de revenir, ceux qu'elle savait ennuyeux. Je n'avais pas su à quoi attribuer le changement de route de la duchesse quand je l'avais vue dévier de sa marche stellaire, venir s'asseoir à côté de moi et m'inviter à dîner, effet de causes ignorées. Faute de sens spécial qui nous renseigne à cet égard, nous nous figurons les gens que nous connaissons à peine — comme moi la duchesse — comme ne pensant à nous que dans les rares moments où ils nous voient. Or, cet oubli idéal où nous nous figurons qu'ils nous tiennent est absolument arbitraire. De sorte que, pendant que dans le silence de la solitude, pareil à celui d'une belle nuit, nous nous imaginons les différentes reines de la société poursuivant leur route dans le ciel à une distance infinie, nous ne pouvons nous défendre d'un sursaut de malaise ou de plaisir s'il nous tombe de là-haut, comme un aérolithe portant gravé notre nom que nous croyions inconnu dans Vénus ou Cassiopée, une invitation à dîner ou un méchant potin[d].

Peut-être parfois, quand, à l'imitation des princes persans qui, au dire du livre d'Esther, se faisaient lire les registres où étaient inscrits les noms de ceux de leurs sujets qui leur avaient témoigné du zèle[1], Mme de Guermantes, consultait la liste des gens bien intentionnés, elle s'était dit de moi : « Un à qui nous demanderons de venir dîner. » Mais d'autres pensées l'avaient distraite

(De soins tumultueux un prince environné
Vers de nouveaux objets est sans cesse entraîné[2].)

jusqu'au moment où elle m'avait aperçu seul comme Mardochée à la porte du palais[3] ; et ma vue ayant rafraîchi sa mémoire, elle voulait, tel Assuérus, me combler de ses dons.

Cependant je dois dire qu'une surprise d'un genre opposé allait suivre celle que j'avais eue au moment où Mme de Guermantes m'avait invité. Cette première surprise, comme j'avais trouvé plus modeste de ma part et plus reconnaissant de ne pas la dissimuler et d'exprimer au contraire avec exagération ce qu'elle avait de joyeux, Mme de Guermantes, qui se disposait à partir pour une dernière soirée, venait de me dire, presque comme une justification, et par peur que je ne susse pas bien qui elle était, pour avoir l'air si étonné d'être invité chez elle : « Vous savez que je suis la tante de Robert de Saint-Loup qui vous aime beaucoup, et du reste nous nous sommes déjà vus ici. » En répondant que je le savais, j'ajoutai que je connaissais aussi M. de Charlus, lequel « avait été très bon pour moi à Balbec et à Paris ». Mme de Guermantes parut étonnée et ses regards semblèrent se reporter, comme pour une vérification, à une page déjà plus ancienne du livre intérieur. « Comment ! vous connaissez Palamède ? » Ce prénom prenait dans la bouche de Mme de Guermantes une grande douceur à cause de la simplicité involontaire avec laquelle elle parlait d'un homme si brillant, mais qui n'était pour elle que son beau-frère et

le cousin avec lequel elle avait été élevée. Et dans le gris
confus qu'était pour moi la vie de la duchesse de
Guermantes, ce nom de Palamède mettait comme la clarté
des longues journées d'été où elle avait joué avec lui, jeune
fille, à Guermantes, au jardin. De plus, dans cette partie
depuis longtemps écoulée de leur vie, Oriane de Guermantes et son cousin Palamède avaient été fort différents
de ce qu'ils étaient devenus depuis ; M. de Charlus
notamment, tout entier livré à des goûts d'art qu'il avait
si bien refrénés par la suite que je fus stupéfait d'apprendre
que c'était par lui qu'avait été peint l'immense éventail
d'iris jaunes et noirs que déployait en ce moment la
duchesse. Elle eût pu aussi me montrer une petite sonatine
qu'il avait autrefois composée pour elle. J'ignorais absolument que le baron eût tous ces talents dont il ne parlait
jamais. Disons en passant que M. de Charlus n'était pas
enchanté que dans sa famille on l'appelât Palamède. Pour
Mémé, on eût pu comprendre encore que cela ne lui plût
pas. Ces stupides abréviations sont un signe de l'incompréhension que l'aristocratie a de sa propre poésie (le
judaïsme a d'ailleurs la même, puisqu'un neveu de Lady
Rufus Israëls, qui s'appelait Moïse, était couramment
appelé dans le monde : « Momo ») en même temps que
de sa préoccupation de ne pas avoir l'air d'attacher
d'importance à ce qui est aristocratique. Or, M. de Charlus
avait sur ce point plus d'imagination poétique et plus
d'orgueil exhibé. Mais la raison qui lui faisait peu goûter
Mémé n'était pas celle-là puisqu'elle s'étendait aussi au
beau prénom de Palamède. La vérité est que, se jugeant,
se sachant d'une famille princière, il aurait voulu que son
frère et sa belle-sœur disent de lui : « Charlus », comme
la reine Marie-Amélie ou le duc d'Orléans pouvaient dire
de leurs fils, petit-fils, neveux et frères : « Joinville,
Nemours, Chartres, Paris[1] ».

« Quel cachottier que ce Mémé, s'écria-t-elle. Nous lui
avons parlé longtemps de vous, il nous a dit qu'il serait
très heureux de faire votre connaissance, absolument
comme s'il ne vous avait jamais vu. Avouez qu'il est drôle !
et, ce qui n'est pas très gentil de ma part à dire d'un
beau-frère que j'adore et dont j'admire la rare valeur, par
moments un peu fou ? »

Je fus très frappé de ce mot appliqué à M. de Charlus
et je me dis que cette demi-folie expliquait peut-être

certaines choses, par exemple qu'il eût paru si enchanté
du projet de demander à Bloch de battre sa propre mère.
Je m'avisai que non seulement par les choses qu'il disait,
mais par la manière dont il les disait, M. de Charlus était
un peu fou. La première fois qu'on entend un avocat ou
un acteur, on est surpris de leur ton tellement différent
de la conversation. Mais comme on se rend compte que
tout le monde trouve cela tout naturel, on ne dit rien aux
autres, on ne se dit rien à soi-même, on se contente
d'apprécier le degré de talent. Tout au plus pense-t-on d'un
acteur du Théâtre-Français : « Pourquoi au lieu de laisser
retomber son bras levé l'a-t-il fait descendre par petites
saccades coupées de repos, pendant au moins dix
minutes ? » ou d'un Labori[1] : « Pourquoi, dès qu'il a
ouvert la bouche, a-t-il émis ces sons tragiques, inattendus,
pour dire la chose la plus simple ? » Mais comme tout le
monde admet cela a priori, on n'est pas choqué. De même,
en y réfléchissant, on se disait que M. de Charlus parlait
de soi avec emphase, sur un ton qui n'était nullement celui
du débit ordinaire. Il semblait qu'on eût dû à toute minute
lui dire : « Mais pourquoi criez-vous si fort ? pourquoi
êtes-vous si insolent ? » Seulement tout le monde semblait
avoir admis tacitement que c'était bien ainsi. Et on entrait
dans la ronde qui lui faisait fête pendant qu'il pérorait.
Mais certainement à de certains moments un étranger eût
cru entendre crier un dément.

« Mais », reprit la duchesse avec la légère impertinence
qui se greffait chez elle sur la simplicité, « êtes-vous bien
sûr que vous ne confondez pas, que vous parlez bien de
mon beau-frère Palamède ? Il a beau aimer les mystères,
ceci me paraît d'un fort !... »

Je répondis[a] que j'étais absolument sûr et qu'il fallait
que M. de Charlus eût mal entendu mon nom.

« Hé bien ! je vous quitte, me dit comme à regret Mme
de Guermantes. Il faut que j'aille une seconde chez la
princesse de Ligne. Vous n'y allez pas ? Non, vous n'aimez
pas le monde ? Vous avez bien raison, c'est assommant.
Si je n'étais pas obligée ! Mais c'est ma cousine[2], ce ne
serait pas gentil. Je regrette égoïstement, pour moi, parce
que j'aurais pu vous conduire, même vous ramener. Alors
je vous dis au revoir et je me réjouis pour vendredi. »

Que M. de Charlus[b] eût rougi de moi devant M. d'Argencourt, passe encore. Mais qu'à sa propre belle-sœur,

et qui avait une si haute idée de lui, il niât me connaître, fait si naturel puisque je connaissais à la fois sa tante et son neveu, c'est ce que je ne pouvais comprendre.

Je terminerai ceci en disant qu'à un certain point de vue il y avait chez Mme de Guermantes une véritable grandeur qui consistait à effacer entièrement tout ce que d'autres n'eussent qu'incomplètement oublié. Elle ne m'eût jamais rencontré la harcelant, la suivant, la pistant, dans ses promenades matinales, elle n'eût jamais répondu à mon salut quotidien avec une impatience excédée, elle n'eût jamais envoyé promener Saint-Loup quand il l'avait suppliée de m'inviter, qu'elle n'aurait pas pu avoir avec moi des façons plus noblement et naturellement aimables. Non seulement elle ne s'attardait pas à des explications rétrospectives, à des demi-mots, à des sourires ambigus, à des sous-entendus, non seulement elle avait dans son affabilité actuelle, sans retours en arrière, sans réticences, quelque chose d'aussi fièrement rectiligne que sa majestueuse stature, mais les griefs qu'elle avait pu ressentir contre quelqu'un dans le passé étaient si entièrement réduits en cendres, ces cendres étaient elles-mêmes rejetées si loin de sa mémoire ou tout au moins de sa manière d'être, qu'à regarder son visage chaque fois qu'elle avait à traiter par la plus belle des simplifications ce qui chez tant d'autres eût été prétexte à des restes de froideur, à des récriminations, on avait l'impression d'une sorte de purification.

Mais si j'étais surpris[a] de la modification qui s'était opérée en elle à mon égard, combien je l'étais plus d'en trouver en moi une tellement plus grande au sien ! N'y avait-il pas eu un moment où je ne reprenais vie et force que si j'avais, échafaudant toujours de nouveaux projets, cherché quelqu'un qui me ferait recevoir par elle et, après ce premier bonheur, en procurerait bien d'autres à mon cœur de plus en plus exigeant[b] ? C'était l'impossibilité de rien trouver qui m'avait fait partir à Doncières voir Robert de Saint-Loup. Et maintenant, c'était bien par les conséquences dérivant d'une lettre de lui que j'étais agité, mais à cause de Mme de Stermaria et non de Mme de Guermantes.

Ajoutons, pour en finir avec cette soirée, qu'il s'y passa un fait, démenti quelques jours après, qui ne laissa pas de m'étonner, me brouilla pour quelque temps avec Bloch, et qui constitue en soi une de ces curieuses contradictions dont on va trouver l'explication à la fin de ce volume (*Sodome I*[1]). Donc[a], chez Mme de Villeparisis, Bloch ne cessa de me vanter l'air d'amabilité de M. de Charlus, lequel Charlus, quand il le rencontrait dans la rue, le regardait dans les yeux comme s'il le connaissait, avait envie de le connaître, savait très bien qui il était. J'en souris d'abord, Bloch s'étant exprimé avec tant de violence à Balbec sur le compte du même M. de Charlus. Et je pensai simplement que Bloch, à l'instar de son père pour Bergotte, connaissait le baron « sans le connaître ». Et que ce qu'il prenait pour un regard aimable était un regard distrait. Mais enfin Bloch vint à tant de précisions, et sembla si certain qu'à deux ou trois reprises M. de Charlus avait voulu l'aborder, que, me rappelant que j'avais parlé de mon camarade au baron, lequel m'avait justement, en revenant d'une visite chez Mme de Villeparisis, posé sur lui diverses questions, je fis la supposition que Bloch ne mentait pas, que M. de Charlus avait appris son nom, qu'il était mon ami, etc. Aussi quelque temps après, au théâtre, je demandai à M. de Charlus de lui présenter Bloch, et sur son acquiescement allai le chercher. Mais dès que M. de Charlus l'aperçut, un étonnement aussitôt réprimé se peignit sur sa figure où il fut remplacé par une étincelante fureur. Non seulement il ne tendit pas la main à Bloch, mais chaque fois que celui-ci lui adressa la parole il lui répondit de l'air le plus insolent, d'une voix irritée et blessante. De sorte que Bloch, qui, à ce qu'il disait, n'avait eu jusque-là du baron que des sourires, crut que je l'avais non pas recommandé mais desservi, pendant le court entretien où, sachant le goût de M. de Charlus pour les protocoles, je lui avais parlé de mon camarade avant de l'amener à lui. Bloch nous quitta, éreinté comme qui a voulu monter un cheval tout le temps prêt à prendre le mors aux dents, ou nager contre des vagues qui vous rejettent sans cesse sur le galet, et ne me reparla pas de six mois.

Les jours[b] qui précédèrent mon dîner avec Mme de Stermaria me furent, non pas délicieux, mais insupportables. C'est qu'en général, plus le temps qui nous sépare de ce que nous nous proposons est court, plus il nous semble long, parce que nous lui appliquons des mesures plus brèves ou simplement parce que nous songeons à le mesurer. La papauté, dit-on, compte par siècles, et peut-être même ne songe pas à compter, parce que son but est à l'infini. Le mien étant seulement à la distance de trois jours, je comptais par secondes, je me livrais à ces imaginations qui sont des commencements de caresses, de caresses qu'on enrage de ne pouvoir faire achever par la femme elle-même (ces caresses-là précisément, à l'exclusion de toutes autres). Et en somme, s'il est vrai qu'en général la difficulté d'atteindre l'objet d'un désir l'accroît (la difficulté, non l'impossibilité, car cette dernière le supprime), pourtant pour un désir tout physique, la certitude qu'il sera réalisé à un moment prochain et déterminé n'est guère moins exaltante que l'incertitude ; presque autant que le doute anxieux, l'absence de doute rend intolérable l'attente du plaisir infaillible parce qu'elle fait de cette attente un accomplissement innombrable et, par la fréquence des représentations anticipées, divise le temps en tranches aussi menues que ferait l'angoisse.

Ce qu'il me fallait, c'était posséder Mme de Stermaria : depuis plusieurs jours, avec une activité incessante, mes désirs avaient préparé ce plaisir-là dans mon imagination, et ce plaisir seul ; un autre (le plaisir avec une autre) n'eût pas, lui, été prêt, le plaisir n'étant que la réalisation d'une envie préalable et qui n'est pas toujours la même, qui change selon les mille combinaisons de la rêverie, les hasards du souvenir, l'état du tempérament, l'ordre de disponibilité des désirs dont les derniers exaucés se reposent jusqu'à ce qu'ait été un peu oubliée la déception de l'accomplissement ; j'avais déjà quitté la grande route des désirs généraux et m'étais engagé dans le sentier d'un plus particulier ; il aurait fallu, pour souhaiter un autre rendez-vous, revenir de trop loin pour rejoindre la grande route et prendre un autre sentier. Posséder Mme de Stermaria dans l'île du bois de Boulogne où je l'avais invitée à dîner, tel était le plaisir que j'imaginais à toute minute. Il eût été naturellement détruit, si j'avais dîné dans cette île sans Mme de Stermaria ; mais peut-être aussi fort diminué, en dînant, même avec elle, ailleurs. Du reste, les attitudes selon lesquelles on se figure un plaisir, sont préalables à la femme, au genre de femmes qui convient pour cela. Elles le commandent, et aussi le lieu ; et à cause de cela font revenir alternativement, dans notre capricieuse pensée, telle femme, tel site, telle chambre qu'en d'autres semaines nous eussions dédaignés. Filles de l'attitude, telles femmes ne vont pas sans le grand lit où on trouve la paix à leur côté, et d'autres, pour être caressées avec une intention plus secrète, veulent les feuilles au vent, les eaux dans la nuit, sont légères et fuyantes autant qu'elles.

Sans doute déjà bien avant d'avoir reçu la lettre de Saint-Loup, et quand il ne s'agissait pas encore de Mme de Stermaria, l'île du Bois m'avait semblé faite pour le plaisir parce que je m'étais trouvé aller y goûter la tristesse de n'en avoir aucun à y abriter[1]. C'est aux bords du lac qui conduisent à cette île et le long desquels, dans les dernières semaines de l'été, vont se promener les Parisiennes qui ne sont pas encore parties, que, ne sachant plus où la retrouver, et si même elle n'a pas déjà quitté Paris, on erre avec l'espoir de voir passer la jeune fille dont on est tombé amoureux dans le dernier bal de l'année[2], qu'on ne pourra plus retrouver dans aucune soirée avant le printemps suivant. Se sentant à la veille, peut-être au lendemain du départ de l'être aimé, on suit au bord de l'eau frémissante ces belles allées où déjà une première feuille rouge fleurit comme une dernière rose, on scrute cet horizon où, par un artifice inverse à celui de ces panoramas sous la rotonde desquels les personnages en cire du premier plan donnent à la toile peinte du fond l'apparence illusoire de la profondeur et du volume, nos yeux passant sans transition du parc cultivé aux hauteurs naturelles de Meudon et du mont Valérien ne savent pas où mettre une frontière, et font entrer la vraie campagne dans l'œuvre du jardinage dont ils projettent bien au-delà d'elle-même l'agrément artificiel ; ainsi ces oiseaux rares élevés en liberté dans un jardin botanique et qui chaque jour, au gré de leurs promenades ailées, vont poser jusque dans les bois limitrophes une note exotique[3]. Entre la dernière fête de l'été et l'exil de l'hiver, on parcourt anxieusement ce royaume romanesque des rencontres incertaines et des mélancolies amoureuses, et on ne serait pas plus surpris qu'il fût situé hors de l'univers géographique que si à Versailles, au haut de la terrasse, observatoire autour duquel les nuages s'accumulent contre le ciel bleu dans le style de Van der Meulen, après s'être ainsi élevé en dehors de la nature, on apprenait que, là où elle recommence, au bout du grand canal, les villages qu'on ne peut distinguer, à l'horizon éblouissant comme la mer, s'appellent Fleurus ou Nimègue[4].

Et le dernier équipage passé, quand on sent avec douleur qu'elle ne viendra plus, on va dîner dans l'île ; au-dessus des peupliers tremblants qui rappellent sans fin les mystères du soir plus qu'ils n'y répondent, un nuage rose met une dernière couleur de vie dans le ciel apaisé. Quelques gouttes de pluie tombent sans bruit sur l'eau antique, mais, dans sa divine enfance, restée toujours couleur du temps et qui oublie à tout moment les images des nuages et des fleurs. Et après que les géraniums ont inutilement, en intensifiant l'éclairage de leurs couleurs, lutté contre le crépuscule assombri, une brume vient envelopper l'île qui s'endort ; on se promène dans l'humide obscurité le long de l'eau où tout au plus le passage silencieux d'un cygne vous étonne comme dans un lit nocturne les yeux un instant grands ouverts et le sourire d'un enfant qu'on ne croyait pas réveillé[1]. Alors on voudrait d'autant plus avoir avec soi une amoureuse qu'on se sent seul et qu'on peut se croire loin.

Mais dans cette île, où même l'été il y avait souvent du brouillard, combien je serais plus heureux d'emmener Mme de Stermaria maintenant que la mauvaise saison, que la fin de l'automne était venue ! Si le temps qu'il faisait depuis dimanche n'avait à lui seul rendu grisâtres et maritimes les pays dans lesquels mon imagination vivait — comme d'autres saisons les faisaient embaumés, lumineux, italiens —, l'espoir de posséder dans quelques jours Mme de Stermaria eût suffi pour faire se lever vingt fois par heure un rideau de brume dans mon imagination monotonement nostalgique. En tout cas, le brouillard qui depuis la veille s'était élevé même à Paris, non seulement me faisait songer sans cesse au pays natal de la jeune femme que je venais d'inviter, mais comme il était probable que, bien plus épais encore que dans la ville, il devait le soir envahir le Bois, surtout au bord du lac, je pensais qu'il ferait pour moi de l'île des Cygnes un peu l'île de Bretagne dont l'atmosphère maritime et brumeuse avait toujours entouré pour moi comme un vêtement la pâle silhouette de Mme de Stermaria[2]. Certes quand on est jeune, à l'âge que j'avais dans mes promenades du côté de Méséglise, notre désir, notre croyance confèrent au vêtement d'une femme une particularité individuelle, une irréductible essence. On poursuit la réalité. Mais à force de la laisser échapper, on finit par remarquer qu'à travers toutes ces vaines tentatives où on a trouvé le néant, quelque chose de solide subsiste, c'est ce qu'on cherchait. On commence à dégager, à connaître ce qu'on aime, on tâche à se le procurer, fût-ce au prix d'un artifice. Alors, à défaut de la croyance disparue, le costume signifie la suppléance à celle-ci par le moyen d'une illusion volontaire. Je savais bien qu'à une demi-heure de la maison je ne trouverais pas la Bretagne. Mais en me promenant enlacé à Mme de Stermaria dans les ténèbres de l'île, au bord de l'eau, je ferais comme d'autres qui, ne pouvant pénétrer dans un couvent, du moins, avant de posséder une femme, l'habillent en religieuse*a*.

Je pouvais même espérer d'écouter avec la jeune femme quelque clapotis de vagues, car, la veille du dîner, une tempête se déchaîna. Je commençais à me raser pour aller dans l'île retenir le cabinet (bien qu'à cette époque de l'année l'île fût vide et le restaurant désert) et arrêter le menu pour le dîner du lendemain, quand Françoise m'annonça Albertine. Je fis entrer aussitôt, indifférent à ce qu'elle me vît enlaidi d'un menton noir, celle pour qui à Balbec je ne me trouvais jamais assez beau, et qui m'avait coûté alors autant d'agitation et de peine que maintenant Mme de Stermaria. Je tenais à ce que celle-ci reçût la meilleure impression possible de la soirée du lendemain. Aussi je demandai à Albertine de m'accompagner tout de suite jusqu'à l'île pour m'aider à faire le menu[1]. Celle à qui on donne tout est si vite remplacée par une autre, qu'on est étonné soi-même de donner ce qu'on a de nouveau, à chaque heure, sans espoir d'avenir. À ma proposition, le visage*b* souriant et rose d'Albertine, sous un toquet plat qui descendait très bas, jusqu'aux yeux, sembla hésiter. Elle devait avoir d'autres projets ; en tout cas elle me les sacrifia aisément, à ma grande satisfaction, car j'attachais beaucoup d'importance à avoir avec moi une jeune ménagère qui saurait bien mieux commander le dîner que moi.

Il est certain qu'elle avait représenté tout autre chose pour moi, à Balbec. Mais notre intimité, même quand nous ne la jugeons pas alors assez étroite, avec une femme dont nous sommes épris, crée entre elle et nous, malgré les insuffisances qui nous font souffrir alors, des liens sociaux qui survivent à notre amour et même au souvenir de notre amour. Alors, dans celle qui n'est plus pour nous qu'un moyen, et un chemin vers d'autres, nous sommes tout aussi étonnés et amusés d'apprendre de notre mémoire ce que son nom signifia d'original pour l'autre être que nous avons été autrefois, que si, après avoir jeté à un cocher une adresse, boulevard des Capucines ou rue du Bac, en pensant seulement à la personne que nous allons y voir, nous nous avisons que ces noms furent jadis celui des religieuses capucines dont le couvent se trouvait là et celui du bac qui traversait la Seine[1].

Certes, mes désirs de Balbec avaient si bien mûri le corps d'Albertine, y avaient accumulé des saveurs si fraîches et si douces que, pendant notre course au Bois, tandis que le vent, comme un jardinier soigneux, secouait les arbres, faisait tomber les fruits, balayait les feuilles mortes, je me disais que, s'il y avait eu un risque pour que Saint-Loup se fût trompé, ou que j'eusse mal compris sa lettre et que mon dîner avec Mme de Stermaria ne me conduisît à rien, j'eusse donné rendez-vous pour le même soir très tard à Albertine, afin d'oublier pendant une heure purement voluptueuse, en tenant dans mes bras le corps dont ma curiosité avait jadis supputé, soupesé tous les charmes dont il surabondait maintenant, les émotions et peut-être les tristesses de ce commencement d'amour pour Mme de Stermaria. Et certes, si j'avais pu supposer que Mme de Stermaria ne m'accorderait aucune faveur ce premier soir, je me serais représenté ma soirée avec elle d'une façon assez décevante. Je savais trop bien par expérience comment les deux stades qui se succèdent en nous, dans ces commencements d'amour pour une femme que nous avons désirée sans la connaître, aimant plutôt en elle la vie particulière où elle baigne qu'elle-même presque inconnue encore —, comment ces deux stades se reflètent bizarrement dans le domaine des faits, c'est-à-dire non plus en nous-même, mais dans nos rendez-vous avec elle. Nous avons, sans avoir jamais causé avec elle, hésité, tentés que nous étions par la poésie qu'elle représente pour nous. Sera-ce elle ou telle autre ? Et voici que les rêves se fixent autour d'elle, ne font plus qu'un avec elle. Le premier rendez-vous avec elle, qui suivra bientôt, devrait refléter cet amour naissant. Il n'en est rien. Comme s'il était nécessaire que la vie matérielle eût aussi son premier stade, l'aimant déjà, nous lui parlons de la façon la plus insignifiante : « Je vous ai demandé de venir dîner dans cette île parce que j'ai pensé que le cadre vous plairait. Je n'ai du reste rien de spécial à vous dire. Mais j'ai peur qu'il ne fasse bien humide et que vous n'ayez froid. — Mais non. — Vous le dites par amabilité. Je vous permets, madame, de lutter encore un quart d'heure contre le froid, pour ne pas vous tourmenter, mais dans un quart d'heure, je vous ramènerai de force. Je ne veux pas vous faire prendre un rhume. » Et sans lui avoir rien dit, nous la ramenons, ne nous rappelant rien d'elle, tout au plus une certaine façon de regarder, mais ne pensant qu'à la revoir. Or, la seconde fois (ne retrouvant même plus le regard, seul souvenir, mais ne pensant plus malgré cela qu'à la revoir[a]) le premier stade est dépassé. Rien n'a eu lieu dans l'intervalle. Et pourtant, au lieu de parler du confort du restaurant, nous disons, sans que cela étonne la personne nouvelle, que nous trouvons laide, mais à qui nous voudrions qu'on parle de nous à toutes les minutes de sa vie : « Nous allons avoir fort à faire pour vaincre tous les obstacles accumulés entre nos cœurs. Pensez-vous que nous y arriverons ? Vous figurez-vous que nous puissions avoir raison de nos ennemis, espérer un heureux ave-nir ? » Mais ces conversations contrastées, d'abord insigni-fiantes, puis faisant allusion à l'amour, n'auraient pas lieu, j'en pouvais croire la lettre de Saint-Loup. Mme de Stermaria se donnerait dès le premier soir, je n'aurais donc pas besoin de convoquer Albertine chez moi, comme pis aller, pour la fin de la soirée. C'était inutile, Robert n'exagérait[b] jamais et sa lettre était claire[c] !

Albertine me parlait peu, car elle sentait que j'étais préoccupé. Nous fîmes quelques pas à pied, sous la grotte verdâtre, quasi sous-marine, d'une épaisse futaie sur le dôme de laquelle nous entendions déferler le vent et éclabousser la pluie. J'écrasais par terre des feuilles mortes qui s'enfonçaient dans le sol comme des coquillages et je poussais de ma canne des châtaignes, piquantes comme des oursins.

Aux branches les dernières feuilles convulsées ne suivaient le vent que durant la longueur de leur attache[d], mais quelquefois, celle-ci se rompant, elles tombaient à terre et le rattrapaient[e] en courant. Je pensais avec joie combien, si ce temps durait, l'île serait demain plus lointaine encore et en tout cas entièrement déserte. Nous remontâmes en voiture, et comme la bourrasque s'était calmée, Albertine me demanda de poursuivre jusqu'à Saint-Cloud. Ainsi qu'en bas les feuilles mortes, en haut les nuages suivaient le vent. Et des soirs migrateurs, dont une sorte de section conique pratiquée dans le ciel laissait voir la superposition rose, bleue et verte, étaient tout préparés à destination de climats plus beaux. Pour voir de plus près une déesse de marbre qui s'élançait de son socle, et, toute seule dans un grand bois qui semblait lui être consacré, l'emplissait de la terreur mythologique, moitié animale, moitié sacrée, de ses bonds furieux, Albertine monta sur un tertre, tandis que je l'attendais sur le chemin. Elle-même, vue ainsi d'en bas, non plus grosse et rebondie comme l'autre jour sur mon lit où les grains de son cou apparaissaient à la loupe de mes yeux approchés, mais ciselée et fine, semblait une petite statue sur laquelle les minutes heureuses de Balbec avaient passé leur patine[1]. Quand je me retrouvai seul chez moi, me rappelant que j'avais été faire une course l'après-midi avec Albertine, que je dînais le surlendemain chez Mme de Guermantes, et que j'avais à répondre à une lettre de Gilberte, trois femmes que j'avais aimées, je me dis que notre vie sociale est, comme un atelier d'artiste, remplie des ébauches délaissées où nous avions cru un moment pouvoir fixer notre besoin d'un grand amour, mais je ne songeai pas que quelquefois, si l'ébauche n'est pas trop ancienne, il peut arriver que nous la reprenions et que nous en fassions une œuvre toute différente, et peut-être même plus importante que celle que nous avions projetée d'abord.

Le lendemain, il fit froid et beau : on sentait l'hiver (et, de fait, la saison était si avancée que c'était miracle si nous avions pu trouver dans le Bois déjà saccagé quelques dômes d'or vert). En m'éveillant je vis, comme de la fenêtre de la caserne de Doncières, la brume mate, unie et blanche qui pendait gaiement au soleil, consistante et douce comme du sucre filé. Puis le soleil se cacha et elle s'épaissit encore dans l'après-midi. Le jour[a] tomba de bonne heure, je fis ma toilette, mais il était encore trop tôt pour partir ; je décidai d'envoyer une voiture à Mme de Stermaria. Je n'osai pas y monter pour ne pas la forcer à faire la route avec moi, mais je remis au cocher un mot pour elle où je lui demandais si elle permettait que je vinsse la prendre. En attendant, je m'étendis sur mon lit, je fermai les yeux un instant, puis les rouvris. Au-dessus des rideaux il n'y avait plus qu'un mince liseré de jour qui allait s'obscurcissant. Je reconnaissais cette heure inutile, vestibule profond du plaisir, et dont j'avais appris à Balbec à connaître le vide sombre et délicieux, quand seul dans ma chambre comme maintenant, pendant que tous les autres étaient à dîner, je voyais sans tristesse le jour mourir au-dessus des rideaux, sachant que, bientôt, après une nuit aussi courte que les nuits du pôle, il allait ressusciter plus éclatant dans le flamboiement de Rivebelle. Je sautai à bas de mon lit, je passai ma cravate noire, je donnai un coup de brosse à mes cheveux, gestes derniers d'une mise en ordre tardive, exécutés à Balbec en pensant non à moi mais aux femmes que je verrais à Rivebelle, tandis que je leur souriais d'avance dans la glace oblique de ma chambre, et restés à cause de cela les signes avant-coureurs d'un divertissement mêlé de lumières et de musique. Comme des signes magiques ils l'évoquaient, bien plus le réalisaient déjà, grâce à eux j'avais de sa vérité une notion aussi certaine, de son charme enivrant et frivole une jouissance aussi complète que celles que j'avais à Combray, au mois de juillet, quand j'entendais les coups de marteau de l'emballeur et que je jouissais, dans la fraîcheur de ma chambre noire, de la chaleur et du soleil.

Aussi n'était-ce plus tout à fait Mme de Stermaria que j'aurais désiré voir. Forcé maintenant de passer avec elle ma soirée, j'aurais préféré, comme celle-ci était ma dernière avant le retour de mes parents, qu'elle restât libre et que je pusse chercher à revoir des femmes de Rivebelle. Je me relavai une dernière fois les mains, et dans la promenade que le plaisir me faisait faire à travers l'appartement, je me les essuyai dans la salle à manger obscure. Elle me parut ouverte sur l'antichambre éclairée, mais ce que j'avais pris pour la fente illuminée de la porte, qui au contraire était fermée, n'était que le reflet blanc de ma serviette dans une glace posée le long du mur en attendant qu'on la plaçât pour le retour de maman. Je repensai à tous les mirages que j'avais ainsi découverts dans notre appartement et qui n'étaient pas qu'optiques, car les premiers jours j'avais cru que la voisine avait un chien, à cause du jappement prolongé, presque humain, qu'avait pris un certain tuyau de cuisine chaque fois qu'on ouvrait le robinet. Et la porte du palier ne se refermait d'elle-même très lentement, sur les courants d'air de l'escalier, qu'en exécutant les hachures de phrases voluptueuses et gémissantes qui se superposent au chœur des Pèlerins, vers la fin de l'ouverture de *Tannhäuser*[1]. J'eus du reste, comme je venais de remettre ma serviette en place, l'occasion d'avoir une nouvelle audition de cet éblouissant morceau symphonique, car un coup de sonnette ayant retenti, je courus ouvrir la porte de l'antichambre au cocher qui me rapportait la réponse. Je pensais que ce serait : « Cette dame est en bas », ou « Cette dame vous attend. » Mais il tenait à la main une lettre. J'hésitai un instant à prendre connaissance de ce que Mme de Stermaria avait écrit, qui tant qu'elle avait la plume en main aurait pu être autre, mais qui maintenant était, détaché d'elle, un destin qui poursuivait seul sa route et auquel elle ne pouvait plus rien changer. Je demandai au cocher de redescendre et d'attendre un instant, quoiqu'il maugréât contre la brume. Dès qu'il fut parti, j'ouvris l'enveloppe. Sur la carte : Vicomtesse Alix de Stermaria. Mon invitée avait écrit : « Je suis désolée, un contretemps m'empêche de dîner ce soir avec vous à l'île du Bois. Je m'en faisais une fête. Je vous écrirai plus longuement de Stermaria. Regrets. Amitiés. » Je restai immobile, étourdi par le choc que j'avais reçu. À mes pieds étaient tombées la carte et l'enveloppe, comme la bourre d'une arme à feu quand le coup est parti. Je les ramassai, j'analysai cette phrase. « Elle me dit qu'elle ne peut dîner avec moi à l'île du Bois. On pourrait en conclure qu'elle pourrait dîner avec moi ailleurs. Je n'aurai pas l'indiscrétion d'aller la chercher, mais enfin cela pourrait se comprendre ainsi. » Et cette île du Bois, comme depuis quatre jours ma pensée y était installée d'avance avec Mme de Stermaria, je ne pouvais arriver à l'en faire revenir. Mon désir reprenait involontairement la pente qu'il suivait déjà depuis tant d'heures, et malgré cette dépêche, trop récente pour prévaloir contre lui, je me préparais instinctivement encore à partir, comme un élève refusé à un examen voudrait répondre à une question de plus. Je finis par me décider à aller dire à Françoise de descendre payer le cocher. Je traversai le couloir, ne la trouvant pas, je passai par la salle à manger ; tout d'un coup mes pas cessèrent de retentir sur le parquet comme ils avaient fait jusque-là et s'assourdirent en un silence qui, même avant que j'en reconnusse la cause, me

donna une sensation d'étouffement et de claustration.
C'étaient les tapis que, pour le retour de mes parents, on
avait commencé de clouer, ces tapis qui sont si beaux par
les heureuses matinées, quand parmi leur désordre le soleil
vous attend comme un ami venu pour vous emmener
déjeuner à la campagne, et pose sur eux le regard de la
forêt, mais qui maintenant, au contraire, étaient le premier
aménagement de la prison hivernale d'où, obligé que
j'allais être de vivre, de prendre mes repas en famille, je
ne pourrais plus librement sortir.

« Que Monsieur prenne garde de tomber, ils ne sont
pas encore cloués, me cria Françoise. J'aurais dû allumer.
On est déjà à la fin de *seftembre,* les beaux jours sont finis. »

Bientôt l'hiver ; au coin de la fenêtre, comme sur un
verre de Gallé[1], une veine de neige durcie ; et, même aux
Champs-Élysées, au lieu des jeunes filles qu'on attend, rien
que les moineaux tout seuls.

Ce qui ajoutait[a] à mon désespoir de ne pas voir Mme de
Stermaria, c'était que sa réponse me faisait supposer que
pendant qu'heure par heure, depuis dimanche, je ne vivais
que pour ce dîner, elle n'y avait sans doute pas pensé une
fois. Plus tard, j'appris un absurde mariage d'amour qu'elle
fit avec un jeune homme qu'elle devait déjà voir à ce
moment-là et qui lui avait fait sans doute oublier mon
invitation. Car si elle se l'était rappelée, elle n'eût pas sans
doute attendu la voiture que je ne devais du reste pas,
d'après ce qui était convenu, lui envoyer, pour m'avertir
qu'elle n'était pas libre. Mes rêves de jeune vierge féodale
dans une île brumeuse avaient frayé le chemin à un amour
encore inexistant. Maintenant ma déception, ma colère,
mon désir désespéré de ressaisir celle qui venait de se
refuser, pouvaient, en mettant ma sensibilité de la partie,
fixer l'amour possible que jusque-là mon imagination seule
m'avait, mais plus mollement, offert.

Combien y en a-t-il dans nos souvenirs, combien plus
dans notre oubli, de ces visages de jeunes filles et de jeunes
femmes, tous différents, et auxquels nous n'avons ajouté
du charme et un furieux désir de les revoir que parce qu'ils
s'étaient au dernier moment dérobés ! À l'égard de
Mme de Stermaria, c'était bien plus et il me suffisait
maintenant, pour l'aimer, de la revoir afin que fussent
renouvelées ces impressions si vives mais trop brèves et
que la mémoire n'aurait pas sans cela la force de maintenir

dans l'absence. Les circonstances en décidèrent autrement, je ne la revis pas. Ce ne fut pas elle que j'aimai, mais ç'aurait pu être elle. Et une des choses qui me rendirent peut-être le plus cruel le grand amour que j'allais bientôt avoir, ce fut, en me rappelant cette soirée, de me dire qu'il aurait pu, si de très simples circonstances avaient été modifiées, se porter ailleurs, sur Mme de Stermaria ; appliqué à celle qui me l'inspira si peu après, il n'était donc pas — comme j'aurais pourtant eu si envie, si besoin de le croire — absolument nécessaire et prédestiné.

Françoise m'avait laissé seul dans la salle à manger, en me disant que j'avais tort d'y rester avant qu'elle eût allumé le feu. Elle allait faire à dîner, car avant même l'arrivée de mes parents et dès ce soir, ma réclusion commençait. J'avisai un énorme paquet de tapis encore tout enroulés, lequel avait été posé au coin du buffet, et m'y cachant la tête, avalant leur poussière et mes larmes, pareil aux Juifs qui se couvraient la tête de cendres dans le deuil, je me mis à sangloter[1]. Je frissonnais, non pas seulement parce que la pièce était froide, mais parce qu'un notable abaissement thermique (contre le danger et, faut-il le dire, le léger agrément duquel on ne cherche pas à réagir) est causé par certaines larmes qui pleurent de nos yeux, goutte à goutte, comme une pluie fine, pénétrante, glaciale, semblent ne devoir jamais finir. Tout d'un coup j'entendis une voix :

« Peut-on entrer ? Françoise m'a dit que tu devais être dans la salle à manger. Je venais voir si tu ne voulais pas que nous allions dîner quelque part ensemble, si cela ne te fait pas mal, car il fait un brouillard à couper au couteau. »

C'était, arrivé du matin, quand je le croyais encore au Maroc ou en mer, Robert de Saint-Loup.

J'ai dit[2] (et précisément c'était, à Balbec, Robert de Saint-Loup qui m'avait, bien malgré lui, aidé à en prendre conscience) ce que je pense de l'amitié : à savoir qu'elle est si peu de chose que j'ai peine à comprendre que des hommes de quelque génie, et par exemple un Nietzsche, aient eu la naïveté de lui attribuer une certaine valeur intellectuelle et en conséquence de se refuser à des amitiés auxquelles l'estime intellectuelle n'eût pas été liée. Oui, cela m'a toujours été un étonnement de voir qu'un homme qui poussait la sincérité avec lui-même jusqu'à se détacher, par scrupule de conscience, de la musique de Wagner, se soit imaginé que la vérité peut se réaliser dans ce mode d'expression par nature confus et inadéquat que sont, en général, des actions et, en particulier, des amitiés, et qu'il puisse y avoir une signification quelconque dans le fait de quitter son travail pour aller voir un ami et pleurer avec lui en apprenant la fausse nouvelle de l'incendie du Louvre[1]. J'en étais arrivé, à Balbec, à trouver le plaisir de jouer avec des jeunes filles moins funeste à la vie spirituelle, à laquelle du moins il reste étranger, que l'amitié dont tout l'effort est de nous faire sacrifier la partie seule réelle et incommunicable (autrement que par le moyen de l'art) de nous-même, à un moi superficiel, qui ne trouve*d* pas comme l'autre de joie en lui-même, mais trouve un attendrissement confus à se sentir soutenu sur des étais extérieurs, hospitalisé dans une individualité étrangère, où, heureux de la protection qu'on lui donne, il fait rayonner son bien-être en approbation et s'émerveille de qualités qu'il appellerait défauts et chercherait à corriger chez soi-même. D'ailleurs les contempteurs de l'amitié peuvent, sans illusions et non sans remords, être les meilleurs amis du monde, de même qu'un artiste portant en lui un chef-d'œuvre et qui sent que son devoir serait de vivre pour travailler, malgré cela, pour ne pas paraître ou risquer d'être égoïste, donne sa vie pour une cause inutile, et la donne d'autant plus bravement que les raisons pour lesquelles il eût préféré ne pas la donner étaient des raisons désintéressées. Mais quelle que fût mon opinion sur l'amitié, même pour ne parler que du plaisir qu'elle me procurait, d'une qualité si médiocre qu'elle ressemblait à quelque chose d'intermédiaire entre la fatigue et l'ennui, il n'est breuvage si funeste qui ne puisse à certaines heures devenir précieux et réconfortant en nous apportant le coup de fouet qui nous était nécessaire, la chaleur que nous ne pouvons pas trouver en nous-même.

J'étais bien éloigné certes de vouloir demander à Saint-Loup, comme je le désirais il y a une heure, de me faire revoir des femmes de Rivebelle ; le sillage que laissait en moi le regret de Mme de Stermaria ne voulait pas être effacé si vite, mais au moment où je ne sentais plus dans mon cœur aucune raison de bonheur, Saint-Loup entrant, ce fut comme une arrivée de bonté, de gaieté, de vie, qui étaient en dehors de moi sans doute, mais s'offraient à moi,

ne demandaient qu'à être à moi. Il ne comprit pas
lui-même mon cri de reconnaissance et mes larmes
d'attendrissement. Qu'y a-t-il de plus paradoxalement
affectueux d'ailleurs qu'un de ces amis, diplomate,
explorateur, aviateur, ou militaire comme l'était Saint-
Loup, et qui, repartant le lendemain pour la campagne
et de là pour Dieu sait où, semblent faire tenir pour
eux-mêmes, dans la soirée qu'ils nous consacrent, une
impression qu'on s'étonne de pouvoir, tant elle est rare
et brève, leur être si douce, et, du moment qu'elle leur
plaît tant, de ne pas les voir prolonger davantage ou
renouveler plus souvent ? Un repas avec nous, chose si
naturelle, donne à ces voyageurs le même plaisir étrange
et délicieux que nos boulevards à un Asiatique. Nous
partîmes ensemble pour aller dîner et tout en descendant
l'escalier je me rappelai Doncières, où chaque soir j'allais
retrouver Robert au restaurant, et les petites salles à
manger oubliées. Je me souvins d'une à laquelle je n'avais
jamais repensé et qui n'était pas à l'hôtel où Saint-Loup
dînait, mais dans un bien plus modeste, intermédiaire entre
l'hôtellerie et la pension de famille, et où on était servi
par la patronne et une de ses domestiques. La neige m'avait
arrêté là. D'ailleurs Robert ne devait pas ce soir-là dîner
à l'hôtel et je n'avais pas voulu aller plus loin. On
m'apporta les plats, en haut, dans une petite pièce toute
en bois. La lampe s'éteignit pendant le dîner, la servante
m'alluma deux bougies. Moi, feignant de ne pas voir très
clair en lui tendant mon assiette, pendant qu'elle y mettait
des pommes de terre, je pris dans ma main son avant-bras
nu, comme pour la guider. Voyant qu'elle ne le retirait
pas, je le caressai, puis, sans prononcer un mot, l'attirai
tout entière, à moi, soufflai la bougie et alors lui dis de
me fouiller, pour qu'elle eût un peu d'argent. Pendant
les jours qui suivirent, le plaisir physique me parut exiger,
pour être goûté, non seulement cette servante mais la salle
à manger de bois, si isolée. Ce fut pourtant vers celle où
dînaient Robert et ses amis que je retournai tous les soirs,
par habitude, par amitié, jusqu'à mon départ de Doncières.
Et pourtant, même cet hôtel où il prenait pension avec
ses amis, je n'y songeais plus depuis longtemps. Nous ne
profitons guère de notre vie, nous laissons inachevées dans
les crépuscules d'été ou les nuits précoces d'hiver les
heures où il nous avait semblé qu'eût pu pourtant être

enfermé un peu de paix ou de plaisir. Mais ces heures ne sont pas absolument perdues. Quand chantent à leur tour de nouveaux moments de plaisir qui passeraient de même, aussi grêles et linéaires, elles viennent leur apporter le soubassement, la consistance d'une riche orchestration. Elles s'étendent ainsi jusqu'à un de ces bonheurs types qu'on ne retrouve que de temps à autre mais qui continuent d'être ; dans l'exemple présent, c'était l'abandon de tout le reste pour dîner dans un cadre confortable qui par la vertu des souvenirs enferme dans un tableau de nature des promesses de voyage, avec un ami qui va remuer notre vie dormante de toute son énergie, de toute son affection, nous communiquer un plaisir ému, bien différent de celui que nous pourrions devoir à notre propre effort ou à des distractions mondaines ; nous allons être rien qu'à lui, lui faire des serments d'amitié qui, nés dans les cloisons de cette heure, restant enfermés en elle, ne seraient peut-être pas tenus le lendemain, mais que je pouvais faire sans scrupule à Saint-Loup, puisque, avec un courage où il entrait beaucoup de sagesse et le pressentiment que l'amitié ne se peut approfondir, le lendemain il serait reparti.

Si en descendant l'escalier je revivais les soirs de Doncières, quand nous fûmes arrivés dans la rue, brusquement, la nuit presque complète où le brouillard semblait avoir éteint les réverbères, qu'on ne distinguait, bien faibles, que de tout près, me ramena à je ne sais quelle arrivée, le soir, à Combray, quand la ville n'était encore éclairée que de loin en loin, et qu'on y tâtonnait dans une obscurité humide, tiède et sainte de crèche, à peine étoilée çà et là d'un lumignon qui ne brillait pas plus qu'un cierge. Entre cette année, d'ailleurs incertaine, de Combray, et les soirs à Rivebelle revus tout à l'heure au-dessus des rideaux, quelles différences ! J'éprouvais à les percevoir un enthousiasme qui aurait pu être fécond si j'étais resté seul, et m'aurait évité ainsi le détour de bien des années inutiles par lesquelles j'allais encore passer avant que se déclarât la vocation invisible dont cet ouvrage est l'histoire[1]. Si cela fût advenu ce soir-là, cette voiture eût mérité de demeurer plus mémorable pour moi que celle du docteur Percepied sur le siège de laquelle j'avais composé cette petite description — précisément retrouvée il y avait peu de temps, arrangée, et vainement envoyée au *Figaro* — des clochers de Martinville[1]. Est-ce parce que nous ne revivons pas nos années dans leur suite continue, jour par jour, mais dans le souvenir figé dans la fraîcheur ou l'insolation d'une matinée ou d'un soir, recevant l'ombre de tel site isolé, enclos, immobile, arrêté et perdu, loin de tout le reste, et qu'ainsi les changements gradués, non seulement au-dehors, mais dans nos rêves et notre caractère évoluant, lesquels nous ont insensiblement conduit dans la vie d'un temps à tel autre très différent, se trouvant supprimés, si nous revivons un autre souvenir prélevé sur une année différente, nous trouvons entre eux, grâce à des lacunes, à d'immenses pans d'oubli, comme l'abîme d'une différence d'altitude, comme l'incompatibi-lité de deux qualités incomparables d'atmosphère respirée et de colorations ambiantes ? Mais entre les souvenirs que je venais d'avoir successivement, de Combray, de Don-cières et de Rivebelle, je sentais en ce moment bien plus qu'une distance de temps, la distance qu'il y aurait entre des univers différents où la matière ne serait pas la même. Si j'avais voulu dans un ouvrage imiter celle dans laquelle m'apparaissaient ciselés mes plus insignifiants souvenirs de Rivebelle, il m'eût fallu veiner de rose, rendre tout d'un coup translucide, compacte, fraîchissante et sonore, la substance jusque-là analogue au grès sombre et rude de Combray. Mais Robert, ayant fini de donner ses explica-tions au cocher, me rejoignit dans la voiture. Les idées qui m'étaient apparues s'enfuirent. Ce sont des déesses qui daignent quelquefois se rendre visibles à un mortel solitaire, au détour d'un chemin, même dans sa chambre pendant qu'il dort, alors que debout dans le cadre de la porte elles lui apportent leur annonciation. Mais dès qu'on est deux, elles disparaissent, les hommes en société ne les aperçoivent jamais. Et je me trouvai rejeté dans l'amitié.

Robert en arrivant m'avait bien averti qu'il faisait beaucoup de brouillard, mais tandis[a] que nous causions il n'avait cessé d'épaissir. Ce n'était plus seulement la brume légère que j'avais souhaité voir s'élever de l'île et nous envelopper, Mme de Stermaria et moi. À deux pas les réverbères s'éteignaient, et alors c'était la nuit, aussi profonde qu'en pleins champs, dans une forêt, ou plutôt dans une molle île de Bretagne vers laquelle j'eusse voulu aller ; je me sentis perdu comme sur la côte de quelque mer septentrionale où on risque vingt fois la mort avant d'arriver à l'auberge solitaire ; cessant d'être un mirage qu'on recherche, le brouillard devenait un de ces dangers contre lesquels on lutte, de sorte que nous eûmes, à trouver notre chemin et à arriver à bon port, les difficultés, l'inquiétude et enfin la joie que donne la sécurité — si insensible à celui qui n'est pas menacé de la perdre — au voyageur perplexe et dépaysé. Une seule chose faillit compromettre mon plaisir pendant notre aventureuse randonnée, à cause de l'étonnement irrité où elle me jeta un instant. « Tu sais, j'ai raconté à Bloch, me dit Saint-Loup, que tu ne l'aimais pas du tout tant que ça, que tu lui trouvais des vulgarités. Voilà comme je suis, j'aime les situations tranchées », conclut-il d'un air satisfait et sur un ton qui n'admettait pas de réplique. J'étais stupéfait. Non seulement j'avais la confiance la plus absolue en Saint-Loup, en la loyauté de son amitié, et il l'avait trahie par ce qu'il avait dit à Bloch, mais il me semblait que, de plus, il eût dû être empêché de le faire par ses défauts autant que par ses qualités, par cet extraordinaire acquis d'éducation qui pouvait pousser la politesse jusqu'à un certain manque de franchise. Son air triomphant était-il celui que nous prenons pour dissimuler quelque embarras en avouant une chose que nous savons que nous n'aurions pas dû faire ? Traduisait-il de l'inconscience ? De la bêtise érigeant en vertu un défaut que je ne lui connaissais pas ? Un accès de mauvaise humeur passagère contre moi le poussant à me quitter, ou l'enregistrement d'un accès de mauvaise humeur passagère vis-à-vis de Bloch à qui il avait voulu dire quelque chose de désagréable même en me compromettant ? Du reste sa figure était stigmatisée, pendant qu'il me disait ces paroles vulgaires, par une affreuse sinuosité que je ne lui ai vue qu'une fois ou deux dans la vie, et qui, suivant d'abord à peu près le milieu de la figure, une fois arrivée aux lèvres les tordait, leur donnait une expression hideuse de bassesse, presque de bestialité toute passagère et sans doute ancestrale. Il devait y avoir dans ces moments-là, qui sans doute ne revenaient qu'une fois tous les deux ans, éclipse partielle de son propre moi, par le passage sur lui de la personnalité d'un aïeul qui s'y reflétait. Tout autant que l'air de satisfaction de Robert, ses paroles « J'aime les situations tranchées » prêtaient au même doute, et auraient dû encourir le même blâme. Je voulais lui dire que si l'on aime les situations tranchées, il faut avoir de ces accès de franchise en ce qui vous concerne et ne point faire de trop facile vertu aux dépens des autres. Mais déjà la voiture s'était arrêtée devant le restaurant dont la vaste façade vitrée et flamboyante arrivait seule à percer l'obscurité. Le brouillard lui-même, par les clartés confortables de l'intérieur, semblait jusque sur le trottoir vous indiquer l'entrée avec la joie de ces valets qui reflètent les dispositions du maître ; il s'irisait des nuances les plus délicates et montrait l'entrée comme la colonne lumineuse qui guida les Hébreux[1]. Il y en avait d'ailleurs beaucoup dans la clientèle. Car c'était dans ce restaurant que Bloch et ses amis étaient venus longtemps, ivres d'un jeûne aussi affamant que le jeûne rituel, lequel du moins n'a lieu qu'une fois par an, de café et de curiosité politique, se retrouver le soir. Toute excitation mentale donnant une valeur qui prime, une qualité supérieure aux habitudes qui s'y rattachent, il n'y a pas de goût un peu vif qui ne compose ainsi autour de lui une société qu'il unit, et où la considération des autres membres est celle que chacun recherche principalement dans la vie[2]. Ici, fût-ce dans une petite ville de province, vous trouverez des passionnés de musique ; le meilleur de leur temps, le plus clair de leur argent se passe aux séances de musique de chambre, aux réunions où on cause musique, au café où l'on se retrouve entre amateurs et où on coudoie les musiciens. D'autres, épris d'aviation, tiennent à être bien vus du vieux garçon du bar vitré perché au haut de l'aérodrome ; à l'abri du vent, comme dans la cage en verre d'un phare, il pourra suivre, en compagnie d'un aviateur qui ne vole pas en ce moment, les évolutions d'un pilote exécutant des loopings, tandis qu'un autre, invisible l'instant d'avant, vient atterrir brusquement, s'abattre avec le grand bruit d'ailes de l'oiseau Rock[3]. La petite coterie qui se retrouvait pour tâcher de perpétuer, d'approfondir, les émotions fugitives du procès Zola, attachait de même une grande importance à ce café. Mais elle y était mal vue des jeunes nobles[a] qui formaient l'autre partie de la clientèle et avaient adopté une seconde salle du café, séparée seulement de l'autre par un léger parapet décoré de verdure. Ils considéraient Dreyfus et ses partisans comme des traîtres, bien que, vingt-cinq ans plus tard, les idées ayant eu le temps de se classer et le dreyfusisme de prendre dans l'histoire une certaine élégance, les fils, bolchevisants et valseurs, de ces mêmes jeunes nobles dussent déclarer aux « intellectuels » qui les interrogeaient, que sûrement, s'ils avaient vécu en ce temps-là, ils eussent été pour Dreyfus, sans trop savoir beaucoup plus ce qu'avait été l'Affaire que la comtesse Edmond de Pourtalès ou la marquise de Galliffet, autres splendeurs déjà éteintes au jour de leur naissance[1]. Car, le soir du brouillard, les nobles du café qui devaient être plus tard les pères de ces jeunes intellectuels rétrospectivement dreyfusards étaient encore garçons. Certes, un riche mariage était envisagé par les familles de tous, mais n'était encore réalisé pour aucun. Encore virtuel, il se contentait, ce riche mariage désiré à la fois par plusieurs (il y avait bien plusieurs « riches partis » en vue, mais enfin le nombre des fortes dots était beaucoup moindre que le nombre des aspirants), de mettre entre ces jeunes gens quelque rivalité.

Le malheur[a] pour moi voulut que, Saint-Loup étant resté quelques minutes à s'adresser au cocher afin qu'il revînt nous prendre après avoir dîné, il me fallut entrer seul. Or, pour commencer, une fois engagé dans la porte tournante dont je n'avais pas l'habitude, je crus que je ne pourrais pas arriver à en sortir. (Disons en passant, pour les amateurs d'un vocabulaire plus précis, que cette porte tambour, malgré ses apparences pacifiques, s'appelle porte révolver, de l'anglais *revolving door*[2].) Ce soir-là le patron, n'osant pas se mouiller en allant dehors ni quitter ses clients, restait cependant près de l'entrée pour avoir le plaisir d'entendre les joyeuses doléances des arrivants tout illuminés par la satisfaction de gens qui avaient eu du mal à arriver et la crainte de se perdre. Pourtant la rieuse cordialité de son accueil fut dissipée par la vue d'un inconnu qui ne savait pas se dégager des volants de verre. Cette marque flagrante d'ignorance lui fit froncer le sourcil comme à un examinateur qui a bonne envie de ne pas prononcer le *dignus est intrare*[3]. Pour comble de malchance j'allai m'asseoir dans la salle réservée à l'aristocratie d'où il vint rudement me tirer en m'indiquant, avec une grossièreté à laquelle se conformèrent immédiatement tous les garçons, une place dans l'autre salle. Elle me plut d'autant moins que la banquette où elle se trouvait était déjà pleine de monde et que j'avais en face de moi la porte réservée aux Hébreux qui, non tournante celle-là, s'ou-

vrant et se fermant à chaque instant, m'envoyait un froid
horrible. Mais le patron m'en refusa une autre en me
disant : « Non, Monsieur, je ne peux pas gêner tout le
monde pour vous. » Il oublia d'ailleurs bientôt le dîneur
tardif et gênant que j'étais, captivé qu'il était par l'arrivée
de chaque nouveau venu, qui, avant de demander son
bock, son aile de poulet froid ou son grog (l'heure du
dîner était depuis longtemps passée), devait, comme dans
les vieux romans, payer son écot en disant son aventure
au moment où il pénétrait dans cet asile de chaleur et de
sécurité où le contraste avec ce à quoi on avait échappé
faisait régner la gaieté et la camaraderie qui plaisantent
de concert devant le feu d'un bivouac.

L'un racontait que sa voiture, se croyant arrivée au pont
de la Concorde, avait fait trois fois le tour des Invalides ;
un autre que la sienne, essayant de descendre l'avenue des
Champs-Élysées, était entrée dans un massif du Rond-
Point, d'où elle avait mis trois quarts d'heure à sortir. Puis
suivaient des lamentations sur le brouillard, sur le froid,
sur le silence de mort des rues, qui étaient dites et écoutées
de l'air exceptionnellement joyeux qu'expliquaient la
douce atmosphère de la salle où excepté à ma place il faisait
chaud, la vive lumière qui faisait cligner les yeux déjà
habitués à ne pas voir et le bruit des causeries qui rendaient
aux oreilles leur activité.

Les arrivants avaient peine à garder le silence[a]. La
singularité des péripéties, qu'ils croyaient unique, leur
brûlait la langue, et ils cherchaient des yeux quelqu'un
avec qui engager la conversation. Le patron lui-même
perdait le sentiment des distances : « M. le prince de Foix
s'est perdu trois fois en venant de la porte Saint-Martin »,
ne craignait-il pas de dire en riant, non sans désigner,
comme dans une présentation, le célèbre aristocrate à un
avocat israélite qui, tout autre jour, eût été séparé de lui
par une barrière bien plus difficile à franchir que la baie
ornée de verdures. « Trois fois ! Voyez-vous ça », dit
l'avocat en touchant son chapeau. Le prince ne goûta pas
la phrase de rapprochement. Il faisait partie d'un groupe
aristocratique pour qui l'exercice de l'impertinence, même
à l'égard de la noblesse quand elle n'était pas de tout
premier rang, semblait être la seule occupation. Ne pas
répondre à un salut ; si l'homme poli récidivait, ricaner
d'un air narquois ou rejeter la tête en arrière d'un air

furieux ; faire semblant de ne pas reconnaître un homme âgé qui leur avait rendu service ; réserver leur poignée de main et leur salut aux ducs et aux amis tout à fait intimes des ducs que ceux-ci leur présentaient : telle était l'attitude de ces jeunes gens et en particulier du prince de Foix. Une telle attitude était favorisée par le désordre de la prime jeunesse (où, même dans la bourgeoisie, on paraît ingrat et on se montre mufle parce qu'ayant oublié pendant des mois d'écrire à un bienfaiteur qui vient de perdre sa femme, ensuite on ne le salue plus pour simplifier), mais elle était surtout inspirée par un snobisme de caste suraigu. Il est vrai que, à l'instar de certaines affections nerveuses dont les manifestations s'atténuent dans l'âge mûr, ce snobisme devait généralement cesser de se traduire d'une façon aussi hostile chez ceux qui avaient été de si insupportables jeunes gens. La jeunesse une fois passée, il est rare qu'on reste confiné dans l'insolence. On avait cru qu'elle seule existait, on découvre tout d'un coup, si prince qu'on soit, qu'il y a aussi la musique, la littérature, voire la députation. L'ordre des valeurs humaines s'en trouve modifié, et on entre en conversation avec les gens qu'on foudroyait du regard autrefois. Bonne chance à ceux de ces gens-là qui ont eu la patience d'attendre et de qui le caractère est assez bien fait — si l'on doit ainsi dire — pour qu'ils éprouvent du plaisir à recevoir vers la quarantaine la bonne grâce et l'accueil qu'on leur avait sèchement refusés à vingt ans !

À propos du prince de Foix il convient de dire, puisque l'occasion s'en présente, qu'il appartenait à une coterie de douze à quinze jeunes gens et à un groupe plus restreint de quatre. La coterie de douze à quinze avait cette caractéristique, à laquelle échappait, je crois, le prince, que ces jeunes gens présentaient chacun un double aspect. Pourris de dettes, ils semblaient des rien-du-tout aux yeux de leurs fournisseurs, malgré tout le plaisir que ceux-ci avaient à leur dire : « Monsieur le comte, Monsieur le marquis, Monsieur le duc... » Ils espéraient se tirer d'affaire au moyen du fameux « riche mariage », dit encore « gros sac », et comme les grosses dots qu'ils convoitaient n'étaient qu'au nombre de quatre ou cinq, plusieurs dressaient sourdement leurs batteries pour la même fiancée. Le secret était si bien gardé que, quand l'un d'eux venant au café disait : « Mes excellents bons, je vous aime trop pour ne pas vous annoncer mes fiançailles avec Mlle d'Ambresac », plusieurs exclamations retentissaient, nombre d'entre eux, croyant déjà la chose faite pour eux-mêmes avec elle, n'ayant pas le sang-froid nécessaire pour étouffer au premier moment le cri de leur rage et de leur stupéfaction[1] : « Alors ça te fait plaisir de te marier, Bibi ? » ne pouvait s'empêcher de s'exclamer le prince de Châtellerault, qui laissait tomber sa fourchette d'étonnement et de désespoir, car il avait cru que les mêmes fiançailles de Mlle d'Ambresac allaient bientôt être rendues publiques, mais avec lui, Châtellerault. Et pourtant Dieu sait tout ce que son père avait adroitement conté aux Ambresac contre la mère de Bibi. « Alors ça t'amuse de te marier ? » ne pouvait-il s'empêcher de demander une seconde fois à Bibi, lequel mieux préparé puisqu'il avait eu tout le temps de choisir son attitude depuis que c'était « presque officiel », répondait en souriant : « Je suis content non pas de me marier, ce dont je n'avais guère envie, mais d'épouser Daisy d'Ambresac que je trouve délicieuse. » Le temps qu'avait duré cette réponse, M. de Châtellerault s'était ressaisi, mais il songeait qu'il fallait au plus vite faire volte-face en direction de Mlle de la Canourgue[a] ou de Miss Foster, les grands partis n° 2 et n° 3, demander patience aux créanciers qui attendaient le mariage Ambresac, et enfin expliquer aux gens auxquels il avait dit aussi que Mlle d'Ambresac était charmante, que ce mariage était bon pour Bibi, mais que lui se serait brouillé avec toute sa famille s'il l'avait épousée. Mme de Soléon avait été, allait-il prétendre, jusqu'à dire qu'elle ne les recevrait pas.

Mais si, aux yeux des fournisseurs, patrons de restaurants, etc., ils semblaient des gens de peu, en revanche, être doubles, dès qu'ils se trouvaient dans le monde, ils n'étaient plus jugés d'après le délabrement de leur fortune et les tristes métiers auxquels ils se livraient pour essayer de le réparer. Ils redevenaient M. le prince, M. le duc un tel, et n'étaient comptés que d'après leurs quartiers. Un duc presque milliardaire et qui semblait tout réunir en soi, passait après eux parce que, chefs de famille, ils étaient anciennement princes souverains d'un petit pays où ils avaient le droit de battre monnaie, etc. Souvent, dans ce café, l'un baissait les yeux quand un autre entrait, de façon à ne pas forcer l'arrivant à le saluer. C'est qu'il avait, dans sa poursuite imaginative de la richesse, invité à dîner un banquier. Chaque fois qu'un homme du monde entre, dans ces conditions, en rapports avec un banquier, celui-ci lui fait perdre une centaine de mille francs, ce qui n'empêche pas l'homme du monde de recommencer avec un autre. On continue de brûler des cierges et de consulter des médecins.

Mais le prince de Foix, riche lui-même, appartenait non seulement à cette coterie élégante d'une quinzaine de jeunes gens, mais à un groupe, plus fermé et inséparable, de quatre, dont faisait partie Saint-Loup. On ne les invitait jamais l'un sans l'autre, on les appelait les quatre gigolos, on les voyait toujours ensemble à la promenade, dans les châteaux, où on leur donnait des chambres communicantes, de sorte que, d'autant plus qu'ils étaient tous très beaux, des bruits couraient sur leur intimité. Je pus les démentir de la façon la plus formelle en ce qui concernait Saint-Loup. Mais ce qui est curieux, c'est que plus tard, si l'on apprit que ces bruits étaient vrais pour tous les quatre, en revanche chacun d'eux l'avait entièrement ignoré des trois autres. Et pourtant chacun d'eux avait bien cherché à s'instruire sur les autres, soit pour assouvir un désir, ou plutôt une rancune, empêcher un mariage, avoir barre sur l'ami découvert. Un cinquième (car dans les groupes de quatre on est toujours plus de quatre) s'était joint aux quatre platoniciens, qui l'était plus que tous les autres. Mais des scrupules religieux le retinrent jusque bien après que le groupe des quatre fût désuni et lui-même marié, père de famille, implorant à Lourdes que le prochain enfant fût un garçon ou une fille, et dans l'intervalle se jetant sur les militaires.

Malgré la manière d'être du prince, le fait que le propos était tenu devant lui sans lui être directement adressé, rendit sa colère moins forte qu'elle n'eût été sans cela. De plus, cette soirée avait quelque chose d'exceptionnel. Enfin l'avocat n'avait pas plus de chance d'entrer en relations avec le prince de Foix que le cocher qui avait conduit ce noble seigneur. Aussi ce dernier crut-il pouvoir répondre, d'un air rogue toutefois et à la cantonade, à cet interlocuteur qui, à la faveur du brouillard, était comme un compagnon de voyage rencontré dans quelque plage située aux confins du monde, battue des vents ou ensevelie dans les brumes : « Ce n'est pas tout*d* de se perdre, mais c'est qu'on ne se retrouve pas. » La justesse de cette pensée frappa le patron parce qu'il l'avait déjà entendu exprimer plusieurs fois ce soir.

En effet, il avait l'habitude de comparer toujours ce qu'il entendait ou lisait à un certain texte déjà connu et sentait s'éveiller son admiration s'il ne voyait pas de différences. Cet état d'esprit n'est pas négligeable car, appliqué aux conversations politiques, à la lecture des journaux, il forme l'opinion publique, et par là rend possibles les plus grands événements. Beaucoup de patrons de cafés allemands admirant seulement leur consommateur ou leur journal, quand ils disaient que la France, l'Angleterre et la Russie « cherchaient » l'Allemagne, ont rendu possible, au moment d'Agadir, une guerre qui d'ailleurs n'a pas éclaté[1]. Les historiens, s'ils n'ont pas eu tort de renoncer à expliquer les actes des peuples par la volonté des rois, doivent la remplacer par la psychologie de l'individu, de l'individu médiocre.

En politique, le patron[a] du café où je venais d'arriver n'appliquait depuis quelque temps sa mentalité de professeur de récitation qu'à un certain nombre de morceaux sur l'affaire Dreyfus. S'il ne retrouvait pas les termes connus dans les propos d'un client ou les colonnes d'un journal, il déclarait l'article assommant, ou le client pas franc. Le prince de Foix l'émerveilla au contraire au point qu'il laissa à peine à son interlocuteur le temps de finir sa phrase. « Bien dit, mon prince, bien dit (ce qui voulait dire, en somme, récité sans faute), c'est ça, c'est ça », s'écria-t-il, « dilaté », comme s'expriment *Les Mille et Une Nuits,* « à la limite de la satisfaction[2] ». Mais le prince avait déjà disparu dans la petite salle. Puis, comme la vie reprend même après les événements les plus singuliers, ceux qui sortaient de la mer de brouillard commandaient les uns leur consommation, les autres leur souper ; et parmi ceux-ci, des jeunes gens du Jockey qui, à cause du caractère anormal du jour, n'hésitèrent pas à s'installer à deux tables dans la grande salle, et se trouvèrent ainsi fort près de moi. Tel le cataclysme avait établi, même de la petite salle à la grande, entre tous ces gens stimulés par le confort du restaurant, après leurs longues erreurs dans l'océan de brume, une familiarité dont j'étais seul exclu, et à laquelle devait ressembler celle qui régnait dans l'arche de Noé[3]. Tout à coup, je vis le patron s'infléchir en courbettes, les maîtres d'hôtel accourir au grand complet, ce qui fit tourner les yeux à tous les clients. « Vite, appelez-moi Cyprien, une table pour M. le marquis de Saint-Loup », s'écriait le patron, pour qui Robert n'était pas seulement un grand seigneur jouissant d'un véritable prestige, même aux yeux du prince de Foix, mais un client qui menait la vie à grandes guides et dépensait dans ce restaurant beaucoup d'argent. Les soupeurs de la grande salle regardaient avec curiosité, ceux de la petite hélaient à qui mieux mieux leur ami qui finissait de s'essuyer les pieds. Mais au moment où il allait pénétrer dans la petite salle, il m'aperçut dans la grande. « Bon Dieu, cria-t-il, qu'est-ce que tu fais là, et avec la porte ouverte devant toi », dit-il, non sans jeter un regard furieux au patron qui courut la fermer en s'excusant sur les garçons : « Je leur dis toujours de la tenir fermée. »

J'avais été obligé de déranger ma table et d'autres qui étaient devant la mienne, pour aller à lui. « Pourquoi as-tu bougé ? Tu aimes mieux dîner là que dans la petite salle ? Mais, mon pauvre petit, tu vas geler. Vous allez me faire le plaisir de condamner cette porte, dit-il au patron. — À l'instant même, monsieur le marquis, les clients qui viendront à partir de maintenant passeront par la petite salle, voilà tout. » Et pour mieux montrer son zèle, il commanda pour cette opération un maître d'hôtel et plusieurs garçons, tout en faisant sonner très haut de terribles menaces si elle n'était pas menée à bien. Il me donnait des marques de respect excessives pour que j'oubliasse qu'elles n'avaient pas commencé dès mon arrivée, mais seulement après celle de Saint-Loup, et, pour que je ne crusse pas cependant qu'elles étaient dues à l'amitié que me montrait son riche et aristocratique client, il m'adressait à la dérobée de petits sourires où semblait se déclarer une sympathie toute personnelle.

Derrière moi le propos d'un consommateur me fit tourner une seconde la tête. J'avais entendu au lieu des mots : « Aile de poulet, très bien, un peu de champagne, mais pas trop sec », ceux-ci : « J'aimerais mieux de la glycérine. Oui, chaude, très bien. » J'avais voulu voir quel était l'ascète qui s'infligeait un tel menu. Je retournai vivement la tête vers Saint-Loup pour ne pas être reconnu de l'étrange gourmet. C'était tout simplement un docteur, que je connaissais, à qui un client, profitant du brouillard pour le chambrer dans ce café, demandait une consultation. Les médecins comme les boursiers disent « je ».

Cependant[a] je regardais Robert et je songeais à ceci. Il y avait dans ce café, j'avais connu dans la vie, bien des étrangers, intellectuels, rapins de toute sorte, résignés au rire qu'excitaient leur cape prétentieuse, leurs cravates 1830[1] et bien plus encore leurs mouvements maladroits, allant jusqu'à le provoquer pour montrer qu'ils ne s'en souciaient pas, et qui étaient des gens d'une réelle valeur intellectuelle et morale, d'une profonde sensibilité. Ils déplaisaient — les Juifs principalement, les Juifs non assimilés bien entendu, il ne saurait être question des autres — aux personnes qui ne peuvent souffrir un aspect étrange, loufoque (comme Bloch à Albertine). Généralement on reconnaissait ensuite que, s'ils avaient contre eux d'avoir les cheveux trop longs, le nez et les yeux trop grands, des gestes théâtraux et saccadés, il était puéril de les juger là-dessus, qu'ils avaient beaucoup d'esprit, de cœur et étaient, à l'user, des gens qu'on pouvait profondément aimer. Pour les Juifs en particulier, il en était peu dont les parents n'eussent une générosité de cœur, une largeur d'esprit, une sincérité, à côté desquelles la mère de Saint-Loup et le duc de Guermantes ne fissent piètre figure morale par leur sécheresse, leur religiosité superficielle qui ne flétrissait que les scandales, et leur apologie familiale d'un christianisme aboutissant infailliblement (par les voies imprévues de l'intelligence uniquement prisée) à un colossal mariage d'argent. Mais enfin chez Saint-Loup, de quelque façon que les défauts des parents se fussent combinés en une création nouvelle de qualités, régnait la plus charmante ouverture d'esprit et de cœur. Et alors, il faut bien le dire à la gloire immortelle de la France, quand ces qualités-là se trouvent chez un pur Français, qu'il soit de l'aristocratie ou du peuple, elles fleurissent — s'épanouissent serait trop dire, car la mesure y persiste et la restriction — avec une grâce que l'étranger, si estimable soit-il, ne nous offre pas. Les qualités intellectuelles et morales, certes les autres les possèdent aussi, et s'il faut d'abord traverser ce qui déplaît et ce qui choque et ce qui fait sourire, elles ne sont pas moins précieuses. Mais c'est tout de même une jolie chose et qui est peut-être exclusivement française, que ce qui est beau au jugement de l'équité, ce qui vaut selon l'esprit et le cœur, soit d'abord charmant aux yeux, coloré avec grâce, ciselé avec justesse, réalise aussi dans sa matière et dans sa forme la perfection intérieure. Je regardais Saint-Loup, et je me disais que c'est une jolie chose quand il n'y a pas de disgrâce physique pour servir de vestibule aux grâces intérieures, et que les ailes du nez sont délicates et d'un dessin parfait comme celles des petits papillons qui se posent sur les fleurs des prairies, autour de Combray ; et que le véritable *opus francigenum*[1], dont le secret n'a pas été perdu depuis le XIIIe siècle, et qui ne périrait pas avec nos églises, ce ne sont pas tant les anges de pierre de Saint-André-des-Champs que les petits Français, nobles, bourgeois ou paysans, au visage sculpté avec cette délicatesse et cette franchise restées aussi traditionnelles qu'au porche fameux, mais encore créatrices.

Après être parti un instant pour veiller lui-même à la fermeture de la porte et à la commande du dîner (il insista beaucoup pour que nous prissions de la « viande de boucherie », les volailles n'étant sans doute pas fameuses), le patron revint nous dire que M. le prince de Foix aurait bien voulu que M. le marquis lui permît de venir dîner à une table près de lui. « Mais elles sont toutes prises, répondit Robert en voyant les tables qui bloquaient la mienne. — Pour cela, riposta le patron, cela ne fait rien : si ça pouvait être agréable à M. le marquis, il me serait bien facile de prier ces personnes de changer de place. Ce sont des choses qu'on peut faire pour M. le marquis ! — Mais c'est à toi de décider, me dit Saint-Loup, Foix est un bon garçon, je ne sais pas s'il t'ennuiera, il est moins bête que beaucoup. » Je répondis à Robert qu'il me plairait certainement, mais que pour une fois où je dînais avec lui et où je m'en sentais si heureux, j'aurais autant aimé que nous fussions seuls. « Ah ! il a un manteau bien joli, M. le prince », dit le patron pendant notre délibération. « Oui, je le connais », répondit Saint-Loup. Je voulais raconter[a] à Robert que M. de Charlus avait dissimulé à sa belle-sœur qu'il me connût et lui demander quelle pouvait en être la raison, mais j'en fus empêché par l'arrivée de M. de Foix. Venant pour voir si sa requête était accueillie, nous l'aperçûmes qui se tenait à deux pas. Robert nous présenta, mais ne cacha pas à son ami qu'ayant à causer avec moi, il préférait qu'on nous laissât tranquilles. Le prince s'éloigna en ajoutant au salut d'adieu qu'il me fit, un sourire qui montrait Saint-Loup et semblait s'excuser sur la volonté de celui-ci de la brièveté d'une présentation qu'il eût souhaitée plus longue. Mais à ce moment Robert, semblant frappé d'une idée subite, s'éloigna avec son camarade, après m'avoir dit : « Assieds-toi toujours et commence à dîner, j'arrive », et il disparut dans la petite salle. Je fus peiné d'entendre les jeunes gens chic que je ne connaissais pas, raconter les histoires les plus ridicules et les plus malveillantes sur le jeune grand-duc héritier de Luxembourg[1] (ex-comte de Nassau) que j'avais connu à Balbec et qui m'avait donné des preuves si délicates de sympathie pendant la maladie de ma grand-mère. L'un prétendait qu'il avait dit à la duchesse de Guermantes : « J'exige que tout le monde se lève quand ma femme passe » et que la duchesse avait répondu (ce qui eût été non seulement dénué d'esprit mais d'exactitude, la grand-mère de la jeune princesse ayant toujours été la plus honnête femme du monde) : « Il faut qu'on se lève quand passe ta femme, cela changera de sa grand-mère car pour elle les hommes se couchaient. » Puis on raconta qu'étant allé voir cette année sa tante la princesse de Luxembourg, à Balbec, et étant descendu au Grand Hôtel, il s'était plaint au directeur (mon ami) qu'il n'eût pas hissé le fanion de Luxembourg au-dessus de la digue. Or, ce fanion étant moins connu et de moins d'usage que les drapeaux d'Angleterre ou d'Italie, il avait fallu plusieurs jours pour se le procurer, au vif mécontentement du jeune grand-duc. Je ne crus pas un mot de cette histoire, mais me promis, dès que j'irais à Balbec, d'interroger le directeur de l'hôtel de façon à m'assurer qu'elle était une invention pure.

En attendant Saint-Loup, je demandai au patron du restaurant de me faire[a] donner du pain. « Tout de suite, monsieur le baron, dit-il avec empressement. — Je ne suis pas baron, lui répondis-je avec un air de tristesse pour rire. — Oh ! pardon, Monsieur le comte ! » Je n'eus pas le temps de faire entendre une seconde protestation, après laquelle je fusse sûrement devenu « Monsieur le marquis » ; aussi vite qu'il l'avait annoncé, Saint-Loup réapparut dans l'entrée tenant à la main le grand manteau de vigogne du prince à qui je compris qu'il l'avait demandé pour me tenir chaud. Il me fit signe de loin de ne pas me déranger, il avança, il aurait fallu qu'on bougeât encore ma table ou que je changeasse de place pour qu'il pût s'asseoir. Dès qu'il entra dans la grande salle, il monta légèrement sur les banquettes de velours rouge qui en faisaient le tour en longeant le mur et où en dehors de moi n'étaient assis que trois ou quatre jeunes gens du Jockey, connaissances à lui qui n'avaient pu trouver place dans la petite salle. Entre les tables, des fils électriques étaient tendus à une certaine hauteur ; sans s'y embarrasser Saint-Loup les sauta adroitement comme un cheval de course un obstacle ; confus qu'elle s'exerçât uniquement pour moi et dans le but de m'éviter un mouvement bien simple, j'étais en même temps émerveillé de cette sûreté avec laquelle mon ami accomplissait cet exercice de voltige ; et je n'étais pas le seul ; car encore qu'ils l'eussent sans doute médiocrement goûté de la part d'un moins aristocratique et moins généreux client, le patron et les garçons restaient fascinés, comme des connaisseurs au pesage ; un commis, comme paralysé, restait immobile avec un plat que des dîneurs attendaient à côté ; et quand Saint-Loup, ayant à passer derrière ses amis, grimpa sur le rebord du dossier et s'y avança en équilibre, des applaudissements discrets éclatèrent dans le fond de la salle. Enfin arrivé à ma hauteur, il arrêta net son élan avec la précision d'un chef devant la tribune d'un souverain, et s'inclinant, me tendit avec un air de courtoisie et de soumission le manteau de vigogne, qu'aussitôt après, s'étant assis à côté de moi, sans que j'eusse eu un mouvement à faire, il arrangea, en châle léger et chaud, sur mes épaules[1].

« Dis-moi pendant que j'y pense, me dit Robert, mon oncle Charlus a quelque chose à te dire. Je lui ai promis que je t'enverrais chez lui demain soir.

— Justement j'allais te parler de lui. Mais demain soir je dîne chez ta tante Guermantes.

— Oui, il y a un gueuleton à tout casser, demain, chez Oriane. Je ne suis pas convié. Mais mon oncle Palamède voudrait que tu n'y ailles pas. Tu ne peux pas te décommander ? En tout cas, va chez mon oncle Palamède après. Je crois qu'il tient à te voir. Voyons, tu peux bien y être vers onze heures. Onze heures, n'oublie pas, je me charge de le prévenir. Il est très susceptible. Si tu n'y vas pas, il t'en voudra. Et cela finit toujours de bonne heure chez Oriane. Du reste, moi[a], il aurait fallu que je visse Oriane, pour mon poste au Maroc que je voudrais changer.

Elle est si gentille pour ces choses-là et elle peut tout sur le général de Saint-Joseph de qui ça dépend. Mais ne lui en parle pas. J'ai dit un mot à la princesse de Parme, ça marchera tout seul. Ah ! le Maroc, très intéressant. Il y aurait beaucoup à te parler. Hommes très fins là-bas. On sent la parité d'intelligence.

— Tu ne crois pas que les Allemands puissent aller jusqu'à la guerre à propos de cela ?

— Non, cela les ennuie, et au fond c'est très juste. Mais l'empereur est pacifique. Ils nous font toujours croire qu'ils veulent la guerre pour nous forcer à céder. Cf. Poker. Le prince de Monaco, agent de Guillaume II, vient nous dire en confidence que l'Allemagne se jette sur nous si nous ne cédons pas[1]. Alors nous cédons. Mais si nous ne cédions pas, il n'y aurait aucune espèce de guerre. Tu n'as qu'à penser à quelle chose cosmique serait une guerre aujourd'hui. Ce serait plus catastrophique que le *Déluge*[2] et le *Götterdämmerung*[3]. Seulement cela durerait moins longtemps. »

Il me parla[a] d'amitié, de prédilection, de regret (bien que, comme tous les voyageurs de sa sorte, il allât repartir le lendemain pour quelques mois qu'il devait passer à la campagne et dût revenir seulement quarante-huit heures à Paris avant de retourner au Maroc ou ailleurs) ; mais les mots qu'il jeta ainsi dans la chaleur de cœur que j'avais ce soir-là y allumaient une douce rêverie. Nos rares tête-à-tête, et celui-là surtout, ont fait depuis épisode dans ma mémoire. Pour lui, comme pour moi, ce fut le soir de l'amitié. Pourtant celle que je ressentais en ce moment (et à cause de cela non sans quelque remords) n'était guère, je le craignais, celle qu'il lui eût plu d'inspirer. Tout rempli encore du plaisir que j'avais eu à le voir s'avancer au petit galop et toucher gracieusement au but, je sentais que ce plaisir tenait à ce que chacun des mouvements développés le long du mur, sur la banquette, avait sa signification, sa cause, dans la nature individuelle de Saint-Loup peut-être, mais plus encore dans celle que, par la naissance et par l'éducation, il avait héritée de sa race.

Une certitude du goût dans l'ordre non du beau mais des manières, et qui en présence d'une circonstance nouvelle faisait saisir tout de suite à l'homme élégant — comme à un musicien à qui on demande de jouer un morceau inconnu — le sentiment, le mouvement qu'elle réclame et y adapter le mécanisme, la technique qui conviennent le mieux, puis permettait à ce goût de s'exercer sans la contrainte d'aucune autre considération dont tant^{*d*} de jeunes bourgeois eussent été paralysés, aussi bien par peur d'être ridicules aux yeux des autres en manquant aux convenances que de paraître trop empressés à ceux de leur ami, et que remplaçait chez Robert un dédain que certes il n'avait jamais éprouvé dans son cœur, mais qu'il avait reçu par héritage en son corps, et qui avait plié les façons de ses ancêtres à une familiarité qu'ils croyaient ne pouvoir que flatter et ravir celui à qui elle s'adressait ; enfin une noble libéralité qui, ne tenant aucun compte de tant d'avantages matériels (des dépenses à profusion dans ce restaurant avaient achevé de faire de lui, ici comme ailleurs, le client le plus à la mode et le grand favori, situation que soulignait l'empressement envers lui non pas seulement de la domesticité mais de toute la jeunesse la plus brillante), les lui faisait fouler aux pieds, comme ces banquettes de pourpre effectivement et symboliquement trépignées, pareilles à un chemin somptueux qui ne plaisait à mon ami qu'en lui permettant de venir vers moi avec plus de grâce et de rapidité ; telles étaient les qualités, toutes essentielles à l'aristocratie, qui, derrière ce corps, non pas opaque et obscur comme eût été le mien, mais significatif et limpide, transparaissaient comme à travers une œuvre d'art la puissance industrieuse, efficiente qui l'a créée, et rendaient les mouvements de cette course légère que Robert avait déroulée le long du mur, aussi intelligibles et charmants que ceux de cavaliers sculptés sur une frise[1]. « Hélas, eût pensé Robert, est-ce la peine que j'aie passé ma jeunesse à mépriser la naissance, à honorer seulement la justice et l'esprit, à choisir, en dehors des amis qui m'étaient imposés, des compagnons gauches et mal vêtus s'ils avaient de l'éloquence, pour que le seul être qui apparaisse en moi, dont on garde un précieux souvenir, soit non celui que ma volonté, en s'efforçant et en méritant, a modelé à ma ressemblance, mais un être qui n'est pas mon œuvre, qui n'est même pas moi, que j'ai toujours méprisé et cherché à vaincre ? Est-ce la peine que j'aie aimé mon ami préféré comme je l'ai fait, pour que le plus grand plaisir qu'il trouve en moi soit celui d'y découvrir quelque chose de bien plus général que moi-même, un plaisir qui n'est pas du tout, comme il le dit et comme il ne peut sincèrement le croire, un plaisir d'amitié, mais un plaisir intellectuel et désintéressé, une sorte de plaisir d'art ? » Voilà ce que je crains aujourd'hui que Saint-Loup ait quelquefois pensé. Il s'est trompé, dans ce cas. S'il n'avait pas, comme il avait fait, aimé quelque chose de plus élevé que la souplesse innée de son corps, s'il n'avait pas été si longtemps détaché de l'orgueil nobiliaire, il y eût eu plus d'application et de lourdeur dans son agilité même, une vulgarité importante dans ses manières. Comme à Mme de Villeparisis il avait fallu beaucoup de sérieux pour qu'elle donnât dans sa conversation et dans ses Mémoires le sentiment de la frivolité, lequel est intellectuel[1], de même, pour que le corps de Saint-Loup fût habité par tant d'aristocratie, il fallait que celle-ci eût déserté sa pensée, tendue vers de plus hauts objets, et, résorbée dans son corps, s'y fût fixée en lignes inconscientes et nobles. Par-là sa distinction d'esprit n'était pas absente d'une distinction physique qui, la première faisant défaut, n'eût pas été complète. Un artiste n'a pas besoin d'exprimer directement sa pensée dans son ouvrage pour que celui-ci en reflète la qualité ; on a même pu dire que la louange la plus haute de Dieu est dans la négation de l'athée qui trouve la Création assez parfaite pour se passer d'un créateur. Et je savais bien aussi que ce n'était pas qu'une œuvre d'art que j'admirais en ce jeune cavalier déroulant le long du mur la frise de sa course ; le jeune prince (descendant de Catherine de Foix, reine de Navarre et petite-fille de Charles VII[2]) qu'il venait de quitter à mon profit, la situation de naissance et de fortune qu'il inclinait devant moi, les ancêtres dédaigneux et souples qui survivaient dans l'assurance, l'agilité et la courtoisie avec lesquelles il venait de disposer autour de mon corps frileux le manteau de vigogne, tout cela n'était-ce pas comme des amis plus anciens que moi dans sa vie, par lesquels j'eusse cru que nous dussions toujours être séparés, et qu'il me sacrifiait au contraire par un choix que l'on ne peut faire que dans les hauteurs de l'intelligence, avec cette liberté souveraine dont les mouvements de Robert étaient l'image et dans laquelle se réalise la parfaite amitié[a] ?

Ce que la familiarité d'un Guermantes — au lieu de la distinction qu'elle avait chez Robert, parce que le dédain héréditaire n'y était que le vêtement, devenu grâce inconsciente, d'une réelle humilité morale — eût décelé de morgue vulgaire, j'avais pu en prendre conscience, non en M. de Charlus chez lequel des défauts de caractère que jusqu'ici je comprenais mal s'étaient superposés aux habitudes aristocratiques, mais chez le duc de Guermantes. Lui aussi pourtant, dans l'ensemble commun qui avait tant déplu à ma grand-mère quand autrefois elle l'avait rencontré chez Mme de Villeparisis, offrait des parties de grandeur ancienne, et qui me furent sensibles quand j'allai dîner chez lui, le lendemain de la soirée que j'avais passée avec Saint-Loup.

Elles ne m'étaient apparues ni chez lui ni chez la duchesse, quand je les avais vus d'abord chez leur tante, pas plus que je n'avais vu le premier jour les différences qui séparaient la Berma de ses camarades, encore que chez celle-ci les particularités fussent infiniment plus saisissantes que chez des gens du monde puisqu'elles deviennent plus marquées au fur et à mesure que les objets sont plus réels, plus concevables à l'intelligence. Mais enfin, si*ᵃ* légères que soient les nuances sociales (et au point que lorsqu'un peintre véridique comme Sainte-Beuve veut marquer successivement les nuances qu'il y eut entre le salon de Mme Geoffrin, de Mme Récamier et de Mme de Boigne, ils apparaissent tous si semblables que la principale vérité qui, à l'insu de l'auteur, ressort de ses études, c'est le néant de la vie de salon[1]), pourtant, en vertu de la même raison que pour la Berma, quand les Guermantes me furent devenus indifférents et que la gouttelette de leur originalité ne fut plus vaporisée par mon imagination, je pus la recueillir, tout impondérable qu'elle fût.

La duchesse ne m'ayant pas parlé de son mari, à la soirée de sa tante, je me demandais si, avec les bruits de divorce qui couraient, il assisterait au dîner. Mais je fus bien vite fixé, car parmi les valets de pied qui se tenaient debout dans l'antichambre et qui (puisqu'ils avaient dû jusqu'ici me considérer à peu près comme les enfants de l'ébéniste, c'est-à-dire peut-être avec plus de sympathie que leur maître, mais comme incapable d'être reçu chez lui) devaient chercher la cause de cette révolution, je vis se glisser M. de Guermantes qui guettait mon arrivée pour me recevoir sur le seuil et m'ôter lui-même mon pardessus.

« Mme de Guermantes*ᵇ* va être tout ce qu'il y a de plus heureuse, me dit-il d'un ton habilement persuasif. Permettez-moi de vous débarrassez de vos frusques (il trouvait à la fois bon enfant et comique de parler le langage du peuple). Ma femme craignait un peu une défection de votre part, bien que vous eussiez donné votre jour. Depuis ce matin nous nous disions l'un à l'autre : "Vous verrez qu'il ne viendra pas." Je dois dire que Mme de Guermantes a vu plus juste que moi. Vous n'êtes pas un homme commode à avoir et j'étais persuadé que vous nous feriez faux bond. »

Et le duc était si mauvais mari[a], si brutal même, disait-on, qu'on lui savait gré, comme on sait gré de leur douceur aux méchants, de ces mots « Mme de Guermantes » avec lesquels il avait l'air d'étendre sur la duchesse une aile protectrice pour qu'elle ne fasse qu'un avec lui. Cependant, me saisissant familièrement par la main, il se mit en devoir de me guider et de m'introduire dans les salons. Telle expression courante peut plaire dans la bouche d'un paysan si elle montre la survivance d'une tradition locale, la trace d'un événement historique, peut-être ignorés de celui qui y fait allusion ; de même, cette politesse de M. de Guermantes[1], et qu'il allait me témoigner pendant toute la soirée, me charma comme un reste d'habitudes plusieurs fois séculaires, d'habitudes en particulier du XVIIe siècle. Les gens des temps passés nous semblent infiniment loin de nous. Nous n'osons pas leur supposer d'intentions profondes au-delà de ce qu'ils expriment formellement ; nous sommes étonnés quand nous rencontrons un sentiment à peu près pareil à ceux que nous éprouvons chez un héros d'Homère ou une habile feinte tactique chez Hannibal pendant la bataille de Cannes où il laissa enfoncer son flanc pour envelopper son adversaire par surprise[2] ; on dirait que nous nous imaginions ce poète épique et ce général aussi éloignés de nous qu'un animal vu dans un jardin zoologique[3]. Même chez tels personnages de la cour de Louis XIV, quand nous trouvons des marques de courtoisie dans des lettres écrites par eux à quelque homme de rang inférieur et qui ne peut leur être utile à rien, elles nous laissent surpris parce qu'elles nous révèlent tout à coup chez ces grands seigneurs tout un monde de croyances qu'ils n'expriment jamais directement mais qui les gouvernent, et en particulier la croyance qu'il faut par politesse feindre certains sentiments et exercer avec le plus grand scrupule certaines fonctions d'amabilité.

Cet éloignement imaginaire du passé est peut-être une des raisons qui permettent de comprendre que même de grands écrivains aient trouvé une beauté géniale aux œuvres de médiocres mystificateurs comme Ossian[1]. Nous sommes si étonnés que des bardes lointains puissent avoir des idées modernes, que nous nous émerveillons si, dans ce que nous croyons un vieux chant gaélique, nous en rencontrons une que nous n'eussions trouvée qu'ingénieuse chez un contemporain. Un traducteur de talent n'a qu'à ajouter à un ancien qu'il restitue plus ou moins fidèlement, des morceaux qui, signés d'un nom contemporain et publiés à part, paraîtraient seulement agréables : aussitôt il donne une émouvante grandeur à son poète, lequel joue ainsi sur le clavier de plusieurs siècles. Ce traducteur n'était capable que d'un livre médiocre, si ce livre eût été publié comme un original de lui. Donné pour une traduction, il semble celle d'un chef-d'œuvre. Le passé non seulement n'est pas si fugace, il reste sur place[a]. Ce n'est pas seulement des mois après le commencement d'une guerre que des lois votées sans hâte peuvent agir efficacement sur elle, ce n'est pas seulement quinze ans après un crime resté obscur qu'un magistrat peut encore trouver les éléments qui serviront à l'éclaircir ; après des siècles et des siècles, le savant qui étudie dans une région lointaine la toponymie, les coutumes des habitants, pourra saisir encore en elles telle légende bien antérieure au christianisme, déjà incomprise, sinon même oubliée, au temps d'Hérodote[2] et qui, dans l'appellation donnée à une roche, dans un rite religieux, demeure au milieu du présent comme une émanation plus dense, immémoriale et stable. Il y en avait une aussi, bien moins antique, émanation de la vie de cour, sinon dans les manières souvent vulgaires de M. de Guermantes, du moins dans l'esprit qui les dirigeait. Je devais la goûter encore, comme une odeur ancienne, quand je le retrouvai un peu plus tard au salon. Car je n'y étais pas allé tout de suite.

En quittant le vestibule, j'avais dit à M. de Guermantes que j'avais un grand désir de voir ses Elstir. « Je suis à vos ordres, M. Esltir est-il donc de vos amis ? Je suis fort marri car je le connais un peu, c'est un homme aimable, ce que nos pères appelaient l'honnête homme, j'aurais pu lui demander de me faire la grâce de venir, et le prier à dîner. Il aurait certainement été très flatté de passer la soirée en votre compagnie. » Fort peu Ancien Régime quand il s'efforçait ainsi de l'être, le duc le redevenait ensuite sans le vouloir. M'ayant demandé si je désirais qu'il me montrât ces tableaux, il me conduisit, s'effaçant gracieusement devant chaque porte, s'excusant quand, pour me montrer le chemin, il était obligé de passer devant, petite scène qui (depuis le temps où Saint-Simon raconte qu'un ancêtre des Guermantes lui fit les honneurs de son hôtel avec les mêmes scrupules dans l'accomplissement des devoirs frivoles du gentilhomme) avait dû, avant de glisser jusqu'à nous, être jouée par bien d'autres Guermantes pour bien d'autres visiteurs. Et comme[a] j'avais dit au duc que je serais bien aise d'être seul un moment devant les tableaux, il s'était retiré discrètement en me disant que je n'aurais qu'à venir le retrouver au salon.

Seulement une fois en tête à tête avec les Elstir, j'oubliai tout à fait l'heure du dîner ; de nouveau comme à Balbec j'avais devant moi les fragments de ce monde aux couleurs inconnues qui n'était que la projection de la manière de voir particulière à ce grand peintre et que ne traduisaient nullement ses paroles. Les parties du mur couvertes de peintures de lui, toutes homogènes les unes aux autres, étaient comme les images lumineuses d'une lanterne magique laquelle eût été, dans le cas présent, la tête de l'artiste et dont on n'eût pu soupçonner l'étrangeté tant qu'on n'aurait fait que connaître l'homme, c'est-à-dire tant qu'on n'eût fait que voir la lanterne coiffant la lampe, avant qu'aucun verre coloré eût encore été placé. Parmi ces tableaux, quelques-uns de ceux qui semblaient le plus ridicules aux gens du monde m'intéressaient plus que les autres en ce qu'ils recréaient ces illusions d'optique qui nous prouvent que nous n'identifierions pas les objets si nous ne faisions pas intervenir le raisonnement. Que de fois en voiture ne découvrons-nous pas une longue rue claire qui commence à quelques mètres de nous, alors que seul, devant nous un pan de mur violemment éclairé nous a donné le mirage de la profondeur ! Dès lors n'est-il pas logique, non par artifice de symbolisme mais par retour sincère à la racine même de l'impression, de représenter une chose par cette autre que dans l'éclair d'une illusion première nous avons prise pour elle ? Les surfaces et les volumes sont en réalité indépendants des noms d'objets que notre mémoire leur impose quand nous les avons reconnus. Elstir tâchait d'arracher à ce qu'il venait de sentir ce qu'il savait ; son effort avait souvent été de dissoudre cet agrégat de raisonnements que nous appelons vision.

Les gens[a] qui détestaient ces « horreurs » s'étonnaient qu'Elstir admirât Chardin, Perronneau, tant de peintres qu'eux, les gens du monde, aimaient[1]. Ils ne se rendaient pas compte qu'Elstir avait pour son compte refait devant le réel (avec l'indice particulier de son goût pour certaines recherches) le même effort qu'un Chardin ou un Perroneau, et qu'en conséquence, quand il cessait de travailler pour lui-même, il admirait en eux des tentatives du même genre, des sortes de fragments anticipés d'œuvres de lui. Mais les gens du monde n'ajoutaient pas par la pensée à l'œuvre d'Elstir cette perspective du Temps qui leur permettait d'aimer ou tout au moins de regarder sans gêne la peinture de Chardin. Pourtant les plus vieux auraient pu se dire qu'au cours de leur vie ils avaient vu, au fur et à mesure que les années les en éloignaient, la distance infranchissable entre ce qu'ils jugeaient un chef-d'œuvre d'Ingres et ce qu'ils croyaient devoir rester à jamais une horreur (par exemple l'*Olympia* de Manet) diminuer jusqu'à ce que les deux toiles eussent l'air jumelles[2]. Mais on ne profite d'aucune leçon parce qu'on ne sait pas descendre jusqu'au général et qu'on se figure toujours se trouver en présence d'une expérience qui n'a pas de précédents dans le passé.

Je fus ému de retrouver dans deux tableaux (plus réalistes, ceux-là, et d'une manière antérieure) un même monsieur, une fois en frac dans son salon, une autre fois en veston et en chapeau haut de forme dans une fête populaire au bord de l'eau où il n'avait évidemment que faire, et qui prouvait que pour Elstir il n'était pas seulement un modèle habituel, mais un ami, peut-être un protecteur[3], qu'il aimait, comme autrefois Carpaccio tels seigneurs notoires — et parfaitement ressemblants — de Venise[4], à faire figurer dans ses peintures, de même encore que Beethoven trouvait du plaisir à inscrire en tête d'une œuvre préférée le nom chéri de l'archiduc Rodolphe[5]. Cette fête au bord de l'eau avait quelque chose d'enchanteur. La rivière, les robes des femmes, les voiles des barques, les reflets innombrables des unes et des autres voisinaient parmi ce carré de peinture qu'Elstir avait découpé dans une merveilleuse après-midi. Ce qui ravissait

dans la robe d'une femme cessant un moment de danser
à cause de la chaleur et de l'essoufflement, était chatoyant
aussi, et de la même manière, dans la toile d'une voile
arrêtée, dans l'eau du petit port, dans le ponton de bois,
dans les feuillages et dans le ciel. Comme, dans un des
tableaux que j'avais vus à Balbec, l'hôpital, aussi beau sous
son ciel de lapis que la cathédrale elle-même, semblait,
plus hardi qu'Elstir théoricien, qu'Elstir homme de goût
et amoureux du Moyen Âge, chanter : « Il n'y a pas de
gothique, il n'y a pas de chef-d'œuvre, l'hôpital sans style
vaut le glorieux portail », de même j'entendais : « La
dame un peu vulgaire qu'un dilettante en promenade
éviterait de regarder, excepterait du tableau poétique que
la nature compose devant lui, cette femme est belle aussi,
sa robe reçoit la même lumière que la voile du bateau,
et il n'y pas de choses plus ou moins précieuses, la robe
commune et la voile en elle-même jolie sont deux miroirs
du même reflet. Tout le prix est dans les regards du
peintre. » Or celui-ci avait su immortellement arrêter le
mouvement des heures à cet instant lumineux où la dame
avait eu chaud et avait cessé de danser, où l'arbre était
cerné d'un pourtour d'ombre, où les voiles semblaient
glisser sur un vernis d'or. Mais justement parce que
l'instant pesait sur nous avec tant de force, cette toile si
fixée donnait l'impression la plus fugitive, on sentait que
la dame allait bientôt s'en retourner, les bateaux disparaître, l'ombre changer de place, la nuit venir, que le plaisir
finit, que la vie passe et que les instants, montrés à la fois
par tant de lumières qui y voisinent ensemble, ne se
retrouvent pas. Je reconnaissais encore un aspect, tout
autre il est vrai, de ce qu'est l'Instant, dans quelques
aquarelles à sujets mythologiques, datant des débuts
d'Elstir et dont était aussi orné ce salon. Les gens du
monde[a] « avancés » allaient « jusqu'à » cette manière-là,
mais pas plus loin. Ce n'était certes pas ce qu'Elstir avait
fait de mieux, mais déjà la sincérité avec laquelle le sujet
avait été pensé lui ôtait sa froideur. C'est ainsi que, par
exemple, les Muses étaient représentées comme le seraient
des êtres appartenant à une espèce fossile mais qu'il n'eût
pas été rare, aux temps mythologiques, de voir passer le
soir, par deux ou par trois, le long de quelque sentier
montagneux[1]. Quelquefois un poète, d'une race ayant aussi
une individualité particulière pour un zoologiste (caractéri-

sée par une certaine insexualité), se promenait avec une Muse, comme, dans la nature, des créatures d'espèces différentes mais amies et qui vont de compagnie. Dans une de ces aquarelles, on voyait un poète épuisé d'une longue course en montagne, qu'un Centaure, qu'il a rencontré, touché de sa fatigue, prend sur son dos et ramène[1]. Dans plus d'une autre, l'immense paysage (où la scène mythique, les héros fabuleux tiennent une place minuscule et sont comme perdus) est rendu, des sommets à la mer, avec une exactitude qui donne plus que l'heure, jusqu'à la minute qu'il est, grâce au degré précis du déclin du soleil, à la fidélité fugitive des ombres. Par là l'artiste donne, en l'instantanéisant, une sorte de réalité historique vécue au symbole de la fable, le peint et le relate au passé défini.

Pendant que je regardais les peintures d'Elstir, les coups de sonnette des invités qui arrivaient avaient tinté, ininterrompus, et m'avaient bercé doucement. Mais le silence[a] qui leur succéda et qui durait déjà depuis très longtemps finit — moins rapidement il est vrai — par m'éveiller de ma rêverie, comme celui qui succède à la musique de Lindor tire Bartholo de son sommeil[2]. J'eus peur qu'on m'eût oublié, qu'on fût à table et j'allai rapidement vers le salon. À la porte du cabinet des Elstir je trouvai un domestique qui m'attendait, vieux ou poudré, je ne sais, l'air d'un ministre espagnol, mais me témoignant du même respect qu'il eût mis aux pieds d'un roi. Je sentis à son air qu'il m'eût attendu une heure encore, et je pensai avec effroi au retard que j'avais apporté au dîner, alors surtout que j'avais promis d'être à onze heures chez M. de Charlus.

Le ministre espagnol (non sans que je rencontrasse, en route, le valet de pied persécuté par le concierge, et qui, rayonnant de bonheur quand je lui demandai des nouvelles de sa fiancée, me dit que justement demain était le jour de sortie d'elle et de lui, qu'il pourrait passer toute la journée avec elle, et célébra la bonté de Madame la duchesse) me conduisit[b] au salon où je craignais de trouver M. de Guermantes de mauvaise humeur. Il m'accueillit, au contraire, avec une joie évidemment en partie factice et dictée par la politesse, mais par ailleurs sincère, inspirée et par son estomac qu'un tel retard avait affamé, et par la conscience d'une impatience pareille chez

tous ses invités lesquels remplissaient complètement le
salon. Je sus, en effet, plus tard, qu'on m'avait attendu près
de trois quarts d'heure. Le duc de Guermantes pensa sans
doute que prolonger le supplice général de deux minutes
ne l'aggraverait pas, et que la politesse l'ayant poussé à
reculer si longtemps le moment de se mettre à table, cette
politesse serait plus complète si, en ne faisant pas servir
immédiatement, il réussissait à me persuader que je n'étais
pas en retard et qu'on n'avait pas attendu pour moi. Aussi
me demanda-t-il, comme si nous avions une heure avant
le dîner et si certains invités n'étaient pas encore là,
comment je trouvais les Elstir. Mais en même temps et
sans laisser apercevoir ses tiraillements d'estomac, pour ne
pas perdre une seconde de plus, de concert avec la
duchesse il procédait aux présentations. Alors seulement
je m'aperçus[a] que venait de se produire autour de moi,
de moi qui jusqu'à ce jour — sauf le stage dans le salon
de Mme Swann — avais été habitué chez ma mère, à
Combray et à Paris, aux façons ou protectrices ou sur la
défensive de bourgeoises rechignées qui me traitaient en
enfant, un changement de décor comparable à celui qui
introduit tout à coup Parsifal au milieu des filles-fleurs[1].
Celles qui m'entouraient, entièrement décolletées (leur
chair apparaissait des deux côtés d'une sinueuse branche
de mimosa ou sous les larges pétales d'une rose), ne me
dirent[b] bonjour qu'en coulant vers moi de longs regards
caressants comme si la timidité seule les eût empêchées
de m'embrasser. Beaucoup n'en étaient pas moins fort
honnêtes au point de vue des mœurs ; beaucoup, non
toutes, car les plus vertueuses n'avaient pas pour celles
qui étaient légères cette répulsion qu'eût éprouvée ma
mère. Les caprices de la conduite, niés par de saintes amies,
malgré l'évidence, semblaient, dans le monde des Guermantes, importer beaucoup moins que les relations qu'on
avait su conserver. On feignait d'ignorer que le corps
d'une maîtresse de maison était manié par qui voulait,
pourvu que son « salon » fût demeuré intact. Comme le
duc[c] se gênait fort peu avec ses invités (de qui et à qui
il n'avait plus dès longtemps rien à apprendre), mais
beaucoup avec moi dont le genre de supériorité, lui étant
inconnu, lui causait un peu le même genre de respect
qu'aux grands seigneurs de la cour de Louis XIV les
ministres bourgeois[2], il considérait évidemment que le fait

de ne pas connaître ses convives n'avait aucune importance, sinon pour eux, du moins pour moi, et, tandis que je me préoccupais, à cause de lui, de l'effet que je ferais sur eux, il se souciait seulement de celui qu'ils feraient sur moi.

Tout d'abord, d'ailleurs, se produisit un double petit imbroglio. Au moment même, en effet, où j'étais entré dans le salon, M. de Guermantes, sans même me laisser le temps de dire bonjour à la duchesse, m'avait mené, comme pour faire une bonne surprise à cette personne à laquelle il semblait dire : « Voici votre ami : vous voyez, je vous l'amène par la peau du cou », vers une dame assez petite. Or, bien avant que, poussé par le duc, je fusse arrivé devant elle, cette dame n'avait cessé de m'adresser avec ses larges et doux yeux noirs les mille sourires entendus que nous adressons à une vieille connaissance qui peut-être ne nous reconnaît pas. Comme c'était justement mon cas et que je ne parvenais pas à me rappeler qui elle était, je détournais la tête tout en m'avançant de façon à ne pas avoir à répondre jusqu'à ce que la présentation m'eût tiré d'embarras. Pendant ce temps, la dame continuait à tenir en équilibre instable son sourire destiné à moi. Elle avait l'air d'être pressée de s'en débarrasser et que je dise enfin : « Ah ! Madame, je crois bien ! Comme maman sera heureuse que nous nous soyons retrouvés ! » J'étais aussi impatient de savoir son nom qu'elle d'avoir vu que je la saluais enfin en pleine connaissance de cause et que son sourire indéfiniment prolongé comme un *sol* dièse pouvait enfin cesser. Mais M. de Guermantes s'y prit si mal, au moins à mon avis, qu'il me sembla qu'il n'avait nommé que moi et que j'ignorais toujours qui était la pseudo-inconnue, laquelle n'eut pas le bon esprit de se nommer, tant les raisons de notre intimité, obscures pour moi, lui paraissaient claires. En effet, dès que je fus auprès d'elle, elle ne me tendit pas sa main, mais prit familièrement la mienne et me parla sur le même ton que si j'eusse été aussi au courant qu'elle des bons souvenirs à quoi elle se reportait mentalement. Elle me dit combien Albert, que je compris être son fils, allait regretter de n'avoir pu venir. Je cherchai parmi mes anciens camarades lequel s'appelait Albert, je ne trouvai que Bloch, mais ce ne pouvait être Mme Bloch mère que j'avais devant moi, puisque celle-ci était morte depuis de longues années. Je m'efforçais vainement à deviner ce passé commun à elle et à moi auquel elle se reportait en pensée. Mais je ne l'apercevais pas mieux à travers le jais translucide des larges et douces prunelles qui ne laissaient passer que le sourire, qu'on ne distingue un paysage situé derrière une vitre noire même enflammée de soleil. Elle me demanda si mon père ne se fatiguait pas trop, si je ne voudrais pas un jour aller au théâtre avec Albert, si j'étais moins souffrant, et comme mes réponses, titubant dans l'obscurité mentale où je me trouvais, ne devinrent distinctes que pour dire que je n'étais pas bien ce soir, elle avança elle-même une chaise pour moi en faisant mille frais auxquels ne m'avaient jamais habitué les autres amis de mes parents. Enfin le mot de l'énigme me fut donné par le duc : « Elle vous trouve charmant », murmura-t-il à mon oreille, laquelle fut frappée comme si ces mots ne lui étaient pas inconnus. C'étaient ceux que Mme de Villeparisis nous avait dits, à ma grand-mère et à moi, quand nous avions fait la connaissance de la princesse de Luxembourg[1]. Alors je compris tout, la dame présente n'avait rien de commun avec Mme de Luxembourg, mais au langage de celui qui me la servait, je discernai l'espèce de la bête. C'était une Altesse. Elle ne connaissait nullement ma famille ni moi-même, mais issue de la race la plus noble et possédant la plus grande fortune du monde (car, fille du prince de Parme, elle avait épousé un cousin également princier), elle désirait, dans sa gratitude au Créateur, témoigner au prochain, de si pauvre ou de si humble extraction fût-il, qu'elle ne le méprisait pas. À vrai dire, les sourires auraient pu me le faire deviner, j'avais vu la princesse de Luxembourg acheter des petits pains de seigle sur la plage pour en donner à ma grand-mère, comme à une biche du Jardin d'Acclimatation. Mais ce n'était encore que la seconde princesse du sang à qui j'étais présenté, et j'étais excusable de ne pas avoir dégagé les traits généraux de l'amabilité des grands. D'ailleurs eux-mêmes n'avaient-ils pas pris la peine de m'avertir de ne pas trop compter sur cette amabilité, puisque la duchesse de Guermantes, qui m'avait fait tant de bonjours avec la main à l'Opéra[a2], avait eu l'air furieux que je la saluasse dans la rue, comme les gens qui, ayant une fois donné un louis à quelqu'un, pensent qu'avec celui-là ils sont en règle pour toujours. Quant à M. de Charlus, ses hauts et ses bas étaient encore plus contrastés. Enfin j'ai connu, on le verra, des altesses et des majestés d'une autre sorte, reines qui jouent à la reine, et parlent non selon les habitudes de leurs congénères, mais comme les reines dans Sardou[1].

Si M. de Guermantes avait mis tant de hâte à me présenter, c'est que le fait qu'il y ait dans une réunion quelqu'un d'inconnu à une Altesse royale, est intolérable et ne peut se prolonger une seconde. C'était cette même hâte que Saint-Loup avait mise à se faire présenter à ma grand-mère. D'ailleurs, par un reste hérité de la vie des cours qui s'appelle la politesse mondaine et qui n'est pas superficiel, mais où, par un retournement du dehors au dedans, c'est la superficie qui devient essentielle et profonde, le duc et la duchesse de Guermantes considéraient comme un devoir plus essentiel que ceux, assez souvent négligés au moins par l'un d'eux, de la charité, de la chasteté, de la pitié et de la justice, celui, plus inflexible, de ne guère parler à la princesse de Parme qu'à la troisième personne[2].

À défaut d'être encore jamais de ma vie allé à Parme (ce que je désirais depuis de lointaines vacances de Pâques), en connaître la princesse, qui, je le savais, possédait le plus beau palais de cette cité unique où tout d'ailleurs devait être homogène, isolée qu'elle était du reste du monde, entre les parois polies, dans l'atmosphère, étouffante comme un soir d'été sans air sur une place de petite ville italienne, de son nom compact et trop doux, cela aurait dû substituer tout d'un coup à ce que je tâchais de me figurer, ce qui existait réellement à Parme, en une sorte d'arrivée fragmentaire et sans avoir bougé ; c'était, dans l'algèbre du voyage à la ville de Giorgione[3], comme une première équation à cette inconnue. Mais si j'avais depuis des années — comme un parfumeur à un bloc uni de matière grasse — fait absorber à ce nom de princesse de Parme le parfum de milliers de violettes, en revanche, dès que je vis la princesse, que j'aurais été jusque-là convaincu être au moins la Sanseverina[4], une seconde opération commença, laquelle ne fut, à vrai dire, para-chevée que quelques mois plus tard, et qui consista, à l'aide de nouvelles malaxations chimiques, à expulser toute huile essentielle de violettes et tout parfum stendhalien du nom de la princesse et à y incorporer à la place l'image d'une

petite femme noire, occupée d'œuvres, d'une amabilité
tellement humble qu'on comprenait tout de suite dans quel
orgueil altier cette amabilité prenait son origine. Du reste,
pareille, à quelques différences près, aux autres grandes
dames, elle était aussi peu stendhalienne que, par exemple,
à Paris, dans le quartier de l'Europe, la rue de Parme[1],
qui ressemble beaucoup moins au nom de Parme qu'à
toutes les rues avoisinantes, et fait moins penser à la
Chartreuse où meurt Fabrice qu'à la salle des pas perdus
de la gare Saint-Lazare.

Son amabilité[a] tenait à deux causes. L'une, générale, était
l'éducation que cette fille de souverains avait reçue. Sa
mère (non seulement alliée à toutes les familles royales de
l'Europe, mais encore — contraste avec la maison ducale
de Parme — plus riche qu'aucune princesse régnante) lui
avait, dès son âge le plus tendre, inculqué les préceptes[b]
orgueilleusement humbles d'un snobisme évangélique ; et
maintenant chaque trait du visage de la fille, la courbe de
ses épaules, les mouvements de ses bras semblaient répéter :
« Rappelle-toi que si Dieu t'a fait naître sur les marches
d'un trône, tu ne dois pas en profiter pour mépriser ceux
à qui la divine Providence a voulu (qu'elle en soit louée !)
que tu fusses supérieure par la naissance et par les richesses.
Au contraire, sois bonne pour les petits. Tes aïeux étaient
princes de Clèves et de Juliers dès 647[2] ; Dieu a voulu dans
sa bonté que tu possédasses presque toutes les actions du
canal de Suez[3] et trois fois autant de Royal Dutch[4]
qu'Edmond de Rothschild[5] ; ta filiation en ligne directe est
établie par les généalogistes depuis l'an 63 de l'ère
chrétienne ; tu as pour belles-sœurs deux impératrices.
Aussi n'aie jamais l'air en parlant de te rappeler de si grands
privilèges, non qu'ils soient précaires (car on ne peut rien
changer à l'ancienneté de la race et on aura toujours besoin
de pétrole), mais il est inutile d'enseigner que tu es mieux
née que quiconque et que tes placements sont de premier
ordre, puisque tout le monde le sait. Sois secourable aux
malheureux. Fournis à tous ceux que la bonté céleste t'a
fait la grâce de placer au-dessous[c] de toi ce que tu peux
leur donner sans déchoir de ton rang, c'est-à-dire des
secours en argent, même des soins d'infirmière, mais bien
entendu jamais d'invitations à tes soirées, ce qui ne leur
ferait aucun bien, mais, en diminuant ton prestige, ôterait
de son efficacité à ton action bienfaisante. »

Aussi, même dans les moments où elle ne pouvait pas faire de bien, la princesse cherchait à montrer, ou plutôt à faire croire par tous les signes extérieurs du langage muet, qu'elle ne se croyait pas supérieure aux personnes au milieu de qui elle se trouvait. Elle avait avec chacun cette charmante politesse qu'ont avec les inférieurs les gens bien élevés et à tout moment, pour se rendre utile, poussait sa chaise dans le but de laisser plus de place, tenait mes gants, m'offrait tous ces services, indignes des fières bourgeoises, et que rendent bien volontiers les souveraines ou, instinctivement et par pli professionnel, les anciens domestiques.

L'autre raison de l'amabilité que me montra la princesse de Parme était plus particulière, mais nullement dictée par une mystérieuse sympathie pour moi. Mais cette seconde raison, je n'eus pas le loisir de l'approfondir à ce moment-là. Déjà, en effet, le duc, qui[a] semblait pressé d'achever les présentations, m'avait entraîné vers une autre des filles fleurs. En entendant son nom je lui dis que j'avais passé devant son château, non loin de Balbec. « Oh ! comme j'aurais été heureuse de vous le montrer », dit-elle presque à voix basse comme pour se montrer plus modeste, mais d'un ton senti, tout pénétré du regret de l'occasion manquée d'un plaisir spécial, et elle ajouta avec un regard insinuant : « J'espère que tout n'est pas perdu. Et je dois dire que ce qui vous aurait intéressé davantage c'eût été le château de ma tante Brancas[1] ; il a été construit par Mansard[2] ; c'est la perle de la province. » Ce n'était pas seulement elle qui eût été contente de montrer son château, mais sa tante Brancas qui n'eût pas été moins ravie de me faire les honneurs du sien, à ce que m'assura cette dame qui pensait évidemment que, surtout dans un temps où la terre tend à passer aux mains de financiers qui ne savent pas vivre, il importe que les grands maintiennent les hautes traditions de l'hospitalité seigneuriale, par des paroles qui n'engagent à rien. C'était aussi parce qu'elle cherchait, comme toutes les personnes de son milieu, à dire les choses qui pouvaient faire le plus de plaisir à l'interlocuteur, à lui donner la plus haute idée de lui-même, à ce qu'il crût qu'il flattait ceux à qui il écrivait, qu'il honorait ses hôtes, qu'on brûlait de le connaître. Vouloir donner aux autres cette idée agréable d'eux-mêmes existe à vrai dire quelquefois même dans la bourgeoisie. On y rencontre cette disposition bien-veillante, à titre de qualité individuelle compensatrice d'un défaut, non pas, hélas, chez les amis les plus sûrs, mais du moins chez les plus agréables compagnes. Elle fleurit en tout cas tout isolément. Dans une partie importante de l'aristocratie, au contraire, ce trait de caractère a cessé d'être individuel ; cultivé par l'éducation, entretenu par l'idée d'une grandeur propre qui ne peut craindre de s'humilier, qui ne connaît pas de rivales, sait que par l'aménité elle peut faire des heureux et se complaît à en faire, il est devenu le caractère générique d'une classe. Et même ceux que des défauts personnels trop opposés empêchent de le garder dans leur cœur, en portent la trace inconsciente dans leur vocabulaire ou leur gesticulation.

« C'est une très bonne femme », me dit M. de Guermantes de la princesse de Parme, « et qui sait être "grande dame" comme personne. »

Pendant[d] que j'étais présenté aux femmes, il y avait un monsieur qui donnait de nombreux signes d'agitation : c'était le comte Hannibal de Bréauté-Consalvi[1]. Arrivé tard, il n'avait pas eu le temps de s'informer des convives et quand j'étais entré au salon, voyant en moi un invité qui ne faisait pas partie de la société de la duchesse et devait par conséquent avoir des titres tout à fait extraordinaires pour y pénétrer, il installa son monocle sous l'arcade cintrée de ses sourcils, pensant que celui-ci l'aiderait beaucoup à discerner quelle espèce d'homme j'étais. Il savait que Mme de Guermantes avait, apanage précieux des femmes vraiment supérieures, ce qu'on appelle un « salon », c'est-à-dire ajoutait parfois aux gens de son monde quelque notabilité que venait de mettre en vue la découverte d'un remède ou la production d'un chef-d'œuvre. Le faubourg Saint-Germain restait encore sous l'impression d'avoir appris qu'à la réception pour le roi et la reine d'Angleterre[2], la duchesse n'avait pas craint de convier M. Detaille. Les femmes d'esprit du Faubourg se consolaient malaisément de n'avoir pas été invitées tant elles eussent été délicieusement intéressées d'approcher ce génie étrange[3]. Mme de Courvoisier[4] prétendait qu'il y avait aussi M. Ribot[5], mais c'était une invention, destinée à faire croire qu'Oriane cherchait à faire nommer son mari ambassadeur. Enfin, pour comble de scandale, M. de Guermantes, avec une galanterie digne du maréchal de

Saxe[1], s'était présenté au foyer de la Comédie-Française
et avait prié Mlle Reichenberg[2] de venir réciter des vers
devant le roi, ce qui avait eu lieu et constituait un fait sans
précédent dans les annales des raouts. Au souvenir de tant
d'imprévu (qu'il approuvait d'ailleurs pleinement, étant
lui-même autant qu'un ornement et, de la même façon que
la duchesse de Guermantes, mais dans le sexe masculin,
une consécration pour un salon), M. de Bréauté, se
demandant qui je pouvais bien être, sentait un champ très
vaste ouvert à ses investigations. Un instant le nom de
M. Widor[3] passa devant son esprit ; mais il jugea que j'étais
bien jeune pour être organiste, et M. Widor, trop peu
marquant pour être « reçu ». Il lui parut plus vraisemblable de voir tout simplement en moi le nouvel[a] attaché de
la légation de Suède duquel on lui avait parlé ; et il se
préparait à me demander des nouvelles du roi Oscar[4] par
qui il avait été à plusieurs reprises fort bien accueilli ; mais
quand le duc, pour me présenter, eut dit mon nom à M. de
Bréauté, celui-ci, voyant que ce nom lui était absolument
inconnu, ne douta plus dès lors que, me trouvant là, je
ne fusse quelque célébrité. Oriane décidément n'en faisait
pas d'autres, et savait l'art d'attirer les hommes en vue
dans son salon, au pourcentage de un pour cent bien
entendu, sans quoi elle l'eût déclassé. M. de Bréauté
commença donc à se pourlécher[b] les babines et à renifler
de ses narines friandes, mis en appétit non seulement par
le bon dîner qu'il était sûr de faire, mais par le caractère
de la réunion que ma présence ne pouvait manquer de
rendre intéressante et qui lui fournirait un sujet de
conversation piquant le lendemain au déjeuner du duc de
Chartres. Il n'était pas encore[c] fixé sur le point de savoir
si c'était moi dont on venait d'expérimenter le sérum
contre le cancer ou de mettre en répétition le prochain
lever de rideau au Théâtre-Français, mais, grand intellectuel[d], grand amateur de « récits de voyages », il ne
cessait pas de multiplier devant moi les révérences, les
signes d'intelligence, les sourires filtrés par son monocle[5] ;
soit dans l'idée fausse qu'un homme de valeur l'estimerait
davantage s'il parvenait à lui inculquer l'illusion que pour
lui, comte de Bréauté-Consalvi, les privilèges de la pensée
n'étaient pas moins dignes de respect que ceux de la
naissance ; soit tout simplement par besoin et difficulté
d'exprimer sa satisfaction, dans l'ignorance de la langue

qu'il devait me parler, en somme comme s'il se fût trouvé en présence de quelqu'un des « naturels » d'une terre inconnue où aurait atterri son radeau et avec lesquels, par espoir du profit, il tâcherait, tout en observant curieusement leurs coutumes et sans interrompre les démonstrations d'amitié ni de pousser comme eux de grands cris de bienveillance, de troquer[a] des œufs d'autruche et des épices contre des verroteries. Après avoir répondu de mon mieux à sa joie, je serrai la main du duc de Châtellerault que j'avais déjà rencontré chez Mme de Villeparisis, de laquelle il me dit que c'était une fine mouche. Il était extrêmement Guermantes par la blondeur des cheveux, le profil busqué, les points où la peau de la joue s'altère, tout ce qui se voit déjà dans les portraits de cette famille que nous ont laissés le XVIe et le XVIIe siècles. Mais comme je n'aimais plus la duchesse, sa réincarnation en un jeune homme était sans attrait pour moi. Je lisais le crochet que faisait le nez du duc de Châtellerault comme la signature d'un peintre que j'aurais longtemps étudié, mais qui ne m'intéressait plus du tout. Puis je dis aussi bonjour au prince de Foix, et, pour le malheur de mes phalanges qui n'en sortirent que meurtries, je les laissai s'engager dans l'étau qu'était une poignée de main à l'allemande, accompagnée d'un sourire ironique ou bonhomme, du prince de Faffenheim, l'ami de M. de Norpois, et que, par la manie de surnoms propre à ce milieu, on appelait si universellement le prince Von, que lui-même signait « prince Von », ou, quand il écrivait à des intimes, « Von[b] ». Encore cette abréviation-là se comprenait-elle à la rigueur, à cause de la longueur d'un nom composé. On se rendait moins compte des raisons qui faisaient remplacer Élisabeth tantôt par Lili, tantôt par Bebeth, comme dans un autre monde pullulaient les Kikim. On s'explique que des hommes, cependant assez oisifs et frivoles en général, eussent adopté « Quiou[1] » pour ne pas perdre, en disant « Montesquiou », leur temps. Mais on voit moins ce qu'ils en gagnaient à prénommer un de leurs cousins Dinand au lieu de Ferdinand. Il ne faudrait pas croire du reste que pour donner des prénoms les Guermantes procédassent invariablement par la répétition d'une syllabe. Ainsi deux sœurs, la comtesse de Montpeyroux et la vicomtesse de Vélude, lesquelles étaient toutes deux d'une énorme grosseur, ne s'entendaient jamais appeler, sans s'en fâcher le moins du monde et sans que personne songeât à en sourire, tant l'habitude était ancienne, que « Petite » et « Mignonne ». Mme de Guermantes, qui adorait Mme de Montpeyroux, eût, si celle-ci eût été gravement atteinte, demandé avec des larmes à sa sœur : « On me dit que "Petite" est très mal. » Mme de l'Éclin portant les cheveux en bandeaux qui lui cachaient entièrement les oreilles, on ne l'appelait jamais que « ventre affamé ». Quelquefois on se contentait d'ajouter un *a* au nom ou au prénom du mari pour désigner la femme. L'homme le plus avare, le plus sordide, le plus inhumain du Faubourg ayant pour prénom Raphaël, sa charmante, sa fleur sortant aussi du rocher signait toujours Raphaëla ; mais ce sont là seulement simples échantillons de règles innombrables dont nous pourrons toujours, si l'occasion s'en présente, expliquer quelques-unes.

Ensuite[a] je demandai au duc de me présenter au prince d'Agrigente. « Comment, vous ne connaissez pas cet excellent Gri-gri », s'écria M. de Guermantes, et il dit mon nom à M. d'Agrigente. Celui de ce dernier, si souvent cité par Françoise, m'était toujours apparu comme une transparente verrerie, sous laquelle je voyais, frappés au bord de la mer violette par les rayons obliques d'un soleil d'or, les cubes roses d'une cité antique dont je ne doutais pas que le prince — de passage à Paris par un bref miracle — ne fût lui-même, aussi lumineusement sicilien et glorieusement patiné, le souverain effectif. Hélas, le vulgaire hanneton auquel on me présenta, et qui pirouetta pour me dire bonjour avec une lourde désinvolture qu'il croyait élégante, était aussi indépendant de son nom que d'une œuvre d'art qu'il eût possédée, sans porter sur soi aucun reflet d'elle, sans peut-être l'avoir jamais regardée. Le prince d'Agrigente était si entièrement dépourvu de quoi que ce fût de princier et qui pût faire penser à Agrigente[1], que c'en était à supposer que son nom, entièrement distinct de lui, relié par rien à sa personne, avait eu le pouvoir d'attirer à soi tout ce qu'il aurait pu y avoir de vague poésie en cet homme, comme chez tout autre, et de l'enfermer après cette opération dans les syllabes enchantées. Si l'opération avait eu lieu, elle avait été en tout cas bien faite, car il ne restait plus un atome de charme à retirer de ce parent des Guermantes. De sorte

qu'il se trouvait à la fois le seul homme au monde qui
fût prince d'Agrigente et peut-être l'homme au monde qui
l'était le moins. D'ailleurs fort heureux de l'être, mais
comme un banquier est heureux d'avoir de nombreuses
actions d'une mine, sans se soucier si cette mine répond[a]
aux jolis noms de mine Ivanhoé et de mine Primerose,
ou si elle s'appelle seulement la mine Premier[1]. Cependant[b], tandis que s'achevaient les présentations si longues
à raconter mais qui, commencées dès mon entrée au salon,
n'avaient duré que quelques instants, et que Mme de
Guermantes, d'un ton presque suppliant, me disait : « Je
suis sûre que Basin vous fatigue à vous mener ainsi de
l'une à l'autre, nous voulons que vous connaissiez nos amis,
mais nous voulons surtout ne pas vous fatiguer pour que
vous reveniez souvent », le duc, d'un mouvement assez
gauche et timoré, donna (ce qu'il aurait bien voulu faire
depuis une heure remplie pour moi par la contemplation
des Elstir) le signe qu'on pouvait servir.

Il faut ajouter qu'un des invités manquait, M. de
Grouchy, dont la femme, née Guermantes, était venue
seule de son côté, le mari devant arriver directement de
la chasse où il avait passé la journée. Ce M. de Grouchy,
descendant de celui du premier Empire duquel on a dit
faussement que son absence au début de Waterloo avait
été la cause principale de la défaite de Napoléon[2], était
d'une excellente famille, insuffisante pourtant aux yeux de
certains entichés de noblesse. Ainsi le prince de Guermantes, qui devait être bien des années plus tard moins
difficile pour lui-même, avait-il coutume de dire à ses
nièces : « Quel malheur pour cette pauvre Mme de
Guermantes (la vicomtesse de Guermantes, mère de Mme
de Grouchy) qu'elle n'ait jamais pu marier ses enfants !
— Mais, mon oncle, l'aînée a épousé M. de Grouchy. — Je
n'appelle pas cela un mari ! Enfin, on prétend que l'oncle
François a demandé la cadette, cela fera qu'elles ne seront
pas toutes restées filles. »

Aussitôt[c] l'ordre de servir donné, dans un vaste déclic
giratoire, multiple et simultané, les portes de la salle à
manger s'ouvrirent à deux battants ; un maître d'hôtel qui
avait l'air d'un maître des cérémonies s'inclina devant la
princesse de Parme et annonça la nouvelle : « Madame
est servie », d'un ton pareil à celui dont il aurait dit :
« Madame se meurt[3] », mais qui ne jeta aucune tristesse

dans l'assemblée, car ce fut d'un air folâtre, et comme l'été à Robinson[1], que les couples[d] s'avancèrent l'un derrière l'autre vers la salle à manger, se séparant quand ils avaient gagné leur place où des valets de pied poussaient derrière eux leur chaise ; la dernière, Mme de Guermantes s'avança vers moi, pour que je la conduisisse à table et sans que j'éprouvasse l'ombre de la timidité que j'aurais pu craindre car, en chasseresse à qui une grande adresse musculaire a rendu la grâce facile, voyant sans doute que je m'étais mis du côté qu'il ne fallait pas, elle pivota avec tant de justesse autour de moi que je trouvai son bras sur le mien et fus naturellement encadré dans un rythme de mouvements précis et nobles. Je leur obéis avec d'autant plus d'aisance que les Guermantes n'y attachaient pas plus d'importance qu'au savoir un vrai savant, chez qui on est moins intimidé que chez un ignorant ; d'autres portes[b] s'ouvrirent par où entra la soupe fumante, comme si le dîner avait lieu dans un théâtre de *pupazzi*[2] habilement machiné et où l'arrivée tardive du jeune invité mettait, sur un signe du maître, tous les rouages en action.

C'est timide et non majestueusement souverain qu'avait été ce signe du duc, auquel avait répondu le déclenchement de cette vaste, ingénieuse, obéissante et fastueuse horlogerie mécanique et humaine[3]. L'indécision du geste ne nuisit pas pour moi à l'effet du spectacle qui lui était subordonné. Car je sentais que ce qui l'avait rendu hésitant et embarrassé était la crainte de me laisser voir qu'on n'attendait que moi pour dîner et qu'on m'avait attendu longtemps, de même que Mme de Guermantes avait peur qu'ayant regardé tant de tableaux, on ne me fatiguât et ne m'empêchât de prendre mes aises en me présentant à jet continu. De sorte que c'était le manque de grandeur dans le geste, qui dégageait la grandeur véritable, de même que cette indifférence du duc à son propre luxe, ses égards au contraire pour un hôte, insignifiant en lui-même mais qu'il voulait honorer. Ce n'est pas que M. de Guermantes ne fût par certains côtés fort ordinaire et n'eût même des ridicules d'homme trop riche, l'orgueil d'un parvenu qu'il n'était pas. Mais de même qu'un fonctionnaire ou qu'un prêtre voient leur médiocre talent multiplié à l'infini (comme une vague par toute la mer qui se presse derrière elle) par ces forces auxquelles ils s'appuient, l'Administration française et l'Église catholi-

que, de même M. de Guermantes était porté par cette autre
force, la politesse aristocratique la plus vraie. Cette
politesse exclut bien des gens. Mme de Guermantes n'eût
pas reçu Mme de Cambremer ou M. de Forcheville. Mais
du moment que quelqu'un, comme c'était mon cas,
paraissait susceptible d'être agrégé au milieu Guermantes,
cette politesse découvrait des trésors de simplicité hospitalière plus magnifiques encore s'il est possible que ces vieux
salons, ces merveilleux meubles restés là.

Quand il voulait*a* faire plaisir à quelqu'un, M. de
Guermantes avait ainsi pour faire de lui, ce jour-là, le
personnage principal, un art qui savait mettre à profit la
circonstance et le lieu. Sans doute à Guermantes ses
« distinctions » et ses « grâces » eussent pris une autre
forme. Il eût fait atteler pour m'emmener faire seul avec
lui une promenade avant dîner[1]. Telles qu'elles étaient,
on se sentait touché par ses façons, comme on l'est, en
lisant des Mémoires du temps, par celles de Louis XIV
quand il répond avec bonté, d'un air riant et avec une
demi-révérence, à quelqu'un qui vient le solliciter. Encore
faut-il, dans les deux cas, comprendre que cette politesse
ne va pas au-delà de ce que ce mot signifie[2].

Louis XIV (auquel les entichés de noblesse de son temps
reprochent pourtant son peu de souci de l'étiquette, si
bien, dit Saint-Simon, qu'il n'a été qu'un fort petit roi pour
le rang en comparaison de Philippe de Valois, Charles V,
etc.[3]) fait rédiger les instructions*b* les plus minutieuses pour
que les princes du sang et les ambassadeurs sachent à quels
souverains ils doivent laisser la main[4]. Dans certains cas,
devant l'impossibilité d'arriver à une entente, on préfère
convenir que le fils de Louis XIV, Monseigneur, ne
recevra chez lui tel souverain étranger que dehors, en plein
air, pour qu'il ne soit pas dit qu'en entrant dans le château
l'un a précédé l'autre[5] ; et l'Électeur palatin, ayant le duc
de Chevreuse*c* à dîner, feint, pour ne pas lui laisser la main,
d'être malade et dîne avec lui mais couché, ce qui tranche
la difficulté[6]. Monsieur le Duc évitant les occasions de
rendre le service[7] à Monsieur, celui-ci, sur le conseil du
roi son frère dont il est du reste tendrement aimé, prend
un prétexte pour faire monter son cousin à son lever et
le forcer à lui passer sa chemise[8]. Mais dès qu'il s'agit d'un
sentiment profond, des choses du cœur, le devoir, si
inflexible tant qu'il s'agit de politesse, change entièrement.

Quelques heures après la mort de ce frère, une des personnes qui lui furent le plus chères, quand Monsieur[a], selon l'expression du duc de Montfort, est « encore tout chaud », Louis XIV chante des airs d'opéras, s'étonne que la duchesse de Bourgogne, laquelle a peine à dissimuler sa douleur, ait l'air si mélancolique, et voulant que la gaieté recommence aussitôt, pour que les courtisans se décident à se remettre au jeu ordonne au duc de Bourgogne de commencer une partie de brelan[1]. Or, non seulement dans les actions mondaines et concertées, mais dans le langage[b] le plus involontaire, dans les préoccupations, dans l'emploi du temps de M. de Guermantes, on retrouvait le même contraste : les Guermantes n'éprouvaient pas plus de chagrins que les autres mortels, on peut même dire que leur sensibilité véritable était moindre ; en revanche, on voyait tous les jours leur nom dans les mondanités du *Gaulois* à cause du nombre prodigieux d'enterrements où ils eussent trouvé coupable de ne pas se faire inscrire. Comme[c] le voyageur retrouve, presque semblables, les maisons couvertes de terre, les terrasses que purent connaître Xénophon ou saint Paul[2], de même dans les manières de M. de Guermantes, homme attendrissant de gentillesse et révoltant de dureté, esclave des plus petites obligations et délié des pactes les plus sacrés, je retrouvais encore intacte après plus de deux siècles écoulés cette déviation particulière à la vie de cour sous Louis XIV et qui transporte les scrupules de conscience du domaine des affections et de la moralité aux questions de pure forme[d].

L'autre raison de l'amabilité que me montra la princesse de Parme était plus particulière. C'est qu'elle était persuadée d'avance que tout ce qu'elle voyait chez la duchesse de Guermantes, choses et gens, était d'une qualité supérieure à tout ce qu'elle avait chez elle[3]. Chez toutes les autres personnes, elle agissait, il est vrai, comme s'il en avait été ainsi ; pour le plat le plus simple, pour les fleurs les plus ordinaires, elle ne se contentait pas de s'extasier, elle demandait la permission d'envoyer dès le lendemain chercher la recette ou regarder l'espèce par son cuisinier ou son jardinier en chef, personnages à gros appointements, ayant leur voiture à eux et surtout leurs prétentions professionnelles, et qui se trouvaient fort humiliés de venir s'informer d'un plat dédaigné ou prendre modèle sur une variété d'œillets laquelle n'était pas moitié aussi belle, aussi « panachée » de « chinages », aussi grande quant aux dimensions des fleurs que celles qu'ils avaient obtenues depuis longtemps chez la princesse. Mais si de la part de celle-ci, chez tout le monde, cet étonnement devant les moindres choses était factice et destiné à montrer qu'elle ne tirait pas de la supériorité de son rang et de ses richesses un orgueil défendu par ses anciens précepteurs, dissimulé par sa mère et insupportable à Dieu, en revanche, c'est en toute sincérité qu'elle regardait le salon de la duchesse de Guermantes comme un lieu privilégié où elle ne pouvait marcher que de surprises en délices. D'une façon générale d'ailleurs, mais qui serait bien insuffisante à expliquer cet état d'esprit, les Guermantes étaient assez différents du reste de la société aristocratique ; ils étaient plus précieux et plus rares. Ils m'avaient donné au premier aspect l'impression contraire, je les avais trouvés vulgaires, pareils à tous les hommes et à toutes les femmes, mais parce que préalablement j'avais vu en eux, comme en Balbec, en Florence, en Parme, des noms. Évidemment, dans ce salon, toutes les femmes que j'avais imaginées comme des statuettes de Saxe ressemblaient tout de même davantage à la grande majorité des femmes. Mais de même[d] que Balbec ou Florence, les Guermantes, après avoir déçu l'imagination parce qu'ils ressemblaient plus à leurs pareils qu'à leur nom, pouvaient ensuite, quoique à un moindre degré, offrir à l'intelligence certaines particularités qui les distinguaient. Leur physique même, la couleur d'un rose spécial allant quelquefois jusqu'au violet, de leur chair, une certaine blondeur quasi éclairante des cheveux délicats, même chez les hommes, massés en touffes dorées et douces, moitié de lichens pariétaires et de pelage félin (éclat lumineux à quoi correspondait un certain brillant de l'intelligence, car, si l'on disait le teint et les cheveux des Guermantes, on disait aussi l'esprit des Guermantes comme l'esprit des Mortemart[1] — une certaine qualité sociale plus fine dès avant Louis XIV — et d'autant plus reconnue de tous qu'ils la promulgaient eux-mêmes), tout cela faisait que, dans la matière même, si précieuse fût-elle, de la société aristocratique où on les trouvait engainés çà et là, les Guermantes restaient reconnaissables, faciles à discerner et à suivre, comme les filons dont la blondeur

veine le jaspe et l'onyx, ou plutôt encore comme le souple
ondoiement de cette chevelure de clarté dont les crins
dépeignés courent, comme de flexibles rayons, dans les
flancs de l'agate mousse.

Les Guermantes — du moins ceux qui étaient dignes
du nom — n'étaient pas seulement d'une qualité de chair,
de cheveu, de transparent regard, exquise, mais avaient
une manière de se tenir, de marcher, de saluer, de regarder
avant de serrer la main, de serrer la main, par quoi ils
étaient aussi différents en tout cela d'un homme du monde
quelconque que celui-ci d'un fermier en blouse. Et malgré
leur amabilité on se disait : N'ont-ils pas vraiment le droit,
quoiqu'ils le dissimulent, quand ils nous voient marcher,
saluer, sortir, toutes ces choses qui, accomplies par eux,
devenaient aussi gracieuses que le vol de l'hirondelle ou
l'inclinaison de la rose, de penser : « Ils sont d'une autre
race que nous, et nous sommes, nous, les princes de la
terre » ? Plus tard, je*ᵃ* compris que les Guermantes me
croyaient en effet d'une race autre, mais qui excitait leur
envie, parce que je possédais des mérites que j'ignorais
et qu'ils faisaient profession de tenir pour seuls importants.
Plus tard encore j'ai senti que cette profession de foi n'était
qu'à demi sincère et que chez eux le dédain ou
l'étonnement coexistaient avec l'admiration et l'envie. La
flexibilité physique essentielle aux Guermantes était
double ; grâce à l'une, toujours en action, à tout moment,
et si par exemple un Germantes mâle allait saluer une
dame, il obtenait une silhouette de lui-même faite de
l'équilibre instable de mouvements asymétriques et nerveusement compensés, une jambe traînant un peu, soit
exprès, soit parce qu'ayant été souvent cassée à la chasse
elle imprimait au torse, pour rattraper l'autre jambe, une
déviation à laquelle la remontée d'une épaule faisait
contrepoids, pendant que le monocle s'installait dans l'œil,
haussait un sourcil au même moment où le toupet des
cheveux s'abaissait pour le salut ; l'autre flexibilité, comme
la forme de la vague, du vent ou du sillage que garde
à jamais la coquille ou le bateau, s'était pour ainsi dire
stylisée en une sorte de mobilité fixée, incurvant le nez
busqué qui sous les yeux bleus à fleur de tête, au-dessus
des lèvres trop minces, d'où sortait, chez les femmes, une
voix rauque, rappelait l'origine fabuleuse assignée au
XVIᵉ siècle par le bon vouloir de généalogistes parasites

et hellénisants à cette race, ancienne sans doute, mais pas au point qu'ils prétendaient quand ils lui donnaient pour origine la fécondation mythologique d'une nymphe par un divin Oiseau[1].

Les Guermantes n'étaient pas moins spéciaux au point de vue intellectuel qu'au point de vue physique. Sauf le prince Gilbert (l'époux aux idées surannées de « Marie Gilbert » et qui faisait asseoir sa femme à gauche quand ils se promenaient en voiture, parce qu'elle était de moins bon sang, pourtant royal, que lui, mais il était une exception et faisait, absent, l'objet des railleries de la famille et d'anecdotes toujours nouvelles), les Guermantes, tout en vivant dans le pur « gratin » de l'aristocratie, affectaient de ne faire aucun cas de la noblesse. Les théories de la duchesse de Guermantes, laquelle à vrai dire à force d'être Guermantes devenait dans une certaine mesure quelque chose d'autre et de plus agréable, mettaient tellement au-dessus de tout l'intelligence et étaient en politique si socialistes qu'on se demandait où dans son hôtel se cachait le génie chargé d'assurer le maintien de la vie aristocratique, et qui, toujours invisible, mais évidemment tapi tantôt dans l'antichambre, tantôt dans le salon, tantôt dans le cabinet de toilette, rappelait aux domestiques de cette femme qui ne croyait pas aux titres de lui dire « Madame la duchesse », à cette personne qui n'aimait que la lecture et n'avait point de respect humain, d'aller dîner chez sa belle-sœur quand sonnaient huit heures et de se décolleter pour cela.

Le même génie de la famille présentait à Mme de Guermantes la situation des duchesses, du moins des premières d'entre elles et comme elle multimillionnaires, le sacrifice à d'ennuyeux thés, dîners en ville, raouts, d'heures où elle eût pu lire des choses intéressantes, comme des nécessités désagréables analogues à la pluie, et que Mme de Guermantes acceptait en exerçant sur elles sa verve frondeuse, mais sans aller jusqu'à rechercher les raisons de son acceptation. Ce curieux effet du hasard que le maître d'hôtel de Mme de Guermantes dît toujours : « Madame la duchesse » à cette femme qui ne croyait qu'à l'intelligence, ne paraissait pourtant pas la choquer. Jamais elle n'avait pensé à le prier de lui dire « Madame » tout simplement. En poussant la bonne volonté jusqu'à ses

extrêmes limites, on eût pu croire que, distraite, elle
entendait seulement « Madame » et que l'appendice
verbal qui y était ajouté n'était pas perçu. Seulement, si
elle faisait la sourde, elle n'était pas muette. Or, chaque
fois qu'elle avait une commission à donner à son mari,
elle disait au maître d'hôtel : « Vous rappellerez à
Monsieur le duc... »

Le génie[a] de la famille avait d'ailleurs d'autres occupations, par exemple de faire parler morale. Certes il y avait
des Guermantes plus particulièrement intelligents, des
Guermantes plus particulièrement moraux, et ce n'étaient
pas d'habitude les mêmes. Mais les premiers — même un
Guermantes qui avait fait des faux et trichait au jeu et était
le plus délicieux de tous, ouvert à toutes les idées neuves
et justes — traitaient encore mieux de la morale que les
seconds, et de la même façon que Mme de Villeparisis,
dans les moments où le génie de la famille s'exprimait par
la bouche de la vieille dame. Dans des moments identiques
on voyait tout d'un coup les Guermantes prendre un ton
presque aussi vieillot, aussi bonhomme, et, à cause de leur
charme plus grand, plus attendrissant que celui de la
marquise, pour dire d'une domestique : « On sent qu'elle
a un bon fond, c'est une fille qui n'est pas commune, elle
doit être la fille de gens bien, elle est certainement restée
toujours dans le droit chemin[b]. » À ces moments-là le
génie de la famille se faisait intonation. Mais parfois il était
aussi tournure, air de visage, le même chez la duchesse
que chez son grand-père le maréchal, une sorte d'insaisissable convulsion (pareille à celle du Serpent, génie
carthaginois de la famille Barca[1]), et par quoi j'avais été
plusieurs fois saisi d'un battement de cœur, dans mes
promenades matinales, quand, avant d'avoir reconnu
Mme de Guermantes, je me sentais regardé par elle du
fond d'une petite crémerie. Ce génie était intervenu dans
une circonstance qui avait été loin d'être indifférente non
seulement aux Guermantes, mais aux Courvoisier, partie
adverse de la famille[c] et, quoique d'aussi bon sang que
les Guermantes, tout l'opposé d'eux (c'est même par sa
grand-mère Courvoisier[d] que les Guermantes expliquaient
le parti pris du prince de Guermantes de toujours parler
naissance et noblesse comme si c'était la seule chose qui
importât). Non seulement les Courvoisier n'assignaient pas
à l'intelligence le même rang que les Guermantes, mais

ils ne possédaient pas d'elle la même idée. Pour un Guermantes (fût-il bête), être intelligent, c'était avoir la dent dure, être capable de dire des méchancetés, d'emporter le morceau, c'était aussi pouvoir vous tenir tête aussi bien sur la peinture, sur la musique, sur l'architecture, parler anglais. Les Courvoisier se faisaient de l'intelligence une idée moins favorable et, pour peu qu'on ne fût pas de leur monde, être intelligent n'était pas loin de signifier « avoir probablement assassiné père et mère ». Pour eux l'intelligence était l'espèce de « pince-monseigneur » grâce à laquelle des gens qu'on ne connaissait ni d'Ève ni d'Adam forçaient les portes des salons les plus respectés, et on savait chez les Courvoisier qu'il finissait toujours par vous en cuire d'avoir reçu de telles « espèces ». Aux plus insignifiantes assertions des gens intelligents qui n'étaient pas du monde, les Courvoisier opposaient une méfiance systématique. Quelqu'un ayant dit une fois : « Mais Swann est plus jeune que Palamède. — Du moins il vous le dit ; et s'il vous le dit, soyez sûr que c'est qu'il y trouve son intérêt », avait répondu Mme de Gallardon. Bien plus[a], comme on disait de deux étrangères très élégantes que les Guermantes recevaient, qu'on avait fait passer d'abord celle-ci puisqu'elle était l'aînée : « Mais est-elle même l'aînée ? » avait demandé Mme de Gallardon, non pas positivement comme si ce genre de personnes n'avaient pas d'âge, mais comme si, vraisemblablement dénuées d'état civil et religieux, de traditions certaines, elles fussent plus ou moins jeunes comme les petites chattes d'une même corbeille entre lesquelles un vétérinaire seul pourrait se reconnaître. Les Courvoisier, mieux que les Guermantes, maintenaient d'ailleurs en un sens l'intégrité de la noblesse à la fois grâce à l'étroitesse de leur esprit et à la méchanceté de leur cœur. De même que les Guermantes (pour qui, au-dessous des familles royales et de quelques autres comme les Ligne, les La Trémoïlle[1], etc., tout le reste se confondait dans un vague fretin) étaient insolents avec des gens de race ancienne qui habitaient autour de Guermantes, précisément parce qu'ils ne faisaient pas attention à ces mérites de second ordre dont s'occupaient énormément les Courvoisier, le manque de ces mérites leur importait peu. Certaines femmes qui n'avaient pas un rang très élevé dans leur province, mais brillamment mariées, riches, jolies, aimées des duchesses, étaient pour Paris, où l'on est peu au courant des « père et mère », un excellent et élégant article d'importation. Il pouvait arriver, quoique rarement, que de telles femmes fussent, par le canal de la princesse de Parme, ou en vertu de leur agrément propre, reçues chez certaines Guermantes. Mais, à leur égard, l'indignation des Courvoisier ne désarmait jamais. Rencontrer entre cinq et six, chez leur cousine, des gens avec les parents de qui leurs parents n'aimaient pas à frayer dans le Perche, devenait pour eux un motif de rage croissante et un thème d'inépuisables déclamations. Dès le moment, par exemple, où la charmante comtesse G*** entrait chez les Guermantes, le visage de Mme de Villebon[1] prenait exactement l'expression qu'il eût dû prendre si elle avait eu à réciter le vers :

Et s'il n'en reste qu'un, je serai celui-là[2],

vers qui lui était du reste inconnu. Cette Courvoisier avait avalé presque tous les lundis des éclairs chargés de crème à quelques pas de la comtesse G***, mais sans résultat. Et Mme de Villebon confessait en cachette qu'elle ne pouvait concevoir comment sa cousine Guermantes recevait une femme qui n'était même pas de la deuxième société, à Châteaudun. « Ce n'est vraiment pas la peine que ma cousine soit si difficile sur ses relations, c'est à se moquer du monde », concluait Mme de Villebon avec une autre expression de visage, celle-là souriante et narquoise dans le désespoir, sur laquelle un petit jeu de devinettes eût plutôt mis un autre vers, que la comtesse ne connaissait naturellement pas davantage :

Grâce aux dieux ! Mon malheur passe mon espérance[3].

Au reste, anticipons sur les événements en disant que la « persévérance », rime d'« espérance » dans le vers suivant[4], de Mme de Villebon à snober Mme G*** ne fut pas tout à fait inutile. Aux yeux de Mme G*** elle doua Mme de Villebon d'un prestige tel, d'ailleurs purement imaginaire, que, quand la fille de Mme G***, qui était la plus jolie et la plus riche des bals de l'époque, fut à marier, on s'étonna de lui voir refuser tous les ducs. C'est que sa mère, se souvenant des avanies hebdomadaires qu'elle avait essuyées rue de Grenelle[5] en souvenir de

Châteaudun, ne souhaitait véritablement qu'un mari pour sa fille : un fils Villebon.

Un seul point sur lequel Guermantes et Courvoisier se rencontraient était dans l'art, infiniment varié d'ailleurs, de marquer les distances. Les manières des Guermantes n'étaient pas entièrement uniformes chez tous. Mais, par exemple, tous les Guermantes, de ceux qui l'étaient vraiment, quand on vous présentait à eux, procédaient à une sorte de cérémonie, à peu près comme si le fait qu'ils vous eussent tendu la main eût été aussi considérable que s'il s'était agi de vous sacrer chevalier. Au moment où un Guermantes, n'eût-il que vingt ans, mais marchant déjà sur les traces de ses aînés, entendait votre nom prononcé par le présentateur, il laissait tomber sur vous, comme s'il n'était nullement décidé à vous dire bonjour, un regard généralement bleu, toujours de la froideur d'un acier qu'il semblait prêt à vous plonger dans les plus profonds replis du cœur. C'est du reste ce que les Guermantes croyaient faire en effet, se jugeant tous des psychologues de premier ordre. Ils pensaient de plus accroître par cette inspection l'amabilité du salut qui allait suivre et qui ne vous serait délivré qu'à bon escient. Tout ceci se passait à une distance de vous qui, petite s'il se fût agi d'une passe d'armes, semblait énorme pour une poignée de main et glaçait dans le deuxième cas comme elle eût fait dans le premier, de sorte que quand le Guermantes, après une rapide tournée accomplie dans les dernières cachettes de votre âme et de votre honorabilité, vous avait jugé digne de vous rencontrer désormais avec lui, sa main, dirigée vers vous au bout d'un bras tendu dans toute sa longueur, avait l'air de vous présenter un fleuret pour un combat singulier, et cette main était en somme placée si loin du Guermantes à ce moment-là que, quand il inclinait alors la tête, il était difficile de distinguer si c'était vous ou sa propre main qu'il saluait. Certains Guermantes, n'ayant pas le sentiment de la mesure, ou incapables de ne pas se répéter sans cesse, exagéraient en recommençant cette cérémonie chaque fois qu'ils vous rencontraient. Étant donné qu'ils n'avaient plus à procéder à l'enquête psychologique préalable pour laquelle le « génie de la famille » leur avait délégué ses pouvoirs et dont ils devaient se rappeler les résultats, l'insistance du regard perforateur précédant la poignée de main ne pouvait s'expliquer que par l'automatisme qu'avait acquis leur regard ou par quelque don de fascination qu'ils pensaient posséder. Les Courvoisier, dont le physique était différent, avaient vainement essayé de s'assimiler ce salut scrutateur et s'étaient rabattus sur la raideur hautaine ou la négligence rapide. En revanche, c'était aux Courvoisier que certaines très rares Guermantes semblaient avoir emprunté le salut des dames. En effet, au moment où on vous présentait à une de ces Guermantes-là, elle vous faisait un grand salut dans lequel elle approchait de vous, à peu près selon un angle de quarante-cinq degrés, la tête et le buste, le bas du corps (qu'elle avait fort haut) jusqu'à la ceinture qui faisait pivot, restant immobile. Mais à peine avait-elle projeté ainsi vers vous la partie supérieure de sa personne, qu'elle la rejetait en arrière de la verticale par un brusque retrait d'une longueur à peu près égale. Le renversement consécutif neutralisait ce qui vous avait paru être concédé, le terrain que vous aviez cru gagner ne restait même pas acquis comme en matière de duel, les positions primitives étaient gardées. Cette même annulation de l'amabilité par la reprise des distances (qui était d'origine Courvoisier et destinée à montrer que les avances faites dans le premier mouvement n'étaient qu'une feinte d'un instant) se manifestait aussi clairement, chez les Courvoisier comme chez les Guermantes, dans les lettres qu'on recevait d'elles, au moins pendant les premiers temps de leur connaissance. Le « corps » de la lettre pouvait contenir des phrases qu'on n'écrirait, semble-t-il, qu'à un ami, mais c'est en vain que vous eussiez cru pouvoir vous vanter d'être celui de la dame, car la lettre commençait par : « Monsieur » et finissait par : « Croyez, Monsieur, à mes sentiments distingués. » Dès lors, entre ce froid début et cette fin glaciale qui changeaient le sens de tout le reste, pouvaient se succéder (si c'était une réponse à une lettre de condoléance de vous) les plus touchantes peintures du chagrin que la Guermantes avait eu à perdre sa sœur, de l'intimité qui existait entre elles, des beautés du pays où elle villégiaturait, des consolations qu'elle trouvait dans le charme de ses petits-enfants, tout cela n'était plus qu'une lettre comme on en trouve dans des recueils et dont le caractère intime n'entraînait pourtant pas plus d'intimité entre vous et l'épistolière que si celle-ci avait été Pline le Jeune ou Mme de Simiane[1].

Il est vrai que certaines Guermantes vous écrivaient dès les premières fois « mon cher ami », « mon ami » : ce n'étaient pas toujours les plus simples d'entre elles, mais plutôt celles qui, ne vivant qu'au milieu des rois et, d'autre part, étant « légères », prenaient dans leur orgueil la certitude que tout ce qui venait d'elles faisait plaisir et dans leur corruption l'habitude de ne marchander aucune des satisfactions qu'elles pouvaient offrir. Du reste, comme il suffisait qu'on eût eu une trisaïeule commune sous Louis XIII pour qu'un jeune Guermantes dît en parlant de la marquise de Guermantes[a] « la tante Adam », les Guermantes étaient si nombreux que même pour ces simples rites, celui du salut de présentation par exemple, il existait bien des variétés. Chaque sous-groupe un peu raffiné avait le sien, qu'on se transmettait des parents aux enfants comme une recette de vulnéraire et une manière particulière de préparer les confitures. C'est ainsi qu'on a vu la poignée de main de Saint-Loup se déclencher comme malgré lui au moment où il entendait votre nom, sans participation de regard, sans adjonction de salut. Tout malheureux roturier qui pour une raison spéciale — ce qui arrivait du reste assez rarement — était présenté à quelqu'un du sous-groupe Saint-Loup, se creusait la tête, devant ce minimum si brusque de bonjour, revêtant volontairement les apparences de l'inconscience, pour savoir ce que le ou la Guermantes pouvait avoir contre lui. Et il était bien étonné d'apprendre qu'il ou elle avait jugé à propos d'écrire tout spécialement au présentateur pour lui dire combien vous lui aviez plu et qu'il ou elle espérait bien vous revoir. Aussi particularisés que le geste mécanique de Saint-Loup étaient les entrechats compliqués et rapides (jugés ridicules par M. de Charlus) du marquis de Fierbois, les pas[b] graves et mesurés du prince de Guermantes. Mais il est impossible de décrire ici la richesse de cette chorégraphie des Guermantes à cause de l'étendue même du corps de ballet.

Pour en revenir à l'antipathie qui animait les Courvoisier contre la duchesse de Guermantes, les premiers auraient pu avoir la consolation de la plaindre tant qu'elle fut jeune fille, car elle était alors peu fortunée. Malheureusement, de tout temps, une sorte d'émanation fuligineuse et *sui generis* enfouissait, dérobait aux yeux, la richesse des Courvoisier qui, si grande qu'elle fût, demeurait obscure.

Une Courvoisier fort riche avait beau épouser un gros parti, il arrivait toujours que le jeune ménage n'avait pas de domicile personnel à Paris, y « descendait » chez ses beaux-parents, et pour le reste de l'année vivait en province au milieu d'une société sans mélange mais sans éclat. Pendant que Saint-Loup qui n'avait guère plus que des dettes éblouissait Doncières par ses attelages, un Courvoisier fort riche n'y prenait jamais que le tram. Inversement (et d'ailleurs bien des années auparavant) Mlle de Guermantes (Oriane), qui n'avait pas grand-chose, faisait plus parler de ses toilettes que toutes les Courvoisier réunies, des leurs. Le scandale même de ses propos faisait une espèce de réclame à sa manière de s'habiller et de se coiffer. Elle avait osé dire au grand-duc de Russie[1] : « Hé bien ! Monseigneur, il paraît que vous voulez faire assassiner Tolstoï[2] ? » dans un dîner auquel on n'avait point convié les Courvoisier, d'ailleurs peu renseignés sur Tolstoï. Ils ne l'étaient pas beaucoup plus sur les auteurs grecs, si l'on en juge par la duchesse de Gallardon douairière (belle-mère de la princesse de Gallardon, alors encore jeune fille) qui, n'ayant pas été en cinq ans honorée d'une seule visite d'Oriane, répondit à quelqu'un qui lui demandait la raison de son absence : « Il paraît qu'elle récite de l'Aristote (elle voulait dire de l'Aristophane) dans le monde. Je ne tolère pas ça chez moi ! »

On peut imaginer combien cette « sortie » de Mlle de Guermantes sur Tolstoï, si elle indignait les Courvoisier, émerveillait les Guermantes, et, par-delà, tout ce qui leur tenait non seulement de près, mais de loin. La comtesse douairière d'Argencourt, née Seineport, qui recevait un peu tout le monde parce qu'elle était bas-bleu et quoique son fils fût un terrible snob, racontait le mot devant des gens de lettres en disant : « Oriane de Guermantes, qui est fine comme l'ambre, maligne comme un singe, douée pour tout, qui fait des aquarelles dignes d'un grand peintre et des vers comme en font peu de grands poètes, et vous savez, comme famille, c'est tout ce qu'il y a de plus haut, sa grand-mère était[a] Mlle de Montpensier[3], et elle est la dix-huitième Oriane de Guermantes sans une mésalliance, c'est le sang le plus pur, le plus vieux de France. » Aussi les faux hommes de lettres, les demi-intellectuels que recevait Mme d'Argencourt, se représentant Oriane de Guermantes, qu'ils n'auraient jamais l'occasion de connaître

personnellement, comme quelque chose de plus merveilleux et de plus extraordinaire que la princesse Badroul
Boudour[1], non seulement se sentaient prêts à mourir pour
elle en apprenant qu'une personne si noble glorifiait
par-dessus tout Tolstoï, mais sentaient aussi que reprenaient dans leur esprit une nouvelle force leur propre
amour de Tolstoï, leur désir de résistance au tsarisme. Ces
idées libérales avaient pu s'anémier en eux, ils avaient pu
douter de leur prestige, n'osant plus les confesser, quand
soudain de Mlle de Guermantes elle-même, c'est-à-dire
d'une jeune fille si indiscutablement précieuse et autorisée,
portant les cheveux à plat sur le front (ce que jamais une
Courvoisier n'eût consenti à faire) leur venait un tel
secours. Un certain nombre de réalités bonnes ou
mauvaises gagnent ainsi beaucoup à recevoir l'adhésion
de personnes qui ont autorité sur nous. Par exemple chez
les Courvoisier, les rites de l'amabilité dans la rue se
composaient d'un certain salut, fort laid et peu aimable
en lui-même, mais dont on savait que c'était la manière
distinguée de dire bonjour, de sorte que tout le monde,
effaçant de soi le sourire, le bon accueil, s'efforçait d'imiter
cette froide gymnastique. Mais[d] les Guermantes, en
général, et particulièrement Oriane, tout en connaissant
mieux que personne ces rites, n'hésitaient pas, si elles vous
apercevaient d'une voiture, à vous faire un gentil bonjour
de la main, et dans un salon, laissant les Couvoisier faire
leurs saluts empruntés et raides, esquissaient de charmantes
révérences, vous tendaient la main comme à un camarade
en souriant de leurs yeux bleus, de sorte que tout d'un
coup, grâce aux Guermantes, entrait dans la substance du
chic, jusque-là un peu creuse et sèche, tout ce que
naturellement on eût aimé et qu'on s'était efforcé de
proscrire, la bienvenue, l'épanchement d'une amabilité
vraie, la spontanéité. C'est de la même manière, mais par
une réhabilitation cette fois peu justifiée, que les personnes
qui portent le plus en elles le goût instinctif de la mauvaise
musique et des mélodies, si banales soient-elles, qui ont
quelque chose de caressant et de facile, arrivent, grâce à
la culture symphonique, à mortifier en elles ce goût. Mais
une fois arrivées à ce point, quand, émerveillées avec
raison par l'éblouissant coloris orchestral de Richard
Strauss, elles voient ce musicien accueillir avec une
indulgence digne d'Auber les motifs les plus vulgaires, ce

que ces personnes aimaient trouve soudain dans une autorité si haute une justification qui les ravit et elles s'enchantent sans scrupules et avec une double gratitude, en écoutant *Salomé,* de ce qu'il leur était interdit d'aimer dans *Les Diamants de la Couronne*[1].

Authentique ou non, l'apostrophe de Mlle de Guermantes au grand-duc, colportée de maison en maison, était une occasion de raconter avec quelle élégance excessive Oriane était arrangée à ce dîner. Mais si le luxe (ce qui précisément le rendait inaccessible aux Courvoisier) ne naît pas de la richesse, mais de la prodigalité, encore la seconde dure-t-elle plus longtemps si elle est enfin soutenue par la première, laquelle lui permet alors de jeter tous ses feux. Or, étant donné les principes affichés ouvertement non seulement par Oriane, mais par Mme de Villeparisis, à savoir que la noblesse ne compte pas, qu'il est ridicule de se préoccuper du rang, que la fortune ne fait pas le bonheur, que seuls l'intelligence, le cœur, le talent ont de l'importance, les Courvoisier pouvaient espérer qu'en vertu de cette éducation qu'elle avait reçue de la marquise, Oriane épouserait quelqu'un qui ne serait pas du monde, un artiste, un repris de justice, un va-nu-pieds, un libre penseur, qu'elle entrerait définitivement dans la catégorie de ce que les Courvoisier appelaient « les dévoyés ». Ils pouvaient d'autant plus l'espérer que, Mme de Villeparisis traversant en ce moment au point de vue social une crise difficile (aucune des rares personnes brillantes que je rencontrai chez elle ne lui était encore revenue), elle affichait une horreur profonde à l'égard de la société qui la tenait à l'écart. Même quand elle parlait de son neveu le prince de Guermantes qu'elle voyait, elle n'avait pas assez de railleries pour lui parce qu'il était féru de sa naissance. Mais au moment même où il s'était agi de trouver un mari à Oriane, ce n'étaient plus les principes affichés par la tante et la nièce qui avaient mené l'affaire ; c'avait été le mystérieux « génie de la famille ». Aussi infailliblement que si Mme de Villeparisis et Oriane n'eussent jamais parlé que titres de rente et généalogies, au lieu de mérite littéraire et de qualités du cœur, et comme si la marquise, pour quelques jours avait été — comme elle serait plus tard — morte et en bière, dans l'église de Combray, où chaque membre de la famille n'était plus qu'un Guermantes, avec une privation d'indivi-

dualité et de prénoms qu'attestait sur les grandes tentures
noires le seul G de pourpre, surmonté de la couronne
ducale[1], c'était sur l'homme le plus riche et le mieux né,
sur le plus grand parti du faubourg Saint-Germain, sur le
fils aîné du duc de Guermantes, le prince des Laumes, que
le génie de la famille avait porté le choix de l'intellectuelle,
de la frondeuse, de l'évangélique Mme de Villeparisis. Et
pendant deux heures, le jour du mariage, Mme de
Villeparisis eut chez elle toutes les nobles personnes dont
elle se moquait, dont elle se moqua même avec les
quelques bourgeois intimes qu'elle avait conviés et
auxquels le prince des Laumes mit alors des cartes avant
de « couper le câble » dès l'année suivante. Pour mettre
le comble au malheur des Courvoisier, les maximes qui
font de l'intelligence et du talent les seules supériorités
sociales, recommencèrent à se débiter chez la princesse
des Laumes, aussitôt après le mariage. Et à cet égard, soit
dit en passant, le point de vue que défendait Saint-Loup
quand il vivait avec Rachel, fréquentait les amis de Rachel,
aurait voulu épouser Rachel, comportait — quelque
horreur qu'il inspirât dans la famille — moins de mensonge
que celui des demoiselles Guermantes en général, prônant
l'intelligence, n'admettant presque pas qu'on mît en doute
l'égalité des hommes, alors que tout cela aboutissait à point
nommé au même résultat que si elles eussent professé des
maximes contraires, c'est-à-dire à épouser un duc richissime. Saint-Loup agissait, au contraire, conformément à
ses théories, ce qui faisait dire qu'il était dans une mauvaise
voie. Certes, du point de vue moral, Rachel était en effet
peu satisfaisante. Mais il n'est pas certain que si une
personne ne valait pas mieux, mais eût été duchesse ou
eût possédé beaucoup de millions, Mme de Marsantes
n'eût pas été favorable au mariage.

Or, pour en revenir à Mme de Laumes (bientôt après
duchesse de Guermantes par la mort de son beau-père),
ce fut un surcroît de malheur infligé aux Courvoisier que
les théories de la jeune princesse, en restant ainsi dans son
langage, n'eussent dirigé en rien sa conduite ; car ainsi cette
philosophie (si l'on peut ainsi dire) ne nuisit nullement à
l'élégance aristocratique du salon Guermantes. Sans doute
toutes les personnes que Mme de Guermantes ne recevait
pas se figuraient que c'était parce qu'elles n'étaient pas
assez intelligentes, et telle riche Américaine qui n'avait

jamais possédé d'autre livre qu'un petit exemplaire ancien, et jamais ouvert, des poésies de Parny[1], posé parce qu'il était « du temps », sur un meuble de son petit salon, montrait quel cas elle faisait des qualités de l'esprit par les regards dévorants qu'elle attachait sur la duchesse de Guermantes quand celle-ci entrait à l'Opéra. Sans doute aussi Mme de Guermantes était sincère quand elle élisait une personne à cause de son intelligence. Quand elle disait d'une femme : il paraît qu'elle est « charmante[d] », ou d'un homme qu'il était tout ce qu'il y a de plus intelligent, elle ne croyait pas avoir d'autres raisons de consentir à les recevoir que ce charme ou cette intelligence, le génie des Guermantes[b] n'intervenant pas à cette dernière minute : plus profond, situé à l'entrée obscure de la région où les Guermantes jugeaient, ce génie vigilant empêchait[c] les Guermantes de trouver l'homme intelligent ou de trouver la femme charmante s'ils n'avaient pas de valeur mondaine, actuelle ou future. L'homme était déclaré savant, mais comme un dictionnaire, ou, au contraire, commun avec un esprit de commis voyageur, la femme jolie avait un genre terrible, ou parlait trop. Quant aux gens qui n'avaient pas de situation, quelle horreur, c'étaient des snobs. M. de Bréauté, dont le château était tout voisin de Guermantes, ne fréquentait que des altesses. Mais il se moquait d'elles et ne rêvait que vivre dans les musées. Aussi Mme de Guermantes était-elle indignée quand on traitait M. de Bréauté de snob. « Snob, Babal ! Mais vous êtes fou, mon pauvre ami, c'est tout le contraire, il déteste les gens brillants, on ne peut pas lui faire faire une connaissance. Même chez moi ! si je l'invite avec quelqu'un de nouveau, il ne vient qu'en gémissant. »

Ce n'est pas que, même en pratique, les Guermantes ne fissent pas de l'intelligence un tout autre cas que les Courvoisier. D'une façon positive, cette différence entre les Guermantes et les Courvoisier donnait déjà d'assez beaux fruits. Ainsi la duchesse de Guermantes, du reste enveloppée d'un mystère devant lequel rêvaient de loin tant de poètes, avait donné cette fête dont nous avons déjà parlé, où le roi d'Angleterre s'était plu mieux que nulle part ailleurs, car elle avait eu l'idée, qui ne serait jamais venue à l'esprit, et la hardiesse, qui eût fait reculer le courage de tous les Courvoisier, d'inviter, en dehors des personnalités que nous avons citées, le musicien[d] Gaston

Lemaire et l'auteur dramatique Grandmougin[1]. Mais c'est surtout au point de vue négatif que l'intellectualité se faisait sentir. Si le coefficient nécessaire d'intelligence et de charme allait en s'abaissant au fur et à mesure que s'élevait le rang de la personne qui désirait être invitée chez la duchesse de Guermantes, jusqu'à approcher de zéro quand il s'agissait des principales têtes couronnées, en revanche plus on descendait au-dessous de ce niveau royal, plus le coefficient s'élevait. Par exemple, chez la princesse de Parme, il y avait une quantité de personnes que l'Altesse recevait parce qu'elle les avait connues enfant, ou parce qu'elles étaient alliées à telle duchesse, ou attachées à la personne de tel souverain, ces personnes fussent-elles laides, d'ailleurs, ennuyeuses ou sottes ; or, pour un Courvoisier la raison « aimé de la princesse de Parme », « sœur de mère avec la duchesse d'Arpajon », « passant tous les ans trois mois chez la reine d'Espagne[2] », aurait suffi à leur faire inviter de telles gens, mais Mme de Guermantes, qui recevait poliment leur salut depuis dix ans chez la princesse de Parme, ne leur avait jamais laissé passer son seuil, estimant qu'il en est d'un salon au sens social du mot comme au sens matériel où il suffit de meubles qu'on ne trouve pas jolis, mais qu'on laisse comme remplissage et preuve de richesse, pour le rendre affreux. Un tel salon ressemble à un ouvrage où on ne sait pas s'abstenir des phrases qui démontrent du savoir, du brillant, de la facilité. Comme un livre, comme une maison, la qualité d'un « salon », pensait avec raison Mme de Guermantes, a pour pierre angulaire le sacrifice[a3].

Beaucoup des amies de la princesse de Parme et avec qui la duchesse de Guermantes se contentait depuis des années du même bonjour convenable, ou de leur rendre des cartes, sans jamais les inviter, ni aller à leurs fêtes, s'en plaignaient discrètement à l'Altesse, laquelle, les jours où M. de Guermantes venait seul la voir, lui en touchait un mot. Mais le rusé seigneur, mauvais mari pour la duchesse en tant qu'il avait des maîtresses, mais compère à toute épreuve en ce qui touchait le bon fonctionnement de son salon (et l'esprit d'Oriane, qui en était l'attrait principal), répondait : « Mais est-ce que ma femme la connaît ? Ah ! alors, en effet, elle aurait dû. Mais je vais dire la vérité à Madame : Oriane au fond n'aime pas la conversation des femmes. Elle est entourée d'une cour d'esprits supérieurs — moi, je ne suis pas son mari, je ne suis que son premier valet de chambre. Sauf un tout petit nombre qui sont, elles, très spirituelles, les femmes l'ennuient. Voyons, Madame, Votre Altesse, qui a tant de finesse, ne me dira pas que la marquise de Souvré[a] ait de l'esprit. Oui, je comprends bien, la princesse la reçoit par bonté. Et puis elle la connaît. Vous dites qu'Oriane l'a vue, c'est possible, mais très peu je vous assure. Et puis je vais dire à la princesse, il y a aussi un peu de ma faute. Ma femme est très fatiguée, et elle aime tant être aimable que, si je la laissais faire, ce serait des visites à n'en plus finir. Pas plus tard qu'hier soir, elle avait de la température, elle avait peur de faire de la peine à la duchesse de Bourbon en n'allant pas chez elle. J'ai dû montrer les dents, j'ai défendu qu'on attelât. Tenez, savez-vous, Madame, j'ai bien envie de ne pas même dire à Oriane que vous m'avez parlé de Mme de Souvré. Oriane aime tant Votre Altesse qu'elle ira aussitôt inviter Mme de Souvré, ce sera une visite de plus, cela nous forcera à entrer en relations avec la sœur dont je connais très bien le mari. Je crois que je ne dirai rien du tout à Oriane, si la princesse m'y autorise. Nous lui éviterons comme cela beaucoup de fatigue et d'agitation. Et je vous assure que cela ne privera pas Mme de Souvré. Elle va partout, dans les endroits les plus brillants. Nous, nous ne recevons même pas, de petits dîners de rien, Mme de Souvré s'ennuierait à périr. » La princesse de Parme, naïvement persuadée que le duc de Guermantes ne transmettrait pas sa demande à la duchesse et désolée de n'avoir pu obtenir l'invitation que désirait Mme de Souvré, était d'autant plus flattée d'être une des habituées d'un salon si peu accessible. Sans doute cette satisfaction n'allait pas sans ennuis. Ainsi chaque fois que la princesse de Parme invitait Mme de Guermantes, elle avait à se mettre l'esprit à la torture pour n'avoir personne qui pût déplaire à la duchesse et l'empêcher de revenir.

Les jours habituels (après le dîner où elle avait toujours de très bonne heure[1], ayant gardé les habitudes anciennes, quelques convives[2]), le salon de la princesse de Parme était ouvert aux habitués, et d'une façon générale à toute la grande aristocratie française et étrangère. La réception consistait en ceci qu'au sortir de la salle à manger, la princesse s'asseyait sur un canapé devant une grande table

ronde[1], causait avec deux des femmes les plus importantes
qui avaient dîné, ou bien jetait les yeux sur un
« magazine », jouait aux cartes (ou feignait d'y jouer,
suivant une habitude de cour allemande[2]), soit en faisant
une patience, soit en prenant pour partenaire vrai ou
supposé un personnage marquant. Vers neuf heures la
porte du grand salon ne cessait plus de s'ouvrir à deux
battants, de se refermer, de se rouvrir de nouveau, pour
laisser passage aux visiteurs qui avaient dîné avaient à
quatre (ou, s'ils dînaient en ville, escamotaient le café en
disant qu'ils allaient revenir, comptant en effet « entrer
par une porte et sortir par l'autre ») pour se plier aux
heures de la princesse. Celle-ci cependant, attentive à son
jeu ou à la causerie, faisait semblant de ne pas voir les
arrivantes, et ce n'est qu'au moment où elles étaient à deux
pas d'elle, qu'elle se levait gracieusement en souriant avec
bonté pour les femmes[3]. Celles-ci cependant faisaient
devant l'Altesse debout une révérence qui allait jusqu'à
la génuflexion, de manière à mettre leurs lèvres à la
hauteur de la belle main qui pendait très bas et à la baiser.
Mais à ce moment la princesse, de même que si elle eût
chaque fois été surprise par un protocole qu'elle connaissait pourtant très bien, relevait l'agenouillée comme de
vive force, avec une grâce et une douceur sans égales, et
l'embrassait sur les joues[4]. Grâce et douceur qui avaient
pour condition, dira-t-on, l'humilité avec laquelle l'arrivante pliait le genou. Sans doute ; et il semble que dans
une société égalitaire la politesse disparaîtrait, non, comme
on croit, par le défaut de l'éducation, mais parce que chez
les uns disparaîtrait la déférence due au prestige qui doit
être imaginaire pour être efficace, et surtout chez les autres
l'amabilité qu'on prodigue et qu'on affine quand on sent
qu'elle a pour celui qui la reçoit un prix infini, lequel dans
un monde fondé sur l'égalité tomberait subitement à rien,
comme tout ce qui n'avait qu'une valeur fiduciaire. Mais[a]
cette disparition de la politesse dans une société nouvelle
n'est pas certaine, et nous sommes quelquefois trop
disposés à croire que les conditions actuelles d'un état de
choses en sont les seules possibles. De très bons esprits
ont cru qu'une république ne pourrait avoir de diplomatie
et d'alliances[5], et que la classe paysanne ne supporterait
pas la séparation de l'Église et de l'État[6]. Après tout, la
politesse dans une société égalitaire ne serait pas un

miracle plus grand que le succès des chemins de fer et l'utilisation militaire de l'aéroplane. Puis, si même la politesse disparaissait, rien ne prouve que ce serait un malheur. Enfin une société ne serait-elle pas secrètement hiérarchisée au fur et à mesure qu'elle serait en fait plus démocratique ? C'est fort possible. Le pouvoir politique des papes a beaucoup grandi depuis qu'ils n'ont plus ni États, ni armée ; les cathédrales exerçaient un prestige bien moins grand sur un dévot du XVIIe siècle que sur un athée du XXe[1], et si la princesse de Parme avait été souveraine d'un État[2], sans doute eussé-je eu l'idée d'en parler à peu près autant que d'un président de la République, c'est-à-dire pas du tout.

Une fois l'impétrante relevée et embrassée par la princesse, celle-ci se rasseyait, se remettait à sa patience, non sans avoir, si la nouvelle venue était d'importance, causé un moment avec elle en la faisant asseoir sur un fauteuil.

Quand le salon devenait trop plein, la dame d'honneur chargée du service d'ordre donnait de l'espace en guidant les habitués dans un immense hall sur lequel donnait le salon et qui était rempli de portraits, de curiosités relatives à la maison de Bourbon. Les convives habituels de la princesse jouaient alors volontiers le rôle de cicerone et disaient des choses intéressantes, que n'avaient pas la patience d'écouter les jeunes gens, plus attentifs à regarder les Altesses vivantes (et au besoin à se faire présenter à elles par la dame d'honneur et les filles d'honneur) qu'à considérer les reliques des souveraines mortes. Trop occupés des connaissances qu'ils pourraient faire et des invitations qu'ils pêcheraient peut-être, ils ne savaient absolument rien, même après des années, de ce qu'il y avait dans ce précieux musée des archives de la monarchie, et se rappelaient seulement confusément qu'il était orné de cactus et de palmiers géants qui faisaient ressembler ce centre des élégances au Palmarium du Jardin d'Acclimatation[3].

Sans doute la duchesse de Guermantes, par mortification, venait parfois faire, ces soirs-là, une visite de digestion à la princesse, qui la gardait tout le temps à côté d'elle, tout en badinant avec le duc. Mais quand la duchesse venait dîner, la princesse se gardait bien d'avoir ses habitués et fermait sa porte en sortant de table, de peur que des visiteurs trop peu choisis déplussent à l'exigeante duchesse.

Ces soirs-là, si des fidèles non prévenus se présentaient à la porte de l'Altesse, le concierge répondait : « Son Altesse Royale ne reçoit pas ce soir », et on repartait. D'avance, d'ailleurs beaucoup d'amis de la princesse savaient que, à cette date-là, ils ne seraient pas invités. C'était une série particulière, une série fermée à tant de ceux qui eussent souhaité d'y être compris. Les exclus pouvaient, avec une quasi-certitude, nommer les élus, et se disaient entre eux d'un ton piqué : « Vous savez bien qu'Oriane de Guermantes ne se déplace jamais sans tout son état-major. » À l'aide de celui-ci, la princesse de Parme cherchait à entourer la duchesse comme d'une muraille protectrice contre les personnes desquelles le succès auprès d'elle serait plus douteux. Mais à plusieurs des amis préférés de la duchesse, à plusieurs membres de ce brillant « état-major », la princesse de Parme était gênée de faire des amabilités, vu qu'ils en avaient fort peu pour elle. Sans doute la princesse de Parme admettait fort bien qu'on pût se plaire davantage dans la société de Mme de Guermantes que dans la sienne propre. Elle était bien obligée de constater qu'on s'écrasait aux « jours » de la duchesse et qu'elle-même y rencontrait souvent trois ou quatre Altesses qui se contentaient de mettre leur carte chez elle. Et elle avait beau retenir les mots d'Oriane, imiter ses robes, servir à ses thés les mêmes tartes aux fraises, il y avait des fois où elle restait seule toute la journée avec une dame d'honneur et un conseiller de légation étranger. Aussi, lorsque (comme ç'avait été par exemple le cas pour Swann jadis) quelqu'un ne finissait jamais la journée sans être allé passer deux heures chez la duchesse et faisait une visite une fois tous les deux ans à la princesse de Parme, celle-ci n'avait pas grande envie, même pour amuser Oriane, de faire à ce Swann quelconque les « avances » de l'inviter à dîner. Bref, convier la duchesse était pour la princesse de Parme une occasion de perplexités, tant elle était rongée par la crainte qu'Oriane trouvât tout mal. Mais en revanche, et pour la même raison, quand la princesse de Parme venait dîner chez Mme de Guermantes, elle était sûre d'avance que tout serait bien, délicieux, elle n'avait qu'une peur, c'était de ne pas savoir comprendre, retenir, plaire, de ne pas savoir assimiler les idées et les gens. À ce titre ma présence excitait son attention et sa cupidité, aussi bien que l'eût fait une

nouvelle manière de décorer la table avec des guirlandes
de fruits, incertaine qu'elle était si c'était l'une ou l'autre,
la décoration de la table ou ma présence, qui était plus
particulièrement l'un de ces charmes, secret du succès des
réceptions d'Oriane, et, dans le doute, bien décidée à
tenter d'avoir à son prochain dîner l'un et l'autre. Ce qui
justifiait du reste pleinement la curiosité ravie que la
princesse de Parme apportait chez la duchesse, c'était cet
élément unique, dangereux, excitant, où la princesse se
plongeait avec une sorte de crainte, de saisissement et de
délices (comme, au bord de la mer, dans un de ces « bains
de vagues » dont les guides baigneurs signalent le péril,
tout simplement parce qu'aucun d'eux ne sait nager), d'où
elle sortait tonifiée, heureuse, rajeunie, et qu'on appelait
l'esprit des Guermantes. L'esprit des Guermantes — entité
aussi inexistante que la quadrature du cercle, selon la
duchesse, qui se jugeait la seule Guermantes à le
posséder — était une réputation comme les rillettes de
Tours ou les biscuits de Reims. Sans doute (une
particularité intellectuelle n'usant pas pour se propager
des mêmes modes que la couleur des cheveux ou du
teint) certains intimes de la duchesse, et qui n'étaient pas
de son sang, possédaient pourtant cet esprit, lequel en
revanche n'avait pu envahir certains Guermantes par trop
réfractaires à n'importe quelle sorte d'esprit. Les détenteurs, non apparentés à la duchesse, de l'esprit des Guermantes avaient généralement pour caractéristique d'avoir
été des hommes brillants, doués pour une carrière à
laquelle, que ce fût les arts, la diplomatie, l'éloquence
parlementaire, l'armée, ils avaient préféré la vie de coterie.
Peut-être cette préférence aurait-elle pu être expliquée par
un certain manque d'originalité, ou d'initiative, ou de
vouloir, ou de santé, ou de chance, ou par le snobisme.

Chez certains (il faut d'ailleurs reconnaître que c'était
l'exception), si le salon Guermantes avait été la pierre
d'achoppement de leur carrière, c'était contre leur gré.
Ainsi un médecin, un peintre et un diplomate de grand
avenir n'avaient pu réussir dans leur carrière, pour laquelle
ils étaient pourtant plus brillamment doués que beaucoup,
parce que leur intimité chez les Guermantes faisait que
les deux premiers passaient pour des gens du monde, et
le troisième pour un réactionnaire, ce qui les avait
empêchés tous trois d'être reconnus par leurs pairs.

L'antique robe et la toque rouge que revêtent et coiffent encore les collèges électoraux des Facultés[1] n'est pas, ou du moins n'était pas, il n'y a pas encore si longtemps, que la survivance purement extérieure d'un passé aux idées étroites, d'un sectarisme fermé. Sous la toque à glands d'or comme les grands prêtres sous le bonnet conique des Juifs, les « professeurs » étaient encore, dans les années qui précédèrent l'affaire Dreyfus, enfermés dans des idées rigoureusement pharisiennes. Du Boulbon était au fond un artiste, mais il était sauvé parce qu'il n'aimait pas le monde. Cottard fréquentait les Verdurin, mais Mme Verdurin était une cliente, puis il était protégé par sa vulgarité, enfin chez lui il ne recevait que la Faculté, dans des agapes sur lesquelles flottait une odeur d'acide phénique. Mais dans les corps fortement constitués, où d'ailleurs la rigueur des préjugés n'est que la rançon de la plus belle intégrité, des idées morales les plus élevées, qui fléchissent dans des milieux plus tolérants, plus libres et, bien vite dissolus, un professeur, dans sa robe en satin écarlate doublé d'hermine comme celle d'un Doge (c'est-à-dire un duc) de Venise enfermé dans le palais ducal, était aussi vertueux, aussi attaché à de nobles principes, mais aussi impitoyable pour tout élément étranger, que cet autre duc, excellent mais terrible, qu'était M. de Saint-Simon. L'étranger, c'était le médecin mondain, ayant d'autres manières, d'autres relations. Pour bien faire, le malheureux dont nous parlons ici, afin de ne pas être accusé par ses collègues de les mépriser (quelle idée d'homme du monde !) s'il leur cachait la duchesse de Guermantes, espérait les désarmer en donnant des dîners mixtes où l'élément médical était noyé dans l'élément mondain. Il ne savait pas qu'il signait ainsi sa perte, ou plutôt il l'apprenait quand le conseil des Dix[2] (un peu plus élevé en nombre) avait à pourvoir à la vacance d'une chaire, et que c'était toujours le nom d'un médecin plus normal, fût-il plus médiocre, qui sortait de l'urne fatale, et que le « veto » retentissait dans l'antique Faculté, aussi solennel, aussi ridicule, aussi terrible que le « juro » sur lequel mourut Molière[3]. Ainsi encore du peintre à jamais étiqueté homme du monde, quand des gens du monde qui faisaient de l'art avaient réussi à se faire étiqueter artistes ; ainsi pour le diplomate ayant trop d'attaches réactionnaires.

Mais ce cas était le plus rare. Le type des hommes distingués qui formaient le fond du salon Guermantes était celui de gens ayant renoncé volontairement (ou le croyant du moins) au reste, à tout ce qui était incompatible avec l'esprit des Guermantes, la politesse des Guermantes, avec ce charme indéfinissable odieux à tout « corps » tant soit peu centralisé.

Et les gens qui savaient qu'autrefois[a] l'un de ces habitués du salon de la duchesse avait eu la médaille d'or au Salon, que l'autre, secrétaire de la Conférence des avocats, avait fait des débuts retentissants à la Chambre, qu'un troisième avait habilement servi la France comme chargé d'affaires, auraient pu considérer comme des ratés les gens qui n'avaient plus rien fait depuis vingt ans[1]. Mais ces « renseignés » étaient peu nombreux, et les intéressés eux-mêmes auraient été les derniers à le rappeler, trouvant ces anciens titres de nulle valeur, en vertu même de l'esprit des Guermantes : celui-ci ne faisait-il pas taxer de raseur, de pion, ou bien au contraire de garçon de magasin, tels ministres éminents, l'un un peu solennel, l'autre amateur de calembours, dont les journaux chantaient les louanges, mais à côté de qui Mme de Guermantes bâillait et donnait des signes d'impatience si l'imprudence d'une maîtresse de maison lui avait donné l'un ou l'autre pour voisin ? Puisque être un homme d'État de premier ordre n'était nullement une recommandation auprès de la duchesse, ceux de ses amis qui avaient donné leur démission de la « Carrière » ou de l'armée, qui ne s'étaient pas représentés à la Chambre, jugeaient, en venant tous les jours déjeuner et causer avec leur grande amie, en la retrouvant chez des altesses, d'ailleurs peu appréciées d'eux, du moins le disaient-ils, qu'ils avaient choisi la meilleure part, encore que leur air mélancolique, même au milieu de la gaieté, contredît un peu le bien-fondé de ce jugement.

Encore faut-il reconnaître que la délicatesse de vie sociale, la finesse des conversations chez les Guermantes avaient, si mince cela fût-il, quelque chose de réel. Aucun titre officiel n'y valait l'agrément de certains des préférés de Mme de Guermantes que les ministres les plus puissants n'auraient pu réussir à attirer chez eux. Si dans ce salon tant d'ambitions intellectuelles et même de nobles efforts avaient été enterrés pour jamais, du moins, de leur poussière, la plus rare floraison de mondanité y avait pris naissance. Certes, des hommes d'esprit, comme Swann par exemple, se jugeaient supérieurs[a] à des hommes de valeur, qu'ils dédaignaient, mais c'est que ce que la duchesse plaçait au-dessus de tout, ce n'était pas l'intelligence, c'était — forme supérieure selon elle, plus rare, plus exquise, de l'intelligence élevée jusqu'à une variété verbale de talent — l'esprit. Et autrefois chez les Verdurin, quand Swann jugeait Brichot et Elstir, l'un comme un pédant, l'autre comme un mufle, malgré tout le savoir de l'un et tout le génie de l'autre, c'était l'infiltration de l'esprit Guermantes qui l'avait fait les classer ainsi. Jamais il n'eût osé présenter ni l'un ni l'autre à la duchesse, sentant d'avance de quel air elle eût accueilli les tirades de Brichot, les « calembredaines » d'Elstir, l'esprit des Guermantes rangeant les propos prétentieux et prolongés du genre sérieux ou du genre farceur dans la plus intolérable imbécillité.

Quant aux Guermantes[b] selon la chair, selon le sang, si l'esprit des Guermantes ne les avait pas gagnés aussi complètement qu'il arrive, par exemple, dans les cénacles littéraires où tout le monde a une même manière de prononcer, d'énoncer et, par voie de conséquence, de penser, ce n'est pas certes que l'originalité soit plus forte dans les milieux mondains et y mette obstacle à l'imitation. Mais l'imitation a pour conditions, non pas seulement l'absence d'une originalité irréductible, mais encore une finesse relative d'oreille qui permette de discerner d'abord ce qu'on imite ensuite. Or, il y avait quelques Guermantes auxquels ce sens musical faisait aussi entièrement défaut qu'aux Courvoisier.

Pour prendre comme exemple l'exercice qu'on appelle, dans une autre acception du mot imitation, « faire des imitations » (ce qui se disait chez les Guermantes « faire des charges »), Mme de Guermantes avait beau le réussir à ravir[c], les Courvoisier étaient aussi incapables de s'en rendre compte que s'ils eussent été une bande de lapins, au lieu d'hommes et de femmes, parce qu'ils n'avaient jamais su remarquer le défaut ou l'accent que la duchesse cherchait à contrefaire. Quand elle « imitait » le duc de Limoges, les Courvoisier protestaient : « Oh ! non, il ne parle tout de même pas comme cela, j'ai encore dîné hier soir avec lui chez Bebeth, il m'a parlé toute la soirée, il ne parlait pas comme cela », tandis que les

Guermantes un peu cultivés s'écriaient : « Dieu qu'Oriane est drolatique ! Le plus fort c'est que pendant qu'elle l'imite, elle lui ressemble ! Je crois l'entendre. Oriane, encore un peu Limoges ! » Or, ces Guermantes-là (sans même aller jusqu'à ceux, tout à fait remarquables, qui, lorsque la duchesse imitait le duc de Limoges, disaient avec admiration : « Ah ! on peut dire que vous le *tenez* » ou « que tu le tiens ») avaient beau ne pas avoir d'esprit selon Mme de Guermantes (en quoi elle était dans le vrai), à force d'entendre et de raconter les mots de la duchesse, ils étaient arrivés à imiter tant bien que mal sa manière de s'exprimer, de juger, ce que Swann eût appelé, comme la duchesse elle-même, sa manière*ª* de « rédiger[1] », jusqu'à présenter dans leur conversation quelque chose qui pour les Courvoisier paraissait affreusement similaire à l'esprit d'Oriane et était traité par eux d'esprit des Guermantes. Comme ces Guermantes étaient pour elle non seulement des parents mais des admirateurs, Oriane (qui tenait fort le reste de sa famille à l'écart, et vengeait maintenant par ses dédains les méchancetés que celle-ci lui avait faites quand elle était jeune fille) allait les voir quelquefois, et généralement en compagnie du duc, à la belle saison, quand elle sortait avec lui. Ces visites étaient un événement. Le cœur battait un peu plus vite à la princesse d'Épinay qui recevait dans son grand salon du rez-de-chaussée, quand elle apercevait de loin, telles les premières lueurs d'un inoffensif incendie ou les « re-connaissances » d'une invasion non espérée, traversant lentement la cour, d'une démarche oblique, la duchesse coiffée d'un ravissant chapeau et inclinant une ombrelle d'où pleuvait une odeur d'été. « Tiens, Oriane », disait-elle comme un « garde-à-vous » qui cherchait à avertir ses visiteuses avec prudence, et pour qu'on eût le temps de sortir en ordre, qu'on évacuât les salons sans panique. La moitié des personnes présentes n'osait pas rester, se levait. « Mais non, pourquoi ? Rasseyez-vous donc, je suis char-mée de vous garder encore un peu », disait la princesse d'un air dégagé et à l'aise (pour faire la grande dame), mais d'une voix devenue factice. « Vous pourriez avoir à vous parler. — Vraiment, vous êtes pressée ? Hé bien, j'irai chez vous », répondait la maîtresse de maison à celles qu'elle aimait autant voir partir. Le duc et la duchesse saluaient fort poliment des gens qu'ils voyaient là depuis des années

sans les connaître pour cela davantage, et qui leur disaient
à peine bonjour, par discrétion. À peine étaient-ils partis
que le duc demandait aimablement des renseignements
sur eux, pour avoir l'air de s'intéresser à la qualité
intrinsèque des personnes qu'il ne recevait pas par la
méchanceté du destin ou à cause de l'état nerveux d'Oriane
pour lequel la fréquentation des femmes était mauvaise :
« Qu'est-ce que c'était que cette petite dame en chapeau
rose ? — Mais, mon cousin, vous l'avez vue souvent, c'est
la vicomtesse de Tours, née Lamarzelle. — Mais savez-vous
qu'elle est jolie, elle a l'air spirituel ; s'il n'y avait pas un
petit défaut dans la lèvre supérieure, elle serait tout
bonnement ravissante. S'il y a un vicomte de Tours, il ne
doit pas s'embêter. Oriane, savez-vous à qui ses sourcils
et la plantation de ses cheveux m'ont fait penser ? À votre
cousine Hedwige de Ligne. » La duchesse de Guermantes,
qui languissait dès qu'on parlait de la beauté d'une autre
femme qu'elle, laissait tomber la conversation. Elle avait
compté sans le goût qu'avait son mari pour faire voir qu'il
était parfaitement au fait des gens qu'il ne recevait pas,
par quoi il croyait se montrer plus « sérieux » que sa
femme. « Mais, disait-il tout d'un coup avec force, vous
avez prononcé le nom de Lamarzelle. Je me rappelle que,
quand j'étais à la Chambre, un discours tout à fait
remarquable fut prononcé... — C'était l'oncle de la jeune
femme que vous venez de voir[1]. — Ah ! quel talent !...
Non, mon petit », disait-il à la vicomtesse d'Égremont,
que Mme de Guermantes ne pouvait souffrir mais qui, ne
bougeant pas de chez la princesse d'Épinay où elle
s'abaissait volontairement à un rôle de soubrette (quitte
à battre la sienne en rentrant), restait, confuse, éplorée,
mais restait quand le couple ducal était là, débarrassait des
manteaux, tâchait de se rendre utile, par discrétion offrait
de passer dans la pièce voisine, « ne faites pas de thé pour
nous, causons tranquillement, nous sommes des gens
simples, à la bonne franquette. Du reste », ajoutait-il en
se tournant vers Mme d'Épinay (en laissant l'Égremont
rougissante, humble, ambitieuse et zélée), « nous n'avons
qu'un quart d'heure à vous donner. » Ce quart d'heure
était occupé tout entier à une sorte d'exposition[d] des mots
que la duchesse avait eus pendant la semaine et qu'elle-
même n'eût certainement pas cités, mais que fort
habilement le duc, en ayant l'air de la gourmander à

propos des incidents qui les avaient provoqués, l'amenait comme involontairement à redire.

La princesse d'Épinay, qui aimait sa cousine et savait qu'elle avait un faible pour les compliments, s'extasiait sur son chapeau, son ombrelle, son esprit. « Parlez-lui de sa toilette tant que vous voudrez », disait le duc du ton bourru qu'il avait adopté et qu'il tempérait d'un malicieux sourire pour qu'on ne prît pas son mécontentement au sérieux, « mais, au nom du ciel, pas de son esprit, je me passerais fort d'avoir une femme aussi spirituelle. Vous faites probablement allusion au mauvais calembour qu'elle a fait sur mon frère Palamède », ajoutait-il sachant fort bien que la princesse et le reste de la famille ignoraient encore ce calembour, et enchanté de faire valoir sa femme. « D'abord je trouve indigne d'une personne qui a dit quelquefois, je le reconnais, d'assez jolies choses, de faire de mauvais calembours, mais surtout sur mon frère qui est très susceptible et si cela doit avoir pour résultat de me fâcher avec lui, c'est vraiment bien la peine !

— Mais nous ne savons pas ! Un calembour d'Oriane ? Cela doit être délicieux. Oh ! dites-le.

— Mais non, mais non, reprenait le duc encore boudeur quoique plus souriant, je suis ravi que vous ne l'ayez pas appris. Sérieusement j'aime beaucoup mon frère.

— Écoutez, Basin », disait la duchesse dont le moment de donner la réplique à son mari était venu, « je ne sais pourquoi vous dites que cela peut fâcher Palamède, vous savez très bien le contraire. Il est beaucoup trop intelligent pour se froisser de cette plaisanterie stupide qui n'a quoi que ce soit de désobligeant. Vous allez faire croire que j'ai dit une méchanceté, j'ai tout simplement répondu quelque chose de pas drôle, mais c'est vous qui y donnez de l'importance par votre indignation. Je ne vous comprends pas.

— Vous nous intriguez horriblement, de quoi s'agit-il ?

— Oh ! évidemment de rien de grave ! s'écriait M. de Guermantes. Vous avez peut-être entendu dire que mon frère voulait donner Brézé, le château de sa femme, à sa sœur Marsantes.

— Oui, mais on nous a dit qu'elle ne le désirait pas, qu'elle n'aimait pas le pays où il est, que le climat ne lui convenait pas.

— Hé bien, justement quelqu'un disait tout cela à ma femme et que si mon frère donnait ce château à notre sœur, ce n'était pas pour lui faire plaisir, mais pour la taquiner. C'est qu'il est si taquin, Charlus, disait cette personne. Or, vous savez que Brézé, c'est royal, cela peut valoir plusieurs millions, c'est une ancienne terre du roi, il y a là une des plus belles forêts de France[1]. Il y a beaucoup de gens qui voudraient qu'on leur fît des taquineries de ce genre. Aussi en entendant ce mot de "taquin" appliqué à Charlus parce qu'il donnait un si beau château, Oriane n'a pu s'empêcher de s'écrier, involontairement, je dois le confesser, elle n'y a pas mis de méchanceté, car c'est venu vite comme l'éclair : "Taquin... taquin... Alors c'est Taquin le Superbe[2] !" Vous comprenez », ajoutait en reprenant son ton bourru et non sans avoir jeté un regard circulaire pour juger de l'effet produit par l'esprit de sa femme, le duc qui était d'ailleurs assez sceptique quant à la connaissance que Mme d'Épinay avait de l'histoire ancienne, « vous comprenez, c'est à cause de Tarquin le Superbe, le roi de Rome[3] ; c'est stupide, c'est un mauvais jeu de mots, indigne d'Oriane. Et puis moi qui suis plus circonspect que ma femme, si j'ai moins d'esprit, je pense aux suites, si le malheur veut qu'on répète cela à mon frère, ce sera toute une histoire. D'autant plus, ajouta-t-il, que comme justement Palamède est très hautain et aussi très pointilleux, très enclin aux commérages, même en dehors de la question du château, il faut reconnaître que Taquin le Superbe lui convient assez bien. C'est ce qui sauve les mots de Madame, c'est que même quand elle veut s'abaisser à de vulgaires à-peu-près, elle reste spirituelle malgré tout et elle peint assez bien les gens. »

Ainsi grâce, une fois à Taquin le Superbe, une autre fois à un autre mot, ces visites du duc et de la duchesse à leur famille renouvelaient la provision des récits, et l'émoi qu'elles avaient causé durait bien longtemps après le départ de la femme d'esprit et de son impresario. On se régalait d'abord, avec les privilégiés qui avaient été de la fête (les personnes qui étaient restées là), des mots qu'Oriane avait dits. « Vous ne connaissiez pas Taquin le Superbe ? demandait la princesse d'Épinay. — Si, répondait en rougissant la marquise de Baveno : la princesse de Sarsina-La Rochefoucauld[4] m'en avait parlé, pas tout à fait dans les mêmes termes. Mais cela a dû être bien plus intéressant de l'entendre raconter ainsi devant ma cousine », ajoutait-elle comme elle aurait dit « de l'entendre accompagner par l'auteur ». « Nous parlions du dernier mot d'Oriane qui était ici tout à l'heure, disait-on à une visiteuse qui allait se trouver désolée de ne pas être venue une heure auparavant.

— Comment, Oriane était ici ?

— Mais oui, vous seriez venue un peu plus tôt... », lui répondait la princesse d'Épinay, sans reproche, mais en laissant comprendre tout ce que la maladroite avait raté. C'était sa faute si elle n'avait pas assisté à la création du monde ou à la dernière représentation de Mme Carvalho[1]. « Qu'est-ce que vous[a] dites du dernier mot d'Oriane ? J'avoue que j'apprécie beaucoup Taquin le Superbe », et le « mot » se mangeait encore froid le lendemain à déjeuner, entre intimes qu'on invitait pour cela, et reparaissait sous diverses sauces pendant la semaine[2]. Même la princesse faisant cette semaine-là sa visite annuelle à la princesse de Parme en profitait pour demander à l'Altesse si elle connaissait le mot et le lui racontait. « Ah ! Taquin le Superbe », disait la princesse de Parme, les yeux écarquillés par une admiration *a priori*, mais qui implorait un supplément d'explications auquel ne se refusait pas la princesse d'Épinay. « J'avoue que Taquin le Superbe me plaît infiniment comme rédaction », concluait la princesse. En réalité, le mot de « rédaction » ne convenait nullement pour ce calembour, mais la princesse d'Épinay, qui avait la prétention d'avoir assimilé l'esprit des Guermantes, avait pris à Oriane les expressions « rédigé, rédaction » et les employait sans beaucoup de discernement. Or la princesse de Parme, qui n'aimait pas beaucoup Mme d'Épinay qu'elle trouvait laide, savait avare et croyait méchante, sur la foi des Courvoisier, reconnut ce mot de « rédaction » qu'elle avait entendu prononcer par Mme de Guermantes et qu'elle n'eût pas su appliquer toute seule. Elle eut l'impression que c'était, en effet, la « rédaction » qui faisait le charme de Taquin le Superbe, et sans oublier tout à fait son antipathie pour la dame laide et avare, elle ne put se défendre d'un tel sentiment d'admiration pour une femme qui possédait à ce point l'esprit des Guermantes, qu'elle voulut inviter la princesse d'Épinay à l'Opéra[3]. Seule la retint la pensée qu'il conviendrait peut-être de consulter d'abord Mme de Guer-

mantes. Quant à Mme d'Épinay qui, bien différente des
Courvoisier, faisait mille grâces à Oriane et l'aimait, mais
était jalouse de ses relations et un peu agacée des
plaisanteries que la duchesse lui faisait devant tout le
monde sur son avarice, elle raconta en rentrant chez elle
combien la princesse de Parme avait eu de peine à
comprendre Taquin le Superbe et combien il fallait
qu'Oriane fût snob pour avoir dans son intimité une
pareille dinde. « Je n'aurais jamais pu fréquenter la
princesse de Parme si j'avais voulu, dit-elle aux amis
qu'elle avait à dîner, parce que M. d'Épinay ne me
l'aurait jamais permis à cause de son immoralité », faisant
allusion à certains débordements purement imaginaires
de Mme de Parme. « Mais même si j'avais eu un mari
moins sévère, j'avoue que je n'aurais pas pu. Je ne sais
pas comment Oriane fait pour la voir constamment. Moi,
j'y vais une fois par an et j'ai bien de la peine à arriver
au bout de la visite. » Quant à ceux des Courvoisier[a]
qui se trouvaient chez Victurnienne au moment de la
visite de Mme de Guermantes, l'arrivée de la duchesse
les mettait généralement en fuite à cause de l'exaspération
que leur causaient les « salamalecs exagérés » qu'on
faisait pour Oriane. Un seul resta le jour de Taquin le
Superbe. Il ne comprit pas complètement la plaisanterie,
mais tout de même à moitié, car il était instruit. Et les
Courvoisier allèrent répétant qu'Oriane avait appelé
l'oncle Palamède « Tarquin le Superbe », ce qui le
peignait selon eux assez bien. « Mais pourquoi faire tant
d'histoires avec Oriane ? ajoutaient-ils. On n'en aurait pas
fait davantage pour une reine. En somme, qu'est-ce
qu'Oriane ? Je ne dis pas que les Guermantes ne soient
pas de vieille souche, mais les Courvoisier ne le leur
cèdent en rien, ni comme illustration, ni comme
ancienneté, ni comme alliances. Il ne faut pas oublier
qu'au Camp du Drap d'or[1], comme le roi d'Angleterre
demandait à François Ier quel était le plus noble des
seigneurs là présents : "Sire, répondit le roi de France,
c'est Courvoisier." » D'ailleurs tous les Courvoisier
fussent-ils restés, que les mots les eussent laissés d'autant
plus insensibles que les incidents qui les faisaient
généralement naître auraient été considérés par eux
d'un point de vue tout à fait différent. Si, par exemple,
une Courvoisier se trouvait manquer de chaises, dans une

réception qu'elle donnait, ou si elle se trompait de nom en parlant à une visiteuse qu'elle n'avait pas reconnue, ou si un de ses domestiques lui adressait une phrase ridicule, la Courvoisier, ennuyée à l'extrême, rougissante, frémissant d'agitation, déplorait un pareil contretemps. Et quand elle avait un visiteur et qu'Oriane devait venir, elle disait sur un ton anxieusement et impérieusement interrogatif : « Est-ce que vous la connaissez ? » craignant, si le visiteur ne la connaissait pas, que sa présence donnât une mauvaise impression à Oriane. Mais Mme de Guermantes tirait, au contraire, de tels incidents, l'occasion de récits qui faisaient rire les Guermantes aux larmes, de sorte qu'on était obligé de l'envier d'avoir manqué de chaises, d'avoir fait ou laissé faire à son domestique une gaffe, d'avoir eu chez soi quelqu'un que personne ne connaissait, comme on est obligé de se féliciter que les grands écrivains aient été tenus à distance par les hommes et trahis par les femmes quand leurs humiliations et leurs souffrances ont été, sinon l'aiguillon de leur génie, du moins la matière de leurs œuvres.

Les Courvoisier[a] n'étaient pas davantage capables de s'élever jusqu'à l'esprit d'innovation que la duchesse de Guermantes introduisait dans la vie mondaine et qui, en l'adaptant selon un sûr instinct aux nécessités du moment, en faisait quelque chose d'artistique, là où l'application purement raisonnée de règles rigides eût donné d'aussi mauvais résultats qu'à quelqu'un qui, voulant réussir en amour ou dans la politique, reproduirait à la lettre dans sa propre vie les exploits de Bussy d'Amboise[1]. Si les Courvoisier[b] donnaient un dîner de famille ou un dîner pour un prince, l'adjonction d'un homme d'esprit, d'un ami de leur fils, leur semblait une anomalie capable de produire le plus mauvais effet. Une Courvoisier dont le père avait été ministre de l'Empereur, ayant à donner une matinée en l'honneur de la princesse Mathilde, déduisit par esprit de géométrie[2] qu'elle ne pouvait inviter que des bonapartistes[3]. Or elle n'en connaissait presque pas. Toutes les femmes élégantes de ses relations, tous les hommes agréables furent impitoyablement bannis, parce que, d'opinion ou d'attaches légitimistes, ils auraient, selon la logique des Courvoisier, pu déplaire à l'Altesse Impériale. Celle-ci, qui recevait chez elle la fleur du faubourg Saint-Germain, fut assez étonnée quand elle trouva seulement chez Mme de Courvoisier une pique-assiette célèbre, veuve d'un ancien préfet de l'Empire, la veuve du directeur des postes et quelques personnes connues pour leur fidélité à Napoléon III, leur bêtise et leur ennui. La princesse Mathilde n'en répandit pas moins le ruissellement généreux et doux de sa grâce souveraine sur ces laiderons calamiteux que la duchesse de Guermantes se garda bien, elle, de convier, quand ce fut son tour de recevoir la princesse, et qu'elle remplaça, sans raisonnements *a priori* sur le bonapartisme, par le plus riche bouquet de toutes les beautés, de toutes les valeurs, de toutes les célébrités qu'une sorte de flair, de tact et de doigté lui faisait sentir devoir être agréables à la nièce de l'Empereur, même quand elles étaient de la propre famille du roi. Il n'y manqua même pas le duc d'Aumale[1], et quand, en se retirant, la princesse, relevant Mme de Guermantes qui lui faisait la révérence et voulait lui baiser la main, l'embrassa sur les deux joues, ce fut du fond du cœur qu'elle put assurer à la duchesse qu'elle n'avait jamais passé une meilleure journée ni assisté à une fête plus réussie. La princesse de Parme était Courvoisier par l'incapacité d'innover en matière sociale, mais, à la différence des Courvoisier, la surprise que lui causait perpétuellement la duchesse de Guermantes engendrait non comme chez eux l'antipathie, mais l'émerveillement. Cet étonnement était encore accru du fait de la culture infiniment arriérée de la princesse[2]. Mme de Guermantes était elle-même beaucoup moins avancée qu'elle ne le croyait. Mais il suffisait qu'elle le fût plus que Mme de Parme pour stupéfier celle-ci, et comme chaque génération de critiques se borne à prendre le contrepied des vérités admises par leurs prédécesseurs, elle n'avait qu'à dire que Flaubert, cet ennemi des bourgeois, était avant tout un bourgeois[3], ou qu'il y avait beaucoup de musique italienne dans Wagner[4], pour procurer à la princesse, au prix d'un surmenage toujours nouveau, comme à quelqu'un qui nage dans la tempête, des horizons qui lui paraissaient inouïs et lui restaient confus. Stupéfaction d'ailleurs devant les paradoxes proférés non seulement au sujet des œuvres artistiques, mais même des personnes de leur connaissance, et aussi des actions mondaines. Sans doute l'incapacité où était Mme de Parme de séparer le véritable esprit des Guermantes des formes rudimentairement apprises de cet esprit (ce qui la faisait croire à la haute valeur intellectuelle de certains et surtout de certaines Guermantes dont ensuite elle était confondue d'entendre la duchesse lui dire en souriant que c'était de simples cruches), était une des causes de l'étonnement que la princesse avait toujours à entendre Mme de Guermantes juger les personnes. Mais il y en avait une autre et que, moi qui connaissais à cette époque plus de livres que de gens et mieux la littérature que le monde, je m'expliquai en pensant que la duchesse, vivant de cette vie mondaine dont le désœuvrement et la stérilité sont à une activité sociale véritable ce qu'est en art la critique à la création[1], étendait aux personnes de son entourage l'instabilité de points de vue, la soif malsaine du raisonneur qui pour étancher son esprit trop sec va chercher n'importe quel paradoxe encore un peu frais et ne se gênera point de soutenir l'opinion désaltérante que la plus belle *Iphigénie* est celle de Piccinni et non celle de Gluck[2], au besoin la véritable *Phèdre* celle de Pradon[3].

Quand une femme[a] intelligente, instruite, spirituelle, avait épousé un timide butor qu'on voyait rarement et qu'on n'entendait jamais, Mme de Guermantes s'inventait un beau jour une volupté spirituelle non pas seulement en décriant la femme[4], mais en « découvrant » le mari. Dans le ménage Cambremer par exemple, si elle eût vécu alors dans ce milieu, elle eût décrété que Mme de Cambremer était stupide, et en revanche, que la personne intéressante, méconnue, délicieuse, vouée au silence par une femme jacassante, mais la valant mille fois, était le marquis, et la duchesse eût éprouvé à déclarer cela le même genre de rafraîchissement que le critique qui, depuis soixante-dix ans qu'on admire *Hernani*, confesse lui préférer *Le Lion amoureux*[5]. À cause du même besoin maladif de nouveautés arbitraires, si depuis sa jeunesse, on plaignait une femme modèle, une vraie sainte, d'avoir été mariée à un coquin, un beau jour Mme de Guermantes affirmait que ce coquin était un homme léger, mais plein de cœur, que la dureté implacable de sa femme avait poussé à de vraies inconséquences. Je savais que ce n'était pas seulement entre les œuvres, dans la longue série des siècles, mais jusqu'au sein d'une même œuvre, que la critique joue à replonger dans l'ombre ce qui depuis trop longtemps était radieux et à en faire sortir ce qui semblait

voué à l'obscurité définitive. Je[a] n'avais pas seulement vu
Bellini, Winterhalter[1], les architectes jésuites, un ébéniste
de la Restauration, venir prendre la place de génies qu'on
avait dits fatigués simplement parce que les oisifs
intellectuels s'en étaient fatigués, comme sont toujours
fatigués et changeants les neurasthéniques. J'avais vu
préférer en Sainte-Beuve tour à tour le critique et le
poète[2], Musset renié quant à ses vers, sauf pour de petites
pièces fort insignifiantes, et exalté comme conteur[3]. Sans
doute certains essayistes ont tort de mettre au-dessus des
scènes les plus célèbres du *Cid* ou de *Polyeucte* telle tirade
du *Menteur* qui donne, comme un plan ancien, des
renseignements sur le Paris de l'époque[4], mais leur
prédilection, justifiée sinon par des motifs de beauté, au
moins par un intérêt documentaire, est encore trop
rationnelle pour la critique folle. Elle donne tout Molière
pour un vers de *L'Étourdi*[5], et, même en trouvant[b] le
Tristan de Wagner assommant, en sauvera une « jolie note
de cor », au moment où passe la chasse[6]. Cette dépravation
m'aida[c] à comprendre celle dont faisait preuve Mme de
Guermantes quand elle décidait qu'un homme de leur
monde reconnu pour un brave cœur, mais sot, était un
monstre d'égoïsme, plus fin qu'on ne croyait, qu'un autre
connu pour sa générosité pouvait symboliser l'avarice,
qu'une bonne mère ne tenait pas à ses enfants, et qu'une
femme qu'on croyait vicieuse avait les plus nobles
sentiments. Comme gâtées par la nullité de la vie
mondaine, l'intelligence et la sensibilité de Mme de
Guermantes étaient trop vacillantes pour que le dégoût
ne succédât pas assez vite chez elle à l'engouement (quitte
à se sentir de nouveau attirée vers le genre d'esprit qu'elle
avait tour à tour recherché et délaissé) et pour que le
charme qu'elle avait trouvé à un homme de cœur ne se
changeât pas, s'il la fréquentait trop, cherchait trop en elle
des directions qu'elle était incapable de lui donner, en un
agacement qu'elle croyait produit par son admirateur et
qui ne l'était que par l'impuissance où on est de trouver
du plaisir quand on se contente de le chercher. Les
variations de jugement de la duchesse n'épargnaient
personne, excepté son mari. Lui seul ne l'avait jamais
aimée ; en lui elle avait senti toujours un caractère de fer,
indifférent aux caprices qu'elle avait, dédaigneux de sa
beauté, violent, d'une volonté à ne plier jamais et sous

la seule loi de laquelle*ᵃ* les nerveux savent trouver le calme. D'autre part M. de Guermantes, poursuivant un même type de beauté féminine, mais le cherchant dans des maîtresses souvent renouvelées, n'avait, une fois qu'il les avait quittées, et pour se moquer d'elles, qu'une associée durable, identique, qui l'irritait souvent par son bavardage, mais dont il savait que tout le monde la tenait pour la plus belle, la plus vertueuse, la plus intelligente, la plus instruite de l'aristocratie, pour une femme que lui M. de Guermantes était trop heureux d'avoir trouvée, qui couvrait tous ses désordres, recevait comme personne, et maintenait à leur salon son rang de premier salon du faubourg Saint-Germain. Cette opinion des autres, il la partageait lui-même ; souvent de mauvaise humeur contre sa femme, il était fier d'elle. Si, aussi avare que fastueux, il lui refusait le plus léger argent pour des charités, pour les domestiques, il exigeait qu'elle eût les toilettes les plus magnifiques et les plus beaux attelages. Enfin il tenait à mettre en valeur l'esprit de sa femme. Or, chaque fois*ᵇ* que Mme de Guermantes venait d'inventer, relativement aux mérites et aux défauts, brusquement intervertis par elle, d'un de leurs amis, un nouveau et friand paradoxe, elle brûlait d'en faire l'essai devant des personnes capables de le goûter, d'en faire savourer l'originalité psychologique et briller la malveillance lapidaire. Sans doute ces opinions nouvelles ne contenaient pas d'habitude plus de vérité que les anciennes, souvent moins ; mais justement ce qu'elles avaient d'arbitraire et d'inattendu leur conférait quelque chose d'intellectuel qui les rendait émouvantes à communiquer. Seulement, le patient sur qui venait de s'exercer la psychologie de la duchesse était généralement un intime dont ceux à qui elle souhaitait de transmettre sa découverte ignoraient entièrement qu'il ne fût plus au comble de la faveur ; aussi la réputation qu'avait Mme de Guermantes d'incomparable amie, sentimentale, douce et dévouée, rendait difficile de commencer l'attaque ; elle pouvait tout au plus intervenir ensuite comme contrainte et forcée, en donnant la réplique pour apaiser, pour contredire en apparence, pour appuyer en fait un partenaire qui avait pris sur lui de la provoquer ; c'était justement le rôle où excellait M. de Guermantes.

Quant aux actions mondaines, c'était encore un autre plaisir arbitrairement théâtral que Mme de Guermantes éprouvait à émettre sur elles de ces jugements imprévus qui fouettaient de surprises incessantes et délicieuses la princesse de Parme. Mais ce plaisir de la duchesse, ce fut moins à l'aide de la critique littéraire que d'après la vie politique et la chronique parlementaire, que j'essayai de comprendre quel il pouvait être. Les édits successifs et contradictoires par lesquels Mme de Guermantes renversait sans cesse l'ordre des valeurs chez les personnes de son milieu ne suffisant plus à la distraire, elle cherchait aussi, dans la manière dont elle dirigeait sa propre conduite sociale, dont elle rendait compte de ses moindres décisions mondaines, à goûter ces émotions artificielles, à obéir à ces devoirs factices qui stimulent la sensibilité des assemblées et s'imposent à l'esprit des politiciens[1]. On sait que quand un ministre explique à la Chambre qu'il a cru bien faire en suivant une ligne de conduite qui semble en effet toute simple à l'homme de bon sens qui le lendemain dans son journal lit le compte rendu de la séance, ce lecteur de bon sens se sent pourtant remué tout d'un coup, et commence à douter d'avoir eu raison d'approuver le ministre, en voyant que le discours de celui-ci a été écouté au milieu d'une vive agitation et ponctué par des expressions de blâme telles que : « C'est très grave[2] », prononcées par un député dont le nom et les titres sont si longs et suivis de mouvements si accentués que, dans l'interruption tout entière, les mots « c'est très grave ! » tiennent moins de place qu'un hémistiche dans un alexandrin. Par exemple autrefois, quand M. de Guermantes, prince des Laumes, siégeait à la Chambre, on lisait quelquefois dans les journaux de Paris, bien que ce fût surtout destiné à la circonscription de Méséglise et afin de montrer aux électeurs qu'ils n'avaient pas porté leurs votes sur un mandataire inactif ou muet :

« Monsieur[a] de Guermantes-Bouillon, prince des Laumes : "Ceci est grave !" *(Très bien ! Très bien ! au centre et sur quelques bancs à droite, vives exclamations à l'extrême gauche.)* »

Le lecteur de bon sens garde encore une lueur de fidélité au sage ministre, mais son cœur est ébranlé de nouveaux battements par les premiers mots du nouvel orateur qui répond au ministre :

« "L'étonnement, la stupeur, ce n'est pas trop dire *(vive sensation dans la partie droite de l'hémicycle)*, que m'ont causés les paroles de celui qui est encore, je suppose, membre du gouvernement..." *(Tonnerre d'applaudissements ; quelques députés s'empressent vers le banc des ministres ; M. le sous-secrétaire d'État aux Postes et Télégraphes fait de sa place avec la tête un signe affirmatif.)* »

Ce « tonnerre d'applaudissements » emporte les dernières résistances du lecteur de bon sens[1] ; il trouve insultante pour la Chambre, monstrueuse, une façon de procéder qui en soi-même est insignifiante ; au besoin, quelque fait normal, par exemple : vouloir faire payer les riches plus que les pauvres, la lumière sur une iniquité, préférer la paix à la guerre, il le trouvera scandaleux et y verra une offense à certains principes auxquels il n'avait pas pensé en effet, qui ne sont pas inscrits dans le cœur de l'homme, mais qui émeuvent fortement à cause des acclamations qu'ils déchaînent et des compactes majorités qu'ils rassemblent.

Il faut d'ailleurs reconnaître que cette subtilité des hommes politiques qui me servit à m'expliquer le milieu Guermantes et plus tard d'autres milieux, n'est que la perversion d'une certaine finesse d'interprétation souvent désignée par la locution « lire entre les lignes[a] ». Si dans les assemblées il y a absurdité par perversion de cette finesse, il y a stupidité par manque de cette finesse dans le public qui prend tout « à la lettre », qui ne soupçonne pas une révocation quand un haut dignitaire est relevé de ses fonctions « sur sa demande » et qui se dit : « Il n'est pas révoqué puisque c'est lui qui l'a demandé », une défaite quand les Russes par un mouvement stratégique se replient devant les Japonais sur des positions plus fortes et préparées à l'avance, un refus quand, une province ayant demandé l'indépendance à l'empereur d'Allemagne, celui-ci lui accorde l'autonomie religieuse. Il est possible d'ailleurs, pour revenir à ces séances de la Chambre, que, quand elles s'ouvrent, les députés eux-mêmes soient pareils à l'homme de bon sens qui en lira le compte rendu. Apprenant que des ouvriers en grève ont envoyé leurs délégués auprès d'un ministre, peut-être se demandent-ils naïvement : « Ah ! voyons, que se sont-ils dit ? espérons que tout s'est arrangé », au moment où le ministre monte à la tribune dans un profond silence qui déjà met en goût d'émotions artificielles. Les premiers mots du ministre : « Je n'ai pas besoin de dire à la Chambre que j'ai un trop haut sentiment des devoirs du gouvernement pour avoir reçu cette délégation dont l'autorité de ma charge n'avait pas à connaître », sont un coup de théâtre, car c'était la seule hypothèse que le bon sens des députés n'eût pas faite. Mais justement parce que c'est un coup de théâtre, il est accueilli par de tels applaudissements que ce n'est qu'au bout de quelques minutes que peut se faire entendre le ministre, le ministre qui recevra, en retournant à son banc, les félicitations de ses collègues. On est aussi ému que le jour où il a négligé d'inviter à une grande fête officielle le président du Conseil municipal qui lui faisait opposition, et on déclare que dans l'une comme dans l'autre circonstance il a agi en véritable homme d'État.

M. de Guermantes, à cette époque de sa vie, avait, au grand scandale des Courvoisier, fait souvent partie des collègues qui venaient féliciter le ministre. J'ai entendu plus tard raconter que, même à un moment où il joua un assez grand rôle à la Chambre et où on songeait à lui pour un ministère ou une ambassade, il était, quand un ami venait lui demander un service, infiniment plus simple, jouait politiquement beaucoup moins au grand personnage que tout autre qui n'eût pas été le duc de Guermantes. Car s'il disait que la noblesse était peu de chose, qu'il considérait ses collègues comme des égaux, il n'en pensait pas un mot. Il recherchait, feignait d'estimer, mais méprisait les situations politiques, et comme il restait pour lui-même M. de Guermantes, elles ne mettaient pas autour de sa personne cet empesé des grands emplois qui rend d'autres inabordables. Et par-là, son orgueil protégeait contre toute atteinte non pas seulement ses façons d'une familiarité affichée, mais ce qu'il pouvait avoir de simplicité véritable.

Pour en revenir à ses décisions artificielles et émouvantes comme celles des politiciens, Mme de Guermantes*d* ne déconcertait pas moins les Guermantes, les Courvoisier, tout le Faubourg et plus que personne la princesse de Parme, par des décrets inattendus sous lesquels on sentait des principes qui frappaient d'autant plus qu'on s'en était moins avisé. Si le nouveau ministre de Grèce donnait un bal travesti, chacun choisissait un costume, et on se demandait quel serait celui de la duchesse. L'une pensait qu'elle voudrait être en duchesse de Bourgogne[1], une autre donnait comme probable le travestissement en princesse de Deryabar[d1], une troisième en Psyché[2]. Enfin une Courvoisier ayant demandé : « En quoi te mettras-tu, Oriane ? » provoquait la seule réponse à quoi l'on n'eût pas pensé : « Mais en rien du tout ! » et qui faisait beaucoup marcher les langues comme dévoilant l'opinion d'Oriane sur la véritable position mondaine du nouveau ministre de Grèce et sur la conduite à tenir à son égard, c'est-à-dire l'opinion qu'on aurait dû prévoir, à savoir qu'une duchesse « n'avait pas à » se rendre au bal travesti de ce nouveau ministre. « Je ne vois pas qu'il y ait nécessité à aller chez le ministre de Grèce, que je ne connais pas, je ne suis pas grecque, pourquoi irais-je là-bas ? je n'ai rien à y faire », disait la duchesse.

« Mais tout le monde y va, il paraît que ce sera charmant, s'écriait Mme de Gallardon.

— Mais c'est charmant aussi de rester au coin de son feu », répondait Mme de Guermantes.

Les Courvoisier n'en revenaient pas, mais les Guermantes, sans imiter, approuvaient : « Naturellement tout le monde n'est pas en position comme Oriane de rompre avec tous les usages. Mais d'un côté on ne peut pas dire qu'elle ait tort de vouloir montrer que nous exagérons en nous mettant à plat ventre devant ces étrangers dont on ne sait pas toujours d'où ils viennent. »

Naturellement[b], sachant les commentaires que ne manquerait pas de provoquer l'une ou l'autre attitude, Mme de Guermantes avait autant de plaisir à entrer dans une fête où on n'osait pas compter sur elle, qu'à rester chez soi ou à passer la soirée avec son mari au théâtre, le soir d'une fête où « tout le monde allait », ou bien, quand on pensait qu'elle éclipserait les plus beaux diamants par un diadème historique, d'entrer sans un seul bijou et dans une autre tenue que celle qu'on croyait à tort de rigueur. Bien qu'elle fût antidreyfusarde (tout en croyant à l'innocence de Dreyfus, de même qu'elle passait sa vie dans le monde tout en ne croyant qu'aux idées), elle avait produit une énorme sensation à une soirée chez la princesse de Ligne, d'abord en restant assise quand toutes les dames s'étaient levées à l'entrée du général Mercier[3], et ensuite en se levant et en demandant ostensiblement ses gens quand un orateur nationaliste avait commencé une conférence, montrant par-là qu'elle ne trouvait pas que le monde fût fait pour parler politique ; toutes les têtes s'étaient tournées vers elle à un concert du Vendredi Saint où, quoique voltairienne, elle n'était pas restée parce qu'elle avait trouvé indécent qu'on mît en scène le Christ. On sait ce qu'est, même pour les plus grandes mondaines, le moment de l'année où les fêtes commencent : au point que la marquise d'Amoncourt, laquelle, par besoin de parler, manie psychologique, et aussi manque de sensibilité[a], finissait souvent par dire des sottises, avait pu répondre à quelqu'un qui était venu la condoléancer sur la mort de son père, M. de Montmorency : « C'est peut-être encore plus triste qu'il vous arrive un chagrin pareil au moment où on a à sa glace des centaines de cartes d'invitations. » Hé bien, à ce moment de l'année, quand on invitait à dîner la duchesse de Guermantes, en se pressant pour qu'elle ne fût pas déjà retenue, elle refusait pour la seule raison à laquelle un mondain n'eût jamais pensé : elle allait partir en croisière pour visiter les fjords de la Norvège qui l'intéressaient[1]. Les gens[b] du monde en furent stupéfaits et, sans se soucier d'imiter la duchesse, éprouvèrent pourtant de son action l'espèce de soulagement qu'on a dans Kant quand, après la démonstration la plus rigoureuse du déterminisme, on découvre qu'au-dessus du monde de la nécessité il y a celui de la liberté[2]. Toute invention dont on ne s'était jamais avisé excite l'esprit, même des gens qui ne savent pas en profiter. Celle de la navigation à vapeur était peu de chose auprès d'user de la navigation à vapeur à l'époque sédentaire de la *season*. L'idée qu'on pouvait volontairement renoncer à cent dîners ou déjeuners en ville, au double de « thés », au triple de soirées, aux plus brillants lundis de l'Opéra et mardis des Français pour aller visiter les fjords de la Norvège ne parut pas aux Courvoisier plus explicable que *Vingt mille lieues sous les mers*[3], mais leur communiqua la même sensation d'indépendance et de charme. Aussi n'y avait-il pas de jour où l'on n'entendît dire, non seulement « Vous connaissez le dernier mot d'Oriane ? », mais « Vous savez la dernière d'Oriane ? » Et de la « dernière d'Oriane », comme du dernier « mot » d'Oriane, on répétait : « C'est bien d'Oriane », « C'est bien de l'Oriane », « C'est de l'Oriane tout pur ». La dernière d'Oriane, c'était, par exemple, qu'ayant à répondre au nom d'une société patriotique au cardinal X, évêque de Mâcon[4] (que d'habitude M. de Guermantes, quand il parlait de lui, appelait « Monsieur de Mascon », parce que le duc trouvait cela vieille France), comme chacun cherchait à imaginer comment la lettre serait tournée, et trouvait[a] bien les premiers mots : « Éminence » ou « Monseigneur », mais était embarrassé devant le reste, la lettre d'Oriane, à l'étonnement de tous, débutait par « Monsieur le cardinal » à cause d'un vieil usage académique, ou par « Mon cousin », ce terme étant usité entre les princes de l'Église, les Guermantes et les souverains qui demandaient à Dieu d'avoir les uns et les autres « dans sa sainte et digne garde ». Pour[b] qu'on parlât d'une « dernière d'Oriane », il suffisait qu'à une représentation où il y avait tout Paris et où on jouait une fort jolie pièce, comme on cherchait Mme de Guermantes dans la loge de la princesse de Parme, de la princesse de Guermantes, de tant d'autres qui l'avaient invitée, on la trouvât seule, en noir, avec un tout petit chapeau, à un fauteuil où elle était arrivée pour le lever du rideau. « On entend mieux pour une pièce qui en vaut la peine », expliquait-elle, au scandale des Courvoisier et à l'émerveillement des Guermantes et de la princesse de Parme, qui découvraient subitement que le « genre » d'entendre le commencement d'une pièce était plus nouveau, marquait plus d'originalité et d'intelligence (ce qui n'était pas pour étonner de la part d'Oriane) que d'arriver pour le dernier acte après un grand dîner et une apparition dans une soirée. Tels étaient les différents genres d'étonnement auxquels la princesse de Parme savait qu'elle pouvait se préparer si elle posait une question littéraire ou mondaine à Mme de Guermantes, et qui faisaient que, pendant ces dîners chez la duchesse, l'Altesse ne s'aventurait sur le moindre sujet qu'avec la prudence inquiète et ravie de la baigneuse émergeant entre deux « lames ».

Parmi les éléments qui, absents des deux ou trois autres salons à peu près équivalents qui étaient à la tête du faubourg Saint-Germain, différenciaient d'eux le salon de la duchesse de Guermantes, comme Leibniz admet que chaque monade en reflétant tout l'univers y ajoute quelque chose de particulier[1], un des moins sympathiques était habituellement fourni par une ou deux très belles femmes qui n'avaient de titre à être là que leur beauté, l'usage qu'avait fait d'elle M. de Guermantes, et desquelles la présence révélait aussitôt, comme dans d'autres salons tels

tableaux inattendus, que dans celui-ci le mari était un
ardent appréciateur des grâces féminines. Elles se ressemblaient toutes un peu ; car le duc avait le goût des femmes
grandes, à la fois majestueuses et désinvoltes, d'un genre
intermédiaire entre la *Vénus de Milo* et la *Victoire de
Samothrace* ; souvent blondes, rarement brunes, quelquefois rousses, comme la plus récente, laquelle était à ce
dîner, cette vicomtesse d'Arpajon[1] qu'il avait tant aimée
qu'il la força longtemps à lui envoyer jusqu'à dix
télégrammes par jour (ce qui agaçait un peu la duchesse),
correspondait avec elle par pigeons voyageurs quand il
était à Guermantes, et de laquelle enfin il avait été pendant
longtemps si incapable de se passer, qu'un hiver qu'il avait
dû passer à Parme, il revenait chaque semaine à Paris,
faisant deux jours de voyage pour la voir.

D'ordinaire, ces belles figurantes avaient été ses
maîtresses mais ne l'étaient plus (c'était le cas pour Mme
d'Arpajon) ou étaient sur le point de cesser de l'être.
Peut-être cependant le prestige qu'exerçait sur elles la
duchesse et l'espoir d'être reçues dans son salon,
quoiqu'elles appartinssent elles-mêmes à des milieux fort
aristocratiques mais de second plan, les avaient-ils déci-
dées, plus encore que la beauté et la générosité de celui-ci,
à céder aux désirs du duc. D'ailleurs la duchesse n'eût pas
opposé à ce qu'elles pénétrassent chez elle une résistance
absolue ; elle savait qu'en plus d'une, elle avait trouvé une
alliée, grâce à laquelle elle avait obtenu mille choses dont
elle avait envie et que M. de Guermantes refusait
impitoyablement à sa femme tant qu'il n'était pas
amoureux d'une autre. Aussi ce qui expliquait qu'elles ne
fussent reçues chez la duchesse que quand leur liaison était
déjà fort avancée tenait plutôt d'abord à ce que le duc,
chaque fois qu'il s'était embarqué dans un grand amour,
avait cru seulement à une simple passade en échange de
laquelle il estimait que c'était beaucoup que d'être invité
chez sa femme. Or, il se trouvait l'offrir pour beaucoup
moins, pour un premier baiser, parce que des résistances
sur lesquelles il n'avait pas compté se produisaient, ou au
contraire qu'il n'y avait pas eu de résistance. En amour,
souvent, la gratitude, le désir de faire plaisir, font donner
au-delà de ce que l'espérance et l'intérêt avaient promis.
Mais alors la réalisation de cette offre était entravée par
d'autres circonstances. D'abord toutes les femmes qui

avaient répondu à l'amour de M. de Guermantes, et quelquefois même quand elles ne lui avaient pas encore cédé, avaient été tour à tour séquestrées par lui. Il ne leur permettait plus de voir personne, il passait auprès d'elles presque toutes ses heures, il s'occupait de l'éducation de leurs enfants, auxquels quelquefois, si l'on doit en juger plus tard sur de criantes ressemblances, il lui arriva de donner un frère ou une sœur. Puis si, au début de la liaison, la présentation à Mme de Guermantes, nullement envisagée par le duc, avait joué un rôle dans l'esprit de la maîtresse, la liaison elle-même avait transformé les points de vue de cette femme ; le duc n'était plus seulement pour elle le mari de la plus élégante femme de Paris, mais un homme que la nouvelle maîtresse aimait, un homme aussi qui souvent lui avait donné les moyens et le goût de plus de luxe et qui avait interverti l'ordre antérieur d'importance des questions de snobisme et des questions d'intérêt ; enfin quelquefois, une jalousie de tous genres contre Mme de Guermantes animait les maîtresses du duc. Mais ce cas était le plus rare ; d'ailleurs, quand le jour de la présentation arrivait enfin (à un moment où elle était d'ordinaire déjà assez indifférente au duc, dont les actions, comme celles de tout le monde, étaient plus souvent commandées par les actions antérieures dont le mobile premier n'existait plus), il se trouvait souvent que c'était Mme de Guermantes qui avait cherché à recevoir la maîtresse en qui elle espérait et avait si grand besoin de rencontrer, contre son terrible époux, une précieuse alliée. Ce n'est pas que, sauf à de rares moments, chez lui, où, quand la duchesse parlait trop, il laissait échapper des paroles et surtout des silences qui foudroyaient, M. de Guermantes manquât vis-à-vis de sa femme de ce qu'on appelle « les formes ». Les gens qui ne les connaissaient pas pouvaient s'y tromper. Quelquefois, à l'automne, entre les courses de Deauville[1], les eaux et le départ pour Guermantes et les chasses, dans les quelques semaines qu'on passe à Paris, comme la duchesse aimait le café-concert, le duc allait avec elle y passer une soirée. Le public remarquait tout de suite, dans une de ces petites baignoires découvertes où l'on ne tient que deux, cet Hercule en « smoking » (puisqu'en France on donne à toute chose plus ou moins britannique le nom qu'elle ne porte pas en Angleterre[2]), le monocle à l'œil, dans sa grosse mais belle main, à l'annulaire de laquelle brillait un saphir, un gros cigare dont il tirait de temps à autre une bouffée, les regards habituellement tournés vers la scène, mais, quand il les laissait tomber sur le parterre où il ne connaissait d'ailleurs absolument personne, les émoussant d'un air de douceur, de réserve, de politesse, de considération. Quand un couplet lui semblait drôle et pas trop indécent, le duc se retournait en souriant vers sa femme, partageait avec elle, d'un signe d'intelligence et de bonté, l'innocente gaieté que lui procurait la chanson nouvelle. Et les spectateurs pouvaient croire qu'il n'était pas de meilleur mari que lui, ni de personne plus enviable que la duchesse — cette femme en dehors de laquelle étaient pour le duc tous les intérêts de la vie, cette femme qu'il n'aimait pas, qu'il n'avait jamais cessé de tromper ; quand la duchesse se sentait fatiguée, ils voyaient M. de Guermantes se lever, lui passer lui-même son manteau en arrangeant ses colliers pour qu'ils ne se prissent pas dans la doublure, et lui frayer un chemin jusqu'à la sortie avec des soins empressés et respectueux qu'elle recevait avec la froideur de la mondaine qui ne voit là que du simple savoir-vivre, et parfois même avec l'amertume un peu ironique de l'épouse désabusée qui n'a plus aucune illusion à perdre. Mais malgré ces dehors, autre partie de cette politesse qui a fait passer les devoirs des profondeurs à la superficie, à une certaine époque déjà ancienne, mais qui dure encore pour ses survivants, la vie de la duchesse était difficile. M. de Guermantes ne redevenait généreux, humain que pour une nouvelle maîtresse, qui prenait, comme il arrivait le plus souvent, le parti de la duchesse ; celle-ci voyait redevenir possibles pour elle des générosités envers des inférieurs, des charités pour les pauvres, même pour elle-même, plus tard, une nouvelle et magnifique automobile. Mais de l'irritation qui naissait d'habitude assez vite, pour Mme de Guermantes, des personnes qui lui étaient trop soumises, les maîtresses du duc n'étaient pas exceptées. Bientôt la duchesse se dégoûtait d'elles. Or, à ce moment aussi, la liaison du duc avec Mme d'Arpajon touchait à sa fin. Une autre maîtresse pointait.

Sans doute l'amour que M. de Guermantes avait eu successivement pour toutes recommençait un jour à se faire sentir : d'abord cet amour en mourant les léguait, comme de beaux marbres — des marbres beaux pour le duc, devenu ainsi partiellement artiste, parce qu'il les avait aimés, et était sensible maintenant à des lignes qu'il n'eût pas appréciées sans l'amour — qui juxtaposaient, dans le salon de la duchesse, leurs formes longtemps ennemies, dévorées par les jalousies et les querelles, et enfin réconciliées dans la paix de l'amitié ; puis cette amitié même était un effet de l'amour qui avait fait remarquer à M. de Guermantes, chez celles qui étaient ses maîtresses, des vertus qui existent chez tout être humain mais sont perceptibles à la seule volupté, si bien que l'ex-maîtresse devenue « un excellent camarade » qui ferait n'importe quoi pour nous, est un cliché, comme le médecin ou comme le père qui ne sont pas un médecin ou un père, mais un ami. Mais pendant une première période, la femme que M. de Guermantes commençait à délaisser se plaignait, faisait des scènes, se montrait exigeante, paraissait indiscrète, tracassière. Le duc commençait à la prendre en grippe. Alors Mme de Guermantes avait lieu de mettre en lumière les défauts vrais ou supposés d'une personne qui l'agaçait. Connue pour bonne, Mme de Guermantes recevait les téléphonages, les confidences, les larmes de la délaissée, et ne s'en plaignait pas. Elle en riait avec son mari, puis avec quelques intimes. Et croyant, par cette pitié qu'elle montrait à l'infortunée, avoir le droit d'être taquine avec elle, en sa présence même, quoi que celle-ci dît, pourvu que cela pût rentrer dans le cadre du caractère ridicule que le duc et la duchesse lui avaient récemment fabriqué, Mme de Guermantes ne se gênait pas d'échanger avec son mari des regards d'ironique intelligence.

Cependant, en se mettant à table, la princesse de Parme se rappela qu'elle voulait inviter à l'Opéra Mme d'Heudicourt, et désirant savoir si cela ne serait pas désagréable à Mme de Guermantes, elle chercha à la sonder. À ce moment entra M. de Grouchy, dont le train, à cause d'un déraillement, avait eu une panne d'une heure. Il s'excusa comme il put. Sa femme, si elle avait été Courvoisier, fût morte de honte. Mais Mme de Grouchy n'était pas Guermantes « pour des prunes ». Comme son mari s'excusait du retard :

« Je vois, dit-elle en prenant la parole, que même pour les petites choses, être en retard c'est une tradition dans votre famille.

— Asseyez-vous, Grouchy, et ne vous laissez pas démonter, dit le duc[a]. Tout en marchant avec mon temps, je suis forcé de reconnaître que la bataille de Waterloo a eu du bon puisqu'elle a permis la restauration des Bourbons, et encore mieux, d'une façon qui les a rendus impopulaires. Mais je vois que vous êtes un véritable Nemrod[1] !

— J'ai en effet rapporté quelques belles pièces. Je me permettrai d'envoyer demain à la duchesse une douzaine de faisans. »

Une idée[b] sembla passer dans les yeux de Mme de Guermantes. Elle insista pour que M. de Grouchy ne prît pas la peine d'envoyer les faisans. Et faisant signe au valet de pied fiancé avec qui j'avais causé en quittant la salle des Elstir :

« Poullein, dit-elle, vous irez chercher les faisans de M. le comte et vous les rapporterez de suite, car, n'est-ce pas, Grouchy, vous permettez que je fasse quelques politesses ? Nous ne mangerons pas douze faisans à nous deux, Basin et moi.

— Mais après-demain serait assez tôt, dit M. de Grouchy.

— Non, je préfère demain », insista la duchesse.

Poullein était devenu blanc ; son rendez-vous avec sa fiancée était manqué. Cela suffisait pour la distraction de la duchesse qui tenait à ce que tout gardât un air humain.

« Je sais que c'est votre jour de sortie, dit-elle à Poullein, vous n'aurez qu'à changer avec Georges qui sortira demain et restera après-demain. »

Mais le lendemain la fiancée de Poullein ne serait pas libre. Il lui était bien égal de sortir. Dès que Poullein eut quitté la pièce, chacun complimenta la duchesse de sa bonté avec ses gens.

« Mais je ne fais qu'être avec eux comme je voudrais qu'on fût avec moi.

— Justement ! ils peuvent dire qu'ils ont chez vous une bonne place.

— Pas si extraordinaire que ça. Mais je crois qu'ils m'aiment bien. Celui-là est un peu agaçant parce qu'il est amoureux, il croit devoir prendre des airs mélancoliques. »

À ce moment Poullein rentra.

« En effet, dit M. de Grouchy, il n'a pas l'air d'avoir le sourire. Avec eux il faut être bon, mais pas trop bon.

— Je reconnais que je ne suis pas terrible ; dans toute sa journée il n'aura qu'à aller chercher vos faisans, à rester ici à ne rien faire et à en manger sa part.

— Beaucoup de gens voudraient être à sa place », dit M. de Grouchy, car l'envie est aveugle.

« Oriane, dit la princesse de Parme, j'ai eu l'autre jour la visite de votre cousine d'Heudicourt ; évidemment[a] c'est une femme d'une intelligence supérieure ; c'est une Guermantes, c'est tout dire, mais on dit qu'elle est médisante... »

Le duc attacha sur sa femme un long regard de stupéfaction voulue. Mme de Guermantes se mit à rire. La princesse finit par s'en apercevoir.

« Mais... est-ce que vous n'êtes pas... de mon avis ?... demanda-t-elle avec inquiétude.

— Mais Madame est trop bonne de s'occuper des mines de Basin. Allons, Basin, n'ayez pas l'air d'insinuer du mal de nos parents.

— Il la trouve trop méchante ? demanda vivement la princesse.

— Oh ! pas du tout, répliqua la duchesse. Je ne sais pas qui a dit à Votre Altesse qu'elle était médisante. C'est au contraire une excellente créature qui n'a jamais dit du mal de personne, ni fait de mal à personne.

— Ah ! dit Mme de Parme soulagée, je ne m'en étais pas aperçue non plus. Mais comme je sais qu'il est souvent difficile de ne pas avoir un peu de malice quand on a beaucoup d'esprit...

— Ah ! cela par exemple elle en a encore moins.

— Moins d'esprit ?... demanda la princesse stupéfaite.

— Voyons, Oriane », interrompit le duc d'un ton plaintif en lançant autour de lui à droite et à gauche des regards amusés, « vous entendez que la princesse vous dit que c'est une femme supérieure.

— Elle ne l'est pas ?

— Elle est au moins supérieurement grosse.

— Ne l'écoutez pas, Madame, il n'est pas sincère. Elle est bête comme un (heun) oie », dit d'une voix forte et enrouée Mme de Guermantes, qui, bien plus vieille France encore que le duc quand il n'y tâchait pas[b], cherchait souvent à l'être, mais d'une manière opposée au genre jabot de dentelles et déliquescent de son mari et en réalité bien plus fine, par une sorte de prononciation presque paysanne qui avait une âpre et délicieuse saveur terrienne. « Mais c'est la meilleure femme du monde. Et puis je ne sais même pas si à ce degré-là cela peut s'appeler de la bêtise. Je ne crois pas que j'aie jamais connu une créature pareille ; c'est un cas pour un médecin, cela a quelque chose de pathologique, c'est une espèce d'"innocente", de crétine, de "demeurée" comme dans les mélodrames ou comme dans *L'Arlésienne*[1]. Je me demande toujours, quand elle est ici, si le moment n'est pas venu où son intelligence va s'éveiller, ce qui fait toujours un peu peur. » La princesse s'émerveillait de ces expressions, tout en restant stupéfaite du verdict. « Elle m'a cité, ainsi que Mme d'Épinay, votre mot sur Taquin le Superbe. C'est délicieux », répondit-elle.

M. de Guermantes m'expliqua le mot. J'avais envie de lui dire que son frère, qui prétendait ne pas me connaître, m'attendait le soir même à onze heures. Mais je n'avais pas demandé à Robert si je pouvais parler de ce rendez-vous et, comme le fait que M. de Charlus me l'eût presque fixé était en contradiction avec ce qu'il avait dit à la duchesse, je jugeai plus délicat de me taire.

« Taquin le Superbe n'est pas mal, dit M. de Guermantes, mais Mme d'Heudicourt ne vous a probablement pas raconté un bien plus joli mot qu'Oriane lui a dit l'autre jour, en réponse à une invitation à déjeuner ?

— Oh ! non ! dites-le !

— Voyons, Basin, taisez-vous, d'abord ce mot est stupide et va me faire juger par la princesse comme encore inférieure à ma cruche de cousine. Et puis, je ne sais pas pourquoi je dis ma cousine. C'est une cousine à Basin. Elle est tout de même un peu parente avec moi.

— Oh ! » s'écria la princesse de Parme à la pensée qu'elle pourrait trouver Mme de Guermantes bête, et protestant éperdument que rien ne pouvait faire déchoir la duchesse du rang qu'elle occupait dans son admiration.

« Et puis, nous lui avons déjà retiré les qualités de l'esprit ; comme ce mot tend à lui en dénier certaines du cœur, il me semble inopportun.

— Dénier ! inopportun ! comme elle s'exprime bien ! dit le duc avec une ironie feinte et pour faire admirer la duchesse.

— Allons, Basin, ne vous moquez pas de votre femme.

— Il faut dire à Votre Altesse Royale, reprit le duc, que la cousine d'Oriane est supérieure, bonne, grosse, tout ce qu'on voudra, mais n'est pas précisément, comment dirai-je... prodigue.

— Oui, je sais, elle est très rapiate, interrompit la princesse.

— Je ne me serais pas permis l'expression, mais vous avez trouvé le mot juste. Cela se traduit dans son train de maison et particulièrement dans la cuisine, qui est excellente mais mesurée.

— Cela donne même lieu à des scènes assez comiques, interrompit M. de Bréauté. Ainsi, mon cher Basin, j'ai été passer un jour à Heudicourt, où vous étiez attendus, Oriane et vous. On avait fait de somptueux préparatifs, quand, dans l'après-midi, un valet de pied apporta une dépêche que vous ne viendriez pas.

— Cela ne m'étonne pas ! » dit la duchesse qui non seulement était difficile à avoir, mais aimait qu'on le sût.

« Votre cousine lit le télégramme, se désole, puis aussitôt, sans perdre la carte, et se disant qu'il ne fallait pas de dépenses inutiles envers un seigneur sans importance comme moi, elle rappelle le valet de pied : "Dites au chef de retirer le poulet", lui crie-t-elle. Et le soir je l'ai entendue qui demandait au maître d'hôtel : "Hé bien ? et les restes du bœuf d'hier ? Vous ne les servez pas ?"

— Du reste, il faut reconnaître que la chère y est parfaite » dit le duc, qui croyait en employant cette expression se montrer Ancien Régime. « Je ne connais pas de maison où l'on mange mieux.

— Et moins, interrompit la duchesse.

— C'est très sain et très suffisant pour ce qu'on appelle un vulgaire pedzouille comme moi, reprit le duc ; on reste[a] sur sa faim.

— Ah ! si c'est comme cure, c'est évidemment[b] plus hygiénique que fastueux. D'ailleurs ce n'est pas tellement bon que cela », ajouta Mme de Guermantes, qui n'aimait pas beaucoup qu'on décernât le titre de meilleure table de Paris à une autre qu'à la sienne. « Avec ma cousine, il arrive la même chose qu'avec les auteurs constipés qui pondent tous les quinze ans une pièce en un acte ou un sonnet. C'est ce qu'on appelle des petits chefs-d'œuvre, des riens qui sont des bijoux, en un mot, la chose que j'ai le plus en horreur. La cuisine chez Zénaïde n'est pas mauvaise, mais on la trouverait plus quelconque si elle était moins parcimonieuse. Il y a des choses que son chef fait bien, et puis il y a des choses qu'il rate. J'y ai fait comme partout de très mauvais dîners, seulement ils m'ont fait moins mal qu'ailleurs parce que l'estomac est au fond plus sensible à la quantité qu'à la qualité.

— Enfin, pour finir, conclut le duc, Zénaïde insistait pour qu'Oriane vînt déjeuner, et comme ma femme n'aime pas beaucoup sortir de chez elle, elle résistait, s'informait si, sous prétexte de repas intime, on ne l'embarquait pas déloyalement dans un grand tralala et tâchait vainement de savoir quels convives il y aurait à déjeuner. "Viens, viens, insistait Zénaïde en vantant les bonnes choses qu'il y aurait à déjeuner. Tu mangeras une purée de marrons, je ne te dis que ça, et il y aura sept petites bouchées à la reine. — Sept petites bouchées, s'écria Oriane. Alors c'est que nous serons au moins huit !" »

Au bout de quelques instants, la princesse ayant compris laissa éclater son rire comme un roulement de tonnerre. « Ah ! nous serons donc huit, c'est ravissant ! Comme c'est bien rédigé ! » dit-elle, ayant dans un suprême effort retrouvé l'expression dont s'était servie Mme d'Épinay et qui s'appliquait mieux cette fois.

« Oriane, c'est très joli ce que dit la princesse, elle dit que c'est "bien rédigé".

— Mais, mon ami, vous ne m'apprenez rien, je sais que la princesse est très spirituelle », répondit Mme de Guermantes qui goûtait facilement un mot quand à la fois il était prononcé par une altesse et louangeait son propre esprit. « Je suis très fière que Madame apprécie mes modestes rédactions. D'ailleurs, je ne me rappelle pas avoir dit cela. Et si je l'ai dit, c'était pour flatter ma cousine, car si elle avait sept bouchées, les bouches, si j'ose m'exprimer ainsi, devaient dépasser la douzaine. »

Pendant ce temps la comtesse d'Arpajon qui m'avait, avant le dîner, dit que sa tante aurait été si heureuse de me montrer son château de Normandie, me disait, par-dessus la tête du prince d'Agrigente, qu'où elle voudrait surtout me recevoir, c'était dans la Côte-d'Or, parce que là, à Pont-le-Duc, elle était chez elle.

« Les archives du château vous intéresseraient. Il y a des correspondances excessivement curieuses entre tous les gens les plus marquants des XVIIe, XVIIIe et XIXe siècles.

Je passe là des heures merveilleuses, je vis dans le passé »,
assura la comtesse que M. de Guermantes m'avait prévenu
être excessivement forte en littérature[a].

« Elle possède tous les manuscrits de M. de Bornier[1] »,
reprit, en parlant de Mme d'Heudicourt, la princesse, qui
voulait tâcher de faire valoir les bonnes raisons qu'elle
pouvait avoir de se lier avec elle.

« Elle a dû le rêver, je crois qu'elle ne le connaissait
même pas, dit la duchesse.

— Ce qui est surtout intéressant, c'est que ces correspondances sont de gens de divers pays », continua la
comtesse d'Arpajon qui, alliée aux principales maisons
ducales et même souveraines de l'Europe, était heureuse
de le rappeler.

« Mais si, Oriane, dit M. de Guermantes non sans
intention. Vous vous rappelez bien ce dîner où vous aviez
M. de Bornier comme voisin !

— Mais, Basin, interrompit la duchesse, si vous voulez
me dire que j'ai connu M. de Bornier, naturellement, il est
même venu plusieurs fois pour me voir, mais je n'ai jamais
pu me résoudre à l'inviter parce que j'aurais été obligée
chaque fois de faire désinfecter au formol. Quant à ce dîner,
je ne me le rappelle que trop bien, ce n'était pas du tout
chez Zénaïde, qui n'a pas vu Bornier de sa vie et qui doit
croire, si on lui parle de *La Fille de Roland*, qu'il s'agit d'une
princesse Bonaparte qu'on prétend la fiancée du fils au roi
de Grèce[2] ; non, c'était à l'ambassade d'Autriche. Le
charmant Hoyos[3] avait cru me faire plaisir en flanquant sur
une chaise à côté de moi cet académicien empesté. Je croyais
avoir pour voisin un escadron de gendarmes. J'ai été
obligée de me boucher le nez comme je pouvais pendant
tout le dîner, je n'ai osé respirer qu'au gruyère ! »

M. de Guermantes, qui avait atteint son but secret,
examina à la dérobée sur la figure des convives l'impression produite par le mot de la duchesse.

« Je trouve du reste un charme particulier aux
correspondances », continua, malgré l'interposition du
visage du prince d'Agrigente, la dame forte en littérature
qui avait de si curieuses lettres dans son château.

« Avez-vous remarqué que souvent les lettres d'un
écrivain sont supérieures au reste de son œuvre[4] ?
Comment s'appelle donc cet auteur qui a écrit *Salammbô* ? »

J'aurais bien voulu ne pas répondre pour ne pas prolonger cet entretien, mais je sentis que je désobligerais le prince d'Agrigente, lequel avait fait semblant de savoir à merveille de qui était *Salammbô* et de me laisser par pure politesse le plaisir de le dire mais qui était dans un cruel embarras.

« Flaubert », finis-je par dire, mais le signe d'assentiment que fit la tête du prince, étouffa le son de ma réponse, de sorte que mon interlocutrice ne sut pas exactement si j'avais dit Paul Bert[1] ou Fulbert[2], noms qui ne lui donnèrent pas une entière satisfaction.

« En tout cas, reprit-elle, comme sa correspondance est curieuse et supérieure à ses livres ! Elle l'explique du reste, car on voit par tout ce qu'on dit de la peine qu'il a à faire un livre, que ce n'était pas un véritable écrivain, un homme doué[a3]. »

— Vous parlez de correspondance, je trouve admirable celle de Gambetta[4] », dit la duchesse de Guermantes pour montrer qu'elle ne craignait pas de s'intéresser à un prolétaire et à un radical. M. de Bréauté comprit tout l'esprit de cette audace, regarda autour de lui d'un œil à la fois éméché et attendri, après quoi il essuya son monocle.

« Mon Dieu, c'était bougrement embêtant, *La Fille de Roland* », dit M. de Guermantes, avec la satisfaction que lui donnait le sentiment de sa supériorité sur une œuvre à laquelle il s'était tant ennuyé, peut-être aussi par le *suave mari magno*[5] que nous éprouvons, au milieu d'un bon dîner, à nous souvenir d'aussi terribles soirées. « Mais il y avait quelques beaux vers, un sentiment patriotique. »

J'insinuai que je n'avais aucune admiration pour M. de Bornier.

« Ah ! vous avez quelque chose à lui reprocher ? » me demanda curieusement le duc qui croyait toujours, quand on disait du mal d'un homme, que cela devait tenir à un ressentiment personnel, et du bien d'une femme que c'était le commencement d'une amourette.

« Je vois que vous avez une dent contre lui. Qu'est-ce qu'il vous a fait ? Racontez-nous ça ! Mais si, vous devez avoir quelque cadavre entre vous, puisque vous le dénigrez. C'est long, *La Fille de Roland*, mais c'est assez senti.

— "Senti" est très juste pour un auteur aussi odorant, interrompit ironiquement Mme de Guermantes. Si ce pauvre petit s'est jamais trouvé avec lui, il est assez compréhensible qu'il l'ait dans le nez !

— Je dois du reste avouer à Madame, reprit le duc en s'adressant à la princesse de Parme, que, *Fille de Roland* à part, en littérature et même en musique je suis terriblement vieux jeu, il n'y a pas de si vieux rossignol qui ne me plaise. Vous ne me croiriez peut-être pas, mais le soir, si ma femme se met au piano, il m'arrive de lui demander un vieil air d'Auber, de Boieldieu, même de Beethoven ! Voilà ce que j'aime. En revanche, pour Wagner, cela m'endort immédiatement[1].

— Vous avez tort, dit Mme de Guermantes ; avec des longueurs insupportables Wagner avait du génie. *Lohengrin* est un chef-d'œuvre. Même dans *Tristan* il y a çà et là une page curieuse. Et le Chœur des fileuses du *Vaisseau fantôme* est une pure merveille[2].

— N'est-ce pas, Babal, dit M. de Guermantes en s'adressant à M. de Bréauté, nous préférons :

> *Les rendez-vous de noble compagnie*
> *Se donnent tous en ce charmant séjour*[3].

C'est délicieux. Et *Fra Diavolo*, et *La Flûte enchantée*, et *Le Chalet*, et *Les Noces de Figaro*, et *Les Diamants de la Couronne*, voilà de la musique[4] ! En littérature, c'est la même chose. Ainsi j'adore Balzac, *Le Bal de Sceaux*, *Les Mohicans de Paris*[5].

— Ah ! mon cher, si vous partez en guerre sur Balzac, nous ne sommes pas près d'avoir fini, gardez cela pour un jour où Mémé sera là. Lui, c'est encore mieux, il le sait par cœur. »

Irrité de l'interruption de sa femme, le duc la tint quelques instants sous le feu d'un silence menaçant. Cependant[a] Mme d'Arpajon avait échangé avec la princesse de Parme, sur la poésie tragique et autre, des propos qui ne me parvinrent pas distinctement, quand j'entendis celui-ci prononcé par Mme d'Arpajon : « Oh ! tout ce que Madame voudra, je lui accorde qu'il nous fait voir le monde en laid parce qu'il ne sait pas distinguer entre le laid et le beau, ou plutôt parce que son insupportable vanité lui fait croire que tout ce qu'il dit est beau, je reconnais avec Votre Altesse que, dans la pièce en question, il y a des choses ridicules, inintelligibles, des fautes de goût, que c'est difficile à comprendre, que cela donne à lire autant de peine que si c'était écrit en russe ou en chinois, car évidemment c'est tout excepté du français, mais quand on a pris cette peine, comme on est récompensé, il y a tant d'imagination ! » De ce petit discours je n'avais pas entendu le début. Je finis par comprendre non seulement que le poète incapable de distinguer le beau du laid était Victor Hugo, mais encore que la poésie qui donnait autant de peine à comprendre que du russe ou du chinois était :

> *Lorsque l'enfant paraît, le cercle de famille*
> *Applaudit à grands cris...*

pièce de la première époque du poète et qui est peut-être encore plus près de Mme Deshoulières que du Victor Hugo de *La Légende des siècles*[1]. Loin de trouver Mme d'Arpajon ridicule, je la vis (la première de cette table si réelle, si quelconque, où je m'étais assis avec tant de déception), je la vis, par les yeux de l'esprit, sous ce bonnet de dentelles, d'où s'échappent les boucles rondes de longs repentirs[2], que portèrent Mme de Rémusat, Mme de Broglie, Mme de Saint-Aulaire[3], toutes les femmes si distinguées qui dans leurs ravissantes lettres citent avec tant de savoir et d'à-propos Sophocle, Schiller et l'*Imitation*[4], mais à qui les premières poésies des romantiques causaient cet effroi et cette fatigue inséparables pour ma grand-mère des derniers vers de Stéphane Mallarmé[5].

« Mme d'Arpajon[a] aime beaucoup la poésie », dit à Mme de Guermantes la princesse de Parme, impressionnée par le ton ardent avec lequel le discours avait été prononcé.

« Non, elle n'y comprend absolument rien », répondit à voix basse Mme de Guermantes, qui profita de ce que Mme d'Arpajon, répondant à une objection du général de Beautreillis, était trop occupée de ses propres paroles pour entendre celles que chuchota la duchesse. « Elle devient littéraire depuis qu'elle est abandonnée. Je dirai à Votre Altesse que c'est moi qui porte le poids de tout ça, parce que c'est auprès de moi qu'elle vient gémir chaque fois que Basin n'est pas allé la voir, c'est-à-dire presque tous les jours. Ce n'est tout de même pas ma faute si elle l'ennuie, et je ne peux pas le forcer à aller chez elle, quoique j'aimerais mieux qu'il lui fût un peu plus fidèle, parce que je la verrais un peu moins. Mais elle l'assomme et ce n'est pas extraordinaire. Ce n'est pas une mauvaise personne, mais elle est ennuyeuse à un degré que vous ne pouvez pas imaginer. Elle me donne tous les jours de tels maux de tête que je suis obligée de prendre chaque fois un cachet de pyramidon[1]. Et tout cela parce qu'il a plu à Basin pendant un an de me trompailler avec elle. Et avoir avec cela un valet de pied qui est amoureux d'une petite grue et qui fait des têtes si je ne demande pas à cette jeune personne de quitter un instant son fructueux trottoir pour venir prendre le thé avec moi ! Oh ! la vie est assommante », conclut langoureusement la duchesse. Mme d'Arpajon assommait[a] surtout M. de Guermantes parce qu'il était depuis peu l'amant d'une autre, que j'appris être la marquise de Surgis-le-Duc.

Justement le valet de pied privé de son jour de sortie était en train de servir. Et je pensai que, triste encore, il le faisait avec beaucoup de trouble, car je remarquai qu'en passant les plats à M. de Châtellerault, il s'acquittait si maladroitement de sa tâche que le coude du duc se trouva cogner à plusieurs reprises le coude du servant. Le jeune duc ne se fâcha nullement contre le valet de pied rougissant et le regarda au contraire en riant de son œil bleu clair. La bonne humeur me sembla être, de la part du convive, une preuve de bonté. Mais l'insistance de son rire me fit croire qu'au courant de la déception du domestique il éprouvait peut-être au contraire une joie méchante.

« Mais[b], ma chère, vous savez que ce n'est pas une découverte que vous faites en nous parlant de Victor Hugo », continua la duchesse en s'adressant cette fois à Mme d'Arpajon qu'elle venait de voir tourner la tête d'un air inquiet. « N'espérez pas lancer ce débutant. Tout le monde sait qu'il a du talent. Ce qui est détestable c'est le Victor Hugo de la fin, *La Légende des siècles*, je ne sais plus les titres. Mais *Les Feuilles d'automne*, *Les Chants du crépuscule*, c'est souvent d'un poète, d'un vrai poète. Même dans *Les Contemplations* », ajouta la duchesse, que ses interlocuteurs n'osèrent pas contredire et pour cause, « il y a encore de jolies choses. Mais j'avoue que j'aime autant ne pas m'aventurer après le *Crépuscule*[2] ! Et puis dans les belles poésies de Victor Hugo, et il y en a, on rencontre souvent une idée, même une idée profonde. »

Et avec un sentiment juste, faisant sortir la triste pensée
de toutes les forces de son intonation, la posant au-delà
de sa voix, et fixant devant elle un regard rêveur et
charmant, la duchesse dit lentement :

« Tenez :

> *La douleur est un fruit, Dieu ne le fait pas croître*
> *Sur la branche trop faible encor pour le porter*[1]*,*

ou bien encore :

> *Les morts durent bien peu...*
> *Hélas, dans le cercueil ils tombent en poussière,*
> *Moins vite qu'en nos cœurs*[2] *! »*

Et, tandis qu'un sourire désenchanté fronçait d'une
gracieuse sinuosité sa bouche douloureuse, la duchesse fixa
sur Mme d'Arpajon le regard rêveur de ses yeux clairs
et charmants. Je commençais à les connaître, ainsi que sa
voix, si lourdement traînante, si âprement savoureuse.
Dans ces yeux et dans cette voix je retrouvais beaucoup
de la nature de Combray. Certes, dans l'affectation avec
laquelle cette voix faisait apparaître par moments une
rudesse de terroir, il y avait bien des choses : l'origine
toute provinciale d'un rameau de la famille de Guermantes, resté plus longtemps localisé, plus hardi, plus
sauvageon, plus provocant ; puis l'habitude de gens
vraiment distingués et de gens d'esprit qui savent que la
distinction n'est pas de parler du bout des lèvres, et aussi
de nobles fraternisant plus volontiers avec leurs paysans
qu'avec des bourgeois ; toutes particularités que la
situation de reine de Mme de Guermantes lui avait permis
d'exhiber plus facilement, de faire sortir toutes voiles
dehors. Il paraît que cette même voix existait chez des
sœurs à elle, qu'elle détestait, et qui, moins intelligentes
et presque bourgeoisement mariées, si on peut se servir
de cet adverbe quand il s'agit d'unions avec des nobles
obscurs, terrés dans leur province ou à Paris, dans un
faubourg Saint-Germain sans éclat, possédaient aussi cette
voix mais l'avaient refrénée, corrigée, adoucie autant
qu'elles pouvaient, de même qu'il est bien rare qu'un
d'entre nous ait le toupet de son originalité et ne mette
pas son application à ressembler aux modèles les plus

vantés. Mais Oriane était tellement plus intelligente, tellement plus riche, surtout tellement plus à la mode que ses sœurs, elle avait si bien, comme princesse des Laumes, fait la pluie et le beau temps auprès du prince de Galles, qu'elle avait compris que cette voix discordante c'était un charme, et qu'elle en avait fait, dans l'ordre du monde, avec l'audace de l'originalité et du succès, ce que, dans l'ordre du théâtre, une Réjane, une Jeanne Granier (sans comparaison du reste naturellement entre la valeur et le talent de ces deux artistes[1]) ont fait[a] de la leur, quelque chose d'admirable et de distinctif que peut-être des sœurs Réjane et Granier, que personne n'a jamais connues, essayèrent de masquer comme un défaut.

À tant de raisons de déployer son originalité locale, les écrivains préférés de Mme de Guermantes : Mérimée, Meilhac et Halévy, étaient venus ajouter, avec le respect du « naturel », un désir de prosaïsme par où elle atteignait à la poésie et un esprit purement de société qui ressuscitait devant moi des paysages. D'ailleurs la duchesse était fort capable, ajoutant à ces influences une recherche artiste, d'avoir choisi pour la plupart des mots la prononciation qui lui semblait le plus *Île-de-France*, le plus *champenoise*, puisque, sinon tout à fait au degré de sa belle-sœur Marsantes, elle n'usait guère que du pur vocabulaire dont eût pu se servir un vieil auteur français. Et quand on était fatigué du composite et bigarré langage moderne, c'était, tout en sachant qu'elle exprimait bien moins de choses, un grand repos d'écouter la causerie de Mme de Guermantes, — presque le même, si l'on était seul avec elle et qu'elle restreignît et clarifiât encore son flot, que celui qu'on éprouve à entendre une vieille chanson. Alors en regardant, en écoutant Mme de Guermantes, je voyais, prisonnier dans la perpétuelle et quiète après-midi de ses yeux, un ciel d'Île-de-France ou de Champagne se tendre, bleuâtre, oblique, avec le même angle d'inclinaison qu'il avait chez Saint-Loup.

Ainsi, par[b] ces diverses formations, Mme de Guermantes exprimait à la fois la plus ancienne France aristocratique, puis, beaucoup plus tard, la façon dont la duchesse de Broglie aurait pu goûter et blâmer Victor Hugo sous la monarchie de Juillet, enfin un vif goût de la littérature issue de Mérimée et de Meilhac. La première de ces formations me plaisait mieux que la seconde, m'aidait

davantage à réparer la déception du voyage et de l'arrivée
dans ce faubourg Saint-Germain, si différent de ce que
j'avais cru, mais je préférais encore la seconde à la
troisième. Or, tandis que Mme de Guermantes était
Guermantes presque sans le vouloir, son pailleronisme[1],
son goût pour Dumas fils étaient réfléchis et voulus.
Comme ce goût était à l'opposé du mien, elle fournissait
à mon esprit de la littérature quand elle me parlait du
faubourg Saint-Germain, et ne me paraissait jamais si
stupidement faubourg Saint-Germain que quand elle me
parlait littérature.

Émue par les derniers vers, Mme d'Arpajon s'écria :

« Ces reliques du cœur ont aussi leur poussière[2] !

« Monsieur, il faudra que vous m'écriviez cela sur mon
éventail, dit-elle à M. de Guermantes.

— Pauvre femme, elle me fait de la peine ! dit la
princesse de Parme à Mme de Guermantes.

— Non, que Madame ne s'attendrisse pas, elle n'a que
ce qu'elle mérite.

— Mais... pardon de vous dire cela à vous... cependant
elle l'aime vraiment !

— Mais pas du tout, elle en est incapable, elle croit
qu'elle l'aime comme elle croit en ce moment qu'elle cite
du Victor Hugo parce qu'elle dit un vers de Musset.
Tenez, ajouta la duchesse sur un ton mélancolique,
personne plus que moi ne serait touché par un sentiment
vrai. Mais je vais vous donner un exemple. Hier, elle a
fait une scène terrible à Basin, Votre Altesse croit peut-être
que c'était parce qu'il en aime d'autres, parce qu'il ne
l'aime plus ; pas du tout, c'était parce qu'il ne veut pas
présenter ses fils au Jockey ! Madame trouve-t-elle que ce
soit d'une amoureuse ? Non ! Je vous dirai plus, ajouta
Mme de Guermantes avec précision, c'est une personne
d'une rare insensibilité.

Cependant c'est l'œil brillant de satisfaction que M. de
Guermantes avait écouté sa femme parler de Victor Hugo
« à brûle-pourpoint » et en citer ces quelques vers. La
duchesse avait beau l'agacer souvent, dans des moments
comme ceux-ci il était fier d'elle. « Oriane est vraiment
extraordinaire. Elle peut parler de tout, elle a tout lu. Elle
ne pouvait pas deviner que la conversation tomberait ce

soir sur Victor Hugo. Sur quelque sujet qu'on l'entreprenne, elle est prête, elle peut tenir tête aux plus savants. Ce jeune homme doit être subjugué. »

« Mais[a] changeons de conversation, ajouta Mme de Guermantes, parce qu'elle est très susceptible. Vous devez me trouver bien démodée, reprit-elle en s'adressant à moi, je sais qu'aujourd'hui c'est considéré comme une faiblesse d'aimer les idées en poésie, la poésie où il y a une pensée.

— C'est démodé ? » dit la princesse de Parme avec le léger saisissement que lui causait cette vague nouvelle à laquelle elle ne s'attendait pas, bien qu'elle sût que la conversation de la duchesse de Guermantes lui réservait toujours ces chocs successifs et délicieux, cet essoufflant effroi, cette saine fatigue après lesquels elle pensait instinctivement à la nécessité de prendre un bain de pieds dans une cabine et de marcher vite pour « faire la réaction ».

« Pour ma part, non, Oriane, dit Mme de Brissac, je n'en veux pas à Victor Hugo d'avoir des idées, bien au contraire, mais de les chercher dans ce qui est monstrueux. Au fond c'est lui qui nous a habitués au laid en littérature[1]. Il y a déjà bien assez de laideurs dans la vie. Pourquoi au moins ne pas les oublier pendant que nous lisons ? Un spectacle pénible dont nous nous détournerions dans la vie, voilà ce qui attire Victor Hugo.

— Victor Hugo n'est pas aussi réaliste que Zola, tout de même ? » demanda la princesse de Parme.

Le nom de Zola ne fit pas bouger un muscle dans le visage de M. de Beautreillis. L'antidreyfusisme du général était trop profond pour qu'il cherchât à l'exprimer. Et son silence bienveillant quand on abordait ces sujets touchait les profanes par la même délicatesse qu'un prêtre montre en évitant de vous parler de vos devoirs religieux, un financier en s'appliquant à ne pas recommander les affaires qu'il dirige, un hercule en se montrant doux et en ne vous donnant pas de coups de poing.

« Je sais que vous êtes parent de l'amiral Jurien de La Gravière[2] », me dit d'un air entendu Mme de Varambon, la dame d'honneur de la princesse de Parme, femme excellente mais bornée, procurée à la princesse de Parme jadis par la mère du duc. Elle ne m'avait pas encore adressé la parole et je ne pus jamais dans la suite, malgré les admonestations de la princesse de Parme et mes propres protestations, lui ôter de l'esprit l'idée que j'avais quoi que ce fût à voir avec l'amiral académicien, lequel m'était totalement inconnu. L'obstination de la dame d'honneur de la princesse de Parme à voir en moi un neveu de l'amiral Jurien de La Gravière avait en soi quelque chose de vulgairement risible. Mais l'erreur qu'elle commettait n'était que le type excessif et desséché de tant d'erreurs plus légères, mieux nuancées, involontaires ou voulues, qui accompagnent notre nom dans la « fiche » que le monde établit relativement à nous. Je me souviens qu'un ami des Guermantes, ayant vivement manifesté son désir de me connaître, me donna comme raison que je connaissais très bien sa cousine, Mme de Chaussegros, « elle est charmante, elle vous aime beaucoup ». Je me fis un scrupule, bien vain, d'insister sur le fait qu'il y avait erreur, que je ne connaissais pas Mme de Chaussegros. « Alors c'est sa sœur que vous connaissez, c'est la même chose. Elle vous a rencontré en Écosse. » Je n'étais jamais allé en Écosse et pris la peine inutile d'en avertir par honnêteté mon interlocuteur. C'était Mme de Chaussegros elle-même qui avait dit me connaître, et le croyait sans doute de bonne foi, à la suite d'une confusion première, car elle ne cessa jamais plus de me tendre la main quand elle m'apercevait. Et comme, en somme, le milieu que je fréquentais était exactement celui de Mme de Chaussegros, mon humilité ne rimait à rien. Que je fusse intime avec les Chaussegros était, littéralement, une erreur, mais, au point de vue social, un équivalent de ma situation, si on peut parler de situation pour un aussi jeune homme que j'étais. L'ami des Guermantes eut donc beau ne me dire que des choses fausses sur moi, il ne me rabaissa ni ne me suréleva (au point de vue mondain) dans l'idée qu'il continua à se faire de moi. Et somme toute, pour ceux qui ne jouent pas la comédie, l'ennui de vivre toujours dans le même personnage est dissipé un instant, comme si l'on montait sur les planches, quand une autre personne se fait de vous une idée fausse, croit que nous sommes liés avec une dame que nous ne connaissons pas et que nous sommes notés pour avoir connue au cours d'un charmant voyage que nous n'avons jamais fait. Erreurs multiplicatrices et aimables quand elles n'ont pas l'inflexible rigidité de celle que commettait et commit toute sa vie, malgré mes dénégations, l'imbécile dame d'honneur de Mme de

Parme, fixée pour toujours à la croyance que j'étais parent de l'ennuyeux amiral Jurien de La Gravière. « Elle n'est pas très forte, me dit le duc, et puis il ne lui faut pas trop de libations, je la crois légèrement sous l'influence de Bacchus. » En réalité Mme de Varambon n'avait bu que de l'eau, mais le duc aimait à placer ses locutions favorites.

« Mais Zola[d] n'est pas un réaliste, Madame ! c'est un poète ! » dit Mme de Guermantes, s'inspirant des études critiques qu'elle avait lues dans ces dernières années et les adaptant à son génie personnel. Agréablement bousculée jusqu'ici, au cours du bain d'esprit, un bain agité pour elle, qu'elle prenait ce soir, et qu'elle jugeait devoir lui être particulièrement salutaire, se laissant porter par les paradoxes qui déferlaient l'un après l'autre, devant celui-ci, plus énorme que les autres, la princesse de Parme sauta par peur d'être renversée. Et ce fut d'une voix entrecoupée, comme si elle perdait sa respiration, qu'elle dit :

« Zola, un poète !

— Mais oui », répondit en riant la duchesse, ravie par cet effet de suffocation. « Que Votre Altesse remarque comme il grandit tout ce qu'il touche. Vous me direz qu'il ne touche justement qu'à ce qui... porte bonheur ! Mais il en fait quelque chose d'immense ; il a le fumier épique ! C'est l'Homère de la vidange[1] ! Il n'a pas assez de majuscules pour écrire le mot de Cambronne. »

Malgré l'extrême fatigue qu'elle commençait à éprouver, la princesse était ravie, jamais elle ne s'était sentie mieux. Elle n'aurait pas échangé contre un séjour à Schönbrunn[2], la seule chose pourtant qui la flattât, ces divins dîners de Mme de Guermantes rendus tonifiants par tant de sel.

« Il l'écrit avec un grand C, s'écria Mme d'Arpajon.

— Plutôt avec un grand M, je pense, ma petite », répondit Mme de Guermantes, non sans avoir échangé avec son mari un regard gai qui voulait dire : « Est-elle assez idiote ! » « Tenez, justement », me dit Mme de Guermantes en attachant sur moi un regard souriant et doux et parce qu'en maîtresse de maison accomplie elle voulait, sur l'artiste qui m'intéressait particulièrement, laisser paraître son savoir et me donner au besoin l'occasion de faire montre du mien, « tenez », me dit-elle en agitant légèrement son éventail de plumes tant elle était consciente à ce moment-là qu'elle exerçait pleinement les devoirs de l'hospitalité et, pour ne manquer à aucun, faisant signe aussi qu'on me redonnât des asperges sauce mousseline, « tenez, je crois justement que Zola a écrit une étude sur Elstir[1], ce peintre dont vous avez été regarder quelques tableaux tout à l'heure, les seuls du reste que j'aime de lui », ajouta-t-elle. En réalité, elle détestait la peinture d'Elstir, mais trouvait d'une qualité unique tout ce qui était chez elle. Je demandai[a] à M. de Guermantes s'il savait le nom du monsieur qui figurait en chapeau haute-forme[2] dans le tableau populaire, et que j'avais reconnu pour le même dont les Guermantes possédaient tout à côté le portrait d'apparat, datant à peu près de cette même période où la personnalité d'Elstir n'était pas encore complètement dégagée et s'inspirait un peu de Manet. « Mon Dieu, me répondit-il, je sais que c'est un homme qui n'est pas un inconnu ni un imbécile dans sa spécialité, mais je suis brouillé avec les noms. Je l'ai là sur le bout de la langue, monsieur... monsieur... enfin peu importe, je ne sais plus. Swann vous dirait cela, c'est lui qui a fait acheter ces machines à Mme de Guermantes, qui est toujours trop aimable, qui a toujours trop peur de contrarier si elle refuse quelque chose ; entre nous, je crois qu'il nous a collé des croûtes. Ce que je peux vous dire, c'est que ce monsieur est pour M. Elstir une espèce de Mécène qui l'a lancé, et l'a souvent tiré d'embarras en lui commandant des tableaux. Par reconnaissance — si vous appelez cela de la reconnaissance, ça dépend des goûts — il l'a peint dans cet endroit-là où avec son air endimanché il fait un assez drôle d'effet. Ça peut être un pontife très calé, mais il ignore évidemment dans quelles circonstances on met un chapeau haute-forme. Avec le sien, au milieu de toutes ces filles en cheveux, il a l'air d'un petit notaire de province en goguette. Mais, dites donc, vous me semblez tout à fait féru de ces tableaux. Si j'avais su ça, je me serais tuyauté pour vous répondre. Du reste, il n'y a pas lieu de se mettre autant martel en tête pour creuser la peinture de M. Elstir que s'il s'agissait de *La Source* d'Ingres ou des *Enfants d'Édouard* de Paul Delaroche[3]. Ce qu'on apprécie là-dedans, c'est que c'est finement observé, amusant, parisien, et puis on passe. Il n'y a pas besoin d'être un érudit pour regarder ça. Je sais bien que ce sont de simples pochades, mais je ne trouve pas que ce soit assez travaillé. Swann avait le toupet de vouloir nous faire acheter une

Botte d'asperges[1]. Elles sont même restées ici quelques jours. Il n'y avait que cela dans le tableau, une botte d'asperges précisément semblables à celles que vous êtes en train d'avaler. Mais moi, je me suis refusé à avaler les asperges de M. Elstir. Il en demandait trois cents francs. Trois cents francs, une botte d'asperges ! Un louis, voilà ce que ça vaut, même en primeurs ! Je l'ai trouvée roide. Dès qu'à ces choses-là il ajoute des personnages, cela a un côté canaille, pessimiste, qui me déplaît. Je suis étonné de voir un esprit fin, un cerveau distingué comme vous, aimer cela.

— Mais je ne sais pas pourquoi vous dites cela, Basin », dit la duchesse qui n'aimait pas qu'on dépréciât ce que ses salons contenaient. « Je suis loin de tout admettre sans distinction dans les tableaux d'Elstir. Il y a à prendre et à laisser. Mais ce n'est toujours pas sans talent. Et il faut avouer que ceux que j'ai achetés sont d'une beauté rare.

— Oriane, dans ce genre-là je préfère mille fois la petite étude de M. Vibert[2] que nous avons vue à l'Exposition des aquarellistes. Ce n'est rien si vous voulez, cela tiendrait dans le creux de la main, mais il y a de l'esprit jusqu'au bout des ongles : ce missionnaire décharné, sale, devant ce prélat douillet qui fait jouer son petit chien, c'est tout un petit poème de finesse et même de profondeur.

— Je crois que vous connaissez M. Elstir, me dit la duchesse. L'homme est agréable.

— Il est intelligent, dit le duc, on est étonné, quand on cause avec lui, que sa peinture soit si vulgaire.

— Il est plus qu'intelligent, il est même assez spirituel », dit la duchesse de l'air entendu et dégustateur d'une personne qui s'y connaît.

« Est-ce qu'il n'avait pas commencé un portrait de vous, Oriane ? demanda la princesse de Parme.

— Si, en rouge écrevisse, répondit Mme de Guermantes, mais ce n'est pas cela qui fera passer son nom à la postérité. C'est une horreur, Basin voulait le détruire. »

Cette phrase-là, Mme de Guermantes la disait souvent. Mais d'autres fois, son appréciation était autre : « Je n'aime pas sa peinture, mais il a fait autrefois un beau portrait de moi. » L'un de ces jugements s'adressait d'habitude aux personnes qui parlaient à la duchesse de son portrait, l'autre à ceux qui ne lui en parlaient pas et à qui elle désirait en apprendre l'existence. Le premier lui était inspiré par la coquetterie, le second par la vanité.

« Faire une horreur avec un portrait de vous ! Mais alors ce n'est pas un portrait, c'est un mensonge : moi qui sais à peine tenir un pinceau, il me semble que si je vous peignais, rien qu'en représentant ce que je vois, je ferais un chef-d'œuvre, dit naïvement la princesse de Parme.

— Il me voit probablement comme je me vois, c'est-à-dire dépourvue d'agrément », dit Mme de Guermantes avec le regard à la fois mélancolique, modeste et câlin qui lui parut le plus propre à la faire paraître autre que ne l'avait montrée Elstir.

« Ce portrait ne doit pas déplaire à Mme de Gallardon, dit le duc.

— Parce qu'elle ne s'y connaît pas en peinture ? » demanda la princesse de Parme qui savait que Mme de Guermantes méprisait infiniment sa cousine. « Mais c'est une très bonne femme, n'est-ce pas ? » Le duc prit un air d'étonnement profond.

« Mais voyons, Basin, vous ne voyez pas que la princesse se moque de vous (la princesse n'y songeait pas). Elle sait aussi bien que vous que Gallardonette est une vieille *poison* », reprit Mme de Guermantes, dont le vocabulaire, habituellement limité à toutes ces vieilles expressions, était savoureux comme ces plats possibles à découvrir dans les livres délicieux de Pampille[1], mais dans la réalité devenus si rares[a], où les gelées, le beurre, le jus, les quenelles sont authentiques, ne comportent aucun alliage, et même où on fait venir le sel des marais salants de Bretagne[2] : à l'accent, au choix des mots on sentait que le fond de conversations de la duchesse venait directement de Guermantes. Par là, la duchesse différait profondément de son neveu Saint-Loup, envahi par tant d'idées et d'expressions nouvelles ; il est difficile, quand on est troublé par les idées de Kant et la nostalgie de Baudelaire, d'écrire le français exquis d'Henri IV, de sorte que la pureté même du langage de la duchesse était un signe de limitation, et qu'en elle l'intelligence et la sensibilité étaient restées fermées à toutes les nouveautés. Là encore l'esprit de Mme de Guermantes me plaisait justement par ce qu'il excluait (et qui composait précisément la matière de ma propre pensée) et tout ce qu'à cause de cela même il avait pu conserver, cette séduisante vigueur des corps souples qu'aucune épuisante réflexion, nul souci moral ou trouble nerveux n'ont altérée. Son esprit d'une

formation si antérieure au mien, était pour moi l'équivalent de ce que m'avait offert la démarche des jeunes filles
de la petite bande au bord de la mer. Mme de Guermantes
m'offrait, domestiquée et soumise par l'amabilité, par le
respect envers les valeurs spirituelles, l'énergie et le
charme d'une cruelle petite fille de l'aristocratie des
environs de Combray, qui, dès son enfance, montait à
cheval, cassait les reins aux chats, arrachait l'œil aux lapins
et, aussi bien qu'elle, était restée une fleur de vertu, aurait
pu, tant elle avait les mêmes élégances, pas mal d'années
auparavant, être la plus brillante maîtresse du prince de
Sagan. Seulement elle était incapable de comprendre ce
que j'avais cherché en elle — le charme du nom de
Guermantes — et le petit peu que j'y avais trouvé, un reste
provincial de Guermantes. Nos relations étaient fondées
sur un malentendu qui ne pouvait manquer de se
manifester dès que mes hommages, au lieu de s'adresser
à la femme relativement supérieure qu'elle croyait être,
iraient vers quelque autre femme aussi médiocre et
exhalant le même charme involontaire. Malentendu si
naturel et qui existera toujours entre un jeune homme
rêveur et une femme du monde, mais qui le trouble
profondément, tant qu'il n'a pas encore reconnu la nature
de ses facultés d'imagination et n'a pas pris son parti des
déceptions inévitables qu'il doit éprouver auprès des êtres,
comme au théâtre, en voyage et même en amour.

M. de Guermantes ayant déclaré (suite aux asperges
d'Elstir et à celles qui venaient d'être servies après le
poulet financière) que les asperges vertes, poussées à l'air,
et qui comme dit si drôlement l'auteur exquis qui signe
É. de Clermont-Tonnerre, « n'ont pas la rigidité impressionnante de leurs sœurs », devraient être mangées avec
des œufs[1], « ce qui plaît aux uns déplaît aux autres, et
vice versa, répondit M. de Bréauté. Dans la province de
Canton[a], en Chine, on ne peut pas vous offrir un plus
fin régal que des œufs d'ortolan complètement pourris. »
M. de Bréauté, auteur d'une étude sur les Mormons parue
dans la *Revue des Deux Mondes*, ne fréquentait que les
milieux les plus aristocratiques, mais parmi eux seulement
ceux qui avaient un certain renom d'intelligence. De sorte
qu'à sa présence, du moins assidue, chez une femme, on
reconnaissait si celle-ci avait un salon. Il prétendait détester
le monde et assurait séparément à chaque duchesse que

c'était à cause de son esprit et de sa beauté qu'il la recherchait. Toutes en étaient persuadées. Chaque fois que, la mort dans l'âme, il se résignait à aller à une grande soirée chez la princesse de Parme, il les convoquait toutes pour lui donner du courage et ne paraissait ainsi qu'au milieu d'un cercle intime. Pour que sa réputation d'intellectuel survécût à sa mondanité, appliquant certaines maximes de l'esprit des Guermantes, il partait avec des dames élégantes faire de longs voyages scientifiques à l'époque des bals, et quand une personne snob, par conséquent sans situation encore, commençait à aller partout, il mettait une obstination féroce à ne pas vouloir la connaître, à ne pas se laisser présenter. Sa haine des snobs découlait de son snobisme, mais faisait croire aux naïfs, c'est-à-dire à tout le monde, qu'il en était exempt.

« Babal sait toujours tout ! s'écria la duchesse de Guermantes. Je trouve charmant un pays où on veut être sûr que votre crémier vous vende des œufs bien pourris, des œufs de l'année de la comète. Je me vois d'ici y trempant ma mouillette beurrée. Je dois dire que cela arrive chez la tante Madeleine (Mme de Villeparisis) qu'on serve des choses en putréfaction, même des œufs (et comme Mme d'Arpajon se récriait) : Mais voyons, Phili, vous le savez aussi bien que moi. Le poussin est déjà dans l'œuf. Je ne sais même pas comment ils ont la sagesse de s'y tenir. Ce n'est pas une omelette, c'est un poulailler, mais[a] au moins ce n'est pas indiqué sur le menu. Vous avez bien fait de ne pas venir dîner avant-hier, il y avait une barbue à l'acide phénique ! Ça n'avait pas l'air d'un service de table, mais d'un service de contagieux. Vraiment, Norpois pousse la fidélité jusqu'à l'héroïsme : il en a repris !

— Je crois vous avoir vu chez elle le jour où elle a fait cette sortie à ce M. Bloch (M. de Guermantes, peut-être pour donner à un nom israélite l'air plus étranger, ne prononça pas le *ch* de Bloch comme un *k,* mais comme dans *hoch* en allemand) qui avait dit de je ne sais plus quel *poïte* (poète) qu'il était sublime. Châtellerault avait beau casser les tibias de M. Bloch, celui-ci ne comprenait pas et croyait les coups de genou de mon neveu destinés à une jeune femme assise tout contre lui (ici M. de Guermantes rougit légèrement). Il ne se rendait pas compte qu'il agaçait notre tante avec ses "sublimes" donnés en veux-tu en voilà. Bref, la tante Madeleine, qui n'a pas sa langue*ᵃ* dans sa poche, lui a riposté : "Hé, Monsieur, que garderez-vous alors pour M. de Bossuet[1] ?" (M. de Guermantes croyait que devant un nom célèbre, monsieur et une particule étaient essentiellement Ancien Régime[2].) C'était à payer sa place.

— Et qu'a répondu ce M. Bloch ? » demanda distraitement Mme de Guermantes, qui, à court d'originalité à ce moment-là, crut devoir copier la prononciation germanique de son mari.

« Ah ! je vous assure que M. Bloch n'a pas demandé son reste, il court encore.

— Mais oui, je me rappelle très bien vous avoir vu ce jour-là », me dit d'un ton marqué Mme de Guermantes, comme si de sa part ce souvenir avait quelque chose qui dût beaucoup me flatter. « C'est toujours très intéressant chez ma tante. À la dernière soirée où je vous ai justement rencontré, je voulais vous demander si ce vieux monsieur qui a passé près de nous n'était pas François Coppée[3]. Vous devez savoir tous les noms », me dit-elle avec une envie sincère pour mes relations poétiques et aussi par amabilité à mon égard, pour poser davantage aux yeux de ses invités un jeune homme aussi versé dans la littérature. J'assurai à la duchesse que je n'avais vu aucune figure célèbre à la soirée de Mme de Villeparisis, « Comment ! » me dit étourdiment Mme de Guermantes, avouant par là que son respect pour les gens de lettres et son dédain du monde étaient plus superficiels qu'elle ne disait et peut-être même qu'elle ne croyait, « comment ! il n'y avait pas de grands écrivains ! Vous m'étonnez, il y avait pourtant des têtes impossibles ! »

Je me souvenais très bien de ce soir-là, à cause d'un incident absolument insignifiant. Mme de Villeparisis avait présenté Bloch à Mme Alphonse de Rothschild, mais mon camarade n'avait pas entendu le nom et, croyant avoir affaire à une vieille Anglaise un peu folle, n'avait répondu que par monosyllabes aux prolixes paroles de l'ancienne Beauté, quand Mme de Villeparisis, la présentant à quelqu'un d'autre, avait prononcé, très distinctement cette fois : « La baronne Alphonse de Rothschild ». Alors étaient entrées subitement dans les artères de Bloch et d'un seul coup tant d'idées de millions et de prestige, lesquelles eussent dû être prudemment subdivisées, qu'il avait eu comme un coup au cœur, un transport au cerveau et s'était écrié en présence de l'aimable vieille dame : « Si j'avais su ! » exclamation dont la stupidité l'avait empêché de dormir pendant huit jours. Ce mot de Bloch avait peu d'intérêt, mais je m'en souvenais comme preuve que parfois dans la vie, sous le coup d'une émotion exceptionnelle, on dit ce que l'on pense.

« Je crois[a] que Mme de Villeparisis n'est pas absolument... morale », dit la princesse de Parme, qui savait qu'on n'allait pas chez la tante de la duchesse et, par ce que celle-ci venait de dire, voyait qu'on pouvait en parler librement. Mais Mme de Guermantes ayant l'air de ne pas approuver, elle ajouta : « Mais à ce degré-là, l'intelligence fait tout passer.

— Vous vous faites de ma tante l'idée qu'on s'en fait généralement, répondit la duchesse, et qui est, en somme, très fausse. C'est justement ce que me disait Mémé pas plus tard qu'hier. » Elle rougit, un souvenir inconnu de moi embua ses yeux. Je fis la supposition que M. de Charlus lui avait demandé de me désinviter, comme il m'avait fait prier par Robert de ne pas aller chez elle. J'eus l'impression que la rougeur — d'ailleurs incompréhensible pour moi — qu'avait eue le duc en parlant à un moment de son frère[b] ne pouvait pas être attribuée à la même cause. « Ma pauvre tante ! Elle[c] gardera la réputation d'une personne de l'Ancien Régime, d'un esprit éblouissant et d'un dévergondage effréné ; il n'y a pas d'intelligence plus bourgeoise, plus sérieuse, plus terne ; elle passera pour une protectrice des arts, ce qui veut dire qu'elle a été la maîtresse d'un grand peintre, mais il n'a jamais pu lui faire comprendre ce que c'était qu'un tableau ; et quant à sa vie, bien loin d'être une personne dépravée, elle était tellement faite pour le mariage, elle était tellement née conjugale que, n'ayant pu conserver un époux, qui était du reste une canaille, elle n'a jamais eu une liaison qu'elle n'ait prise aussi au sérieux que si c'était une union légitime, avec les mêmes susceptibilités, les mêmes colères, la même fidélité. Remarquez que ce sont quelquefois les plus sincères, il y a en somme plus d'amants que de maris inconsolables.

— Pourtant, Oriane, regardez justement votre beau-frère Palamède dont vous êtes en train de parler ; il n'y a pas de maîtresse qui puisse rêver d'être pleurée comme l'a été cette pauvre Mme de Charlus.

— Ah ! répondit la duchesse, que Votre Altesse me permette de ne pas être tout à fait de son avis. Tout le monde n'aime pas être pleuré de la même manière, chacun a ses préférences.

— Enfin il lui a voué un vrai culte depuis sa mort. Il est vrai qu'on fait quelquefois pour les morts des choses qu'on n'aurait pas faites pour les vivants.

— D'abord », répondit Mme de Guermantes sur un ton rêveur qui contrastait avec son intention gouailleuse, « on va à leur enterrement, ce qu'on ne fait jamais pour les vivants ! » M. de Guermantes regarda d'un air malicieux M. de Bréauté comme pour le provoquer à rire de l'esprit de la duchesse. « Mais enfin j'avoue franchement, reprit Mme de Guermantes, que la manière dont je souhaiterais d'être pleurée par un homme que j'aimerais, n'est pas celle de mon beau-frère. »

La figure du duc se rembrunit. Il n'aimait pas que sa femme portât des jugements à tort et à travers, surtout sur M. de Charlus. « Vous êtes difficile. Son regret a édifié tout le monde », dit-il d'un ton rogue. Mais la duchesse avait avec son mari cette espèce de hardiesse des dompteurs ou des gens qui vivent avec un fou et qui ne craignent pas de l'irriter :

« Hé bien, non, qu'est-ce que vous voulez, c'est édifiant, je ne dis pas, il va tous les jours au cimetière lui raconter combien de personnes il a eues à déjeuner, il la regrette énormément, mais comme une cousine, comme une grand-mère, comme une sœur. Ce n'est pas un deuil de mari. Il est vrai que c'étaient deux saints, ce qui rend le deuil un peu spécial. » M. de Guermantes, agacé du caquetage de sa femme, fixait sur elle avec une immobilité terrible des prunelles toutes chargées. « Ce n'est pas pour dire du mal du pauvre Mémé, qui entre parenthèses, n'était pas libre ce soir, reprit la duchesse, je reconnais qu'il est bon comme personne, il est délicieux, il a une délicatesse, un cœur comme les hommes n'en ont pas généralement. C'est un cœur de femme, Mémé !

— Ce que vous dites est absurde, interrompit vivement M. de Guermantes, Mémé n'a rien d'efféminé, personne n'est plus viril que lui.

— Mais je ne vous dis pas qu'il soit efféminé le moins du monde. Comprenez au moins ce que je dis, reprit la duchesse. Ah ! celui-là, dès qu'il croit qu'on veut toucher à son frère..., ajouta-t-elle en se tournant vers la princesse de Parme.

— C'est très gentil, c'est délicieux à entendre. Il n'y a rien de si beau que deux frères qui s'aiment », dit la princesse de Parme, comme l'auraient fait beaucoup de gens du peuple, car on peut appartenir par le sang, à une famille princière et par l'esprit à une famille fort populaire[a].

« Puisque[b] nous parlions de votre famille, Oriane, dit la princesse, j'ai vu hier votre neveu Saint-Loup ; je crois qu'il voudrait vous demander un service. » Le duc de Guermantes fronça son sourcil jupitérien. Quand il n'aimait pas rendre un service, il ne voulait pas que sa femme s'en chargeât, sachant que cela reviendrait au même et que les personnes à qui la duchesse aurait été obligée de le demander l'inscriraient au débit commun du ménage, tout aussi bien que s'il avait été demandé par le mari seul.

« Pourquoi ne me l'a-t-il pas demandé lui-même ? dit la duchesse, il est resté deux heures ici, hier, et Dieu sait ce qu'il a pu être ennuyeux. Il ne serait pas plus stupide[c] qu'un autre s'il avait eu, comme tant de gens du monde, l'intelligence de savoir rester bête. Seulement, c'est ce badigeon de savoir qui est terrible. Il veut avoir une intelligence ouverte... ouverte à toutes les choses qu'il ne comprend pas. Il vous parle du Maroc, c'est affreux.

— Il ne peut pas y retourner, à cause de Rachel, dit le prince de Foix.

— Mais puisqu'ils ont rompu, interrompit M. de Bréauté.

— Ils ont si peu rompu que je l'ai trouvée il y a deux jours dans la garçonnière de Robert ; ils n'avaient pas l'air de gens brouillés, je vous assure », répondit le prince de Foix qui aimait à répandre tous les bruits pouvant faire manquer un mariage à Robert qui d'ailleurs pouvait être trompé par les reprises intermittentes d'une liaison en effet finie.

« Cette Rachel m'a parlé de vous, je la vois comme ça en passant le matin aux Champs-Élysées, c'est une espèce d'évaporée comme vous dites, ce que vous appelez une dégrafée[1], une sorte de "Dame aux camélias[d]", au figuré bien entendu. » Ce discours m'était tenu par le prince Von qui tenait à avoir l'air au courant de la littérature française et des finesses parisiennes[2].

« Justement c'est à propos du Maroc..., s'écria la princesse saisissant précipitamment ce joint.

— Qu'est-ce qu'il peut vouloir pour le Maroc ? demanda sévèrement M. de Guermantes ; Oriane ne peut absolument rien dans cet ordre-là, il le sait bien.

— Il croit qu'il a inventé la stratégie, poursuivit Mme de Guermantes, et puis il emploie des mots impossibles pour les moindres choses, ce qui n'empêche pas qu'il fait des pâtés dans ses lettres. L'autre jour, il a dit qu'il avait mangé des pommes de terre *sublimes*, et qu'il avait trouvé une baignoire à louer *sublime*.

— Il parle latin, enchérit le duc.

— Comment, latin ? demanda la princesse.

— Ma parole d'honneur ! que Madame demande à Oriane si j'exagère.

— Mais comment, Madame, l'autre jour il a dit dans une seule phrase, d'un seul trait : "Je ne connais pas d'exemple de *sic transit gloria mundi*[1] plus touchant" ; je dis la phrase à Votre Altesse parce qu'après vingt questions et en faisant appel à des *linguistes*, nous sommes arrivés à la reconstituer, mais Robert a jeté cela sans reprendre haleine, on pouvait à peine distinguer qu'il y avait du latin là-dedans, il avait l'air d'un personnage du *Malade imaginaire* ! Et tout ça s'appliquait à la mort de l'impératrice d'Autriche[2] !

— Pauvre femme ! s'écria la princesse, quelle délicieuse créature c'était !

— Oui, répondit la duchesse, un peu folle, un peu insensée, mais c'était une très bonne femme, une gentille folle très aimable, je n'ai seulement jamais compris pourquoi elle n'avait jamais acheté un râtelier qui tînt, le sien se décrochait toujours avant la fin de ses phrases et elle était obligée de les interrompre pour ne pas l'avaler.

— Cette Rachel m'a parlé de vous, elle m'a dit que le petit Saint-Loup vous adorait, vous préférait même à elle », me dit le prince Von, tout en mangeant comme un ogre, le teint vermeil, et dont le rire perpétuel découvrait toutes les dents.

« Mais alors elle doit être jalouse de moi et me détester, répondis-je.

— Pas du tout, elle m'a dit beaucoup de bien de vous. La maîtresse du prince de Foix serait peut-être jalouse s'il vous préférait à elle. Vous ne comprenez pas ? Revenez avec moi, je vous expliquerai tout cela.

— Je ne peux pas, je vais chez M. de Charlus à onze heures.

— Tiens, il m'a fait demander hier de venir dîner ce soir, mais de ne pas venir après onze heures moins le quart. Mais si vous tenez à aller chez lui, venez au moins avec moi jusqu'au Théâtre-Français, vous serez dans la périphérie », dit le prince qui croyait sans doute que cela signifiait « à proximité » ou peut-être « le centre ».

Mais ses yeux dilatés dans sa grosse et belle figure rouge me firent peur et je refusai en disant qu'un ami devait venir me chercher. Cette réponse ne me semblait pas blessante. Le prince en reçut sans doute une impression différente, car jamais il ne m'adressa plus la parole.

« Il faut justement que j'aille voir la reine de Naples[1], quel chagrin elle doit avoir ! » dit, ou du moins me parut avoir dit, la princesse de Parme. Car ces paroles ne m'étaient arrivées qu'indistinctes à travers celles, plus proches, que m'avait adressées pourtant fort bas le prince Von, qui avait craint sans doute, s'il parlait plus haut, d'être entendu de M. de Foix.

« Ah ! non, répondit[a] la duchesse, ça, je crois qu'elle n'en a aucun.

— Aucun ? vous êtes toujours dans les extrêmes, Oriane », dit M. de Guermantes reprenant son rôle de falaise qui, en s'opposant à la vague, la force à lancer plus haut son panache d'écume.

« Basin sait encore mieux que moi que je dis la vérité, répondit la duchesse, mais il se croit obligé de prendre des airs sévères à cause de votre présence et il a peur que je vous scandalise.

— Oh ! non, je vous en prie », s'écria la princesse de Parme, craignant qu'à cause d'elle on n'altérât en quelque chose ces délicieux mercredis de la duchesse de Guermantes, ce fruit défendu auquel la reine de Suède elle-même n'avait pas encore eu le droit de goûter.

« Mais c'est à lui-même qu'elle a répondu, comme il lui disait, d'un air banalement triste : "Mais la reine est en deuil ; de qui donc ? est-ce un chagrin pour Votre Majesté ? — Non, ce n'est pas un grand deuil, c'est un petit deuil, un tout petit deuil, c'est ma sœur." La vérité c'est qu'elle est enchantée comme cela, Basin le sait très bien, elle nous a invités à une fête le jour même et m'a donné deux perles. Je voudrais qu'elle perdît une sœur tous les jours ! Elle ne pleure pas la mort de sa sœur, elle la rit aux éclats. Elle se dit probablement, comme Robert, que *sic transit*, enfin je ne sais plus », ajouta-t-elle par modestie, quoiqu'elle sût très bien.

D'ailleurs Mme de Guermantes faisait seulement en ceci de l'esprit, et du plus faux, car la reine de Naples, comme la duchesse d'Alençon[1], morte tragiquement aussi, avait un grand cœur et a sincèrement pleuré les siens. Mme de Guermantes connaissait trop les nobles sœurs bavaroises, ses cousines, pour l'ignorer.

« Il aurait voulu[a] ne pas retourner au Maroc », dit la princesse de Parme en saisissant à nouveau ce nom de Robert que lui tendait bien involontairement comme une perche Mme de Guermantes. « Je crois que vous connaissez le général de Monserfeuil[b].

— Très peu », répondit la duchesse qui était intimement liée avec cet officier. La princesse expliqua ce que désirait Saint-Loup.

« Mon Dieu, si je le vois... Cela peut arriver que je le rencontre », répondit, pour ne pas avoir l'air de refuser, la duchesse dont les relations avec le général de Monserfeuil semblaient s'être rapidement espacées depuis qu'il s'agissait de lui demander quelque chose. Cette incertitude ne suffit pourtant pas au duc, qui, interrompant sa femme :

« Vous savez bien que vous ne le verrez pas, Oriane, dit-il, et puis vous lui avez déjà demandé deux choses qu'il n'a pas faites. Ma femme a la rage d'être aimable », reprit-il de plus en plus furieux pour forcer la princesse à retirer sa demande sans que cela pût faire douter de l'amabilité de la duchesse et pour que Mme de Parme rejetât la chose sur son propre caractère à lui, essentiellement quinteux. « Robert pourrait ce qu'il voudrait sur Monserfeuil. Seulement, comme il ne sait pas ce qu'il veut, il le fait demander par nous, parce qu'il sait qu'il n'y a pas de meilleure manière de faire échouer la chose. Oriane a trop demandé de choses à Monserfeuil. Une demande d'elle maintenant, c'est une raison pour qu'il refuse.

— Ah ! dans ces conditions, il vaut mieux que la duchesse ne fasse rien, dit Mme de Parme.

— Naturellement, conclut le duc.

— Ce pauvre général, il a encore été battu aux élections, dit la princesse de Parme pour changer de conversation.

— Oh ! ce n'est pas grave, ce n'est que la septième fois », dit le duc qui, ayant dû lui-même renoncer à la politique, aimait assez les insuccès électoraux des autres. « Il s'est consolé en voulant faire un nouvel enfant à sa femme.

— Comment ! Cette pauvre Mme de Monserfeuil est encore enceinte, s'écria la princesse.

— Mais parfaitement, répondit la duchesse, c'est le seul *arrondissement* où le pauvre général n'a jamais échoué. »

Je ne devais plus cesser par la suite d'être continuellement invité, fût-ce avec quelques personnes seulement, à ces repas dont je m'étais autrefois figuré les convives comme les Apôtres de la Sainte-Chapelle[1]. Ils se réunissaient là en effet, comme les premiers chrétiens, non pour partager seulement une nourriture matérielle, d'ailleurs exquise, mais dans une sorte de Cène sociale ; de sorte qu'en peu de dîners j'assimilai la connaissance de tous les amis de mes hôtes, amis auxquels ils me présentaient[a] avec une nuance de bienveillance si marquée (comme quelqu'un qu'ils auraient de tout temps paternellement préféré) qu'il n'est pas un d'entre eux qui n'eût cru manquer au duc et à la duchesse s'il avait donné un bal sans me faire figurer sur la liste, et en même temps, tout en buvant un des yquems que recelaient les caves des Guermantes, je savourais des ortolans accommodés selon les différentes recettes que le duc élaborait et modifiait prudemment. Cependant, pour qui s'était déjà assis plus d'une fois à la table mystique, la manducation de ces derniers n'était pas indispensable. De vieux amis de M. et de Mme de Guermantes venaient les voir après dîner, « en cure-dents » aurait dit Mme Swann, sans être attendus, et prenaient l'hiver une tasse de tilleul aux lumières du grand salon, l'été un verre d'orangeade dans la nuit du petit bout de jardin rectangulaire. On n'avait jamais connu, des Guermantes, dans ces après-dîners au jardin, que l'orangeade[2]. Elle avait quelque chose de rituel. Y ajouter d'autres rafraîchissements eût semblé dénaturer la tradition, de même qu'un grand raout dans le faubourg Saint-Germain n'est plus un raout s'il y a une comédie ou de la musique. Il faut qu'on soit censé venir simplement — y eût-il cinq cents personnes — faire une visite à la princesse de Guermantes, par exemple.

On admira mon influence parce que je pus à l'orangeade faire ajouter une carafe contenant du jus de cerise cuite, de poire cuite. Je pris en inimitié, à cause de cela, le prince d'Agrigente semblable à tous les gens dépourvus d'imagination, mais non d'avarice, lesquels s'émerveillent de ce que vous buvez et vous demandent la permission d'en prendre un peu. De sorte que chaque fois M. d'Agrigente[a], en diminuant ma ration, gâtait mon plaisir. Car ce jus de fruit n'est jamais en assez grande quantité pour qu'il désaltère. Rien ne lasse moins que cette transposition en saveur, de la couleur d'un fruit, lequel, cuit, semble rétrograder vers la saison des fleurs. Empourpré comme un verger au printemps, ou bien incolore et frais comme le zéphir sous les arbres fruitiers, le jus se laisse respirer et regarder goutte à goutte, et M. d'Agrigente m'empêchait, régulièrement, de m'en rassasier. Malgré ces compotes, l'orangeade traditionnelle subsista comme le tilleul. Sous[b] ces modestes espèces, la communion sociale n'en avait pas moins lieu. En cela sans doute, les amis de M. et de Mme de Guermantes étaient tout de même, comme je me les étais d'abord figurés, restés plus différents que leur aspect décevant ne m'eût porté à le croire. Maints vieillards venaient recevoir chez la duchesse, en même temps que l'invariable boisson, un accueil souvent assez peu aimable. Or, ce ne pouvait être par snobisme, étant eux-mêmes d'un rang auquel nul autre n'était supérieur ; ni par amour du luxe : ils l'aimaient peut-être, mais dans de moindres conditions sociales eussent pu en connaître un splendide, car ces mêmes soirs la femme charmante d'un richissime financier eût tout fait pour les avoir à des chasses éblouissantes qu'elle donnerait pendant deux jours pour le roi d'Espagne[1]. Ils avaient refusé néanmoins et étaient venus à tout hasard voir si Mme de Guermantes était chez elle. Ils n'étaient même pas certains de trouver là des opinions absolument conformes aux leurs, ou des sentiments spécialement chaleureux ; Mme de Guermantes lançait parfois sur l'affaire Dreyfus, sur la République, sur les lois antireligieuses, ou même, à mi-voix, sur eux-mêmes, sur leurs infirmités, sur le caractère ennuyeux de leur conversation, des réflexions qu'ils devaient faire semblant de ne pas remarquer. Sans doute, s'ils gardaient là leurs habitudes, était-ce par éducation affinée de gourmet mondain, par

claire connaissance de la parfaite et première qualité du
mets social, au goût familier, rassurant et sapide, sans
mélange, non frelaté dont ils savaient l'origine et l'histoire
aussi bien que celle qui la leur servait, restés plus
« nobles » en cela qu'ils ne le savaient eux-mêmes. Or,
parmi ces visiteurs auxquels je fus présenté après dîner,
le hasard fit qu'il y eut ce général de Monserfeuil dont
avait parlé[a] la princesse de Parme et que Mme de
Guermantes, du salon de qui il était un des habitués, ne
savait pas devoir venir ce soir-là. Il s'inclina devant moi,
en entendant mon nom, comme si j'eusse été président
du Conseil supérieur de la guerre. J'avais cru que c'était
simplement par quelque inserviabilité foncière, et pour
laquelle le duc, comme pour l'esprit, sinon pour l'amour,
était le complice de sa femme, que la duchesse avait
presque refusé de recommander son neveu à M. de
Monserfeuil. Et je voyais là une indifférence d'autant plus
coupable que j'avais cru comprendre par quelques mots
échappés à la princesse de Parme que le poste de Robert
était dangereux et qu'il était prudent de l'en faire changer.
Mais ce fut par la véritable méchanceté de Mme de
Guermantes que je fus révolté quand, la princesse de
Parme ayant timidement proposé d'en parler elle-même
et pour son compte au général, la duchesse fit tout ce
qu'elle put pour en détourner l'Altesse.

« Mais Madame, s'écria-t-elle, Monserfeuil n'a aucune
espèce de crédit ni de pouvoir avec le nouveau
gouvernement. Ce serait un coup d'épée dans l'eau.

— Je crois qu'il pourrait nous entendre », murmura
la princesse en invitant la duchesse à parler plus bas.

« Que Votre Altesse ne craigne rien, il est sourd
comme un pot », dit sans baisser la voix la duchesse, que
le général entendit parfaitement.

« C'est que je crois que M. de Saint-Loup n'est pas
dans un endroit très rassurant, dit la princesse.

— Que voulez-vous, répondit la duchesse, il est dans
le cas de tout le monde, avec la différence que c'est lui
qui a demandé à y aller. Et puis, non, ce n'est pas
dangereux ; sans cela vous pensez bien que je m'en
occuperais. J'en aurais parlé à Saint-Joseph pendant le
dîner. Il est beaucoup plus influent, et d'un travailleur !
Vous voyez, il est déjà parti. Du reste ce serait moins
délicat qu'avec celui-ci, qui a justement trois de ses fils

au Maroc et n'a pas voulu demander leur changement ; il pourrait objecter cela. Puisque Votre Altesse y tient, j'en parlerai à Saint-Joseph... si je le vois, ou à Beautreillis. Mais si je ne les vois pas, ne plaignez pas trop Robert. On[a] nous a expliqué l'autre jour où c'était. Je crois qu'il ne peut être nulle part mieux que là.

— Quelle jolie fleur, je n'en avais jamais vu de pareille, il n'y a que vous, Oriane, pour avoir de telles merveilles ! » dit la princesse de Parme qui, de peur que le général de Monserfeuil n'eût entendu la duchesse, cherchait à changer de conversation. Je reconnus une plante de l'espèce de celles qu'Elstir avait peintes devant moi[1].

« Je suis enchantée qu'elle vous plaise ; elles sont ravissantes, regardez[b] leur petit tour de cou de velours mauve ; seulement, comme il peut arriver à des personnes très jolies et très bien habillées, elles ont un vilain nom et elles sentent mauvais[2]. Malgré cela, je les aime beaucoup. Mais ce qui est un peu triste, c'est qu'elles vont mourir.

— Mais elles sont en pot, ce ne sont pas des fleurs coupées, dit la princesse.

— Non, répondit la duchesse en riant, mais ça revient au même, comme ce sont des dames. C'est une espèce de plantes où les dames et les messieurs ne se trouvent pas sur le même pied. Je suis comme les gens qui ont une chienne. Il me faudrait un mari pour mes fleurs. Sans cela je n'aurai pas de petits !

— Comme c'est curieux. Mais alors dans la nature...

— Oui, il y a certains insectes qui se chargent d'effectuer le mariage, comme pour les souverains, par procuration, sans que le fiancé et la fiancée se soient jamais vus. Aussi je vous jure que je recommande à mon domestique de mettre ma plante à la fenêtre le plus qu'il peut, tantôt du côté cour, tantôt du côté jardin, dans l'espoir que viendra l'insecte indispensable[3]. Mais cela exigerait un tel hasard. Pensez, il faudrait qu'il ait justement été voir une personne de la même espèce et d'un autre sexe, et qu'il ait l'idée de venir mettre des cartes dans la maison. Il n'est pas venu jusqu'ici, je crois que ma plante est toujours digne d'être rosière, j'avoue qu'un peu plus de dévergondage me plairait mieux. Tenez, c'est comme ce bel arbre qui est dans la cour, il mourra sans enfants parce que c'est une espèce très rare dans nos pays. Lui, c'est le vent qui est chargé d'opérer l'union, mais le mur est un peu haut.

— En effet, dit M. de Bréauté, vous auriez dû le faire abattre de quelques centimètres seulement, cela aurait suffi. Ce sont des opérations qu'il faut savoir pratiquer. Le parfum de vanille qu'il y avait dans l'excellente glace que vous nous avez servie tout à l'heure, duchesse, vient d'une plante qui s'appelle le vanillier. Celle-là produit bien des fleurs à la fois masculines et féminines, mais une sorte de paroi dure, placée entre elles, empêche toute communication. Aussi ne pouvait-on jamais avoir de fruits jusqu'au jour où un jeune nègre natif de la Réunion et nommé Albius[a], ce qui, entre parenthèses, est assez comique pour un Noir puisque cela veut dire blanc, eut l'idée, à l'aide d'une petite pointe, de mettre en rapport les organes séparés[1].

— Babal, vous êtes divin, vous savez tout, s'écria la duchesse.

— Mais vous-même, Oriane, vous m'avez appris des choses dont je ne me doutais pas, dit la princesse.

— Je dirai à Votre Altesse que c'est Swann qui m'a toujours beaucoup parlé de botanique. Quelquefois, quand cela nous embêtait trop d'aller à un thé ou à une matinée, nous partions pour la campagne et il me montrait des mariages extraordinaires de fleurs, ce qui est beaucoup plus amusant que les mariages de gens, et a lieu d'ailleurs sans lunch et sans sacristie. On n'avait[b] jamais le temps d'aller bien loin. Maintenant qu'il y a l'automobile, ce serait charmant. Malheureusement dans l'intervalle il a fait lui-même un mariage encore beaucoup plus étonnant et qui rend[c] tout difficile. Ah ! Madame, la vie est une chose affreuse, on passe son temps à faire des choses qui vous ennuient, et quand, par hasard, on connaît quelqu'un avec qui on pourrait aller en voir d'intéressantes, il faut qu'il fasse le mariage de Swann. Placée entre le renoncement aux promenades botaniques et l'obligation de fréquenter une personne déshonorante, j'ai choisi la première de ces deux calamités. D'ailleurs, au fond, il n'y aurait pas besoin d'aller si loin. Il paraît que, rien que dans mon petit bout de jardin, il se passe en plein jour plus de choses inconvenantes que la nuit... dans le bois de Boulogne ! Seulement cela ne se remarque pas parce qu'entre fleurs cela se fait très simplement, on voit une petite pluie orangée, ou bien une mouche très poussiéreuse qui vient essuyer ses pieds ou prendre une douche avant d'entrer dans une fleur. Et tout est consommé !

— La commode sur laquelle la plante est posée est splendide aussi, c'est Empire, je crois », dit la princesse qui, n'étant pas familière avec les travaux de Darwin et de ses successeurs[1], comprenait mal la signification des plaisanteries de la duchesse.

« N'est-ce pas, c'est beau. Je suis ravie que Madame l'aime, répondit la duchesse. C'est une pièce magnifique[d]. Je vous dirai que j'ai toujours adoré le style Empire, même au temps où cela n'était pas à la mode. Je me rappelle qu'à Guermantes je m'étais fait honnir de ma belle-mère parce que j'avais dit de descendre du grenier tous les splendides meubles Empire que Basin avait hérités des Montesquiou, et que j'en avais meublé l'aile que j'habitais[2]. »

M. de Guermantes sourit. Il devait pourtant se rappeler que les choses s'étaient passées d'une façon fort différente. Mais les plaisanteries de la princesse des Laumes sur le mauvais goût de sa belle-mère ayant été de tradition pendant le peu de temps où le prince avait été épris de sa femme, à son amour pour la seconde avait survécu un certain dédain pour l'infériorité d'esprit de la première, dédain qui s'alliait d'ailleurs à beaucoup d'attachement et de respect.

« Les Iéna ont le même fauteuil[b] avec incrustations de Wedgwood[3], il est beau, mais j'aime mieux le mien », dit la duchesse du même air d'impartialité que si elle n'avait possédé aucun de ces deux meubles ; « je reconnais du reste qu'ils ont des choses merveilleuses que je n'ai pas. »

La princesse de Parme garda le silence.

« Mais c'est vrai, Votre Altesse ne connaît pas leur collection. Oh ! elle devrait absolument y venir une fois avec moi. C'est une des choses les plus magnifiques de Paris, c'est un musée qui serait vivant ».

Et comme cette proposition était une des audaces les plus Guermantes de la duchesse, parce que les Iéna étaient pour la princesse de Parme de purs usurpateurs, leur fils portant, comme le sien, le titre de duc de

Guastalla[1], Mme de Guermantes en la lançant ainsi ne
se retint pas (tant l'amour qu'elle portait à sa propre
originalité l'emportait encore sur sa déférence pour la
princesse de Parme) de jeter sur les autres convives des
regards amusés et souriants. Eux aussi s'efforçaient de
sourire, à la fois effrayés, émerveillés, et surtout ravis de
penser qu'ils étaient témoins de la « dernière » d'Oriane
et pourraient la raconter « tout chaud ». Ils n'étaient qu'à
demi stupéfaits, sachant que la duchesse avait l'art de faire
litière de tous les préjugés Courvoisier pour une réussite
de vie plus piquante et plus agréable. N'avait-elle pas,
au cours de ces dernières années, réuni à la princesse
Mathilde le duc d'Aumale qui avait écrit au propre frère
de la princesse la fameuse lettre : « Dans ma famille tous
les hommes sont braves et toutes les femmes sont
chastes[2] » ? Or, les princes le restant même au moment
où ils paraissent vouloir oublier qu'ils le sont, le duc
d'Aumale et la princesse Mathilde s'étaient tellement plu
chez Mme de Guermantes qu'ils étaient ensuite allés l'un
chez l'autre, avec cette faculté d'oublier le passé que
témoigna Louis XVIII quand il prit pour ministre Fouché
qui avait voté la mort de son frère[3]. Mme de Guermantes
nourrissait le même projet de rapprochement entre la
princesse Murat et la reine de Naples[4]. En attendant, la
princesse de Parme paraissait aussi embarrassée qu'auraient pu l'être les héritiers de la couronne des Pays-Bas
et de Belgique, respectivement prince d'Orange et duc
de Brabant, si on avait voulu leur présenter M. de
Mailly-Nesle, prince d'Orange, et M. de Charlus, duc de
Brabant[5]. Mais d'abord la duchesse, à qui Swann et M. de
Charlus (bien que ce dernier fût résolu à ignorer les Iéna)
avaient à grand-peine fini par faire aimer le style Empire,
s'écria :

« Madame, sincèrement, je ne peux pas vous dire à
quel point vous trouverez cela beau ! J'avoue que le style
Empire m'a toujours impressionnée. Mais, chez les Iéna,
là[a], c'est vraiment comme une hallucination. Cette espèce,
comment vous dire, de... reflux de l'expédition d'Égypte,
et puis aussi de remontée jusqu'à nous de l'Antiquité, tout
cela qui envahit nos maisons, les Sphinx qui viennent se
mettre aux pieds des fauteuils, les serpents qui s'enroulent
aux candélabres, une Muse énorme qui vous tend un petit
flambeau pour jouer à la bouillotte ou qui est tranquille-

ment montée sur votre cheminée et s'accoude à votre pendule, et puis toutes les lampes pompéiennes, les petits lits en bateau qui ont l'air d'avoir été trouvés sur le Nil et d'où on s'attend à voir sortir Moïse, ces quadriges antiques qui galopent le long des tables de nuit...

— On n'est pas très bien assis dans les meubles Empire, hasarda la princesse.

— Non », répondit Mme de Guermantes, mais, ajouta-t-elle en insistant avec un sourire, « j'aime être mal assise sur ces sièges d'acajou recouverts de velours grenat ou de soie verte. J'aime cet inconfort de guerriers qui ne comprennent que la chaise curule, et au milieu du grand salon croisaient les faisceaux, entassaient les lauriers[1]. Je vous assure que chez les Iéna on ne pense pas un instant à la manière dont on est assis, quand on voit devant soi une grande gredine de Victoire peinte à fresque sur le mur. Mon époux va me trouver bien mauvaise royaliste, mais je suis très mal pensante, vous savez, je vous assure que chez ces gens-là on en arrive à aimer tous ces N, toutes ces abeilles. Mon Dieu, comme sous les rois, depuis pas mal de temps, on n'a pas été très gâté du côté gloire, ces guerriers qui rapportaient tant de couronnes qu'ils en mettaient jusque sur les bras des fauteuils, je trouve que ça a un certain chic ! Votre Altesse devrait.

— Mon Dieu, si vous croyez, dit la princesse, mais il me semble que ce ne sera pas facile.

— Mais Madame verra que tout s'arrangera très bien. Ce sont de très bonnes gens, pas bêtes. Nous y avons mené Mme de Chevreuse, ajouta la duchesse sachant la puissance de l'exemple, elle a été ravie. Le fils est même très agréable... Ce[a] que je vais dire n'est pas très convenable, ajouta-t-elle, mais il a une chambre et surtout un lit où on voudrait dormir — sans lui ! Ce qui est encore moins convenable, c'est que j'ai été le voir une fois pendant qu'il était malade et couché. À côté de lui, sur le rebord du lit, il y avait sculptée une longue Sirène allongée, ravissante, avec une queue en nacre, et qui tient dans la main des espèces de lotus. Je vous assure » ajouta Mme de Guermantes, en ralentissant son débit pour mettre encore mieux en relief les mots qu'elle avait l'air de modeler avec la moue de ses belles lèvres, le fuselage de ses longues mains expressives et tout en attachant sur la princesse un regard doux, fixe et profond, « qu'avec les palmettes et la couronne d'or qui était à côté, c'était émouvant, c'était tout à fait l'arrangement du *Jeune Homme et la Mort* de Gustave Moreau[1] (Votre Altesse connaît sûrement ce chef-d'œuvre). »

La princesse de Parme, qui ignorait même le nom du peintre, fit de violents mouvements de tête et sourit avec ardeur afin de manifester son admiration pour ce tableau. Mais l'intensité de sa mimique ne parvint pas à remplacer cette lumière qui reste absente de nos yeux tant que nous ne savons pas de quoi on veut nous parler.

« Il est joli garçon, je crois ? demanda-t-elle.

— Non, car il a l'air d'un tapir. Les yeux sont un peu ceux d'une reine Hortense[2] pour abat-jour. Mais il a probablement pensé qu'il serait un peu ridicule pour un homme de développer cette ressemblance, et cela se perd dans des joues encaustiquées qui lui donnent un air assez mameluk. On sent que le frotteur doit passer tous les matins. Swann », ajouta-t-elle, revenant au lit du jeune duc, « a été frappé de la ressemblance de cette Sirène avec *La Mort* de Gustave Moreau. Mais d'ailleurs », ajouta-t-elle d'un ton plus rapide et pourtant sérieux, afin de faire rire davantage, « il n'y a pas à nous frapper, car c'était un rhume de cerveau, et le jeune homme se porte comme un charme.

— On dit qu'il est snob ? » demanda M. de Bréauté d'un air malveillant, allumé et en attendant dans la réponse la même précision que s'il avait dit : « On m'a dit qu'il n'avait que quatre doigts à la main droite, est-ce vrai ? »

« M...on Dieu, n...on, répondit Mme de Guermantes avec un sourire de douce indulgence. Peut-être un tout petit peu snob d'apparence, parce qu'il est extrêmement jeune, mais cela m'étonnerait qu'il le fût en réalité, car il est intelligent », ajouta-t-elle, comme s'il y eût eu à son avis incompatibilité absolue entre le snobisme et l'intelligence. « Il est fin, je l'ai vu drôle », dit-elle encore en riant d'un air gourmet et connaisseur, comme si porter le jugement de drôlerie sur quelqu'un exigeait une certaine expression de gaieté, ou comme si les saillies du duc de Guastalla lui revenaient à l'esprit en ce moment. « Du reste, comme il n'est pas reçu, ce snobisme n'aurait

pas à s'exercer », reprit-elle sans songer qu'elle n'encourageait pas beaucoup de la sorte la princesse de Parme.

« Je me demande ce que dira le prince de Guermantes,
qui l'appelle Mme Iéna, s'il apprend que je suis allée chez
elle.

— Mais comment, s'écria avec une extraordinaire
vivacité la duchesse, vous savez que c'est nous qui avons
cédé à Gilbert (elle s'en repentait amèrement aujourd'hui !) toute une salle de jeu Empire qui nous venait
de Quiou-Quiou et qui est une splendeur ! Il n'y avait pas
la place ici où pourtant je trouve que ça faisait mieux que
chez lui. C'est une chose de toute beauté, moitié étrusque,
moitié égyptienne...

— Égyptienne ? demanda la princesse à qui étrusque
disait peu de chose.

— Mon Dieu, un peu les deux, Swann nous disait cela,
il me l'a expliqué, seulement, vous savez, je suis une
pauvre ignorante. Et puis au fond, Madame, ce qu'il faut
se dire, c'est que l'Égypte du style Empire n'a aucun
rapport avec la vraie Égypte, ni leurs Romains avec les
Romains, ni leur Étrurie...

— Vraiment ! dit la princesse.

— Mais non, c'est comme ce qu'on appelait un
costume Louis XV sous le second Empire, dans la
jeunesse d'Anna de Mouchy[1] ou de la mère du cher
Brigode[2]. Tout à l'heure Basin vous parlait de Beethoven.
On nous jouait l'autre jour de lui une chose, très belle
d'ailleurs, un peu froide, où il y a un thème russe. C'en
est touchant de penser qu'il croyait cela russe[3]. Et de
même les peintres chinois ont cru copier Bellini[4].
D'ailleurs même dans le même pays, chaque fois que
quelqu'un regarde les choses d'une façon un peu
nouvelle, les quatre quarts des gens ne voient goutte
à ce qu'il leur montre. Il faut au moins quarante ans
pour qu'ils arrivent à distinguer.

— Quarante ans ! s'écria la princesse effrayée.

— Mais oui », reprit la duchesse, en ajoutant de plus
en plus aux mots (qui étaient presque des mots de moi,
car j'avais justement émis devant elle une idée analogue),
grâce[a] à sa prononciation, l'équivalent de ce que pour les
caractères imprimés on appelle « italique », « c'est
comme une espèce de premier individu isolé d'une espèce
qui n'existe pas encore et qui pullulera, un individu doué

d'une espèce de *sens* que l'espèce humaine à son époque ne possède pas. Je ne peux guère me citer, parce que moi, au contraire, j'ai toujours aimé dès le début toutes les manifestations intéressantes, si nouvelles qu'elles fussent. Mais enfin l'autre jour j'ai été avec la grande-duchesse au Louvre, nous avons passé devant l'*Olympia* de Manet. Maintenant personne ne s'en étonne plus. Ça a l'air d'une chose d'Ingres ! Et pourtant Dieu sait ce que j'ai eu à rompre de lances pour ce tableau où je n'aime pas tout, mais qui est sûrement de quelqu'un. Sa place n'est peut-être pas tout à fait au Louvre[1].

— Elle va bien, la grande-duchesse ? » demanda la princesse de Parme à qui la tante du tsar[2] était infiniment plus familière que le modèle de Manet.

« Oui, nous avons parlé de vous. Au fond », reprit la duchesse, qui tenait à son idée, « la vérité c'est que, comme dit mon beau-frère Palamède, l'on a entre soi et chaque personne le mur d'une langue étrangère. Du reste je reconnais que ce n'est exact de personne autant que de Gilbert. Si cela vous amuse d'aller chez les Iéna, vous avez trop d'esprit[d] pour faire dépendre vos actes de ce que peut penser ce pauvre homme qui est une chère créature innocente, mais qui a des idées de l'autre monde. Je me sens plus rapprochée[b], plus consanguine de mon cocher, de mes chevaux, que de cet homme qui se réfère tout le temps à ce qu'on aurait pensé sous Philippe le Hardi ou sous Louis le Gros[3]. Songez que, quand il se promène dans la campagne, il écarte les paysans d'un air bonasse, avec sa canne, en disant : "Allez, manants !" Je suis au fond[c] aussi étonnée quand il me parle que si je m'entendais adresser la parole par les "gisants" des anciens tombeaux gothiques. Cette pierre vivante a beau être mon cousin, elle me fait peur et je n'ai qu'une idée, c'est de la laisser dans son Moyen Âge. À part ça, je reconnais qu'il n'a jamais assassiné personne.

— Je viens justement de dîner avec lui chez Mme de Villeparisis », dit le général, mais sans sourire ni adhérer aux plaisanteries de la duchesse.

« Est-ce que M. de Norpois était là ? » demanda le prince Von, qui pensait toujours à l'Académie[d] des Sciences morales.

« Oui, dit le général. Il a même parlé de votre empereur.

— Il paraît que l'empereur Guillaume est très intelligent, mais il n'aime pas la peinture d'Elstir. Je ne dis du reste pas cela contre lui, répondit la duchesse, je partage sa manière de voir. Quoique Elstir ait fait un beau portrait de moi. Ah ! vous ne le connaissez pas ? Ce n'est pas ressemblant mais c'est curieux. Il est intéressant pendant les poses. Il m'a fait comme une espèce de vieillarde. Cela imite *Les Régentes de l'hôpital* de Hals[1]. Je pense que vous connaissez ces sublimités, pour prendre une expression chère à mon neveu », dit en se tournant vers moi la duchesse qui faisait battre légèrement son éventail de plumes noires. Plus que droite sur sa chaise, elle rejetait noblement sa tête en arrière, car tout en étant toujours grande dame, elle jouait un petit peu à la grande dame. Je dis que j'étais allé autrefois à Amsterdam et à La Haye, mais que, pour ne pas tout mêler, comme mon temps était limité, j'avais laissé de côté Haarlem[2].

« Ah ! La Haye, quel musée ! » s'écria M. de Guermantes. Je lui dis qu'il y avait sans doute admiré la *Vue de Delft* de Vermeer[3]. Mais le duc était moins instruit qu'orgueilleux. Aussi se contenta-t-il de me répondre d'un air de suffisance, comme chaque fois qu'on lui parlait d'une œuvre d'un musée, ou bien du Salon, et qu'il ne se rappelait pas : « Si c'est à voir, je l'ai vu ! »

« Comment ! vous avez fait le voyage de Hollande et vous n'êtes pas allé à Haarlem ? s'écria la duchesse. Mais quand même vous n'auriez eu qu'un quart d'heure, c'est une chose extraordinaire à avoir vue que les Hals. Je dirais volontiers que quelqu'un qui ne pourrait les voir que du haut d'une impériale de tramway sans s'arrêter, s'ils étaient exposés dehors, devrait ouvrir les yeux tout grands. » Cette parole me choqua comme méconnaissant la façon dont se forment en nous les impressions artistiques, et parce qu'elle semblait impliquer que notre œil est dans ce cas un simple appareil enregistreur qui prend des instantanés.

M. de Guermantes, heureux qu'elle me parlât avec une telle compétence des sujets qui m'intéressaient, regardait la prestance célèbre de sa femme, écoutait ce qu'elle disait de Frans Hals et pensait : « Elle est ferrée à glace sur tout. Mon jeune invité peut se dire qu'il a devant lui une grande dame d'autrefois dans toute l'acception du mot, et comme il n'y en a pas aujourd'hui une deuxième. » Tels je les voyais tous deux, retirés de ce nom de Guermantes dans lequel, jadis, je les imaginais menant une inconcevable vie, maintenant pareils aux autres hommes et aux autres femmes, retardant seulement un peu sur leurs contemporains, mais inégalement, comme tant de ménages du faubourg Saint-Germain où la femme a eu l'art de s'arrêter à l'âge d'or, l'homme, la mauvaise chance de descendre à l'âge ingrat du passé, l'une restant encore Louis XV quand le mari est pompeusement Louis-Philippe. Que Mme de Guermantes fût pareille aux autres femmes, ç'avait été pour moi d'abord une déception, c'était presque, par réaction, et tant de bons vins aidant, un émerveillement. Un Don Juan d'Autriche[1], une Isabelle d'Este[a2], situés pour nous dans le monde des noms, communiquent aussi peu avec la grande histoire que le côté de Méséglise avec le côté de Guermantes. Isabelle d'Este fut sans doute, dans la réalité, une fort petite princesse, semblable à celles qui sous Louis XIV n'obtenaient aucun rang particulier à la cour. Mais, nous semblant d'une essence unique et, par suite, incomparable, nous ne pouvons la concevoir d'une moindre grandeur que lui, de sorte qu'un souper avec Louis XIV nous paraîtrait seulement offrir quelque intérêt, tandis qu'en Isabelle d'Este nous nous trouverions, par une rencontre surnaturelle, voir de nos yeux une héroïne de roman. Or, après avoir, en étudiant Isabelle d'Este, en la transplantant patiemment de ce monde féerique dans celui de l'histoire, constaté que sa vie, sa pensée, ne contenaient rien de cette étrangeté mystérieuse que nous avait suggérée son nom, une fois cette déception consommée, nous savons un gré infini à cette princesse d'avoir eu, de la peinture de Mantegna, des connaissances presque égales à celles, jusque-là méprisées par nous et mises, comme eût dit Françoise, « plus bas que terre », de M. Lafenestre[3]. Après avoir gravi les hauteurs inaccessibles du nom de Guermantes, en descendant le versant interne de la vie de la duchesse, j'éprouvais à y trouver les noms, familiers ailleurs, de Victor Hugo, de Frans Hals et, hélas, de Vibert, le même étonnement qu'un voyageur, après avoir tenu compte, pour imaginer la singularité des mœurs dans un vallon sauvage de l'Amérique centrale ou de l'Afrique du Nord, de l'éloignement géographique, de l'étrangeté des dénominations de la flore, éprouve à découvrir, une fois traversé un rideau d'aloès géants ou de mancenilliers, des habitants qui (parfois même devant les ruines d'un théâtre romain et d'une colonne dédiée à Vénus) sont en train de lire *Mérope* ou *Alzire*[a]. Et, si loin, si à l'écart, si au-dessus des bourgeoises instruites que j'avais connues, la culture similaire par laquelle Mme de Guermantes s'était efforcée, sans intérêt, sans raison d'ambition, de descendre au niveau de celles qu'elle ne connaîtrait jamais, avait le caractère méritoire, presque touchant à force d'être inutilisable, d'une érudition en matière[b] d'antiquités phéniciennes chez un homme politique ou un médecin.

« J'en aurais pu vous montrer un très beau, me dit aimablement Mme de Guermantes en me parlant de Hals, le plus beau, prétendent certaines personnes, et que j'ai hérité d'un cousin allemand. Malheureusement il s'est trouvé "fieffé" dans le château ; vous ne connaissiez pas cette expression ? Moi non plus », ajouta-t-elle par ce goût qu'elle avait de faire des plaisanteries (par lesquelles elle se croyait moderne) sur les coutumes anciennes, mais auxquelles elle était inconsciemment et âprement attachée. « Je suis contente que vous ayez vu mes Elstir, mais j'avoue que je l'aurais été encore bien plus, si j'avais pu vous faire les honneurs de mon Hals, de ce tableau "fieffé".

— Je le connais, dit le prince Von, c'est celui du grand-duc de Hesse.

— Justement, son frère avait épousé ma sœur[c], dit M. de Guermantes, et d'ailleurs sa mère était cousine germaine de la mère d'Oriane.

— Mais en ce qui concerne M. Elstir, ajouta le prince, je me permettrai de dire que, sans avoir d'opinion sur ses œuvres que je ne connais pas, la haine dont le poursuit l'empereur ne me paraît pas devoir être retenue contre lui. L'empereur est d'une merveilleuse intelligence.

— Oui, j'ai dîné deux fois avec lui, une fois chez ma tante Sagan, une fois chez ma tante Radziwill[2], et je dois dire que je l'ai trouvé curieux. Je ne l'ai pas trouvé simple ! Mais il a quelque chose d'amusant, d'"obtenu", dit-elle en détachant le mot, comme un œillet vert, c'est-à-dire une chose qui m'étonne et ne me plaît pas infiniment, une chose qu'il est étonnant qu'on ait pu faire, mais que je trouve qu'on aurait fait aussi bien de ne pas pouvoir. J'espère que je ne vous choque pas ?

— L'empereur est d'une intelligence inouïe, reprit le prince Von, il aime passionnément les arts ; il a sur les œuvres d'art un goût en quelque sorte infaillible, il ne se trompe jamais ; si quelque chose est beau, il le reconnaît tout de suite, il le prend en haine. S'il déteste quelque chose, il n'y a aucun doute à avoir, c'est que c'est excellent. » Tout le monde sourit.

« Vous me rassurez, dit la duchesse.

— Je comparerai volontiers l'empereur », reprit le prince qui ne sachant pas prononcer le mot archéologue (c'est-à-dire comme si c'était écrit kéologue) ne perdait jamais une occasion de s'en servir, « à un vieil archéologue (et le prince dit arshéologue) que nous avons à Berlin. Devant les anciens monuments assyriens, le vieil arshéologue pleure. Mais si c'est du moderne truqué, si ce n'est pas vraiment ancien, il ne pleure pas. Alors, quand on veut savoir si une pièce arshéologique est vraiment ancienne[a], on la porte au vieil arshéologue. S'il pleure, on achète la pièce pour le musée. Si ses yeux restent secs, on[b] la renvoie au marchand et on le poursuit pour faux. Hé bien, chaque fois que je dîne à Potsdam, toutes les pièces dont[c] l'empereur me dit : "Prince, il faut que vous voyiez cela, c'est plein de génialité", j'en prends note pour me garder d'y aller, et quand je l'entends fulminer contre une exposition, dès que cela m'est possible j'y cours.

— Est-ce que Norpois n'est pas pour un rapprochement anglo-français ? dit M. de Guermantes.

— À quoi ça vous servirait ? » demanda d'un air à la fois irrité et finaud le prince Von qui ne pouvait pas souffrir les Anglais. « Ils sont tellement pêtes. Je sais bien que ce n'est pas comme militaires qu'ils vous aideraient. Mais on peut tout de même les juger sur la stupidité de leurs généraux. Un de mes amis a causé récemment avec Botha, vous savez, le chef boer. Il lui disait : "C'est effrayant une armée comme ça. J'aime, d'ailleurs, plutôt les Anglais, mais enfin pensez que moi, qui ne suis qu'un payssan, je les ai rossés dans toutes les batailles. Et à la dernière, comme je succombais sous un nombre d'ennemis vingt fois supérieur, tout en me rendant parce que j'y étais obligé, j'ai encore trouvé le moyen de faire deux mille prisonniers ! Ç'a été bien parce que je n'étais qu'un chef de payssans, mais si jamais ces imbéciles-là avaient à se mesurer avec une vraie armée européenne, on tremble pour eux de penser à ce qui arriverait[1] !" Du reste, vous n'avez qu'à voir que leur roi, que vous connaissez comme moi, passe pour un grand homme en Angleterre. »

J'écoutais à peine ces histoires, du genre de celles que M. de Norpois racontait à mon père ; elles ne fournissaient aucun aliment aux rêveries que j'aimais ; et d'ailleurs, eussent-elles possédé ceux dont elles étaient dépourvues, qu'il les eût fallu d'une qualité bien excitante pour que ma vie intérieure pût se réveiller durant ces heures mondaines où j'habitais mon épiderme, mes cheveux bien coiffés, mon plastron de chemise, c'est-à-dire où je ne pouvais rien éprouver de ce qui était pour moi, dans la vie, le plaisir.

« Ah ! je ne suis pas de votre avis », dit Mme de Guermantes, qui trouvait que le prince allemand manquait de tact, « je trouve le roi Édouard charmant, si simple, et bien plus fin qu'on ne croit. Et la reine est, même encore maintenant, ce que je connais de plus beau au monde.

— Mais, Matame la duchesse, dit le prince irrité et qui ne s'apercevait pas qu'il déplaisait, cependant si le prince de Galles avait été un simple particulier, il n'y a pas un cercle qui ne l'aurait rayé et personne n'aurait consenti à lui serrer la main. La reine est ravissante, excessivement douce et bornée. Mais enfin il y a quelque chose de choquant dans ce couple royal qui est littéralement entretenu par ses sujets, qui se fait payer par les gros financiers juifs toutes les dépenses que lui, devrait faire, et les nomme baronnets en échange. C'est comme le prince de Bulgarie[2]...

— C'est notre cousin, dit la duchesse, il a de l'esprit.

— C'est le mien aussi, dit le prince, mais nous ne pensons pas pour cela que ce soit un prave homme. Non, c'est de nous qu'il faudrait vous rapprocher, c'est le plus grand désir de l'empereur, mais il veut que ça vienne du cœur ; il dit : ce que je veux c'est une poignée de main, ce n'est pas un coup de chapeau ! Ainsi vous seriez invincibles. Ce serait plus pratique que le rapprochement anglo-français que prêche M. de Norpois.

— Vous le connaissez[a], je sais », me dit la duchesse de Guermantes pour ne pas me laisser en dehors de la conversation. Me rappelant que M. de Norpois avait dit que j'avais eu l'air de vouloir lui baiser la main[3], pensant qu'il avait sans doute raconté cette histoire à Mme de Guermantes et, en tout cas, n'avait pu lui parler de moi que méchamment, puisque, malgré son amitié avec mon père, il n'avait pas hésité à me rendre si ridicule, je ne fis pas ce qu'eût fait un homme du monde. Il aurait dit qu'il détestait M. de Norpois et le lui avait fait sentir ; il l'aurait dit pour avoir l'air d'être la cause volontaire des médisances de l'ambassadeur, qui n'eussent plus été que des représailles mensongères et intéressées. Je dis, au contraire, qu'à mon grand regret, je croyais que M. de Norpois ne m'aimait pas. « Vous vous trompez bien, me répondit Mme de Guermantes. Il vous aime beaucoup. Vous pouvez demander à Basin ; si on me fait la réputation d'être trop aimable, lui ne l'est pas. Il vous dira que nous n'avons jamais entendu parler Norpois de quelqu'un aussi gentiment que de vous. Et il a dernièrement voulu vous faire donner au ministère une situation charmante. Comme il a su que vous étiez souffrant et ne pourriez pas l'accepter, il a eu la délicatesse de ne pas même parler de sa bonne intention à votre père qu'il apprécie infiniment. » M. de Norpois était bien la dernière personne de qui j'eusse attendu un bon office. La vérité est qu'étant moqueur et même assez malveillant, ceux qui s'étaient laissé prendre comme moi à ses apparences de saint Louis rendant la justice sous un chêne, aux sons de voix facilement apitoyés qui sortaient de sa bouche un peu trop harmonieuse, croyaient à une véritable perfidie quand ils apprenaient une médisance à leur égard venant d'un homme qui avait semblé mettre son cœur dans ses paroles. Ces médisances étaient assez fréquentes chez lui. Mais cela ne l'empêchait pas d'avoir des sympathies, de louer ceux qu'il aimait et d'avoir plaisir à se montrer serviable pour eux.

« Cela[a] ne m'étonne du reste pas qu'il vous apprécie, me dit Mme de Guermantes, il est intelligent. Et je comprends très bien », ajouta-t-elle pour les autres, et faisant allusion à un projet de mariage que j'ignorais, « que ma tante, qui ne l'amuse pas déjà beaucoup comme vieille maîtresse, lui paraisse inutile comme nouvelle épouse. D'autant plus que je crois que, même maîtresse, elle ne l'est plus depuis longtemps. Elle n'a de rapports, si je peux dire, qu'avec le bon Dieu. Elle est plus bigote que vous ne croyez et Booz-Norpois[b] peut dire comme dans les vers de Victor Hugo :

Voilà longtemps que celle avec qui j'ai dormi,
Ô Seigneur, a quitté ma couche pour la vôtre[1] !

Vraiment, ma pauvre tante est comme ces artistes d'avant-garde[a] qui ont tapé toute leur vie contre l'Académie et qui, sur le tard, fondent leur petite académie à eux ; ou bien les défroqués qui se refabriquent une religion personnelle. Alors, autant valait garder l'habit, ou ne pas se coller. Et qui sait, ajouta la duchesse d'un air rêveur, c'est peut-être en prévision du veuvage. Il n'y a rien de plus triste que les deuils qu'on ne peut pas porter.

— Ah ! si Mme de Villeparisis devenait Mme de Norpois, je crois que notre cousin Gilbert en ferait une maladie, dit le général de Saint-Joseph[b].

— Le prince de Guermantes est charmant, mais il est, en effet, très attaché aux questions de naissance et d'étiquette, dit la princesse de Parme. J'ai été passer deux jours chez lui à la campagne pendant que malheureusement la princesse était malade. J'étais accompagnée de Petite (c'était un surnom qu'on donnait à Mme d'Hunolstein parce qu'elle était énorme). Le prince est venu m'attendre au bas du perron, m'a offert le bras et a fait semblant de ne pas voir Petite. Nous sommes montés au premier[c] jusqu'à l'entrée des salons et alors là, en s'écartant pour me laisser passer, il a dit : "Ah ! bonjour, madame d'Hunolstein" (il ne l'appelle jamais que comme cela, depuis sa séparation), en feignant d'apercevoir seulement alors Petite, afin de montrer qu'il n'avait pas à venir la saluer en bas.

— Cela ne m'étonne pas du tout. Je n'ai pas besoin de vous dire », dit le duc qui se croyait extrêmement moderne, contempteur plus que quiconque de la naissance, et même républicain, « que je n'ai pas beaucoup d'idées communes avec mon cousin. Madame peut se douter que nous nous entendons à peu près sur toutes choses comme le jour avec la nuit. Mais je dois dire que si ma tante épousait Norpois, pour une fois je serais de l'avis de Gilbert. Être la fille de Florimond de Guise[2] et faire un tel mariage, ce serait, comme on dit, à faire rire les poules, que voulez-vous que je vous dise ? » Ces derniers mots, que le duc prononçait généralement au milieu d'une phrase, étaient là tout à fait inutiles. Mais il avait un besoin perpétuel de les dire, qui les lui faisait rejeter à la fin d'une période s'ils n'avaient pas trouvé de place ailleurs. C'était pour lui, entre autres choses, comme une question de métrique. « Notez, ajouta-t-il, que les Norpois[a] sont de braves gentilshommes, de bon lieu, de bonne souche.

— Écoutez, Basin, ce n'est pas la peine de se moquer de Gilbert pour parler comme lui », dit Mme de Guermantes pour qui la « bonté » d'une naissance, non moins que celle d'un vin, consistait exactement, comme pour le prince et pour le duc de Guermantes, dans son ancienneté. Mais, moins franche que son cousin et plus fine que son mari, elle tenait à ne pas démentir en causant l'esprit des Guermantes et méprisait le rang dans ses paroles quitte à l'honorer par ses actions.

« Mais est-ce que vous n'êtes même pas un peu cousins ? demanda le général de Saint-Joseph. Il me semble que Norpois avait épousé une La Rochefoucauld.

— Pas du tout de cette manière-là. Elle était de la branche des ducs de La Rochefoucauld, ma grand-mère est des ducs de Doudeauville. C'est la propre grand-mère d'Édouard Coco, l'homme le plus sage de la famille, répondit le duc qui avait sur la sagesse des vues un peu superficielles, et les deux rameaux ne se sont pas réunis depuis Louis XIV ; ce serait un peu éloigné.

— Tiens, c'est[b] intéressant, je ne le savais pas, dit le général.

— D'ailleurs, reprit M. de Guermantes, sa mère était, je crois, la sœur du duc de Montmorency et avait épousé d'abord un La Tour d'Auvergne. Mais comme ces Montmorency sont à peine Montmorency, et que ces La Tour d'Auvergne ne sont pas La Tour d'Auvergne du tout, je ne vois pas que cela lui donne une grande position. Il dit, ce qui serait plus important, qu'il descend de Saintrailles[1], et comme nous en descendons en ligne directe... »

Il y avait à Combray une rue de Saintrailles à laquelle je n'avais jamais repensé. Elle conduisait de la rue de la Bretonnerie à la rue de l'Oiseau. Et comme Saintrailles, ce compagnon de Jeanne d'Arc, avait en épousant une Guermantes fait entrer dans sa famille le comté de Combray, ses armes écartelaient celles de Guermantes au bas d'un vitrail de Saint-Hilaire. Je revis des marches de grès noirâtre pendant qu'une modulation ramenait ce nom de Guermantes dans le ton oublié où je l'entendais jadis, si différent de celui où il signifiait les hôtes aimables chez qui je dînais ce soir. Si le nom de duchesse de Guermantes était pour moi un nom collectif, ce n'était pas que dans l'histoire, par l'addition de toutes les femmes qui l'avaient porté, mais aussi au long de ma courte jeunesse qui avait déjà vu, en cette seule duchesse de Guermantes, tant de femmes différentes se superposer, chacune disparaissant quand la suivante avait pris assez de consistance. Les mots ne changent pas tant de signification pendant des siècles que pour nous les noms dans l'espace de quelques années. Notre mémoire et notre cœur ne sont pas assez grands pour pouvoir être fidèles. Nous n'avons pas assez de place, dans notre pensée actuelle, pour y garder les morts à côté des vivants. Nous sommes obligés de construire sur ce qui a précédé et que nous ne retrouvons qu'au hasard d'une fouille, du genre de celle que le nom de Saintrailles venait de pratiquer. Je trouvai inutile d'expliquer tout cela, et même, un peu auparavant, j'avais implicitement menti en ne répondant pas quand M. de Guermantes m'avait dit : « Vous ne connaissez pas notre patelin ? » Peut-être savait-il même que je le connaissais, et ne fut-ce que par bonne éducation qu'il n'insista pas. Mme de Guermantes me tira de ma rêverie[a].

« Moi, je trouve tout cela assommant. Écoutez, ce n'est pas toujours aussi ennuyeux chez moi. J'espère que vous allez vite revenir dîner pour une compensation, sans généalogies cette fois », me dit à mi-voix la duchesse incapable de comprendre le genre de charme que je pouvais trouver chez elle et d'avoir l'humilité de ne me plaire que comme un herbier plein de plantes démodées.

Ce que Mme de Guermantes croyait décevoir mon attente était, au contraire, ce qui, sur la fin — car le duc et le général ne cessèrent plus de parler généalogies — sauvait ma soirée d'une déception complète. Comment n'en eussé-je pas éprouvé une jusqu'ici ? Chacun des convives du dîner, affublant le nom mystérieux sous lequel je l'avais seulement connu et rêvé à distance, d'un corps et d'une intelligence pareils ou inférieurs à ceux de toutes les personnes que je connaissais, m'avait donné l'impression de plate vulgarité que peut donner l'entrée dans le port danois d'Elseneur à tout lecteur enfiévré d'*Hamlet*[b1].

Sans doute ces régions géographiques et ce passé ancien qui mettaient des futaies et des clochers gothiques dans leur nom, avaient, dans une certaine mesure, formé leur visage, leur esprit et leurs préjugés, mais n'y subsistaient que comme la cause dans l'effet,' c'est-à-dire peut-être possibles à dégager pour l'intelligence, mais nullement sensibles à l'imagination.

Et ces préjugés d'autrefois rendirent tout à coup aux amis de M. et Mme de Guermantes leur poésie perdue[a]. Certes, les notions possédées par les nobles et qui font d'eux les lettrés, les étymologistes de la langue, non des mots, mais des noms (et encore seulement relativement à la moyenne ignorante de la bourgeoisie, car si, à médiocrité égale, un dévot sera plus capable de vous répondre sur la liturgie qu'un libre penseur, en revanche un archéologue anticlérical pourra souvent en remontrer à son curé sur tout ce qui concerne même l'église de celui-ci), ces notions, si nous voulons rester dans le vrai, c'est-à-dire dans l'esprit, n'avaient même pas pour ces grands seigneurs le charme qu'elles auraient eu pour un bourgeois. Ils savaient peut-être mieux que moi que la duchesse de Guise était princesse de Clèves, d'Orléans, et de Porcien[1], etc., mais ils avaient connu, avant même tous ces noms, le visage de la duchesse de Guise que, dès lors[b], ce nom leur reflétait. J'avais commencé par la fée, dût-elle bientôt périr ; eux, par la femme.

Dans les familles bourgeoises on voit parfois naître des jalousies si la sœur cadette se marie avant l'aînée. Tel le monde aristocratique, des Courvoisier surtout, mais aussi des Guermantes, réduisait sa grandeur nobiliaire à de simples supériorités domestiques, en vertu d'un enfantillage que j'avais connu d'abord (c'était pour moi son seul charme) dans les livres. Tallemant des Réaux[2] n'a-t-il pas l'air de parler des Guermantes au lieu des Rohan, quand il raconte avec une évidente satisfaction que M. de Guéménée criait à son frère : « Tu peux entrer ici, ce n'est pas le Louvre ! » et disait du chevalier de Rohan (parce qu'il était fils naturel du duc de Clermont) : « Lui, du moins, il est prince ! » La seule chose qui me fît de la peine dans cette conversation, c'est de voir que les absurdes histoires touchant le charmant grand-duc héritier de Luxembourg trouvaient créance dans ce salon aussi bien qu'auprès des camarades de Saint-Loup. Décidément c'était une épidémie, qui ne durerait peut-être que deux ans, mais qui s'étendait à tous. On reprit les mêmes faux récits, on en ajouta d'autres. Je compris que la princesse de Luxembourg elle-même, en ayant l'air de défendre son neveu, fournissait des armes pour l'attaquer. « Vous avez tort de le défendre », me dit M. de Guermantes comme avait fait Saint-Loup. « Tenez, laissons même l'opinion de nos parents qui est unanime, parlez de lui à ses domestiques, qui sont au fond les gens qui nous connaissent le mieux. Mme de Luxembourg avait donné son petit nègre à son neveu. Le nègre est revenu en pleurant : "Grand-duc battu moi, moi pas canaille, grand-duc méchant, c'est épatant." Et je peux en parler sciemment, c'est un cousin à Oriane. »

Je ne peux, du reste, pas dire combien de fois pendant cette soirée j'entendis les mots de cousin et cousine. D'une part, M. de Guermantes, presque à chaque nom qu'on prononçait, s'écriait : « Mais c'est un cousin d'Oriane ! » avec la même joie qu'un homme qui, perdu dans une forêt, lit au bout de deux flèches, disposées en sens contraire sur une plaque indicatrice et suivies du chiffre cent petit de kilomètres : « Belvédère Casimir-Perier » et « Croix du Grand-Veneur[1] », et comprend par là qu'il est dans le bon chemin. D'autre part, ces mots cousin et cousine étaient employés dans une intention tout autre (qui faisait ici exception) par l'ambassadrice de Turquie, laquelle était venue après le dîner. Dévorée d'ambition mondaine et douée d'une réelle intelligence assimilatrice, elle apprenait avec la même facilité l'histoire de la retraite des Dix mille[2] ou la perversion sexuelle chez les oiseaux. Il aurait été impossible de la prendre en faute sur les plus récents travaux allemands, qu'ils traitassent d'économie politique, des vésanies, des diverses formes de l'onanisme, ou de la philosophie d'Épicure. C'était du reste une femme dangereuse à écouter, car, perpétuellement dans l'erreur, elle vous désignait comme des femmes ultra-légères d'irréprochables vertus, vous mettait en garde contre un monsieur animé des intentions les plus pures, et racontait de ces histoires qui semblent sortir d'un livre, non à cause de leur sérieux, mais de leur invraisemblance.

Elle était, à cette époque, peu reçue. Elle fréquentait quelques semaines des femmes tout à fait brillantes comme la duchesse de Guermantes, mais en général, en était restée, par force, pour les familles très nobles, à des rameaux obscurs que les Guermantes ne fréquentaient plus. Elle espérait avoir l'air tout à fait du monde en citant les plus grands noms de gens peu reçus qui étaient ses amis. Aussitôt M. de Guermantes, croyant qu'il s'agissait de gens qui dînaient souvent chez lui, frémissait joyeusement de se retrouver en pays de connaissance et poussait un cri de ralliement : « Mais c'est un cousin d'Oriane ! Je le connais comme ma poche. Il demeure rue Vaneau. Sa mère était Mlle d'Uzès. »

L'ambassadrice était obligée d'avouer que son exemple était tiré d'animaux plus petits[1]. Elle tâchait de rattacher ses amis à ceux de M. de Guermantes en rattrapant celui-ci de biais : « Je sais très bien qui vous voulez dire. Non, ce n'est pas ceux-là, ce sont des cousins. » Mais cette phrase de reflux jetée par la pauvre ambassadrice expirait bien vite. Car M. de Guermantes, désappointé, répondait : « Ah ! alors, je ne vois pas qui vous voulez dire. » L'ambassadrice ne répliquait rien, car si elle ne connaissait jamais que « les cousins » de ceux qu'il aurait fallu, bien souvent ces cousins n'étaient même pas parents. Puis, de la part de M. de Guermantes, c'était un flux nouveau de « Mais c'est une cousine d'Oriane », mots qui semblaient avoir pour M. de Guermantes, dans chacune de ses phrases, la même utilité que certaines épithètes commodes aux poètes latins, parce qu'elles leur fournissaient pour leurs hexamètres un dactyle ou un spondée. Du moins l'explosion de « Mais c'est une cousine d'Oriane » me parut-elle toute naturelle appliquée à la princesse de Guermantes, laquelle était en effet fort proche parente de la duchesse. L'ambassadrice n'avait pas l'air d'aimer cette princesse. Elle me dit tout bas : « Elle est stupide. Mais non, elle n'est pas si belle. C'est une réputation usurpée. Du reste, ajouta-t-elle d'un air à la fois réfléchi, répulsif et décidé, elle m'est fortement antipathique. » Mais souvent le cousinage s'étendait beaucoup plus loin, Mme de Guermantes se faisant un devoir de dire « ma tante » à des personnes avec qui on ne lui eût pas trouvé un ancêtre commun sans remonter au moins jusqu'à Louis XV, tout aussi bien que, chaque fois que le malheur[a] des temps faisait qu'une milliardaire épousait quelque prince[2] dont le trisaïeul avait épousé, comme celui de Mme de Guermantes, une fille de Louvois[3], une des joies

de l'Américaine était de pouvoir, dès une première visite
à l'hôtel de Guermantes, où elle était d'ailleurs plus ou
moins mal reçue et plus ou moins bien épluchée, dire « ma
tante » à Mme de Guermantes, qui la laissait faire avec
un sourire maternel. Mais peu m'importait ce qu'était la
« naissance » pour M. de Guermantes et M. de Beauserfeuil ; dans les conversations qu'ils avaient à ce sujet,
je ne cherchais qu'un plaisir poétique. Sans le connaître
eux-mêmes, ils me le procuraient comme eussent fait des
laboureurs ou des matelots parlant de culture et de marées,
réalités trop peu détachées d'eux-mêmes pour qu'ils
puissent y goûter la beauté que personnellement je me
chargeais d'en extraire.

Parfois*a*, plus que d'une race, c'était d'un fait particulier,
d'une date, que faisait souvenir un nom. En entendant
M. de Guermantes rappeler que la mère de M. de Bréauté
était Choiseul et sa grand-mère Lucinge, je crus voir
sous la chemise banale aux simples boutons de perle
saigner dans deux globes de cristal ces augustes reliques :
le cœur de Mme de Praslin et du duc de Berri[1] ; d'autres
étaient plus voluptueuses, les fins et longs cheveux de
Mme Tallien ou de Mme de Sabran[2].

Quelquefois ce n'était pas une simple relique que je
voyais. Plus instruit que sa femme de ce qu'avaient été
leurs ancêtres, M. de Guermantes se trouvait posséder des
souvenirs qui donnaient à sa conversation un bel air
d'ancienne demeure dépourvue de chefs-d'œuvre véritables, mais pleine de tableaux authentiques, médiocres
et majestueux dont l'ensemble a grand air. Le prince
d'Agrigente ayant demandé pourquoi le prince Von avait
dit, en parlant du duc d'Aumale, « mon oncle », M. de
Guermantes répondit : « Parce que le frère de sa mère,
le duc de Wurtemberg, avait épousé une fille de
Louis-Philippe[3]. » Alors je contemplai toute une châsse,
pareille à celles que peignaient Carpaccio ou Memling[4],
depuis le premier compartiment où la princesse, aux fêtes
des noces de son frère le duc d'Orléans, apparaissait
habillée*b* d'une simple robe de jardin pour témoigner de
sa mauvaise humeur d'avoir vu repousser ses ambassadeurs
qui étaient allés demander pour elle la main du prince de
Syracuse[5], jusqu'au dernier où elle vient d'accoucher d'un
garçon, le duc de Wurtemberg[6] (le propre oncle du prince
avec lequel je venais de dîner[7]), dans ce château de

Fantaisie, un de ces lieux aussi aristocratiques que certaines
familles[1]. Eux aussi, durant au-delà d'une génération,
voient se rattacher à eux plus d'une personnalité historique ; dans celui-là notamment vivent côte à côte les
souvenirs de la margrave de Bayreuth[2], de cette autre
princesse un peu fantasque (la sœur du duc d'Orléans)
à qui on disait que le nom du château de son époux plaisait,
du roi de Bavière[3], et enfin du prince Von[d] dont il était
précisément l'adresse, à laquelle il venait de demander au
duc de Guermantes de lui écrire, car il en avait hérité et
ne le louait que pendant les représentations de Wagner,
au prince de Polignac, autre « fantaisiste » délicieux[4].
Quand M. de Guermantes, pour[b] expliquer comment il
était parent de Mme d'Arpajon, était obligé, si loin et si
simplement, de remonter, par la chaîne et les mains unies
de trois ou de cinq aïeules, à Marie-Louise ou à Colbert,
c'était encore la même chose : dans tous ces cas, un grand
événement historique n'apparaissait au passage que masqué, dénaturé, restreint, dans le nom d'une propriété, dans
les prénoms d'une femme choisis tels qu'elle est la
petite-fille de Louis-Philippe et de Marie-Amélie considérés non plus comme roi et reine de France, mais
seulement dans la mesure où, en tant que grands-parents,
ils laissèrent un héritage. (On voit, pour d'autres raisons,
dans un dictionnaire de l'œuvre de Balzac où les
personnages les plus illustres ne figurent que selon leurs
rapports avec *La Comédie humaine*, Napoléon tenir une
place bien moindre que Rastignac, et la tenir seulement
parce qu'il a parlé aux demoiselles de Cinq-Cygne[5].) Telle
l'aristocratie en sa construction lourde, percée de rares
fenêtres, laissant entrer peu de jour, montrant le même
manque d'envolée, mais aussi la même puissance massive
et aveuglée que l'architecture romane, enferme toute
l'histoire, l'emmure, la renfrogne.

Ainsi les espaces de ma mémoire se couvraient peu à
peu de noms qui, en s'ordonnant, en se composant les uns
relativement aux autres, en nouant entre eux des rapports
de plus en plus nombreux, imitaient ces œuvres d'art
achevées où il n'y a pas une seule touche qui soit isolée,
où chaque partie tour à tour reçoit des autres sa raison
d'être comme elle leur impose la sienne.

Le nom de M. de Luxembourg étant revenu sur le tapis,
l'ambassadrice de Turquie raconta que le grand-père de

la jeune femme (celui qui avait cette immense fortune venue des farines et des pâtes) ayant invité M. de Luxembourg à déjeuner, celui-ci avait refusé en faisant mettre sur l'enveloppe : « M. de ***, meunier », à quoi le grand-père avait répondu : « Je suis d'autant plus désolé que vous n'ayez pas pu venir, mon cher ami, que j'aurais pu jouir de vous dans l'intimité, car nous étions en petit comité et il n'y aurait eu au repas que le meunier, son fils et vous. » Cette histoire était non seulement odieuse pour moi, qui savais l'impossibilité morale que mon cher M. de Nassau écrivît au grand-père de sa femme (duquel du reste il savait devoir hériter) en le qualifiant de « meunier » ; mais encore la stupidité éclatait dès les premiers mots, l'appellation de meunier étant trop évidemment placée pour amener le titre de la fable de La Fontaine[1]. Mais il y a dans le faubourg Saint-Germain une niaiserie telle, quand la malveillance l'aggrave, que chacun trouva que c'était « envoyé » et que le grand-père, dont tout le monde déclara aussitôt de confiance que c'était un homme remarquable, avait montré plus d'esprit que son petit-gendre. Le duc de Châtellerault voulut profiter de cette histoire pour raconter celle que j'avais entendue au café : « Tout le monde se couchait », mais dès les premiers mots et quand il eut dit la prétention de M. de Luxembourg que, devant sa femme, M. de Guermantes se levât, la duchesse l'arrêta et protesta : « Non, il est bien ridicule, mais tout de même pas à ce point. » J'étais intimement persuadé que toutes les histoires relatives à M. de Luxembourg étaient pareillement fausses et que, chaque fois que je me trouverais en présence d'un des acteurs ou des témoins, j'entendrais le même démenti. Je me demandai cependant si celui de Mme de Guermantes était dû au souci de la vérité ou à l'amour-propre. En tout cas, ce dernier céda devant la malveillance, car elle ajouta en riant : « Du reste, j'ai eu ma petite avanie aussi, car il m'a invitée à goûter, désirant me faire connaître la grande-duchesse de Luxembourg ; c'est ainsi qu'il a le bon goût d'appeler sa femme, en écrivant à sa tante. Je lui ai répondu mes regrets et j'ai ajouté : "Quant à 'la grande-duchesse de Luxembourg', entre guillemets, dis-lui que si elle vient me voir je suis chez moi après 5 heures tous les jeudis." J'ai même eu une seconde avanie. Étant à Luxembourg je lui ai téléphoné de venir me parler à l'appareil. Son Altesse allait déjeuner, venait de déjeuner, deux heures se passèrent sans résultat et j'ai usé alors d'un autre moyen : "Voulez-vous dire au comte de Nassau de venir me parler ?" Piqué au vif, il accourut à la minute même. » Tout le monde rit du récit de la duchesse et d'autres analogues, c'est-à-dire, j'en suis convaincu, de mensonges, car d'homme plus intelligent, meilleur, plus fin, tranchons le mot, plus exquis que ce Luxembourg-Nassau, je n'en ai jamais rencontré. La suite montrera que c'était moi qui avais raison. Je dois reconnaître qu'au milieu de toutes ses « rosseries », Mme de Guermantes eut pourtant une phrase gentille.

« Il n'a pas toujours été comme cela, dit-elle. Avant de perdre la raison, d'être, comme dans les livres, l'homme qui se croit devenu roi, il n'était pas bête, et même, dans les premiers temps de ses fiançailles, il en parlait d'une façon assez sympathique comme d'un bonheur inespéré : "C'est un vrai conte de fées, il faudra que je fasse mon entrée au Luxembourg dans un carrosse de féerie", disait-il à son oncle d'Ornessan qui lui répondit, car, vous savez, c'est pas grand le Luxembourg : "Un carrosse de féerie, je crains que tu ne puisses pas entrer. Je te conseille plutôt la voiture aux chèvres." Non seulement cela ne fâcha pas Nassau, mais il fut le premier à nous raconter le mot et à en rire.

— Ornessan est plein d'esprit, il a de qui tenir, sa mère est Montjeu. Il va bien mal, le pauvre Ornessan. »

Ce nom eut la vertu d'interrompre les fades méchancetés qui se seraient déroulées à l'infini. En effet, M. de Guermantes expliqua que l'arrière-grand-mère de M. d'Ornessan était la sœur de Marie de Castille Montjeu, femme de Timoléon de Lorraine, et par conséquent tante d'Oriane. De sorte que la conversation retourna aux généalogies, cependant que l'imbécile ambassadrice de Turquie me soufflait à l'oreille : « Vous avez l'air d'être très bien dans les papiers du duc de Guermantes, prenez garde », et comme je demandais l'explication : « Je veux dire, vous comprendrez à demi-mot, que c'est un homme à qui on pourrait confier sans danger sa fille, mais non son fils. » Or, si jamais homme au contraire aima passionnément et exclusivement les femmes, ce fut bien le duc de Guermantes. Mais l'erreur, la contre-vérité naïvement crue étaient pour l'ambassadrice comme un milieu vital hors duquel elle ne pouvait se mouvoir. « Son frère Mémé, qui m'est, du reste, pour d'autres raisons (il ne la saluait pas), foncièrement antipathique, a un vrai chagrin des mœurs du duc. De même leur tante Villeparisis. Ah ! je l'adore. Voilà une sainte femme, le vrai type des grandes dames d'autrefois. Ce n'est pas seulement la vertu même, mais la réserve. Elle dit encore : "Monsieur" à l'ambassadeur Norpois qu'elle voit tous les jours et qui, entre parenthèses, a laissé un excellent souvenir en Turquie. »

Je ne répondis même pas à l'ambassadrice afin d'entendre les généalogies. Elles n'étaient pas toutes importantes. Il arriva[d] même, au cours de la conversation, qu'une des alliances inattendues que m'apprit M. de Guermantes, était une mésalliance, mais non sans charme, car, unissant, sous la monarchie de Juillet, le duc de Guermantes et le duc de Fezensac aux deux ravissantes filles d'un illustre navigateur, elle donnait ainsi aux deux duchesses le piquant imprévu d'une grâce exotiquement bourgeoise, louisphilippement indienne. Ou bien, sous Louis XIV, un Norpois avait épousé la fille du duc de Mortemart, dont le titre illustre frappait, dans le lointain de cette époque, le nom que je trouvais terne et pouvais croire récent de Norpois, y ciselait profondément la beauté d'une médaille[b]. Et dans ces cas-là d'ailleurs, ce n'était pas seulement le nom moins connu qui bénéficiait du rapprochement : l'autre, devenu banal à force d'éclat, me frappait davantage sous cet aspect nouveau et plus obscur, comme, parmi les portraits d'un éblouissant coloriste, le plus saisissant est parfois un portrait tout en noir. La mobilité[c] nouvelle dont me semblaient doués tous ces noms, venant se placer à côté d'autres dont je les aurais crus si loin, ne tenait pas seulement à mon ignorance ; ces chassés-croisés qu'ils faisaient dans mon esprit, ils ne les avaient pas effectués moins aisément dans ces époques où un titre, étant toujours attaché à une terre, la suivait d'une famille dans une autre, si bien que, par exemple, dans la belle construction féodale qu'est le titre de duc de Nemours ou de duc de Chevreuse, je pouvais découvrir successivement, blottis, comme dans la demeure hospitalière d'un bernard-l'ermite, un Guise, un prince de Savoie, un Orléans, un Luynes. Parfois plusieurs restaient en compétition pour une même coquille : pour la principauté d'Orange, la

famille royale des Pays-Bas et MM. de Mailly-Nesle ; pour
le duché de Brabant, le baron de Charlus et la famille
royale de Belgique ; tant d'autres pour les titres de prince
de Naples, de duc de Parme, de duc de Reggio[1].
Quelquefois c'était le contraire, la coquille était depuis si
longtemps inhabitée par les propriétaires morts depuis
longtemps que je ne m'étais jamais avisé que tel nom de
château eût pu être, à une époque en somme très peu
reculée, un nom de famille. Ainsi, comme M. de
Guermantes répondait à une question de M. de Monserfeuil : « Non, ma cousine était une royaliste enragée,
c'était la fille du marquis de Féterne, qui joua un certain
rôle dans la guerre des Chouans », à voir ce nom de
Féterne, qui depuis mon séjour à Balbec était pour moi
un nom de château, devenir ce que je n'avais jamais songé
qu'il eût pu être, un nom de famille, j'eus le même
étonnement que dans une féerie où des tourelles et un
perron s'animent et deviennent des personnes. Dans cette
acception-là, on peut dire que l'histoire, même simplement
généalogique, rend la vie aux vieilles pierres. Il y eut dans
la société parisienne des hommes qui y jouèrent un rôle
aussi considérable, qui y furent plus recherchés pour leur
élégance ou pour leur esprit, et eux-mêmes d'une aussi
haute naissance que le duc de Guermantes ou le duc de
La Trémoïlle. Ils sont aujourd'hui tombés dans l'oubli,
parce que, comme ils n'ont pas eu de descendants, leur
nom qu'on n'entend plus jamais, résonne comme un nom
inconnu ; tout au plus un nom de chose, sous lequel nous
ne songeons pas à découvrir le nom d'hommes, survit-il
en quelque château, quelque village lointain. Un jour[a]
prochain le voyageur qui, au fond de la Bourgogne,
s'arrêtera dans le petit village de Charlus pour visiter son
église, s'il n'est pas assez studieux ou se trouve trop pressé
pour en examiner les pierres tombales, ignorera que ce
nom de Charlus fut celui d'un homme qui allait de pair
avec les plus grands. Cette réflexion me rappela qu'il fallait
partir et que, tandis que j'écoutais M. de Guermantes
parler généalogies, l'heure approchait où j'avais rendez-
vous avec son frère. Qui sait, continuais-je à penser, si un
jour Guermantes lui-même paraîtra autre chose qu'un nom
de lieu[2], sauf aux archéologues arrêtés par hasard à
Combray, et qui devant le vitrail de Gilbert le Mauvais
auront la patience d'écouter les discours du successeur de

Théodore ou de lire le guide du curé[1]. Mais tant qu'un grand nom n'est pas éteint, il maintient en pleine lumière ceux qui le portèrent ; et c'est sans doute, pour une part, l'intérêt qu'offrait à mes yeux l'illustration de ces familles, qu'on peut, en partant d'aujourd'hui, les suivre en remontant degré par degré jusque bien au-delà du XIVe siècle et retrouver les Mémoires et les correspondances de tous les ascendants de M. de Charlus, du prince d'Agrigente, de la princesse de Parme, dans un passé où une nuit impénétrable couvrirait les origines d'une famille bourgeoise, et où nous distinguons, sous la projection lumineuse et rétrospective d'un nom, l'origine et la persistance de certaines caractéristiques nerveuses, de certains vices, des désordres de tels ou tels Guermantes. Presque[a] pathologiquement pareils à ceux d'aujourd'hui, ils excitent de siècle en siècle l'intérêt alarmé de leurs correspondants, qu'ils soient antérieurs à la princesse Palatine[2] et à Mme de Motteville[3], ou postérieurs au prince de Ligne[4].

D'ailleurs, ma curiosité historique était faible en comparaison du plaisir esthétique. Les noms cités avaient pour effet de désincarner les invités de la duchesse, lesquels avaient beau s'appeler le prince d'Agrigente ou de Cystria, que leur masque de chair et d'inintelligence ou d'intelligence commune avait changés en hommes quelconques, si bien qu'en somme j'avais atterri au paillasson[b] du vestibule, non pas comme au seuil, ainsi que je l'avais cru, mais au terme du monde enchanté des noms. Le prince d'Agrigente lui-même, dès que j'eus entendu que sa mère était Damas[5], petite-fille du duc de Modène[6], fut délivré, comme d'un compagnon chimique instable, de la figure et des paroles qui empêchaient de le reconnaître, et alla former avec Damas et Modène, qui eux n'étaient que des titres, une combinaison infiniment plus séduisante. Chaque nom déplacé par l'attirance d'un autre avec lequel je ne lui avais soupçonné aucune affinité, quittait la place immuable qu'il occupait dans mon cerveau, où l'habitude l'avait terni, et, allant rejoindre les Mortemarts, les Stuarts ou les Bourbons, dessinait avec eux des rameaux du plus gracieux effet et d'un coloris changeant. Le nom même de Guermantes recevait de tous les beaux noms éteints et d'autant plus ardemment rallumés auxquels j'apprenais seulement qu'il était attaché, une détermination nouvelle, purement poétique. Tout au plus, à l'extrémité de chaque renflement de la tige altière, pouvais-je la voir s'épanouir en quelque figure de sage roi ou d'illustre princesse, comme le père d'Henri IV[1] ou la duchesse de Longueville[2]. Mais comme ces faces, différentes en cela de celles des convives, n'étaient empâtées pour moi d'aucun résidu d'expérience matérielle et de médiocrité mondaine, elles restaient, en leur beau dessin et leurs changeants reflets, homogènes à ces noms, qui, à intervalles réguliers, chacun d'une couleur différente, se détachaient[a] de l'arbre généalogique de Guermantes, et ne troublaient d'aucune matière étrangère et opaque les bourgeons translucides, alternants et multicolores, qui, tels qu'aux antiques vitraux de Jessé les ancêtres de Jésus, fleurissaient de l'un et l'autre côté de l'arbre de verre[3].

À plusieurs reprises déjà j'avais voulu me retirer, et, plus que pour toute autre raison, à cause de l'insignifiance que ma présence imposait à cette réunion, l'une pourtant de celles que j'avais longtemps imaginées si belles, et qui sans doute l'eût été si elle n'avait pas eu de témoin gênant. Du moins mon départ allait permettre aux invités, une fois que le profane ne serait plus là, de se constituer enfin en comité secret. Ils allaient pouvoir célébrer les mystères pour la célébration desquels ils s'étaient réunis, car ce n'était pas évidemment pour parler de Frans Hals ou de l'avarice et pour en parler de la même façon que font les gens de la bourgeoisie. On ne disait que des riens, sans doute parce que j'étais là, et j'avais des remords, en voyant toutes ces jolies femmes séparées[b], de les empêcher, par ma présence, de mener, dans le plus précieux de ses salons, la vie mystérieuse du faubourg Saint-Germain. Mais ce départ que je voulais à tout instant effectuer, M. et Mme de Guermantes[c] poussaient l'esprit de sacrifice jusqu'à le reculer en me retenant. Chose plus curieuse encore, plusieurs des dames qui étaient venues, empressées, ravies, parées, constellées de pierreries, pour n'assister, par ma faute, qu'à une fête qui ne différait pas plus essentiellement de celles qui se donnent ailleurs que dans le faubourg Saint-Germain, qu'on ne se sent à Balbec dans une ville qui diffère de ce que nos yeux ont coutume de voir — plusieurs de ces dames se retirèrent, non pas déçues, comme elles auraient dû l'être, mais remerciant avec effusion Mme de

Guermantes de la délicieuse soirée qu'elles avaient passée, comme si, les autres jours, ceux où je n'étais pas là, il ne se passait pas autre chose.

Était-ce vraiment à cause de dîners tels que celui-ci que toutes ces personnes faisaient toilette et refusaient de laisser pénétrer des bourgeoises dans leurs salons si fermés ? Pour des dîners tels que celui-ci ? pareils si j'avais été absent ? J'en eus un instant le soupçon, mais il était trop absurde. Le simple bon sens me permettait de l'écarter. Et puis, si je l'avais accueilli, que serait-il resté du nom de Guermantes, déjà si dégradé depuis Combray ?

Au reste ces filles-fleurs[1] étaient[a] à un degré étrange, faciles à être contentées par une autre personne, ou désireuses de la contenter, car plus d'une à laquelle je n'avais tenu pendant toute la soirée que deux ou trois propos dont la stupidité m'avait fait rougir, tint, avant de quitter le salon, à venir me dire, en fixant sur moi ses beaux yeux caressants, tout en redressant la guirlande d'orchidées qui contournait sa poitrine, quel plaisir intense elle avait eu à me connaître, et me parler — allusion voilée à une invitation à dîner — de son désir « d'arranger quelque chose », après qu'elle aurait « pris jour » avec Mme de Guermantes. Aucune de ces dames fleurs ne partait avant la princesse de Parme. La présence de celle-ci — on ne doit pas s'en aller avant une Altesse — était une des deux raisons, non devinées par moi, pour lesquelles la duchesse avait mis tant d'insistance à ce que je restasse. Dès que Mme de Parme fut levée, ce fut comme une délivrance. Toutes les dames ayant fait une génuflexion devant la princesse qui les releva, reçurent d'elle dans un baiser, et comme une bénédiction qu'elles eussent demandée à genoux, la permission de demander leur manteau et leurs gens. De sorte que ce fut, devant la porte, comme une récitation criée de grands noms de l'histoire de France. La princesse de Parme avait défendu à Mme de Guermantes de descendre l'accompagner jusqu'au vestibule de peur qu'elle ne prît froid, et le duc avait ajouté : « Voyons, Oriane, puisque Madame le permet, rappelez-vous ce que vous a dit le docteur. »

« Je crois que la princesse de Parme a été *très contente* de dîner avec vous. » Je connaissais la formule. Le duc avait traversé tout le salon pour venir la prononcer devant moi, d'un air obligeant et pénétré, comme s'il me remettait un diplôme ou m'offrait des petits fours. Et je sentis au plaisir qu'il paraissait éprouver à ce moment-là et qui donnait une expression momentanément si douce à son visage, que le genre de soins que cela représentait pour lui était de ceux dont il s'acquitterait jusqu'à la fin extrême de sa vie, comme de ces fonctions honorifiques et aisées que, même gâteux, on conserve encore.

Au moment où j'allais partir, la dame d'honneur de la princesse rentra dans le salon, ayant oublié d'emporter de merveilleux œillets, venus de Guermantes, que la duchesse avait donnés à Mme de Parme. La dame d'honneur était assez rouge, on sentait qu'elle avait été bousculée, car la princesse, si bonne envers tout le monde, ne pouvait retenir son impatience devant la niaiserie de sa suivante. Aussi celle-ci courait-elle vite en emportant les œillets, mais, pour garder son air à l'aise et mutin, elle jeta en passant devant moi : « La princesse trouve que je suis en retard, elle voudrait que nous fussions parties et avoir les œillets tout de même. Dame ! je ne suis pas un petit oiseau, je ne peux pas être à plusieurs endroits à la fois. »

Hélas ! la raison de ne pas se lever avant une Altesse n'était pas la seule. Je ne pus pas partir immédiatement, car il y en avait une autre : c'était que ce fameux luxe, inconnu aux Courvoisier, dont les Guermantes, opulents ou à demi ruinés, excellaient à faire jouir leurs amis, n'était pas qu'un luxe matériel mais, comme je l'avais expérimenté souvent avec Robert de Saint-Loup, était aussi un luxe de paroles charmantes, d'actions gentilles, toute une élégance verbale, alimentée par une véritable richesse intérieure. Mais comme celle-ci, dans l'oisiveté mondaine, reste sans emploi, elle s'épanchait parfois, cherchait un dérivatif en une sorte d'effusion fugitive, d'autant plus anxieuse, et qui aurait pu, de la part de Mme de Guermantes, faire croire à de l'affection. Elle l'éprouvait d'ailleurs au moment où elle la laissait déborder, car elle trouvait alors, dans la société de l'ami ou de l'amie avec qui elle se trouvait, une sorte d'ivresse, nullement sensuelle, analogue à celle que la musique donne à certaines personnes ; il lui arrivait de détacher une fleur de son corsage, un médaillon, et de les donner à quelqu'un avec qui elle eût souhaité de faire durer la soirée, tout en sentant avec mélancolie qu'un tel prolongement n'aurait pu mener à autre chose qu'à de vaines causeries où rien n'aurait passé du plaisir nerveux, de l'émotion passagère, semblables aux premières chaleurs du printemps par l'impression qu'elles laissent de lassitude et de tristesse. Quant à l'ami, il ne fallait pas qu'il fût trop dupe des promesses, plus grisantes qu'aucune qu'il eût jamais entendue, proférées par ces femmes, qui, parce qu'elles ressentent avec tant de force la douceur d'un moment, font de lui, avec une délicatesse, une noblesse ignorées des créatures normales, un chef-d'œuvre attendrissant de grâce et de bonté, et n'ont plus rien à donner d'elles-mêmes après qu'un autre moment est venu. Leur affection ne survit pas à l'exaltation qui la dicte ; et la finesse d'esprit qui les avait amenées alors à deviner toutes les choses que vous désiriez entendre et à vous les dire, leur permettra tout aussi bien, quelques jours plus tard, de saisir vos ridicules et d'en amuser un autre de leurs visiteurs avec lequel elles seront en train de goûter un de ces « moments musicaux » qui sont si brefs[1].

Dans le vestibule où je demandai à un valet de pied mes snow-boots que j'avais pris par précaution contre la neige, dont il était tombé quelques flocons vite changés en boue, ne me rendant pas compte que c'était peu élégant, j'éprouvai, du sourire dédaigneux de tous, une honte qui atteignit son plus haut degré quand je vis que Mme de Parme n'était pas partie et me voyait chaussant mes caoutchoucs américains. La princesse revint vers moi. « Oh ! quelle bonne idée, s'écria-t-elle, comme c'est pratique ! voilà un homme intelligent. Madame, il faudra que nous achetions cela », dit-elle à sa dame d'honneur, tandis que l'ironie des valets se changeait en respect et que les invités s'empressaient autour de moi pour s'enquérir où j'avais pu trouver ces merveilles. « Grâce à cela, vous n'aurez rien à craindre, même s'il reneige et si vous allez loin ; il n'y a plus de saison, me dit la princesse.

— Oh ! à ce point de vue, Votre Altesse Royale peut se rassurer, interrompit la dame d'honneur d'un air fin, il ne reneigera pas.

— Qu'en savez-vous, Madame ? » demanda aigrement l'excellente princesse de Parme, que seule réussissait à agacer la bêtise de sa dame d'honneur.

« Je peux l'affirmer à Votre Altesse Royale, il ne peut pas reneiger, c'est matériellement impossible.

— Mais pourquoi ?

— Il ne peut plus neiger, on a fait le nécessaire pour cela : on a jeté du sel[2]. »

La naïve dame ne s'aperçut pas de la colère de la princesse et de la gaieté des autres personnes, car, au lieu de se taire, elle me dit avec un sourire amène, sans tenir compte de mes dénégations au sujet de l'amiral Jurien de La Gravière : « D'ailleurs qu'importe ? Monsieur doit avoir le pied marin. Bon sang*^a* ne peut mentir. »

Et ayant reconduit la princesse de Parme, M. de Guermantes me dit en prenant mon pardessus : « Je vais vous aider à entrer votre pelure. ». Il ne souriait même plus en employant cette expression, car celles qui sont le plus vulgaires étaient, par cela même, à cause de l'affectation de simplicité des Guermantes, devenues aristocratiques.

Une exaltation n'aboutissant qu'à la mélancolie, parce qu'elle était artificielle, ce fut aussi, quoique tout autrement que Mme de Guermantes, ce que je ressentis une fois sorti enfin de chez elle, dans la voiture qui allait me conduire à l'hôtel de M. de Charlus. Nous pouvons à notre choix nous livrer à l'une ou l'autre de deux forces, l'une s'élève de nous-même, émane de nos impressions profondes, l'autre nous vient du dehors. La première porte naturellement avec elle une joie, celle que dégage la vie des créatures. L'autre courant, celui qui essaye d'introduire en nous le mouvement dont sont agitées des personnes extérieures, n'est pas accompagné de plaisir ; mais nous pouvons lui en ajouter un, par choc en retour, en une ivresse si factice qu'elle tourne vite à l'ennui, à la tristesse ; d'où le visage morne de tant de mondains, et chez eux tant d'états nerveux qui peuvent aller jusqu'au suicide. Or, dans la voiture qui me menait chez M. de Charlus, j'étais en proie à cette seconde sorte d'exaltation, bien différente de celle qui nous est donnée par une impression personnelle, comme celle que j'avais eue dans d'autres voitures : une fois à Combray, dans la carriole du Dr Percepied, d'où j'avais vu se peindre sur le couchant les clochers de Martinville[1] ; un jour, à Balbec, dans la calèche de Mme de Villeparisis, en cherchant à démêler la réminiscence que m'offrait une allée d'arbres[2]. Mais dans cette troisième voiture, ce que j'avais devant les yeux de l'esprit, c'étaient ces conversations qui m'avaient paru si ennuyeuses au dîner de Mme de Guermantes, par exemple les récits du prince Von sur l'empereur d'Allemagne, sur le général Botha et l'armée anglaise. Je venais de les glisser dans le stéréoscope intérieur à travers lequel, dès que nous ne sommes plus nous-mêmes, dès que, doués d'une âme mondaine, nous ne voulons plus recevoir notre vie que des autres, nous donnons du relief à ce qu'ils ont dit, à ce qu'ils ont fait. Comme un homme ivre plein de tendres dispositions pour le garçon de café qui l'a servi, je m'émerveillais de mon bonheur, non ressenti par moi, il est vrai, au moment même, d'avoir dîné avec quelqu'un qui connaissait si bien Guillaume II et avait raconté sur lui des anecdotes, ma foi, fort spirituelles. Et en me rappelant, avec l'accent allemand du prince, l'histoire du général Botha, je riais tout haut, comme si ce rire, pareil à certains applaudissements qui augmentent l'admiration intérieure, était nécessaire à ce récit pour en corroborer le comique. Derrière les verres grossissants, même ceux des jugements de Mme de Guermantes qui m'avaient paru bêtes (par exemple sur Frans Hals qu'il aurait fallu voir d'un tramway) prenaient une vie, une profondeur extraordinaires. Et je dois dire que, si cette exaltation tomba vite, elle n'était pas absolument insensée. De même que nous pouvons un beau jour être heureux de connaître la personne que nous dédaignions le plus, parce qu'elle se trouve être liée avec une jeune fille que nous aimons, à qui elle peut nous présenter, et nous offre ainsi de l'utilité et de l'agrément, choses dont nous l'aurions crue à jamais dénuée, il n'y a pas de propos, pas plus que de relations, dont on puisse être certain qu'on ne tirera pas un jour quelque chose. Ce que m'avait dit Mme de Guermantes sur les tableaux qui seraient intéressants à voir, même d'un tramway, était faux, mais contenait une part de vérité qui me fut précieuse dans la suite.

De même les vers[a] de Victor Hugo qu'elle m'avait cités étaient, il faut l'avouer, d'une époque antérieure à celle où il est devenu plus qu'un homme nouveau, où il a fait apparaître dans l'évolution une espèce littéraire encore inconnue, douée d'organes plus complexes. Dans ces premiers poèmes, Victor Hugo pense encore, au lieu de se contenter, comme la nature, de donner à penser. Des « pensées », il en exprimait alors sous la forme la plus directe, presque dans le sens où le duc prenait le mot, quand, trouvant vieux jeu et encombrant que les invités de ses grandes fêtes, à Guermantes, fissent, sur l'album du château, suivre leur signature d'une réflexion philosophico-poétique, il avertissait les nouveaux venus d'un ton suppliant : « Votre nom, mon cher, mais pas de pensée[1] ! » Or, c'étaient ces « pensées » de Victor Hugo (presque aussi absentes de *La Légende des siècles* que les « airs », les « mélodies » dans la deuxième manière wagnérienne) que Mme de Guermantes aimait dans le premier Hugo. Mais pas absolument à tort. Elles étaient touchantes et déjà autour d'elles, sans que la forme eût encore de profondeur où elle ne devait parvenir que plus tard, le déferlement des mots nombreux et des rimes richement articulées les rendait inassimilables à ces vers qu'on peut découvrir dans un Corneille, par exemple, et où un romantisme intermittent, contenu, et qui nous émeut d'autant plus, n'a point pourtant pénétré jusqu'aux sources physiques de la vie, modifié l'organisme inconscient et généralisable où s'abrite l'idée. Aussi avais-je eu tort de me confiner jusqu'ici dans les derniers recueils d'Hugo. Des premiers, certes, c'était seulement d'une part infime que s'ornait la conversation de Mme de Guermantes. Mais justement, en citant ainsi un vers isolé on décuple sa puissance attractive. Ceux qui étaient entrés ou rentrés dans ma mémoire, au cours de ce dîner, aimantaient à leur tour, appelaient à eux avec une telle force les pièces au milieu desquelles ils avaient l'habitude d'être enclavés, que mes mains électrisées ne purent pas résister plus de quarante-huit heures à la force qui les conduisait vers le volume où étaient reliés *Les Orientales* et *Les Chants du crépuscule.* Je maudis le valet de pied de Françoise d'avoir fait don à son pays natal de mon exemplaire des *Feuilles d'automne,* et je l'envoyai sans perdre un instant en acheter un autre. Je[a] relus ces volumes d'un bout à l'autre, et ne retrouvai la paix que quand j'aperçus tout d'un coup, m'attendant dans la lumière où elle les avait baignés, les vers que m'avait cités Mme de Guermantes. Pour toutes ces raisons, les causeries avec la duchesse ressemblaient à ces connaissances qu'on puise dans une bibliothèque de château, surannée, incomplète, incapable de former une intelligence, dépourvue de presque tout ce que nous aimons, mais nous offrant parfois quelque renseignement curieux, voire la citation d'une belle page que nous ne connaissions pas, et dont nous sommes heureux dans la suite de nous rappeler que nous en devons la connaissance à une magnifique demeure seigneuriale. Nous sommes alors, pour avoir trouvé la préface de Balzac à *La Chartreuse*[a] ou des lettres inédites de Joubert, tentés d'exagérer le prix de la vie que nous y avons menée et dont nous oublions, pour cette aubaine d'un soir, la frivolité stérile[1].

À ce point de vue, si ce monde n'avait pu au premier moment répondre à ce qu'attendait mon imagination, et devait par conséquent me frapper d'abord par ce qu'il avait de commun avec tous les mondes plutôt que par ce qu'il en avait de différent, pourtant il se révéla à moi peu à peu comme bien distinct. Les grands seigneurs sont presque les seules gens de qui on apprenne autant que des paysans ; leur conversation s'orne de tout ce qui concerne la terre, les demeures telles qu'elles étaient habitées autrefois, les anciens usages, tout ce que le monde de l'argent ignore profondément. À supposer que l'aristocrate le plus modéré par ses aspirations ait fini par rattraper l'époque où il vit, sa mère, ses oncles, ses grand-tantes le mettent en rapport, quand il se rappelle son enfance, avec ce que pouvait être une vie presque inconnue aujourd'hui. Dans une chambre mortuaire d'un mort d'aujourd'hui, Mme de Guermantes n'eût pas fait remarquer, mais eût saisi immédiatement tous les manquements faits aux usages. Elle était choquée de voir, à un enterrement, des femmes mêlées aux hommes, alors qu'il y a une cérémonie particulière qui doit être célébrée pour les femmes. Quant au poêle dont Bloch eût cru sans doute que l'usage était réservé aux enterrements, à cause des cordons du poêle dont on parle dans les comptes rendus d'obsèques, M. de Guermantes pouvait se rappeler le temps où, encore enfant, il l'avait vu tenir au mariage de M. de Mailly-Nesle. Tandis que Saint-Loup avait vendu son précieux « Arbre généalogique », d'anciens portraits des Bouillon, des lettres de Louis XIII, pour[b] acheter des Carrière[2] et[c] des meubles modern style, M. et Mme de Guermantes, mus par un sentiment où l'amour ardent de l'art jouait peut-être un moindre rôle et qui les laissait eux-mêmes plus médiocres, avaient gardé leurs merveilleux meubles[d] de Boulle[3], qui offraient un ensemble autrement séduisant pour un artiste. Un littérateur eût de même été enchanté de leur conversation, qui eût été pour lui — car l'affamé n'a pas besoin d'un autre affamé — un dictionnaire vivant de toutes ces expressions qui chaque jour s'oublient davantage : des cravates à la Saint-Joseph[4], des enfants voués au bleu[1], etc., et qu'on ne trouve plus que chez ceux qui se font les aimables et bénévoles conservateurs du passé. Le plaisir que ressent parmi eux, beaucoup plus que parmi d'autres écrivains, un écrivain, ce plaisir n'est pas sans danger, car[a] il risque de croire que les choses du passé ont un charme par elles-mêmes, de les transporter telles quelles dans son œuvre, mort-née dans ce cas, dégageant un ennui dont il se console en se disant : « C'est joli parce que c'est vrai, cela se dit ainsi. » Ces conversations aristocratiques avaient du reste, chez Mme de Guermantes, le charme de se tenir dans un excellent français. À cause de cela elles rendaient légitime, de la part de la duchesse, son hilarité devant les mots « vatique[2] », « cosmique », « pythique », « suréminent », qu'employait Saint-Loup, — de même que devant ses meubles de chez Bing[3].

Malgré tout, bien différentes en cela de ce que j'avais pu ressentir devant les aubépines ou en goûtant à une madeleine, les histoires[b] que j'avais entendues chez la duchesse m'étaient étrangères. Entrées un instant en moi, qui n'en étais que physiquement possédé, on aurait dit que (de nature sociale et non individuelle) elles étaient impatientes d'en sortir. Je m'agitais dans la voiture, comme une pythonisse. J'attendais un nouveau dîner où je pusse devenir moi-même une sorte de prince X, de Mme de Guermantes, et les raconter. En attendant, elles faisaient trépider mes lèvres qui les balbutiaient et j'essayais en vain de ramener à moi mon esprit vertigineusement emporté par une force centrifuge. Aussi[c] est-ce avec une fiévreuse impatience de ne pas porter plus longtemps leur poids tout seul dans une voiture où d'ailleurs je trompais le manque de conversation en parlant tout haut, que je sonnai à la porte de M. de Charlus, et ce fut en longs monologues avec moi-même où je me répétais tout ce que j'allais lui narrer et ne pensais plus guère à ce qu'il pouvait avoir à me dire, que je passai tout le temps que je restai dans un salon où un valet de pied me fit entrer, et que j'étais d'ailleurs trop agité pour regarder. J'avais un tel besoin que M. de Charlus écoutât les récits que je brûlais de lui faire, que je fus cruellement déçu en pensant que le maître de la maison dormait peut-être et qu'il me faudrait rentrer cuver chez moi mon ivresse de paroles. Je venais en effet de m'apercevoir qu'il y avait vingt-cinq minutes que j'étais, qu'on m'avait peut-être oublié, dans ce salon, dont, malgré cette longue attente, j'aurais tout au plus pu dire qu'il était immense[a], verdâtre, avec quelques portraits. Le besoin de parler n'empêche pas seulement d'écouter, mais de voir, et dans ce cas l'absence de toute description du milieu extérieur est déjà une description d'un état interne. J'allais[b] sortir du salon pour tâcher d'appeler quelqu'un et, si je ne trouvais personne, de retrouver mon chemin jusqu'aux antichambres et me faire ouvrir, quand, au moment même où je venais de me lever et de faire quelques pas sur le parquet mosaïqué, un valet de chambre entra, l'air préoccupé[c] : « M. le baron a eu des rendez-vous jusqu'à maintenant, me dit-il. Il y a encore plusieurs personnes qui l'attendent. Je vais faire tout mon possible pour qu'il reçoive monsieur, j'ai déjà fait téléphoner deux fois au secrétaire.

— Non, ne vous dérangez pas, j'avais rendez-vous avec M. le baron, mais il est déjà bien tard, et, du moment qu'il est occupé ce soir, je reviendrai un autre jour.

— Oh ! non, que monsieur ne s'en aille pas, s'écria le valet de chambre. M. le baron pourrait être mécontent. Je vais de nouveau essayer. »

Je me rappelai ce que j'avais entendu raconter des domestiques de M. de Charlus et de leur dévouement à leur maître. On ne pouvait pas tout à fait dire de lui comme du prince de Conti qu'il cherchait à plaire aussi bien au valet qu'au ministre[1], mais il avait si bien su faire des moindres choses qu'il demandait une espèce de faveur, que, le soir, quand, ses valets assemblés autour de lui à distance respectueuse, après les avoir parcourus du regard, il disait : « Coignet, le bougeoir ! » ou : « Ducret, la chemise ! », c'est en ronchonnant d'envie que les autres se retiraient, envieux de celui qui venait d'être distingué par le maître. Deux, même, lesquels s'exécraient, essayaient chacun de ravir la faveur à l'autre, en allant, sous le plus absurde prétexte, faire une commission au baron, s'il était monté plus tôt, dans l'espoir d'être investis pour ce soir-là de la charge du bougeoir ou de la chemise. S'il adressait directement la parole à l'un d'eux pour quelque chose qui ne fût pas du service, bien plus, si, l'hiver, au jardin, sachant un de ses cochers enrhumé, il lui disait au bout de dix minutes : « Couvrez-vous », les autres ne reparlaient pas de quinze jours au malade, par jalousie[d], à cause de la grâce qui lui avait été faite.

J'attendis encore dix minutes et, après m'avoir demandé
de ne pas reſter trop longtemps, parce que M. le baron
fatigué avait dû faire éconduire plusieurs personnes des
plus importantes, qui avaient pris rendez-vous depuis de
longs jours, on m'introduiſit auprès de lui. Cette mise en
scène autour de M. de Charlus me paraiſſait empreinte
de beaucoup moins de grandeur que la simplicité de son
frère Guermantes, mais déjà la porte s'était ouverte, je
venais d'apercevoir le baron, en robe de chambre chinoise,
le cou nu, étendu sur un canapé. Je fus frappé au même
inſtant par la vue d'un chapeau haute-forme « huit
reflets » sur une chaise avec une pelisse, comme si le baron
venait de rentrer. Le valet[a] de chambre se retira. Je croyais
que M. de Charlus allait venir à moi. Sans faire un seul
mouvement, il fixa sur moi des yeux implacables. Je
m'approchai de lui, lui dis bonjour, il ne me tendit pas
la main, ne me répondit pas, ne me demanda pas de
prendre une chaise. Au bout d'un inſtant je lui demandai,
comme on ferait à un médecin mal élevé, s'il était
nécessaire que je reſtaſſe debout. Je le fis sans méchante
intention, mais l'air de colère froide qu'avait M. de Charlus
sembla s'aggraver encore. J'ignorais du reſte que chez lui
à la campagne, au château de Charlus, il avait l'habitude
après dîner, tant il aimait à jouer au roi[1], de s'étaler dans
un fauteuil au fumoir, en laissant ses invités debout autour
de lui. Il demandait à l'un du feu, offrait à l'autre un cigare,
puis au bout de quelques inſtants disait : « Mais,
Argencourt, asseyez-vous donc, prenez une chaise, mon
cher, etc. », ayant tenu à prolonger leur ſtation debout,
seulement pour leur montrer que c'était de lui que leur
venait la permission de s'asseoir. « Mettez-vous dans le
siège Louis XIV », me répondit-il d'un air impérieux et
plutôt pour me forcer à m'éloigner de lui que pour
m'inviter à m'asseoir. Je pris un fauteuil qui n'était pas
loin. « Ah ! voilà ce que vous appelez un siège Louis XIV !
je vois que vous êtes un jeune homme inſtruit », s'écria-t-il
avec dérision. J'étais tellement ſtupéfait que je ne bougeai
pas, ni pour m'en aller comme je l'aurais dû, ni pour
changer de siège comme il le voulait. « Monsieur »,
me dit-il, en pesant tous les termes, dont il faisait précéder les plus impertinents d'une double paire de
consonnes, « l'entretien que j'ai condescendu à vous
accorder, à la prière d'une personne qui désire que je ne

la nomme pas, marquera pour nos relations le point final. Je ne vous cacherai pas que j'avais espéré mieux ; je forcerais peut-être un peu le sens des mots, ce qu'on ne doit pas faire, même avec qui ignore leur valeur, et par simple respect pour soi-même, en vous disant que j'avais eu pour vous de la sympathie. Je crois pourtant que "bienveillance", dans son sens le plus efficacement protecteur, n'excéderait ni ce que je ressentais, ni ce que je me proposais de manifester. Je vous avais, dès mon retour à Paris, fait savoir à Balbec même que vous pouviez compter sur moi. » Moi qui me rappelais sur quelle incartade M. de Charlus s'était séparé de moi à Balbec[1], j'esquissai un geste de dénégation. « Comment ? s'écriat-il avec colère (et en effet son visage convulsé et blanc différait autant de son visage ordinaire que la mer quand, un matin de tempête, on aperçoit, au lieu de la souriante surface habituelle, mille serpents d'écume et de bave), vous prétendez que vous n'avez pas reçu mon message — presque une déclaration — d'avoir à vous souvenir de moi ? Qu'y avait-il comme décoration autour du livre que je vous fis parvenir ?

— De très jolis entrelacs historiés, lui dis-je.

— Ah ! répondit-il d'un air méprisant, les jeunes Français connaissent peu les chefs-d'œuvre de notre pays. Que dirait-on d'un jeune Berlinois qui ne connaîtrait pas *La Walkyrie* ? Il faut d'ailleurs que vous ayez des yeux pour ne pas voir, puisque ce chef-d'œuvre-là, vous m'avez dit que vous aviez passé deux heures devant. Je vois que vous ne vous y connaissez pas mieux en fleurs qu'en styles ; ne protestez pas pour les styles, cria-t-il d'un ton de rage suraigu, vous ne savez même pas sur quoi vous vous asseyez, vous offrez à votre derrière une chauffeuse Directoire pour une bergère Louis XIV. Un de ces jours vous prendrez les genoux de Mme de Villeparisis pour le lavabo, et on ne sait pas ce que vous y ferez. Pareillement, vous n'avez même pas reconnu dans la reliure du livre de Bergotte le linteau[a] de *myosotis* de l'église de Balbec. Y avait-il une manière plus limpide de vous dire : "Ne m'oubliez pas" ? »

Je regardais M. de Charlus. Certes sa tête magnifique, et qui répugnait, l'emportait pourtant sur celle de tous les siens ; on eût dit Apollon vieilli ; mais un jus olivâtre, hépatique, semblait prêt à sortir de sa bouche mauvaise.

Pour l'intelligence, on ne pouvait nier que la sienne, par un vaste écart de compas, avait vue sur beaucoup de choses qui resteraient toujours inconnues au duc de Guermantes. Mais de quelques belles paroles qu'il colorât toutes ses haines, on sentait que, même s'il y avait sous son discours tantôt[a] de l'orgueil offensé, tantôt un amour déçu, ou une rancune, du sadisme, une taquinerie, une idée fixe, cet homme était capable d'assassiner et de prouver à force de logique et de beau langage qu'il avait eu raison de le faire et n'en était pas moins supérieur de cent coudées à son frère, sa belle-sœur, etc., etc.

« De même que dans *Les Lances* de Vélasquez[1], continua-t-il, le vainqueur s'avance vers celui qui est le plus humble, et comme le doit tout être noble, puisque j'étais tout et que vous n'étiez rien, c'est moi qui ai fait les premiers pas vers vous. Vous avez sottement répondu à ce que ce n'est pas à moi à appeler de la grandeur. Mais je ne me suis pas laissé décourager. Notre religion prêche la patience. Celle que j'ai eue envers vous me sera comptée, je l'espère, et de n'avoir fait que sourire de ce qui pourrait être taxé d'impertinence, s'il était à votre portée d'en avoir envers qui vous dépasse de tant de coudées, mais enfin, monsieur, de tout cela il n'est plus question. Je vous ai soumis à l'épreuve que le seul homme éminent de notre monde appelle avec esprit l'épreuve de la trop grande amabilité et qu'il déclare à bon droit la plus terrible de toutes, la seule qui puisse séparer le bon grain de l'ivraie[2]. Je vous reprocherais à peine de l'avoir subie sans succès, car ceux qui en triomphent sont bien rares. Mais du moins, et c'est la conclusion que je prétends tirer des dernières paroles que nous échangerons sur terre, j'entends être à l'abri de vos intentions calomniatrices. »

Je n'avais pas songé jusqu'ici que la colère de M. de Charlus pût être causée par un propos désobligeant qu'on lui eût répété ; j'interrogeai ma mémoire ; je n'avais parlé de lui à personne. Quelque méchant l'avait fabriqué de toutes pièces. Je protestai à M. de Charlus que je n'avais absolument rien dit de lui. « Je ne pense pas que j'aie pu vous fâcher en disant à Mme de Guermantes que j'étais lié avec vous. » Il sourit avec dédain, fit monter sa voix jusqu'aux plus extrêmes registres, et là, attaquant avec douceur la note la plus aiguë et la plus insolente :

« Oh ! Monsieur », dit-il en revenant avec une extrême

lenteur à une intonation naturelle, et comme s'enchantant, au passage, des bizarreries de cette gamme descendante, « je pense que vous vous faites tort à vous-même en vous accusant d'avoir dit que nous étions "liés". Je n'attends pas une très grande exactitude verbale de quelqu'un qui prendrait facilement un meuble de Chippendale[1] pour une chaire rococo, mais enfin je ne pense pas », ajouta-t-il avec des caresses vocales de plus en plus narquoises et qui faisaient flotter sur ses lèvres jusqu'à un charmant sourire, « je ne pense pas que vous ayez dit, ni cru, que nous étions *liés* ! Quant à vous être vanté de m'avoir été *présenté*, d'avoir *causé avec moi*, de me *connaître* un peu, d'avoir obtenu, presque sans sollicitation, de pouvoir être un jour mon *protégé*, je trouve au contraire fort naturel et intelligent que vous l'ayez fait. L'extrême différence d'âge qu'il y a entre nous me permet de reconnaître sans ridicule que cette *présentation*, ces *causeries*, cette vague amorce de *relations* étaient pour vous, ce n'est pas à moi de dire un honneur, mais enfin à tout le moins un avantage dont je trouve que votre sottise fut non point de l'avoir divulgué, mais de n'avoir pas su le conserver. J'ajouterai même », dit-il, en passant brusquement et pour un instant de la colère hautaine à une douceur tellement empreinte de tristesse que je croyais qu'il allait se mettre à pleurer, « que, quand vous avez laissé sans réponse la proposition que je vous ai faite à Paris, cela m'a paru tellement inouï de votre part à vous, qui m'aviez semblé bien élevé et d'une bonne famille *bourgeoise* (sur cet adjectif seul sa voix eut un petit sifflement d'impertinence), que j'eus la naïveté de croire à toutes les blagues qui n'arrivent jamais, aux lettres perdues, aux erreurs d'adresses. Je reconnais que c'était de ma part une grande naïveté, mais saint Bonaventure préférait croire qu'un bœuf pût voler plutôt que son frère mentir[2]. Enfin tout cela est terminé, la chose ne vous a pas plu, il n'en est plus question. Il me semble seulement que vous auriez pu (et il y avait vraiment des pleurs dans sa voix), ne fût-ce que par considération pour mon âge, m'écrire. J'avais conçu pour vous des choses infiniment séduisantes que je m'étais bien gardé de vous dire. Vous avez préféré refuser sans savoir, c'est votre affaire. Mais, comme je vous le dis, on peut toujours *écrire*. Moi à votre place, et même dans la mienne, je l'aurais fait. J'aime mieux à cause de cela la mienne que la vôtre, je dis à cause de cela, parce que je crois que toutes les places sont égales, et j'ai plus de sympathie pour un intelligent ouvrier que pour bien des ducs. Mais je peux dire que je préfère ma place, parce que ce que vous avez fait, dans ma vie tout entière qui commence à être assez longue, je sais que je ne l'ai jamais fait. (Sa tête était tournée dans l'ombre, je ne pouvais pas voir si ses yeux laissaient tomber des larmes comme sa voix donnait à le croire.) Je vous disais que j'ai fait cent pas au-devant de vous, cela a eu pour effet de vous en faire faire deux cents en arrière. Maintenant c'est à moi de m'éloigner et nous ne nous connaîtrons plus. Je ne retiendrai pas votre nom, mais votre cas, afin que, les jours où je serais tenté de croire que les hommes ont du cœur, de la politesse, ou seulement l'intelligence de ne pas laisser échapper une chance sans seconde, je me rappelle que c'est les situer trop haut. Non, que vous ayez dit que vous me connaissiez quand c'était vrai — car maintenant cela va cesser de l'être — je ne puis trouver cela que naturel et je le tiens pour un hommage, c'est-à-dire pour agréable. Malheureusement, ailleurs et en d'autres circonstances, vous avez tenu des propos fort différents.

— Monsieur, je vous jure que je n'ai rien dit qui pût vous offenser.

— Et qui vous dit que j'en suis offensé ? » s'écria-t-il avec fureur en se redressant violemment sur la chaise longue où il était resté jusque-là immobile, cependant que, tandis que se crispaient les blêmes serpents écumeux de sa face, sa voix devenait tour à tour aiguë et grave comme une tempête assourdissante et déchaînée. (La force avec laquelle il parlait d'habitude, et qui faisait se retourner les inconnus dehors, était centuplée, comme l'est un *forte*, si, au lieu d'être joué au piano, il l'est à l'orchestre, et de plus se change en un *fortissimo*. M. de Charlus hurlait.) « Pensez-vous qu'il soit à votre portée de m'offenser ? Vous ne savez donc pas à qui vous parlez ? Croyez-vous que la salive envenimée de cinq cents petits bonshommes de vos amis, juchés les uns sur les autres, arriverait à baver seulement jusqu'à mes augustes orteils ? »

Depuis un moment, au désir de persuader M. de Charlus que je n'avais jamais dit ni entendu dire de mal de lui, avait succédé une rage folle, causée par les paroles que lui dictait uniquement, selon moi, son immense orgueil.

Peut-être étaient-elles du reste l'effet, pour une partie du moins, de cet orgueil. Presque tout le reste venait d'un sentiment que j'ignorais encore et auquel je ne fus donc pas coupable de ne pas faire sa part. J'aurais pu au moins, à défaut du sentiment inconnu, mêler à l'orgueil, si je m'étais souvenu des paroles de Mme de Guermantes, un peu de folie. Mais à ce moment-là l'idée de folie ne me vint même pas à l'esprit. Il n'y avait en lui, selon moi, que de l'orgueil, en moi il n'y avait que de la fureur. Celle-ci (au moment où M. de Charlus cessait de hurler pour parler de ses augustes orteils, avec une majesté qu'accompagnaient une moue, un vomissement de dégoût à l'égard de ses obscurs blasphémateurs), cette fureur ne se contint plus. D'un mouvement impulsif je voulus frapper quelque chose, et un reste de discernement me faisant respecter un homme tellement plus âgé que moi, et même, à cause de leur dignité artistique, les porcelaines allemandes placées autour de lui, je me précipitai sur le chapeau haute-forme neuf du baron, je le jetai par terre, je le piétinai, je m'acharnai à le disloquer entièrement, j'arrachai la coiffe, déchirai en deux la couronne[1], sans écouter les vociférations de M. de Charlus qui continuaient et, traversant la pièce pour m'en aller, j'ouvris la porte. Des deux côtés d'elle, à ma grande stupéfaction, se tenaient deux valets de pied qui s'éloignèrent lentement pour avoir l'air de s'être trouvés là seulement en passant pour leur service. (J'ai su depuis leurs noms, l'un s'appelait Burnier et l'autre Charmel.) Je ne fus pas dupe un instant de cette explication que leur démarche nonchalante semblait me proposer. Elle était invraisemblable ; trois autres me le semblèrent moins : l'une que le baron recevait quelquefois des hôtes contre lesquels pouvant avoir besoin d'aide (mais pourquoi ?) il jugeait nécessaire d'avoir un poste de secours voisin ; l'autre, qu'attirés par la curiosité, ils s'étaient mis aux écoutes, ne pensant pas que je sortirais si vite ; la troisième, que toute la scène que m'avait faite M. de Charlus étant préparée et jouée, il leur avait lui-même demandé d'écouter, par amour du spectacle joint peut-être à un *nunc erudimini*[2] dont chacun ferait son profit.

Ma colère n'avait pas calmé celle du baron, ma sortie de la chambre parut lui causer une vive douleur, il me rappela, me fit rappeler, et enfin, oubliant qu'un instant auparavant, en parlant de « ses augustes orteils », il avait

cru me faire le témoin de sa propre déification, il courut
à toutes jambes, me rattrapa dans le vestibule et me barra
la porte. « Allons, me dit-il, ne faites pas l'enfant, rentrez
une minute ; qui aime bien châtie bien, et si je vous ai
bien châtié, c'est que je vous aime bien. » Ma colère était
passée, je laissai parler le mot « châtier » et suivis le baron
qui, appelant un valet de pied, fit sans aucun amour-propre
emporter les miettes du chapeau détruit qu'on remplaça
par un autre.

« Si vous voulez^d me dire, monsieur, qui m'a perfide-
ment calomnié, dis-je à M. de Charlus, je reste pour
l'apprendre et confondre l'imposteur.

— Qui ? ne le savez-vous pas ? Ne gardez-vous pas le
souvenir de ce que vous dites ? Pensez-vous que les
personnes qui me rendent le service de m'avertir de ces
choses ne commencent pas par me demander le secret ?
Et croyez-vous que je vais manquer à celui que j'ai promis ?

— Monsieur, c'est impossible que vous me le disiez ? »
demandai-je en cherchant une dernière fois dans ma tête
(où je ne trouvais personne) à qui j'avais pu parler de
M. de Charlus.

« Vous n'avez pas entendu que j'ai promis le secret à
mon indicateur, me dit-il d'une voix claquante. Je vois
qu'au goût des propos abjects¹ vous joignez celui des
insistances vaines. Vous devriez avoir au moins l'intelligence de profiter d'un dernier entretien et de parler pour
dire quelque chose qui ne soit pas exactement rien.

— Monsieur, répondis-je en m'éloignant, vous m'insul-
tez, je suis désarmé puisque vous avez plusieurs fois mon
âge, la partie n'est pas égale ; d'autre part je ne peux pas
vous convaincre, je vous ai juré que je n'avais rien dit.

— Alors je mens ! » s'écria-t-il d'un ton terrible, et en
faisant un tel bond qu'il se trouva debout à deux pas de
moi.

« On vous a trompé. »

Alors d'une voix douce, affectueuse, mélancolique,
comme dans ces symphonies qu'on joue sans interruption
entre les divers morceaux, et où un gracieux *scherzo*
aimable, idyllique, succède aux coups de foudre du
premier morceau : « C'est très possible, me dit-il. En
principe, un propos répété est rarement vrai². C'est votre
faute si, n'ayant pas profité des occasions de me voir que
je vous avais offertes, vous ne m'avez pas fourni, par ces

paroles ouvertes et quotidiennes qui créent la confiance, le préservatif unique et souverain contre une parole qui vous représentait comme un traître. En tout cas, vrai ou faux, le propos a fait son œuvre. Je ne peux plus me dégager de l'impression qu'il m'a produite. Je ne peux même pas dire que qui aime bien châtie bien, car je vous ai bien châtié, mais je ne vous aime plus. » Tout en disant ces mots, il m'avait forcé à me rasseoir et avait sonné. Un nouveau valet de pied entra. « Apportez à boire, et dites d'atteler le coupé. » Je dis que je n'avais pas soif, qu'il était bien tard et que d'ailleurs j'avais une voiture. « On l'a probablement payée et renvoyée, me dit-il, ne vous en occupez pas. Je fais atteler pour qu'on vous ramène... Si vous craignez qu'il ne soit trop tard... j'aurais pu vous donner une chambre ici... » Je dis que ma mère serait inquiète. « Ah ! oui, vrai ou faux, le propos a fait son œuvre. Ma sympathie un peu prématurée avait fleuri trop tôt ; et comme ces pommiers dont vous parliez poétiquement à Balbec, elle n'a pu résister à une première gelée. » Si la sympathie de M. de Charlus n'avait pas été détruite, il n'aurait pourtant pas pu agir autrement, puisque, tout en me disant que nous étions brouillés, il me faisait rester, boire, me demandait de coucher et allait me faire reconduire. Il avait même l'air de redouter l'instant de me quitter et de se retrouver seul, cette espèce de crainte un peu anxieuse que sa belle-sœur et cousine Guermantes m'avait paru éprouver, il y avait une heure, quand elle avait voulu me forcer à rester encore un peu, avec une espèce de même goût passager pour moi, de même effort pour faire prolonger une minute.

« Malheureusement, reprit-il, je n'ai pas le don de faire refleurir ce qui a été une fois détruit. Ma sympathie pour vous est bien morte. Rien ne peut la ressusciter. Je crois qu'il n'est pas indigne de moi de confesser que je le regrette. Je me sens toujours un peu comme le Booz de Victor Hugo : *Je suis veuf, je suis seul, et sur moi le soir tombe*[1]. »

Je retraversai avec lui le grand salon verdâtre. Je lui dis, tout à fait au hasard, combien je le trouvais beau. « N'est-ce pas ? me répondit-il. Il faut bien aimer quelque chose. Les boiseries sont de Bagard[2]. Ce qui est assez gentil, voyez-vous, c'est qu'elles ont été faites pour les sièges de Beauvais et pour les consoles. Vous remarquez, elles répètent le même motif décoratif qu'eux. Il n'existait plus que deux demeures où cela soit ainsi, le Louvre et la maison de M. d'Hinnisdal[1]. Mais naturellement, dès que j'ai voulu venir habiter dans cette rue, il s'est trouvé un vieil hôtel Chimay[2] que personne n'avait jamais vu puisqu'il n'est venu ici que pour *moi*. En somme, c'est bien. Ça pourrait peut-être être mieux, mais enfin ce n'est pas mal. N'est-ce pas, il y a de jolies choses, le portrait de mes oncles, le roi de Pologne et le roi d'Angleterre, par Mignard[3]. Mais qu'est-ce que je vous dis, vous le savez aussi bien que moi, puisque vous avez attendu dans ce salon. Non ? Ah ! C'est qu'on vous aura mis dans le salon bleu », dit-il d'un air soit d'impertinence à l'endroit de mon incuriosité, soit de supériorité personnelle et de n'avoir pas demandé où on m'avait fait attendre. « Tenez, dans ce cabinet, il y a tous les chapeaux portés par Madame Élisabeth, la princesse de Lamballe, et par la Reine[4]. Cela ne vous intéresse pas, on dirait que vous ne voyez pas. Peut-être êtes-vous atteint d'une affection du nerf optique. Si vous aimez davantage ce genre de beauté, voici un arc-en-ciel de Turner qui commence à briller entre ces deux Rembrandt, en signe de notre réconciliation. Vous entendez : Beethoven se joint à lui. » Et en effet on distinguait les premiers accords de la troisième partie de *La Symphonie pastorale*, « La Joie après l'orage[5] », exécutés non loin de nous, au premier étage sans doute, par des musiciens. Je demandai naïvement par quel hasard on jouait cela et qui étaient les musiciens. « Hé bien ! on ne sait pas. On ne sait jamais. Ce sont des musiques invisibles. C'est joli, n'est-ce pas », me dit-il d'un ton légèrement impertinent et qui pourtant rappelait un peu l'influence et l'accent de Swann. « Mais vous vous en fichez comme un poisson d'une pomme. Vous voulez rentrer, quitte à manquer de respect à Beethoven et à moi. Vous portez contre vous-même[a] jugement et condamnation », ajouta-t-il d'un air affectueux et triste, quand le moment fut venu que je m'en allasse. « Vous m'excuserez de ne pas vous reconduire comme les bonnes façons m'obligeraient à le faire, me dit-il. Désireux de ne plus vous revoir, il m'importe peu de passer cinq minutes de plus avec vous. Mais je suis fatigué et j'ai fort à faire. » Cependant, remarquant que le temps était beau : « Hé bien ! si, je vais monter en voiture. Il fait un clair de lune superbe, que j'irai regarder au Bois après vous avoir reconduit. Comment ! vous ne savez*ᵈ* pas vous raser, même un soir où vous dînez en ville vous gardez quelques poils », me dit-il en me prenant le menton entre deux doigts pour ainsi dire magnétisés, qui, après avoir résisté un instant, remontèrent jusqu'à mes oreilles comme les doigts d'un coiffeur. « Ah ! ce serait agréable de regarder ce "clair de lune bleu[1]" au Bois avec quelqu'un comme vous », me dit-il avec une douceur subite et comme involontaire, puis, l'air triste : « Car vous êtes gentil tout de même, vous pourriez l'être plus que personne, ajouta-t-il me touchant paternellement l'épaule. Autrefois, je dois dire que je vous trouvais bien insignifiant. » J'aurais dû penser qu'il me trouvait tel encore. Je n'avais qu'à me rappeler la rage avec laquelle il m'avait parlé, il y avait à peine une demi-heure. Malgré cela j'avais l'impression qu'il était, en ce moment, sincère, que son bon cœur l'emportait sur ce que je considérais comme un état presque délirant de susceptibilité et d'orgueil. La voiture était devant nous et il prolongeait encore la conversation. « Allons, dit-il brusquement, montez ; dans cinq minutes nous allons être chez vous. Et je vous dirai un bonsoir qui coupera court et pour jamais à nos relations. C'est mieux, puisque nous devons nous quitter pour toujours, que nous le fassions comme en musique, sur un accord parfait. » Malgré ces affirmations solennelles que nous ne nous reverrions jamais, j'aurais juré que M. de Charlus, ennuyé de s'être oublié tout à l'heure et craignant de m'avoir fait de la peine, n'eût pas été fâché de me revoir encore une fois. Je ne me trompais pas, car au bout d'un moment : « Allons bon ! dit-il, voilà que j'ai oublié le principal. En souvenir de Madame votre grand-mère, j'avais fais relier pour vous une édition curieuse de Mme de Sévigné. Voilà qui va empêcher cette entrevue d'être la dernière. Il faut s'en consoler en se disant qu'on liquide rarement en un jour des affaires compliquées. Regardez combien de temps a duré le Congrès de Vienne[2].

— Mais je pourrais la faire chercher sans vous déranger, dis-je obligeamment.

— Voulez-vous vous taire, petit sot, répondit-il avec colère, et ne pas avoir l'air grotesque de considérer comme peu de chose l'honneur d'être probablement (je ne dis pas certainement, car c'est peut-être un valet de chambre qui vous remettra les volumes) reçu par moi. » Il se ressaisit : « Je ne veux pas vous quitter sur ces mots. Pas de dissonance ; avant le silence éternel, accord de dominante ! » C'est pour ses propres nerfs qu'il semblait redouter son retour immédiatement après d'âcres paroles de brouille. « Vous ne voulez pas venir jusqu'au Bois », me dit-il d'un ton non pas interrogatif mais affirmatif, et, à ce qu'il me sembla, non pas parce qu'il ne voulait pas me l'offrir, mais parce qu'il craignait que son amour-propre n'essuyât un refus. « Hé bien voilà, me dit-il en traînant encore, c'est le moment où, comme dit Whistler, les bourgeois rentrent (peut-être voulait-il me prendre par l'amour-propre) et où il convient de commencer à regarder[1]. Mais vous ne savez même pas qui est Whistler. » Je changeai de conversation et lui demandai si la princesse d'Iéna était une personne intelligente. M. de Charlus m'arrêta, et prenant le ton le plus méprisant que je lui connusse :

« Ah ! Monsieur, vous[a] faites allusion ici à un ordre de nomenclature où je n'ai rien à voir. Il y a peut-être une aristocratie chez les Tahitiens[2], mais j'avoue que je ne la connais pas. Le nom que vous venez de prononcer, c'est étrange, a cependant résonné, il y a quelques jours, à mes oreilles. On me demandait si je condescendrais à ce que me fût présenté le jeune duc de Guastalla[3]. La demande m'étonna, car le duc de Guastalla n'a nul besoin de se faire présenter à moi, pour la raison qu'il est mon cousin et me connaît de tout temps ; c'est le fils de la princesse de Parme, et en jeune parent bien élevé, il ne manque jamais de venir me rendre ses devoirs le Jour de l'An. Mais, informations prises, il ne s'agissait pas de mon parent, mais d'un fils de la personne qui vous intéresse. Comme il n'existe pas de princesse de ce nom, j'ai supposé qu'il s'agissait d'une pauvresse couchant sous le pont d'Iéna[4] et qui avait pris pittoresquement le titre de princesse d'Iéna, comme on dit la Panthère des Batignolles[5] ou le Roi de l'Acier[6]. Mais non, il s'agissait d'une personne riche dont j'avais admiré à une exposition des meubles fort beaux et qui ont sur le nom du propriétaire la supériorité de ne pas être faux. Quant au prétendu duc de Guastalla, ce devait être l'agent de change de mon secrétaire, l'argent procure tant de choses[7]. Mais non ; c'est l'Empereur, paraît-il, qui s'est amusé à donner à ces gens un titre précisément indisponible. C'est peut-être une preuve de puissance, ou d'ignorance, ou de malice, je trouve surtout que c'est un fort mauvais tour qu'il a joué ainsi à ces usurpateurs malgré eux. Mais enfin je ne puis vous donner d'éclaircissements sur tout cela, ma compétence s'arrête au faubourg Saint-Germain où, entre tous les Courvoisier et Gallardon, vous trouverez, si vous parvenez à découvrir un introducteur, de vieilles gales tirées tout exprès de Balzac et qui vous amuseront. Naturellement tout cela n'a rien à voir avec le prestige de la princesse de Guermantes, mais, sans moi et mon Sésame, la demeure de celle-ci est inaccessible.

— C'est vraiment très beau, monsieur, l'hôtel de la princesse de Guermantes.

— Oh ! ce n'est pas très beau. C'est ce qu'il y a de plus beau ; après la princesse toutefois.

— La princesse de Guermantes est supérieure à la duchesse de Guermantes ?

— Oh ! cela n'a pas de rapport. (Il est à remarquer que, dès que les gens du monde ont un peu d'imagination, ils couronnent ou détrônent au gré de leurs sympathies ou de leurs brouilles ceux dont la situation paraissait la plus solide et la mieux fixée.) La duchesse de Guermantes (peut-être en ne l'appelant pas Oriane voulait-il mettre plus de distance entre elle et moi) est délicieuse, très supérieure à ce que vous avez pu deviner. Mais enfin, elle est incommensurable avec sa cousine. Celle-ci est exactement ce que les personnes des Halles peuvent s'imaginer qu'était la princesse de Metternich. Mais la Metternich croyait avoir lancé Wagner parce qu'elle connaissait Victor Maurel[1]. La princesse de Guermantes, ou plutôt sa mère, a connu le vrai. Ce qui est un prestige, sans parler de l'incroyable beauté de cette femme. Et rien que les jardins d'Esther[2] !

— On ne peut pas les visiter ?

— Mais non, il faudrait être invité, mais on n'invite jamais *personne* à moins que j'intervienne. » Mais aussitôt, retirant, après l'avoir jeté, l'appât de cette offre, il me tendit la main, car nous étions arrivés chez moi. « Mon rôle est terminé, monsieur ; j'y ajoute simplement ces quelques paroles. Un autre vous offrira peut-être un jour sa sympathie comme j'ai fait. Que l'exemple actuel vous serve d'enseignement. Ne le négligez pas. Une sympathie est toujours précieuse. Ce qu'on ne peut pas faire seul dans la vie, parce qu'il y a des choses qu'on ne peut demander, ni faire, ni vouloir, ni apprendre par soi-même, on le peut à plusieurs, et sans avoir besoin d'être treize comme dans le roman de Balzac[1], ni quatre comme dans Les Trois Mousquetaires[2]. Adieu. »

Il devait être fatigué et avoir renoncé à l'idée d'aller voir le clair de lune car il me demanda de dire au cocher de rentrer. Aussitôt il fit un brusque mouvement comme s'il voulait se reprendre. Mais j'avais déjà transmis l'ordre et, pour ne pas me retarder davantage, j'allai sonner à ma porte, sans avoir plus pensé que j'avais à faire à M. de Charlus, relativement à l'empereur d'Allemagne, au général Botha, des récits tout à l'heure si obsédants, mais que son accueil inattendu et foudroyant avait fait s'envoler bien loin de moi.

En rentrant, je vis sur mon bureau une lettre que le jeune valet de pied de Françoise avait écrite à un de ses amis et qu'il y avait oubliée. Depuis que ma mère était absente, il ne reculait devant aucun sans-gêne ; je fus plus coupable d'avoir celui de lire la lettre sans enveloppe, largement étalée et qui, c'était ma seule excuse, avait l'air de s'offrir à moi[3].

Cher ami et cousin,

J'espère que la santé va toujours bien et qu'il en est de même pour toute la petite famille particulièrement pour mon jeune filleul Joseph dont je n'ai pas encore le plaisir de connaître mais dont je preffère à vous tous comme étant mon filleul, ces relique du cœur on aussi leur poussière, sur leurs restes sacrés ne portons pas les mains[4]. D'ailleurs cher ami et cousin qui te dit que demain toi et ta chère femme ma cousine Marie, vous ne serez pas précipités tous deux jusqu'au fond de la mer comme le matelot attaché en aut du grand mât[5], car cette vie n'est qu'une vallée obscure[6]. Cher ami il faut te dire que ma principale occupation de ton étonnement jen suis certain, est maintenant la pœsie que j'aime avec délices, car il faut bien passé le temps. Aussi cher ami ne sois pas trop surpris si je ne suis pas encore répondu à ta dernière lettre, à défaut du pardon laisse venir l'oubli[7]. Comme tu le sais, la mère de Madame a trépassé dans des souffrances inexprimables qui l'ont assez fatiguée car elle a vu jusqu'à trois médecins. Le jour de ses obsèques fut un beau jour car toutes les relations de Monsieur étaient venues en foule ainsique plusieurs ministres. On a mis plus de deux heures pour aller au cimetière ce qui vous fera tous ouvrir de grands yeux dans votre village car on nan feras certainement pas autant pour la mère Michu. Aussi ma vie ne sera plus qu'un long sanglot. Je m'amuse énormément à la motocyclette dont j'ai appris dernièrement. Que diriez-vous mes chers amis si j'arrivais ainsi à toute vitesse aux Écorres. Mais là-dessus je ne me tairai pas plus[1] car je sens que l'ivresse du malheur emporte sa raison[2]. Je fréquente la duchesse de Guermantes, des personnes que tu as jamais entendu même le nom dans nos ignorants pays. Aussi c'est avec plaisir que jenverrai les livres de Racine, de Victor-Hugo, de Pages choisies de Chenedollé[3], d'Alfred de Musset, car je voudrais guérir le pays qui ma donner le jour[4] de l'ignorance qui mène fatalement jusquau crime. Je ne vois plus rien a te dire et tanvoye comme le pelican lassé dun long voyage[5] mes bonnes salutation ainsi qu'à ta feme à mon filleul et à ta sœur Rose. Puisse-t-on ne pas dire d'elle : Et rose elle n'a vécu que ce que vivent les roses[6], comme l'a dit Victor Hugo, le sonnet d'Arvers[7], Alfred de Musset tous ces grands génies qu'on a fait à cause de cela mourir sur les flames du bûcher comme Jeanne d'Arc. À bientôt ta prochaine missive, reçois mes baisers comme ceux d'un frère Périgot Joseph.

Nous sommes attirés par toute vie qui nous représente quelque chose d'inconnu, par une dernière illusion à détruire. Malgré cela les mystérieuses paroles, grâce auxquelles M. de Charlus m'avait amené à imaginer la princesse de Guermantes comme un être extraordinaire et différent de ce que je connaissais, ne suffisent pas à expliquer la stupéfaction où je fus, bientôt suivie de la crainte d'être victime d'une mauvaise farce machinée par quelqu'un qui eût voulu me faire jeter à la porte d'une demeure où j'irais sans être invité, quand, environ deux mois après mon dîner chez la duchesse et tandis que celle-ci était à Cannes, ayant ouvert une enveloppe dont l'apparence ne m'avait averti de rien d'extraordinaire, je lus ces mots imprimés sur une carte : « La princesse de Guermantes, née duchesse en Bavière, sera chez elle le ***[8]. » Sans doute, être invité chez la princesse de Guermantes n'était peut-être pas, au point de vue mondain, quelque chose de plus difficile que dîner chez la duchesse, et mes faibles connaissances héraldiques m'avaient appris que le titre de prince n'est pas supérieur à celui de duc. Puis je me disais que l'intelligence d'une femme du monde ne peut pas être d'une essence aussi hétérogène à celle de ses congénères que le prétendait M. de Charlus, et d'une essence aussi hétérogène à celle d'une autre femme. Mais mon imagination, semblable à Elstir en train de rendre un effet de perspective sans tenir compte des notions de physique qu'il pouvait par ailleurs posséder, me peignait non ce que je savais, mais ce qu'elle voyait ; ce qu'elle voyait, c'est-à-dire ce que lui montrait le nom. Or, même quand je ne connaissais pas la duchesse, le nom de Guermantes précédé du titre de princesse, comme une note ou une couleur ou une quantité profondément modifiée par des valeurs environnantes, par le « signe » mathématique ou esthétique qui l'affecte, m'avait toujours évoqué quelque chose de tout différent. Avec ce titre on le trouve surtout dans les Mémoires du temps de Louis XIII et de Louis XIV, de la cour d'Angleterre, de la reine d'Écosse, de la duchesse d'Aumale[1] ; et je me figurais l'hôtel de la princesse de Guermantes comme plus ou moins fréquenté par la duchesse de Longueville et par le grand Condé[2], desquels la présence rendait bien peu vraisemblable que j'y pénétrasse jamais.

Beaucoup de choses que M. de Charlus m'avait dites avaient donné un vigoureux coup de fouet à mon imagination et, faisant oublier à celle-ci combien la réalité l'avait déçue chez la duchesse de Guermantes (il en est des noms des personnes comme des noms des pays), l'avaient aiguillée vers la cousine d'Oriane. Au reste, M. de Charlus ne me trompa quelque temps sur la valeur et la variété imaginaires des gens du monde, que parce qu'il s'y trompait lui-même. Et cela peut-être parce qu'il ne faisait rien, n'écrivait pas, ne peignait pas, ne lisait même rien d'une manière sérieuse et approfondie. Mais, supérieur aux gens du monde de plusieurs degrés, si c'est d'eux et de leur spectacle qu'il tirait la matière de sa conversation, il n'était pas pour cela compris par eux. Parlant en artiste, il pouvait tout au plus dégager le charme fallacieux des gens du monde. Mais le dégager pour les artistes seulement, à l'égard desquels il eût pu jouer le rôle du renne envers les Esquimaux ; ce précieux animal arrache pour eux, sur des roches désertiques, des lichens, des mousses qu'ils ne sauraient ni découvrir, ni utiliser, mais qui, une fois digérés par le renne, deviennent pour les habitants de l'extrême Nord un aliment assimilable.

À quoi j'ajouterai que ces tableaux que M. de Charlus faisait du monde étaient animés de beaucoup de vie par le mélange de ses haines féroces et de ses dévotes sympathies. Les haines dirigées surtout contre les jeunes gens, l'adoration excitée principalement par certaines femmes.

Si parmi celles-ci, la princesse de Guermantes était placée par M. de Charlus sur le trône le plus élevé, ses mystérieuses paroles sur « l'inaccessible palais d'Aladin » qu'habitait sa cousine, ne suffirent pas à expliquer ma stupéfaction.

Malgré ce qui tient aux divers points de vue subjectifs dans les grossissements artificiels*ᵃ* dont j'aurai à parler, il n'en reste pas moins qu'il y a quelque réalité objective dans tous ces êtres et par conséquent différence entre eux.

Comment d'ailleurs en serait-il autrement ? L'humanité que nous fréquentons et qui ressemble si peu à nos rêves est pourtant la même que, dans les Mémoires, dans les lettres de gens remarquables, nous avons vue décrite et que nous avons souhaité de connaître. Le vieillard le plus insignifiant avec qui nous dînons est celui dont, dans un livre sur la guerre de 70, nous avons lu avec émotion la fière lettre au prince Frédéric-Charles[1]. On s'ennuie à dîner parce que l'imagination est absente, et, parce qu'elle nous y tient compagnie, on s'amuse avec un livre. Mais c'est des mêmes personnes qu'il est question. Nous aimerions avoir connu Mme de Pompadour[2] qui protégea si bien les arts, et nous nous serions autant ennuyés auprès d'elle qu'auprès des modernes Égéries, chez qui nous ne pouvons nous décider à retourner tant elles sont médiocres. Il n'en reste pas moins que ces différences subsistent. Les gens ne sont jamais tout à fait pareils les uns aux autres, leur manière de se comporter à notre égard, on pourrait même dire à amitié égale, trahit des différences qui, en fin de compte, font compensation. Quand je connus Mme de Montmorency, elle aima à me dire des choses désagréables, mais si j'avais besoin d'un service, elle jetait pour l'obtenir avec efficacité tout ce qu'elle possédait de crédit, sans rien ménager. Tandis que telle autre, comme Mme de Guermantes, n'eût jamais voulu me faire de peine, ne disait de moi que ce qui pouvait me faire plaisir, me comblait de toutes les amabilités qui formaient le riche train de vie moral des Guermantes, mais si je lui avais demandé un rien en dehors de cela n'eût pas fait un pas pour me le procurer, comme en ces châteaux où on a à sa disposition une automobile, un valet de chambre, mais où il est impossible d'obtenir un verre de cidre non prévu dans l'ordonnance des fêtes. Laquelle était pour moi la véritable amie, de Mme de Montmorency, si heureuse de me froisser et toujours prête à me servir, ou de Mme de Guermantes, souffrant du moindre déplaisir qu'on m'eût causé et incapable du moindre effort pour m'être utile ? D'autre part, on disait que la duchesse de Guermantes parlait seulement de frivolités, et sa cousine, avec l'esprit le plus médiocre, de choses toujours intéressantes. Les formes d'esprit[a] sont si variées, si opposées, non seulement dans la littérature, mais dans le monde, qu'il n'y a pas que Baudelaire et Mérimée qui ont le droit de se mépriser réciproquement[1]. Ces particularités forment, chez toutes les personnes, un système de regards, de discours, d'actions, si cohérent, si despotique, que quand nous sommes en leur présence il nous semble supérieur au reste. Chez Mme de Guermantes, ses paroles, déduites comme un théorème de son genre d'esprit, me paraissaient les seules qu'on aurait dû dire. Et j'étais, au fond, de son avis, quand elle me disait que Mme de Montmorency était stupide et avait l'esprit ouvert à toutes les choses qu'elle ne comprenait pas, ou quand, apprenant une méchanceté d'elle, la duchesse me disait : « C'est cela que vous appelez une bonne femme, c'est ce que j'appelle un monstre. » Mais cette tyrannie de la réalité qui est devant nous, cette évidence de la lumière de la lampe qui fait pâlir l'aurore déjà lointaine comme un simple souvenir, disparaissaient quand j'étais loin de Mme de Guermantes, et qu'une dame différente me disait, en se mettant de plain-pied avec moi et jugeant la duchesse placée fort au-dessous de nous : « Oriane ne s'intéresse au fond à rien, ni à personne », et même (ce qui en présence de Mme de Guermantes eût semblé impossible à croire tant elle-même proclamait le contraire) : « Oriane est snob. » Aucune mathématique ne nous permettant de convertir Mme d'Arpajon et Mme de Montpensier en quantités homogènes, il m'eût été impossible de répondre si on me demandait laquelle me semblait supérieure à l'autre.

Or, parmi[b] les traits particuliers au salon de la princesse de Guermantes, le plus habituellement cité était un exclusivisme dû en partie à la naissance royale de la princesse, et surtout le rigorisme presque fossile des préjugés aristocratiques du prince, préjugés que d'ailleurs le duc et la duchesse ne s'étaient pas fait faute de railler devant moi, et qui, naturellement, devait me faire considérer comme plus invraisemblable encore que m'eût invité cet homme qui ne comptait que les altesses et les ducs et à chaque dîner faisait une scène parce qu'il n'avait pas eu à table la place à laquelle il aurait eu droit sous Louis XIV, place que, grâce à son extrême érudition en matière d'histoire et de généalogie, il était seul à connaître. À cause de cela, beaucoup de gens du monde tranchaient en faveur du duc et de la duchesse les différences qui les séparaient de leurs cousins. « Le duc et la duchesse sont beaucoup plus modernes, beaucoup plus intelligents, ils ne s'occupent pas, comme les autres, que du nombre de quartiers, leur salon est de trois cents ans en avance sur celui de leur cousin » étaient des phrases usuelles dont le souvenir me faisait maintenant frémir en regardant la carte d'invitation à laquelle ils donnaient beaucoup plus de chances de m'avoir été envoyée par un mystificateur.

Si encore[a] le duc et la duchesse de Guermantes n'avaient pas été à Cannes, j'aurais pu tâcher de savoir par eux si l'invitation que j'avais reçue était véritable. Ce doute où j'étais n'est pas même du tout, comme je m'en étais un moment flatté, un sentiment qu'un homme du monde n'éprouverait pas et qu'en conséquence un écrivain, appartînt-il en dehors de cela à la caste des gens du monde, devrait reproduire afin d'être bien « objectif » et de peindre chaque classe différemment. J'ai, en effet, trouvé[b] dernièrement, dans un charmant volume de Mémoires, la notation d'incertitudes analogues à celles par lesquelles me faisait passer la carte d'invitation de la princesse. « Georges et moi (ou Hély et moi, je n'ai pas le livre sous la main pour vérifier), nous grillions si fort d'être admis dans le salon de Mme Delessert, qu'ayant reçu d'elle une invitation, nous crûmes prudent, chacun de notre côté, de nous assurer que nous n'étions pas les dupes de quelque poisson d'avril. » Or, le narrateur n'est autre que le comte d'Haussonville (celui qui épousa la fille du duc de Broglie), et l'autre jeune homme qui « de son côté » va s'assurer s'il n'est pas le jouet d'une mystification est, selon qu'il s'appelle Georges ou Hély, l'un ou l'autre des deux inséparables amis de M. d'Haussonville, M. d'Harcourt ou le prince de Chalais[1].

Le jour où devait avoir lieu la soirée chez la princesse de Guermantes, j'appris que le duc et la duchesse étaient revenus à Paris depuis la veille. Le bal de la princesse ne les eût pas fait revenir, mais un de leurs cousins était fort malade, et puis le duc tenait beaucoup à une redoute qui avait lieu cette nuit-là et où lui-même devait paraître en Louis XI et sa femme en Isabeau de Bavière[1]. Et je résolus d'aller la voir le matin. Mais, sortis de bonne heure, ils n'étaient pas encore rentrés ; je guettai d'abord, d'une petite pièce que je croyais un bon poste de vigie, l'arrivée de la voiture. En réalité j'avais fort mal choisi mon observatoire, d'où je distinguai à peine notre cour, mais j'en aperçus plusieurs autres ce qui, sans utilité pour moi, me divertit un moment. Ce n'est pas à Venise seulement qu'on a de ces points de vue sur plusieurs maisons à la fois qui ont tenté les peintres, mais à Paris tout aussi bien. Je ne dis pas Venise au hasard. C'est à ses quartiers pauvres que font penser certains quartiers pauvres de Paris, le matin, avec leurs hautes cheminées évasées auxquelles le soleil donne les roses les plus vifs, les rouges les plus clairs ; c'est tout un jardin qui fleurit au-dessus des maisons, et qui fleurit en nuances si variées qu'on dirait, planté sur la ville, le jardin d'un amateur de tulipes de Delft ou de Haarlem. D'ailleurs l'extrême proximité des maisons aux fenêtres opposées sur une même cour y fait de chaque croisée le cadre où une cuisinière rêvasse en regardant à terre, où plus loin une jeune fille se laisse peigner les cheveux par une vieille à figure, à peine distincte dans l'ombre, de sorcière ; ainsi chaque cour fait pour le voisin de la maison, en supprimant le bruit par son intervalle, en laissant voir les gestes silencieux dans un rectangle placé sous verre par la clôture des fenêtres, une exposition de cent tableaux hollandais juxtaposés[2]. Certes, de l'hôtel de Guermantes on n'avait pas le même genre de vues, mais de curieuses aussi, surtout de l'étrange point trigonométrique où je m'étais placé et où le regard n'était arrêté par rien jusqu'aux hauteurs lointaines que formait, les terrains relativement vagues qui précédaient étant fort en pente, l'hôtel de la princesse de Silistrie et de la marquise de Plassac, cousines très nobles[a] de M. de Guermantes, et que je ne connaissais pas. Jusqu'à cet hôtel (qui était celui de leur père, M. de Bréquigny), rien[b] que des corps de bâtiments peu élevés, orientés des façons les plus diverses et qui, sans arrêter la vue, prolongeaient la distance, de leurs plans obliques. La tourelle en tuiles rouges de la remise où le marquis de Frécourt garait ses voitures, se terminait bien par une aiguille plus haute, mais si mince qu'elle ne cachait rien, et faisait penser à ces jolies constructions anciennes de la Suisse qui s'élancent, isolées, au pied d'une montagne. Tous ces points, vagues et divergents où se reposaient les yeux, faisaient paraître plus éloigné que s'il avait été séparé de nous par plusieurs rues ou de nombreux contreforts l'hôtel de Mme de Plassac, en réalité assez voisin mais chimériquement éloigné comme un paysage alpestre. Quand ses larges fenêtres carrées, éblouies de soleil comme des feuilles de cristal de roche, étaient ouvertes pour faire le ménage*[a]*, on avait, à suivre aux différents étages les valets de pied impossibles à bien distinguer, mais qui battaient des tapis ou promenaient des plumeaux, le même plaisir*[b]* qu'à voir, dans un paysage de Turner ou d'Elstir, un voyageur en diligence, ou un guide, à différents degrés d'altitude du Saint-Gothard[1]. Mais de ce « point de vue » où je m'étais placé j'aurais risqué de ne pas voir rentrer M. ou Mme de Guermantes, de sorte que, lorsque dans l'après-midi je fus libre de reprendre mon guet, je me mis simplement sur l'escalier, d'où l'ouverture de la porte cochère ne pouvait passer inaperçue pour moi, et ce fut dans l'escalier que je me postai, bien que n'y apparussent pas, si éblouissantes avec leurs valets de pieds rendus minuscules par l'éloignement et en train de nettoyer, les beautés alpestres de l'hôtel de Bréquigny et Tresmes[2]. Or cette attente*[c]* sur l'escalier devait avoir pour moi des conséquences si considérables et me découvrir un paysage non plus turnérien mais moral si important, qu'il est préférable d'en retarder le récit de quelques instants, en le faisant précéder d'abord par celui de la visite que je fis aux Guermantes dès que j'appris qu'ils étaient rentrés*[d]*. Ce fut le duc seul qui me reçut*[e]* dans sa bibliothèque. Au moment où j'y entrais, sortit un petit homme aux cheveux tout blancs, l'air pauvre, avec une petite cravate noire comme en avaient le notaire de Combray et plusieurs amis de mon grand-père, mais qui d'un aspect plus timide et qui, m'adressant de grands saluts, ne voulut jamais descendre avant que je fusse passé. Le duc lui cria de la bibliothèque quelque chose que je ne compris pas, et l'autre répondit avec de nouveaux saluts adressés à la muraille, car le duc ne pouvait le voir, mais répétés tout de même sans fin, comme ces inutiles sourires des gens qui causent avec vous

par le téléphone ; il avait une voix de fausset, et me resalua
avec une humilité d'homme d'affaires. Et ce pouvait
d'ailleurs être un homme d'affaires de Combray, tant il avait
le genre provincial, suranné et doux des petites gens, des
vieillards modestes de là-bas.

« Vous verrez Oriane tout à l'heure, me dit le duc quand
je fus entré. Comme Swann doit venir tout à l'heure lui
apporter les épreuves de son étude sur les monnaies de
l'Ordre de Malte, et, ce qui est pis, une photographie
immense où il a fait reproduire les deux faces de ces
monnaies, Oriane a préféré s'habiller d'abord, pour pouvoir rester avec lui[a] jusqu'au moment d'aller dîner. Nous
sommes déjà encombrés d'affaires à ne pas savoir où les
mettre et je me demande où nous allons fourrer cette
photographie. Mais j'ai une femme trop aimable, qui aime
trop à faire plaisir. Elle a cru que c'était gentil de demander
à Swann de pouvoir regarder les uns à côté des autres tous
ces grands maîtres de l'Ordre dont il a trouvé les médailles
à Rhodes. Car je vous disais Malte, c'est Rhodes, mais c'est
le même Ordre de Saint-Jean-de-Jérusalem[1]. Dans le fond
elle ne s'intéresse à cela que parce que Swann s'en occupe.
Notre famille est très mêlée à toute cette histoire ; même
encore aujourd'hui, mon frère que vous connaissez est un
des plus hauts dignitaires de l'Ordre de Malte[2]. Mais j'aurais
parlé de tout cela à Oriane, elle ne m'aurait seulement pas
écouté. En revanche, il a suffi que les recherches de Swann
sur les Templiers (car c'est inouï la rage des gens d'une
religion à étudier celle des autres) l'aient conduit à l'histoire
des Chevaliers de Rhodes, héritiers des Templiers[3], pour
qu'aussitôt Oriane veuille voir les têtes de ces chevaliers.
Ils étaient de fort petits garçons à côté des Lusignan rois de
Chypre, dont nous descendons en ligne directe[4]. Mais
jusqu'ici Swann ne s'est pas occupé d'eux, aussi Oriane ne
veut rien savoir sur les Lusignan. » Je ne pus pas tout de
suite dire au duc pourquoi j'étais venu. En effet, quelques
parents ou amies, comme Mme de Silistrie et la duchesse
de Montrose, vinrent[b] pour faire une visite à la duchesse
qui recevait souvent avant le dîner, et ne la trouvant pas
restèrent un moment avec le duc. La première de ces dames
(la princesse de Silistrie), habillée avec simplicité, sèche
mais l'air aimable, tenait à la main une canne. Je craignis
d'abord qu'elle ne fût blessée ou infirme. Elle était au
contraire fort alerte. Elle parla avec tristesse au duc d'un

cousin germain à lui — pas du côté Guermantes, mais plus
brillant encore s'il était possible — dont l'état de santé, très
atteint depuis quelque temps, s'était subitement aggravé.
Mais il était visible que le duc, tout en compatissant au sort
de son cousin et en répétant : « Pauvre Mama ! c'est[a] un
si bon garçon », portait un diagnostic favorable. En effet
le dîner auquel devait assister le duc l'amusait, la grande
soirée chez la princesse de Guermantes ne l'ennuyait pas,
mais surtout il devait aller à une heure du matin, avec sa
femme, à un grand souper et bal costumé en vue duquel
un costume de Louis XI pour lui et d'Isabeau de Bavière
pour la duchesse[b] étaient tout prêts. Et le duc entendait ne
pas être troublé dans ces divertissements multiples par la
souffrance du bon Amanien d'Osmond[2]. Deux autres dames
porteuses de canne, Mme de Plassac et Mme de Tresmes,
toutes deux filles du comte de Bréquigny, vinrent ensuite
faire visite à Basin et déclarèrent que l'état du cousin Mama
ne laissait plus d'espoir[c]. Après avoir haussé les épaules, et
pour changer de conversation, le duc leur demanda si elles
allaient le soir chez Marie-Gilbert. Elles répondirent que
non, à cause de l'état d'Amanien qui était à toute extrémité,
et même elles s'étaient décommandées du dîner où allait
le duc, et duquel elles lui énumérèrent les convives, le frère
du roi Théodose, l'infante Marie-Conception, etc. Comme
le marquis d'Osmond était[d] leur parent à un degré moins
proche qu'il n'était de Basin, leur « défection » parut au
duc une espèce de blâme indirect de sa conduite et il se
montra peu aimable. Aussi, bien que descendues des
hauteurs de l'hôtel de Bréquigny pour voir la duchesse (ou
plutôt pour lui annoncer le caractère alarmant, et incompatible pour les parents avec les réunions mondaines, de la
maladie de leur cousin), ne restèrent-elles pas longtemps,
et, munies de leur bâton d'alpiniste, Walpurge et Dorothée
(tels étaient les prénoms des deux sœurs) reprirent la route
escarpée de leur faîte. Je[e] n'ai jamais pensé à demander aux
Guermantes à quoi correspondaient ces cannes, si fréquentes dans un certain faubourg Saint-Germain. Peut-être,
considérant toute la paroisse comme leur domaine et
n'aimant pas prendre de fiacres, faisaient-elles de longues
courses, pour lesquelles quelque ancienne fracture, due à
l'usage immodéré de la chasse et aux chutes de cheval qu'il
comporte souvent, ou simplement des rhumatismes provenant de l'humidité de la rive gauche et des vieux châteaux,

leur rendaient la canne nécessaire. Peut-être n'étaient-elles
pas parties, dans le quartier, en expédition si lointaine, et,
seulement descendues dans leur jardin (peu éloigné de
celui de la duchesse) pour faire la cueillette des fruits
nécessaires aux compotes, venaient-elles, avant de rentrer
chez elles, dire bonsoir à Mme de Guermantes, chez
laquelle elles n'allaient pourtant pas jusqu'à apporter un
sécateur ou un arrosoir. Le duc parut[a] touché que je fusse
venu chez eux le jour même de son retour. Mais sa figure
se rembrunit quand je lui eus dit que je venais demander
à sa femme de s'informer si sa cousine m'avait réellement
invité. Je venais d'effleurer une de ces sortes de services que
M. et Mme de Guermantes n'aimaient pas rendre. Le duc
me dit qu'il était trop tard, que si la princesse ne m'avait
pas envoyé d'invitation, il aurait l'air d'en demander une,
que déjà ses cousins lui en avaient refusé une, une fois, et
qu'il ne voulait plus, ni de près, ni de loin, avoir l'air de
se mêler de leurs listes, « de s'immiscer », enfin qu'il ne
savait même pas si lui et sa femme, qui dînaient en ville,
ne rentreraient pas aussitôt après chez eux, que dans ce cas
leur meilleure excuse de n'être pas allés à la soirée de la
princesse était de lui cacher leur retour à Paris, que
certainement, sans cela, ils se seraient au contraire empressés de lui faire connaître en lui envoyant un mot ou un
coup de téléphone à mon sujet, et certainement trop tard,
car en toute hypothèse les listes de la princesse étaient
certainement closes. « Vous n'êtes pas mal avec elle », me
dit-il d'un air soupçonneux, les Guermantes craignant
toujours de ne pas être au courant des dernières brouilles
et qu'on ne cherchât à se raccommoder sur leur dos. Enfin
comme le duc avait l'habitude de prendre sur lui toutes les
décisions qui pouvaient sembler peu aimables : « Tenez,
mon petit », me dit-il tout à coup, comme si l'idée lui en
venait brusquement à l'esprit, « j'ai même envie de ne pas
dire du tout à Oriane que vous m'avez parlé de cela. Vous
savez comme elle est aimable, de plus elle vous aime
énormément, elle voudrait envoyer chez sa cousine, malgré
tout ce que je pourrais lui dire, et si elle est fatiguée après
dîner, il n'y aura plus d'excuse, elle sera forcée d'aller à la
soirée. Non, décidément, je ne lui en dirai rien. Du reste
vous allez la voir tout à l'heure. Pas un mot de cela, je vous
prie. Si vous vous décidez à aller chez mes cousins, je n'ai
pas besoin[b] de vous dire quelle joie nous aurons de passer

la soirée avec vous. » Les motifs d'humanité sont trop sacrés pour que celui devant qui on les invoque ne s'incline pas devant eux, qu'il les croie sincères ou non ; je ne voulus pas avoir l'air de mettre un instant en balance mon invitation et la fatigue possible de Mme de Guermantes, et je promis de ne pas lui parler du but de ma visite, exactement comme si j'avais été dupe de la petite comédie que m'avait jouée M. de Guermantes. Je demandai au duc s'il croyait que j'avais chance de voir chez la princesse Mme de Stermaria.

« Mais non, me dit-il d'un air de connaisseur ; je sais le nom que vous dites pour le voir dans les annuaires des clubs, ce n'est pas du tout le genre de monde qui va chez Gilbert. Vous[d] ne verrez là que des gens excessivement comme il faut et très ennuyeux, des duchesses portant des titres qu'on croyait éteints et qu'on a ressortis pour la circonstance, tous les ambassadeurs, beaucoup de Cobourg, d'Altesses étrangères, mais n'espérez pas l'ombre de Stermaria, Gilbert serait malade, même de votre supposition. Tenez[b], vous qui aimez la peinture, il faut que je vous montre un superbe tableau que j'ai acheté à mon cousin, en partie en échange des Elstir, que décidément nous n'aimions pas. On me l'a vendu pour un Philippe de Champagne[1], mais moi je crois que c'est encore plus grand. Voulez-vous ma pensée ? Je crois que c'est un Vélasquez et de la plus belle époque », me dit le duc en me regardant dans les yeux, soit pour connaître mon impression, soit pour l'accroître. Un valet de pied entra.

« Madame la duchesse fait demander à Monsieur le duc si Monsieur le duc veut bien recevoir M. Swann, parce que Madame la duchesse n'est pas encore prête.

— Faites entrer M. Swann », dit le duc après avoir regardé sa montre et vu qu'il avait lui-même quelques minutes encore avant d'aller s'habiller. « Naturellement ma femme, qui lui a dit de venir, n'est pas prête. Inutile de parler devant Swann de la soirée de Marie-Gilbert, me dit le duc. Je ne sais pas s'il est invité. Gilbert l'aime beaucoup, parce qu'il le croit petit-fils naturel du duc de Berri, c'est toute une histoire. (Sans ça, vous pensez ! mon cousin qui tombe en attaque quand il voit un juif à cent mètres.) Mais enfin maintenant ça s'aggrave de l'affaire Dreyfus, Swann aurait dû comprendre qu'il devait, plus que tout autre, couper tout câble avec ces gens-là ; or, tout au contraire, il tient des propos fâcheux. »

Le duc rappela le valet de pied pour savoir si celui qu'il avait envoyé chez le cousin d'Osmond était revenu. En effet le plan du duc était le suivant : comme il croyait avec raison son cousin mourant, il tenait à faire prendre des nouvelles avant la mort, c'est-à-dire avant le deuil forcé. Une fois couvert par la certitude officielle qu'Amanien était encore vivant, il ficherait le camp à son dîner, à la soirée du prince, à la redoute où il serait en Louis XI et où il avait le plus piquant rendez-vous avec une nouvelle maîtresse, et ne ferait plus prendre de nouvelles avant le lendemain, quand les plaisirs seraient finis. Alors on prendrait le deuil, s'il avait trépassé dans la soirée. « Non, monsieur le duc, il n'est pas encore revenu. — Cré nom de Dieu ! on ne fait jamais ici les choses qu'à la dernière heure », dit le duc à la pensée qu'Amanien avait eu le temps de « claquer » pour un journal du soir et de lui faire rater sa redoute. Il fit demander *Le Temps* où il n'y avait rien.

Je n'avais pas vu[a] Swann depuis très longtemps, je me demandai un instant si autrefois il coupait sa moustache, ou n'avait pas les cheveux en brosse, car je lui trouvais quelque chose de changé ; c'était seulement qu'il était en effet très « changé », parce qu'il était très souffrant, et la maladie produit dans le visage des modifications aussi profondes que se mettre à porter la barbe ou changer sa raie de place. (La maladie de Swann était celle qui avait emporté sa mère et dont elle avait été atteinte précisément à l'âge qu'il avait. Nos existences sont en réalité, par l'hérédité, aussi pleines de chiffres cabalistiques, de sorts jetés, que s'il y avait vraiment des sorcières. Et comme il y a une certaine durée de la vie pour l'humanité en général, il y en a pour les familles en particulier, c'est-à-dire, dans les familles, pour les membres qui se ressemblent.) Swann était habillé avec une élégance qui, comme celle de sa femme, associait à ce qu'il était ce qu'il avait été. Serré dans une redingote gris perle, qui faisait valoir sa haute taille, svelte, ganté de gants blancs rayés de noir, il portait un tube gris d'une forme évasée que Delion[1] ne faisait plus que pour lui, pour le prince de Sagan[2], pour M. de Charlus, pour le marquis de Modène[3], pour M. Charles Haas[4] et pour le comte Louis de Turenne[5]. Je fus surpris du charmant sourire et de l'affectueuse poignée de main avec lesquels il répondit à mon salut, car je croyais qu'après si longtemps il ne m'aurait pas reconnu tout de suite ; je lui dis mon étonnement ; il l'accueillit avec des éclats de rire, un peu d'indignation, et une nouvelle pression de la main, comme si c'était mettre en doute l'intégrité de son cerveau ou la sincérité de son affection que supposer qu'il ne me reconnaissait pas. Et c'est pourtant ce qui était ; il ne m'identifia, je l'ai su longtemps après, que quelques minutes plus tard, en entendant rappeler mon nom. Mais nul changement dans son visage, dans ses paroles, dans les choses qu'il me dit, ne trahit la découverte qu'une parole de M. de Guermantes lui fit faire, tant il avait de maîtrise et de sûreté dans le jeu de la vie mondaine. Il y apportait d'ailleurs cette spontanéité dans les manières et ces initiatives personnelles, même en matière d'habillement, qui caractérisaient le genre des Guermantes. C'est ainsi que le salut que m'avait fait, sans me reconnaître, le vieux clubman n'était pas le salut froid et raide de l'homme du monde purement formaliste, mais un salut tout rempli d'une amabilité réelle, d'une grâce véritable, comme en avait la duchesse de Guermantes par exemple (allant jusqu'à vous sourire la première avant que vous l'eussiez saluée si elle vous rencontrait), par opposition aux saluts plus mécaniques, habituels aux dames du faubourg Saint-Germain. C'est ainsi encore que son chapeau, que, selon une habitude qui tendait à disparaître, il posa par terre à côté de lui, était doublé de cuir vert, ce qui ne se faisait pas d'habitude mais parce que c'était (à ce qu'il disait) beaucoup moins salissant, en réalité parce que c'était fort seyant[a].

« Tenez, Charles, vous qui êtes un grand connaisseur, venez voir quelque chose ; après ça, mes petits, je vais vous demander la permission de vous laisser ensemble un instant pendant que je vais passer un habit ; du reste je pense qu'Oriane ne va pas tarder. » Et il montra son « Vélasquez » à Swann. « Mais il me semble que je connais ça », fit Swann avec la grimace des gens souffrants pour qui parler est déjà une fatigue.

« Oui », dit le duc rendu sérieux par le retard que mettait le connaisseur à exprimer son admiration. « Vous l'avez probablement vu chez Gilbert.

— Ah ! en effet, je me rappelle.

— Qu'est-ce que vous croyez que c'est ?

— Eh bien, si c'était chez Gilbert, c'est probablement un de vos *ancêtres* », dit Swann avec un mélange d'ironie et de déférence envers une grandeur qu'il eût trouvé impoli et ridicule de méconnaître, mais dont il ne voulait, par bon goût, parler qu'en « se jouant ».

« Mais bien sûr, dit rudement le duc. C'est Boson, je ne sais plus quel numéro de Guermantes. Mais ça, je m'en fous. Vous savez que je ne suis pas aussi féodal que mon cousin. J'ai entendu prononcer le nom de Rigaud[1], de Mignard, même de Vélasquez ! » dit le duc en attachant sur Swann un regard et d'inquisiteur et de tortionnaire, pour tâcher à la fois de lire dans sa pensée et d'influencer sa réponse. « Enfin, conclut-il (car, quand on l'amenait à provoquer artificiellement une opinion qu'il désirait, il avait la faculté, au bout de quelques instants, de croire qu'elle avait été spontanément émise) voyons, pas de flatterie. Croyez-vous que ce soit d'un des grands pontifes que je viens de dire ?

— Nnnon, dit Swann.

— Mais alors, enfin moi je n'y connais rien, ce n'est pas à moi de décider de qui est ce croûton-là. Mais vous, un dilettante, un maître en la matière, à qui l'attribuez-vous ? »

Swann hésita un instant devant cette toile que visiblement il trouvait affreuse : « À la malveillance[2] ! » répondit-il en riant au duc, lequel ne put laisser échapper un mouvement de rage. Quand elle fut calmée : « Vous êtes bien gentils tous les deux, attendez Oriane un instant, je vais mettre ma queue de morue et je reviens. Je vais faire dire à ma bourgeoise que vous l'attendez tous les deux. »

Je causai un instant avec Swann de l'affaire Dreyfus et je lui demandai comment il se faisait que tous les Guermantes fussent antidreyfusards. « D'abord parce qu'au fond tous ces gens-là sont antisémites », répondit Swann qui savait bien pourtant par expérience que certains ne l'étaient pas mais qui, comme tous les gens qui ont une opinion ardente, aimait mieux, pour expliquer que certaines personnes ne la partageassent pas, leur supposer une raison préconçue, un préjugé contre lequel il n'y avait rien à faire, plutôt que des raisons qui se laisseraient discuter. D'ailleurs, arrivé au terme prématuré de sa vie, comme une bête fatiguée qu'on harcèle, il exécrait ces persécutions et rentrait au bercail religieux de ses pères.

« Pour le prince de Guermantes, dis-je, il est vrai, on m'avait dit qu'il était antisémite.

— Oh ! celui-là, je n'en parle même pas. C'est au point que, quand il était officier, ayant une rage de dents épouvantable, il a préféré rester à souffrir plutôt que de consulter le seul dentiste de la région qui était juif, et que plus tard il a laissé brûler une aile de son château où le feu avait pris, parce qu'il aurait fallu demander des pompes au château voisin qui est aux Rothschild.

— Est-ce que vous allez par hasard ce soir chez lui ?

— Oui, me répondit-il, quoique je me trouve bien fatigué. Mais il m'a envoyé un pneumatique pour me prévenir qu'il avait quelque chose à me dire. Je sens que je serai trop souffrant ces jours-ci pour y aller ou pour le recevoir, cela m'agitera, j'aime mieux être débarrassé tout de suite de cela.

— Mais le duc de Guermantes n'est pas antisémite.

— Vous voyez bien que si, puisqu'il est antidreyfusard », me répondit Swann, sans s'apercevoir qu'il faisait une pétition de principe. « Cela n'empêche pas que je suis peiné d'avoir déçu cet homme — que dis-je ! ce duc — en n'admirant pas son prétendu Mignard, je ne sais quoi.

— Mais enfin, repris-je en revenant à l'affaire Dreyfus, la duchesse, elle, est intelligente.

— Oui, elle est charmante. À mon avis, du reste, elle l'a été encore davantage quand elle s'appelait encore la princesse des Laumes. Son esprit[a] a pris quelque chose de plus anguleux, tout cela était plus tendre dans la grande dame juvénile. Mais enfin, plus ou moins jeunes, hommes ou femmes, qu'est-ce que vous voulez, tous ces gens-là sont d'une autre race, on n'a pas impunément mille ans de féodalité dans le sang. Naturellement ils croient que cela n'est pour rien dans leur opinion.

— Mais Robert[b] de Saint-Loup pourtant est dreyfusard ?

— Ah ! tant mieux, d'autant plus que vous savez que sa mère est très contre. On m'avait dit qu'il l'était, mais je n'en étais pas sûr. Cela me fait grand plaisir. Cela ne m'étonne pas, il est très intelligent. C'est beaucoup, cela. »

Le dreyfusisme avait rendu Swann d'une naïveté extraordinaire et donné à sa façon de voir une impulsion, un déraillement plus notables encore que n'avait fait

autrefois son mariage avec Odette ; ce nouveau déclassement eût été mieux appelé reclassement et n'était
qu'honorable pour lui, puisqu'il le faisait rentrer dans la
voie par laquelle étaient venus les siens et d'où l'avaient
dévié ses fréquentations aristocratiques. Mais Swann,
précisément au moment même où, si lucide, il lui était
donné, grâce aux données héritées de son ascendance, de
voir une vérité encore cachée aux gens du monde, se
montrait pourtant d'un aveuglement comique. Il remettait
toutes ses admirations et tous ses dédains à l'épreuve d'un
critérium nouveau, le dreyfusisme. Que l'antidreyfusisme
de Mme Bontemps la lui fît trouver bête n'était pas plus
étonnant que, quand il s'était marié, il l'eût trouvée
intelligente. Il n'était pas bien grave non plus que la vague
nouvelle atteignît aussi en lui les jugements politiques et
lui fît perdre le souvenir d'avoir traité d'homme d'argent,
d'espion de l'Angleterre (c'était une absurdité du milieu
Guermantes) Clemenceau[1], qu'il déclarait maintenant
avoir tenu toujours pour une conscience, un homme de
fer, comme Cornély[2]. « Non, je ne vous ai jamais dit
autrement. Vous confondez. » Mais, dépassant les jugements politiques, la vague renversait chez Swann les
jugements littéraires et jusqu'à la façon de les exprimer.
Barrès avait perdu tout talent, et même ses ouvrages de
jeunesse étaient faiblards, pouvaient à peine se relire[a3].
« Essayez, vous ne pourrez pas aller jusqu'au bout. Quelle
différence avec Clemenceau ! Personnellement je ne suis
pas anticlérical, mais comme, à côté de lui, on se rend
compte que Barrès n'a pas d'os ! C'est un très grand
bonhomme que le père Clemenceau. Comme il sait sa
langue ! » D'ailleurs les antidreyfusards n'auraient pas été
en droit de critiquer ces folies. Ils expliquaient qu'on fût
dreyfusiste parce qu'on était d'origine juive. Si un
catholique pratiquant comme Saniette tenait aussi pour la
révision, c'était qu'il était chambré par Mme Verdurin,
laquelle agissait en farouche radicale. Elle était avant tout
contre les « calotins ». Saniette était plus bête que méchant et ne savait pas le tort que la Patronne lui faisait.
Que si l'on objectait que Brichot était tout aussi ami de
Mme Verdurin et était membre de la « Patrie française »,
c'est qu'il était plus intelligent.

« Vous le voyez quelquefois ? dis-je à Swann en parlant
de Saint-Loup.

— Non, jamais. Il m'a écrit l'autre jour pour que je demande au duc de Mouchy[1] et à quelques autres de voter pour lui au Jockey, où il a du reste passé comme une lettre à la poste.

— Malgré l'Affaire !

— On n'a pas soulevé la question. Du reste je vous dirai que, depuis tout ça, je ne mets plus les pieds dans cet endroit. »

M. de Guermantes rentra, et bientôt sa femme, toute prête, haute et superbe dans une robe de satin rouge dont la jupe était bordée de paillettes. Elle avait dans les cheveux une grande plume d'autruche teinte de pourpre et sur les épaules une écharpe de tulle du même rouge. « Comme c'est bien de faire doubler son chapeau de vert, dit la duchesse à qui rien n'échappait. D'ailleurs, en vous, Charles, tout est joli, aussi bien ce que vous portez que ce que vous dites, ce que vous lisez et ce que vous faites. » Swann, cependant, sans avoir l'air d'entendre, considérait la duchesse comme il eût fait d'une toile de maître et chercha ensuite son regard en faisant avec la bouche la moue qui veut dire : « Bigre ! » Mme de Guermantes éclata de rire. « Ma toilette vous plaît, je suis ravie. Mais je dois dire qu'elle ne me plaît pas beaucoup, continua-t-elle d'un air maussade. Mon Dieu, que c'est ennuyeux de s'habiller, de sortir quand on aimerait tant rester chez soi !

— Quels magnifiques rubis !

— Ah[a] ! mon petit Charles, au moins on voit que vous vous y connaissez, vous n'êtes pas comme cette brute de Monserfeuil qui me demandait s'ils étaient vrais. Je dois dire que je n'en ai jamais vu d'aussi beaux. C'est un cadeau de la grande-duchesse. Pour mon goût ils sont un peu gros, un peu verre à bordeaux plein jusqu'aux bords, mais je les ai mis parce que nous verrons ce soir la grande-duchesse chez Marie-Gilbert », ajouta Mme de Guermantes sans se douter que cette affirmation détruisait celles du duc.

« Qu'est-ce qu'il y a chez la princesse ? demanda Swann.

— Presque rien », se hâta de répondre le duc à qui la question de Swann avait fait croire qu'il n'était pas invité.

« Mais comment, Basin ? C'est-à-dire que tout le ban et l'arrière-ban sont convoqués. Ce sera une tuerie, à s'assommer. Ce qui sera joli, ajouta-t-elle en regardant

Swann d'un air délicat, si l'orage qu'il y a dans l'air n'éclate pas, ce sont ces merveilleux jardins. Vous les connaissez. J'ai été là-bas, il y a un mois, au moment où les lilas étaient en fleur, on ne peut pas se faire une idée de ce que ça pouvait être beau. Et puis le jet d'eau, enfin, c'est vraiment Versailles dans Paris.

— Quel genre de femme est la princesse ? demandai-je.

— Mais vous savez déjà, puisque vous l'avez vue ici[1], qu'elle est belle comme le jour, qu'elle est aussi un peu idiote, très gentille malgré toute sa hauteur germanique, pleine de cœur et de gaffes. »

Swann était trop fin pour ne pas voir que Mme de Guermantes cherchait en ce moment à « faire de l'esprit Guermantes » et sans grands frais, car elle ne faisait que resservir sous une forme moins parfaite d'anciens mots d'elle. Néanmoins, pour prouver à la duchesse qu'il comprenait son intention d'être drôle et comme si elle l'avait réellement été, il sourit d'un air un peu forcé, me causant, par ce genre particulier d'insincérité, la même gêne que j'avais autrefois à entendre mes parents parler avec M. Vinteuil de la corruption de certains milieux (alors qu'ils savaient très bien qu'était plus grande celle qui régnait à Montjouvain) ou Legrandin nuancer son débit pour des sots, choisir des épithètes délicates qu'il savait parfaitement ne pouvoir être comprises d'un public riche ou chic, mais illettré.

« Voyons Oriane, qu'est-ce que vous dites, dit M. de Guermantes. Marie bête ? Elle a tout lu, elle est musicienne comme le violon.

— Mais, mon pauvre petit Basin, vous êtes un enfant qui vient de naître. Comme si on ne pouvait pas être tout ça et un peu idiote ! Idiote est du reste exagéré, non elle est nébuleuse, elle est Hesse-Darmstadt, Saint-Empire et gnan-gnan. Rien que sa prononciation m'énerve. Mais je reconnais, du reste, que c'est une charmante loufoque. D'abord cette seule idée d'être descendue de son trône allemand pour venir épouser bien bourgeoisement un simple particulier. Il est vrai qu'elle l'a choisi ! Ah ! mais c'est vrai, dit-elle en se tournant vers moi, vous ne connaissez pas Gilbert ! Je vais vous en donner une idée : il a autrefois pris le lit parce que j'avais mis une carte à Mme Carnot[2]... Mais, mon petit Charles », dit la duchesse pour changer de conversation, voyant que l'histoire de sa carte à Mme Carnot paraissait courroucer M. de Guermantes, « vous savez que vous n'avez pas envoyé la photographie de nos chevaliers de Rhodes, que j'aime par vous et avec qui j'ai si envie de faire connaissance. »

Le duc, cependant, n'avait pas cessé de regarder sa femme fixement : « Oriane[a], il faudrait au moins raconter la vérité et ne pas en manger la moitié. Il faut dire, rectifia-t-il en s'adressant à Swann, que l'ambassadrice d'Angleterre de ce moment-là[1], qui était une très bonne femme, mais qui vivait un peu dans la lune et qui était coutumière de ce genre d'impairs, avait eu l'idée assez baroque de nous inviter avec le président et sa femme. Nous avons été, même Oriane, assez surpris, d'autant plus que l'ambassadrice connaissait assez les mêmes personnes que nous pour ne pas nous inviter justement à une réunion aussi étrange. Il y avait un ministre qui a volé, enfin je passe l'éponge, nous n'avions pas été prévenus, nous étions pris au piège, et il faut du reste reconnaître que tous ces gens ont été fort polis. Seulement c'était déjà bien comme ça. Mme de Guermantes, qui ne me fait pas souvent l'honneur de me consulter, a cru devoir aller mettre une carte dans la semaine à l'Élysée. Gilbert a peut-être été un peu loin en voyant là comme une tache sur notre nom. Mais il ne faut pas oublier que, politique mise à part, M. Carnot, qui tenait du reste très convenablement sa place, était le petit-fils d'un membre du tribunal révolutionnaire qui a fait périr en un jour onze des nôtres[2].

— Alors, Basin, pourquoi alliez-vous dîner toutes les semaines à Chantilly[3] ? Le duc d'Aumale n'était pas moins petit-fils d'un membre du tribunal révolutionnaire, avec cette différence que Carnot était un brave homme et Philippe-Égalité une affreuse canaille[4].

— Je m'excuse d'interrompre pour vous dire que j'ai envoyé la photographie, dit Swann. Je ne comprends pas qu'on ne vous l'ait pas donnée.

— Ça ne m'étonne qu'à moitié, dit la duchesse. Mes domestiques ne me disent que ce qu'ils jugent à propos. Ils n'aiment probablement pas l'Ordre de Saint-Jean. » Et elle sonna.

« Vous savez, Oriane, que quand j'allais dîner à Chantilly, c'était sans enthousiasme.

— Sans enthousiasme, mais avec chemise de nuit pour si le prince vous demandait de rester à coucher, ce qu'il faisait d'ailleurs rarement, en parfait mufle qu'il était, comme tous les Orléans... Savez-vous avec qui nous dînons chez Mme de Saint-Euverte ? demanda Mme de Guermantes à son mari.

— En dehors des convives que vous savez, il y aura, invité de la dernière heure, le frère du roi Théodose. »

À cette nouvelle les traits de la duchesse respirèrent le contentement et ses paroles l'ennui. « Ah ! mon Dieu, encore des princes.

— Mais celui-là est gentil et intelligent, dit Swann.

— Mais tout de même pas complètement », répondit la duchesse en ayant l'air de chercher ses mots pour donner plus de nouveauté à sa pensée. « Avez-vous remarqué, parmi les princes, que les plus gentils ne le sont pas tout à fait ? Mais si, je vous assure ! Il faut toujours qu'ils aient une opinion sur tout. Alors comme ils n'en ont aucune, ils passent la première partie de leur vie à nous demander les nôtres, et la seconde à nous les resservir. Il faut absolument qu'ils disent que ceci a été bien joué, que cela a été moins bien joué. Il n'y a aucune différence. Tenez, ce petit Théodose Cadet (je ne me rappelle pas son nom) m'a demandé comment ça s'appelait, un motif d'orchestre. Je lui ai répondu, dit la duchesse les yeux brillants et en éclatant de rire de ses belles lèvres rouges : "Ça s'appelle un motif d'orchestre." Hé bien ! dans le fond, il n'était pas content. Ah ! mon petit Charles, reprit Mme de Guermantes d'un air languissant, ce que ça peut être ennuyeux de dîner en ville ! Il y a des soirs où on aimerait mieux mourir ! Il est vrai que de mourir c'est peut-être tout aussi ennuyeux, puisqu'on ne sait pas ce que c'est. »

Un laquais parut. C'était le jeune fiancé qui avait eu des raisons avec le concierge, jusqu'à ce que la duchesse, dans sa bonté, eût mis entre eux une paix apparente.

« Est-ce que je devrai prendre ce soir des nouvelles de M. le marquis d'Osmond[a] ? demanda-t-il.

— Mais jamais de la vie, rien avant demain matin ! Je ne veux même pas que vous restiez ici ce soir. Son valet de pied, que vous connaissez, n'aurait qu'à venir vous donner des nouvelles et vous dire d'aller nous chercher. Sortez, allez où vous voudrez, faites la noce, découchez, mais je ne veux pas de vous ici avant demain matin. »

Une joie immense déborda du visage du valet de pied. Il allait enfin pouvoir passer de longues heures avec sa promise qu'il ne pouvait quasiment plus voir depuis qu'à la suite d'une nouvelle scène avec le concierge, la duchesse lui avait gentiment expliqué qu'il valait mieux ne plus sortir pour éviter de nouveaux conflits. Il nageait, à la pensée d'avoir enfin sa soirée libre, dans un bonheur que la duchesse remarqua et comprit. Elle éprouva comme un serrement de cœur et une démangeaison de tous les membres à la vue de ce bonheur qu'on prenait à son insu, en se cachant d'elle, duquel elle était irritée et jalouse. « Non, Basin, qu'il*d* reste ici, qu'il ne bouge pas de la maison, au contraire.

— Mais, Oriane, c'est absurde, tout votre monde est là, vous aurez en plus à minuit l'habilleuse et le costumier pour notre redoute. Il ne peut servir à rien du tout, et comme seul il est ami avec le valet de pied de Mama, j'aime*b* mille fois mieux l'expédier loin d'ici.

— Écoutez, Basin, laissez-moi, j'aurai justement quelque chose à lui faire dire dans la soirée, je ne sais au juste à quelle heure. Ne bougez surtout pas d'ici d'une minute », dit-elle au valet de pied désespéré.

S'il y avait tout le temps des querelles et si on restait peu chez la duchesse, la personne à qui il fallait attribuer cette guerre constante était bien inamovible, mais ce n'était pas le concierge. Sans doute pour le gros ouvrage, pour les martyres plus fatigants à infliger, pour les querelles qui finissent par les coups, la duchesse lui en confiait les lourds instruments ; d'ailleurs jouait-il son rôle sans soupçonner qu'on le lui eût confié. Comme les domestiques, il admirait la bonté de la duchesse ; et les valets de pied peu clairvoyants venaient, après leur départ, revoir souvent Françoise en disant que la maison du duc aurait été la meilleure place de Paris s'il n'y avait pas eu la loge. La duchesse jouait de la loge comme on joua longtemps du cléricalisme, de la franc-maçonnerie, du péril juif, etc. Un valet de pied entra*c*.

« Pourquoi ne m'a-t-on pas monté le paquet que M. Swann a fait porter ? Mais à ce propos (vous savez que Mama est très malade, Charles), Jules, qui était allé prendre des nouvelles de M. le marquis d'Osmond, est-il revenu*d* ?

— Il arrive à l'instant, M. le duc. On s'attend d'un moment à l'autre à ce que M. le marquis ne passe.

— Ah ! il est vivant, s'écria le duc avec un soupir de soulagement. On s'attend, on s'attend ! Satan vous-même.

Tant qu'il y a de la vie il y a de l'espoir, nous dit le duc d'un air joyeux. On me le peignait déjà comme mort et enterré. Dans huit jours il sera plus gaillard que moi.

— Ce sont les médecins qui ont dit qu'il ne passerait pas la soirée. L'un voulait revenir dans la nuit. Leur chef a dit que c'était inutile. M. le marquis devrait être mort ; il n'a survécu que grâce à des lavements d'huile camphrée.

— Taisez-vous, espèce d'idiot, cria le duc au comble de la colère. Qu'est-ce qui vous demande tout ça ? Vous n'avez rien compris à ce qu'on vous a dit.

— Ce n'est pas à moi, c'est à Jules.

— Allez-vous vous taire ? hurla le duc, et se tournant vers Swann : Quel bonheur qu'il soit vivant ! Il va reprendre des forces peu à peu. Il est vivant après une crise pareille. C'est déjà une excellente chose. On ne peut pas tout demander à la fois. Ça ne doit pas être désagréable, un petit lavement d'huile camphrée, dit le duc, se frottant les mains. Il est vivant, qu'est-ce qu'on veut de plus ? Après avoir passé par où il a passé, c'est déjà bien beau. Il est même à envier d'avoir un tempérament pareil. Ah ! les malades, on a pour eux des petits soins qu'on ne prend pas pour nous. Il y a ce matin un bougre de cuisinier qui m'a fait un gigot à la sauce béarnaise, réussie à merveille, je le reconnais, mais justement à cause de cela, j'en ai tant pris que je l'ai encore sur l'estomac. Cela n'empêche qu'on ne viendra pas prendre de mes nouvelles comme de mon cher Amanien. On en prend même trop. Cela le fatigue. Il faut le laisser souffler. On le tue, cet homme, en envoyant tout le temps chez lui[1].

— Hé bien ! dit la duchesse au valet de pied qui se retirait, j'avais demandé qu'on montât la photographie enveloppée que m'a envoyée M. Swann.

— Madame[a] la duchesse, c'est si grand que je ne savais pas si ça passerait dans la porte. Nous l'avons laissé dans le vestibule. Est-ce que Madame la duchesse veut que je le monte ?

— Hé bien ! non, on aurait dû me le dire, mais si c'est si grand, je le verrai tout à l'heure en descendant.

— J'ai aussi oublié de dire à Madame la duchesse que Mme la comtesse Molé avait laissé ce matin une carte pour Madame la duchesse.

— Comment, ce matin ? » dit la duchesse d'un air mécontent et trouvant qu'une si jeune femme ne pouvait pas se permettre de laisser des cartes le matin.

« Vers dix heures, Madame la duchesse.

— Montrez-moi ces cartes.

— En tous cas, Oriane, quand vous dites que Marie a eu une drôle d'idée d'épouser Gilbert, reprit le duc qui revenait à sa conversation première, c'est vous qui avez une singulière façon d'écrire l'histoire. Si quelqu'un a été bête dans ce mariage, c'est Gilbert d'avoir justement épousé une si proche parente du roi des Belges, qui a usurpé le nom de Brabant qui est à nous. En un mot, nous sommes du même sang que les Hesse, et de la branche aînée. C'est toujours stupide de parler de soi, dit-il en s'adressant à moi, mais enfin quand nous sommes allés non seulement à Darmstadt, mais même à Cassel et dans toute la Hesse électorale, les landgraves ont toujours tous aimablement affecté de nous céder le pas et la première place, comme étant de la branche aînée[1].

— Mais enfin, Basin, vous ne me raconterez pas que cette personne qui était major de tous les régiments de son pays, qu'on fiançait au roi de Suède...

— Oh ! Oriane, c'est trop fort, on dirait que vous ne savez pas que le grand-père du roi de Suède cultivait la terre à Pau, quand depuis neuf cents ans nous tenions le haut du pavé dans toute l'Europe[2].

— Ça n'empêche pas que si on disait dans la rue : "Tiens, voilà le roi de Suède", tout le monde courrait pour le voir jusque sur la place de la Concorde, et si on dit : "Voilà M. de Guermantes", personne ne sait qui c'est.

— En voilà une raison !

— Du reste, je ne peux pas comprendre comment, du moment que le titre de duc de Brabant est passé dans la famille royale de Belgique, vous pouvez y prétendre. »

Le valet de pied rentra avec la carte de la comtesse Molé, ou plutôt avec ce qu'elle avait laissé comme carte. Alléguant qu'elle n'en avait pas sur elle, elle avait tiré de sa poche une lettre qu'elle avait reçue, et, gardant le contenu, avait corné l'enveloppe qui portait le nom : « La comtesse Molé ». Comme l'enveloppe était assez grande, selon le format du papier à lettres qui était à la mode cette année-là, cette « carte », écrite à la main, se trouvait avoir presque deux fois la dimension d'une carte de visite ordinaire.

« C'est ce qu'on appelle la simplicité de Mme Molé, dit la duchesse avec ironie. Elle veut nous faire croire qu'elle n'avait pas de cartes et montrer son originalité. Mais nous connaissons tout ça, n'est-ce pas, mon petit Charles, nous sommes un peu trop vieux et assez originaux nous-mêmes pour apprendre l'esprit d'une petite dame qui sort depuis quatre ans. Elle est charmante, mais elle ne me semble pas avoir tout de même un volume suffisant pour s'imaginer qu'elle peut étonner le monde à si peu de frais de laisser une enveloppe comme carte et de la laisser à dix heures du matin. Sa vieille mère souris lui montrera qu'elle en sait autant qu'elle sur ce chapitre-là. »

Swann ne put s'empêcher de rire en pensant que la duchesse, qui était du reste un peu jalouse du succès de Mme Molé, trouverait bien dans « l'esprit des Guermantes » quelque réponse impertinente à l'égard de la visiteuse.

« Pour ce qui est du titre de duc de Brabant, je vous ai dit cent fois, Oriane... », reprit le duc, à qui la duchesse coupa la parole, sans écouter.

« Mais mon petit Charles, je m'ennuie après votre photographie.

— Ah ! *extinctor draconis latrator Anubis*[1], dit Swann[a].

— Oui, c'est si joli ce que vous m'avez dit là-dessus en comparaison du Saint-Georges de Venise. Mais je ne comprends pas pourquoi *Anubis*.

— Comment est celui qui est ancêtre de Babal ? demanda M. de Guermantes.

— Vous voudriez voir sa baballe », dit Mme de Guermantes d'un air sec pour montrer qu'elle méprisait elle-même ce calembour. « Je voudrais les voir tous, ajouta-t-elle.

— Écoutez, Charles, descendons en attendant que la voiture soit avancée, dit le duc, vous nous ferez votre visite dans le vestibule, parce que ma femme ne nous fichera pas la paix tant qu'elle n'aura pas vu votre photographie. Je suis moins impatient à vrai dire, ajouta-t-il d'un air de satisfaction. Je suis un homme calme, moi, mais elle nous ferait plutôt mourir.

— Je suis tout à fait de votre avis, Basin, dit la duchesse, allons dans le vestibule, nous savons au moins pourquoi nous descendons de votre cabinet, tandis que nous ne saurons jamais pourquoi nous descendons des comtes de Brabant.

— Je vous ai répété cent fois comment le titre était entré dans la maison de Hesse, dit le duc (pendant que nous allions voir la photographie et que je pensais à celles que Swann me rapportait à Combray), par le mariage d'un Brabant, en 1241, avec la fille du dernier landgrave de Thuringe et de Hesse, de sorte que c'est même plutôt le titre de prince de Hesse qui est entré dans la maison de Brabant, que celui de duc de Brabant dans la maison de Hesse[1]. Vous vous rappelez du reste que notre cri de guerre était celui des ducs de Brabant : "Limbourg à qui l'a conquis[2]" jusqu'à ce que nous ayons échangé les armes des Brabant contre celles des Guermantes, en quoi je trouve du reste que nous avons eu tort, et l'exemple des Gramont n'est pas pour me faire changer d'avis[3].

— Mais, répondit Mme de Guermantes, comme c'est le roi des Belges qui l'a conquis... Du reste, l'héritier de Belgique s'appelle le duc de Brabant.

— Mais, mon petit, ce que vous dites ne tient pas debout et pèche par la base. Vous savez aussi bien que moi qu'il y a des titres de prétention qui subsistent parfaitement si le territoire est occupé par un usurpateur. Par exemple, le roi d'Espagne se qualifie précisément de duc de Brabant, invoquant par-là une possession moins ancienne que la nôtre, mais plus ancienne que celle du roi des Belges[4]. Il se dit aussi duc de Bourgogne, roi des Indes occidentales et orientales, duc de Milan. Or, il ne possède pas plus la Bourgogne, les Indes, ni le Brabant, que je ne possède moi-même ce dernier, ni que ne le possède le prince de Hesse. Le roi d'Espagne ne se proclame pas moins roi de Jérusalem, l'empereur d'Autriche également, et ils ne possèdent Jérusalem ni l'un ni l'autre[5]. »

Il s'arrêta un instant, gêné que le nom de Jérusalem ait pu embarrasser Swann, à cause des « affaires en cours », mais n'en continua que plus vite :

« Ce[a] que vous dites là, vous pouvez le dire de tout. Nous avons été ducs d'Aumale, duché qui a passé aussi régulièrement dans la maison de France que Joinville et que Chevreuse dans la maison d'Albert[6]. Nous n'élevons pas plus de revendications sur ces titres que sur celui de marquis de Noirmoutiers, qui fut nôtre et qui devint fort régulièrement l'apanage de la maison de La Trémoïlle[7], mais de ce que certaines cessions sont valables, il ne

s'ensuit pas qu'elles le soient toutes. Par exemple, dit-il
en se tournant vers moi, le fils de ma belle-sœur porte
le titre de prince d'Agrigente, qui nous vient de Jeanne
la Folle[1], comme aux La Trémoïlle celui de prince de
Tarente[2]. Or, Napoléon a donné ce titre de Tarente à un
soldat qui pouvait d'ailleurs être un fort bon troupier[3],
mais en cela l'Empereur a disposé de ce qui lui appartenait
encore moins que Napoléon III en faisant un duc de
Montmorency, puisque Périgord avait au moins pour mère
une Montmorency[4], tandis que le Tarente de Napoléon Ier
n'avait de Tarente que la volonté de Napoléon qu'il le
fût. Cela n'a pas empêché Chaix d'Est-Ange[5] faisant
allusion à votre oncle Condé, de demander au procureur
impérial s'il avait été ramasser le titre de duc de
Montmorency dans les fossés de Vincennes[6].

— Écoutez[a], Basin, je ne demande pas mieux que de
vous suivre dans les fossés de Vincennes, et même à
Tarente. Et à ce propos, mon petit Charles, c'est justement
ce que je voulais vous dire pendant que vous me parliez
de votre Saint-Georges de Venise, c'est que nous avons
l'intention, Basin et moi, de passer le printemps prochain
en Italie et en Sicile. Si vous veniez avec nous, pensez ce
que ce serait différent ! Je ne parle pas seulement de la
joie de vous voir, mais imaginez-vous, avec tout ce que
vous m'avez souvent raconté sur les souvenirs de la
conquête normande et les souvenirs antiques, imaginez-
vous ce qu'un voyage comme ça deviendrait, fait avec
vous ! C'est-à-dire que même Basin, que dis-je, Gilbert !
en profiteraient, parce que je sens que jusqu'aux prétentions à la couronne de Naples et toutes ces machines-là
m'intéresseraient, si c'était expliqué par vous dans de
vieilles églises romanes ou dans des petits villages perchés
comme dans les tableaux de primitifs. Mais nous allons
regarder votre photographie. Défaites l'enveloppe, dit la
duchesse à un valet de pied.

— Mais, Oriane, pas ce soir ! vous regarderez cela
demain », implora le duc qui m'avait déjà adressé des signes
d'épouvante en voyant l'immensité de la photographie.

« Mais ça m'amuse de voir cela avec Charles », dit
la duchesse avec un sourire à la fois facticement
concupiscent et finement psychologique, car, dans son
désir d'être aimable pour Swann, elle parlait du plaisir
qu'elle aurait à regarder cette photographie comme de

celui qu'un malade sent qu'il aurait à manger une orange, ou comme si elle avait à la fois combiné une escapade avec des amis et renseigné un biographe sur des goûts flatteurs pour elle.

« Hé bien, il viendra vous voir exprès, déclara le duc, à qui sa femme dut céder. Vous passerez trois heures ensemble devant, si ça vous amuse, dit-il ironiquement. Mais où allez-vous mettre un joujou de cette dimension-là ?

— Mais dans ma chambre, je veux l'avoir sous les yeux.

— Ah ! tant que vous voudrez, si elle est dans votre chambre, j'ai chance de ne la voir jamais », dit le duc, sans penser à la révélation qu'il faisait aussi étourdiment sur le caractère négatif de ses rapports conjugaux.

« Hé bien, vous déferez cela bien soigneusement, ordonna Mme de Guermantes au domestique (elle multipliait les recommandations par amabilité pour Swann). Vous n'abîmerez pas non plus l'enveloppe !

— Il faut même que nous respections l'enveloppe ! me dit le duc à l'oreille en levant les bras au ciel. Mais, Swann, ajouta-t-il, moi qui ne suis qu'un pauvre mari bien prosaïque, ce que j'admire là-dedans c'est que vous ayez pu trouver une enveloppe d'une dimension pareille. Où avez-vous déniché cela ?

— C'est la maison de photogravures qui fait souvent ce genre d'expéditions. Mais c'est un mufle, car je vois qu'il a écrit dessus : "La duchesse de Guermantes" sans "Madame".

— Je lui pardonne », dit distraitement la duchesse, qui, tout d'un coup paraissant frappée d'une idée qui l'égaya, réprima un léger sourire, mais revenant vite à Swann : « Hé bien ! vous ne dites pas si vous viendrez en Italie avec nous ?

— Madame, je crois bien que ce ne sera pas possible.

— Hé bien, Mme de Montmorency a plus de chance. Vous avez été avec elle à Venise et à Vicence. Elle m'a dit qu'avec vous on voyait des choses qu'on ne verrait jamais sans ça, dont personne n'a jamais parlé, que vous lui avez montré des choses inouïes, et, même dans les choses connues, qu'elle a pu comprendre des détails devant qui, sans vous, elle aurait passé vingt fois sans jamais les remarquer. Décidément elle a été plus favorisée que nous... Vous prendrez l'immense enveloppe des photographies de M. Swann, dit-elle au domestique, et vous irez

la déposer, cornée de ma part, ce soir à dix heures et
demie, chez Mme la comtesse Molé. »

Swann éclata de rire.

« Je voudrais[a] tout de même savoir, lui demanda
Mme de Guermantes, comment, dix mois d'avance, vous
pouvez savoir que ce sera impossible.

— Ma chère duchesse, je vous le dirai si vous y tenez,
mais d'abord vous voyez que je suis très souffrant.

— Oui, mon petit Charles, je trouve que vous n'avez
pas bonne mine du tout, je ne suis pas contente de votre
teint, mais je ne vous demande pas cela pour dans huit
jours, je vous demande cela pour dans dix mois. En dix
mois on a le temps de se soigner, vous savez. »

À ce moment un valet de pied vint annoncer que la
voiture était avancée. « Allons, Oriane, à cheval », dit le
duc qui piaffait déjà d'impatience depuis un moment,
comme s'il avait été lui-même un des chevaux qui
attendaient.

« Hé bien, en un mot la raison qui vous empêchera
de venir en Italie ? » questionna la duchesse en se levant
pour prendre congé de nous.

« Mais, ma chère amie, c'est que je serai mort depuis
plusieurs mois. D'après les médecins, que j'ai consultés,
à la fin de l'année le mal que j'ai, et qui peut du reste
m'emporter tout de suite, ne me laissera pas en tous les
cas plus de trois ou quatre mois à vivre, et encore c'est
un grand maximum », répondit Swann en souriant, tandis
que le valet de pied ouvrait la porte vitrée du vestibule
pour laisser passer la duchesse.

« Qu'est-ce que vous me dites là ? » s'écria la duchesse
en s'arrêtant une seconde dans sa marche vers la voiture
et en levant ses beaux yeux bleus et mélancoliques, mais
pleins d'incertitude. Placée pour la première fois de sa vie
entre deux devoirs aussi différents que monter dans sa
voiture pour aller dîner en ville, et témoigner de la pitié
à un homme qui va mourir, elle ne voyait rien dans le
code des convenances qui indiquât la jurisprudence à
suivre et, ne sachant auquel donner la préférence, elle crut
devoir faire semblant de ne pas croire que la seconde
alternative eût à se poser, de façon à obéir à la première
qui demandait en ce moment moins d'efforts, et pensa que
la meilleure manière de résoudre le conflit était de le nier.
« Vous voulez plaisanter? » dit-elle à Swann.

« Ce serait une plaisanterie d'un goût charmant, répondit ironiquement Swann. Je ne sais pas pourquoi je vous dis cela, je ne vous avais pas parlé de ma maladie jusqu'ici. Mais comme vous me l'avez demandé et que maintenant je peux mourir d'un jour à l'autre... Mais surtout je ne veux pas que vous vous retardiez, vous dînez en ville », ajouta-t-il parce qu'il savait que, pour les autres, leurs propres obligations mondaines primèrent la mort d'un ami, et qu'il se mettait à leur place, grâce à sa politesse. Mais celle de la duchesse lui permettait aussi d'apercevoir confusément que le dîner où elle allait devait moins compter pour Swann que sa propre mort. Aussi, tout en continuant son chemin vers la voiture, baissa-t-elle les épaules en disant : « Ne vous occupez pas de ce dîner. Il n'a aucune importance ! » Mais ces mots mirent de mauvaise humeur le duc qui s'écria : « Voyons, Oriane, ne restez pas à bavarder comme cela et à échanger vos jérémiades avec Swann, vous savez bien pourtant que Mme de Saint-Euverte tient à ce qu'on se mette à table à huit heures tapant. Il faut savoir ce que vous voulez, voilà bien cinq minutes que vos chevaux attendent. Je vous demande pardon, Charles, dit-il en se tournant vers Swann, mais il est huit heures moins dix. Oriane est toujours en retard, il nous faut plus de cinq minutes pour aller chez la mère Saint-Euverte. »

Mme de Guermantes s'avança décidément vers la voiture et redit un dernier adieu à Swann. « Vous savez, nous reparlerons de cela[a], je ne crois pas un mot de ce que vous dites, mais il faut en parler ensemble. On vous aura bêtement effrayé, venez déjeuner, le jour que vous voudrez (pour Mme de Guermantes tout se résolvait toujours en déjeuners), vous me direz votre jour et votre heure », et relevant sa jupe rouge elle posa son pied sur le marchepied. Elle allait entrer en voiture, quand, voyant ce pied, le duc s'écria d'une voix terrible : « Oriane, qu'est-ce que vous alliez faire, malheureuse. Vous avez gardé vos souliers noirs ! Avec une toilette rouge ! Remontez vite mettre vos souliers rouges, ou bien, dit-il au valet de pied, dites tout de suite à[b] la femme de chambre de Mme la duchesse de descendre des souliers rouges[1].

— Mais, mon ami », répondit doucement la duchesse, gênée de voir que Swann, qui sortait avec moi mais avait voulu laisser passer la voiture devant nous, avait entendu, « puisque nous sommes en retard...

— Mais non, nous avons tout le temps. Il n'est que moins dix, nous ne mettrons pas dix minutes pour aller au parc Monceau. Et puis enfin, qu'est-ce que vous voulez, il serait huit heures et demie, ils patienteront, vous ne pouvez pourtant pas aller avec une robe rouge et des souliers noirs. D'ailleurs nous ne serons pas les derniers, allez, il y a les Sassenage, vous savez qu'ils n'arrivent jamais avant neuf heures moins vingt. »

La duchesse remonta dans sa chambre.

« Hein, nous dit M. de Guermantes, les pauvres maris, on se moque bien d'eux, mais ils ont du bon tout de même. Sans moi, Oriane allait dîner en souliers noirs.

— Ce n'est pas laid, dit Swann, et j'avais remarqué les souliers noirs qui ne m'avaient nullement choqué.

— Je ne vous dis pas, répondit le duc, mais c'est plus élégant qu'ils soient de la même couleur que la robe. Et puis, soyez tranquille, elle n'aurait pas été plus tôt arrivée qu'elle s'en serait aperçue et c'est moi qui aurais été obligé de venir chercher les souliers. J'aurais dîné à neuf heures. Adieu, mes petits enfants, dit-il en nous repoussant doucement, allez-vous-en avant qu'Oriane ne redescende. Ce n'est pas qu'elle n'aime vous voir tous les deux. Au contraire, c'est qu'elle aime trop vous voir. Si elle vous trouve encore là, elle va se remettre à parler, elle est déjà très fatiguée, elle arrivera au dîner morte. Et puis je vous avouerai franchement que moi je meurs de faim. J'ai très mal déjeuné ce matin en descendant de train. Il y avait bien une sacrée sauce béarnaise, mais malgré cela, je ne serai pas fâché du tout, mais du tout, de me mettre à table. Huit heures moins cinq ! Ah ! les femmes ! Elle va nous faire mal à l'estomac à tous les deux. Elle est bien moins solide qu'on ne croit. »

Le duc n'était nullement gêné de parler des malaises de sa femme et des siens à un mourant, car les premiers, l'intéressant davantage, lui apparaissaient plus importants. Aussi fut-ce seulement par bonne éducation et gaillardise, qu'après nous avoir éconduits gentiment, il cria à la cantonade et d'une voix de stentor, de la porte, à Swann qui était déjà dans la cour :

« Et puis vous, ne vous laissez pas frapper par ces bêtises des médecins, que diable ! Ce sont des ânes. Vous vous portez comme le Pont-Neuf[a]. Vous nous enterrerez tous ! »

ESQUISSES

À l'ombre
des jeunes filles en fleurs
[suite]

NOMS DE PAYS : LE PAYS

Esquisse XXVIII
[LE DÉPART POUR QUERQUEVILLE]

[Fragment du Cahier 32. C'est un itinéraire compliqué qu'emprunte le héros, à ce stade du roman, pour se rendre au bord de la mer. Le détour par Amiens est un hommage à la fois à Mme de Sévigné et à Ruskin. D'autres noms de lieux rattachent encore cette esquisse au séjour breton de Jean Santeuil – même si la vague mention « entre Normandie et Bretagne » amorce le déplacement du séjour de vacances d'« À la recherche du temps perdu » vers la côte normande.]

Le printemps vint, le[a] changement de saison qui fait alterner les nostalgies, l'instabilité du rêve me firent demander à mes parents quand on parla de m'envoyer aux bains de mer un voyage en Normandie et en Bretagne; et ils revinrent alors à cette ancienne idée de Querqueville « entre Normandie et Bretagne » et d'où je pourrais si ma santé me le permettait « rayonner » dans les deux provinces. Mais[b] ma grand-mère craignant que ces excursions n'interrompent la « cure », ne pouvant cependant se résigner non seulement à ce que j'aille simplement aux bains de mer, sans profit pour mon esprit, imagina que nous partirions ensemble mais que tandis qu'elle irait voir sa nièce malade à Bagnoles, j'irais à Querqueville par le plus long, en refaisant à peu près le voyage que Mme de Sévigné avait fait avec la duchesse de Chaulnes en 16** et où elle avait été de Paris à « L'Orient » et[c] Quimperlé « en passant » par Amiens, Le Pont-Audemer, Caen[d] et Bayeux jusqu'à la Bretagne[1]. Je ne me représentais pas alors les divers lieux de la terre comme de simples tableaux, placés ici ou là qui devaient me donner seulement du plaisir, mais comme des réalités profondes que j'aurais un plaisir inestimable à pénétrer. Même en Venise ç'avait été les enseignements de

« l'école de Giorgione et de la demeure du Titien » que j'aurais
voulu aller chercher, comme en des palais de porphyre, de jaspe
et de serpentine, les chefs-d'œuvre de l'architecture domestique
au Moyen Âge. Aussi les semaines qui précédèrent mon départ,
j'ennuyai bien des gens en l'opinion de qui j'avais grande
confiance, en leur écrivant pour leur demander si, au cas où je
ne pourrais voir tout ce que je désirais, il valait mieux sacrifier
Quimperlé ou Roscoff[a], si comme vieille ville intacte je recevrais
une plus forte sensation de Fougères ou de Guérande, comme
cathédrale gothique de Bayeux ou de Coutances, comme paysage
de mer déchaînée de Belle-Île ou de Penmarch[1]. Tous ces lieux
étaient pour moi autant de réalités disais-je, bien plus des
individualités sans équivalents. Comme des individus n'étaient-
elles pas uniques, situées en un point de la terre et nulle part
ailleurs, comme des individus n'avaient-elles pas un nom[b2] ?

Tant que mon corps fut assuré de coucher dans son lit de Paris,
les jours suivants, il se prêta complaisamment aux fantaisies de
mon imagination qui me faisaient regarder les mille couleurs du
couchant[c], l'éveil rose et vert des eaux de Landévennec et respirer
le soir une fraîcheur délicieuse du moment que tout cela il le
goûtait dans ma chambre accoutumée de Paris, dont l'air, l'odeur,
les proportions avaient fini par rencontrer en lui un équilibre
stable. Mais le jour où le départ fut décidé et sa date fixée, où
il anticipa sur un soir qui existait déjà puisque sa venue était
certaine, où il entendrait ces paroles insensées et sauvages dites
dans un hôtel : « Je vous montre *où est votre* chambre », où ne
sachant pas quelle serait cette nouvelle demeure, il comprend
seulement que ce ne serait plus la sienne[d] et qu'il lui faudrait
passer la nuit dans le concubinage affreux d'une chambre
étrangère à l'atmosphère inconnue, irrespirable, aux regards de
sa porte ou de[e] son plafond immuablement fixés sur lui, alors
mon[f] esprit ne pouvait pas commencer à s'imaginer Bayeux sans
que mon corps par une désincarnation plus douloureuse, ne
s'imaginât aussitôt entre des murs attentifs et muets comme des
geôliers, et me torturât de l'anticipation de ses angoisses, de sa
révolte et de son émoi, ne fît pour moi un martyre du prochain
voyage.

Il ne me semblait pas pour cela moins désirable, l'importance
pour ma pensée des choses que je verrais étant indépendante de
mon plaisir (sinon de celui que leur contemplation me donnerait)
et valant d'être achetée au prix de grands maux. Bien plus ce
que ma souffrance avait d'inéluctable était en quelque sorte pour
moi le symbole, le gage de la réalité individuelle des lieux que
j'allais voir, qui ne pourraient être remplacés ici par un spectacle
équivalent, pour lesquels ce voyage était nécessaire. Mais je
pressentais déjà qu'entre mon amour et toutes les choses

auxquelles il s'attacherait dans la vie, il y avait en quelque sorte ma vie, mon corps à contredire, à vaincre, à traverser, et que ce serait le plus souvent sous la forme d'une poursuite douloureuse dont mon plaisir serait le premier obstacle, bien vite détruit, que m'apparaîtrait le bonheur.

Comme Maman gardait sa femme de chambre, il en fallait une autre pour nous accompagner, ma grand-mère et moi. Après quelques hésitations Maman, comme ces présidents du Conseil qui ayant à donner un poste d'ambassadeur, y appellent par un choix prestigieux et inattendu un grand seigneur ou un célèbre général, pensa à Françoise qui avait hérité un petit avoir de ma tante et menait à Combray la même existence qu'Eulalie, mais qui l'ayant reperdu aussitôt dans le Panama[1] ne serait peut-être pas fâchée de « retravailler ». L'intention de Maman rapportée par le valet de chambre et aussitôt apportée à l'office, y rencontra[a] une approbation unanime mais sembla trop ambitieuse. Personne ne crut que Françoise accepterait. Et quand Maman qui avait fait exprès le voyage de Combray, car nous partions dans quelques jours pour Querqueville et le temps pressant, annonça que Françoise la suivait, il en rejaillit sur nous, devenus « des maîtres qu'on aime bien servir », une considération telle que la fille du concierge qui[b] jusque-là nous avait longtemps ignorés pour nous montrer que malgré la situation de son père elle était « autant que nous » commença à nous saluer chaque fois que nous passions dans la cour.

Au dernier moment j'espérais que quelque chose allait faire manquer le voyage, et cependant je me disais que si je demandais à rester, j'optais pour toujours entre vivre, connaître et ne pas souffrir. Mais comme on dit pour les condamnés à mort, il fallait me pousser dans le wagon. J'étais si pâle que le concierge qui impressionné par l'acceptation de Françoise avait tenu à nous conduire jusqu'à la gare me dit : « Monsieur n'est pas content de partir ? C'est pourtant beau de voyager. » Je souris faiblement sentant confusément que comme pour beaucoup de choses cette expression ne correspondait à ce que j'éprouvais que comme une moyenne entre deux sentiments différents dont l'un rendait pour moi le voyage quelque chose d'infiniment plus beau, ou au moins plus important que pour beaucoup, et en même temps quelque chose d'infiniment plus pénible et douloureux. Maman me disait avec tendresse : « Régulus dans les circonstances graves avait coutume etc. » « J'espère Françoise que vous êtes belle » dit Maman. Et en effet.

En arrivant à Amiens que j'identifiais à son nom et que j'imaginais gothiquement sculptée tout entière comme sa cathé-drale je fus surpris de voir ce nom vénérable que je n'avais lu qu'à côté du mot Bible sur le livre de Ruskin (*The Bible of Amiens*[2]) écrit en lettres bleues sur le buffet de la gare, et écartant cette première mauvaise impression, et décidé à ne regarder qu'une fois sorti de la gare, à ne trouver que des tramways dans la « Venise du Nord ». Partout dans mon voyage des déceptions analogues m'attendaient, je croyais pénétrer dans des mondes particuliers que j'avais créés avec les sonorités de leurs noms différents, et dans la matière impalpable sur laquelle s'exerce l'imagination mais que ne voient pas les sens. Or c'était à mes sens que je voulais faire voir des réalités imaginatives, et ils ne voyaient que des pierres, des passants, du soleil et de la pluie. Même à Pont-Aven, comment[a] retrouver l'atmosphère verdie par la sonorité unie de la dernière syllabe, ces couleurs que jamais les yeux ne verront[1]. Je commençai à être très fatigué, à me sentir souffrant, j'avais envie de rabattre sur Querqueville[b], mais je rencontrai à la gare un ami homme de goût, c'est-à-dire le contraire d'un homme d'imagination, de ceux à qui les belles choses paraissent non moins belles qu'elles sont, mais apportant quelque chose au-delà d'elles-mêmes, de sorte que la réalité les exalte au lieu de les décevoir, qui me dit : « Vous allez peut-être aller à Quimperlé, heureux homme, que je vous envie ! Ah ! Quimperlé, c'est ravissant, c'est divin, c'est fou ! c'est plus délicieux que Sienne ! » Et aussitôt je pensai que des raisons particulières m'avaient empêché d'avoir à Amiens, à Caen, à Bayeux, à Pont-Aven, le plaisir que j'aurais eu, mais que je serais plus favorisé à Quimperlé et que ce serait une folie de ne pas pénétrer pour quelques heures dans le paradis gazouillant de sources perlées. Heureusement ce qui m'empêchait de m'abandonner à mes déceptions c'est qu'un homme de goût je n'en rencontrais pas seulement quelquefois à la gare, c'est que j'en ai vu en moi, et que la première déception passée, après cette diminution de soi-même qu'éprouve quelqu'un qui ne peut jouir que par l'imagination à se trouver en présence d'une réalité qui tombe sous les sens, l'homme de goût reprenait ces mêmes choses qui n'avaient le tort que d'être matérielles, en dégageait la beauté, l'esprit, remettait par là mon imagination en branle, faisait subir à ma première et désastreuse impression des retouches qui lui donnaient un tout autre air[c] et entre les déceptions de mon rêve et les jouissances de mon sens esthétique faisait un agréable compromis.

Ce n'était pas toujours en présence même du lieu que de telles retouches furent apportées soit à l'insuffisance de mon impression, soit même à la défaillance de mon désir, si resté trop longtemps à m'épuiser dans le désir d'un pays sans le voir, je finissais par souhaiter autre chose et par ne plus retrouver en moi au moment où j'allais voir enfin la ville l'idée première que je m'en étais faite, l'importance que je lui trouvais et qui me faisait craindre de la voir en pure perte. Alors dans l'un et l'autre cas des lectures, des œuvres d'art intervenaient, qui au désir déçu par la réalité, ou au désir mort de lui-même, substituaient un désir nouveau, qui me faisait retrouver du charme quoique autre à la ville, et recréait mes illusions. J'avais été offusqué par tant de maisons modernes, de passants, de voitures mêlées aux quelques vieilles demeures à Amiens et à Caen. Quelques dessins de Prout[1], de Corot allaient précisément me proposer comme attrait de ces villes ce mariage de l'ancien et du nouveau, la survivance du passé au milieu de la vie provinciale moderne, en ayant choisi comme motif de leur esquisse un café sur lequel on lit clairement le mot billard, et quelques brassiers[a] attablés, en face d'une maison à balcon de bois et de la tour gothique de l'église. Repris d'un désir d'Italie au moment où j'allais partir pour la Bretagne, je n'avais plus la nostalgie du Huelgoat et des paysages des environs de Morlaix et je ne pouvais la recréer en moi. Un livre nouveau me donnait sur la vie aristocratique à Morlaix au XVIe siècle, sur son vieux logis de la reine Anne avec ses délicieux escaliers un désir différent que je pourrais y satisfaire[2]. Et ainsi soit en présence des monuments, soit loin d'eux, quand ils menaçaient de s'écrouler pour moi, je les reprenais en son œuvre, introduisais dans leur masse chancelante l'étai d'un désir nouveau, et sauvais de leur intérêt et de mon plaisir tout ce qui pouvait en être sauvé[3].

.

Esquisse XXIX

[L E   M A S C A R E T
P R È S   D E   B O U I L L E B E C]

[Autre fragment du Cahier 32.]

Un jour j'avais lu que le lendemain matin le mascaret aurait lieu près de Bouillebec. Je savais qu'il y avait là une des plus belles chapelles gothiques de la Normandie avec de beaux vitraux et un Christ miraculeux qui avait été trouvé au fond des eaux. Et bien souvent j'avais désiré y aller surtout à cause de la ville qui était à côté et où se trouvent les plus célèbres monuments gothiques de la Normandie. Dès que des temps doux, un soleil de printemps me donnaient le désir de Venise[b], des amandiers en fleurs près de Florence, de Parme, je ne songeais plus à Bouillebec qui m'eût paru gris, exécrable et froid, et n'eût pas contenté mon désir de chaleur et de couleurs. Mais dès qu'un temps froid et pluvieux me donnait le désir de la Normandie... je voyais Bouillebec, tapi dans la rudesse de son nom normand, rien qu'une église grise et rude comme ce Bouillebec et dont les vitraux devaient s'ouvrir sur cet océan sans limites où on avait trouvé le Christ miraculeux, et qui eux-mêmes devaient être glauques et porter des navires peints sur leurs flots échevelés d'émail. À côté une auberge où je prendrais le café au lait avant le moment d'aller voir le mascaret *[interrompu]*

Esquisse XXX

[L A   V E N D E U S E   D E   C A F É   A U   L A I T]

[Souvenir d'un voyage à Évian et d'abord destiné à servir de digression à une « conversation avec Maman », ce fragment de récit du Cahier 2 enrichira le voyage en train vers Balbec, ornant curieusement de montagnes un itinéraire qui traverse la Normandie.]

XXX.1

Tandis que je cause avec Maman[1] mon cœur bat car le ciel change et à tout moment me rappelle[a] chaque fois un autre pays pour lequel je veux partir. D'abord avant que le soleil soit levé il est rose tel que je me rappelle l'avoir vu au-dessus des bois noirs comme je l'ai vu dans la fenêtre du wagon, un matin en septembre, qui m'emportait vers les Vosges. Bientôt la voie ayant tourné il avait été remplacé dans les carreaux par un ciel nocturne, semé d'étoiles que reflétait un abreuvoir, au bout des rues sur la place du village encrassée de la nacre bleuâtre de la nuit. Mais alors le ciel rose était apparu à la fenêtre, déjà il apparaissait à la fenêtre opposée, déjà brillant du soleil qui allait la percer. Et selon les infléchissements de la voie je courais d'une portière à l'autre pour ne jamais le quitter des yeux. Mais ce n'était pas seulement le pays où j'avais passé alors que ce ciel rose au-dessus de la fenêtre de Maman me donnait envie de rouler, le village encore encrassé de la nacre bleuâtre de la nuit, un instant après la rivière où un bateau se déplaçait dans un enchantement de rose, de violette et d'or. C'était aussi la jeune paysanne qui dans la petite gare où le train s'était encore arrêté, les joues plus roses encore du reflet du soleil levant m'avait apporté du café au lait. Elle entra un instant dans mon wagon; c'était comme si *[interrompu]*

XXX.2

Ce ciel rose me donnait un grand désir du voyage car je l'avais vu souvent par les carreaux du wagon, après une nuit où j'avais dormi non pas comme ici dans l'étouffement des choses renfermées et immobilisées sur moi, mais au milieu du mouvement, emporté moi-même, comme les poissons qui en dormant, flottent et se déplacent encore entourés des eaux bruissantes. Ainsi j'avais veillé ou dormi, bercé par ces bruits du train, que l'oreille accouple deux par deux, quatre par quatre, à sa fantaisie comme les sons des cloches, suivant un rythme qu'elle s'imagine écouter, qui semble précipiter une cloche sur une autre, ainsi de suite, jusqu'à ce qu'elle l'ait remplacé par un autre auquel les cloches, ou les bruits du train obéissent aussi docilement. C'est après de telles nuits tandis[a] que le train m'emportait à toute vitesse vers les pays désirés que j'apercevais au carreau de la fenêtre ce ciel rose au-dessus des bois. Puis la voie tournait, il était remplacé par un ciel nocturne d'étoiles au-dessus d'un village dont les rues étaient encore pleines de la lumière bleuâtre de la nuit. Alors je courais à l'autre portière où le beau ciel rose brillait de plus en plus sur les bois et j'allais ainsi de fenêtre en fenêtre selon les changements de direction du train pour ne pas le quitter, le rattrapant à la fenêtre de droite quand je l'avais perdu à la fenêtre de gauche. Alors on se promet de voyager sans cesse. Et maintenant ce désir me revenait, j'aurais voulu revoir devant ce même ciel cette gorge sauvage du Jura, et la petite maison de garde qui ne connaît que le torrent qui passe à côté d'elle. Mais ce n'est pas tout ce que j'aurais voulu y voir. Là le train s'arrêta et comme je me mettais à la fenêtre où entrait une odeur de brouillard et de charbon, une fille de seize ans, grande et rose passait offrant du café au lait fumant. Le désir abstrait de la beauté est fade car il imagine d'après ce que nous connaissons, il nous montre l'univers fait et terminé devant nous. Mais une nouvelle fille belle nous apporte précisément quelque chose que nous n'imaginions pas, ce n'est pas la beauté, quelque chose de commun à d'autres, c'est une personne, quelque chose de particulier, qui n'est pas une autre chose, et aussi quelque chose d'individuel, qui est, avec qui nous voudrions mêler notre vie. Je lui criais « du café au lait », elle ne m'entendit pas, je voyais s'éloigner cette vie où je n'étais pour rien, ses yeux qui ne me connaissaient pas, hélas, ses pensées où je n'existais pas, je l'appelai, elle m'entendit, elle se retourna,

sourit, vint, et tandis que je buvais le café au lait tandis que le
train allait partir je fixais ses yeux, ils ne me fuyaient pas, fixèrent
aussi les miens avec une certaine surprise mais où mon désir
croyait voir de la sympathie. Que j'aurais voulu capter sa vie,
voyager avec elle, unir à moi sinon son corps, au moins son
attention, son temps, son amitié, ses habitudes, il fallut se presser,
le train allait partir, je me dis : Je reviendrai demain. Et
maintenant après deux ans je sens que je retournerai là-bas, que
je tâcherai d'habiter dans le voisinage, et au petit jour, sous le
ciel rose au-dessus de la gorge sauvage d'embrasser la fille rousse
qui me tend du café au lait. Un autre emmène sa maîtresse et
étouffe sur elle quand le train repart le désir des filles du pays
qu'il a rencontrées. Mais c'est une abdication, un renoncement
à connaître ce que le pays nous donne, à aller au fond de la réalité.
Ceux qui cherchent dans la réalité tel ou tel plaisir, peuvent
oublier en embrassant leur maîtresse la fille qui leur donnait du
café au lait en souriant. Ils peuvent en voyant une autre belle
cathédrale assouvir leur désir de voir les tours de la cathédrale
d'Amiens. Pour moi la réalité est individuelle, ce n'est pas la
jouissance avec une femme que je cherche, c'est telles femmes,
ce n'est pas une belle cathédrale, c'est la cathédrale d'Amiens,
au lieu où elle est enchaînée au sol, non pas son équivalent, son
double, mais elle, avec la fatigue pour l'atteindre, par le temps
qu'il fait, sous le même rayon de soleil qui la touche elle et moi.
Et souvent deux désirs s'unissent et[a] c'est pendant deux ans de
retourner à Chartres et après avoir vu les porches de monter dans
la tour avec la fille du sacristain.

Esquisse XXXI
[L'ARRIVÉE À QUERQUEVILLE]

*[Nouveau fragment du Cahier 32. Même si Querqueville n'est pas encore fixée
— le sera-t-elle jamais vraiment ? — sur la côte normande, le Grand Hôtel paraît
déjà fortement influencé par celui de Cabourg.]*

Je trouvai bien ma grand-mère à Quibemer-le-Haudouin[b] où
nous devions prendre le petit chemin de fer d'intérêt local pour
Querqueville, mais sans Françoise. Pendant que ma grand-mère
s'était arrêtée pour visiter Caen elle avait dirigé Françoise sur
Querqueville pour qu'elle pût voir s'il y avait des appartements
à louer sur la plage. Mais elle lui avait indiqué par étourderie

un train qui ne s'arrêtait pas à Quibemer de sorte que la malheureuse devait en ce moment filer sur Rennes[a] et ne pourrait être revenue que le lendemain matin. Nous entrâmes < dans > un petit wagon bouillant où se trouvaient déjà diverses personnes[b][1].

Un peu avant en route pour Querqueville.

Ce visage un peu rouge et[c] fatigué sous son voile n'était animé que d'une pensée, le plaisir que j'aurais à voir Querqueville et les lieux environnants, le désir de m'éviter de la fatigue. En voiture pour l'hôtel elle fit arrêter la voiture pour acheter des chaussons qu'elle ne savait pas si on avait mis dans la malle. Arrivé à l'hôtel elle me dit : « Si tu veux me laisser un peu tout préparer va faire un petit tour. » J'étais déjà épuisé mais la curiosité l'emportant je fis quelques pas dans les rues nouvelles pour moi, élégantes, éclairées de quelques boutiques restant allumées bien plus tard qu'à Paris[d] où une foule inconnue *[une ligne biffée illisible]*, j'avais besoin de ma grand-mère, je revoyais avec tristesse sur son visage fatigué la déception que je lui avais causée en lui disant que je ne m'étais pas plu en voyage et j'avais besoin de l'embrasser, je n'aurais peut-être pas eu le courage de lui dire que je m'étais amusé, pour être plaint. À l'hôtel on me dit qu'elle était sortie, qu'elle avait besoin de certaines choses qui n'étaient pas faciles à trouver, qu'elle serait peut-être obligée d'aller jusqu'à Rivebelle[2], qu'il ne fallait pas compter qu'elle rentre avant deux heures d'ici, alors je me sentis tout à fait perdu, le patron me conseilla obligeamment de suivre la grande rue d'où j'arriverais à la place où était la statue de Duguay-Trouin, cela vous fera une distraction[e], je retournai dans les rues déjà nocturnes éclairées au gaz où un nombre invraisemblable de promeneurs allaient et venaient et pensant à ma grand-mère à mon habitude je pleurais. Ah ! si elle avait pu déboucher d'une de ces rues ! Comment franchirais-je ces deux heures ? Les rues étaient aussi étrangères que l'hôtel, me regardaient d'un air aussi étonné et par l'intensité de la préoccupation d'y revenir que je gardais ne me paraissaient qu'un retard à mon supplice d'y rester[f]. Arrivé sur la place je regardai le monument élevé à Duguay-Trouin qui devait me donner de la distraction et qui m'en donna du même genre que si dans le salon d'un dentiste ou d'un chirurgien, je l'avais regardé dans un illustré, avec des yeux qui passent le long des choses sans les pénétrer, comme devant un mets dont on ne prend pas. Encore chez le dentiste sait-on qu'en le quittant on retrouvera sa chambre, son lit. Mais maintenant ! Et me rappelant la réclame pour le Grand Hôtel que j'avais lue dans le journal : Tous les médecins sont d'accord pour vous ordonner d'aller vous oxygéner au bord de la mer afin de purifier votre corps pendant qu'il en est temps encore, votre corps où se sont *[un mot illisible]* introduits pendant dix mois de surmenage dans l'air infesté des villes les plus dangereux microbes. Mais encore faut-il savoir où diriger ses pas. La réponse en est toute trouvée à Querqueville depuis que le Grand Hôtel de Querqueville — le seul sur la mer — où l'on est assuré de trouver chère exquise, menus abondants et variés et parfait accueil offre son élégante habitation, la facilité de louer d'avance ses chambres et appartements privés donnant sur la plage pour ceux qui n'admettent pas d'être privés un seul instant de la vue de ce panorama sans égal dans le monde, sur les collines pour ceux qui prétendent à pouvoir sans se déplacer goûter au bord de la mer les délices de la vie de campagne.

Et le lendemain *[interrompu[a]]*

« Les[b] décisions de Dame Mode »

« Chacun est obligé de s'y conformer, au risque de passer pour un béotien, ce à quoi nul homme bien élevé ne voudrait s'exposer. On s'y conforme donc, mais souvent en maugréant car ils sont quelquefois assez bizarres de la haute et puissante dame. Pour une fois cependant elle a été unanimement approuvée par tous les goûts c'est quand elle a décrété qu'un séjour prolongé au Grand Hôtel de Querqueville, maison de premier ordre, véritable lieu de délices, était une condition indispensable pour être considéré comme faisant vraiment partie de la haute société française et cosmopolite de tous les mondains. Aussi sont-ils déjà légion ceux qui viennent apporter leurs hommages à la Reine des Plages qui ne recule[c] au reste devant aucun sacrifice pour les retenir. Les distractions se succèdent sans interruption. Et le coup d'œil est féerique tous les matins sur le terrain de golf et à l'heure du thé dans les jardins du casino. » La rue du casino dont la forme de boîte à cigares et[d] devant lequel des femmes assez jolies semblaient prêtes à se courber me fit plus de mal qu'un chagrin et me rendit plus grand le besoin de revoir ma grand-mère. Des coiffeurs, des pâtisseries étaient encore ouverts, et des odeurs fades prenaient à la gorge comme de la poussière dans le soir chaud. Quelques personnes prenaient des glaces chez un grand pâtissier. Ces détails vivants, habituels de cette vie nouvelle et hostile, cet aspect coutumier, brutal de l'heure en ce lieu, ajoutant la tristesse du soir à la tristesse de l'endroit nouveau[e] et semblant me montrer en lettres d'or comme le nom du pâtissier l'image de neuf heures du soir à Querqueville, ces deux abstractions affreuses, la tristesse de l'endroit nouveau, réalisées devant moi, décrites en lettres d'or, vues sur la glace du pâtissier et aussi ces personnages, les acteurs de la vie à Querqueville, plus affreux pour moi avec le garçon qu'ils appelaient, sur leur table de marbre, et avec leurs petites cuillers, et le sourire de la pâtissière, que des personnages de danse macabre, l'assaut incessant des sensations hostiles qui remplissaient la chambre sur mon pauvre corps, qui était la seule chose qui fût à moi dans cette chambre où mon individualité ne pouvait pas trouver un coin pour s'épancher et se détendre, obligée de se replier contre l'émanation du vétiver et je ne pouvais pas cesser une seconde de sentir et de renifler, répétant sans cesse avec mon odorat ce parfum nouveau que j'étais aussi incapable de m'assimiler que le tic-tac du balancier de la pendule dont je ne perdais pas un battement, je restais là les yeux fascinés par la couleur mobile des rideaux, la place singulière de la glace, la hauteur démesurée du plafond, l'oreille anxieuse, la narine frémissante de vétiver, le cœur battant. Je me disais : c'est là qu'il va falloir coucher, la porte se refermera sur moi et me laissera seul au milieu de ces monstres. Ah ! si l'on pouvait reprendre le train pour Paris ! Mais la fatigue était si grande que même si ma grand-mère eût consenti à repartir je crois que je ne l'aurais pas pu. Si encore j'avais pu me mettre au lit tout de suite, me cacher les yeux, les oreilles, le nez sous ces draps affreux. Mais il fallait, Françoise n'étant pas là, que j'aille ouvrir les malles pour avoir mes affaires de nuit. Et plus de feu dans l'hôtel avait-on dit, plus d'eau chaude, pour pouvoir sécher un peu ce lit < qui > s'il sentait le vétiver suait aussi l'humidité. « Comme tu as l'air épuisé, me dit ma grand-mère en entrant dans ma chambre. Pourvu que tu n'ailles pas tomber malade ! Reste un peu immobile à te reposer, attends tranquillement que je revienne, ne t'impatiente pas. »

Quand elle revint elle avait revêtu la robe de chambre qui était comme la livrée de son service, l'habit de son ordre quand à la maison elle soignait ou aidait tel d'entre nous qui était souffrant ou fatigué. Elle tenait à la main mes affaires de nuit, elle avait ouvert la malle, elle avait trouvé dans l'hôtel une cuvette à esprit de vin où elle faisait chauffer de l'eau pour me faire une boule. « Elle ne sera pas aussi chaude que celles de Françoise à Combray, mais cela te réchauffera toujours un peu dans ton lit. »

Esquisse XXXII

[QUERQUEVILLE-LE-VIEUX —
MME DE VILLEPARISIS]

[Ici, toujours dans le Cahier 32, est amorcée la distinction entre les deux villes que Proust appellera, dans la version définitive, Balbec-Plage et Balbec-le-Vieux ou Balbec-en-Terre. Le héros découvre à pied cet arrière-pays qu'il pourra explorer mieux à loisir, dans le roman, grâce à la voiture de Mme de Villeparisis, qui reçoit déjà ici les principaux traits qui composeront son personnage.]

Les premiers jours comme le traitement des bains n'était pas commencé, je pus faire quelques excursions, ce qui était du reste plus facile alors. Quand on arrive dans un nouvel endroit, on a à soi des journées qui ne sont qu'un pur cadre du temps, entièrement vide, qu'on peut remplir de ce qu'on veut, aller ici, là. Au bout de quelques jours, sans même avoir d'occupations précises, les mêmes heures qui n'étaient que du temps mathématique employable à <ce> qu'on voulait, même sans occupations précises, sont venues se poser l'une après l'autre à telle place, se sont organisées autour de telle habitude, elles ont pris un contenu de loisir qui les rend lourdes, équilibrées, difficiles à mouvoir ; à côté d'elles d'autres plus fluides encore ont cependant leur place assignée et retiennent celles-ci. Bref, se forme peu à peu un embryon d'organisme sorti du néant — occupations faites d'oisiveté —, assujettissement que s'est forgé à elle-même l'absolue indépendance jusqu'à manquer de la plus petite parcelle[a] d'un temps qui est tout entier à nous, paresse ponctuelle, absorbant loisir, vide qui se solidifie, encombre et ne se déplace plus — qui le remplit comme un œuf d'une matière vague, translucide, vivante, mais qui adhère si parfaitement à elle qu'on ne trouve plus la place d'y loger la plus petite promenade inaccoutumée, une visite qui n'a pas été prévue. D'ailleurs chacune de ces excursions m'avait apporté une déception. Même la ville assez voisine où j'avais été en une heure de chemin de fer et où Ruskin m'avait signalé un des porches les plus parfaits de l'architecture flamboyante, ce porche tandis que le train m'emportait vers lui il était encore inaccessible, isolé à l'intérieur du beau nom de la ville où je ne voyais que lui, recevant seulement sur ses sculptures les doux reflets violacés qui irradiaient de sa dernière syllabe, et toutes les exaltations que j'avais eues en pensant à lui[1]. Mais aussitôt que j'entrai dans la ville le nom s'entrouvrait ; poussées par une force pneumatique une foule de maisons modernes, de fiacres que je pris, de passants à qui je demandai le chemin, prirent dans le nom la place des reflets et des exaltations et vinrent se grouper autour du porche ; et une fois entrés je n'ai jamais pu les en déloger. Ce n'est plus qu'eux que je vis dans le nom de la ville voisine. Aussi je ne voulais pas déflorer toutes mes déceptions les premiers jours et préférais m'en garder quelques-unes pour la fin du séjour. Quant à Querqueville même c'était trop moderne, trop contemporain, trop fait année par année pour plaire sinon à moi du moins à des baigneurs tels que moi, pour que cela pût s'imposer à moi avec la force d'une réalité que je cherchasse à approfondir et qui pût me faire accéder à quelque forme inconnue, poétique de la vie ; je ne lui sentais pas de dessous, et cela ne se rattachait pour moi à aucune *[un mot illisible]* d'art, à aucune possibilité de produire de la poésie. Au bout pourtant de l'avenue principale qui après que sont finies les deux avenues rayonnantes et*[a]* qu'on a dépassé le gymnase, le manège, le dentiste, le café — continue toute seule sans maison, à la fois urbaine et inhabitée, prolongement arbitraire de l'artère d'une ville au milieu des champs, avec son petit tramway qui court au milieu et n'aperçoit que de temps en temps des propriétés isolées — comme à l'entrée de certaines villes hollandaises, Dordrecht par exemple[1] — il y avait une grande halle où se donna quelques jours après notre arrivée la*[b]* grande fête du pays, et où dans l'appareil tout primitif de la construction, la naïveté immémoriale des décorations d'arcs de feuillages et de papiers, particularité traditionnelle des jeux, des concours et des danses, m'intéressa comme manifestation d'une vie locale profonde, ancienne*[c]* comme pouvait être celle de ces petits villages anglais d'il y a cent ans dans l'atmosphère si poétique desquels les romans de George Eliot[2] nous donnent jusqu'à la nostalgie tandis que nous savons que ces choses n'existent plus et que la mémoire et l'imagination de George Eliot font une partie de son charme. Or ici pour un soir je pus m'y croire transporté. Et en voyant au milieu des danses et des fleurs deux compagnons attablés qui discutaient longuement, et que je voyais arriver une belle fille qui venait avec son frère d'une ferme éloignée, je pouvais croire que j'avais devant moi le brasseur et le maquignon de *Trilby*[3] discutant après le marché aux chevaux ou que c'était quelque Hetty d'*Adam Bede* ou de *Middlemarch*[4] qui était venue à l'assemblée de la ferme lointaine de *[un blanc]* ou de *[un blanc]*.

À propos de la fête villageoise à Querqueville[d]*.*

Dès que je pus me dire que j'allais voir quelque manifestation persistante de la vie et des réjouissances locales de la province anglo-française telles qu'elles sont si joliment peintes par exemple dans George Eliot je pris plaisir à aller dans la salle de bal. J'étais de ceux qui ne trouvent de plaisir que dans l'imagination, et dans ce qu'elle leur représente comme la réalité, ont besoin pour se plaire à quelque chose de le rattacher à quelque réalité esthétique. La lecture de nouvelles purement mondaines de Balzac comme *Les Secrets de la princesse de Cadignan*[1] donnait du charme pour moi à la vie mondaine de la Restauration qui sans cela n'en aurait eu aucun, la lecture du *Rouge et le Noir* ou de *La Chartreuse de Parme* au Paris de 1830 ou au Milan de 1815 qui d'eux-mêmes sans cela eussent pu être ce qui m'intéresse le moins, la peinture par Stendhal d'une vie où on ne se plaît qu'aux ballets me faisait prendre plaisir à des spectacles que je n'eusse pas aimés seul. Mais mon imagination était derrière, il me semblait que c'était un tout petit peu de la vie d'Adam Bede, de Beaudenord[2], du marquis de la Mole, de la comtesse Pietranera[3], ou de Wilhelm Meister si j'allais sur la scène regarder des décors *(à sa place)*. Peut-être d'ailleurs, sauf chez certains mondains qui finissent souvent par le suicide, en est-il toujours plus ou moins ainsi. Dans tout enthousiasme pour une musique, pour une peinture, pour une politique il y a chez le public systématisation de cette manifestation avec une croyance qu'ils ont que ce qui < se > manifeste dans cette peinture, dans cette musique, dans cette politique est une petite part de la vérité en laquelle ils ont foi. Aussi ne prendront-ils aucun plaisir à écouter de la musique ou de la peinture en laquelle ils ne croient pas. De très bonne foi des personnes peu musiciennes, apôtres passionnés de Vincent d'Indy, ne pourront écouter sans ennui une mélodie de Gounod. Leur croyance leur disant que ce n'est pas une parcelle de beauté, ils ne peuvent le rattacher à rien et ne peuvent s'y plaire.

Querqueville-le-Vieux[a] qui touche Querqueville et par où il faut passer si on veut aller se promener sur la hauteur parlait davantage à mon imagination avec sa grande place toute en vieux hôtels encore habités par l'aristocratie de la région et d'où on aperçoit la mer fort au-dessous, toute bleue entre les vieux ormes, au-dessus du rempart détruit recouvert des *[un mot illisible[b]]* et des rosiers qui y sont plantés. Pour en sortir afin de s'élever sur la falaise et de rejoindre la route, on monte une rue extrêmement raide toujours bordée de ces vieux ormes plantés en même temps que les ouvrages environnants furent plantés par Vauban, puis les maisons s'y espacent, on ne voit plus çà et là que quelques constructions du XVIIᵉ siècle, elle s'élargit, la rangée d'ormes devient presque bois, et il y a telle place d'où montent les *[un mot illisible]* de la ville, où les soldats mangent sous les grands arbres et jettent à terre des os ou des peaux d'orange qui, sous les hauts feuillages noirs, me faisaient penser tout à coup que j'étais aux environs de Paris. C'est sur cette route que je m'élevais le soir pour voir la mer et y chercher ce « soleil rayonnant sur la mer » dont parle Baudelaire[1] qui m'avait surtout donné envie d'y venir et que je ne trouvais pas. Le faible rayon du couchant, les mille décolorations du coucher ne me donnaient pas cette impression de force vivifiante qu'il y a dans ce « soleil rayonnant sur la mer ». De plus il est dit que ce jour-là il vaut mieux que l'âtre, le boudoir, que les yeux verdâtres de la douce beauté ; j'aurais voulu une maison où j'eusse du feu et une femme et préférer voir le soleil rayonnant sur la mer. Puis tant que m'élevant je n'avais pas aperçu la mer dans ma pensée je la voyais, vivante, « la mer, la vaste mer console nos labeurs[2] », j'arrivais devant l'hôtel d'Ambezellac, dans une seconde j'allais la voir, je l'apercevais, ce n'était au bout des sables qu'une peinture, une ligne bleue où le soleil tremblait tout au plus comme un halo, sans force pour consoler nos labeurs. Je redescendais à Querqueville, je me promenais sur la plage, je me disais : C'est pourtant cela le golfe d'opale que Whistler jugea digne de le peindre[3], je me répétais les vers des *Érynnies* :

> *Ils sont partis les rois des nefs éperonnées*
> *Emmenant sur la mer tempétueuse hélas*
> *Les guerriers chevelus de l'héroïque Hellas*
> *Qui tels qu'un vol d'oiseaux carnassiers dans l'aurore*
> *De cent mille avirons battaient le flot sonore[4].*

Mais la vue de menuisiers en jersey et même de petits yachts à vapeur me gênaient pour identifier ma vision. La chaleur était devenue extrêmement forte. Cela n'empêchait pas ma grand-mère de nous garder jusqu'à midi au soleil, de rentrer pour déjeuner se plaignant du menu où comme il n'y avait en effet que des choses compliquées et malsaines elle trouvait qu'il n'y avait rien à manger pour nous et qui à cause de sa longueur nous faisait rester trop longtemps à table et nous privait de ressentir *[un mot illisible]* sur le sable aveuglant tandis qu'elle se levait de son pliant pour voir si le chasseur ne lui apportait pas une lettre de Maman, et qu'elle trompait, ne voyant rien venir, son impatience de la lettre de Maman en lisant un volume de Mme de Sévigné, tandis que je demandais à mes yeux brûlés par le soleil un dernier effort et que je les fixais sur l'eau bleuâtre de l'après-midi pour tâcher de bien saisir que j'avais devant moi le golfe d'opale. Cependant[a] de loin ma grand-mère voyait que Mme de Villeparisis avait un menu spécial, des grillades, qu'elle était servie vite, qu'elle avait ses lettres avant nous. Elle nous dit : « Il faudra tout de même que j'aille à Canossa pour savoir comment elle s'arrange » et un jour où nous tombâmes littéralement sur elle en allant à la salle à manger et où il eût été trop grossier de l'ignorer encore nous nous abordâmes[a]. Elle avait très bien compris que ma grand-mère venait pour nous faire prendre l'air et ne voulait pas être retenue à l'hôtel. Aussi très discrètement venait-elle s'asseoir un moment pendant que nous déjeunions, en nous priant de ne pas nous retarder, et jamais quand nous sortions, quand nous étions pressés elle ne nous arrêtait. « Tiens il faudra que je lui demande pour les Guermantes », dit ma grand-mère. Mais moi qui étais pénétré de l'idée de la grandeur historique, légendaire des Guermantes, plus que des rois *(dire plus que la maison de France[b])*, et pour qui au contraire Mme de Villeparisis, vieille amie de ma grand-mère, n'avait aucune espèce de prestige (elle en avait tout au plus, selon moi, vis-à-vis des autres habitants de l'hôtel à cause de ses nombreux domestiques, de ses chevaux etc.[c]). Le fait qu'elle fût marquise me paraissait quelque chose d'aussi indépendant de la situation d'une personne que d'avoir un certain prénom ou d'habiter Bourg-la-Reine ; c'était une des ces petites particularités qui dans l'esprit des enfants collent à une personne sans lui ajouter rien de supérieur aux autres pour cela. Dans notre maison de Paris nous avions au premier un dentiste, au deuxième un conseiller d'État, au quatrième un marquis et qui était le plus minable de tous et celui qui nous saluait le plus bas dans les escaliers[d1]. Sa parenté avec le maréchal de Mac-Mahon ne me disait rien. J'avais toujours entendu parler du maréchal de Mac-Mahon, c'était pour moi quelque chose de public qui ne me semblait pas plus noble que la rue de Gramont ou les *Maximes* de La Rochefoucauld[e], et d'ailleurs c'était aussi un vieux monsieur qui m'avait pincé la joue aux Champs-Élysées et avait dit : « Quel gentil enfant », ce qui n'avait enorgueilli que ma bonne.

Esquisse XXXIII

[LA PEUR DE L'INCONNU]

[D'abord écrit pour nourrir des développements sur les jeunes filles, ce passage figurant dans le Cahier 26 sera plutôt utilisé dans l'analyse à laquelle se livre le narrateur lorsqu'il doit s'habituer à une chambre nouvelle.]

À ajouter aux jeunes filles.

S'il est impossible de penser à la mort, à une autre vie où nous ne serions plus nous, il nous est tout aussi difficile de penser à un avenir où ceux dont notre plaisir à les voir constitue toute la joie de notre vie ne seront plus, où nous serons loin d'eux non pas pour ce moment, mais pour toujours, et sans le regretter, pouvant les revoir si nous le voulions et ne le faisant pas. « Allez donc en Italie, me disait Mme de Villeparisis, vous verrez que <vous> ne reviendrez jamais[1]. » Sans doute puisque c'est nous qui nous passerons si bien de celle que nous aimons aujourd'hui, puisque si on nous offrait de les revoir nous préférerions rester où nous sommes, c'est que cet avenir que nous ne pouvons envisager sans horreur ne sera pas si douloureux puisque nous ne cherchons pas à y changer ce qui nous semble affreux. Mais de même qu'à ceux qui nous disent qu'une éternité où nous ne serons plus nous-même, sera plus heureuse parce que nous serons au lieu de nous des créatures parfaites, nous préférons[a] moins de bonheur et une plus intégrale survie, souhaitant que celui qui entrera au ciel soit bien celui qui aimait la purée de marrons, et dont on riait parce qu'il gardait son chapeau quand il y avait des courants d'air, de même on avait beau me dire, et mon intelligence et mon expérience de mon inconstance[b], que je serais si heureux en Italie que je ne songerais pas à ces jeunes filles et que si je pouvais les voir je ne le voudrais pas si elles passaient à une heure de ma retraite, je ne pouvais envisager sans horreur, sans supplications que ce ne fût pas une vie où elles ne seraient pas. Pourtant la veille avait passé si près de Querqueville celle sans laquelle autrefois je n'aurais jamais cru pouvoir vivre. Et peut-être ce besoin de revoir sans cesse celles qui nous plaisent est-il encore plus fort pour ces jeunes filles que nous ne possédons pas. Notre désir ne pouvant se satisfaire garde quelque chose de perpétuellement inassouvi et triste qui nous laisse désenchanté chaque soir avec un plus grand besoin du lendemain. Et la pensée du lendemain sans elles nous est intolérable. Demain elles ne nous donneront pas de plaisir plus grand qu'aujourd'hui ; mais la pensée de les voir nous console de la peine d'aujourd'hui ; notre insatisfaction d'aujourd'hui a besoin de l'insatisfaction de demain.

Peut-être[c] cet effroi de certains d'entre nous à coucher dans une chambre inconnue, cet effroi qui nous serre le cœur, le soir de l'arrivée au moment où l'hôtesse nous dit : « Je vais venir avec vous pour vous montrer votre chambre », peut-être cet effroi n'est-il que la forme la plus humble, la forme obscure, organique, presque inconsciente, de ce grand refus désespéré qu'opposent en nous-même toutes les choses qui constituent le meilleur de notre vie présente, à ce que nous revêtions de notre acceptation mentale la formule d'un avenir où elles ne figurent pas ; refus qui est au fond de l'horreur que nous fait éprouver la pensée de la mort de nos parents, de la séparation d'avec une femme aimée, simplement de notre établissement définitif dans un pays où nous ne verrons plus jamais nos amis, même la pensée de notre propre mort, ou d'une immortalité comme les philosophes nous la promettent quelquefois et où nous ne pourrions pas emporter nos souvenirs, notre caractère, nos défauts même qui ne peuvent se résigner à ne plus être. Hélas, l'Habitude qui a l'entreprise de nous faire aimer le logis inconnu, le plafond haut, la glace oblique, se charge aussi, si nous savions <nous> confier à elle, de nous faire aimer les nouveaux compagnons de la vie, même ceux qui nous ont déplu d'abord. Elle change la forme du nez, le son de la voix, la saveur de l'esprit, aussi vite que les dimensions du lit ou le papier du mur. Nous le savons, pour peu que nous ayons eu affaire à elle. Mais nous savons aussi que les amitiés nouvelles, pour les choses et pour les gens ont pour trame l'oubli des anciennes. La promesse même de cet oubli de ceux que nous aimons devrait nous faire envisager sans terreur une existence différente où nous ne les verrons plus. Quand M. de Penhoët me disait à Querqueville : « Partez pour ces îles délicieuses de l'Océanie, vous verrez que vous n'en reviendrez plus », je lui répondais empressé : « Mais alors je ne verrai plus jamais votre fille. »

« Partez[a] donc pour l'Amérique[b] du Sud, me disait à Querque-ville M. de Penhoët[1], vous verrez que vous n'en reviendrez plus[2]. » Et je pensais : Mais alors je ne verrai plus jamais votre fille et mon cœur se serrait. Ma raison me rappelant d'autres expériences me disait : « Qu'importe[c] que tu ne reviennes jamais, puisque tu n'auras plus, tu le sais, le désir de revenir ; qu'importe que tu ne revoies plus jamais ceux que tu aimes puisque tu n'en auras pas de regret. » Mais mon cœur n'entend guère le langage de ma raison. Il éprouvera la vertu de l'habitude mais en attendant il continue à souffrir. Et peut-être, depuis qu'il a fini par comprendre un peu ce que lui répète mon expérience s'effraye-t-il encore davantage. Un avenir où je ne verrai plus ceux que j'aime, cette absence autour de lui de tous ceux desquels il tirait ses joies quotidiennes le désole, mais un avenir où il ne sera pas chagrin de ne plus les voir, où toutes ces affections qui sont une notable partie du moi n'existeront plus, où ce moi ne sera plus le même puisqu'il n'aimera pas ceux qu'il aime et se plaira à cette vie éloignée d'eux, indifférent à eux, qui maintenant lui fait horreur — voilà ce qui le supplicie, ce qui fait convulser en lui la protestation de ce moi qui ne veut pas mourir. Un avenir différent du présent, un avenir qui nous navre et que nous aimerons, c'est un commencement de la mort, un anéantissement de notre moi, suivi d'une résurrection sans doute mais avec un moi différent.

Ainsi tous ces effrois[d] ne sont que la forme vraie, secrète, partielle, atroce, désespérée de la résistance quotidienne à la mort, à la mort fragmentaire et quotidienne telle qu'elle insère son film destructeur au sein de notre vie détachant à tout moment de nous des lambeaux de nous-même sur la mortification desquels de nouvelles cellules vivantes se reproduiront. Mais celles qui vivent et vont mourir ne peuvent sentir au-delà d'elles-mêmes, s'étendre jusqu'à la vie des autres. La pensée de la mort finale est au fond faite des mêmes protestations partielles que cette mort incessante. Nos beaux yeux, notre talent de peintre, notre drôlerie qui nous a fait tant d'amis, le souvenir de nos parents, tout cela n'acceptera pas davantage la pensée que tout cela ne peut s'élever au-dessus de soi-même, la pensée d'une immortalité où nous n'aurions plus de regards, de talents, de gaieté, de souvenirs de nos parents. Et chez les natures nerveuses où la plainte des plus humbles éléments condamnés de notre moi, encore qu'inintelligible parce qu'elle est proférée dans le langage des sensations, arrive pourtant plus distincte et plus douloureuse que chez les autres êtres jusqu'à la conscience, l'effarement[b] anxieux sous un haut < plafond > n'est que la protestation de notre longue amitié pour un plafond bas qui sent brusquement[c] qu'on le frappe à mort, qui ne veut pas mourir, qui empêche notre pensée d'accepter un avenir où elle ne sera pas ; jusqu'au jour où elle sera morte et ne pourra plus nous torturer de ses plaintes[d] ; alors de sa poussière, les fleurs d'une nouvelle et chère habitude se sont joyeusement élevées vers le plafond élevé ; et le premier soir sous un plafond bas nous sentions de nouveau quelque chose en nous mourir. Et notre raison aur < a > beau[e] savoir qu'il en est des chambres comme des amies, qu'il n'en est si laide qu'on ne trouve belle le jour où on la quitte, ni si belle qu'on ne ferait pas deux lieues pour revoir quand il y a quelques années qu'on l'a quittée, notre corps est comme notre cœur, il ne sait pas entendre le langage de la raison et de l'expérience et est obligé d'attendre pour retrouver le calme et le bonheur que la mort, puis une nouvelle vie ait fait cette double œuvre que je personnifiais sous le nom d'Habitude.

Esquisse XXXIV

[« LE SOLEIL RAYONNANT SUR LA MER »]

[Cette page du Cahier 38, nourrie de références à Baudelaire, et qui se lit un peu modifiée au début du séjour à Balbec, devait être destinée à un moment ultérieur du roman puisqu'on y découvre le héros amoureux d'Andrée.]

J'ouvris la fenêtre et allumant une cigarette je m'étendis sur la chaise longue qui était ménagée sur le balcon. Voilà peut-être me disais-je ce soleil rayonnant sur la mer dont parle Baudelaire[1]. Que je suis heureux de pouvoir contempler ce qu'il déclarait valoir bien mieux que tout. Sans doute j'étais un peu gêné pour laisser pénétrer en moi une impression profonde, par la sensation que j'avais un joli costume, une cravate qui m'allait bien, par le désir qu'ils fussent vus, par le plaisir que je prenais à l'odeur de ma cigarette, par la perspective du gai dîner où il y aurait du feu. Mais n'est-ce pas ainsi, d'une chambre étrangère et frileuse d'automne, que Baudelaire regarde — puisque le vers d'avant lui fait voir le boudoir, la femme aimée et l'âtre — le soleil rayonnant sur la mer[a]. N'est-ce pas comme je fais, du balcon d'une chambre d'automne qu'il restait à le savourer. Et ne parvenant pas à dégager de la mer la beauté du vers, je restais immobile, les yeux à demi-clos, savourant ce qui était épars du soleil sur la mer, comme si de vivre en fait les mêmes instants, de livrer au moins mon corps au plaisir qu'il déclarait le plus grand devait me faire pénétrer en quelque sorte physiquement, devait me faire matériellement acquérir l'impression en vain recherchée. N'étais-je pas aussi amoureux ? Ne délaissais-je pas en un moment les belles filles que j'aimais pour regarder les rayons du soleil sur la mer ? Ne pourrais-je pas dire à Andrée : « Mais rien, ni votre amour, ni le boudoir, ni l'âtre, ne me vaut le soleil rayonnant sur la mer ? »

Esquisse XXXV

[LA JEUNE FILLE AU FEUTRE GRIS —
RÊVE D'UN GUERMANTES BRETON]

[Lointaine en raison de son origine aristocratique et de la bonne éducation qu'elle a reçue, mais peut-être rendue accessible grâce à sa pauvreté et à la sensualité que trahit son regard, cette jeune fille jouera dans le roman, sous le nom de Mlle de Stermaria, un rôle sans doute plus épisodique que celui que Proust lui destinait dans ses brouillons.
Une première rédaction du Cahier 36 est reprise et développée dans le Cahier 12.]

XXXV.1

À[b2] une table un peu lointaine de la nôtre, un monsieur grisonnant le marquis de Caudéran dînait avec sa fille. La ligne de son nez busqué, de sa taille souple, quelque chose de dédaigneux et de froid dans les yeux, mais qui semblait plutôt être chez elle l'apport de la race et de l'éducation que de la personne même en faisaient au milieu de tous un être séparé, différent, à qui des êtres inconcevables, une comtesse de Guermantes, disaient « ma fille », qui dans un Guermantes breton avait sa chambre de jeune fille, un être défendu et précieux. Mais sur cette froideur particulière qui n'était que le certificat de son origine et de son éducation, qui était en elle comme le leit-motiv de l'origine étrange et du château ancestral, venait flotter par moments un pâle rayon, assez doux, un regard de faiblesse qui semblait dire oui, je suis née là-bas, j'ai été élevée ainsi, mais j'aimerais le plaisir et si j'étais seule je ne vous résisterais pas longtemps. Et sur ces joues un peu de ce rose qui teintait au cœur certains nymphéas de Combray semblait comme la force et la santé, l'appétit de son corps. Elle avait du reste une tenue parfaite, à côté de son père, toujours sous un même feutre gris dépassé d'une plume, qui semblait indiquer peu de fortune ou peu d'élégance et en rapprochant ainsi la distance entre elle, en faisant penser qu'on pourrait peut-être avoir à ces yeux des avantages de fortune qu'elle n'avait pas, la rendait plus proche, plus charmante, plus chère au cœur, qui contracté par la fierté si on l'avait sentie plus lointaine ne se serait peut-être pas ouvert. Et[a] ainsi résumant par sa naissance et son éducation inn *[interrompu[b]]*

XXXV.2

Bientôt[c1] j'eus une raison plus profonde de regretter que ma grand-mère ne consentît pas à « reconnaître » Mme de Villeparisis, à nous donner une meilleure situation dans l'hôtel. Dans la salle à manger le directeur vint accomplir la cérémonie d'installation à une table assez voisine de la nôtre d'un monsieur grisonnant et de sa fille, le marquis et Mlle de Quimperlé qui[d] venaient déjeuner là tous les jours et devaient probablement connaître Mme de Villeparisis. Si le nom de Mlle de Quimperlé (qui est un des plus anciens de Bretagne, et resté si pur de toute mésalliance que les filles de la maison de Quimperlé pouvaient entrer dans les chapitres où il faut prouver le plus de quartiers) expulsait rien qu'en l'entendant de l'idée qu'on se faisait de sa famille, de ses fréquentations, tout roturier, toute personne même qui eût pu servir de lien entre sa caste spéciale et le reste de la société, d'autre part dans sa personne la singularité délicieuse de son visage pâle et presque bleuté, de[e] sa démarche qui pour accomplir chaque action comme saluer, s'asseoir, boire, prendre sa fourchette, avait^a une sorte de rythme inconnu, naturellement beau et probablement caractéristique d'une éducation spéciale, tout avait la rareté qui convient à un être différent, séparé, inapprochable, précieux. Plus encore que tout cela, une sorte de froideur que son regard vite épuisé laissait apparaître à sec dans ses yeux, une sorte de dureté que ses inflexions ne pouvaient recouvrir tout à fait au fond de sa voix et qui semblaient moins des défauts de sa nature individuelle que l'insuffisance de sensibilité, le manque de sympathie humaine, que lui avait légué sa race et fourni son éducation, et trame trop mesquine, étoffe trop peu riche, cran d'arrêt où elle était tout de suite obligée de revenir dès que sa pensée personnelle était finie ramenant l'imagination de celui qui la regardait à ce réservoir de vie si étroite mais aussi si spéciale où elle avait pris ce qui était en elle, à ce château légendaire où était sa chambre de jeune fille, sorte de Guermantes armoricain perdu^b au milieu de cette forêt de Brocéliande semée de lacs bleus où Viviane trouve Merlin au pied d'un arbre, à sa mère comtesse de Guermantes de la Bretagne qui la baisait le soir au front en lui disant Viviane. Cette sécheresse, cette dureté involontaire n'étaient pas des traits de caractère de Mlle de Quimperlé. Ces défauts signifiaient simplement qu'elle ne pouvait pas sortir de soi, qu'on ne lui avait pas donné la puissance de s'unir à l'âme des autres, qu'en elle jusqu'ici du moins il n'y avait que son milieu à elle, ses habitudes personnelles et ses biens ; et par là ils donnaient plus vivement la sensation en montrant qu'il n'y avait que cela en elle, des deux tours gothiques, de l'étang, de la chapelle, du cimetière qui regarde la baie grise, des jeux de ses frères et de ses amies dans l'avenue de chênes verts, des visites de sa sœur la duchesse et de son oncle l'évêque. Mais cette singularité et ce prix de son corps tel que l'avait formé, alambiqué, raffiné, essentialisé l'hérédité et l'éducation, elle-même semblait l'ignorer. Son regard avait sur le fond vite à sec de ses yeux cette douceur que le goût prédominant des plaisirs des sens donne si vite à la plus fière en leur^c faisant considérer comme précieux tous ceux qui peuvent le faire éprouver, en les douant à leurs yeux d'un certain charme autrement fort que l'existence qu'elle menait jusque-là, poétique de loin pour nous, ennuyeuse pour elle. Elle m'apparaissait comme pauvre et dénuée d'argent ayant fait l'abandon puisqu'elle était prête à le profaner et prostituer pour nous, de tous ces souvenirs qui lui donnaient à nos yeux un prix qu'elle ne connaissait pas. Cette même absence d'énergie et de volonté qui lui laissait comme fond le maigre tuf de sa race donnait au doux regard qui le découvrait quelque chose de lâche et de faible comme un pâle rayon et semblait présager que si elle avait été seule elle n'eût pas résisté longtemps à un garçon qui lui aurait plu et dont le désir n'eût fait qu'aller au-devant du sien. Au milieu de ses joues blanches*a* bleuâtres, un peu de rose assez vif comme celui qui nuançait le cœur de certains nymphéas blancs de Combray, montrait comme une couleur de santé, de chaleur matérielle, et laissait penser que sa douceur n'eût pas été docile seulement aux caprices platoniques de l'amour. Tout cela qui pourtant même en me permettant de penser à elle sans le sentiment trop douloureux d'une inégalité qu'elle aurait crue entre nous, m'était peut-être moins cher que le feutre gris toujours le même avec sa grande plume un peu prétentieuse, un peu démodée, un peu abîmée qui la coiffait à tous les repas, et qui ajoutait tant de douceur à son visage moins par la délicatesse d'un reflet gris harmonisé à son teint que parce qu'il la rapprochait de moi en la montrant*b* manquant de beaucoup de choses, d'argent pour être élégante, à la mode, d'orgueil pour être indifférente à l'élégance, en donnant l'idée de désirs d'elle qu'on aurait pu satisfaire, d'avantages de fortune peut-être prestigieux pour elle qu'un jour j'aurais pu symboliser à ses yeux, qui sait de besoins auxquels on aurait pu subvenir. Et je sentais que ces lèvres qui me semblaient différentes et défendues parce qu'elles baisaient filialement au front une femme qui n'avait jamais parlé à des roturiers que comme à des étrangers dont on craint le contact ou à des inférieurs par qui on se fait servir, ces lèvres dont elle ne voulait pas avoir l'air de savoir l'essence unique et le prix, peut-être par distinction morale et bonne éducation, peut-être par indifférence à un rang auquel elle était trop habituée pour l'apprécier, peut-être par révolte contre la pauvreté ou l'avarice des siens, dans quelques-unes de ces promenades en automobile que lui refusait son père et qu'elle eût tant aimées, ou en Bretagne, me glissant un soir que ses parents seraient partis en pèlerinage la clef de la poterne ou de la chapelle elle me les eût offertes simplement pour connaître le goût des miennes. Quand ma pensée vagabondait ainsi en la regardant, peut-être mes suppositions étaient-elles fausses. Mais si elles étaient vraies, la présence de son père suffisait à contenir dans une expression indifférente la vulgarité de tempérament que je croyais sentir dans la distinction de son corps. Et je pensais que si nous nous étions liés avec Mme de Villeparisis sans doute elle eût pu me présenter à Mlle de Quimperlé qu'elle devait connaître. Mais tous mes efforts étaient inutiles. Si je voyais dans le vestibule de l'hôtel Mme de Villeparisis à qui sa femme de chambre mettait son manteau précisément à quelques pas de M. de Quimperlé qui lisait un journal, mon cœur battait à la pensée que ma grand-mère passant à ce moment-là je pourrais du même coup connaître Mme de Villeparisis et M. de Quimperlé, j'allais chercher ma grand-mère, j'inventais un prétexte pour lui faire traverser le

salon en l'assurant qu'il n'y avait personne et dans l'espoir qu'elle
se trouverait nez à nez avec Mme de Villeparisis, mais rien n'y
faisait, d'autant plus que Mme de Villeparisis ayant remarqué que
ma grand-mère détournait les yeux quand elle la voyait, l'imitait
et baissait les yeux en personne bien élevée qui ne voulait pas
la gêner. Sans doute en tant que cela eût pu me servir auprès
de Mlle de Quimperlé, je ne pouvais songer à faire comprendre
à ma grand-mère mon désir d'être « bien vu » à Querqueville.
Mais je dois dire que, en ce qui concernait les autres personnes,
je n'aurais pas pu davantage le lui faire comprendre.

Esquisse XXXVI

[MA GRAND-MÈRE FEINT
DE NE PAS RECONNAÎTRE SWANN
ET MME DE VILLEPARISIS]

*[Dans cette esquisse ancienne (Cahier 4) où la station balnéaire n'est pas
nommée et où Swann apparaît encore (voir l'Esquisse XLVIII), les deux jeunes
filles moqueuses auprès desquelles le jeune homme voudrait se « poser » préfigurent
la bande de jeunes filles que Proust prévit d'abord d'introduire dans la vie de
son héros à l'occasion d'un séjour ultérieur et de laquelle faisait peut-être d'abord
partie celle qu'il appellera Mlle de Stermaria (voir les Esquisses XXXV et XLVIII).]*

Je me souviens d'une année où nous étions au bord de la mer
avec ma grand-mère (c'était[a] toujours à ma grand-mère qu'on
nous confiait pendant ces mois-là, et nous revenions toujours avec
des maux de gorge parce qu'elle trouvait que l'air et l'eau ne
font jamais mal, ayant été mis à la porte de l'hôtel parce qu'elle
rouvrait les fenêtres de la salle à manger pendant le déjeuner
les jours de tempête au risque de faire écrouler la véranda, un
peu affolés par *Indiana* et *Lélia*[1], parce que les chefs-d'œuvre ne
peuvent jamais faire de mal, et ayant fait mourir d'inquiétude
nos parents le jour du retour en n'arrivant que plusieurs heures
en retard parce qu'il aurait été trop malheureux de passer près
d'une villa célèbre qui était sur la route sans descendre de train
et la visiter et nous étions dans le même hôtel que Swann ou
plutôt nous y étions au début car ma grand-mère trouvant que
c'était « une pitié » d'avoir les fenêtres fermées au bord de la
mer, faisait laisser le vitrage de la salle à manger ouvert, malgré
les réclamations des autres personnes qu'elle ne voulait pas
entendre et un jour de tempête où on avait fermé malgré elle,
elle voulut rouvrir elle-même pendant que le garçon avait le dos

tourné, le vitrage volant en éclats et on nous mit à la porte. Dès le jour de notre arrivée ma grand-mère avait aperçu Swann et aussi une vieille marquise de Villeparisis avec qui elle avait été au Sacré-Cœur, qu'elle ne fréquentait pas, mais qui avait gardé pour elle beaucoup d'amitié et à qui ma grand-mère s'était adressée et jamais en vain quand elle avait eu des services à demander. Mais ma grand-mère avait fait semblant de ne pas les voir (à mon grand chagrin car je sentais que cela nous « poserait » dans l'hôtel) parce que le temps consacré aux personnes eût été autant de pris sur le fameux « air de la mer », qu'il fallait aller respirer du matin au soir. Quant aux autres personnes qui étaient dans l'hôtel, je crois bien que ma grand-mère n'aurait pas été capable de dire après un mois comment ils étaient faits. La pensée qu'on pût s'intéresser à quelqu'un qu'on ne connaissait pas était quelque chose qu'elle ne pouvait comprendre et qu'elle trouvait tout ce qu'il y a de plus vulgaire. Or comme j'avais à ce point de vue l'esprit beaucoup moins élevé que ma grand-mère (je ne sais ce que j'aurais donné pour être vu disant bonjour à Mme de Villeparisis ou seulement par moments à Swann[a]) il y avait au moins deux ravissantes jeunes filles qui ne pouvaient me voir sans se pousser du coude et sans rire, peut-être, dans l'hypothèse la plus favorable, à cause de ma grand-mère qui tous les jours ouvrait les fenêtres pendant le déjeuner et bravait en souriant les invectives des diverses « familles » avec le sourire de sainte Blandine au milieu des lions et perdue dans la contemplation extatique du paradis de santé et de vigueur où le fameux « air » allait nous faire entrer. J'essayais de toutes les ruses. Si je jugeais que dans le salon de l'hôtel il y avait Mme de Villeparisis, et les deux jeunes filles qui la considéraient de loin avec une respectueuse curiosité mon cœur battait, je venais dire à ma grand-mère qu'il n'y avait personne dans le salon de l'hôtel pour la décider à le traverser, dans l'espoir que se trouvant nez à nez avec Mme de Villeparisis *[interrompu]*. Mais rien n'y faisait d'autant plus que Mme de Villeparisis ayant remarqué que ma grand-mère l'évitait baissait les yeux quand elle la voyait en personne bien élevée de façon à ne pas la gêner. Et je ne pouvais songer à faire comprendre mon désir à ma grand-mère. Elle m'aurait encore moins compris qu'elle ne m'aurait méprisé. Et si c'était impossible à lui faire comprendre pour les deux jolies jeunes filles, comment à plus forte raison essayer même de lui expliquer l'espèce de charme que prenaient pendant le temps qu'on est dans une ville d'eaux certaines personnalités bizarrres qui y jouissent d'une sorte de prestige, telle cocotte épousée par un prétendant[b] évincé à un état de l'Amérique du Sud, qui s'affublant indûment du nom de reine, excite quand elle va au bain l'acclamation des gamins qui crient : « Vive la reine ! » pour qu'elle leur jette des sous, et la protestation des gens sérieux qui tiennent à expliquer à leurs voisins qu'elle n'est nullement reine, que le maire est venu lui faire défense d'en prendre le titre, tel jeune homme d'une pâleur effrayante et qu'on dit condamné qui fait se retourner tout le monde par le caractère singulier de sa toilette et le flegme avec lequel il perd au jeu de grosses sommes que les mêmes gens sérieux disent qu'il n'a pas le moyen de perdre, toutes ces personnalités auxquelles le relief que leur donne l'absence de point de comparaison et le piédestal*a* que leur fait l'attention d'une foule qui n'a rien à faire donne une sorte de suprématie qui leur permet de jeter sur la foule une sorte de regard dédaigneux et ironique dans lequel moins élevé de sentiments que ma grand-mère je souffrais en baissant les yeux d'être englobé.

Esquisse XXXVII

[L'ARISTOCRATIE
DE MME DE VILLEPARISIS]

[Ce fragment est extrait du Cahier 13.]

Si j'avais désiré montrer à Mlle de Quimperlé que nous connaissions Mme de Villeparisis c'était seulement à cause de l'importance que sa nombreuse domesticité lui donnait dans l'hôtel. Quant à sa situation sociale réelle elle devait être l'objet d'hypothèses et d'appréciations aussi variées qu'il y avait de personnes différentes ou du moins de groupes*b* de personnes se parlant et prenant comme des vases communicants un même niveau. Les différents noms nobles qui pour une personne connaissant de plus ou moins près la société aristocratique portent avec eux en quelque sorte leur coefficient mondain, résultant d'ancienneté, d'illustrations, d'alliances qu'ils sous-entendent, sont généralement, sauf en tout petit nombre, entièrement inconnus aux différents mondes bourgeois. Reste le titre de comtesse ou de marquise qui ne signifie absolument rien, et qui seul au contraire produit une certaine impression. Mais cette impression, surtout à l'étranger ou dans un hôtel est souvent défavorable, et inspire la méfiance que la personne qui le porte pourrait bien être une aventurière. On se moque souvent du prestige que de faux nobles ont pour des roturiers qui sur la foi de leur titre s'imaginent se trouver en présence d'un grand seigneur quand ils sont simplement en présence d'un aventurier. Le contraire est peut-être plus fréquent. La méfiance, l'amour-propre, l'esprit de finesse, l'imagination aidant, il arrive constamment que des bourgeoises malveillantes et curieuses qui sont agacées d'entendre dire « madame la comtesse » à une dame qui est dans le même hôtel, exerçant leur pénétration, sont mises en suspicion par un peu de rouge ou de poudre, par une robe mauve fort claire, et une amie encore plus fardée, ayant des robes encore plus claires, qui viennent prendre la comtesse en voiture, font leur petite enquête, concluent triomphalement le soir dans leur petite société que la comtesse et la marquise qui à la tombée du jour partent se promener en jolies toilettes dans la victoria de la marquise dont les chevaux ont des pompons rouges, sont simplement des cocottes, défendent à leurs filles de plus répondre à leur gracieux bonjour, et si le roi d'Angleterre de passage les invite à dîner parce que ce sont les deux femmes les plus élégantes de l'aristocratie, s'indignent qu'il ose se montrer publiquement avec des « filles ». Dans ce cas qui revêt mille formes, la comtesse et la marquise eussent exercé infiniment plus de prestige sur un prince authentique tout simplement parce qu'il aurait su qui elles étaient.

*Et un peu plus loin.

Quand je dis que je ne pouvais pas croire qu'elle pût connaître les Guermantes je dirai : je n'allais pas jusqu'à croire comme certaines personnes de l'hôtel que ce pût être une aventurière puisque c'était une amie de ma grand-mère mais l'idée qu'elle pût être noble à la façon des Guermantes, de même que je n'aurais pas pensé que Rome qui me faisait penser à la fois à la gare Saint-Lazare à cause de la rue de Rome et aux sept collines pût ne pas être inférieure à Venise. Mais sachant l'impression que ses domestiques produisaient etc.*

Esquisse XXXVIII

[MME DE CHEMISEY
PHILOSOPHE ET MUSICIENNE]

[Fragment du Cahier 12. Les aspirations spirituelles et esthétiques de celle qui deviendra Mme de Cambremer seront abandonnées ou caricaturées dans la version définitive.]

Le bâtonnier Fabre qui causait beaucoup avec ma grand-mère lui avait d'ailleurs donné une certaine admiration pour Mme de Chemisey qui en effet était une personne assez remarquable. Mais elle avait ce trait qui la rapprochait assez de son frère et d'ailleurs de beaucoup de personnes qui ne sont pas de sa famille que chez elle le monde de la pensée et celui de l'action étaient entièrement distincts. Mme de Chemisey passait toute sa matinée à lire des ouvrages tels que les *Premiers principes* d'Herbert Spencer, *Matière et mémoire* de Bergson et certains ouvrages de Guyau[1]. Elle faisait ensuite de la musique et jouait, admirablement d'ailleurs, les *Quatuors* de Beethoven, les dernières productions de Ravel, de Debussy, de d'Indy, de Dukas[2]. Mais il est des personnes dans le tempérament de qui une tendance à l'obésité entre d'une façon si indestructible qu'elles peuvent marcher huit heures par jour et continuer à engraisser. Sans qu'on pût attribuer directement ce résultat à l'influence prolongée chaque jour depuis quinze ans de l'étude la plus intelligente et approfondie de la philosophie évolutionniste et de la musique savante, au sortir de ces séances de métaphysique et d'art, Mme de Chemisey se livrait à un certain nombre d'actions qui étaient toutes inspirées par le double but, cesser toute relations avec les personnes peu élégantes qu'elle avait connues autrefois, et chercher à entrer en relations avec des personnes qu'au premier abord quand elle s'était mariée elle avait crut faire partie de la société de M. de Chemisey et qu'elle s'était aperçue ensuite appartenir à une sphère notablement supérieure. Chaque année ses idées philosophiques devenaient plus dédaigneuses de toute réalité. Il y avait longtemps qu'elle ne croyait plus au monde extérieur et dans le domaine de l'art, aucun objet ne lui paraissait assez humble pour que son interprétation pût être vraiment artistique et émouvante. Un moujik de Dostoïevski, un paysage de Le Nain, c'était l'extrême limite sociale à laquelle l'art doit s'élever. Mais telle était la désespérante inefficacité du traitement spirituel qu'elle suivait que chaque année aussi le but de sa vie la restreignait de plus en plus à faire de nouvelles relations. Cette entité morbide qui se développait de plus en plus en elle avait même fini comme certains états pathologiques qui semblent immuniser ceux qui en sont atteints contre les indispositions auxquelles chacun paie son tribut, si bien qu'ils sont toujours malades, mais ne « prennent » aucune maladie, par guérir quelques autres petites indispositions morales dont elle avait été autrefois subsidiairement affectée, telles qu'une certaine tendance à l'avarice, et aussi à regarder d'un œil favorable certains hommes autres que M. de Chemisey[3].

Esquisse XXXIX

[L A   B A I E   D E   Q U E R Q U E V I L L E]

[Dans ce fragment du Cahier 29, Proust dépeint la mer vue depuis les hauteurs, où le héros se rend à pied ; voir l'Esquisse XXXII.]

Querqueville-le-Vieux touchait à Querqueville-Plage, ils étaient l'un à côté de l'autre dans la baie, Querqueville-le-Vieux[a] un peu plus en retrait, et construit en bas de la colline, et[b] pour moitié sur les pentes. Pour aller faire toutes les belles promenades de ce côté qui étaient des routes sur la hauteur, dans la plus fertile campagne dominant la mer de très haut, il fallait passer par Querqueville-le-Vieux, puis on s'élevait peu à peu par des ruelles, devenues vite des chemins bordés d'immenses ormes, le long des maisons du XVIe et du XVIIe siècle, coupés de fortifications et de forts du temps de Vauban ; il y avait là un endroit d'où on ne voyait pas la mer, où les grands ormes faisaient une espèce de bois, et où ces soldats, ces fortifications, ces rues sales tout près, tout cela donnait l'idée qu'on se trouvait dans la banlieue de Paris, près des fortifications, pas loin de la mare d'Auteuil, puis les chemins aboutissaient à une belle route, la route du haut ; on entre alors dans la campagne la plus verdoyante, d'où on domine pendant des kilomètres d'un côté la mer, de l'autre la vallée. De temps en temps des propriétés, où souvent on peut pénétrer rien qu'en levant une barrière de bois, et on suit la mer au-dessous de soi pendant une lieue, en marchant sur des fougères, sous des *[un blanc]*, entre des grands rhododendrons en fleurs. Souvent la route s'abaisse, puis remonte ; et comme elle suit la côte qui n'est pas droite, comme le rivage de la partie opposite de la baie ne l'est pas non plus, par moments, les rivages d'en face qui de Querqueville ne sont qu'une peinture bleue comme on en fait sur les galets, sont *[un mot illisible]* près de nous, devenus sombres parce qu'ils ont pris du relief, avec une simple bande de mer étroite entre eux.

De l'autre côté de Querqueville, la baie au contraire s'élargit et on tourne après l'embouchure de la *[un blanc]*, vers les dunes, jusqu'à l'endroit où commence ce qu'on appelle la haute mer. Il y a là une petite plage balnéaire plus violente que celle de la baie, où les petites maisons sur la plage n'ont dans leurs jardinets que quelques tamaris, arbres qui me semblaient bien laids jusqu'au jour où je réfléchis que si c'étaient les seuls qu'il y eût, c'est que seuls ils supportaient sans en souffrir les vents du large ; alors je sentis qu'ils étaient d'une autre essence que les autres arbres, d'une nature plus vigoureuse qui pouvait se plaire et croître dans les vents ; ils m'apparurent là comme de jeunes princes des tempêtes, qui aux plus grands vents se contentaient de frémir et ne continuaient pas moins à pousser et à croître, comme des goélands secouant légèrement les ailes et tranquilles au milieu de la tempête. Et je commençai d'aimer pour cette nature intérieure, différente et puissante, l'aspect terne et frémissant de leur verdure héroïque. Je savais que Whistler avait appelé cette baie le golfe d'opale[1] et qu'il en avait fait des harmonies bleu et rose. Je me mettais debout devant la mer ; je m'efforçais d'oublier que c'était une partie de la mer comme les autres, qui n'avait pas d'individualité particulière, que c'était une combinaison quelconque, de chlorure de sodium et d'hydrogène. Je cherchais à me persuader[a] que c'était vraiment un golfe d'opale, différent de ce qui était un peu avant[b] lui, un peu après lui ; et je m'enivrais des vagues teintes bleues ou roses que je pouvais saisir, dans ces reflets que l'eau prend autour des îlots ou des rochers où elle se brise, en me disant : ce sont des reflets qu'aimait Whistler.

Dans les nocturnes du peintre le golfe a l'air d'avoir conscience qu'il est un golfe particulier, il y a dans la grâce des vagues, des rivages, dans un doux reflet, même dans la molle nonchalance d'un ou deux navires, une sorte de complicité intelligente avec la rêverie du poète. J'essayais de retrouver cela ; j'assignais à un bateau qui fait le service de l'île voisine un rôle whistlérien, je détournais les yeux d'un vapeur qui ne faisait pas l'affaire, et je m'enivrais des couleurs bleues et roses que je pouvais attraper dans les reflets qu'ont les eaux autour des îlots de roches où elles se brisent me disant : C'est sûrement cela ! ô golfe d'opale ! Dans la mer mobile je choisissais ici, là, une ou deux vagues dociles qui pourraient à la rigueur mettre la jolie grâce que deux vagues mettent dans le « golfe d'opale » de Whistler et pour lequel une vague de plus ou de moins m'eût semblé tout déranger. Si j'avais un peu trop chaud et mal aux yeux je rentrais exalté en me disant : Je suis au bord du golfe d'opale qui a semblé à Whistler digne d'être immortalisé à côté de Valparaiso[2].

Esquisse XL

[PAYSANNES EN FLEUR]

[Dans le Cahier 30, images fugitives d'un bonheur inaccessible : à ce stade de composition du roman, Proust n'imaginait pas de donner à son héros, à l'occasion du premier séjour à la mer, d'autres promesses de plaisir (voir déjà l'Esquisse XXXVI).]

Les chevaux de Mme de Villeparisis étaient bons, nous allions loin, nous traversions les villages, la réalité inconnue, la nature, les pays avec tout ce qui pourrait être la vie si je voyageais, si j'étais libre, offrant rapidement des deux côtés de la voiture des tentations. Cristallisée au soleil, avec l'aiguille de ses toits et la belle couleur de ses surfaces planes, c'était comme une matière précieuse, enivrante, défendue au travers de laquelle nous circulions. Un coup de désir battait dans mon cœur. Plus tard, quelle vie, je reviendrai dans ces villages, il faut que je me souvienne du nom de celui-ci, pour être sûr que *ces joies-ci* je ne les aurai pas eues. Dans les villages devant les portes, ou sur la route en carriole, à pied, croissaient ces fleurs qui sont celles que de toutes l'on voudrait le plus s'arrêter pour cueillir si l'on n'était pas avec sa grand-mère et une vieille dame, des jeunes paysannes qui surgissaient de tout cet inconnu délicieux qui me semblait la vie possible avec toutes ses joies, comme la possibilité la plus délicieuse, comme le bonheur le plus grand et le plus spécial. Dans ces journées où on semble avoir une vision de ce que peut être la terre, de ce que pourrait être la vie si on était libre, cette joie-là n'était pas oubliée. Pas arrangées exprès pour moi, tout naturellement, de telles journées glorieuses, aussi bien que les bleuets et les coquelicots, de telles journées contenaient, montant sur son âne de la route que nous descendions à fond de train[a] telle fillette qui nous croisait et déjà n'était plus à portée de ma vue que comme la petite statuette du plaisir que jusqu'ici je désirais seulement vaguement et dont elle me donnait la forme, décor rustique qui disparaissait bientôt entre les bleuets et les coquelicots.

Esquisse XLI

[COMMENT JE FAIS LA CONNAISSANCE
DE MONTARGIS]

*[Dans cet épisode — que Proust abandonnera — du Cahier 32, la froideur
dédaigneuse de Montargis, futur Saint-Loup, s'évanouit aux premiers mots qu'il
échange avec le héros.]*

Françoise ayant su par la femme de chambre de Mme de
Villeparisis que Montargis habitait un hôtel tandis que Mme de
Villeparisis n'habitait qu'un appartement, je réfléchis que de tous
les gens que je connaissais aucun n'habitait un hôtel, et que
peut-être les gens qui habitaient les hôtels se liaient moins
facilement. Cependant parmi les excursions que je n'avais pas
encore faites était celle d'une église appelée Saint-Michel-en-
Mer[1], que je m'imaginais en mer, tout en sachant qu'elle était
dans le village, où je savais qu'était un Christ miraculeux tiré
des flots et des vitraux admirables racontant cette découverte du
Christ, et que je me représentais d'« outremer » comme ses
parois précieuses et peintes, intercalées entre le granit rosé et
la mer déferlante. Le conseiller à la Cour qui était très géographe,
savant en toutes choses, expliquant ce que serait la guerre des
dix ans, l'avenir de l'automobile etc. nous avait dit : « Vous
n'avez tout simplement qu'à prendre par Querqueville-le-Vieux,
au lieu de monter sur la falaise, de tourner derrière le rempart,
de descendre à la mer, de longer la grève au pied de la falaise
pendant une heure, vous rejoignez la route et vous êtes à
Bricquebœuf. Or Saint-Michel-en-Mer et Bricquebœuf c'est
comme qui dirait Passy-Auteuil, Querqueville et Rivebelle. Nous
partîmes, après deux heures de grève les rares passants ne
pouvaient pas nous indiquer Saint-Michel-en-Mer, la mer
remonta, pas d'amorce à la route, il fallut remonter les falaises
par des sentiers très rudes, j'étais brisé, je croyais redescendre[a]
à toute minute, ma grand-mère épuisée, soufflante, se crampon-
nait aux aspérités, ne pensant qu'à ma fatigue et me disant : « Tu
vas tomber malade, mon pauvre petit, dans quoi est-ce que je
t'ai entraîné », enfin un chemin latéral parut redescendre sur
l'autre versant, nous fûmes sur la route mais loin de tout, faits
comme des *[un mot illisible]* et la pluie se mit à tomber à verse.
Et à ce moment pour comble d'humiliation dans son cabriolet
passe Montargis ; heureusement il ne nous verrait pas car on
baissait justement sa capote contre la pluie et sa voiture repartait.

Mais le malheur veut qu'il lève le nez, il nous voit et fixe sur nous ses durs yeux bleus perspicaces et dominateurs[a]. Il dit un mot au cocher, saute de la voiture avant qu'elle soit arrêtée, et jetant sa cigarette, ayant mis le chapeau à la main longtemps avant d'arriver près de nous, faisant fondre dans une grande douceur son regard habituellement dur : « Permettez-moi de me présenter, madame, je suis le neveu de votre amie Mme de Villeparisis. Je vois que vous êtes sans parapluie, vous rentrez à Querqueville sans doute, est-ce que vous voudriez me faire l'honneur de monter dans mon modeste cabriolet. » Malgré mon insistance, avec des gestes élégants, rapides, autoritaires et brefs qui me faisaient rasseoir, sans pour cela que son corps s'inclinât et que sa figure prît aucune expression, il me força à rester avec ma grand-mère dans la voiture et monta près du cocher. Puis au beau milieu de la route enjamba par-dessus le siège le strapontin sans faire arrêter la voiture et dit : « Quelle brute je suis, vous avez chaud et je vous laisse geler en voiture découverte, prenez mon paletot, moi j'ai trop chaud, vous suerez dans un moment et vous ne prendrez pas mal à la gorge[1]. » Je ne lui avais pas dit un mot et m'étais paru à moi-même stupide. Malgré cela Mme de Villeparisis déclara que j'avais fait sa conquête et lui-même me dit au bout de quelques jours, comme nous parlions de ce retour dans sa voiture : « Ah ! c'est un grand jour pour moi, un jour où j'ai été très heureux, moins que les suivants pourtant, c'est le jour où je vous ai connu, où a commencé notre amitié ; il restera pour moi comme un anniversaire[b]. » C'était d'ailleurs vrai car nous sommes restés grands amis depuis mais je n'ai jamais pu comprendre ce qui s'était passé à ce moment-là.

Esquisse XLII

[MONTARGIS ME PARLE DE SON ONCLE,
LE MARQUIS DE GUERCY]

[Au retour de chez le peintre Elstir, scène différée dans la version définitive, le héros, dans ce passage du Cahier 28, retrouve Montargis qui n'a pu l'accompagner parce qu'il attend son oncle, qui dans le roman s'appellera le baron de Charlus. Voir également l'Esquisse LV, p. 966-967.]

Je refis avec moins d'anxiété que le premier jour ce même trajet dans le petit chemin de fer jusqu'à Querqueville, maintenant que Querqueville c'était un peu chez moi, que la porte même du hall sonnait sous la main en me disant que ma grand-mère, mon dîner, ma chambre n'étaient pas loin, que dans la chambre elle-même, la vague odeur de vétiver, la hauteur du plafond avaient depuis longtemps cessé d'exciter aucune réaction pénible. Quand on cria : « Querqueville », je me dis avec douceur : « Je suis arrivé chez moi ». Je vis Montargis à la gare à qui je dis tout ce qu'il avait perdu. « Je n'ai perdu qu'à demi puisque tu me le raconteras, me dit-il en me prenant affectueusement la main. Je venais un peu pour t'attendre, et aussi pour voir si mon oncle n'était pas dans le train. Mais il n'est pas encore arrivé. Oh ! il est assommant. Je parie qu'il ne viendra pas. C'est couru. Il y a trois jours il est parti de chez la duchesse Bourbon. Faut tout de même pas trois jours pour venir ici. Il suffit qu'il se soit plu en route dans une^a bonne auberge pour qu'il s'y éternise. Il dit qu'il n'y a plus que là qu'on sache encore faire la cuisine (ah ! il va en faire une vie à l'hôtel où rien n'est chaud, où tout sent le beurre, où le vin est atroce). Il faut dire qu'il a à Paris un cuisinier, qui descend du fameux cuisinier de Louis XVIII, je ne te dis que ça. Mais mon impression c'est qu'il ne viendra pas. Au fond ça le rase de venir voir la tante Villeparisis. Il l'aime beaucoup parce qu'elle a connu ses parents, mais l'idée de venir dans ce grand hôtel a dû lui faire mal au cœur. D'autant plus qu'elle n'a pas peur avec lui, et si elle connaît quelqu'un elle ne se gêne pas pour lui dire : "Je vous présente mon neveu le marquis de Guercy" et il n'a rien à dire. Nous aurons demain un mot qu'il ne vient pas. Peut-être a-t-il rencontré une donzelle en route. Ah ! c'est un coureur que mon oncle. Il paraît qu'il en a eu dans son jeune temps. Du reste avec une figure comme il en avait une, un vrai chérubin, et puis les femmes aiment ça l'insolence. Il est très discret par exemple. On ne sait presque jamais les noms. Mais quelquefois je me doute bien un peu, ajouta-t-il d'un air fin. Ainsi, tiens, la duchesse de Montmorency que tu as vue ici, eh bien, il *[un mot illisible]* l'œil. Oui, et un peu ! Je me suis même demandé si ça ne repiquait pas en voyant qu'il venait ici. Tiens, la petite Poitiers que tu as vue, il n'y a pas encore deux ans elle se serait liée s'il^b avait voulu se remarier. Mais pas si bête. Qu'est-ce que mon oncle irait faire avec cette pimbêche-là. » À la gare les voitures qui m'avaient paru si terribles le premier jour me parurent seulement le moyen d'être plus vite à dîner, nous sautâmes dans l'une, lestement^c Montargis baissa la capote pour que je n'aie pas froid. Entre les maisons on apercevait la mer bleue, le soleil étant tout à fait couché, comme conservée dans une sorte de gelée qui donnait encore plus envie de rentrer retrouver la lampe et de dîner. C'est ce que je fis bientôt après avoir montré l'esquisse d'Elstir à ma grand-mère qui s'il n'était peut-être pas la relation qu'elle aurait choisie pour moi, savait comprendre ce que c'est qu'un artiste, tout le prix qu'a sa sympathie, et était émerveillée de sa gentillesse pour moi. « C'est vraiment charmant. L'as-tu bien remercié ? Dis-moi, me dit-elle avec un peu d'embarras, ton ami Montargis qui a été tout ce qu'il y a de plus gentil pour moi pendant que tu n'étais pas là m'a demandé à me photographier si tu n'y vois pas d'inconvénient etc. *(voir l'endroit où c'est fait[1]). Je fus étonné etc. Le lendemain matin (Vitré).*

Esquisse XLIII

[PORTRAIT DU MARQUIS DE GUERCY]

[Dans une station balnéaire appelée XX ou T***, le héros fait la connaissance de l'oncle de son ami Montargis. Il remarque lui-même, dans ce fragment du Cahier 7, les particularités féminines de sa voix auxquelles, dans le roman, sa grand-mère seule sera sensible. Peut-être la version définitive atténue-t-elle quelques traits qui laisseraient trop tôt soupçonner au lecteur la vraie nature du personnage.]

Je marchais seul sur le chemin de l'hôtel en attendant ma grand-mère quand je sentis que j'étais regardé par quelqu'un qui était à quelque distance de moi. Je levai les yeux et je vis un homme assez grand et assez gros avec des cheveux gris, une[a] moustache noire, son chapeau de paille très sombre laissant voir des cheveux légèrement grisonnants, un costume extrêmement recherché et sombre[b] et une rose à la boutonnière qui me regardait en frappant nerveusement une badine sur ses pantalons blancs. Il avait des yeux si extraordinairement fixes qu'ils me firent presque peur, mais aussitôt qu'il s'aperçut que je l'avais vu, il détourna vivement la tête et se mit à regarder les affiches du concert qui étaient sur la palissade de bois avec une attention excessive, en chantonnant je ne sais quoi et en lacérant le coin de l'affiche du bout de sa canne, puis il lisait sa montre, regardait au loin comme s'il attendait quelqu'un, tira un calepin et prit en note quelque chose qui était sur l'affiche. Je pensai : je ne sais pas quelle raison cet homme avait de me regarder tout à l'heure, mais s'il s'imagine que je suis dupe de la comédie qu'il joue pour le moment il faut qu'il me croie bien bête. J'eus seulement l'impression qu'il était un peu fou, car il mettait à montrer qu'il ne regardait pas de mon côté, à s'absorber dans la lecture du programme et à épier l'arrivée au bout du chemin d'une personne qui ne devait certainement pas venir une attention simulée, mimée avec trop d'exagération pour que toute personne passant par là, et à plus forte raison moi qui avais surpris son regard pût la considérer comme autre chose que comme une comédie fort mal jouée ou la gesticulation incohérente d'un dément. Cette impression qu'il me donna d'exaltation et de vaine rouerie trop audacieuse et naïve était si déplaisante qu'elle détourna mon attention sur elle seule, sur sa qualité spécifique, antipathique et bizarre, et^a m'absorba au point d'oublier ma première crainte en me demandant si c'était un assassin ou un espion. Il fit quelques pas de long en large et je pus à mon tour le regarder un peu. Bien que ses traits eussent quelque chose de fort distingué, il était affreux avec ses yeux brillants et qui faisaient semblant d'être distraits, sa démarche gesticulante, ses mouvements nerveux, son exaltation visible, et sa négligence jouée, sa moustache probablement teinte et sa rose de jeune homme que pour comble il approcha de son nez, avec une grimace de plaisir des plus ridicules. J'aperçus ma grand-mère, nous allâmes faire quelques courses, et j'hésitais à faire part à ma grand-mère de mes craintes de tout à l'heure quand nous vîmes déboucher de la grande rue trois personnes : Mme de Villeparisis, le monsieur à la moustache teinte et Montargis. Je compris que c'était l'oncle Guercy dont Montargis m'avait parlé il y a quelques jours. Nous saluâmes. Et le soir nous étant rencontrés dans le hall de l'hôtel Mme de Villeparisis nous présenta et nous passâmes la soirée dans son salon. M. de Guercy avait entre autres choses bizarres celle-ci, c'est que si dans la rue ses yeux brillants fixaient indéfiniment une personne ou une chose, dès qu'il était avec des personnes de connaissance, chez lui, dans un salon, ses yeux à fleur de tête, entre leurs cils rares, fuyaient les personnes sans jamais les regarder, de sorte que quand on allait lui dire bonjour, aucun signe ne témoignait qu'il vous avait vu, et que son regard était dans une direction différente, on se préparait à appeler son attention par quelque point au moment de s'incliner devant lui, mais à ce moment lui qui vous avait parfaitement vu, vous tendait la main avec une merveilleuse grâce, d'ailleurs pleine de hauteur, sa belle main où le quatrième doigt se détachait légèrement, comme dans la main d'un ecclésiastique qui donne son anneau à baiser. Cette habitude de ne pas laisser soupçonner qu'il vous voyait eût été compréhensible chez un homme de mauvais passé, reçu dans le monde par tolérance, et qui craignant qu'on ne lui rendît pas son bonjour, restait sur une prudente expectative. Chez le marquis de Guercy, membre de comité des deux plus grands cercles de Paris, je pense qu'il était attribuable au contraire à la volonté de ne jamais dire boujour le premier. Toujours est-il que cela lui donnait tandis qu'il vous parlait et évitait le regard d'une autre personne qu'il avait vue le singulier aspect de ces marchands en plein vent qui tandis qu'ils vous déballent leur marchandise et vous débitent leur boniment, regardent ailleurs pour voir si la police, la « Rousse » ne va pas fondre sur eux et les emmener au poste. Quand on me présenta à M. de Guercy il me dit bonjour d'un air tellement désagréable et de continuer à parler d'autre chose à Mme de Villeparisis que malgré que Montargis me l'eût dépeint comme très entiché de noblesse, je ne pouvais comprendre qu'il fût cependant si impoli. Il me dit un bonjour glacial, sans cesser une seconde sa conversation et d'un air si distrait qu'il semblait probable qu'il ne pouvait pas se rappeler une minute après que je lui avais été présenté. Je fus donc bien étonné quand me rencontrant le lendemain au milieu de la foule des personnes qui regardaient baigner et où je pensais qu'il était si impossible à quelqu'un qui ne m'avait vu qu'une fois de me reconnaître, il vint me dire, du même air glacial et impertinent que Mme de Villeparisis m'avait cherché pour faire une promenade et que je ferais bien de passer à l'hôtel, puis il s'en alla en touchant à peine son chapeau, et murmurant du bout des lèvres un au revoir inintelligible et sec. C'était du reste un abîme de contradiction que M. de Guercy. Dès les premiers mots que je lui entendis dire je vis que sa grande prétention, son goût exclusif était à tout ce qui est mâle, viril, énergique. Il faisait des marches énormes, arrivé tout suant prenait un bain froid, ne parlait jamais qu'exercices, parcourait la France à pied, couchait dans les fermes etc. Aussi avait-il toujours l'air de trouver tous les hommes efféminés et déblatérait contre eux avec une vivacité haineuse. Quand il disait d'un homme : « C'est une vraie femme », on sentait qu'il ne pourrait rien dire de plus grave, que c'était pour qui s'était attendu à trouver une nature loyale et virile, comme si on l'avait trompé sur la qualité de la marchandise. Mais à côté de cela il avait souvent des délicatesses de sentiment, d'expression comme ont rarement les hommes. Avec ce que je savais de ses idées sur la virilité j'avais été navré que Montargis parlât devant lui de mes tristesses le soir avant de m'endormir. Et le lendemain comme je m'apprêtais à monter dans ma chambre je vis venir à moi M. de Guercy qui me dit en me tendant un petit paquet : « Tenez, puisque vous aimez ce que fait le peintre Z, voilà un petit album de ses œuvres gravées, vous regarderez cela avant de vous endormir pour ne pas être triste. » J'étais extrêmement ému parce que jamais un homme de son âge n'avait fait ainsi attention à moi ; je crois que si j'avais osé je l'aurais embrassé, mais ses vilaines moustaches teintes lui donnaient quelque chose de trop bizarre qui intimidait.

Et le lendemain quand je voulus le lui rendre, il me pria de le garder en souvenir du plaisir qu'il avait eu à me connaître comme si un homme de son âge et de son importance pouvait avoir du plaisir à faire la connaissance d'un bambin comme moi. Mais ce fut dit sans ironie, avec une de ces inflexions délicates qui démentaient sa prétention à la trop grande virilité, sans avoir l'air de faire valoir son souvenir, le dépréciant plutôt. C'était charmant. Ainsi quand il se laissait aller à causer un peu longtemps on était surpris de le trouver très différent de ce qu'il prétendait être. Je n'aurais pas osé lui dire qu'il était efféminé puisque c'était ce qu'il haïssait le plus, haïssait jusqu'à la rage, mais enfin à propos de tel trait touchant qu'il voulait, on aurait cru entendre dans sa voix tout un chœur de sœurs délicates, de mères passionnées, qui répandaient avec effusion leurs tendresses. Même parfois et c'était moins agréable, quand la conversation était méchante, et il l'était avec beaucoup d'esprit, on aurait cru entendre au fond de son gosier une Célimène qui minaudait et ajustait son prochain avec des traits qui donnaient à sa voix à ce moment des tons aigus et perçants. Mais c'était surtout son rire qui était un vrai rire de coquette, si aigre que parfois on se regardait en l'écoutant. Ses mains aussi, fort belles, de vraies mains de femme avaient des mouvements mièvres, des nervosités, des impatiences, prenaient un journal et s'en faisaient un éventail, prenaient une fleur et s'en faisaient une boutonnière mais non sans l'avoir longuement sentie d'abord d'un air rêveur. Et ce rire était d'autant plus agaçant que par moment chez cet homme grave et triste il s'échappait brusquement à propos de rien, en des gaietés de petite folle, une exaltation, une volupté de pensionnaire qui s'échappe. Et il avait des talents pour tout, il s'y connaissait en robes comme personne. Il jouait du piano sans avoir jamais appris comme une jeune fille qui « étudie » son piano dix heures par jour.

Ma grand-mère qui n'était pas suspecte de trouver plus de[a] distinction aux gens du monde parce que c'était des gens du monde trouva M. de Guercy « d'une entière distinction ». Manières, sentiments, tout en lui lui plut. Sans doute il lui marqua en deux ou trois endroits l'inanité de son orgueil aristocratique, mais moins sévère que ses sœurs, et formée par mon grand-père à l'acceptation, au goût curieux de ses préjugés, ma grand-mère ne se choquait pas plus de l'entendre féru de quartiers que si causant avec un paysan breton elle l'avait trouvé plein de croyances à l'efficacité du romarin contre les rhumatismes. Cela lui plaisait au contraire. Elle savait parfaitement que M. de Guercy n'aurait pas fait d'elle sa relation habituelle mais elle ne lui en voulait pas parce qu'elle ne l'eût pas désiré. Rien ne permet plus facilement de se plaire et de s'amuser sympathiquement du spectacle de l'orgueil aristocratique que d'être aussi entièrement dénué de snobisme que l'était ma grand-mère et tout le petit monde familial dans lequel j'ai été élevé. Mais ils avaient d'interminables conversations sur la musique, sur la nature, sur la vie du touriste à pied ; sur les voyages que cela permettait dans les parties les plus inaccessibles de la Bretagne et de l'Auvergne, couchant dans les fermes ou dans les châteaux, comme un paysan ou comme un seigneur, jamais dans les plages ou villes d'eaux comme un stupide Parisien (c'était*ᵈ* une grande exception que M. de Guercy avait faite en venant voir dans une de ces plages qu'il détestait sa tante Villeparisis. Encore cette plage lui déplaisait-elle moins que les autres parce qu'elle gardait une vieille ville de nobles et de pêcheurs et c'est dans la vieille ville qu'il rentrait coucher le soir quand il avait quitté souvent fort tard sa tante Villeparisis. Le peu de temps que M. de Guercy resta à XX ne lui permit d'avoir avec ma grand-mère que deux ou trois conversations mais il fut fort aimable et lui conseilla, comme notre situation à l'hôtel devenait difficile à cause des hostilités qu'excitait ma grand-mère en faisant ouvrir toutes les fenêtres, de louer dans une de ces vieilles maisons d'anciens armateurs dont plusieurs étaient charmantes. Il emmena même ma grand-mère en voir une où on avait loué deux étages et ma grand-mère revint tellement enthousiasmée par cette maison d'autrefois qu'elle voulait quitter l'hôtel tout de suite. Bien que Françoise eût très bien fait la cuisine c'était une plus grande dépense tout de même, mais ma grand-mère qui était d'une économie ridicule pour toutes les dépenses somptuaires et qui nous laissait sortir comme des enfants de malheureux, n'épargnait rien de ce qui était bon pour la santé, propre à former le cœur et l'esprit ou à laisser des souvenirs. Et la vie dans cette petite maison de cette famille d'armateurs du XVIIIᵉ siècle qui depuis cette époque « vivait noblement », c'est-à-dire en nobles, en ayant cessé le commerce, l'enchantait au point qu'elle disait que ce serait à venir exprès à T*** pour y habiter, que cela formait le goût des enfants, était un délice. Enfin M. de Guercy fut charmant pour ma grand-mère. Il faut dire que s'il était très désagréable avec les hommes, il était charmant avec les femmes. Lui qui disait tant de mal des hommes, et surtout de ceux qui « étaient de vraies femmes », il ne disait jamais des femmes et voyait tout en rose à leur sujet. Dès qu'on parlait d'un jeune homme, il disait : « C'est une petite fripouille, c'est une petite horreur, c'est un garçon à ne pas fréquenter. » Il parlait des jeunes gens avec une sorte de haine, avec cette violence que certains hommes qui ont souffert par l'amour ont quand ils parlent des femmes qui à leurs yeux sont toutes des coquines. Au contraire il était charmant avec les femmes, ne s'occupant que d'elles, les conseillait jusque dans les petits détails de leur toilette. Je ne peux pas dire qu'il ne fût pas très gentil avec moi mais si une femme était là, fût-ce ma grand-mère, je n'existais plus. Et pourtant j'avais l'impression qu'il avait peut-être moins de sympathie pour ma grand-mère que pour moi. Le lendemain il partit et nous disant adieu me dit quelques phrases charmantes sur le mauvais arrangement de la vie qui ne rapproche les êtres que pour les séparer qui me flattèrent extrêmement car elles avaient l'air de s'adresser à moi comme si j'avais pu inspirer quelque sympathie et quelque regret à un homme de l'âge et de la valeur de M. de Guercy[1].

Esquisse XLIV

DEUXIÈME ANNÉE À BALBEC

[Ce fragment est extrait du Cahier 13.]

Les filles. Je fais leur connaissance par le peintre. Je m'amourache d'Albertine. Est-ce que je pourrai vous voir à Paris. Difficile. Gentillesse d'Andrée. Jeu[d] de furet. Espoir. Déception[b]. Scène du lit. Déception définitive. Désirs disponibles se retournent vers Andrée. Profite peut-être[c] de sa gentillesse pour avoir prestige pour Albertine. Renoncement à Andrée.

Paris. Mme de Guermantes. Visite chez Mme de Villeparisis. M.[d] ne sait pas qui est là ? Mlle Albertine. Mort de ma grand-mère. Montargis et Mme de Silaria[e]. Visite d'Albertine où elle me chatouille. L'Île du Bois. Soirée chez Mme de Villeparisis. Milieu Guermantes. Vie maladive. Invitation chez la princesse de Guermantes. Je[f] me promets de faire signe à Albertine ce soir-là.

Je vais à Balbec parce que j'y connais tout le monde. Je remarque l'attitude d'Albertine et d'Andrée. Danse contre seins.

Esquisse XLV

[Ces esquisses anciennes (Cahiers 25, 12 et 34) traduisent l'hésitation où était d'abord Proust sur les traits et les aventures qu'il attribuerait à Swann et au narrateur. L'un et l'autre sont ici, tour à tour, sensibles au charme de jeunes filles à Querqueville. L'amour de Swann pour Anna esquisse « Un amour de Swann ». « Anna » devient « Claire » quand Proust prête au narrateur la passion de Swann. Puis apparaissent les jeunes filles qui préfigurent celles de Balbec : le héros constate la métamorphose des fillettes aperçues « un an ou deux » plus tôt au bord de cette même plage ; dans le texte définitif, seule une photographie portera témoignage de ce qu'étaient naguère ces jeunes filles (voir p. 180).]

De toutes ces femmes Maria et Solange étaient[a] les deux qu'il aimait le moins. Quand il dut aller à Querqueville il ne s'informa pas si elles y venaient, et la veille du départ apprit qu'elles n'y viendraient probablement pas ; quand il sut qu'elles y étaient, il ne chercha aucune occasion de les voir et n'alla pas dans les lieux où elles étaient mais il les rencontra tout de même souvent par la force des choses. Et comme elles étaient tout de même jeunes et agréables il y avait certains jours où de toutes, c'était Septimie, ou c'était Anna — qui avait été l'attrait de la réunion et était celui du lendemain comme d'autres jours c'était Célia, Arabelle ou Renée. Le petit sentiment qu'il avait eu pour Anna, et celui qu'il avait eu pour Septimie avait été gelé en effet par l'absence, par leur tort, par certaines indispositions qui les avaient enlaidies, mais les sentiments sont comme les graines ils peuvent être gelés très longtemps et renaître[b].

Puis elle lui affirma que c'était faux il chassa cette idée et n'y pensa plus. Cette seule révélation suffit pour lui faire prendre Anna en horreur, il était furieux contre elle, il la traitait abominablement, disait du mal d'elle, cherchait à lui faire du mal, tout en témoignant de plus en plus d'affection à Septimie. Un jour il poussa les choses si loin avec Anna qu'il fallut avoir une explication. La tristesse d'Anna persécutée le toucha. Alors il lui dit : « Pouvez-vous me jurer que vous me répondrez la vérité sur ce que je vais vous demander. — Je vous le jure. — J'aime Septimie, on m'a dit que vous aviez des relations avec elle. Est-ce vrai ? » Anna fut indignée : « Je vous jure que non. » Il fut apaisé un moment. Mais les moindres choses le ranimaient. Il accablait tout le temps Anna de sarcasmes. C'est curieux disait-on l'année dernière Swann aimait bien Anna. Cette année il l'a prise en horreur. En revanche il était charmant pour Septimie, et semblait prendre plaisir à ce qu'Anna vît la préférence qu'il manifestait à Septimie et la gentillesse que Septimie avait pour lui. Puis ses soupçons jaloux s'apaisèrent. Et il se sentait un grand penchant pour Juliette. Il négligea plusieurs endroits où il savait qu'il verrait Septimie pour un autre où il voyait Juliette. Cependant il n'en voulait pas trop à Anna, tout en continuant à la traiter avec une certaine ironie. Mais il sentait qu'il avait du plaisir à la voir, et plusieurs fois chercha à la rencontrer. Un peu < de > gentillesse, certains aspects de son visage, les choses qu'elle lui disait étaient souvent dans sa pensée et il lui donnait un sourire, puis il n'y pensait plus. Un jour on organisa fort loin une représentation du *Misanthrope*. Anna devait jouer le rôle de Célimène[a]. Il admirait beaucoup Molière et trouva que la complication d'aller là-bas ne devait pas l'empêcher. Plusieurs occupations qu'il avait et qui l'empêchaient lui parurent ridicules. On lui télégraphia que son père arrivait pour deux jours. Ce fut de la fureur. Il lui télégraphia qu'il ne serait pas là. Il attendit les expressions les plus intéressantes d'une représentation dans ces conditions particulières avec des gens qu'il connaissait pour acteurs, dans un cadre de nature et sentait que le chef-d'œuvre de Molière lui apparaîtrait tout différent. Cependant Anna était souffrante et dut rendre son rôle, elle irait seulement comme spectatrice. Puis elle fut obligée de s'aliter et de renoncer même à aller là-bas. Au fond c'était bien loin et ne pouvait-on relire Molière chez soi. Il retélégraphia à son père qu'il restait. Cependant le lendemain trois personnes vinrent le voir. Au bout d'un moment il fit à la première l'éloge d'Anna. À la seconde il dressa contre elle un vrai réquisitoire. À la troisième il parla des villas de Querqueville et au bout d'un moment cita le nom de la villa d'Anna. Les personnes partirent ; seul il s'ennuya et pour s'occuper ouvrant un Tout-Paris chercha sur le plan la rue qu'elle habitait à Paris, et fit acheter l'annuaire des téléphones pour voir si son nom s'y trouvait. Puis il se coucha, s'endormit mais en s'éveillant il pensa au visage d'Anna, son valet de chambre entra chez lui il lui donna divers ordres mais en même temps le nom d'Anna était multiplié tout le temps dans sa pensée. Ce nom, cette image qui y était il y a quelques jours encore çà et là, avait multiplié, grandi, occupait tout l'espace, tout le temps, il comprit et se dit : « Je l'aime. » Et à partir de ce moment sans qu'il comprît bien ce qu'il y avait de changé et à quelle réalité correspondait son amour il se reportait à lui comme à quelque chose qui faisait le fond de sa vie, comme quand nous avons fait la connaissance de quelqu'un ou quand un jour important est arrivé nous partons du fait que nous connaissons cette personne ou que le 1ᵉʳ Janvier est passé sans pouvoir nous remettre dans l'état antérieur. Il ne pouvait pas dire ce qu'il attendait car il savait qu'elle ne l'aimait pas, il ne la croyait pas capable de se donner sans aimer, et ne le désirait presque pas. Et il aimait les choses qui le détournaient de la tristesse de ne pas être aimé en lui présentant ces soins qu'il prenait pour une femme, cette préoccupation, ce besoin de faire passer cela avant tout pour cet état précieux en lui-même qu'est l'amour. Quand il lisait que Chateaubriand*ᵃ [interrompu]*

Quand il parlait d'elle il disait du mal pour montrer par esprit de contradiction qu'il l'*aimait* (puisqu'il était gentil pour elle quoiqu'elle ne le fût pas pour lui) ou du bien pour ne pas dire je l'aime mais elle est si gentille. Tout le temps il voulait redéfaire l'abaissement où le mettait son amour pour elle et aussi purger sa dernière colère avant de la revoir pour faire place nette et souhaitait qu'elle eût fait quelque chose de mal qui lui eût permis de briser leurs relations insatisfaisantes pour en refaire de neuves. Il était si peu satisfait de leur affection qu'à tout moment il se brouillait pour en refaire une nouvelle où il lui faisait prêter des serments. *« Bon pour » « ajoutions » etc. Si nos.* Il aimait la voir comme l'original d'un tableau à qui il eût beaucoup pensé.

Il ne disait jamais que du mal d'elle à Septimie mais par moments se disait peut-être n'est-elle pas dupe, bien qu'elle lui répondît toujours sur ce ton. Et comme une hypothèse vraie en physique ou dans l'affaire Dreyfus c'était toujours cela qui était vérifié.

Il avait plaisir à lire que Chateaubriand, Disraeli, cette année-là, ne vivaient que pour une petite blonde qu'ils allaient voir tous les soirs, à qui ils pensaient plus qu'à tout être. Car alors penser plus qu'à tout à Anna, aller la voir tous les soirs, lui apparaissait comme le tout de l'amour et comme constituer des relations véritables entre eux.

Il eût voulu au moins qu'elle l'aidât à se figurer que même à son corps défendant il était quelque chose de particulier dans sa vie. Quand elle lui défendait de prendre un cocher il était heureux. Il savait qu'au fond tout cela lui était égal mais il lui demandait l'apparence qui lui permît de jouer ce jeu de l'amant, même de l'amant trompé, même de l'amant malheureux, mais qu'il pût se dire qu'il y avait un peu d'amour. Sans doute il ne se disait pas, je la posséderai demain, mais enfin il la verrait et qui sait si une circonstance ne se présenterait pas. Peut-être n'attendait-elle que telle occasion. Et en tout cas quand depuis huit jours il avait cette incessante pensée d'elle, voir le vrai visage qui était la cause de toutes ses pensées devenait quelque chose de presque curieux comme de voir telle chose célèbre, le Parthénon ou le Vésuve, dont on a beaucoup entendu parler. Et même dans cette période où elle était la même *(aspect physique pour lui)* chaque fois qu'il arrivait près d'elle c'était autre chose qui le frappait. Une fois il voyait deux grands yeux brillants au-dessus d'un sourire, une autre fois un nez fin et une main longue, une autre fois les cheveux irréguliers donnant quelque chose <de> futé au profil, une autre fois elle se présentait comme l'image de la question par laquelle elle l'abordait, d'autres fois elle n'était qu'un salut.

Le facteur principal de ses pensées pour elle était précisément cet amour qui n'était qu'en lui. S'il se la représentait l'éprouvant en quelque mesure, pouvant y consentir, il la bénissait ; s'il se la représentait l'éprouvant pour d'autres il la haïssait. Mais comme il sentait que tout cela n'était qu'en lui, il jugeait aussi absurdes ses espérances et ses jalousies. Et pourtant c'étaient elles seules qui dominaient sa conduite. Il se disait que si elle pouvait être absolument pauvre, mutilée à jamais, forcée de vivre dans un endroit où il n'y aurait que lui, il aurait peut-être pu être heureux.

Il se rappelait qu'avec toutes ces femmes, un jour elles l'avaient aimé, et il attendait quelque chose ou un accident qui la tuât ou la jetât dans ses bras. Mais rien ne venait jamais. Et il se disait combien la vie est au fond plus assurée et moins pleine d'événements qu'on ne croit.

Quand il l'attendait il souhaitait qu'elle vînt. Mais il souhaitait aussi qu'elle ne vînt pas pour pouvoir la détester et lui faire du mal, car il y avait en elle une femme à qui il aimait faire du mal, et avec qui il souffrait d'être affectueux. Il espérait toujours que d'une querelle sortirait un pacte fait par elle et où elle lui reconnaîtrait ce qu'elle désirait. Il trouvait toujours de nouvelles raisons pour cela. « Il faut au moins que j'aie quelque trace pour me permettre de me souvenir. »

Quand il devait la voir, au fond il sentait qu'il n'en aurait pas grand plaisir, il voyait ce que serait cette visite et aimait autant qu'elle ne pût lui donner rendez-vous. Mais si alors elle lui supprimait son rendez-vous, précisément la cause ou l'absence de cause du manque de rendez-vous le jetait dans un état nouveau qui ne se pouvait calmer qu'en la voyant de sorte qu'il voulait la voir. Et pour elle, elle n'en retenait que l'impossibilité de ne pas le voir. Et d'ailleurs bien qu'elle ne se rendît pas compte du mécanisme c'était cela en effet.

Quand il devait la voir il sentait que cette visite ne pourrait rien apporter de nouveau, que tout au plus il lui déplairait un peu plus, et il espérait qu'elle le décommanderait d'une façon cruelle qui au moins lui permettrait de sangloter, d'éprouver le renoncement à une chose qui en réalité n'existait pas et ne pouvait le satisfaire. Peut-être du chagrin qu'elle lui aurait fait naîtrait-il de sa part quelque résolution désespérée de rupture qui pourrait amener quelque renouvellement.

Une époque vint où la voyant moins souvent, et toujours seule, le souvenir de ces choses qui me rendaient jaloux finit par ne plus revenir, les périodes heureuses se prolongèrent, mon sang désoppressé se remit à couler heureusement dans mon cœur. Mais comme il suffit l'hiver quand l'eau paraît libre mais est encore glacée d'un seul morceau de glace pour faire prendre tout le reste, dans le moment où nous étions le plus gai, le plus abandonné, il suffisait qu'elle me dise je vais aller faire un voyage avec Septimie cet été pour qu'aussitôt je sentisse mon cœur, occupé, comprimé en ses parois par un bloc énorme de tous mes fluides et coulants sentiments qui s'étaient soudain pris, et cognaient ses bords. Ou plutôt elle ne me disait pas je vais faire un voyage avec Septimie. Mais Septimie va faire un voyage cet été. Elle me le disait si naturellement et si gaiement que dans la première hypothèse il n'était pas question que cela pût signifier : « Je vais faire un voyage avec Septimie. » Mais la deuxième hypothèse était maintenant celle que j'avais adoptée. Aussi quelques jours après, je lui demandais négligemment : « Voyons, est-ce que vous ne m'aviez pas dit que vous alliez faire un voyage avec Septimie ? » Et en effet c'était vrai. Alors dans mon cœur toute ma tristesse résolue, libérée, flottante, se congelait par l'effet de ce seul malheur de penser que cet été elle me serait enlevée et je sentais en moi un bloc douloureux qui était le temps à venir avec Claire, temps qu'il me suffisait de ne pas me représenter pour l'imaginer pareil à l'heure présente, et qui tout d'un coup, au sein même de ce petit monde intérieur à moi-même, où je le portais en moi, venait le modifier, me l'enlever, peut-être à dessein. D'autres fois c'était un nom lu dans les déplacements et villégiatures et qui était celui de quelqu'un qu'elle passait pour avoir aimé, ou seulement un nom semblable, ou presque semblable et qui me le rappelait, un vaudeville nouveau dont on rendait compte et qui avait pour titre une plaisanterie que je lui avais entendu faire à Septimie et qui m'avait autrefois rendu malheureux. J'avais commencé la lecture du journal avec insouciance, et brusquement je reculais instinctivement comme si j'avais reçu une balle au cœur, et en effet ce titre de vaudeville en me rappelant la plaisanterie oubliée, venait d'entrer dans mon cœur, y changer l'aspect de Claire, la rendre de tendre hostile, de pure impure, et d'y installer près d'elle, lui tendant les bras, Septimie. Sans doute elle m'avait dit que mon idée était folle, sans doute il y avait mille chances pour que ce fût vrai. Il est vrai qu'avec la deuxième hypothèse son affirmation pouvait ne rien valoir. Mais après tout cette deuxième hypothèse pouvait s'appliquer à tout. Et j'étais à peu près calmé quand brusquement, par un de ces éclairs analogues à celui du poète inspiré, ou du savant génial, qui à l'opposite d'un fait isolé qu'il médite, fait apparaître brusquement tel autre fait et entre les deux établit une loi, je me souvenais d'une chose qu'elle m'avait dite autrefois avant mes soupçons qui était comme une version tendre et passionnée de cette plaisanterie ; version pure sans doute. Mais il suffisait qu'elle fût passionnée pour que la plaisanterie y ajoutât précisément l'impureté. Tout ce qu'elle avait pu dire depuis ne comptait pas[a].

1.   *Les Filles[b]*
                      À mettre en son temps.

J'avais aperçu la première année à Querqueville un soir assises sur des chaises en cercle devant une tente sur la plage une masse amorphe et délicieuse de petites filles, sorte de vague constellation, d'indistincte voie lactée où je ne distinguais un visage que pour le reperdre et l'oublier au sein du tout. Pressées les unes contre les autres, parfois l'une sur les genoux d'une autre qui la faisait tomber et elle remontait vite[c], comme les organismes primitifs où l'individualité est plus dans le polypier que dans chaque polype, elles étaient encore à cet âge, à cette formation élémentaire où l'individualité n'a pas encore mis son sceau sur les visages. Par moments je distinguais deux yeux noirs brillants, puis à un autre moment un visage blond et hésitant, tous riant de tout à ce que chacune disait, à propos de tout, n'ayant pas d'autre opinion sur le monde et sur tout ce qui n'était pas imposé (le travail et l'ennui) que le rire, puis un même fou rire faisait trembler toute la grappe de ces nébuleuses de[d] petits visages un peu grimaçants comme dans une photographie tremblée. Elles m'aperçurent qui les regardais[e] puis un fou rire agitait toute la grappe de ces nébuleuses et tout se confondait dans une scintillante et pâle voie lactée. *À mettre dans le morceau marqué de [dessin d'un paon[f]].*

L'une avait des cheveux blonds coulants, un visage rose, des yeux verts, un chapeau vert, un visage poupin, un air rieur, et la tête un peu en arrière, marchait d'un air décidé, du désir un peu de brimer les passants, et d'étonner ses amies. La grande particularité de ces six fillettes était bien en elles, mais surtout en leur conglomération qui faisait sur la plage, qu'elles marchassent, qu'elles s'arrêtassent, quelque forme qu'il prît leur ensemble, une tache particulière, d'une essence différente, plus élégante et hostile, qu'on était forcé de regarder et qui ne vous regardait pas, cette particularité des « petites bandes » de garçons et de filles, de jeunes gens qui se connaissent entre eux, ne vivent qu'entre eux, ont décidé de ne jamais saluer telle personne et lui feront des avanies qui amusent leurs amis. Ces gens-là seront peut-être un jour des vieux messieurs très polis et sensibles, des dames qui recevront n'importe qui. La vie les aura humanisés. Tous ces visages par leur beauté, leur insolence, leur gaieté, la vie particulière que l'élégance étrange des costumes révélait, avaient pour moi le charme d'être remplis d'inconnu, de sentir que ma pensée, l'idée de ce que j'étais n'y pouvait pénétrer : si leurs yeux m'avaient rencontré, elles ne m'auraient pas vu. Et en voyant tendue sur la mer la rangée de ces joues roses, la pensée que je pourrais un jour être l'ami de telle ou telle ou d'entre elles ou de toutes, de causer avec elles, d'être le confident de leurs pensées, l'associé de leur vie, peut-être le cher souci de leur cœur m'aurait autant étonné que si pendant que je regarde une adorable et étrange frise de Benozzo Gozzoli[1], on me disait que cette jeune fille à tunique rose, aux yeux verts, au regard mystérieux connaît mon nom, sait que je connais sa chambre et ses parents et que c'est précisément mon image qui est en ce moment devant son regard mystérieux. La jeune fille au visage poupin, aux yeux verts avait cette seule différence avec les autres qu'elle était un tout petit peu plus insolente et peut-être au fond un peu plus timide. Elle cherchait à être insolente pour mériter l'admiration de ses compagnes, tandis qu'elles n'étaient même pas insolentes, le reste de l'univers n'existait pas pour elles. À ce moment, je les vis qui entraient au casino dont le tourniquet, sur son grand jardin, donnait sur la plage. La jeune fille rose à visage poupin et à yeux verts se trouva en même temps qu'une vieille dame qui eut la bêtise d'avoir une seconde d'hésitation physique. Et la jeune fille rose aux yeux verts passa brusquement devant elle avec un tout petit peu d'exagération qui marquait un peu moins de conviction dans la suppression du reste de l'univers que chez ses compagnes. On sentait qu'elle se disait : « Je dois passer avant tout le monde » et elle regarda ses compagnes en riant. Celle qui avait l'air d'une couventine ennuyée, d'une écolière[a] tenue à l'étroit par des parents sévères, rit bruyamment en voyant la déconvenue de la vieille dame.

Cette individualité de la tache qu'elles faisaient sur la plage *(peut-être mettre cela quelques lignes plus haut)* qui les faisait reconnaître plus à leur ensemble, quand on ne les avait pas encore bien distinguées chacune, me fit penser, par l'analogie du nombre et du non-conformisme du groupe particulier, que cette brillante comète qui longeait la plage était peut-être la pâle nébuleuse informe d'il y avait un an ou deux ; on change si vite à cet âge ; elles riaient encore, mais la gaieté presque imbécile de l'enfance n'était plus leur seule expression, elles avaient leur fixité du regard, leur but, leur continuité au lieu de cette détente constante du rire des gamines, qui, à tout moment, vient crever à la surface ou se sauver au fond comme des vairons dans une rivière et dont la personnalité se dissout et se reforme sans cesse et vient crever en bulles d'hilarité. Maintenant les photographies étaient plus nettes et chaque visage ressemblait plus à la personnalité dont il était l'image, elles se distinguaient nettement chacune, quoique appartenant toujours à leur tout. En tout cas, que ce fussent elles ou non, je devinais à peu près qui elles pouvaient être. Je savais que ce n'étaient pas des jeunes filles de l'aristocratie qui ne sont jamais ainsi, mal élevées, insolentes, qui ne regardent pas la toilette, la richesse apparente et l'élégance des passants comme un signe important de leur condition sociale. J'hésitais seulement entre cette bourgeoisie riche qui cherche à paraître élégante ou un milieu plus populaire de personnes qui fréquentent les meetings « toc » du sport, les jeunes filles non du Cercle des patineurs mais du palais de Glace, qui croient que le tennis est un jeu élégant etc., même je descendis en voyant la tenue de celle aux yeux noirs jusqu'à un milieu presque professionnel de filles ou sœurs d'entraîneurs aux courses de bicyclette, de jockeys ou de coureurs, de « champions ». La première supposition était la vraie. C'étaient des filles surtout d'agents de change, mais[a] qui avaient quitté le monde des agents de change etc. *Voir dans l'autre cahier[1].*

Leurs noms étaient bien ordinaires. Mais chaque syllabe était peinte par de l'inconnu, du mystère, aussi ils me plaisaient ; je les répétais pour leur laideur, pour leur beauté, mais je ne me lassais pas de les dire. Et les renseignements qu'on me donnait sur leurs familles m'intéressaient.

Ma première supposition était la vraie. J'appris par le magistrat qui connaissait un peu le père de l'une d'entre elles que c'étaient des filles de riches industriels, d'agents etc. Leurs noms étaient bien ordinaires, mais le charme qu'elles avaient pour moi peignait devant mes yeux ces noms qui étaient les leurs. Je ne pouvais me tenir de les amener dans la conversation, de < les > prononcer ou de me les faire redire. Les renseignements donnés par le magistrat sur la situation du père, le nom de famille de la mère, l'origine de la fortune, le quartier qu'ils habitaient étaient comme des coins de voile qu'on soulevait sur des trésors merveilleux. Il semblait que dans le maussade univers social, la profession d'agent de change fût quelque chose de précieux, que, dans un morne Paris ennuyeux, il y eût quelques points sensibles et infiniment intéressants près de la rue de la Faisanderie et rue La Fayette. Aujourd'hui, quand je me redis le nom de famille de ces jeunes filles, je ne retrouve pas plus le son délicieux que je leur trouvais alors et qui me faisait battre le cœur quand je l'entendais dans une conversation, que, quand on donne devant moi une adresse rue Lord-Byron, je ne pense au poète du *Corsaire*[1].

2.

Un jour[a] que j'avais eu un peu de fièvre il[b] avait paru prudent que je ne reste pas trop au bord de la mer et je me promenais sur l'esplanade devant le casino quand je vis quatre fillettes[c] inconnues aussi différentes de tout le monde de la plage que quatre mouettes qui seraient tombées je ne sais d'où, qui marcheraient sans voir les humains et qui bientôt s'envoleraient. Rien que leur accoutrement et toute leur personne les faisait absolument différentes. Costumes de cheval, jupes courtes, bottes à l'écuyère, tailles que tous les exercices ont assouplies et qui ne font que les mouvements qu'elles veulent, visages par hasard tous délicieux et tous différents mais à qui beaucoup d'effronterie, d'assurance, de morgue, d'insensibilité, de dédain donnait cette absence de nervosité, de distinction, de respect humain qui est si favorable à la beauté. À côté d'elles les gens qui voulaient aller droit devant eux tanguaient comme des bateaux, une dame qui voulait lever son ombrelle faisait un tel effort de corps qu'elle en devenait rouge, les têtes des pensives suivaient dans un balancement désordonné des mouvements intérieurs, les têtes des vaniteuses regardaient à la dérobée ce que faisaient les autres avec respect et prenaient l'air d'avoir regardé le paysage, quand deux personnes voulaient ne pas se cogner elles titubaient dans tous les sens et finissaient par tomber l'une sur l'autre et par rire beaucoup pour avoir l'air à l'aise. Mais les quatre jeunes filles ne faisaient presque aucun mouvement et quand elles voulaient en faire un le faisaient aussi indépendant de tout le reste, sans un effort[d]. Elles ne cherchaient jamais à éviter personne, parce que, dans leur mépris de tout ce qui n'était pas elles, elles marchaient comme si Querqueville eût été fait seulement pour elles, et s'il[e] y avait devant elles un vieux monsieur ou une grosse dame, elles ne s'en occupaient pas plus que si c'était, non pas même un objet inanimé, mais un reflet sans consistance et elles continuaient à marcher comme si il n'y avait rien eu devant elles et comme si elles étaient sûres que l'obstacle s'écarterait ; et effectivement, au moment où elles arrivaient, le vieux monsieur ou la dame s'écartaient avec timidité ou avec peur ou en grognant. Et si l'écart du monsieur dérangé avait été trop ridicule ou de trop mauvaise humeur, l'une éclatait de rire, et le reste de la troupe qui semblait l'admirer plus que les autres riait pour ne pas être indigne de son capitaine et par loyalisme. Je passai deux fois devant elles, mais il était impossible d'être remarqué par elles, elles avaient à fleur des yeux un regard dirigé de l'intérieur vers le dehors, qui ne laissait rien pénétrer et si dur qu'au lieu d'accueillir les objets qu'il rencontrait, il les traversait sans les voir et allait au-delà. Et comme elles étaient très jeunes, de temps < en temps >, l'une faisait une farce, par exemple sautait à pieds joints par-dessus une dame assise, et une d'elles plus mélancolique que les autres souriait et regardait avec un sourire entendu et admiratif celle qui venait de sauter et les autres. On sentait que seule et livrée à elle-même elle n'en eût pas fait autant. Je repassai une troisième fois les regardant encore plus, mais alors la plus jolie, la brune qui semblait avoir la spécialité de sauter les chaises, se tourna vivement vers moi, me regarda en face avec une curiosité d'où toute sympathie, toute humanité était exclue, et poussa un éclat de rire tellement retentissant que des gens à vingt mètres se retournèrent. Les autres la regardaient d'un air compréhensif et approbateur, comme on écoute un trait fin dans une comédie, et la mélancolique eut un sourire qui était un bravo sincère, mais languissant. Jamais l'impression d'un monde spécial, impénétrable, menant une vie à lui, où il serait impossible et délicieux d'entrer, ne fut plus grande pour moi que celle de ces quatre jeunes filles ravissantes qui menaient évidemment toutes l'existence d'équitation, de promenades, de jeux, de chasse, qui m'aurait tant plu, qui n'avaient ni tristesse, ni timidité, ni maladresse, ni honte, ni respect et à qui il eût été certainement impossible, malgré les coercitions les plus redoutables, de faire adresser la parole ou seulement donner un regard d'attention, de bienveillance ou seulement de neutralité à quelqu'un d'autre qu'elles quatre ou quelques congénères qui n'étaient pas là, ou quelqu'un qu'elles n'eussent pas connu, mais qu'elles eussent reconnu pour congénère à un certain air de beauté, d'élégance, d'indépendance de tous les mouvements, de costume de cheval, de grâce, d'insolence et d'insensibilité.

Mes parents m'avaient élevé si loin de la vie et m'avaient fait un monstre de tant de choses considérées comme presque diaboliques — par exemple, entrer dans un café, fumer des cigarettes, être insolent dans la rue etc. — que toutes les choses qui constituaient la mauvaise éducation m'apparaissaient comme faisant bloc avec toutes ces autres choses dont on ne m'avait même pas parlé, mais que je savais également diaboliques — pas plus diaboliques, mais autant. De sorte que le fait que ces jeunes filles fussent impolies avec les passants et sautassent par-dessus un vieux monsieur ne me laissait aucun doute sur ce qu'elles devaient pratiquer les dernières débauches, hélas, pas avec des êtres comme moi, sensibles, bien élevés, passifs, à démarche irrégulière et aux yeux exorbitants mais avec des garçons pareils à elles, mal élevés, inintellectuels, durs, menteurs à démarche admirable et aux yeux retirés et inexpressifs sauf de convoitise ou de gaieté.

Je savais qu'on est souvent porté à s'exagérer ce qu'on peut avoir à se dire : Ah ! si j'avais pu faire arrêter la voiture, ah ! si j'avais pu quitter mes parents et que la fillette près de qui on se serait trouvé n'aurait rien vu de si beau[d]. Mais elles s'étaient arrêtées, prêtes à se dire adieu, je les voyais à merveille. La mélancolique, très grande, d'une configuration élancée, si frappante qu'à l'apercevoir sans même voir sa figure, l'air où elle était, étant marquée d'une empreinte aussi individuelle, aussi immédiatement reconnaissable, aussi voluptueuse, qu'un visage, et ravivait dans le regard qui l'apercevait, dans le cœur, sa forme imprimée comme à jamais par la première fois qu'on l'avait vue[b], brune sur un petit visage rose et parfait[c], avait des yeux froids, tristes, avec cette légère échancrure de la pupille qui rend le regard plus sensible en le fermant par un fil plus mince. On sentait dans la singularité de son visage une vie particulière, un rêve hautain, décidé, méprisant, cruel, qui n'eût pas hésité à faire mal et qui ne nous aurait pas pris pour confident de ses désirs. Mais que ces désirs devaient être délicieux, que j'eusse voulu être libre, être riche, être puissant et lui dire : « Grande mélancolique, hautaine jeune fille, adoucis pour moi ton regard d'acier, viens sur mes genoux, fais-moi partager ta vie, le soir rentre près de moi, allons ensemble où tu voudras, sois dure avec moi si tu le veux, mais sois avec moi, que je sache à quoi tu penses toujours, dis-le-moi toujours, révèle-moi ce monde hautain, délicieux, que voient avec tristesse, avec égoïsme tes yeux dédaigneux et charmants. » À côté d'elle, une blonde au nez aquilin, à la chair comme couverte d'une légère crème dorée comme en formation où le sourire semblait faire frissonner une sorte d'ondulation et de reflet. Ses traits étaient si purs, si parfaits, si angéliques qu'elle eût semblé l'incarnation de l'enfant sage, de la vierge délicieuse, si un regard de malice à ses compagnes n'en eût fait comme la prostitution de l'innocence au Plaisir. Une autre blonde avait une chair aussi parfaite, aussi veloutée qu'une chair de rose dont chaque regard que nous y jetons comble, dépasse notre attente, nous fond le cœur. Et ses yeux myopes semblaient traverser. Voir *[interrompu[d]]*

Enfin la quatrième était brune mais non pas comme la première, d'un brun un peu espagnol[1], avec des traits parfaits, des yeux admirables, un air de force, de gaieté, d'intelligence, de vivacité, de souplesse inépuisable, à peine descendue de cheval prête à y remonter, paraissant là un instant dans un entracte de sa vie de sports, qui en faisait pour moi de toutes la créature la plus spéciale, mais qui me faisait sentir aussi le mépris où mon aspect seul, si elle avait pu me regarder, l'eût plongée. Enfin une cinquième qui vint leur parler un instant suivie de sa gouvernante qui la reprit un moment après était la fille vicieuse et surveillée, qui prend en haine ses parents comme des geôliers, qui a un goût d'indépendance d'interne de lycée ou de couvent, de mineur tenu en laisse par un tuteur avare. C'était la brune espagnole que j'aimais mais un jour le regard de la blonde angélique croisa le mien et je pensai qu'elle pouvait m'aimer et se demander toute la journée si elle me rencontrerait. Alors je rentrai fou, je ne songeai plus à la brune et si quand je l'apercevais je sentais un coup au cœur c'est seulement parce que je pensais que j'allais voir apparaître la blonde angélique ou seulement parce que leurs idées étaient liées, que je savais qu'elle la connaissait, qu'elle était son amie. Alors, l'ayant rencontrée de nouveau, je lui lançai le plus tendre, le plus triste regard que je pus, elle regarda ses compagnes et éclata de rire. Alors j'aimai la triste à l'œil dur, pensant que j'étais peut-être la cause de ses tristesses et c'est que c'était pour cela qu'elle riait peu avec ses camarades.

Tentatives pour les connaître.

Elles[a] n'avaient nullement cet air de se redresser, de braver, de l'ignorer qu'ont des personnes empanachées sur le passage de qui tout le monde se retourne et qui croient affirmer leur superbe en marchant la tête en arrière d'un air de défi. Elles marchaient le plus naturellement du monde et n'avaient pas l'air de vouloir montrer aux gens qu'elles les méprisaient. Elles les méprisaient simplement, et on sentait que c'était à un degré qui excluait toute solidarité humaine, toute sympathie possible, toute pitié. Des personnes polies s'écartaient ou coupées leur disaient pardon, elles n'entendaient pas, ne répondaient pas, continuaient à marcher droit, à cogner, à ne pas entendre et quand elles avaient cogné trop fort se regardaient en riant.

3.   Chapitre II
À l'ombre des jeunes filles en fleur[b]

Un jour où j'attendais ma grand-mère devant le Grand Hôtel de[c] la Mer, je vis encore presque à l'extrémité de la digue où déjà elles faisaient une tache singulière s'avancer cinq ou six fillettes aussi différentes par l'aspect et les façons[d] de toutes les personnes auxquelles on était accoutumé à Balbec qu'aurait pu l'être une de ces bandes de mouettes que j'apercevais parfois débarquées on ne savait d'où sur la plage, se livrant sur le sable à une promenade collective dont le but paraissait être aussi clair pour elles qu'obscur pour nous, marchant à pas comptés, les unes à côté des autres, suivant leur plan de mouettes sans s'occuper de ce que pouvaient penser les baigneurs qu'elles évitaient du regard[1].

Esquisse XLVI
[QUELQUES JOURS APRÈS]

[Ce fragment est extrait du Cahier 34.]

Mettre après la première fois où je les ai vues. Que de fois dans les rues de Paris, sur ces routes de Balbec j'avais vu ainsi des jeunes filles que je me promettais de connaître (même des êtres insignifiants si l'on est sous l'empire d'une exaltation, un bon docteur, une vieille femme de chambre, parce qu'ils vous ont apporté une bonne nouvelle ou qu'on n'a pas dormi, ne voudrait-on pas les revoir comme les compagnons d'une nuit d'opium ?). Mais le hasard ne les ramène pas devant nos yeux, de nouvelles images effacent celles-là, et notre désir ne peut plus être fidèle à ce qu'il ne se rappelle plus, à ce qu'il ne serait pas capable de reconnaître, à ce qu'il serait capable de confondre avec quelque être tout différent. Mais d'autres fois le hasard, qui alors nous paraît beau parce que nous y voyons un commencement d'organisation comme dans ces premières vertèbres de la vie, ramène ces images et nous rend facile, inévitable, parfois favorable la fidélité à des images que sans cela nous aurions pu si bien oublier. C'est ce qui m'arriva avec ces jeunes filles. Quelques jours après etc. *(je dis quelques jours après, je ne sais si c'est ce que j'ai mis, mais c'est une équivalence).*

Esquisse XLVII
[LES JEUNES FILLES :
LE DÉSIR DE L'INCONNU]

[Ce fragment est extrait du Cahier 25.]

À ajouter aux jeunes filles.

Alors tout d'un coup notre vie est renouvelée car tout ce qu'elle était jusque-là n'est plus qu'une partie d'elle, elle se complète de ce nouvel être entrevu vers lequel elle tend, toute notre vie n'est plus que la partie la moins importante de notre vie, la plus importante étant cet être, le bonheur que nous

pourrions goûter à le posséder, et qui aromatisé au goût nouveau
de cette beauté même, est aussi quelque chose d'inconnu, comme
l'existence que nous pourrions mener auprès de lui. Car nous
disons beauté, bonheur, existence. Mais en réalité il n'y a pour
nous que des individus et si notre idée abstraite et conventionnelle de la beauté faite de ce que nous connaissons et n'aimons
plus est renouvelée par un être nouveau qui nous plaît, de même
il existe pour un être nouveau un bonheur nouveau, celui qu'il
pourrait nous donner une existence nouvelle, celle que nous
pourrions mener auprès de lui. De même que nous disions hier :
Ah ! la lecture, ah ! un nouvel écrivain, mais simplement parce
que nous l'imaginions pareil aux anciens, puis devant le premier
livre de D'Annunzio qui nous apporte quelque chose et nous
fait prendre goût aux Vierges des rochers[1], ou Émilie Brontë
qui nous fait prendre goût à une simple existence[2], de même dans
l'ordre du goût physique la vertu d'une beauté nouvelle, c'est
de nous donner le goût d'une nouvelle qualité de bonheur, c'est
de nous ouvrir de nouvelles perspectives d'existence. Elle nous
retourne du dedans vers le dehors et charge notre âme qui n'était
plus qu'une vaste satiété en un vif appétit, elle met son but hors
d'elle-même dans ce visage fondant qu'il voudrait tenir près de
sa bouche, rien qu'à soi, dont il voudrait être la pensée et il
voudrait que la vie, les occupations, les désirs soient un seul objet
commun à lui et à elle. Peut-être est-ce à cause de cela et pour
que l'extériorisation soit complète, que l'objet que nous exaltons
ainsi soit conçu comme absolument différent, comme hors de
notre portée, comme ayant toute une vie qui n'est pas la nôtre,
qui le fait vivre dans un monde d'occupations, de devoirs, de
plaisirs qui nous sont inconnus, et que nous souffrons de ne
pouvoir nous assimiler pour sentir son âme verser peu à peu dans
la nôtre et nous remettre tout ce qui la différenciait de nous,
que nous puissions conduire la jeune fille à sa leçon de piano
ou la blanchisseuse au lavoir, et la revoir le soir auprès de ses
parents, dans le salon bourgeois, invitée à des bals si elle y va
et près d'elle à la messe, ou dans le faubourg suburbain, tantôt
nous emmenant au café-concert, tantôt nous le sacrifiant, et nous
différenciant les conditions de l'expérience de façon à être bien
sûr qu'il ne reste rien après elle que nous < ne > possédions aussi,
l'emmenant en voyage, embrassant jusqu'à ses pieds, n'y ayant
pas une partie de son corps, de ses rêves, ou de sa vie que nous
n'ayons pas pénétré dans la mesure où les lèvres et les différents
organes de pénétration peuvent pénétrer[a] les corps, dans la
mesure où les confidences nous livrent le secret des âmes, où
la fusion des habitudes ne laisse rien d'impénétrable. Notre âme
a soif d'aborder cet être ; comme l'imbibition serait plus complète
avec ces jeunes filles, où tout m'était nouveau, où tout serait à

boire goutte à goutte. C'était une nouvelle vie à absorber. Je
sentais bien à coup sûr qu'elles n'étaient ni intellectuelles ni
sensibles, le feu gai de leurs yeux, et la tranquille insolence de
leurs visages le disait assez. Il n'y avait donc en elles rien de
connu, rien que je possédasse déjà ; et pour les amener à me
faire souhaiter < par^a > elles comme but de leur vie, ou leurs
désirs, à déverser en moi cet inconnu de leurs pensées, de leurs
habitudes et de leur plaisir, il n'y aurait aucun de ces terrains
communs intellectuels qui font qu'on sent que c'est en une autre
un peu de soi-même qui vient à soi ; ici ce serait bien le don
d'une autre quand elles viendraient déposer devant moi leurs
amitiés, leurs divertissements, les pensées du soir quand elles sont
seules et me diront à leurs amies de m'aimer, me demandant si
elles doivent aller au golf, et le soir à ces moments impénétrables
penseront à moi. Nous parlons de vie inconnue et cela nous est
égal parce que nous nous la représentons comme de la vie que
nous connaissons. Mais quand la beauté nouvelle de ces jeunes
filles passait alors j'avais le sentiment d'une vie inconnue parce
que je voyais la brune aux yeux noirs qui me regardait sans me
voir, la rousse qui me regardait avec ignorance absolue de ce
que j'étais et dédain et qui faisait quelques remarques désobli-
geantes et la blonde aux yeux bleus qui me regardait alors,
m'ignorant aussi, souriant d'ironie pour plaire aux autres et
communier dans leur connaissance de ma vie et l'imperméabilité
à moi de la leur, mais cependant en un regard furtif désirer cet
inconnu, et me laisser apercevoir la vie qui se refermait aussitôt,
car dès qu'un regard nous voit avec conscience, et qu'on pense
que la pensée met dans ce regard une notion suffisante pour une
vague identification sociale et intellectuelle, l'inconnu cesse en
partie (et là, le regard ne rencontrant qu'un visage, un visage
tourmenté et sensitif qui ne trahirait rien de l'être ni social ni
intellectuel, plutôt l'air d'un pauvre et d'un fou) et tout cela
surtout dans des villes que je ne connaissais même pas, peut-être
allant partir c'est-à-dire rentrer dans aucun pays, dans l'incertitude
de la surface de la terre, et même ici dans des habitudes que
je ne connaissais pas, n'étant même pas localisé dans des heures
fixes. Un costume nouveau, une robe de ville au lieu d'une robe
de sport, me faisait sentir une extension de l'inconnu, quelque
plaisir plus mondain où elle allait, une matinée où elle retrouvait
ses amies, où aux lumières elle goûterait une joie inconnue,
causée par des êtres que je ne connaissais pas, et dont j'étais obligé
pour supporter la pensée de me dire qu'elles finiraient comme
toutes les fêtes, et que le lendemain elle se repromènerait en
flanelle ici où je la verrais. Mais y viendrait-elle et l'y reverrais-je ?
Qui me disait qu'à partir de demain des tennis, des chasses ne
l'occuperaient pas chaque jour à des plaisirs dont la forme

inconnue me troublerait plus que ces promenades sur la plage
qui au moins était un moindre inconnu puisque je les possédais
par la vue, que ce qu'elle y faisait, ce à quoi elle s'y plaisait, sa
vie, je le voyais du moins, tandis que dans ces salons où elle
arrivait aux lumières, et ces chasses où elle arrivait au soleil, mes
yeux mêmes n'en sauraient rien.

Nous sentons si bien l'importance du moment où nous
devenons un but même apparent seulement pour l'autre
personne, que dans notre impuissance à nous rendre compte de
ce qui s'est passé nous aimons à dire en souriant : j'ai été présenté
à Mlle de *[un blanc]*, ou j'ai connu Mlle de *[un blanc]*, diminuant
de notre sourire mais réveillant avec volupté les minutes où
l'inconnue est devenue pour un moment la mémoire de notre
visage, la réponse à nos paroles, la connaissance de notre nom,
où nous avons senti que nous pénétrons l'inconnu. Mais combien
d'inconnu reste encore, elle nous quitte, dit : « Non, demain
je ne viendrai pas sur la plage », sa personnalité a été reprise
par l'inconnu.

Et comme Annunzio à notre satiété de la vie ajoutait le goût
des fontaines et Stevenson le goût de l'Écosse, la blanchisseuse
et la jeune fille que j'ai rencontrées un soir m'ont donné le goût
de leurs vies si différentes qui en s'attachant les désirs de mon
âme, lui ont redonné l'impulsion, la soif, le goût de vivre,
presque, en sentant que notre vie semblait liée à quelque chose
d'extérieur, l'impossibilité de mourir. Comme ces mirages qui
donnent au voyageur la force de marcher dans le désert, dans
le désert de la vie où nous marchons, un chapeau de paille rabattu
sur des yeux myopes, et des yeux bleu gris, au-dessus d'un corsage
blanc, nous donnent le mirage d'un assouvissement qui nous
redonne le goût de marcher. Nous voulons connaître par elle
la contrainte des choses où on l'oblige, les personnes qu'elle a
saluées tout à l'heure au passage, la défense qui fit qu'en voyant
l'heure elle a quitté ses compagnes pour rentrer, le secret de sa
vie chez elle, l'heure où on ne laisse plus sonner à sa porte. Mais
plus encore nous voulons connaître ce qui l'amuse, ce qui a fait
briller ses yeux tout à l'heure, ses recommandations à ses amies,
le rendez-vous qu'elle a pris avec elles, l'heure brillante où elle
est avec d'autres dans les bougies du bal ou les rayons de la chasse
ou dans la pluie près des marais, ce qui la fait courir au-devant
d'une amie, ce qui lui fait suivre docilement sa gouvernante, ce
qui lui fait rentrer avec résignation[a] sa raquette, et ce qui lui
a donné envie de mettre une fleur à son corsage, tous les noms
propres qu'elle a dans l'esprit que nous ne connaissons pas, la
chose qu'elle va faire en rentrant et que nous n'imaginons pas,
ce qui pour elle est la vie de tous les jours, ou la vie des grands

jours et qui se passe hors de la portée de notre regard, tout
l'inconnu qui possède sa nature, qui la tire à elle par le plaisir
ou la mène comme avec un licol par l'obéissance, le lieu où sera
la blanchisseuse et qui est sans doute en ce moment ce qu'il y
a derrière ses yeux qui nous ont un moment regardé et pour
qui nous ne sommes que l'inconnu, tandis que cet inconnu où
nous ne pouvons pénétrer c'est qu'elle reflète c'est sa famille, sa
maison, sa meilleure amie, les amis de ses parents, sa gouvernante,
cette masse compacte d'obligations où tout au plus nous pouvons
espérer qu'elle consente à nous mener. Car quand nous n'osons
ni entreprendre un voyage, ni nous enchaîner à Paris pour
pouvoir suivre ses voyages, ou la voir chez elle, elle sa grande
faveur c'est de nous permettre de faire le même voyage ou de
partager ses plaisirs à Paris mais elle ne songe pas à nous immoler
les simples sujétions de sa vie qui ont pour notre imagination
tant de pouvoir précisément parce que nous sentons qu'elle ne
les regrettera pas, que c'est ce qui nous sépare d'elle, où du moins
où elle se meut, et met autour d'elle une sorte d'espace inviolable,
de jardin secret, prolongement de ce qu'il y a d'inconnu dans
sa personnalité, sorte de château de *[un mot illisible]* qui l'entoure,
qui est entre elle et nous, sorte de mois de vacances qui l'entoure
et où on ne peut pas la voir, sorte d'absence fixée, d'autre que
nous, concentriques à elle[a]. C'est que nous sentons bien que l'être
qui nous plaît n'est pas que la plaque émaillée de ses yeux, et
qu'une image. Mais derrière ses yeux, dans ses yeux il y a une
pensée, et il y a aussi une volonté, et nous ne possédons les yeux
que si nous possédons la volonté, que si les choses du matin dont
les yeux se souviennent et les choses du soir vers lesquelles ils
retournent, l'être nous les apprend, nous y mêle, nous les donne,
et si les choses qu'il aime et qui les font briller il nous les donne
c'est-à-dire les aime moins que tout, s'il peut nous parler de sa
vie comme à sa meilleure amie, s'il nous dit : « J'irai au golf
si cela te plaît, au bal si cela te plaît, j'irai au catéchisme parce
qu'il le faut mais j'y penserai à toi, j'y aurai mes cheveux comme
tu les aimes et je n'y parlerai pas à l'amie que tu n'aimes pas,
et tâche d'être sur le chemin que je t'aperçoive en allant et en
revenant. » Ainsi le désir des yeux me donne le désir des pensées,
des occupations, des particularités et des sujétions de la vie[b], des
plaisirs et des affections. Et ainsi le désir de la beauté nous donne
le désir de l'existence et du bonheur.

Esquisse XLVIII

[LE CHARME IMPRÉVISIBLE
DES JEUNES FILLES]

*[Le début de cette esquisse ancienne (Cahier 26) offre un étonnant passage du
« il » (Swann ?) au « je », qui laisse supposer que Proust hésita d'abord, sinon
sur la perspective narrative de son roman, du moins sur le héros qu'il rendrait
sensible au charme des jeunes filles. Voir de même l'Esquisse XLV.]*

Sans doute elles n'avaient pas gardé le charme mystérieux qui
les lui avait fait imaginer si particulières. Entre lui et chacune
d'elles des rapports humains, la réponse en elles de qualités
morales semblables à celles qui en lui les interpellaient, cette
similitude de langage en tout ce qu'il comporte d'identité
intellectuelle et morale et qui fait à tant d'êtres différents un si
vaste[a] fond commun comme le ciel et la mer sont en fond
commun aux paysages *[inachevé]*. La fille du grand seigneur breton
n'était pas plus différente des autres jeunes filles[1], la golfeuse était
intellectuelle et sensible[2], il y avait une douce soumission dans
celle qui lui avait paru rebelle et inassimilable, la méchante est
un bonne fille bien élevée, timide et tendre, l'abandonnée,
malheureuse, était riche et fière[b], celle qui semblait bête et fourbe
avait des mots exquis et répondait à ses procédés avec délicatesse
et droiture. Il était arrivé d'elles comme de ces mythologies qui
de loin paraissent si mystérieuses et qui sont au fond anthropo-
morphiques et où on retrouve les hommes et les femmes que
nous connaissons. Mais malgré cela j'étais heureux de pouvoir
les avoir, les retenir, les grouper autour de moi. Sans doute il
m'était doux d'être entouré des formes de ce que j'avais désiré
et que mes petites amies gardassent le reflet de mon rêve, que
je pusse me dire : je ne puis atteindre ce qui est inaccessible mais
du moins je le tiens dans ma main, ce avec quoi je joue, je vis,
je cause, ce qui m'aime, ce n'est pas de ces personnes qui ennuient
et avec qui on finit par se persuader qu'on se plaît pour se plaire
à quelque chose. Ces personnes-là, ces plaisirs-là gardent toujours
même quand nous arrivons à nous plaire avec elles cette sorte
de goût désagréable qui vient de notre impression vraie, et le
plaisir que nous trouvons dans leur société a quelque chose qui
lasse parce qu'il reste voulu, factice et ne contient pas à l'origine
de plaisir vrai. Tandis que mes relations avec ces jeunes filles
gardaient le goût délicieux de leur origine. Elles avaient été
infiniment désirées ; les voir, sortir avec elles, ç'avait été un rêve

pour lequel j'eusse donné à ce moment ma fortune, ma vie. Sans doute elles n'étaient pas ce que je pensais parce qu'un être qu'on approche n'est pas ce qu'on a rêvé, mais du moins c'étaient bien elles, et mes relations avec elles c'était cette chose dont j'avais tant rêvé. Ce n'était pas un plaisir dédaigné d'abord que je me surfaisais parce que sans cela on n'aurait pas eu de plaisir, ce n'était pas un ennui élevé arbitrairement au rang de plaisir et qui n'en contient pas en lui ; c'était un plaisir vrai, passionnément désiré, c'était un bonheur descendu au rang de plaisir mais qui gardait d'un grand désir ce goût que rien ne remplace, cette douceur que le soleil seul peut donner aux pêches et aux raisins. Et ce n'est peut-être pas seulement pour cela que vivre ainsi en société[a] avec de très jeunes et jolies filles me faisait penser à me promener dans une treille délicieuse, dans une enchanteresse roseraie. Les vieilles femmes, les hommes avec qui nous feignons de nous plaire, nous en prenons connaissance avec nos yeux, seulement ils sont portés par nous comme sur un plan, en ombres. Mais ces toutes jeunes[b] filles, si nos lèvres n'ont pas la permission de les embrasser, de connaître le goût de leur chair, si nous ne pouvons les asseoir sur nos genoux, tenir leurs seins, du moins tout cela que nous aimerions tant, nos yeux en les regardant le < font > , le[c] sens de la vue supplée à tout, au toucher des surfaces, à l'appréciation des volumes, au goût, à l'odorat, à des sensations plus grossières, à d'autres aussi plus profondes, à des tristesses, à des tendresses. De sorte que comme ce sont en réalité tous nos sens qui les regardent, nous ne faisons plus que les voir, elles ne sont pas des choses vues, de simples ombres sur un plan, elles sont, à toute seconde où notre œil s'ouvre sur elles et dans un seul regard[d], des choses vues, touchées, palpées, pesées, caressées, embrassées, flairées, goûtées, possédées, attristées, consolées, nous ne les voyons pas planes, nous les voyons dans l'espace avec tout leur volume, toutes les couleurs où nous goûtons leur parfum dans les nuances du rose, dans la rousse chevelure[1], avec cette intensité de sensations qui nous grisent quand nous nous promenons dans une merveilleuse roseraie. Nous ne faisons presque rien avec elles, nous ne leur disons presque rien, et ce rien recouvre une si grande plénitude de désirs, tandis que dans le monde nous disons tant de choses au fond desquelles il n'y a aucun plaisir véritable. Je levais simplement les yeux sur l'une, je lui disais : « Voulez-vous vous asseoir », et mes yeux voyaient devant eux ses joues roses, ses cheveux dorés, ses yeux verts, mes yeux les embrassaient ces joues roses, les sentaient, les goûtaient, l'avaient mise sur[e] mes genoux pour avoir son visage plus près du mien, et avaient tiré de ses yeux verts un sourire heureux, spirituel et aimant. Et ce sourire par une plaisanterie, par un mot d'amitié je pensais presque le provoquer, je gouvernais ces pas qui m'avaient tant ému, je disais : « Asseyez-vous », et elles s'asseyaient. Dans la vie avec les jeunes filles, s'oppose[a] à la vie mondaine comme la paresse de celui qui fait une sieste, qui couché sur son lit immobile ne traduisant par rien son bonheur est assiégé par une foule de sensations s'oppose à la vie affairée où on se donne tant de mouvement pour ne rien sentir[1]. Même au milieu du monde la vie au milieu des jeunes filles enlève du dessèchement de la vie mondaine comme un jardin humecte et purifie l'air dans une ville, car ce qui fait le dessèchement de la vie mondaine c'est que nous y vivons de l'air des autres, pour les autres, et dès qu'il y a des jeunes filles nous vivons pour notre plaisir, nous cessons d'être mondains, nous avons quitté les autres pour entrer dans une allée de roses. Comment tous les autres êtres ne nous paraîtraient-ils pas décharnés, falots à côté de ces créatures délicieuses qu'un seul regard de nous sculpte, pétrit, caresse, parfume par le désir de leur parfum, où il cache comme dans un fruit une saveur délicieuse. L'amitié est peut-être bien inférieure à cette volupté. Car l'amitié c'est encore l'abdication de soi[2], la rectification de l'ennui sincère que nous éprouvons près des autres par le sentiment de cordialité factice, cette fausse ivresse que nous avons en quittant un ami, ou du moins cette ivresse éprouvée en nous par celui qui est semblable à l'autre et qui n'est pas nous, et le plaisir de sentir que nous avons un ami qui nous protégerait, dans l'esprit de qui nous sommes vus en beau etc., c'est une abdication[b]. Les plaisirs égoïstes ont quelque chose de plus profond pour moi peut-être parce qu'ils ne cherchent pas artificiellement à nous empêcher de voir cette réalité que nous sommes seuls éternellement, peut-être parce que l'artiste n'éprouve de vraie joie qu'à ce qui ne contrarie pas son instinct et que sa création ne peut être l'œuvre que de son originalité. Dans cette société des jeunes filles, nous sommes comme une abeille qui butine au soleil. Il est admirable, sans parler de l'aristocratie où c'est peut-être un peu plus rare, dans la petite[c] bourgeoisie riche qui est actuellement la vraie aristocratie dans le sens étroit, fermé, dédaigneux, sportif, clérical du mot, et dans le peuple aussi, comme il se sélectionne de ces « bandes de jeunes filles » d'amies qui font bande à part, et où s'assemblent des types si divers, toutes les notions de beauté de la femme, dans sa pure beauté encore, pas virilisée et desséchée par l'énergie, pas idéalisée par l'amour, pas durcie par la volonté, pas usée par la vie, à peine esquissée et d'autant plus délicieuse, dans une bande

de cinq amies, cinq types absolument différents, cinq bonheurs
qui ne se ressemblent pas. Que pouvait-il y avoir de plus opposé
que ces joues roses et dorées, ces cheveux presque roux, ces yeux
verts et spirituels[a] de Mlle *[un blanc]*, ces joues mates, ces cheveux
noirs, ces yeux bleus profonds[b] de Mlle *[un blanc]*, cette figure
qui s'entrouvrait de Mlle *[un blanc]*, où la bouche semblait éclore,
où le nez était encore à peine esquissé dans sa charmante pureté
qui semblait qui venait d'être à peine dessinée, et en effet venait
de l'être, elle ne l'était pas deux ans avant[1], et qui serait reprise,
qui était une première ligne toute fraîche tracée par la vie, ce
regard à peine indiqué encore, cette bouche que chaque sourire
semblait entrouvrir, faire fleur, donner sa forme pour la première
fois, dans cette figure ductile et fraîche où l'expression semblait
à tout moment se faire à elle-même ses traits, former dans la pure
et tendre matière les traits exquis du visage et entrouvrir un peu
des lèvres pour montrer l'amande[c] fraîche des dents, dont tout
le visage avait cette fraîcheur d'une chose qui est à peine sortie
de sa coque et qui en est encore protégée, il semblait que la ligne
de son nez qui se formait, se modelait dans quelque chose
d'invisible, que son premier sourire brisait quelque chose qui
l'enveloppait, et il semblait encore traîner dans les coins de sa
bouche quelque chose des expressions enfantines qui il y a un
an encore étaient les siennes comme un poussin est encore
barbouillé de l'œuf duquel il vient de sortir. Nous vivons là
comme dans un musée d'esquisses et dans une peinture de fleurs.
Nos yeux qui y butinent sans cesse non seulement des couleurs,
mais des parfums, des moelleux, des saveurs, des bonheurs, nous
laissent enduits comme d'une sorte de miel, et nous nourrissons
dans leur société une sorte de bonheur doux et profond où les
sensations s'allongent indéfiniment en profondeur, qui duvettent
et qui sucrent la pulpe même de notre âme, comme en a celui
qui passe les après-midi d'été dans un hamac au milieu d'un jardin.
Nous n'avons pas embrassé, nous n'avons pas dit : je l'aime, nous
n'avons pas caressé, nous n'avons pas possédé, mais nos regards
ont apporté sans discontinuer des saveurs à nos lèvres, des
parfums à nos narines, du bonheur à notre cœur si bien que pour
avoir simplement goûté de choses insignifiantes nous revenons
les lèvres lourdes d'un goût de baisers, et chaque regard nous
a rendu si heureux que nous sentons comme une sorte de reflet
qui persiste longtemps pendant des heures, et finit par devenir
habituel et constant, dans la détente de notre visage, comme
l'inflexion béate d'un sourire. Ces types divers, infiniment variés,
beaux et nombreux des jeunes visages féminins rendent les lieux
où il s'en rencontre un grand nombre aussi précieux pour moi
que peut l'être pour un naturaliste les plages où on trouve une
riche variété de coquillages ou les contrées dont la flore est riche

et curieuse, mais aussi quelque chose de plus émouvant parce que c'est une collection de types du bonheur possible. C'est pour cela que les bals où l'on ne fait rien d'artistique charment plus l'artiste que les soirées les plus artistiques possible, les casinos de bains de mer, les couvents, les cours de jeunes filles.

Sans doute[a] si cette douce société avec ces jeunes filles désirées garde de sa céleste origine cette douceur et ce prix, on a cependant oublié ce qu'elles furent pour nous. Nous gardons la volupté de les avoir désirées, crues merveilleuses, spéciales, mais ce que nous avons cru, désiré, cela est perdu ; chaque jour en les quittant nous souhaitons les retrouver pour trouver dans le plaisir de les voir le désir d'en être aimé, mais l'image que nous nous faisons d'elles, formée par les vulgaires incidents de la veille et les plaisirs attendus du lendemain ne retient absolument rien de l'image que nous avions d'elles quand nous ne les connaissions pas. Parfois[b] même les progrès que nous faisons dans leur intimité, les espérances que n'osait former notre amour, transforment chaque jour ce que nous espérons d'elles et par là l'image que nous nous en faisons. Hier soir elle avait encore fait peu attention à nous, nous rêvions de fixer son regard, aujourd'hui c'est une amie qui a fait avec nous des projets d'avenir, nous demandons à demain ce qui hier nous eût paru fou, impossible, ou bien hier nous l'avions quittée sur un mot vague qui nous avait ouvert d'immenses espérances ; aujourd'hui un mot révélateur de son caractère, de sa conception honnête de la vie ne nous laisse plus espérer qu'une honnête camaraderie. Hier nous étions malheureux de l'imaginer loin de nous avec X ; aujourd'hui nous pensons qu'il n'y a pas plus de danger avec X qu'avec nous-même ; nous sommes moins heureux, nous sommes plus sensibles, et sa figure morale a encore changé. Pensant souvent à elles, à elles d'hier et de demain, nous ne pensons jamais à elles d'alors, d'alors que nous ne les connaissions pas, d'alors que je ne pouvais espérer les connaître jamais autant mais où je croyais si je les connaissais qu'elles seraient telles que je les imaginais et telles que je ne les connus jamais depuis ; cette image est oubliée, cette rareté qui était en elles, en nous est morte à jamais.

Sans doute[c] elles avaient cessé d'être pour moi ce qu'elles avaient été un moment. En quelques mois, d'une cruelle golfeuse qui serait facile à posséder à Mlle Swann[1] était devenue une douce et intelligente amie, aux yeux affectueux de qui je pensais sans plus y retrouver son visage cruel que j'avais oublié, elle ne m'inspirait plus de désirs, Mlle de Quimperlé[2] ne me semblait plus un être rare, différent, inaccessible, dont l'intimité, si par le subterfuge d'une sensualité imaginée j'avais pu la surprendre, m'eût tout d'un coup fait connaître le charme d'un château breton, d'une lande mélancolique, d'une famille spéciale, d'une chapelle et d'un étang, mais une bonne camarade avec qui j'aimais causer librement et sentir cette liberté qui vient de ce qu'on ne craint pas de manier la femme avec qui l'on se trouve et qu'elle n'est pas comme un objet qu'il serait défendu de toucher ; je ne me souvenais plus que Mlle de Forcheville[1] m'était apparue comme une fille perverse et facile, au milieu de jeunes filles vertueuses et élégantes, élégante comme elles, pareille, insoupçonnable sauf pour moi qui savais que Montargis avait passé une nuit avec elle et qui la voyait pareille au milieu des autres, mais sentait devant sa chair blonde et ses yeux bleus ce que ressentirait quelqu'un en voyant devant soi plusieurs jolis objets mais dont l'un serait comestible, et dont le rose serait du fruit au lieu d'être comme les voisins de cornaline, bien qu'avec une même apparence, et dont l'œil bleu me semblait au milieu des compagnes avec qui elle riait pareille, savoir des choses, connaître une vie que les autres ne connaissent pas et qui me la rendait accessible en la laissant aussi précieuse. Rolande n'était plus la maigre jeune fille aux yeux tristes dont j'aurais tant voulu percer la mélancolie et entretenir une amitié pure ; mais une compagne ennuyeuse aux joues vernies et au sourire agréable, avec qui j'aimais jouer aux jeux que je lui avais appris et dont le reste du temps la société, que j'avais tant enviée, m'était insupportable. La réalité avait vite fait de dissiper mes rêves, l'expérience de corriger mes intuitions, les petits événements de chaque jour, d'appeler par leur enchaînement de petits événements semblables pour le lendemain où il me suffisait qu'elles fussent mêlées pour que le plaisir de les retrouver trompât mon désir d'en être aimé. Mais si ce que les êtres furent pour nous de précieux et d'infini meurt à tout moment, si la vie courante sécrète une matière commune qui recouvre ce que chaque désir et chaque être avait de spécial, nous pouvons garder dans notre cœur le souvenir de la minute première où nous les vîmes, de l'être si différent de ce qu'il est aujourd'hui qu'ils furent pour nous. Ce qu'elles furent pour nous un jour, qui sait si elles ne le sont pas en réalité, si ce n'est pas parce qu'elles sont devenues pour nous quotidiennes et que nous les voyons à travers l'enchevêtrement des jours et sous le prisme égalisant et trompeur de l'expérience qu'elles sont ainsi. Au milieu de la banalité présente, si douce et dorée et fructueuse qu'elle soit, tâchons de nous rappeler que l'impression première illumine, consacre, sucre comme un rayon mystérieux le doux fruit d'aujourd'hui et lui donne un goût d'infini. Ne nous laissons pas trop envahir par la nature. Remontons sans cesse son cours mortifiant, retrouvons à tout moment la source de la vie, de la réalité. Ce que ces femmes sont pour nous, ne laissons pas notre désir, notre déception, notre

banalité de chaque jour nous le faire oublier, reprenons de temps
en temps le *la* de l'impression première, sans cela nous nous
perdons, nous nous égarons, nous ne pourrions plus revenir à
ce que nous avons pensé, désiré[a].

Si[b] nous pouvions dans chaque rencontre penser une personne
dans sa permanence, dans son identité avec celle qui fut pour
nous il y a à peine un an quand nous ne la connaissions pas, nous
sentirions le prix des banales relations actuelles, ou plutôt elles
ne seraient pas banales, et nous sentirions que nous tenons aux
mains dans ce fruit quotidien que nous pouvons manier l'essence
mystérieuse que nous pensions n'approcher jamais. Le charme
surnaturel des êtres autrefois désirés subsistant au sein de la
familiarité présente donnerait à cette familiarité quelque chose
de plus surnaturel encore que lui-même, le surnaturel approché,
manié, goûté, possédé, familier. Mais cela arrive si rarement,
notre intelligence élimine rapidement de la relation présente où
nous nous trouvons vis-à-vis d'un être tout ce qui ne le concerne
plus et ne concerne pas notre relation future. Nous causons avec
des jeunes filles. L'une s'approche. Son visage ne contient plus
ce que notre désir y avait vu et que la vie n'a pas manifesté, mais
notre expérience d'hier, ce qu'en disaient ses amies tout à l'heure.
Nous pensons à ce que nous lui disons, non à elle, à la petite
action qui nous rapproche, la demande de s'asseoir près d'elle,
une question indifférente sur une musique, mais qui cependant
absorbe notre attention. Nous ne le pensons pas elle, et surtout
pas elle dans son identité avec la jeune fille aperçue que nous
n'espérions pas connaître jamais. Et cependant ce regard qui nous
sourit, c'est ce même regard qui nous donnait de tels coups au
cœur quand nous le croisions et par qui nous aurions tant souhaité
être remarqués, estimés, aimés peut-être. Ils nous connaissent ces
deux yeux bleus qui dardaient une petite attention fugitive, ils
nous sourient familièrement, quand ils nous aperçoivent elle vient
à nous la main tendue. Ces deux yeux mystérieux quel trésor
dans toutes périodes est une conquête[c] plus mythologique. Mais
chaque fois que nous faisons la connaissance d'une personne nous
passons de l'état d'âme de l'amoureux d'un château, à celui de
son propriétaire qui sait qu'il est beau mais ne le sent pas, parce
qu'il est seulement pour lui le lieu où il vit, la demeure des
réparations de laquelle il faut s'occuper et dont il écoute les éloges
qu'on lui en fait tout en pensant qu'il faut prévenir le fumiste
que les cheminées ne tirent pas. Ainsi dès que nous connaissons
un être les mille contingences de nos rapports présents et futurs
nous empêchent de plus le connaître lui-même. Nous lui disons :
« Vous verrai-je demain ? » Et tout en le regardant il faut parler
à une autre ; et si c'est un trésor pour nous que de l'avoir

rencontrée, nous ne l'apercevons que quand nous sommes sortis de l'engrenage des petites actions et que nous sommes rentrés chez nous. Les plaisirs de la soirée la vie nous les a tendus comme des cadeaux qu'on tend aux enfants, tout enveloppés. Et ce n'est qu'une fois rentrés et seuls que nous pouvons détailler nos impressions et tout ce qu'il y a dedans, si elles contenaient du bonheur.

Hélas[a], l'artiste, lui, a renoncé à demander à la vie de l'amour, de l'amitié, du bonheur. Il ne demande à certaines situations qui y ressemblent que de lui servir de modèle, pour lui permettre d'en faire le tableau ; il ne demande à quelques personnes, à quelques situations heureuses que de « poser » auprès de lui comme chez un peintre pour le bonheur, pour l'amour, pour l'amitié. Et le tableau fini, il se console, si l'amitié, l'amour, le bonheur sont déjà finis. Et toujours il faut qu'il se hâte car il sait que l'amour, l'amitié, le bonheur sont des modèles fugitifs et qu'ils ne donneront pas beaucoup de séances de pose.

Jouez[b], rêvez, dormez, paressez dans la roseraie, mais ce bonheur n'est pas sûr, bientôt vous pleurerez dans la roseraie et déjà votre désir d'amour qui y est entré sans s'être posé encore sur aucune éveille en vous une vague inquiétude. Ceux qui ont le plus de douceur à rester étendus l'après-midi au bord de la mer, éprouvent au moment de se coucher le soir une vague tristesse qu'augmente le bruit des lames qui montent et l'inquiétude du vent[c]. Mais hélas un tel bonheur a peu de chances de durer. Une vague possibilité d'amour s'y mêle bien vite comme une immense inquiétude. Elle va, vient, s'attache un soir à l'une, un soir à l'autre. On ne sait pas laquelle on aime, la présence de chacune annonce si bien la présence des autres qui sortent toujours avec leurs amies, que la vue de chacune donne la petite émotion : « Je les verrai ce soir » et l'association de sa vue avec cette émotion c'est déjà un peu d'amour ; en voir une, c'est savoir qu'on verra telle autre, c'est savoir en tout cas si d'autres ne viennent pas qu'on pourra parler d'elles et qu'elle leur parlera de nous. À tout moment un regard plus doux, un mot ambigu, tel rêve qu'en rentrant nous avons bâti sur rien fixe notre désir d'être aimé d'elles sur une, les autres ne sont plus que des camarades, des rapprocheuses, des annonciatrices, des confidentes. Mais leur pensée n'allait pas si loin que la nôtre. Un mot peu gentil, ou trop gentil, ou tel petit défaut passager du visage fait fuir notre désir, mais il ne s'échappe pas de ce petit monde clos, il se pose, se développe, s'embrase sur telle autre. Alors ces plaisirs quotidiens, répétés, constants, ne nous suffisent plus. L'amour veut davantage. Nous nous disons : que sera demain. Si demain elles ne viennent pas au bal, au tennis, hier on se fût consolé avec leurs succédanés, les autres. Aujourd'hui ce serait un chagrin fou. Et puis la retrouver ne nous suffit plus.

Nous la quittons si vite. Et chaque jour, sentant que notre amour est sans issue nous la quittons plus tristement. Et nous n'avons plus le courage de recommencer pour elle toute cette comédie destinée à nous émouvoir plus encore qu'à l'émouvoir et où dans les soirs mouillés de larmes nous voulons faire de la peine pour nous attendrir et blesser ce cœur que nous voudrions saisir. Comme les jours qui précèdent la neige n'ont pas une sombre livrée pour s'harmoniser à notre tristesse mais c'est notre tristesse qui est provoquée par l'attente de la neige, de même ce n'est pas dans ces moments que je veux dire un malheur, les défauts de ce que nous aimons, l'inquiétude que nous laisse son souvenir, qui produit notre tristesse, c'est notre tristesse qui ayant de la douceur à s'exprimer rechante le vieil air des reproches, des aveux d'infidélité, des pressentiments mélancoliques, des conseils désenchantés, sans attacher plus d'importance à leurs paroles qu'à celles de ces mauvaises chansons dont l'air nous fait si doucement pleurer.

À[a] ajouter aux jeunes filles

Mais il faut prendre garde ; notre incessant désir apporte[b] à nos lèvres, à nos bras, à notre cœur ce perpétuel goût du visage, du corps, de l'amitié de ces jeunes filles, il sucre lentement notre cœur comme le soleil sucre un fruit. Et nous croyons que ce goût délicieux durera, nous sentons notre vie mûrir, se dorer, prendre une saveur naturelle, comme une grappe en espalier. Mais nous ne savons pas que les sentiments qui semblent les plus arrêtés en nous-mêmes, les biens que nous croyons le plus posséder, dont nous nous disons : nous avons du moins ce bonheur, personne ne nous l'enlèvera, nous ne savons pas que les biens, sans parler de toutes les entreprises qu'on peut faire contre eux, car aucun bien, même les biens amoureux, n'est à l'abri des voleurs, nous ne savons pas que ces biens existent en eux-mêmes, peuvent subir au sein de notre cœur et sans l'assentiment de celui-ci une évolution qui en fera pour nous les pires maux. De même qu'un fils qui voyant son père heureux, arrivé au comble de l'âge, n'ayant pas encore eu des raisons de souffrir qui viendront peut-être, souhaiterait qu'il fût enlevé sans souffrance au milieu de ce bonheur, et se dit que sa disparition puisqu'il doit disparaître ne serait pas affreuse et ne troublerait pas son bonheur ; mais ce qu'il appelle « disparition » n'est point une disparition et n'a point le visage de ce mot. Mais cela sera pour lui, le bégaiement qu'il aura tout d'un coup entendu dans la voix de son père, ou un étourdissement qui l'aura fait chanceler, ou seulement l'entrée du domestique venant le chercher et le préparant à un malheur. Et c'est l'angoisse qu'il aura ressentie alors qui s'adaptera exactement à la réalité et non ce qu'il voyait dans le mot « disparition ». Car la mort n'est nullement quelque chose de négatif, mais le dévoilement, la victoire franche, le surgissement entier de cet être mauvais, invisible, inconnaissable, mais toujours présent, que nous avons en nous et qui fait le mal de notre corps, dont nous sentons l'étreinte, l'allongement incommode en nous, la puissance, la victoire passagère, dans une crise de foie, une crise d'asthme, une crise cardiaque. Et de même que nous croyons éviter un chagrin, nous croyons tenir un plaisir. Nous télégraphions à une femme de venir et nous sentons que demain nous aurons tel plaisir. C'est une certitude. Elle arrive, mais tel changement des dispositions de notre corps, tel chagrin, telle indisposition, tel désir de promenade, de voyage, d'amitié, de lecture, nous a retiré toute envie de son plaisir, nous nous contentons de causer avec elle et sommes impatients de son départ. Ainsi nous croyons tenir en nous-mêmes le bonheur de ces amitiés des jeunes filles et nous le tenons en effet mais il peut changer en nous-mêmes. Car il recèle à notre insu un peu d'amour et tout en laissant ce contact incessant des regards saupoudrer notre vue, nos lèvres, notre âme, d'une douce *[un blanc]*, nous ne pensons pas que leurs vies à elles, ces regards, ces cœurs ne pourront nous être disponibles. Et quand par[a] notre rêve incessant si bien entré dans le nôtre, doucement, par le chemin doux, le chemin par lequel on entre dans les cœurs, si doux à l'entrée, si cruel à la sortie, alors brusquement tel geste peut-être simplement imprudent, peut-être innocent, peut-être pourtant leur donnant leur grand plaisir, geste qu'elles n'ont pas avec nous et qu'elles ont eu avec un jeune homme, corrompt au sein même de notre cœur notre bonheur. Un soupçon[b] s'y est développé qui nous ronge ; nous marchons en nous tenant notre cœur où nous sentons une affreuse discorde, et si nous essayons de faire sortir du nôtre ce cœur qui y est si dure *[interrompu]*

À[c] ajouter aux traits de la figure des jeunes filles, aux bouches noyées d'enfance.

Une des choses les plus charmantes de ces très jeunes filles est leur voix. Comme certains oiseaux qui ont dans la voix avant le moment de la mue des notes qu'ils perdent ensuite, il y a dans la voix des jeunes filles des notes qui n'existent plus dans la voix de la femme qui reste l'apanage exclusif du jeune âge, comme cette glande qui permet aux enfants de digérer de grandes quantités de lait et qui n'existe plus ensuite. Sur cet instrument plus varié que celui de leurs aînées, elles donnent des intonations que les jeunes filles plus âgées et la femme ne possèdent pas non plus, et donnent aux choses qui plus tard semblent les plus simples et les plus froides un accent enthousiaste qui est charmant. Posez-leur une question relative à quelque chose ou à quelqu'un qu'elles connaissent ; demandez-leur le nom d'un livre qu'elles avaient l'autre jour à la promenade ou de l'amie avec laquelle elles se promenaient. Tous les noms qu'elles diront l'un après l'autre, dans une revue de tous les livres qu'elles ont pu emporter et de toutes les amies qu'elles ont pu saluer, pour voir qui vous voulez dire, voyez avec quelle vie, quelle passion, quelle gaieté qui[a] semble déchirer leur voix ; le nom qu'elles vous prononcent d'un air interrogateur pour voir si c'est celui-là que vous voulez dire, elles le diront presque sur autant de notes qu'il a de syllabes et chaque syllabe exactement prononcée par leur bouche dont vous voyez les lèvres s'appliquer consciencieusement à chacune comme des anges de Giotto soufflant dans leurs instruments de musique[b1] ; si l'importance qu'elles mettent à ce questionnaire leur fait descendre gravement les syllabes du milieu du mot vers des notes profondes, et qui est comme un dernier reste de cette gravité majestueuse, de ce sérieux, de cette application que mettent les petits enfants à dormir immobiles, en respirant avec une régularité admirable, à téter, à regarder, la dernière syllabe se relève à la note aiguë interrogative qui a toute la fraîcheur de leur gaieté questionneuse, de leur jeunesse intéressée, de ce surplus de forces qu'elles emploient à des choses dont nous avons prudemment retiré le peu qui nous en reste. Ce surplus de forces et de gaieté est si grand[c] que la maladie même ne peut l'employer entièrement ; je dis la maladie et non le chagrin, car on répondrait que la jeunesse est insouciante ; mais la maladie est la même pour elle que pour nous ; et je me souviens d'une jeune fille déjà ravagée par les crises terribles et épuisantes d'un mal qui devait bientôt l'emporter, et qui dès qu'elle était assez bien pour se lever gardait un surplus de forces et de gaieté que la maladie n'avait pas encore entièrement absorbé, et, consultant plutôt le calendrier que la triste journée, sacrifiant aux dieux de son âge, à peine levée et reparaissant pour un jour au milieu de ses amies, se mettait à tous moments à danser, à fredonner de sa voix affaiblie, à rire, ne pouvait aller d'un lieu à un autre sans courir et sauter par-dessus les obstacles qu'elle rencontrait, et faisait mille farces souvent assez dures à ses amies, comme de leur glisser des morceaux de glace dans le cou, qui faisaient rire et briller son pâle visage douloureux[d]. Comme ces poètes primitifs qui dans une épopée ou dans un drame font tenir tous les genres, épopée, poésie lyrique, théodicée, histoire, quand cette jeune fille et ses compagnes avaient à aller d'un endroit à un autre, quittaient les chevaux de bois pour aller jouer aux barres, ou leur mère pour aller danser, dans ce court plaisir d'un trajet à un autre, elles mêlaient tous les jeux. Elles (et même la malade) trouvaient trop long de marcher d'un lieu à un autre, elles commençaient par s'élancer à toute vitesse, elles continuaient en se laissant glisser, et cueillant au passage le jeu qui s'offrait, déjà elles faisaient succéder un vrai patinage à la course, se soutenaient en équilibre au sommet par de gracieux mouvements de bras. Si des chaises se rencontraient, elles ne manquaient pas d'en sauter une seule, ni de tremper furtivement leurs mains dans la fontaine pour les introduire dans le cou de leurs amies qui ne les avaient pas vues, et arrivaient enfin au but en poussant des cris et entonnant des chœurs, brodant le chemin d'une étincelante fantaisie comme le musicien qui entre deux phrases lentes de ses nocturnes égrène à toute vitesse le caprice de ses petites notes, et dans le surplus de leur force et de leur amour du jeu ne pouvant supporter d'aller d'une chambre à une autre sans faire tenir et entrelacer dans ce trajet la course, le patinage, le saut, la bouffonnerie et le chant.

Esquisse XLIX

[L E   D É S I R   P E R M A N E N T   E T   V A G U E
Q U E   N O U S   I N S P I R E N T
L E S   J E U N E S   F I L L E S]

[*Ce fragment est extrait du Cahier 26.*]

Les jours passés dans la société des jeunes filles que nous ne faisons que regarder, qu'effleurer en paroles franches qui n'ont pas le droit de les toucher, de les serrer de plus près que des regards, nous laissent par la continuité de désir, de plaisir qui a fait le fond de cette expression de bonheur du paresseux qui au bord de la mer, étendu l'après-midi sur sa terrasse repaît ses yeux de la mer divisée par une ligne immense et tremblée en un champ bleu et un champ vert, suit les voiles, respire la fraîcheur qu'elles goûtent, croit voguer avec elles. L'impression marine, l'impression estivale qui fait la trame continue de celui qui s'endort sur la terrasse au bord de la mer, ou dans un hamac dans ce verger, cette impression qui sucre ou sale d'un goût délicieux de bonheur les plus insignifiants incidents de la journée n'est pas plus continue que ce désir permanent et vague que nous inspirent ces jeunes visages où nos regards se posent sans cesse, apportent à nos lèvres, à nos bras, à notre cœur ce qu'ils ne peuvent approcher eux-mêmes.

Esquisse L
[CARESSES DE JEUNES FILLES]

[Ce fragment est extrait du Cahier 26.]

À mettre ailleurs sur les jeunes filles

Parfois l'une d'elles, dans la pureté de son âge où l'amitié s'accroît des caresses que n'a pas encore séparées, spécialisées l'amour, pose sa tête sur l'épaule d'une autre comme un petit cheval qui frotte sa tête contre celle de son camarade, de son cou qui s'incline couche tendrement sa tête pour qu'elle puisse caresser la tête de son amie et le redressant pose son menton sur l'épaule amie, la tête non loin de la sienne, et s'approchant sans chercher à la toucher, dans le plaisir et la caresse impalpable d'un voisinage, d'une protection, d'une atmosphère aimée, regarde vaguement devant soi et sourit.

Esquisse LI
[DIVERS AJOUTS
AUX JEUNES FILLES]

[Ce fragment est extrait du Cahier 26.]

À[d] ajouter aux jeunes filles qu'on a connues

Au fur et à mesure que nous connaissons un être que nous désirions, les deux puissances qui se disputent notre âme s'empressent autour de lui ; l'imagination, le rêve, ce qui en nous n'est qu'à nous, est incommunicable, le vide prestement, coupe par coupe, de tout le rêve dont elle l'avait rempli ; et l'intelligence, celle que nous avons en commun avec le reste de l'humanité[1] le remplit de vérité, de tout ce que nous avons extrait de nos rapports humains avec d'autres êtres, de tout ce qui peut exciter en nous une tendresse, une reconnaissance, une indifférence, une ironie qui sont les mêmes que pour d'autres. Bientôt l'imagination qui n'a plus rien à reprendre s'enfuit ; l'étrangère a fait place à une amie ; elle a passé du monde du mystère dans le monde de l'humanité. Elle s'est comme désincarnée, du moins elle ne s'est plus faite de la même substance. Elle n'est plus remplie de ce qu'il y avait de plus particulier dans notre imagination mais de ce qu'il y a de plus général dans notre expérience humaine.

⋆À ajouter aux jeunes filles*ᵃ*⋆

Et pourtant la gentillesse en amour, en amitié amoureuse, a sa grande importance quand elle ne tue pas la tendresse en l'assouvissant, elle le fait vivre, en le renouvelant sans cesse. Notre tendresse pour une femme qui ne nous aime pas ou nous aime mais ne nous le montre pas, est uniforme, et finirait par lasser. Mais sa gentillesse y sème, y brode chaque jour un nouveau poème. Un soir elle a eu ce geste, aujourd'hui ce sourire, ce regard, cette parole, aujourd'hui elle a demandé un crayon pour nous écrire qu'elle nous aimait et nous l'a fait lire en secret devant tout le monde, ou elle a fait poster ce mot chez nous et quand nous venions de la quitter nous l'avons retrouvée qui, dans sa lettre, nous attendait dans notre chambre, ou dès qu'elle nous a aperçu est venue furtivement près de nous, en disant : « Tu le permets. » Ainsi chaque jour notre amour change, devient pour nous le plaisir que nous a fait une attention nouvelle, et reçoit de ce changement, l'attente de changements futurs qui le rajeunit sans cesse, lui redonne toujours la nouveauté, le désir et l'espérance. Et c'est plus vrai encore avec les jeunes filles, parce que leur visage est plus expressif, et comme nous disons plus amusant. Une femme qu'une idée amuse sourit, mais elle ne sourit que superficiellement et qu'un instant ; au fond d'elle le mur épaissi tous les jours des préoccupations diverses, du moi déjà plein du passé, qui constitue sa personnalité morale, sociale, qui n'est plus modifiable et qui n'a pas été constitué par nous, arrête vite la pensée qui se joue à la surface, qui s'y heurte tout de suite et ne peut se propager au fond. On sent dans leur regard, dans leur visage déjà sculpté par la vie, qu'il y a quelque chose qui n'est plus fluide et ⋆(adjectif de la terre non formée)⋆. Mais le visage des très jeunes filles est une matière noble qui exprime tout entière à tout moment l'impression qu'elles ressentent et n'exprime rien d'autre. Si vous faites quelque chose qui les amuse ou qui les étonne, leur regard rit ou questionne jusqu'au fond, sans aucune opacité qui l'arrête ou aucune préoccupation qui le ressaisisse ; et toute la jolie fleur rose de leur visage est en même temps mâchonnée, pétrie, façonnée par la même impression. Pendant que leur regard nous questionne, leur bouche s'ouvre d'étonnement, leurs joues sont tirées par leurs lèvres, leurs bras

sont dans l'attente, leur doigt, si ce que vous dites s'applique à
un passant, ne se tiennent pas de le montrer pour savoir si c'est
bien lui, ou si elles n'osent pas leur sourcil et leur bouche se
froncent pour nous le désigner sans bienveillance ; elles ne sont
plus qu'une matière expressive d'une impression qui les a
envahies tout entières et que souvent nous avons provoquée ;
et elles ont cette fraîcheur incomparable d'être encore toutes
trempées du sourire qui vient de les baigner tout entières et du
baiser perpétuel que nous n'osons leur donner, mais dont nos
lèvres révélatrices de ce que nous faisons en réalité quand nous
ne semblons que les regarder, finissent par prendre la forme
idéale quand nous restons muets devant elles.

     À ajouter à la jeune fille qui s'en allait[a]

     Chacun de nous a en lui une antique légende[b] amoureuse pour
laquelle il cherche une héroïne ; et tout d'un coup, comme un
directeur qui cherche une actrice pour créer sa pièce, en
apercevant une femme nous nous disons : c'est elle, seulement
en réalité parce qu'elle a un physique qui plairait dans le rôle.
Et déjà non seulement sans qu'elle nous ait aimé, mais même
comme, peut-être avant qu'elle nous ait regardé, ou en tout cas
avec la plus grande indifférence, nous l'avons déjà identifiée avec
l'héroïne, elle répète sans le savoir le premier acte. Elle m'a vu,
et déjà elle < m' > aime[c] ; elle se dira ce soir en rentrant, ah !
si ma vie pouvait être à lui ; chez elle < elle > ne fait que penser
à moi. Tout cela va jusqu'au jour où les premiers mots qu'elle
nous dit rectifient immédiatement la portée de son regard, comme
on rectifie un tir, et nous la montrent inadaptable au rôle. Dès
lors nous pouvons avoir pour elle de l'amitié, de l'indifférence,
du désir. Mais nous rengainons notre vieille pièce pour qui nous
ne trouverons jamais qu'une actrice de rêve qui s'évanouira dès
que nous la connaîtrons autrement que par l'imagination. Et
malgré tout, tant que le charme dure, nous aimons à lui faire
jouer des parties de la pièce, à lui écrire la lettre où le héros
dit à l'héroïne qu'ils n'ont plus que deux jours à s'aimer, à lui
donner l'opale où leurs deux chiffres sont enlacés. Mais chaque
fois que nous faisons jouer la scène à une nouvelle actrice, nous
sommes tristes en pensant que toute la pièce est de nous, que
c'est nous qui la faisons jouer et que demain ce sera une actrice
nouvelle. Nous le lui disons quand nous croyons l'aimer toujours,
pour ne pas la fatiguer de notre amour, pour l'attacher par la
pensée de sa brièveté. Mais en réalité notre intelligence sait que
si notre cœur n'est pas sincère quand il le dit, il est véridique,
et que cet amour qu'il proclame mensongèrement si bref, le sera
en effet et plus même qu'il ne le dit.

À[a] ajouter aux jeunes filles[1]

Elles étaient assises toutes les quatre autour de moi, l'une me tendait mon manteau pour que je n'eusse pas froid, une autre poussait sa chaise pour être plus près de moi pour causer, la troisième me souriait affectueusement, la quatrième s'effaçait pour ne pas, disait-elle, empêcher les autres de profiter de moi. « Mais non, lui dis-je, Simone, vous ne gênez personne, venez plus près. » Et je pensais que ce « Simone » qui était devenu pour moi un nom usuel répondait à un usage quotidien, que je lui disais sans y penser, pour l'appeler, pour lui parler, que je lui aurais dit pour la gronder, pour parler d'elle, pour désigner, dans quelque circonstance vulgaire ou pénible où il eût fallu parler d'elle, je me rappelais ce nom quand je l'avais entendu, alors que je n'étais pas encore sûr de la distinguer et de la connaître au bal quand sa mère avait dit : « Simone, remets ton écharpe et va demander nos manteaux » et que ce Simone avait volé devant moi comme un trait échappé de la profondeur d'une intimité où je ne pénétrerais jamais, dans la vie mystérieuse de celle dont les regards mêmes ne me connaissaient pas, et à qui une personne disait : « Simone » et plus tard aux courses, quand son amie lui avait crié de loin comme elle s'en allait avant la dernière course : « Adieu Simone », et que ce même mot secret, intime, un échappé du mystère d'une vie close pour moi, comme je l'avais vu voltiger un instant saupoudré de tous les parfums du bal, je l'avais entendu plus acide, froid, mystérieux, et divin voler comme un trait à l'air où il n'y avait rien entre lui et la brise, au ras de l'herbe humide du champ de courses. Et ces quatre jeunes filles qui étaient auprès de moi me semblaient quand je me rappelais ce qu'elles avaient été pour moi quatre déesses métamorphosées en compagnes et en nourrices, et je me faisais l'effet d'Hercule élevé parmi les nymphes. Et tout en répondant à peine à leurs questions, en me laissant apporter par elles les mille sucreries du buffet je les regardais de l'œil noyé de l'amateur qui a maintenant dans le mobilier le plus usuel de sa salle à manger les tableaux dont il fut si longtemps épris et où son regard en caressant leur surface brillante et adorée retrouve le signe mystérieux et la scintillation primitive. Je[b] regardais leur visage, je le vidais de tout ce que nos relations y avaient mis d'humain et de connu, avec ces mêmes traits qui étaient devant moi, avec le délicat visage blanc de l'une, la figure rousse de l'autre, la majestueuse figure de la brune, avec le délicat visage aux yeux propulsés de l'autre, je recomposais les quatre inconnues, je me disais : Ce sont elles, elles posaient là toutes quatre dans la paresse et l'abandon de leur pose, comme ces femmes que Rubens a peintes en Madeleine ou en saintes[1] et dont elles avaient la riche, la silencieuse et distraite beauté. Je me disais : Ce sont bien elles, je les replongeais dans l'inconnu, dans le mystère, c'est-à-dire dans le réel, dans ce que la vie et l'habitude avaient aboli, et faisant se toucher, coïncider un instant le rêve et la réalisation, le désir et l'accomplissement, les regardant à la fois avec les yeux du corps et ceux de la pensée, je leur prenais la main.

Esquisse LII
[LE NOM DE BOUQUETEAU]

[Fragment du Cahier 34. Le nom de Bouqueteau, ou Boucteau, sera remplacé par celui de Simonet dans la version définitive, le désir du héros se portant de même, sans qu'il la connaisse, sur celle qui le porte.]

Ceci s'intercale entre le commencement de la page 10 et la phrase de la page 10 : Maintenant leurs traits charmants[2].

Quand le désir est orienté vers une petite tribu humaine qu'il sélectionne, tout ce qui peut se rattacher à elle devient motif d'émotion, puis de rêverie. J'avais entendu une dame dire : « Il faudra que je demande cela à la petite Boucteau. » Je ne doutais pas un instant que ce nom ne fût celui d'une de ces jeunes filles. Aussitôt je me jetai sur lui, je me demandais sans cesse comment connaître cette famille Boucteau. Même si Mlle Bouqueteau n'était pas la plus jolie elle me ferait connaître les autres. J'allais supplier Saint-Loup[a] de connaître les Bouqueteau et la petite Bouqueteau viendrait me dire qu'elle n'avait cessé de penser à moi depuis le jour où elle m'avait aperçu sur la plage. Car dans un être aussi différent de moi que possible je voulais trouver la tendresse que je portais en moi, dont je ne pouvais jouir directement, qu'il fallait qu'un autre être me rapportât. Et cet être je le fabriquais avec un nom entendu dans le hall de l'hôtel et l'harmonie qui régnait entre les jeunes corps que j'avais vus se déployer sur la plage, en une procession sportive aussi belle qu'un cortège de Giotto. J'étais amoureux de Mlle Bouqueteau sans savoir laquelle de ces jeunes filles était Mlle Bouqueteau, ni même si c'était l'une d'elles. Dans un journal de la localité qui traînait dans le salon de lecture de l'hôtel avec quelle émotion je vis parmi les étrangers Bouqueteau et famille. Il fallait me presser. J'allais écrire à Saint-Loup de se mettre en campagne pour tâcher de trouver quelque joint entre lui et ce Bouqueteau. Un marquis ferait bien aux yeux des Bouqueteau. Car je voulais avant tout donner une haute idée de moi à ces jeunes filles. Si elles ne m'avaient pas distingué sur la plage, si je n'eusse pas existé pour elles, je crois que je me serais aussi facilement résigné à ne pas les connaître qu'à ne jamais aller aux Indes. Mais j'étais sûr qu'elles avaient remarqué l'attention que je leur portais et certainement, puisqu'elles se moquaient de tout le monde qu'elles m'avaient trouvé ridicule et certainement imaginé comme d'un milieu indigne de frayer avec celui des Bouqueteau. Dès lors la situation n'était plus intacte. Leur mépris était pour moi une défaite que j'avais à racheter. Quand elles sauraient que j'étais l'ami de Saint-Loup, alors au besoin je pourrais cesser de m'occuper d'elles.

Petit alinéa. Si elles m'avaient remarqué, moi je commençais maintenant à distinguer un peu chacune d'elles.

[Ce fragment est extrait du Cahier 38.]

La mer était basse[a], le soleil était couché. Dans la partie en bas du vitrage de ma fenêtre, sur le sable brillant d'humidité et coloré comme un miroir, traînait une flaque d'eau comme un morceau de papier rouge oublié. Au-dessus du sable, la mer était rose, et le ciel était renflé au-dessus d'elle comme un gros cordon rose, de ce rose clair, tentant et tendre dont on fait la connaissance quand on est petit avec sa première boîte de couleurs et qu'on ne revoit plus guère dans la suite. À l'est seulement le gros bourrelet rose devenait d'un bleu cendré. La mer était rose, quelques mouettes flottaient sur elle comme des nymphéas[b], et comme dans ces tableaux impressionnistes où tout participe à un même « effet » de couleur, un trois mâts doré tout à l'heure par le couchant, ne portait pas seulement un reflet rose, mais avait l'air d'avoir été finement découpé dans une matière analogue à

celle du ciel dont l'atmosphère de corail aurait fourni pour le
filigraner ensuite en cordages, le nuage arrondi et*ᵃ* rose de sa
coque. C'était l'heure en effet où le ciel tire à lui, convertit à
quelque chose de céleste tout ce qui est auprès de lui. Les derniers
reflets roses s'éteignirent. Le bleu cendré, le bleu des lointains
d'automne s'étendit à tout l'horizon de la mer, puis en gris de
cendre, et le trois mâts rose devenu bleu comme un nuage
d'encens et bientôt gris, comme un simple paraphe schématique
de l'obscurité, consistant en quelques *[un mot illisible]* d'ombre
nocturne*ᵇ*, semblait n'être qu'une condensation des vapeurs du
soir persistante en sa fine et fière architecture mais aussi
changeante en ses couleurs que tout le reste du soir, à la face
duquel elle semblait seulement comme un mirage céleste inscrire
le signe de la navigation. Se détachant sur le gris doux et informe
de la mer, un papillon immobile au revers extérieur du vitrage
mais que je crus un instant être dans ma chambre, apposait au
bas de ce vrai tableau de Whistler que me présentait ma fenêtre
la signature favorite du maître de Chelsea.

Esquisse LIV

[UNE MASSE AMORPHE ET DÉLICIEUSE
DE PETITES FILLES]

*[Le souvenir des fillettes entrevues au cours du premier séjour à la mer (voir
l'Esquisse XLV), tel qu'il apparaît dans cette esquisse du Cahier 34, se réduira
à une photographie dans la version définitive.]*

En*ᶜ* rentrant je me dis qu'elles habitaient peut-être Balbec ;
je me souvenais maintenant que la première année, quand je me
promenais avec Saint-Loup sur la plage j'avais aperçu une fois,
assises en cercle sur des chaises autour d'une tente une masse
amorphe et délicieuse de petites filles, sorte de blanche et vague
constellation où je ne distinguais deux yeux plus brillants, un
visage plus malicieux et plus blond que pour le reperdre et le
confondre au sein de la nébuleuse indistincte et lactée. Sans doute
ce n'était pas comme maintenant ma vision, c'était le groupe que
je voyais qui manquait de netteté. Ces enfants étaient encore à
cet âge, à un degré élémentaire de formation où la personnalité
n'a pas encore mis son sceau sur chaque visage. Pressées les unes
contre les autres comme ces organismes primitifs où l'individu
est plutôt dans le polypier total qu'en les polypes qui le

composent, parfois l'une en faisant tomber une autre de sur ses genoux sur lesquels celle-ci remontait vite un fou rire qui semblait la seule manifestation de leur vie personnelle agitait tout à la fois et effaçait tous ces visages indécis et grimaçants dans la gelée d'une grappe scintillante et tremblante. Mais déjà il me semble qu'elles étaient alors à peu près en même nombre et faisaient sur la plage une tache singulière qui forçait à les regarder. Les fillettes que j'avais vues hier étaient encore rieuses, mais la gaieté presque automatique de l'enfance n'était plus leur seule expression, cette détente spasmodique d'hilarité qui faisait à tous moments plonger les têtes de ces gamines, comme un bloc de vairons dans une rivière se disperse et disparaît pour se reformer un instant après ; leurs physionomies étaient maîtresses d'elles, leurs yeux fixés sur le but qu'ils poursuivent, mais à cet âge on change si vite, les enfants d'alors avaient pu devenir en deux ans les jeunes filles d'aujourd'hui, les visages avoir perdu l'indécision et le tremblé d'une mauvaise photographie grimace et être devenus ressemblants aux personnes qu'ils représentaient et qui séparées individuellement du groupe n'y avaient plus été que par mon indistincte vision les sporades désunies de la frêle nébuleuse d'autrefois.

Esquisse LV

[MA PREMIÈRE RENCONTRE
AVEC ELSTIR]

[Dans cette ébauche du Cahier 28, c'est dès leur première rencontre que le peintre Elstir livre au héros, en présence de son ami Montargis, des impressions et des idées qu'il ne lui confiera qu'un peu plus tard dans la version définitive.]

Seuls les grands artistes nous font comprendre l'amabilité et la générosité véritables parce qu'ils ne cherchent pas comme les grands seigneurs à plaire mais qu'ils sont heureux de donner. Ils sont heureux de donner parce que ce qu'ils possèdent, idées, actions, œuvres, ils ne tendent qu'à les donner à qui les aimerait, mais ils les gardent jalousement pour eux parce qu'ils se sentent seuls. Mais qu'ils trouvent un cœur de qui ils se sentent compris, ils le considèrent comme leur égal, ou plutôt ils ne se disent pas leur égal et n'agissent pas comme s'il n'était que leur égal, car ils ne pensent qu'à lui donner. Et le seul fait qu'ils nous parlent, qu'ils semblent se plaire avec nous nous élève infiniment à nos yeux, nous fait oublier nos doutes, notre mépris de nous-même. Leurs paroles résonnent doucement en nous et les échos qu'elles y éveillent nous montrent que nous sommes de même sorte qu'eux, que nous valons mieux que nous ne croyions. Ils disent telle parole que nous reconnaissons pour quelque chose que nous avons pensé. Nous disons quelque chose que nous avons pensé et ils l'écoutent avec sympathie. Je me croyais aussi intelligent — sans orgueil, avec douceur — devant Elstir que je me croyais stupide devant Mme de Villeparisis qui trouvait stupide d'admirer Victor Hugo. Je ne sais quel hasard fit que je dis que Ver Meer de Delft était un de mes peintres préférés. Il sourit d'un air profondément heureux, ses yeux furent très doux et aigus derrière le lorgnon et de sa douce voix chantante il dit : « Ah ! je vois que nous pourrons nous entendre. Vermeer est aussi un de mes peintres préférés. » Les larmes me vinrent aux yeux. Je me promis d'aller à La Haye^{*a*} voir la vue de Delft dont on m'avait tant parlé[1]. Il n'y avait pas de pays dont je rêvais autant que de la Hollande[2]. À peine rentré à Paris dès que le temps sentait l'hiver, dès le premier matin < où > je voyais un beau soleil glacer la brume et l'air froid d'une couleur d'orange et d'une odeur de fumée je rêvais de partir pour Amsterdam. Je me rappelais les vers de Baudelaire[3], les tableaux de Rembrandt, j'aurais voulu aimer là-bas quelque Hollandaise dont les joues offrent de tous les crus de tous les épices qu'on débarque près de la petite fenêtre où elle se tient, comme la Fiancée juive de Rembrandt[4]. Chose curieuse, il n'était jamais allé en Hollande, il n'avait jamais vu le tableau de Vermeer etc^{*b*}. Chose curieuse il n'était jamais allé à Amsterdam et n'avait jamais vu ce tableau qu'il savait si beau. On se demande parfois quelles circonstances inférieures mènent les existences, quelle maladie, quelle manie, quel sort bizarre pèsent sur elles, quand on pense que de telles œuvres ne seront jamais vues par les yeux qui en jouiraient le plus profondément, que Whistler, le peintre peut-être qui doit le plus à Velasquez et qui en art a le plus de goût^{*c*} n'alla jamais voir Velasquez en Espagne. Il me demanda d'aller le voir me disant qu'il espérait que je viendrais souvent. Cette chose que je n'eusse jamais osé espérer était déjà dans le passé quand nous le quittâmes, tout à l'heure elle était un but d'action presque inaccessible, maintenant elle faisait partie de ces faits inamovibles dont nous ne pensons même plus qu'ils sont extraordinaires, parce qu'ils sont et qu'ils font maintenant partie des notions à l'aide desquelles nous jugeons cet avenir dans lequel tout à l'heure ils étaient encore si incertains. Il avait passé quelques années dans la baie et depuis un an seulement s'était installé à Paris, venant passer seulement maintenant les étés à Sotteville[5]. Je lui posai au moment où il allait partir quelques suprêmes questions sur ce qu'il fallait aimer dans la baie. Il eut l'air de comprendre très bien ma question et appuyé sur sa canne il resta encore un moment. « Mais vous comprendrez bien mieux cela chez moi, je vous montrerai des esquisses. Du reste c'est plus beau en descendant vers la Bretagne. — Monsieur je vous ennuie mais j'aurais le grand désir avant de partir un jour que le temps sera mauvais d'aller voir une tempête. Où est-ce plus beau, à Penmarch ou à la pointe du Raz[1] ? » J'attendais anxieux. « Écoutez, pour moi, sans comparaison, à Penmarch. La pointe du Raz, mon Dieu, ce sont de belles falaises mais vous savez c'est toujours la falaise française, plus belle évidemment, avec une vaste vue de mer, n'est-ce pas, vous savez, c'est le finisterre, finisterre, c'est évidemment une grande chose. Mais c'est banal à côté de Penmarch. Penmarch c'est bas, c'est presque plus bas que l'eau avec des roches, un paysage d'une singularité inouïe qui me rappelle », dit-il d'une voix vague et en regardant très loin avec l'œil qui perçait activement derrière le lorgnon, « certains paysages de la Floride. C'est un peu indien aussi. Oh ! c'est bien curieux. Et puis la courbe même des plages est si belle, si douce, je crois que vous aurez une grande impression. » Il venait de relever dans mon cœur le goût de la nature, de la Bretagne, il venait de ranimer en moi des désirs infinis de voyage quelque fatigue que je dusse éprouver, le sentiment qu'il y avait là-bas une beauté au-delà de la chose même, une vérité que ma pensée pourrait atteindre. « Du reste tout cela, la baie des Trépassés, Plogoff, c'est admirable. Il y a une délicieuse petite chapelle à Plogoff toute blanche, du XIVᵉ ou XVIᵉ siècle. » Je n'avais jamais pensé à Plogoff *(L'enfer de Plogoff[2])*, à tous ces lieux d'une désolation préhistorique que comme à des lieux sans âge etc.[3]

« Et la baie de Querqueville elle-même, vous ne l'aimez pas autant, lui dis-je ? — Mais si, je l'aime beaucoup, je l'ai surtout beaucoup aimée, ce n'est pas justement du côté de Querqueville même mais il y a des endroits délicieux que je vous montrerais si je sortais avec vous. Du reste je ne suis pas le seul ; vous saurez que c'est d'après cette baie que Whistler a fait cette aquarelle délicieuse qui a été exposée l'année dernière : *Le Golfe d'opale*[4]. Monet aussi a travaillé ici. » Chacun de ces mots qu'il me disait remettait sous toutes ces choses, que j'avais tant souhaité d'aller voir et qui avaient perdu pour moi toute leur beauté à la suite de mes autres désirs que j'avais presque renoncé à y aller, de nouveaux désirs. Je sentais de nouveau qu'un esprit précieux se cache derrière ces lieux puisque ces grands peintres viennent pour essayer de le dégager, se placent avec respect devant la beauté qu'ils essaieraient de comprendre. Sans doute les plages indiennes

ou floridiennes de Penmarch, l'église flamboyante de Penmarch,
l'escalier Renaissance d'une maison de Morlaix[1], ce n'était pas
l'essence même de ces lieux tels que je l'imaginais dans leur nom,
une individualité différente de tout le reste en face de laquelle
je me trouverais si j'avais le bonheur d'être reçu dans les rues
de ces cités dont les noms avaient éveillé en moi ces rêves, ces
rues qui quand je les avais vues étaient pareilles à toutes les autres
parce qu'on emporte des yeux avec soi partout et qu'ils sécrètent
partout la même vision quelles que soient les différences
purement extérieures et intellectuelles qu'elles comportent mais
non d'essence. Mais c'était à défaut de ce charme premier, senti
impossible, un charme second, spirituel encore, introduit par une
sorte de biais, qui réhabilitait pour moi ces lieux, excitait ma
pensée et dont je ne cherchais pas à discuter ce qu'ils pouvaient
avoir de surajouté, de factice, pour bénéficier de l'exaltation qu'ils
mettaient en moi et qui m'aiderait à les pénétrer, car je sentis
que malgré tout, tout ce qui permettrait de vivre par l'esprit,
de considérer le monde comme ayant plus de valeur que moi
et d'y attacher ma pensée était tout de même plus vrai et plus
fécond que le dilettantisme du promeneur qui suit le monde
comme un décor et en poussant une bouffée de cigarette
compare d'un œil ennuyé le rose du couchant à celui de sa
cravate. « Je crois que nous empêchons tout le monde de se
coucher, dit-il en regardant autour de lui, mais faites-moi donc
le plaisir de venir me voir, j'aurais beaucoup de plaisir à causer
avec vous de tout cela. » Et il me serra cordialement la main.
« Si vous voulez accompagner votre ami, monsieur », dit-il en
se tournant gracieusement vers Montargis. Mais il y avait là une
nuance très marquée dans son accueil pour nous deux. Avait-il
senti que de nous deux il n'y en avait qu'un qui avait vraiment
le désir, le besoin, la compréhension profonde de sa parole et
avait-il jugé Montargis insignifiant ? Avait-il en voyant mon nom
roturier et son nom historique voulu me montrer que son
amabilité n'était pas causée par ce nom, et que c'était à celui des
deux qui peut-être y prétendait le moins qu'il l'octroyait, je ne
sais. Mais je m'étais figuré et Montargis sans me le dire aussi
qu'il serait plus aimable pour lui. Lui maintenant était aussi sous
l'empire de ce fait nouveau qu'il n'avait parlé qu'avec moi, que
je lui avais parlé d'une quantité de choses que lui Montargis ne
connaissait pas, et avec son esprit empirique d'homme du monde,
puisque cela avait été ainsi il lui semblait que cela ne pouvait
être autrement. Il m'attribuait rétrospectivement une « situation » infiniment supérieure à la sienne à l'égard de tous les
artistes. Et quand je lui proposai de venir le voir avec moi il me
dit : « Non, je te laisserai aller. Du reste je crois que mon oncle
Guercy arrive demain et ce sera plus gentil que je passe la journée

avec lui parce que[a1] moi je l'ennuierai. C'est toi qu'il a envie de voir. Moi il me prend par-dessus le marché parce qu'il pense que cela te fait plaisir. » J'eus beau lui assurer le contraire, il était maintenant persuadé avec le point de vue mondain avec lequel il envisageait maintenant les choses de l'esprit se souvenant peut-être de ce que sa mère lui disait d'une de leurs cousines la princesse de T*** qui ne recevait presque aucun membre de sa famille parce que cela ennuyait quelques artistes qui se plaisaient avec elle « à cause de sa grande instruction », que je serais toujours de toutes les fêtes intéressantes et lui de rien. Et peut-être pensa-t-il un instant pour la première fois avec sympathie au faubourg Saint-Germain, puis à son milieu familial, où il aurait toujours un des premiers rangs et où je ne serais reçu grâce à lui que comme son ami, comme un étranger invité. Et tout en revenant avec lui, le souvenir brûlant d'Elstir m'évoquait Bergotte, Swann, Lucienne[2], Lucienne surtout avec toute la possibilité de vie heureuse auprès d'elle que je rêvais. Mais si autrefois ce qu'elle me faisait apercevoir c'était les lieux dont je rêvais, cette année-là, ces cathédrales couvertes de neige qui étaient sans cesse devant mes yeux et qu'elle me ferait aimer, maintenant si parfois elle évoquait encore pour moi Reims ou Rome couvertes de neige, cette esquisse de mes paysages intérieurs d'alors dont elle devait me donner l'accès, ce qu'elle évoquait bien plus puissamment pour moi c'était le paysage qui comptait le moins pour moi alors parce qu'il était réel, celui où je l'avais vu. Ce qu'elle signifiait pour moi, ce qu'elle me donnait le désir de goûter, c'étaient les heures d'après-midi sous les aubépines du chemin montant où commencent les bleuets et les coquelicots, c'étaient les longs repos au bord d'un bassin de cygnes, à l'endroit qui était à l'ombre où j'apercevais des pervenches auxquelles ses yeux m'avaient fait tout de suite penser, des ne-m'oubliez-pas et des iris, tandis qu'une ligne jetée mordait à corps mais sans que personne vînt la lever *(le mettre d'avance en son temps)*. Le calme de ces heures chaudes, la pureté illimitée de cet air où l'on goûte la palpitation d'argent d'une cloche qui sonne à trois lieues, le bleu tendre des fleurs, et la découpure limpide des pervenches, et la douce volonté persuasive des pétales qui disaient :« Ne m'oubliez pas » et les lambeaux parfumés de l'iris, et la fraîcheur de l'eau et la proximité du goûter et les courses dans les champs, voilà ce que Lucienne me semblait contenir, receler si bien que être de nouveau avec elle, passer quelques mois auprès d'elle cela signifiait pour moi maintenant entrouvrir, découvrir, posséder, partager à deux l'été de deux heures à cinq heures, le plaisir du parc et des champs.

Esquisse LVI

[L'ART D'ELSTIR]

[Dans cet autre fragment du Cahier 28, Proust décrit les phases successives qui ont conduit Elstir à la maîtrise de son art : les tableaux mythologiques font songer à ceux de Gustave Moreau, l'influence du japonisme vaudrait pour la plupart des peintres impressionnistes ; mais ses origines américaines et sa manière de traiter les paysages marins rattachent encore Elstir à son principal modèle : Whistler.]

Si je ne m'étais pas bien rappelé ce qu'avait dit Bergotte — assez peu pour ne pas oser lui parler de lui — je ne me trompais pas, c'était un grand peintre, le plus grand peut-être de notre époque. Très épris de la mer maintenant il avait habité plusieurs années près[a] de Querqueville, et maintenant n'y revenait plus que passer l'été, s'étant fixé à Paris. Dès que je sus qu'il avait choisi jadis de vivre tout à fait ici, un nouveau mouvement d'exaltation s'éleva en moi pour le pays. Il se réintellectualisa si je peux dire, il redevint précieux, reprit un volume, je sentis qu'il entamait des profondeurs où s'acharnait le génie et qu'il pourrait peut-être me faire soupçonner. C'était un grand peintre, le plus grand peut-être de ceux de notre époque, mais comme beaucoup d'artistes de notre temps, peut-être trop homme de goût en même temps, trop amateur d'œuvres d'art qui l'avaient successivement impressionné et orienté dans des recherches différentes jusqu'à lui faire diverses « manières » successives, et même dans la dernière, celle de maintenant où il avait sacrifié toutes ses plus chères idolâtries d'autrefois, où il ne peignait plus que le réel, paysages et portraits, donnant peut-être tout de même à la nature et aux êtres quelque chose de trop « artiste » dans sa plus profonde vérité, ajoutant à sa plus belle, à sa plus vivante[b] marine un suprême clignement, une harmonie trop subtile qui semblait donner à la mer et au ciel <une> délicatesse, une intention de raffiné. Je[c] crois du reste que c'était un peu dans ses intentions car loin d'admirer la nature « en bloc » comme un Ruskin, comme Emerson[1], sans choisir, parce que la beauté est seulement le jeu des lois naturelles et le fond de l'étoffe des choses quand nous savons le voir, il disait de certains pays, de certaines heures, de certains spectacles de la nature : « Oh ! c'est laid, c'est commun, il y a trop de lumière, ça ressemble à la mauvaise peinture, il n'y a rien à faire là. » La première influence qu'il avait subie avait été celle de l'Italie et il avait fait d'admirables tableaux qu'on ne peut presque pas appeler

mythologiques tant ils sont particuliers à lui, peints d'après un
univers qu'il portait en lui, ou peut-être qu'il voyait devant lui
là où nous voyons tout autre chose, mais si différent de tout ce
que nous connaissons que partout où il y avait un tableau de lui
on le reconnaissait aussitôt comme un morceau de cet univers
spécial intercalé sur les murs. Une sorte de répartition presque
égale de la vie et de la pensée entre la nature qui dev < en > ait
presque consciente et l'homme dont la conscience s'affaiblissait
jusqu'à faire de lui quelque chose d'à peu près aussi passif que
la nature, les uns et les autres n'étant en quelque sorte que les
signes du fait mythologique représenté, images sanglantes comme
un présage de meurtre, vallon sombre et^a souriant qui savait le
mystère qu'il enfermait, mer heureuse de porter Argo ou jalouse
de reprendre Théramène, promontoire consacré comme un
temple de marbre et qui se termine par un temple, oiseau qui
sait qu'il est la mort ou l'inspiration, muse^b qui a l'air d'une
voyageuse courtisane portant son vice comme un emblème
presque distinct d'elle et grave comme une sainte, héros doux
comme des jeunes filles et les cheveux dénoués, le corps calme,
les yeux limpides plantant une épée dans le corps d'un monstre
qui semble conscient de la lutte qu'il soutient avec les yeux, cheval
les yeux mi-clos comme une courtisane, orientant paresseusement
ses prunelles sous ses paupières, pour admirer son harnachement
de perles et de saphirs, chevaux furieux grinçant des dents et
roulant les yeux comme dans *Othello*, quand on avait remarqué
cela on n'avait rien dit qui contînt cet accent si particulier qui
faisait reconnaître entre toutes sa peinture, l'espèce d'émail de
cette matière où les fleurs, les pierreries, le ciel, les étoffes, les
regards étaient tressés et imbriqués en une mosaïque inséparable
et unique. Pourquoi son inspiration lui faisait-elle toujours
rechercher comme s'il contenait quelque chose de plus précieux
que le reste du monde un certain visage de femme grave, d'une
pureté de traits antiques et d'une expression presque enfantine,
et aussi certaine arabesque faite par les ailes aiguës d'un oiseau
en quelque sorte passant qui quel que fût le sujet représenté
s'envolait presque toujours de sa toile comme un présage funeste,
et comme une ligne inachevée. Sans doute il n'aurait pas su le
dire. En effet quand il disait ce qu'il voudrait faire, il disait
seulement ce que son intelligence, dans son aspiration moyenne
souhaitait habituellement. Tandis que la réponse était simplement
dans un nouvel oiseau, dans une nouvelle femme au visage
antique et doux, au regard presque enfantin, qui eux sortaient
de ces heures plus rares, plus profondes où il était inspiré, où
il voyait avec ces yeux qui n'étaient qu'à lui et peignait ces

tableaux dont la suite si on les mettait bout à bout serait comme
une partie importante de cet univers spécial que lui seul nous
a jamais montré. Et dans différents pays il existait des hommes
qui sans doute n'auraient pas su expliquer non plus pourquoi
mais qui se privaient de luxe, de voyages, de plaisirs pour avoir
chez lui un tableau, une esquisse de lui, tel tableau plus curieux
que les autres où l'oiseau avait une signification unique, un autre,
le seul où il fût bleu, attachant à ces particularités, une
importance infinie qu'ils n'eussent pas su logiquement justifier.
Et ces gens-là étaient un peu pervertis par cette peinture où
les êtres et même les montagnes et même le soleil avaient une
sorte de beauté légendaire, de signification au-delà d'eux-mêmes.
Et devant un paysage de Monet qui n'est qu'un champ, ou une
côte, devant un portrait de Manet ou de Courbet, ils sentaient
manquer quelque chose ; il avait l'impression d'une nature
désintellectualisée, déshabillée de ses symboles, nue, crue,
commune. Un moment il subit la passion du japonisme qu'on
venait de découvrir. Et dans des arrangements pleins de goût,
il effaçait tant les azalées dans un vase et faisait ressortir en
couleurs si vives les fleurs peintes sur la porcelaine, il effaçait
tant les magots placés sur les consoles et donnait tant de vie
aux magots peints sur la robe de la femme ou sur les volets
de son éventail, il éloignait tant d'elle sa robe en une queue
indéfinie qui semblait posée dans la longueur de la chambre
comme un tapis à fleurs, et rapprochait tant d'elle les tentures
et les draperies des sofas qui peintes de figures comme sa robe
semblaient la prolonger et tenir à son corps, il mettait en face
d'elle des paravents où des femmes aussi grandes qu'elles se
détachaient plus nettement et envoyaient dans les glaces un plus
vif reflet, et lui faisait tenir dans la maison un objet pareil à
ceux qui étaient peints sur la laque du mur et les faisaient paraître
des objets en relief aussi que[1] le tout semblait une même
mosaïque de figures et de fleurs japonaises où dans la similitude
éclatante et variée d'une matière où le relief était imité par la
couleur et la vie par l'expression et les dimensions, l'œil charmé
et perdu ne savait pas distinguer les fleurs vivantes des fleurs
en soie, et la femme en chair des femmes en porcelaine.
Seulement ses Japonaises ne pouvaient pas arriver à avoir l'air
tout à fait japonaises. Et si leur regard avait quelque chose
d'enfantin ce n'était pas d'une puérilité orientale, mais de cette
innocence, de cette inexpression antique qu'avait la femme qu'il
peignait toujours et sur les écrans peints un oiseau s'envolait
qui avait l'air comme dans ses tableaux du déguisement d'un
Dieu[a]. Mais cet engouement ne dura pas et obéissant de plus

en plus à l'inspiration qui le poussait à être de plus en plus vrai il finit par sacrifier toutes ses plus chères idolâtries, il ne peignit plus que des paysages et des portraits, tels qu'il les avait sous les yeux, sans scène mythologique, sans œuvre d'art ou de curiosité ajoutée[1]. C'est alors, qu'il se passionna pour la mer et qu'après avoir habité la côte sud de l'Angleterre et un moment l'Amérique[2] il vint se fixer dans la baie de Querqueville et commença à exécuter les nouvelles œuvres d'art dont je devais quelques jours après voir tant d'exemples soit dans de très franches esquisses, soit dans des tableaux finis, soit dans des gravures ou photographies de tableaux qui n'étaient plus là. *Alors les grands seigneurs amabilité[3]. Puis je vais chez lui je trouve les esquisses qui sont contre le mur. Et alors[a].* Ce qui rattachait peut-être cette nouvelle peinture à l'ancienne[4] et permettait peut-être de suivre le progrès interne et vivant du génie auquel il obéissait, c'est que l'illusion qui dans ses toiles japonaises faisait douter < si > ce qui était représenté n'était pas qu'un énorme bibelot sur lequel la femme vivante eût été peinte en porcelaine aussi bien que les femmes peintes sur les vases et les tapis, cette même illusion présidait en quelque sorte à toutes les marines que je regardai ce jour-là tandis qu'il travaillait détournant parfois la tête sans lâcher son pinceau pour voir le tableau que j'examinais, ou pour répondre en connaissance de cause à une question que je lui posais sur l'endroit où cela avait été fait. Ou plutôt ce n'était pas une illusion, mais à force de sincérité la restitution de notre vision sincère avant que le raisonnement ne l'ait déformé. Nous voyons un point éblouissant à l'horizon, nous ne savons pas trop si c'est dans le ciel ou dans la mer, si c'est un nuage ou un rocher ou simplement un reflet blanc du soleil. Puis nous comparons, nous calculons, le point bouge, c'est une voile. Peut-être d'ailleurs en est-il ainsi de toutes les sensations et bien plus encore de celles qui ne sont pas de la vue. Les sensations sont moins nombreuses que les objets, elles leur sont antérieures, elles ne leur sont pas liées. Quand nous entendons un bruit produit par une voiture, ce bruit n'est pas particulier à la voiture, il l'ignore, il est le même que le bruit du vent, et nous ne savons pas lequel c'est, ou plutôt car c'est le même, nous ne savons à quoi nous devons rattacher cette matière sonore indéterminée jusqu'à ce que remarquant s'il progresse régulièrement, s'il approche ou s'il se produit par saccades nous pouvons conclure sa nature. Ainsi faisons-nous pour la sensation du blanc au loin sur la mer, dont nous ne savons pas d'abord si elle est rocher ou bateau, ou reflet du soleil. Nous comparons, nous calculons, le point bouge, se déplace régulièrement, c'est une voile. Elstir ne comparait pas, ne calculait pas, ne revenait pas corriger son impression par le mouvement qui lui avait appris que ce ne pouvait être un rocher. Il rendait son impression première. On comprenait sur son tableau que c'était un bateau mais on sentait s'ébaucher en lui les natures mêlées du rocher, du nuage ou du reflet. Vous voyez un fleuve qui est légèrement échancré sur sa gauche comme par un golfe. Le golfe est fermé par de hautes collines qui semblent rondes et pleines, et tout près de vous il y a une petite plaque d'argent fondu qui après semble un lac. Mais vous savez que la colline vous cache toute une rivière qui serpente là où vous croyez qu'il n'y a qu'une colline pleine, vous savez que la petite plaque d'argent qui vous semble un lac fermé est en réalité la seule partie que vous pouvez voir du cours de cette rivière tantôt caché par ses détours et les collines, et que l'échancrure du grand fleuve ou ce golfe, est la fin du cours de la petite rivière là où elle se jette dans le fleuve. Mais X ne s'occupait pas de cela ; il peignait l'échancrure, puis des collines rondes, puis une petite plaque d'argent. Mais il peignait dans l'échancrure, dans le plein des collines, dans la petite plaque d'argent, cette virtualité de rivière, cette idée en puissance de son cœur, cet élan compris dans chaque partie de sa forme qui nous avait permis avec nos connaissances (dont il ne tient pas compte) de les reconstituer de même que quand il peignait le rocher — nuage — reflet, il y peignait la virtualité de bateau qui nous avait permis d'affirmer que c'était un bateau. Et comme c'est en effet ce qui s'est passé en vous quand vous voyez un bateau au loin ou une embouchure dans un pays accidenté, une impression que vous avez épousée et refoulée, on s'écriait devant la vérité de sa peinture précisément à cause de l'illusion représentée. Grands sables au bout desquels la mer plus haute et cylindrique semble un grand tronc blanc sur lequel à l'horizon sont fichées obliquement de petites planchettes blanches prêtes à tomber qui sont les bateaux, bateaux au matin transfigurés par la lumière qui les illumine obliquement et qui semblent posés sur l'eau comme sur un miroir réfléchissant et solide que la rame va casser, petite baie de sable où les marins qui pêchent un jour de tempête n'ont de l'eau que jusqu'aux genoux mais sont entourés de mille diadèmes concentriques d'écume, bâtiments soulevés au fond de la mer sur l'éminence d'une vague où ils ont l'air d'être bâtis en effet, comme ces églises de Vézelay ou de Laon que le Déluge en se retirant semble avoir laissées sur une colline ; voile au soleil contre une côte qui semble une lame de calcaire dont le reflet perpendiculaire dresse une colonne blanche dans l'eau ; estuaires dont l'eau bleuâtre comme du lait qui caille où les bateaux semblent pris comme des mouches tant ils avancent lentement dans l'étendue infinie et contre l'invisible courant, par endroits frappée d'un reflet d'après-midi semble tellement détachée du reste de l'eau et < qui > font tellement

corps avec les terres basses, semées d'étangs où les bœufs ont
les pieds dans l'eau et sans ligne de frontière avec le fleuve car
sur la rive on a traîné des bateaux à sec, et dans l'eau des hommes
poussent derrière et tirent devant entraînant des bateaux[d], qu'on
unit ensemble cette moitié de la rivière et ces terres, soit que
ce soit la rivière qui tire l'eau à elle et la fasse eau, soit que ce
soit la terre qui fasse champ cette eau, si bien qu'on voit l'estuaire
soit deux fois moins large soit deux fois plus qu'il n'est, où le
soir un chaland tout plat, étroit, mou, traîne au ras de l'eau comme
un vieux manteau tandis que sur la rive dont le brouillard, pareil
à une inondation fait comme une extension du flanc, une fille
de pêcheur au visage antique, au regard enfantin, toujours la
femme qu'il peignait, dessine si avant dans l'eau son svelte profil,
sa voile repliée tenue comme un caducée, qu'on se demande si
ce n'est pas quelque créature mythologique qui flotte dans l'eau[b] ;
barques légèrement posées sur leur reflet plus solide et plus
prolongé qu'elles de sorte qu'elles n'ont l'air que de la moitié
d'un double cylindre dont la partie principale est dans l'eau ;
écume qui fait fourmiller l'eau de ses milliers de bras et d'ailes
blanches agiles, au milieu desquelles se détachent, plus inertes,
comme les ailes d'une graine de platane ou d'un accent
circonflexe, des mouettes ; rochers sur le haut desquels l'écume
furieuse n'atteint pas mais qu'elle descend en deux filets séparés
d'une façon si constante, en suivant une coupe si oblique, si
paresseuse, si sinueuse qu'on dirait deux racines accrochées au
flanc du rocher et jouant paresseusement sans intention d'arriver
jusqu'en bas ; vaisseaux[c] qui semblaient tenus en suspens du
sommet par le nœud suprême de leur cordage, clef de voûte de
l'appareil de leur gréement[d] qui dessinait dans le ciel comme un
bateau plus haut, plus vaste et plus élégant que l'autre dont un
cordage qui rejoignait obliquement le beaupré avec la grève en
partance d'un signe était la proue[e] et au milieu desquels à inégale
distance des trois mâts solennellement plantés comme trois croix,
les plus complexes voilures n'apparaissent que comme quelques
lambeaux de toiles restées prises çà et là dans quelques parties
du vaste et fin réseau noir[f] quelquefois les tenant enroulées autour
de leurs mâts et de leur beaupré qui semblaient d'ivoire ; parfois
si loin à l'horizon où l'on ne voit que leur mâture compliquée
de flammes et de voiles qui semble inscrire un blason dans le
ciel, ou les cloches et les tours de la côte lointaine ; bateaux
partant gaiement pour la pêche sur une mer douce en apparence
parfois avec un flot noir qui ajoute à leur voile noir comme un
signe de deuil, mais dont on sentait autour des quilles les reins
difficiles comme d'une monture vivante prête à désarçonner son
cavalier, bateau[g] pêcheur si bas qu'on ne voit pas son port dans
la mer plus[b] haute qui le domine de toutes parts et que sa haute

voile solitaire, gémissante et penchée semble plantée dans la mer stérile comme un pâle feuillage, églises, château fort des quais d'une ville entre lesquels des bateaux passent et qui semblent élever au ras de la mer leurs clochers fondus dans le ciel, leurs dômes d'albâtre blanchis par le soleil, cité mystique des eaux plus friable et fragile que toute cette ville flottante de bateaux qui rentrent et ne forment qu'un pont couvert de matelots d'une estacade à l'autre ; ainsi les choses comme dans la vision même n'étaient pas enfermées dans la notion que l'intelligence a d'elles mais plusieurs différentes unies ensemble par la perspective, une seule divisée en deux par un reflet qui les sépare, l'une imitant l'essence de l'autre, l'eau devenant terre ferme en plein ciel. En ce moment il s'intéressait beaucoup aux lignes des vagues et des sables dont il avait dans son atelier plusieurs études[a], parfois c'était une seule vague creusant sa grotte irisée, en venant aplatir et exprimer furieusement sur le sable son écume rose ou[b] irisée ; parfois toute une ligne ininterrompue d'une vague naissante dans toute la sinuosité de la baie, dressant dans la mer des lignes de fuite aussi immobiles, aussi hautes, des[c] formes parfois aussi animales, que les lignes des rochers.

Ses[d] peintures étaient donc des sortes de métaphores qui montraient une chose avec des qualités dont le plaisir qu'elles faisaient appartenait plutôt au plaisir que donne une autre chose, mais de ces métaphores qui expriment l'essence de l'impression qu'une chose produit, essence qui reste impénétrable pour nous tant que le génie ne nous l'a pas dévoilée. À ce point de vue on peut dire que les ouvrages des grands artistes littérateurs ou peintres contiennent une partie des connaissances les plus précieuses pour nous, que nous ne paierions pas assez des plus grands trésors. Quand on pense que telle phrase de Maeterlinck nous a découvert pour toujours le secret de charme qu'il y a pour les yeux dans la fleur appelée soleil ou dans les cadrans solaires[1], il semble qu'il serait plus juste de payer quelques centaines de francs le droit de lire ces deux ou trois pages d'un prix infini pour nous, que de payer XX centaines de francs la possession du manuscrit de ce livre qui ne nous donne rien de plus. Et quand on pense que la vue de certains tableaux de Chardin nous apprend ce qu'il y avait de réel et de beau dans une humble salle à manger[e], a fait de nos jours les plus simples des lieux les plus habituels et les plus pauvres, un séjour délicieux habité par l'esprit, il semble qu'il serait beaucoup plus juste de payer des centaines de mille francs un tel bien que la possession de ce Chardin qui ne nous livrera pas plus de secrets parce qu'au lieu de le voir au Louvre nous l'avons chez nous. Car du jour où nous l'avons vu au Louvre et où nous avons dégagé sa signification en[a] vertu de cette fécondité incalculable des œuvres d'art, elle essaime chez nous, et innombrables sont les Chardin que nous présente tous les jours notre modeste salle à manger où nous ne nous lassons pas de voir un commencement de rayon de soleil faire passer par des tons intermédiaires entre le terne et le brillant les plis de la nappe et le relief du couteau qui l'épouse. Ainsi grâce à Chardin et cela devrait se payer beaucoup plus cher que la possession d'un seul Chardin si les choses inestimables ne se donnaient pas pour rien tandis que leur simulacre grossier se paie très cher puisque grâce à lui le plus modeste[b] logis donne d'inépuisables joies et que le pauvre peut trouver dans sa pauvreté autant de joie que dans la richesse. Beaucoup plus même et jusqu'à ne plus en pouvoir trouver dans la richesse, et c'est presque l'écueil de ce pouvoir des géniales œuvres d'art à nous introduire dans les parties de la réalité qu'elles éclairent jusqu'au fond en les transcrivant, de nous les faire aimer exclusivement jusqu'à ne pouvoir nous plaire à ce qui en est trop différent. Quand on est trop sous l'influence de *La Raie* de Chardin[1] qui nous montre que les plus simples lois du relief et de la consistance suffisent à rendre inestimablement précieux les plus modestes objets, ou du *Bon Samaritain* <de> Rembrandt[2] qui fait consister tout le prix de la matière dans un éclairage qui rend divine la corde du puits et l'ombre de la porte, la vue des *Noces de Cana*[3] ou de certains Gustave Moreau n'est pas inutile pour nous montrer que si les choses les plus communes sont aussi belles que les plus opulentes, les plus opulentes ne sont pourtant pas exceptées de la beauté et ont leur beauté aussi. Ainsi, si la première partie de l'œuvre d'Elstir eût fait trouver nus et communs de purs paysages sans signification humaine, ces paysages que je voyais d'Elstir m'initiaient à une vie mystérieuse de la nature, vie qui n'avait rien d'humain, ni de comparable à l'humanité et où l'humanité m'eût choqué comme *[interrompu]*

Esquisse LVII

[MA FOI EN ELSTIR]

[Ce fragment est extrait du Cahier 28.]

Mettre ceci à un endroit quelconque pour Elstir. Important.

Pour Elstir comme pour Bergotte je sentais que les choses venaient plus près de son œil, lui montraient mieux ce qu'elles avaient de particulier et de charmant. J'avais en ce regard une foi si grande, que toutes les choses que j'avais aimées sans voir assez clair dans mon amour pour savoir pourquoi, dont la beauté passait trop loin de mes yeux confus, j'aurais voulu pouvoir les lui montrer, les lui nommer. J'aurais voulu lui dire : « Voyez comme j'aime les aubépines, voyez de quel transport je suis saisi devant elles, mais cette beauté qui m'enchante, en quoi consiste-t-elle ? » C'est avec une image, avec une comparaison qui eût fait saillir ce qu'elles ont de particulier que Bergotte me l'eût montré mais ce que disait Elstir des choses n'apprenait rien de plus sur elles, il ne faisait que définir une beauté qu'il ne montrait pas, c'était ses toiles qui la faisaient voir. Or moi pour qui la vérité était esthétique en ce sens que la beauté des choses, c'était ce vrai dessin d'elles que nos pensées confuses n'apercevaient pas, des artistes étaient pour moi détenteurs de plus de vérité qu'un directeur de conscience pour un croyant. Je n'étais en possession que des choses qu'il me nommait. J'aurais voulu pouvoir amener Elstir devant une branche d'aubépine, de pommier pour avoir comme la vérité du pommier, de l'aubépine, et ensuite d'une autre chose, et d'une autre encore, tant que les forces d'Elstir pourraient me conduire à la conquête du monde.

Esquisse LVIII

[JE TROUVE ELSTIR « SUBLIME »]

[Ce fragment est extrait du Cahier 28.]

Lui qui ne répondait jamais à une lettre m'écrivait deux fois de suite à Querqueville — les lettres mettaient deux jours pour parcourir les quatre kilomètres qu'il y a de Querqueville à Blainville — pour me dire de ne pas oublier de venir déjeuner. Comme le train arrivait de bonne heure il me laissait rester près de lui pendant qu'il travaillait jusqu'au déjeuner. Quand l'heure du déjeuner était venue dans la délicieuse maison qu'il habitait en pleine campagne sur les hauteurs et dominant Blainville assis au bord de la baie, avec la rive rapprochée d'en face, maison

que malheureusement quelques offres qu'il eût faites la propriétaire reprenait cette année, nous faisions un déjeuner admirable
avec des poissons que lui-même avait été commander la veille à
Blainville entendant dire que je les aimais. Après le déjeuner on
< se > retrouvait dans l'atelier dont il baissait les stores à cause de
la chaleur, bondissant si on entendait une sonnette de peur d'un
visiteur si on entendait une voiture s'arrêter. Ses esquisses tournées
contre le mur renvoyaient le jour. Au moment de partir quand
l'heure du train s'avançait je le voyais à ma stupéfaction quitter son
travail, prendre son béret et malgré mes protestations me conduire
à la gare. J'étais confus et sa vieille femme semblait étonnée, et
j'aurais voulu retenir ses pas, comme si ç'avait été un malade qui
reste toujours étendu et qu'on voit pour bien recevoir un visiteur
se lever, faire atteler, demander sa canne et son chapeau rangés
depuis des mois. Je voulais repousser ce corps auguste qui prenait
pour moi ces fatigues vulgaires, et en poussant son coude de ma
main pour le faire rentrer, je sentais toute l'affection, tout le respect
que m'inspirait ce corps dans lequel il y avait tant de pensée, tant
de bonté pour moi, comme dans ce déjeuner en mangeant ces
délicieux poissons commandés par lui, dans l'atelier où s'élabo-
raient tant de belles visions, je sentais en rompant le pain, en
goûtant cette*a* chair des poissons, quelque chose de sanctifié.
Pendant que nous attendions le train dans la petite gare, une de
celles dont le nom, Blainville, avait sonné rougeâtre et mystérieux
dans le trajet du train avec ma grand-mère en venant quand le soleil
baissait dans le vent et que la flamme du petit casino claquait et que
les arbres de la gare étaient déjà sombres*b*, avant de le quitter je
lui disais le désir que j'avais de visiter un château où il y avait
disait-on de belles tapisseries. Alors que tous les oisifs insignifiants
à qui j'avais proposé d'y aller n'avaient soi-disant pas trouvé le
temps de m'y accompagner, lui qui le connaissait déjà fixait un jour
où il quitterait son travail pour m'y mener. Enfin le train arrivait,
je montais dans le wagon, il n'y avait que deux minutes d'arrêt, et
profitant de ce que le train partait il me mettait de force dans la main
un paquet enveloppé qu'il avait sous le bras ; c'était l'esquisse que
j'avais déclarée la chose que j'aimais le mieux, et qu'il était ainsi,
et dont il était plus heureux de penser qu'elle resterait sous des yeux
qui l'aimaient que vendue très cher à des Américains. Je n'avais pas
le temps de protester car le train s'éloignait dominant la mer dorée
de cinq heures du soir sur laquelle s'avançaient les dents de verdure
des falaises prochaines sur lesquelles nous passerions tout à l'heure.
Bouville, Fléreau-le-sec, Mainville, Apollonville ; les souvenirs de
ma journée, ma reconnaissance pour l'amabilité du peintre bour-
donnaient en moi comme un vin enivrant, je ne pouvais pas tenir
en place, je courais aux quatre coins du wagon, je ne pouvais

m'empêcher de parler tout seul, je disais : « Il est sublime, sublime, et c'est vraiment les seuls amis qu'on puisse avoir, ceux dont on est compris, ce sont les plus belles heures de la vie », mais je sentais que toutes ces paroles exprimaient seulement le plaisir d'un état analogue à l'ivresse, c'est-à-dire provoqué en moi par quelque chose qui ne venait pas de moi, l'amabilité d'un grand homme ; que comme dans l'ivresse je ne valais plus, que c'étaient au fond des journées stériles, de paresse, où je ne pensais pas, où couché paresseusement dans l'atelier je restais à écouter des choses qui peut-être m'eussent fait penser si je les avais lues étant seul, mais je ne savais pas penser en causant. Seuls les tableaux que j'avais vus avaient mis ce mouvement en moi, ce travail intérieur parce qu'eux étaient muets, que ce n'était pas mon oreille mais ma pensée qui les percevait, que ce n'était pas ma voix mais mon imagination qui lui répondait. Alors j'essayais de me les rappeler, mais dans l'exaltation où j'étais je ne pouvais fixer ma pensée. C'est le propre de tous les excitants où le plaisir n'est pas créé par le hasard de notre pensée, où nous avons laissé entrer en nous une émotion factice ou une volupté artificielle, que nous sommes gouvernés et neutres et que de tels états n'aspirent qu'à continuer. Nous trouverions plus raisonnable d'utiliser cette exaltation pour penser. Mais nous trouvons un moindre effort de continuer à courir dans le wagon, à dire à haute voix des choses insignifiantes, ou à dessiner avec la main des mots sans signification en l'air. Ivresse inféconde qui revêt mille formes dont l'ivresse du vin est la plus grossière et qu'on retrouve sous une forme même plus agréable, ralentie, mais aussi stérile dans le style presque aussi mécanique de l'écrivain qui ne cherche pas à créer son langage comme sa pensée personnelle mais dont les mots arrivent aussi différents de cette pensée que « c'est sublime » de Montargis *(car ce serait mieux mis pour lui)* choisis seulement en vertu d'une sorte de plaisir organique, maladif qu'ils causent aux commissures de nos lèvres et à notre physionomie de docteur *(Sainte-Beuve)*. Il faut peut-être une certaine finesse pour le dénoncer dans les livres mais à table on connaît bien les gens qui à un certain accent, à une certaine gesticulation montrent la pauvre hystérie dont ils sont les jouets quand on croit que c'est *eux* qui émettent une opinion à la manière dont ils disent : « C'est très grave », « à mon sens » etc.[a] Je continuais à me répéter : « Il est sublime, sublime. » Puis ma fièvre tombait un peu et je repensais à tout ce que j'avais lu sur lui, car je m'étais fait envoyer les brochures le concernant, pour donner toute leur place dans son œuvre aux tableaux que j'avais vus.

Suit le morceau plus haut sur sa vie artistique[1].

Esquisse LIX
À METTRE POUR ELSTIR
(OU POUR BERGOTTE)

[Ce fragment est extrait du Cahier 28.]

Son œuvre avait pour moi une existence individuelle si forte, que je pensais qu'elle avait à elle, comme un royaume indépendant, ses qualités, ses degrés plus ou moins élevés, ses points de comparaison, son tragique, sa poésie qui n'étaient qu'à elle. Ses frontières me paraissaient infranchissables, sa matière sans seconde. Ainsi quand je disais que tel tableau était beau, l'idée de sa beauté était, inconsciemment, tellement soutenue par l'idée que même ses mauvaises pages étaient tellement au-dessus des plus belles des autres, que si quelqu'un y eût égalé une toile de Monet, cela m'eût paru comme au temps où nous sommes captifs dans le royaume féerique de Wagner et que nous en subissons les enchantements si quelqu'un par ordre de mérite d'opéras entre *Tristan* et *Le Crépuscule des Dieux* intercalait l'*Henri VIII* de Saint-Saëns ou le *Faust* de Gounod[1].

Esquisse LX
[TABLEAUX D'ELSTIR
— LE PORTRAIT DE MISS SACRIPANT]

[Ce fragment est extrait du Cahier 28.]

Quand je dis qu'un tableau d'Elstir était une sorte de métaphore qui se poursuit, je vais peut-être un peu trop loin car quelquefois la métaphore n'était pas exprimée, on n'aurait pas su dire avec quoi était la comparaison. Mais c'était une métaphore latente en ce sens que toutes les parties du tableau exprimaient chacune avec leur langage différent la même chose. C'était comme l'expression à l'orchestre confiée à des instruments différents mais concertants d'une même phrase. Or d'une part cette expression était absolument personnelle à Elstir et donnait à ses tableaux cette ressemblance qu'ils tiraient de leur commune filiation avec son idéal intérieur, le premier mouvement que l'admiration, l'espèce d'amour que me donnait sa peinture c'était le désir de voir encore d'autres tableaux de lui qui me donnassent ce même plaisir. Je l'interrogeais sur les endroits où il s'en trouvait et quand il me disait que tel collectionneur de Rouen avait de lui un champ de pensées ou de Tours un lever de soleil sur la mer, j'aurais[a] voulu partir avec une recommandation de lui pour aller voir ces tableaux dans la maison provinciale que j'imaginais comme une sorte d'*[un blanc[b]]* où le collectionneur comme un astrologue lisait les secrets de la nature et de la destinée dans ces miroirs polis et qui réfléchissent tant de choses qu'on appelle des tableaux. Il ne les lisait peut-être que là n'allant peut-être jamais regarder un lever de soleil sur la mer mais j'imaginais avec sympathie la supériorité intellectuelle d'un Rouennais qui emploie vingt cinq mille francs à l'achat d'un lever de soleil d'Elstir, et le provincialisme lui y ajoutait une saveur, par la pensée de l'agréable voyage pour aller le voir, par la pensée aussi de ce qu'est une maison à Rouen, où peut se trouver un chef-d'œuvre aussi raffiné, qui semblait y habiter plus réellement parce qu'il n'y était pas provisoirement, au milieu de mille autres, dans ce vaste hôtel des ventes qu'est Paris, mais fixé dans une résidence provinciale longuement choisie. En ce moment on m'eût offert de me montrer tous[c] les Raphaël du monde que je les eusse laissés pour aller voir un Elstir nouveau. Mais si d'une part tous les tableaux d'Elstir avaient cette expression particulière, cette couleur qui lui était spéciale et qui par la différence de ses rouges avec les rouges des autres, de ses bleus avec les bleus des autres, peut nous donner l'idée de ce qu'il y a de singulier, d'unique dans l'univers visuel que chacun porte devant lui et qui fait que tel peintre hollandais du XVIIe siècle, ignorant, sans doute irréfléchi et naïf, nous a laissé dans quelques années le mot secret, l'énigme inconnue de lui-même ou ce qu'il y avait de caché au fond de son œil et de sa pensée et qui ne lui fit jamais voir un seul objet comme nous le voyons et nous enchante encore aujourd'hui de cette couleur que lui seul a jamais montrée[d], parce qu'ils étaient faits avec ce qu'il avait de plus profond en lui-même, dégagé de toute imitation, de tout ce qui n'était pas émané de lui, d'autre part, ce qu'il s'appliquait ainsi lui-même à rendre était quelque chose de réel, c'était ce qui dans la nature ou dans la vie lui donnait un plaisir profond, lui paraissait receler quelque chose et que le respect même avec lequel il le traduisait prouvait qu'il le jugeait en quelque sorte supérieur à sa propre interprétation et contenait en soi au moins autant que ce qu'il était capable d'en tirer, lui n'était plus ou moins content de son ouvrage que s'il était à force de travail arrivé à rendre plus ou moins ce qu'il y avait vu[a]. De sorte que si en tant qu'ils étaient personnels ils me donnaient l'envie de voir d'autres œuvres de lui, comme ils étaient aussi en quelque sorte la mise au-dehors, la mise en lumière, de ce qui se cache en un moment et en un lieu de la nature, ils me donnaient l'envie d'aller voir ce lieu, cette heure dont ils me parlaient avec cette chaleur. Je notais les endroits où les esquisses avaient été faites, je me promettais d'y aller. Comme un Elstir me paraissait en ce moment quelque chose d'une essence différente de toute peinture et pour laquelle j'eusse donné tous les Raphaël du monde, telle baie, telle église, telles matinées de brumes comme il y en a à l'automne sur la rivière de Brinville m'apparaissaient comme des lieux différents de tout le reste de la nature où m'était signalé que se trouvaient des trésors cachés de beauté, des gisements d'art que je saurais bien extraire moi-même, du moment qu'on m'avait mis en état de désir et de respect. Et c'est en effet tellement là l'utilité inestimable de l'art qu'il semble que ce soit par un véritable renversement des valeurs (ou simplement parce que ce qui est inestimable ne coûte rien et qu'on n'achète que des choses insignifiantes) qu'on ne dépense rien pour aller voir un Chardin qui nous apprendra etc. et qu'on paiera cinquante mille francs.

Une œuvre d'art si elle est comprise n'est pas limitée à elle-même, elle en produit immédiatement d'autres, et un Chardin fait de notre salle à manger tous les jours d'innombrables Chardin. Cet amour qu'elle nous donne de la nature garde seulement de son origine, l'amour pour un peintre, quelque chose d'un peu exclusif, l'amour exclusif pour la partie de la réalité qu'a touchée ce peintre. Il risquerait *(voir plus haut)*. Mais si un peintre tandis que nous l'aimons nous empêche d'en aimer d'autres, pourtant en nous rendant capables d'amour et aussi parce que l'objet qu'ils traduisent et l'amour qu'ils inspirent est le même il prépare à en aimer d'autres. Un jour il aura achevé par le plaisir même qu'il nous a donné d'éveiller en nous plus de désirs de beauté qu'il n'en peut assouvir, et nous aura lui-même appris à le trahir. Nous en aimerons un autre[b]. Un autre jour nous nous éprendrons d'un autre peintre qui nous dévoilera une autre partie de la réalité et d'amours exclusifs en amours exclusifs nous arriverons à une connaissance de l'art et à une connaissance de la nature, auxquelles on ne peut pas arriver par un goût éclectique et large. La portion de réalité que me montrait Elstir était restreinte si l'on veut mais comme elle était grande encore ! Ce que chaque tableau disait, la même en toutes ses parties, c'était ce qui faisait la beauté d'une heure, d'une saison, d'un coin de terre particulier et combien en fin de compte m'étaient révélés. Cette lumière des beaux jours qu'il aimait tant, il l'avait vue

< en > hiver (chose rare sous ce climat) sur la glace, puis sur la terre encore nue, puis au printemps, puis au plus fort de l'été. Il y avait un dégel[1], une inondation de la rivière à Viraville qui s'était transformée en un lac, lac qui me faisait penser à ce jour où le soleil brillait sur la glace quand j'étais allé aux Champs-Élysées sans oser espérer que j'y trouverais Mlle Swann, c'était le même contraste entre la beauté du jour et la scène hivernale transfigurée par le soleil qu'elle rendait plus éblouissante encore. Le tableau avec cette unité absolue où chaque chose disait en son langage une même impression et souvent se muait en une autre faisait éclater uniquement cette impression. Les morceaux de glace entraînés, reflétant le ciel si pur, étaient comme des éclats d'azur et ils échangeaient avec le soleil de tels feux que par endroits l'œil ébloui par une parcelle miroitante ne savait plus si c'était un reflet de soleil, ou un morceau de glace, tandis que les arbres élevaient au-dessus de la glace leurs quelques feuilles roses sans qu'on sût si c'était une dernière tache de l'automne ou peut-être une clairière dans une forêt où la glace avait pris. Et déjà le désir de ces lieux renaissait en moi et j'étais décidé à demander à ma grand-mère de m'envoyer l'hiver ici quand nous saurions que la rivière était prise. Puis dans une autre esquisse, c'était mars, par un premier beau jour encore froid, la rivière toute bleue courant pure entre ses rives herbues où restaient encore des flocons de neige[a]. Comme l'eau pleine de soleil, le ciel pur que crevait au loin sur une colline un petit village rose et rouge comme une bourriche de trèfles et de coquelicots disait que c'était un premier beau jour. Et le disait aussi une yole de quelque châtelain enflée de bise *[un mot illisible]* voile toute neuve crémeuse de soleil, une voile enchantée qui emmenait sur la rivière le *[un mot illisible]* des premiers promeneurs qui se hasardaient pour la première fois sur la foi du beau temps. « Tenez, celle-ci est faite près de Querqueville, sur la falaise, à un endroit qu'on appelle dans le pays les Kréniers[2] », me dit-il au moment où je prenais une esquisse faite elle au contraire en pleine belle saison par un jour brûlant. La mer semblait avoir été bue par le soleil altéré et n'avoir laissé qu'une sorte de vapeur bleuâtre qui ne se distinguait pas du ciel. Çà et là l'aile blanche d'un bateau pâmé sur elle semblait volatilisée aussi. Seule réelle à côté de lui, son ombre bleue, profonde, fraîche l'accompagnait. Et de même la falaise qui comme une belle ruine dentelée semblait tombée en poussière rose, dissoute, émiettée par le soleil, à ses pieds, tapi à son ombre son reflet bleu et profond disait à sa manière la luminosité extraordinaire du jour. Ainsi d'autres jours demi-nuageux où le ciel et l'eau étaient innombrablement marbrés de bleu cru et de blanc, ou des soirs brumeux

et blancs où l'œil cherchait enfin la frontière du brouillard, de l'eau, du ciel, des arbres, et de leurs reflets blancs. Tandis que je me promettais déjà d'aller le lendemain aux Créniers, une esquisse assez différente du reste me frappa. La manière en avait quelque chose de si délié et presque de si féminin qu'à côté tous les tableaux d'Elstir, même les plus délicats, même la mer pâmée de chaleur, paraissaient singulièrement mâles, forts, entièrement exprimés. C'était un grand peintre de ses amis, me dit-il. Le goût que je ressentais pour la peinture d'Elstir m'éloignait un peu de cette manière différente mais en même temps m'incitait à une avidité de beauté plus grande que son talent n'était capable de l'assouvir et m'apprenant à aimer la peinture me donnait déjà des armes pour la trahir, pour la délaisser pour d'autres une fois que la partie de l'univers qu'il révélait m'aurait été à son tour révélée et qu'il n'aurait plus rien à m'apprendre. Ce tableau de son ami n'était pas comme les tableaux d'Elstir un « effet » du temps ou de la lumière, répété par toutes les parties de la toile. Au contraire ce qu'il exprimait n'était contenu dans aucune des parties de la toile mais dans le tout seulement. Le premier plan assez étendu représentait un pays de plaine planté de pommiers. Ensuite c'était un vallon mais qu'on sentait déjà très loin car le village assez important répandu, village du haut, village du bas au-dessous et dans le creux du vallon n'occupait qu'une toute petite partie de ce pays. C'était un village qui avait l'air étranger du village qu'on dépasse dans une grande promenade comme quand nous faisions dans nos promenades autour de Combray, mais qu'on ne connaît pas, où les habitants ne nous connaissent pas, où l'église n'est pas située comme chez soi sur la place, mais seule, en haut de la colline entourée du cimetière. Derrière le village commençait une forêt comme on l'apercevait en passant puis à gauche on sentait que c'était un tout nouveau pays ; ce n'étaient plus des pommiers en plaine, mais le long d'une rivière torrentueuse qui descendait avec force cascades des peupliers qui n'étaient pas là par hasard mais comme l'indication d'un chemin différent, d'une nouvelle vie, d'autres industries, de tout un autre « côté » comme nous disions du côté de Guermantes ; arbres gracieux qui nous seraient bienveillants comme à tous les passants, être les étrangers, mais sans se laisser distraire un instant de répondre en bruissant à la brise qui les visite et de se pencher sur l'eau qui fuit, inconnue pour nous gens de la plaine, en écluses et en chutes. Ce n'était pas tel effet de lumière qui était ici représenté comme dans les tableaux d'Elstir, ni même le portrait d'un lieu comme il faisait souvent, mais plutôt le portrait d'un changement de contrée, de tout ce qui finit d'aspect de la nature, de genre de vie, et tout ce qui commence de nouveau déjà,

d'étranger dans l'horizon qu'on franchit dans une promenade
d'après-midi. La toile était petite mais le paysage était très vaste
et sa signification, sa beauté était étendue ; incorporée au paysage
tout entier, une seule partie n'en eût donné qu'un membre sans
signification[a].

C'était une impression que j'avais si souvent éprouvée dans
nos promenades du côté de Méséglise et du côté de Guermantes
que je sentis tout à coup combien un peintre comme Elstir, à
défaut de son ami, pouvait me dire relativement à Combray de
ces vérités comme son art en trouvait si profondément, en
exprimait si clairement et entre lesquelles les vérités de ce pays-là
me seraient plus précieuses que toutes parce qu'elles m'avaient
sollicité, tourmenté moi-même dans mes moments d'ivresse
devant tel champ de Combray, telle partie du cours de la Vivonne,
devant les pierres tombales de l'église ou le clocher, mais où je
n'avais su qu'imparfaitement déceler la cause de mon plaisir. Mais
hélas il ne connaissait pas ce pays, n'avait jamais été par là. Et
surtout ce qu'il y aurait d'inestimable pour moi à voir apparaître
clairement dans une œuvre d'art la réalité profonde qui excitait
en moi de si longues et si impuissantes rêveries dans les champs
de Combray ou sur la place de l'église, je pensais combien il est
bizarre que quand l'usage[b] paraît si naturel de donner vingt cinq
mille francs à un grand peintre pour qu'il fasse notre portrait,
ne soit pas répandu plutôt l'usage de commander à un grand
peintre le portrait d'un pays, d'une fleur, d'un monument qu'on
aime, non pas pour en posséder et en garder superstitieusement
le portrait, mais pour le regarder une heure, et apprendre dans
cette contemplation le mot de l'énigme de beauté qui nous
tourmentait. Que j'eusse aimé commander à Elstir un portrait
du clocher de Combray, des nymphéas de la Vivonne, de la rue
du Saint-Esprit. Ainsi après que des phrases de Maeterlinck
m'avaient élucidé la beauté des soleils, des jardins, des roses
trémières, des cadrans solaires[1], j'aurais voulu lui « commander » une phrase sur les aubépines, une phrase sur les pommiers,
une phrase sur les boutons d'or, secret plus précieux pour moi
et que j'eusse payé plus cher qu'un érudit tel manuscrit qui lui
livre la clef d'une vérité purement seconde et qui ne tient en
rien à la réalité. « L'effet que vous avez peint du haut de la falaise,
dis-je à Elstir en revenant à cette esquisse, je l'avais vu sans en
sentir la beauté. La mer me semblait trop morte, trop évanouie,
je ne la sentais < pas > . Quel plaisir grâce à vous je vais avoir
à me promener dans tout ce pays. Vous n'aurez pas l'idée que
ce soit un pays malsain pour un esprit déjà enclin à rêver, j'ai
un ami qui disait cela. — Je suis curieux de savoir qui est-ce qui
vous disait cette bêtise. — C'est un ami de mes parents, un

M. Legrandin. — Legrandin, je le connais, s'écria-t-il. J'ai fait deux portraits dans la famille de sa sœur qui habite près d'ici et qui venait m'assommer avec ses théories sur la peinture. Mais encore c'est une pauvre femme assez gentille. Tandis que ce Legrandin c'est un raseur qui s'écoute parler ! Je ne vous dis pas que la Bretagne, pas celle-ci qui est encore à demi-normande[1], ne soit pas un pays de rêve. C'est Brocéliande. Mais quand un esprit est enclin à rêver, il ne faut pas lui retirer le rêve, ce qu'il faut au contraire c'est le lui donner tout entier jusqu'à ce qu'il puisse le comprendre. Tant qu'on détournera votre esprit de ses rêves, vous les connaîtrez mal, vous serez le jouet de mille apparences, vous croirez que votre rêve est réalisable par la possession physique, par l'action, vous serez impuissant et malheureux. Il n'y a qu'un remède à penser, c'est penser davantage. Alors un jour on comprend quelle est l'essence du rêve et qu'il aspire à être compris, exprimé, non joui ni agi. Et quand la séparation du rêve et de la vie est accomplie — et il y a grande beauté pour certains qu'elle le soit dès la première jeunesse —, le rêve n'est pas dangereux. » Cependant j'avais retourné une jolie aquarelle, c'était[a] un petit portrait de petite actrice ou de grande cocotte comme il y en avait à la fin de l'Empire, un petit feutre d'homme mais bordé d'un rang de pensées et de cheveux assez courts, de beaux yeux dilatés et mélancoliques, une maigreur qui accusait la grosseur de la bouche et la saillie des joues, une petite veste presque d'homme, une jupe toute simple comme aujourd'hui une femme de chambre ne s'en contenterait plus[b], bordée du même rang de pensées qu'il y avait en bas du feutre. La chair était traitée avec tant de délicatesse, le regard brun était si limpide, les pensées étaient si veloutées que toute la femme semblait faite avec de l'eau et des fleurs[c]. « Quelle délicieuse chose », lui dis-je. Mais il parut mécontent que je l'aie retourné, j'avais déjà aperçu miss[d] Sacripant 1873[e2]. « Oh ! c'est une pochade de jeunesse, dit-il, ce n'est rien, c'était un costume dans une revue. Tout cela est très loin. — Et qu'est-elle devenue miss[f] Sacripant ? » Il me regarda d'un air étonné puis dit rapidement : « Mais je ne sais pas, ne vous occupez pas de cette esquisse, cela n'a aucun intérêt. Tenez, retournez-la, j'entends Mme Elstir qui arrive et bien que cette jeune personne n'ait joué, je vous assure, aucun rôle dans ma vie, que je ne l'aie connue que l'espace d'un portrait, il est inutile que ma femme l'ait sous les yeux. J'ai gardé cela seulement comme un document amusant des modes de cette époque[3]. »

Esquisse LXI
[MODERNITÉ D'ELSTIR]

[Ce fragment est extrait du Cahier 34.]

Dans[a] une aquarelle de lui au bord de la mer pâlie, vaporisée par le soleil, et où les ailes blanches de quelques bateaux semblaient engourdies de chaleur comme des papillons pâmés, j'avais vu en contraste les ombres d'un bleu intense, d'un vert glissant et verni, qui s'étaient mises à l'abri et au frais, au pied de la falaise gigantesque, rose, friable et dentelée comme les arc-boutants d'une cathédrale, et j'avais espéré avec impatience la prochaine journée brillante[b] où je pourrais aller guetter dans l'eau, entre les rochers, ces déesses cachées qui[c] évoquaient la luminosité et la chaleur d'un temps radieux — mieux peut-être que ne le faisait l'horizon. Et[d] cela de deux façons différentes. Dans de petites étendues, le charme qu'il faisait ressentir comme étant caractéristique d'une ville de province française, c'était celui qui est fait de la juxtaposition de scènes pittoresques de la vie populaire familièrement dominées, au-dessus du marché au poisson, du magasin de bonneterie ou du grand café par deux vieilles tours de la vieille église comme l'image d'une aïeule authentique qui n'était pas mise là pour orner mais qui faisait vraiment partie de l'histoire et du passé de la ville. Mais dans ses tableaux c'était davantage. Là le pied d'égalité où étaient les monuments anciens et les bâtisses modernes, faisait que non seulement deux toiles de lui se valaient dont l'une représentait une cathédrale et l'autre une banque[e] *[12 lignes biffées illisibles],* sa contemplation, placée comme au cœur du rayon rose du soir, enserrait dans un même amour l'église chef-d'œuvre d'architecture et la banque médiocre bâtisse, mais fondues toutes deux dans une seule lumière. On lui reprochait dans ces toiles-là où il se rapprochait un peu des impressionnistes, de ne faire que des « effets » et de se contenter d'un art matériel, sans se rendre compte au contraire qu'aucun art n'était aussi purement spirituel. C'est parce qu'Elstir arrivait à repenser entièrement tout son tableau, à y faire entrer une pareille réalité non sentie et[f] matériellement transcrite, que son tableau avait cette même unité profonde qu'ont nos impressions, et que les objets les plus différents pour l'érudit ou l'homme pratique, y semblaient des accidents homogènes produits par un même regard. Et cette unité correspondait à celle de la nature ; car tous ces monuments qui

chez de très grands continuent à rester isolés, à être une
description manifestaient tous de la même manière la loi
d'optique < qui > était perceptible à ce moment-là. Et il était
beau de voir comment lui qui savait tant de choses oubliait tout
ce qu'il savait d'elles pour ne les peindre que comme elles lui
apparaissaient à ce moment premier, le seul vrai, où notre
intelligence n'étant pas encore intervenue pour nous expliquer
ce que sont les choses, nous ne substituons pas à l'impression
qu'elles nous ont donnée l'idée qu'elles nous ont donnée, où
devant une impression de bleu aérien comme en donne si
souvent la mer, ou de bleu compact ou liquide comme en donne
si souvent le ciel, nous n'avons pas encore reconnu notre erreur
en nous disant : c'est forcément la mer, ou forcément le
ciel.

Esquisse LXII

[MON DÉSIR DE VOIR
D'AUTRES ELSTIR]

[Ce fragment est extrait du Cahier 34.]

À Balbec ces tableaux d'Elstir avaient surtout été pour moi
des clefs m'ouvrant de nouveaux domaines de beauté que je ne
connaissais pas. Ils rendaient semblables à eux des choses
naturelles auxquelles je n'avais jamais fait attention et par
là-même me permettaient de les aimer. En me montrant une petite
étude qu'il venait de terminer et qui représentait une huître
entrouverte en son bénitier calcaire doublé d'émail, sur les beaux
plis d'une nappe damassée, à côté d'un couteau brillant des reflets
d'un jour terne, il avait fait plus que s'il m'eût donné ce
chef-d'œuvre car il m'en avait donné mille, ceux que me
présenterait chaque jour cette chose que jusque-là j'avais regardée
avec ennui, une table desservie. De beaucoup de ces endroits
dont j'avais entendu la première fois les noms quand avec ma
grand-mère j'étais arrivé à Cricquebec par le petit chemin de fer
d'intérêt local, Apollonville, Bainville, Tourgeville (et que j'avais
réentendus en reprenant le même petit chemin de fer pour
revenir de chez lui à l'hôtel, dans une telle exaltation d'ailleurs

stérile[a] de joie, en le quittant, que je ne pouvais rester assis sur
la banquette et courais d'une portière à l'autre) en me montrant
une étude, ou en me disant un mot il m'avait désigné le charme
auquel parfois il ajoutait le charme plus général de la saison ou
de l'heure qu'il renouvelait pour moi. C'est ainsi que jadis aux
Champs-Élysées, capable d'aimer la neige unie et pure, j'avais
été déçu ce jour où j'avais tant cru que Gilberte ne viendrait
pas[1], de voir la Seine déjà à demi libre, avec la glace attaquée
partout par les pics des terrassiers ; mais un effet de dégel à
Apollonville montré par Elstir et où l'absence de frontière de
la glace cassée en mille morceaux au milieu de laquelle s'élevaient
des arbres presque entièrement défeuillés empêchait de savoir
si on voyait le lit d'un fleuve ou une clairière dans les bois, m'avait
appris la beauté qu'il y a dans cette immense équivoque de reflets
où l'œil ébloui ne sait plus s'il voit briller un morceau de glace
azurée, ou un reflet du soleil sur l'eau, où les feuilles mortes
mêlées à la neige ou la rousseur des cimes des arbres met dans
le ciel et dans son miroir glacé des lueurs roses comme un coucher
de soleil qui dure du matin au soir. Aussi si j'avais été riche,
ce que j'aurais souhaité ce n'eût pas été d'acheter des tableaux
d'Elstir mais de pouvoir lui en commander représentant tous les
lieux de la terre, tous les moments du jour dont seul je ne savais
pas découvrir la beauté. Sur toutes les fleurs, sur tous les
monuments dont je n'avais pas su saisir la beauté j'aurais voulu
— autant que lire sur eux une page de Bergotte — voir une étude
d'Elstir. Mais depuis que j'avais quitté Balbec ces tableaux que
j'avais regardés pour la signification générale qu'ils contenaient,
maintenaient leur souvenir, le souvenir de leur originalité, de
leur séduction particulière, ne cessant d'occuper ma pensée ; et
le désir qu'il développait en moi ce n'était plus tant de voir des
lieux[2], que de retrouver ce que je me rappelais, que d'avoir de
nouveau cette sensation si spéciale que donnait sa peinture, de
rejoindre ce que je me rappelais à des œuvres qui me la
donneraient. Aussi ce désir était-il particulier, exclusif. Autant
que quand j'avais le désir de Florence, celui de Balbec se trouvait
rejeté au loin, de même mon désir des œuvres d'Elstir était
comme une sorte d'amour qui m'empêchait de ressentir le désir
d'autres œuvres d'autres peintres, même les plus grands, car je
savais encore qu'ils étaient grands, mais le seul art dont j'avais
la sensation immédiate en mon âme (la seule qui créât le Désir)
et qui ne laissait pas de place pour d'autres c'était celle[b] d'Elstir.
Le désir que me donnait le souvenir d'Elstir c'était de voir non
plus tant les lieux qu'il avait peints, que de nouveaux tableaux
de lui, que de la peinture de lui, cette chose dont le caractère
si particulier m'avait été voilé d'abord par la destination générale

à laquelle je l'avais fait servir[d]. Ce désir était si exclusif qu'aller voir les tableaux des autres peintres ne m'eût pas tenté. Il me semblait que ses plus mauvaises pages à lui étaient tout de même quelque chose d'autre que leurs plus grands chefs-d'œuvre. Son œuvre était comme un royaume clos, les frontières m'en paraissaient infranchissables, la matière sans seconde[1].

Esquisse LXIII

[ELSTIR ME PRÉSENTE
À LA BRUNE ESPAGNOLE]

[Fragment du Cahier 12. La brune Espagnole, ailleurs appelée Maria, joue dans les Esquisses un rôle très semblable à celui qu'occupera Albertine dans la version définitive.]

Enfin matinée chez le peintre.

Ce fut un grand plaisir pour moi que d'aller à cette matinée, je pensais que je me retrouverais auprès de la[b] brune Espagnole et non pas comme un mendiant inconnu suivant ses pas, mais dans un atelier[c] où le fait de me trouver me sélectionnerait déjà sur la foule de Querqueville, dans un endroit fermé, où il y aurait peu de monde, où l'on serait calme, assis, forcé d'être vu d'elle, remarqué, désigné, certainement vanté par cet artiste qui m'aimait, présenté peut-être. Dès la veille au soir je n'étais plus que comme une chrysalide qui n'existe plus que pour devenir un papillon. Tout ce qui n'est pas sa métamorphose n'existe plus pour elle. Je n'étais plus qu'un corps prêt à me transformer en l'invité, en l'hôte du peintre. J'avais presque peur que l'excès de mon plaisir me brisât. Je me sentais assez bonne mine, ces maudits yeux trop pensifs assez rentrés dans le rang et inexpressifs, et me sentant assez bien, assez beau, j'étais gêné sur mon oreiller de cette figure inutilement jolie que j'eusse voulu de peur qu'elle se fatiguât ou s'abîmât ne trouver toute prête que pour l'heure où elle me servirait. J'étais beau en ce moment, et cela ne me servait à rien et elle ne le saurait pas. Ma grand-mère connaissait Mme de Villeparisis et elle ne le savait pas. J'arrivai. J'avais peur qu'un accident n'arrivât jusque là, qu'en route ma voiture ne se brisât. Et quand je sentis tout réalisé, ma mine restée bonne, ma belle fleur à ma boutonnière, quand en entrant je vis qu'elle voyait le peintre s'empresser autour de moi, me présenter à différentes personnes, sans doute je fus heureux, mais il semble qu'une minute qui passe ne puisse conserver tout l'effort qu'on a fait pour la préparer, et qu'on regrette d'avoir dépensé en ce qui semble alors en pure perte toutes ces réalisations heureuses qu'on a amenées si difficilement, et dont on eût voulu faire un emploi plus durable, meilleur. La voiture ne s'était pas brisée, j'avais gardé une bonne mine, l'Espagnole voyait que je n'étais pas une personnalité insignifiante, mais je sentais qu'une autre fois la voiture se briserait peut-être, que je n'aurais pas toujours bonne mine, qu'on ne serait pas toujours empressé à me mettre en scène et il me semblait qu'il eût mieux valu garder toutes ces circonstances heureuses en réserve, pour une occasion meilleure, pour quelque chose qui en valût la peine. Car ce moment même où j'étais entré, et où la jeune fille avait vu mon beau costume salué par le vivat du peintre, immédiatement ce qu'elle était pour moi jusque-là avait cessé d'exister, la jeune fille qui ne pouvait me remarquer, qui ne pouvait tourner les yeux sur moi qu'en éclatant de rire, au fond des yeux de qui je ne me reflétais pas, qui ne pourrait me sélectionner de la foule, n'existait plus ; elle venait d'être détruite immédiatement par cette autre toute différente qui me voyait, pour qui j'étais quelqu'un d'assez fêté. Les yeux espagnols parce que je croyais que j'étais au fond d'eux étaient tout autres, et je vis que sa figure de face était non pas endiablée mais admirablement régulière. Maintenant c'était celle-là qui existait pour moi et je ne songeais pas même un instant que celle que j'avais devant moi était celle dont j'aurais tant voulu attirer le regard les huit derniers jours. C'était entièrement[a] une autre mais qui me paraissait bien plus belle encore. Le peintre me présenta à diverses personnes. On parlait d'art, je disais des choses qui plaisaient, je ressentais une légère ivresse, j'éprouvais beaucoup de plaisir, la vue du soleil sur la mer par la baie vitrée où la toile baissée claquait au vent, le plaisir de connaître toutes ces personnes, le goût délicieux des gâteaux, le plaisir d'être admiré par l'Espagnole, le plaisir de sentir qu'un vieux monsieur me trouvait de l'esprit, le plaisir de voir admirer ma cravate par une jeune dame, le plaisir d'être présenté à M. de Quimperlé. J'étais au milieu de tous ces plaisirs comme quelqu'un qui court sur une échelle, pas libre de mettre le pied ailleurs que sur l'échelon qui lui était proposé. La liberté de ma pensée n'existait pas d'aller se reporter sur un autre plaisir. Je mangeais un éclair, le vieux monsieur riait de ce que je disais, l'Espagnole passait devant nous pour s'en aller, la jeune dame en jaune[b] me remplissait d'enthousiasme par l'air d'amabilité qu'elle avait pour moi et qui me faisait lui vouer un culte enthousiaste non moins qu'au peintre si gentil pour moi. À ce moment le peintre se

rappelant ce que je lui avais dit de la brune Espagnole au moment
où elle passait me présenta, elle fit à peine un signe de tête et
je compris qu'elle ne faisait aucun cas de moi, j'aurais pu lui dire
quelques mots, mais je tenais à finir mon éclair, la dame en jaune
me parlait et l'optimisme que cela me donnait me faisait me
tourner de son côté sans m'occuper de l'Espagnole. Le peintre
me dit : « Comment, vous désiriez lui être présenté et vous ne
lui dites pas un mot, elle s'en va », mais à ce moment le vieux
monsieur disait quelque chose à quoi je pouvais répondre quelque
chose qui me permît de placer une phrase originale que je m'étais
faite pour mon plaisir personnel sur Chardin, je ne répondis pas
au peintre et plaçai ma phrase, la dame en jaune rit et me fit
promettre d'aller la voir, ma joie tournait à l'attendrissement,
je rentrai chez moi ne pouvant m'empêcher de sauter en pensant
à tous les plaisirs de cette journée, me rappelant les jolies phrases
que j'avais dites, le goût des éclairs, la beauté de Mlle de *[un
blanc]*, la gentillesse de la dame en jaune, le soleil sur la mer
sous la véranda de toile, la bonté du peintre, trouvant que le
monde était plein de bonnes gens, ne rêvant pas autre chose
qu'une vie où je les verrais toujours, me lierais de plus en plus
avec eux, aurais les moyens de varier mes cravates, rêvais chaque
soir au plaisir d'une journée aussi délicieuse et ce ne fut qu'une
fois dans ma chambre que tout à coup je vis devant moi avec
une joie immense, avec la sensation de mon amour revenant
brusquement : « Je la connais, l'Espagnole à qui on m'a présenté,
c'était elle, ce but de ma vie depuis quinze jours, pour la
réalisation de qui j'avais engagé une fortune, il est atteint, elle
me connaît. » Ce premier jalon posé, à qui[a] n'arriverais-je pas
avec elle ! Mais au moment même cela n'avait été qu'un des mille
échelons de corde sur lesquels j'avais posé le pied sans m'y arrêter
une seconde tout préoccupé de mettre le pied sur le suivant.

Chacun de nous se rend bien compte de ce qui se passe dans
ce moment de la présentation à une personne qui nous fait rêver,
car il dit à ses amis : « J'ai connu hier Mlle X, on nous a
présentés » en riant, pour diminuer d'un sourire l'importance
du phénomène, mais surtout bien la gravité de ce qui s'est passé
au moment où quand on a appelé sur nous l'attention de la jeune
fille, on lui a dit notre nom ; ce qui a pris la place de l'inconnu
que < nous > cherchions à scruter dans sa pensée, ce qu'il y a
à ce moment dans ses yeux c'est, comme elle est obligée de nous
regarder, de nous sourire, notre image, cette idée de notre moi
dont justement l'absence en elle nous était si mystérieuse et si
douloureuse, et où il vient de s'installer.

Et pourtant au moment même, si je ne m'étais pas dit : « Je
la connais », l'indifférence même que j'avais éprouvée prouvait
que je ressentais la gravité de cette chose, notre présentation à

un être dont nous rêvions, et qui est plus que cette subite diminution de prix d'un but du moment même où il est atteint, et où nous tombons en quelque sorte à terre par suite d'un abaissement brusque de la passion qui nous soulevait. Je ne m'étais pas dit : « Je la connais », mais j'avais bien senti ce phénomène qui se produit quand nous sommes présentés à un être dont nous rêvions. Et le lendemain en disant au conseiller : « J'ai connu hier Mlle *[un blanc]*, on nous a présentés », si je souriais comme pour diminuer de mon sourire l'importance de l'événement et comme me féliciter ironiquement de ce bonheur qui me semblait facile maintenant qu'il était atteint, je savais bien l'étrange sensation qu'on éprouve au moment *[interrompu].* *Voir la page précédente, où les yeux pleins d'inconnu. Cette phrase terminée après il vient de s'installer ou plutôt de se loger reprendre ici.* Mais j'avais compris par son salut, par la difficulté que le peintre me dit qu'il y aurait à la revoir que j'étais si peu de chose pour elle, qu'en somme j'étais bien peu avancé, que, si elle était devenue une nouvelle personne, une personne de face, à visage régulier, à robe montante, sévère et beau, la fillette de profil, à nez irrégulier, à visage rieur, à jupe de cycliste était oubliée, il n'y avait pas continuité entre elles, elle n'existait plus *— il vaudrait peut-être mieux mettre cela pour une autre fois puisque tout à l'heure je vais interpréter les traits de cette fillette à traits irréguliers, or si elle n'existe plus[1].*

Esquisse LXIV
[JE NE RECONNAIS PAS ALBERTINE]

[Dans cette esquisse du Cahier 33, nettement postérieure à la précédente, Albertine a pris la place de la brune Espagnole dans la scène de présentation chez le peintre.]

Mettre très important dans la scène où je fais sa connaissance.

Au premier instant je ne la reconnus pas et crus que ce n'était pas elle qui était là. Même si une femme ne changeait pas selon les jours, comme c'était le cas pour Albertine, nous la trouverions forcément toute « changée » car ce que nous avons vu d'elle le dernier jour auquel nous nous reportons c'est un certain aspect, d'une certaine coloration où la plus infime touche de couleur peut faire passer du magnolia ou du camélia au bouton d'or, du bouton d'or au géranium, du géranium à la grenade et au cinéraire, aspect que nous retenons, sur lequel nous construisons une certaine entité, dans des dimensions que nous confrontons à la grandeur relative où elle nous est apparue, au milieu d'autres femmes, assise ou debout, nu-tête ou en chapeau, penchée ou droite. Et tout d'un coup, sans transition avec l'image que nous cherchons à revoir, au lieu d'une grande femme debout et en chapeau nous trouvons une petite femme nu-tête, au lieu d'un teint camélia, un teint auquel un peu de blond donne le charme du bouton d'or, et s'il s'y mêle du rouge du géranium, peut-être même du cinéraire ou du *(fleur qu'on portait en boutonnière)*.

Esquisse LXV

[LA BRUNE ESPAGNOLE
DANS LA VOITURE
DE MME DE CHEMISEY]

[Cette scène du Cahier 12 qui, aux yeux du héros, confère du prestige à la jeune fille qu'il désire (à propos de Mme de Chemisey, voir l'Esquisse XXXVIII), ne se retrouvera pas dans la version définitive.]

À quelques jours de là je revenais avec ma grand-mère de la plage, bien sale, bien désireux de ne pas être vu. Heureusement les personnes que nous rencontrâmes furent les amis du magistrat encore plus mal mis que nous et nous rentrions de conserve quand on entendit un vrombissement et nous nous garâmes, l'amie du magistrat avait dit : « Voilà la voiture de la comtesse. » Elle regardait la voiture avec un air de curiosité qui me gênait ajoutant à l'aspect de notre médiocrité un air d'envie de ces grandeurs, quand j'aperçus avec un coup au cœur à côté de la vieille Mme de Chemisey qui semblait fort occupée de lui faire mille grâces la belle Espagnole, plus belle que jamais ; l'impression inouïe par laquelle elle s'annonçait à moi, le fait de sentir qu'*elle* était là, que l'air, le milieu de la rue, la journée prenait subitement une valeur inouïe, répondait en leur donnant une réalisation matérielle à mes constantes pensées, la mettait elle, elle mon rêve dans les choses, dans le temps réel, cela me causait une volupté si profonde que j'en oubliais l'humiliation d'être vu ainsi ; d'ailleurs elle m'avait à peine vu, elle ne m'avait même pas remarqué chez le peintre, elle ne pouvait me reconnaître ; au même moment je vis sa figure secouer et verser de ses yeux et de sa bouche l'averse fleurie et bleue[a] d'un sourire qui fit choir jusqu'à moi les mille gouttelettes embaumées de sa lumière. Je me demandais à qui cela pouvait s'adresser et je me serais bien gardé de paraître remarquer quelque chose quand la voiture ralentissant au tournant, comme elle passait devant moi elle leva sa main gantée et l'agita en signe d'amitié : « Cela va bien depuis l'autre jour, chez XXX, et encore à bientôt » ; et en me découvrant stupéfait, confus, enivré, exalté, je vis que Mme de Chemisey voyant l'amabilité de son amie saluait aussi dodelinant sa tête mitrée sur sa poitrine épiscopale et poursuivant sa tournée pastorale inclinait aussi sa main ornée de l'anneau qui tenait la crosse de son ombrelle sans lâcher son sac et son petit chien en signe d'alliance et de bénédiction.

Esquisse LXVI

ALBERTINE LA PREMIÈRE ANNÉE
OÙ JE LA CONNAIS AVEC LES FILLES

[Ce fragment est extrait du Cahier 33.]

Je < la > vis souvent cette première année mais nous n'étions pas très intimes. Elle n'avait eu pour moi d'autre intérêt que de me faire connaître ses amies qui elles-mêmes ne m'intéressaient guère une fois que je les connus. J'appris qu'Albertine était pauvre parce qu'elle avait été recueillie par une tante qui habitait cette petite villa tout au bord de la plage à un endroit si distant où tout est déjà moins cher et un peu populaire. Mais elle ne se plaisait guère chez sa tante et d'autre part elle était assez à charge à celle-ci qui avait peu de moyens de fortune. Je n'aurais pas su dire si Albertine était intelligente ou non et j'avais plutôt l'impression qu'elle ne l'était pas. Dans sa grosse figure rose, les petits yeux plus malicieux qu'intelligents ne décelaient guère de pensée. *Mettre peut-être ici ce qui est dans le cahier rouge[1] sur son bongarçonnisme pour ses amies. Promenades que nous faisons toutes ensemble en montant la côte. Roses de Pennsylvanie[2]. « Allumer une cigarette. »* Quand je les quittai je n'en regrettai aucune, moins qu'aucune Albertine parce que c'était la seule avec laquelle je savais qu'il n'y avait rien à faire pour moi et qu'elle n'ouvrait devant moi aucun espoir[3].

Esquisse LXVII
[MARIA ET ANDRÉE]

[Fragment du Cahier 12. Aussitôt après avoir été désirée, une jeune fille n'est désirable que parce qu'elle peut servir d'intermédiaire auprès d'une autre ; dans ce circuit du désir, Maria occupe une fonction proche de l'Albertine du roman.]

Quelques jours après j'étais avec le peintre, nous la rencontrâmes sur la plage, elle était justement seule, venait de descendre de bicyclette et était dans le costume où je l'avais vue la première fois[a], et il lui proposa de venir lui montrer quelque chose qu'il avait fait, puis nous fîmes un assez long tour ensemble. Alors comme si nous pouvions pénétrer l'âme, si elles en ont, et le langage de ces jolies bêtes que nous avons vues dans les jardins zoologiques, de telle sorte que dans une sorte de traduction nous apprenions tout d'un coup ce que cela voulait dire quand elles dardaient les prunelles, ou quand elles avaient tel frémissement, ou faisaient tel bruit parce qu'ils seraient alors accompagnés de paroles que nous comprendrions, de même, pendant cette promenade, une à une les expressions de son visage sur lesquelles j'avais tant rêvé, ce regard dur que j'avais trouvé impitoyable, ce regard brillant que j'avais trouvé sensuel sans scrupules, ce déhanchement que j'avais trouvé vicieux, elle les eut de nouveau, mais les paroles qu'elle disait en même temps leur fournissaient leur commentaire, et y mettait un sens absolument différent ou changeant jusqu'à l'aspect, tant dans l'aspect qui ne semble qu'extérieur la signification de l'aspect est comprise. Ce que j'avais cru impitoyable dans le regard était simplement un regard brillant et vivant, l'ardeur de son âge devant les plaisirs les plus innocents du monde ; et ce déhanchement aussi un trop plein des forces de sa jeunesse, avec une coquetterie pour cacher une légère inégalité des deux jambes. Et quant à ce costume trop excentriquement cycliste, c'était je le sentais bien simplement l'affectation d'une fille de bourgeois riches de province qui veut singer des modes « anglaises ». Et de même ces mots d'argot que je réentendais, mais ils n'avaient plus la même sonorité car ils ne se répercutaient plus sur l'inconnu diabolique de sa vie qu'ils m'avaient fait imaginer, mais avaient tout près d'eux, sous eux, leur enlevant tout retentissement, la petite affectation d'une jeune bourgeoise peu sûre d'elle-même. Telle non seulement ayant perdu tout son mystère, mais même diamétralement opposée à ce que j'imaginais d'elle, bonne,

franche, honnête, vraiment vertueuse, elle m'apparut. Je sentis
que sa vie qui n'avait plus rien d'inconnu puisque je n'y étais
plus inconnu *(mettre ailleurs une fois le regard jeté par une
femme inconnue qui nous entrouvre l'inconnu et nous fait désirer
d'y pénétrer peut-être au bal pour Pierrette)*, que je la sentais
traversée par l'idée qu'elle pourrait se faire de moi, peuplée de
notions de moi, peut-être de pensées de me revoir, était aussi
une vie opposée à ce < lle > que j'avais cru, vertueuse, avec un
idéal de beauté, de loyauté et une naïve ardeur de jeux qui
n'étaient sans doute par la fatigue et la distraction qu'un frein
de plus contre la sensualité. Maintenant je comprenais que quand
elle regardait de cet œil brillant ses amies, ses amis, cela voulait
dire : « Oh ! allons au large, ce sera si chic de lutter contre le
vent » et que quand elle se pousssait contre eux c'était incapacité
de se tenir tranquille et aussi désir de dissimuler sa légère
claudication. Désormais rien ne m'intéressait moins que ses amis,
que ce qu'elle faisait^a après m'avoir quitté ; je la sentais honnête,
impossédable, je n'avais plus aucune curiosité d'elle, rien de sa
vie *(ne pas oublier plus tard qu'elles sont vraiment jolies de
près, qu'il n'y a pas bluff, et non plus ne pas oublier les mots
qu'on échange et qui sont sans mystère)* que je sentais fort
médiocre et sans intérêt, de ses amis fort communs, ne me
semblait plus avoir la moindre importance. Elle ne me parut plus
intéressante que pour me faire faire la connaissance des autres
jeunes filles qui elles me restaient mystérieuses et d'Andrée
surtout à qui j'avais transféré la curiosité que j'avais d'elle et qui
heureusement ne me serait pas difficile à connaître car c'était celle
avec qui elle se promenait le plus souvent, sa grande amie m'avait
dit le peintre. Malheureusement, soit que les regards que je lui
avais jetés quand je les avais crues légères les eussent mises en
défiance à mon endroit, soit antipathie naturelle, soit mauvaise
éducation il n'y eut pas moyen de les connaître quand elle était
avec elles, elle me disait seulement bonjour de loin ou détournait
la tête ; et si elles arrivaient pendant que j'étais là, ou elle me
quittait, ou elle leur disait bonjour sans s'arrêter. Je lui disais
furtivement : « Mais vos amies vont se plaindre. — Oh ! elles
n'ont pas besoin de moi. » Enfin un jour je lui demandai de me
présenter à Andrée. Elle le fit mais soit rancune de mes regards,
soit antipathie, soit mauvaise éducation inhérente à cette caste
— et pourtant Andrée n'était pas tout à fait du monde tenant
aux Chemisey — Andrée répondit à peine à mon salut et s'en
alla. Je ne pus m'empêcher de le lui faire remarquer le
lendemain^b. « Votre amie n'a pas l'air de m'aimer, elle n'a pas
été très polie. » Mais assez naïvement elle me répondit : « Oh !
il ne faut pas faire attention à elle, vous êtes trop bon d'y attacher

de l'importance, c'est une fantasque, une distraite », ne se rendant pas compte qu'en ayant l'air de chercher à me rendre indifférente sa froideur elle en reconnaissait par là la réalité. Et j'étais étonné que la connaissant autant elle n'ait pas mieux préparé les choses en ma faveur. Quelques jours après je revins avec ma grand-mère qui devait partir quelques jours après, me laissant seul ensuite car mon grand-père n'était pas bien portant *(scène de la voiture[1])*. Mais sans doute avait-elle agi ainsi simplement par ce plaisir qu'ont les gens dans une situation momentanément brillante à nous montrer qu'elle n'est rien pour eux, qu'ils sont tout aussi aimables, et surtout qu'ils se feront adorer, paraîtront merveilleux en étant aimables dans cette circonstance, car les jours suivants avec ses amies et Maria, elle fut de nouveau froide, plus peut-être, car son sourire avait déchaîné en moi une amabilité qui sans doute l'agaça. Cependant un jour où elle était seule avec Maria, sans doute Maria lui avait dit quelque chose, elle vint, se fit représenter : « Je crois que j'ai eu le plaisir de vous voir déjà » et nous causâmes un peu. Hélas, comme une ville que nous ne connaissons que par l'imagination, que nous construisons en mettant un rêve derrière chacune de ses syllabes, quand elle ne peut plus nous offrir que des pierres pareilles à toutes les pierres qui tombent sous nos yeux n'a plus aucun rapport avec le Bayeux imaginé et groupe caillouteusement autour de sa place, avec à peine une corniche ancienne que nous ne pouvons séparer des maisons modernes, les clochers de brume et de corail que nous édifions *(Saint-Pol-de-Léon)* juste au-dessus d'une mer blanchissante de février, de même dès qu'une femme rêvée nous dit des mots c'est-à-dire des choses pleines de pensées communes à elles et à nous, à elle, et à l'univers connu, elle se remplit pour nous des notions rationnelles, universelles, qui font fuir l'inconnu mystérieux. Ce mot qu'elle a dit, nous l'avons entendu par combien d'autres. Nous voyons qu'elle est faite du limon humain général. Lui parler n'est-ce pas déjà faire appel à elle par des mots qu'elle est censée comprendre, à ce fond humain que par là je suppose en elle, et sa réponse ne confirme-t-elle pas l'identité en nous de ce fond humain ? Cette similitude de langage avec tout ce qu'il comporte d'identité intellectuelle et morale et qui aux êtres les plus différents fait un grand fond commun comme pour les paysages les plus différents la plus grande partie est faite de ciel, d'air, d'arbres *(mettre cela sans doute, du moins cette dernière comparaison, à propos des nobles)*. Et pour Andrée ces rapports humains qui s'établissaient entre nous deux par les mots et les sentiments traditionnels et anciens comme l'usage du feu, me la découvraient d'autant moins mystérieuse que je la découvrais une

intellectuelle même fort intelligente, cette amazone sans âme !
Cette sportive frénétique *(ceci irait peut-être mieux à une autre
car son air triste ne va pas bien avec cette première impression
de santé)* me dit : « Oui, je fais beaucoup de sport pour soigner
ma neurasthénie » et cette fille qui me paraissait l'âme des champs
me dit : « Non j'y vais peu en ce moment parce que c'est le
moment de ma fièvre des foins. » Nous causâmes longtemps ;
comme si de moi aussi rien ne se révélait avant la conversation,
il semblait que je fusse un autre être pour elle et Maria me dit :
« Ah ! vous avez fait la conquête d'Andrée, elle ne jure que par
vous. » La tristesse de son œil bleu, petits éclats triangulaires
à pointes de brillante pierre bleue qu'étaient ses yeux entre ses
cils noirs[a] disparaissait quand elle parlait, l'expression de sa figure
était toute humaine sans vie mystérieuse. Mais quand je l'avais
quittée, je m'échauffais sur l'intelligence qu'elle avait montrée
et mélangeant cela avec l'œil bleu triste et le peu que je
connaissais de sa vie, je me rééchauffais comme quand, ayant
trouvé Bayeux si différent de son nom, mais avec un vieux balcon
entre des maisons modernes, <je> me rappelais le charme que
Prout[1] et Ruskin trouvent à ce mélange du moderne et de
l'ancien, vie sociale du passé qui survit comme à Abbeville[2] et
je désirais la revoir pour approfondir ce qu'il y avait en elle, ne
pensant plus à une inconnue aux tristes yeux durs, mais à une
amie gaie dont je voulais réentendre quelques mots intelligents
et voir briller d'amitié l'œil bleu. Si Maria me répétait volontiers
le bien qu'Andrée disait de moi, jamais Andrée ne me dit si Maria
avait de l'amitié pour moi ce qui me fit penser qu'elle me désirait.
Elle en revanche ne me disait pas que Maria m'aimait et ne
cherchait pas à me rapprocher des autres. Un jour que nous
marchions et causions, la grande lycéenne s'approcha, vint[b] lui
parler en s'excusant comme si elle leur avait donné pour consigne
de ne pas venir quand j'étais là, ce qui me flatta. *Suivre
maintenant à la page B (dernière ligne de la page) du cahier
rouge pareil à celui-ci[3]. C'est l'histoire de la lycéenne.*

Esquisse LXVIII

[LES INTERMITTENCES
DE MON DÉSIR POUR MARIA]

*[Dans ces ébauches du Cahier 29, c'est avec celui de Solange, prénom disparu
dans la version définitive, qu'est mis en balance le désir pour Maria. Sont évoqués
ici au moins deux séjours au bord de la mer.]*

Hélène n'aimait pas me présenter à ses amies, elle fut pourtant obligée sur ma demande de me présenter à la blonde à l'air sportif et véhément. À la minute même où celle-ci m'adressa la parole et par ce fait logea hospitalièrement mon image au fond de l'œil brillant de dureté, et donna le sens d'un enjouement juvénile au sourire orgueilleux et diabolique[a], une expression d'amabilité, de bonté, une expression de qualités déjà connues, humaines, vint donner une personnalité humaine au visage et au corps où j'avais logé une amazone. Et ce fut un être légendaire de plus que j'avais tué. C'était une de ces filles qui, on ne sait pourquoi, dans tous les milieux où elles passent, plaisent, sont recherchées, excitent l'amour. Aussi, de même qu'une femme élégante qui ne peut aller à tous les dîners où on l'invite ne parle jamais de ses invitations, n'ayant pas à faire valoir son élégance qui n'est que trop réelle et la surmène même un peu, ne nous en parle pas, et si simple que vous soyez tâche d'être aussi aimable qu'elle peut, c'est comme si elle n'avait pas d'autre chose à faire qu'à rester avec vous, et au besoin vous laisse croire qu'en vous quittant elle va se coucher, quand elle va tâcher d'aller dire bonsoir avant la fin de sa soirée à la princesse de X qu'elle a laissée pour vous, de même ces filles ayant en quelque sorte plus d'invitations à se laisser aimer qu'elles n'ont non seulement de désir d'aimer mais même de temps de libre, ne disent jamais qu'elles plaisent, ne tâcheront jamais de vous faire savoir quelque chose de flatteur qu'on a dit sur leur compte. Elles ont la discrétion, la politesse des parfaites élégantes de l'amour. Et comme la femme élégante vous laissait ignorer que ce soir où vous la voyez elle avait cinq soirées, de même Maria quand je lui parlais de tel ou tel de ses petits camarades ne me disait pas que celui-ci était amoureux d'elle, que celui-là l'attendrait chez lui en pleurant, qu'un autre avait voulu mourir pour elle. Elle avait la parfaite amabilité de sa grâce, comme si on était le premier qui dût y être sensible. Mais dès qu'elle voyait qu'on s'enflammait trop, on sentait une[b] petite contraction ennuyée, d'un air de dire : « Encore un bal[b], vraiment je ne peux tout de même pas être partout à la fois », et elle devenait froide. Elle me plaisait extrêmement mais je vis tout de suite à sa manière de préférer à me voir des parties de plaisir insignifiantes qu'elle ne tenait pas à moi. Le temps était passé où je m'imaginais qu'une raison mystérieuse m'expliquerait pourquoi Gilberte Swann faisait semblant d'aimer mieux aller au bal costumé que de me voir et où j'attendais toujours l'aveu d'un amour qu'elle ne me témoignait pas[1]. Je ne me disais même pas, quand elle me disait qu'elle m'aimait, et que cependant je la voyais me lâcher pour aller danser : « Elle m'aime avec ses défauts, avec les défauts de son caractère et de son âge » comme Swann se le disait de

Mme XXX, car je savais maintenant que c'est la consolation que
ceux qui ne sont pas aimés vont chercher dans cet arsenal de
l'expérience de la vie où on trouve tout en effet et des vérités
qui deviennent des erreurs si on veut les appliquer contre
l'intuition que nous avons des caractères, comme la lecture des
hauts faits de d'Artagnan nous anime beaucoup moins que cette
autre forme de l'ambition, l'esprit de conduite pour arriver à
quelque chose dans la vie — et qu'au contraire le premier résultat
de l'amour c'est de nous faire perdre tous nos autres défauts,
car nos défauts sont encore des attachements — à l'argent, au
monde, à la débauche etc. — et que l'amour est un attachement
plus vif qui nous fait préférer aux objets de nos défauts l'objet
de notre amour. Et cette illusion d'un rapprochement possible
entre nos cœurs eût été nécessaire pour faire naître en moi la
sensation de l'amour, qui m'eût peut-être alors suffi subjective-
ment. Aussi au bout de deux fois que je l'eus vue me donner
la preuve qu'elle ne m'aimait pas elle eut beau me dire en
coquette habituée à se tirer d'affaire comme les coupables qui
disent qu'un jour leur innocence sera reconnue et qui ne peuvent
expliquer pourquoi les apparences sont contre eux : « Un jour
vous verrez que je vous aimais vraiment », j'étais arrivé à l'âge
où les actions comptent beaucoup et les paroles plus du tout et
je pris beaucoup de plaisir à me promener et à jouer avec elle
sans laisser mon cœur se prendre. Mais ma résistance la piquait
au jeu. Et en baissant les yeux d'un air tendre elle disait :
« Méchant » en approchant sa tête si près de la mienne que deux
fois j'eus besoin d'une force inouïe pour retenir mes lèvres
aimantées qui allaient tomber irrésistiblement vers sa joue.
Était-elle « sérieuse », ne l'était-elle pas, il était bien difficile de
le savoir. Tout ce qu'elle disait avait l'air de se rapporter
uniquement à l'amour et pourtant elle disait perpétuellement de
jeunes filles qui passaient et dont je lui demandais si elle les
connaissait : « Oh ! non, ce sont des jeunes filles qui ont un genre
impossible. Ce serait beau si je fréquentais ça. » Je supposais
qu'elle était de cette catégorie d'êtres qui font en réalité la même
chose que ceux qu'ils méprisent de le faire, parce que chez eux
c'est une exception, même très fréquente, même constante, qui
n'a pas imposé sa marque, sa livrée, sa tare ; comme ces femmes
du monde qui avant le dîner nous laisseront venir dans leur
cabinet de toilette et ne nous refuseront pas ce que nous accorde
la femme qu'elles ne reconnaissent pas, mais dont les *[un mot
illisible]*, la toilette, les opinions — et particulièrement ce mépris
des femmes qui font comme elle — le ton prude, élégant, idéal
qu'elles avaient avec nous jusque-là et qu'elles retrouveront un
instant après, la robe élégante et décente qui leur donne un air
si pieux à la messe, si charitable à l'hôpital, si altier à la cour,

n'ont aucun mauvais genre[a]. De plus elle m'avait dit être très
liée avec la petite de Gilberte, celle qui m'avait dit « compris »
quand Gilberte était allée avec moi derrière le laurier[1]. Et je me
figurais que mentir à ses parents, accepter par ce « compris »
une cachotterie dont le but devait être quelque scène d'amour
impliquait une certaine moralité qui ne pouvait trouver mal les
baisers et d'autres jeux de la tendresse. Mais nous ne nous voyions
jamais qu'avec les autres.

Scène du lit[2]

Ce[b] fut une guérison de l'état où j'étais depuis quelques
semaines. La possibilité d'assouvir mon désir de Maria, qui à
défaut de la possibilité d'imaginer son cœur épris du mien, aurait
pu faire naître un peu d'amour en moi, était à jamais écartée
et l'amour avec lui. Peu de jours après elle partit, je ne lui en
voulais plus mais je ne pensais plus à elle.

Avant cela Andrée est partie ; un[c] jour elle était avec moi,
Solange vint et lui parla. Il avait été convenu que nous irions
prendre des plaisirs à la foire voisine. Je demandais à être présenté
à Solange ce qu'elle fut bien obligée de faire mais froidement.
Et elle eut l'air furieux que Solange reste là. Elle ne lui adressa
pas une fois la parole pendant tout le trajet, ne l'invita pas à
prendre des plaisirs, l'autre s'assit tout de même. Maria avait l'air
de rager de plus en plus. J'étais obligé aux « Je ne vous dérange
pas » de l'autre de répondre « Mais non, mais non », tant j'étais
gêné de l'impolitesse de Maria. Et elle lui dit à peine adieu que
l'autre nous quitta et me fit un joli sourire. « C'est bon à savoir
une autre fois on lui dira qu'on va d'un côté, et puis on partira
une heure avant d'un autre puisqu'elle se colle comme cela.
— Mais est-ce qu'elle n'est pas très gentille, lui dis-je. — Oh !
elle est très gentille, dit Maria, et très intelligente, mais j'aime
faire ce que je veux et je n'aime pas qu'on soit sur mes talons. »
Alors j'eus l'impression que j'étais peut-être tout de même pour
Maria le nouveau, l'inconnu, le plaisir, ce qu'on aime goûter loin
de tout ce qui peut rappeler la famille, les affections, de tout ce
qui nous connaît, nous surveille, et gâte notre plaisir, même
peut-être simplement en constatant que vous l'éprouvez, et en
ressentant une joie qui nous agace et gâte la nôtre. « Devinez
où je coucherai ce soir, me dit-elle. — Où cela ? — Dans votre
hôtel, il y a eu un éboulement près de la villa et jusqu'à ce qu'il
soit réparé j'habiterai l'hôtel. »

Suit la scène du lit[3].

Je n'en voulais pas à Maria, je crois qu'elle ne m'en voulait
pas, mais la secrète espérance inconsciente qui soutenait mon
amitié sans que je m'en rendisse compte s'était écroulée et elle

m'était devenue indifférente depuis qu'elle ne m'était plus accessible. Aussi son départ qui me laissait avec quatre jeunes filles charmantes du matin au soir me laissa-t-il indifférent. Et je recommençai de m'éprendre un jour de l'une, un jour de l'autre, selon que je pouvais imaginer que l'une pouvait penser à moi. Et il m'eût été difficile de savoir laquelle j'aimais car comme la venue de l'une était liée à la venue de toutes les autres, même si j'en avais aimé une, souhaiter la venue des autres était une manière de souhaiter la sienne, et comme aucune ne manqua jamais de venir, il ne put y avoir une déception qui m'éclaira. Mais je vis bien vite que j'étais tenté d'une manière spéciale par Solange et qu'elle était une âme de même qualité que la mienne[a]. Mais ce n'était pas un être pareil à moi que j'étais venu chercher, et quand je quittai Querqueville, les deux jeunes filles qui me plaisaient le moins étaient Maria parce qu'il n'y avait pas d'espérance pour moi et Solange parce qu'elle était très différente. Les deux autres me plaisaient beaucoup. Mais il n'y en avait qu'une pour qui je voulais revenir c'était Simone, celle dont je m'étais imaginé qu'elle espérait que je reviendrais avec elle, je voulais la revoir, savoir ce qu'il y avait derrière ces yeux-là.

*Je reviens l'année suivante.
Suit Septimie etc.[b].
Peut-être vaut-il mieux mettre la scène du lit après l'amour causé par la jalousie. À Paris je revois Solange.* De l'avoir si longtemps associée à la pensée de Maria, d'avoir su chaque fois que je la voyais que je verrais Maria, ou au moins que Maria le saurait et aurait envie de me voir car elles aimeraient à se trouver ensemble, de lui exprimer tout le temps l'amour que je n'exprimais pas à Maria, avait fini par mêler mes sentiments pour elle d'autant de charme et de trouble que si c'est elle que j'avais aimée. Je sentais que je ne pouvais aimer Maria. Et dès que je cessais d'être jaloux une heure, mon caprice devenu disponible me reportait sur Solange. Et j'étais fier vis-à-vis de Maria qu'elle vît la prédilection qu'avait Solange pour moi. Elle me le marquait par mille délicatesses. Bientôt je me sentis triste, découragé, il semblait qu'une chose qui tenait beaucoup de place dans ma vie s'était en allée de moi. Sans me l'avouer depuis quelque temps j'agissais non plus comme si ma vue dût ravir Hélène, mais dût l'exaspérer. *Voir plus haut.*

L'année suivante Montargis m'avait fait inviter chez les Chemisey. J'arrivai. On me dit que le jeune Chemisey était avec Hélène sur la plage de Querqueville. J'allai pour les chercher. Quand j'arrivai ils marchaient l'un à côté de l'autre sur la plage.

Dès que je fus là, elle ne s'occupa que de moi et prononça des propos les plus désagréables <pour> le petit Chemisey et dans l'ombre elle me tenait la main, je crus qu'il s'en aperçut, il eut un visage douloureux et stupide ; M. de Chemisey vint nous chercher en voiture, nous revînmes tous ensemble mais elle ne répondit pas une fois aux questions *[interrompu]*

Quand j'aimais Maria avec espoir de l'aimer longtemps[a] je lui disais : « Je vous aime pour peu de temps, vous pourrez prolonger en m'aimant, soyez peu gentille je vous aimerai moins. » Quand je l'aimais sans guère d'espoir je lui disais : « J'aime vraiment Solange, à cause[b] de cela ne voyez Maria que devant moi. » Quand je sentis que Solange ne[c] m'aimait plus je lui disais que je ne l'aimais plus *[un mot manquant[d]]*, plus guère n'osant dire tout à fait, pour tâcher de ne pas lui ôter le désir de me ramener si elle le voulait. Et entre nous s'était glissé comme un malentendu auquel je faisais allusion de plus en plus clairement mais elle ne me demandait pas d'explication[1]. L'amour a tant à dire, l'indifférence si peu à demander. Je faisais le vœu de lui écrire une lettre purement indifférente mais le besoin de la caresser d'un regard triste me faisait lui dire des choses tristes qui ne la toucheraient pas. Je disais toujours : « La vie nous sépare », espérant qu'elle dirait : « Mais qu'est-ce qui nous sépare ? » Elle ne le <disait> pas. Et un jour je devais le dire vraiment. J'étais si heureux de lui montrer qu'il y avait des jours où c'est moi qui ne voulais pas la voir, j'espérais que cela lui retirerait peut-être de l'idée que j'étais tout à elle qui l'empêchait de m'aimer.

Esquisse LXIX

[LES MENSONGES DE L'AMOUR]

[C'est encore entre Solange et Maria que doivent se tisser les allées et venues du désir dans ce passage du Cahier 64 qui annonce en outre les principaux thèmes de ce qui devait être le second séjour à Querqueville.]

Je revis une fois <ou> deux Solange seule mais elle était peu aimable. Je ne sentais aucun rapprochement réel possible entre nous et d'ailleurs elle avait sa peau rose très couperosée en ce moment, ce qui la rendait peu désirable. Mais j'espérais par elle connaître ses autres amies[e]. Soit que *[un blanc]* soit que *[un blanc]* elle n'y mettait pas un extrême empressement. *Départ d'Alberte (voir plus haut[1]).* « Mais pourquoi ne me présentez-vous pas à vos amies », lui dis-je. Peu à peu je les connus toutes, sauf Maria qui dès que j'arrivais s'en allait. Je pense qu'elle avait quelque antipathie pour moi car une fois ou deux j'en parlais à Solange qui me répondit : « Il ne faut pas s'occuper d'elle, c'est une fantasque[2]. » Enfin un jour il n'y eut pas moyen de s'éviter et au bout d'un moment Solange dit, en me nommant Maria[a], je m'inclinai, elle fit un petit salut extrêmement froid, causa aux autres et ne s'occupa plus de moi. *Rencontre de Maria en voiture avec Mme de Chemisey, voir plus haut[3].* Je la revis mais mon amabilité enflammée par la sienne avait fait tomber la sienne. Je me rendis *[interrompu]*

Il faudra bien montrer que même dans mes lettres où je dis : « Je sens que je ne vous aime pas », je suis forcé par moi-même de sécréter de l'amour, j'unis nos âmes dans une pensée de rêve, de pitié. Cet inconnu que je cherchais ce n'est pas l'âme. Car l'âme, la vie de nos amies quand nous ne les aimons plus nous est indifférente. Combien il y a de maisons à Paris et dans le monde. Et en une seule l'heure du dîner, les chambres, le moment où elle ‹ se › met à table ont quelque chose de douloureux et tout ce qu'on nous racontait là-dessus nous intéresserait. Nous disons : « Nous voudrions unir nos âmes. » Mais les autres âmes ! Et nous ne nous soucions que de posséder cette âme, d'y régner. Dans ces lettres nous voulons agir, nous essayons de tout, déterminer la tendresse, la jalousie, la pitié, l'intérêt, la colère, l'envie. Mais ce qui devra dominer ces amours c'est qu'on dit : je n'aime pas. Querqueville sera dominé par les noms, par les filles, redevenues mystérieuses si aimées et les deux aimées n'étant recherchées la première que pour rencontrer les autres, la deuxième que pour voir la première, l'amour qui ment, et ma grand-mère[4].

Esquisse LXX

POUR MARIA QUAND JE DIS QU'ELLE EST HOLLANDAISE

[Ce fragment est extrait du Cahier 23.]

Femmes

Comme ces femmes que les primitifs entouraient d'une scène de nature, je ne voyais Maria que se détachant sur le fond d'un paysage de Hollande, bien mieux que faisant partie de lui, qu'en étant issue. Elle était pour moi, tandis que je la voyais, sans que je me le formulasse, une chose de Hollande, j'associais à ses cheveux l'idée de feuillages de là-bas[a], je pensais à des canaux en voyant ses yeux, et dans le léger enrouement, dans l'éraillement un peu vulgaire de sa voix, je croyais sentir le voile des grands brouillards de la Zeelande, et la senteur de bois presque pourris par l'humidité. C'est que le Désir d'une femme est le désir d'une vie inconnue dont sa beauté semble nous parler dans un langage excessivement fort mais inintelligible à notre raison, comme certaines mélodies, dans un monde à la fois immédiatement voisin du nôtre et que cependant nous ne pouvons toucher et que notre raison ne peut connaître, nous suggère < nt > des plaisirs délicieux. À la femme que j'évoquais sur les chemins de Pinçonville, à Mlle Swann, aux paysannes que je voyais dans la campagne normande de la voiture de Mme de Villeparisis, à la laitière aperçue à la gare dans le soleil levant, aux pensionnaires ou aux ouvrières rencontrées le matin dans Paris, aux jeunes filles du faubourg Saint-Germain dansant dans les bals, ce que je demandais c'était l'accession à cette vie inconnue. Les lieux, le genre spécial d'existence qui faisaient partie de ce qu'elle évoquait faisaient donc nécessairement partie de mon rêve de vivre avec elle, je ne pensais à elles[b], je ne m'imaginais en elles, que rentrant le soir dans la ferme de la montagne, ou allant la chercher à la Retraite de Sainte-Clotilde. Penser que je réalisais l'amour d'une femme désirée, simplement en l'associant à une vie déjà connue de tous les jours, c'eût été l'abdication de ma croyance, la contradiction même avec ce que son désir éveillait en moi, comme quelqu'un à qui une après-midi de printemps donne envie de partir pour l'Italie et qui va faire des visites. De même que le plaisir que donnent certaines villes me semblait une chose dont on peut aller ou n'aller pas goûter, mais qui existe un soir, à un lieu déterminé, où seul on peut le rencontrer et qu'on ne peut facilement reproduire chez soi, de même l'amour de Maria me semblait une chose déterminée, comportant des promenades en barque sur les canaux de la Zeelande, de longs hivers aveuglés de brouillards blancs où l'on se réchauffe en buvant à côté d'elle du Schiedam, une vie domestique et sociale intense, des gens qui viennent s'asseoir à votre table de bonheur dans la maison multicolore et propre, défaisant avant d'entrer leurs patins et leurs manteaux couverts de neige. Et l'aimer à Querqueville aurait dû me sembler un divorce trop grand entre les deux parties de la réalité qui doivent s'unir pour former une certaine vie où le désir veut nous faire pénétrer, la femme, et le pays. Mais j'avais peu à peu rabattu de mes exigences en fait de réalisation. Content de préserver ce qu'une réalité incomplète éveillait en moi de rêve, je me détournais volontairement des parties qui lui infligeaient un démenti, et je profitais des moments qui rendaient l'illusion possible, comme une femme amoureuse qui sait que c'est un fils de comptable qui[a] fait son service militaire avec tout le monde, mais cherche à se persuader qu'elle embrasse sur les lèvres d'un[b] guerrier d'une race spéciale faite pour la gloire une vie d'héroïsme et d'aventures. Nous promenons d'ailleurs tellement dans les lieux où nous sommes les paysages que nos yeux ne voient pas mais que nos rêves nous représentent sans cesse, ils deviennent tellement l'atmosphère ambiante où nous vivons, plus même que celle que nous respirons, une personne, un fait d'un certain pays en intercale d'ailleurs tellement une portion dans la réalité qu'il n'était pas facile, sans même me le dire *[interrompu[1]]*

Esquisse LXXI

[MLLE FLORIOT : LA SCÈNE DU LIT]

[Mlle Floriot joue ici le rôle qu'occuperont Maria, puis Albertine. Cette esquisse du Cahier 25 s'achève par la scène que Proust appelle la « scène du lit » (voir l'Esquisse LXVIII), et qu'on intitulerait aussi bien la scène du baiser refusé.]

Comme j'avais souvent un peu de fièvre et qu'on m'avait recommandé de ne pas aller trop au bord de la mer, je prenais la longue avenue dans laquelle se trouvait la villa de ses parents. Je savais à peu près l'heure où elle sortait et je me postais à quelque distance, caché. Quand tout d'un coup j'apercevais au loin, même indistincte, une forme < aus > si claire que si elle avait écrit son nom dans l'air, je me mettais à marcher dans sa direction sans avoir l'air de l'avoir vue, j'avais l'air très occupé d'autre chose. Cependant, elle s'avançait avec un léger chapeau de bleuets, d'autres fois un grand chapeau sombre, quelquefois rien qu'un canotier, parfois en blanc ou en bleu sombre ; et quand j'arrivais à sa hauteur, je saluais et mes os s'entrechoquaient dans ma poitrine, elle souriait et passait. Quelquefois, elle me disait quelques mots, mais je ne les entendais même pas. Certains jours, elle ne passait pas. Et en passant devant sa villa je pensais à ces bienheureux parents, ses domestiques, ses amies, qui même quand

elle était souffrante, quand elle ne sortait pas, quand elle était
déshabillée, quand elle déjeunait, la voyaient.

    Ne pas oublier par ailleurs Hector Querqueville, bon mari.

    Quelques jours après nous nous retrouvâmes sur la plage. J'allai
lui dire bonjour, nous causâmes ensemble, et tous les jours nous
échangions quelques mots. Les paroles, qui contiennent des idées
communes à tous les hommes, la remplissaient pour moi d'une
humanité connue. Quant à l'idée d'une amazone sportive,
étrange, rien n'était plus loin de ce qu'elle était. C'était un être
droit, sensible, sévère quand elle jugeait les femmes corrompues,
les jeunes filles libres[1]. Elle montait beaucoup à cheval avec
beaucoup de plaisir, mais évidemment son idéal, ce qu'elle plaçait
plus haut, c'étaient les choses intellectuelles. Je la trouvai de près
beaucoup moins bien que je ne l'avais trouvée de loin. Je < ne >
me plaisais pas beaucoup avec elle. J'aurais surtout souhaité
qu'elle me présentât à ses amies. Un jour, comme je passais sur
la plage à l'heure où je venais lui dire habituellement bonjour,
son amie, celle qui avait l'air d'une lycéenne trop tenue, était
avec elle. J'hésitai à m'approcher, mais à la gêne de la lycéenne
je crus m'apercevoir que moi, qui croyais être pour ces jeunes
filles le plus négligeable des êtres, elles paraissaient au contraire
intimidées devant moi et la lycéenne en m'apercevant fit mine
de se retirer d'un air confus et resta. Mlle Floriot eut l'air assez
dépitée, cessa de lui parler. Je lui demandai de me présenter.
Cette lycéenne si dure, si méchante, mit sa méchanceté, sa dureté
à mes pieds dans un bon sourire. Je me dis : Elle doit être
amoureuse de moi. Sans doute, cette froideur, cette tristesse que
je remarquais, c'était de se dire qu'elle ne pouvait me voir.
Qu'elle doit être heureuse en ce moment ! Mlle Floriot lui fit
comprendre qu'elle était de trop. Pauvre petite, me dis-je, que
ne donnerait-elle pour rester. Mais sois tranquille, c'est toi que
j'aime. Et au fond, j'étais flatté de voir que Mlle Floriot me
considérait comme un personnage d'importance et avait peur que
ses amies ne m'ennuyassent, moi qui avais cru à une alliance de
toutes ces jeunes filles qui devaient tant compter aux yeux les
unes des autres et aux yeux de qui je ne comptais pas. « Allons,
laisse-nous. Je viendrai te faire mes adieux ce soir. » J'eus un
coup au cœur. « Comment, elle part ? — Oui, elle rentre au
couvent après-demain, son institutrice la ramène. » Je m'informai
quelques instants après d'un air distrait du train que prenait la
lycéenne. J'étais décidé etc.

    Quand on parlait d'une jeune fille amoureuse, d'une femme
qui n'aimait pas son mari, Mlle Floriot la flétrissait avec la dernière
sévérité. Il passait sur la plage constamment des jeunes filles ou

des femmes dont elle disait qu'elle n'aurait pas voulu leur adresser la parole. « Ce sont des jeunes filles infréquentables », disait-elle. Mais à côté de cela, tout son langage avec moi n'avait pour objet que ces mêmes choses qu'elle trouvait si blâmables. Toujours, elle faisait allusion entre nous comme à un roman qui eût existé. Ses paroles semblaient se rapporter à quelque tendre réalité dont nous n'avions jamais parlé. Si je lui disais, sans trop y songer : « Je suis content de vous voir », d'un air confus, sans mettre trop d'expression comme une personne dont la simplicité est le charme mais avec des yeux pleins d'aveux, elle disait : « Moi aussi, je suis bien heureuse. » Et si je disais : « J'ai beaucoup pensé à vous depuis l'autre soir », elle disait d'un air mystérieux : « Peut-être pas autant que moi. » Et comme je lui parlais de telle ou telle jeune fille que j'avais connue, elle disait : « Vous la rendiez heureuse, vous l'embrassiez, je suis sûre. Ah ! les hommes ! » Quand elle m'écrivait un petit mot pour me dire une chose insignifiante, que le lendemain elle me verrait sur la plage, elle disait : « Il est tard, vous lisez peut-être en ce moment, je ne me flatte pas que vous pensiez à moi, que du moins Dieu me garde votre amitié qui m'est si chère. » Ou : « Vous aviez oublié chez moi votre livre. Puissiez-vous y avoir oublié en même temps votre cœur[1]. »

Chaque jour je me disais que j'étais stupide de ne pas la prendre au mot. Et je voyais dans sa tête qu'elle abaissait en souriant vers la mienne comme si ses yeux rieurs abaissés avaient voulu chercher au fond de moi quelque chose qu'ils y eussent laissé tomber, qu'elle cherchait à me donner des désirs. Leur villa n'était louée que jusqu'au 15 septembre. Comme[a] son Anglaise était un peu souffrante et qu'il faisait très beau, leur départ ne fut fixé qu'au surlendemain et elle passa ce jour-là à l'hôtel. Comme elle était très libre, elle dit à son Anglaise d'aller se coucher et me garda encore un moment dans sa chambre à faire auprès de son lit une partie de cartes. Sa chambre n'était pas très éclairée. Son cou nu sortait de sa chemise de nuit, changeant les proportions de son visage qui, sous ses cheveux défaits, brillait plus nu. Ses joues roses éclairées ainsi présentaient[b] une surface tournante que je n'avais jamais remarquée, elles semblaient finir obliquement, comme < une > planète vue obliquement pendant sa révolution. Animées par la chaleur du lit et coulant dans la lumière, elles étaient roses, d'un rose presque violet de cyclamen. Je ne voyais plus qu'une sorte de surface rose, qu'une sphère ovale brûlant d'un feu rose qui tournait. Je sentais en moi quelque chose se soulever, comme une torture qui eût voulu saisir et emporter ce fruit rose ; je me levai, je me jetai vers le lit, les lèvres tendues, dans un besoin de savoir le goût de la surface rose et violacée qui tournait devant moi. À demi dressée, elle dit sévèrement :

« Je vous défends, je vous défends, prenez garde, un mouvement de plus, je sonne. » Je me rappelai ses paroles habituelles, l'unique chance de cet instant que je ne retrouverais pas : « Seulement vous embrasser. — Jamais, jamais, je sonne. » Elle avait pris la sonnette, je m'avançai encore, j'étais presque à sa joue, elle sonna et un coup interminable retentit dans l'hôtel, je m'échappai.

Rentré dans ma chambre, je voyais toujours l'ovale rose brûlant d'une lumière intérieure au-dessus du large cou sur la chemise de nuit blanche, sous les cheveux brillants. Je me disais que je m'y étais peut-être mal pris. Je lui écrivis une lettre en lui disant que je serais trop malheureux si je devais la revoir sans avoir pu une seule fois l'embrasser, que j'aimais mieux sans cela ne jamais la revoir, qu'elle me fît signe. Elle partit sans me dire adieu et me laissa un mot fort sec, me disant qu'elle espérait me revoir, qu'elle voulait bien oublier, mais que je n'eusse jamais le malheur de recommencer. Je pensai à part moi combien cela lui eût peu coûté, combien cela m'eût rendu heureux, et quelle absurdité de me refuser la plus simple des choses auxquelles sa conversation faisait perpétuellement allusion dans ses tendres rapports avec moi. Il est clair que l'action de se laisser embrasser était de celles qu'elle examinait selon la deuxième de ses façons d'envisager la vie, celle où elle méprisait les femmes qui faisaient ce que dans sa première façon elle jugeait délicieux et le seul fond de nos rapports. Mais du même coup, comme si une espérance que je ne m'étais jamais formulée avait seule soutenu au fond comme un souffle mes sentiments pour elle, dès que j'eus eu la preuve, par cette expérience décisive qu'elle n'était même pas embrassable, je cessai de penser à elle.

Quelques jours après elle revint, et je lui dis machiavéliquement pour pouvoir connaître ses compagnes que je ne me sentais plus le courage de la voir seule, que j'aimais mieux la voir avec ses amies. Elle n'en paraissait pas enchantée mais accepta.

Esquisse LXXII

[DÉPART DE LA JEUNE FILLE DÉSIRÉE]

[L'Esquisse LXXI laisse penser que c'est « la lycéenne » qui est évoquée ici. Dans le Cahier 64, le héros « galope » également à la gare pour la rejoindre. Dans le roman, seule Albertine partira avant les autres.]

J'avais appris que Mlle *[un blanc]* partait, je savais que son institutrice l'accompagnait, mais en*[a]* pensant à elle je m'étais dit que peut-être elle m'aimait, peut-être en partant elle emportait mon souvenir, qu'elle penserait tendrement à moi pendant le voyage et si j'étais dans le train, peut-être pourrais-je me trouver dans le wagon couloir avec elle sans son institutrice, échanger quelques paroles, quelques promesses, lui demander une indication qui me permît de la revoir ; mes malles n'étaient pas faites et il n'y avait plus que cinq minutes avant l'heure du train mais je télégraphierais à Paris qu'on me les envoie, je montai dans une voiture : à la gare. J'entendis des sifflets en approchant de la gare, la voiture fut empêchée d'avancer par la barrière du train qui était levée, et il fallut attendre le long défilé d'un train. C'était justement le train de Paris qui partait, l'emmenant. Quand tous les wagons furent passés, on leva la barrière, ce n'était plus la peine, je rentrai à l'hôtel. Mais je cessai de penser à elle, je me disais : Peut-être elle pense en ce moment à moi, je me demandais comment je pourrais la revoir. Si je pensais qu'une personne qui pouvait en connaître d'autres qui eussent chance de la rencontrer chez des amis, j'étais aimable avec elle dans l'espoir d'obtenir un jour de la rencontrer, et même sans espoir pour me trouver ainsi par la pensée rapproché d'elle.

Esquisse LXXIII

[L'HÔTEL DES QUATRE TOURELLES]

[Fragment du Cahier 26, ce séjour de convalescence dans un hôtel de commis-voyageurs réalise, comme le voyage en train, le désir du héros de dormir dans un lieu qui ne le plonge pas dans le silence et la solitude. S'y épanouit aussi son étonnant fantasme de jeunes filles, servantes sinon prisonnières, toujours à sa disposition.]

C'était un hôtel*[b]* de commis-voyageurs logé dans une vieille abbaye qui était devenue au XVIII*[e]* siècle l'hôtel d'un riche armateur[1]. À côté de ma chambre était un petit salon rectangulaire assez étroit et long, tout en boiseries et dont les murs charmants étaient juste à la distance qui protège l'intimité tout en donnant l'espace, où l'on est concentré sans être resserré, où l'œil se repose sur eux juste à l'endroit où il les désire, et où il n'osait pas les espérer. J'en fis pendant tout le temps de*[c]* ma convalescence ma salle à manger, deux des jeunes bonnes de l'hôtel venaient, me dressaient une table près de la grande cheminée ancienne, où flambait un feu formidable et comme si la fonction qu'on leur disait de reprendre suffisait à ranimer l'organe, toute la vieille pièce semblait revivre sa vie d'alors parce qu'on la faisait servir aux choses les plus réelles de la vie. On me servait ainsi à dîner vers sept heures. Le jour tombait. Si la mer était basse elle avait en s'éloignant étendu une nappe intermittente de sables humides que colorait le couchant[a]. Au pied de l'hôtel du côté de ce petit salon la mer venait battre le rempart qui s'élevait au-dessus[b]. Et son bruit qui ne s'arrête jamais ourlait au loin le silence. Mais quand elle était pleine, elle venait battre fort tumultueusement en cette saison des grands vents[c] le pied du rempart juste au-dessous de la fenêtre, qui ne montrant pas ce premier plan du rempart, ne contenait comme certains vitraux du Moyen Âge qui retracent des navigations, qu'une étendue glauque fuselée de concentriques blancheurs d'écume, écrasées et grondantes, avec des coques de voiles grises filant sous le vent à l'horizon. Je retenais un instant à causer la jeune bonne qui m'apportait mes plats. Dans cette pièce si parfaitement enclose, où la forme même de la pièce donnait l'impression d'être séparée de tout, la mer de l'autre côté semblait fermer toute issue, et la pousser sur moi. Bien que nous fussions absolument seuls, son bruit assourdissant eût empêché personne d'entendre nos paroles et nos baisers. J'étais adossé au feu, elle debout devant la table qui seule nous séparait. Jamais cela n'alla plus loin ; de sentir ce bonheur possible entre mes mains me suffisait ; je m'inquiétais seulement de ses projets d'avenir. Je lui demandais de me laisser son adresse si elle quittait Querqueville pour être sûr de pouvoir toujours la retrouver, de garder cette possibilité dans mes mains. Elle, c'était tantôt l'une, tantôt une autre. Comme cet hôtel moins brillant que les hôtels de baigneurs riches, faisait infiniment plus d'affaires et toute l'année, et que le service n'y était fait que par des femmes, il en employait énormément, toutes jeunes, presque toutes belles, ou du moins grandes, bien faites, fraîches, toutes avec quelque chose qui plaisait, toutes diverses, et l'hôtel lui-même semblait quelque collège antique de vierges dédiées à Neptune, où c'était déjà un plaisir de passer pour voir toutes ces belles formes inattendues de femmes, pour à tout moment voir[d] se réaliser devant soi des types de beauté nouveaux comme la vie seule en présente et comme l'imagination n'aurait jamais su les former, singuliers, et pourtant complets avec mille charmes particuliers du regard, de la peau, du sourire, de la démarche, de la chevelure, de la taille, de la voix s'y harmonisant. Comme dans ces hôtels de commis-voyageurs il y vient du monde à toute heure et quelquefois pour une nuit seulement, les bonnes sont obligées de veiller très tard, et on peut s'y faire servir à toute heure. Le soir souvent, et même tard, il m'arrivait de demander une consommation quelconque, pour voir entrer quelque grande blonde aux traits majestueux, quelque petite brune à la figure carrée, aux yeux violets, et pouvoir les garder quelques minutes sous mes yeux, voir ce visage charmant sourire, parler, ce corps se tenir debout, s'avancer, faire de gracieux mouvements. Un jour qu'il m'était pénible d'aller me coucher dans ma chambre, l'une me dit : « Mais c'est l'affaire d'un moment, si Monsieur le veut, de lui faire un lit ici au coin du feu ». Je n'acceptai pas mais le seul fait que cela m'eût été proposé avait brisé la terreur d'aller me coucher dans ma chambre, en me montrant qu'on pouvait échapper à cette nécessité cruelle, comme ces cachets de narcotiques qui nous permettent de nous endormir sans que nous ayons besoin de les avaler, parce qu'il nous suffit de savoir que notre insomnie cessera aussitôt que nous le voudrons pour qu'elle ne se produise pas. Et même le fait qu'on pût à toute heure les faire venir ôtait pour moi de la tristesse de la nuit. Ce n'était plus la prison où l'on est seul, où tout le monde dort, où l'on ne pourrait appeler personne près de soi. Comme j'adossais mieux mon sommeil au bruit formidable de la mer, qu'au vide d'un silence où l'esprit ne peut s'appuyer pour s'endormir, je m'endormais plus facilement en pensant que près de moi au lieu de cette prison de mon enfance où l'on était seul et où tous dans la chambre voisine gisaient frappés par le sommeil comme les disciples au mont des Oliviers tandis que le Fils de l'Homme ne peut dormir, souffre, s'inquiète, je sentais autour de moi la ronde des vierges vigilantes dont l'une à mon appel se détacherait et viendrait si je le voulais en me préparant quelque consommation, en venant causer avec moi changer la nuit et le jour, et même si elle ne venait pas, pour me l'avoir offert avait ôté à la nuit son caractère d'isolement forcé, inéluctable qui en faisait pour moi la caractéristique et la terreur. Je pensais avec chagrin au moment où il faudrait quitter cet hôtel et comme il continuait d'être question de quitter notre maison de Paris, et qu'on hésitait entre divers appartements, dont celui de la maison de Mme de Villeparisis[1], je demandais s'il était impossible de rester toute sa vie dans l'hôtel des Quatre Tourelles que je n'aurais jamais voulu quitter, qu'on allât habiter une maison où j'aurais à côté de ma chambre un salon Louis XV rectangulaire étroit et bas, tout en boiseries, séparé du reste de la maison et donnant sur une vue infinie où je pourrais me faire servir à dîner à toute heure devant un grand feu allumé dans une immense et vieille cheminée.

Esquisse LXXIV

[LE QUINTETTE LEPIC
ET L'ORGUE DE BALBEC]

[Ces deux fragments se suivent sur le manuscrit ; dans le second apparaît le jeune violoniste Santois, Morel dans la version définitive. De destination indécise, comme en témoignent les premières lignes, ils ne se retrouveront pas dans le roman.]

N.B. Ceci qui était d'abord pour la dernière matinée Guermantes est pour la soirée au casino de Balbec, mais sera peut-être changé. Je pourrais couper la poire en deux, laisser le quintette pour la matinée et l'orgue pour Balbec ?

Au fond de la salle des fêtes du casino était une scène de laquelle par des degrés excessivement raides et espacés on montait au grand orgue. Le « célèbre quintette » Lepic, composé de femmes, vint exécuter un quintette de Franck*ᵃ* *(mettre un autre nom)*. La pianiste, dont ce quintette était pourtant le cheval de bataille, l'exécutait avec < la même > attention fiévreuse portée à la fois sur la partition et sur ses doigts que s'il se fût agi d'un déchiffrage et un tel effort vers la rapidité qu'elle semblait moins jouer cette musique que la rattraper à toute vitesse. Le piano serait peut-être cassé au terme, mais elle arriverait. Comme elle était distinguée et vêtue avec une grande recherche d'élégance, elle donnait à son attention fiévreuse un air fin qui à distance semblait presque malicieux ; et de fait chaque fois qu'elle accrochait des notes, ce qui lui arrivait presque à chaque instant, elle souriait au passage comme si ce fût une farce qu'elle leur eût faite et comme on rit quand on éclabousse une personne pour faire croire que c'est exprès. Toutes les personnes qui étaient là étaient assez élégantes et assez musiciennes pour ne pas s'occuper de tout autre chose que de la musique, comme ce fût arrivé dans une soirée bourgeoise... *Mettre ici les réflexions que me fait Mme de Cambremer sur ce quintette, peut-être même mettre ici, pour couper un peu, ce que je dis sur les impressions d'art et d'amour... et dans ce cas peut-être mettre en scène l'homme qui dit : « C'est bougrement beau », et qui sera un personnage déjà connu dans le livre et qui a blanchi. Avant de dire pendant cet entracte les réflexions de Mme de Cambremer, dire :* néanmoins chacun avait tout de même l'esprit moins occupé de ce qu'il écoutait que de la façon dont il écoutait et dont cette façon faisait impression autour de lui. On tâchait avec son boa, son éventail, < d'avoir > l'air de connaître ce qu'on jouait, de juger les exécutants et de les « attendre à l'*allegro vivace* » fort difficile, de composer un ensemble satisfaisant. Le menuet fit remuer toutes les têtes avec un fin sourire qui voulait dire à la fois : « C'est charmant » et « Vous pensez si je le connais ! » Cependant mon regard involontairement ironique déconcerta le balancement de tête de quelques intrépides qui remplacèrent le fin sourire par un air furieux et renoncèrent au balancement, mais, pour que cela n'eût pas l'air d'être en cédant à la menace, non pas tout d'un coup, mais comme sous l'action des freins westinghouse, qui ralentissent progressivement la marche des trains jusqu'à l'arrêt complet. Un monsieur artiste, voulant montrer qu'il connaissait le quintette, s'écria quand il jugea que c'était fini : « Bravo, bravo » et se mit à applaudir. Malheureusement, ce qu'il avait pris pour la fin du quintette n'était même pas la fin d'une des parties, mais un silence de deux mesures seulement. Il se consola en pensant qu'on pourrait croire qu'il connaissait la pianiste et avait voulu l'encourager. Quand la fin, désirée des plus musiciens, vint, je dis à Mme de Cambremer [*interrompu*]

Cependant la partie d'orgue commença. À ce moment un vieillard paralytique qui marchait difficilement mais ne pouvait absolument pas monter, forma le bizarre dessein d'aller s'asseoir à côté de l'orgue sur une chaise tout en haut ; trois jeunes gens le poussaient. Enfin il arriva en haut. Mais au bout d'un instant, comme les claviers si secs de l'orgue exécutaient leurs variations pastorales, il se leva suivi des trois jeunes gens qui se précipitèrent. Je crus qu'il avait eu une attaque et j'admirai l'insensibilité de l'organiste qui, ayant cessé de dérouler la volute de ses pipeaux champêtres, couvrait la descente de l'infortuné paralytique d'un bruit de tonnerre. Poussé, emporté par les trois jeunes gens, le vieillard disparut dans la coulisse. Sur la scène, la pianiste, d'exécutante devenue juge, était venue s'asseoir. Malgré la chaleur étouffante, elle avait jeté sur ses épaules un manteau de fourrure blanche dont elle était évidemment très fière. De plus, ses mains, tout à l'heure si actives sur le clavier, disparaissaient dans un immense manchon de fourrure blanche, soit qu'elle voulût montrer seulement combien elle était élégante, ou pour enfermer les reliques si précieuses de son exécution pianistique dans une châsse digne d'elles, soit pour faire succéder au jeu du clavier l'exercice immobile mais savant du manchon qui d'ailleurs la dispensait d'applaudir ses camarades. Personne ne comprit le rôle de ce manchon sur lequel Saint-Loup m'interrogea vainement. Mais ce qui m'étonna davantage, c'est que deux minutes ne s'étaient pas passées depuis la disparition du vieillard paralytique que celui-ci, prenant évidemment goût à l'exercice qui lui était précisément presque impossible, revint, poussé par les trois jeunes gens, reprendre sa place inutile à côté de l'orgue. Il s'y assoupit un instant, se réveilla, redescendit et, comme l'organiste était invisible derrière son buffet, la scène fut en somme occupée par cet exercice périlleux de l'écureuil maladroit et quinquagénaire ; quand l'organiste descendit à son tour saluer, ce fut à lui que fut dévolu l'ingrat labeur de descendre l'impotent vieillard dont chaque poussée faisait trébucher le frêle exécutant. Mais par une ruse comme en ont certains moribonds, le vieillard s'accrocha à l'organiste, de telle façon que c'était lui qui avait l'air de soutenir celui qui le portait, de le protéger, de le présenter au public et de recueillir sa part des applaudissements qu'il sembla par pure modestie ne pas vouloir prendre pour lui, en désignant du doigt l'organiste, lequel ployant sous son faix humain et craignant de tomber en descendant les marches abruptes, ne pouvait saluer le public. Cependant je regardais sur le programme le morceau qui suivait, quand le nom de l'exécutant me frappa : Santois. « C'est le même nom que le fils de l'ancien valet de chambre de mon oncle », pensais-je. J'entendais dire : « Tiens, un militaire. » Je levai les yeux, et je reconnus en effet le jeune Santois, soldat maintenant en effet pour un an, ou plutôt en soldat, tant il avait l'air costumé.

Il jouait bien, abaissant sur son instrument le gentil visage français, l'air ouvert et pourtant dévot de quelque contemporain de saint Louis ou de Louis XI, avec la hardiesse du paysan qui trouve que ce ne serait pas la peine qu'il y ait eu la Révolution s'il fallait toujours dire « Monsieur le Comte ». À ces traits agréables vint s'ajouter après les deux premiers morceaux et comme pour compléter la figure classique du jeune violoniste, pendant symétrique de la rougeur du cou à l'endroit où appuie l'instrument, produit de l'*allegro* quoiqu'il fût *ma non troppo,* une mèche incurvée et légère, ronde comme une mèche de médaillon... charmante, tardive, peut-être pas tout à fait fortuite, mais déclenchée au moment opportun par le virtuose qui savait quelle part de collaboration étroite elle peut ajouter à un jeu séduisant.

Quand il eut fini de jouer, je lui fis apporter un petit mot lui demandant si je pouvais aller le féliciter. Il me répondit qu'il m'attendait par quelques lignes sur sa carte et en m'assurant de son « sympathique souvenir ». Je pensai à l'indignation qu'aurait eue Françoise, elle qui, depuis qu'elle avait appris, assez récemment il est vrai, l'usage de la troisième personne, l'avait prescrit à toute sa famille, aux degrés les plus lointains d'alliance ou de descendance, et chaque fois qu'une petite cousine à elle venait « présenter ses respects à Monsieur ». Mais si je trouvais cette déférence de toute la famille de Françoise à mon égard, très traditionnellement domestique, il me sembla que, quoique opposé, n'était pas moins français le ton cavalier du jeune Santois, fils d'une race qui a fait la Révolution, où, instruit ou non, un fils de paysan ne se croit inférieur à personne, et quand on lui parle d'un prince tient à montrer dans son air que cela ne lui semble pas plus que son père et que lui-même, toutefois... avec une pointe de hauteur dans la façon de le manifester qui montre qu'est encore assez récente une époque où les princes étaient en effet davantage et qu'il peut craindre qu'on se rappelle encore.

Après le concert, j'allai le féliciter et le reconnus aisément, pareil non pas à la figure que je me rappelais, car il y a toujours une certaine déviation, un certain dérapage dans le souvenir, mais qui se trouva en concordance avec l'impression qu'il m'avait faite à Paris et que j'avais oubliée. Il faisait son service tout près de Balbec et m'avait, lui aussi, tout de suite reconnu. Il y avait de moi à lui et de lui à moi quelques images peu nombreuses, le souvenir des choses que nous nous étions dites pendant la courte visite qu'il m'avait faite, lesquelles étaient sans importance. Mais il faut croire que les figures sont assez individuelles et que d'autre part la mémoire est un organe assez fidèle, puisque nous nous étions souvenus l'un de l'autre et de notre entretien.

Santois fut bientôt rejoint par ses camarades, les autres artistes, pour chacun desquels, et comme l'aéroplane ajoute des ailes aux aviateurs, leur instrument était comme un bec et un gosier d'oiseau émetteur de sons précieux, troupe gazouillante qui s'était rassemblée pour les beaux jours sur cette plage et devait bientôt avec les frimas prendre son vol pour ailleurs. Je laissai Santois avec ses amis, mais quand je fus rentré, je regrettai de ne pas lui avoir demandé quel était le paralytique ascensionniste qui avait tant de fois gravi les cimes de l'orgue, et d'autre part de ne pas lui avoir demandé non plus si Santois son père lui avait dit comment mon oncle avait le portrait de Mme Swann par Elstir. Je me promis, si je le revoyais, de ne pas oublier de lui poser ces deux questions.

Esquisse LXXV

[ARRIÈRE-SAISON À QUERQUEVILLE
— UNE TEMPÊTE]

[*Des moments propres à composer un bonheur mais que, sans rien ôter à leur charme, voile un chagrin d'amour : ces pages extraites du Cahier 30, d'une nostalgie émouvante, ne se retrouvent guère dans le roman, le début d'amour pour Albertine offrant au premier séjour à Balbec une conclusion plus sereine. Elles nous montrent par exception le jeune homme au travail. Elles réalisent enfin son vieux rêve d'assister à une tempête.]*

Pour tâcher de voir encore Andrée qui venait tous les deux ou trois jours je prolongeais mon séjour. Peu à peu le gros des habitants de la plage était parti, l'hôtel était à demi vide, il commençait à se nouer entre les derniers restants de ces relations qu'on a attendu au dernier moment pour nouer et qui souvent nous laissent ensuite tant de regrets. Dans le mauvais temps, l'hôtel à demi vide qui sifflait de vent, on se liait comme sur un bateau où la pluie nous tient à fond de cale. Chaque jour c'était une nouvelle personne qu'on avait vue pendant trois mois sans la saluer, qui s'approchant causait, révélait quelque charme, un talent de piano, un[a] talent pour faire le thé, pour jouer aux cartes, une fille ignorée jusque-là et charmante. On montait dans sa chambre. Sur un mauvais piano d'hôtel, par ce hasard qui devait mettre un nom propre, toute une histoire, autour d'une phrase musicale, on faisait connaissance d'airs qu'on n'eût peut-être jamais connus sans cela, de telles phrases de Schumann, de telles *[deux mots illisibles]* de Schubert[b] qui restent dans le souvenir comme les choses les plus gracieuses qu'on eût jamais connues, tout en buvant du thé. Par des couloirs intérieurs on allait au casino qui attenait à l'hôtel et où on se retrouvait comme en cercle avec quelques habitués avec qui on se plaisait tant qu'on aurait voulu que la vie continuât toujours ainsi, à boire un bock en regardant la mer et que chaque annonce de départ faisait du chagrin en montrant que bientôt ce serait notre tour, en montrant le précaire de cette vie. Puis le casino même ferma, et l'hôtel à peu près. Quelques familles qui comme moi avaient envie de rester payèrent le cuisinier, on ferma presque tout l'hôtel, le gérant homme du pays (le directeur était parti pour le midi) prenait ses repas comme nous à une seule table de famille.

Bientôt il n'y eut plus que moi et le gérant qui était obligé de rester une partie de l'hiver. J'avais tout l'hôtel pour moi. J'y étais comme le maître, plus que le maître car à la vérité le gérant était plus respectueux avec moi que n'étaient avec lui ses domestiques[1]. Si toutes les personnes avec qui j'avais fait si agréablement connaissance ces derniers temps étaient parties, je fis connaissance avec des plaisirs d'autant plus vifs qu'on ne les appelait pas des plaisirs, qu'on n'en était pas déçu, qu'on me plaignait de cet isolement, de ce mauvais temps, d'avoir été obligé de rester à lire, d'avoir été dans une mauvaise carriole

ou une mauvaise barque sur les routes ou sur la mer, comme
un pêcheur ou comme un paysan qui m'auraient rendu cette
arrière-saison délicieuse si je n'avais eu ce chagrin d'amour. Tous
les jours le maître attelait sa voiture pour aller à une ferme qu'il
avait assez loin de là. Je sautais à côté de lui, ses chiens nous
suivaient, nous allions dans des campagnes reculées, faisant
sauver les cochons et les oies. Il m'avait ouvert la clé d'un petit
jardin qu'il avait à Querqueville et qui donnait sur la baie où,
les jours où il faisait un peu de soleil malgré le vent[a], on
m'apportait des liqueurs et où je restais à travailler[b], en posant
encrier, pierres pour qu'il ne s'envolât pas, sur mon papier que
le soleil dorait. Je pris l'habitude souvent de demander ces jours
où il faisait beau un pêcheur et une barque. « Il fait bien du
vent pour pêcher, me disait le maître, mais si vous allez du côté
de XXX c'est un bon temps pour prendre des homards. » Une
fois dans la barque, bercé par le vent, la lame, ébloui du soleil
épars sur la mer[c] je m'étendais, je m'endormais et ne me réveillais
que si avant en pleine mer qu'on ne voyait plus de côtes. Si
le temps était trop sombre, dans ces jours gris comme le dessous
du ventre d'un oiseau, ou seulement couvert la fin du jour, au
moment du coucher du soleil, la tuile des fermes pendant un
instant s'enflamme d'un rose vif qu'on pourrait croire le reflet
du feu qu'on vient d'allumer et qui n'est que le dernier rayon
du soleil qui va disparaître[d], j'allais marcher et allais travailler
au sémaphore dans la petite pièce qui ne contenait qu'une
énorme boussole, et où je n'étais dérangé qu'à la nuit quand
l'homme venait m'allumer la lampe, je posais ma plume pour
bien lui montrer qu'il me dérangeait et qu'il ne reste pas, et
posais sur lui mes regards enivrés de la félicité que j'avais à
écrire ; je le quittais tard, me retournant dans la nuit et le vent
pour apercevoir cette lumière dans la douceur de laquelle
semblait avoir passé la paix de ceux qui vivaient là, pressé aussi
de retourner à la bonne chaleur de l'hôtel, aux bons plats
annoncés, à moins que quelque odeur passant dans le vent,
quelque lueur aperçue sur la mer me parût non pas un présage
de l'avenir, mais quelque ressouvenir obscur du passé. Alors je
restais souvent des heures à consulter le vent, les oiseaux, le
ciel comme un augure, faisant des gestes mais pour m'aider à
accoucher ma pensée.

C'est ainsi que la dernière personne dont j'avais fait
connaissance à Querqueville c'était la mer. Et même une semaine
où pendant trois jours le vent travaillait la mer, la pétrissait,
la soulevait à point pour la tempête, je dis à l'hôte : « Écoutez,
si vous croyez qu'il y ait vraiment tempête sur la grande mer
(par opposition à la baie) venez me réveiller cette nuit à une

heure et nous partirons au matin. Et je me souviens de notre départ, des indignations de cet homme qui croyait que nous allions périr, du bon café au lait pris dans la cuisine où étaient les provisions achetées la veille pour le déjeuner que nous aurions fait si nous étions restés, une minute de regret de ne pas rester à prendre ce bon déjeuner, peut-être le dernier que je ferais, puis la course dans la campagne et des heures avant d'arriver à la grande mer, en plein champs, dans un vent terrible, des flocons d'écume filant comme des fuyards, puis des pierres volant comme des estafettes ayant des ordres pressés à donner. Par moments il pleuvait, mais la pluie ne tombait pas, emportée horizontalement par le vent, et le déjeuner fait dans une auberge pendant lequel le soleil qui s'était mis à briller était venu se mettre à l'abri du vent dans la cuisine et où on aurait presque cru qu'il faisait un temps calme sans les portes et les fenêtres qui tremblaient continuellement.

Mais tout cela que j'aimais je n'en jouissais guère car je pensais trop à Andrée, etc.

Esquisse LXXVI

[REGRETS QUE M'INSPIRE
LA PERSPECTIVE DU DÉPART]

[Ce fragment est extrait du Cahier 38.]

Je songeais qu'il me faudrait bientôt quitter ces herbages forts et drus de la mer et je sentis que cela me serait dur, que je m'étais attaché à elle. Sans doute j'en avais bien joui ; les impressions que j'en attendais, je les avais bien peu reçues. Mais peut-être à cause de cela même, je ne trouvais pas le moment venu de la quitter, espérant de l'avenir les révélations que ne m'avait pas fournies la pensée, et quoique M. de Quimperlé[1] m'eût dit : « Comment, voilà deux mois que vous êtes ici, sapristi, moi à qui quinze jours paraissent déjà si longs », le séjour que j'avais passé à Querqueville me paraissait court, parce que je le sentais inachevé[a]. Ainsi ce dont je souffrais de devoir être bientôt privé, par un départ qui me faisait m'apercevoir que je l'aimais, ce n'était pas telle ou telle beauté de la mer, c'était même sans la voir, même sans me soucier un moment d'elle tout le jour, de savoir que j'habitais au bord des champs de la mer, dont la nuit les lointaines collines, les vertes ondulations se déplaçaient et venaient vers moi, avec un bruit si altier et si doux. Sa^d présence c'était la possibilité de recevoir d'elle demain les impressions que je n'en avais pas eues jusqu'ici^b. Sa présence, parce que c'était la seule chose que j'en avais eue, me semblait en elle-même quelque chose de précieux, comme si on possédait effectivement quelque chose d'un lieu parce que son nom est devant notre adresse postale. Je savais pourtant bien que mes regards s'étaient chauffés au soleil qui faisait étinceler les vagues, que mes oreilles s'étaient remplies du bruit du vent qui les tordait^1 sans en rien garder. Mais peut-être à cause de cela même, parce que je sentais dissipé au fur et à mesure ce trésor tout matériel de lumière, d'embrun et de sel, j'aurais voulu avoir la possibilité de recommencer sans cesse à l'acquérir. Le désir de la durée n'est-il pas chez nous l'aveu de l'inachèvement, ce n'est que de l'imparfait que nous souhaitons une répétition illimitée qui nous leurre de l'espoir de rassasiement. Comme celui qui croit au moment où il perd un être qu'il aime, qu'il était justement sur le point de savoir jouir de lui, je croyais qu'au moment où j'allais être forcé de quitter Querqueville^c, j'étais sur le point d'acquérir à l'ancienneté, par la vertu purement physique du séjour^d une impression durable de la mer.

Le Côté de Guermantes

I

Esquisse I
[LE COMTE DE GUERMANTES]

[Dans ce fragment du Cahier 5, le narrateur observe le comte et la comtesse — dans le texte définitif, le duc et la duchesse de Guermantes — qui se conduisent en seigneurs du quartier où est situé leur hôtel.]

On voyait constamment le comte dans la cour, souvent en train d'essayer des chevaux, en veste prune, sans chapeau, comme un propriétaire ou comme un ouvrier. Quand mon père passait dans la cour, comme ils se connaissaient un peu, il allait souvent à lui, ayant souvent un petit service de voisin à lui demander, il ne se contentait pas de lui serrer la main, mais la lui retenait dans la sienne et le menait ainsi en laisse jusqu'à l'escalier, car certains grands *[interrompu]*

Si c'était l'heure où mon père sortait pour ses affaires, comme il le connaissait un peu et avait souvent des services de voisin à lui demander, il courait à lui, lui arrangeait le col de son pardessus, et ne se contentait pas de lui serrer la main mais la lui retenait dans la sienne, et le menait ainsi en laisse de la porte de l'escalier à la loge du concierge, car certains grands seigneurs dans leur désir de flatter en montrant qu'ils ne voient aucune distance entre eux et vous, ont des complaisances de valet et jusqu'à une impudeur de courtisane. Le comte avait l'inconvénient d'avoir toujours les mains humides de sorte que mon père faisait semblant de ne pas le voir, de ne pas entendre ses appels[a], allait jusqu'à ne pas lui répondre s'il lui parlait ; l'autre ne se démontait pas et disait seulement : « Je crois qu'il est "absorbé" » et retournait à ses chevaux. Plusieurs fois ils avaient envoyé des coups de pied dans la boutique du fleuriste, cassé un vitrage et des pots. Le comte n'avait rien consenti que sur la menace d'un procès, et trouvait que c'était abominable de la part du fleuriste « quand on savait tout ce que Mme la Comtesse avait fait pour

la maison et pour le quartier ». Mais le fleuriste qui semblait
n'avoir au contraire aucune notion de ce que la comtesse « faisait
pour la maison et pour le quartier » et qui trouvait même
extraordinaire qu'elle ne lui prît jamais de fleurs pour ses
réceptions avait envisagé la chose à un autre point de vue, ce
qui faisait que le comte le trouvait abominable. De plus il disait
toujours « monsieur » et jamais « monsieur le Comte ». Le
comte ne s'en plaignait pas mais un jour que le vicomte de Pruns[a]
qui venait de s'installer au quatrième et qui causait avec le comte
demandait une fleur, le fleuriste qui ne savait pas encore bien
le nom dit « monsieur Pruns ». Le comte par amabilité pour
le vicomte de Pruns éclata de rire : « Monsieur Pruns, c'est
trouvé, ah ! par le temps qui court, estimez-vous heureux que
ce ne soit pas encore le citoyen Pruns. » Le comte < déjeunait >
tous les jours au cercle, sauf le dimanche où il déjeunait avec
sa femme. Pendant la belle saison, la comtesse recevait tous les
jours de deux à trois heures. Le comte allait fumer un cigare au
jardin, demandant au jardinier : « Qu'est-ce que cette fleur ?
Est-ce que nous aurons des pommes cette année ? » et le vieux
jardinier, ému comme s'il voyait le comte pour la première fois
lui répondit d'un air encore plus reconnaissant que respectueux,
comme si devant cette marque de son intérêt pour elles, il le
remerciait au nom des fleurs. Au premier coup de timbre
annonçant les premières visites pour la comtesse, il remontait
précipitamment dans son cabinet, cependant que les domestiques
s'apprêtaient à apporter au jardin le sirop de cassis et l'eau
minérale. Dans ce cabinet, qui donnait sur le jardin, une
bibliothèque, la bibliothèque de son père, contenait sous une
même reliure d'un or passé, tout Balzac, tout « Roger de
Beauvoir », tout Fenimore Cooper, tout Walter Scott, et le
théâtre complet d'Alexandre Duval[1]. Le comte adorait ces livres,
qu'il relisait souvent et on pouvait lui parler de Balzac sans le
trouver pris au dépourvu. Comme presque toutes les personnes
qui aimaient Balzac naïvement, il trouvait cela charmant, bien
observé, *Le Bal de Sceaux, La Femme de trente ans, Eugénie Grandet*,
« un peu plus dur, mais un petit chef-d'œuvre », et *Modeste
Mignon !* et *Mademoiselle de Choisy*, peut-être plus joli que tout.
Mademoiselle de Choisy, est-ce donc une œuvre de Balzac qui
n'aurait pas été réimprimée, car le comte avait Balzac dans une
de ces éditions qui sont si souvent nommées dans la *Correspondance*, chez Mme Béchet « au coin du quai des Grands
Augustins[2] » à qui il écrivait : « Je vous envoie quelque chose
de < plus > beau que l'Évangile, de plus touchant encore que
Pierrette, j'ai pleuré moi-même en le lisant. Vous ne m'avez donné
que mille francs pour 15 feuillets ce qui met à 10 francs la page
alors que vous m'en aviez promis 12, etc. » Mais si on le

demandait au comte, il disait : « Je crois que c'est de Roger de Beauvoir[1]. » Mais il confondait aisément ces livres tous « charmants » qui avaient la même couverture, comme les gens du peuple confondent le séné et la morphine parce que c'est dans une petite bouteille blanche. « Ah ! si vous le mettez sur Balzac », disait la comtesse, faisant sentir la faveur que c'était quand il parlait de sa « spécialité ». Mais la marquise bougonnait : « D'abord c'est faux tout ce qu'il a écrit sur la société ; il n'y était pas reçu ; pourquoi écrivait-il sur ce qu'il ne savait pas ? Il a prétendu peindre la société des dames d'atour de Madame. Moi je les ai bien connues, ce n'était pas du tout comme ça. Il dit que M. de Talleyrand était gros, c'est pas vrai, je l'ai bien connu, il venait constamment chez ma mère qui était sa cousine, il était maigre. Et la duchesse de Langeais. Tout ça c'est faux. Il connaissait Mme d'Abrantès[2]. Mais elle n'était pas du tout de la société. Quand j'étais jeune on m'a fait déjeuner une fois avec elle qui était vieille, et malgré cela j'ai dit que je ne me laisserais pas présenter. Et c'est elle qui s'est fait présenter, et elle était au bout de la table. On ne la connaissait pas. Les écrivains *[interrompu]*

Souvent le soir on apercevait dans l'étroit petit jardin le duc de X ou le marquis de X qui venaient plusieurs fois par semaine ; âgés, ils s'imposaient la fatigue de s'habiller, de se tenir toute la soirée sur une chaise peu confortable, dans ce tout petit bout de jardin, avec la seule perspective du cassis, quand dans tant de maisons luxueuses de grands financiers on aurait été si heureux de les avoir en veston, dans de doux sofas, avec un luxe de boissons et des cigares. Mais le bifteck et le café sans associations d'idées d'encanaillement, tel était évidemment le plaisir qu'ils y trouvaient. C'étaient des hommes instruits et quand le comte, pour le besoin de ses amours, ramenait de temps en temps un jeune homme « que personne ne connaissait », ils savaient le charmer en l'entretenant de sujets qui lui fussent familiers (« Vous êtes architecte, monsieur ? ») avec beaucoup de savoir, de goût et même une amabilité dont <un> adieu extrêmement froid marquait la terminaison, cependant qu'une fois que le nouveau venu était parti, ils en parlaient avec la plus grande bienveillance, comme pour justifier la fantaisie qu'on avait eue de le faire entrer, faisant l'éloge de son intelligence, de ses manières et prononçant plusieurs fois son nom comme pour s'exercer, comme un mot étranger nouveau et précieux qu'on viendrait d'acquérir. On parlait des mariages projetés dans la famille, le jeune homme était toujours un excellent sujet, on était content pour Isabelle, on discutait si c'était sa fille qui faisait le beau mariage au point de vue du nom. Tous ces gens qui étaient nobles et riches faisaient valoir la noblesse et la fortune de gens

qui n'en avaient certainement pas plus qu'eux comme s'ils eussent
été « bien heureux d'être de même ». Le comte disait : « C'est
qu'il a une immense fortune », ou « C'est tout ce qu'il y a de
plus ancien comme nom, apparenté à tout ce qu'il y a de mieux,
c'est ce qu'il y a de plus grand », alors qu'il était certainement
aussi bien né et avait d'aussi belles alliances. Si la comtesse faisait
quelque chose qu'on désapprouvait, on ne la blâmait pas, on ne
disait jamais son avis sur une chose que le comte ou la comtesse
faisaient, cela faisait partie de la bonne éducation. La conversation
était d'ailleurs fort lente, à voix assez basse. Seule la question
des parentés incendiait instantanément le comte. « Mais c'est ma
cousine ! » s'écriait-il à un moment prononcé, comme s'il s'agissait
d'une chance inespérée et d'un ton qui donnait envie de lui
répondre : « Mais je ne vous dis pas le contraire. » Il le disait
du reste plutôt à des étrangers car le duc de X et le marquis
X n'avaient rien à apprendre de lui à ce sujet. Quelquefois
pourtant ils allaient au-devant et disaient : « Mais c'est votre
cousine, Astolphe, par les Montmorency. — Mais naturellement », s'exclamait Astolphe, craignant que l'affirmation du duc
de X ne fût pas absolument certaine. La comtesse affectait une
jolie manière *terrienne* de parler, elle disait : « C'est une cousine
à Astolphe, elle est bête comme *eun* oie, c'est *su* le champ de
courses, la duchesse de Rouen (pour Rohan). » Mais elle avait
un joli langage. La conversation du comte au contraire, vulgaire
au possible, permettait de recueillir presque tous les parasites du
langage comme certaines plages sont favorables aux zoologistes
pour y trouver de grandes variétés de mollusques. « Ma tante
de Villeparisis qui est une bonne pièce » ou « qui en a de
bonnes » ou « qui est une fine mouche » ou « qui est une
bonne peste », « je vous assure qu'il ne lui demanda pas son
reste », « il court encore ». Si la[a] simple suppression d'un article,
le passage d'un singulier au pluriel rendait un mot plus vulgaire,
on peut être sûr que c'était cette forme de langage que le mot
prenait chez lui. Il aurait été naturel de dire qu'un cocher sortait
de chez les Rothschild. Il disait : « Il sort de chez Rothschild »,
n'entendant pas par là tel Rothschild qu'il aurait connu, mais
disant par la voix de l'homme du commun, né noble et élevé
chez les jésuites, mais tout de même du commun qu'il était :
« Rothschild ». Dans les phrases où la moustache passe mieux
au pluriel, c'était porter « la moustache ». Si on lui disait de
prendre le bras d'une maîtresse de maison et y eût le duc
de X il disait : « Je ne veux pas passer avant le duc de X. »
Quand il écrivait cela s'aggravait, les mots ne lui représentent
jamais leur sens exact, il les accouplait toujours avec un mot d'une
autre série. « Voulez-vous venir me trouver à l'Agricole[1],
puisque depuis l'année dernière je *fais partie* de cet endroit ? Je

regrette de n'avoir pu faire la connaissance de M. Bourget[1], j'aurais été heureux de serrer la main de cet esprit si distingué. Votre lettre est charmante, surtout la péroraison. Je regrette de n'avoir pu *applaudir* la curieuse *audition* » (il est vrai qu'il ajoutait, comme des gants gris perle sur une main sale) « de *ces* exquises *musiques* », car il trouvait raffiné de dire « des musiques » et au lieu de « mes sentiments distingués » « mes distingués sentiments[a] ». Mais d'ailleurs sa conversation se composait beaucoup moins de mots que de noms. Il connaissait tant de monde qu'à l'aide de la jonction « précisément » il pouvait amener immédiatement ce que dans le monde on appelait une « anecdote » et qui était généralement quelque chose comme ceci : « Mais précisément en dix huit cent soixante... voyons soixante... sept, j'étais à dîner chez la grande-duchesse de Bade (de Baide), la sœur précisément du prince, alors de Weimar, depuis prince héritier, qui a épousé ma nièce Villeparisis[2] ; je me souviens parfaitement que la grande-duchesse qui était fort aimable et qui avait eu la bonté de me placer à côté d'elle voulut bien me dire que la seule manière de garder les fourrures, pardonnez-moi cette expression un peu vulgaire, elle ne craignait pas quelquefois d'emporter le morceau, était d'y mettre au lieu de naphtaline, de la pelure de radis pilés[b]. Je vous réponds que cela n'est pas tombé dans l'oreille d'un sourd. Du reste[c] nous avons donné la recette à Ketty de Dreux-Brézé et à Loulou de la Chapelle-Marnière-sur-Avre qui en ont été enchantées, n'est-ce pas, Floriane ? » Et la comtesse avec simplicité disait : « Oui, c'est excellent. Essayez donc pour vos fourrures, Juliette, vous verrez. Voulez-vous que je vous en fasse envoyer un peu ? Les domestiques le préparent très bien ici et ils pourraient apprendre aux vôtres. Ce n'est rien une fois qu'on sait. »

Esquisse II

[LE « TYPE GUERMANTES »]

[Autre fragment du Cahier 5. Le narrateur cherche à définir le « type Guermantes ». Y a-t-il des particularités communes à tous les membres de la famille ? En quoi Mme de Guermantes se distingue-t-elle des autres femmes de l'aristocratie ?]

Les divers Guermantes resteront en effet reconnaissables dans la pierre rare de la société aristocratique où on les apercevait çà et là comme ces filons d'une matière plus blonde, plus précieuse, qui veinent un morceau de jaspe ; on les discernait, on suivait au sein de ce minerai où ils étaient mêlés le souple ondoiement de leurs crins d'or, comme cette chevelure presque lumineuse qui court, dépeignée, dans le flanc de l'agate mousse. Et ma vie aussi avait été à plusieurs endroits de sa surface ou de ses profondeurs traversée ou frôlée par leur fil de clarté. Certes j'avais oublié que dans les chansons une ma vieille bonne me chantait il y en avait une : « Gloire à la Dame de Guermantes » que ma mère se rappelait. Mais plus tard d'année en année ces Guermantes surgissaient d'un côté ou d'un autre des hasards et des sinuosités de ma vie comme un château qu'en chemin de fer on réaperçoit toujours, tantôt à sa gauche, tantôt à sa droite[a].

Et à cause de cela même, des détours particuliers de la vie qui me mettaient en leur présence d'une façon chaque fois différente, je n'avais dans aucune de ces circonstances particulières pensé peut-être à cette race des Guermantes, mais seulement à la vieille dame à qui ma grand-mère m'avait présenté et qu'il fallait penser à saluer, à ce que pourrait penser Mlle de Quimperlé[1] en me voyant avec elle, etc. Ma connaissance de chaque Guermantes était issue de circonstances si contingentes, et chacun avait été incarné[b] si matériellement devant moi par les images toutes physiques apportées par mes yeux ou mes oreilles, le teint couperosé de la vieille dame, ses mots : « Venez me voir avant le dîner », que je n'avais pu avoir l'impression d'un contact avec cette race mystérieuse, un peu comme pouvait être pour les anciens une race où quelque sang animal ou divin coulait. Mais à cause de cela même, donnant peut-être quand j'y pensais quelque chose de plus poétique à l'existence, en pensant que les circonstances seules avaient déjà tant de fois approché de ma vie sous des prétextes divers, ce qui avait été l'imagination de mon enfance. À Querqueville un jour que nous parlions de Mlle de Saint-Étienne, Montargis m'avait dit : « Oh ! c'est une vraie Guermantes, c'est comme ses sœurs, c'est comme ma tante Septimie, ce sont des "Saxe", des figurines de Saxe. » Les mots en entrant dans mon oreille apportent avec eux une si indélébile image qu'il en résulte chez moi une nécessité de prendre à la lettre ce qu'on me dit qui va plus loin que ne ferait la plus stupide naïveté. Dès ce jour je ne pus plus penser aux sœurs de Mlle de Saint-Étienne et à la tante Septimie que comme à des figurines de Saxe rangées dans une vitrine où il n'y avait que des choses précieuses. Et chaque fois qu'on parlait d'un hôtel Guermantes à Paris ou à Poitiers, je le voyais comme un fragile et pur rectangle de cristal intercalé entre les maisons, comme une flèche gothique entre des toits, et derrière le vitrage duquel les dames de Guermantes, près < de > qui n'avait le droit de s'insinuer aucune des personnes qui formaient le reste du monde, brillaient des plus douces couleurs, petites figurines de Saxe.

À mettre à sa place.

Quand je vis Mme de Guermantes, j'eus la même petite déception à lui trouver des joues en chair et un costume tailleur là où j'imaginais une statuette de Saxe, que j'en eus à voir la façade de Saint-Marc que Ruskin avait dite de perles de saphir et de rubis[1]. Mais je m'imaginais encore que son hôtel était une vitrine et de fait ce que j'en voyais y ressemblait un peu et ne devait d'ailleurs être qu'un emballage protecteur. Mais l'endroit même où elle habitait devait être aussi différent du reste du monde, aussi impénétrable et impossible à fouler pour des pieds humains que la tablette de cristal d'une vitrine. À vrai dire les Guermantes réels, s'ils différaient essentiellement de mon rêve, étaient cependant, une fois admis que c'étaient des hommes et des femmes, assez particuliers. Je ne sais plus quelle était cette race mythologique qui était issue d'une déesse et d'un oiseau, mais je le suis sûr que c'étaient les Guermantes. Ils avaient, au moins tous ceux qui avaient conservé le type de la famille, un nez trop busqué (quoique sans aucun rapport avec le busqué juif), trop long, qui tout de suite, chez les femmes surtout quand elles étaient jolies, chez Mme de Guermantes plus que chez toutes, mordait sur la mémoire comme quelque chose de presque déplaisant la première fois, comme l'acide qui grave. Au-dessous de ce nez qui pointait, la lèvre trop mince, trop peu fournie, donnait à la bouche quelque chose de sec, et une voix rauque, un peu un cri d'oiseau, en sortait, un peu aigre, mais qui enivrait. Les yeux étaient d'un bleu profond, qui brillait de loin comme de la lumière, et vous regardaient fixement, durement, semblant appuyer sur vous la pointe d'un saphir inémoussable, avec un air moins de domination que de profondeur, moins de vouloir vous dominer que vous scruter sans peur. Les plus sots de la famille héritaient par la femelle et aussi perfectionnaient par l'éducation cet air de psychologie à qui rien ne résiste et de domination des êtres mais à qui leur stupidité ou leur faiblesse eût donné quelque chose de comique, si ce regard n'eût eu par lui-même une ineffable beauté. Les cheveux des Guermantes étaient habituellement blonds tirant sur le roux mais d'une espèce particulière, une sorte de mousse d'or, moitié touffe de soie, moitié fourrure de chat. Leur teint qui était déjà proverbial au XVIIe siècle était d'un rose mauve comme celui de certains cyclamens, et se granulait souvent au coin du nez sous le cerne de l'œil gauche d'un petit bouton sec, toujours à la même place, que la fatigue enflammait parfois. Et dans certaines parties de la famille où on ne s'était marié qu'entre cousins, il s'était assombri, violacé ; il y avait certain Guermantes, brun celui-là, qui venait peu à Paris et qui, se tortillant comme tous les Guermantes au-dessous de son bec proéminent entre ses joues grenat et ses pommettes améthyste, avait l'air de quelque cygne majestueusement empanaché de plumes pourprées qui s'acharne méchamment après des touffes d'iris ou d'héliotrope.

Au milieu de cela.

Grands, les Guermantes n'étaient généralement pas bâtis d'une manière symétrique et comme pour établir une moyenne constante, une sorte de ligne idéale, d'harmonie qu'il faut perpétuellement faire soi-même comme sur le violon, entre leurs épaules trop prolongées, leur cou trop long qu'ils enfoncent nerveusement dans une épaule, comme si on les eût embrassés sous l'autre oreille, leurs sourcils inégaux, leurs jambes souvent inégales aussi par des accidents de chasse, ils se remuaient sans cesse, se tortillaient, n'étaient jamais vus que de travers, ou redressés, rattrapant un monocle, élevant un sourcil, tournant leur genou gauche de leur main droite.

Revenir aux Guermantes cygne.

Les Guermantes avaient les manières du grand monde mais cependant ces manières réfractaient plutôt l'indépendance de nobles qui avaient toujours aimé tenir tête aux rois, que la gloriole d'autres nobles tout aussi nobles qu'eux, qui aimaient à se sentir distingués par eux et les servir. Ainsi là où les autres disaient volontiers même en causant entre eux : « J'ai été <chez> Mme la duchesse de Chartres[1] », les Guermantes disaient même aux domestiques : « Appelez la voiture de la duchesse de Chartres. » Enfin leur mentalité était constituée par deux traits. Au point de vue moral, par l'importance capitale reconnue aux bons instincts. De Mme de Villeparisis aux derniers petits Guermantes, ils avaient la même intonation de voix pour dire d'un cocher qui les avait conduits une fois : « On sent que c'est un homme qui a de bons instincts, une nature droite, un bon fond. » Et parmi les Guermantes autant que dans toutes les familles humaines, plus discrets <que> certaines personnes, il y avait beau y en avoir de détestables, menteurs, voleurs, cruels, débauchés, faussaires, assassins ; ceux-là plus charmants d'ailleurs que les autres, sensiblement plus intelligents, plus aimables, ne gardaient avec l'aspect physique et l'œil bleu scrutateur et le saphir inémoussable qu'un trait commun avec les autres, c'est, dans les moments où ils montraient le tuf, où sortait le fond permanent, la nature qui se montre, de dire : « On sent qu'il a de bons instincts, c'est une nature droite, un brave cœur, c'est tout cela ! » Les deux autres traits constitutifs de la mentalité des Guermantes étaient moins universels[2]. Tout intellectuels, ils n'apparaissaient que chez les Guermantes intelligents, c'est-à-dire croyant l'être et ayant alors l'idée qu'ils l'étaient extraordinairement car ils étaient extrêmement contents d'eux. L'un de ces traits était la croyance que l'intelligence — et aussi la bonté, la piété — consistait en choses extérieures, en connaissances. Un livre qui parlait de choses qu'on connaît leur paraissait insignifiant. « Cet auteur ne nous parle que de la vie de campagne, des châteaux. Mais tous les gens qui ont vécu à la campagne savent cela. Nous avons la faiblesse d'aimer les livres qui nous apprennent quelque chose. La vie est courte. Nous n'allons pas perdre une heure précieuse à lire *L'Orme du Mail* où Anatole France nous raconte sur la province des choses que nous savons aussi bien que lui[1]. »

Mais cette originalité[a] des Guermantes que la vie me donna en compensation, comme une action de jouissance, n'était pas l'originalité que je perdis dès que je les connus et qui les faisait poétiques[b] et dorés comme leur nom, légendaires, impalpables comme les projections de la lanterne magique, inaccessibles comme leur château, vivement colorés dans une maison transparente et close, dans un cabinet de verre, comme des statuettes de Saxe. Tant de noms nobles du reste ont ce charme d'être un nom de château, de « station » de chemin de fer, où on a souvent rêvé, en lisant un indicateur de chemin de fer, de descendre une fin d'après-midi de la fin de l'été, quand dans le Nord, les charmilles vite solitaires et profondes entre lesquelles est intercalée et perdue la gare, sont déjà roussies par l'humidité et la fraîcheur comme ailleurs à l'entrée de l'hiver.

Si je pouvais dégager délicatement des bandelettes de l'habitude et revoir dans sa fraîcheur première ce nom de Guermantes alors que mes rêves seuls lui donnaient ses couleurs, je pourrais mettre en regard de la Mme de Guermantes que j'ai connue et que son nom signifie pour moi maintenant, l'imagination que sa connaissance réalisa, c'est-à-dire détruisit. Pas plus que la ville de Pont-Aven n'était bâtie des éléments tout imaginatifs qu'évoque la sonorité de son nom, Mme de Guermantes n'était formée de la matière toute couleur et légende que je voyais en prononçant son nom. Elle était aussi une personne d'aujourd'hui tandis que son nom me la faisait voir à la fois aujourd'hui et dans le XIIIᵉ siècle, à la fois dans un hôtel qui avait l'air d'une vitrine et dans la tour d'un château isolé, qui recevait toujours les derniers rayons du couchant, empêchée par son rang d'adresser la parole à personne. À Paris dans l'hôtel en vitrine je pensais qu'elle parlait à d'autres personnes qui étaient aussi à la fois dans le XIIIᵉ siècle et dans le nôtre, qui avaient aussi des mélancoliques châteaux et qui ne parlaient pas non plus à d'autres personnes. Mais ces nobles mystérieux devaient avoir des noms que je n'avais jamais entendus ou dans une légende. Les noms célèbres de la noblesse, La Rochefoucauld, La Trémoille, ceux qui sont devenus des noms de rues, des noms d'œuvres me semblaient trop publics, devenus trop des noms communs pour cela.

Quand au détour d'une rue, je reconnaissais venant dans ma direction les favoris blancs de son maître d'hôtel, qui lui parlait, qui la voyait déjeuner, qui était comme de ses amis, j'avais un triple coup au cœur comme si de lui aussi j'avais été amoureux.

Ses matinées, ses jours n'étaient que des sortes de fils de perles qui la rattachaient aux plaisirs les plus élégants qu'il y eût alors ; dans cette robe de velours bleu après sa promenade elle [*un mot illisible*] déjeuner chez la duchesse de Mortagne ; à la fin du jour quand on reçoit aux lumières elle irait chez la princesse d'Aleriouvres, chez Mme de Breyves[1] ; et après le dîner quand sa voiture l'attendait et qu'elle y introduisait un frémissement opalin de soie, de regard et de perles, elle partait chez la duchesse de Rouen ou la comtesse de Dreux. Plus tard quand ces mêmes personnes furent devenues pour moi des personnes ennuyeuses où je ne tenais plus à aller et que je vis qu'il en était de même pour elle, sa vie perdit de son mystère et souvent elle préféra rester avec moi à causer, plutôt que nous allions dans ces fêtes, où alors je me figurais qu'elle devait seulement être elle-même, le reste de ce que je voyais n'était qu'une sorte de coulisse où l'on ne peut rien soupçonner de la beauté de la pièce et du génie de l'actrice. Quelquefois le raisonnement retira plus tard d'elle, de sa vie, des vérités qui exprimées ont l'air de signifier la même chose que mes rêves : elle est particulière, elle ne voit que des gens d'ancienne race. Ce n'étaient plus que des mots.

Esquisse III

[LES JUGEMENTS DE FRANÇOISE]

[Cahier 1. Les parents du narrateur ont déménagé. Françoise fait la connaissance de leurs nouveaux voisins : Juliot, le brodeur — Jupien, dans le texte définitif —, le comte — le duc de Guermantes —, et le marquis.]

Françoise appréciait beaucoup Juliot. Elle qui avait eu un frère ouvrier dont elle avait vu de près les camarades révolutionnaires, et qui avait été blessé dans une grève, elle admirait la douceur et la sagesse du brodeur. Elle lui trouvait plus de « raisonnement » qu'aux autres hommes du peuple, qui tous se laissent emporter par la colère. « Alors ce sont de vrais lions » (qu'elle prononçait li-ons), et Dieu sait que cette épithète dans sa bouche n'était pas flatteuse. De dire d'un homme qu'il était devenu un lion, lui paraissait ce qu'on pouvait dire de plus affreux. « Et puis adroit comme une femme pour sa broderie, de vraies mains de femmes. Et un homme rangé, galant mais jamais plus que ça. Ah ! si j'avais une fille c'est un homme comme cela que j'aurais aimé pour elle. Je la lui aurais donnée les yeux fermés. » Elle n'aimait pas beaucoup le comte parce qu'elle savait qu'il courait beaucoup les femmes : « C'est un gros polisson. » Mais tout ce qu'elle savait du marquis lui plaisait beaucoup et elle en parlait toujours avec un grand respect. Mais les gens du peuple sont comme l'aristocratie. Ils ont de la classe riche, nobles et bourgeois, comme les nobles de la bourgeoisie, une idée générale si détestable, que leur respect et leur estime n'est pas gênée par la connaissance d'actes méprisables qui leur semblaient sous-entendus. On s'étonne quelquefois de voir le faubourg Saint-Germain s'ouvrir à un financier que les financiers ne recevraient pas. Mais c'est que comme pour eux tous les financiers sont des voleurs, du moment qu'ils en reçoivent un ils ne sont nullement arrêtés par le fait que ce soit un voleur, ce qui était certain. Ainsi Françoise ne nous parlait jamais du marquis que sur le ton le plus respectueux, le plus pénétré et qui tournait vite à l'attendrissement. Je fus donc bien étonné de découvrir un jour qu'il n'y avait aucun doute pour elle ni pour les autres domestiques que le marquis (histoire absurde et sans le plus léger fondement de vérité) avait détruit le testament de son père qui laissait une somme trop importante à un vieux cocher et avait refait un faux testament où il s'était adjugé la part du cocher. Elle ne doutait pas un instant que son notaire qui était le nôtre et qu'elle introduisait toujours avec une nuance de déférence particulière, n'eût trempé dans le faux, ainsi que les juges, les avocats et le gouvernement. Aussi par moments quand je la voyais dans ma chambre où l'on causait (et où elle était toujours persuadée d'avoir entendu des choses qu'on n'avait jamais songé à dire, et comprenait de travers celles qu'elle ne pouvait pas mal entendre) j'étais effrayé de penser aux terribles dessous que cachait son respect, son silence, et son empressement. Que pouvait-elle penser de gens qu'elle croyait capables de voler des millions, elle qui se serait fait scrupule de se tromper de deux sous à notre désavantage. Mais en réalité je crois que son mépris était comme sa charité tout d'imagination. Et que pratiquement les hommes ne lui inspiraient ni l'un ni l'autre mais plutôt de l'estime et de l'indifférence. Elle était royaliste, c'est-à-dire pour les rois ; elle ne croyait pas d'ailleurs qu'un roi ait jamais détrôné Napoléon, puisque c'étaient toujours des rois. Elle considérait tous les rois comme des gens d'une même sorte qui étaient forcément tous bien ensemble. La révolution lui faisait peur mais moins la guerre, parce qu'elle pourrait ramener la royauté, mais elle était très préoccupée de savoir si à la révolution c'était comme à la guerre, si on était forcé de marcher, et si on était forcé de la « déclarer » d'avance.

Esquisse IV

[UN PORTRAIT
DE FRANÇOISE]

[Ce nouveau portrait de Françoise, extrait du Cahier 5, est plus étoffé que le précédent. Mais à la fin de l'esquisse, Françoise retourne dans son village et disparaît du roman.]

Françoise était de ces serviteurs qui dans une maison sont à la fois celui auquel tiennent le plus les maîtres et qui déplaisent le plus aux étrangers. Sûrs que leurs maîtres tiennent plus à eux qu'à vous et se brouilleraient beaucoup plus volontiers avec vous qu'ils ne les renverraient, ils ne prennent pas la peine de vous conquérir et ne vous témoignent aucune servilité. Souvent aussi ceux qui ont des capacités réelles n'ont pas cet agrément de paroles qui plaît au premier abord et qui agace un maître intelligent qui a vite éprouvé ce qu'il contient d'imperfectibilité. Françoise ne s'occupait plus de la cuisine que pour transmettre la « tradition » aux jeunes recrues, et ne « reprenait le rôle » que quand il y avait du monde. Alors elle était comme une grande chanteuse vieillie qui n'a plus de voix et qui « enfonce » tous les débutants. Maman disait au valet de chambre : « Oh ! ce soir c'est Françoise qui a fait le café, j'ai senti cela tout de suite. » Et le valet de chambre voyait là une « idée », et admirait le parti pris et la crédulité des maîtres. Les domestiques n'aimaient pas Françoise, pas plus probablement que les bestiaux n'aiment la suette ou les enfants la méningite tuberculeuse. Ils ne lui résistaient pas beaucoup plus longtemps.

Ce n'est pas qu'elle n'eût une immense pitié pour tous les malheurs mais il fallait qu'ils frappassent des inconnus qui lui devenaient aussitôt sympathiques. Si en faisant le déjeuner elle entendait dire qu'il y avait beaucoup de misère à Java, elle se représentait aussitôt ces malheureux et fondait en larmes. Mais le malheur lui paraissait quelque chose qui cause à celui qui en a pitié de l'attendrissement et non de l'irritation. Et quand elle était réveillée la nuit par les cris de la femme de chambre qui avait des coliques néphrétiques et qu'elle la voyait rester couchée le lendemain, elle témoignait par sa mauvaise humeur que cela n'avait absolument rien d'attendrissant et que cela pourrait bien être une plaisanterie que la malheureuse lui faisait pour faire la dame et rester couchée comme une maîtresse. Une nuit que la femme de chambre souffrait ainsi et que Maman qui s'était levée avait dit à Françoise de regarder dans un livre de médecine le nom d'un calmant, Françoise obéissait avec une mauvaise humeur qui révoltait Maman. Comme elle ne revenait pas, j'allai voir ce qu'elle faisait. Je la trouvai assise en larmes sur le livre. Elle était tombée sur la description de la crise classique de coliques néphrétiques, éprouvée par un malade. Aussitôt elle s'était représentée ce pauvre inconnu, elle l'avait plaint, elle pleurait sur lui, et à chaque souffrance décrite, et pas plus forte assurément que celle qu'éprouvait la malheureuse femme de chambre, elle poussait un sanglot : « Est-ce possible que des malheurs comme cela arrivent, que Dieu envoie des tribulations pareilles à sa créature. Ah ! la pauvre, la pauvre, et dire qu'on ne peut pas la soulager. » À ce moment je l'appelai pour venir soigner la femme de chambre. Son attendrissement cessa et elle revint avec mauvaise humeur.

Cette créature qui avait pour ses neveux et nièces une tendresse qui serait allée facilement jusqu'au sacrifice de sa propre vie, avait à l'endroit des autres domestiques des cruautés inflexibles et raffinées comme celles que l'*[un blanc*ᵃ*]*, qui est une mère admirable pour ses petites abeilles, a à l'égard des bourdons de toute espèce. Il y a un été où elle ne nous a fait manger tous les soirs des asperges que parce que leur odeur donnait d'effroyables crises d'asthme à une fille de cuisine qui fut de cette façon obligée de s'en aller. Au fond nous-mêmes nous tremblions un peu devant elle. Une fois que ce ne fut plus elle qui me servait mon déjeuner, je faisais souvent des observations au valet de chambre qui me servait. Et Maman regardait en riant les sautes d'une indépendance qui avait été comprimée en moi tant que j'avais été sous le joug de Françoise, et à chaque observation un peu vive que je faisais au valet de chambre Maman murmurait : « Latude ou vingt-cinq ans de captivité[1]. » Maman craignait souvent qu'on ne dise devant Françoise des choses qui pouvaient la blesser, en quoi elle avait bien tort, car après vingt-cinq ans d'usage nous n'avons jamais pu découvrir la cause d'une seule de ses colères. Cela venait certains jours, sans qu'on puisse soupçonner pourquoi, comme en se réveillant au bord de la mer on entend que la mer est mauvaise. Ces jours-là on entendait dans la cuisine une plainte monotone et de mauvais augure et personne n'osait s'y risquer. De temps en temps comme une vague plus violente roule bruyamment des galets, une casserole

ou un tisonnier, lancés avec force, venaient frapper le fourneau.
On savait que le temps était pris pour toute la journée. Le
lendemain il n'y paraissait plus. Il est quelquefois troublant de
voir les efforts d'esprits infiniment raffinés, aboutir, comme
dernier mot du labeur le plus compliqué de la pensée et des
évolutions les plus subtiles du goût, à tel trait exquis qui se
rencontre exactement le même dans le refrain tout spontané d'une
chanson populaire. Françoise n'avait guère qu'une robe et un
bonnet et quelque vieux manteau ou vieux chapeau à Maman
qui n'avait jamais été joli et qui était complètement usé. Mais
en les portant elle leur communiquait autant de style et de
grandeur que Whistler en les peignant à la coiffe de sa mère ou
à la robe de chambre de Carlyle[1]. Elle apparaissait comme ces
[un mot illisible[a]] paysans qui au détour du chemin, avec leur large
rose jaune ou soufrée attachée perpendiculairement au mur le
long de la porte ou leur folle nichée de petites roses blanches
rieuses se penchant curieusement hors d'une fenêtre, réalisent
des miracles de couleur, d'expression et de goût. On pouvait
partir pour le voyage le plus imprévu, sans avoir eu le temps
de rien préparer, quand on se retrouvait au wagon, on était
toujours sûr que Françoise était « la mieux ». Sur son visage
régulier qui avait dû être vraiment beau, les sentiments les plus
élevés de tendresse pour les siens, d'oubli de soi-même, de respect
pour ses maîtres avaient imposé une noblesse qui semblait
s'étendre aux choses qu'elle portait. Même son bonnet par la
propreté merveilleuse où elle l'entretenait, le soin infini avec
lequel il était posé, la timide verticale selon laquelle sa tête
soucieuse de montrer qu'elle pouvait se montrer « le front haut »
mais aussi sachant que c'était « à la bêtise » de ne pas garder
sa place, semblait faire partie de sa personne. Le plus souvent
d'ailleurs, dans un lieu un peu public il était remplacé par des
dentelles noires, peut-être pas précieuses en tant que dentelles
mais qui prenaient sur ses cheveux gris la beauté qu'elles auraient
eu dans un Chardin. Même endimanchée elle conservait du style.
Dès le premier jour dans un hôtel, n'importe où, Maman
stupéfaite lui disait : « Mais Françoise où avez-vous trouvé
cela ? » Alors elle rappelait à Maman tel vieux chapeau, telle
vieille robe que Maman lui avait donnés. Dans leur beau temps,
trop riches, elles étaient fort laides. Mais comme certains
monuments ils avaient su vieillir. L'oiseau et les fruits qui
enlaidissaient le chapeau, devenus trop vieux, avaient été retirés
et il ne restait qu'une petite capote qui encadrait à merveille le
visage régulier de Françoise et sur lequel elle avait eu le goût
de coudre pour quarante sous de capucines. Elle avait fait
retourner un corsage dont l'envers se trouvait être aussi simple,
original et joli que l'endroit était prétentieux et laid. On sait que

certaines plantes vivent en symbiose avec certains animaux qui se chargent d'élaborer pour eux les principes dont ils vivent. Françoise*a* vivait en symbiose avec nous. C'était nous qui étions chargés d'élaborer les satisfactions de dignité, d'amour-propre, de contentement qui étaient indispensables à sa vie. Cette vie était faite de plaisirs très simples mais auxquels elle tenait beaucoup. Un grand nombre étaient concentrés dans les quelques minutes qui suivaient déjeuner, ce qui explique la parfaite inutilité qu'il y avait à sonner à ce moment-là. Si Maman essayait, elle renonçait bientôt en sachant que Françoise ne viendrait pas plus au cinquième coup qu'au second. Après avoir plié sa serviette, bu un dernier coup, et remercié d'un air langoureux le jeune valet de chambre qui pour faire du zèle lui offrait encore un peu de raisin, elle se levait et allait ouvrir la fenêtre parce qu'il faisait chaud « dans cette misérable cuisine ». Tout en l'ouvrant elle jetait un regard dédaigneux et passionné sur l'hôtel de la comtesse et sur la cour. Elle voyait passer deux bonnes sœurs et disait : « Cela va chez la comtesse. » Elle entendait par une fenêtre ouverte chanter des chansonnettes grivoises et disait : « Il y a du monde chez la comtesse. » Elle voyait en face à la fenêtre de la cuisine des faisans attachés et disait : « La comtesse a reçu du gibier. » C'était généralement l'heure où dans la cour le cocher de la comtesse attelait ; en entendant le bruit de la fenêtre qui s'ouvrait il levait la tête, et Françoise lui faisait un gentil salut car c'était « un homme pour qui elle avait beaucoup d'estime ». Mais si l'autre lui parlait elle ne répondait pas, que par un geste, parce qu'elle savait que Maman n'aimait pas qu'on parle par les fenêtres et qu'elle-même trouvait cela commun. La voiture de la comtesse et ses chevaux étaient pour elle un grand élément de satisfaction. Je ne dis pas que cette satisfaction n'allait pas sans une certaine souffrance, le regret que n'ayons pas nous aussi de voiture. Mais elle goûtait peut-être un plaisir plus raffiné à savoir que nous « aurions pu en avoir une si nous avions voulu », plaisir tout intime et secret en un sens, mais qui cependant était singulièrement fortifié par ce fait que la concierge, la porteuse de pain, et même les garçons qui venaient porter des paquets, savaient que « nous aurions pu en avoir une si nous avions voulu ». Quelquefois elle faisait signe au concierge ou au cocher en montrant les chevaux de la comtesse que c'étaient de bien beaux chevaux. Et ils répondaient par un geste et à mi-voix en mettant leur main sur leur bouche : « Mais vous aussi » (vous, cela voulait dire « eux », nous) « vous pourriez si vous vouliez, peut-être même plus, seulement vous n'aimez pas tout cela. » Elle prenait un air modeste et impénétrable, disant tout au plus : « Chacun son genre, ici on est à la simplicité », mais en réalité d'ardents rayons de bonheur mûrissaient *[un mot illisible]* à ce moment en elle, les sentiments qu'elle portait au concierge de l'immeuble et au cocher de la comtesse et quand on parlait d'eux elle disait : « Ah ! c'est de bien braves gens. » Et pour peu qu'un garçon qui apportait un paquet ait eu quelques secondes à attendre dans la cuisine, il était bien rare, sans qu'elle eût fait aucune ostentation précise, car elle était infiniment de goût, qu'il ne sortît pas en ayant fortement imprimée en lui la certitude « que nous aurions pu en avoir une, et même dix, si nous avions voulu ». Après ce petit coup d'œil jeté aux choses de la terre, avant de quitter la fenêtre elle en levait un vers le ciel. Alors elle poussait un nouveau soupir et disait : « Ah ! Gelos, Gelos[1] (c'était le nom de son pays) quand est-ce que je te reverrai, que je verrai l'aubépine en fleurs dans le jardin de mon père et que je pourrai y passer toute la sainte journée sans entendre la satanée sonnette de Monsieur ou de Monsieur Marcel. » Et s'assurant encore une fois du temps, de la douceur de l'air, de la chaleur du soleil sur l'appui de la fenêtre, elle essuyait sa bouche où restait un peu d'eau rougie et commençant à ranger la table elle disait : « Ah ! il fait bon en ce moment à Gelos, mes enfants, les garçons[a] sont rentrés des champs, on n'entend que le rossignol et le coucou et le gave comme une rumeur, peut-être une misérable cloche ; je vous assure qu'il fait plus frais sous le cerisier ou à pêcher la truite que dans cette damnée cuisine, auprès du fourneau. » Elle disait souvent ce nom de Gelos en souriant, comme si dans sa vie publique en quelque sorte elle trouvait comique de dire le nom d'un pays qui lui était si intime et <comme> des élèves <se mettent à rire quand> un professeur de lycée du haut[b] de sa chaire fait allusion à un événement de la politique du jour pour amuser ses élèves, et comme si de parler de cette chose la plus particulière pour elle était la source d'un comique voilé infiniment fin. Mais le plus souvent pensant qu'elle ne le reverrait pas, aux bons jours qu'elle y avait passés auprès de sa « pauvre mère » qui y était enterrée dans le cimetière, à deux de ses frères qu'elle n'avait pas revus, elle l'invoquait d'un accent religieux. Elle aimait la religion, la royauté, et certains progrès dont l'idée lui paraissait grande, tellement qu'ayant perdu presque tout ce qu'elle avait dans le Panama, ses yeux se mouillaient d'attendrissement en disant qu'elle ne pouvait pas en vouloir à M. de Lesseps qui avait <fait> quelque chose de si beau que le canal de Suez[c2] qui évitait tant de chemin « à nos pauvres vaisseaux » (elle avait un neveu marin). Aussi tout en aimant plus ou moins tous mes amis selon ce qu'elle pensait d'eux, avait-elle une préférence marquée pour les nobles. Quand elle apprit que l'un de ces nobles, le plus cher à mon cœur, était « républicain », elle éprouva le même désappointement que si elle avait appris qu'une perle que je lui avais donnée était fausse. Elle lui retira aussitôt son estime, mais la lui rendit bientôt, ayant réfléchi que ce n'était certainement pas sincère de sa part, et qu'il faisait semblant d'être républicain par intérêt. Elle disait en souriant, « c'est un hypocrite », elle lui avait pardonné. Elle parlait avec un grand respect des nobles, sauf des princes du sang dont elle connaissait d'ailleurs les alliances infiniment mieux que nous, mais dont elle parlait avec une familiarité de fille parce qu'ils sont les pères du peuple, disant[a], si nous nous demandions qui était la reine du Portugal : « Mais c'est Amélie, la sœur à Philippe, qui est bien estimée partout, une grande belle femme[1]. » Ses idées sur la noblesse auraient[b] été claires si comme toutes les idées elles n'avaient été prisonnières des mots. Et certains mots dans son esprit étaient restés obscurs, ayant gardé un « défaut » comme certaines pierres, ayant été imparfaitement taillées, l'idée à cet endroit restait dans un certain mystère. C'est ainsi qu'un jour où elle avait parlé un instant avec Gabriel de La Rochefoucauld qui était venu pour me voir, elle me dit, ce qui ne m'étonnait pas de sa connaissance de l'armorial : « C'est une grande famille, ça, monsieur, les La Rochefoucauld. » Et elle ajouta : « Il y a ceux-là, et aussi ceux ou Monsieur va rue de l'Université[2], et aussi ceux de la rue Saint-Dominique[3] qui viennent chez la comtesse et encore bien d'autres à ce qu'il paraît. C'est une grande famille ! » Je ne veux pas dire qu'elle entendait seulement par grande famille qu'ils étaient nombreux. Pascal fonde la vérité de la religion sur la *[un blanc]* et sur l'autorité des miracles. Ainsi Françoise fondait la grandeur des La Rochefoucauld sur l'ancienneté de leur origine et le nombre de leurs parents. Mais Sainte-Beuve[4] remarque avec raison que les miracles *[interrompu]*

Ainsi le nombre des membres de la famille de La Rochefoucauld était peut-être un mauvais fondement dans le snobisme de Françoise à la grandeur de leur maison. Car à cet égard les Durand auraient peut-être pu l'emporter sur eux. D'autres idées sociales nous restaient impénétrables. Un ami de mon père avait un comptable qui s'appelait M. Bloch et dont je n'ai jamais rien su d'autre. Quand il vint à la maison dire quelque chose à mon père. Quand il fut parti et qu'elle apprit son nom elle recula d'étonnement : « Comment c'est cela M. Bloch ! » s'écria-t-elle avec stupéfaction, comme si un personnage d'une puissance aussi surnaturelle que M. Bloch aurait dû avoir une apparence prestigieuse qui l'eût « fait connaître » immédiatement. Et elle s'éloigna en répétant : « Comment c'est cela M. Bloch ! » avec le ton impressionné de quelqu'un qui vient de voir un lieu historique, la déception de ne pas avoir trouvé le spectacle à la hauteur de sa réputation et une sorte de mauvaise humeur contre nous, comme si nous lui avions jamais « surfait » M. Bloch : « Eh ! bien vraiment ce n'était pas la peine d'en faire tant d'histoires de votre M. Bloch ! » Et elle ajouta : « *Tout Monsieur Bloch qu'il est*, Monsieur Marcel est mieux mis que lui » (comme elle aurait dit que parfois un berger pouvait être aussi bien vêtu qu'un empereur). Il ne fut pas possible de savoir si elle le confondait avec quelqu'un d'autre. Dans ce cas d'ailleurs toute explication était inutile, car quand un mot unissait pour elle différentes idées, il les unissait à jamais et ne les lâchait plus. J'eus beau lui expliquer que François de Pâris n'avait aucune parenté ni avec le comte de Paris ni < avec > Gaston Paris[1], quand il venait à la maison elle ne manquait jamais de me dire : « Tout de même, monsieur, ç'aurait été un bien bon roi que le comte de Paris, le père à Philippe. Et c'est des gens bien savants, il y a de beaux livres par Gaston Paris dans la bibliothèque de Monsieur. » Ses idées en politique me permettaient de [*interrompu*[a]].

Mais malgré cela elle avait pour savoir instantanément qui étaient les gens, cette sorte d'information ultra rapide des domestiques qui nous reste tellement mystérieuse et déconcertante, qu'on est tenté d'y voir un pressentiment, comme pour les nouvelles de victoire ou de défaites, que peut-être grâce à des signaux inconnus de nous les sauvages apprennent presque à l'instant même — quelques-uns disent avant l'événement — à des distances énormes de l'endroit où il s'est passé. Si je recevais un ancien camarade de régiment, quelqu'un de « condition inférieure » et si pour qu'elle ne pût soupçonner cela je prenais les devants et plaisantais sur le « râpé » de sa tenue, comme si ç'avait été un caprice à lui de s'habiller ainsi, elle répondait avec une feinte incertitude : « Le pauvre garçon, ce n'est peut-être pas sa faute, tout le monde n'a pas les moyens » et je pouvais par agacement déclarer qu'il était vingt fois millionnaire, mes paroles n'avaient aucune espèce d'importance, elle gardait une gravité profonde qui était chez elle la marque respectueuse de l'irréductible incrédulité qu'elle manifestait d'ailleurs par une formule de non persuasion telle que : « À la volonté du bon Dieu. Ce ne sont pas toujours les riches qui sont les meilleurs. » Si je lui donnais une lettre à faire porter pour une comtesse dont la situation ne fût pas tout à fait régulière, elle me disait de l'air triste et grave qui opposait d'avance le plus douloureux démenti à mes paroles : « C'est une comtesse cette dame. » Par contradiction je disais : « Et tout ce qu'il y a de plus chic encore. » Alors sa voix devenait pathétique de résignation[b] soumise et elle disait : « Tant mieux pour elle si elle est bonne, la pauvre dame, et si elle ne l'est pas que Dieu ait pitié d'elle. » Cet instinct ne se trouvait en défaut que si par hasard, quand tout le monde était sorti, elle avait à ouvrir la porte. Dans ce cas elle laissait un voleur seul au salon lui ayant trouvé grand air, et laissait sur la banquette de l'antichambre, en venant toutes les cinq minutes voir s'il n'avait rien emporté, un membre de l'Académie des sciences qui ne lui avait pas inspiré confiance[a].

Ce n'est pas que la richesse seule, la richesse sans la vertu par exemple, fût le bien suprême pour Françoise, celui auquel elle nous demandait de la faire participer. Mais la vertu sans la richesse lui paraissait non plus une chose parfaitement belle, non, l'idéal, c'était une fusion si parfaite des deux que chacune avait fini par prendre les qualités de l'autre, que la vertu y était devenue confortable et la richesse édifiante. Cet idéal n'avait pas varié et même à Gelos quand elle était jeune il était déjà celui-là. Quand elle se lamentait sur la mort de telle ou telle personne de là-bas qu'elle avait connue, son oraison funèbre était toujours : « Des personnes tout à fait bonnes, qui ne donnaient que de bon conseil, qu'il y avait toujours chez eux tout ce qui fallait, de la viande de première qualité et autant qu'on en voulait, et du linge que je n'en ai jamais vu de si beau, des personnes spirituelles qui nous disaient c'est ça et c'est ça et ce n'est pas ça et ce n'est pas ça, des cœurs bien tendres, que le pauvre curé disait : "Ceux-là ils sont bien sûrs d'aller au ciel". » Elle aimait que les riches fussent bons, mais tiennent leur place et gardent leur rang. Si Maman lui avait serré la main, ou si tel de mes amis l'avait priée de ne pas lui dire prince, cette conquête égalitaire ne lui aurait été nullement précieuse mais aurait ôté tout son prix à leurs bontés et même à leurs dons. Car comme toutes les meilleures créatures qui soient ici bas, elle vivait surtout par l'imagination et par respect.

Ses opinions politiques me permettaient de la taquiner. Mais pour les désoler par les triomphes de la République, je les lui représentais comme plus grands, plus injustes, plus insolents qu'ils n'étaient. Je lui disais : « Vraiment le pauvre clergé n'a pas de chance, le gouvernement a décidé de lui enlever les presbytères et les évêchés. Les pauvres évêques vont être mis à la porte. » Et je les plaignais hypocritement. « Mais monsieur, on n'osera pas une chose pareille, le peuple se révoltera. — Oh ! le peuple n'y pourra rien. Vous savez bien que le gouvernement est le plus fort. » Si le journal annonçait un événement qui semblait présager la défaite du gouvernement, je faisais semblant de ne pas l'avoir lu, et d'annoncer cet événement comme quelque chose qu'on prendrait pour une défaite mais que précisément il avait cherché et voulu. Ce qui changeait sa joie en désolation. Nous parlions politique tous les jours comme nous aurions joué aux cartes et j'avais d'autant plus de plaisir à gagner que je sentais que cela lui était désagréable.

Je l'aimais mais elle m'agaçait horriblement et j'avais du plaisir à choquer toutes ses idées. Si nous avions un cousin de malade, elle parlait sur un ton apitoyé, aurait été choquée si on avait fait de la musique, ou été à quelque divertissement. Alors exprès je lui parlais du ton le plus gai, j'ouvrais le piano et chantais une chansonnette tout en m'habillant, et j'annonçais dans une phrase incidente que j'avais l'intention d'amener Maman au café-concert. Alors elle parlait de la parenté (qu'elle appelait parenthèse). Et certainement ce qu'elle disait m'aurait paru beau et touchant si je l'avais lu. Mais quand elle me le disait, cela avait pour unique effet de me faire lui dire que la parenté ne signifiait rien, qu'il pouvait très bien se faire qu'on n'aimât pas son père, que rien n'était plus naturel, pour un peu je lui aurais dit que je savais parfaitement que Papa détestait le sien. Car souvent j'avais besoin d'un mensonge pour rendre plus terrible ce que je lui disais. J'avais vu qu'elle ressentait de la chute annoncée de la République une joie barbare. Aussi parler politique devint un jeu où c'était un plaisir de la faire perdre. Pour que les défaites de son parti lui fussent plus cruelles, je le lui représentais comme meilleur encore qu'elle ne le croyait et plus persécuté, la République plus méchante, et plus joyeuse de son insolent et certain triomphe. Si les évêques refusaient de se soumettre à d'anodines formalités qui leur auraient permis de garder les évêchés et les églises, je négligeais de lui dire qu'on leur avait offert ce moyen, je disais : « Oh ! c'est injuste, on va chasser les évêques de leurs évêchés. — Oh ! Monsieur, on n'osera pas faire cela ! Le peuple se révoltera. — Oh ! le peuple ne pourra rien, le gouvernement est le plus fort, il le sait bien. » Dans un livre j'aurais sympathisé avec ses croyances ; dans la vie mon plaisir c'était de les irriter. Et de même elle qui avait un cœur ouvert à toutes les souffrances était indifférente aux nôtres. Car pour elle la souffrance des autres était non pas ce qui lui causait de la gêne mais ce qui lui causait de l'attendrissement.

Elle se représentait si affreusement la misère d'une femme à Java qu'elle fondait en larmes en lisant le journal. Mais si j'avais une crise d'asthme, le désagrément de se lever la nuit, de rallumer le fourneau, peut-être, chose mille fois plus horrible, d'être obligée de réveiller le concierge, lui semblaient des choses absolument différentes de l'attendrissement et qui ne lui inspiraient aucune espèce de pitié. Un jour elle me soignait ainsi avec la plus grande mauvaise humeur, et me témoignait par des paroles irritées qu'au fond tout cela lui paraissait une mauvaise farce inventée exprès pour tourmenter un domestique, et elle cherchait dans un livre de médecine un médicament dont je lui avais demandé de chercher le nom. Au bout d'un moment je la trouvai en larmes. Elle était en train de lire dans ce livre de médecine, le récit de la crise d'asthme typique éprouvée par un malade, beaucoup moins forte que celle que j'avais en ce moment. Mais le livre, lui, s'adressait à son imagination et aussitôt elle avait retrouvé pour la personne imaginaire les torrents de pitié que je ne lui inspirais pas.

Mais au fond elle nous aimait et quand elle nous eut quittés, quand elle fut retournée à Gelos, alors elle oublia la longueur du couloir, l'exiguïté de l'évier, l'obscurité de l'office, l'absence de fourneau à gaz.

Esquisse V

[LE CHARME
DE LA COMTESSE DE GUERMANTES]

[Le narrateur se souvient, dans ce passage du Cahier 4, de l'époque où il était amoureux de la comtesse de Guermantes et où il guettait son passage dans la rue.]

Nous habitions un appartement au second étage, dans le corps < de > logis latéral < d' > un de ces anciens hôtels comme il n'y en a plus guère dans Paris, où la cour d'honneur était, soit flot envahissant de la démocratie, soit survivance des métiers assemblés sous la protection du seigneur, encombrée d'autant de petites boutiques que le sont les abords d'une cathédrale que l'esthétique moderne n'a pas encore « dégagée », à commencer à la place de < la > « loge » par une échoppe de savetier entourée d'un carré de lilas et occupée par le concierge qui rapetassait des chaussures, élevait des poules et des lapins pendant que < dans > le fond de la cour habitait naturellement, en vertu d'une location assez récente, mais me semblait-il de par un privilège immémorial, la jolie « comtesse » qu'il y avait toujours à cette époque-là dans les petits « hôtels au fond de la cour », et qui quand elle sortait dans sa grande calèche à deux chevaux, sous les iris de son chapeau qui ressemblaient à ceux qu'il y avait sur le rebord de la fenêtre du concierge-savetier-tailleur, sans s'arrêter et pour montrer qu'elle n'était pas fière, envoyait des sourires et des petits bonjours de la main indistinctement au porteur d'eau, à mes parents et aux enfants du concierge. Puis le dernier roulement de sa calèche éteint, on refermait la porte cochère, pendant < que > très lentement, au pas des chevaux énormes, avec un valet de pied dont le chapeau arrivait à la hauteur des premiers étages, la calèche longue comme la façade des maisons allait de maison en maison, < elle sanctifiait > les rues insensibles d'un parfum d'aristocratie, s'arrêtait pour faire

déposer des cartes, faisait venir les fournisseurs lui parler à la
voiture, et allait passer quelques minutes dans une de ces grandes
matinées qui amènent dans tout le quartier un concours de
voitures élégantes où se croisent les figures connues de celles
qui y vont, de celles qui en reviennent déjà, de celles comme
notre comtesse qui allaient d'abord faire un tour au Bois et
n'allaient à la matinée que quand devant l'hôtel on appelait déjà
toutes les dernières voitures, et aimaient dire à la maîtresse de
maison : « Vous savez cela n'a pas été possible plus tôt, cela
a dû être magnifique. » À cette époque-là il y avait encore des
livrées *[interrompu]*

croisant des amies qui allaient à une matinée où elle était
invitée, ou même en revenaient déjà ; mais la calèche prenait une
rue de traverse, la comtesse voulait d'abord aller faire un tour
au Bois, et n'irait à la matinée qu'en rentrant, quand il n'y aurait
plus personne et qu'on appellerait dans la cour les dernières
voitures. Elle savait si bien dire à une maîtresse de maison, en
lui serrant les deux mains de ses gants de Suède, les deux coudes
au corps ou, touchant sa taille pour admirer sa toilette et comme
un sculpteur qui pose sa statue, comme une couturière qui essaye
un corsage, avec ce sérieux qui allait si bien à ses yeux doux et
à sa voix grave : « Vraiment cela n'a pas été *possible* de venir
plus tôt, avec toute la bonne volonté » et en jetant un joli regard
violet sur toute la série d'empêchements qui s'étaient dressés,
et sur lesquels elle se taisait en personne bien élevée, qui n'aime
pas parler de soi. Notre appartement étant dans une seconde cour
donnait sur celui de la comtesse. C'était un des plaisirs *[interrompu]*

Quand je pense aujourd'hui à la comtesse, je me rends compte
qu'elle contenait une espèce de charme, mais qu'il suffisait de
causer avec elle pour qu'il se dissipât, et qu'elle n'en avait
aucunement conscience. Elle était une de ces personnes qui ont
une petite lampe magique, mais dont elles ne connaîtront jamais
la lumière. Et quand on fait leur connaissance, quand on cause
avec elles, on devient comme elles, on ne voit plus la mystérieuse
lumière, le petit charme, la petite couleur, elles perdent toute
poésie ; il faut cesser de les connaître, les revoir tout d'un coup
dans le passé comme quand on ne les connaissait pas pour que
la petite lumière se rallume, pour que la sensation de poésie se
produise. Il semble qu'il en soit ainsi des objets, des pays, des
chagrins, des amours. Ceux qui les possèdent n'en aperçoivent
pas la poésie. Elle n'éclaire qu'au loin. C'est ce qui rend la vie
si décevante pour ceux qui ont la faculté de voir la petite lumière
poétique. Si nous songeons aux personnes que nous avons eu
envie de connaître, nous sommes forcés de nous avouer qu'alors
il y avait un bel inconnu dont nous avons cherché à faire la
connaissance et qui à ce moment-là a disparu. Nous le revoyons

comme le portrait de quelqu'un que nous n'avons jamais connu depuis, et avec lequel certes notre ami X n'a aucun rapport. Visages de ceux que nous avons connus depuis, vous vous êtes éclipsés alors. Toute notre vie se passe à laisser s'effacer à l'aide de l'habitude ces grandes peintures d'inconnus que la première impression nous avait données. Et dans les moments où nous avons la force de défaire tous les maladroits repeints qui couvrent la physionomie première, nous voyons apparaître le visage de ceux que nous ne connaissions pas encore alors, le visage que la première impression avait gravé, et nous sentons que nous ne les avons jamais connus. Ami intelligent, c'est-à-dire comme tout le monde, avec qui je cause tous les jours, qu'avez-vous du jeune homme rapide, aux yeux trop pleins qui débordaient des orbites, que je voyais passer rapidement dans les couloirs du théâtre, comme un héros de Burne-Jones ou un ange de Mantegna[1] ? D'ailleurs même dans l'amour, le visage de la femme change pour nous si vite. Un visage qui nous plaît, c'est un visage que nous avons créé avec tel regard, telle partie de la joue, telle indication du nez, c'est une des mille personnes qu'on pouvait faire jaillir d'une personne. Et bien vite c'est un autre visage qui sera pour nous la personne. *[Une lacune[a]]* pâleur bistrée, et ces épaules qui ont l'air d'esquisser un dédaigneux haussement. Maintenant c'est une douce figure de face, presque timide, où l'opposition des joues blanches et des cheveux noirs ne joue plus aucun rôle. Que de personnes successives sont pour nous une personne, qu'elle est loin celle qu'elle fut pour nous le premier jour ! L'autre soir, ramenant d'une soirée la comtesse dans cette maison où elle habite encore et où je n'habite plus depuis tant d'années, tout en l'embrassant, j'éloignais sa figure de la mienne, pour tâcher de la voir comme une chose loin de moi, comme une image, comme je la voyais autrefois quand elle s'arrêtait dans la rue pour parler à la laitière. J'aurais voulu retrouver l'harmonie qui unissait le regard violet, le nez pur, la bouche dédaigneuse, la taille longue, l'air triste, et en gardant bien dans mes yeux le passé retrouvé, approcher mes lèvres et embrasser ce que j'aurais voulu embrasser alors. Mais hélas, les visages que nous embrassons, les pays que nous habitons, les morts même que nous portons ne contiennent plus rien de ce qui nous fait souhaiter de les aimer, d'y vivre, trembler de les perdre. Cette vérité des impressions de l'imagination si précieuse, l'art qui prétend ressembler à la vie, en la supprimant, supprime la seule chose précieuse. Et en revanche s'il la peint, il donne du prix aux choses les plus vulgaires ; il pourrait en donner au snobisme, si au lieu de peindre ce qu'il est dans la société, c'est-à-dire rien, comme l'amour, le voyage, la douleur réalisés, il cherchait à le retrouver dans la couleur irréelle — seule réelle — que le désir des jeunes snobs met sur la comtesse aux yeux violets qui part dans sa victoria les dimanches d'été.

Naturellement, la première fois que je vis la comtesse et que j'en tombai amoureux, je ne vis <de> son visage que quelque chose d'aussi fuyant et d'aussi fugitif que ce que choisit arbitrairement un dessinateur dont nous voyons un « profil perdu ». Mais c'était cela pour moi, cette espèce de ligne serpentine qui unissait un rien du regard avec l'inflexion du nez et une moue d'un coin de la bouche en omettant tout le reste, et quand je la rencontrais dans la cour ou dans la rue, en même temps, sous sa toilette différente, dans son visage dont la plus grande partie me restait inconnue, j'avais à la fois l'impression de voir quelqu'un que je ne connaissais pas et en même temps je recevais un grand coup au cœur parce que sous le déguisement du chapeau de bleuets et du visage inconnu j'avais aperçu la possibilité du profil serpentin et le coin de bouche qui l'autre jour avait la moue. Quelquefois je restais des heures à la guetter sans la voir, et tout d'un coup elle était là, j'avais vu la petite ligne onduleuse qui se terminait par des yeux violets. Mais bientôt ce premier visage arbitraire qu'est pour nous une personne, ne présentant jamais que le même profil, ayant toujours le même léger haussement de sourcil, le même sourire prêt à poindre dans les yeux, le même commencement de moue dans le seul coin de la bouche qu'on voit — et tout cela aussi arbitrairement découpé dans le visage et dans la succession des expressions possibles, aussi partiel, aussi momentané, aussi immuable que si c'était un dessin fixant une expression et qui ne peut plus changer, cela c'est pour nous la personne, les premiers jours. Et puis c'est une autre expression, un autre visage les jours qui suivent : l'opposition du noir des cheveux et de la pâleur de la joue qui le constituait presque entièrement au début, nous n'en <tenons> plus aucun compte ensuite. Et ce n'est plus la gaieté d'un œil moqueur, mais la douceur d'un regard timide.

L'amour qu'elle m'inspirait augmentant l'idée de ce que sa noblesse avait de rare, son petit hôtel au fond de notre cour m'apparaissait comme inaccessible et on m'aurait dit qu'une loi de la nature empêchait tout roturier comme moi de pénétrer jamais dans sa maison aussi bien que de voler au milieu des nuages <que cela> ne m'aurait pas extrêmement étonné. J'étais à l'heureux temps où <on> ne connaît pas la vie, où les êtres et les choses ne sont pas rangés pour nous dans des catégories communes, mais où les noms les différencient, leur imposent quelque chose de leur particularité. J'étais un peu comme notre Françoise qui croyait que, entre le titre de marquise de la belle-mère de la comtesse et l'espèce de véranda appelée marquise qu'il y avait au-dessus de l'appartement de cette dame, il y avait un lien mystérieux et qu'aucune autre sorte de personne qu'une marquise ne pouvait avoir cette sorte de véranda.

Quelquefois pensant à elle et me disant que je n'avais pas de chance de l'apercevoir aujourd'hui je descendais tranquillement la rue, quand tout d'un coup, au moment où je passais devant la laitière, je me sentais tout d'un coup bouleversé comme peut l'être un petit oiseau qui aurait aperçu un serpent. Près du comptoir, sur le visage d'une personne qui parlait à la laitière en choisissant un fromage à la crème, j'avais aperçu frémir et onduler une petite ligne serpentine au-dessus de deux yeux violets fascinateurs. Le lendemain, pensant qu'elle retournerait chez la crémière, je me postais pendant des heures au coin de la rue mais je ne la voyais pas et je m'en retournais navré quand en traversant la rue j'étais obligé de me garer d'une voiture qui manquait de m'écraser. Et je voyais sous un chapeau inconnu, dans un visage autre, le petit serpent endormi et les yeux qui comme cela paraissaient à peine violets mais que je reconnaissais bien, et j'avais eu le coup au cœur avant de les avoir reconnus. Chaque fois que je l'apercevais, je pâlissais, je chancelais, j'aurais voulu me prosterner, elle me trouvait « bien élevé ». Il y a dans *Salammbô* un serpent qui incarne le génie d'une famille[1]. Il me semblait ainsi que cette petite ligne serpentine se retrouvait chez sa sœur, ses neveux. Il me semblait que si j'avais pu les connaître j'aurais goûté en eux un peu de cette essence qui était elle. Ils semblaient tous des esquisses différentes faites d'après un même visage commun à toute la race.

Il[a] y avait une partie de la société de la comtesse composée d'un certain nombre de femmes que le comte avait aimées et avec qui ses relations amicales avaient gardé cette espèce de vitalité des végétations qui poussent sur un sol où jadis la mer sévissait.

Esquisse VI

[COMTE RENDU
DU SÉJOUR À GUERMANTES]

[Au cours d'une conversation avec sa mère, retranscrite dans le Cahier 7, le narrateur explique pourquoi il n'a pas été déçu par son séjour à Guermantes.]

« Ils ne sont plus un nom ; ils nous apportent forcément moins que ce que nous rêvions d'eux. Moins ? Et aussi plus, peut-être. Il en est d'un monument comme d'une personne. Il s'impose à nous par un signe qui a généralement échappé aux descriptions qu'on nous en a données. Comme ce sera le plissement de sa peau quand il rit, ou ce qu'il y a d'un peu niais dans la bouche, le nez trop gros, ou la chute des épaules qui nous frappera dans l'aspect premier d'un personnage célèbre dont on nous a parlé, de même quand nous verrons pour la première fois Saint-Marc de Venise, le monument nous paraîtra surtout bas et en largeur avec des mâts de fête comme un palais d'exposition, ou à Jumièges, ces géantes tours de cathédrale dans la cour du concierge d'une petite propriété des environs de Rouen[1], ou à Saint-Wandrille cette reliure rococo d'un missel roman[2], comme dans un opéra de Rameau ce dehors galant d'un drame antique[3]. Les choses sont moins belles que le rêve que nous avons d'elles, mais plus particulières que la notion abstraite qu'on en a. Te souviens-tu comme tu recevais avec plaisir les jolies cartes si heureuses que je t'envoyais de Guermantes ? Souvent depuis tu m'as demandé : "Raconte-moi un peu ton plaisir." Mais les enfants n'aiment < pas > avoir l'air d'avoir eu du plaisir de peur que leurs parents ne les plaignent pas. Je t'assure qu'ils n'aiment pas non plus avoir l'air d'avoir eu du chagrin pour que leurs parents les plaignent trop. Je ne t'ai jamais raconté Guermantes. Tu me demandais pourquoi, quand tout ce que j'ai vu, sur quoi tu comptais pour me faire plaisir, a été une déception pour moi, Guermantes ne l'a pas été. Eh bien voilà. Ce que je cherchais à Guermantes je ne l'y ai pas trouvé. Mais j'y ai trouvé autre chose. Ce qui est beau à Guermantes c'est que les siècles qui ne sont plus y essayent d'être encore, le temps y a pris la forme de l'espace mais on le reconnaît bien. Quand on entre[a] dans l'église à gauche il y a trois ou quatre arches rondes qui ne ressemblent pas aux arcades ogivales du reste et qui disparaissent engagées dans la pierre de la muraille, dans la construction plus nouvelle où on les a engagées. C'est le XIe siècle, avec ses lourdes épaules rondes qui passe là furtivement encore, qu'on a muré, et qui regarde étonné le XIIIe siècle, et le XVe siècle qui se mettent devant lui, qui cachent ce brutal et qui nous sourient. Mais il reparaît plus bas, plus librement dans l'ombre de la crypte, où entre deux pierres, comme la tache de sang des meurtres anciens que ce prince commit sur les enfants de Clotaire, deux lourds arceaux barbares du temps de Chilpéric[4]. On sent bien que c'est qu'on traverse du temps, comme quand un souvenir ancien nous revient à l'esprit. Ce n'est plus dans la mémoire de notre vie mais dans celle des siècles. Quand on arrive dans la salle du cloître qui donne entrée au château on marche sur les tombes des abbés qui gouvernèrent ce monastère depuis le VIIIe siècle, et qui sous nos pas, sont allongés sous les longues pierres gravées où, crosse en main, foulant aux pieds une belle inscription latine, ils sont couchés. Et si Guermantes ne déçoit pas comme toutes les choses d'imagination quand elles sont devenues une chose réelle, c'est sans doute que ce n'est à aucun moment une chose réelle, car même quand on s'y promène, on sent que les choses qui sont là ne sont que l'enveloppe d'autres, que la réalité n'est pas ici mais très loin, que ces choses touchées ne sont qu'une figure du temps, et l'imagination travaille sur Guermantes vu, comme sur le nom de Guermantes lu, parce que toutes ces choses ce ne sont encore que des mots, des mots pleins de magnifiques images et qui signifient autre chose. C'est beau ce grand réfectoire pavé de dix, puis vingt, puis cinquante abbés de Guermantes, tous grandeur nature, représentant le corps qui est dessous. C'est comme si un cimetière de dix siècles d'histoire avait été retourné pour nous servir de dallage. La forêt qui descend en pente au-dessus du château, ce n'est pas de ces forêts comme il y en a autour des châteaux, des forêts de chasse, qui ne sont qu'une multiplication d'arbres, c'est l'antique forêt de Guermantes où chassait Childebert[1] et vraiment comme dans ma lanterne magique, comme dans Shakespeare ou dans Maeterlinck à gauche il y a une forêt[2]. Elle est peinte sur la colline qui domine Guermantes, elle en veloute de vert tragique le côté ouest, comme dans l'illustration enluminée d'une chronique mérovingienne. Elle est grâce à cette perspective quoique profonde, délimitée. Elle est "la forêt" qui est "à gauche" dans le drame. Et de l'autre côté en bas le fleuve où furent déposés les énervés de Jumièges[3]. Et les tours du château sont encore, je ne te dis pas de ce temps-là mais *dans* ce temps-là. C'est ce qui émeut en les regardant. On dit toujours que les vieilles choses ont vu bien des choses depuis et que c'est le secret de leur émotion. Rien n'est plus faux. Regarde les tours de Guermantes, elles voient encore la chevauchée de la reine Mathilde, leur consécration par Charles le Mauvais[4]. Elles n'ont plus rien vu depuis. L'instant où vivent les choses est fixé par la pensée qui les reflète. À ce moment-là elles sont pensées, elles reçoivent leur forme. Et leur forme immortellement, fait durer un temps au milieu des autres. Songe qu'elles s'élevèrent, les tours de Guermantes, dressant indestructiblement le XIIIe siècle là, à une époque où si loin que leur vue eût porté elles n'eussent pas aperçu pour les saluer et leur sourire, les tours de Chartres, les tours d'Amiens, les tours de Paris qui n'existaient pas encore. Plus ancienne qu'elles, songe à cette chose immatérielle, l'abbaye de Guermantes, plus ancienne que ces constructions, qui existait depuis bien longtemps quand Guillaume partit à la conquête de l'Angleterre[5], alors que les tours de Beauvais, de Bourges ne se dressaient pas encore et que le soir le voyageur qui s'éloignait ne < les > voyait pas au-dessus des collines de Beauvais se dresser sur le ciel, à une époque où les maisons de La Rochefoucauld, de Noailles, d'Uzès, de Fezensac élevaient à peine au-dessus de terre leur puissance qui devait, comme une tour monte peu à peu dans les airs, traverser un à un les siècles, alors que, tour de beurre de la grasse Normandie, Harcourt au nom fier et jaunissant n'avait pas encore au sommet de sa tour de granit ciselé les sept fleurons de la couronne ducale[1], alors que bastide à l'italienne qui devait devenir le plus grand château de France Luynes[2] n'avait pas encore fait jaillir de notre sol toutes ces seigneuries, tous ces châteaux de prince, les *[un mot illisible]* de Brantes et tous ces châteaux forts, la princerie de Joinville, les remparts crénelés de Châteaudun et de Montfort, les ombrages < du > bois de Chevreuse avec ses hermines et ses biches[3], tous ces biens au soleil unis mystiquement à travers la France et brillant, rassemblés côte à côte, dans la puissance abstraite de sa maison, comme au champ d'azur d'un blason un château d'argent ou une tour de gueules, rassemblés sur un champ d'azur avec des étoiles de sable *[interrompu]*

un château au midi, une forêt à l'ouest, une ville au nord, tout cela uni par des alliances et rejoint par des remparts, tous ces biens au soleil brillant, assemblés côte à côte, abstraitement dans sa puissance, comme dans un symbole héraldique, comme un château d'or, une tour d'argent, des étoiles de sable qu'au travers des siècles conquêtes et mariages ont inscrit symétriquement pour le panonceau et pour le vitrail, dans les quartiers d'un champ d'azur. »

Esquisse VII

[LES NOMS DE PERSONNES]

[Dans ces fragments du Cahier 13, le narrateur essaie de retrouver ce que signifiaient pour lui les noms au moment où il ne connaissait pas les personnes qu'ils désignent.]

À mettre plus tard.

Toutes ces autres personnes du monde, le duc et la duchesse, ou le prince et la princesse, je les ai connues quand je vivais beaucoup dans cette société aristocratique, ils furent pour moi quand je fis leur connaissance ou même avant le cousin du duc de X que je connaissais, le duc qui donnait un bal où on voulait me faire inviter, la personne qui cherchait à marier X et Y. Ils étaient des personnes quelconques dont je me disais : « C'est l'homme le plus noble de France » absolument comme je me serais dit : « Il a cinq cent mille francs de rentes » ou « un mètre soixante-dix », je me le disais comme se le dit un homme du monde, qu'hélas j'étais devenu, et sans que mon imagination y prît part. Il n'en était pas ainsi pour les Guermantes. Ils plongeaient en moi dans une adolescence où les noms étaient encore pour moi des êtres, et où je n'avais aucune idée qu'il pût être possible que je fisse jamais leur connaissance, où si un miracle avait pu me transporter chez eux j'étais sûr de voir une vie légendaire comme celle de Geneviève de Brabant et où la vie de tous les jours devait avoir la couleur de mes planchettes de lanterne magique. Sans doute cette idée finit par disparaître, mais alors elle fut remplacée par des idées moins belles mais qui cependant mirent encore pour moi entre Mme de Guermantes et le reste de l'univers une certaine différen< ce^a > , les Saxe, et elle est du faubourg Saint-Germain[1]. Ce n'est même pas que je ne croyais pas qu'elle pût fréquenter des gens comme nous ; en réalité c'étaient des gens réels, des gens qui ne fussent pas des planchettes de lanterne magique, des Saxe, ou de cette chose aussi irréelle, le faubourg Saint-Germain, que je ne pouvais croire qu'elles lui parlassent. Quand j'appris qu'elle connaissait Mme de Villeparisis, c'est-à-dire une vieille dame que je connaissais, j'en fus stupéfait et je pensais que Mme de Villeparisis devait être éperdue de l'honneur qu'elle lui faisait. Les gens qu'elle connaissait m'apparaissaient comme si spéciaux que même les plus grands noms, en tant qu'ils étaient connus, me gênaient dans le récit d'une soirée chez elle.

Souvent *[un mot illisible]* je ne pense plus à eux que comme aux gens chez qui cela m'ennuie de dîner demain ou qui m'ont invité à l'Opéra hier, mais par moments un rayon venu du passé, soit de l'année où l'on me dit : « Elle est du faubourg Saint-Germain », soit plus ancien « des Saxe », soit plus ancien encore de Geneviève de Brabant dans l'obscur et indistinct vitrail de leur nom où la crasse de chaque jour ne me laisse d'habitude plus rien voir, fait étinceler cette mystérieuse ressemblance d'un être précieux, inaccessible et que je n'aurais jamais cru que je pusse connaître. Alors pensant combien cela m'ennuie de la voir je suis cependant content de posséder si complètement en rêve ce qui me *[interrompu]*

★À^b ajouter ailleurs à propos des noms nobles.★

L'histoire telle que nous l'apprenons dans les vieux mémoires ou correspondances constitue pour nous une partie de la science étymologique ou l'analyse chimique des noms. Ce qui aujourd'hui nous paraît un tout donné, se décompose, montre que ce qui semble simple aujourd'hui est composé de choses différentes, et comment elles se sont combinées. Elle nous apprend aussi — comme pour les mots — que ce furent des *choses*. Le duc de Luynes est duc de Chevreuse. Mais ce n'est pas une même chose. En *[un blanc[a]]* nous voyons la veuve du connétable de Luynes, née Rohan, épouser le prince de Joinville devenu duc de Chevreuse et laisser par héritage ce titre à son fils Luynes du premier lit. Le titre du prince de Joinville, lui, s'en sépara et alla dans la maison de France[1] ; car alors les noms sont vivants, voyagent avec les châteaux, les gouvernements, les héritages, comme ces mots (Spécieux ? Mouvants[b] ? Demander ?) qui sous telle forme ont quitté leur sens qu'ils partageaient avec d'autres (comme Joinville a quitté Chevreuse et Toulongeon Gramont[2]) pour venir, séparés, se fixer dans un sens qui n'a plus aucun rapport. Même à l'intérieur d'un nom nous voyons le moment où les parties se seront rejointes ; en lisant dans Mme de Sévigné le mariage de M. de Forbin avec Mlle des Issarts, nous voyons la formation de l'actuel Forbin des Issarts[3].

Pour Balzac montrer qu'il connut peut-être quelqu'un portant par homonymie un grand nom, donné par l'histoire du comte de Longueville puis quand il n'était que M. Longueville et du chevalier de Valois[4].

et pour les noms de lieux Thury-Harcourt[5].

L'énumération des titres des Rohan, des Luynes qui tient en quelques lignes doit en réalité être reprojetée dans le temps et dans l'espace aux divers héritages et aux possessions plus ou moins éloignées de la maison de Chabot[6] par exemple, toutes choses concentrées fictivement dans une ligne de titres comme des mariages, des alliances de terres, des substitutions et venant aboutir sur un blason à inscrire sur un champ d'azur au-dessous d'une tour d'argent un château d'or.

Un nom comme Brantes est tout *enflé* parce que dedans, à l'intérieur de ses syllabes, nous faisons tenir le mariage de Mlle de Luynes-Brantes avec M. de Cessac, celui qui fut compromis dans l'affaire des poisons[7].

Encore[c] les noms.

Saxe Meiningen. C'était une chose difficile d'identifier ce vieux nom allemand tout brodé de son doux blason harmonieux, né de la forêt et du fleuve avec ce gros homme en veston avec une belle épingle de cravate, la politesse de n'importe quel homme de son temps, < de > sa fortune et de son âge, et qui était pareil à tout autre homme de son temps, de sa fortune ou de son âge, et par ses paroles, à tout homme de sa culture savante et de son intelligence moyenne. Ou du moins *était*-il pareil. N'était-il pas un Saxe-Meiningen ? Y avait-il quelque réalité dans son nom ou n'est-ce que le nom d'un rôle qui lui était distribué mais auquel en lui dans son essence rien ne correspondait[1].

Réfléchissant que les trois enfants du duc de Guermantes étaient devenus l'un la duchesse de Guermantes, l'autre la princesse de Saxe-Meiningen, le troisième le marquis de Châtillon[a], nous nous disions : « C'est ce qu'il y a de plus grand » *(Radziw, Castel[2])*. Mais réellement si ce n'étaient que des hommes pareils aux autres. Et eux avaient l'air de le croire. Car ils étaient fiers de leur rang comme ils l'eussent été de richesses, d'un avantage, mais ils imitaient l'esprit, les idées, les croyances de leur temps. Et socialement c'était beaucoup, mais seulement comme la jeunesse est la jeunesse tant que les forces de la vie la soutiennent. C'était beaucoup quand nous nous disions Gurcy ; c'était beaucoup moins quand nous nous disions ses amis Cottard etc., encore moins quand il alla en correctionnelle et ne fut plus salué.

On parle souvent des gens de rien crus nobles, mais bien plus nobles crus (Castel) rien par comtesse etc. Raisons de cela. Gurcy invitant chez lui Cottard etc. et peu à peu des gens du monde qui suivent la même évolution[3]. [Deux mots illisibles] est loin du rocher de corail.

Esquisse VIII

[LE NOM DE GUERMANTES]

[Fragment du Cahier 66. Les différentes rêveries suscitées par le nom de Guermantes sont infirmées par la réalité des êtres et des lieux. Les Esquisses précédentes sont regroupées et ordonnées dans ce texte qui est la première version suivie du début du « Côté de Guermantes I ».]

À l'âge[b] où les contrées, les rivières, les cités célèbres, nous apparaissent, chacune comme essentiellement différente des autres, comme des puissances individuelles tirant leur couleur des syllabes de leur nom et plus mystérieuses que la vierge allégorique ou la divinité protectrice qui la figurent dans son blason *[interrompu]*

À l'âge où les noms, ces miroirs de l'inconnaissable, nous font imaginer les cités célèbres comme essentiellement différentes les unes des autres et plus belles, plus uniques, plus individuelles

dans leur couleur imaginaire que la vierge allégorique, le génie
local ou la divinité protectrice qui les figurent dans le blason
municipal ou la peinture civique, les êtres, les personnes, sont
tout aussi susceptibles que les villes d'absorber ce qu'il y a
d'original dans leur nom, et par le même mirage qui nous a
trompé pour les villes, de nous apparaître comme aussi différents
les uns des autres que le sont leurs noms, comme pouvant contenir
effectivement dans leur personne les rêves qui ne trouvaient pas
d'obstacle à se loger dans les syllabes de leur nom. Les noms
à cet âge heureux, ajoutent une fée à ce qu'ils nomment, les noms
de personnes, comme les noms de villes et de terre, surtout les
noms de nobles qui sont aussi des terres, villes et de terres[1] et
à qui le titre apporte à l'imagination qui l'écoute un élément de
différenciation de plus. Chacune des personnes qui plus tard ne
seront pour nous que des « relations », c'est-à-dire plus même
des personnes, a pour nous sa fée particulière dans son nom, la
société dans sa nomenclature nous apparaît aussi pleine de génies
et de nymphes que la nature chez les peuples enfants. Et les fées
des châteaux, des hôtels, des équipages et des loges de théâtre
ne sont pas moins nombreuses que les sylvains des forêts ou les
génies des eaux. Un jour, si nous regardons de nouveau le nom,
nous voyons que la fée y est morte et en même temps que leurs
fées les noms meurent. La maison nobiliaire qui a ce nom meurt
du même coup, comme cette antique maison féodale qui ne
devait[a] point survivre à la mort de la fée qui présidait à ses
destinées[2]. Elle ne signifie plus pour nous que différents individus
pareils aux autres chez qui nous pouvons dîner en ville. Tant
que nous vivons loin des personnes rien n'empêche la fée de
continuer à habiter le nom. Mais au fur et à mesure que nous
approchons des personnes, le nom finit par contenir la personne
vraie ou plutôt la petite silhouette découpée dans de la chair et
des os communs à toute l'humanité avec quelques-unes des idées
pareilles aux idées des autres que nous appelons improprement
personnes, et la personne chasse la fée. Comme pour la
commodité de la vie nous ne demandons aux noms de signifier
que la réalité matérielle des personnes et que cette réalité
demeure, nous ne faisons pas attention aux terribles changements
qui en quelques années se font au sein du nom d'une même
personne, et que pour nous au temps où nous ne connaissions
pas la personne ce nom a représenté successivement des choses
infiniment différentes, et depuis que nous la connaissons n'a pas
changé moins de fois, pour finir par devenir une chose tout à
fait morte, non plus un nom, mais un mot, comme une eau morte,
reflétant purement et simplement la figure vraie, l'inconsistant
entrecroisement de lignes du visage du monsieur ou de la dame,
ou son adresse, et les bals qu'elle donne. Même quand nous avons

vu les personnes, sans les connaître encore, si fort que leur vue nous choque, car en sa matérialité elle est beaucoup moins poreuse que les syllabes de leur nom aux rêves que nous formions sur elle et une partie d'eux est aussitôt chassée du nom et obligée de s'enfuir, néanmoins tant que nous ne la connaissons que de vue nous pouvons encore nous faire d'elle une image vraiment noble, l'image d'une *personne*, d'une personne que nous ne connaîtrons jamais. J'ai ainsi dans les galeries de ma mémoire une série de beaux portraits dont c'est simplement pour la commodité de la conversation que je pourrais dire que je connais aujourd'hui les originaux. Ce prince qui vient chaque jour me voir n'a aucun rapport et n'en a certes jamais eu aucun avec le jeune homme que je voyais passer sans le connaître avec ses yeux débordants de foi, sa majestueuse charité, sa dévotion aux grands cultes intellectuels. J'ai gardé son portrait dans mon souvenir mais je ne l'ai jamais connu. Au fur et à mesure que je vivais j'ai d'ailleurs superposé à celui-là tant d'images du même ami jusqu'à l'actuelle où il n'y a rien de plus que dans une photographie purement utilitaire destinée à le reconnaître, à l'identifier pour les commodités de la vie, comme celle que nous avons de toutes les personnes que nous connaissons, analogue à celles qu'on a sur un permis de chemin de fer ou une carte d'abonnement téléphonique et qui leur permet d'être assurées de notre coup de chapeau si elles passent en voiture, de notre serrement de main et de l'application à elles de tout ce qui les concerne dans notre cerveau si nous causons avec elles. Mais si nous pouvions en enlevant les repeints successifs arriver aux premiers portraits des personnes, alors que nous y mettions encore beaucoup de nous-même, nous en trouverions sans doute de plus intéressants. Au reste un portrait est une image inexacte, car la mémoire même d'un nom de personne n'est pas plane et seulement descriptive. Quand le hasard du nombre de tours de roue[a] qu'elle subit la met en mouvement à tel ou tel point de son mécanisme, nous sommes étonnés d'entendre en ce nom une harmonie entièrement oubliée, différente de ce que nous y entendons aujourd'hui et qui s'associe de tout autres rêves, comme si ce nom était un de ces instruments aujourd'hui muets mais qui gardent enregistrés les morceaux qu'on exécute sur eux, avec les moindres nuances d'une exécution géniale. Je ne sais si au cours des années que j'ai déjà évoquées jusqu'ici j'ai montré le timbre différent dont résonna pour moi le nom de Guermantes, de Mme de Guermantes et du lieu où je la situais et des différentes images que j'y associai, < qui > s' < y > succédaient ou s'y confondaient. Ce qu'il pouvait être pour moi quand ma nourrice me chantait : « Gloire à Madame de Guermantes » ou quand le général

de Guermantes m'embrassa aux Champs-Élysées, je n'en sais rien,
cela est sorti de moi et entré dans ce silence qui fait de notre
première enfance une époque qui nous est aussi inconnue, aux
extérieurs, que ce qui sera après notre mort, ou ce qui était avant
notre naissance, ce que nous n'apprenons comme l'histoire que
par les récits des autres. Mais plus tard au cours de ma mémoire
çà et là, séparées par des périodes d'oubli et d'ombre et sans
pouvoir me souvenir des transitions qui me firent passer d'une
image à une autre, je me souviens comme ces syllabes orangées
qui plongeaient le château de Guermantes, l'hôtel de Guermantes
dans leur lumière couleur du bois de citronnier étaient
impressionnables et poreuses aux moindres choses qu'on me disait
à propos des êtres que je me figurais qu'il décrivait exactement
et comme il s'en modifiait peu à peu. Les projections de la lanterne
magique ne furent pas absentes de ces images depuis que je sus
que Mme de Guermantes descendait de Geneviève de Brabant,
ni les sires de Guermantes du vitrail de l'église de Combray. En
nous disant qu'elle ressemblait à cette dame de Guermantes son
ancêtre du XIIᵉ siècle qui faisait pendre tant de manants, je crus
fit accueillir pour longtemps au nom de Guermantes l'image
d'une dame que quoique vivant dans notre temps je sentais une
personne du XIᵉ siècle et que je voyais en hennin, cruelle, et
faisant pendre beaucoup de manants dans son Guermantes, que
comme elle je voyais simultanément au XIᵉ siècle et comme elle
et comme son château ses amis, le curé nous ayant dit qu'elle
ne fréquentait que des gens remontant aux croisades. Puis j'avais
vu Mme de Guermantes à l'église, en robe de tous les jours, avec
un nez fort, un visage qui n'avait rien d'une projection de lanterne
magique, fort réel et de la même matière que les autres visages,
avec même un bouton près de l'œil, créature réelle qui en
pénétrant dans le nom de Guermantes avait jeté dehors ou
dispersé hennin, pâle apparition couleur de bois de citronnier,
lumière de vitrail. Mais tous ces reflets comme ceux que la rame
du promeneur brise dans l'eau au soleil couchant, s'étaient
reformés derrière elle, aussitôt après que je ne l'avais plus vue ;
puis comme dans l'eau encore une autre image avait surgi et sans
que je m'en aperçoive le nom de Guermantes ne signifiait plus
pour moi la même chose ; le désir qu'un livre que je lisais alors
m'avait donné de pays fluviatiles et cressonniers, s'était trouvé,
soit par le souvenir du paysage dans mes promenades du côté
de Guermantes, soit parce que le curé avait dit : « Cette petite
Suisse », annexé au nom de Guermantes. Et je m'imaginais
Mme de Guermantes me menant chasser à la truite au milieu
de ses vassaux et quand le soir nous nous promenions à pas lents
devant les petits enclos de ces vilains, elle m'apprenait à
connaître les grappes violettes et jaunes, les épis rougeâtres qui

s'étalaient devant le mur de ces petites maisons et qu'elle m'apprenait à connaître. Elle et sa demeure — qui était tantôt son château, tantôt son hôtel de Poitiers ou de Paris — avaient changé davantage encore quand j'avais connu Montargis, quand mon rêve avait eu à subir le premier et dangereux voisinage de la réalité, quand il avait fallu apprendre qu'elle était la nièce de Mme de Villeparisis. Mais le prestige que son nom avait pour moi n'était pas épuisé et était capable encore de créer pour se perpétuer de nouvelles fantasmagories. Quand il m'avait dit qu'elle était un Saxe je l'avais aussitôt imaginée comme une chose précieuse dans une vitrine.

Le pouvoir des noms presque analogue en cela à celui de l'amour d'unir ensemble deux choses si différentes, des rêveries que nous avons formées et le lieu matériel qu'ils désignent et auquel nous les rapportons, ce pouvoir ils l'exercent aussi bien pour les personnes que pour les villes et les terres, particulièrement les noms nobles qui sont eux aussi des noms de ville et de terre.

J'avais[a] beau savoir que Mme de Guermantes était une femme pétrie du même limon que les autres, tous les rêves qui avaient rempli le nom de Guermantes, espaçant légèrement, comme un gaz qui se raréfie et se distend, ses molécules jusqu'à y abriter tout <un> monde, tout cela n'était pas immédiatement compressible, cela continuait à habiter le nom de Guermantes et à me faire apparaître Mme de Guermantes comme le contenant également. Si j'avais une déception en face d'elle, c'est comme en face d'une cité qui ne contenait pas ce que j'aurais cru, mais après l'avoir quittée je pensais que je n'avais pas bien su la voir, et je m'exaltais sur certains détails qui me semblaient correspondre par exemple au mot Saxe. Cette grande douceur de rêverie gothique *(Parme, Hervey[1])* que je trouvais dans ce nom de Guermantes, où était-elle ?

Cette rêverie qui remplit le nom nous donne le désir de connaître la personne qu'il désigne, comme nous aimerions connaître la personne qui a donné à un écrivain l'idée d'un livre où c'est pourtant la qualité de son imagination seule qui nous charme. Et même quand ce rêve est de ceux que nous savons bien ne pouvoir retrouver dans la réalité, quand nous sentons bien qu'il est distinct de la ville ou de la personne, qu'il est impossible de l'y retrouver, que tout ce qui fait son originalité, qui en fait tout un monde poétique impliquerait dans la ville ou dans la personne un élément particulier que les villes et les personnes ne comportent pas et qu'elles n'ont pu tirer de leur nom qui est sans communication avec elles, malgré cela la fusion que nous formons entre elles et ce nom et par là avec les rêves dont ce nom est plein fait que malgré < nous > nous leur rapportons à elles tout ce que nous voyons dans leur nom. Pour les personnes comme pour les villes, selon les périodes de notre jeunesse, les images que ce nom suggère ne sont pas les mêmes. Celles que nous y voyons d'abord ou bien périssent au contact de la réalité, ou bien d'elles-mêmes parce que nous finissons par nous rassasier de notre rêve, que nous perdons le pouvoir de le reformer sans cesse, et que dans l'intervalle une autre lecture que nous avons faite, d'autres goûts qui nous sont venus, quelques mots prestigieux dits devant nous ont donné au nom une nouvelle couleur, un charme différent. Généralement ces images même dans cette première période où nous ne connaissons pas la personne ou la ville sont de moins en moins belles parce que si nous n'avons pas connu celles-là, nous en avons connu d'autres, nous avons été déçus de nos premiers rêves, et notre faculté d'imaginer sans doute ne meurt pas, et recommence à s'exercer mais un cran plus bas. Longtemps pour moi Mme de Guermantes ç'avait été son nom même, elle baignait dans la couleur de ses syllabes comme cette Geneviève de Brabant dont elle descendait dans le reflet projeté par la lanterne magique sur le mur où elle passait etc.

Plus tard ce nom de Guermantes était devenu surtout celui du pays mystérieux plein d'eau courant et de sombres fleurs où j'aurais tant aimé aller. Et Mme de Guermantes m'apparaissait comme précisément pétrie des mêmes vertus mystérieuses qui faisaient le charme de ce pays. Je me représentais sa pensée comme quelque chose de frais et de délicieux comme l'eau des cascades près desquelles elle habitait, ou pénétrant comme l'odeur du chemin forestier où le train arrêtait ceux qui allaient à Guermantes et d'où l'on voyait l'étang. Quelqu'un qui m'aurait dit que la plus intelligente des personnes que je connaissais était plus intelligente qu'elle eût excité mon mépris ; car je ne pouvais croire que tous ses goûts, ses lectures, ses paroles ne continssent pas le charme indéfinissable que son nom, le nom de son château m'apportait. Je lus d'autres livres. Mes désirs de nature changèrent, je ne rêvai plus de grappes violettes et jaunes au bord d'une rivière, le nom de Guermantes se fana, mourut presque en moi jusqu'à ce qu'il reprît à Querqueville une nouvelle vie en renaissant sous une forme différente quand Montargis me dit que Mme de Guermantes était un Saxe. J'avais beau savoir qu'une femme n'est pas un Saxe, en pensant à elle involontairement je lui donnais le charme de ces précieuses porcelaines, ses joues étaient un peu mauves ; il m'avait dit qu'elle était peu à Guermantes mais beaucoup à Paris et à Poitiers dans le vieil hôtel de Guermantes. Et la façade de l'hôtel où se trouvait le Saxe m'apparaissait un peu comme la tablette de verre d'une vitrine où sont rangés des Saxe, car on*ᵃ* m'avait dit qu'elle ne recevait que des gens de très ancienne noblesse, qu'elle-même depuis le temps les plus reculés ne comptait pas une mésalliance, de sorte que son milieu m'apparaissait composé uniquement de « noms » c'est-à-dire transparent à l'imagination, clair, sans aucun élément opaque, matériel, l'épaisseur d'un visage ou la noirceur d'un pantalon, rien que des noms, des noms contenant un peu de soleil couchant sur un étang, ou une noble amitié avec Marie-Antoinette, toutes choses qui n'arrêtent pas la lumière, qui ne mettent rien d'humain, de grossier, de sordide dans la grande vitrine *[une lacune]* de bois blanc que j'appelais l'< hôtel > de Guermantes. Puis Montargis avait parlé chez à Paris d'un chapelain, d'un jardinier, qui disait : « Madame la comtesse *[un blanc]* », d'où l'hôtel de Guermantes de Paris m'apparaissait ainsi comme lui appartenant aussi anciennement que le château de Guermantes, de par un droit féodal, il me semblait que c'était au cœur du Paris moderne, un morceau de l'ancienne France qui derrière quelque rue*ᵇ* où le vulgaire ne le soupçonnait pas existait là. Je pensais que Mme de Guermantes devait y avoir droit de haute et basse justice et qu'il devait y avoir un four banal sous les marronniers, et que ce morceau de Paris n'était pas soumis aux changements du gouvernement. Mais quand l'hiver qui suivit mon premier séjour à Querqueville, ma grand-mère nous ayant décidé à suivre les conseils de Mme de Villeparisis nous déménageâmes et vînmes habiter une de ces maisons comme on en voyait encore à Paris il y a une vingtaine d'années, ancien hôtel morcelé en appartements où, après la loge du concierge qui est une échoppe de savetier débordant sur l'appui de sa fenêtre des fleurs qu'il cultive et des oiseaux qu'il élève, dans la grande cour seigneuriale de petites boutiques se voient comme jadis elles étaient rassemblées autour de la cathédrale ou du château, et où au fond de la cour il y avait toujours une comtesse qui dans son landau à grands ressorts quand elle sortait, en chapeau à iris qui ajoutait une fleur de plus à celles de la cour, envoyait pêle-mêle des bonjours infinis de la main aux enfants du concierge et au médecin ou notaire de l'appartement du premier entre lesquels elle < ne > distinguait pas, mes idées sur la demeure de Guermantes changèrent une fois encore. Car « la comtesse » du fond de la cour de notre nouvelle demeure, n'était autre que Mme de Guermantes — devenue depuis peu duchesse — et si à vrai dire il avait une façade tellement en vitres et en boiseries qu'il ressemblait assez à une vitrine, j'appris que ce n'était nullement en vertu d'un droit féodal mais d'une location passée il y a < une > dizaine d'années que lui et son jardin appartenaient à Mme de Guermantes. Tous ces renseignements me furent assez vite donnés par Françoise, devenue définitivement notre domestique et à qui la vie, les habitudes, la calèche des Guermantes inspiraient beaucoup d'intérêt et un peu de jalousie. Car Françoise vivait en symbiose avec nous. *Coiffer. Fleuriste etc.[1].* Cependant un ami de mon père ayant entendu que nous habitions dans la même maison que Mme de Guermantes nous dit qu'elle était du faubourg Saint-Germain, qu'elle était à la tête du faubourg Saint-Germain, qu'elle avait le premier salon du faubourg Saint-Germain. C'en fut assez pour qu'un mystère nouveau vînt remplacer les mystères successifs au milieu desquels j'avais fait vivre Mme de Guermantes. J'étais bien un peu gêné qu'étant du faubourg Saint-Germain où j'aurais voulu l'enfermer comme dans un quartier inaccessible elle habitât simplement notre maison. Le mystère de la transsubstantiation de Jésus-Christ dans un peu de pain à chanter[2] ne me paraissait pas plus obscur que cette transsubstantiation du premier salon du faubourg Saint-Germain dans ce salon dont je pouvais voir battre les meubles[3] de ma fenêtre. Mais je ne cherchais pas davantage à l'approfondir qu'un mystère de la religion et j'y croyais aussi fermement. Je pensais que dans nos tristes temps, le faubourg Saint-Germain avait essaimé venant déposer ses principaux salons dans des quartiers différents. Mais par une sorte de privilège d'exterritorialité qui m'impressionnait, alors qu'un mètre avant il n'y avait rien de moins faubourg Saint-Germain que notre porte, en revanche le paillasson qu'il y avait dans le vestibule de Mme de Guermantes et que j'apercevais furtivement quand un des valets de pied venait sur la porte dire quelque chose au concierge, la table pour les cartes, le porte-parapluies et l'escalier intérieur [un mot illisible], tout cela était la première vue, la rive promise et interdite du faubourg Saint-Germain, les premiers palmiers que le voyageur aperçoit du bateau quand il se dit : « C'est l'Afrique. » Et, de même que je désirai successivement aller dans la Venise de Turner, dans celle de Ruskin, dans celle de Barrès, dans celle de Régnier[4], après avoir rêvé et senti l'impossibilité < de > me promener dans ce coucher de soleil du nom de Guermantes, monter dans la tour avec la dame au haut hennin et vivre avec elle le XIIIᵉ siècle, puis goûter avec elle et en elle l'odeur de sa futaie et de son fleuve, apprendre à connaître les fleurs bleues et jaunes, pénétrer par le pont-levis dans le domaine vitré au cœur de Paris avec son chapelain et ses vassaux, entrer dans le mystérieux cabinet de verre au milieu des Saxe illustres et précieux, maintenant je rêvais de pénétrer dans un salon qui fût du faubourg Saint-Germain, où après m'être essuyé les pieds sur le paillasson de la rive, le valet de pied gardien de ces lieux me laisserait pénétrer, où je connaîtrais enfin ce que cela peut être que d'aller dans le faubourg Saint-Germain. À vrai dire j'avais bien été en arrivant voir Mme de Villeparisis, mais elle je l'avais connue pour ainsi dire avant son nom, je ne m'étais jamais dit qu'elle fût du faubourg Saint-Germain, et je ne pensais pas qu'un salon chambre*[a]* de l'hôtel de Querqueville pût devenir par affectation un du faubourg Saint-Germain. Un jour ma mère dit à déjeuner : « Elle n'a pas un beau paillasson Mme de Guermantes, je l'apercevais par la porte ouverte, il est très laid. » Je souffris d'entendre porter avec cette légèreté un jugement incompétent sur le paillasson qui était d'une essence précieuse et bien supérieur à ceux que ma mère trouvait beaux puisqu'il était du faubourg Saint-Germain et que par conséquent nous n'aurions jamais pu l'avoir. Ce mur si vitragé de Mme de Guermantes me semblait plein de mystère et de charme. La forme carrée des fenêtres de ce salon où n'étaient reçues que des personnes du faubourg Saint-Germain m'apparaissait comme supérieur à tout ce que j'avais jamais vu comme fenêtres, de même que certains rideaux rouges qu'on voyait derrière, je me disais avec admiration : « Quel luxe », et quand j'apercevais le paillasson râpé : « Quelle simplicité. » Comme cette demeure dérivait toujours du nom unique : Guermantes, non seulement je ne pouvais imaginer qu'il y eût rien là qui pût se trouver aussi ailleurs, mais encore je ne pouvais imaginer qu'il y avait des personnes qui pourraient aller ailleurs, dont le nom me serait connu autrement. Dans toute l'étendue de ce nom de Guermantes, étendue fort vaste à cause de tous les rêves que j'y avais logés, je ne pouvais pas plus installer des personnes qui fussent communes à autre chose, que je n'aurais pu penser qu'il n'y avait pas grande différence pour moi à voir une ville comme Florence ou Plaisance et Parme qui était pour moi dans toute son étendue comme la diffusion d'un rayon du livre de Stendhal, où tout devait être pétri de son charme et différent de tout. Aucun nom ne me paraissait assez grand, et surtout assez particulier pour aller chez Mme de Guermantes. Autant j'avais été choqué qu'une vieille dame dont j'avais entendu parler supérieurement d'elle pût être sa parente, autant j'eusse bien été étonné d'apprendre que dans ce milieu spécial où tout m'apparaissait de la couleur du nom Guermantes, fréquentaient des gens de noms communs à force d'être illustres, comme d'Orléans, qui est nom du roi de France, Noailles, nom d'un élève de quatrième qui récitait sa leçon avant moi, qui nous frappent beaucoup moins que le nom du fils d'un acteur alors assez connu qui était dans la même classe, Gramont qui est un nom de rue à peu près comme Le Peletier ou Drouot, La Rochefoucauld qui est un nom d'auteur comme Vauvenargues ou comme Pline le Jeune. Les syllabes Guermantes me semblaient enfermer ce monde qui n'était qu'en elle, le premier salon du faubourg Saint-Germain. Quelles pouvaient être ces personnes qui venaient dès le déjeuner voir tous les jours Mme de Guermantes ? Un jour je fus étonné de voir dans notre cour une femme qui ressemblait singulièrement à cette femme qui m'avait fait des propositions. Je la regardai mieux. C'était elle, elle alla droit à l'hôtel de Guermantes. Qu'allait-elle y faire, peut-être demander un secours, mais je ne la vis ressortir qu'une heure après. À ce moment deux amies de Mme < de > Guermantes venaient pour la voir et le concierge avait dit que Mme la duchesse recevait. Au milieu de la cour elles rencontrèrent ma séductrice et à ma stupeur s'attardèrent longtemps à causer avec elle, elle leur touchant la taille comme à des amies, plaisantant, riant, faisant ces grands mouvements obliques de la taille qui m'avaient frappé chez elle, je remarquai que presque toutes ces femmes les avaient, et qu'en marchant leur torse n'était pas placé dans le prolongement de leurs jambes mais comme désarticulé, et qu'elles faisaient une espèce de danse marchant. Finalement l'une d'elles dit à ma séductrice de prendre sa voiture pour se faire reconduire, et ma séductrice partit dans une des voitures armoriées du faubourg Saint-Germain qui attendaient toujours en grand nombre devant la porte quand Mme de Guermantes était chez elle. Plusieurs fois je revis ainsi venir cette femme que je savais presque une cocotte, et qui m'avait fait des propositions. Mais comme un paillasson placé dans le vestibule de Mme de Guermantes était du faubourg Saint-Germain, par un mystère que je ne cherchai pas à comprendre, elle devenait à ce moment-là du faubourg Saint-Germain. Dès le matin[d] M. de Guermantes, sans s'occuper de nos fenêtres d'où nous pouvions le voir, était en bras de chemise avec une cravate verte et un pantalon clair dans la cour qu'il considérait comme un simple « débarras » de son cabinet de toilette, à s'occuper de ses chevaux, à les faire atteler successivement à de nouvelles voitures qu'il essayait et faisait courir souvent à plus d'un kilomètre dans toutes les rues de l'arrondissement qui ne lui semblait que le prolongement de sa remise, une sorte de piste attenante à son écurie. Un jour Mme de Villeparisis le présenta à mon père, et quand mon père sortait pressé, faisant semblant de ne pas le voir, M. de Guermantes l'attrapait, le menait en laisse jusqu'à la porte cochère, lui arrangeait son pardessus, croyant — bien à tort — lui faire plaisir et le flatter par cette familiarité. *Ne pas oublier fleurs cassées par les chevaux, Mme la comtesse qui fait tant de bien dans le quartier, le citoyen Remons[1]*. Quelquefois dans la matinée Mme de Guermantes sortait à pied. J'avais pris mon parti de la fût < pas > habillée comme une personne du XIIe siècle mais j'étais gêné de la voir « à la mode » ce qui en faisait une femme comme une autre, se souciant d'une chose, la mode, dont elle n'avait pas à se soucier, puisque sa robe eût-elle été de bure eût éclipsé toutes les robes à la mode. Ses trop belles toilettes me gênaient comme dans une pièce de Shakespeare un décor luxueux qui reste inférieur à ce que construit l'imagination[1]. Mais surtout ce qui me désolait comme une humilité, une inconscience de sa supériorité qui m'étonnait, c'était de la voir devant sa glace, arranger son col, faire bouffer ses manches, voir si son voile était droit, comme si elle pouvait avoir un souci quelconque du vulgaire troupeau, bien habillé ou non, qui remplissait les rues de Paris et n'était pas reçu dans le premier salon du faubourg Saint-Germain, et se soucier de l'impressionner et communier avec lui en une obéissance à ces mêmes décrets de la mode[a].

Dire que j'avais été déçu par Mme de Guermantes mais que le mystère de son nom se réfugiait dans son intelligence.

J'avais entendu dire qu'elle avait écrit quelques lignes sur la province et j'étais persuadé qu'elles < étaient > supérieures à tous les autres livres, n'était-ce pas quelque chose qui émanait de ce grand mystère du nom de Guermantes, si je le lisais je saurais un peu des idées raffinées, du point de vue unique et mystérieux que ces gens ont sur les choses. Le mystère se réfugiait aussi dans sa demeure, dans son genre de vie, dans ses amis, que j'imaginais spéciaux à elle, puisque le nom de Guermantes ne comprenait rien de connu, rien qui vînt d'autres. Je m'imaginais des personnages mystérieux, du faubourg Saint-Germain. Je ne pouvais pas admettre qu'il y en eût que j'eusse vu ailleurs, et qui étaient tout autant du faubourg Saint-Germain sans que je me le fusse dit — comme Mme de Villeparisis par exemple. Je reprenais d'ailleurs sur eux, même sur leur corps, comme mon rêve, le mystère qui abandonnait le corps de Mme de Guermantes. Ce n'étaient que des noms, mais je pensais que même ces noms étaient spéciaux au milieu Guermantes. En regardant Mme de Guermantes, j'essayais de trouver dans son visage la particularité, la douceur orangée du nom Guermantes, je ne le trouvais pas, etc. Mais je me disais ce visage n'est rien, il y a toute sa vie, ses amis qui ne sont pas les mêmes que ceux des autres femmes, ce salon du faubourg Saint-Germain, son château. Si ce nom ne désignait plus très exactement la personne, encore enveloppait-il ce que chacun reconnaissait objectivement vrai, une situation unique, un milieu fermé, une grande élégance aristocratique. Mme de Guermantes, ce n'est pas assez de l'avoir vue, il faudrait aller chez elle pour pénétrer dans l'enveloppe orangée et douce qui enveloppe ce nom comme la lumière de certains couchants où le soleil est à demi voilé, enveloppe le parterre d'un château.

Ce salon meublé de peluche me semblait fort sombre et n'avait rien de la claire vitrine que j'avais imaginée. Mais je savais que tous les jours y venaient beaucoup de personnes et le soir les invités du dîner (quand on ne se tenait pas dans le jardin) qui étaient tous du faubourg Saint-Germain. Sans doute parfois dans une soirée comme celles où j'avais déjà été, perdu au milieu de la foule des habits noirs couvrant des corps vulgaires, il y avait pour une raison quelconque, un de ces hommes qui est un nom et dont le corps comme celui des certains prophètes d'Orient semble refléter une forêt domaniale et tout un passé. Mais ici il n'y avait que de tels hommes, pressés en foule, comme les colonnes de ce temple mystérieux. De sorte que le salon de Mme de Guermantes était comme un temple plein de mystère et de beauté où se pressait la forêt des colonnes précieuses, en bois de cèdre ou de santal[1], portant de merveilleuses inscriptions. Si j' < avais > assisté[a] à un de ces dîners, j'aurais cru me trouver non pas avec des hommes et des femmes comme les autres, mais, leur nom prolongeant au-delà d'eux comme une ombre le mystère que leur corps ne m'eût pas apporté, derrière l'un une Bretagne gothique et poétique, derrière l'autre les fêtes de Marie-Antoinette à Trianon.

L'âme spéciale que son nom donnait à Mme de Guermantes, comment ne l'aurait-il pas donné aussi à son salon ? Sur ce canapé en cuir s'asseyaient seuls des gens du faubourg Saint-Germain. C'était sur des dîners du faubourg Saint-Germain que s'ouvrait au bout d'une longue galerie obscure cette porte de la salle à manger. Et puisque être assis à côté de Mme de Guermantes sur ce canapé, passer à son bras dans la salle à manger c'eût été respirer l'atmosphère spéciale du faubourg Saint-Germain, être du faubourg Saint-Germain, comment le canapé de cuir, le pouf, la galerie obscure et le grand portrait n'eussent-ils pas eu pour moi une âme mystérieuse, majestueuse, puisque eux aussi étaient du faubourg Saint-Germain ?

Je ne pouvais dans le nom unique, dans cet hôtel mystérieux introduire des personnes qui eussent pu être ailleurs, même Mme de Villeparisis que j'avais connue sans avoir entendu dire qu'elle était du faubourg Saint-Germain.

Ne[b] pas oublier cette pensée.
Ainsi dans son harmonie, dans sa couleur, dans son originalité notre vie change perpétuellement. Ce n'est que pour la commodité de la pratique que nous avons un même nom pour désigner des passages d'orchestre d'une couleur si différente. Et c'est pour cela que si nous rappelle un même nom une même

personne il y a quelques années nous éblouit de la fraîcheur d'une sonorité oubliée, d'une couleur perdue. C'est pourquoi l'art est difficile, c'est pourquoi s'il veut être vrai il doit se pencher sur l'abîme des réminiscences, et l'art du roman contemporain qui se contente de décrire ce qui dans les choses est commun à tous et nous sert à nous « retrouver » dans la vie n'est pas de l'art justement parce qu'il n'a aucun rapport avec la vie, avec cet élément qualitatif de la vie qui nous revient dans le souvenir.

Ajouter[a].
Cette sonorité qu'avaient les noms pour nous, tâchons de la retrouver, c'est le petit tube comme ceux qu'il y avait dans mes boîtes de couleur de Combray et ce n'est que de lui que je peux tirer la teinte vraie dont peindre mes sensations d'alors.

Ne[b] pas oublier ailleurs ceci.
À un endroit où je n'aurai pas dormi, ou pas mangé, heureux changements d'habitude qui désapparie notre âme de celle de nos natures à laquelle elle est trop habituée pour la sentir et la met tout d'un coup en présence d'une de nos anciennes natures de rechange, dans la puissance de douleur ou de joie, dans la délicatesse ou la naïveté de laquelle elle nous fait tout à coup rentrer.

Esquisse IX

[LA RÊVERIE
SUR L'HÔTEL DE GUERMANTES]

[Deux fragments du Cahier 39. Le nom de Mme de Guermantes peut aussi évoquer une rêverie reposant sur des livres lus dans l'enfance. Déçu par Mme de Guermantes, le narrateur tente de retrouver le mystère de son nom dans sa maison, dans son salon, dans ses invités.]

Mettre quelque part dans ce cahier ou un autre (ou transporter à quelqu'un d'autre que Mme de Guermantes). Et sera[c] probablement mieux pour une des filles, ou Gilberte plus tard, ou un livre (a été inspiré par le titre : Chronique de la Canongate, Les Eaux de Saint-Ronan, Woodstock, Waverley, Peveril du Pic[1]).
Quand son nom me revenait à la pensée, je n'avais plus qu'un désir : connaître Mme de Guermantes. Mais les souvenirs ayant pris çà et là la place du rêve, ce que je m'< imaginais > être : la voir, si j'y pensais un instant c'était retrouver[d] le charme de ces heures

chaudes au bord de la Vivonne quand nous allions du côté de Guermantes où je voyais des vairons pris dans des bouteilles par des enfants, ou les après-midi où je lisais dans une chambre obscure et où j'entendais au bout du jardin la sonnette du curé qui venait voir ma tante et allait lui parler de Gilbert de Guermantes. C'est le charme qui associé au nom de Guermantes revenait avec lui et me donnait un tel désir de connaître, car il revenait en moi[a] avec son nom auquel il était associé, les rêves que ce nom m'inspirait autrefois se trouvant maintenant souvent remplacés par les souvenirs qu'il évoquait. Et ces souvenirs avaient pris eux-mêmes une force de rêve et ils me faisaient oublier que je savais bien comment était Mme de Guermantes puisque je l'avais vue dans la sacristie de Saint-Hilaire[b].

L'amateur[c] à qui on a parlé en termes qui ont frappé son esprit d'une église, d'un tableau, d'une ville, les imaginait comme d'une essence différente de toutes les autres, — j'avais fait de même autrefois quand Elstir me désignait quelque coin de la nature ou quelque œuvre d'art — et il passe sans aller les voir à côté d'églises ou de tableaux de même style et qui valent ceux-là. De même j'avais été quelquefois chez des amis de mes parents qui étaient peut-être autant du faubourg Saint-Germain que Mme de Guermantes ; mais j'avais connu leur salon en le voyant comme une chose réelle, il n'avait pas pris naissance dans mon imagination. Et si j'avais appris que quelqu'une des personnes réelles que j'y avais vues ou qui étaient venues à la maison, faisait partie de la société de Mme de Guermantes, j'aurais eu la déception de voir, de découvrir qu'une partie des habitués, pour moi imaginaires de ce salon de rêve lui était peut-être commune avec d'autres salons que je connaissais par la vulgaire expérience et qui m'avaient paru de la plus plate réalité : ce qui m'eût conduit à induire un même alliage de plate réalité dans la vie mystérieuse qu'on menait chez les Guermantes, ne pouvant guère supposer que ces êtres déjà connus ailleurs qui y fréquentaient y changeassent subitement de nature, d'habitudes, de conversation. Peut-être y tenaient-ils les mêmes propos que je connaissais, peut-être leurs partenaires de rêve s'abaissaient-ils à leur répondre dans la même langue ce qui eût introduit dans une soirée à l'hôtel Guermantes quelques instants analogues à ceux que j'avais déjà vécus ailleurs, ou plutôt ces instants mêmes. Mais il n'y avait aucun risque que pareil soupçon m'effleurât. Quand ma pensée me représentait ce salon et ses habitués, c'est d'un nom et d'un rêve spéciaux qu'elle les tirait, et ils en gardaient ainsi nécessairement le caractère idéal et particulier que par exemple la ville et la Cour de Parme ont pour un lecteur de Stendhal — non l'aspect d'une ville ou d'une Cour quelconque mais le

charme même de la « Chartreuse ». J'étais bien un peu gêné
que le premier salon de ce faubourg Saint-Germain que j'eusse
aimé voir représenté, concentré en une seule cité, protégée de
murs, inaccessible, se trouvât dans notre maison. La transsubstantiation du corps de Jésus-Christ dans l'hostie de pain à chanter[1]
ne me paraissait pas un mystère plus obscur et à la fois une vérité
plus certaine que celle du premier salon du faubourg Saint-
Germain en ces tapis et ces meubles que je pouvais entendre
battre de ma chambre. Mais je pensais qu'à notre époque le
faubourg Saint-Germain avait en quelque sorte essaimé dans
différents quartiers et que par une sorte de privilège d'exterritorialité analogue à celui qui fait terre française à Saint-Pétersbourg
ou à Rome l'hôtel de l'Ambassade de France, alors que
⟨l'entrée⟩ de notre escalier à deux mètres de l'hôtel
Guermantes était à cent lieues du faubourg Saint-Germain, en
revanche le paillasson d'entrée de cet hôtel sur lequel les invités
de Mme de Guermantes s'essuyaient les pieds et que j'apercevais
en passant dans la cour quand le maître d'hôtel prenait l'air devant
la porte, dont Maman dans la folle ignorance où elle était de
son caractère unique et le jugeant comme un paillasson
quelconque avait dit un jour : « Il n'est pas beau le paillasson
de Mme de Guermantes, il est tout usé », faisait essentiellement
partie du plus pur faubourg Saint-Germain. Et cette ligne de
démarcation entre le faubourg Saint-Germain et le reste du
monde, qui passait à peu de distance de ce paillasson m'impressionnait peut-être plus d'être simplement idéale comme est
l'Équateur par exemple, car il y a toujours plus de réalité dans
ce que l'on est obligé de concevoir que dans ce qu'on constate
simplement. Plus pleinement qu'à Notre-Dame de Paris on se
rend compte à Jumièges de ce qu'il y a dans ce mot : une Église,
parce que le dallage ayant pris l'aspect de l'herbe des champs
et la voûte n'étant plus que l'air, nous sommes obligés[2]...

Au reste[a] comment ce salon de peluche rouge, cette salle à
manger, cette galerie si sombre, que je pouvais apercevoir
vaguement de la fenêtre de la cuisine ne m'eussent-ils pas paru
posséder le charme mystérieux du faubourg Saint-Germain, en
faire partie essentiellement, géographiquement pour ainsi dire
puisque avoir été reçu dans le salon rouge, c'était être allé dans
le faubourg Saint-Germain, en avoir respiré l'atmosphère locale,
puisque ceux ⟨qui⟩ s'asseyaient à côté de Mme de Guermantes
sur le canapé de cuir de la galerie avant de passer à table étaient
tous du faubourg Saint-Germain. Sous la voûte obscure de cette
galerie qui allait du salon à la salle à manger, il n'y avait jamais
à causer avant dîner que de ces hommes qui sont des noms et
dont le corps transparent comme celui de certains prophètes

d'Orient reflète une forêt domaniale, une suite d'histoire. Parfois sans doute dans certaines soirées du monde élégant, qui n'est pas particulièrement le faubourg Saint-Germain, l'un de ses hommes trônait majestueusement au milieu du peuple vulgaire des invités en chair et en os. Mais aux soirées, les invités c'était eux, ils étaient la tous, et il n'y avait qu'eux dans le salon ou la salle à manger sombre, de cèdre ou de santal comme les colonnes du temple, et même dans ses dîners familiers autour de la table carrée elle ne pouvait choisir pour convives que l'un de ces prophètes, pareils à ceux dont les statues de bois doré *(?)* sont assemblées tout le long de la nef de la Sainte-Chapelle. Le petit bout de jardin qui était derrière l'hôtel, seuls des gens du faubourg Saint-Germain, l'été, par les soirs chauds, descendant dans l'obscurité le perron du salon, s'y asseyaient sur des chaises de fer avec M. et Mme de Guermantes qui avaient fait apporter là les liqueurs et les cigares[d]. Comment n'eussé-je pas cru qu'on y respirait entre neuf et onze heures du soir l'air du faubourg Saint-Germain, puisque rien n'imprègne < les > lieux — aussi bien que les gens — d'une essence particulière, puisque rien ne différencie les choses, ne crée une atmosphère, comme l'imagination et la croyance ? Comment n'eussé-je pas pensé que les chaises de fer ou le canapé de cuir possédaient la propriété de faire vivre dans le faubourg Saint-Germain ceux qui les approchaient, comme l'oasis de Figuig *(?)* ou la huitième pyramide ont ce privilège que ceux qui les visitent ne peuvent pas ne pas être en Afrique ? Hélas, ces sites pittoresques, ces accidents naturels, ces curiosités locales, ces ouvrages d'art du faubourg Saint-Germain, il ne me serait pas donné de poser mes pas parmi eux. Et je me contentais de tressaillir, en apercevant de la haute mer et sans espoir d'y jamais aborder, comme une première mosquée pleine de couleur locale, comme le commencement de la végétation exotique, le paillasson usé du rivage.

Si l'hôtel[b] de Guermantes commençait pour moi à la porte vitrée de son vestibule, ses dépendances devaient s'étendre beaucoup plus loin au jugement de M. de Guermantes < qui > nous tenant tous, sans doute, les locataires de l'immeuble, pour des manants sans importance, se faisait le matin la barbe en chemise de nuit à sa fenêtre sans s'inquiéter qu'on le vît, et descendait ensuite dans la cour, où parfois en bras de chemise ou en pyjama, parfois dans des vestons d'une couleur rare et d'un poil long de plaid écossais, ou dans des paletots clairs, il faisait trotter en main devant lui par un de ses piqueurs quelque nouveau cheval qu'il avait acheté. Plus d'une fois le cheval abîma la devanture de Borniche qui indigna le duc en[c] demandant une indemnité. « Quand ça ne serait qu'à cause de tout le bien que Madame la Duchesse fait[d] dans la maison et dans tout le quartier, disait-il, c'est une infamie de la part de cet homme de nous demander quelque chose. » Mais Borniche avait tenu bon, ne paraissant pas du tout savoir quel « bien » la duchesse avait jamais fait dans la maison et le quartier. Le « quartier » et jusqu'à de fort grandes distances ne paraissait d'ailleurs au comte[a] qu'un prolongement de sa cour, une piste pour ses chevaux. Car après avoir vu comment le cheval trottait seul, il le faisait atteler, trotter dans toutes les rues avoisinantes où le piqueur courait le long de la voiture en tenant les rênes, le faisant passer et repasser devant le comte arrêté sur le trottoir et qui finalement sautait sur le siège et le menait lui-même pour l'essayer. Dans la cour il disait bonjour au vicomte et à la vicomtesse de Norbois, proches parents de l'ancien ambassadeur que connaissait mon père, et qui sortaient dès le matin pour aller à leur église. C'étaient de nouveaux locataires et Borniche qui ne savait pas exactement leur nom était venu leur rapporter de la monnaie pendant qu'ils parlaient à M. de Guermantes, en disant : « Voici, monsieur Norbois. » M. de Guermantes qui ne pouvait s'habituer à ce que Borniche lui dît toujours monsieur au lieu de monsieur le Duc, profita de ce que ce n'était pas cette fois à lui qu'il manquait d'égard, pour éclater. « Ah ! Monsieur Norbois, s'écria-t-il en s'adressant au vicomte, cela est vraiment trouvé. Quand ce monsieur dira-t-il citoyen Norbois ? » Un jour[b] M. de Guermantes avait eu à demander à mon père un renseignement sur quelque chose de sa profession et s'était présenté lui-même avec beaucoup de grâce. Fréquemment il avait quelque service de voisin à lui demander, venait à lui dès qu'il l'apercevait qui sortait ou rentrait, lui arrangeait tout en parlant, le col de son pardessus, avec la serviabilité d'un descendant des valets de chambre du roi, et ne se contentait pas de lui serrer la main mais la retenait dans la sienne, la caressant même avec cette impudeur de courtisane jusqu'où vont les grands seigneurs quand ils veulent montrer à un roturier qu'ils ne mettent pas de distance entre eux et lui, que leur chair précieuse ne craint pas le contact, l'attouchement de la sienne, il menait ainsi en laisse mon père pour ainsi dire d'un bout de la cour à l'autre. Mais mon père toujours pressé et songeant à quelque travail ne cherchait qu'à éviter le duc dont la rencontre ne lui faisait aucun plaisir. Il fut en revanche enchanté et surpris de faire celle de son nouvel ami, M. de Norbois le diplomate, qui sortait de notre maison, et qui selon mon père ne pouvait venir de chez ses cousins Norbois. Mon père était persuadé que l'aristocratie ne comptait pas aux yeux < de > M. de Norbois, et que, libéré de tout préjugé nobiliaire, il ne devait pas vouloir fréquenter et devait mépriser infiniment, lui qui connaissait tous les hommes supérieurs de l'Europe, le monde de cléricaux ou de chasseurs où il était né et particulièrement un cousin royaliste et borné qui passait sa journée à Saint-Thomas-d'Aquin comme une loueuse de chaises. « Je ne peux pas comprendre ce que Norbois était venu faire dans notre maison », nous dit mon père. Comme il nous était arrivé de passer dans la cour au moment où M. < de Guermantes > sortait en voiture avec sa femme et*ᵃ* qu'il nous avait salués, il était possible qu'il lui eût dit mon nom. Mais elle n'avait pas dû y faire attention et l'avait sans doute oublié ainsi que mon visage. D'ailleurs quelle maigre recommandation pour elle que nous fussions locataires dans la même maison. Une meilleure sans doute eût été de la rencontrer chez Mme de Villeparisis qui justement m'avait fait dire par ma grand-mère d'aller la voir et que puisque j'avais l'intention d'écrire, je trouverais chez elle des artistes. Mais mon père trouvait que j'étais encore trop jeune, surtout étant donné la débilité croissante de ma santé qui commençait à tourmenter mes parents, pour ajouter inutilement des occasions de nouvelles sorties*ᵇ*. Mais un jour mon père rentra en nous disant : « Je sais maintenant où va Norbois dans la maison. C'est chez Mme de Villeparisis qui est une vieille amie à lui, < je > n'en savais rien. Il paraît que c'est une femme charmante, une femme supérieure. Tu devrais aller la voir, ajouta-t-il en se tournant vers moi. Norbois m'a dit qu'elle t'aimait beaucoup, qu'elle sera très contente de te voir souvent et que tu y verras des gens intéressants. Il m'a dit un grand bien de toi, tu le retrouverais chez elle, et il sera pour toi d'un précieux conseil. » Mon père était très mobile. D'avoir entendu tomber de la bouche de Norbois, l'ancien ambassadeur qui avait conduit naguère si heureusement nos négociations avec une grande puissance voisine et devant l'habileté duquel on disait que s'inclinaient Cavour et Bismarck eux-mêmes, l'éloge de Mme de Villeparisis et le conseil que j'aille la voir, l'avait aussitôt persuadé que cette visite aurait pour moi une influence salutaire et peut-être une importance capitale. C'était lui maintenant qui me conseillait la fréquentation de son salon comme il m'eût prêché l'assiduité aux cours de l'École des sciences politiques[1]. Quant aux propos enjôleurs que M. de Norbois lui avait tenus sur moi, mon père qui était incapable de faire un compliment, prenait à la lettre ceux des autres quand ils avaient trait à ma mère ou à moi. Et ceux de Norbois m'avaient fait regagner dans son estime tout le terrain que mes premiers essais littéraires m'y avaient fait perdre.

Esquisse X

[LA SOIRÉE AU THÉÂTRE]

[Fragment du Cahier 30. Les soirées d'abonnement organisées par la princesse de *** sont réputées très brillantes. Le père du héros reçoit un fauteuil pour celle où Sarah Bernhardt doit venir jouer « Le Passant » et le lui donne. Loin d'y voir une occasion d'admirer la célèbre actrice, ce dernier n'a accepté l'offre de son père que pour apercevoir au théâtre la comtesse de Guermantes, habituée de ces galas.]

Il y avait au théâtre quelques[a] soirées d'abonnement de gala, organisées par S.A. la princesse de ***. On m'avait dit que c'était comme un salon. La princesse avait placé les loges et les fauteuils à toutes les personnes de la société qui s'étaient *[un mot illisible]*. La duchesse de B*** et la comtesse de X avaient une loge. La loge d'à côté était à telle ou telle autre. Un soir mon père se trouva recevoir un fauteuil et me le donna car justement Sarah Bernhardt devait venir jouer *Le Passant*[1] qu'il m'avait vu étudier pour lui entendre jouer. Mais je me souciais bien du *Passant*. Je savais seulement que Mme de Guermantes allait à ces galas et je pensais presque avec douleur à ce que ce serait entre toutes ces flèches du désir que me lanceraient toutes ces femmes d'être une cible inconnue d'elles[b].

Françoise[c2] me racontait par leurs domestiques ce que faisait Mme de Guermantes. Ce matin elle avait été déjeuner comme tous les lundis chez le duc d'Aumale, tantôt elle irait, mais elle n'était pas sûre, à une matinée chez la grande-duchesse d'Oldenbourg[3], jamais on ne pouvait compter l'avoir. Toutes les fêtes ultra-élégantes de Paris, les déjeuners d'altesses, tous ces lieux où une vie sociale que je ne connaissais pas et que le nom du maître de la maison et de ses invités individualisaient, c'étaient des îlots merveilleux situés des deux côtés du sillage de sa voiture où se passaient une heure puis une autre heure de sa vie, c'étaient des réservoirs précieux remplis de perles, où les soirs d'hiver et d'été se transvasait un moment sa vie, quand elle se *[un mot illisible]* dans sa voiture, qui la rendait en satin et parée à l'hôtel où les valets étaient rangés de deux côtés sur son entrée fière et parée. Et je me rendais bien compte que sa situation avait quelque chose d'un peu unique, qu'entre les plus nobles, les plus recherchées et elle, il y avait pourtant une différence. Il y avait chez des nobles connus, des fêtes superbes où tout le faubourg Saint-Germain allait et où pourtant elle n'allait pas, elle était comme une suprême consécration pour les gens qui « avaient tout le monde » sauf elle. Et cela rendait encore tout espoir d'amour pour moi plus difficile, plus impossible. Un ami de mon père m'avait offert de me faire inviter à une fête chez la marquise de D***[a]. Il devait y avoir plusieurs altesses, toutes les duchesses de Paris et je ne pensais qu'à une chose : « Y aura-t-il la comtesse de Guermantes ? » Il eut la bonté de s'en informer. La marquise répondit : « Non, il n'y aura pas de Mme de Guermantes. Je la connais, je la rencontre constamment, elle est toujours très aimable, nous sommes en relations de cartes, mais elle ne m'a jamais dit d'aller chez elle, nous ne nous invitons pas. » Dès lors la soirée n'avait plus d'intérêt pour moi. Tous les mercredis je vis que, au dîner où elle était ou qu'elle donnait sa voiture venait la chercher pour la conduire à un gala du théâtre de X où S.A. la princesse de *** avait organisé des soirées d'abonnement, faisant directement elle-même prendre les loges qu'elle avait toutes retenues pour ses amies, de sorte que c'était comme le plus brillant des salons sauf l'orchestre et le balcon < dont > le théâtre par traité était forcé de mettre les places en vente au bureau. Parce que Mme de Guermantes trouvait à ce théâtre ses amis, qu'il se peuplait ce soir-là de son nom, du nom de ses amis, il m'apparaissait comme plein d'inconnu, comme un de ces endroits où se passait cette vie que je ne pouvais imaginer, que j'enfermais dans les noms de ces personnes que je ne connaissais pas, la princesse de Guermantes, la princesse d'Époisses, et qui selon le nom prenaient un charme plus verni, ou plus grumeleux, ou plus fanfreluché (Pourtalès) mais toujours ce quelque chose d'impénétrable, de défendu, de précieux. Or un mercredi mon père rentra en nous disant qu'un de ses amis lui avait donné un fauteuil pour la représentation de l'abonnement à ce théâtre de *** et comme justement Sarah Bernhardt devait venir y jouer *Le Passant* qu'il savait que j'avais autrefois désiré lui entendre jouer, il m'offrit la place. J'étais si heureux de penser que j'apercevrais sans doute Mme de Guermantes, que devant mes yeux profanateurs, une partie des mystères de sa vie s'accomplirait. À vrai dire je ne me représentais ces représentations, où je savais que tout le monde se connaissait, que comme une sorte d'immense salon tout en hauteur, sans séparation de loges où tous ces gens qui n'étaient pour moi que des noms devaient s'interpeller, s'unir, jouer le jeu mystérieux de leur vie. Hélas je verrais cela de loin sans y être mêlé mais j'acceptai le fauteuil de mon père car apercevoir Mme de Guermantes mettait dans ma soirée la seule substance précieuse qui pût l'enchanter et la voir autrement[b], en toilette de soirée sans même ce manteau de soie rose, ou de drap bleu ciel, ou de satin bleu mer, ou de fourrure, ou de satin gris perle, où je l'entrevoyais quand elle montait en voiture. J'arrivai au commencement du spectacle[c].

J'étais à l'orchestre composé des places payantes et de gens qui comme moi regardaient, au pied de baignoires qui pour un homme d'expérience n'étaient *que de petits cloîtres de bois, loués par des hommes et des femmes qui étaient des animaux à peu près pareils aux autres, qui feraient un jour de plus vieux animaux puis de la pourriture*[a]. Mais pour moi c'étaient des mondes merveilleux, où l'on sentait, à une vague lueur venue de la scène ou d'ailleurs qui les touchait, que s'agitaient dans l'ombre des personnes merveilleuses, celles dont le nom si glorieux semblait rendre impossible qu'elles fussent réalisées, et dans un remous d'êtres qui pour elles étaient leurs amis, leur milieu, les êtres qu'elles connaissaient. D'abord on ne distinguait rien dans ces royaumes obscurs, on sentait seulement une immense possibilité de noms, c'est-à-dire d'êtres qui formaient de ce qui s'agitait là ou bien d'une certaine quantité < de > chair et < de > poil divisée en corps distincts, des êtres, des individualités incomparables autour des prestiges desquels ces hommes, leurs amis, s'agitaient ; puis une lumière touchait un visage, on voyait une ressemblance avec le roi d'Angleterre, derrière lui des hommes parmi lesquels < deux > ressemblant au duc, au prince de *[un blanc]* et du rapprochement des trois ressemblances, on concluait, c'était lui[b].

De tous ces royaumes, le plus merveilleux était le bloc d'ombre qui était si connu sous le nom de baignoire de la princesse de Guermantes. Je m'étonnais presque que la princesse, connue comme la descendante de Marie-Antoinette, qui vivait d'une vie si particulière dans son hôtel, vrai palais de conte de fées, vînt au théâtre et je me demandais quels êtres précieux pouvaient être ceux qui pouvaient venir avec elle, être ses amis, car je ne l'imaginais jamais, on me l'avait montrée une fois, que laissant tomber de loin un regard de miséricorde sur l'humanité. Elle était sur le devant de sa baignoire, et sa beauté merveilleuse et rare imposait un merveilleux prestige à cet antre ténébreux où elle était chez elle, à ceux qu'on apercevait étant chez elle, assez familiers d'elle pour plaisanter avec elle, pour qu'elle leur parlât longuement, leur dît ses réflexions, assez hauts dans leur situation mondaine et leur naissance pour que cette femme qui laissait toujours tomber de si haut sur l'humanité un dédaigneux regard fût avec eux, trouvât une humanité divine à sa taille pour cela, pût enfin vivre comme une autre non plus dédaigneusement, mais pratiquant les mêmes gestes sociaux qu'une autre femme, riant, causant, offrant des bonbons, demandant une jumelle ; je ne lui avais pas cru de vie sociale comme aux autres simplement parce que je n'imaginais pas qu'elle pût y admettre de partenaires. Mais eux donnés, elle refaisait à une autre altitude seulement, et en les ennoblissant de la poésie de sa beauté, la vie banale de théâtre, de soirée, d'amitié, de dîner, de camaraderie. Ses yeux que j'apercevais et qu'on ne peut confondre avec nuls autres étaient sur cette baignoire comme la signature de Raphaël mettant un prix inestimable sur une toile. Le bloc d'ombre dans lequel palpitaient comme une intaille le corps merveilleux dans son linon rappelant sa reine favorite et la sorte de pavillon de perles, qui commençait par une sorte de gradin de colliers à son cou et qui laissait apparaître sa figure comme à une fenêtre traçant les lignes, la bordure, les rosaces, les ciselures de l'architecture de sa coiffure, en dôme, en clochers, et tourelles dont toutes les lignes de relief étaient armaturées et maintenues par des perles, recevait de sa présence et de ce qu'elle le possédait un attrait indicible ; car on sentait que ce fier regard sur le miroir duquel venaient se briser les spectateurs inconnus, se sentait là chez lui, et regardait comme ses amis, comme ceux qui composaient sa vie, meublaient son temps, occupaient sa pensée, étaient considérés par elle comme ses égaux, tous ceux qui < étaient > entrés priés par elle dans ce carré de nuit et qui en ce moment derrière les minarets de perles se pressaient, se sentaient chez eux, s'asseyaient, riaient, s'installaient ici ou là pour mieux voir et faisaient remuer dans l'obscurité des visages, et briller des yeux, sur qui je ne savais pas quels noms mettre, mais dont je sentais que tous, connus de vue, étaient justement ceux qui se déplaçaient généralement avec elle, ceux qu'elle emmenait au théâtre, les hommes de sa vie, les acteurs de l'indicible existence. Par moment le flot s'entrouvrait et quelque nouvelle néréide venait du fond du royaume obscur où à l'entracte toutes replongeaient dans un fond où on ne les apercevait pas[a].

Le deuxième acte était déjà commencé quand je ressentis un coup au cœur. Un remous s'était produit dans cette baignoire de la princesse de Guermantes où les spectateurs en spectacle formaient, dans leur immobilité à suivre la pièce une sorte de tableau (mais de tableau vivant où on continuait à participer, et non pas comme sur la scène, à la vie réelle, à se parler de choses vulgaires, à dire bonjour aux amis qui entraient, à s'offrir des bonbons), des hommes étaient allés vers le fond où une sorte de tourbillon s'était formé, attirant vers le fond les flots, la princesse de Guermantes avait tourné la tête, et, abandonnant sa main à tous ces hommes du Cercle cuirassés d'une barbe, ou éborgnés d'un monocle, tenant une canne à pomme d'or dans leurs mains gantées comme s'ils craignaient de la toucher, toute blanche dans des mousselines, avec une assurance merveilleuse et pourtant un sourire de modestie : « Je ne veux pas qu'on se dérange, ne bougez pas », était entrée, gagnant le premier rang où elle s'assit à côté de sa cousine la princesse, la comtesse de Guermantes. Ses merveilleux yeux bleus prolongeaient la surface de démarcation entre le royaume des néréides et la terre, par le réfléchissement immobile suivant un angle d'< incidence > identique des spectateurs, des tapis, du parquet, des strapontins levés le long des fauteuils, et sa vie que j'essayais tant d'imaginer et qui semblait là, pour irriter ma curiosité et la décevoir, m'être à la fois montrée et cachée, puisque comme si cette baignoire eût été la demeure cachée de sa vie dont on eût enlevé une des faces, j'apercevais dans l'ombre une heure de cette vie, une heure de cette vie, telle qu'elle la menait vraiment, avec ses amis, non simulée pour moi, mais sans entendre ce qu'on disait, et l'attention au spectacle donnait à cette vie spéciale et inconnue, une apparence, une immobilité d'attitude connue, dont on savait le sens comme pour mieux me dissimuler la vraie fête. Et pourtant c'était bien une de ses vraies fêtes. Car ces soirées d'abonnement étaient considérées comme des soirées ultra-élégantes, les hommes passaient leur temps à aller d'une loge à l'autre. Et du reste pour m' *[un mot illisible]* de la sensation même — en même temps que l'ignorance — de ce que c'était son intimité, par moments elle se retournait vers un des hommes pendus en grappes le long des parois de la ruche obscure demandant un programme, riant, offrant un bonbon, disant quelque chose comme si ce petit monde merveilleux des filles de la nuit avait voulu, sans s'occuper de nous, nous laisser voir sans le comprendre un peu de leurs jeux et de leur vraie vie. Derrière elle était entré M. de Guermantes, qui sans bouger son corps, avec une élégance superbe avait abaissé ses mains, d'un geste qui voulait dire « restez assis » aux clubmen plus jeunes qui voulaient lui donner leur place, et la main s'abaissa jusqu'à l'épaule de ceux qui se levaient tout de même, les rassayant de la contrainte de son poids abaissé, sans que son visage exprimât < autre chose > que ce qu'il voulait et sans que son corps se pliât, gesticulât, fît rien d'inutile. Je regardais Mme de Guermantes, je souffrais de penser qu'elle était là, fleur humaine[a] dans ces cieux où le jeu de toutes les autres fleurs pareilles faisait un tableau hors duquel j'existais, *[un mot illisible]* d'elles, et je regardais les yeux bleus réfléchissant indifféremment le monde extérieur au-dessus de l'éventail de plumes blanches qui se gonflait sur son corsage, comme une poitrine d'oiseau, quand, au moment où il était probable d'après la direction de mon image que je me reflétais dans le regard bleu, je vis au lieu du reflet mort suivant l'angle d'incidence habituelle, une vive lumière couler, remplir jusqu'à sa surface le regard bleu, sous le nez d'oiseau la bouche me sourit, la tête blonde s'inclina vivement en signe d'amitié, la main gantée de blanc se leva à la hauteur de la joue et s'agita deux ou trois fois en signe d'amitié. Puis le regard reprit son immobilité d'eau réfléchissante, la main arrangea quelque chose à son collier, l'autre agita légèrement l'éventail et après avoir demandé à un des hommes de se pousser un peu pour qu'elle pût avancer sa chaise, elle se mit à regarder le spectacle. La princesse de Guermantes jeta un regard dur comme un caillou du côté où sa cousine avait salué. Je ne pouvais croire qu'elle m'eût reconnu, que ce fût à moi qu'elle eût adressé ce sourire et ce signe de mains qui dans une salle entière avait eu l'air de me reconnaître et de <me> cueillir comme seul digne d'être auprès d'elle, comme un des membres de la baignoire c'est-à-dire de sa société, en déplacement, colonisant l'orchestre, mais que son sourire d'intimité avait dit de même essence, de même matière que ceux qui composaient la loge. Mais deux autres fois pendant la soirée mon regard rencontra le sien et chaque fois elle me suivait avec les yeux et en fronçant affectueusement les lèvres, comme si l'éloignement seul nous empêchait de reprendre de plain-pied l'entretien quotidien et fraternel de nos âmes sans secret l'une pour l'autre. J'ignorais que dans la loge de la princesse de Guermantes se trouvait ce soir-là le grand-duc de Russie qui n'avait pas voulu se mettre devant, peut-être par crainte d'une bombe, que Mme de Guermantes en femme du monde qui croit que tout le monde est au courant de l'échelle des grandeurs, se figurait que pour moi comme pour elle le grand-duc de Russie était quelqu'un de considérable (alors que j'eusse été bien étonné de savoir qu'elle daignait admettre un bonhomme oriental dans l'intimité d'une créature que je croyais au-dessus de tous les autres) et que Mme de Guermantes, comme toutes les femmes du monde, comme l'humanité en général d'ailleurs, dès qu'elle sentait que son amabilité du fait d'une contingence comme celle-là prenait plus de prix, devenait aussitôt plus aimable, prodiguait des bonjours, que le voisinage du grand-duc rendait précieux, heureuse de se sentir précieuse, craignant de se sentir impolie, inclinée à la sympathie pour les autres par la considération qu'elle leur sentait pour elle en voyant son voisin, heureuse de montrer par son amabilité que ce voisinage ne l'enorgueillissait pas, que c'était une chose toute simple, qu'elle n'en était pas moins aimable, et désireuse dans un moment où elle se sentait tant de prestige par l'ami qui écoutait derrière elle, d'y ajouter le charme de la simplicité, l'admiration des cœurs émerveillés de sa bonté et de son naturel.

Revenons au théâtre.

À côté[a] les unes des autres, les loges soutenaient de leur petite séparation comme si ç'avaient été deux brides, leur corbeille régulièrement piquée de fleurs humaines. Comme Son Altesse pour que l'abonnement fût tout entier souscrit s'était adressée aussi à quelques femmes très riches d'un monde élégant mais qui ne prenaient contact que par quelques points[b] avec la société tout à fait aristocratique, le simple ruban tendu de la séparation d'une loge, fort bas d'ailleurs et qui laissait voir d'une loge dans l'autre, permettait à une femme de grand financier ou à une marquise de seconde catégorie de < voir > s'installer à côté d'elle, mais de l'autre côté de la séparation, la duchesse qu'elle eût tant donné pour connaître. Les fleurs de seconde qualité étaient tout aussi belles, tout aussi parées, que les fleurs de première qualité et plantées tout aussi gracieusement, tout aussi droit, dans un aussi joli flot de ruban, dans leur bourriche. Mais dans la bourriche à côté, le nom que dessinait tel visage, rapproché de tel autre nom qui venait d'y entrer signifiait une société toute différente, beaucoup plus élégante et sur laquelle la fleur de la bourriche voisine pourrait jeter un regard de curiosité avec d'autant moins de crainte d'indiscrétion que ce regard ne pouvait être à deux fins et ne se changerait pas en bonjour. Mme de Chemisey se disait : « Tiens voilà la duchesse d'Étampes, avec le duc de Morval et le prince des Auges[a]. » À ce moment ces dames se levaient, la jeune duchesse d'Évreux entrait, suivie de son joli époux, au visage blond, aux yeux bleus, à la mine fûtée et rose. Ces gens purent jeter un coup d'œil par-dessus la petite bride de la loge voisine, et prirent l'air discret qui signifiait « à côté de nous il y a des gens que nous ne connaissons pas ». Mais Mme de Chemisey avait invité < un > de ses < voisins > de campagne le prince de Tasslane qui était[b] des deux sociétés. Au bout d'un moment il arriva, gracieux, droit sur une chaise placée obliquement. Quelques instants après son regard croisa celui de la princesse d'Évreux, il la salua du corps en se levant à demi, avec un beau sourire, sur le rectangle à plan oblique dans lequel il était placé, son salut droit charmant et précis se gravait comme sur une intaille. Et Mme de Chemisey était heureuse de penser qu'elle avait avec elle quelqu'un qui connaissait la princesse de T*** et à qui la princesse de T*** souriait, qu'elle la voyait avec lui. Par moments les dames de devant se levaient, c'étaient une nouvelle qui entrait leur disant bonjour, se retournant ensuite vers les hommes, et s'asseyait < sur > une chaise qu'on poussait au premier rang. Les dames invitées avaient d'habitude quelque chose d'un peu plus tendu, faisaient plus attention au spectacle, par amabilité pour celles qui les invitaient et à leur toilette comme si elles étaient en soirée. Les dames à qui était la loge s'occupaient moins du spectacle et d'elles-mêmes que de leurs invitées et avaient quelque chose de plus simple et de moins apprêté. À l'orchestre des personnes qui ne connaissaient nullement tous ces gens se les nommaient et croyaient devoir mettre une teinte d'ironie dans leur prononciation. « Qui donc est cette dame avec tous ces diamants ? demandait une fille à sa mère. — C'est la cccomtesse de Guermantes. — Mon Dieu, qu'elle a de diamants !

— Oui, je n'aimerais pas cela, on a l'air de vouloir se faire remarquer. » Dans toutes ces loges l'expression de la personne, ce qui fait qu'elle < est > elle, qu'on la reconnaît, flottait incertaine sur les figures, comme son nom, un nom presque toujours ce soir-là célèbre et qui venait[a] à l'esprit mais sans certitude. Et tout d'un coup le sourire de la comtesse de Guermantes, le regard de Mme de Guermantes, mettaient sur leur visage qui de loin pourrait ressembler à certains autres cette signature qui était un nom, qui faisait se dire : « C'est bien elles. » De sorte que loge après loge le théâtre était comme un panorama, un musée de la haute société contemporaine où le rôle de chaque personnage connu était joué par lui-même.

À la sortie les femmes étaient toutes dans leurs surplis de mousselines ou leur coquille de satin à attendre, groupe de loges par groupe de loges, mais plus séparées comme au théâtre et celles qui se connaissaient allant se dire bonjour, et je les regardais à quelque distance quand un peu en retard parut la princesse de Guermantes, merveilleuse et légère dans son long manteau bleu. Toutes ces femmes n'avaient pas besoin d'être jolies. Leur prestige était dans leur nom et il suffisait qu'on les reconnût, c'est-à-dire que telle particularité de leur figure, leur trop grand nez crochu ou leurs joues trop longues avec de petits yeux sous un chignon ébouriffé, signât leur nom sur leur visage pour qu'on le regardât avec curiosité. Mais la particularité de la princesse de Guermantes c'est que comme signature de son nom sur sa tête < elle > avait — comme ces peintres qui au lieu de signer en lettres leur nom signent d'une fleur ou d'un papillon — sa merveilleuse beauté qui eût enchanté même si elle n'eût pas été la princesse de Guermantes. De sorte que quand elle passait, admirée de toutes ces femmes de son monde qui lui tendaient la main, on avait ce sentiment assez curieux de ce nom qui consistait en une beauté si fraîche, si délicieuse qu'elle eût été délicieuse si elle n'avait pas signifié un grand nom, mais qui le signifiant prenait comme une sorte de sens supplémentaire, d'allégorie au-delà de sa propre harmonie[b].

*Revenons au théâtre[c].

Après sourire mettre sans doute les impressions que me donne le sourire de la jeune fille dans la voiture de Mme de Chemisey car cette scène sera supprimée.*

Mais je n'osais pas regarder tout le temps du côté de la loge et je regardai un moment la scène. Mais ce spectacle qui avait été il y a quelques années pour moi l'objet d'une attention si dévorante, ce jeu de la grande artiste *** dont je buvais chaque mot, tout cela je l'écoutais sans plus rien y chercher, non pas distraitement, mais sans effort. Et alors il se trouva que ce qui m'avait été refusé quand le jeu de cette artiste, quand l'art dramatique avaient pour moi une importance infinie, me fût accordé maintenant[a]. J'eus à entendre la grande artiste le plaisir que je n'avais <pas> alors, je compris la différence immense qu'il y avait entre elle et ses camarades qui alors me semblaient montrer presque plus de talent, d'intentions ingénieuses de diction. Cet oubli où j'avais tenu toutes mes préoccupations sur le génie dramatique avait-il été analogue au sommeil sur le fond obscur duquel la leçon que nous avons travaillée le soir sans pouvoir la retenir se recompose si exactement que nous la trouvons tout écrite en nous au réveil, à ces songes au milieu desquels le visage chéri <dont> notre mémoire s'épuise en vain à chercher à ressaisir les traits apparaît tout d'un coup avec la netteté et le relief de la vie? De même l'effort que je faisais pour analyser mon plaisir le détruisait-il au fur et à mesure, et ne m'était-il apparu intact pour la première fois que ce soir où je ne cherchais pas à le goûter? Je ne sais. Mais parce qu'en tout cas je le sentais si bien et m'y laissais aller, par contraste je sentis combien le jeu des autres artistes était inférieur et je compris ce qui aux yeux du raisonnement me forçait à me dire, contre ma propre impression, que le talent était plus absent du jeu de la grande artiste que du leur. Certes il n'est pas besoin de raison particulière pour expliquer que l'esprit, croyant qu'une réalité transcendante habite un paysage, un tableau, une réalisation scénique, cherche à aller au-delà de son impression, à comprendre en quoi elle consiste, ce qu'elle recèle de vérité, et dans une certaine mesure n'y puisse parvenir. C'est la loi même de la réalité d'imposer à l'esprit qu'elle fascine un effort qu'elle dépasse et où elle ne peut être embrassée complètement*(préciser)*. Mais il y a peut-être dans l'art de l'exécution quand il est pratiqué par un artiste de génie, chanteur, acteur, instrumentiste, et même danseur quelque chose qui irrite et déçoit plus particulièrement l'oreille et l'œil qui cherchent à comprendre en quoi ce qu'ils voient et entendent contient de beauté. Les acteurs médiocres, les chanteurs ou les autres artistes sans talent réel mettent leur application à jouer, à chanter, mettant ici une intention d'ardeur qui essaye de soulever leur voix, une nuance <de> courtoisie qui cherche à la faire sourire, ici un accent de reproche qui la secoue comme une inflexion douloureuse. Ces diverses expressions restent extérieures à leur voix, à leur corps, qui en sa matérialité grossière ne s'en pénètre pas et suit. Mais justement à cause de cela l'expression excessive restant en quelque sorte extérieure à la voix, la poussant devant elle, reste isolée, reconnaissable, reste une intention de reproche, une intention de coquetterie, une intention de colère. L'esprit remarque cela et en somme peut énumérer cela à l'actif du talent, il trouve à leur jeu un certain contenu. Mais alors paraît le grand artiste. Le grand artiste a éliminé de son corps ou de l'instrument dont il se sert toute matière, ou plutôt cette matière est entièrement pénétrée de l'âme de la chose qu'< il > joue. Si c'est un violon il n'a plus un grain de son brut, une seule aspérité purement matérielle, le moindre atome de son contient, en parties égales, le sentiment qui est dilué dans l'ensemble, si c'est une actrice elle n'a pas un mouvement de bras qui exprime une habitude quelconque de son coude à l'égard de sa hanche, toute sa chair, sa mimique, sa diction est pénétrée par ce qu'elle exprime, et si c'est une chanteuse il ne lui reste aucun morceau de sa voix qui s'étale, vide d'expression, dans sa vulgarité de matière inconnue par l'expression. Mais aussi à cause de cela elle n'a pour ainsi dire aucune expression visible car il n'y a plus séparation entre elle et l'œuvre, elle ne prend pas plus soin, du moins en apparence, de dire telle chose que si elle était la personne même qui le dit, cela sort d'elle naturellement en une sorte de flot monocorde, uni, où l'esprit a bien plus de peine à trouver une raison d'admirer que dans le jeu de ses compagnes. Mais ces intentions qui chez les autres sont visibles par la maladresse de leur réalisation, par l'impossibilité de les faire boire tout entières au corps, à l'instrument, si bien qu'il en reste un surplus net, excessif, choquant, mais reconnaissable et frappant, qui flotte au-dessus du morceau chanté, du geste exécuté et qui semble dire : « Voyez je suis l'inflexion de la majesté octroyée, voyez je suis la désinvolture de la coquetterie légère », ici elles sont entièrement effacées, elles ont pénétré entièrement la matière de la voix, de la sonorité de l'instrument, du geste de la mimique, elles n'y sont plus reconnaissables comme intentions, l'esprit à moins d'être très exercé dans cet art, ne sait où se prendre et ne peut trouver aucune raison de son plaisir, et le tourment est d'autant plus grand pour lui que plus le jeu est sublime, plus l'art est parfait, plus la fusion de l'artiste et de l'œuvre est complète, plus la surface où il peut trouver quelque aspérité est unie, plus le secret qu'il cherche est secret et profond[a]. Mais maintenant que je ne cherchais plus avec mon intelligence à trouver une raison à mon plaisir qui, comme je ne la trouvais pas, me faisait croire qu'il était factice, suggéré par ce qu'on m'avait dit du génie de l'artiste mais non éprouvé réellement, maintenant que mon intelligence ne rendait pas mon plaisir irréel en lui refusant une cause, combien il était grand et combien je sentais la supériorité de la grande artiste sur ses camarades. Je n'aurais presque pu définir sa supériorité que < par > la suppression en elle de ce que j'appelais autrefois chez eux des mérites, et dont je souffrais maintenant comme des maladresses grossières. Tous étaient des

gens essayant de jouer un rôle mais ayant gardé des coudes, des
régions autres de la voix, leurs pas, leurs inflexions qui restaient
en dehors de l'art, qui n'étaient pas pénétrés par l'expression et
qui avaient cette laideur des choses purement matérielles que
l'expression ne peut pénétrer comme un bouton sur un visage.
Mais elle *(peut-être mettre plutôt ici un peu de passage plus
haut sur la matière pénétrée par la voix)* il n'y avait pas une
parcelle de sa voix qui ne fût en harmonie avec ce qu'elle disait,
pas un mouvement de son corps. Comme cette beauté était
intérieure au rôle on ne s'en rendait pas compte tant qu'on
cherchait à la séparer de ce qu'elle jouait, mais si on ne cherchait
pas à la séparer, si on écoutait tout bonnement comme je faisais,
on entendait sonner dans le timbre de la voix l'accent original
du vers qu'elle disait, on sentait sa voix s'infléchir exactement
sous l'arabesque du couplet, le vers naître avec son geste, comme
un soupir de sa poitrine, aucune matière extérieure ne restait
plus et par moments le sentiment exprimé traversait en quelque
sorte la voix, le geste, l'inflexion du sourcil, faisait trembler la
matière, apparaissait à la surface, semblait presque la dépasser,
uni, visible, immatériel, <si bien> que les bravos se déchaî-
naient. On ne pouvait pas dire, au moins à première vue, car
un artiste l'eût peut-être pu, « elle fait ceci ou cela » comme
pour les mauvais acteurs, mais si on écoutait sans chercher, les
mauvais acteurs ne donnaient aucun plaisir, fatiguaient de
l'ostentation d'une expression médiocre et de la vulgarité d'une
matière inexpressive, tandis qu'elle charmait constamment par
l'incarnation si complète d'une œuvre que rien en elle ne différait
plus du sentiment artistique qu'elle suggérait sans l'isoler et le
laisser définir. Ainsi j'étais consolé bien des années plus tard de
ma déception d'enfant, ou du moins je ne me disais plus qu'elle
impliquait une faible compréhension artistique. Je comprenais
que si, comme je devais <l'>éprouver un jour pour la musique,
la faim que nous avons d'une chose entre plus dans le plaisir que
nous procure un mets que la perfection de son assaisonnement
car le plaisir est en nous, en revanche, et par une loi différente
et qui n'est nullement contraire à celle-là, ce sont ceux qui aiment
le plus qui jouissent le moins car ils demandent à ce qu'ils aiment
plus que ce qu'il peut leur donner et que le bonheur que tout
de même ils en reçoivent, ils ne le goûtent que plus tard quand
ils ont fini d'aimer, c'est-à-dire de l'anéantir par la comparaison
constante avec l'immensité de leur rêve.

Vers la fin du deuxième acte je vis une baignoire vide s'ouvrir
etc.[a]

Ajouter ceci[b] :

Tandis que dans la vie les êtres interposent devant notre
contemplation l'obstacle d'un corps si souvent réfractaire à la

diffusion de leur âme, une idée poétique, une phrase musicale
sont des âmes prisonnières d'une matière qu'elles ont clarifiée,
assimilée, spiritualisée, qui les révèle au lieu de <les> cacher,
ce sont des âmes que nous pouvons goûter tout entières. Et la
belle déclaration d'une tragédienne n'est qu'une enveloppe de
plus que l'âme centrale a attirée, qu'une coulée supplémentaire
qu'elle en *[un mot illisible]* s'est annexée et qui devenue elle aussi
translucide en gardant sa qualité, ou sa coulée différente, en sa
couleur et ses réactions particulières, ne fait que rendre plus
profonde, plus précieuse et plus riche, la matière traversée de
rayons, imbibée de lumière où la pensée vivante est engainée.

Esquisse XI

[LA SOIRÉE À L'OPÉRA]

*[Fragment du Cahier 40, postérieur d'au moins un an au précédent. Malgré
de nombreuses tentatives du héros pour se faire présenter à Mme de Guermantes,
ni Mme de Villeparisis, chez qui il ne l'a pas rencontrée le jour où il y a été
invité, ni Montargis, trop occupé par ses tumultueuses relations avec sa maîtresse,
n'ont pu servir son dessein. Mme de Guermantes lui semble plus que jamais
inaccessible. C'est alors que son père lui propose d'aller assister à une soirée organisée
par Mme de Brunswick et au cours de laquelle la fameuse X jouera « Phèdre ».]*

Mon père reçut justement un soir d'un de ses amis un fauteuil
pour une de ces représentations mêlées d'opéra, de tragédie et
de ballet qu'avait organisées la princesse de Brunswick. Et comme
pour être agréable[a] à la duchesse[1] la fameuse X que j'avais tant
désiré entendre il y avait quelques années, donnait cet acte de
Phèdre où j'avais tant supplié qu'on me laissât retourner pour
pouvoir songer à nouveau et d'une seconde impression où je
tâcherais de voir plus clair, tirer le plaisir, le sentiment
d'admiration que je n'avais pas éprouvé la première fois, mon
père me demanda si je voulais profiter de la place. Mon
imagination, ma recherche du beau avaient, depuis l'année déjà
lointaine où j'étais si préoccupé de *Phèdre,* abandonné l'art
dramatique qui ne m'intéressait plus, comme <elles avaient>
successivement abandonné l'art gothique, la Bretagne, les œuvres
de Bergotte. En ce moment c'était <d'>une certaine peinture
que j'attendais les révélations sacrées qui m'avaient rendu si
précieux le talent de Mme C***[2] quand j'avais cru qu'il les recelait
et que seule l'imperfection de mon esprit était cause que je ne
savais pas les y découvrir. Et depuis que je <les> cherchais dans

cette école de peinture et non plus dans le talent d'une tragédienne pour entendre cette tragédienne, j'aurais fait un voyage et offert des années de ma vie, maintenant je n'aurais pas perdu une heure et fait deux pas, car cette réalité à laquelle j'eusse tout sacrifié ce n'était plus dans certaines créations de l'art dramatique que je la mettais[a]. Rien ne nous intéresse que par ce que nous y mettons, et le cours particulier qu'avait suivi la vie de mon esprit me faisait mettre maintenant dans d'autres arts et d'autres œuvres mon éternelle espérance d'approcher la vérité. Ainsi si j'acceptai la place que m'offrit mon père, ce ne fut nullement pour entendre *Phèdre,* mais dans l'espoir d'apercevoir Mme de Guermantes, que mes yeux profanateurs surprendraient en train de vivre une heure de sa vie mystérieuse. Car je savais que l'Opéra, ce < soir > de l'abonnement de la duchesse de Brunswick, était considéré par la société de Mme de Guermantes, comme un salon ultra-élégant, la duchesse de Brunswick, sauf pour l'orchestre dont les places étaient en vente au bureau, disputées par des snobs, heureux de voir au théâtre des gens qu'ils ne connaîtraient pas autre < ment >, ayant loué directement elle-même les baignoires et les loges, aux personnes de ses relations. Et ce mot de salon faisait que je m'imaginais que ces soirs-là il n'y aurait à l'Opéra nulle séparation de loges, nulle fixité de sièges, et que chacun allait de l'un à l'autre, parlant, interpellant ses amis, jouant sans contrainte le jeu secret de cette vie, se déplaçant sans cesse comme dans un salon.

À côté de moi à l'orchestre un couple qui ne connaissait pas les femmes qui étaient dans les baignoires et dans les loges voulait du moins montrer qu'il les reconnaissait, se les désignant l'un à l'autre par leur nom et leur titre, en diminuant par une expression ironique ce que ce titre pouvait avoir d'illustre pour me montrer ainsi qu'à leurs autres voisins et pour se montrer à eux-mêmes que les titres ne leur imposaient pas et que s'ils n'étaient pas avec ces duchesses c'est que ça ne leur plaisait pas. Plus haut, au premier étage, à côté les unes des autres, sur toute la courbure du mur de la salle, les loges semblaient — bourriches piquées < de > fleurs humaines — attachées au mur cintré — comme par de petites brides rouges qui les eussent maintenues bien droites, bien soufflées — par leurs deux petites séparations de velours. Beaucoup de ces femmes n'étaient pas jolies, mais on ne demandait à leurs traits de beauté < que > d'écrire les lettres de leur nom pour pouvoir identifier leur personnalité mondaine. Ces traits, parfois un peu indistincts de loin et pouvant ressembler aux traits d'autres dames du même monde, mes voisins avaient quelques difficultés à lire immédiatement le nom exact sur le visage lorgné. Un nez crochu, des cheveux relevés à la chinoise, des épaules un peu hautes, cela pouvait désigner la marquise

d'Estervillers, mais non elle était à l'amphithéâtre, ou la duchesse
d'Étampes, ou la comtesse de Romorantin. C'était bien la
duchesse d'Étampes avec la marquise de Laon, on reconnaissait
que la marquise était l'invitée à ce qu'elle affectait par amabilité
de prendre plus d'intérêt au spectacle et surveillait davantage
sa toilette, ses épaulettes, son aigrette, pour faire honneur à
Mme d'Étampes. Le fond de la loge de Mme d'Étampes s'ouvrit
et une femme suivie d'un jeune époux, blond et rose, aux yeux
bleus, s'avança rapidement, tandis que Mme d'Étampes et Mme
de Laon se levèrent, c'étaient le duc et la duchesse d'Évreux[a].
La femme placée dans l'autre bourriche, aussi près de Mme de
Laon que celle-ci < l' > était de Mme d'Étampes, mais de l'autre
côté de la bride rouge qui signifiait qu'elle n'était pas avec elles,
était semblable à elles d'élégance et de brillante apparence. Mais
le regard qu'elle jetait sur elles et qui semblait dire : « Tiens,
Mme de Laon est avec Mme d'Étampes et Mme d'Évreux, mon
Dieu que ces femmes ont de chic et quelle admiration j'ai pour
elles », elle le prolongeait avec d'autant moins d'indiscrétion
qu'il n'était pas à deux fins et ne pouvait pas paraître vouloir
se terminer en bonjour car elle ne les connaissait pas, n'était
pas de la même société. C'était Mme de Chemisey. Car la
princesse de Brunswick, si elle n'avait fait souscrire à la totalité
des baignoires et à une grande partie des loges que des personnes
de la société la plus aristocratique, avait, pour parfaire les recettes
de ces galas, cédé quelques loges à certaines personnes d'un
monde moins élégant, marquises de second cru, duchesses un
peu déchues, femmes de grands financiers, que les personnes
de la première société ne fréquentaient pas, mais avec qui elle
se trouvait en relation à cause de ses nombreuses œuvres de
bienfaisance. Si Mme de Chemisey ne connaissait ni la duchesse
d'Étampes, < ni > la marquise de Laon, ni la duchesse d'Évreux,
elle supputait que d'ici trois ans elle serait probablement arrivée
sinon encore à aller chez elles du moins à leur être présentée.
Mais se sachant atteinte d'une maladie à marche lente mais
mortelle, elle n'était pas sûre de pouvoir vivre encore ces trois
années. En tout cas ce soir Mme de Chemisey était heureuse
de penser que ces dames qu'elle ne connaissait pas savaient dans
sa loge un homme qu'elles connaissaient. Car elle attendait le
jeune marquis de Serbon, frère de Mme de Valognes, qui
fréquentait également les deux sociétés et dont les femmes de
la seconde aimaient beaucoup à se parer sous les yeux des
femmes de la première. Il arriva bientôt, s'assit derrière Mme
de Chemisey — pour laisser libre devant la place de l'amie
qu'elle avait invitée — sur une chaise qu'il posa obliquement
pour pouvoir regarder dans les autres loges. Il y connaissait
tout le monde, et, avec la ravissante élégance de sa jolie tournure

cambrée, de sa fine tête aux cheveux blonds, il saluait chaque fois qu'il rencontrait le regard ami d'une femme, en se soulevant à demi, le corps droit, un sourire aux yeux, gravant avec une précision et une grâce incomparable, dans le plan oblique et rectangulaire au milieu duquel se délectait sa jeune et fière silhouette, l'intaille d'un salut plein de respect et de désinvolture d'un grand seigneur et d'un courtisan. Ainsi tapissait de haut en bas le mur de la salle comme une immense tenture humaine tissée de toutes les vies brillantes de l'époque, dépeignant comme un panorama de cette année-là où le rôle et la figure des personnalités les plus célèbres étaient tenus non par des images leur ressemblant mais par eux-mêmes.

S'élevant de peu de hauteur au-dessus de moi, autour des fauteuils d'orchestre, chaque baignoire < différenciée était comme le royaume mystérieux*d* > dans les profondeurs obscures et transparentes < duquel > habitaient de mystérieuses déités entourées de demi-dieux qu'elles avaient invités à partager ce séjour avec elles. D'abord on ne distinguait rien des formes humaines qui tapissaient le fond. Puis un visage qui regardait dans l'ombre faisait penser à celui du roi d'Angleterre. Par une étrange coïncidence deux des visages qui se penchaient vers le sien ressemblaient à ceux d'un de ses ministres et d'un de ses familiers. C'était lui ! Du fond de ces réservoirs de ténèbres dont quelques-uns semblaient vides, < leurs > habitants étant restés dans les profondeurs, brusquement — comme le rayon d'une pierre précieuse quand on se place dans un certain angle difficile à retrouver — le scintillement de deux yeux célèbres croisait notre regard au feu rapide et horizontal qu'ils jetaient dans la nuit. Peu à peu au fur et à mesure que le spectacle s'avançait, quelques-unes des filles fabuleuses de l'abîme se détachaient mollement des profondeurs et s'élevaient vers la lumière, venaient s'arrêter au bord de la baignoire à la limite de son atmosphère dans la paroi clair-obscur où apparaissaient leurs effigies divines, la majestueuse stature de leurs corps divins, la toison comme tordue et lissée par le flux de leurs chevelures qui présentaient parfois les tons vivement colorés des fucus sous-marins où brillaient des perles, l'écumeuse palpitation de leurs éventails. Là finissait leur royaume, après c'était l'orchestre, le séjour des mortels. Leurs yeux mêmes en délimitant la surface de leur liquidité plane et réfléchissante. Car les strapontins du rivage, les regards des monstres de l'orchestre s'y reflétaient comme les objets en vertu des seules lois de l'optique selon leur angle d'incidence. Elles à la *[un mot illisible]* ne témoignaient qu'elles nous voyaient, elles ne répondaient aux regards de tous ces gens qu'elles ne connaissaient pas que par cette immobilité absolue, que nous gardons quand nous voyons ces deux sortes d'êtres à qui nous ne supposons pas d'existence et de facultés ayant un rapport quelconque avec les nôtres et à qui par conséquent nous ne pouvons adresser ni sourire ni signe qui ne pourrait éveiller en eux aucun signe, aucun regard, n'y trouverait pas de vie consciente pour le percevoir, avec qui nous ne pouvons pas échanger d'impressions qu'ils ne peuvent éprouver, et que nous reflétons, transposant en nous leur absence totale d'âme et de conscience, avec l'impassibilité d'une rivière : les corps inanimés, ou les plantes, et les personnes avec qui nous ne sommes pas en relation. En deçà au contraire de la ligne de la démarcation de leur royaume, elles se penchaient à tout moment pour leur communiquer une réflexion, pour leur désigner un point de la salle ou de la scène, vers les demi-dieux galbés et barbus, pourvus d'âmes analogues aux leurs, initiés à leur vie surnaturelle, pendus en grappes aux anfractuosités de l'antre, qui s'approchaient d'elles pour leur faire quelque remarque, à laquelle elles répondaient en se retournant avec un sourire et en leur offrant des bonbons. Sans qu'on pût toujours bien reconnaître le visage de ces tritons, généralement élongués d'un monocle, dont l'humide ambiance avait lissé avec soin sur leur calvitie polie comme un rocher une mèche qui avait le brillant d'une algue, et qui ne tenaient qu'à travers la protection d'un épais gant de peau blanc à coutures noires leurs cannes à pomme d'or, on sentait flotter dans la baignoire une possibilité obscure de noms célèbres, une sursaturation d'existences aristocratiques qu'illuminait tout à coup la phosphorescence d'un regard princier popularisé par la photographie. Par moments le flot s'entrouvrait devant une nouvelle néréide épanouie du fond de la nuit où toutes replongeraient à l'entracte.

Mais de tous ces royaumes le plus merveilleux était le bloc d'ombre connu sous le nom de la baignoire de la princesse de Guermantes, connue aussi sous son nom de jeune fille, la duchesse de Bavière. Au fond restait[a] volontairement, laissant ses invités passer devant elle, sur des coussins surélevés, comme une déesse qui préside aux jeux des divinités inférieures la princesse de Guermantes. Une longue *[un mot illisible[b]]* blanche qui avait l'air à la fois comme certaines végétations marines d'une fleur et d'une plume, mêlée d'abord de ses cheveux descendait le long de sa joue en une flexibilité aquatique. Sa tête était couverte d'une résille de coquillages bleus sertis de perles, et par moments seulement le feu de ses regards montrait dans la nuit qu'une créature vivante était là dans l'ombre sous les entrelacements madréporiques. Bien que la beauté de la princesse de Guermantes ne fût pas entièrement incluse et réalisée en elle, qu'elle ne fût inscrite à aucun de ses membres, ni à leur totalité, mais que, engendrée, suggérée, par tel mouvement que commençait son regard incomparable, sa nuque délicieuse, sa taille unique et que finissait l'imagination, elle se réalisait hors d'elle, en une figure surnaturelle et projetée, cette beauté merveilleuse était bien à elle, car elle seule possédait cette chevelure, ces yeux, ce cou, ces bras, cette tournure, qui en donnait le départ, la proportion, le ton et qui d'ailleurs même dans le prolongement idéal où ils se combinaient, étaient merveilleusement beaux. Mais si cette créature idéale qui se détachait d'elle et la parfaisait en dehors d'elle-même devenait déjà quelque chose d'un peu trouble et tremblant à la vision qu'on avait de sa beauté, cette impression était encore accrue du fait du nom prestigieux que cette beauté désignait. Car tandis que le nom des autres célébrités de la salle était mentionné sur leur visage par des traits indifféremment beaux ou laids, plus souvent laids, mais qui n'avaient que la valeur scripturale d'un graphisme conventionnel et inesthétique où en rapprochant un gros nez d'un peu de moustache on écrit princesse de Montmorency, en revanche la marque d'identité, la signature de la princesse de Guermantes — comme ces jolies formes, ces papillons ou ces fleurs servant de signature à certains grands peintres en bas de leurs tableaux — c'était ce délicieux visage qui eût ravi les yeux même s'il appartenait à quelque personne obscure, mais à qui le second sens qu'il avait au-delà de lui-même en signifiant princesse de Guermantes donnait quelque chose d'allégorique et faisait frémir l'éclair d'un prestige autour de l'harmonie de sa beauté. Ainsi quand on apercevait au-dessus du rebord d'une baignoire, la sienne car elle n'allait jamais dans la baignoire d'une autre quelle qu'elle fût, cette chevelure sertie de perles, cet œil taillé[a] dans le diamant, ces épaules de Diane, qui construisaient aussitôt dans la salle l'effigie divine, l'apparition de sa beauté, ils signifiaient en même temps — comme une signature illustre au bord du tableau qu'était sa baignoire — le prix de tous les personnages qui étaient là autour d'elle et qui étaient garantis de la plus rare valeur sociale, des initiés à la même vie qu'elle puisqu'elle les avait ainsi chez elle, < puisque > cette main royale à l'un d'eux à côté d'elle tendait un programme, puisque leur souriaient ses yeux, d'une grande douceur d'expression, quand, tournés vers eux, ses amis, ils étaient fluidifiés par sa pensée, par son regard, mais qui avaient eu repos, quand ils étaient réduits à leur beauté matérielle et à leur existence minéralogique, quand ils étaient, posées devant l'orchestre sur lequel elles brillaient sans le voir, deux pierres précieuses que l'ondulation de son cou, la plus légère contraction de sa pupille, en les bougeant, allumaient à son insu, leur faisaient jeter jusqu'aux derniers rangs du parterre des feux noirs, inhumains, horizontaux et splendides.

« Qui donc est celle-là ? » demanda mon voisin à sa femme.

« Mais c'est la ppprincesse de Guermantes », répondit-elle, semblant se moquer de ceux qui lui donnaient ce titre comme si Mme de Guermantes n'y eût pas eu droit, et déclarer que quant à elle il ne lui en imposait pas. « Mon Dieu, quelles perles ! reprit le mari. — Oui, tant mieux pour elle si cela lui plaît, répondit la femme, je sais bien que je n'aimerais pas me faire remarquer en public dans un pareil attirail. Je ne trouve pas cela comme il faut. Je ne sais pas le nom des personnes qui sont avec elles sauf ce vieux monsieur debout qui se promène tout le temps et qui est le duc d'Albon. » Je regardai le gros duc d'Albon qui se déplaçait dans la baignoire avec la lenteur d'un gros brochet vénérable et moussu ; on ne voyait son œil rond qu'à travers son monocle, qui semblait une partie du vitrage de son aquarium qu'il emportait avec lui pour en évoquer la totalité comme un arbre dans les décors d'autrefois désignerait toute la forêt. Par moments il restait immobile mais on voyait son corps soufflant si fort qu'il était difficile de suivre ce qu'il faisait, s'il mangeait, était malade, ou respirait seulement. J'éprouvais une déception de voir < que > la princesse de Guermantes n'était pas seulement la personne qu'on m'avait dit et à qui je n'eusse jamais < imaginé > une vie mondaine pareille à celle des autres parce que je ne voyais pour elle de partenaires possibles que dans le passé, et qui maintenant, en ayant trouvé que sans doute la plus vieille aristocratie lui avait fournis et qu'elle désignait comme assez nobles par le seul fait de dire en leur parlant, en leur faisant asseoir à côté d'elle : « Ce sont mes amis, ils sont chez moi », devenait une seconde personne, une femme du monde, riant, causant avec ses amis, d'un monde plus élevé seulement, offrant une chaise, une jumelle, un programme au duc d'Albon qui m'inspirait une immense envie par l'indifférence presque impolie avec laquelle il écoutait et refusait ses offres, arrêté maintenant et faisant souffler si fort son corps flottant que je ne me rendais pas compte s'il mangeait, parlait, buvait, souffrait, prenait son élan pour manger de nouveau ou respirait seulement.

La comtesse de Guermantes n'était pas dans la baignoire de sa cousine, c'était sans doute qu'elle ne viendrait pas car le spectacle était déjà à sa moitié et le rideau se levait sur le début de l'acte de *Phèdre* que je me disposais à écouter avec indifférence en me retournant de temps en temps vers la baignoire de la princesse de Guermantes. « Hélas, me disais-je, que je me suis rendu malade autrefois pour entendre cette déclamation où j'aurais < voulu > trouver tant de choses et qui aujourd'hui que je n'y cherche plus rien n'excite pas plus ma curiosité qu'une autre, et que je n'écoute que parce que je suis là. »

Que la célèbre B*** fût plus ou moins en possession de ses moyens je ne m'en souciais plus guère, ce soir où j'allais l'écouter par hasard, parce que je me trouvais là, et*ᵃ* ce n'était plus comme autrefois où j'aurais eu peur qu'elle jouât moins bien hors de son théâtre, de ce théâtre, de ce temple où l'apparition de la divinité et les moments augustes où elle parlait formaient un tout indissoluble où la scène mystérieuse comme un chœur, le rideau de velours rouge et le soubassement du fond de la nef où se tenaient des gens mal habillés, le contrôleur à œillet blanc nommé par elle, et les ouvreuses apportant des programmes avec sa photographie me semblaient des parties indivisibles de l'impression sacrée, où transporter cela ailleurs m'eût paru signifier que ce n'était pas une chose réelle comme nous aimerions moins Venise[1] ou Paimpol[2] si c'étaient de simples vues cinématographiques qu'on peut voir n'importe où, si ce n'étaient pas des vues uniques attachées à un seul lieu de la terre et dont l'arrivée au-dessus de la lagune ou le long du port fait aussi bien partie que le Palais des Doges et la flottille d'Islande.

Les artistes de second ordre dans cet acte qui paraissaient avant elle et dans la diction et le jeu <de> qui du moins j'avais discerné certaines intentions mélancoliques, irritées, ironiques, caressantes, que je n'avais même pas trouvées chez elle me déplurent vivement cette fois. Sans doute ils cherchaient ici à donner à leur voix une inflexion caressante, là à leur geste une ampleur majestueuse. On sentait la volonté d'être caressant, ou furieux, ou majestueux, non la caresse, la fureur ou la majesté. Leur accent disait à leur voix mais vainement en lui sifflant comme un rossignol pour tâcher qu'elle l'imite : « Sois caressante », ou encore leur accent disait à leur voix : « Sois furieuse » et se précipitait sur elle, avec frénésie, mais il ne parvenait ni à l'atteindre ni à l'émouvoir et leur voix non influencée par l'œuvre d'art, inassimilée à elle, et restée en dehors, présentait dans sa plénitude brute, réfractaire, un éclat et des défauts tout matériels, tout vocaux où sourdaient et survivaient, imprévues, agiles et secrètes, les mille intonations vulgaires ou affectées de la vie de tous les jours, et présentait ainsi un ensemble de phénomènes acoustiques et sociaux qui avaient résisté à toute pénétration du sentiment des vers récités. Leur geste disait à leur bras : « Sois majestueux », mais n'avait pu transformer sa chair insoumise qui, trop profondément attachée à l'expression exclusive des connexités musculaires et à la sotte et insignifiante mimique de leur vie en dehors du théâtre, laissait se pavaner de l'épaule au poignet un biceps étranger au rôle et certaines positions habituelles du coude et de l'avant-bras qui suivaient gauchement le noble mouvement qui eût souhaité au contraire les faire disparaître ; quant à leurs draperies antiques, ils n'avaient pas plus de prise sur elles que sur leur voix ou leurs membres, aucune communication n'était établie entre elles et la tragédie, et elles, pendant de leur bras, ou tombant sur leurs pieds, elles gardaient la verticalité de la chute d'un corps inanimé, la même consistance ou la même souplesse arides qu'elles avaient au magasin, une signification purement textile, l'insipidité lingère.

Puis ce fut le moment[a] où entra Phèdre, Mme B*** que j'eusse dévorée de mon attention, de mes yeux, de mes oreilles, il y a quelques années et qui m'était si indifférente aujourd'hui. Mais ô miracle, la compréhension, la jouissance de son talent — comme les leçons que nous nous sommes vainement épuisés à apprendre le soir et qui tandis que nous dormons s'inscrivent clairement sur le fond obscur de notre sommeil, comme les visages des morts dont les traits se refusent à nos efforts passionnés, et qui, un jour où nous ne pensons pas à eux ou dans un rêve, nous apparaissent avec la réalité de la vie — qui m'avaient fui quand je les recherchais si ardemment, maintenant après ces longues années d'oubli, dans cette heure d'indifférence, s'imposaient à mon admiration avec la force de l'évidence. Alors, quand j'attachais à ce talent une importance infinie et que le plaisir qu'il m'était accordé d'y goûter maintenant m'était refusé, pour être plus sûr de le saisir je défalquais en quelque sorte le rôle, le rôle qui était la partie commune à toutes les actrices qui le joueraient et que j'avais étudié d'avance, pour ne faire attention qu'à Mme B***, je cherchais ce talent, en quoi il consistait, le résidu positif, la preuve convaincante qu'il pouvait offrir à ma raison pour justifier l'admiration qu'on avait pour elle et ne trouvant rien, j'étais obligé pour être sincère de me dire que je n'avais rien trouvé qui me semblait la claire justification de l'admiration qu'on éprouvait pour elle, et j'avais conclu que cette admiration était factice. Sans doute alors Mme B*** m'avait donné à défaut de plaisir, le besoin passionné d'en éprouver auprès d'elle, la cruelle analyse de mes impressions et ce besoin de la revoir pour tâcher de revenir sur ma déception qui est précisément l'effet que produit sur nous, au lieu de plaisir, l'être ou l'œuvre que nous aimons trop passionnément pour que l'importance que notre raison attache à découvrir son essence ne paralyse pas notre plaisir. < Mais > il y a à ce malaise que causent d'abord les interprétations parfaites une raison plus particulière. Ce que je cherchais pour ainsi dire en dehors du rôle, ces intentions, ces effets, que j'avais encore aperçus chez < ses > camarades, elle les avait précisément intériorisés en rôle, fait passer dans la substance de sa voix, de sa mimique, de ses vêtements, rien n'en flottait plus en dehors de ce qu'elle disait, de ce qu'elle jouait et elle irritait mon œil, mon oreille, mon esprit par la simplicité d'une surface d'autant plus unie que ses

intentions et ses trouvailles s'y étaient[a] plus profondément
résorbées. Cherchant et ne trouvant pas en quoi consistait ce
qu'on voulait dire de son talent, il m'avait semblé qu'elle n'avait
fait que jouer devant moi le rôle de Phèdre, et que je n'avais
rien remarqué d'extraordinaire en dehors des vers qu'elle disait.
Et c'était cela en effet, son talent était en dedans, était dans les
vers et non hors d'eux, de sorte que ce que j'avais entendu c'était
le rôle, les vers et rien d'autre. Ces intentions, ces inflexions,
ces attitudes, dont ses camarades, incapables de les faire absorber
entièrement à leur corps réfractaire, laissaient paraître tout un
excès, un surplus, quelquefois la totalité même, qui dépassait
leurs membres, faisait une bordure de majesté tragique à un
nez ou à une main qui ne l'était pas, et mettait des bavures d'un
excédent de larmes autour d'une voix dure qui n'avait pas su
les boire, on ne pouvait plus les apercevoir en dehors de la
matérialité de sa personne car elles l'avaient pénétrée. Sa voix
qui ne présentait[a] plus aucune aspérité purement matérielle et
inconquise mais qui était délicatement courbée dans ses moindres
cellules sonores par le sentiment des vers qu'elle disait et dont,
en disant qu'elle avait un beau son, on eût, comme < on > le
fait quand on parle ainsi d'un grand violoniste, prétendu lui
reconnaître une qualité non physique mais de sensibilité, une
prérogative individuelle de l'artiste, une supériorité d'âme ;
< ses > bras que les vers semblaient[b] soulever sur sa poitrine
du même mouvement dont ils faisaient sortir la voix de ses lèvres,
comme ces feuilles que l'eau soulève en s'échappant ; cette
attitude même qu'elle avait au moment où elle entrait en scène
et qu'elle avait peu à peu constituée à l'aide de mille intuitions
et raisonnements (infiniment plus profonds que ceux dont on
apercevait çà et là la trace dans le jeu de ses camarades) mais
qui portés par son génie à sa dernière puissance avaient
subitement pris vie, et du même coup avaient subitement cessé
d'être perceptibles, avaient disparu en tant que trouvailles
ingénieuses de l'actrice, agrégées qu'elles étaient au personnage
de Phèdre, le rendant plus complexe, plus beau, plus vrai, faisant
émaner de lui, rayonner autour de lui une sorte de halo palpitant
qui rivait à Phèdre, dès qu'elle apparaissait, les yeux, les oreilles,
l'attention de l'esprit qui en revanche acceptait ces qualités
ajoutées au rôle comme une donnée de la vie, non comme un
mérite de l'actrice[c] ; les blancs voiles eux-mêmes de son péplum
qui, exténués et fidèles, avaient l'air d'avoir été filés eux aussi
par sa vie douloureuse autour de laquelle ils se serraient comme
un frileux et vivant cocon ; tout cela, autour de ce Corps d'une
Idée qu'est un vers, ou une phrase musicale — corps bien
différent de ceux qu'on voit dans la vie interposer entre les êtres
et le regard l'obstacle d'une matière différente d'eux, tandis que

ce corps-là au contraire entoure l'idée d'un vêtement purifié, vitrifié, par elle, où s'est diffusé sa lumière et où le regard peut la retrouver — tout cela, voix humaine, mimique du corps, costume, n'était que des enveloppes nouvelles que l'âme centrale et prisonnière avait attirées à elle, avait faites semblables à elle en en expulsant toute matière, qui la révélaient plus splendidement au lieu de la cacher et ne faisaient < que l' > enrober de nouvelles coulées translucides qui, par la couleur que leur donnait la réaction particulière de leur essence à la pénétration du rayon, ne faisaient que rendre plus précieuse, plus complexe et plus riche, la matière imbibée de flamme où la pensée vivante est engainée. Dès lors et comme chaque parcelle de matière était chargée d'esprit, il n'en restait plus à l'état libre et mon intelligence pour le saisir était obligée de le découvrir en soumettant à l'analyse des qualités en apparence aussi purement matérielles que l'étrangeté cristalline que prenait la voix où on eût trouvé l'intention d'évoquer certaines légendes méditerranéennes, ou que la longueur ou l'inflexion de certains voiles grecs où elle était drapée et qui par leur ambiguïté chrétienne, leur équivoque monacale faisaient dans la Phèdre antique du rôle la part du jansénisme racinien. La dernière tirade que Phèdre a à dire dans cet acte était commencée, et je sentais que cette belle voix où flûtait tant de tendresse et de mélancolie allait se taire. Mais je ne cherchais pas comme je le faisais si curieusement autrefois à donner par la rapidité de mon attention plus de durée à ces sons qui entraient dans le silence au fur et à mesure qu'ils passaient devant mon oreille, par sa profondeur à tâcher d'en extraire dans l'instant de leur durée ce que j'aurais pu y trouver s'ils avaient été laissés à ma disposition aussi longtemps que j'eusse voulu < c'est-à-dire > toujours. Je ne cherchais pas à retenir ce qui s'écoulait et allait bientôt s'épuiser. Je me rendais compte que cette réalisation dans le temps, cette matérialisation si fugitive, c'est précisément ce que s'est proposé l'artiste théâtral et non pas seulement la tragédienne. Jouir de l'instant que dure le son d'une note sous l'archet du violoniste ou dans la voix de la chanteuse, jouir de l'instant où une attitude de la mimique du danseur prend la place d'une attitude qui n'est pas finie encore et va se changer en une attitude nouvelle, qui réclame déjà < son apparition >, imitant l'incessant anéantissement, l'inconsistante réédification des vagues de la mer dont la voûte de cristal et d'azur s'écroule déjà en poussière d'écume à peine est-elle infléchie et côtelée, jouir de l'effet de lumière merveilleux qu'un décorateur de génie obtient sur un tapis oriental avec les riches costumes des seigneurs persans[a] qui y sont couchés et déjà ne plus voir les costumes des seigneurs qui partent pour la chasse ni la même lumière, et des fruits, des fleurs, des joyaux portés par des esclaves, introduire des couleurs entièrement différentes de ces manteaux violets, de ces burnous éclatants qu'on ne reverra plus, trouver dans la brève apparition de ces charmes du plaisir éphémère pour en garder un souvenir et un regret durables, c'est le but que s'est proposé l'artiste, mais la brièveté et la succession des sensations agréables sont voulues par lui et réglées en vue de la plus grande puissance d'impression que nous puissions ressentir et qui ne serait qu'affaiblie si, dénaturant le caractère de l'œuvre par notre soif de fixer ce qui doit finir, nous cherchions à faire durer ou répéter indéfiniment la même note, à ne plus laisser sortir les seigneurs persans dont nous ne pouvons nous consoler de ne plus voir le costume. Que la note délicieuse cède la place à telle autre et les seigneurs aux bayadères portant des fruits et ainsi de suite jusqu'à ce que le rideau tombe c'est le but éphémère de l'artiste. Après l'on ne pourrait que recommencer, recommencer dans le même ordre la succession d'instants qui ne doivent pas durer davantage. L'amour veut davantage, il n'éprouve pas de plaisir <à> se trouver éloigné de ce qu'il aime et voudrait un plaisir éternel. Mais je n'avais <pas> avec la diction de la X les exigences de l'amour. En revanche, j'avais eu du plaisir de qui l'essence est de satisfaire dans l'instant où il se produit les désirs de ceux qui l'éprouvent, de leur faire sentir que le propre de la satisfaction qu'il donne pour qu'elle soit complète est d'être éphémère et de ne pas leur donner le désir de le fixer. Jadis de ma déception en écoutant Mme X je n'avais pu me consoler qu'en me promettant de la réentendre pour combler le vide de mes impressions. Maintenant je n'avais pas eu de déception, j'avais eu du plaisir, je n'avais pas besoin d'<en> appeler à une autre expérience de celle-ci puisqu'elle avait réussi. Je ne souhaitais pas réentendre Mme X. Je l'avais déjà entendue deux fois. La troisième audition ne pourrait dérouler devant moi que les mêmes impressions mais affaiblies. La X était sortie de la scène. Je détournai mes yeux des comparses qui avaient encore quelques répliques à dire et les levai vers la baignoire de la princesse de Guermantes. Faisant dériver des noms non seulement le charme des corps mais <aussi> la qualité des esprits, je me demandais quelles impressions particulières d'une noblesse, d'une délicatesse in-comparables, irréductibles à tout raisonnement logique, à tout ce qui pouvait exister chez d'autres, la tragédie de Racine pouvait éveiller chez la petite-nièce de Marie-Antoinette. En me disant que le jugement d'un critique ou d'un philosophe si grand fût-il était supérieur à celui que portait telle dame dont le charme était celui d'un nom, on m'eût fait protester. Sainte-Beuve ou Jules Lemaître ont pu écrire de belles pages sur *Phèdre*[1]. Mais elles sont composées de ces mêmes idées qui appartiennent à nous tous, elles n'ont rien d'ineffable. Elles sont dépourvues de ce que ne pouvaient manquer d'avoir les paroles de telles femmes, ce qui leur appartenait et était pénétrant comme l'odeur de leur parc à l'automne, doux comme la couleur qui s'écrasait sur les voyelles de leur nom. Le jugement sur *Phèdre* de Sainte-Beuve ou de Lemaitre n'était que le produit d'une raison plus ou moins forte, plus ou moins belle, analogue à ma raison. Le jugement sur *Phèdre* de telle de ces femmes provenant d'êtres mystérieux, différents, inapprochables, et dont on n'eût connu le mystère que promettait leur nom que devenant leur ami, était du moins quelque chose qui venait d'elle, c'était un fragment, un petit morceau, d'un prix inestimable, qui avait cette céleste origine et devait porter sur lui la marque de ce que ces esprits inconcevables, nés d'un nom, pouvaient — bien différemment de nous — penser sur la poésie. Inférieur au jugement de Sainte-Beuve ? C'était comme si l'on m'eût dit que les bois de Chantilly et leur charme indéfinissable étaient moins poétiques qu'un vers de Boileau[a]. À ce moment je vis qu'une sorte de tourbillon attirait vers le fond de la baignoire les demi-dieux entraînés, la princesse de Guermantes tourna la tête en un mouvement qui était la première section génératrice d'une merveilleuse ondulation que mon regard poursuivit dans le vide, et, entre les deux files des tritons à la dérive successivement, laissant flotter autour d'elle ses blanches mousselines qui lui donnaient une douceur que je ne lui connaissais pas avec une assurance merveilleuse de son port de déesse, mais un sourire de modestie qui semblait dire : « Chut, ne vous dérangez pas pour moi, restez assis, ne troublez pas la pièce », la comtesse de Guermantes entra, elle vint révérence à un grand jeune blond qui était placé au second rang, fit apparaître sur son visage en disant bonjour à sa cousine le même sourire qui signifie le bonjour, une grande joie et la malicieuse satisfaction qu'on a à goûter dans une comédie un trait parfaitement spirituel, se retourna vers les monstres des eaux aux lèvres prostrées desquels elle abandonna successivement sa main et s'assit à côté de la princesse tandis que M. de Guermantes, avec une belle élégance, le corps haut, sans bouger son cou ni sa tête assurée et souriante, commandait aux jeunes qui lui offraient leur place de ne pas bouger, d'un geste de sa main étendue, qu'il abaissa pour les rasseoir de force sur les épaules de ceux qui continuaient à se lever, et s'inclina profondément devant le grand jeune blond à qui sa femme avait fait une révérence[b].

Je ne croyais plus qu'elle viendrait ; à son image qui s'avançait dans la baignoire, ajouter tout ce que je savais d'elle, toutes les pensées qu'elle m'avait inspirées, sans que je pusse <les> communiquer à personne, les laisser altérer et gonfler, ni me départir même de l'immobilité indifférente que j'avais au milieu de mes voisins, cela changea ma vue de sa beauté <en> une émotion ; mon cœur battait[a].

Je la regardais causer avec tous ces hommes qui étaient ses amis, répondre au salut de <ces> femmes qui l'avaient aperçue de leur loge, tous ces êtres qui partageaient sa vie, sa vie dont c'était une des heures ; je la surprenais à vivre devant moi, sans feinte, de la <même> façon que si je n'avais pas été là, exactement comme elle faisait dans ces soirées dont son maître d'hôtel parlait à Françoise et que je ne réussissais pas à imaginer, et parmi lesquelles le soir d'abonnement de Mme de Brunswick n'était pas réputé pour une des moins élégantes, ou des moins agréables. Hélas je n'entendais pas ce qu'elle disait à ses amis et qui eût pu me renseigner un peu sur la nature de ces plaisirs et il semblait qu'à ma vue cette vie spéciale se cachait encore plus au moment où elle semblait se montrer, en revêtant cette apparence déjà connue de moi, commune à toutes les personnes qui sont au théâtre d'écouter une pièce, de parler dans une loge et qui dissimulait sous une conformité mensongère son originalité profonde. Si peu donc que je visse de cette vie, si peu que j'en pusse soupçonner les plaisirs et les jeux, j'étais gêné que leurs gestes et leurs signes de tête s'échangeassent devant moi comme si ces mystères étaient interdits à l'œil d'un profane qui même les suivant de loin eût suffi pour empêcher les initiés de les accomplir de la même manière que s'ils avaient été seuls et d'y trouver du plaisir, bien qu'à vrai dire Mme de Guermantes et ses amis paraissaient aussi à l'aise dans les allusions que leurs regards ou leurs propos étaient à leur vie commune que si des étrangers n'avaient pu y assister de l'orchestre[b].

Il était douloureux pour moi qu'elle ne me connût pas — avais-je seulement effleuré d'une image indistincte aussitôt oubliée la lumière bleue de ses yeux et son attention, ce jour où son mari de la voiture qui les emmenait, avait salué mes parents dans la cour ? Et[c] tant que nous ne sommes pas remarqués, identifiés par l'esprit, par le regard d'un être, nous nous sentons en dehors de lui. Il passe en filant à côté de nous dans le léger et fin gréement de sa chevelure, de ses pensées, de ses regards à qui l'ignorance où il est de nous donne quelque chose de lointain, de différent de nous-mêmes, de presque fabuleux, tandis qu'elle met autour de toute sa personne et de toute sa vie comme une sphère isolante et impénétrable qui empêche de sentir notre attention, notre émoi et nos désirs. Peut-être pourtant, puisqu'hélas je ne pouvais être de ses amis, recevoir d'elle ce sourire qu'elle adressait aux amis qui la saluaient, ne pas être connu d'elle m'apportait-il une certaine paix. J'eusse été regardé si dédaigneusement par elle, j'eusse été si peu de chose pour elle et je savais si bien que ç'aurait été aussitôt souhaiter d'être davantage — (c'est-à-dire l'aimer !) par cette élasticité du cœur qui tend à revenir de la position où l'opinion dédaigneuse d'une femme l'humilie au niveau de celle où le place généralement l'estime des autres. Mais puisqu'elle ne me connaissait pas, que je ne devais lui représenter ni un visage déjà vu, ni un nom, qu'elle ait entendu, ni un être identifiable, puisque je n'étais pas là pour elle, je me sentais par là retiré du public vulgaire de l'orchestre ou confondu avec lui comme le bouddhiste est dissous dans l'âme universelle, n'étant qu'une partie de ce public pas née à une existence individuelle et n'ayant en moi aucune âme à qui rapporter et faire éprouver comme une souffrance l'indifférence que gardait la nappe bleue des yeux de Mme de Guermantes <qui> au fur et à mesure qu'elle bougeait la tête reflétait successivement toutes les parties de l'orchestre comme elle aurait fait de talus ou de graviers dont j'étais du moins heureux, puisqu'elle m'en attribuait l'insignifiance, d'avoir emporté au moins l'insensibilité.

Mais au moment où je sentais, avec aussi peu d'amour-propre souffrant que si j'avais été effectivement un caillou ou un arbre, que c'était au tour de ma personne d'étendre son image dans l'azur indifférent et liquide de ses yeux, je vis aussitôt qu'il cessait de marquer <les> ombres qui s'y reflétaient sans même les voir comme fait celui de la rivière. La lumière d'un sourire coula dans ses prunelles, les remplit, les fit briller tout entières, elle leva devant son visage sa main gantée de blanc qu'elle agita comme un signal, sa bouche se gonfla en une expression d'amitié. Je me levai et m'inclinai, je venais seulement de comprendre que c'était à moi qu'elle disait bonjour comme si l'éloignement seul où j'étais placé empêchait sa voix de prononcer les mots aimables que me disait son geste, si intime qu'il semblait continuer une conversation du matin, d'hier, de toujours, reprendre le fil à peine interrompu d'une vie commune que je partageais au même titre que ses autres amis. Le retard et la gaucherie que je mis à lui répondre semblaient lui être indifférents, car, confirmant ainsi que c'était bien à moi qu'elle avait adressé son premier salut, elle me répondit par un autre encore, agitant sa tête qui fit pleuvoir sur moi l'averse fleurie, étincelante et bleue de son sourire. Puis elle détourna la tête, arrangea les perles de son collier, fit reculer un peu la chaise d'un des invités de la loge pour pouvoir approcher la sienne, et ne regarda plus que la scène.

J'ignorais[a] que dans la baignoire de la princesse de Guermantes il y avait ce soir-là le prince héritier de ***, de la famille régnante la plus ancienne d'Europe (lequel par crainte d'une bombe avait préféré que les dames se missent devant), et que Mme de Guermantes (les gens du faubourg Saint-Germain s'imaginent

que tout le monde connaît aussi exactement dans ses moindres
nuances qu'eux la valeur nobiliaire, l'ancienneté d'origine, l'éclat
d'alliances ou de services des gens avec qui ils se trouvent) croyant
qu'aux yeux de tous la qualité royale de son voisin avec qui elle
causait ajoutait momentanément à toute sa personne, à tout ce
qui venait d'elle, une valeur supplémentaire, elle avait plus de
plaisir que d'habitude à combler chacun de son amabilité, de ses
saluts, de ses sourires, au moment où leur prix était accru ; sans
compter que cette amabilité faisait éclater sa simplicité et la
grandeur d'une situation mondaine telle que sa causerie avec le
prince héritier ne l'impressionnait nullement et ne l'empêchait
pas de dire bonjour à chacun. Or simplicité et élégances réunies,
cela fit naître les sympathies enthousiastes, Mme de Guermantes
était heureuse en saluant et souriant de s'apparaître si élégante,
si simple, si passionnément admirée, dans tant de cœurs.

Cependant la princesse de Guermantes voulant savoir qui sa
cousine avait salué tourna < les yeux > dans la direction où elle
l'avait vue sourire. Ce simple mouvement d'attention fit passer
malgré elle la matière merveilleuse et instable à l'état incandes-
cent et lancer des rayons que mon regard croisa comme rien de
pareil à lui et comme le feu tout électrique produit un
[*interrompu*[a]].

Au moment[b] où je montai l'escalier j'aperçus un homme qu'à
son genre particulier d'élégance je pris d'abord pour M. de Gurcy
dont il avait la tournure ; dès que j'aperçus son visage je vis que
je m'étais trompé, mais je n'hésitai pas à le classer immédiatement,
non seulement de ses vêtements mais de son attitude à l'égard
des contrôleurs et des ouvreuses à qui il demandait un
renseignement, dans la même société que M. de Fleurus. Car
malgré les différences[c] individuelles, la grande élégance dans ce
milieu-là différait beaucoup à cette époque de la grande élégance
dans un milieu inférieur, très riche, mais moins aristocratique.
Ce monsieur avait avec les employés un air doux, poli, souriant,
où il y avait peut-être plus de dédain réel que dans l'air tranchant,
hautain, par lequel aurait cru l'imiter le fils élégant d'un grand
financier, qui eût été étonné que l'air arrogant ne fût pas le
privilège d'une grande situation sociale, et qu'on pût retrouver
dans des gens situés au-dessus de lui dans l'échelle sociale cette
politesse qu'il connaissait et avait laissé loin au-dessous de lui.
Peut-être était-il plus décidé que le fils de riche financier à ne
jamais laisser les contrôleurs et beaucoup d'autres personnes
plus brillantes pénétrer dans le petit univers qu'était sa vie et
qui se composait dans son visage. Mais il croyait devoir à
certains préjugés d'éducation faire sourire poliment le dehors

d'ailleurs impénétrable de cet univers. Peut-être était-ce cette même manière de s'habiller, de marcher, qui me l'avait fait prendre pour M. de Fleurus. Je pensai, d'après son visage, que c'était peut-être le prince de Saxe, cousin de l'empereur de Russie et du roi d'Angleterre, ami des Guermantes, qui était en ce moment à Paris où il avait été reçu officiellement et dont le portrait avait paru dans les journaux. Il demandait une loge et disait : « C'est sa cousine qui doit venir qui m'a invité, elle m'a dit que je n'avais qu'à demander cette loge. » Sans doute la question qu'il posait au bureau devait lui paraître fort simple, et elle me l'eût paru sans doute aujourd'hui. Et son regard n'était qu'un regard de question polie. Mais ce n'est pas sous leur forme abstraite et fabriquée par notre intelligence, ce n'est que quand elles nous apparaissent vivantes, réalisées, sous des apparences particulières, un mot, un regard, qui n'ont pas de lien logique avec elles, que des réalités dont nous avons rêvé, nous émeuvent. Or de même que ce visage incertain qui était devant moi j'avais eu l'idée que c'était peut-être celui du prince de Saxe, de même il me semblait que ce mot « loge », ce mot « sa cousine m'a invité », signifiaient peut-être la loge de la princesse de Guermantes, une invitation de la duchesse de Guermantes, qui alors viendrait, que je pourrais apercevoir dans un moment de sa vie mystérieuse avec sa cousine, de sorte que, sous cette voix au timbre un peu factice que j'entendis les prononcer, sous les regards interrogateurs et poliment souriants qui revoyaient évidemment les personnes dont il voulait parler, s'agitaient pour moi ces deux vies que je me figurais extraordinaires parce que je ne les connaissais que par l'imagination et dont peut-être m'était en ce moment rendue sensible et authentique la conjonction dans cette invitation que l'une avait *[un mot illisible]*, et dans les intonations et les regards du monsieur qui parlait au contrôle venaient jouer, donnant à mon cœur la caresse du doute car je n'étais pas sûr que ce fût le prince de Saxe et que la cousine qui dut venir fût la duchesse de Guermantes, les invisibles antennes, la caresse indécise d'un bonheur possible et d'un prestige incertain. Après qu'on eut prononcé le mot de baignoire, il s'éloigna d'un côté qu'on lui indiqua dans un couloir bas, humide et de pierres lézardées, qui semblait pratiqué le long des grottes sous-marines où je m'imaginais que vivaient des déesses[a].

Du moins en disant ces mots il embranchait sur une vulgaire soirée de ma vie quotidienne, l'éventualité d'une vie merveilleuse, il forgeait dans le possible le passage vers un monde inconnu, vraiment nouveau. Le couloir qu'on lui désigna après avoir prononcé le mot « baignoire » et où il s'engagea, bas, humide, aux murs lézardés, semblant pratiqué pour donner accès à des grottes sous-marines me paraissait aussi magique que s'il eût dû le conduire à quelque royaume surnaturel. Ce n'était qu'un monsieur en habit, et qui s'éloignait, mais comme dans mon incertitude je ne savais si je devais lui appliquer l'idée qu'il était le prince de Saxe et qu'il allait vers la princesse de Guermantes, je la faisais jouer autour de lui comme les reflets démesurés qu'un réflecteur manié par une main incertaine approche par saccades d'un corps dans lequel il semble hésiter à s'absorber. Et bien qu'il fût seul, cette idée ne s'étant pas confondue avec lui semblait l'accompagner et le conduire, immense, et vraiment mystérieuse, comme une < de > ces divinités invisibles qui planaient dans l'air à côté d'un guerrier grec.

*Note*ᵃ* pour moi dire en parlant de la princesse : sa cousine qui m'était plus inconnue et féerique*ᵇ* dans la notion de laquelle je faisais entrer encore plus d'imagination.*

M.*ᶜ* et Mme d'Évreux tournèrent légèrement la tête vers la bride rouge pour voir qui était de l'autre côté et jetèrent sur Mme de Chemisey un regard beaucoup plus bref et intimidé, craignant d'être malhonnêtes, que celui qu'elle leur avait jeté, en gens qui se disaient : « Voilà de l'autre côté des gens que nous ne connaissons pas, n'ayons pas l'air insolent. On peut toujours avoir l'air poli, cela n'engage à rien et permet de ne jamais faire connaissance. »

Maintenant*ᵈ* la lumière plus grande de la salle laissait mieux distinguer ces deux formes et j'aurais voulu pouvoir approfondir non seulement la beauté de leur corps, mais celle de leur toilette qui me semblait leur appartenir exclusivement. Car quand on a une idée forte d'une personnalité, il semble que tout ce qui la caractérise vienne d'elle, ne puisse appartenir à une autre. Leur robe me semblait une émanation de leur personnalité, un effet matériel, neigeux ou diapré de leur puissance, et aussi une prérogative*ᵉ* de leur naissance, une explication dans une allégorie < de > leur pouvoir particulier. Elles me semblaient la produire autour d'elles non seulement comme un oiseau qui s'entoure de son plumage où il colore et nuance sa beauté mais prolonge encore son corps et sa vie. Je sentais qu'elles ne les portaient pas indifféremment et que si je savais les connaître, je connaîtrais mieux celles qui les portaient (comme quand on regarde une peinture allégorique) *mais sans le dire (sans dire comme quand on regarde une peinture)* et c'était à la fois avec la curiosité d'un élève qui voudrait qu'on lui apprenne la mythologie et le respect d'un païen, croyant de ces religions d'autrefois, que, sentant bien que la toilette de la duchesse de Guermantes et celle de la princesse de Guermantes appartenaient

à chacune d'elles et ne signifiaient pas la même chose, je les
regardais comme j'aurais fait de la chlamyde de Minerve et du
paon de Junon.

   Ajouter[a] :*
   De l'autre côté de moi, était une vieille petite actrice sans rôle,
venue avec un jeune rat, pour noter toutes les fautes de diction,
toutes les erreurs de costume, toutes les défaillances de voix
qu'aurait la S***[1] dont elle était mortellement jalouse. Avant
même qu'elle entrât en scène elle s'occupait de découvrir des
vides dans la salle, à se persuader qu'elle était mal composée,
[interrompu]

   Placer[b] à un des endroits pendant que la B*** joue.*
   <J>'étais obligé de me protéger l'oreille, contre les propos
malveillants que ne cessait pas de chuchoter fiévreusement
l'actrice jalouse, qui, sa malveillance lui faisant une sorte
d'exaltation, tenait fichés[c] sur la scène des yeux fixes comme ceux
d'une somnambule, et parlait sans arrêter, jusqu'au moment où
elle cria : « Là, elle a manqué son cri, naturellement, elle n'a
plus de voix », si haut qu'on la fit taire.

   Tout le public[d2] d'ailleurs acclamait à tout moment l'actrice
pour de tout autres raisons que les miennes, car ce n'étaient pas
les vers les plus beaux, ni les mieux dits, qu'il acclamait. Mais
ce qu'il y eut de curieux, c'est que je l'imitais, mon enthousiasme
se réglait sur le sien, et qu'à ces vers où ma raison <avait> été
moins satisfaite, je m'écriais : « C'est sublime ! » C'est que les
raisons de mon plaisir que j'ai dites tout à l'heure, je ne les avais
pas encore analysées tandis que l'actrice jouait et que ne les ayant
pas dégagées, mon enthousiasme ignorait ses causes, et se prenait
à celle que lui signalait l'applaudissement du public pour se
proclamer au moment où de fait il était le moins grand. Cette
puissance active du plaisir donné par le talent d'une artiste, cette
force d'attraction qu'il a sur tout ce qu'elle dit et que nous
englobons indistinctement dans une admiration qui ne s'est pas
encore raisonnée ne me faisait pas commettre d'erreur bien grave
puisqu'il s'agissait du rôle de Phèdre qui est admirable d'un bout
à l'autre. Mais il est d'autres cas où ce sont au contraire de pures
trivialités que cette ivresse causée par le talent d'un artiste nous
fait trouver délicieuses. J'ai entendu au café-concert des artistes,
admirables chanteurs et diseurs, Paulus[3], Mayol[4], Fragson[5]. Les
paroles stupides, la musique banale de leurs chansons excitaient
l'enthousiasme du public, incapable de différencier le grand
artiste d'autres que je n'aurais pas pu écouter. Mais au moment
où ils couvraient d'applaudissement un calembour idiot, moi-

même je l'applaudissais de toutes mes forces quoique mon intelligence en décelât l'ineptie, mais parce que l'enthousiasme causé par l'artiste rejaillissait sur tout ce qu'il disait, et que n'ayant pas encore compris ce que j'admirais en lui, je faisais honneur de mon plaisir à des plaisanteries dont je me disais que la médiocrité était cependant délicieuse, et que je finissais par croire drôle pensant que cette drôlerie était une explication de mon plaisir. Et[a] d'une façon plus générale encore quand une personne prend plaisir pour d'autres raisons, prend un plaisir différent, à des choses que d'autres gens recherchent eux aussi, il arrive habituellement que cette personne connaissant mal cette disposition un peu particulière qui est en elle, induit de l'identité du spectacle où les autres se plaisent avec lui à l'identité des sensations <qu'il> lui fait éprouver. <Aussi> pendant bien des années voyais-je quelqu'un qui aimait lire des vers, voyager, entendre la musique, je le croyais mon pareil. Et je le croyais mon supérieur quand, tandis que j'hésitais encore à me formuler mon impression, lui que je pensais avoir passé par la même impression et plus souvent, parce qu'il était plus habitué me disait : « Mais non à Venise il n'y a voir que la peinture, la ville et les palais ne comptent pas », « Mme de Guermantes est[b] supérieurement intelligente », « Non, ce qui est amusant dans Mayol, ce sont ces chansons qu'au contraire des autres chanteurs il choisit bien et qui sont toutes spirituelles. » Et je m'efforçais de déserter le plaisir que la vue de Venise et de ses palais gothiques me donnaient, indépendamment de tout musée et de tout Véronèse, je me persuadais que je me faisais de l'intelligence une fausse idée pour trouver Mme de G*** médiocre, et je me trouvais bien peu exigeant d'avoir trouvé tant de talent à un Mayol que ces gens qui avaient mes goûts mais plus d'expérience, jugeaient ne valoir que par le choix de ses chansons.

Dire[c] à un de ces endroits :
Ces nappes de terreur, ou de tendresse qu'elle étendait sur des zones entières du vers, ces mots refondus, et que sa diction collait ensemble sans laisser voir de soudure, ces vers qu'elle faisait, qu'elle épointait, qu'elle tordait et courbait tous sous l'horreur, ces mots qu'une autre eût cherché à faire valoir et qui suspendus tous ensemble à la ligne d'une intention artistique plus haute la suivaient comme ils pouvaient, indistincts, rattrapant le rythme, dominés par lui[d].

*Dire[e] pendant que le public acclame la B*** :*
La petite vieille jalouse, redressant sa taille minuscule, immobilisait tous les muscles de son visage, au-dessus de ses bras

croisés, pour bien montrer qu'elle n'applaudissait pas, et pour laisser bien entière sa protestation à laquelle elle supposait probablement, bien que personne ne la vît même, une signification et une portée considérables.

Ajouter[a] quand Mme de Guermantes entre dans la loge.

On eût dit qu'elle avait deviné que sa cousine — dont elle raillait paraît-il ce qu'elle appelait la prétention et l'exagération, noms que de son point de vue purement modéré, spirituel et français, l'enthousiasme et la poésie prenaient facilement — aurait une de ces tenues où la duchesse déclarait qu'elle la trouvait « costumée » et qu'elle avait voulu lui donner une leçon, tant sa toilette était d'une sobre et stricte élégance. Au lieu des magnifiques plumages qui s'élevaient sur la tête de la princesse et redescendaient jusqu'à son épaule, au lieu de son diadème de perles, la duchesse avait un simple petit pompon de plumes dans les cheveux. Elle portait une robe blanche sans aucune des étoiles, des applications, des ornements qui décoraient celle de la princesse, et qui moulait exactement son corps, avec la précision d'un costume britannique. Seuls ses épaules et son cou sortaient d'un flot de mousseline aussi écumeux que celui d'où naquit Aphrodite, et que venait caresser l'immense aile blanche d'un éventail en plume d'autruche. Mais si différentes que les toilettes fussent l'une de l'autre, après que la princesse eut indiqué la chaise qui était devant à sa cousine, on les vit, comme elles se retournaient l'une vers l'autre, s'admirer réciproquement. Et l'on sentait aux regards dont elles s'examinaient que si la duchesse avait dû avoir le soir en rentrant quelques sourires sur l'empanachage de sa cousine et ses blancs voiles de sultane ou même de pacha, elle avait dû déclarer qu'elle était ravissante et magnifiquement arrangée, et que si la princesse avait trouvé quelque chose d'un peu sec et d'un peu froid à la toilette de la duchesse pourtant elle en avait senti le raffinement exquis. Et à vrai dire quand de cette baignoire on reportait ensuite les yeux dans la plupart des loges, on reconnaissait que si différents que fussent les deux genres qu'elles incarnaient, elles étaient bien les deux femmes les plus élégantes de Paris. Dans une loge du premier étage une femme avait une superbe toilette qui probablement s'inspirait de celle de la princesse de Guermantes. Mais certaines exagérations, certaines laideurs, et surtout l'insuffisance de poésie personnelle qui fait qu'on aurait pu dire de certaines toilettes que seule la princesse de Guermantes pouvait les porter comme on dit qu'il y a des rôles que seule Sarah Bernhardt peut jouer ou qu'on ne peut pas donner *Parsifal* ailleurs qu'à Bayreuth[b1], donnaient <à> cette dame un genre excentrique et nullement élégant.

De plus la princesse et la duchesse de Guermantes, parfaitement naturelles dans les genres différents d'affectation, causaient, plaisantaient, riaient. Mais elles gardaient une mesure dans leur plaisanterie, une réserve dans leur animation à côté de laquelle le naturel de la dame excentrique semblait de la mauvaise éducation et de la vulgarité ; tandis que d'autre part à côté de cette dignité de la princesse et de la duchesse de Guermantes, le maintien volontairement comme il faut de Mme < de > Chemisey qui restait plantée comme un piquet, souriant de côté et d'autre à ses invités, même si ce maintien prétendait imiter le genre britannique de la duchesse, avait un air guindé, pensionnaire et province qui mettait un monde entre elles deux. Cependant que l'empièment de satin bleu du roi, l'aigrette prétentieusement piquée, jusqu'aux manchettes et à l'éventail de Mme de Chemisey, si on les avait par la pensée rapportés à la toilette parfaite de la duchesse de Guermantes, auraient eu l'air d'autant de taches à ôter sur sa pureté et sa blancheur immaculées.

Ajouter[a]* à la duchesse de Guermantes au théâtre :*

Elle ne me paraissait plus la même que quand elle passait dans la cour, les gens qui allaient et venaient autour d'elle, l'air réservé et familier dont elle leur parlait recréait un peu autour d'elle de cette vie mystérieuse dont je l'entourais quand je ne la connaissais pas. *(Dire que la princesse en a davantage comme je ne la connais pas.)*

Esquisse XII
[L'AMITIÉ DE MONTARGIS]

[Dans ce fragment du Cahier 31, le héros apprend que Mme de Guermantes est la cousine de Montargis qu'il a rencontré en été, au bord de la mer et avec qui il a sympathisé. En cultivant cette amitié, il pourra se rapprocher de la comtesse dont il est amoureux. C'est pourquoi il décide de rendre visite à Montargis dans la ville de province où il est en garnison.]

Car j'ai oublié de dire qu'une fois dans la maison quand nous apprîmes le nom des autres locataires, nous sûmes que la « comtesse » qui avait l'« hôtel au fond de la cour » sous l'appartement de Mme de Villeparisis (c'était sa nièce) s'appelait la comtesse de Garmantes*[b]*. Comme ma pauvre grand-mère eût triomphé : « Je vous disais bien qu'il y avait du Garmantes là dedans. » Aussitôt et avant de l'avoir rencontrée je fus amoureux de la comtesse de Garmantes. Ou plutôt j'en étais amoureux depuis le jour déjà bien ancien où une dame dont je n'avais même pas distingué les traits nous avait regardés en riant, sur la route de Garmantes. J'écrivis à Montargis pour lui demander comment il ne m'avait pas parlé de Mme <de> Garmantes qui était évidemment sa cousine. Mais il me répondit^a qu'il m'en avait souvent parlé et je ne tenais pas du reste à lui dire que j'avais moi-même habité non loin de Garmantes, pensant que cette partie de mon identité n'était pas pour faire bien bonne impression sur Mme de Garmantes qui serait mieux disposée pour l'ami de son cousin Montargis que pour le fils de petits propriétaires à Combray. La première fois que j'aperçus Mme de Garmantes, à un certain nombre de traits qu'on m'avait dits, je me dis : « Ce doit être elle », et pendant un instant cette notion <de> « Madame de Garmantes » flotta un instant incertaine devant ce visage que je ne connaissais pas, sans se décider à se poser sur lui. Françoise était justement à regarder et me dit : « C'est la comtesse. » En même temps j'étais déçu et étonné. C'est que pour moi Mme de Garmantes n'avait été jusqu'ici comme Garmantes même qu'un nom. Et j'avais entièrement pénétré sa personne de cette atmosphère poétique, de ces colorations fondues qui peuvent remplir les sonorités d'un nom jusqu'à ne plus faire qu'un avec lui, mais qui dans une personne vivante et jamais bien différente des autres rencontrent des obstacles terriblement matériels et qui ne se laissent pas aussi vite réduire en image. Quand je disais jusque-là : « Madame de Guermantes », cette dernière syllabe *antes* avait la douceur jaunâtre et infinie des bois de Guermantes à l'automne. C'était une couleur unie, chaude, douce, égale : antes. Le commencement du mot lui donnait sa forme et l'assombrissait à peine. Or dès que j'aperçus Mme de Guermantes, la vue d'un joli nez mais fort, long, busqué, assez charnu, me frappa comme quelque chose de terriblement matériel et qui me parut faire un disparate assez vif avec la sonorité : antes — dans la sonorité rêveuse de laquelle il ne me parut nullement fondu. D'autre part je ne peux pas dire que parce qu'on m'avait dit que Guermantes était une ancienne baronnie où on pendait fort, haut et court les vilains du XIe siècle, je m'attendais à voir Mme de Guermantes en costume du XIe siècle, et <qu'en> tout cas l'idée qu'elle aurait une « mante » comme dans son nom ne me déplairait pas. Mais sans aller jusque-là, je l'imaginais en tout cas différente de toutes les autres femmes et pleine à leur endroit d'un prodigieux dédain. Or le fait de voir sur elle un de ces costumes tailleurs qui étaient à la mode cette année-là, une ombrelle à manche de rhinocéros comme on commençait à les porter, et <la voir> avant de partir (elle sortait à pied) faire attention si tout cela était bien en place,

et tirer un peu ses manches qui en effet se portaient assez
bouffantes par en haut, tout cela me donna l'idée d'une personne
non seulement d'une autre espèce — tout simplement parce que
c'était une personne et non pas un nom — que le nom de
Guermantes, mais encore d'une femme soucieuse de ressembler
aux autres, aux plus élégantes des autres, s'étant commandé des
affaires sur le modèle de celles des autres, et désireuse au moment
de sortir de paraître à celles qu'elle rencontrerait pareille aux
autres. Je n'en vis pas plus, elle était partie, j'étais déjà déçu
comme toute personne qui a rencontré son rêve. Puis je fus
distrait par quelques personnes, puis j'y repensai. Et déjà j'avais
corrigé tout ce qui m'avait déplu, je m'exaltais sur ce que j'avais
vu, et je me demandais comment je pourrais la revoir.
  Pas toujours la même, laitier etc.[1].

  L'idée qu'elle ne savait toujours pas que j'étais l'ami de
Montargis et que cela pourrait lui donner une meilleure idée de
moi, me rendait malheureux et un beau jour je demandai à mes
parents la permission d'aller passer quelques jours dans la petite
ville où il était en garnison. Il faut l'avoir vu dans sa garnison,
il faut aussi avoir été amoureux d'une cousine à lui, pour avoir
connu sa bonté dans toute sa gloire. On peut dire que du jour
où on arrivait il mettait à votre disposition tous les chevaux de
la remonte, avec les cyclistes, le service automobile et aéro-
nautique de la garnison, sans compter tous les automobiles et
les chevaux des châteaux voisins où il était adoré. Et comme c'était
le garçon qui comprenait le mieux les désirs insensés qu'on
pouvait avoir quoique n'étant pas pour sa part de nature à les
partager, si à sept[a] heures du soir je disais : « Dire que ce serait
si bon de voir Mme de Guermantes », il me disait : « Il est
sept heures, je m'échappe sans permission[b], nous montons en
automobile, à minuit moins le quart nous serons à Paris et nous
la prenons à la sortie de l'Opéra. » Arrivant à toute vitesse sur
sa machine pour faire ce dont on avait envie, il avait toujours
l'air de figurer dans une composition glorifiant la Science
moderne au service du sentiment. Il me proposait toujours de
« chauffer pour Paris ». Si l'aéroplane avait existé, nous y aurions
volé. Son obligeance ne comportait pas d'ailleurs à ce moment
de réalisation pratique d'autant plus qu'il ne pouvait pas avoir
de congé en ce moment. Je lui demandai de garder ses bonnes
dispositions pour Paris où d'ailleurs chaque jour je voulais revenir.
Je téléphonais à Maman, en entendant sa voix, je voulais
prendre le train pour l'embrasser, je remettais au lendemain, et
je montais me coucher dans la chambre de l'hôtel, aussi agité
que le soir où M. Swann venait dîner et où je savais que Maman
ne viendrait pas m'embrasser. Un soir où j'étais plus malheureux

que d'habitude il me fut impossible de rester seul, je me rhabillai et j'envoyai un mot à Montargis à la caserne où je ne sais pourquoi il était forcé d'habiter en ce moment lui demandant si je ne pourrais pas le voir un moment pour me calmer, étant fort triste. À peine c'était fait que je réfléchis à la difficulté, à l'impossibilité de ce que je lui demandais. Et j'avais des remords d'avoir dit au chasseur de l'hôtel d'entrer coûte que coûte au quartier. Le chasseur ne revenant pas, je n'y comprenais rien. Une demi-heure après on frappe à ma porte. C'est Montargis qui vient me chercher, nous arrivons au quartier « Je t'avais toujours bien dit que tu étais mal dans cet hôtel. » Et il me mène à une chambre du quartier, des plus simples il est vrai, mais donnant sur la grande nuit étoilée, avec rien des tentures et des meubles inutiles qui encombraient et attristaient l'hôtel, et où les centaines de vies qu'on sentait dormir à côté de soi nous ôtaient toute idée qu'on était seul. On frappe, un ordonnance apporte du champagne, des gâteaux, un second ordonnance vient. « Celui-là, me dit Montargis, est rien que pour toi, il couchera dans la petite chambre là si tu as besoin de quelque chose. D'ailleurs moi, ma chambre est celle-ci à côté de la tienne, je laisserai la porte ouverte tu n'auras qu'à m'appeler. Et d'ailleurs je l'avoue, je n'ai aucune envie de me coucher (le pauvre garçon il était levé depuis cinq heures du matin), restons à bavarder et à boire jusqu'à ce que tu aies sommeil. » J'avoue que j'étais si heureux d'être délivré de ma tristesse que j'eus l'égoïsme de l'accepter. Bientôt le champagne aidant, je sentais que jamais je n'avais été aussi heureux, et que je n'aimais rien autant que Montargis. Et le matin, quand la diane sonna, et que tout commença à se réveiller dans la caserne, radieux, je décidai avec Montargis que j'allais partir en même temps qu'il allait conduire ses troupes à la manœuvre et prendre le premier train pour Paris. Il s'habilla, je me préparais, le régiment se formait dans la cour, les officiers arrivaient. Ah ! que Montargis était amusant en officier, marchant dans la cour dans tous les sens, titubant sur son monocle, levant la tête de droite et de gauche en le laissant tomber, le rattrapant, répondant à un salut qu'on lui faisait à droite pendant qu'il regardait à gauche, regardé avec admiration par tous les soldats mais surtout par tous les engagés « de famille », fils de riches bourgeois qui le samedi en permission le voyaient au café de Paris avec le duc de X et le prince de Z ses cousins, et qui trouvaient un chic extraordinaire à ce qu'il faisait jusqu'à sa manière de poser son képi de travers, jusqu'au drap de son nouveau pantalon. Il était le point de mire de tout le monde. On s'arrêtait pour se dire : « As-tu vu son nouveau pantalon ? Ah ! bien mon vieux, tu vas voir ! Et regarde un peu cette dégaine. Il ne s'épate pas celui-là. Tiens regarde comme il salue le colon. As-tu jamais vu saluer comme cela ? » Et on remarquait mille petits détails qui sont la nouveauté, le sujet de conversation des vies sans événements mais non sans surprises et sans plaisirs, petits détails qui frappaient plus les soldats mondains mais dont ils faisaient aisément sentir la singularité aux simples recrues, et qui les amusaient d'autant plus car le soir à la chambrée ils pouvaient dire au caporal ou à leur brosseur : « As-tu vu le nouveau képi de Montargis ? Haut comme ça mon vieux et pas du drap d'ordonnance. Et il le lève, il le pose, il le relève et sans s'épater le corps à droite, le corps à gauche, le monocle à la volée. Le colon n'en revenait pas et le capiston n'avait pas l'air plus content que ça. » C'est que le « capiston », le capitaine prince de Marengo, n'aimait pas beaucoup le « genre » de Montargis. Ils représentaient ces deux noblesses si différentes, la vieille noblesse française, et la noblesse d'Empire. Pour Montargis, le capitaine de Marengo était noble comme moi. J'exagère peut-être un peu mais enfin il disait : « Il y a cent ans mon arrière grand-père, le deuxième marquis de Montargis, quand il était obligé de s'arrêter sur la route de Montargis, ne descendait que contraint et forcé à l'auberge que tenait son grand-père car c'était une auberge de voleurs. » Et le prince de Marengo dont le père avait été ministre de la Guerre et ambassadeur sous le deuxième Empire et avait épousé une cousine de l'empereur disait : « M. de Montargis, ah ! oui je crois, son père était un petit fonctionnaire des postes sous l'Empire, peut-être même à la fin de l'Empire. Du reste sous le premier Empire, ma grand-mère qui était grande maîtresse*ᵃ* de la cour a eu sa grand-mère comme dame d'honneur de l'impératrice. » Tant il était vrai que les points de vue ne sont pas toujours les mêmes, ce qui explique que le proverbe qui dit que dans une affaire il n'y a qu'une des parties qui fasse la bonne affaire <ne> soit <pas> toujours vrai car on peut désirer des choses différentes et que la solution d'une affaire donne justement à chaque partie ce qu'elle désirait et ce qui avait peu de valeur aux yeux de l'autre. Rien n'était d'ailleurs plus dissemblable que les façons de Montargis et de Marengo. Marengo *[un signe de renvoi*ᵇ*]*. En ce moment même dans la cour du quartier où le régiment se formait, Marengo qui venait d'arriver majestueux sur son cheval portait lentement la main sur son képi pour répondre à chaque salut. Droit, bien d'aplomb, lent, il se tenait en chef, parlait lentement et fort, avait le sentiment d'être en petit, l'empereur ! Il commandait. Rapide, allant de l'un à l'autre, la tête basse et butée*ᶜ*, semblant forcée sur son monocle, toujours la tête d'un côté et les jambes de l'autre, Montargis même quand il se mit face à sa section et sortit son épée pour commander face en arrière, trouvait le moyen d'être asymétrique. S'il était forcé d'être à un moment tout à fait droit, son cou tiquait d'un côté, il y avait un sourcil de plissé, le monocle repoussait l'autre œil, la voix en sortant faisait subir une dérivation[d] au gosier. Les derniers préparatifs étaient finis. Les hommes s'étaient développés en ligne de marche ; Marengo lentement sur son cheval passa et levant majestueusement son sabre commanda : « En avant, marche ! », Montargis baissant une épaule, levant un sourcil, serrant son monocle, cria : « En avant, marche ! », et toute la compagnie se mit en marche dans la ville à peine éveillée, et déjà quelques badauds regardaient le régiment se développer, sans musique encore à cause de l'heure trop matinale, de sorte qu'on n'entendait que le bruit des souliers. J'allai prendre le train et dis à Maman ravie et qui n'avait pas attendu cela pour adorer Montargis, que pour la première fois de ma vie je n'avais pas éprouvé de tristesse en passant la nuit dans une chambre que je ne connaissais pas.

(« Tiens[b], regarde Montargis, entends-tu "Face en arrière" ? Il ne *[un mot illisible]* pas l'air là. Et le coup de monocle, as-tu vu ? J'ai cru qu'il allait venir dans l'œil du colonel », disait au commis du major[c] un soldat qui s'était fait porter malade et qui regardait, sa seule distraction, au soleil de la cour, le régiment se former en colonne et partir.)

< Les > engagés[d] volontaires bourgeois et snobs qui l'avaient aperçu le samedi soir < à > Paris au café de la Paix soupant avec les ducs de XX et XXX en le revoyant le lundi matin en marche devant sa section insinuaient sous sa jolie figure, sous ses façons un peu dégingandées, et jusque dans la voiture à deux chevaux dans laquelle il se promenait dans la ville, ses képis et le drap de ses pantalons l'idée d'un « chic » princier au regard duquel tous les autres officiers, même le prince de Borodino, leur semblaient vulgaires. Même à l'exercice dans la cour du quartier, répondant respectueusement à un ordre du colonel, il leur semblait incognito, costumé, car nous localisons dans le corps d'une personne tout ce que nous savons d'elle et son intimité avec les ducs de XX et de XXX, circulait le long des ailes de son nez fin, restait imminente derrière son monocle tandis que levant l'épée en l'air, il criait : « Face en arrière » ou répondait respectueusement la main au képi, à un ordre du colonel. C'était cheminant et caché en lui comme un ruisseau mielleux de haute vie aristocratique qui circulait dans la cour du quartier. Ils auraient été ravis de le connaître et pensaient que c'était impossible. Du reste quand pour une affaire de service ils avaient à lui parler, ils étaient toujours enthousiasmés de son accueil, car il était charmant et gardait sous les rites de la caserne les façons charmantes d'un homme du monde parlant à des gens du monde.

Parmi les soldats du « peuple » il n'était pas moins populaire car il ne punissait jamais, il offrait souvent du champagne. Ils ignoraient les nuances de sa situation mondaine et le fait qu'il fut du Jockey ne leur apprenait rien mais ils le considéraient comme l'officier riche. En réalité il n'avait que des dettes qu'il avait faites pour cette chanteuse mais (d'autant plus qu'il était généreux) c'est ce qu'on appelle au régiment avoir une grande fortune. Et comme les engagés volontaires, répartis isolément entre les nombreux soldats et rengagés, fraternisaient avec eux et, étendus sur la couverture des lits, partageaient leur conversation, c'était sur Montargis des conversations infinies. « Je l'ai vu hier à Paris qui soupait dans un café, mon vieux, je ne sais pas s'il m'a reconnu, mais il m'a bien regardé. — Il y a pas d'erreur s'il t'a reconnu, il y a pas de danger qu'il t'ait signalé pour avoir été dans ce café. C'est un trop chic type. » Alors on commençait les histoires d'un de leurs camarades qui avait sauté le mur et qu'il avait rencontré. « Si tu crois qu'il a dit quelque chose, il l'a vu comme je te vois, il s'est mis à rigoler et il lui a offert une cigarette. Tel que je te le dis. » Les soldats lui avaient fait un caractère simple mais immuable, bonté pour le soldat, se fout pas mal des chefs, richesse, générosité, dégaine tordante, manière de commander, s'habiller fantaisie, de marcher, de courir (et surtout le coup de monocle) comme personne. Aussi se pressait-on, les engagés volontaires, aussi avides que les soldats, autour de celui qui racontait un trait de lui. « Non mais voyons, mon vieux tu exagères », disait un engagé volontaire qui s'exerçait à dire « mon vieux » aux anciens pour s'imaginer qu'il était militaire. Il disait « tu exagères » mais simplement pour le forcer à lui redire. Ces détails délicieux qui pendant l'année du régiment vous intéressent plus que tout ce qui se passe à Paris et qui une fois les habits civils repris ont perdu tout leur sens. « Tu exagères », mais il espérait bien qu'il n'exagérait pas. « Comment ! j'exagère ! Je te dis plus haut que ça et fendu par le milieu, ça avait l'air d'un chapeau de femelle. Si tu avais vu la gueule du lieutenant-colon quand il a vu le coup du képi, il avait les yeux rivés. Et notre Montargis ne s'épatait pas comme tu penses, il voltigeait à droite, à gauche, la tête d'un côté, de derrière, de l'autre, et toujours son fameux monocle. Ah ! non j'ai jamais vu un individu comme ça, je crois que dans tous les régiments de France on n'en trouverait pas un second. Et puis tu sais un type à la hauteur, il a encore donné deux cents francs à son ordonnance l'autre semaine. S'il ne reste < pas > auprès de lui, et si il veut me prendre, tu sais je ne le laisserai pas pleurer. Je rengagerais plutôt dix ans de suite^a que de laisser une place comme ça. Et permission de sortir tous les soirs, il lui donne tous ses effets, il l'envoie aux Courses, je crois pas qu'il changerait avec notre colon. Et nourri comme un prince, il faut ce qu'il faut, il s'est plaint de la cantine, voilà mon lieutenant < qui > est arrivé, il a appelé la cantinière, il lui dit : Ça coûtera ce que ça coûtera, mais je veux que mon ordonnance ait ce qu'il lui faut. La cantinière en était émue encore une heure après. »

Tant[a] que nous sommes auprès d'un ami dont le bonheur dépend d'une personne que nous aimons aussi, le fait que ce qu'il désire tient en deux ou trois petits mots que nous n'aurons qu'à dire à l'autre personne à qui nous parlons si facilement fait que d'avance nous lui répondons du succès. Nous disons naïvement, profondément : « Je réponds pour elle. » Hélas oui, ce n'est que nous qui répondons. Et quand cette réponse, il nous faut la faire sortir d'autres lèvres que des nôtres, ce n'est plus la même chose. Et nous éprouvons qu'on ne peut pas, à sa fantaisie, rapprocher les cœurs. Je me rappelle qu'au moment où je connaissais déjà assez bien Mme de Guermantes, j'eus le désir fou de la revoir après le théâtre et qu'elle me le refusa bien que ce lui fût si facile. J'allai trouver Montargis et lui dis le bonheur que ce serait pour moi. « Entendu. » Il partit au théâtre, la vit. Au retour je vis bien à son visage que toute chance de la voir ce soir-là était perdue. Mais j'espérais qu'il ne l'avait pas trouvée ou qu'il s'était heurté à une impossibilité matérielle. Il m'ôta involontairement toute illusion en me disant avec une gentille maladresse : « Oh ! non, je lui en veux, elle n'est pas gentille Oriane. Je lui ai dit : "Ce n'est pas bien, vous n'êtes pas gentille." Du reste je ne sais pas ce qu'elle a de changé, elle, autrefois si bonne, je ne la reconnais plus. » Elle avait de changé que je l'aimais et qu'elle ne m'aimait pas et que cela me rendait exaspérant. Elle avait dû dire à Montargis : « Dis-lui qu'il m'assomme. » Et de fait pendant que je n'osais pas engager un jour d'avance une heure de mon temps dans la crainte que justement elle se trouvât libre de me recevoir à cette heure-là, que même au moment où je me décidais à sortir je donnais des instructions à toute la maison pour savoir où me trouver si elle me faisait chercher, et où tout le reste du temps je croyais à chaque coup de sonnette qu'on venait de sa part, et quoiqu'elle habitât dans la même maison regardais chaque levée de lettres qui ne m'apportait pas de lettre d'elle comme une forme touchante d'absence et de mélancolie, elle, bien souvent, ne savait que faire de son temps, cherchait quelque partie à faire, désirait une visite. Elle s'ennuyait. On sonnait, elle était contente. C'était moi, elle ne me recevait pas. Montargis lui proposait de sortir avec les gens les plus assommants, elle était ravie. S'il m'adjoignait, elle refusait. S'il m'adjoignait sans le lui dire, elle changeait de figure en m'apercevant et était si insupportable toute la soirée que j'étais le premier à désirer que cela ne se renouvelât pas. Alors je fis semblant de ne plus l'aimer, je lui dis devant Montargis des choses fort désagréables, elle se fâcha tout à fait. La haine était peut-être en effet de trop. J'essayai sans plus < de > succès de l'indifférence, du silence. Puis l'indifférence vint réellement. À quels signes mystérieux sentit-elle à distance que je ne l'aimais plus et commença-t-elle aussitôt à désirer me voir ? Ou tout simplement parce que je n'étais plus à compter les jours où je ne la voyais pas, les jours où je la voyais me parurent-ils plus nombreux ? Je ne sais.

Montargis[a] étant allé passer à la campagne chez sa mère[b] malade les différents congés qu'il eut cette année-là, puis ayant fait de longues manœuvres, et moi enfin ayant quitté Paris, je restai près d'un an sans le voir qu'une fois ou deux, et jamais seul. La première fois que je le revis, il vint me voir et venait me prendre pour venir faire une visite à Mme de Guermantes. Dès les premiers mots que je prononçai sur la littérature, je vis qu'un changement complet s'était accompli en lui : « Ah ! mon vieux, la littérature, l'intelligence, j'en suis bien revenu. Les intellectuels vois-tu, hommes et femmes, un tas de fripouilles, de gredins. » J'avais en effet entendu dire que son actrice l'avait plaqué et le Théâtre-Français aussi, et était partie pour Saint-Pétersbourg avec un riche Américain qui l'entretenait. Comme ce n'était qu'en elle que Montargis avait momentanément aimé la poésie, les gens de lettres, l'« intelligence » comme il disait, il avait définitivement rompu avec tout cela et en gardait même un assez mauvais souvenir. Il paraît que l'entourage « intellectuel » de l'actrice n'avait pas été très bien pour lui, et se gobergeait volontiers chez l'Américain. Le sport, le désir de gloire militaire, le monde avaient repris la place que la « littérature » leur avait un moment disputée. Mais ils n'avaient plus avec eux comme avant sa grande passion la croyance à l'amour. Elle s'était évanouie avec l'amour des lettres, et bien entendu ce respect de l'amour, qui lui faisait honorer les gens de plaisir et qui n'était que le désir que les autres respectassent son amour, et qu'une forme prophylactique de la jalousie. « Ah ! l'amour, mon vieux, c'est une bonne blague. J'en suis revenu, va ! Vois-tu il n'y a qu'au fond d'agréable que les maisons de passe. Il n'y a que là qu'on trouve chaussure à son pied et qu'on rencontre ce que nous appelons au régiment son "gabarit". Si jamais tu veux venir avec moi, j'ai des endroits épatants. Et il ne faut pas croire que ce soit plus mal que les femmes du monde. D'abord, ajoute-t-il d'un air mystérieux, il n'y a que de ça et même des jeunes filles. Parfaitement. Demain on doit m'amener une demoiselle, un nom en Orcheville que je ne me rappelle pas bien, il paraît que c'est une merveille, c'est la fille de gens très bien qui sont toujours malades et ne peuvent pas s'en occuper et donc la petite se désennuie. » J'avoue que l'idée de la demoiselle en Orcheville me troubla profondément. Nous allâmes chez Mme de Garmantes. C'était le printemps. Devant la porte plusieurs voitures découvertes attendaient. Une femme s'en allait comme nous arrivions et une jeune dame en chapeau de bleuets me fit bonjour, elle fit arrêter le cocher et nous nous arrêtâmes à causer avec elle, c'était la jeune baronne de Villeparisis, nouvellement mariée et que Montargis appréciait beaucoup. Je l'avais vue la semaine précédente chez la marquise de Villeparisis à une matinée où un pianiste avait joué pour se lancer. « Monsieur, me dit-elle, vous allez me dire si un monsieur qui était à côté de vous chez ma tante Villeparisis était Edmond Rostand. Je voulais vous le demander, puis je ne vous ai pas revu. — Non madame, je ne sais pas qui vous voulez dire mais Rostand n'était pas là. D'ailleurs je vous dirai qu'il n'y avait guère de poètes, ni d'artistes très connus. — Comment ! dit-elle d'un air étonné et avec le plus grand sérieux, il n'y avait pas de poètes connus, il y avait pourtant des têtes impossibles ! » Je ne pus m'empêcher de rire de l'idée qu'elle se faisait des littérateurs connus. « Je vois que vous n'avez pas une haute idée de la poésie, lui dis-je. — Ah ! la poésie, dit-elle, mais si, c'est ravissant, tout ce qu'il y a dans les livres du poète, des sentiments délicats, tout ce qu'on voudrait rencontrer dans la vie ! Si c'est vrai ! Mais tout cela c'est de la farce. Au contraire ce sont les plus roublards des hommes qui ne pensent qu'à leurs intérêts. J'ai une amie, dit-elle avec un retour attendri sur quelque roman douloureux où elle avait été mêlée, qui a cru à un poète, qui l'a aimé. Allez, ce qu'elle a été refaite ! Il lui a mangé plus de deux cent mille francs. » Montargis était ravi de rencontrer une confirmation si éclatante de ses nouvelles théories, qui était en même temps une confirmation de la haute opinion de l'intelligence de la petite baronne. La faillite des lettres paraissait acquise et la « position » de la baronne assurée. Le comte de V*** passa. « Je me suis arrêtée à causer avec ces jeunes gens, dit-elle. Il faut que je me sauve. » Nous restâmes avec le comte. « Vous allez chez Mme Oriane ? » Nous rentrâmes. Comme c'était le printemps et qu'il faisait très chaud, on laissait tout fermé dans l'hôtel et la comtesse recevait dans une demi-obscurité, dans le salon aux grandes tapisseries qui représentent des ports, des batailles navales, diverses scènes de navigation. Quelques femmes en toilettes printanières causaient le bras étendu sur leur ombrelle dont la tête était éloignée d'elles et qui descendait oblique en se rapprochant de leurs pieds, comme une harpe. D'autres la tenant devant elles dessinaient des signes mystérieux sur le tapis.

Quelques-unes ne s'étaient pas reconnues d'abord « dans ce demi-jour » mais refaisaient une connaissance après une demi-présentation et tous les bonjours étaient accompagnés de sourires parfois malicieux, parfois « entendus », parfois langoureux, parfois émus, parfois exaltants comme si ce mot de bonjour avait été une plaisanterie fine qu'on goûtait en amateur, un mot de passe qu'on murmurait avec un clignement d'intelligence, un bonheur indicible, devant lequel la prunelle dilatée brillait et la bouche s'animait, une déclaration contenue qu'on prononçait distinctement, gravement, sans bouger, en serrant les mains, ou enfin un soupir de volupté qu'on laissait échapper. C'était un soupir de volupté pour la marquise de T***, personne assez rouge et prosaïque mais qui, en nous rencontrant dans le vestibule de Mme de Guermantes, pencha la tête, laissa tomber dans un sourire fané un regard à peine déclos, leva la main avec noblesse aussi haut que pour une bénédiction, et accordant la forme de sa bouche avec la langueur de son regard et l'incompris de son geste ne put prononcer « bonjour » mais nous dit « bbanjar » d'un air langoureux et désenchanté. Je crus que nous ne pouvions pas ⟨ne pas⟩ nous arrêter, passer comme dans une simple antichambre, auprès d'une femme qui nous saluait d'un geste aussi énigmatique et incompris que si elle nous avait aperçus au détour d'une allée d'automne dans un parc ⟨de⟩ Watteau, après des chagrins connus seulement d'elle et de nous, et nous donnait ce sourire où se résout[a] la peine qui s'est composée et ne peut plus rien espérer. Mais déjà elle avait repris sa physionomie habituelle qu'elle reperdit d'ailleurs aussitôt car elle croisa la duchesse de P*** qui entrait et pencha la tête sur l'épaule gauche cette fois, avec un sourire qui sans mélancolie avait eu l'air de signifier « tu ne veux pas monter chez moi mon chéri », elle lui dit en comprimant entre ses lèvres ses tristes pensées : « Banjar. » Puis sa tête se releva lentement, ses yeux cessèrent de sourire et sa bouche de regretter, sa main prit le mantelet que lui tendit le maître d'hôtel et nous la vîmes monter en voiture. Mais déjà la duchesse de ⟨P***[b]⟩ nous disait le bonjour, celui-là du genre spirituel. Chaque personne qu'elle rencontrait eût été un sot d'Alexandre Dumas fils qu'elle n'aurait pas pu l'accueillir d'un air plus enchanté, plus égayé, plus connaisseur. Dans les soirées comme elle connaissait tout le monde, cela l'obligeait, quoiqu'elle n'y passât que quelques minutes, cela l'obligeait sur son chemin et sans s'arrêter à plus de deux cents bonjours, c'est-à-dire à plus de deux cents dégustations spirituelles dans un quart d'heure ; mais dans ce cas-là, prévoyant d'avance le nombre de « joies du connaisseur » et de « plaisirs du dilettante » qu'elle allait éprouver, en même temps qu'elle s'habillait, se décolletait, mettait ses bijoux, elle allumait pour toute la soirée l'électricité de ses regards, préparait sa touche pour le rire, ses yeux pour la spirituelle approbation, et elle entrait avant d'avoir encore vu personne avec l'air intrépide et satisfait de la personne qui arrive à une première de Donnay[1] et sait d'avance qu'elle va passer une bonne soirée.

Toutes ces femmes n'avaient de rare, de beau, de précieux que leurs noms, l'inaccessible de leur fréquentation qui faisait de leur vie, pour beaucoup, une chose d'imagination, c'est-à-dire une belle chose. Mais la réalité est tout autre. C'étaient les personnes les plus insignifiantes et les plus bêtes du monde. L'habitude du monde avait seulement < mis > dans leur maniérisme plus de naturel et d'indifférence < qu'en > a la petite bourgeoise qui tremble d'émotion en allant faire une visite. Elles étaient plus actrices, jouaient mieux, avaient plus de souplesse. Quand une se levait pour s'en aller, elle restait longtemps debout, laissant voir sa robe, se regardait dans la glace en redressant son corps. La maîtresse de maison debout près d'elle le considérait, touchait sa toilette comme pour un essayage, demandait les renseignements qui sont les plus grands compliments, et une jeune femme[a], plus neuve, plus naïve, plus timide, disait en rougissant : « Justement j'admirais de loin. » Les myopes et bien distraites entraient en faisant aller leur tête < à > droite et < à > gauche, gracieusement courbée en avant, et reconnaissaient la maîtresse < de maison > au moment où elle se trouvait nez à nez avec elles, avec un bonheur immense des pupilles qui allaient au-devant d'elles, comme si elles se fussent retrouvées dans le brouillard qui mettait une fraîche buée sur leurs yeux bleus. Les intimes entraient, souriantes, immobiles, comme si elles allaient faire une farce aux autres personnes. Celles qui étaient restées longtemps trouvaient leurs mots, disaient : « Je dis toujours qu'on ne peut pas s'en aller de cette maison ! » Mme de Guermantes parlait sans chaleur de la matinée ou de la réunion pour laquelle on la quittait. À toutes, et à Montargis et à moi, elle disait : « Nous n'avons pas pu causer, je n'ai pas pu vous voir un moment seuls. » Mais quand elle nous voyait seuls, comme elle ne nous disait rien de plus intéressant que s'il y avait cinquante personnes, c'était seulement plus triste parce qu'on ne pouvait pas attribuer son ennui à un obstacle contingent. Et quand en nous quittant elle disait : « Voilà comme j'aime vous voir, j'ai eu beaucoup de plaisir », nous étions déçus d'en avoir ressenti et donné si peu. Mais il faut croire que cela lui plaisait ainsi car elle reparlait quelquefois un mois après à d'autres personnes de la bonne visite que nous lui avions faite.

Esquisse XIII

DANS LA VILLE
DE MONTARGIS

[À la déception qu'éprouve le héros en découvrant le fleuve — décrit par Bergotte — qui arrose la ville de garnison, s'ajoute l'angoisse d'être séparé de sa grand-mère. Cet épisode du Cahier 38 est précédé du titre : Dans la ville de Montargis.*]*

Je[a] venais avec la phrase de Bergotte : « Invoquez ce fleuve, le plus vieil évangéliste des Gaules, dans les eaux noires de qui elles furent à jamais baptisées, qui les premières portèrent < la > barque apostolique jusqu'au cœur de cette ville où vous voyez se refléter sur elles, quand le pâle soleil du Nord s'y arrête un moment, la vieille cathédrale. » Hélas tout cela que j'avais incorporé dans le nom du fleuve, je ne le trouvais pas entre ses quais, bien que ce fût le froid soleil du Nord qui s'y arrêta un moment, tandis que le vent soufflait dans les peupliers jaunis et à demi défeuillés des rives. J'y vins le matin avant de partir, après le départ de Montargis pour la marche. Mais tandis que la voiture me conduisait je sentis que je manquais le premier train, que je m'éloignais de ma grand-mère, le cœur me manquait. Et[b] surtout je ne m'attardai que le temps nécessaire car je souffrais en pensant que cela me retardait de voir ma grand-mère. Mais tout cela qui s'opposait alors, fleuve froid et ensoleillé entre ses rives nues qui faisait opposition au vieux fleuve évangéliste de Bergotte, angoisse de voir ma grand-mère qui s'opposait à rester plus longtemps pour le voir, tout cela parce que cela fut réel ensemble, parce que c'est ainsi que cela vécut, tout cela je ne peux plus le séparer. Quand je relis le nom du fleuve, sans doute tout ce que Bergotte y voit y est encore mais en même temps un grand désir s'y ajoute d'un de ces temps d'automne, ensoleillé et venteux, où je pourrais, prenant le train avec un *[un mot illisible]* pardessus[c], aller dans les villes du Nord me promener au bord du flot rapide, coulant nu et plein entre les peupliers jaunis, et en même temps mon cœur se serre, comme une aile lointaine qui bat faiblement, l'angoisse de quitter ma grand-mère revient dans *[plusieurs mots illisibles]* de la belle journée d'automne comme ces formes d'ailes à demi étirées qui battent encore dans la pierre où l'oiseau est enfermé[d]. Elles se neutralisent[e] encore comme alors, et l'angoisse de penser à celle que j'ai tant aimée troublerait mon plaisir *[inachevé]*

Alors[a] ma grand-mère m'apparut comme détachée de moi, je
la vis non pas me parlant, mais parlant de moi, m'attendant,
résignée à m'attendre[b].

Esquisse XIV

[LA PHOTOGRAPHIE
DE MME DE GUERMANTES]

*[Voici un premier « montage », dans le Cahier 66, des fragments déjà rédigés
relatifs à Mme de Guermantes et au monde aristocratique qui l'entoure.]*

« Je[c] vais te demander, lui dis-je, quelque chose qui va te
paraître bizarre. — Tu peux demander, c'est accordé d'avance.
— C'est bien la photographie de Mme de Guermantes qui est
sur la cheminée. Écoute, s'il y avait moyen, ce n'est pas facile
de t'expliquer pourquoi, pour quelque chose que j'aimerais écrire
sur elle, enfin peu importe, tu peux être sûr que je n'en ferai
pas un mauvais usage, ne pourrais-tu pas m'en donner une ? —
C'est entendu, je ne peux pas te donner celle-ci parce qu'il y
a un mot derrière, mais j'en chiperai une aussitôt que je serai
à Paris. Si tu veux, même[d] je vais te donner celle-ci en attendant.
— Et maintenant écoute, cela n'est pas tout. J'ai aperçu ta tante
l'autre jour au théâtre de *[un blanc]*. Elle m'a reconnu, tu sais
que nous habitons dans la même maison, et elle m'a fait un
bonjour charmant. Je voudrais qu'elle sût que je suis ton ami,
peut-être te dirait-elle de m'emmener chez elle, son bonjour me
le fait presque croire. Cela me fait très grand plaisir. Ne crois
pas que j'en suis amoureux. Dès que je la verrai de près, je suis
bien sûr que je ne penserai plus à elle. Mais je l'aime trop ou
trop peu, et j'aurais besoin pour ma tranquillité de la voir un
peu, si c'était possible assez souvent même, pendant quelques
semaines. Après cela je n'y penserai plus. » Montargis me dit :
« J'en fais mon affaire. Tu la verras aussi souvent que tu
voudras ». Il me semblait qu'il venait de remettre, de renouer
entre mes mains une partie du passé commun à lui et sa tante,
du souvenir de cette journée de campagne où elle s'était fait
photographier par la princesse de Parme avant dîner.

Quand[e] je voyais passer Mme de Guermantes, les noms de
personnes qui venaient la voir, chez qui elle allait, dont je

supposais qu'il n'était pas possible que je les connusse jamais, remplissaient sa personne de cet inconnu qu'était sa vie. Ces gens, les seuls avec qui elle causait, avec qui elle eût des souvenirs, formait des projets, ces gens inconnus, c'étaient eux que par le souvenir voyait en ce moment son regard, c'étaient eux qu'elle venait de quitter chez elle, ou qu'elle allait retrouver dans ces demeures dont < le > nom faisait une des demeures des *Mille et Une Nuits,* et quand je la voyais aller déjeuner en ville chez la princesse de Parme, en une robe unie de satin rose d'où s'élevait son visage dans lequel traînaient par places des bandes roses comme dans des nuages, je sentais s'insérer dans l'atmosphère de la rue un corps différent, précieux, mythologique, peint des ravissantes couleurs d'un monde que je ne connaissais pas, enfermé comme dans une conque marine, entre deux valves lisses et vernies, dans son corsage d'ivoire rose.

Le*a* fait d'être à dîner chez quelqu'un qui avait sur sa cheminée comme photographie de famille la photographie de Mme de Guermantes réveilla mon anxiété qu'elle ne soupçonnât pas qu'un tel destin fût à ma portée. Certes le dédain qu'elle devait avoir pour moi eût été moins grand si elle avait su cela. Mais je me disais qu'après tout, la vie de chacun renferme sans qu'on le sache tels avantages particuliers et que *[un mot illisible]* Mme de Guermantes quand elle pense à X ou Y doit se dire : « Il y a dans cet homme mille choses que je ne connais pas, peut-être au moment où cet inconnu passe devant moi, enferme-t-il en lui les voluptés de l'ivresse et < celles > d'avoir entendu, étant gris, telle mélodie où il donnait mon visage à la femme qu'il suppliait, et se sent-il de plain-pied avec moi par le haussement de son âme à une audace qui ne craint rien ; peut-être cet autre qui demeure en face de chez moi est-il l'amant de cœur d'une des maîtresses de mon mari et peut-il se dire : "Je sais des choses que Mme de Guermantes donnerait cher pour savoir", peut-être a-t-il vu chez cette femme une lettre où mon mari lui offre de me quitter pour l'épouser. » Cette pensée qu'ainsi chacun peut avoir de ces privilèges comme j'en avais un de dîner familièrement chez le propre neveu de celle que j'aimais sans que Mme de Guermantes le sût davantage pour eux, calma un peu mon ennui qu'elle ne le sût pas. Car, me dis-je, étant donné que souvent cela existe sans qu'on le sache, < cela > prouve que ne pas le savoir ne veut pas dire, si elle est intelligente, < qu'elle > conclura que cela n'est pas. De sorte qu'il ne faut pas que je me désole de son dédain à priori pour un inconnu, car sans aller jusqu'à ces jeunes filles qui devant chaque inconnu se disent : « C'est peut-être un prince déguisé », néanmoins elle doit éprouver pour chaque inconnu non du dédain mais une virtualité de considération qui se réaliserait le cas échéant pour des avantages qui ne sont que possibles. Mais si j'avais pu avoir une de ses photographies ! Ce charme, ce mystère de sa personne, que je n'avais pas le temps, ni la liberté d'esprit de dégager quand je la voyais, c'était réalisé là dans une photographie, elle était comme un document sur sa beauté, un document livré par elle mais destiné à rester secret ; la photographie ne nous permet-elle pas d'approcher une femme dans tels jours où nous n'aurions pu la voir, en robe décolletée quand nous ne l'avons vue qu'à la ville, on en robe de satin[a], ou avec tel sourire que nous n'avons aperçu qu'une fois ? La femme inapprochable que nous ne voyons que de loin, et sans pouvoir en approcher, sans pouvoir immobiliser un instant sa silhouette, nous est en quelque sorte livrée. Hélas ce n'est qu'un aspect de sa beauté, un aspect qui la diminue car elle n'a plus ce pouvoir, qui nous trouble quand nous la voyons, de dépasser et de varier à tous moments l'image qu'elle nous donne. Ici elle tient toute dans une immuable expression de visage, c'est nous qui sommes plus puissants qu'elle, et son sourire ne peut changer. Mais enfin cet aspect est bien le sien, c'est une image laissée par elle, à ajouter à celles que nous avons dans notre souvenir, c'est une rencontre de plus que nous n'avons pas faite, un rendez-vous que nous n'avons pas eu, c'est une visite dans sa chambre, un séjour près d'elle à la campagne. La posséder, c'est comme posséder un renseignement précieux sur elle, un souvenir qui ne peut pas s'obscurcir, c'est aussi avoir le plaisir de se dire : « Faut-il que je l'aime pour que cette photographie parce que c'est la sienne, je l' < aie > tout le temps avec moi et elle < soit > plus précieuse pour moi que tout ? »

Esquisse XV

[L E   S É J O U R

DANS LA VILLE DE GARNISON]

[Fragments des Cahiers 40 et 41. Les saluts que lui a adressés Mme de Guermantes à l'Opéra raniment chez le héros l'espoir de la connaître. Pour la rencontrer, il va l'attendre assidûment sur son chemin. Mais il s'aperçoit vite que ces poursuites ne font que l'irriter chaque jour davantage et qu'il vaut mieux cesser de l'importuner. C'est pour s'éloigner momentanément d'elle qu'il décide d'aller voir Montargis dans la ville de garnison où il séjourne.]

Tous les matins maintenant j'allais me poster fort loin dans la rue que Mme de Guermantes était obligée de prendre pour sortir à pied et me mettais en marche quand je l'apercevais pour passer à côté d'elle. Mais hélas elle avait bien perdu son amabilité du soir de *Phèdre*. Semblant plutôt agacée de me trouver toujours ‹ sur › ses pas, elle répondit à peine à mon salut par un léger salut, dans les meilleurs jours par une brève ébauche de sourire bien différent de celui qu'elle m'avait adressé de la baignoire de Mme de Guermantes[1]. Le premier[a] jour que, persuadé qu'elle m'aimait, je lui avais écrit au sortir du théâtre une lettre enflammée pour la remercier de son sourire, croyant délicat, pour ne pas avoir l'air d'avoir trouvé son amabilité toute naturelle de me faire encore plus petit, et elle plus grande que nous n'étions respectivement (je ne savais pas alors que la situation mondaine des gens est la seule chose dont, dans le monde, il soit défendu de leur parler, parce que c'est la seule à laquelle ils pensent, que toutes les personnes qu'ils connaissent, sont mises par là même qu'ils les connaissent, avec quelques nuances, sur le même plan, et qu'il est aussi inadmissible d'éprouver une émotion et de remercier par une lettre d'un salut que de répondre à une invitation à dîner par l'envoi d'une rivière de diamants), j'étais allé me promener d'un air indifférent dans une rue, souriant d'avance aux douces paroles qu'elle me dirait, quand recevant mon coup de chapeau, elle m'arrêterait et me dirait : « Enfin ! » Ce premier jour-là quand je la vis paraître au bout de la rue, flottante comme une Vénus qui vient d'émerger de l'écume du faubourg Saint-Germain dont l'humidité récente la vernit et l'isole, non seulement elle ne m'avait pas arrêté mais elle avait à peine répondu à mon salut, d'un air glacial qu'elle adoucit seulement, la leçon une fois donnée, au bout de quelques jours. Il[b] m'eût été absolument impossible de dire ni comment son visage était fait, ni à quoi je la reconnaissais, car tous les jours elle avait un autre chapeau, une autre figure, une autre robe. Pourquoi un jour en apercevant après des heures d'attente inutiles s'avancer une robe mauve, un grand chapeau mauve, une ombrelle mauve, une figure rose, où la ligne du nez pure était confondue dans la lisse surface du visage, une personne angélique, aux charmes distribués avec une douce symétrie autour de deux yeux bleus, étais-je pris à la fois de malaise, de la joie de sentir que je ne rentrerais pas en me disant « je ne l'ai pas vue », et me mettais-je à prendre un air très préoccupé d'autre chose, pour ne pas avoir l'air de l'avoir aperçue, ou si je l'avais aperçue de n'y prendre aucunement garde, n'étant ‹ pas › venu là pour elle, et le lendemain pourquoi ressentais-je le même trouble, affectais-je la même indifférence, et commençais-je à regarder avec attention dans une direction opposée, quand j'apercevais un grand nez busqué et pointu, le long d'une même joue pâle, au-dessous d'une toque de loutre un œil perçant ? Chacune de ces apparitions différentes modifiaient la manière dont je pensais ensuite à elle, car ces caractères qu'elle m'offrait ne me semblaient pas de simples détails de sa personne, mais des traits définissant une espèce de femme, comme pour un naturaliste la forme du bec ou des ailes est plus qu'un trait à décrire, l'affirmation d'un genre. Son individualité, son « espèce » morale, me paraissaient dépendre de la place de son nez et de la couleur de sa face. Un jour *elle* c'était une femme à peau lisse et à traits réguliers, un autre jour une femme d'un genre relevant plutôt du règne des oiseaux, à grand nez et à figure asymétrique, avec une seule joue et un œil perçant. Et*ᵃ* ces observations successives qu'< on fait > sur la figure d'une personne qu'on aime, et qui au fur et à mesure qu'on la voit dans un autre profil, occupant dans l'ensemble d'une toilette plus ou moins vaste une place plus ou moins petite, et qui nous la fait classer dans tel ou tel genre féminin immuable (genre qui ne comprend d'ailleurs qu'un individu) m'avaient rendu si indifférent à tout ce qui était ses vêtements de chair ou de drap qu'elle pourrait les modifier presque entièrement pourvu que derrière eux je sentisse que c'était elle. Je venais de me promener de long en large dans la rue pendant des heures sans l'apercevoir quand tout d'un coup, au fond de la boutique de la crémière, en train de se faire montrer des petits-suisses, j'apercevais une toilette de femme élégante n'ayant aucun rapport avec aucune des siennes, et un haut front blond sous une simple couronne de bleuets. Mais comme Satan se cache parfois sous les apparences les plus trompeuses, à la même minute, je sentis le regard de Mme de Guermantes dardé au milieu de ce visage si différent du sien, ou plutôt comme le tonnerre ne vient apporter son propos grondant que longtemps après que l'éclair a frémi, j'avais ressenti un coup au cœur, bien avant que ma raison ne vînt me dire : « C'est le regard de Mme de Guermantes, c'est elle. » Le lendemain je montais la garde toute la matinée, mais sans succès devant la boutique crémière, et quand je rentrais désespéré et distrait je manquais de me faire écraser par une voiture où sous une haute aigrette les traits de Mme de Guermantes s'étaient tendus et avivés de fard, ou au contraire < étaient > détendus et pâlis, jusqu'au point où ils étaient si peu reconnaissables que j'avais la honte qu'elle me saluait la première, assez froidement d'ailleurs. Elle eût pu revêtir des déguisements plus inattendus encore, que l'idée d'< elle > les eût rendus aussi émouvants pour moi. Ce fut au point que souvent j'éprouvais le même coup au cœur et devenais aussi pâle si au fond d'une pâtisserie en train de manger un éclair, c'était M. de Guermantes que j'avais soudain aperçu, ou même au coin de la rue, promenant le chien de la duchesse, leur maître d'hôtel[a].

Quand je ne la voyais ainsi que de loin, je retrouvais parfois la haute et charmante silhouette, la jambe élancée que j'avais vues d'abord à Combray, que j'avais aperçues à la sortie du théâtre, l'œil rêveur et bleu, le nez busqué mais pur, ses cheveux légers dont une pointe rebelle semblait faire à toute sa silhouette comme une aigrette qui la prolongeait. Mais quand je réussissais à passer à côté d'elle, je ne voyais plus habituellement qu'une marbrure rose sans bien m'expliquer ce qui la produisait, si c'était la couleur du teint, un défaut de la peau, le froid, < et > un regard qui en prenant pour me saluer une expression médiocre avait perdu sa rêveuse douceur. J'aurais voulu pouvoir, dût-elle perdre à être identifiée avec les marbrures roses et le regard médiocre, revoir la silhouette de tout à l'heure, pour pouvoir éprouver la volupté de l'avoir approchée, me rendre compte de ce qu'elle devenait de près. Mais je ne pouvais jamais revoir la silhouette lointaine. Je tâchais < de > revoir les hautes jambes, mais de si près je ne pouvais retrouver leur élan gracieux, je cherchais des yeux la petite mèche rebelle qui donnait cette espèce de prolongement, de vague, de fantaisie à la tête, mais placé comme j'étais je ne pouvais déjà < plus > l'apercevoir. Et déjà n'osant pas la regarder plus longtemps j'étais obligé de détourner les yeux, sans avoir pu rapporter à la silhouette haute, fine et rêveuse la forme rouge et froidement polie qui était près de moi. Je savais que chaque jour j'aurais la même déception et pourtant c'eût été le plus grand malheur de penser que cette possibilité de la rencontrer chaque jour pourrait m'être enlevée. Mais les premiers jours quand d'ailleurs je n'allais pas encore régulièrement me poster sur son chemin, si après la déception de ce que j'avais < vu > le matin mon imagination, librement entre les deux ou trois femmes qui l'occupaient d'une façon purement esthétique alors, élisait Mme de Guermantes, < c'était > la silhouette haute et rêveuse que je revoyais, je désirais l'approcher, bien qu'approchée elle fît place à quelque chose de si différent mais dont je savais du moins que c'était encore elle, un des aspects de ce qui m'avait plu de loin[b]. Et le lendemain si je ne cherchais pas à aller à la sortie de son cours apercevoir une jeune fille, j'allais me mettre sur le chemin de Mme de Guermantes. Mais au bout de trois ou quatre jours où je l'avais rencontrée et < où > ma déception s'était renouvelée le matin de la même façon, au moment où mon imagination librement, entre deux ou trois autres figures de femmes qu'elle avait plaisir à imaginer un moment et que je me proposerais comme plaisir d'apercevoir le lendemain, je m'aperçus que le souvenir du visage

couperosé, du regard banal, du nez pointu, m'empêchait de revoir
la haute et rêveuse silhouette, et que c'était maintenant la femme
trop rose et froidement polie que je revoyais malgré moi en Mme
de Guermantes. Mais je m'aperçus aussi que peut-être pour la
dernière fois mon imagination venait d'élire librement cette
image, entre deux ou trois autres, selon qu'il lui plaisait. Car au
même moment j'éprouvais de revoir dans mon imagination,
d'approcher le lendemain matin Mme de Guermantes, un besoin
qui n'avait plus rien de libre. Ce n'était plus entre deux ou trois
autres que mon imagination faisait un choix pour penser à elle.
Je sentais en moi un besoin de penser à elle qui produisait son
image plus souvent que je ne voulais, d'une façon fatigante et
cruelle, comme on s'aperçoit qu'on a un organe malade qui
produit constamment de la douleur. Et je compris que je ne
chercherais pas à aller à la sortie du cours de la jeune fille ou
de la répétition de l'actrice, mais que tous les matins j'irais dans
la rue où passait Mme de Guermantes. Qu'importe que je la visse
couperosée et banale, ou toujours différente[a].

Et[b] aussitôt que j'eus compris que je l'aimais je ressentis de
l'effroi comme quelqu'un qui va assumer une tâche bien lourde,
à laquelle toutes ses forces ne suffiront pas. Sans doute quelque
femme qu'on aime, et si au-dessous de nous que sa condition
sociale la place, dès qu'on l'aime, lui plaire paraît quelque chose
d'impossible. Mais du moins peut-on espérer user des avantages
qu'on peut avoir sur elle — et c'est une illusion car on les perd
immédiatement à ses yeux du moment qu'on les met à ses pieds
— pour obtenir d'elle quelques consolations à la douleur de ne
pas en être aimé, la permission de rester près d'elle à certaines
heures, la faveur de la voir un moment, < de recevoir d'elle >
un mot, quand on se sentira trop malheureux. Mais quand on
a le malheur de tomber amoureux d'une femme qui est à la fois
la plus noble, la plus spirituelle, la plus belle, dont chacun des
prestiges eût suffi à la faire la première et la plus inaccessible
de France, la plus riche, la plus à la mode de Paris, avec quoi
peut-on espérer agir sur elle ? Je sentais que j'avais à combattre,
à me mesurer avec un être qui avait tous les avantages, et cela
me donnait une sorte de vaillance désespérée. Car depuis que
je l'aimais, sa noblesse, son éclat, loin d'être des avantages à mes
yeux, étaient de douloureuses [un blanc] qui l'éloignaient de moi,
la donnaient à d'autres. Mais malgré cela comme c'était à elle,
cela avait pour moi le charme de ce qui la touchait comme eût
< eu > sa pauvreté si elle eût été pauvre, et surtout que pour
avoir l'ombre d'une influence sur elle, pour obtenir d'elle qu'elle
me reçût un soir un moment si j'étais trop triste, qu'elle me promît
un mot au cours d'un voyage, qu'elle me promît de me dire
franchement si tel homme ne lui faisait pas la cour, ce serait de

triompher de la noblesse, de l'argent, de la mode, effrayé de la
tâche que j'assumais je trouvais pourtant de la douceur à imaginer
que j'y réussirais un peu, parce que cela me donnait la sensation
de toucher, de dominer des caractéristiques de son être et de
sa vie. *(Quiétisme. Lettre à l'Académie Vogüé[1].)*

Je[a] l'aimais vraiment : le plus grand bonheur que j'eusse pu
demander à Dieu aurait été de faire fondre à la fois toutes les
calamités sur elle, qu'elle fût du jour au lendemain ruinée,
déconsidérée, n'ayant plus même où habiter, sans que personne
voulût plus la saluer, et pendant ce temps un cataclysme inverse
m'eût fait riche, puissant, célèbre ; et alors je serais allé lui offrir
ma fortune et mon appui[b]. Mais le matin j'étais rentré obscur
et pauvre et Françoise me disait que la duchesse allait déjeuner
chez la princesse de Parme, mais qu'on croyait qu'elle sortirait
à pied avant parce que la princesse de Parme habitait aux
Champs-Élysées. Une heure après je croisais et saluais Mme de
Guermantes se rendant à pied chez la princesse de Parme, en
robe de satin rose, au-dessus de laquelle < apparut > son visage
où s'étendaient des bandes roses comme dans un ciel au couchant,
et comme nous localisons dans ce que nous appelons une
personne toutes les possibilités de sa vie, ses pensées du moment,
ses projets pour l'heure qui vient et tous les souvenirs qui sont
en elle, c'étaient les amis qu'elle venait de quitter, ceux qu'elle
allait retrouver chez la princesse de Parme, tout l'inconnu de sa
vie, tous les plaisirs du faubourg Saint-Germain, que, enfermé
sous ce petit volume et cette enveloppe satinée, je voyais circuler
près de moi, contenu dans ce corsage comme dans
une coquille — sous le visage paré des mêmes couleurs
mystérieuses — entre deux valves de nacre rose.

Si seulement Mme de Guermantes avait pu savoir que j'étais
le meilleur ami de son neveu, si j'avais pu sentir en elle un peu
moins chétive et dédaignée l'image qu'elle avait de moi, l'image
du plus insignifiant des inconnus et des passants ! Et pourtant,
me disais-je, celui qui après s'être grisé de vins ou de morphine,
se croit surélevé tout d'un coup d'un charme plus grand, d'une
personnalité plus haute, puisqu'il lui semble qu'il n'y a qu'à
aborder de plain-pied la femme de hautaine vertu dont il était
jusqu'ici sûr d'être dédaigné, devrait songer que le sentiment de
bonheur et de puissance qu'il éprouve ne se traduit extérieurement
par aucun charme nouveau, qu'il est le même qu'hier, que
beaucoup de ceux qui sont antipathiques à cette femme et à
lui-même, pouvaient sans qu'il le sût, quand il les avait rencontrés,
au moment même où ils lui déplaisaient, détenir en eux une
exaltation nerveuse aussi puissante que la sienne l'est en ce
moment ; inversement, me disais-je, comme parfois une appa-

rence médiocre, pareille à celle des autres indifférents, cache chez quelqu'un*ᵃ* que nous rencontrons et que nous pensons ne pas pouvoir être mêlé à notre vie qui nous semble fort au-dessus de la sienne, tel amour, telle amitié puissante, qui fait que sans qu'il puisse nous le laisser soupçonner il sait tous nos secrets, et est quelquefois plus maître de nos actions que nous-mêmes, un être réfléchi devrait garder une sorte de considération a priori, de possibilité d'estime sociale pour le vulgaire inconnu. Qui dit à une femme que l'homme au salut de qui elle répond à peine dans le monde, et qui lui semble si loin d'elle, amant de cœur de la maîtresse de son mari, sait tout ce que fait la femme légitime, sait souvent mieux qu'elle ce qu'elle fera, et dans une large mesure par l'influence qu'il a sur une femme toute puissante sur le mari, peut détourner de l'épouse des catastrophes, la ruine peut-être, le divorce dont elle n'aura même jamais su qu'elle était menacée ? Si Mme de Guermantes est intelligente, me disais-je, elle sait que la manière de nous apparaître de ces gens qui ne peuvent nous révéler leur connaissance de nos actes, leur pouvoir sur eux, est précisément de nous apparaître comme insignifiants, comme n'ayant selon toute possibilité aucun rapport avec notre vie. Et elle doit en fait devant tout inconnu réserver la possibilité qu'il soit l'amant de la meilleure amie qu'elle ait, ou peut-être un homme de génie. Et ainsi en n'étant devant elle que l'apparence d'un passant obscur, je ne suis pas en somme victime d'une injustice, d'un malentendu, puisque tel est le revêtement normal de trésors cachés d'existence, plus précieux à coup sûr que l'amitié pour moi d'un neveu qui lui est si cher. Cette apparence ne serait injuste que si elle signifiait l'impossibilité d'amitié avec Montargis. Mais elle signifie au contraire possibilité. Et je me consolais qu'elle ne sût pas que j'étais l'ami de son neveu, en me disant qu'il était normal que l'étant, rien de moi ne le lui révélât.

Mais je sentais chaque jour ses saluts plus froids et que ces rencontres deviendraient de plus en plus stériles tant que rien ne viendrait en modifier la portée. Je voulus essayer de rendre ma vue moins fastidieuse en restant quelques jours sans aller sur son chemin. Mais dès le premier jour quand vint l'heure où en prenant vite mon chapeau je pouvais encore la rencontrer, si je coupais par une rue de traverse, je m'élançai dehors. Et je serais bien bon de me priver, me disais-je. La rue n'est-elle pas à tout le monde ? N'y a-t-il pas bien d'autres habitants du quartier qui ne désiraient nullement voir Mme de Guermantes et qui la rencontraient tous les jours à peu près au même endroit ? Qui lui dit que mon passage n'est pas l'effet de hasard, ou d'obligations quotidiennes où elle n'est pour rien ? Mais dès que je l'apercevais, mon effort même pour avoir l'air de ne pas être là pour elle, montrait assez que je n'y étais que pour elle. Je restai trois jours sans aller sur son passage. Mais cette privation qui me fut si cruelle, il est probable qu'elle ne la remarqua même pas, ou crut que j'avais eu un empêchement quelconque, non que je n'avais pas voulu. Je sentais qu'il fallait maintenant trouver autre chose, avant tout cesser ces promenades qui ne pouvaient donner aucun résultat, et que je n'aurais le courage de m'en abstenir que si elles m'étaient rendues impossibles, si je quittais Paris. Mais je voulais < aller > en un lieu qui s'il fût géographiquement plus éloigné d'elle, en fût en revanche moralement plus près, un lieu qui existait dans sa pensée, où elle fût connue, attendue peut-être. Je voulais aller chez quelqu'un qui pût me parler d'elle, me dire ce qu'elle faisait, peut-être la modifier dans un sens qui me fût favorable, quelqu'un auprès de qui elle aurait pu se trouver elle-même, et auprès de qui elle pouvait apprendre que je me trouvais, quelqu'un qui aimé d'elle, influent sur elle, et d'autre part m'aimant, subissait mon influence, me donnant par là même la sensation de trouver près de lui une sorte d'amitié indirecte de Mme de Guermantes pour moi, d'influence indirecte de moi sur elle, où vivant à cinquante lieues chez un de ses meilleurs amis qui me parlerait d'elle et pourrait au besoin lui parler de moi, je serais moins loin d'elle qu'à deux pas de sa robe, passant dédaigné. Je voulus aller voir l'ami dont l'amitié et la vertu calmante m'eussent fait du bien dans toute peine, mais était tout à fait spécifique pour celle-ci, et qui avait à mes yeux depuis que j'étais amoureux de Mme de Guermantes un prestige nouveau d'être son neveu, je partis passer quelques jours auprès de Montargis dans la ville où il était en garnison[a]. C'était une de ces villes aristocratiques et militaires.

Une[b] fois je vis Mme de Guermantes en velours rouge *(peut-être mettre cela au moment où je me décide à partir et je n'ose pas la saluer, elle ne me voit pas, si je ne trouve pas à le mettre dans un de ces endroits où je la vois)*.

Elle avait une robe peu décolletée de velours uni rouge pâle, presque rose. Pas plus que le jour où je l'avais vue au théâtre en blanc je < ne > me demandais si sa robe était jolie ou non ; elles étaient pour moi comme une ambiance aussi naturelle, aussi inséparable d'elle que l'est des pierres aimées le vêtement que posent sur elles l'heure et la saison ; et comme pour une église qu'on voit pour la première fois sous le velours rouge de la lumière du couchant, ou dans la blanche toilette de la neige, je croyais seulement contempler un aspect nouveau, mais nécessaire de sa beauté. Bien plus, certes, en changeant un des facteurs dans l'impression totale qu'elle me produisait, les robes où je ne l'avais pas encore vue me faisaient voir une nouvelle Mme de Guermantes. Mais je croyais plutôt que c'était une des différentes Mme de Guermantes qu'elle était, qui étant sortie de la boîte

où étaient contenues toutes les Mme de Guermantes, avait dès
lors nécessairement autour d'elle ce reflet matérialisé, cette
irradiation devenue étoffe qui était sa robe. Le quelque chose
de plus mélancolique, de plus replié sur soi, de plus personnel,
farouche et triste que lui donnait ce velours rouge pâle, ce
quelque chose qui me faisait moins penser au mystère douloureux
de sa vie avec les autres, avec M. d'Albon entre lequel et elle
sa robe blanche semblait un si doux et si accessible intervalle
(?) mais qui mettait entre elle et les autres une couleur
réfractaire, profonde, presque vierge et mystique, ne me semblait
pas venir de sa robe, mais être au contraire comme l'émanation
inévitable qui rayonnait, matérialisée, reflet rouge et velouté,
devenu velours rouge, autour de la Mme de Guermantes réfugiée
en elle-même. Certes cette vie mélancolique personnelle que sa
robe mettait en valeur était moins attristante pour moi que la
vie du monde, la vie avec ses amis, que sa robe blanche, qui
ne mettait entre elle et les autres que comme une séparation,
un degré de lumière blonde, intime, souriante. Sa robe blanche
me faisait penser au monde, c'est-à-dire à ce qui me séparait
toujours d'elle, sa robe de ‹velours› rougeâtre à son âme,
inconnue même au monde, c'est-à-dire à ce qui pourrait m'unir
‹à elle›. Mais tandis que sa robe blanche, douce, aimante
comme une perle, la faisait si douce et caressée, sa robe rouge
au-dessus de laquelle ses yeux bleus si beaux reflétaient quelque
chose qui n'était pas de la terre, l'entourait comme d'un rêve
du chrétien des premiers temps, presque austère[a]. Et mettant en
elle l'idée qu'elle m'était si hostile et ne me permettait pas de
l'approcher, sa robe rouge m'éloignait ‹d'elle› davantage
encore comme la clôture infranchissable, mystique, la farouche
robe même du rêve qui ne voulait pas être troublé. Ainsi je ne
passai pas devant elle et elle ne me vit pas.

C'était[b] une de ces villes du nord, aristocratiques et militaires,
ancienne résidence royale ou princière, entourée[c] d'une campagne étendue où flotte si souvent dans le lointain par les beaux
jours, une sorte de buée sonore qui révèle par ses positions
différentes les marches et contremarches d'un régiment en service
en campagne, comme un rideau de peupliers ou de brume dessine
les sinuosités d'une rivière invisible, que l'atmosphère des rues,
des avenues et des places, a fini par contracter une sorte de
perpétuelle vibratilité musicale et guerrière ; si bien que le bruit
le plus grossier de chariot ou de tramway s'y prolonge en vagues
appels de clairons que le silence halluciné ressasse infiniment aux
oreilles à qui ils semblent par moments venir du fond d'un rêve.
    Elle était assez près de Paris pour qu'en y mettant le
pied je n'y sente pas la possibilité, l'angoisse, le désir de
reprendre aussitôt un train qui m'eût ramené, un peu tard

peut-être, embrasser ma mère et ma grand-mère et coucher dans mon lit. Si la personne qui s'était présentée alors à moi m'avait dit : « Voulez-vous repartir ou rester ? », j'aurais dit : « Repartir », mais les questions qui me furent posées, par un employé d'abord, où on devait poser ma malle, et qui me fit répondre « dans la voiture », et par le cocher où il devait me conduire (« au quartier ») entraînèrent les mouvements suffisants pour que quelques minutes plus tard je me trouve devant le quartier, heureux de la surprise que j'allais faire à Montargis qui, je l'espérais bien, en venant pour cette nuit coucher au même hôtel que moi, me rendrait moins douloureux le premier contact avec cette ville inconnue. Hélas quand le maréchal des logis eut crié « un homme de garde » pour aller chercher Montargis, j'appris qu'il avait pris la semaine le jour même et ne pouvait pas quitter le quartier de huit jours. On était allé le chercher, je restais à la porte du grand vaisseau, retentissant du vent froid de novembre qu'était le quartier, et d'où à tout moment, deux par deux, saluant le maréchal des logis, des hommes sortaient dans la rue comme s'ils descendaient à terre dans quelque port exotique où ils fussent momentanément stationnés. « Ah ! quel ennui ! », s'écria Montargis, et nous causâmes un moment dans la cour, mais il vit à mes yeux fixes, inquiets que je l'écoutais mal et il comprit par ce que je lui disais combien mon arrivée seul dans un hôtel inconnu m'était pénible. « Je ne te conseille pas de descendre à l'hôtel où je prends mes repas, me dit-il, comme il est à côté des fêtes qui vont avoir lieu tu aurais un monde fou. Mais tu descendras à l'hôtel X, c'est très cher, mais aussi il n'y a jamais personne et puis c'est ravissant, c'est < un > ancien palais du XVIIIᵉ siècle, tu y seras très bien. » Je secouai la tête. Moins artiste que lui, ou davantage, un plaisir d'art me semblait trop superficiel pour pouvoir influencer un état de mélancolie aussi maladif que celui auquel j'étais en proie, et qui était hélas sans remède puisque Montargis me disait que la consigne était en ce moment formelle, et qu'il ne pouvait même pas demander une permission qui lui serait d'ailleurs refusée. Mais si Montargis était dans l'impossibilité de venir à l'hôtel me tenir compagnie, il en était malheureux, car bien loin de traiter d'enfantillage ridicule ma tristesse maladive, lui, si énergique, si bien portant, la prenait au sérieux, la plaignait, cherchait tous les moyens de la soulager. « C'est vraiment désolant, disait-il, quelle fatalité ! Et ne pas pouvoir t'empêcher d'être triste ce soir dans cette chambre d'hôtel. Je sais celle que tu aurais, moi, je la trouve très gaie, mais je n'essaye pas de te dire qu'elle l'est, je comprends bien, moi ce n'est pas la même chose, je n'éprouve pas ce que tu éprouves », et sa main affectueusement posée sur mon épaule, tandis que nous nous avancions dans la cour, car il voulait que je monte un instant dans sa chambre avant que je quitte le quartier[a]. Un sous-officier essayant un cheval, et très occupé à le faire sauter, ne répondait pas au salut des soldats mais envoyait des bordées d'injures à ceux qui se mettaient sur son chemin. Il sourit à Montargis mais apercevant qu'il avait un ami avec lui, il me fit un salut profond. À ce moment le cheval prit peur, se dressa de toute sa hauteur, écumant. Montargis le saisit à la bride, le calma, et le rendit à son camarade puis revint à moi. « Je ne te parle pas de te prêter des livres, tu ne pourras sans doute pas lire si tu es comme cela. Tu es tout pâle. » Et son sourcil se fronçait, à la fois d'ennui et surtout d'attention comme un médecin qui cherche quel remède précis, pratique, efficace, il pourrait bien appliquer à un mal qu'il ne discute d'ailleurs pas. À ce moment déboucha lentement d'un escalier un officier grand, beau, majestueux. Montargis le salua et immobilisa la perpétuelle instabilité de ses mouvements le temps de garder la main à hauteur du képi, mais vers lequel il l'avait précipitée avec tant de force, se redressant avec tant d'excès de mouvements de tout le corps et aussitôt le salut fini, il la fit retomber par un déclenchement si brusque, et en changeant toutes les positions de l'épaule, de la jambe, et du monocle, que la seconde d'immobilité que dura son salut fut plutôt une seconde de tension vibrante des mouvements excessifs qui l'avaient préparée et déjà palpitante des mouvements si brusques qui allaient suivre. Cependant l'officier sans se rapprocher, avec un sourire bienveillant, leva avec lenteur la main sur son képi, et salua avec un calme plein de dignité. « Monte dans ma chambre, la seconde à droite, au premier, dit Montargis, et assieds-toi, il faut que je dise un mot au capitaine, je te rejoins », et partant au pas de charge, précédé de son monocle qui volait de tous côtés, il marcha vers le lent capitaine dont on amenait en ce moment le cheval. Je m'engageai dans l'escalier, manquant à chaque pas de glisser sur ces marches cloutées de fer. Le vent soufflait, par la porte ouverte j'apercevais des chambrées nues avec l'alignement double des lits et des paquetages. Enfin j'arrivai à la chambre de Montargis, bruyante du crépitement d'un feu qui flambait dans une petite cheminée de fonte. Des tentures de Liberty et de vieilles étoffes allemandes du XVIIIe siècle dont, comme le lui avait appris Bloch, se rapprochaient les dessins de Liberty, isolaient la chambre de l'odeur de l'humidité et du pain des murs. Sur sa table il y avait des livres de travail et *Ainsi parla Zarathoustra* et des photographies de son amie. Sur sa cheminée d'autres photographies, sa mère, M. de Guercy et moi, et aux murs deux photographies de tableaux. Le feu qui, les premiers crépitements passés, se recueillait dans la gloire de sa braise, la chambre chaude, la photographie souriante de la mère de Montargis, la lampe rayonnante, semblaient attendre Charles avec une impatience muette, soumise et fidèle. C'est là que j'eusse dîné, dormi, sans tristesse, en un repos sur lequel tous ces soldats auraient veillé et qu'eût imprégné et protégé cette atmosphère de calme et de gaieté que faisaient autour de moi mille volontés réglées et sans inquiétude, mille esprits insouciants, dans cette communauté où le temps ayant pris la forme de l'action, la triste cloche des heures était remplacée par la joyeuse sonnerie des fanfares, cette voix sûre d'être écoutée qui était musicale parce qu'elle n'était pas seulement le commandement de l'autorité à l'obéissance, mais plutôt de la sagesse au bonheur. La porte s'ouvrit et Montargis*ᵃ* entra avec une vivacité joyeuse. « Ah ! qu'on est bien chez toi, lui dis-je. — Tu trouves ? me demanda-t-il d'un air malicieux*ᵇ*. — Oh ! oui, lui répondis-je presque les larmes aux yeux, dans le bonheur de la détente si momentanée hélas que ce bien-être avait donné à mon inquiétude. — Alors tu aimerais mieux dîner et coucher ici à côté de moi que d'aller à ton hôtel. — Oh ! Charles, tu es cruel, lui dis-je. Cela paraîtrait si barbare que ce soit défendu, si on savait ce que je vais souffrir là-bas. — Eh bien, tu me flattes, car j'ai justement eu avant de le savoir l'idée que tu aimerais mieux rester ici ce soir. Et c'est cela que j'étais allé demander au capitaine. — Et il a accepté, m'écriai-je. — Sans aucune difficulté. Maintenant laisse-moi appeler mon ordonnance pour qu'on s'occupe de ton dîner. » Une heure après, servis par deux soldats qui répondaient « oui maréchal des logis » à chaque ordre de Charles et étaient si intimidés par ma présence qu'ils manquaient plusieurs fois de laisser tomber le plat, nous mangions des perdreaux exquis, cuits avec un soin particulier pour un ami de monsieur le marquis par la cantinière, en buvant du champagne Clicquot. La chaleur de la chambre et le bonheur m'avaient pénétré et débordaient de mon corps en une agréable humidité légère et en larmes de mes yeux.

Il fallut aller prendre une chambre dans l'hôtel que m'avait indiqué Montargis, ancien palais désaffecté comme était l'hôtel de la Préfecture, celui des Contributions indirectes, celui du Comptoir d'escompte, etc. Mais c'était Montargis qui avait raison dans sa pensée première : je ne m'y trouvai pas triste parce que je ne m'y sentis pas seul. Il restait du palais ancien tout un excédent de luxe, inutilisable dans un hôtel moderne, galeries ornées de tableaux dont on ne pouvait faire une chambre, petits escaliers privés montant pour un seul cabinet de toilette où on accédait maintenant de l'autre côté par l'ascenseur, couloirs revenants*ᶜ* dont on croisait dix fois dans la journée les allées et venues qui ne menaient nulle part, vestibules longs comme des corridors, ornés comme un salon, inutiles devant la chambre à coucher qu'ils précédaient sans que personne le désirât, et ayant plutôt l'air d'habiter cette demeure que d'y faire partie de l'habitation, sorte de fantômes de la vie d'autrefois à qui on concédait de continuer <à> rôder sans bruit autour des chambres qu'on pouvait louer, choses élevées à une sorte de vie depuis qu'elles n'étaient plus assujetties à une affectation pratique, gracieuses, muettes, mais parlantes, et dont le langage me semblait plein de prévenances pour moi. Un escalier privé pour me conduire à ma chambre me tendit si adroitement et si près l'une de l'autre ses marches que leur gradation semblait exactement répondre à certaines proportions qui existeraient dans le désir des pas, et dont la satisfaction y donnerait lieu à un plaisir spécial comme il y <en> a, provoqué par une certaine mesure exquise dans la combinaison de couleurs, de saveurs, de parfums, en plaisir visuel, culinaire, olfactif. Familières avant d'être connues, à leur première montée, j'éprouvai cette dispense d'effort que nous donnent seulement les choses dont nous avons fait longtemps usage comme si elles m'offraient, préalablement, du dehors, incorporée en elles, sans que j'eusse besoin de l'acquérir par moi-même, la douceur anticipée de l'habitude — peut-être celle des maîtres dont elles accueillaient chaque soir autrefois le retour fatigué — et que je goûtai avec un plaisir qui ne pourrait que s'émousser quand j'y serais de moi-même accoutumé. Devant ma chambre commençait un couloir où je vis le fantôme d'une dame d'autrefois dans un cadre ancien avec des fleurs bleues dans ses cheveux poudrés et un bouquet d'œillets à la main, au-dessus d'un petit meuble en laque de Coromandel, d'autres tableaux, des marines, s'accrochaient aux murs du couloir. J'entrai dans ma chambre, la double porte la fermait derrière moi, la draperie fit faire silence. Une cheminée de marbre orné de cuivres ciselés me faisait du feu. Un petit fauteuil me prit dans ses bras de bois sculpté, assis sur ses pieds assez courts pour que je puisse bien m'échauffer. Les murs semblaient étreindre la chambre et la séparer du reste du monde, tournant aux angles, s'écartant devant la bibliothèque, réservant l'enfoncement du lit des deux côtés duquel deux légères colonnes soutenaient le plafond surélevé de l'alcôve. Une petite porte ouvrit sur un cabinet de toilette, lequel par une petite porte semblable ouvrit sur d'autres cabinets. En laissant ouvertes toutes ces portes en en tirant une, ou deux, je changeais brusquement les dimensions de ma chambre, dont l'espace se trouvait doublé, triplé, ou réduit à ce qu'il était d'abord, sans qu'elle fût moins harmonieuse pour mes regards et pour mon âme <qui> goûtaient tour à tour le plaisir de s'étendre et celui de se concentrer. Dans les derniers cabinets qui n'avaient vue eux-mêmes que sur une cour, belle solitaire que j'aperçus avec étonnement la première fois que je découvris que j'avais à mes

pieds cette voisine, prisonnière entre ses hauts murs, et plantée
de deux arbres dont les feuillages jaunis qui suffisaient à faire
paraître le ciel violet autour d'eux, me donnaient soif d'aller dans
la forêt voisine de la ville voir le spectacle entier et divers de
l'automne, quand l'enchantait le soleil qui n'arrivait guère
jusqu'ici. Le sentiment de ma liberté, de mon pouvoir s'exaltait.
Et je pensai au clocher de Pinsonville que j'apercevais dans ce
lieu méditatif à Combray épié d'une branche de lilas et des grains
d'iris où se suspendait leur voluptueux rosaire. Je ressortis de
ma chambre pour voir où menait le couloir orné de tableaux.
Mais une fois arrivé au bout où il n'y avait aucune porte, il me
signifiait naïvement : « C'est tout. Reviens sur tes pas. » Et il
ajoutait : « Tu vois que tu es chez toi, que personne autre que
toi n'y peut venir et si cette nuit tu ne dors pas, tu n'as à craindre
ou déranger personne. » « Tu peux venir pieds nus », me fit
remarquer l'épais tapis rose, et les petites fenêtres : « Regarde sur
les toits de la ville le clair de lune qui < a > abattu du reste ici sa
lumière bleue », et une bergère qu'éclairaient deux torches fit
valoir : « Tu peux même venir lire si tu veux. » Pendant que la
dame aux cheveux poudrés mêlés de fleurs bleues, écoutait en
souriant les offres qu'< ils > me faisaient, gardant sa contenance
droite, et tenant son bouquet à la main. Derrière une tenture je
surpris un petit cabinet qui s'y était caché, tout penaud, qui ne
pouvait se sauver entre les gros murs, et qui me regardait de sa
lucarne. Ainsi je parcourus avec un sentiment de joie inconnue le
féerique domaine dont ces choses semblaient me faire hommage,
puis ayant quelque temps après le dîner, je sortis. Il faisait encore
jour, mais déjà la lueur d'or pâle du gaz, moins enflammée que
celle du soleil couchant, éclairait de l'intérieur les grandes vitres
d'orangerie de l'ancien palais contigu à celui qui était devenu mon
hôtel et où écrivaient les employés de la douane. Sur la place de
l'église les enfants jouaient avec des cris et en décrivant des cercles
aussi immuables que les chauves-souris, les corbeaux et les
hirondelles. Bientôt, car c'était déjà l'hiver, la nuit vint, dans ces
rues qui plus tard quand on a pris l'habitude d'une ville ne sont
plus que les moyens d'aller de telle occupation à telle autre, mais
qui encore inconnues débordent d'une vie à laquelle notre
imagination, notre sensibilité surexcitées voudraient s'unir, je
croisais des femmes qui revenaient de leur travail, des ouvriers qui
regardaient mon visage pour l'oublier à jamais. Un appartement
éclairé sur une place excitait ma curiosité. Des figures que je ne
pouvais distinguer s'y mouvaient, s'y déplaçaient en flottant dans
la liqueur grasse et dorée qui sort de la fontaine des lampes et
remplit le réservoir des chambres. Puis je voyais que des passants
s'étonnaient de ce jeune homme arrêté qui semblait espionner ce
qui se passait dans la maison et je reprenais mon chemin.

Au bout*a* de deux jours, Montargis obtint de faire prendre la semaine à sa place par un camarade mais il n'était libre que le soir, j'allais certains jours passer une heure au quartier avec lui ou j'allais en voiture sur le terrain où ils allaient à la manœuvre ravi de voir le régiment faire l'exercice. Mais souvent il trouvait < qu'il > n'était pas possible que je le visse avant le soir et seul toute la journée je rentrais de bonne heure, avant la nuit, quand sur la place d'armes où, entre les deux fontaines, pleine l'une d'une eau < où > tremblait encore l'or du soleil couchant, l'autre d'une eau déjà violacée par le clair de lune, les marmots jouaient, en poussant des cris et en décrivant des tours toujours identiques obéissant à des lois qu'ils ne pouvaient pas plus enfreindre qu'au-dessus d'eux les martinets, les chauves-souris et les hirondelles, plus haut encore les martinets et les corbeaux autour du clocher, je voyais les fenêtres basses et claires qui donnaient à la Caisse d'épargne et à la sous-préfecture un aspect vaste et charmant d'orangeries et sur lesquelles il faisait encore grand jour, éclairées du dedans, au-dessus des employés à leur travail, par les ampoules pâles et dorées de gaz. L'hôtel que j'habitais plus sombre n'opposait encore à la nuit qui allait venir et obscurcissait déjà sa façade, que la seule lampe de ma chambre, qui m'attendait. J'y ai passé, devant le feu, en regardant avant de me mettre au travail les derniers nuages du couchant rosir au-dessus des dernières feuilles de l'automne, dans le soir limpide, azuré et glacial, de ces moments si riches qu'ils bombent pour toujours de leur plénitude l'apparence, habituellement superficielle et plate, des choses qu'ils remplissent, comme < la > surface jaune de la flamme du feu, sous le papier bleu d'un ciel que le soleil déjà couché a brouillonné d'un grand crayonnage rose, sous le dessin accoutumé d'un tapis de table d'hôtel sur lequel la lampe et l'encrier nous attendent, nous font sentir tout un contenu d'existence, toute une perspective de vie. Puis après une ou deux heures de travail, vers sept heures, je ressortais pour aller au restaurant où Montargis dînait avec quelques-uns de ses camarades. J'aimais y aller à pied dans la nuit par ces rues qui n'étaient pas encore devenues, comme le sont les rues des villes où nous vivons, de simples moyens d'aller d'un endroit*b* à un autre, mais qui étaient encore des personnes, des inconnues, dont les pavés faisaient voler mes pas pleins d'espérance, dont je touchais les maisons, comme un corps de femme, dont le vent ou la pluie me soufflaient les baisers à la figure, dont j'aurais voulu étreindre la vie, soit < en rencontrant > sur le boulevard éclairé et traversé de tramway des ouvrières revenant de leur travail qui regardaient mon visage pour l'oublier à jamais et rentraient dans une maison encrassée par une porte basse noircie aussitôt refermée sur cette vie inconnue, ou frôlé tout d'un coup par une robe dans la ruelle de l'église si noire qu'on y sentait un corps contre soi avant de l'avoir vu, l'ivresse que me versait la ville nouvelle me faisait prendre sans hésitation ce contact pour une caresse, ouvrir *[un mot illisible]* les bras, et les refermer le plus souvent sur le vide. Je m'arrêtais à regarder sur quelque place obscure un grand appartement dont les hautes fenêtres, les volets n'étant pas refermés, laissaient voir comme la vitre d'un aquarium, des corps indistincts se déplaçant lentement dans la liqueur grasse et dorée dont la source incessante et rapide des lampes remplit le soir les appartements. Puis voyant que les passants remarquaient avec défiance cet étranger qui restait là immobile et les yeux levés à espionner dans l'ombre, j'enfilais la première rue qui était devant moi, pauvre et vulgaire celle-là. Mais là encore, le génie du feu, évoquait aux vitres des boutiques en tableaux empourprés, des scènes prises à cette vie où je ne pénétrerais pas. Ici dans l'arrière-boutique d'un marchand de marrons deux sous-officiers, les ceinturons posés sur une chaise, jouaient aux cartes sans se douter qu'un magicien faisait apparaître leur vie telle qu'ils la vivaient en ce moment, aux yeux habitués à la nuit et éblouis maintenant d'un passant qu'ils ne pouvaient voir, parce qu'il était de l'autre côté du vitrage qui contenait la lumière où ils étaient plongés. Dans une cuisine un poulet tournait à la broche et ailleurs, on voyait une servante passer et repasser dans la lumière merveilleuse et liquide <comme une> amphibie qui s'éveillait le soir à la vie surnaturelle qui remplit alors ces maisons, et dans le petit magasin d'un marchand de bric-à-brac, une bougie qui se consumait rougissait de sa lueur pourprée une gravure transformée en sanguine, pendant que la lumière <de la> grosse lampe luttant contre l'ombre, basanant les cuirs, déposant sur les poignards, les couteaux, les meubles anciens et les tableaux la grasse alluvion et les paillettes étincelantes de sa précieuse dorure, faisait de ce taudis où il n'y avait probablement que des « croûtes » un inestimable Rembrandt. Mais un vent glacial soufflait, grêlé et grenu d'une approche de neige, je sautais dans le petit tramway d'où un officier qui ne semblait pas les voir répondait aux saluts des ordonnances en bourgeron, ou en veston civil, et des soldats balourds qui passaient et peinturlurés par le froid faisaient déjà penser, dans cette cité septentrionale que le brusque saut en avant que l'automne était en train de faire dans l'hiver, semblait avoir entraînée vers le Nord, aux faces rubicondes des paysans joyeux, ripailleurs et gelés d'un Breughel.

Et précisément à l'hôtel, à l'autre bout de la ville, où j'avais rendez-vous avec Montargis et ses amis et où les grandes fêtes qui allaient avoir lieu précisément sur la place où il donnait attiraient beaucoup d'étrangers, c'était rappelant des tableaux

peints par les vieux maîtres flamands, comme il y en avait au
musée de la ville, dans la cour, ouvrant sur de rougeoyantes
cuisines où tournaient des poulets embrochés et grillaient des
porcs, une affluence digne d'un *Dénombrement devant Bethléem*
d'arrivants discutant par groupes avec le patron ou ses aides
qui leur indiquait de préférence quelque autre logement dans
la ville s'il ne les trouvait pas d'assez bonne mine, vu l'affluence
que les fêtes prochaines amènerait dans son hôtel, tandis qu'un
garçon courait vers la cuisine en tenant par le cou une oie
qui se débattait ; tandis que dans la grande salle à manger
quand j'y arrivais toujours fort tard, c'était à quelque repas
de Cana[1] que faisait penser le nombre de poulardes, de poissons,
de faisans qui, apportés tout fumants par des garçons hors
d'haleine sur l'immense dressoir qu'ils encombraient et où ils
étaient découpés aussitôt, car le peuᶜ de hâte que semblaient
avoir d'y goûter les dîneurs qui se trouvaient à table et qui
presque tous avaient fini leur repas, donnait l'air de répondre,
non aux exigences des dîneurs rassasiés, mais à un désir
esthétique et désintéressé de peindre l'éclat exceptionnel de
la fête conformément au récit dont les peintres se sont inspirés
par la profusion de victuailles et l'empressement des serviteurs,
entre lesquels un qui — personnage traditionnel de la fête
biblique — restait immobile près du dressoir, laissant rêver
sa figure naïve et mal dessinée, fut, à cause de sa tranquillité,
celui à qui je m'adressai le premier soir pour savoir où était
la table de Montargis. Çà et là dans la salle des braseros étaient
allumés pour réchauffer les plats des retardataires, et le patron
de l'hôtel vint lui-même introniser à une petite table un couple
qui venait d'arriver et qui dîna en costume de voyage, avec
un air de timidité, de distinction et de tendresse.

Les jeunes gens qui dînaient ainsi presque chaque soir avec
Montargis étaient des sous-officiers qui préparaient comme lui
Saumur[2], deux ou trois nobles comme lui, deux ou trois roturiers
mais dans qui, dès le collège, les nobles avaient flairé des amis,
et qu'ils étaient d'autant plus heureux de voir qu'ils en tiraient
argument pour prouver qu'ils ne redoutaient ni les bourgeois
ni même les républicains pourvu qu'ils eussent les mains propres,
et allassent à la messe. Dès les huîtres, accompagnées de sauternes,
qui commençaient généralement le dîner et dans le rude et
noirâtre bénitier gothique desquelles — revêtu au fond de sa
coupe d'une mince lame de nacre — je prenais quelques gouttes
d'eau salée en communiant avec la vie de la mer, et comme un
souvenir délicieux de cette baie de Querqueville que Whistler
et Elstir avaient aimée et dont elles me rendaient au fond de cette
chaude salle à manger sentant la sauce, la fraîcheur pure, je me

sentais sous le charme de ces jeunes hommes intelligents qui dans leur amabilité comme je n'en avais jamais rencontré, semblaient devenus tout d'un coup mes amis, m'offraient leurs chevaux, leurs voitures. L'un d'eux par une de ces sympathies soudaines qui sont si charmantes entre hommes parce que n'ayant pas de point de départ physique, elles restent mystérieuses et entrouvrent comme une perspective romanesque au fond des relations de société et de l'amitié, parla à mi-voix, sans me le dire mais bien aise que je l'entendisse, du sentiment qu'il éprouvait pour moi. Montargis le plaça le lendemain à côté de moi à table où au milieu des autres nous fûmes isolés par ce rideau d'une prédilection réciproque et d'une amitié naissante qui nous empêchait de rien entendre de la conversation générale, et qui ne devait nous couvrir qu'un soir de ses voiles magnifiques.

Je vis tout de suite que Montargis et sa petite bande n'avaient guère de sympathie pour le prince de Borodino qu'ils considéraient comme un officier médiocre ne s'occupant que de l'habillement de sa compagnie < et > que même comme homme ils semblaient mettre en dehors des autres officiers nobles. Et de fait Montargis qui était reçu chez tous les officiers titrés du régiment, enchantés de profiter de ce qu'il n'était que maréchal < des > logis pour pouvoir en l'invitant être agréables à sa puissante famille, n'avait jamais été invité par son capitaine qui, seul de tous, n'avait avec lui que des relations de service, excellentes d'ailleurs, car Montargis était son meilleur sous-officier. Mais comme le prince de Borodino fut, par suite d'une circonstance particulière, presque obligé de lui demander de venir dîner, et comme il savait que j'étais venu passer ces quelques jours < avec > lui, il le pria de m'amener. Je pus à ce dîner et aussi par moments au quartier quand j'apercevais un bout de manœuvre, ou de revue passée dans les chambres, me rendre compte des caractères qui différenciaient et éloignaient toujours l'un de l'autre mon ami et l'officier, d'ailleurs enchanté de lui au point de vue de service, à qui j'avais dû de pouvoir passer au quartier, dans la paix et la joie, cette première nuit où j'avais cru être si malheureux.

Le prince de Borodino dont le grand-père[a] avait été fait maréchal et prince par l'empereur dont il avait ensuite épousé une proche parente, dont le père ensuite marié à une cousine de Napoléon III avait été deux fois ministre sous son règne, se doutait[b] que pour Montargis et le monde des Guermantes il n'était pas un noble, mais le petit-fils d'un fermier du commencement du siècle. Mais ne se plaçant pas au même point de vue, il considérait Montargis comme le fils d'un homme dont le marquisat avait été confirmé par l'empereur et qui avait obtenu une petite place au Conseil d'État, ou dans l'administration des

postes, et avait sollicité en vain une préfecture, bien bas sous les
ordres de son père à lui qui, ministre[a], cousin de l'empereur,
apparenté à plusieurs souverains étrangers, eût été en droit de
se faire appeler monseigneur par le père de Montargis s'il lui
avait donné audience. Il faut ajouter du reste que l'on disait que
le prince de Borodino était plus que cousin des deux empereurs.
Sa grand-mère passait pour avoir donné ses faveurs au premier
et quant aux relations de sa mère avec le troisième, elles avaient
laissé dans les traits de son fils, mêlés à quelque souvenir du visage
de Napoléon Ier, une telle ressemblance avec Napoléon III qu'à
la fin de la guerre de 1870 le jeune prince ayant demandé après
Sedan qu'on lui permît de rejoindre l'empereur et devant les refus
des autorités et ayant demandé pour affaire importante à être
conduit devant Bismarck, celui-ci était en train d'écrire quand
il l'avait reçu et lui avait répondu : « Impossible » sans le
regarder, ayant tout d'un coup levé les yeux sur lui, eut un éclair
en voyant son visage, comprit, se ravisa et donna l'ordre qu'on
le conduisît près de l'empereur déchu[b].

Aussi M. de Borodino n'était-il nullement disposé à faire des
avances à des familles qu'il considérait comme inférieures à la
sienne et qu'il croyait entichées d'une illusion contraire. Alors
que tous les officiers faisaient fête à Montargis, le prince de
Borodino à qui il avait été chaudement recommandé par le
maréchal de Mac-Mahon, se borna à être obligeant pour lui en
ce qui regardait le service, ce qui lui fut d'ailleurs rendu facile
par la conduite exemplaire de Montargis, de beaucoup son
meilleur sous-officier, sur qui il se remettait de bien des choses,
mais il fut le seul qui sauf en cette circonstance particulière ne
l'invita jamais. Montargis s'était cru autorisé, par ses recommandations, à lui remettre une carte. Par une attitude plus aimable le
jour où il le reçut il lui témoigna implicitement qu'il n'en avait
pas été mécontent, mais ne lui dit pas « j'ai été désolé de ne
pas être là » ni aucune indication lui permettant de le rencontrer
une autre fois. Il adoptait la même attitude avec les officiers du
régiment appartenant au faubourg Saint-Germain, et fréquentait
plus volontiers deux capitaines de bourgeoisie riche et élégante
mais non titrés, le médecin-major, le commandant-major, fils d'un
général éminent mais roturier. Il suffisait du reste de le voir auprès
de Montargis comme le soir où mon ami lui avait demandé la
permission que je dîne et couche dans sa chambre et mieux encore
le soir où il m'amena dîner chez lui et où je pus voir M. de
Borodino recevant cette société de haute bourgeoisie qu'il
fréquentait seule dans cette ville de province, pour que la
différence d'origine et de tradition des deux hommes, au moins
telle qu'elles s'étaient particularisées en chacun d'eux, frappent

vivement les yeux. Tandis que Montargis, issu d'une caste dont l'autorité, ayant cessé d'être effective depuis plus d'un siècle, ne sert plus qu'au jeu des façons protectrices et de l'amabilité qui s'apprend de père en fils comme la chasse et l'escrime, sans but sérieux, pour le simple amusement de plaire et d'enjoler les bourgeois qu'elle méprise assez pour croire les flatter par sa familiarité, les honorer en les laissant assister à leur débraillé, prenait amicalement la main de n'importe quel roturier qu'on lui présentait et dont il n'avait pas encore entendu le nom, lui tapant sur l'épaule, causant avec lui familièrement en croisant et décroisant sans cesse ses jambes, l'appelant « mon cher » et lui touchant le genou, le prince de Borodino, d'une noblesse dont les grands titres avaient il y a peu de temps encore la signification de grands services rendus, de grandes richesses octroyées en récompense, de hauts postes confiés où on commande à beaucoup d'hommes et dans lesquels il faut savoir les connaître, considérait son privilège nobiliaire comme une prérogative véritable, et parlait avec une affabilité majestueuse, une réserve pleine de grandeur, un ton de bienveillance et de supériorité à ces mêmes bourgeois avec qui il était moins familier que Montargis, sans doute parce qu'élevé à la cour et pour les ambassades il avait gardé une certaine tradition de bonnes manières excluant le coude sur la table et les jambes croisées, mais surtout parce qu'il les dédaignait moins, que la bourgeoisie était le grand réservoir où le premier Empereur avait pris ses généraux, ses nobles, où le second n'avait pas dédaigné prendre un Rouher ou un Fould. Or < comme > une statue continue à refléter bien des années après la pensée éteinte de l'artiste qui la sculpta, le corps, le visage, les façons de M. de Borodino étaient du fond de son inconscient dictés par des préoccupations de son père et de son grand-père, des deux empereurs aussi dont le sang coulait dans ses veines, qui, n'existant plus chez lui parce que rien dans sa vie de capitaine ne pouvait les impliquer, avaient pris corps, s'y étaient incarnées, matérialisées, y étaient devenues plénitude majestueuse le long des joues, gravité de la stature, et dans les yeux éclat vainement despotique, ombre pseudo-songeuse, rayon mensongèrement perspicace. Si[a] bien qu'il avait l'air de commander à un empire quand l'épée levée il commandait à sa compagnie « en avant, marche », d'être au matin d'Austerlitz quand il passait une revue d'installage, d'avoir pour aide de camp Masséna ou pour ministre Talleyrand quand il causait avec le sergent-major de l'ordinaire de ses hommes, de rêver à la formation d'une Europe nouvelle quand il choisissait le drap d'un pantalon d'uniforme. Et dans sa vie civile, c'était pour la femme du médecin-major, pour les officiers roturiers du régiment qu'il faisait servir non seulement la vaisselle[b] digne d'une ambassade, offerte par l'empereur, et qui paraissait plus précieuse et charmante dans la petite salle à manger de province qui donnait sur le mail, comme ces porcelaines rares que les touristes admirent comme « curiosités » dans l'armoire rustique d'une ferme achalandée qui prospère sur les ruines d'un château dont elle a conservé quelques objets précieux, mais encore d'autres présents plus intimes de l'empereur, ces nobles et charmantes manières — qui eussent, elles aussi, fait merveille dans un grand poste de représentation et que l'empereur qui les lui avait données à sa naissance avait retouchées ensuite, comme un donateur qui fait réparer et perfectionner un objet qu'il a donné, quand il s'occupait de l'éducation du jeune homme —, sa façon de tortiller sa moustache, de rire avec bonhomie, et enfermant sous son émail d'autres souvenirs encore plus glorieux et plus anciens, la relique mystérieuse et survivante de son regard[a].

Mais c'était surtout de la valeur militaire des officiers, des officiers de leur régiment, de la garnison, de toute la France, du monde entier, du passé même, que j'aimais les entendre parler. Allant souvent au quartier chercher Montargis, y vivant un peu par ce que j'y voyais, et ce que j'entendais raconter, sentant cette vie entrée dans ma vie, je cherchais à dégager sa signification spirituelle, sa valeur, peut-être pour ne pas avoir donné un peu de moi à quelque chose qui fût sans intérêt et sans réalité, peut-être aussi parce que comme ces paysages ou <ces> amis connus pendant les vacances et qu'on voudrait être sûr de revoir, je cherchais à me persuader que ces soirées charmantes, ce goût pour le quartier, pour les mille préoccupations de la vie militaire, ne me quitteraient pas pour toujours quand je serais rentré à Paris mais avaient un prix suffisant pour qu'il fût possible et probable que même après avoir quitté cette garnison je continue à m'y intéresser, à y penser, à chercher à voir des officiers et à être tenu au courant de leur vie, en un mot pour que ce moi nouveau et actuel auquel j'étais attaché par les liens de la vie, je n'eusse pas à l'imaginer comme mort, comme à jamais détaché de moi dans quelques semaines. Ainsi je tâchais par les questions que je posai à ces officiers <d'apprendre> d'eux en quoi consistait l'intelligence, le don, la supériorité militaires, je leur demandais leur avis sur leurs camarades, sur leurs chefs, sur les plus célèbres généraux français.

Je[b] trouvais d'ailleurs une raison pour ne pas trouver invraisemblable que cette vie provinciale entre militaires, je pusse un jour la reprendre, en voyant qu'un ami civil de Montargis, jeune homme fort à la mode à Paris où il donnait de petites fêtes choisies dans la plus haute société aristocratique, était venu se fixer ici près de son ami pour oublier momentanément le monde et faire des économies. À vrai dire le second but n'avait été qu'à demi atteint car il souhaitait être le premier dans cette petite ville, les officiers riches du régiment ayant une voiture, il avait voulu en avoir plusieurs, et avait pris maison à la ville, maison à la campagne, et tout un nombreux personnel. Quant au goût de la société choisie il persistait en lui et il s'exerçait si identique sur une matière inférieure, la seule qui fût à sa disposition, que lui qui à Paris n'eût pas cru pouvoir donner une soirée sans qu'il y eût plusieurs duchesses et en ne sortant guère des familles ducales ou de leur coterie, il était tout heureux s'il pouvait réunir à celle qu'il donnait ici tous les hobereaux considérés comme les mieux nés de la province et s'il avait pu lancer les invitations assez tard pour arriver à ne pas avoir tel officier assez mal vu qui fréquentait les officiers[a] franc-maçons.

Dans ce petit groupe des amis de Montargis, je vis tout de suite que l'un d'eux, peut-être le mieux né, le mieux apparenté après Montargis, jeune homme disait-on d'une grande valeur s'il était très aimé de Montargis et des autres, les gênait assez par sa présence pour qu'on ne dît jamais un mot devant lui des événements du jour. C'est que seul dans leur petite coterie il était convaincu de l'innocence de Dreyfus, et partisan de la révision. Il avait commencé par avoir des doutes mais avait dit : « On n'a d'ailleurs qu'à attendre. J'ai connu l'homme exquis et fin qu'est le général de Boisdeffre. Si Dreyfus est innocent, il fera faire la révision. S'il s'y oppose, c'est que Dreyfus sera coupable. » Puis < il > avait appris que le général de Boisdeffre était précisément l'un des adversaires de la révision et des partisans de la culpabilité de Dreyfus. Son opinion n'en avait pas été, comme il avait cru, changée. Mais précisément il avait personnellement entretenu des relations avec le général Saussier, qui, si le général de Boisdeffre, comme il le croyait depuis qu'il s'était déclaré antidreyfusard, pouvait être un peu trop imbu des préjugés de l'état-major, était lui au contraire un soldat républicain, pactisant plutôt avec le parti avancé, et en tous cas un homme uniquement préoccupé de justice, le soldat du Droit, une conscience de fer que personne ne pouvait plier. Or justement c'était lui qui avait à conduire l'affaire Esterhazy, il attendait son verdict avec patience, avec l'émotion aussi des élèves du concours général regardant le pli cacheté de papier où le professeur désigné < a > enfermé le sujet sur lequel ils vont avoir à composer et d'où dépendra leur échec ou leur succès. Mais le général Saussier s'était montré hostile à Dreyfus, et l'ami de Montargis avait trouvé à cela des explications nouvelles, défavorables au général Saussier, non à Dreyfus, celles qu'aurait données tout autre dreyfusard, par exemple que le général Saussier dans son patriotisme profond mais mal éclairé voyait avant tout l'honneur de l'armée et croyait à tort qu'il pouvait être atteint par la révision. C'est que du jour où une opinion, une idée, est entrée dans le cerveau d'un homme, elle s'y développe du dedans au dehors, sans être influencée par des considérations d'amitié, d'autorité, d'intérêt, en vertu des lois particulières au développement des organismes spirituels ou moraux. Ce sont ces lois dont nous pouvons constater quelquefois d'autres effets, par exemple quand dans une affaire criminelle, un témoin prend le parti d'un accusé contre qui tout le monde est ligué. Nous voudrions pouvoir lui faire obtenir des faveurs, des récompenses, d'abord parce que nous avons peur que les menaces et les intimidations dont il est l'objet n'aient raison de sa conscience et ne lui fassent abandonner un parti si dangereux, ensuite parce que nous souhaiterions qu'il ait des récompenses que peut souhaiter un être cupide et intéressé. Au lieu de cela il n'en recueille que des injures, des calomnies, il perd sa situation, on ouvre une instruction contre lui mais sa croyance, l'idée de son devoir n'ont fait que se développer en lui, et nous apprendrons qu'il est resté le champion de plus en plus courageux du droit. En réalité[a] du jour où il avait cru à l'innocence de Dreyfus et où il avait voulu la révision, il était devenu un dreyfusard, dont le système d'idées suivait le même progrès que celui des autres dreyfusards, et qui sur tel incident de l'affaire avait une opinion non d'ami du général Saussier mais de dreyfusard, celle qu'on eût pu lire dans *Le Temps* ou dans *Le Siècle*. C'est ainsi qu'un de ses frères, élève à la Schola cantorum, avait sur telle œuvre musicale nouvelle une opinion qui n'était nullement influencée par le fait que ses oncles et son parrain la trouvassent ennuyeuse mais qui étaient sensiblement la même que celle de tel russe qu'il ne connaissait pas, qui n'était jamais venu en France, mais qui était atteint du même goût musical et était aussi, de loin, élève de M. d'Indy[1].

Jamais un mot sur l'affaire Dreyfus n'était prononcé au restaurant où nous dînions par ces officiers qui tous étaient d'une opinion différente de la sienne. Un soir où après le dîner la petite bande s'était peu à peu dispersée, il se trouva resté le dernier avec moi, et m'accompagna à mi-chemin de l'hôtel. Je lui dis que je savais sa manière de penser et un jeune homme que je connaissais, M. Bloch, était un ardent dreyfusard. Il le connaissait aussi. Quand un auteur de grand talent est encore peu connu, si dans un article, ou dans une conversation, quelqu'un porte sur son œuvre un jugement enthousiaste, et qu'ensuite présenté à l'auteur vous lui parlez de cet admirateur si fervent, il arrive habituellement qu'il le connaît. On lui a dit combien il aimait ses livres, ou bien après la lecture de l'article il lui a écrit pour le remercier et l'engager à venir le voir. Ainsi commencent les grands cultes littéraires par quelques disciples isolés qui aussitôt se devinent, se connaissent, se rejoignent. De même au début de l'affaire Dreyfus, quand les partisans de Dreyfus étaient peu nombreux, on les signalait les uns aux autres et une sorte de chaîne mystérieuse se tramait entre l'officier et le journaliste, entre le prêtre et le musicien, entre la duchesse et l'actrice. Cet officier me dit qu'on l'avait réuni à Bloch il y a deux ans et qu'il l'avait trouvé remarquablement intelligent. J'ai su depuis que quand Bloch avait entendu parler de cet officier, avant de le connaître, ce qu'on lui avait appris de ses opinions lui avait donné une grande sympathie pour lui, mais < en > même temps le fait qu'elles fussent nées chez un officier noble vivant dans une garnison cléricale, avait exalté son imagination qui tout en sachant que l'opinion de l'officier était la même que la sienne, l'imaginait toute différente cependant, comme un voyageur qui croit que les passions de l'humanité seront autres dans les pays lointains dont il rêve ; et qu'il avait été déçu de trouver seulement un dreyfusard. Les types d'individualité intellectuelle ne sont pas très nombreux et quand nous nous élevons assez au-dessus de nous-mêmes pour accéder à l'un d'eux, nous devons pour < nous > y entraîner renoncer à tout ce qui nous pare, dans l'imagination, des autres de particularités charmantes. Vous apprenez qu'une princesse d'Orient est un grand poète. Vous aimeriez qu'elle vécût toute la journée au milieu des*ᵈ* autres princesses et n'eût jamais lu Hugo. Mais parce qu'elle est devenue un grand poète, elle est semblable aux grands poètes, elle aime Hugo, et préfère le concert Lamoureux, comme un artiste qui ne serait ni oriental ni prince, au palais où vous l'imaginiez. C'est notre imagination qui aime à revêtir un type intellectuel de ses contraires, mais le type intellectuel pour se réaliser a dû précisément s'affranchir de la contradiction. L'officier dreyfusard me reconduisit jusqu'à la porte de mon hôtel. « C'est curieux, lui dis-je, vous savez que pas un de vos amis, ni même Montargis, ne pensent comme vous sur ce sujet. » Lui, si pieux, si militariste, me répondit en dreyfusard qu'il était devenu : « Oh ! moi, je le sais du reste, jamais nous en parlons car ils savent mon opinion comme je sais la leur. Que voulez-vous ? < ils > appartiennent à un milieu très clérical, très militariste, où on ne peut pas admettre que des officiers ont tort contre un juif. »

J'avais quitté Paris pour tâcher d'entendre Montargis me parler de Mme de Guermantes, pour lui dire le désir que j'avais de la voir, pour lui demander de la rapprocher de moi. Et dès le premier jour au quartier je lui avais parlé d'elle, et comme je lui demandais s'il ne pouvait pas me donner une photographie d'elle, il m'avait répondu : « Non je n'en ai que celle-ci mais si tu la veux, je te la donne. » Mais dans l'exaltation de cette vie nouvelle, où *[interrompu*ᵇ*]*

Je n'étais parti à XXX que pour rester quelques jours sans aller à la rencontre de Mme de Guermantes, pour entendre Montargis me parler d'elle, pour lui avouer mon désir de la voir, et ayant resserré par cette visite que je lui faisais notre amitié, obtenir de lui qu'il me rapprochât d'elle. Mais la vie avait maintenant par elle-même tant de charme pour moi autant grâce à ces causeries amicales, à ces dîners joyeux du soir, que grâce à la solitude du matin et de l'après-midi, que je pensais avec tristesse au moment où elle finirait[a].

Dire[b] à un moment[1] dans cette description :
Par moments il s'arrêtait de parler et me regardait avec émerveillement : « Non te voir ici, je n'en revenais pas, je ne peux pas en croire mes yeux, toi dans ce quartier où j'ai tant pensé à toi. Je crois que je rêve. »

Puis[c] quelques lignes plus loin :
Une ou deux fois un ou deux sous-officiers de ses amis entraient : « Veux-tu t'en aller espèce de brute, s'écriait-il sans méchanceté. Tu vois bien que je suis occupé », et tandis que les autres s'éloignaient en s'excusant et en jetant un coup d'œil oblique pour apercevoir un personnage considérable avec qui on ne les jugeait pas dignes de frayer, je reprochais à Montargis de les avoir chassés. « Mais ils t'assommeraient. Tu <ne> sais pas ce qu'ils sont. Ce sont des garçons pour qui il n'y a rien au-delà de la tactique et de la stratégie, bien heureux quand ce n'est pas seulement les courses et le pansage. »

et[d] dire quand je rentre travailler de bonne heure.
Il faisait encore du soleil dans la cour sur les feuilles enflammées où une rouge *[un mot illisible]* fleurissait comme une rose. Je le regardais du coin de mon feu qui brûlait paisiblement et me permettait de jouir confortablement de ces tableaux si transparents et si doux, et dont la paisible ignition m'était douce à la façon de celle d'une bonne pipe, qui est aussi l'instrument d'un plaisir un peu personnel parce qu'il est celui du bien-être égoïste, assez délicat parce qu'il s'y ajoute une jouissance presque artistique et distinguée.

Avant[e] de dire que je vais dîner avec lui :
Ayant réussi à <le> persuader que cela m'amuserait au contraire beaucoup de dîner avec ses amis qui m'intéressaient beaucoup plus que des gens de lettres, etc.

Après[f] avoir parlé de nos conversations militaires.
Ce soir cependant que peu à peu au sortir du restaurant la

petite bande s'était peu à peu dispersée, je me trouvai resté seul
avec l'officier dreyfusard à qui je dis le désir que j'avais d'assister
à une certaine partie de la cérémonie du dimanche[a], il me dit
que leur ami XX (l'officier qui avait de la sympathie pour moi)
demeurait juste en face, que je n'avais qu'à aller le trouver le
lendemain, comme il m'accompagnait encore quelques pas vers
mon hôtel, je lui dis que je savais ses opinions etc. Le lendemain
comme j'allais chez M. de S***[1] comme me l'avait conseillé
l'officier dreyfusard, je le croisai juste devant sa maison, qui sortait
en boguet qu'il conduisait assez vite, monocle à l'œil ; n'osant
l'appeler pour attirer son attention je fis quelques pas vers lui,
en le saluant. Sans s'arrêter, ce qui me fit penser qu'il ne m'avait
pas reconnu, sans un sourire, d'un air poli mais comme il eût
pu répondre au salut d'un de ses soldats, il porta la main vers
son képi où il la laissa poliment un instant tout en s'éloignant
à toute vitesse. J'étais désolé de cette mauvaise chance qu'il m'eût
vu, mais pas reconnu, à cause de sa myopie, et peut-être de sa
hâte. Le lendemain il ne vînt pas dîner au restaurant car il était
parti, quand je l'avais rencontré, en permission de vingt-quatre
heures. Le lundi qui était la veille de mon départ nous dînâmes
ensemble. « J'ai été désolé l'autre jour, me dit-il étourdiment,
de vous rencontrer sous ma porte, j'ai bien pensé que vous veniez
pour me voir mais j'allais à la gare, et je n'avais pas trop de temps
pour arriver au train. » Je ne lui < en > voulais pas de ne pas
s'être arrêté, de ne pas avoir risqué à cause de moi de ne prendre
que le train du soir. Mais comprendre qu'il m'avait reconnu, que
ce salut si parfaitement correct qui n'avait pas l'air de supposer
que ce fût un visiteur ni un ami qu'il croisait, c'était bien à moi
qu'il l'avait destiné, que pressé et sentant que ce salut était plus
commode parce qu'il lui permettait en lui donnant l'air de ne
pas me reconnaître, de ne pas < s >'arrêter, il était assez maître
de son visage et de ses muscles, assez parfait comédien pour le
trouver et le faire sans qu'eût passé dans ses traits et dans ses
gestes un seul réflexe, un seul mouvement de bras désolés, la
trace du combat qui se livre en nous quand nous voudrions nous
arrêter, n'en avons pas le temps, cherchons à faire comprendre
la nécessité qui nous presse par des gestes impuissants, je fus
confondu mais aussi glacé par une telle maîtrise de soi. Je le voyais
encore le monocle à l'œil, me saluant comme un étranger ; je
pensais que les gens du monde ne sont peut-être que des
comédiens qui peuvent prendre toutes les attitudes sans qu'aucun
des personnages qu'ils peuvent jouer avec tant d'aisance soit
moins vrai que l'autre. Je me croyais ami de M. de T***. Mais
peut-être tout en étant son ami, l'étant la veille, l'ayant été le
lendemain, il pouvait arriver que pour des convenances quelconques et qui ne seraient peut-être pas que la hâte d'aller

à la gare je ne le fusse pas. Dans cette belle chose si complexe qu'est la vie sociale et où les êtres sont merveilleusement dédoublés, <il> était peut-être tour à tour divers personnages dont l'un était ami avec moi sans que l'autre me connût. Et si cela me désolait comme une amitié trahie, cela donnait pour moi une sorte de profondeur à cet homme qui derrière mon ami qu'il était, était d'autres hommes que celui-là n'avait même pas entamé[a], d'autres hommes menant d'autres vies, et de l'un desquels j'avais vu le visage quand, menant son boguet au sortir de sa porte cochère, le monocle à l'œil, sans qu'aucun muscle de son visage ne bougeât, sans un geste, un regard et un sourire, il avait levé la main à la visière de son képi et en continuant sa route et fouettant son cheval, m'avait correctement et lentement rendu le salut militaire.

Quelquefois[b] le matin, heureux dans mon lit, sentant ma pensée en moi pleine comme une statue de Memnon[1], qu'il suffisait d'un rayon de soleil sur les arbres dépouillés de la cour pour la faire chanter d'accord avec toutes les harmonies de l'automne dont mes vitres remplies de ciel pâle me donnaient envie d'aller contempler en forêt les dernières feuilles d'or, je croyais entendre la musique du régiment de hussards. Je tendais l'oreille à la ville environnante pour voir si je distinguais l'approche du régiment. Mais comme un coquillage qui a gardé la rumeur de la mer, la vibration qu'elle m'apportait était constante et je sentais qu'en croyant entendre le régiment de Montargis j'avais été le jouet d'une illusion. Parfois de très bonne heure pendant que je dormais le régiment passait devant l'hôtel. D'abord je n'entendais pas ses fanfares que mon sommeil changeait[c] en silence, puis elles m'éveillaient une seconde, elles posaient un instant sur ma conscience le frais jaillissement matinal de leurs tiges gazouillantes et fleuries, mais déjà mon sommeil repris après cette étroite interruption avait effacé entièrement à mes yeux le reste de l'immense bouquet sonore, et dans la journée ce que je me rappelais tout d'un coup avoir à peine posé sur mon âme adoucie la palpitation de ses timbres était si faible et si doux que je n'aurais pas su, en éprouvant à distance cette image, si cela n'avait pas été que dans un rêve le souvenir de ces fanfares, la crainte qu'il en passât qui me réveilleraient, ou le désir de voir défiler ce régiment, si le soir Montargis ne m'avait pas dit : « Nous avons passé ce matin sous tes fenêtres, j'avais eu peur qu'on ne te réveille. Les trompettes faisaient un boucan. »

Comme[d] on commençait à installer dans certaines maisons le téléphone et qu'il y avait un bureau en face de chez nous, j'avais écrit <à> ma grand-mère pour qu'elle eût le plaisir de causer

avec moi que je la ferais demander vers trois heures[a]. Mais la
ligne n'était pas libre, quand je pus obtenir Paris, ma grand-mère
m'avait demandé trois fois, elle était repartie ; nos corps à
cinquante lieues l'un de l'autre j'éprouvais la même angoisse que
si je sentais qu'elle m'avait perdu dans une foule, et en effet
nos deux voix, nos deux cœurs se cherchaient sans se trouver
depuis deux heures, chacun ayant voulu dire alors de ces paroles
tranquillisantes qui l'eussent lui-même tranquillisé s'il avait su
se les dire aussi bien qu'il eût voulu <les> dire à l'autre et
que l'autre eût voulu les lui dire. Je quittai le bureau navré quand
on me rappela, ma grand-mère était à l'appareil. Elle me parla.
Et pour la première fois de ma vie j'entendis sa voix, sa voix
qui d'habitude ne me parvenait que mélangée à ma vision
de ses gestes, à tous ces états de conscience différents qui sont
simultanés au cours d'une conversation, et qui était si en
harmonie avec son visage, ses mouvements, ses propos, que
presque nécessitée par eux, je n'avais jamais pris garde à elle.
Pour la première fois mon oreille la reçut toute seule ; pour la
première fois j'en sentis, différente de cette humaine,
l'extraordinaire douceur, la pureté d'une voix à travers laquelle
auraient filtré toutes les larmes qu'elle avait versées pour nous,
et dont la crainte <d'> offenser par le moindre éclat, la moindre
irritabilité, la moindre dureté, avait brisé, avait fondu, avait
décanté[b] le cristal trop dur encore, jusqu'à donner ce résidu de
pur amour, de pure abnégation, qui était apporté jusqu'à moi.
Et tout d'un coup ma grand-mère que jour par jour je maintenais
contre moi à son même âge, à son âge de cet autrefois où je
sentais encore par la conscience que j'avais d'un moi qui avait
fait toutes ces choses, qui avait vécu ces années, mais qui existait
encore, si bien que la mémoire de ma conscience n'était pas
comme une mesure du passé, mais comme une négation du
temps, m'apparut comme détachée de ma vie, comme lâchée par
ma conscience et ma mémoire qui l'avaient tout d'un coup laissée
reprendre les années qu'elle avait vécues, comme un personnage
qu'on date objectivement, comme une étrangère, comme un
personnage de roman, j'eus l'impression qu'elle commençait à
être une femme âgée, et la vieillesse dont elle était saturée mais
que mon souvenir de sa jeunesse tenait en quelque sorte en
dissolution, en elle, s'était subitement cristallisée depuis que
j'étais loin et c'étaient ces morceaux précieux de son âme brisée
par l'âge que je recueillais avec angoisse. Aussitôt je voulus
revenir près d'elle, mais elle disait « Si tu es bien là-bas, si tu
peux travailler, reste », et je sentais non plus la grand-mère dont
les ordres quotidiens pouvaient me paraître sévères, dont la
réprimande particulière irritait en moi telle volonté du matin
que je faisais céder devant la sienne à midi mais non sans colère,

mais en quelque sorte sa tendresse en dehors des jours
particuliers, sa tendresse pure, sa tendresse pour l'avenir de ma
vie qu'elle ne verrait pas, sa tendresse comme je l'eusse sentie
dans un livre qui m'aurait fait pleurer, hélas celle qu'elle avait
effectivement et qu'elle ne voulait pas montrer. Elle désirait que
je < restasse >, elle ne voulait pas me revoir encore, car elle ne
se souciait pas de son plaisir mais de mon bien, si elle eût pensé
que c'était mieux pour moi, elle n'eût voulu me revoir jamais,
elle fût volontiers restée loin de moi jusqu'à sa mort, simple
amour pour moi, me chérissant et voulant mon bien dans le
lointain, comme je la sentais en ce moment, soudain devenue
vieille, lointaine, tendre, dans cette maison dont il suffisait que
je fusse éloigné pour l'y sentir comme une étrangère et comme
une vieille femme, qui eût été si heureuse de me voir et qui ne le
voulait pas, fantôme anticipé de ce qu'elle sera pour moi après sa
mort ; mais déjà elle avait disparu et je n'entendais plus que le
silence. Je me précipitai à l'hôtel, il était déjà sept heures du soir,
il n'y avait plus de train. Mais mon cœur battait trop fort pour que
je pusse passer la nuit seul ici, j'allai au quartier demander à
Montargis si je ne pourrais, une fois encore, la dernière, passer la
nuit au quartier, il était déjà sorti. J'arrivai au restaurant, je le pris
à part. Cela lui semblait difficile, mais il me regarda, il comprit que
j'étais malheureux, il écrivit une lettre au capitaine qu'il fit porter,
mais il ne me dissimula pas qu'un refus était certain, la veille encore
il l'avait refusé et voulait faire un exemple. Nous nous mîmes à
table, chacun me voyant triste cherchait à me parler de ces
manœuvres, de ces grands talents militaires qui la veille encore
m'avaient tant intéressé. Mais je ne pouvais les écouter, je voyais
ma chambre où il faudrait passer la nuit sans avoir revu ma
grand-mère, sans personne pour me tenir compagnie. « Que je suis
idiot ! J'aurais dû demander ma permission de la nuit, [plusieurs mots
illisibles] répondit Montargis, c'était accordé et je serais resté avec
lui à l'hôtel. — Eh bien, récris, dit un de ses amis. — Ah ! Ce n'est
pas possible, dit-il, l'air très ennuyé, le capitaine est très irrité en
ce moment, j'ai joué ma dernière carte et perdu d'avance. Je ne
peux pas lui récrire. Il trouvera déjà extraordinaire que je me sois
permis de lui envoyer ma lettre. Il ne me répondra même pas. Il
n'était même pas chez lui. » Et en effet il y avait une heure et demie
que le chasseur était parti et le capitaine demeurait à côté. Tout
d'un coup l'ordonnance revint sans lettre, il rapporta un papier :
« Ordre du capitaine de Borodino au sergent-major d'autoriser
le maréchal des logis Montargis à faire coucher cette nuit un civil
dans sa chambre. » Je n'eus que le temps de courir hors de la salle
à manger, de gagner la cour pour éclater en sanglots. Et je fus plus
d'une demi-heure à pleurer de joie sans pouvoir retourner auprès
des autres.

Montargis comprit bien que j'aimerais mieux ne pas me coucher cette nuit-là. Et quoique partant en marche le lendemain matin, une fois dans sa chambre il me dit qu'il n'avait pas envie de se coucher, nous commençâmes à causer, je ne souffrais plus. Entre le moment où j'étais et le moment où je reverrais ma grand-mère il n'y avait pas une nuit à passer, à accepter, j'étais déjà ce jour où j'allais la revoir, commencé un peu plus tôt seulement dès la veille. À mon état d'angoisse, un autre de calme et de joie avait succédé, la vie avait repris ses charmes. La photographie de Mme de Guermantes sur la cheminée m'apparut comme cette permanence de son image qui me fuyait toujours, que je n'apercevais *[interrompu]*

Mettre à la première fois
Une photographie de Mme de Guermantes, cela m'apparaissait comme la permanence, la fixité, la totalité, l'identité de cette image de son corps que j'apercevais rarement, un instant, bougeant, n'osant même pas y porter mes yeux, fragmentaire, toujours différente, si bien que la voyant tous les jours je ne savais pas encore comment elle était faite. Ce nez que j'apercevais de loin si beau, que de près je voyais tantôt d'un côté presque laid, tantôt de l'autre trop long et rouge, sans oser assez le regarder pour raccorder cela à l'image que j'avais de loin, et en tenant compte des perspectives la voir telle qu'elle était, cette synthèse de ses diverses apparitions, sa photographie me la donnerait, elle me donnerait ce que je ne pouvais, n'osais regarder, mais à cause de cela avoir une photographie d'elle me semblait quelque chose qui m'était défendu, puisque c'était approcher de son corps, de son visage, plus qu'elle ne m'y avait autorisé, puisque c'était la voir immobile comme si elle m'avait permis d'aller la voir, de lui dire : « Ne bougez pas, laissez-moi vous regarder ». Puis désirer tellement avoir une photographie d'elle, c'était avouer le prix que j'attachais au moindre élément de cette Science, la seule des Connaissances humaines, artistiques et divines qui me parût avoir du prix, celle de sa beauté, à ce document précieux sur les lignes particulières de tournure et de visage qui me donnerait cette sensation unique que me donnait sa vue et que je pourrais étudier à l'aise comme dans un traité de géométrie de sa beauté. Si j'avais su trouver un prétexte qui légitimât mon désir, que de bassesses n'eussé-je pas faites pour avoir une photographie d'elle. Je voulais être si gentil avec Montargis, exciter dans son cœur tant d'amitié et de gratitude que tout naturellement quand je lui dirais négligemment que j'aimerais à voir une photographie de sa tante il < serait > trop heureux de me la donner.

Les deux premiers jours je pus encore aller dîner au quartier avec Montargis, j'arrivais de bonne heure. Souvent pendant que je l'attendais, de sa chambre, ou dans les couloirs quand on ne me voyait pas ou qu'on ne savait pas que je venais pour lui, j'entendais au moment où il venait de passer la réflexion d'un vieux soldat ou d'un engagé volontaire. Je compris du reste plus tard combien il était aimé. Chez plusieurs engagés conditionnels, bourgeois riches, ne voyant la haute société que du dehors mais sans y pénétrer, la sympathie pour le caractère de Montargis se doublait d'une admiration pour ce jeune homme qu'ils avaient aperçu le samedi soir au café de la Paix, soupant avec le duc d'Uzès et dans la jolie figure ‹ duquel ›, la façon dégingandée de marcher, de saluer, de lancer son monocle, de hocher la tête, et jusqu'à la fantaisie qui dictait la forme trop haute de ses képis et le drap rose de ses pantalons, ils insinuaient l'idée de quelque chose de si expressément princier qu'à côté de lui, tous les autres officiers du régiment, même les plus nobles, leur semblaient vulgaires. « Le capitaine de Borodino a un nouveau cheval, disait l'un. — Il peut avoir tous les chevaux qu'il voudra. Si tu avais rencontré hier Montargis sur le sien, il avait un autre chic. L'autre a l'air d'un vieux chef de bureau à côté de lui. Voilà le vrai grand seigneur. » Même à l'exercice dans la cour du quartier, il leur paraissait un des hommes les plus chics de Paris incognito, déguisé, et le souvenir ‹ de › son intimité avec les ducs de X et de XX sinuait intérieurement le long des ailes de son nez fin, dans les gestes de son bras. En attendant que leur lieutenant roturier vînt leur faire la théorie, ils regardaient dans la cour du quartier courir enfermé en lui, ce ruisseau mielleux de vie aristocratique. Deux d'entre eux du reste avaient eu à lui parler pour des affaires de service et étaient revenus enthousiasmés de l'accueil de cet homme du monde qui gardait au quartier les manières d'un homme du monde parlant, ce qui les avait particulièrement flattés, à des gens du monde.

Les soldats du peuple, eux, ne savaient pas ce que c'est, le Jockey, et ignorants de sa situation mondaine, savaient seulement qu'il était ce qu'on appelle au régiment un officier très riche (et qui sont généralement des officiers ruinés) c'est-à-dire menant (en faisant des dettes ou non) un certain train et généreux avec les hommes, et il était le seul qui leur offrait souvent du champagne. Pour eux les particularités de sa tenue militaire un peu trop élégante n'avaient pas la même signification aristocratique que pour les engagés conditionnels, mais ils y voyaient la confirmation des traits distinctifs qu'ils avaient une fois pour toutes donnés à son personnage riche, fastueux, ne s'épatant pas, se fichant autant, pour les choses sans importance, de la mauvaise humeur des chefs que bon pour le soldat, et ses nouveaux képis ou sa manière toujours la même de marcher et de saluer étaient entre anciens et nouveaux, étendus

sur les lits aux heures de repos, des thèmes de plaisanteries
auxquelles le manque de toute autre conversation donnait autant
de saveur qu'en donnaient au café apporté au réveil dans la
chambre le froid du matin et l'habitude du pain du soldat. « Ah !
non mon vieux, si tu avais vu le képi qu'il vient de sortir, il est
passé avec le civil qui vient le voir depuis quelques jours, je te
dis qu'il est plus haut que mon paquetage. Ah ! je voudrais voir
la gueule du capiston quand il va voir ce phalzard-là[a]. Tu parles
si ce sera à son goût, lui, qui défend qu'on fasse fantaisie. —
Mais non mon vieux, tu exagères, il ne peut pas être aussi haut
que ton paquetage », disait un engagé conditionnel qui disait
« mon vieux » à cet ancien pour tâcher de se donner à lui-même
l'impression qu'il était déjà un vrai militaire et « tu exagères »
non parce qu'il croyait que l'ancien exagérait, il espérait bien
au contraire que ces détails charmants sur le képi de Montargis
n'étaient que la stricte vérité, mais pour le forcer à les lui redire.
« J'exagère ? Puisque c'est tel que je te le dis. Je te dis qu'il
ne fait jamais que des coups pareils, si tu avais vu son pantalon
l'autre jour, il était de la couleur d'*[un mot illisible]* cerise. Le
lieutenant-colon ne le quittait pas des yeux, j'ai cru qu'il allait
le mettre au bloc. Et faut pas croire que mon Montargis s'étonnait,
il allait, il courait, il faisait toujours son coup de monocole, oh !
çà il a le chic on peut dire. Et chez lui il paraît qu'il en a une
collection. — Mais comment sais-tu çà ma vieille ? — Eh bien
par son ordonnance qui couche à la section, tu l'as bien vu qui
est venu me demander du fil l'autre jour. — Ah ! un type qui
n'est pas malheureux tu parles. L'autre semaine pour le baptème
de son gosse son patron lui a donné cent francs. La place est
bonne. S'il ne la gardait pas, et si le lieutenant veut de moi, il
n'aura pas à pleurer longtemps pour m'avoir, j'aimerais mieux
rengager que de rater ça. Et puis il a tous ses effets, des places
de théâtre comme il en veut, permission de la nuit deux fois par
semaine, son entrée aux courses, je crois qu'il ne changerait pas
avec notre colon. Et puis nourri comme un prince. Un jour il
n'avait pas été content de la cantine, voilà-t-il pas que ma
cantinière voit s'amener qui, mon fameux Montargis qui le lui
dit : "Ça coûtera ce que ça coûtera, mais il faut ce qu'il faut,
je veux que cet homme-là soit bien nourri." »

Mettre[b] quelque part.

Au milieu des arbres encore verts un seul, court, trapu, l'air
rageur, laissait tomber des deux côtés de son front sa longue et
vilaine chevelure rousse.

Ma[c] vie il y a un moment était remplie par la préoccupation
du plaisir, du plus de plaisir possible à goûter dans cette ville.
J'apercevais au loin mes parents comme de chères images que

je retrouverais avec plaisir toujours assez tôt, jusqu'où mon imagination allait mais où ma volonté expirait sans force. Depuis une seconde un autre être avait surgi en moi qui d'un bond avait déserté la vie connue comme un lieu de plaisir et dont le champ de préoccupation et < de > désir commençait où celui de l'autre finissait, à mes parents, à la pensée de leur mort possible. Ma vie de tout à l'heure n'avait pas d'arrière-plan. Ma vie de maintenant n'occupait que cet arrière-plan, et tout le reste, plaisirs, voyages, amitiés, amours même, me semblait anéanti, rendu irréel par l'angoisse profonde d'une tristesse qui était plus grande que celle de la mort car la mort n'eût rien été si j'avais su ma grand-mère heureuse. Et par une contradiction qui venait de mon égoïsme au moment où elle me disait : « Reste si tu es bien portant, si tu peux travailler », la pensée de ce dévouement mélancolique d'une femme âgée qui n'avait peut-être plus bien longtemps à vivre, qui ne pensait qu'à mon bien, me donna le besoin éperdu non de rester, < mais > de revenir, de lui prouver ma tendresse de la façon précisément qu'elle n'eût pas souhaité en étant près d'elle, en l'embrassant, de lui causer en revenant encore une déception.

Je[a] croyais ne pouvoir arriver à Paris que le soir, mais Montargis me dit : « Mais si, si cela t'est égal de partir de bonne heure il doit y avoir un express qui te ferait arriver à déjeuner », il appela un sous-officier de ses amis qui alla chercher l'indicateur pour voir l'heure de l'express, mais il ne savait pas s'il n'était pas supprimé, car eux ne prenaient jamais ce train-là. Un troisième vint à la rescousse, et cela me faisait plaisir de sentir mon caprice, ma tristesse nerveuse, appuyés, comme d'une approbation virile, de l'effort de tous ces hommes énergiques qui en cherchant les moyens de les satisfaire leur donnaient à mes yeux une sorte de légitimité. L'express partait le matin à 8 h 45[b]. « Justement nous partons en marche à huit heures je pourrai rester avec toi jusque-là. Et toi, le temps d'aller à la gare, tu n'auras plus bien longtemps à être seul et tu pourras déjeuner avec tes parents. » Ce n'était pas seulement la gentillesse de ces hommes qui m'attendrissait, c'était aussi cette bonté, cette serviabilité des choses, et des hommes qui les créaient, tant de trains par jour, tant d'allers et de retours à Paris < qui > emplissent ma journée de leur zigzags, et qui sans que nous y pensions, mettent au service du désir que nous pourrions avoir d'aller à Paris près d'un être aimé et malade tant de trains par jour qui hélas ne peuvent faire plus que de nous conduire à la gare où peut-être nous apprendrons qu'il va plus mal, de lui envoyer un message dont nous voudrions avoir la réponse le soir sans qu'il puisse changer en rien le sens de la réponse, tant de trains par jour, tant de levées de la poste qui hélas ne peut prendre que ce qu'on lui donne et ne nous en apportera peut-être jamais une de celle que nous aimons, tant de force brutale au service de nos sentiments. Je m'étais habitué à l'idée que j'étais loin, Paris avait pâli dans mon souvenir, et j'apprenais que pour le bon train, lui, il était toujours près et que pendant les heures où je paressais au lit, où je lisais, où je me préparais à déjeuner, <il> faisait un voyage à Paris. *(détestable)*

Avoir[a] une photographie de Mme de Guermantes, c'est-à-dire avoir d'elle au lieu d'un souvenir incertain et même parfois insaisissable, une connaissance plus exacte, plus fixe, ce quelque chose qui parce que cela coulait d'elle, relatait des particularités de son visage et de sa tournure, et me permettait de la voir encore quand j'étais seul — elle et non un souvenir vague dont je n'étais pas sûr et que souvent je n'étais pas retourné <voir> — était sur elle comme un document si précieux et parce qu'elle s'y était prêtée, qu'elle semblait s'y donner à ses amis, était comme une double faveur, comme une possibilité permanente de rencontre avec elle. Je ne pouvais rien désirer autant <que cette> chose qui fût un peu d'elle, qu'en l'ayant sur moi je considérais comme se rapportant à elle, que j'aurais la douceur de sentir, que j'aimais avoir à cause d'elle. Mais tout de même c'était ce profil toujours changeant, maintenant je voyais quel il était. *Il* ne variait plus, il ne dépendait pas des hasards de la rencontre et des incertitudes du souvenir. Il restait toujours le même, trop peut-être. Je sentais qu'elle n'était pas à moi, que je ne la possédais pas parce que je ne la créais pas. Je sentais au bout d'un moment que ce n'était pas elle qui regardait parce qu'elle ne pouvait pas regarder autrement, que ce n'était pas son profil que je voyais parce que je ne voyais éternellement que son profil, elle ne pouvait pas m'empêcher de la regarder c'est vrai, mais elle ne savait pas que je la regardais. Cette *[un mot illisible]* de son regard, de son aigrette, de son *[un mot illisible]* était une existence ou plutôt un néant enfermé sur soi-même qui ne savait rien d'elle *[un mot illisible]*

Si[b] possible il faudra quand je vois passer Mme de Guermantes que je dise, sa vue qui les premières fois avait légèrement dissipé l'imagination que j'avais d'elle n'avait pas gardé ce pouvoir de désenchantement. Car l'amour l'avait plongée dans un inconnu d'un autre genre, dont le mystère étreignait plus mon cœur que mon imagination *(si cela ne fait pas trop double emploi avec Maria). Dans cette hypothèse quand je vais chez elle comme l'amour s'est substitué à ce premier mystère et que je ne l'aime plus, il n'y a plus de mystère du tout.*

Esquisse XVI

[MONTARGIS
ET SA MAÎTRESSE]

[Fragment du Cahier 31. Le héros espère que Montargis pourra le présenter à Mme de Guermantes, mais celui-ci ne vient que rarement à Paris et passe toute la durée de ses permissions avec sa maîtresse.]

Malheureusement Montargis, tenu par des travaux qu'on lui confiait, ne venait que très rarement à Paris, en y arrivant il débarquait chez sa maîtresse même avant d'aller voir sa mère, et comme c'étaient des querelles incessantes, je n'aimais pas y aller et surtout sortir avec eux ; dès qu'ils étaient ensemble dans un café, il trouvait que tous les hommes la regardaient, elle entrait en fureur, ils finissaient par se dire des choses affreuses, ne plus se parler, et chacun me faisait des excuses de me faire assister à ces scènes, qui étaient un reproche indirect et supplémentaire adressé à l'autre et signifiaient que quand ça n'aurait été que par égard pour moi ils n'auraient pas dû le faire. La dernière fois qu'il était venu, elle avait été tellement odieuse qu'il avait dit après une patience d'une heure : « Eh bien, bonsoir. Quand tu voudras me voir tu me feras chercher mais je ne reviendrai pas le premier, puisque je t'ennuie tant. » Et il était parti avec moi voir sa mère qu'il n'avait pas vue depuis des mois. Elle venait d'être malade et arrivait du Midi. Elle avait la voix brisée d'émotion en lui disant bonjour, mais je voyais qu'il lui disait bonjour distraitement, froidement, absorbé par une autre pensée. « Tu viens dîner, quel bonheur. Vite, vite, qu'on mette le couvert de monsieur le comte. » Je craignais qu'il ne fût blessé dans son amour propre que devant moi elle l'eût traité de telle façon. Et comme je vis qu'il m'entraînait dans un coin de la chambre, j'allais tâcher pour consoler sa fierté d'excuser sa maîtresse. Avant que j'aie parlé, je vis que je m'étais trompé. « Je ne sais pas comment j'ai pu être si abominable tout à l'heure avec elle, me dit-il avec douleur. Pauvre chérie qui m'aime tant. Que peut-elle se dire en ce moment, elle doit douter de moi, regretter d'avoir jamais pu aimer un sauvage pareil. Oh ! ce qu'elle doit souffrir, je crois que je deviendrais fou si j'y pensais. Je ne sais pas ce qu'elle peut faire, peut-être se tuer, jamais elle ne voudra me revoir et comme elle aura raison ! Je cours chez elle mais d'ici là tant qu'elle ne sait pas encore que je vais arriver, que doit-elle se dire, c'est tout cela qui me tue. » Il sanglotait tout en me parlant. « Je te laisse ici pour que Maman croie que je vais revenir, mais si je trouve la petite trop triste, j'enverrai un mot que je ne reviens pas et tu me rejoindras. Adieu Maman ! — Comment ! Tu t'en vas ? dit Mme de Montargis, les larmes aux yeux, le seul jour que je puisse te voir. — C'est regrettable, dit-il d'une voix rendue désagréable, tant il était pressé de courir là-bas, mais c'est ainsi. — Et tu ne reviendras pas... — Je n'en sais absolument rien. — Tu sais, ce n'est pas gentil ce que tu fais là. — Eh bien, gentil ou non, c'est ainsi. » Et il se sauva. Je restai un moment près de Mme de Montargis et je voulais tâcher d'excuser son fils. Mais je n'en eus pas besoin. « Pauvre petit, me dit-elle d'un air préoccupé, les mères, voyez-vous monsieur, sont bien égoïstes. Lui qui est si bon, si adorable fils, ne lui ai-je pas dit que ce qu'il faisait n'était pas gentil ? Pauvre petit, je suis sûre qu'en ce moment cette parole lui gâte son plaisir ou ajoute à ses soucis. Ah ! j'aimerais mieux recevoir cent coups de bâton et ne pas avoir dit cette parole. Si vous < saviez > quel cœur ! Comme il est gentil ! » Elle non plus ne disait pas « si vous saviez comme je l'aime » mais « si vous saviez comme il est gentil ». Ceux qui aiment n'aiment pas dire qu'ils aiment car c'est parler d'eux dont ils ne se soucient pas, mais dire « il est gentil », c'est parler de ce qu'ils aiment, et, par cette prétendue « gentillesse », le rapprocher d'eux dans leur imagination, le faire bon pour eux, tandis qu'il les quitte. Je le revis le soir, il me dit tout bas : « Tu ne peux pas savoir ce qu'elle a été divine, quel ange c'est que cette femme ! » Elle était en effet en ce moment charmante et douce avec lui et ne paraissait pas plus gênée que je l'aie vue différente qu'une actrice que j'aurais vue dans un rôle différent ne serait gênée que je l'applaudisse dans une autre pièce, et elle lui souriait en ma présence aussi naturellement qu'une campagne sur qui la pluie et le vent faisaient rage tout à l'heure et qui brille maintenant de soleil.

Esquisse XVII

[AU THÉÂTRE
AVEC MONTARGIS]

[Cahier 39. Montargis doit venir en permission à Paris. Peut-être pourra-t-il présenter le narrateur à sa tante, Mme de Guermantes.]

Sans doute Montargis eût pu me présenter à elle. Mais il était en ce moment très tenu dans sa garnison, il venait rarement en

permission et en passait toute la durée auprès de sa maîtresse
à qui son théâtre n'avait pas permis de quitter Paris pour aller
vivre avec lui et qui d'ailleurs se serait sans doute bien gardée
de le faire car elle ne l'aimait pas et le faisait souffrir, sûre
d'ailleurs qu'il n'aurait pas le courage de la quitter si elle ne le
quittait pas. Il avait le désir de me faire plaisir et je lui aurais
demandé de me mener chez sa tante si je n'avais senti qu'il ne
vivait plus que pour cette femme et ne pouvait pas passer à Paris
une heure loin d'elle. C'était au point que quand il devait venir
il organisait d'avance tout ce qu'il ferait avec son amie, sans même
avoir l'idée <de> réserver un moment à sa mère qu'il avait
tant aimée. Il évitait même qu'elle sût qu'il était venu à Paris
pour n'avoir besoin d'aller la voir. Il m'écrivait d'avance pour
aller au théâtre ou ailleurs et me donnait rendez-vous pour sortir
avec eux. Cela eût été un d'autant plus grand plaisir pour moi
qu'au théâtre, comme autrefois à Rivebelle dans les restaurants
de plaisir[1] il connaissait la vie de toutes les actrices, leurs
dérèglements particuliers, ceux des acteurs aussi. Et ainsi je voyais
à travers la pièce une autre pièce se jouer, l'amoureuse au moment
le plus pathétique lancer un regard douloureux qui s'arrangeait
à atteindre celui d'un monsieur à l'air cossu dans une avant-scène
et en qui elle espérait pêcher un protecteur au moment même
où l'amant qui ne vivait que pour elle la croyait inébranlablement
fidèle, et le jeune amoureux déjà expert en son jeu, savoir dans
le feu roulant d'une déclaration qu'il faisait à la jeune première
atteindre d'une œillade quelque vieille dame couverte de bijoux
qui lui avait semblé *[plusieurs mots illisibles]* comme dans les romans
comiques d'autrefois où l'auteur nous fait assister non seulement
aux passions feintes mais aux aventures véritables, aux intrigues
et aux déclarations de Léandre, de la Zerbine et de l'Isabelle[2].
Important. Il vaudrait peut-être mieux mettre là mon morceau
sur le théâtre écrit en partie sous le nom (autre passage sur les
feuilles volantes du cahier 2 ou 3) et dire[a] : * J'eusse pourtant
été volontiers au théâtre avec eux. Bien que n'y cherchant plus
etc., j'aimais voir s'épanouir pour un moment dans la lumière
de la scène les individualités faites de l'agglutinement au corps
d'un bon acteur d'un visage différent qu'il sait se faire, d'une
condition sociale, même d'un caractère purement individuel qu'à
l'aide d'expressions de figure, de blanc, il ajoute à sa figure, des
passions, des qualités charmantes, du secret douloureux, que le
texte de l'auteur lui apporte. Je regardais se faire, vivre une heure,
cette chose qui n'existait pas tout à l'heure, un être nouveau,
un être nouveau qui me plaisait, que j'aurais voulu continuer à
<voir> vivre, dont le malheur qui le frappait m'arrachait une
larme furtive. Et puis le plus triste et le philosophique de ce

divertissement était que, après avoir vu un « moi » se faire, je le voyais se défaire *(voir cette page détachée la comparaison avec la mort[1]). Et ajouter : puis Montargis connaissait si bien la vie des actrices, les passions etc. et alors ce qui est au-dessus, la *double* comédie[2]. Enfin Wilhelm Meister. Mais son caractère, les scènes qu'il lui faisait etc.[a].* Hélas l'amour qui pèse tant dans la vie de l'être qui aime pèse si peu dans celle de celui qui est aimé que[b] pour le moindre nouveau visage elle avait de ces regards, distraits de son rôle, et qui, malgré la peine qu'ils me faisaient pour Charles, me semblaient beaux par tous les romans qu'ils ébauchaient peut-être et qu'une vie contient les uns à côté des autres sans que < s'en > doute celui qui de son amour jaloux croit l'enfermer tout entière. Mais cet amour était jaloux en effet et cela m'empêchait de sortir avec eux car dès qu'ils étaient dans un endroit public il s'imaginait qu'elle regardait les hommes qui s'y trouvaient, devenait sombre, elle le lui reprochait, l'insultait, il menaçait de partir pour toujours. Ils ne semblaient pas d'ailleurs avoir le sentiment qu'il pût m'être pénible d'assister à ces scènes et si je les quittais[c] une heure, je les retrouvais chez lui dans les bras l'un de l'autre, ils ne me faisaient aucune < excuse > de ce qui s'était passé une heure avant, n'y faisant aucune allusion[d], semblant l'avoir parfaitement oubliée l'un et l'autre et échangeaient leurs joyeuses caresses sans plus se souvenir de ce qui s'était passé une heure avant (et dont ils ne me faisaient aucune excuse, à quoi ils ne faisaient aucune allusion) qu'une artiste dans une nouvelle pièce n'a pas à se préoccuper de justifier la différence que présente son personnage avec celui d'une autre pièce ou que les champs quand après la pluie d'orage, ils se couvrent doucement de soleil et de chaleur. Partout d'ailleurs, la peur qu'elle ne remarquât un joli homme, faisait s'il y en avait un où ils se trouvaient qu'il le découvrait avant elle-même et lui désignait involontairement. S'ils allaient passer le dimanche à la campagne, comme je m'y laissai amener une fois, on n'était pas arrivé dans un hôtel qu'il y avait déjà un sommelier à la salle à manger, ou devant la porte un cocher, un de ceux qui, on ne sait pourquoi, mettent et sans s'en rendre compte eux-mêmes au milieu de leurs camarades vulgaires la poésie d'un fin profil sous des cheveux légers, ce qu'il y a d'attachant pour une femme dans un nez régulier, dans un air d'intelligence, de soumission, de volonté et de douceur, dont il déclarait que c'était un être abject, répugnant. Elle savait ce que cela voulait dire, levait les yeux sur le monstre qu'il lui désignait et se plaignait d'être fatiguée, l'envoyait faire des courses, se faisait servir à déjeuner dans sa chambre puis se sentant mieux allait faire une promenade seule en voiture. Quelquefois elle s'était contentée du plaisir d'interroger de l'autre côté de la table celui qui était monté la servir, ou l'avait promenée dans les environs et lui répondait du haut de son siège, lui demandait après un long silence, sur son sofa de velours bleu, au-dessous d'un portrait encadré d'or, la note du déjeuner ou le prix de la course. D'autres fois elle avait enfoui le secret d'une bonne fortune dans le vide monotone, translucide et sans fond de leur existence de bon mari et de domestique de province, où personne ne viendrait jamais le découvrir, où ne le soupçonnerait même pas celui qui à son tour plus tard, au sortir de la salle à manger, ou en repartant prendre le train à la gare, remarquerait rare au milieu des faces vulgaires où il s'encadre, ignoré depuis vingt ans, le visage où le gris de l'âge commence à se mêler à l'agrément, et dont le romanesque inconnu de celui qui le dégage avec un éclat modeste, disparaîtra aux yeux mêmes des autres dans quelques mois peut-être, au tournant de la vieillesse. Bien que je répondisse maintenant à toutes les lettres de Montargis que je n'étais pas libre et que ma grand-mère ne me laissait plus sortir à cause de mon état de santé qui devenait une préoccupation maladive chez elle, ce qui était du reste vrai, une fois pourtant, voulant voir si je ne pourrais pas l'enlever une heure à son amie pour qu'il me menât chez Mme de Guermantes, j'allai comme il me l'avait demandé le chercher dans l'après-midi au théâtre de son amie d'où elle devait sortir de bonne heure, ne jouant en matinée que dans la première pièce. Il me dit qu'en ce moment elle était dans la loge du directeur où il y avait la célèbre B*** qu'elle admirait beaucoup et qu'elle me présenterait volontiers à elle si je le désirais. C'était cette grande artiste que j'étais allé tant de fois à la sortie des Français pour apercevoir, restant des heures devant la sortie des artistes, ému si j'avais aperçu son profil dans sa voiture aussitôt refermée et disparue. J'aurais alors donné des années de ma vie pour la connaître, pour tâcher d'apprendre d'elle le secret de l'art. Mais maintenant mon désir de la beauté s'était porté ailleurs. C'était dans certains pays, dans certains tableaux que ma croyance la vénérait. Pénétrer dans certaines collections, pouvoir faire certains voyages, c'est à cela que j'aurais sacrifié ma santé, ma fortune. L'art dramatique ne m'était plus rien ni Mme B***. Je n'avais plus aucun désir ni de l'entendre ni de la connaître. Je priai Montargis de ne pas me présenter et bientôt son amie nous rejoignit sur la scène où nous l'attendions, au milieu de gens du monde et de machinistes en train de monter des décors. Je ne m'y déplaisais du reste pas[a]. Si l'art dramatique dans ce que j'avais espéré de lui m'avait déçu, si je ne cherchais plus à trouver dans l'interprétation, au-delà d'elle-même, des vérités générales qu'elle me révélerait, j'acceptais davantage les personnages et les actions représentées devant moi comme ayant leur fin en eux-mêmes et je jouissais davantage de cette éclosion de quelques heures comme de certaines graines qu'on voit naître et mourir — quelques heures que nous offre la pièce etc., etc. La lecture de *Wilhelm Meister* m'avait, d'une autre façon rendu poétique tout ce qui touche à la vie théâtrale, à l'existence des acteurs. Ce milieu où je me trouve, me disais-je, c'est celui où Goethe a vécu tant d'années, qui l'intéressa tant qu'il lui fit la plus grande part dans une œuvre destinée pourtant à représenter toute la vie humaine[1]. Ces décors, qui le soir dans ma chambre, à la lampe, me plaisaient tant dans *Les Années d'apprentissage* et que, pour les avoir vus, impalpables et colorés, dans mon imagination, je désirais tant revoir, tangibles et réels, dans un théâtre pour voir ce que Goethe avait aimé, les voici. Voici ce qu'il étudia pendant vingt ans, j'y trouverai sans doute du plaisir si j'y peux souvent revenir[2]. Et je cherchais ainsi, en trouvant des raisons nouvelles de m'intéresser au théâtre, à ne pas m'attrister d'avoir changé, de ne plus trouver de prix, à ce que j'avais tant aimé, et à me persuader que la minute actuelle n'était pas une minute qui elle non plus ne reviendrait pas mais que j'avais de bonnes et sages raisons, de la faire souvent revenir dans ma vie, de revenir souvent parmi ces décors dont j'eusse souffert de penser que si je m'y plaisais en ce moment je ne les reverrais jamais[3]. Des arroseurs jetaient de l'eau sur le plancher, faisant reculer les divers messieurs en veston ou en redingote, amis des actrices, habitués du théâtre, auteurs, journalistes qui se promenaient sur le plateau. Au milieu de ces hommes du monde corrects qui se saluaient, s'arrêtaient un moment à causer comme à la ville, s'élança un jeune homme portant une toque de velours noir, une jupe cerise, et les bras levés au ciel dans des manches de soie bleue. Sa figure était couverte d'une sorte de poudre de pastel rose comme certains dessins de Watteau ou certains papillons. Il courait légèrement sur les pointes esquissant un pas, les yeux extasiés et mélancoliques, la bouche souriante, et tout en se balançant de droite et de gauche esquissait une pantomime avec la paume de ses mains puis bondissait légèrement jusqu'aux frises.

C'était un célèbre[a] et génial danseur d'une troupe étrangère qui avait en ce moment un si grand succès à Paris qu'on adjoignait souvent un acte de ballet à des spectacles différents, et répétant[b] pour la centième fois avant d'entrer en scène le pas de ballet sur lequel le rideau allait se lever tout à l'heure, que ce jeune fou au visage pastellisé, aux regards en extase, qui légèrement, de son vol bleu et rose, poursuivait son rêve au milieu de ces hommes raisonnables et vêtus de noir à la façon de penser, de vivre, de se comporter, à la civilisation et à l'humanité desquels était si entièrement étrangère l'inconstante expression de ses ébats fardés et rapides, que, pour tout ce qu'il manifestait d'une forme différente de vie, et comme d'un autre règne de la nature, je restais ébloui — ainsi que je l'aurais fait devant un papillon égaré au milieu d'une foule — à suivre des yeux dans l'air les arabesques qu'y traçait sa grâce naturelle, ailée, capricieuse et multicolore. La saison de ballets qu'il donnait en ce moment à Paris avec ses camarades était d'actualité, au sens véritable du mot. Comme les dreyfusards quelques années auparavant, étendant par la lecture des journaux qui leur apportaient[a] quelque nouvelle d'un intérêt scientifique pour leur cause, par les conversations entre adeptes, la représentation qu'ils avaient vue l'après-midi au palais de justice, vivant dans une atmosphère passionnante où la vie, la presse, tout continuait et commentait leur rêve, les amateurs d'art se retrouvaient tous les soirs à ces ballets. Les décors des ballets et les costumes des danseurs, chefs-d'œuvre d'un grand peintre[1], après le spectacle les poussaient à des discussions esthétiques infinies qu'ils allaient le spectacle fini poursuivre en prenant des glaces dans un café où _[un mot illisible]_ on reconnaissait et se montrait les peintres et danseurs de la troupe venant eux aussi à d'autres tables prendre des _[un mot illisible]_. On brûlait du plaisir de les admirer dans le ballet du lendemain et on avait le plaisir de se sentir vivre presque littérairement la vie de Milan au moment de _La Chartreuse de Parme_ *Vigano (Gautier)[2]*.

« Bravo ! Bravo ! Oh ! ces petites mains qui dansent ainsi, lui cria la maîtresse de Montargis. C'est pire qu'une femme, moi qui suis femme je ne pourrais pas faire cela. » Le danseur tourna la tête vers elle et sa personne humaine apparaissait sous le sylphe qu'il s'exerçait à être, la gelée étroite et bleue de ses yeux sourit entre le vernis noir qui allongeait et frisait ses cils comme des antennes, et sa bouche s'entrouvrit au milieu de sa face rose comme une fleur de zinnia, puis en riant, pour l'amuser il se mit à répéter le mouvement de ses mains, avec la complaisance d'un artiste qui fredonne pour vous faire plaisir l'air où vous lui dites l'avoir admiré, et à le contrefaire avec la gaieté d'un enfant qu'il y aurait en celui qui comprendrait ce que peut avoir d'amusant pour les autres ce que fait avec tant de sérieux le sylphe qu'il est à la fois en une même personne, en cette personne d'artiste qui s'égaye ainsi d'isoler, de reconnaître, de faire remarquer aux autres le mouvement qu'il connaît si bien pour y avoir mis tant de son effort, de sa recherche originale — et lui dit-on avec une particulière réussite qui comptera dans sa carrière. « Oh ! non, c'est trop gentil ce coup de se chiner comme ça soi-même ! oui, c'est bien ça ! Au moins en voilà un qui ne se gobe pas[3]. Et est-ce qu'elles font ça aussi avec les femmes vos petites mains ? » lui dit-elle d'une voix artificiellement cristalline et innocente, car elle jouait les ingénues. « Et encore bien d'autres choses, répondit-il d'un air mystérieux. — Oh ! tais-toi, tu me rends folle, s'écria l'amie de Montargis, je ne sais pas ce qu'il ne ferait pas de moi avec ses petites manières. Regardez-moi un peu son poignet qui se retourne. — Je t'en prie ne dis pas de choses comme cela devant toutes les crapules qui sont ici », lui dit Montargis à mi-voix, en l'emmenant, « ce misérable se paiera ta tête quand tu auras le dos tourné. — À bientôt joli danseur » lui cria l'actrice pour se venger des paroles de Montargis. « Au moins te rappelleras-tu tes gestes de mains. Sans cela il n'y a rien de fait. » Dans la rue elle éclata en injures contre Montargis qui essayait en vain de l'apaiser. Il lui demanda de faire la paix et voulut l'embrasser. « Jamais, s'écria-t-elle en se dégageant. Je ne t'embrasserai pas d'au moins quinze jours et pas avant que j'aie couché avec le danseur. » Montargis sentit sans doute qu'il y avait une manière d'être avec elle qui était si douloureuse qu'il valait mieux renoncer à y rester, et s'en alla < dans > l'espoir d'un changement quelconque. Or peut-être à ce moment se résolut-il dans son cœur à l'acceptation d'une rupture qu'il ne devait pas consommer, comme quelquefois les gens que nous retrouvons dans leur logis s'étaient cependant à un moment décidés à partir en voyage, en se disant qu'il n'était que pour vingt-quatre heures à Paris, que si d'ici vingt-quatre heures elle ne lui demandait pas pardon, il faudrait partir sans l'avoir revue, mais il sentait que cette souffrance était nécessaire et que s'il ne tenait pas bon cette fois, il perdrait tout à fait le peu d'amour qu'il croyait qu'elle avait encore pour lui. « Adieu, lui dit-il avec douceur, quand tu voudras me voir tu me feras demander, mais je < ne > reviendrai pas le premier puisque je te suis si à charge, je ne veux pas t'excéder de ma présence. » Et sautant avec moi dans un fiacre, il donna l'adresse de sa mère qui quelques instants après, dans la joie de revoir son fils après si longtemps, l'embrassait, faisait changer < le > menu du dîner et faire les plats que Charles aimait, me disait combien il lui avait parlé de moi, envoyait prévenir une amie qui devait venir qu'elle ne pourrait pas la recevoir[a], voulant que son fils se sentît bien chez elle, y trouvât ce qu'il aimait et n'y fût pas dérangé, elle changeait le menu du dîner, faisait faire les plats qu'il aimait, acheter ses cigares favoris, faisait prévenir une amie à elle qui devait venir qu'elle ne pourrait pas la recevoir, lui trouvait mauvaise mine, lui demandait quel train il avait pris, l'embrassait encore, cessait de s'occuper de lui et me disait combien il lui avait parlé de moi dans la crainte sans doute qu'il ne fût agacé d'être trop embrassé et traité en enfant devant un ami qui en revanche il serait sans doute content de voir si bien reçu par sa mère. Mais Charles cependant sous ces baisers et ces prévenances, restait l'air farouche, l'œil fixe. Il est humilié vis-à-vis de moi, pensais-je, d'avoir supporté qu'elle le traitât de cette façon et de l'avoir quittée avec tant de douceur.

Brusquement il quitta les bras de sa mère, vint à moi, et
m'emmena dans un coin de la chambre. J'allai pour consoler sa
fierté blessée tâcher d'excuser sa maîtresse : « Je ne sais pas, me
dit-il, comment j'ai pu me conduire ainsi tout à l'heure. Pauvre
chérie qui est si gentille, qui m'aime tant, que doit-elle penser,
que doit-elle se dire ? Comme elle doit regretter d'avoir jamais
pu aimer un sauvage pareil, comme elle doit souffrir. Oh !
vois-tu », me dit-il, en prenant sa tête dans ses mains, et en laissant
entendre une sorte de sanglot, « vois-tu, c'est cela, c'est l'idée
qu'elle souffre que je ne peux pas supporter. Je ne peux pas
m'imaginer ce qu'elle éprouve alors je crois que je deviendrais
fou si je continuais d'y penser, cela me torture. Écoute, me dit-il,
je cours chez elle, je ne peux plus la laisser ainsi, qui sait ce qu'elle
ferait, ah ! si je pouvais y être déjà, si elle savait seulement que
je vais venir, mais jusqu'à ce que je sois là-bas, qu'endure-t-elle,
que pense-t-elle de moi ? Je te laisse ici pour que Maman croie
que je vais revenir mais si la petite est triste je ne la quitterai
pas, je t'enverrai chercher par un mot et nous irons dîner tous
les trois ensemble. » Et il prit ses affaires. « Comment, Charles,
tu t'en vas, s'écria Mme de Montargis, les larmes aux yeux, le
seul soir où je puisse t'avoir. — C'est en effet regrettable, dit-il
d'< une voix > à demi ironique et que rendait rude l'irritation
contre tout obstacle, fût-il comme celui-là si fragile, apporté à
sa hâte de courir là-bas, mais je n'y peux rien. — Et tu ne vas
pas revenir ! — Je n'en sais absolument rien, maman. — Tu sais
que ce n'est pas gentil ce que tu fais là », dit Mme de Montargis
suppliante, tâchant encore, n'espérant déjà plus retenir ce
bonheur qu'elle avait cru posséder. « Moi qui venais de te
commander exprès toutes les choses que tu aimes. — Gentil ou
non, c'est ainsi. Aussi pourquoi faire faire des choses pour moi,
tu sais bien que je ne veux jamais qu'on fasse rien pour moi. »
Je restai un instant près de Mme de Montargis qui courait après
le maître d'hôtel : « Donnez vite son paletot à Monsieur le comte,
il fait froid, il va prendre du mal. » Et son cœur battait car elle
sentait qu'elle ne le reverrait pas ce soir et qu'elle ne le reverrait
pas de longtemps.

Je restai silencieux, ne sachant que lui dire, je voyais son air
sombre et préoccupé, j'aurais voulu trouver quelque excuse à
la conduite de Charles non par affection pour lui car j'étais révolté
de sa sécheresse avec sa mère, mais par pitié pour elle et pour
qu'elle pût croire encore que son fils l'aimait. Ce fut elle qui parla
la première : « Pauvre petit, me dit-elle ! Voyez-vous, monsieur,
les mères sont quelquefois bien égoïstes. Lui qui est un fils si
adorable, unique, pour la seule fois où je l'ai vu de l'année je
lui ai dit qu'il n'était pas gentil. Lui qui est si bon, si simple,
si enfant, resté mon petit comme autrefois. Je ne sais pas si vous

avez remarqué comme il a dit : "Ainsi il ne fallait rien faire pour moi, tu sais bien que je ne veux jamais qu'on fasse rien pour moi." Et c'est bien vrai. Les jeunes gens d'aujourd'hui se croient tout de suite des hommes, ils sont exigeants, ils ont une manière de commander chez eux comme au restaurant. Lui, mais il est gêné si on débouche pour lui une bouteille de champagne, ou s'il la demande, il faut voir avec quelle hésitation, quel naturel, Pas gentil, lui ! Lui avoir dit ça, ajouta-t-elle en essuyant une larme. Ah ! Monsieur, je recevrais bien volontiers cent coups de bâton et n'avoir pas dit cette parole. Où qu'il aille ce soir, car je sais bien qu'il ne reviendra pas, je suis certaine qu'elle lui gâte son plaisir. Et par ma faute ! »

Du moment que Montargis donnant tous ses instants à sa maîtresse ne me menait pas actuellement chez sa tante, je n'avais plus aucune chance de la connaître. Car je sentais bien qu'en dehors du salon de Mme de Villeparisis, où elle n'était pas venue le jour où je m'y trouvais, il n'y en avait aucun autre où j'eusse chance de la rencontrer. C'est qu'elle n'était pas seulement du premier rang social mais au-dessus du premier rang. *(Suivre au Cahier 3[a].)

et y vérifier pour cette dernière phrase.*

Esquisse XVIII

[LES PRÉSENTATIONS
À MME DE GUERMANTES]

[Fragment du Cahier 41. Après la visite rendue à Montargis dans la ville de garnison, le héros s'attend à pouvoir se rapprocher de Mme de Guermantes comme le lui a dit son ami. Or, tous les efforts de ce dernier ne modifient en rien l'attitude de Mme de Guermantes qui se sent poursuivie par un homme qu'elle n'aime pas. C'est seulement lorsque le héros cesse d'être amoureux d'elle qu'elle devient aimable et recherche même sa compagnie.]

Montargis avait répondu à ma prière de me faire voir Mme de Guermantes, souvent, comme je voudrais, comme un ami : « J'en fais mon affaire, je réponds pour elle. » Alors j'écrivis un poème où je lui disais que je voudrais donner ma vie pour elle. Je crus qu'on ne lui avait pas remis. Car le lendemain étant allé me promener sur son chemin pour voir si elle m'arrêterait pour m'en parler, elle avait à peine répondu à mon salut. Montargis m'avait dit qu'il répondait pour elle[b]. Hélas ce n'était en effet que lui qui répondait, avec cette sorte

de présomption qui nous fait répondre que nous croyons pouvoir
pour les autres, ou plutôt en vertu de cette illusion d'optique
de l'intelligence qui croit que les rapports d'amitié, de pardon,
d'oubli ou tout autres qu'elle établit entre les autres, pendant
qu'elle pense à eux, a le pouvoir de les lier et délier effectivement
en dehors d'elle, quand elle n'a pas à faire à de simples entités
qu'elle gonfle de ses désirs et <à> qui elle donne de ses
indulgences, mais <à> des êtres qui une fois plongés non plus
dans l'esprit d'un autre, mais dans la réalité, sont soumis à des
actions et possèdent une force de résistance telle que notre
volonté en y mettant toute sa puissance ne peut pas les déplacer.
Dans les choses les plus simples l'esprit ne tient pas compte de
ces forces. Si quelqu'un nous dit : « Je n'ai pas salué Mme S***
dans son deuil, parce que je ne l'ai pas reconnue, mais voulez-vous
penser à le lui dire ? », nous répondons : « Mais oui, je lui dirai,
ça n'a aucune importance, elle sait bien que vous l'auriez saluée »,
et nous ne disons rien à Mme S***, car le sentiment désagréable
de la personne qui craint d'avoir été impolie, nous ne l'éprouvons
pas, nous qui sommes aimés de Mme S***. La susceptibilité que
peut avoir Mme S***, nous n'en tenons pas compte davantage
puisque nous savons que M. *[un blanc]* voulait vraiment la saluer,
et l'aime bien, et *[un mot illisible]* la chose telle que nous spectateur
impartial la voyons, nous la jugeons sans importance et ne disons
rien. Mais ces deux faits, l'impression pénible du monsieur et
la susceptibilité de la dame dont nous ne tenons aucun compte
dans notre jugement que cela n'a aucune importance, sont bien
réelles, si réelles que si le monsieur savait que nous n'avons rien
dit il serait désolé, et que ce qui règlera l'attitude de la dame
à la prochaine rencontre ce sera la susceptibilité causée par le
non-salut, et non le jugement que notre intelligence a porté en
jugeant par rapport à nous seuls que cela n'a aucune importance[a].
Mais de ces forces dont l'intelligence d'un tiers ne tient pas
compte, il en est des plus puissantes, parmi lesquelles une des
plus puissantes de toutes est peut-être la répulsion qu'exerce
l'amour d'un homme sur une femme qui ne l'aime pas et qui
finit par devenir, indépendamment de la volonté de la femme
elle-même, une sorte de résultante inverse de l'attrait qu'elle
inspire. De même que tout est indifférent à l'amoureux pourvu
qu'il ne voie <que> celle qu'il aime, tout est indifférent à la
femme qu'il aime et <qui> ne l'aime <pas> pourvu qu'elle
ne le voie pas. L'amour qu'il éprouve et n'inspire pas est comme
une tare qui annule tout ses qualités, son charme, on lui préférera
des hommes moins intelligents, plus laids, moins agréables, on
supportera tout le monde sauf lui. Montargis dut se rendre
compte dès la première fois où il parla à sa tante, qui fut la
première fois où il vint à Paris, de l'impuissance où il serait

d'obtenir rien d'elle pour moi, car le lendemain, voyant qu'il
ne me disait rien, je lui demandais s'il avait vu sa tante, il me
répondit naïvement : « Elle n'est pas gentille Clotilde, je ne sais
pas ce qu'elle a, on me l'a changée. Elle a bien perdu. Si c'était
encore la Clotilde d'il y a quelques années, tu verrais les bonnes
parties que nous ferions ensemble. Elle a été délicieuse. Mais
ce n'est plus la même femme. Elle m'a fait de la peine. Ne
t'occupe donc pas d'elle, elle ne vaut plus la peine, oui la Clotilde
qu'elle était autrefois en valait la peine, mais celle-ci non. Je t'en
trouverai cent qui seront plus agréables. Tu ne connais pas ma
cousine, la baronne de Villeparisis, il faudra que^a je te mène chez
elle, elle est plus jeune que Clotilde et est même plus
intelligente. Pour toi, ce sera même plus la femme qu'il te faut
que Clotilde. » Toute la soirée, enfermé dans ma chambre, je
jouai en pleurant « Adieu, adieu, des voix étranges t'appellent
loin de moi » de Schubert[1]. Couché sur mon lit, je cachais ma
figure échauffée par les sanglots dans la fraîcheur de mon oreiller.
Et^b malgré cela pendant quelque temps le besoin de la voir
redevenait si vite impérieux que quand Montargis venait à Paris,
je lui donnais rendez-vous avant le déjeuner et sous un prétexte
quelconque l'entraînais dans les rues où je savais et où lui ignorait
qu'elle passerait. Il était obligé de s'arrêter pour lui dire bonjour,
je restais à quelque distance. Mais ces jours-là, pour faire plaisir
à son neveu, elle me faisait un salut plus aimable. Une fois même
il dut lui adresser de bien énergiques prières car au bout d'un
instant il m'appela, elle se pencha en avant, renversa sur moi en
me tendant la main, comme le soir de l'Opéra, l'averse de lumière
de ses yeux bleus, et se redressa comme un arbre. « Comment
allez-vous, vous allez bien ? » Montargis faisait des efforts
désespérés pour lui faire dire quelques mots de plus : « Il irait
mieux s'il te voyait plus souvent car il aime beaucoup te voir
passer, du reste je crois qu'il < t'a > envoyé des vers », ajouta-t-il,
faisant cette allusion aux vers où je lui offrais ma vie pour que
je visse bien qu'il lui en avait parlé. « Mais oui, c'était tout ce
qu'il y a de plus aimable », dit-elle du bout des lèvres avec le
sourire contraint d'une banalité mondaine, comme si j'avais
été chercher son manteau. « Ah ! que tu as été gentil ! »
dis-je à Montargis quand nous l'eûmes quittée, comment te
remercier ? « Mais je n'ai rien fait du tout, c'est elle qui m'a dit
de t'appeler, elle m'a dit : "Mais qu'est-ce qu'a ton ami,
est-ce qu'il me fuit ?" » Puis peu à peu je cessai de penser
à elle, au cours d'un voyage que je fis quand je revins à Paris
l'hiver suivant, mon cœur^c se prit ailleurs, et il m'arrivait
de passer à côté d'une de ces rues où je savais qu'elle
allait probablement passer, sans penser à la prendre plutôt
qu'une autre, ou de la prendre < sans > aucun scrupule, sans

détourner les yeux comme un coupable, sans chercher inutilement
< à > avoir l'air d'être venu pour autre chose qu'elle, de même
il m'arrivait de passer, à l'heure de ses promenades du matin,
à côté d'une de ces rues où elle allait passer, sans avoir envie
de la prendre, parce qu'en passant par une autre je serais plus
vite rentré, ou pourrais trouver un journal que j'avais envie de
lire. Et < si > au contraire c'était une rue où elle passait, qu'elle
prenait, moi qui autrefois détournais les yeux comme un
coupable, faisais semblant de passer là par hasard, et sentais avec
remords, avec le sentiment de lui avoir été à charge, d'avoir
employé sans plaisir une des fois limitées où je pouvais passer
sans l'exaspérer, comme malgré toutes mes dissimulations, je ne
pouvais lui cacher que je venais là chez elle, maintenant je passais,
j'y serais passé tous les jours sans scrupule, sans affecter aucun
air dégagé ou étonné, comme si maintenant au contraire, par le
seul fait qu'en effet je ne venais plus pour elle, cela devait être
écrit sur mon visage et clairement lisible pour elle. Et il y eut
bien en effet quelque chose de cela, comme si[a] le langage et les
manières de l'indifférence que l'amour eût tant souhaité savoir
prendre sans jamais y réussir, l'indifférence sincère en avait le
secret.

Mais[b] seul je me rappelais ces mots, « tout ce qu'il y a
de plus aimable ». Quelle grue !, pensais-je, tout ce qu'il y
a de plus aimable de lui offrir ma vie (je ne savais pas que
si je l'avais connue davantage et lui avais dit : « Je voudrais
mourir pour vous », elle m'eût probablement répondu avec
exaspération : « Qu'est-ce que vous voulez que ça me fasse ? »).
Je me moque un peu d'une femme pareille. Qu'est-ce qu'il
y a de commun entre une femme qui est aussi radicalement
incapable de rien comprendre et moi ? Elle m'aimerait que
c'est moi qui ne voudrais pas d'elle. Je me le disais mais je
savais bien que c'était de ces paroles qui bien que n'empruntant
pas le secours de la voix et dites à soi-même, sont mensongères
comme des paroles dites aux autres, sont dites non pour
exprimer ce que nous sentons, < mais > pour donner une issue
à quelque émotion, à quelque besoin d'action qui nous
agite. Mais si cette grue, cette femme avec qui je ne voulais
avoir rien de commun se fût ravisée et eût permis que je
l'aimasse, je l'aurais trouvée sublime et je serais tombé à ses
genoux.

Quand une année après j'eus entièrement cessé de penser à
Mme de Guermantes et que mon cœur se fut pris d'un autre
côté, s'il m'arrivait le matin de me trouver à côté d'une des
< rues > où elle < allait passer >, je n'avais même pas l'idée
de la prendre plutôt qu'une autre, et une raison aussi peu

importante que d'abréger mon chemin de quelques mètres, ou de passer devant un kiosque où je trouverais un journal, suffisait à m'en faire prendre une autre. Mais si au contraire c'était la rue que devait prendre Mme de Guermantes qui ce matin-là m'était la plus commode, je n'avais plus à la prendre le moindre de <ces> scrupules que j'avais autrefois. Si je l'apercevais, je ne cherchais nullement à détourner les yeux, à avoir l'air d'être là par hasard. Ces précautions qui me semblaient autrefois si insuffisantes à cacher que je venais pour elle que parfois pour ne pas la fâcher je m'abstenais d'aller dans cette rue, maintenant elles me semblaient entièrement inutiles, comme s'il était aussi bien écrit sur mon visage aujourd'hui que je n'y passais pas pour elle qu'il l'était autrefois que je n'y passais que pour elle, et comme si ces dehors de l'indifférence que l'amour souhaiterait si passionnément savoir prendre, l'indifférence qui n'en a que faire et qui voudrait même parfois bien les dissimuler en était, du premier coup, revêtue. Dans mon assurance à prendre le même chemin qu'elle peut-être y avait-il cette intuition obscure que l'homme qui n'aime plus cesse d'être pour une femme en dehors de l'humanité, au-dessous d'elle ? Ce qui est permis aux autres lui redevient permis. Il est l'indifférent qui a le droit de <la> rencontrer sur son chemin à Paris, et qu'aux eaux à la buvette elle retrouverait avec un sourire, tandis que s'il l'aimait, en l'apercevant dans la même ville qu'elle, elle lui lancerait un regard de colère indignée d'avoir été suivie. Les lieux où elle passait ne m'étaient plus défendus. Et sans doute puisque je me sentais, par la simple conscience que j'avais de mon indifférence pour elle, devenu pour elle un homme comme les autres, eût-il été possible, si nous avions eu l'occasion de nous rencontrer et qu'elle se fût trouvée avec moi, qu'elle pût prendre plaisir à causer avec moi, dans un de ces moments d'humeur vagabonde où notre âme voudrait demander pour un instant l'hospitalité d'une âme différente de la sienne, d'une âme grande ou petite, belle ou laide, de n'importe quelle âme que ce soit, excepté de ces âmes maudites où l'on ne trouverait, au lieu d'une personnalité quelconque où s'abriter un moment, qu'un désir de nous qui nous fait horreur, et qui voudrait nous transformer, nous qui avons faim, en aliment, nous qui cherchons un toit, en demeure. Cet indifférent avec qui on peut se plaire à causer un moment, un de ces innombrables indifférents souvent si bêtes avec qui elle eût été peut-être enchantée de passer une de ces soirées où elle ne pouvait pas accorder à Montargis que je me trouvasse avec elle, j'aurais pu maintenant l'être pour elle, j'aurais pu obtenir <d'elle> son amabilité. Celle qu'elle me témoigna pourtant le jour où je la rencontrai pour la première fois chez Mme de Villeparisis.

Une[a] fois je la rencontrai en visite chez Mme de Villeparisis, elle me répondit par un salut cérémonieux et profond. Mais comme si l'excès de sa politesse n'avait pas suffi à *[un mot illisible]* que j'étais pour elle un étranger, un inconnu, en même temps elle me laissait voir qu'aucune notion si mince de ce que je pouvais être n'occupait même pas sa pensée, tandis qu'elle me saluait, elle vida pendant ce temps de toute pensée précise ses deux yeux qui devinrent vagues, et restant doux par coquetterie avaient l'air de voir couler de l'eau, de regarder une fleur, de n'être plus eux-mêmes dans une eau azurée que le reflet imprécis d'une fleur. Devant elle Mme de Villeparisis fit mon éloge d'une façon que j'aurais pu supposer qui dût changer son opinion sur moi ; le vieil homme d'État impérieusement sonné par la maîtresse de maison pour intéresser la femme du docteur Cottard qui faisait sa première visite, me parla longuement de mon père de la façon la plus obligeante et parla des agréments de notre appartement, Mme de Guermantes se contenta de faire avec la pointe de son ombrelle des dessins sur le tapis. Et en partant elle ne me dit pas adieu. Je restai encore un moment, je parlai de peintures de Fouquet à Chantilly[1] que j'aimerais voir. « Il faut que vous demandiez à ma nièce de Guermantes de vous y mener, me dit Mme de Villeparisis, elle connaît très bien Chantilly, elle vous expliquera tout. » Je souris amèrement. « Je crois que Mme de Guermantes ne voudrait pas me mener. — Mais si, je suis très sûre qu'elle serait ravie, répondit Mme de Villeparisis. — Je le serais bien plus, dis-je avec exaltation, car je ne connais pas une femme plus belle, plus merveilleuse. — Ah ! Madame, il faudra que nous le lui disions, dit avec un sourire le vieil homme d'État. » Et quoique je n'eusse pas de raison de croire que ce que dirait le vieil homme d'État aurait plus d'efficacité que ce qu'avait dit Montargis, j'espérais pourtant que cela changerait peut-être les choses, que peut-être elle serait touchée de savoir que je disais tant de bien d'elle hors de sa présence. Mais en même temps je sentais qu'elle répondrait au vieil homme d'État ce qu'elle avait dû répondre à Montargis et que si cela n'avait pas altéré l'affection de Montargis pour moi, cela ferait que Mme de Villeparisis ne voudrait plus jamais m'inviter en même temps que sa nièce. D'ailleurs à quoi cela servirait-il ? Je ne perdais jamais une occasion de jeter de ces paroles destinées à parvenir jusqu'à Mme de Guermantes ou au moins jusqu'à ceux qui, voyant combien je l'admirais, chercheraient peut-être à m'inviter avec elle, et par une mystérieuse pesanteur, ces paroles retombaient toutes, vaines, comme inentendues, non parvenues à destination. Par moment, en pensant aux gens pour qui elle avait de l'amitié, de l'amour peut-être, avec qui elle devait se moquer de moi, je souffrais d'une telle humiliation que je < ne >

me consolais que par cet espoir : « Quand je ne l'aimerai plus, quelle joie je me donnerai d'être désagréable avec elle, et de lui montrer alors le peu qu'elle sera pour moi, et qu'elle ne doit pas croire qu'elle puisse jamais devenir pour moi ! » Un jour que Montargis était venu me voir, me disant qu'il allait être obligé de quitter son amie, qu'elle le trompait ouvertement avec un prince russe, je le forçai à venir à une matinée qu'il y avait chez Mme de Villeparisis, car je pensais que Mme de Guermantes venait, il me dit : « Il faut bien que ce soit pour toi pour que je sorte en ce moment. » Comme dans la rue ce jour où il avait été avec moi, elle me parla pour lui obéir, mais simplement en nièce de Mme de Villeparisis qui faisait les honneurs chez sa tante indistinctement à tout le monde et parce que la politesse y oblige une nièce, même à des gens qu'elle ne connaît pas, elle m'offrit des petits gâteaux, me versa du thé, mit elle-même la dose de crème *[un mot illisible]*. Pétrifié, je la regardais sans lui dire un mot. « Eh bien, elle a été gentille, me dit Montargis, mais aussi tu ne lui dis rien, elle m'a demandé si tu ne la trouvais pas à la hauteur. »

Quand au bout d'une année j'eus cessé de penser à Mme de Guermantes et suivre comme ci-dessus.

Esquisse XIX

[PORTRAIT DE
MME DE VILLEPARISIS]

[Ce développement appartient au Cahier 31. En attendant le retour à Paris de Montargis qui devait l'emmener dans les salons où il pourrait rencontrer Mme de Guermantes, le héros est invité, par suite de la publication d'un essai, chez Mme de Villeparisis.]

Je[a] n'eus même pas besoin d'attendre le retour de Montargis. À la suite d'un petit essai que j'avais publié dans une revue et qui avait eu un certain succès, Mme de Villeparisis fit demander à mes parents que je vinsse à ses cinq heures où je rencontrerais des écrivains. À ce moment Montargis revint, je lui montrai la lettre et il fut convenu qu'il me mènerait chez sa tante[1]. Je n'étais pas fâché de lui montrer qu'il n'était pas seul à me trouver quelque intérêt. La marquise de Villeparisis habitait, dans le petit hôtel au fond de la cour, l'étage supérieur, au-dessus d'une « marquise », sorte de véranda vitrée qui faisait que Françoise etc.

À vrai dire les personnes qui venaient voir M. et Mme de Guermantes montaient rarement chez Mme de Villeparisis. Mme de Villeparisis aussi bien née que qui que ce fût, ayant les parentés les plus illustres, beaucoup plus intelligente d'ailleurs que le reste de la famille, avait ce qu'on appelle une mauvaise position. Était-ce parce qu'elle était depuis cinq ans la vieille amie, d'aucuns disaient la maîtresse, du marquis de T***, l'illustre ancien ministre[1] ? Nullement. Même en supposant que ce vieux parlementaire n'eût pas été le seul, bien des femmes très à la mode avaient de nombreuses liaisons à se reprocher. Une de celles qui battaient le plus froid à Mme de Villeparisis, une des plus grandes amies de Mme de Guermantes qui venait presque chaque jour chez elle, et s'en tirait avec une carte par an à Mme de Villeparisis, une Américaine pauvre, Mme Sises[a], avait tant d'amants et disait-on si fructueux qu'on était étonné de la voir tellement dans l'intimité de femmes comme Mme de Guermantes, qui se départissaient[b] de leur parcimonie habituelle pour lui prêter de l'argent et envoyaient leur fille au théâtre avec elle. Était-ce parce que Mme de Villeparisis dans des Mémoires, et même disait-on des romans à clefs, qui devaient paraître après sa mort, disait pas mal de méchancetés sur beaucoup de monde ? Certainement pas, car le monde aime la méchanceté et par intérêt on aurait tâché de se mettre bien avec elle. Était-ce parce qu'elle était très vieille ? Mais la princesse de Z sa cousine, aussi vieille et qu'on appelait en riant le connétable du Déclin, avait le salon le plus élégant de Paris. Alors pourquoi dans l'appartement « au-dessus de la marquise » orné des grands portraits du maréchal, de tous les Villeparisis et des portraits des princes d'Orléans offerts par eux-mêmes ne venait-il guère, en dehors de tous les Guermantes et parents attentifs à un héritage qu'on disait considérable, en dehors de vieilles amies du plus grand monde et restées fidèles, en dehors des princes et princesses d'Orléans quand < ils > étaient de passage et qui « du haut de leur trône » ne voient pas les nuances d'élégance, que des hommes de lettres sans grand intérêt, de petits archivistes censés l'aider dans la confection des Mémoires, quelques bourgeoises ou nobles de dixième catégorie, très fières d'être reçues chez Mme de Villeparisis née de Poitiers, et d'avoir la chance d'y rencontrer presque chaque fois Mme de Guermantes qu'elles ne voyaient nulle part ailleurs et enfin quelques ambassadeurs étrangers ou hommes politiques royalistes français sur lesquels l'illustre ancien premier ministre usait de toute son influence pour leur faire meubler le salon Villeparisis, leur faisant comprendre qu'on ne pouvait plus dans la vie lui rendre qu'un service, aller chez sa vieille amie ? Et de fait ceux qui lui envoyaient des présents, l'invitaient, lui faisaient mille amabilités, n'en recevaient que des remerciements les plus froids, destinés à faire contraste avec la reconnaissance effective qu'il vous témoignait si vous veniez dîner régulièrement chez Mme de Villeparisis. D'ailleurs il donnait l'exemple et y était toujours, par plaisir, par devoir, mais surtout parce qu'il savait que sa présence était un attrait, un intérêt, qu'il savait qu'elle entendait le « servir » à ses intérêts[1]. Depuis vingt-cinq ans elle lui disait « Bonsoir monsieur l'ambassadeur » comme si elle le recevait pour la première fois et lui, lui baisant respectueusement la main, disant à tous moments « madame ». Mais s'il se retirait dans un salon à côté pour étudier un rapport, s'il venait quelque personne à qui elle « tînt » (et à qui en tant que *marquise* de Villeparisis non seulement elle n'eût pas dû tenir, mais qu'elle n'eût pas eu à connaître) elle sonnait et il fallait qu'il vînt au plus vite. Il était un des attraits offerts à la société nouvelle de bourgeoises, de fausses nobles et d'hommes de lettres, et d'ailleurs il n'était pas le seul. Tous les Guermantes étaient dans le même cas. Car pour elle sa vraie société c'était celle qu'elle pouvait étendre, vis-à-vis de laquelle il lui fallait briller pour y garder son rang et en attendre les mille plaisirs sociaux. Tandis que les quelques gens extrêmement chics qu'elle connaissait n'avaient plus aucune utilité pour elle, ne l'invitaient pas, en tous cas ils étaient fixés sur elle, elle n'avait pas besoin de les éblouir, ils savaient de quelle grande race elle était. De plus ils n'avaient même plus aucun prestige pour elle, parce qu'elle les connaissait trop. De sorte que c'étaient l'ancien ministre, les Guermantes, la princesse de T***, qu'elle menait par-dessus la jambe et qu'elle faisait marcher, trotter pour divertir la jeune femme du docteur S***, ou la belle-fille d'un ministre de la République. À un petit journaliste elle disait : « Permettez-moi de vous présenter ma nièce la comtesse de Guermantes » et quand Mme de Guermantes était partie, si le journaliste parlait d'un château qu'il désirait voir, elle disait : « Je dirai à ma nièce de vous y mener. » Et le journaliste ne doutait pas que cela dût arriver puisque Mme de Guermantes ne lui apparaissait que comme la nièce inférieure et tarabustée de l'illustre Mme de Villeparisis, la petite-fille du maréchal, et en laquelle pour lui se résumaient toutes les élégances.

Quand[a] elle donnait une petite matinée, où jouait à l'œil tel pianiste amené par la femme du docteur qui lui avait fait comprendre que c'était pour lui la gloire, Mme de Villeparisis disait à la petite duchesse de T*** : « Vous direz à Suzanne (la duchesse de S*** belle-mère de la duchesse de T***) d'arriver à deux heures moins le quart », comme elle aurait dit cela à un maître d'hôtel extra, de dire à un de ses aides d'arriver avant le dîner pour aider à faire les compotiers.

Mme de Villeparisis m'accueillit avec faveur, « me présenta » tous les Guermantes, comme je parlais d'aller voir Sarah Bernhardt dans *Phèdre* dit : « Arrangez-vous avec mon neveu Villeparisis pour y aller ensemble, il connaît Sarah Bernhardt, il vous présentera. » Pour lui faire une cour je fus très déférent avec l'ancien ministre et lui parlai excessivement longtemps. Mais je compris bientôt que cela n'intéressait Mme de Villeparisis que dans la mesure où elle pensait que cela pouvait m'intéresser, moi, et nullement où cela pouvait flatter l'ancien ministre qu'elle considérait comme un portrait remarquable qu'elle me montrait en sachant m'intéresser, ou un vin particulièrement rare qu'elle me faisait déguster. Sans que ce fût particulièrement en considération du plaisir que cela causait au portrait ou au vin. Je crois qu'au fond elle aimait beaucoup les Guermantes, pas du tout en Guermantes, mais comme nous aimons nos nièces et nos cousins, par sentiment de famille, par ressemblance avec une sœur que nous aimions, avec exigence, avec piques, avec susceptibilités. Elle avait un neveu Villeparisis qu'elle aimait particulièrement mais elle le recevait toujours en bougonnant, comme les Guermantes ; ce n'était pas pour montrer aux petits bourgeois « vous voyez je ne me gêne pas avec ces ducs », bien que cela les remplît d'émerveillement, mais parce qu'à son âge les parents âgés se gênaient moins pour les enfants, aussi parce que quand on est arrivé à l'âge qu'elle avait, mais en ne tenant pas compte de cette différence de situation élégante qui dans ses rapports avec sa famille n'existait guère, les petit-neveux et nièces ne sont jamais « en règle », trouvent quelque chose de plus amusant que d'aller vous voir, et que leurs parents quand ils viennent se font tenir tête. « Hippolyte ? Il y a plus d'un mois que je ne l'ai vu. Je ne crois pas que je l'aie vu depuis le jour de l'an. — Il a été très enrhumé ma tante. — Dans *Le Figaro* on disait qu'il dînait chez Mme de Sagan, puisque maintenant on met ces choses-là dans les journaux. De mon temps si on avait mis dans *Le Constitutionnel*[1] les gens qui dînaient chez Mme Delessert[2] ou chez *Madame* la duchesse de Chartres, on se serait fait joliment arranger. » Mais surtout parce que c'était une personne parfaitement bien élevée qui traitait sa famille en famille et avec simplicité et réservait les « égards » pour les étrangers, même avec une petite nuance qui donnait un assez joli caractère à son hospitalité de sentir qu'elle était ainsi, qu'en cela elle était de son temps, que c'était une famille d'autrefois qu'elle nous montrait, dont elle nous faisait des honneurs, sous son vieux bonnet et dans ses vieilles modes d'autrefois, comme la bonne en « costume du temps » à l'entrée d'une rétrospective. Mais cela n'avait rien d'une mascarade, car si elle sentait avec finesse cette note ancienne qu'elle donnait, elle la donnait fort naturellement et sincèrement. Tout vraiment, sa conception de la vie, sa simplicité, ses rapports de famille, ses idées, ses souvenirs, son nom, ses portraits, ses vêtements, tout était d'accord. Et par moments elle y raccordait d'un mot un usage d'alors que nous ne connaissions plus, tel trait de mœurs aristocratique ou même populaire. À son neveu Villeparisis qui venait de faire un mariage colossalement riche et qui ne parlait que du luxe qu'il allait avoir et qui disait : « Oui ma tante, je veux ressusciter le luxe des vieux gentilshommes d'autrefois », elle répondit : « Mais non mon enfant, pas des vieux gentilshommes d'autrefois, des rastaquouères. C'est aujourd'hui que Hubert de Liauran[a], qui je ne sais pourquoi se fait appeler le prince d'Aix, il n'y a pas le moindre droit, envoie d'avance des piqueurs dire : "Monsieur le Prince va venir." Je t'assure qu'autrefois quand ton grand-père qui était un homme aussi comme il faut que M. de Liauran allait à cheval à l'hôtel La Rochefoucauld, il n'était suivi de personne et il attachait lui-même son cheval après la borne et donnait quelques sols à un gamin qui le lui gardait avec sa gaule. » Elle faisait comme cela de jolis petits tableaux du vieux Paris, et des boutiques. Elle disait au petit prince de Graves : « Alors tu vas au bal comme cela avec un pantalon noir. Mais jamais ton papa n'aurait voulu aller au bal qu'en pantalon gris perle. C'était plus joli que d'avoir le même pantalon noir que pour dîner puisque c'est pour faire autre chose. Mais on n'est plus élégant aujourd'hui. » « Alors, disait-elle, englobant dans un même tout le prince de Graves, le petit Guermantes, le journaliste et moi, vous, je vous vois d'ici, vous allez au bal chez la princesse de Sagan. Mais je suis invitée aussi, disait-elle d'un air de vanité feinte, on est venu m'inviter ! Mais ce n'est plus de mon âge. » Et le journaliste un peu plus naïf que moi se disait qu'il était en somme quelqu'un du même monde que le prince de Graves puisque Mme de Villeparisis les mettait ainsi dans la même phrase. Certainement si Mme de Villeparisis savait qu'il n'était pas invité chez la princesse de Sagan, elle aurait à cœur de réparer ce qu'elle considérait certainement comme une anomalie puisqu'elle avait dit « vous allez chez Mme de Sagan » et il hasardait : « Non, je ne suis pas invité. » Mais cette timide invite restait sans écho. Ou bien le même journaliste rencontrait toujours chez Mme de Villeparisis, deux vieux ducs qui n'avaient pas voulu rester à la Rue-Royale parce qu'ils trouvaient que c'était trop mêlé et se voyant traité aimablement par les dits ducs, pensait que rien ne lui serait plus facile que d'être présenté à la Rue-Royale. Quand Mme de Villeparisis était forcée d'entendre ces « invites » sur les soirées, ou les cercles, etc., elle disait que le monde était assommant, qu'il n'y avait que des idiots dans les cercles, qu'il valait mieux faire un beau livre,

et en fin de compte pour se débarrasser du journaliste le faisait
inviter dans un salon « artistique » qu'elle disait plus intéressant
pour lui et présenter à « l'Épatant pour lequel tous mes cousins
désertent le Jockey parce que c'est beaucoup plus amusant ».
Elle disait ne priser que l'intelligence et daubait \<le\> monde,
\<les\> préjugés de la société aristocratique qu'elle dépeignait
comme stupides non seulement aujourd'hui mais depuis Louis
XVIII et auxquels elle attribuait le discrédit où était tombée la
bonne société et une partie des malheurs de la France. Or elle
ne disait pas \<cela\> seulement parce que cela lui donnait moins
de peine de conseiller aux gens de lettres d'écrire des livres que
de les faire recevoir dans le faubourg Saint-Germain, comme les
maîtres économes qui trouvent « plus sain » que leurs
domestiques ne boivent que de l'eau et aillent au square plutôt
qu'au théâtre[a]. Non[b], dans *[plusieurs mots illisibles]* tradition
d'orléaniste, elle avait toujours plaisanté les ridicules du faubourg
Saint-Germain, la dévotion des « ultras », l'opposition stérile
du centre droit. Elle n'aimait que l'intelligence : « Aujourd'hui
le nom n'est plus rien, le mérite est tout. » Aussi dès que sa
jeune nièce Auriane fut en âge d'être mar\<iée\>[c] plusieurs des
journalistes pensèrent-ils qu'elle allait ép\<ouser\> un roturier
de talent, un poète, un de ces hommes qu'elle voy\<ait\> chez
sa tante et les seuls qu'elle déclara estimer. Mme de Villeparisis
essaya d'un mariage avec le prince d'*[un mot illisible[d]]* qui ne put
pas se faire et aussitôt se retourna sur le comte de Villebon, qui
devait prendre plus tard le nom de Guermantes et qu'elle trouva
le meilleur parti po\<ur\> sa nièce. Le meilleur parti ne signifiait
nullement que M. de Villebon fût donné à un degré quel-
c\<onque\> sur le mérite qui aujourd'hui est tout. Mme de
Villeparisis ne chercha même pas à tromper sur ce point. Elle
expliqu\<a\> rapidement que les Guermantes étaient connus
avant mêm\<e\> les Uzès, qu'il est prouvé qu'ils descendent des
anciens com\<tes\> d'Évreux, qu'ils sont alliés cinq fois aux
Rohan, sept fois aux Harcourt, que probablement la sœur allait
épous\<er\> le chef de la maison de Mortemart, que c'était
com\<me\> ancienneté, comme éclat de services rendus, comme
[un mot illisible] sans mésalliance, comme fortune ce qu'il y avait
de mieux. Et à partir de ce moment Mme de Guermantes quand
elle montait chez sa tante était toujours aussi aimable pour le vieil
archiviste, pour le jeune journaliste, pour tous ces gens d'intelligence qui étaient tout. Mais quand le vieil archiviste mourut elle
écrivit une lettre de quatre pages, fit quelques temps après une
visite à sa veuve, tous actes évidemment charitables mais qui
restent secrets comme des actes de charité. Tandis que si un duc
qu'elle voyait une fois tous les deux ans mourait elle s'inscrivait.
Ainsi l'avait élevée Mme de Villeparisis, dans les pures traditions

du faubourg Saint-Germain. Cela permit à Mme de Guermantes de passer toujours dans sa famille et son intimité pour ce que le monde appelle une femme très intelligente. Il n'aurait pas été très facile de dire en quoi consistait son intelligence, elle n'avait pas d'esprit, ne lisait rien, ne s'intéressait pas à grand-chose. Mais elle disait : « Cécile ? Mais c'est une bête », quand les autres n'auraient pas osé le dire, elle « remouchait » les gens, elle avait une espèce de vivacité, d'indépendance, de goût de contredire qui faisait dire : « Elle a oublié d'être bête. » Elle avait surtout son opinion « à elle » et ne s'en laissait pas imposer par les autres, si haut placés qu'ils fussent. Elle remettait à sa place la princesse de Hanovre. Quand l'affaire Dreyfus éclata, elle disait chez Mme de Villeparisis que l'armée se conduisait honteusement, qu'elle était avec les révisionnistes. Comme en même temps elle cessa de recevoir tout ce qui pouvait toucher au monde israélite ou dreyfusard, l'ostracisme qu'elle exerçait à l'égard des personnes corrigeait l'hospitalité qu'elle accordait aux idées. Et ses amies trouvaient à lui voir imiter leur conduite la sécurité nécessaire pour goûter ce qu'il y avait de piquant à l'entendre contredire leurs opinions. Quant au vieil homme d'État il avait cette expérience, ce goût, ce respect des habitudes gouvernementales et diplomatiques qui fait considérer toute initiative comme une maladresse et une incorrection. Ainsi tout en étant dans le fond aussi « antidreyfusard » que la comtesse et que tout le faubourg Saint Germain, <il> ne parlait jamais de l'Affaire, néanmoins, quand il y avait peu de monde et que Mme de Villeparisis le poussait, il levait les bras au ciel quand on disait que le chef d'état-major avait envoyé un officier d'ordonnance faire des confidences au directeur de *L'Intransigeant*. Il disait savoir que c'était malgré la défense formelle du général Billot que le général de Pellieux avait sorti la pièce appelée[a] plus tard « faux Henry » et ajoutait qu'il était bien regrettable que l'avis du ministre n'eût pas été suivi. Quant au prince d'Orléans embrassant Esterhazy, il jugeait cela « des plus fâcheux » et serait bien étonné si une telle incartade eût eu l'approbation de M. le duc de Chartres. Habitué à causer avec les souverains et à n'en rendre compte qu'au ministre compétent, à considérer comme un événement de la plus haute portée le déplacement d'une épithète dans les toasts officiels, et à blâmer ou à entendre blâmer par les vieux diplomates comme lui, tout toast où ce déplacement affectait plus de deux épithètes à la fois comme une innovation hardie, une manifestation déplacée et des plus dangereuses, il savait le prix du silence et le danger des indiscrétions. Il désapprouvait généralement les poursuites, toujours les interviews. Dans un procès comme le procès Zola par exemple le fond lui échappait mais il apercevait aussitôt les cas de nullité, et arrivait par là à une appréciation assez juste < de > ce qui arriverait. De sorte que les littérateurs du salon Villeparisis, entendant Mme de Guermantes soutenir les révisionnistes et le vieil homme d'État blâmer les conservateurs, étaient persuadés que le faubourg Saint-Germain était dreyfusard, et que Mme de Guermantes serait trop heureuse de recevoir Zola[a].

Esquisse XX

KREUSNACH

[Les noms du beau-frère du duc de Guermantes rappellent au narrateur un séjour qu'il fit avec sa mère dans une ville d'eaux allemande. Ce fragment du Cahier 28 porte comme titre : Kreusnach[1].*]*

Un jour que je demandais à M. de Guermantes de me dire les beaux titres de son beau-frère, j'entendis un beau nom composé retentir comme des noms de héros d'Homère, quand tout d'un coup ces noms me semblèrent diminuer, trouver où s'accrocher dans ma mémoire, modestes comme un nom de promenade qu'on pouvait faire à cinq heures la cure finie, ou comme un nom de vin qu'on pouvait boire si le médecin ne le jugeait pas contraire au régime. J'hésitais ; je reconnus formellement un second pour un site voisin de la petite ville d'eaux allemande où j'étais allé autrefois avec ma mère bien avant Querqueville ; il m'en dit encore un troisième, un quatrième ; c'était le nom d'un pays jusqu'où je n'étais pas allé, parce qu'il fallait partir dès le matin en voiture, mais dont j'avais aperçu l'église du haut de la colline et dont le vin était le cru le plus cher de l'hôtel ; un quatrième était à côté de la ville où nous étions ; j'y étais allé plusieurs fois en barque par les fins d'après-midi chauds. Je comprenais qu'il fût à la fois seigneur de tous ces lieux puisqu'ils étaient en effet tous l'un près de l'autre. Combien cela m'intéressait ; ces forêts où je m'étais promené, ces collines bleues qui s'élevaient derrière le Kurhaus et qui portaient de beaux noms allemands, je m'étais souvent demandé qui les avait féodalement possédés[b]. Toujours j'avais aimé aller plus au fond des lieux que je voyais, tâcher de leur recomposer, sous la diversité de leurs aspects et le morcellement des contacts que je prenais avec eux, qui les faisait ressembler à tous les coins de bois, à tous les coins de rue, une unité, une essence particulière, où se refit l'originalité de leurs noms. Toujours aussi devant ces beaux noms de la noblesse allemande, je souhaitais savoir ce qu'il y avait effectivement au fond de ces beaux noms multiples, chercher ce que contenait le nom qui me faisait imaginer une réalité mystérieuse que je ne connaissais pas. Et voilà que c'était la forêt à l'orée de laquelle je faisais des promenades quand la cure ne m'avait pas trop fatigué, sous les arbres de laquelle comme < sous ceux > du bois de Pinçonville je me réfugiais s'il pleuvait et où après l'orage j'avais vu encore le soleil reparu allonger entre les terres de grands barreaux d'or. C'était ce village dont on apercevait la flèche gothique au fond du fleuve vert ; c'était la petite montagne bleue située derrière le Kurhaus où je me proposais de monter la cure finie pour voir la vue qu'on a sur tout le Palatinat. Ces lieux lointains qui m'étaient si chers, sites de tant de sensations de froid, de soleil, de faim, de tristesse, de gaieté, de désir de voyage ou simplement de rentrer dîner que j'y avais éprouvées, c'étaient eux le rhingraviat[a], c'étaient eux, ses membres, ses terres, ses bois, ses canaux, son corps vivant, sur lequel régnait jadis le rhingrave et que j'avais cherché à imaginer. Ces noms de pays dont il était rhingrave et que pour tant d'autres margraves ou écuyers teutons j'essayais d'imaginer, mais je les reconnaissais ! C'était le doux nom de la rivière amie où je m'étendais au fond de la barque, m'arrêtant sous ses roseaux, c'était le nom bien connu aussi, bien aimé du village pour lequel je louais la barque, disant « pour aller à... » et dont Maman me disait quand je rentrais dîner : « As-tu eu le temps d'aller jusqu'à... ? » C'étaient tous les noms aimés, connus, remplis de souvenirs et non d'inconnu, ces noms si doux, qui mis bout à bout, comme nous faisions bien souvent en dînant avec Maman quand nous nous racontions notre journée, faisaient le titre étranger et retentissant — quatre lignes du *Gotha* — du rhingrave. Et si cela mettait dans ce titre la familiarité des jours que j'avais vécus, des chemins où j'avais eu chaud, senti le vent, eu envie de voyager en Allemagne, de lire Goethe, de rentrer dîner, à une époque ancienne de ma vie où elle m'apparaissait tout autre qu'elle ne fut et que je ne la désirerais aujourd'hui, si cela me permettait de lever la visière des beaux noms héraldiques et d'apercevoir avec tendresse sous ce déguisement de vieux amis sur lesquels le soleil de cinq heures donnait encore, de vieux amis redevenus un peu mystérieux tant j'étais déjà loin d'eux, en revanche sur ces lieux facilement vulgaires où il y a un Kurhaus, des promeneurs en excursion, un concert au jardin municipal, des restaurations sur la montagne, cela imposait une invisible couronne du Saint-Empire germanique qui timbrait le tout aux armes du rhingrave, couronne invisible,

située un peu au-dessus du sol, dans l'air, mais qui montrait que
ces lieux discordants, divers, industrialisés, modernes, étaient de
ceux dont l'histoire nous fait rêver quand elle nous parle de
rhingraviat, de burgraves et de princes palatins.

Esquisse XXI

[LE SALON
DE MME DE VILLEPARISIS]

*[Dans ce fragment du Cahier 39, le narrateur est enfin autorisé à se rendre
à l'invitation de Mme de Villeparisis. Il espère rencontrer chez elle Mme de
Guermantes.]*

Mme de Villeparisis, comme je ne tardai pas à m'en rendre
compte était une de ces femmes, comme le lecteur pourra en
retrouver plusieurs dans son souvenir pour peu qu'il ait été dans
le monde, <qui> nées avec un des noms glorieux de
l'aristocratie, l'avaient échangé par leur mariage contre un autre
qui n'était ni moins ancien ni moins illustre, ayant pour proches
et pour alliés la première noblesse d'Europe, et supérieure du
reste à toute sa famille par une intelligence, un esprit supérieur,
un véritable talent de conversation, du style, et qui malgré cela
ne jouissaient pas cependant d'une grande situation mondaine,
et ne recevaient dans leur salon, en dehors de leur parenté
immédiate et de têtes couronnées qui étaient amies <de> leurs
ascendants, que des relations bourgeoises ou de la noblesse de
quatrième ordre. La liaison de Mme de Villeparisis avec M. de
Norbois, liaison qui datait de plus de dix ans, n'était certainement
pas la raison de son déclassement, puisque la princesse de Parme
et vingt autres qui faisaient la loi dans la haute société affichaient
plus ouvertement et sans aucun dommage pour leur situation un
amant moins respectable que M. de Norbois qui en tout cas n'était
probablement plus pour Mme de Villeparisis, certains même
disaient qu'il n'avait jamais été, qu'un amant platonique. Mme
de Villeparisis avait-elle eu autrefois d'autres aventures, et avec
le caractère peut-être plus passionné que celui presque dévot qui
avait succédé et que nous lui voyions dans sa vieillesse, avait-elle
bravé par quelque scandale les préjugés de la société aristocratique
de cet Anjou où elle avait longtemps vécu et où on racontait
peut-être encore sur elle dans les châteaux des histoires qui
n'avaient pas filtré jusqu'au Paris d'aujourd'hui où de vieilles gens

seules les savaient peut-être, et < où > on ne pouvait plus guère en constater que l'effet, dans l'aspect mêlé, les parties de dernière qualité présentées par ce salon qui eût dû tout naturellement, être au contraire si brillant, sans aucun alliage inférieur ? C'est possible (et ce n'est pas la façon charmante dont elle parlait de la vertu dans sa conversation et dont elle en a parlé dans sa mémoire[1] qui serait une raison d'affirmer le contraire. Car les gracieuses peintures de la Vertu sont l'œuvre non de la vertu mais de l'intelligence et c'est souvent dans les personnes qui ont manqué dans leur vie à ses préceptes qu'arrive à la plus claire conscience d'elle-même la Vertu. Il y a une génération de gens qui pratiquent les vertus et les divers mérites. Puis une seconde génération de gens qui ne les pratiquent pas mais les ressentent et les dépeignent : ce sont les artistes) ; mais ce qui dans ce cas avait dû aggraver, avait rendu définitives les conséquences de scandales qui avec le nom et les alliances de Mme de Villeparisis < eussent > été < faciles > à réparer et à oublier, ce qui même, plus probablement, sans qu'il y ait eu besoin d'aucun scandale, avait été la cause unique de sa déchéance mondaine, c'était précisément son intelligence[a], une intelligence plus que de femme du monde douée, une intelligence d'écrivain. Sans doute cette intelligence était de celles à qui reste fermé le génie d'un Chateaubriand, d'un Hugo, d'un Flaubert qu'elle ne sut que railler avec une spirituelle incompréhension. Mais quand une intelligence même de ce genre est portée au degré, comme elle l'était chez Mme de Villeparisis, ses Mémoires parus après sa mort l'ont prouvé, où elle se pare d'un véritable talent — la grâce même qu'elle sait mettre à méconnaître un grand artiste, est elle-même une qualité artistique, et cette intelligence est une intelligence d'artiste. Quelle action profonde, morbide et si destructive, une telle intelligence exerce-t-elle sur une situation mondaine, qu'il en est peu même des plus solidement constituées qui y résistent plus de quelques années ? Ce qui paraît chez la personne qui en est douée intelligence aux autres artistes semble-t-il prétention pure aux gens du monde qui ne pouvant jamais se placer au seul point de vue où les artistes se placent, ne comprenant jamais l'attrait particulier auquel ils cèdent dans le choix d'une expression ou d'un rapprochement finissent par éprouver à leur endroit, une irritation, une antipathie, une répulsion véritable ? Sans doute les Mémoires de Mme de Villeparisis n'offrent pourtant qu'une sorte de grâce mondaine et passent à côté des grandes choses qui ont échappé à l'auteur, ne donnant guère, de l'époque qu'ils racontent que l'impression, charmante d'ailleurs de sa frivolité. Mais un ouvrage même inintellectuel est une œuvre de l'intelligence ; pour donner dans un livre l'impression de la frivolité, il faut encore avoir eu un certain sérieux dans l'esprit, une personne qui n'eût été que frivole n'en eût pas été capable, et peut-être cela suppose-t-il souvent chez son auteur à un certain moment de sa vie le goût d'une culture assez rébarbative pour qu'on ait souvent chance, quand la postérité tient une femme pour un écrivain léger, qu'elle ait paru à ses amies jeunes filles un insupportable bas-bleu. Puis l'esprit de Mme de Villeparisis, tempéré, adouci plus tard par la vieillesse et la religion, ne savait peut-être pas, quand elle était jeune, ivre d'orgueil et de savoir, retenir, contre des gens du monde moins intelligents qu'elle et ignorants, de ces traits que le blessé ne pardonne pas. Puis sans doute dans les jugements portés dans ses Mémoires, dans ses lettres, Mme de Villeparisis dégageait le charme particulier d'une intelligence positive, habile, propre à l'action. Mais, si un talent frivole implique une intelligence sérieuse, un talent positif implique pourtant à sa base une certaine vivacité d'imagination — fût-ce de l'imagination des réalités — qui si elle ne troublait pas son esprit de conduite*d* dans ses correspondances avec ma grand-mère, avait dû autrefois se mettre souvent en travers de lui. Car le talent n'est pas un agrément artificiel qu'on ajoute du dehors aux qualités qui font une « femme complète ». Il est un produit vivant d'une certaine complexion morale où précisément plusieurs de ces qualités manquent souvent, et où prédomine une sensibilité dont d'autres manifestations, inséparables de lui, et que nous ne percevons pas en lisant un livre, purent se faire sentir assez vivement, au cours de la vie ; telles que certaines curiosités ou fantaisies qui donnaient souvent à Mme de Villeparisis l'envie de connaître des gens qui n'avaient aucun titre à être reçus chez elle, parce qu'elle les avait trouvés amusants, ou beaux, ou différents des gens qu'elle connaissait. Il fallait < aller > au-devant d'eux, leur offrir peut-être avec insistance des invitations dont ils ignoraient la valeur et qui se trouvaient par l'offre qu'ils en voyaient faire dépréciées aux yeux des gens du monde qui sans cela les eussent tant recherchées. Sans compter qu'elle introduisait ainsi en trop grand nombre dans sa société des gens qui n'avaient aucun titre mondain à en faire partie et qui en détachaient aussitôt tous ceux qui fréquentent moins un salon parce qu'on y reçoit les gens à la mode que parce qu'on n'y laisse pas pénétrer les autres. Quoi qu'il en soit des causes qui mettent en opposition une certaine nouveauté de dons littéraires et le maintien d'une grande situation mondaine, on peut dire qu'au moins il y a entre eux connexité, comme en certains caractères zoologiques *(?)* comme la *[un blanc[1]]* du bec et des ailes chez certains oiseaux. Il suffisait de lire un simple mot écrit par Mme de Villeparisis à ma grand-mère, pour, de la façon dont tel adjectif était placé dans la phrase, du sens dans lequel tel autre était employé, induire tel salut profond mais glacial que devait lui adresser sur l'escalier d'une ambassade une personne vraiment snob comme était par exemple Mme Leroi, qui lui mettait peut-être une carte par an en allant voir les Guermantes, mais eût eu peur de se déclasser en fréquentant, au milieu de tant de femmes de médecins ou d'écrivains, le salon de Mme de Villeparisis.

Ces femmes de médecins ou d'écrivains, bien qu'elles eussent la surprise désagréable de s'y retrouver les unes les autres, ne doutaient pas d'ailleurs que les réceptions de Mme de Villeparisis < fussent les > plus élégant < es > de Paris[a]. L'absence de Mme Leroi qui rongeait secrètement le cœur de Mme de Villeparisis — *[un mot illisible]* parce que des dispositions poétiques par exemple sont la cause d'une neurasthénie qui nous empêche de quitter notre lit, il ne s'ensuit pas de là, bien que nous n'y puissions rien et ne puissions faire que nous soyons un boucher au lieu d'un poète, que nous soyons content de rester couché et que nous ne préférions pas voyager et chasser — passait inaperçue à leurs yeux. Pour ces bourgeoises comme pour le public qui lira longtemps les Mémoires de Mme de Villeparisis, pour cette postérité qui n'a pas changé depuis Homère, l'élégance c'est la haute naissance, les hautes alliances, l'amitié des rois, des chefs du peuple, des hommes illustres. Or Mme de Villeparisis possédait tout cela, dans sa vie présente ou dans ses souvenirs.

Dans cette première visite que sur le conseil de M. de Noirpont, mon père me fit faire à Mme de Villeparisis, je ne trouvai chez elle, dans le salon orné des portraits offerts par eux du duc de Berry, de Charles X, de la Dauphine, du roi Louis-Philippe et de la reine Marie-Amélie, du prince[b] de Joinville, de la reine des Belges, de la princesse Clémentine[1], que le docteur Cottard, qu'elle avait récemment consulté et comptait prendre comme médecin habituel, un archiviste l'aidant à classer des autographes qui devaient figurer comme pièces justificatives dans ses Mémoires et un jeune auteur, à qui elle comptait demander de lui procurer des artistes pour ses réceptions du printemps. « Mon Dieu les ministres, mon cher monsieur, dit-elle au jeune auteur quand j'eus pris une chaise, reprenant une conversation que mon entrée avait interrompue, personne de la société ne voulait les voir. Je me rappelle, mon père disait un matin au roi Louis-Philippe : "Votre Majesté sait bien que mon dévouement pour elle n'a pas de bornes, mais je ne peux pas me laisser présenter à M. Molé." Et à quelques jours de là, le roi qui finissait par faire de mon père tout ce qu'il voulait arrivait un matin en disant : "Florimond, je viens te demander de me rendre, par patriotisme, le service qui te coûte le plus." Mon

père comprit, baissa la tête. Quelques jours après nous dînions chez M. Molé qui était grave et prétentieux quoique il ne manquât pas d'esprit. Je le vois[a] encore, son grand chapeau haute forme à la main dans son propre salon. — Comment, son chapeau, chez lui, ah ! c'est curieux, disait le jeune auteur, désireux de profiter d'une occasion rare de s'instruire auprès d'un témoin oculaire de la vie aristocratique d'autrefois. Est-ce que c'était l'habitude alors ? », tandis que l'archiviste, les yeux attendris, brillants, regardait Mme de Villeparisis d'un air de nous dire : « Voilà comme elle est quand elle est en verve, elle a connu tout le monde, vous voyez, elle sait tout, elle vous apprendra tout, elle est extraordinaire. » « Mais non, reprit Mme de Villeparisis, c'était un usage que je n'ai jamais vu ailleurs. C'était une habitude particulière à M. Molé. Jamais mon père ni aucun de ses amis n'était chez lui avec son chapeau ; excepté bien entendu quand il avait un roi, puisque le roi est partout chez lui et que le maître habituel de la maison n'est plus qu'en visite. Ce n'est pas comme mon neveu Montargis, dit-elle en se tournant vers moi, qui tombe dans l'autre excès et laisse partout son chapeau dans l'anti-chambre. Je crois toujours que c'est l'horloger... — Ah ! vraiment, je ne savais pas du tout, disait le jeune auteur, d'un ton péremptoire, comme si c'était une chose qu'il eût dû en effet savoir. — À propos de visite royale, dit Mme de Villeparisis à l'archiviste, vous ne savez pas la farce que mon neveu Guermantes m'a faite hier ? J'étais en train de lire quand mon maître d'hôtel m'annonce la reine de Suède. — Ah ! Ah ! Ah ! elle est bien bonne ! s'écria à mi-voix en s'esclaffant le docteur Cottard qui pensait que la farce consistait précisément à annoncer un visiteur aussi fantastiquement improbable qu'une reine. — J'étais assez étonnée, reprit Mme de Villeparisis qui n'avait pas entendu, parce que je n'étais revenue de la campagne que la veille, et j'avais recommandé qu'on ne dise à personne que j'étais à Paris pour être un peu tranquille les premiers jours, justement la reine de Suède était venue dîner à Bourgueil[b] quelques jours auparavant et je lui avais dit que je ne rentrerais pas avant quinze jours. Elle devait donc m'y croire encore. C'était monsieur mon neveu qui sachant que je voulais être seule ce jour-là avait trouvé spirituel de me faire la peur d'une visite. » Le docteur[c] Cottard avait changé de figure en voyant que la visite de la reine n'était pas pour Mme de Villeparisis un événement irréalisable mais
[interrompu[d]]

Si Mme de Villeparisis avait travaillé le matin avec l'archiviste à la documentation de ses Mémoires, elle en essayait en ce moment sans le savoir le procédé et le sortilège sur un public représentatif de celui qui un jour les lirait. Je m'étais promis de lui demander quelques renseignements sur Mme Leroi dont les relations avec les Guermantes m'intriguaient beaucoup et qui me permettraient peut-être maintenant de lui dire que Mme de Guermantes ne m'avait pas reconnu[1]. Elle[a] me répondit d'un ton dédaigneux : « Oui, je sais qui vous voulez dire, la fille d'un gros marchand de bois, je sais qu'elle voit du monde maintenant, mais je vous dirai que je suis bien vieille pour faire de nouvelles connaissances ; j'ai connu des gens si intéressants, si aimables, que vraiment Mme Leroi n'ajouterait rien je crois à ma vie. » Mme de Villeparisis[b] ne disait pas la vérité et avant de se résigner à ne pas être en relation avec Mme Leroi elle avait demandé à plusieurs de ses vieilles amies qui s'étaient récusées et à sa nièce même de lui arranger un dîner avec elle. Mais l'absence de Mme Leroi dans un salon où venait la reine de Suède passait aussi inaperçue aux yeux de ses visiteurs d'aujourd'hui qu'elle passerait plus tard aux lecteurs de ses Mémoires. Les différences de situation mondaine qui tiennent à ce que une Mme de Villeparisis reçoit des gens que Mme Leroi ne recevait pas et ne reçoit pas des gens que Mme Leroi plus habile a chez elle ne sont pas perceptibles dans des Mémoires où les premières, Cottard, le jeune auteur, n'ont pas < à > être citées, et où les secondes n'ont pas besoin de l'être non plus, car un petit nombre de personnages peuvent y figurer, et que si ce sont des personnages royaux, des grands hommes la plus grande impression d'élégance que peuvent donner des Mémoires est atteinte. Aux yeux de Mme Leroi dont personne ne sait plus le nom, que le grand public n'a du reste jamais connu, le salon de Mme de Villeparisis était un salon de dernier ordre et à éviter. Mme de Villeparisis en a souffert ; mais c'est son salon à elle qui sera cru avoir été un des salons les plus recherchés du XIXe siècle par cette postérité qui n'a pas changé depuis les temps d'Homère et de Pindare et pour qui la situation enviable c'est la naissance royale ou quasi royale, l'amitié des rois, des conducteurs du peuple et des hommes illustres. D'ailleurs le salon d'une Mme de Villeparisis peut seul passer à la postérité parce qu'une Mme Leroi ne sait pas écrire et le sût-elle n'en a pas le temps. Puis M. de Norpois qui n'était pas capable de refaire une vraie situation mondaine à sa vieille amie, lui amenait en revanche les hommes d'État étrangers ou français qui avaient besoin de lui et qui savaient que c'était la seule manière de lui faire leur cour. Peut-être Mme Leroi les connaissait-elle aussi. Mais femme agréable et craignant les façons bas-bleu elle se contentait de jouer avec eux au poker. Mme de Villeparisis les ennuyait en les interrogeant sur la politique. Mais cela a fourni plus d'un chapitre piquant à ses Mémoires.

Mme de Villeparisis venait de me faire la fausse confidence de son dédain pour Mme Leroi quand la porte s'ouvrit, et une femme en noir, mince, aux beaux yeux, entra en marchant comme certaines personnes du faubourg Saint-Germain, non pas droit, le corps posé obliquement d'un côté faisant angle avec les jambes comme si elle était composée non pas toute d'une pièce, mais de deux qui eussent été indépendantes et vissées à la taille, et alla à Mme de Villeparisis en disant d'un air assez dégagé, mais d'intérêt : « Bonjour, Céline, comment allez-vous aujourd'hui ? » et en jetant sur nous un regard sans expression qui semblait signifier que si la santé de Mme de Villeparisis avait à ses yeux une certaine importance, en revanche nous n'en avions aucune et n'étions que des accessoires fastidieux. « Docteur, je vous présente ma cousine, la duchesse d'Arricourt », dit Mme de Villeparisis, tandis que Mme d'Arricourt profitait de l'indépendance de son torse pour l'incliner obliquement sur le pivot de sa taille sans faire de signe de tête indépendant ni donner d'autre expression à ses yeux. Et aussitôt Mme de Villeparisis qui avait été si aimable pour nous commença à la tarabuster. « Est-ce que vous n'avez pas vu Alfred, aujourd'hui, Céline, dit la duchesse qui craignant que son fils ne fût pas venu voir Mme de Villeparisis voulait au moins montrer qu'il en avait eu l'intention. — Alfred, il y a plus d'un mois que je ne l'ai vu, ni ton mari non plus d'ailleurs. » Mme de Villeparisis l'invita à la réception de comédie qu'elle devait prochainement donner et elle ajouta : « Dis à Berthe et à Gisèle (les duchesses d'Auberjon et de Stinvilliers) d'être là à 2 heures pour m'aider », comme elle aurait dit à des maîtres d'hôtel extra de venir d'avance pour faire les compotiers. C'est que pour elle la vraie société, celle vis-à-vis de qui elle pouvait briller, dont elle avait à attendre des avantages sociaux, des dîners, des loges de théâtre, des présentations de gens intéressants, c'étaient l'homme de lettres, Cottard et les autres, tandis que sa parenté princière était une sorte de résidu mort qui ne fructifierait plus pour elle, qui ne la mêlerait pas à leurs amis nouveaux, ne lui donnerait pas plus que leur présence, ou la faculté de dire dans la conversation qu'ils étaient venus la veille ou le matin, dans ces sortes de répétitions de ses Mémoires qu'étaient les cinq heures.

Elle n'avait avec ces parents princiers de même qu'avec M. de Norpois aucune des amabilités qu'elle avait avec nous et de même que M. de Norpois ils semblaient n'avoir pour elle d'autre intérêt que d'en offrir à notre curiosité. C'est qu'elle savait qu'elle n'avait pas à se gêner vis-à-vis de gens pour qui elle était, non pas une femme plus ou moins éloignée, la sœur ou la belle-sœur de leur mère, la tante susceptible vis-à-vis de qui on craint d'être en faute. Pourquoi eût-elle pu chercher à leur jeter de la poudre aux yeux ? Ne connaissaient-ils pas à fond le fort et le faible de sa situation, ne savaient-ils pas mieux que personne de quelle grande race elle était issue ? Mais surtout ce noyau familial elle savait qu'il était stérile pour elle, que tout ce que ces parents lui donneraient, car ils n'aimaient pas beaucoup dans ce milieu l'inviter avec des gens élégants qui n'aimaient pas la voir, c'était leur présence, ou au moins le jour où l'un n'était pas là, la faculté de dire qu'il était venu la veille ou le matin, de citer son nom, dans ces Mémoires anticipés qu'étaient ces cinq heures, pour intéresser, enchaîner, ce qu'elle considérait au contraire comme le but de son ambition, comme son milieu vivant, Cottard, le jeune homme de lettres, des financiers et tant d'autres, tous ceux vis-à-vis de qui elle pouvait encore briller qui ne la connaissaient pas complètement, dont elle pouvait recevoir les avantages sociaux que les autres ne lui donnaient plus, qui l'invitaient à leurs plus intéressants dîners, gardaient pour elle leurs plus belles loges de théâtre, mettaient à sa disposition une propriété près de Bayreuth quand elle voulait entendre du Wagner. Le jeune homme de lettres voulut se lever. Mais bien qu'il fût déjà décidé à persuader à deux chanteurs et à une comédienne de venir performer[1] gratuitement dans un salon où venait l'élite de l'Europe et qui devait leur donner la gloire, soit qu'elle voulût fortifier encore ses dispositions ou lui témoigner d'avance sa reconnaissance, ou simplement par plaisir de lui donner une plus grande idée d'elle, elle n'eût pas voulu qu'il partît sans avoir été présenté à M. de Norpois. « Attendez là un instant », lui dit-elle et elle me demanda de sonner. « Dites donc à M. le marquis de Norpois de venir, dit-elle au maître d'hôtel qui vint à la porte, il est à relire quelques papiers dans mon bureau, il a dit qu'il viendrait dans cinq minutes et voilà une heure que nous l'attendons. » Le maître d'hôtel ne dut pas faire complètement cette commission, car M. de Norpois crut devoir, pour ménager les apparences, sans savoir que Mme de Villeparisis avait d'avance ôté toute efficacité à ses précautions, faire semblant d'arriver du dehors, il tenait un chapeau à la main mais dans sa précipitation il s'était trompé et je vis que c'était le mien qu'il avait pris et il baisa cérémonieusement la main de Mme de Villeparisis en lui demandant des nouvelles de sa santé comme s'il ne l'avait pas vue depuis la semaine dernière. Mais elle coupa court à cette comédie inutile. « Monsieur l'ambassadeur, dit-elle (elle ne l'appelait depuis dix ans presque jamais autrement), je voulais vous faire connaître, etc. »

M. de Norpois inclina lentement et profondément sa haute et large taille, ses grands favoris de soie et d'argent et penché sur la main du jeune homme de lettres qu'il serrait, il lui témoignait par divers hochements de tête, regards pénétrés et pénétrants aussi de ses yeux bleus qu'il prisait très fort l'honneur de faire sa connaissance. En entendant ce nom que pensa M. de Norpois qui était très exact appréciateur des situations sociales et de plus antisémite ? On ne put le savoir car son corps se souvenant seulement qu'il avait eu souvent à faire à des députés radicaux à qui il convenait de ne pas laisser apercevoir ce qu'il pensait d'eux et avec lesquels il ne faisait pour cela qu'user du salut majestueux à grands plis qu'il pratiquait dès l'adolescence envers tout inconnu qu'on lui présentait et à qui il se plaisait à témoigner ainsi avec une insolente déférence l'absolu de sa propre politesse qui ne daignait pas s'informer avant de se manifester si en était digne celui à qui il la témoignait ou plutôt devant qui il en faisait impersonnellement *[un mot illisible]* et ses yeux à la fois *[un mot illisible]* aigus, ne laissèrent rien passer de sa pensée et il s'inclina dans un salut majestueux à longs plis qui dissimula entièrement sa pensée. Bloch crut que c'était à son nom, à sa personnalité que l'ambassadeur rendait hommage et rougissant jusqu'aux oreilles, en proie à une émotion délicieuse il le remercia avec effusion. Cette comédie*ᵃ* qu'il jouait avec une inlassable bonne volonté et une distraction qui savait prendre les airs les plus attentifs, chaque fois que Mme de Villeparisis lui présentait quelqu'un à qui elle désirait faire une politesse, et pour le rang social duquel et peut-être aussi la médiocre intelligence duquel l'ancien ambassadeur ne pouvait guère éprouver que du mépris, était pourtant à demie sincère. Sans doute la satisfaction de sa vieille amie était la seule raison du zèle qu'il mettait à remplir le rôle qu'elle lui avait destiné dans son salon. Mais habitué au cours de ses ambassades à ce qu'on ne lui présentât parmi les étrangers de passage que les hôtes de marque, les artistes intéressants, les personnalités curieuses à un titre quelconque, il avait pris l'habitude qu'il gardait maintenant même en présence des inconnus de laisser paraître ainsi sur sa figure tout le plaisir, toute la curiosité qu'il éprouvait à connaître le fameux peintre, l'original humoriste, le chanteur applaudi, dont il aurait plaisir plus tard à rappeler dans la conversation qu'il avait passé une soirée avec lui à Saint-Pétersbourg ou à Vienne en ***. Et comme selon sa conception de la vie, tout ce qui peut être intéressant à connaître, l'histoire et la géographie, s'apprend dans la vie des ambassades par le contact avec le tempérament des peuples divers, et la fréquentation des personnalités saillantes d'un temps, devant l'instructif nouveau venu qu'on lui présentait il aiguisait toujours l'œil perçant de l'observateur qui désire décréter avec sagacité à quel homme il a à faire. Cependant le jeune homme de lettres intimidé allait se contenter de salut et se retirer, cependant que M. de Norpois allait s'asseoir d'un autre côté, mais Mme de Villeparisis qui trouvait ＜que＞ la politesse qu'elle lui faisait d'une simple présentation sans plus était insuffisante encourageait le jeune homme à tirer davantage de ce qu'elle lui offrait : « Mais parlez-lui, demandez-lui tout ce que vous voulez, vous pouvez l'emmener à côté si vous voulez, est-ce que vous n'avez pas quelque chose dont vous vouliez l'entendre parler, ne vous gênez pas, il sera ravi ; – monsieur l'ambassadeur voulez-vous aller avec monsieur à côté, il désire causer avec vous », ne se demandant pas plus si c'était agréable à M. de Norpois qu'on ne se demande s'il est agréable à un tableau intéressant pour une visite, qu'on le fasse éclairer, décrocher au besoin, ou à un gâteau qui est à son goût s'il lui est agréable qu'elle en fasse reprendre une nouvelle tranche. « Ne craignez pas de l'ennuyer, il est un peu sourd mettez-vous près de lui. N'est-ce pas monsieur, cria-t-elle à M. de Norpois, vous avez connu Bismarck avant la guerre. Dites donc à monsieur ce qu'il vous disait de l'empereur. Et puis il voudrait vous parler de cette affaire Dreyfus, savoir ce que vous en pensez. » On venait d'apporter les lampes et le jeune homme de lettres sentit qu'il vivait une minute émouvante tandis que M. de Norpois le regardait[a], son œil bleu au-dessus de sa barbe d'argent, disant à l'homme de lettres avec une prudence qui leur donnait une sorte de prix des choses[b] volontairement insignifiantes que celui-ci aurait voulu pouvoir écrire sous sa dictée et qu'il cherchait à graver dans sa mémoire. J'aurais voulu avoir quelques renseignements de plus sur Mme Leroi et en redis quelques <mots> à Mme de Villeparisis qui reparla d'elle avec le même dédain affecté. Mais elle regrettait si fort de ne pas être en relations avec elle qu'elle éprouvait presque chaque jour le besoin de se faire dire <par> M. de Norpois qu'elle ne désirait nullement la connaître. « Monsieur », lui dit-elle, l'interrompant tandis qu'il causait avec le jeune homme de lettres, semblant ainsi lui reconnaître la grandeur qu'il savait fausse, de quelqu'un qui fréquentait chez la seule personne qui lui tînt à cœur, Mme de Villeparisis, « monsieur, n'est-ce pas que Mme Leroi est une personne sans intérêt, qui n'ajouterait rien à mon salon si je la laissais venir ici et que j'ai raison de ne pas chercher à l'attirer. » M. de Norpois ne voulut pas cette fois plus que les autres être complice de ce langage insinuateur et il fit un salut plein de respect et dénué de signification. « N'est-ce pas, monsieur, ajouta Mme de Villeparisis, qu'il n'y a pas à Paris une seule personne intéressante[c] qui ne vienne pas ici, qui offre quelque intérêt et que je puisse regretter. » M. de Norpois regarda les personnes qui se trouvaient là et jugea que pour ce vil peuple il pouvait tout de même donner l'appui de son autorité à sa vieille amie cherchant à enraciner en eux cette illusion. « Mais madame, dit-il, pourquoi répéter ce que tout le monde sait, que vous avez le salon le plus intéressant de Paris ? »

À ce moment on vint demander M. de Norpois pour introduire un célèbre grand seigneur russe, ancien président du Conseil, qu'il devait présenter à Mme de Villeparisis. Ce ministre désirait être membre de l'Académie des sciences morales dont M. de Norpois était président et n'avait pour lui que six voix. Il savait que M. de Norpois pouvait lui en amener quinze autres, mais ne devait pas voter pour lui. Il l'avait invité à des chasses, lui avait offert un précieux incunable, avait écrit un article dans *La Revue des Deux Mondes* sur une des ambassades de M. de Norpois sans obtenir de celui-ci que des remerciements vagues, qui prouvaient que celui-ci ne considérait tout cela que comme de fausses politesses. Mais un jour le ministre russe qui ne pouvait pas arriver à trouver l'entrée du cœur de M. de Norpois avait laissé entendre que sa femme aimerait connaître Mme de Villeparisis, la lier intimement avec la grande-duchesse Wladimir[1] et la reine d'Angleterre, et que pour arriver à tout cela le grand seigneur russe aimerait que M. de Norpois le présente chez Mme de Villeparisis, espérant que celle-ci voudrait bien l'avoir comme habitué de ses célèbres dîners. Aussitôt il trouva un homme changé, le lendemain un petit mot de M. de Norpois l'avait averti qu'il avait causé avec ses collègues de l'Académie et que sa candidature avait produit sur eux une excellente impression. La vie serait bien morne et bien désespérée si un inflexible déterminisme empêchait les gens sensés de croire que jamais leur avenir pourrait être différent de leur passé, qu'il ne s'améliorera que du maigre salaire de leur labeur, et toujours sous le ciel de plomb que leur fait leur maigre situation sociale, ou le peu de prix que les directeurs de théâtre, ou de journaux, ou les ministres attachent à leur talent. Mais il n'en est pas ainsi, il y a une autre série de causes qui effectuent en un instant ce qui paraissait devoir être impossible en toute une vie humaine. Et c'est ainsi que pour qui a sous les yeux un intervalle de quarante ou cinquante ans, voit les candidats qui devaient n'avoir jamais qu'une voix à l'Académie aujourd'hui académiciens prépondérants, dont la voix est recherchée. Ils ne s'y sont pas élevés peu à peu. Un beau jour la subite élévation est venue. Ce n'est pas le changement de l'opinion des savants sur eux qui l'a amenée. C'est elle qui a amené le changement de l'opinion des savants.

« Non, ce n'est pas cela que vous voulez, dit-elle en voyant les yeux brillants et incertains du jeune homme de lettres. Que désirez-vous qu'il vous dise ? — Je voudrais, murmura le jeune homme de lettres avec timidité, savoir ce que M. de Norpois pense de l'affaire Dreyfus. Mais je suis persuadé qu'il est systématiquement hostile. — Ah ! il n'aime pas beaucoup parler de cela, je vous dirai on ne parle pas de ça du tout ici. Mais il n'est systématiquement hostile à rien. Il est très large d'idées. Causez avec lui c'est un homme charmant. » Le jeune homme de lettres demanda timidement à M. de Norpois ce qu'il pensait de l'affaire Dreyfus. Aucune question ne pouvait être plus désagréable à l'ancien ambassadeur, mais le jeune homme de lettres était un dreyfusard passionné. Il partait tous les matins sans déjeuner, avec des bouteilles de café, avec des sandwichs dans sa poche comme on va au concours général pour le palais de justice où se jugeait le procès Zola. Enivré de jeûne et de café il assistait aux audiences comme à un rêve de haschich et quand il fallait le quitter à la fin du jour, il ne pouvait rentrer dans la froide réalité et aussitôt dîné allait rejoindre au café des amis, compagnons des débauches intellectuelles de l'après-midi avec qui il évoquait pendant des heures, souvent fort avant dans la nuit, les figures entrevues à la barre à travers les rêves de l'ivresse, M. Clemenceau, le général de Boisdeffre, le commandant Lauth[1], comme ces odalisques et ces giaours[2] que le fumeur de haschich aperçoit dans son rêve. Quelques jours avant il avait partagé l'émotion de toute la salle quand le colonel Picquart comme un oiseau bleu venu d'Afrique, en qui résidait une vérité mystérieuse, gardé en cage par l'autorité militaire allait voir s'ouvrir ses barreaux et être introduit dans l'audience[3]. Il était désireux[a] de savoir ce qu'un homme d'une intelligence aussi juste que M. de Norpois qui avait annoncé la guerre de 70, disait-on, quand personne n'y croyait, à l'expérience sans pareille de qui la République avait fait parfois appel dans les circonstances graves, pensait de l'affaire Dreyfus. M. de Norpois d'un geste évasif montra combien la question lui paraissait extraordinaire et indiscrète. Pourtant fixant sur le jeune homme de lettres son œil bleu il lui tint quelques propos volontairement insignifiants auxquels la prudence de son débit donnait un air d'importance et que le jeune homme de lettres aurait voulu pouvoir écrire sous sa dictée ou graver dans sa mémoire. On venait d'apporter les lampes et le jeune homme de lettres assis à côté de la cheminée sur un fauteuil aussi spacieux que celui de M. de Norpois avait le sentiment de recueillir un entretien historique. Mais de longues années d'entretiens confidentiels avec les souverains et les ambassadeurs et dont il ne rendait compte qu'au ministre compétent, avaient donné à M. de Norpois l'habitude de borner ses confidences à des paroles dont la signification était strictement limitée et devait l'empêcher de donner sur l'affaire Dreyfus au jeune homme < autre chose > qu'une opinion tout à fait partielle, et en quelque sorte à côté, cette même habitude des traditions diplomatiques et gouvernementales lui avait donné une façon en effet si partielle et si côté de penser, que cette opinion se trouvait être à peu près tout ce qu'il pensait de l'affaire Dreyfus, étant du genre de celles qui résumaient sa façon de penser à peu près sur toutes choses. Non seulement un mot imprudemment répété lui paraissait le plus grand de tous les dangers [*inachevé*[a]]

Il avait pris pendant tant d'années de conversations confidentielles avec les souverains et les diplomates, desquelles il ne rendait compte qu'au ministre compétent, l'habitude de n'user en parlant avec les autres personnes que de phrases au sens strictement limité et d'où avait été soigneusement retiré tout ce qui pouvait être dangereux ou seulement important à faire connaître ; et, fixant ses yeux bleus sur l'homme de lettres qui sous les lampes qu'on venait d'apporter, assis en face < de > M. de Norpois sur un fauteuil aussi large que le sien, avait l'impression de prendre part à un entretien historique, il lui tenait des propos volontairement insignifiants auxquels la prudence de son débit donnait un air d'importance à son jeune interlocuteur qui aurait voulu pouvoir les écrire sous sa dictée ou < les > graver dans sa mémoire. Mais plus sincère peut-être qu'il ne voulait, il se trouvait que les quelques opinions en quelque sorte à côté de l'affaire, les quelques opinions purement formelles, et laissant de côté la réalité et le fond de la cause, auxquelles il se borna, constituaient précisément son opinion véritable qui était en effet indirecte, superficielle et purement formelle. Car la même discrétion, le même respect des traditions et de la diplomatique gouvernementale s'il dictait en ce moment sa réserve avait aussi depuis longtemps donné son pli à son esprit et à sa manière de voir. Non seulement le diplomate qu'il était avait pris l'habitude de considérer un mot répété, une indiscrétion, une confidence, comme une faute impardonnable. Mais le discret inspirateur de ces immuables toasts officiels où il est toujours dangereux de rien changer, où la prodigieuse[b] innovation d'un adjectif inaccoutumé ne peut être que le résultat de dix années de patients efforts pour rapprocher deux peuples qui se [*un mot illisible*] par ce mot destiné à produire une heureuse impression, où toute autre innovation, tel mot ajouté par un jeune empereur qui ne veut faire qu'à sa tête est écouté avec tristesse et désapprobation qui le jugent[c] [*interrompu*]

Mais encore, ayant écouté aux tables royales, ayant le plus souvent connu avant qu'ils fussent prononcés, ayant plus d'une fois inspiré, même entièrement rédigé tant de ces toasts qu'échangent les souverains, il savait combien la plus légère modification qu'on apporte à leur formule antique, immuable et sacramentelle, est imprudente. Quand un jeune empereur, à l'imagination ardente, avait en en recevant un autre, introduit dans les paroles consacrées de bienvenue un adjectif inaccoutumé,

M. de Norpois ne s'était pas fait faute de déclarer qu'il n'avait été ni consulté ni prévenu, et que si on lui avait communiqué le texte du toast à l'avance, il n'eût pas caché sa vive désapprobation d'une innovation certainement inutile et probablement dangereuse. Il fallait dix ans de patients efforts employés à rapprocher deux peuples et couronnés de succès pour légitimer dans ces harangues traditionnelles une épithète nouvelle où tout ce labeur de la diplomatie venait s'inscrire sous la forme minimale et immense d'un mot de plus. Mais alors c'était dans ce mot, à peine différent des autres en apparence, que M. de Norpois savourait les richesses de couleur, la finesse d'esprit, la beauté de style que d'autres trouvent dans un roman ou dans une épopée. Des pages d'élogieuse critique étaient consacrées dans ses ouvrages d'histoire diplomatique au merveilleux talent que révélait cet adjectif. « La phrase du toast où il est question des relations "plus étroites" des deux pays a semblé tout particulièrement heureuse et dans ce mot d'étroites on a cru reconnaître à tort ou à raison sinon la main même, du moins l'influence, d'aucuns disent l'inspiration directe d'un jeune souverain artiste qui ne craint ni les couleurs vives, ni les expressions originales quand elles sont justes. Ce n'est qu'un mot si l'on veut mais par son ton tout nouveau de belle humeur alerte et de confiance, par cette sorte d'accent à la fois très raffiné et très sain qui est la marque propre du lettré et de l'homme d'action qui sont réunis en Théodose XXI[1], il a comme changé l'air d'une vieille cour vénérable assurément mais qui sentait peut-être un peu le renfermé, et il éveillera dans tous les pays ce sentiment de curiosité, d'attention, que commande cette personnalité si *[un mot illisible]* mais pleine d'un charme communicatif et d'une séduction incontestable. Nul n'était mieux qualifié pour parler à son tour des deux pays et de leurs relations "plus étroites" selon la gaie et pittoresque formule du roi Théodose, etc. »

Comme l'accumulation d'événements qui pouvait justifier ainsi l'adjectif où elle se condensait, exigeait de longues années et n'écrivait guère plus d'un mot par décade, l'utilité d'un mot lâché restait exceptionnelle et ne pouvait changer la règle, le critérium d'après lequel M. de Norpois jugeait toutes choses et qui était que le silence et le statu quo sont supérieurs à tout. L'admiration de M. de Norpois n'allait pas au ministre qui montant à la tribune au cours d'une interpellation y fait ses preuves de grand orateur, mais à celui qui en refusant d'y répondre, par respect pour le secret professionnel, l'autorité de sa fonction ou la séparation des pouvoirs, se révèle avisé comme un homme d'état, comme un véritable garde des Sceaux.

Appliquant à l'affaire Dreyfus ce critérium tout formel qui laissait de côté le fond originel d'une question, il se trouvait avoir exclusivement sur elle les opinions latérales, accessoires, que seules il jugeait pouvoir être communiquées sans danger au jeune homme de lettres. Estimant qu'une indiscrétion est toujours et une innovation presque toujours une faute, il trouvait toutes les interviews déplorables, et les trois quarts des poursuites inopportunes. Tirant du fatras des faits avec un air de finesse et d'autorité, des remarques où le jeune homme de lettres étudiait avec ravissement la forme particulière, différente de celle d'un littérateur comme lui, à l'esprit d'un grand homme d'action et d'un politique, en même temps qu'il s'enthousiasmait d'une telle indépendance de jugements et de s'imaginer trouver en ce vieux diplomate royaliste presque un « dreyfusard », M. de Norpois ne lui cacha pas que s'il était prouvé que le chef d'État-Major général de l'armée était allé faire ses confidences au directeur de *L'Intransigeant,* il y avait là un fait incontestablement regrettable. Il ne désapprouvait pas moins le général de Pellieux d'avoir communiqué aux jurés de l'affaire Zola la preuve secrète connue plus tard sous le nom de faux Henry. « Je suis même fondé à savoir, ajouta-t-il, que le général Billot avait formellement désapprouvé une telle communication et il ne cache pas que c'est contre son avis catégorique qu'on a passé outre. » Le jeune homme de lettres fut intéressé au plus haut point de ce détail inédit qui lui faisait voir dans sa réalité un des principaux acteurs de l'Affaire, et il fixait des yeux impressionnés sur l'homme qui connaissait ainsi « le dessous des cartes ». « Ah ! le général Billot a désapprouvé. Mais est-ce que vous ne croyez pas que cette preuve est fausse et fabriquée, dit avec chaleur le jeune homme de lettres. » Sur ce point la Politique tirée de l'Écriture sainte des Toasts était muette, aussi M. de Norpois garda le silence. S'il avait là-dessus une opinion, du moins il la réserva. Pendant ce temps, ayant moi aussi mes personnages qui m'intéressaient, avec cette absence de tact de ceux qui voyant le monde avec leur imagination interrogent sur ses principaux personnages comme sur des héros de roman et sans juger qu'une arrière-pensée utilitaire, ou malveillante, ou indiscrète pût leur être attribuée, je revenais à la charge auprès de Mme de Villeparisis sur le compte de Mme Leroi. Mme de Villeparisis manifesta en me répondant le même dédain affecté pour Mme Leroi. Mais elle avait un si grand désir < d' > être en relations avec elle, de faire partie de la société ultra-élégante qui fréquentait sans raison d'ailleurs chez Mme Leroi, que sentant qu'un tel désir inexaucé la ferait souffrir et l'humilierait, elle éprouvait chaque jour le besoin de se faire dire par M. de Norpois — qui ne < le > lui disait du reste jamais — qu'elle ne ressentait nullement un tel désir, et qu'elle eût été absurde de le ressentir. M. de Norpois était en train de dire au jeune homme de lettres qu'il blâmait vivement que le Prince Henri d'Orléans eût sauté au cou du commandant Esterhazy. « Je n'ai pas eu l'honneur de rencontrer depuis quelque temps M. le duc de Chartres, ajoutait-il mais je serais bien étonné qu'il approuvât. — Monsieur l'ambassadeur, cria Mme de Villeparisis en l'interrompant, n'est-ce pas que Mme Leroi est une personne sans intérêt, très inférieure à toutes les personnes qui viennent ici et que j'ai eu raison de refuser de l'attirer. J'ai dû la blesser en ne l'invitant pas, mais tant pis, n'est-ce pas j'ai connu des gens trop remarquables pour pouvoir m'arrêter un instant à m'occuper d'elle. » M. de Norpois ne voulut pas cette fois plus que les autres offrir la complicité qu'on sollicitait de lui pour ce mensonge et il se contenta d'adresser à Mme de Villeparisis un salut plein de respect et dénué de signification. « Je peux vous dire, reprit-il en se tournant vers le jeune homme de lettres, que le commandant Estherhazy qui du reste avait épousé une petite cousine de Mme de Villeparisis, passait dans la famille de sa femme pour un personnage fort peu recommandable[1]. J'ai même au Sporting des amis qui durent solliciter sa radiation du Cercle. » Le mot de Sporting entendu de lui fit que deux jeunes ducs, neveux de Mme de Villeparisis qui venaient d'entrer faire une visite d'un instant à leur tante, racontèrent qu'ils avaient, malgré les instances du président, donné leur démission de la Rue-Royale qui était par trop mêlé et où entraient des gens qu'on n'avait vus nulle part. Mme de Villeparisis présenta le docteur Cottard aux jeunes ducs qui lui serrèrent la main amicalement et lui exprimèrent la satisfaction qu'ils avaient de le connaître. « Vous n'avez pas d'opinions sur les autres personnalités en jeu dans l'Affaire ? demanda le jeune homme de lettres à M. de Norpois. — Non répondit M. de Norpois : cependant j'ai entendu parler du colonel du Paty de Clam comme d'un cerveau brillant peut-être mais singulièrement fumeux, et peu propre à conduire une instruction. En revanche[a] j'ai entendu autrefois de la bouche la plus autorisée qui fût, celle du général de Miribel, faire le plus complet éloge de deux officiers dont le nom est mêlé à cette triste affaire : le lieutenant-colonel Picquart et le lieutenant-colonel Henry. — Mais ils sont d'un avis diamétralement opposé, s'écria le jeune homme de lettres. » M. de Norpois se contenta de secouer la tête. « Mais que pensez-vous qui arrivera de cette affaire Zola ? s'écria le jeune homme de lettres qui souriait, de plus en plus pressant. — Le jugement quel qu'il soit sera cassé répondit M. de Norpois car dans les affaires qui exigent la comparution d'un aussi grand nombre de témoins, il est impossible que toutes les formes aient été observées et il est toujours facile aux avocats de trouver des cas de nullité. Je crois qu'il est temps que nous retournions auprès de Mme de Villeparisis, dit-il en se levant pour mettre un terme à l'entretien. Vous n'allez pas naturellement ce soir au bal de Mme Sagan, madame, dit M. de Norpois à Mme de Villeparisis. — Non, monsieur, je ne vais plus au bal, répondit-elle. Mais vous, vous y allez, jeunes gens, dit-elle en embrassant d'un même regard aimable les deux ducs, le jeune homme de lettres, Cottard et moi, allez danser c'est de votre âge. Mais j'étais aussi invitée, dit-elle en affectant un air de vanité comique, on est même venu m'inviter ! — Nous dînons chez Floriane, nous irons en sortant, dirent les jeunes ducs. — Alors vous allez au bal en pantalon noir, dit Mme de Villeparisis. — Comment voulez-vous que nous y allions ma tante ? dirent les jeunes gens en riant. — De mon temps et il n'y a pas encore si longtemps, répondit Mme de Villeparisis, on portait au bal des pantalons gris. Et c'était plus élégant, en somme de ne pas avoir la même toilette pour dîner en ville et pour danser. » Les ducs baisèrent la main de Mme de Villeparisis et nous tendirent la main d'un air d'amitié et sortirent. Cottard cependant s'était dit que puisque Mme de Villeparisis avait dit en s'adressant à lui en même temps qu'aux ducs : « Vous allez chez Mme de Sagan », c'est qu'il eût été naturel qu'il allât lui aussi chez Mme de Sagan. Que sans doute le fait qu'il n'y allât pas était une anomalie qui risquait peut-être d'être désagréable à la princesse de Sagan, et que si Mme de Sagan ou Mme de Villeparisis l'apprenaient, elles s'empresseraient évidemment d'y mettre fin. Aussi dit-il : « Moi je ne vais pas chez cette dame parce que je ne suis pas invité. » Mme de Villeparisis ne répondit pas à cette invite. Elle s'exclama d'un air d'admiration pour Cottard : « Ah ! vous avez mieux à faire ! c'est assommant du reste tous ces bals, c'est bon pour les gens qui n'ont rien dans la tête. » Cependant tout en parlant avec M. de Norpois le jeune homme de lettres avait entendu les deux ducs disant qu'ils avaient quitté la Rue-Royale parce que des gens qu'ils ne connaissaient ni d'Ève ni d'Adam y entraient comme dans un moulin. D'autre part lui au contraire c'était quelqu'un que les dits ducs avaient rencontré chez leur tante, à qui ils avaient tendu la main comme à un ami et qu'ils avaient appelé « mon cher ». Il pensa donc que rien ne serait plus facile aux dits ducs que de le faire entrer à la Rue-Royale où on serait heureux d'avoir quelqu'un de leur monde et il s'approcha de Mme de Villeparisis et convint qu'il viendrait la voir le surlendemain après le déjeuner au sujet d'un grand service qu'il avait à lui demander. « Le prince Tchiguine est là qui demande à parler à M. l'ambassadeur, vint dire le maître d'hôtel. » M. de Norpois se leva vivement et alla au devant de l'ancien président du Conseil de Russie qui ne connaissant pas Mme de Villeparisis, désirait entrer pour sa première visite avec le marquis de Norpois qui devait l'intro-duire[d]. Si le prince Tchiguine, dont la femme vivait dans une

coterie très fermée, avait sollicité d'être présenté chez Mme de
Villeparisis, ce n'est pas qu'il en eût éprouvé de lui-même le désir.
Rongé par l'ambition d'arriver à l'Académie des sciences morales
et politiques, ce grand seigneur n'avait malheureusement pas pu
faire monter au-delà de cinq le nombre des académiciens qui
semblaient prêts à voter pour lui. Il savait que M. de Norpois,
président de ce corps savant, disposait à lui seul de quatorze ou
quinze voix, il avait tout fait pour tâcher de se le concilier. Mais
il avait eu beau s'ingénier, l'inviter aux plus belles chasses, écrire
sur son ambassade à Saint-Pétersbourg un article dans *La Revue
des Deux Mondes,* lui faire avoir le cordon de Saint-André, il était
resté en présence d'un ingrat qui semblait se moquer : tout cela ne
compte pas et qui quand il lui parlait Académie répondait :
« Évidemment c'est une candidature intéressante, un peu en
dehors de nos habitudes. S'il n'y avait que moi, mais vous savez
l'état d'esprit est très routinier à l'Académie. Je crains certains
étonnements, je ne voudrais pas vous laisser jouer une partie sans
espoir. D'ailleurs personnellement ma voix est promise etc. »
et autres défaites de ce genre où il rejetait toujours sur tout un
groupe de ses collègues l'esprit routinier, le désir de ne pas voter
pour le prince Tchiguine qui étaient les siens. Quand un jour
cet ancien ministre russe eut une inspiration : « Je crois que vous
connaissez beaucoup la marquise de Villeparisis, dit-il à M. de
Norpois. La princesse serait si heureuse et honorée de la
connaître, la grande duchesse Wladimir en serait heureuse aussi
et si Mme de Villeparisis consentait à venir dîner avec son altesse
et notre belle-sœur Bragance[1], ce serait une telle joie. Mais je
sais que la marquise choisit avec beaucoup d'exigences les
endroits où elle va, je n'ai pas d'espoir de la rencontrer et de
lui présenter la princesse si vous ne me présentez pas moi-même
chez elle. C'est d'ailleurs une grande curiosité pour moi. J'avoue
qu'avoir chance de devenir l'habitué de ses dîners littéraires serait
pour moi une perspective si agréable qu'elle me consolerait de
ma mauvaise chance à l'Académie. » Il y eut un silence d'une
minute puis, avec un inexprimable bonheur, le prince Tchiguine
sentit qu'il avait enfin mis sa clef dans la bonne serrure et qu'on
était en train d'ouvrir la porte si obstinément fermée. « L'un
n'empêche pas l'autre, au contraire, répondit affablement M. de
Norpois. La table de Mme de Villeparisis est en effet une véritable
pépinière pour l'Institut. Je lui transmettrai votre requête et je
suis sûr qu'elle en sera très flattée. Quant à la question du dîner,
je sais qu'elle sort peu, mais une fois que vous serez dans la place,
vous plaiderez votre cause vous-même. La grande duchesse sera
certainement intéressée de tenir de Mme de Villeparisis des
souvenirs qu'elle a gardés si précis de l'empereur Alexandre. »
M. de Norpois n'en dit pas davantage ce jour-là, mais le

surlendemain il écrivait au prince Tchiguine qu'il avait tâté le
terrain pour l'Académie en jetant le nom du prince Tchiguine
tout en causant avec plusieurs de ses collègues dont l'appui était
indispensable pour être élu. Ces collègues avaient été tout à fait
intéressés par ce nom et tout de suite l'idée d'une candidature
possible avait été favorablement accueillie. Si le prince n'était
pas élu la prochaine fois, il le serait certainement la suivante et
recueillerait déjà seize ou dix-sept voix. Le lendemain de ce jour,
le prince avisé que Mme de Villeparisis le recevrait volontiers
se présentait chez elle et faisait demander M. de Noirpois. Ma
visite avait déjà duré trop longtemps, je me retirai, je n'avais
pas vu Mme de Guermantes.

Au moment[d] où j'entrai chez Mme de Villeparisis, dans le salon
orné des portraits de *(voir la page précédente au recto[b])*, je
sentis un vif coup au cœur. Seule femme, s'étant un peu isolée
sur un pouf, des messieurs actuellement sur des chaises, que sans
doute elle ne connaissait pas, je venais d'apercevoir, un chapeau
de bleuet posé sur ses cheveux blonds, la jupe d'une robe de
pékin faisant sac devant d'elle, l'œil dédaigneux, souriant et
vague, et faisant des ronds sur le tapis avec la pointe de son
ombrelle, prise au piège dans ce salon, dont je barrais la porte
en entrant et où j'allais la connaître, la duchesse de Guermantes.
Comme son nom[c] était entouré de son titre de duchesse, j'ajoutais
à sa personne son duché que je projetais sur le tapis aussi loin
que le cercle qu'y décrivait sa jupe de pékin bleu. Dans ce salon
elle introduisait, remplissant toute la place qu'elle occupait
jusqu'au tabouret où était posé le bout de son pied et jusqu'au
rond du tapis, comme une contrée lointaine qu'on eût transportée
et < qui > était intérieure à son visage et à sa robe, une essence
différente, légère < comme > l'atmosphère d'un parc, colorée
comme la sonorité d'une voyelle, exerçant sur tout ce qui
l'entourait de vives réactions, et exerçant[d] sur le milieu étranger
qui cotoyait ses limites, où la décelait une sorte de frange
d'effervescence lustrée, notamment à la cassure des plis de sa
robe, à < la > saveur acidulée qui bordait les mots qu'elle disait,
prononçait, mais nulle part plus qu'à l'intersection de son regard
et des êtres, à ce fil étincelant, qui sillonnait sa prunelle, ce
confluent étroit, frémissant, argenté où se rencontraient sa
personne et le monde, où ce qu'elle avait de spécifique se
manifestait souvent et où les autres personnes qui étaient dans
le salon ne m'apparaissaient qu'au point de vue de l'impression
qu'elles pouvaient lui faire, considérant < ceux > qu'elle ne
connaissait pas avec l'étonnement que ses yeux pussent refléter
leur image, et avec plus d'étonnement ceux qui étaient de ses
relations et qui < par > conséquent si rarement que ce fût avaient

par moments de commun avec elle cette vie mystérieuse qui devait être la sienne. Avec ses yeux dardés comme deux rayons entre les branches d'un fourré de Guermantes, elle regardait tantôt avec une curiosité bienveillante, parfois avec une nonchalance distraite, tantôt moi, tantôt d'autres personnes, parfois aussi quelque meuble sur lequel son regard s'arrêtait plus familièrement parce que c'était un meuble à sa tante et qu'elle le connaissait davantage. Et pourtant si bien à elle que fût sa silhouette et son visage, j'étais étonné comme quand je la voyais passer dans la cour que des beautés purement humaines, comme de belles joues roses, se rencontrassent dans sa personne, qui éveillait l'idée d'autres joues, d'autres cils pareils, vus chez d'autres femmes, *[un mot illisible]* que le dessin particulier de son nom n'avait pas blasonnées, où seule peut-être la vivacité de leur rose qui allait presque jusqu'à la couperose, me paraissait porter la marque de sa vie de châtelaine, rougie par les chevauchées, par la gelée, les matins d'hiver, dans les bois de Guermantes*ᵃ*. Mais n'ayant pas osé saluer Mme de Guermantes qui ne m'avait peut-être pas reconnu, je ne lui parlais pas, ce qui permettait à mon imagination de ne pas être condamnée à l'inaction et de travailler à fendre*ᵇ* la particularité du nom de Guermantes contre cet aspect trop matériellement féminin. Mme de Villeparisis*ᶜ* prononça mon nom, mais soit qu'elle n'eût pas entendu mon nom, soit qu'elle eût oublié que son mari nous avait nommés à elle dans la cour, soit qu'elle tînt à englober dans un même dédain toutes les personnes présentes alors chez sa tante, soit enfin que croyant qu'elle allait me parler je n'eusse pas d'abord osé regarder de son côté, quand je levai les yeux sur elle son regard distrait flottait sur le tapis où le bout de son ombrelle, pointe avancée où la personnalité du nom de Guermantes dont l'autre frontière saillante était tracée sur un tabouret de soie bleue à fleurs où était posé son soulier noir, décrivait des ronds avec une attention distraite. J'étais en train de me demander ce que je pouvais faire, si je pouvais demander à Mme de Villeparisis de me présenter à sa nièce, quand celle-ci faisant faire à son poignet une conversion d'un quart de cercle, regarda l'heure et se leva. « À demain soir à l'Opéra, c'est convenu », dit-elle à Mme de Villeparisis, mots qui me firent rêver à des choses inconnues et me donnèrent le choc de sentir tout d'un coup l'Opéra, la soirée de demain prendre contact avec Mme de Guermantes, son corps élancé, sa belle figure blonde au nez busqué. Qu'une femme pareille à toutes les femmes comme Mme de Villeparisis, fût en relations avec elle, allât à l'Opéra avec elle, cela me paraissait aussi extraordinaire que quelqu'un pût être un dignitaire de la cour de Parme qui avait pour moi une existence individuelle et poétique parce que je l'avais connue par l'imagination en lisant

Stendhal. Puis elle dit[a] au revoir à sa tante et sortit sans s'être retournée de mon côté.

Je[b] me souviens pas à quel endroit Mme de Villeparisis m'annonce que Montargis a rompu avec sa maîtresse. Mais il faudra à ce moment-là mettre ceci :

« Mon Dieu, dit Mme de Guermantes, ce qui m'étonne ce n'est pas qu'il l'ait quittée mais qu'il ait jamais pu aimer une personne aussi ridicule. Si elle se contentait de ne pas être jolie. Il est vrai que dès qu'il s'agit d'amour, il n'y a pas à discuter. Mais cela m'étonne toujours qu'on puisse trouver séduisante une petite personne aussi prétentieuse et aussi ridicule. — Comment, Madame, lui dis-je, vous la connaissez ? — Mais comment si je la connais, répondit Mme de Guermantes avec gaieté, elle est venue performer[1] chez moi avec des lys sur le ventre, je n'en suis pas plus fière pour ça d'ailleurs. Je n'ai jamais vu quelque chose de plus grotesque. Il faut dire qu'elle avait choisi *[un mot illisible]* charmant pour nous le faire entendre. — Comment ça s'appelait-il donc, demanda le duc d'Albon ? — *Les Sept Princesses*[2]. — Quel snobisme ! Oh ! mais attendez, j'ai vu toute la pièce. — Alors vous connaissez les sept. Je n'en connais qu'une mais ça me suffit. — Oh ! mais vous ne vous figurez pas ! C'est cent fois plus ridicule que ce que vous avez eu chez vous. C'est inouï, il faut que l'homme qui a écrit cela soit le dernier des idiots, un homme à enfermer. Si cela se redonne vous devrez y aller. Vous n'avez pas idée. — Mais si, j'ai parfaitement idée ! Je n'ai aucune envie de connaître des princesses qui mettent des lys sur leurs nombrils. Ce pauvre Charles ne pouvait même pas se consoler de la laideur de sa folle maîtresse en se disant qu'il vivait avec une femme de grand talent. Je n'ai pas eu besoin de lui entendre dire beaucoup de vers[3] pour savoir qu'elle n'en avait aucun. Dès le premier j'étais fixée. — Je n'ai pas eu besoin d'un seul vers, dit avec une timidité voulue et drôle, une jeune femme blonde et rose. Quand j'ai aperçu les lys, ça m'a suffi ! Je me suis dit : voilà une personne qui ne sait pas dire les vers ! — Eh bien voilà comment je la connais, dit Mme de Guermantes en se tournant gentiment vers moi. Vous voyez la grande impression qu'elle m'a laissée. Vous ne vous doutiez pas que la bonne amie de ce pauvre Charles était venue chez moi avec des lys. »

Esquisse XXII

[LE MYSTÈRE DE LA VIE
DE MME DE GUERMANTES]

[Cette Esquisse fait suite à la précédente dans le Cahier 39. Le narrateur n'a pas rencontré Mme de Guermantes chez Mme de Villeparisis. Cette absence la lui rend plus précieuse et plus rare, et il se demande comment il pourrait l'atteindre dans cette vie mystérieuse qu'elle semble mener.]

Et je me rendais bien compte qu'il n'y < en > avait aucun autre en dehors de ce salon de Mme de Villeparisis < où > j'aurais jamais l'occasion de la rencontrer, que même dans la société la plus aristocratique elle était une femme un peu à part, un peu au-dessus des autres, qui n'allait pas partout. Chez toutes les femmes qui — portassent-elles de vieux noms français — pour une raison ou une autre, n'avaient réussi que depuis peu à se faire un salon éclatant où toute la société la plus élégante peu à peu, après des résistances plus ou moins longues avait fini par aller, elle était < celle > qui ne cédait pas ou cédait la dernière et dont la présence était la consécration suprême. Mais même dans ces autres salons dont la prééminence est en quelque sorte héréditaire, dans cette société où toutes les femmes avaient été au bal comme jeunes filles avec elle et qui lui étaient plus ou moins alliées, elle choisissait encore, n'étant guère liée qu'avec celles qui avaient une sorte de charme, de prestige, d'agrément particuliers. De sorte qu'on aurait pu fréquenter tous les soirs des salons extrêmement brillants sans la rencontrer jamais. Il y avait dans sa personne comme une qualité spécifique, spéciale à elle, qui la mettait seule en quelque sorte au-dessus du premier rang, et déjouait, eussé-je été invité dans des milieux où il y avait tout le monde, mais tout le monde sauf elle, toute espérance de la voir. Mes parents étaient liés de tous temps avec le vieux marquis de T*** qui donnant une fête pour ses noces d'argent nous avait tous invités. Et ma mère qui ne sortait pas, pensait que peut-être cela m'amuserait d'aller à cette soirée l'excuser ainsi que mon père et les représenter. Je lui demandai de tâcher de savoir de Mme de T*** s'il y aurait Mme de Guermantes, ce qui lui fut d'autant plus facile que Mme de T*** vint la voir à son jour quelques jours avant la soirée. Elle lui dit que j'étais à l'âge où on rêve de voir ces beautés célèbres dont on a entendu parler, et que je lui avais demandé s'il y aurait chez elle Mme de Guermantes. « Non, répondit Mme de T***, pas de Mme de Guermantes. Si cela amuse votre fils de voir des femmes élégantes, je crois pouvoir dire que toutes les plus connues de Paris seront là, vous me parlez justement de la seule qui n'y sera pas. Je connais très bien Mme de Guermantes, je la rencontre un peu partout, nous nous disons bonjour, elle est très aimable, mais elle ne m'a jamais dit d'aller chez elle et elle ne vient pas chez moi. »

Et je me rendais bien compte qu'en dehors de ce salon de Mme de Villeparisis, il n'y en avait aucun où je pusse jamais avoir chance de la voir. Je sentais qu'il n'y avait pas de salon brillant à part duquel, au-dessus duquel elle ne fût, et si aristocratique fût-il où on pût savoir a priori si elle la plus difficile à attirer de toutes les femmes du faubourg Saint-Germain, la dernière à venir, elle arrêterait sur lui comme une consécration suprême, son vol royal. Cette sorte de qualité spécifique, qui n'était qu'en elle, qui faisait qu'elle était unique et que tout ce qui pouvait rendre certaine ou probable dans un salon la présence de toute l'aristocratie n'impliquait pas la sienne, — parce que l'élégance d'un milieu était une condition nécessaire mais non suffis < ante >, sorte de choix qui résultait de son goût à elle et non de leur composition à eux qui était nécessairement aristocratique pour qu'elle y allât mais sans que cela suffît, de symbole mondain de la difficulté qu'il y a à connaître la personne qu'on désire, de l'inquiétude qu'on a que le chemin qu'on peut prendre ne sera pas celui où elle passera et si on va au théâtre pour tâcher de l'apercevoir elle n'y sera pas ce soir-là — me faisait pressentir *[interrompu]*

Et je me rendais bien compte qu'en dehors de ce salon de Mme de Villeparisis il n'y en avait aucun où je pusse jamais avoir chance de la voir. Elle n'était pas en effet seulement du premier rang social, mais seule, au-dessus du premier rang ; si pour qu'elle fréquente un salon, sa composition aristocratique était une condition nécessaire, ce n'était pas une condition suffisante. Il n'y en avait pas si noble qu'il fût où on pût prévoir a priori si elle, la plus difficile à attirer de toutes les femmes à la mode, celle qu'on captait la dernière, viendrait poser sur lui comme une consécration suprême son vol royal. Cette sorte de qualité sociale spécifique, qui la faisait unique, et qui faisait que tout ce qui rendait certaine ou probable dans une réunion la présence de tout le faubourg Saint-Germain n'y impliquait pas la sienne, était comme une sorte de matérialisation mondaine en elle, de ce caractère de rareté, d'inaccessibilité que nous trouvons à l'être que nous aimons et qui ne nous fait paraître plus difficile de le rencontrer que parce que cela nous semble plus désirable et que tandis que l'absence des autres dans un endroit où ils auront pu être passe inaperçue à nos yeux, la sienne nous désespère, sentiment que nous avons d'une sorte de rareté, qui nous fait craindre, si nous allons pour l'apercevoir dans une réjouissance publique où tout le monde se rend, que justement lui ne s'y trouve pas, si nous prenons un chemin qu'il en ait pris un autre, que si nous allons bien loin pour <tâcher> de le rencontrer, il soit justement ce jour-là, resté chez lui, — sentiment qui résulte de l'importance que prend pour nous, l'arrangement de ses habitudes où il nous semble y avoir plus de vie intense, plus de secret, plus de liberté et de caprices, que chez toute autre, simplement parce que prévoir les actions journalières d'une personne et la marge d'incertitude qui en résulte, a pour conséquence quand il s'agit d'une personne que nous aimons, des jours d'attente anxieuse, le désespoir d'une rencontre qu'on n'a pas faite et que nous donnons la cause, en la faisant remonter jusqu'à elle, de la grandeur de la conséquence[d]. M'eût-on donné l'occasion de rencontrer dans une soirée toutes les femmes du faubourg Saint-Germain, je sentais qu'il y avait quelque chose de plus en Mme de Guermantes et que si toutes y étaient, peut-être elle n'y serait pas. La marquise de T*** qui était de tous temps liée avec mes parents <devant> donner pour ses noces d'argent une fête qui devait être des plus brillantes nous avait tous invités. Et comme mes parents ne sortaient pas, ils m'avaient proposé pensant que cela m'amuserait d'y aller, pour les excuser et représenter. J'avais demandé à ma mère de tâcher de savoir s'il y aurait Mme de Guermantes. Maman m'avait dit que ce n'était pas facile de le savoir mais me dit un soir, que, l'après-midi, elle avait eu à son « jour » Mme de T*** et lui avait demandé si à sa fête, qui était le surlendemain, je verrais Mme de Guermantes, que comme les jeunes gens qui rêvent de voir les femmes à la mode dont on parle, j'avais un grand désir de rencontrer. « Ce n'est pas de chance que ce soit justement Mme de Guermantes qui l'intéresse, répondit Mme de T***. Je crois pouvoir dire qu'il y aura à mes noces d'argent tout ce que Paris compte de femmes élégantes dans la société, mais pas Mme de Guermantes. Je la connais très bien, je l'ai encore rencontrée hier soir chez le duc d'A***. Nous nous disons bonjour, elle est très aimable avec moi, mais elle ne m'a jamais demandé d'aller chez elle et comme elle est justement plus recherchée que les autres, qu'elle se considère comme une altesse et ne va que dans une petite coterie ultra-snob, je ne veux pas lui demander la première de venir chez moi. » Dès lors la fête de Mme de T*** ne m'intéressait plus puisque la femme que j'avais envie de voir n'y serait pas ; et je n'y allai pas.

Souvent je savais les endroits où devait se rendre Mme de Guermantes par Françoise qui s'était liée avec « le grand pédant de maître d'hôtel ». Il suffisait souvent qu'un domestique ou un maître que Françoise voyait pour la première fois et qu'elle s'attendait à voir la saluer, ou lui dire un mot ou lui sourire, gardât au contraire le silence et ne lui adressât pas la parole et ne la regardât pas, pour que ce silence et cet air attirent à eux une multitude de vices des plus haïssables et composent au nouveau venu tout un personnage essentiellement antipathique à qui elle souhaitait tous les malheurs. C'est ce qui était arrivé au trop peu causant maître d'hôtel. Mais aussi comme tous ses vices avaient été suggérés à Françoise par son seul silence et son visage de glace, il avait suffi qu'au bout de quelques jours il lui eût dit bonjour et lancé une petite plaisanterie pour qu'elle déclarât à tout venant que c'était quelqu'un de bien comme il faut. Et si quelqu'un n'était pas de son avis et ne l'aimait pas, comme ces gens qui quand on est souffrant veulent absolument que votre mal soit de même nature que le leur et ne peuvent croire que le remède qui leur a réussi ne vous fasse pas de bien, elle disait : « Mais non, je vous dis c'est *une* air qu'il a comme cela, mais quand on a causé avec lui ce n'est plus la même personne. »

Le maître d'hôtel disait à Françoise : « Madame est allée déjeuner chez le duc d'Aumale comme tous les lundis. C'est-à-dire qu'elle est invitée tous les lundis, mais il y a bien des fois que ça l'ennuie et qu'elle n'y va pas. Ce soir Mme la duchesse ira sans doute à la grande fête < du > prince d'Agrigente[a]. La princesse lui a encore récrit ce matin pour la prier de ne pas manquer mais avec Madame on ne peut jamais être sûr, au dernier moment elle leur claque dans les mains. Si elle va chez la princesse[b], elle ira sans doute chez le prince d'Agrigente et peut-être à l'Opéra dans la loge du prince des Baux parce que[c] c'est leur dernière soirée et qu'elle n'est allée à aucune. M. le duc dit que Mme la duchesse ira peut-être passer huit jours à Cannes chez la princesse de Parme[d] mais ça n'est pas sûr. » Les noms de tous ces endroits où allait Mme de Guermantes, château du duc d'Aumale, villa de la duchesse de Bavière, hôtel de la reine de Naples, loge du prince des Baux étaient comme autant de réservoirs impénétrables pour moi et où elle pouvait en quelque sorte se transvaser, remplis jusqu'aux bords de cette vie sociale mystérieuse qui était celle de Mme de Guermantes[e].

Si elle allait à l'Opéra, c'était dans la loge de la princesse[f] de Guermantes née archiduchesse Éléonore d'Autriche ou dans la loge de < la > princesse d'Agrigente, à Cannes dans la villa de la princesse de Parme, réservoirs remplis de la même vie mystérieuse, différenciée selon le nom, qui régnait dans l'hôtel de Guermantes, et où Mme de Guermantes, réduite à son propre corps, n'était plus uniquement chez elle, entourée de sa propre irradiation, venant s'incarner dans une ambiance aussi précieuse qu'elle entre tous ces êtres complices de ses plaisirs, ces initiés à son existence pour moi inconcevable, qui habitués de l'hôtel de Guermantes, habitués de la loge de Mme de Bavière, hôtes de la princesse de Sagan étaient à peu près les mêmes entre toutes ces femmes élégantes, la duchesse de Vermandois, la princesse de Tour et Taxis, entre lesquelles, familière avec elles et l'une d'elles, séparée par leur ambiance du reste des êtres qu'elle ne connaissait pas, baigneurs des villes d'eaux ou amateurs de théâtre, je l'imaginais en manteau blanc sur une plage ensoleillée, ou en robe décolletée à l'Opéra, au fond d'une baignoire.

Loge à l'Opéra de l'archiduchesse Éléonore, villa à Cannes de la princesse de Parme, tous les endroits où elle transvasait son existence me semblaient remplis du même mystère, où dans son hôtel vivait Mme de Guermantes. Ils l'entouraient seulement d'une couleur différente, ils lui ajoutaient pour une heure ou pour une semaine une détermination particulière qui me la rendaient plus réelle encore, mais assez impénétrable pour moi, assez secrète, pour qu'elle ne fît en se déplaçant, en allant au théâtre ou aux eaux, que changer de mystère. Je pouvais l'imaginer à Cannes, se promenant avant le déjeuner sur la plage ensoleillée en costume de drap blanc, ou assistant du fond d'une baignoire à une représentation que tout un public pouvait applaudir, mais c'était au sein d'une matière vivante, inconnue et spéciale, de cette société de Mme de Bavière ou de Mme du Vermandois et de quelques autres, qui me semblaient chacune si particulière qu'aller à une fête chez elle, me semblait comme aller chaque fois à quelque chose d'aussi unique que leur nom[a].

Savoir qu'elle s'y rendait augmentait mon trouble en semblant m'apprendre de quoi était faite sa vie, mais, par le mystère des noms des personnes différentes des personnes que je connaissais chez qui elle allait, au moment même où elle me disait ce qu'était cette vie elle m'empêchait de, même dans des actes qui s'ils n'avaient reçu cette détermination particulière eussent paru de ceux que je pouvais m'imaginer, la concevoir et me figurer la charge d'inconnu qu'elle me présentait, le cocon nouveau, séduisant, mais aussi mystérieux au sein duquel elle allait se trouver pour quelque temps.

Je[b] mettrai à un des endroits (Loge de la Princesse de Parme etc. — plutôt avant)

Comme elle était pour moi individuelle, d'essence différente des autres, tous les mots comme aller au théâtre, dîner en ville, faire une villégiature chez quelqu'un, prenaient pour elle un sens particulier et *(ne pas le laisser où c'était)* je m'émerveillais autant qu'une femme comme toutes les femmes, c'est-à-dire que je n'avais pas connue d'abord par mon imagination — comme Mme de Villeparisis — pût être en relations avec elle, aller au théâtre avec elle, que d'apprendre que quelqu'un est dignitaire de la cour de Parme que j'avais connue en lisant *La Chartreuse* de Stendhal. C'était pour moi une détermination du rêve. Toutes celles de ses amies qu'on me citait, peinte chacune par son nom d'une couleur différente et portant un attribut différent, me paraissaient accomplir quelque action particulière en la connaissant où se révélait sa nature, il suffisait qu'on me les nommât avec elle dans une ville d'eaux, ou dans une loge, pour que je visse aussitôt l'entrelacement de figures aussi variées de beauté, d'expressions et de danse, que dans ces chœurs où Pomone tend des fleurs à *[un blanc]* *(?)*[a1]

Esquisse XXIII

[L E M Y S T È R E D E L A V I E
D E M M E D E G U E R M A N T E S 2]

[Dans les premières pages du Cahier 40, Proust reprend l'Esquisse précédente, consacrée aux occupations de la duchesse de Guermantes.]

Et[b] je me rendais bien compte qu'en dehors de ce salon de Mme de Villeparisis, il n'y en avait aucun où je pusse jamais avoir chance de la rencontrer. Elle n'était pas en effet du premier rang social, mais seule, au-dessus du premier rang. La composition aristocratique d'un salon était une condition nécessaire mais pas toujours une condition suffisante pour qu'elle le fréquentât, et on n'en pouvait pas induire, si elle, la plus difficile à attirer de toutes les femmes à la mode, celle qu'on captait la dernière, viendrait poser < sur lui >, comme un couronnement et une consécration suprême, son corps d'oiseau royal. Cette sorte de qualité sociale spécifique, qui faisait que Mme de Guermantes était unique, était comme une sorte de matérialisation mondaine, en elle, de cette rareté — le plus souvent au contraire tout imaginaire — que nous attribuons < à > l'être que nous aimons, et que nous ne connaissons pas encore, qui fait qu'il nous semble plus difficile à rencontrer qu'un autre, que dans une réjouissance publique où toute la ville se rend nous craindrons qu'il soit le seul que nous n'y trouvions pas, par suite d'occupations qu' < il > a peut-être habituellement ce jour-là ou d'empêchement imprévu, d'un caprice du dernier moment, de l'arrangement de sa vie, des événements qui y surviennent, tout ce noyau d'inconnu, de liberté, de caprice, de particulier, qui nous paraît plus important chez lui que chez les autres, parce qu'il se traduit dans notre vie par l'espérance, l'attente, l'angoisse, la déception, s'il manque de venir dans un lieu où il eût pu se trouver (ce qui arrive aussi à d'autres mais dont l'absence passe inaperçue à nos yeux) et que souvent cette importance des conséquences nous la donnons en retour à sa cause.

Eussé-je été invité à une réunion où était certaine la présence de tout le faubourg Saint-Germain, il ne s'en suivait nullement que j'y pouvais compter sur celle de Mme de Guermantes. J'en eus bientôt la preuve. La marquise*a* de T*** qui était liée depuis de longues années avec mes parents, organisa une fête pour célébrer ses noces d'argent. Mes parents qui ne sortaient guère pensèrent que cela m'amuserait d'y aller, pour les excuser et les représenter. Je leur avais demandé de tâcher d'apprendre si Mme de Guermantes y serait, et justement Mme de T*** vint voir Maman à son « jour » peu de temps avant la soirée. « Non, répondit Mme de T*** à la question de ma mère. Ce n'est pas de chance qu'entre toutes les femmes élégantes de Paris ce soit justement Mme de Guermantes qu'il désire rencontrer, car je peux dire qu'il n'y en a peut-être pas une autre qui ne sera < pas > là. Mais elle non. Je la connais très bien, je l'ai encore vue hier soir chez le duc d'A***, elle est très aimable, nous nous parlons, mais elle ne m'a jamais dit d'aller chez elle et comme elle est justement plus recherchée que les autres, < et > qu'elle appartient à une petite coterie ultra-snob où elle a pris l'habitude de se faire traiter en altesse, je ne veux pas à cause de cela lui demander de venir chez moi. » Dès lors la fête de Mme de T*** n'offrait plus d'intérêt pour moi et je n'y allai pas.

Je savais pourtant assez souvent ce que faisait Mme de Guermantes, par Françoise qui maintenant était l'amie du maître d'hôtel qu'elle appelait « grand pédant » les premiers jours. Il suffisait souvent que la figure d'un domestique ou d'un maître qu'elle ne connaissait pas mais qu'elle s'attendait à voir la saluer, lui sourire, lui parler, gardât un « air de ne pas la connaître » et le mutisme, pour qu'aussitôt ce silence et cette immobilité attirassent à elle du sein de l'imagination de l'amour-propre blessé de Françoise tous les défauts les plus antipathiques, les vices les plus haïssables qui composaient désormais le personnage odieux de cet homme peu aimable — cette fois-ci le maître d'hôtel des

Guermantes — à qui elle souhaitait tous les malheurs non par méchanceté mais par un sentiment de justice, mais comme toutes ses noirceurs avaient été attachées par Françoise à son œil inerte et sa bouche muette, il avait suffi que quelques jours après cet œil lui eût souri et que sa bouche lui eût parlé pour qu'elle le vantât à tout venant comme « une*ᵃ* homme bien comme il faut ». Et si quelqu'un n'était pas de son avis et n'aimait pas le maître d'hôtel, elle, comme les gens qui veulent absolument que la maladie que vous avez ait la même cause que celle qu'ils avaient autrefois et que le remède < qu'il > vous faut soit inévitablement celui qui leur a fait du bien, elle disait : « Je sais ce que vous voulez dire, c'est une*ᵇ* air comme ce qu'il a, mais causez encore avec lui et vous verrez que c'est une autre personne. »

Le maître d'hôtel des Guermantes disait à Françoise, dans ces gazettes quotidiennes que sont les propos des domestiques, d'autant mieux renseignées sur les faits et gestes de leur maîtres — tout en pouvant rester très respectueuses et sympathiques — que ce sont les maîtres eux-mêmes qui volontairement ou à leur insu fournissent les observations : « Madame est allée déjeuner chez le duc d'Aumale*ᶜ* comme tous les lundis. C'est-à-dire qu'elle a son couvert mis tous les lundis mais il y a bien des fois que cela l'ennuie et qu'elle n'y va pas. Ce soir Mme la duchesse ira sans doute à la grande fête de la princesse de Parme*ᵈ*. La < princesse > lui a encore écrit ce matin pour lui demander de ne pas manquer, mais ce n'est pas sûr qu'elle ira, avec Madame on ne sait jamais avant la dernière minute. Si elle sort, elle ira sans doute avant chez le prince d'Agrigente*ᵉ* parce que c'est sa dernière soirée et elle n'est encore pas allée à une seule. — Et au théâtre, est-ce que votre patronne n'y va pas ? — Si, quelquefois, elle va souvent le mardi*ᶠ* aux soirées d'abonnement sous le patronage de la duchesse de Macduff*ᵍ* et < du > prince de Wortburg*ᵇ* à l'Opéra, où il y a de tout, du chant, des pièces où on parle, du ballet. Je crois justement que demain elle ira dans la baignoire de la princesse de Guermantes*ⁱ*. » (La princesse de Guermantes née archiduchesse*ʲ* Éléonore d'Autriche, qu'on appelait quelquefois simplement l'archiduchesse Éléonore*ᵏ*, avait pour moi un prestige particulier. Dans son hôtel du XVIIIᵉ siècle que mon père admirait tous les jours en passant et qu'il appelait un véritable palais de conte de fées, elle vivait un peu comme une fée, ne voyant dit-on presque personne, isolée dans le culte et les souvenirs de sa grand-tante, Marie-Antoinette, à qui elle cherchait à ressembler par ses toilettes, étant d'ailleurs, elle, plus belle que ne dut être jamais la reine. On disait qu'elle n'allait jamais dans le monde, qu'elle vivait presque seule dans l'intimité d'une impératrice artiste et d'un grand peintre et je ne l'avais jamais imaginée que conversant avec Marie-Antoinette, habillée

<comme> elle, avec les arbres du Trianon derrière elle, jusqu'au jour où je l'avais aperçue qui passait en voiture, dans un flot de linon, jetant sur la foule sans la voir le regard fier et doux de ses yeux merveilleux et qui se rendait précisément à Versailles où elle avait hérité d'une maison ayant appartenu à Madame Élisabeth[1] et qu'elle avait peuplée de tableaux et de tapisseries inestimables, à rendre jaloux le conservateur du château[d]. Mais l'image était plus particulière encore que je <me> ferais de ces *duchess* possédant héréditairement les châteaux que Turner en les peignant, Shakespeare et Walter Scott en en faisant le lieu principal d'une action chevaleresque ou tragique ont peuplés de rêve, comme ces salles de Saint-Wandrille sur qui Maeterlinck a jeté un enchantement, <qu'il> a ensorcelées, <a imprégnées> d'histoire, de romanesque, de poésie, en en faisant le palais de Macbeth ou de Mélisande[2], de ce prince d'Agrigente aussi, que Françoise retenait difficilement, que je supposais être le souverain effectif — de passage seulement à Paris — d'une petite principauté italienne, ou surtout de cette princesse de Parme qui m'apparaissait[b] sous des couleurs aussi différentes de toute femme réelle que la couleur que je prêtais à la ville de Parme me le semblait de celle de n'importe quelle <ville> d'Italie si voisine qu'elle en fût.) « Et[c] alors comme ça ils ne s'absenteront pas pour les fêtes ? — Nous ne savons pas encore. Madame ira peut-être passer une quinzaine à Cannes, à la villa de la princesse de Parme[d]. »

Sa vie mondaine était <comme un> poème soumis à la nécessité de la rime, mais qui est libre de suivre la fantaisie du goût. Remplie jusqu'aux bords, comme une corbeille de fleurs, d'occupations qui en prenaient toutes les heures, elle rejetait forcément hors d'elle toutes les invitations nouvelles qui ne s'accordaient pas avec celles qu'elle avait acceptées. Et ainsi tous ses engagements formaient devant elle comme un canevas fleuri, duquel elle ne pouvait s'écarter, obligée de laisser de côté <une> quantité de dîners, de soirées, de parties de théâtre. Mais d'un autre côté, sur ce canevas elle piquait parfois un plaisir favori et même les années — *c'étaient toutes sauf celle-ci où *excuse*[3]* — <où> elle restait à Guermantes jusqu'en février, tant que durait la chasse, ne passant chaque semaine qu'un jour ou deux à Paris, il lui arrivait de revenir[e] exprès pour une représentation qui l'intéressait. Après avoir fait goûter les chasseurs, elle montait, quand le cocher avait dit que c'était juste pour le train, dans une voiture attelée qui l'amenait à toute vitesse à travers les futaies glaciales où le soleil se couchait jusqu'à la gare. Elle prenait le train, arrivait à Paris à la nuit close et passait sa soirée au théâtre où, givrée de diamants de la rosée apportée des bois de

Guermantes, ceux qui ne la connaissaient pas et qui avaient entendu dire, comme mon oncle par Swann, qu'elle était l'être le plus noble de Paris, de l'élite la plus rare, la plus raffinée et la plus choisie, ne sachant pas au juste si ces mots de « noblesse », de « rareté », de « choix », de « raffinement », s'appliquent plutôt à l'ancienneté de sa race, à l'exclusivisme aristocratique de ses relations, ou à l'élévation de son esprit et au raffinement de ses goûts d'art, mêlaient l'une et l'autre signification dans un même prestige.

Toutes ces fêtes auxquelles le sillage de la voiture de Mme de Guermantes reliait son hôtel m'apparaissaient différenciées les unes des autres par le nom de celui qui la donnait et consistaient chacune en un plaisir original, *[un mot illisible]* exclusivement, aussi différent du plaisir qu'était une autre que celui que donne la musique diffère de celui que donnent l'amour, le vin, ou un parfum, mais pour moi supérieur à eux parce qu'il était inconcevable, dérivant de noms qui ne me donnaient pas de renseignements sur eux. Le désir de les goûter, de pénétrer dans ces noms, d'être invité à ces fêtes, était l'équivalent de ce qu'est le désir du voyage provoqué par le nom d'un pays. Et comme ces villes rêvées nous semblent d'une autre essence que les autres, ces fêtes me semblaient infiniment plus inaccessibles pour moi et plus désirables que d'autres exactement pareilles, comme celle de la marquise de T*** par exemple, mais qui n'étant pas entrées en moi par l'imagination ni personnalisées par un nom — Mme de T*** ne me représentait qu'une dame quelconque puisque je la connaissais — me semblaient des agrégats humains, purement quantitatifs, sans qualité spéciale, sans âme centrale, sans charme individuel. Tous ces lieux, palais, plages, châteaux, villas, où elle transvasait sa vie, me semblaient remplis d'autant de mystères que son hôtel. Quand j'apprenais qu'elle s'y rendait sans doute, sa personne s'insinuait dans la matière précieuse de la société du prince d'Agrigente ou du prince de Parme[a], se réduisait à n'être plus à Paris ou à la campagne qu'une de leurs invitées, détermination particulière, costume social nouveau, non encore fatigué ‹par› ma contemplation et mon rêve, sous lequel elle me paraissait plus réelle, plus neuve. Dans l'ambiance inconnue dont ces milieux sociaux l'enveloppaient elle pouvait — comme dans une carafe bouchée, l'eau qui y est contenue peut être plongée au milieu d'une rivière sans s'y mélanger — ‹assister› à de mêmes spectacles de nature ou d'art que la foule, et que j'aurais pu moi-même contempler, sans que sa vie devînt pour moi plus imaginable, ‹car› elle n'y assistait qu'avec une modalité particulière que précisément je ne pouvais connaître. Elle allait à l'Opéra mais dans la baignoire de la duchesse de Bavière, elle irait à Cannes mais dans la villa de la princesse de Vermandois, et si je pouvais l'imaginer dans l'obscurité phosphorescente d'une baignoire de théâtre ou marchant avant déjeuner dans un costume de drap blanc dans l'ensoleillement d'azur et de sel de la plage, je ne connaîtrais jamais la vie qu'elle partageait <avec> les invités de Mme de Bavière ou avec les hôtes de Mme de Vermandois, qui marchaient à côté d'elle le long de la mer en devisant des plaisirs qu'on préparait dans l'après-midi chez <la> princesse, et en se déplaçant, en se métamorphosant, en s'enveloppant pour quelques heures ou quelques jours du <cocon> charmant d'une vie nouvelle, elle ne faisait que changer d'inconnu.

II

Esquisse XXIV

[LA MALADIE DE LA GRAND-MÈRE]

[Fragment du Cahier 14. En rentrant des Champs-Élysées, la grand-mère du narrateur est prise de nausée dans la voiture.]

Quelques lignes plus haut en voiture.
À deux ou trois reprises en voiture ma grand-mère fut reprise de nausée. Il fallut arrêter la voiture, elle n'avait pas le temps de retourner aux Champs-Élysées ni d'arriver à la maison. Je lui tendis mon mouchoir. À la troisième fois elle me dit : « Je te demande vraiment pardon mon pauvre petit de la peine que je te donne. » Alors j'eus un mouvement qui me remplira de honte et d'horreur chaque fois que j'y repenserai, je fis le geste poli et souriant de dénégation d'un homme qui a son importance — ne venais-je pas de publier une étude et n'étais-je pas à la mode chez les Guermantes ? — et qui malgré cela est heureux de vous rendre un service si au-dessous de lui, en est heureux, oui, vraiment, mais vous fait sentir le prix de son service. Qu'importe que par l'imagination j'aie fait entrer en moi les plus sublimes sentiments du monde si le réflexe qui est venu à l'appel de la réalité a été cet ignoble et bas salut qui avait l'air d'admettre que ce fût une peine, une peine au-dessous de moi, mais dont je m'acquittais volontiers et sans mauvaise grâce ?

Esquisse XXV

[L'AGONIE]

[À la suite de son malaise aux Champs-Élysées, la grand-mère sombre dans un état d'inconscience agitée. Dans ce nouveau fragment du Cahier 14, toute la famille se rassemble à son chevet pour assister, impuissante, aux progrès de la maladie, à la dérive d'un corps que la souffrance rend animal, aux dernières heures d'un être aimé.]

Hélas ! le lendemain l'albumine reprit plus fort. Elle semblait pourtant un peu mieux. Mais le médecin dit qu'elle était dans un état désespéré. La nuit suivante on vint me chercher. C'était la fin. Je vis que mon père qui était venu me chercher pleurait. Je lui dis de s'essuyer les yeux avant d'entrer dans la chambre. Il me dit que cela ne faisait plus rien, que ma grand-mère ne voyait plus. Nous entrâmes, elle s'agitait, le corps courbé en demi-cercle, geignait, faisait remuer ses jambes, respirait bruyamment. Mais il paraît qu'elle n'avait conscience de nous ni d'elle. Toute cette agitation ne s'adressait pas à nous. Elle-même, les yeux clos, scellés, n'en savait plus rien, c'était en elle, cette bête étrange à laquelle elle était liée, qu'elle ne connaissait pas, qu'elle ne savait pas soigner, mais dont les jours comptaient les siens, à qui elle était condamnée à ne pas survivre, et qui même comme Diomède dévoré par ses chevaux[1], devait être tuée par elle avant qu'elle ne meure. C'était cette bête qui s'agitait ainsi et que nous regardions. C'était toujours le visage de ma grand-mère quoique très enlaidi. Mais ses yeux étaient fermés, ou parfois à demi ouverts, mais avec, à la place du regard, quelque chose de vague, de vide, d'imperceptible qui indique l'extrême minimum de la conscience, le coma. Mais quand ils étaient légèrement entrouverts et qu'il sortait un infiniment petit de regard voilé, imperceptible, qui n'exprimait que la souffrance, elle ne nous voyait pas davantage. Elle n'était pas là. Où était-elle, où gémissait-elle donc ? Nous parlions mais elle ne nous entendait pas, nous la touchions, elle n'en savait rien et pourtant elle remuait, elle sortait un pied du lit, elle écartait ses couvertures. Ce qui emplissait ainsi la chambre de son gémissement, de sa rauque respiration, des soubresauts de son corps couché en demi-cercle, n'était donc plus que la bête étrange, incompréhensible à qui ma grand-mère était liée, qu'elle ne savait pas soigner, à qui elle était condamnée pourtant comme nous tous à ne pas survivre, et qui même avant de mourir devait tuer ma grand-mère, comme Diomède fut dévoré par ses chevaux.

C'était pourtant toujours son visage, quoique enlaidi, creusé, méconnaissable, son visage qui voulait dire : elle est là ; elle n'était plus là ; c'était, à peine clos, ses yeux, qui signifiaient : je vois, et qui douloureusement entrouverts sur nous ne nous voyaient plus ; c'étaient de ces gestes, comme d'écarter la couverture, qui étaient habituellement comme des paroles, qui voulaient dire : cette couverture me gêne, je vais l'écarter pour avoir moins chaud, et elle ne savait rien de tout cela. Nous pouvions nous approcher d'elle, mettre notre visage près du sien ; ses paupières baissées l'empêchaient de nous voir ou plutôt n'était-ce pas parce qu'elle ne voyait plus que ses paupières étaient baissées, le peu de prunelle — peut-on dire de regard ? — qui passait, c'était simplement parce que ses paupières fermaient mal. Mais on sentait qu'il n'y avait pas de regard sous ses paupières, aucune présence sous son visage.

Sa respiration était si difficile qu'on apporta des ballons d'oxygène[a]. Ma mère, le docteur, la sœur en tenaient dans leurs mains, dès qu'un était fini, on leur en avait passé un autre pour qu'il n'y eût pas d'interruption sauf quand le docteur le disait. Alors peu après qu'eut commencé dans la chambre le petit bruit incessant de l'oxygène qui s'échappait comme de l'eau, la respiration de ma grand-mère se trouvait complètement modifiée et son effort soulagé, elle ne fut plus lente et geignante comme elle avait été jusque-là mais au contraire rapide, légère, élancée et glissante comme quelqu'un qui patine, avide, la bouche suspendue à cet air délicieux comme un enfant qui têtait. Et sans que ce fût positivement un râle de bien-être dû à l'oxygène et à la morphine, plutôt par la modification de ces bruits réflexes, comme un ronflement change dans le sommeil, à la plainte oppressée de ma grand-mère succéda un soupir continu de bien-être de quelqu'un qui respire enfin, et qui, suivant les rythmes de la respiration et du *[un mot illisible]* de la nuit, s'élançant à la poursuite de l'oxygène, la dégageant avec d'incessantes délices, s'éleva, devint doux, musical, comme une sorte de chant de soprano, une même phrase inachevée, toujours reprise, s'élançant toujours plus haut, retombant, s'élançant encore, accompagnée par le petit grésillement de l'oxygène qui s'échappait. Je sais que ma grand-mère ne sentait rien, ne voulait rien exprimer. Et pourtant ce chant s'élevait si fort, si pressant, si doux à la fois comme une supplication et comme un soupir de bien-être qu'il était impossible à qui la voyait de ne pas croire que ne pouvant parler, agitée ainsi sur son lit, elle s'adressait à nous[b], avec une prolixité, une agitation, une tendresse infinie. J'étais sorti un instant de la chambre pour dire qu'on allât chercher l'oxygène, je n'y rentrai qu'à ce moment-là. Au premier abord je fus saisi comme à la vue d'un miracle, j'entendis ma grand-mère s'exprimer par cette sorte de plainte heureuse, de soupir, de chant incessant, je ne savais pas ce qui était arrivé, mais non seulement je croyais qu'elle était en pleine conscience, mais en même temps qu'il venait de se passer quelque chose d'extraordinaire, qu'elle commentait avec cette indescriptible agitation et ces flots d'harmonie et qui était certainement réel puisque mes parents autour d'elle ne lui disaient pas « Mais non, tu te trompes, calme-toi[a] ». On m'assura bientôt qu'elle était aussi absente de ce chant que de son oppression de tout à l'heure. À ce moment le médecin dit qu'on pouvait cesser un peu l'oxygène. Maman dit : « Mais si elle doit recommencer à mal respirer ». Le médecin dit : « Oh ! non, l'effet de l'oxygène durera encore un bon moment, nous recommencerons tout à l'heure ». Il me semblait qu'on n'aurait pas dit cela pour une mourante, que si le bon effet devait durer c'est donc qu'on pouvait quelque chose sur sa vie. Le bruit de l'oxygène cessa pendant quelques instants. Mais la plainte heureuse s'élançait toujours, légère, tourmentée, inachevée, élancée, recommençante. Comme on dit que tel architecte gothique s'inspira de la vue de la forêt, que tel musicien essaya de reproduire le rythme de la mer ou du vent, je ne sais si Wagner a assisté à une telle mort et a essayé de reproduire la véritable mélodie que ce bruit pourtant naturel — la mort ayant libéré au milieu d'une chambre une puissance naturelle, aveugle, sans signification comme la mer ou le vent, là où était avant une personne. Mais c'étaient les élans, les chants, surtout l'éternel recommencement, comme l'incessant besoin de respirer, de la mort d'Yseult[1].

Par moments il semblait que tout fût fini, sa respiration s'arrêtait. Mais alors, soit à cause de ces changements d'octave qu'il y a dans la respiration d'un dormeur par exemple, soit à cause du rythme même de l'anesthésie par l'oxygène qui ne s'exerçait pas d'une façon continue, par le progrès aussi de l'asphyxie de l'agonisante et des défaillances des muscles de son cœur, elle reprenait différente, comme ces mélodies branchées et divergentes sur la tige défaillante de la première dans la mort d'Yseult et comme si, la source principale de la vie s'arrêtant, d'autres affluents avaient encore leurs cours à épancher, leur murmure à faire entendre. Elle semblait avoir encore un thème de bonheur à dire, à ajouter avant de mourir, et n'y a-t-il pas en effet en nous divers thèmes dont plusieurs se taisent parfois pendant bien longtemps ? Et ce thème heureux et tendre avait été en ma grand-mère, la souffrance de l'agonie l'avait fait taire mais l'action de l'oxygène faisait faire silence à la plainte de la souffrance, lui permettant de nouveau de se faire entendre, de se développer, d'employer à son exécution les derniers souffles de la mourante jusqu'à ce qu'elle n'en < eût > plus un seul, ou que tout se confondît dans le silence de l'épuisement dernier.

Elle avait encore une fois éloigné sa couverture. Je m'approchai pour la découvrir un peu. Ma mère me dit : « Tu vois, son visage est très calme, c'est bien elle. Elle ne souffre pas. Tu peux l'embrasser si tu veux, mon chéri. » Alors au moment où ma lèvre toucha son front[a], je sentis un frémissement infini de son corps, comme si, sans pouvoir me l'exprimer, toute sa tendresse pour moi l'eût agitée. Peut-être était-ce un simple mouvement réflexe. Peut-être cette tendresse pour moi profonde, ce qui était en elle le plus près de sa vie, à qui elle tenait plus qu'à la vie, avait-elle pour me percevoir une espèce d'hyperesthésie qui lui permettait de me voir et de me sentir quand elle ne voyait plus ou ne sentait plus, comme les nerveux qui lisent à travers un bandeau, ou qui devinent un fait à distance. La plainte de sa respiration semblait à ce moment comme l'expression passionnée, désespérée, déchirante de douceur de ses derniers adieux. « Ne restez pas près d'elle en pleurant », dit le médecin. « Mais si elle ne voit plus ? — On ne sait jamais, elle peut retrouver de la connaissance, c'est improbable mais c'est possible ». Je m'éloignai, ma mère recommença l'oxygène, et le bruit de l'air qui s'échappait faisait accompagnement à la plainte chantée. Tout d'un coup elle se dressa à demi, fit un effort violent, brutal, se secoua, comme quelqu'un qui défend sa vie. Françoise pleurait, j'étais irrité, je voulais lui dire : « Le médecin dit qu'elle peut retrouver sa connaissance, elle vous verra pleurer. » Au moment où je disais cela ma grand-mère ouvrit les yeux tout grands. Je me précipitai sur Françoise pour la cacher, pour la faire partir. Le bruit de l'oxygène cessa, le médecin s'éloigna du lit. Ma grand-mère était morte.

Comment comprendre qu'au moment où on va mourir, c'est-à-dire où on ne sera plus, à la minute qui précède ce qui n'est pas quelque chose, mais qui justement est : rien, on recueille toutes ses forces, comme un blessé qui court pour échapper au danger, qui se dresse, qui se traîne, qui fait ce que physiquement il lui est impossible de faire ? Pourtant il n'y avait rien devant ma grand-mère à ce moment-là, puisque la mort, c'est justement rien. Ce qui était la minute suivante, c'était plus rien. Donc à cette minute-là c'était déjà presque plus rien et elle avait dressé ainsi toutes ses forces, contre... son propre néant, elle s'était dressée dans le vide, dans le monde où déjà elle n'était plus. Sa révolte ne s'appuyait sur rien. La minute qui suivait ce rassemblement de forces, il n'y avait plus de force, plus de vie, plus rien, et c'était ce rien qui constituait la minute d'avant cette révolte.

Alors[b] Françoise put cette fois sans me faire souffrir peigner ces beaux cheveux. Il lui semblait qu'elle faisait à ma grand-mère un dernier plaisir, que jusqu'à la fin elle n'avait pas voulu laisser toucher les cheveux de ma grand-mère par une autre qu'elle. Cette pensée de sa propre fidélité l'émut, elle pleurait. D'ailleurs elle pleurait constamment et nous trouvait des sauvages de ne pas pleurer. Ma mère, pensant que ma grand-mère ne souffrait plus, ne pensait plus qu'elle nous quittait, sentait que ce n'était plus qu'à elle à être malheureuse, eût été plutôt heureuse. Mais elle se disait qu'elle n'avait plus que quelques heures à posséder le corps chéri. Le visage de ma grand-mère était devenu pour ainsi dire son vrai visage, celui que je n'avais < jamais > connu, débarrassé avec la vie de tout ce que la vie lui avait apporté, de tous les empâtements, les rides, les sillons, de la douleur. Sur le lit funèbre où elle reposait comme sur sa tombe, il semblait que la mort, comme ces sculpteurs du Moyen Âge commençant, avant les temps réalistes qui suivirent, qui représentaient la mort couchée sous les traits d'une jeune femme, lui avait donné l'effigie de sa jeunesse. C'était elle, telle qu'elle était dans le portrait qui était chez mon oncle, comme au jour de ses fiançailles, avec un visage de pureté et de soumission, mais aussi une espérance et un désir de bonheur que la vie avait déçus avant même que je la connaisse, et dont j'avais brisé les derniers ressorts. Alors elle entrait dans la maison de son époux, gaie, avec ses rêves de jeune fille, croyant au bonheur, mais infiniment pure et soumise, servante de l'époux. Et c'est avec cette pureté et cette soumission que devait se faire, quand elle avait compris que le bonheur n'était pas pour elle et quand il fut remplacé par le désir douloureux du bonheur pour nous qui ne nous y prêtions pas, cette abnégation, cette douleur que j'avais toujours vue sur son visage, qui l'avait vieillie, qui avait empâté ses joues, durci ses traits, creusé ces sillons sous ses yeux. La vie lui avait apporté tout cela, elle venait de l'emporter. Dans sa pureté virginale, un sourire d'espérance sur les lèvres, immobile et soumise, ma grand-mère semblait prête à recommencer la vie[1], prête à ce qu'un nouveau cortège la conduisît chez l'époux.

Esquisse XXVI

[APRÈS LA MORT
DE LA GRAND-MÈRE]

[*Ce court fragment est tiré du Cahier 29. Après la disparition de la grand-mère, le narrateur, qui croyait ne pouvoir lui survivre, découvre les premiers effets des* « intermittences du cœur ».]

Je lui avais dit : « Je ne pourrais vivre sans toi, je n'aime pas les autres, ils n'existent que pour t'en parler. » Je vivais et fort bien sans elle, je sentais les autres prendre peu à peu dans ma vie ce même rôle que j'avais cru qui n'appartiendrait jamais qu'à elle. Je causais avec une fille comme je causais avec elle. Elle me tenait compagnie comme elle avait fait. Comme je lui avais parlé de Mme de Villeparisis, c'était à Mme de Villeparisis que je parlais d'elle, et rarement. La vie de tendresse que nous avions menée ensemble était irréelle comme une lecture < que > j'aurais faite, après laquelle quand les yeux commencent à être fatigués on est content de quitter le héros pour des êtres moins parfaits, qui ont l'avantage d'être réels, qui vous attendent autour de la table servie, et avec qui on pourra épancher son besoin de ne pas penser, et de parler[a].

Esquisse XXVII

[PROMENADE
AU BOIS DE BOULOGNE]

[Dans ce passage du Cahier 48, l'image de la grand-mère, associée aux souvenirs de Combray et de la duchesse de Guermantes — dont le narrateur est ici un intime avant la mort de sa grand-mère — s'estompe avec le temps. L'angoisse a été supplantée par l'habitude et la promesse de plaisirs nouveaux : une soirée avec Mlle de Quimperlé (Stermaria dans le texte publié). La vie continue.]

Cette angoisse affreuse que je ressentais autrefois quand je pensais qu'elle mourrait un jour je ne l'éprouvai < pas > quand elle fut morte. Je ne pouvais pas être loin d'elle un soir, une heure, je me relevais pour l'embrasser dans sa chambre. Même quand je fus arrivé à pouvoir m'habituer à voyager sans elle, il me suffisait de penser à quelque soir où elle était triste pour ne pas pouvoir rester loin d'elle et reprendre le train. Car[b] à ces moments-là le reste du monde et de ma vie m'apparaissait comme un irréel fantasme sans importance. Il y avait de réel un seul être, ma grand-mère ; était-elle vraiment triste, la vie ne lui donnait-elle que des chagrins, et la trouvait-elle mauvaise, cette vie à elle, seul *[quelques mots illisibles]*, seule réalité engagée à même mon cœur, le déchaînement d'une souffrance telle que je ne concluais pas philosophiquement que la vie était mauvaise et que je n'avais qu'à mourir, mais la souffrance me le persuadait et je voulais mourir.

Deux ans auparavant pendant un séjour que j'avais fait à
Guermantes, un jour brumeux où je faisais une longue
promenade dans la campagne avec la duchesse, le brouillard se
déchirant, une petite section de ciel avait semblé se foncer,
comme < si > elle était remplie par un nuage ou une montagne,
puis était devenue consistante, dense, et tout à coup avait
cristallisé en une masse terminée par une fine aiguille : Combray !
Combray qui, rapproché, < était > apparu comme le clocher chéri
d'Haarlem au fond d'un paysage de Ruysdael[1] et que la brise
balançait et faisait scintiller au soleil. Dès lors ma résolution avait
été prise de repartir le soir même pour Paris. Je l'avais cachée
à Mme de Guermantes pour ne la lui dire que quand je me serais
assuré de l'heure du train, et d'une voiture, pour qu'elle ne pût
pas la combattre, en empêcher l'exécution. Je lui avais dit que
j'étais un peu fatigué, sur le chemin du retour lui parlais de la
promenade que nous pourrions faire le lendemain quand je savais
bien que je serais à Paris près de ma grand-mère, et ce n'est
qu'une fois au château dans ma chambre qui me fut devenue
subitement étrangère, comme elle me le paraîtrait à Paris, où
je me sentais déjà revenu, que je dis avoir trouvé une dépêche.
Mme de Guermantes n'avait rien dit mais n'avait pas été trompée.
« J'ai bien vu cela pendant la promenade, m'avait-elle dit plus
tard. Vous ne parliez plus, ou quand vous parliez vos yeux étaient
ailleurs. Je l'ai dit à Basin en rentrant[a] : "Vous verrez qu'il ne
couchera pas ici ce soir." »

Et maintenant je supportais sans angoisse d'être séparé d'elle
toujours. Je pouvais me plaire seul dans ma chambre où quand
elle vivait elle entrait à tout moment, où elle n'était jamais assez
présente à mon gré, où je lui faisais vingt fois demander de venir ;
je continuais à me livrer aux mêmes lectures, aux mêmes causeries
qui n'avaient eu leur raison d'être que dans le compte que je
lui en rendais et pour en connaître son avis ; et mes amis, tous
les gens que je connaissais, qui n'avaient existé que relativement
à elle — car le nom de grand-mère, c'était comme un pronom
à la première personne et elle était pour moi comme un Je
supérieur — maintenant elle leur était devenue relative, à ces
gens bien vivants, elle était devenue un des sujets de conversation
que je pouvais avoir avec eux, ce qui faisait dire que je ne
l'oubliais pas, et ce qui était la plus grande preuve d'oubli, citant
parfois — pas trop souvent pour ne pas ennuyer — un mot d'elle,
parlant d'elle comme de toute autre personne extérieure à moi,
en disant : « Ma pauvre grand-mère ». Cette chambre, cette vie
à elle consacrées si longtemps et qui *[plusieurs mots illisibles]* comme
revêtues de son image sacrée, devaient perdre leur *[un mot
illisible]*, leur noblesse, leur ornement. Mais peut-être ainsi
désaffectées, vacantes, ne dépendant plus que de moi, me

donnaient-elles un sentiment de puissance que je n'avais pas connu — si à la fois à cause de mon état de santé et de notre deuil, ma mère ne m'avait fait rester à la maison, j'aurais joui de cette liberté nouvelle. Du moins j'avais celle de me livrer à ma paresse et à la maladie sans avoir comme autrefois le remords de penser au chagrin perpétuel qu'elles causaient. Ma mère obligée d'aller passer deux mois à Combray, me laissa à Paris. Je savais[a] que Mlle de Quimperlé y passerait quinze jours avant de partir en Bretagne, et lui avais écrit pour lui demander si je ne pourrais pas, comme elle me l'avait fait récemment promettre par Montargis, la voir toute une soirée, ce qui me serait possible qu'avant le retour de ma mère. Et je lui dis mon rêve de la passer avec elle dans l'île des Cygnes et je le lui écrivis. Quand au moment où la saison mondaine finie j'avais dans un des derniers bals de l'année rencontré une jeune fille dont j'étais devenu amoureux, ne sachant pas son nom, et n'ayant plus de fête où j'aurais pu la rencontrer, j'allais me promener au bord du lac du bois de Boulogne, où les Parisiens qui restent un peu à Paris allaient faire un tour en voiture avant le dîner.

J'avais[b] fait de ces allées bleuâtres et déjà jaunissantes que borde une eau frémissante fuyant entre les craquelures de marbre bleu et blanc du ciel reflété, où l'improbabilité de la rencontre s'attristait de la menace du départ, comme une sorte de séjour factice uniquement amoureux, situé entre le bonheur de la saison de Paris où l'on peut être certain de retrouver ce qu'on aime, et l'exil des villégiatures où on ne pourra le rencontrer, n'offrant que des incertitudes, des désirs, mais où qu'on y a en vain cherché laisse à jamais quelque chose de tendre.

Au-delà de ses futaies cultivées, de ses pelouses jardinées, de ses pavillons et de ses grottes on apercevait le fleuve et les premières hauteurs bleuâtres de Meudon et du mont Valérien et de Saint-Cloud. Mais par un effet inverse de celui des panoramas où le décor de fond emprunte aux personnages de premier plan sa réalité, les parcs créés par l'homme imposent à l'horizon même qui les encadre un caractère artificiel. Le talent des architectes et des jardiniers a si bien réussi à faire échanger par l'imagination du promeneur le lieu de la terre que ces ouvrages ne font que recouvrir pour le lieu idéal et nouveau qu'ils ont créé, que celle-ci se croit en dehors de la nature, et que là où le règne de la nature recommence c'est en quelque sorte à de nouveaux frais — ses yeux qui venaient de vivre dans un séjour situé hors de la terre, redescendant sur celle-ci ne savent pas plus en quel point ils l'abordent que Christophe Colomb qui arrivant en Amérique se croyait aux Indes. La nature étonnée a devant eux quelque chose de factice encore et le paysage dépaysé a l'air d'un site très lointain qui dans un rêve analogue à celui qu'ils venaient de parcourir serait venu ici fermer l'horizon ; comme il arrive en ce Versailles où l'art n'a pas imposé son style seulement au sol, aux arbres, à l'eau, mais à l'atmosphère même, au ciel, à la conglomération des nuages, et où quand on regarde l'horizon du grand canal du haut de la Terrasse, on ne serait pas plus étonné qu'il aboutît au Zuyderzee qu'à *[un blanc]*, ou que la route qui le longe fût celle de *[un blanc]* ou Nimègue aussi bien que celle de Saint-Cyr.

Le jardinier japonais avait planté à l'écart, seul au bord de l'eau, un arbre dont les branches effeuillées et jaunies portaient des centaines de mésanges bleues qui y perchaient familièrement, s'envolaient et revenaient s'y poser[a]. Comme aucune limite ne le séparait de la nature où il était plongé et où elles pouvaient entrer et sortir, souvent un oiseau venu de l'horizon à tire d'ailes dans la transparente claire-voie du beau jour d'automne venait apporter un moment la collaboration de sa forme à l'arbre décoratif et naturel, pendant qu'une mésange s'envolait vers le soleil. Et tendu entre les branches auxquelles il mêlait son fond si doux, cet écran nacré, sur lequel les oiseaux semblaient peints comme dans un kakémono d'Hokusaï[1], c'était le grand ciel fleuri de tout le monde.

Dans le petit embarcadère où des barques attendaient d'être hélées par des dîneurs qui ne venaient pas, le soir d'or puis de pourpre tombait dans l'eau entre les barques aussi mystérieux que dans un port de Bretagne ou d'Extrême-Orient, et cependant au bord de l'eau assombrie, des corbeilles d'hortensias et des touffes de roses prenaient dans la lumière diminuée des couleurs si profondes qu'elles semblaient avoir été placées là seulement comme les fleurs des décors russes, pour montrer la beauté d'éclairage du crépuscule. La nuit tombait. Une rose penchée sur l'eau y laissait tomber un pétale comme dans une coupe de cristal ; puis l'obscurité envahissait tout ; une brume s'élevait, j'allais me promener dans l'île absolument déserte où l'arbre presque du même *[un mot illisible]* filigranait à peine la nuit de ses branches éplorées comme une garde de *[un mot illisible]* japonaise où seul le croissant de la lune était incrusté en argent.

Par moments un cygne passait sur l'eau d'un mouvement qui étonnait comme les yeux ouverts d'un enfant qu'on croyait endormi. Des brumes s'élevaient. J'entendais le bruit du vent. La nuit, la solitude m'entouraient aussi mystérieuses que si je m'étais trouvé dans une de ces îles de Bretagne qu'on voit du château de Mlle de Quimperlé. Nous y aurions été aussi seuls, aussi exaltés par la nature et le plein air, aussi protégés et enclos par l'obscurité et la solitude. Hélas ! c'était seul que je parcourais en tous sens ces lieux dont la beauté ne faisait qu'exciter mes désirs et la tristesse de n'avoir pas à y abriter du bonheur.

Trop d'arbres s'enfonçaient dans ces bois, trop d'eau passait entre ces rives pour qu'ils ne refassent pas la vie libre qu'ils avaient dans les forêts et autour des îles. On entendait le vent gémir, des oiseaux sauvages s'envolaient, l'eau clapotait sous le vent contre les bords, et, dans ce rapprochement du ciel et des eaux véritables, mystérieux, qui ne connaissaient point l'homme et qui profitaient de l'obscurité de la nuit pour se pencher l'un vers l'autre et se rejoindre malgré l'obstacle des jardins et des chalets, ils tendaient entre eux des brouillards qui s'élevaient et flottaient comme il devait y en avoir autour des îles de Bretagne. Je les regardais en écoutant l'eau clapoter sur les bords, en écoutant crier un oiseau de nuit ; je chassais de ma pensée les artifices du lieu, et m'attachant à ce qu'il avait réellement de naturel, je me croyais dans quelqu'une de ces îles où j'avais rêvé d'être avec Mlle de Querqueville, mais j'y étais sans elle, je trépignais de rage d'y être seul, et la beauté des lieux ne faisait qu'exciter mon désir etc.

Aussi quand Mlle de Quimperlé fixa le jour, qui était le lendemain de celui où je reçus sa lettre et par bonheur la veille de celui où devait rentrer ma mère, où, son père la laissant seule et libre d'aller passer la soirée avec une amie, elle viendrait me chercher à 7 heures pour que nous allions dîner dans cet endroit que, disait-elle, je lui décrivais si bien qu'elle aurait un plaisir particulier à y passer toute une longue soirée avec moi, mon imagination me représentait mon plaisir si près de moi et en exigeait à tous moments la jouissance si immédiate, et chaque fois refusée, que les heures de cette journée me parurent non pas comme celles qui précèdent la réalisation d'un espoir longtemps *[un mot illisible]* <mais> chacune séparément comme aboutissant à la ruine de cet espoir[a].

Pour ne pas rester à penser à ces moments dont l'attente m'était intolérable, j'allai au Bois retenir la chambre où nous devions dîner, choisir le menu. C'était un jour de tempête. Par moments le vent s'apaisait, c'était un grain mais court, et le vent recommençait. Je marchais à l'abri sous les arbres comme dans une des grottes sous-marines, mais je l'entendais qui courait et déferlait sur le rivage immense de leurs cîmes. Je savais que le temps n'était pas pour effrayer Mlle de Quimperlé et moi, il me rendait cette soirée plus belle, car il ferait de l'île une île déserte, et une île lointaine, marine, battue par les orages. En voiture, pendant tout l'aller je lui tiendrais la main mais je me garderais de l'embrasser pour le moment où nous serions ensemble dans l'île, au bruit du vent, au bord des flots. Même si le vent se calmait, mille bruits de souffles de feuillages, qui remuent nous feraient tressaillir, en rompant brusquement le silence qui suit les crises. Quand[b] j'eus donné toutes les explications au restaurateur de l'île, pour tâcher de ne rentrer chez moi que peu de temps avant l'heure où elle devait venir me prendre, je poursuivis ma promenade dans le Bois jusqu'à Saint-Cloud. Avec un bruit qui à peine expiré à l'horizon renaissait en une nouvelle vague et semblait exhorter tout ce qui était assez léger, le vent ébranlait les bois. Les branches résistaient, les feuilles convulsées se débattaient et le suivaient autant que permettait leur câble d'attache, quelques-unes se détachaient, tombaient, et le rattrapaient en courant à toute vitesse. Comme un jardinier, il secouait les arbres et faisait rouler les fruits et balayait les grands tas de feuilles mortes qui étaient sur le chemin, monceau des cendres de la forêt consumée.

Au bout de la terrasse, trop éloigné encore pour que je pusse découvrir Paris, je voyais seulement au bout de la voûte de l'allée le ciel gris qui semblait bombé vers moi, comme dans ce chemin qui était au-dessus de Querqueville et où me promenant en allant vers la mer, j'eusse tant aimé amener avec moi Mlle de Quimperlé. Un seul petit triangle pâle — sans doute un édifice plus élevé que les autres et qu'on voyait seul encore dans le ciel — ressemblait[a] exactement à ces voiles qu'avant d'avoir aperçu la mer je découvrais les premières. Un instant le soleil près de se coucher se montra et arrosa les arbres d'une pluie de lumière sans éclat qui s'égouttait de la pointe les feuilles lustrées. Mais il se cachait vite. Les images suivaient les appels du vent comme les feuilles. À un endroit le ciel creusé en entonnoir comme par une coupe explicative pratiquée à dessein, laissait voir la superposition de plusieurs ciels de différentes couleurs. Un nuage rouge, comme un flocon d'écume ou une plume arrachée au couchant, resta un instant immobile dans le vent. Et tout au fond de l'entonnoir on voyait des soirs heureux et calmes, des soirs bleus qui, suivant le conseil du vent, émigraient comme des oiseaux de passage à toute vitesse vers de plus beaux cieux. J'écrasais en marchant des feuilles qui s'incrustaient dans le sol comme des coquillages et je poussais de ma canne des châtaignes couvertes de piquants comme des oursins. J'arrivai sur la terrasse. Le vent s'était calmé. Paris était moitié à l'ombre moitié au soleil, ses maisons vues de côté, les unes à côté des autres, semblaient des barques à pêcher qu'on avait retirées au port. Un toit de tuile marbra de rose le fleuve devenu réfléchissant. Derrière moi le jet d'eau *[interrompu[b]]*

Esquisse XXVIII

[LE RETOUR
D'ALBERTINE]

[Ces deux fragments du Cahier 46 mettent en scène le retour d'Albertine dans sa vie du héros. Dans le premier, le narrateur, rentrant d'une soirée chez Mme de Villeparisis, apprend que la jeune fille est passée pendant son absence. Dans le second, c'est après un dîner chez Mme de Guermantes qu'il reçoit une visite d'Albertine.]

I. Après la soirée de Mme de Villeparisis[a].

Quand je rentrai (de chez Mme de Villeparisis), Françoise me dit : « Monsieur ne devinera jamais qui est venu... Mlle Albertine. — Comment, elle est à Paris ! — Elle a laissé un petit mot. » Je le parcourus et en lus la première ligne à Françoise : « Si vous saviez comme j'ai été contente de voir la figure de Françoise quand elle est venue m'ouvrir ! » Depuis qu'Albertine avait refusé de se laisser embrasser mon amour, à qui était indispensable l'espoir inavoué de satisfactions impossibles à trouver en elle, s'était détourné d'elle. Même, depuis ce refus, ma bouche n'était plus tentée par ses joues rebondies qui ne pouvaient pas me donner plus de plaisir que des joues de cire. Mais mes regards, capables de désirs plus désintéressés, auraient aimé à se poser sur son visage, relique intacte, authentique, du mystère que j'imaginais dans Albertine quand, ne la connaissant pas encore, je la voyais passer sur la digue, et de l'amour à qui ce mystère avait frayé le chemin. Comme Aimé, plus qu'Aimé, n'était-elle pas surtout à un moment où j'aurais aimé retourner à Balbec *(le dire en son temps)* un de ces plaisirs qui dans une même zone sont du même genre que ceux qu'on peut attendre de ces œuvres d'art, de ces boîtes de coquillages, de ces amitiés qui remplacent un peu un voyage ? Et ainsi chaque fois qu'elle fut dans ma chambre — car elle revint assez souvent cet hiver — il me semblait avoir auprès de moi comme dans un coquillage rose le bruit du flot matinal qui venait se briser au pied de l'hôtel.

II. Après la description du milieu Guermantes.

Il vaut mieux que la soirée chez la princesse de Guermantes ne fût que plus tard (l'année suivante). Ici nous sommes à la fin de la saison.*

Je n'allai pas à Balbec cette année-là, ma mère avait à faire à Combray, et me laissa à Paris où j'étais souffrant. Je restais presque tout le temps couché, les Guermantes avaient quitté Paris. L'automne était arrivé. Je reçus un mot de Saint-Loup. « Il y a longtemps que je ne t'ai pas vu, pas par ma faute puisque j'étais en Algérie, mais tu ne diras pas que je ne pense pas à toi. Je te rappelle que tu désirais connaître Mlle de Silaria. C'est aujourd'hui Mme de Silaria (elle a été mariée et divorcée après quatre mois de mariage). Je lui ai dit ton désir. Elle sera de retour à Paris cette semaine et serait *très contente* de te voir. Informe-toi chez son concierge et quand elle sera là fixe-lui un soir pour dîner avec elle. » Cette lettre me donna la fièvre. Que ne pouvais-je voir Mme de Silaria le soir même ! L'attente me pesait d'autant plus que c'était dimanche. Mes parents étaient sortis, tous les domestiques étaient sortis sauf Françoise, il faisait pour la première fois de l'année un froid vif où on voudrait avoir à la maison même des plaisirs qui trompassent l'ennui de ne pouvoir sortir et je ne pouvais sortir *(dire tout cela bien mieux)*. J'étais couché, un grand feu flambait dans la cheminée. Il était quatre heures de l'après-midi, j'entendis sonner, c'était Albertine. Elle était revenue très tôt de Balbec. Je ne l'avais pas vue depuis très longtemps. J'étais couché, elle entra souriante, silencieuse, replète, contenant dans la plénitude de son corps les jours heureux de Balbec qui me semblaient encore là à disposition, tout prêts pour que je continue à les vivre. À[a] l'âge qu'elle avait on change vite. Elle ne me paraissait plus la même. Il me semblait que dans le monde infréquenté de moi où elle vivait et où de temps à autre elle faisait une brusque poussée vers moi, depuis la dernière de ses rares visites où elle venait ainsi énigmatique et visible montrer son visage rose et parler peu, sous la lumière de ma lampe, des choses assez nouvelles avaient dû se passer dans cette *[interrompu]*

C'était Albertine revenue bien plus tôt cette année-là de Balbec. Je ne l'avais pas vue depuis très longtemps. Quand je ne la voyais pas, je ne savais rien d'elle, ne connaissant pas du tout les gens qu'elle fréquentait. Et puis tout d'un coup elle venait faire chez moi une brusque apparition. Depuis la dernière de ces rares visites où elle venait ainsi me montrer pendant une heure sous la lumière de ma lampe son visage rose et silencieux qui ne me renseignait guère sur ce qu'elle avait pu faire dans l'intervalle, des choses assez nouvelles avaient dû se passer dans cette obscurité qu'était pour moi sa vie, obscurité que mes yeux ne cherchaient guère à percer[b]. Elle ne partit que quand Françoise, lui jetant un regard divinateur et méprisant, vint m'annoncer que le dîner était servi[c]. Albertine me demanda quand je voulais qu'elle revînt. Je n'osai lui dire un jour car je voulais tout subordonner à la possibilité de dîner avec Mme de Silaria, je lui dis que je ne savais jamais d'avance quand j'étais libre, si je pouvais la faire chercher au dernier moment et si le soir après dîner lui convenait. Elle me dit : « Après le dîner ce sera très commode l'année pro < chaine > *[interrompu]*

C'était bien toujours la même grosse fille rose qui était assise à côté de mon lit, mais je sentais quelque chose de nouveau, un changement d'éclairage dans le regard, un progrès, un changement du front, une demi-conversion des lignes qui dans le visage expriment la volonté habituelle. Instinctivement je sentais qu'avaient dû être détruites des résistances contre lesquelles je m'étais brisé et qu'elle n'était plus la jeune fille qui avait refusé de se laisser embrasser. J'aurais bien voulu et je n'osais pas m'en assurer. Mais chaque fois qu'elle voulait partir je lui demandais de rester encore ; peut-être attendait-elle elle-même que je lui demandasse ce qu'elle m'eût accordé, car après avoir regardé l'heure, chaque fois elle se rasseyait et finit par rester tout l'après-midi. Ce qui m'enhardit, c'est qu'il n'y avait plus de la part d'Albertine pour moi aucune amitié que je craignisse de froisser comme j'avais pu le craindre à Balbec. Je lui étais visiblement fort indifférent. Je sentais que je ne faisais plus du tout partie de la « petite bande » et qu'elle aimait bien mieux ses amies que moi. Je ne lui trouvais même pas l'air de bonté et de franchise qu'elle avait à Balbec. Enfin ce que je désirais d'elle en ce moment c'était une sensation purement physique, la terminaison d'un désir que le lit peut-être avait éveillé et que j'aurais aussi bien pu passer avec une autre. Je voulus tout de même essayer de profiter de l'occasion et je lui dis : « Imaginez-vous que je ne suis pas chatouilleux du tout. Vous pourriez me chatouiller pendant une heure que je ne le sentirais même pas. — Vraiment ? — Je vous assure. — Voulez-vous que j'essaie ? si cela peut vous faire plaisir », me dit-elle, en souriant d'un air gêné. Je n'avais connaissance que de ces mots et du regard plein de bonne volonté docile dont elle les accompagnait ; mais derrière eux — et au cours de cette visite derrière d'autres signes encore, comme des expressions qui ne faisaient nullement partie de son vocabulaire Balbec —, comme si elle revenait d'un grand voyage et avait vu beaucoup de choses que je ne pouvais imaginer —, je sentais des souvenirs qui maintenant faisaient partie de sa vie intérieure et qui lui rendaient faciles des choses devant lesquelles autrefois elle se fût révoltée, ou du moins devant lesquelles elle s'était révoltée un soir. Car peut-être avais-je seulement ce soir-là été maladroit. En tout cas, que la réalité d'action que cachait ce visage d'Albertine eût changé ou non, elle n'était pas celle que j'avais vue après la soirée où elle avait sonné[a]. « Si vous voulez essayer de me chatouiller, mais ce serait plus commode que vous veniez plus près de moi. — Où voulez-vous que je vous chatouille ? — Où croyez-vous que je suis le plus sensible, je le suis assez aux oreilles. — Mais avec quoi voulez-vous que je vous chatouille l'oreille ? Vous encore je comprends, vous pouvez me chatouiller avec votre petite moustache. — Vous permettez que je le fasse ? — Si cela vous fait plaisir. — Mais pour cela il faut que vous vous asseyiez sur moi —. Je ne suis pas trop lourde[a]. » À ce moment nous entendîmes du bruit. Albertine se rassit sur sa chaise. C'était Françoise qui apportait les lampes d'un air irrité, soit que en vertu d'un article de son code elle condamnât la longueur de la visite d'Albertine ou en perçât l'immoralité par une intuition de son instinct divinateur puissamment aidé par le désir de me contrarier et l'habitude d'écouter aux portes, soit simplement par une ruse de domestique pour tâcher de hâter avec son départ le moment où on pourrait faire ma chambre, toujours est-il qu'en dardant un regard introspectif et réprobateur et à la fois la lumière crue de la lampe sur le visage d'Albertine, Françoise avait le visage terrible de la Justice mettant à jour le crime[b1].

Le visage d'Albertine ne perdait pas à être ainsi éclairé. Il n'était pas pâle comme il semblait quelquefois dehors, mais de ce rose verni des matinées d'hiver partiellement ensoleillées qui m'avait tellement tenté à Balbec, comme le jour où j'avais voulu l'embrasser, paraissant un beau globe rose tant un sang vif et clair transparaissait sous sa peau vernie, tant les pentes de ses joues étaient courbes et douces. Le regard glissait sur elles et sur son front jusqu'aux premiers contreforts de ses beaux cheveux noirs naturellement soulevés qui ici saillaient en massifs, là se creusaient en anfractuosités sans qu'en haut cessât de se poursuivre la chaîne ondulée et ininterrompue de leurs crêtes. Pour n'avoir pas l'air d'avoir prémédité nos caresses je lui dis : « Eh bien où avons-nous dit que vous alliez me chatouiller ? Je crois que je suis très sensible aux genoux ? » Elle s'installa commodément, presque méthodiquement ; ainsi abaissées ses joues pleines paraissaient plus belles et plus roses. Je ne savais rien de la vie que menait en ce moment Albertine, d'où elle venait, où elle allait retourner mais je ne m'en souciais pas. Mais je sentais qu'elle avait surtout un grand désir d'être auprès de moi le plus possible, aussi souvent que je voudrais et au fond cette idée m'était agréable bien que mon désir de l'avoir auprès de moi fût beaucoup moins grand. Elle continuait à me chatouiller les genoux, l'air de ne pas savoir davantage, timide, innocente, réservée. Au bout d'un instant je lui dis : « Cela ne me chatouille plus, donnez-moi votre joue », et je voulus m'approcher pour y passer ma moustache et mes lèvres sur la joue et l'oreille d'Albertine, moins attentif à lui donner du plaisir qu'à goûter le mien, et surtout à connaître le goût qu'avait aux lèvres ce visage que j'avais tant désiré. Mais l'homme si imparfaitement construit par la nature n'est pas doté d'organe pour le baiser. Peut-être est-il à un degré au-dessus d'un être qui n'aurait pas de lèvres et qui devrait se contenter de caresser avec ses cheveux ou avec

une défense en corne. Mais les lèvres touchent sans pouvoir
amener le goût de la chair jusqu'au palais. Et même nos narines
sont si mal placées qu'elles cessent même de sentir quand nous
embrassons. Mais comment les yeux pourraient-ils continuer à
voir à quelque distance et de face un visage sur lequel les lèvres
vont se poser, au fur et à mesure qu'ils s'approchent de la joue,
cette joue et la partie du cou qui n'était plus qu'un point lumineux
pareil à beaucoup d'autres au ciel de mon souvenir, l'Albertine
nouvelle, entourée des souvenirs récents, propos qu'elle m'avait
tenus, attitude nouvelle avec moi, saison différente, lieux
nouveaux où je l'avais vue, qu'une force attractive faisait adhérer
à elle, en faisait comme une autre planète bien distincte de la
première[a].

Esquisse XXIX

[SOUVENIRS INVOLONTAIRES
DE RIVEBELLE À PARIS]

*[Nouveau fragment du Cahier 48. En attendant l'heure du dîner où il doit
retrouver Mlle de Quimperlé, le narrateur évoque le restaurant de Rivebelle et son
ami Montargis.]*

Je revoyais notre trajet pour aller vers tout cela, sur la route
de Rivebelle, en coupé, avec Montargis, le dîner dans le jardin,
le retour. Pourtant si je n'avais pas oublié les visages qu'‹ il y ›
avait autour de moi, je me rappelais mal ce jardin et surtout la
cour par où on entrait et ressortait. Hélas ! du moment que je
l'avais oublié, qui pouvait me les redire, personne, pas même
Montargis qui d'ailleurs n'était pas à Paris et ne devait pas avoir
de permission de longtemps. Et puis ce que je cherchais à me
rappeler c'était l'impression que ces lieux m'avaient donnée. Or
elle se produit dans une partie de nous-même où aucun n'a jamais
pénétré, et où les autres ne peuvent jeter les yeux[b], sur laquelle
aucun ami n'a jamais possédé de renseignement, et ne peut donc
nous en fournir. Aucun ami ? Pourtant à un moment ramené
naturellement par ces souvenirs je me mis à chanter les premiers
mots — ne retrouvant pas la suite — d'un air qu'on jouait souvent
à Rivebelle, que je fredonnais d'avance à l'allée dans la joie de
l'entendre, que je fredonnais davantage au retour et que j'avais
oublié depuis. Je compris que c'était lui l'ami qui avait connu
mon impression et l'avait peut-être retenue mieux que moi. Son

rythme régulier et progressif m'aida peu à peu à recomposer la mélodie tout entière et tandis qu'il semait à droite puis à gauche, une mesure puis une autre mesure, d'un geste symétrique quoique à des places imprévues, il semblait dévoiler non pas seulement les phrases que je ne me rappelais pas encore mais les lieux que je n'avais pas su revoir et que chaque note semblait me désigner avec la précision du souvenir d'un ami d'enfance qu'on a retrouvé, qu'on interroge et qu'on écoute en se laissant conduire par la main. Chaque note se complétait par la faible lueur de la nuit, l'odeur des feuilles, le bruit des vagues, le cri d'une chouette qui volait un moment au-dessus de la voiture. Et l'air lui-même avait pris une étrange beauté, ainsi encadré par cette nuit marine dont il sortait comme un jeune guide pour m'en indiquer les chemins, prêtant la volupté de sa mélodie à ce pays de Querqueville, à Montargis, à Elstir, à la vie de dîners en plein air et de restaurants à la campagne, il me les faisait paraître si délicieux que je ne comprenais pas comment j'avais pu m'en passer si longtemps ; cependant qu'entouré comme d'un ourlet frémissant du plaisir heureux *[un mot illisible]* que j'éprouvais effectivement à Rivebelle, au moins que j'allais y chercher en roulant dans la nuit, il retentissait dans la nuit comme une incantation magique, comme le chant rituel des initiés à ces doux mystères. L'heure s'avançait, la voiture que j'avais commandée n'était pas encore arrivée, je fis dire par Françoise au concierge de monter me prévenir dès qu'elle serait là ; je mis à ma boutonnière une belle rose, je me regardai dans la glace, j'avais bonne mine. Un coup de sonnette retentit. Cela devait être le concierge qui m'avertissait de l'arrivée de la voiture. J'allais lui ouvrir. Je trouvai devant moi un télégraphiste qui me remit une dépêche en me disant mon nom. C'était peut-être ma mère qui arrivait le soir même et me demandait d'aller au-devant d'elle. J'étais décidé à faire semblant de ne l'avoir trouvée qu'en rentrant. Mais peut-être était-ce de Mlle de Quimperlé. Et je tenais dans ma main cette dépêche qui avait été rédigée par une personne qui aurait pu la faire autre, mais qui maintenant était un destin aveugle, auquel on ne pouvait plus rien changer. Je l'ouvris. C'était de Mlle de Quimperlé qu'un engagement oublié empêchait de me donner sa soirée et qui partait le lendemain.

Esquisse XXX
[LE SOIR
DE L'AMITIÉ]

[Ce fragment fait suite, dans le Cahier 48, à celui que nous donnons dans l'Esquisse précédente ; Montargis y propose au narrateur d'aller dîner au restaurant. Dans le texte définitif, la poésie de l'automobile et la griserie procurée par la vitesse seront remplacées par la magie du brouillard.]

« Mais si tu veux, allons dîner au restaurant, on tâchera de te remonter un peu. » Mais à peine[a] fus-je monté dans sa voiture, l'odeur du pétrole[1] s'entoura de la splendeur ensoleillée de ces chaudes journées où j'avais fait mes premières promenades en automobile à Rivebelle et où sous la petite fumée, à peine graissé et terni, je voyais l'azur[b]. Je l'aspirais à longs traits, voyant se déployer autour de moi la nappe de lumière d'un beau jour dans ces champs où j'allais au-devant d'Andrée. Après avoir fait choix d'un restaurant, nous partîmes. Et le tressautement et le ronflement de la voiture s'enfoncèrent et me maintinrent comme une grande espérance ; ils me redonnaient cette puissance que je m'étais sentie à Rivebelle de pouvoir atteindre dans une heure la joie inespérée de surprendre des amis lointains, de voir plusieurs villes désirées et distantes les unes des autres, de traverser un département. Ce qu'il y avait de plus enivrant dans cette joie, je le retrouvais en écoutant le ronflement de la machine, en me sentant déplacé par ses beautés. J'étais complètement heureux et des deux côtés de la rue se levaient dans le vent des têtes de bleuets, de coquelicots, des trèfles incarnats, des buissons d'aubépine. « Tu n'es pas trop secoué, le potin et l'odeur ne te sont pas désagréables ? — Je ne connais pas un parfum, une musique, une danse que je trouverais aussi délicieux » ; « Tu es ce que j'appellerais un homme poli mais exagéré ». À ce moment la voiture s'arrêta brusquement, Montargis venait de voir un enfant qu'on relevait, renversé par une voiture de laitier qui avait disparu. Une foule s'amoncelait, n'ayant rien vu de l'accident, et cherchant à savoir ce qui s'était passé. J'avais sauté de la voiture. Je vis que Montargis était pourpre comme quand il piquait autrefois un fard, craignant d'avoir manqué de tact avec ma grand-mère. Au bout d'un instant, l'enfant ayant été emmené sans blessure, nous pûmes repartir. Montargis n'avait pas encore ôté la rougeur brûlante qui couvrait comme un masque sa peau délicate. Je compris qu'il avait eu peur en voyant l'accident qu'on crût que c'était sa machine qui l'avait causé. « Heureusement qu'on n'a pas cru que c'était nous qui avions renversé cet enfant », lui dis-je. « C'est justement ce que je craignais », me dit-il, non encore quitté par sa rougeur qui ne s'en allait que peu à peu et riant de se voir deviné. « Il n'aurait plus manqué que cela, que je te fasse bousculer et insulter, mon pauvre vieux, toi qui es déjà fatigué et embêté ce soir. J'espère que ton ennui se passera au restaurant. »

Ce fut le soir de l'amitié. J'étais entré dans la grande salle pleine de monde du restaurant pendant que Montargis arrangeait quelque chose à sa machine, et je choisis une table ; mais un courant d'air me gênait ; et le maître d'hôtel qui ne me connaissait pas et ignorait avec qui je venais dîner, ne voulut pas entendre parler de fermer la fenêtre. « Je ne peux pas gêner tout le monde pour vous. » Cependant Montargis était entré, et ne m'ayant pas d'abord vu, appelé à grands cris par le prince de Foix et ses amis < qui > occupaient une grande table à l'opposé, il était allé leur dire bonjour. Tout à coup il m'aperçut indiquant la fenêtre et vit les gestes de dénégation du maître d'hôtel. Grimpant debout pour aller plus vite sur les banquettes de velours rouge qui entouraient la salle, il court légèrement vers moi. Elles étaient coupées de fils électriques qui passaient très haut et j'avais peur à tout moment qu'il ne tombât et ne se blessât. Mais il était si agile que c'était un jeu pour lui de sauter tous ces obstacles, et même quand il put couper droit sur moi, de sauter légèrement jusqu'à moi par-dessus deux tables, où des jeunes gens du Jockey qui donnaient un dîner applaudirent à sa légèreté. « Voulez-vous fermer tout de suite cette fenêtre, toutes les fenêtres », dit-il d'un ton irrité au maître d'hôtel qui courut tout fermer et crut devoir ne plus me parler qu'avec une déférence et un respect aussi grands qu'ils étaient récents, les corroborant de mille sourires pour me montrer une sympathie personnelle dont il montrait en même temps naïvement qu'elle ne s'adressait pas à ma personne, en me disant : « Si j'avais pu supposer que Monsieur était avec Monsieur le marquis. »

Tandis qu'il retournait dire un mot au prince de Foix qui sortit un moment de la salle du restaurant[a], je goûtais encore le plaisir que j'avais tout à l'heure à le voir s'avançant vers moi au petit galop, avec la grâce d'un jeune cheval touchant au but. C'est que chacun des mouvements de cette course légère < avait sa > signification, < sa > cause dans sa nature de Montargis, plus même peut-être que dans sa nature personnelle, dans la nature qu'il avait héritée de sa race, par la naissance et par l'éducation. N'y lisait-on pas, comme si au lieu de présenter l'aspect opaque, ennuyeux d'un texte obscur, son corps se trouvait écrit en une langue connue et claire derrière laquelle la pensée transparaissait, l'assurance aristocratique libératrice des diverses craintes qui eussent paralysé un jeune bourgeois crainte de manquer aux convenances, d'être ridicule, d'avoir l'air trop empressé et jusqu'à ce dédain que certes il n'éprouvait pas pour moi et n'aurait peut-être jamais ressenti lui-même pour personne mais qui avait plié les façons de ses ancêtres à une familiarité qu'ils croyaient ne pouvoir que flatter et ravir celui qui en était l'objet ; cette certitude aristocratique du goût dans les manières comme d'autres l'ont dans la musique qui, en présence d'une circonstance qui ne s'est jamais présentée comme d'un morceau à déchiffrer, saisit le sentiment qu'il doit exprimer, et y adapte instinctivement la technique, le mécanisme qui doivent le mieux les rendre, cette assurance aristocratique qui permet à ce goût de s'exercer souverainement, en le libérant de toute autre considération, de toutes les craintes qui eussent paralysé un jeune bourgeois comme la peur de manquer aux convenances, de paraître trop empressé, d'être ridicule ; cette souplesse innée ; ce dédain héréditaire et que certes il n'avait jamais ressenti lui-même mais qui façonnait ses manières à une familiarité excessive parce qu'il croyait que d'un grand seigneur comme lui elle ne pouvait que flatter et jamais déplaire ; cette libéralité aristocratique qui faisait bon marché de tous les avantages matériels, argent dépensé à profusion dans un restaurant, qui y avait < fait > de lui le client le plus à la mode, situation brillante de toute façon que soulignaient la longueur de l'auto couvert à la porte et l'empressement des jeunes princes dînant en face, tout cela légèrement trépigné comme ces allégoriques banquettes de velours rouge, et n'étant qu'un chemin plus sompteux pour donner plus de grâce à sa venue rapide vers moi, c'était tout cela qui expliquait cette aisance, qu'exprimait cette grâce, et qui à ce moment, rendait le corps < de > Charles de Montargis, arrivant vers moi au petit galop en sautant les derniers obstacles, comme un jeune cheval qui touche au but, intelligible, transparent, harmonieux, comme s'il avait été conçu par un artiste et sculpté sur une frise. « C'est bien la peine », se dirait-il s'il lisait ma pensée, « que j'aie passé ma jeunesse à aimer l'intelligence et la justice, à mépriser l'aristocratie, à fréquenter de préférence à tous les autres des gens gauches et mal vêtus, pour que dans le seul souvenir que je laisse, l'être que j'ai cherché à détruire et à vaincre en moi, qu'en tout cas j'ai méprisé, qui n'était pas mon œuvre, que j'avais reçu tout fait, soit le seul qui apparaisse et où ne laisse pas sa trace celui qui est sorti de moi, de ma volonté, qui fût à ma ressemblance, pour lequel je me suis efforcé et que j'ai mérité. C'est bien la peine que j'aie aimé mon ami comme je l'ai fait pour que le plus grand plaisir qu'il eût eu auprès de moi soit un plaisir non d'amitié mais tout intellectuel, celui où il a aperçu en moi quelque chose de plus grand que moi-même, qui lui a donné, en dehors de toute affection, un plaisir désintéressé de l'intelligence. »

Si vous pensiez cela Montargis, tout de même vous vous tromperiez. Si vous n'aviez pas aimé quelque chose de plus haut que la souplesse physique, si vous n'aviez pas été à ce point détaché des préoccupations de l'orgueil nobiliaire, il y eût <eu> plus d'application et de lourdeur dans votre souplesse, plus d'importance et d'orgueil dans vos manières. Pour que vos préjugés aristocratiques devinssent cette grâce pure, il fallait qu'ils fussent sortis entièrement de votre pensée, élevés plus haut, résorbés dans votre corps, devenus inconscients[d].

Ainsi votre distinction d'esprit n'est-elle pas absente de cette image qui sans elle n'aurait pas été possible, comme celle où un artiste n'exprime pas directement mais révèle la qualité de sa pensée. Et ne croyez pas qu'au plaisir de mon intelligence mon amitié n'ait pas participé. Les jeunes princes que vous quittiez pour moi, cette situation, cette richesse, que vous humiliez devant mon amitié, ce passé même, plus ancien que vous, cet héritage d'ancêtres dédaigneux et forts, survivant dans votre corps agile et familier où que vous veniez déposer près de moi comme un hommage dû à notre amitié, tout cela qui nous séparait, n'était-ce pas comme autant d'amis, d'amis inconnus de moi, que je ne pensais pas jamais avoir, que je pensais que vous me préfériez, des *[un mot illisible]* et dont j'étais jaloux dans la pensée ? Et ne veniez-vous pas de me les sacrifier, avec cette liberté souveraine qui prenait bien sa naissance dans la hauteur de votre esprit, et où se réalisait l'amitié parfaite ?

Au bout d'un moment le prince de Foix rentra dans la salle, apportant une pelisse que Montargis lui avait demandé d'aller chercher pour moi. En la donnant à Montargis pour moi, il me salua sans s'approcher avec un sourire qui voulait dire « je ne m'approche pas, il m'a défendu » et regagna ses amis. « Merci mon vieux, merci », avait dit Charles et j'aurais voulu qu'on le remerciât davantage. Mais Charles me dit : « Non, je lui ai dit que tu voulais être seul, que tu étais fatigué et triste ce soir, tu peux être tranquille, ils ne nous dérangeront pas. » Ils s'en allèrent avant que nous n'ayons fini de dîner et tous en passant disaient au revoir à Charles mais sans oser s'asseoir, en me jetant un regard de curiosité et presque de déférence. Aucun d'eux n'en voulait à Montargis. Presque tous, comme lui étaient affranchis de la superstition des convenances, et des vaines susceptibilités et trouvaient tout naturel qu'il les sacrifiât à ce qu'ils devinaient une grande amitié.

Esquisse XXXI

[Cette Esquisse appartient au Cahier 66. Après les rêves de l'enfance et de l'adolescence, l'amour que le narrateur vouait à Mme de Guermantes s'est éteint brusquement. L'attitude de la duchesse à son égard change alors et il peut accéder à ce monde qui lui était interdit.]

Alors avec mon amour disparut comme par enchantement l'espèce[a] de malédiction, d'ensorcellement, qui la faisait fuir ma présence. Je la rencontrai chez Mme de Villeparisis. Les êtres[b] ont soif d'autres êtres, d'êtres consistants et hospitaliers où ils puissent héberger leur inquiétude, et s'ils trouvent un être qui précisément attend de nous sa forme et sa réalité, ils fuient vers des asiles plus fixes. Sans doute ne vit-elle plus dans mes yeux cette attente d'elle qui la détournait de moi, et aussi les façons désagréables qui cherchaient à racheter le trop grand désir d'être aimé d'elle et qui trahissaient les mille blessures que même son silence me faisait. Toujours est-il qu'elle vint s'asseoir à côté de moi, me demanda pourquoi je ne venais la voir. J'allai la voir quelques jours après. Elle portait cette robe de satin rose où je l'avais vue un matin qu'elle allait déjeuner chez la princesse de Parme. Son rose visage brillait du plaisir de me voir, elle m'interrogeait avec empressement, avec curiosité, presque avec admiration sur mes pensées, mes travaux, ma vie. La princesse de Parme, le duc de Guermantes, d'autres encore qui vinrent me furent présentés, offerts pour ainsi dire, comme des éclairs au café, ou une tasse de thé, et aussitôt elle se retourna vers moi, se remit à causer avec moi, tandis que le monocle du prince de Parme brillait de curiosité, de sympathie et d'attention pour cet inconnu que l'extrême empressement de Mme de Guermantes lui signalait comme intéressant.

Elle s'approcha de moi et me demanda pourquoi je ne venais jamais la voir. Que s'était-il passé ?

Sans doute, du fait que je n'aimais plus Mme de Guermantes, mes manières à la fois moins aimables, et moins susceptibles, n'ayant plus l'air de tout attendre d'elle, me firent redevenir pour elle un être quelconque, un être normal avec lequel on peut se plaire, mais ceci n'eût été qu'une possibilité. Il n'en restait pas moins que sa vie, ses amis, toutes ses occupations sociales, m'étaient étrangères et fermées. Rencontra-t-elle le matin de ce jour-là quelque personnage mystérieux dont en tout cas je n'ai jamais su le nom, comme le rôle, ni retrouvé la trace, ayant une grande influence sur elle et qui lui donna sur moi des renseignements — faux dans ce cas-là — qui, comme si j'étais en un clin d'œil devenu une autre personne, avec un autre nom, un autre passé, un autre âge, un autre visage, un autre esprit, un autre agrément, et me faisait apparaître à ses yeux socialement — car il n'était pas question d'amour — aussi différent que, sentimentalement, elle pouvait m'apparaître depuis que je ne l'aimais plus, et qui lui fit penser que le monsieur devant lequel elle se trouvait et dont elle s'était détournée jusque-là était une fréquentation infiniment désirable, qu'il fallait tâcher d'avoir dans son salon et à sa table, dont ses amis (dans une vie antérieure sans doute) étaient le milieu naturel et qui ne les connaissait pas simplement parce qu'ils l'ennuyaient ? Fut-ce en vertu de ce signalement nouveau, de cette sorte d'illumination subite, qu'elle vint s'asseoir à côté de moi chez sa tante, me demanda pourquoi je ne venais jamais la voir, me fit promettre de venir le lendemain et me dit que nous conviendrions d'un jour pour que je vienne dîner ?

Ou au contraire cette bonne opinion de moi, empêchée seulement de se manifester par mes façons gauchement amoureuses, préexistait-elle latente et neutralisée au sein de sa longue froideur ? C'est possible aussi, l'attention d'une femme d'un milieu aussi fermé, aussi peu renouvelé que la coterie du faubourg Saint-Germain à laquelle appartenait Mme de Guermantes, était assez vite attirée par un inconnu qui est lié avec sa tante et son neveu, personnages familiaux qui jouent un grand rôle dans ces milieux où la famille c'est l'incarnation, la matérialisation du nom qu'on porte, de la noblesse qu'on a, et qui, peut-être assez obscurs pour le public peu instruit sur le chapitre Villeparisis et Montargis, apparaissent pour les parents, comme un arbre non dépouillé de ses racines et de ses branches, avec toutes ses origines, ses alliances, les souvenirs de son influence sur notre mère, de son autorité sur notre père. Enfin tandis que dans le monde, ou plutôt les mondes qui partent de la petite bourgeoisie (exclusivement) pour s'élever jusqu'à l'aristocratie presque royale (exclusivement aussi) le courant ventilateur du snobisme entraîne chacun vers la région immédiatement plus élevée qui lui apparaît dénuée de petitesses, dans le mirage de sa grandeur, en revanche, dans cette haute aristocratie qui n'a rien au-dessus d'elle (sauf les rois à l'égard desquels elle continue certains usages de domesticité héraldique, comme anciens officiers de la couronne, ou au contraire une tradition d'indépendance frondeuse) il se produit par la cessation du snobisme, c'est-à-dire du mirage, le même retour à la prose, la même stagnation dans les potins et les petites remarques que dans la petite bourgeoisie. Ce qu'était pour le snob la duchesse, ou la princesse de Parme, redevenait pour la famille, la tante qui a fait de mauvais placements, la cousine bien laide et qui sera difficile à marier, le cousin qui a triché au jeu ou qui vit avec une actrice. Dans ces milieux l'inconnu, le jeune homme d'un autre monde qu'on rencontre chez une personne de la famille, prend l'importance que prendrait dans une petite ville de province un monsieur qui n'est pas du pays, qui vous inspire beaucoup de critiques, et finalement l'agacement presque scandalisé qu'il ne vienne pas chez vous. Sans doute il y avait beaucoup trop d'inconnus chez Mme de Villeparisis pour qu'ils pussent inspirer à Mme de Guermantes autre chose que la crainte de leur contact et la volonté fièrement maintenue de ne les recevoir jamais. Mais peut-être mon amitié avec Montargis suffisait-elle pour me différencier d'eux. Quoi qu'il en soit le mouvement que fit Mme de Guermantes en venant s'asseoir à côté de moi et en me demandant d'aller la voir ne fut que le déclenchement, le renversement de charnière comme il y en a de certains jeux qu'on tient par le manche et que d'un seul mouvement on retourne complètement. Tout le jeu compliqué et charmant des habitudes sociales, des plaisirs quotidiens, de l'intimité mondaine de Mme de Guermantes, dont jusque-là je ne voyais que l'envers et qui m'était hermétiquement fermé, se trouva dans mes mains, ouvert, tout à ma disposition, avec la seule crainte que je ne daignasse pas y jouer aussi souvent qu'on eût voulu*[a]*. Tous les amis de Mme de Guermantes dont je n'apercevais comme d'elle que le plumage quand dans la cour je les apercevais qui venaient la rejoindre, ou partaient en bande avec elle, sans plus me voir que des êtres d'une autre race*[b]*, furent considérés par Mme de Guermantes comme un gibier à peine assez bon pour moi et me furent servis régulièrement, avec mille grâces, en consultant le goût que je pouvais avoir d'eux, et non le leur. Dès le lendemain de cette rencontre chez Mme de Villeparisis et comme il avait été convenu, j'allai voir Mme de Guermantes.

Ce fut avec la curiosité d'un voyageur qui met le pied sur une terre inconnue et l'émotion d'un physicien maniant une substance inconnue qui pourrait bien le foudroyer, qu'ayant essuyé mes pieds au médiocre paillasson, je demandai au concierge si la comtesse de Guermantes était chez elle. Je m'avançai avec un certain charme dans la galerie obscure que son parquet en point de Hongrie rendait assez glissante mais bientôt la nécessité de dire bonjour à Mme de Guermantes, de causer avec elle comme avec toute autre personne, m'ôta toute impression un peu particulière. Elle portait cette robe qui dans ses deux valves de satin rose contenait la vie du faubourg Saint-Germain et au-dessus de laquelle j'avais vu s'élever dans la rue ce visage où comme dans un ciel du soir s'étendaient des nuages roses comme des roses. Mais maintenant, pour une raison

inexplicable, ce visage rempli de la vie du faubourg Saint-
Germain m'accordait un prix inestimable, était éclairé sous ses
nuages roses par ses yeux d'un bleu céleste, d'une curiosité
affectueuse, d'un intérêt presque déférent pour tout ce que je
disais.

Elle portait[a] ce corsage aux deux valves d'ivoire rose où je
l'avais vue au matin qu'elle allait déjeuner chez la princesse de
Parme. Son rose visage, ses yeux souriants, brillaient de plaisir,
d'empressement et d'intérêt en me posant sur mes travaux, sur
mes pensées[b], des questions qui me faisaient apparaître à
moi-même stupide tant il m'était impossible d'y répondre.
J'avouai que j'écrivais. Elle prit un air mystérieux : « Mettez-vous
quelque chose sur le chantier ? » J'avouai que je commençais
un roman. « Avez-vous un beau sujet ? C'est les trois quarts du
succès », me dit-elle. Je m'aperçus à ma difficulté à lui répondre
que j'avais oublié[c] de me le demander ; je compris qu'elle était
beaucoup plus intelligente que moi et au moment où dans la
banalité de relations comme avec tout le monde se vidait de tout
mystère le nom de Guermantes, j'y remis immédiatement une
sorte d'intelligence profonde, aristocratique, qui me remplissait
de confusion. La princesse de Parme, le duc de Vérone entrèrent.
Mme de Guermantes me les présenta comme des petits fours,
et voyant que je ne paraissais pas tenté par eux, elle s'en détourna
et se remit à causer avec moi. Un certain nombre d'hommes dont
les noms m'étaient tous connus entrèrent, elle disait mon nom,
puis le leur. La figure du comte de La Tour s'illumina, son sourire
envahit sa figure, il assura longuement son monocle dans son œil
pour ajouter à son salut, à sa poignée de main, le maximum
d'efforts manuels et mécaniques qui compléterait l'amabilité, il
me prit la main et l'approcha de lui et me dit sur un ton pénétré
combien il était ravi de faire ma connaissance[1]. Je me sentis plein
de tendresse pour cet homme si bon et j'étais persuadé qu'en
effet j'étais certainement quelqu'un d'étonnant dont tous ces gens
désiraient depuis longtemps faire la connaissance, que ce jour
était un des plus agréables de la vie du comte de La Tour, et
qu'il devait me considérer comme un si grand personnage que
tous les services que je pourrais lui demander dans l'avenir ne
pourraient que le flatter infiniment. Le général marquis de X qui
vint ensuite se contenta d'un salut et d'une poignée de mains,
réservés mais cérémonieux et profonds comme il aurait pu en
faire à un autre général et si l'on pense que jusque-là j'étais encore
traité à la maison en enfant qui ne dîne pas souvent à table quand
il y a des grandes personnes, sans aller jusqu'à employer pour
l'acte qu'on appelle présentation l'expression que Balzac emploie
pour quelque chose d'infiniment plus frivole *(le fait qu'en
France le titre de prince n'existe pas) en disant que ce sont de

ces grandes choses, etc. (vérifier Cadignan[1])*, on comprendra cependant que dans cet acte qui met ainsi debout l'un en face de l'autre sur un même pied, le nom d'un enfant obscur et celui du vice-président du Conseil supérieur de la guerre aux cheveux blancs, grand-croix de la Légion d'honneur, qui se font le même salut, je goûtai une vertu singulièrement nouvelle et plus émancipatrice encore qu'égalisante. Quant au duc d'Albon, tandis que Mme de Guermantes m'interrogeait avec déférence sur mes idées, il m'écoutait et me considérait avec un monocle écarquillé d'attention et brillant d'autant d'intérêt et de joie que si j'eusse été le récit de la découverte du moyen de guérir le cancer. D'ailleurs Mme de Guermantes n'aspirait qu'à rester seule avec moi, ne voulant pas de toutes ces personnes dont elle n'avait aucune faim, et sur quelques mots qu'elle dit sur l'heure déjà tardive, elles furent en quelque sorte rapidement emportées. Cette réception qui la veille m'eût paru si impossible était d'ailleurs bien loin d'être tout ce que voulait m'offrir Mme de Guermantes. Elle m'invita d'emblée à deux dîners à dix jours de distance, non pas en me disant : « Nous serons *absolument* seuls » comme les gens qui veulent insister, comme si c'était une amabilité de plus, sur le fait qu'ils ne veulent pas vous inviter à leurs dîner agréables, mais avec toutes les personnes les plus agréables et les plus brillantes qu'elle connaissait, à ceux des dîners auxquels il m'eût paru le plus impossible qu'elle m'invitât jamais.

Si les convives avec lesquels ils m'invitaient n'étaient que des grands seigneurs fort connus, c'était peut-être un peu parce que, voulant m'inviter avec du monde, ils étaient bien obligés de m'inviter avec les gens qu'ils connaissaient, et que d'ailleurs, les connaissant intimement, ils ne les considéraient pas comme si extraordinaires, et se gênaient peu avec eux. Mais c'était plus que cela. Entre tous ceux-là ils choisissaient ceux qu'ils trouvaient plus agréables, ceux qu'ils avaient moins facilement, comme si j'eusse par harmonie préétablie fait partie des groupes tout à fait agréables. Dans les petits jours si M. de Guermantes voulait m'avoir Mme de Guermantes s'opposait. « Mais non, cela l'amuse. » Et si elle cédait, alors comme compensation : « Alors vous viendrez dîner la semaine prochaine avec la jolie duchesse de XXX. »

Presque tout de suite, j'y dînai fort souvent[2], car pour M. et Mme de Guermantes qui étaient fort gourmands et avaient une cuisine délicieuse donner des dîners exquis, fût-ce pour une ou deux personnes, était une sorte de fonction qu'ils remplissaient plusieurs fois par semaine avec beaucoup de plaisir, de luxe, de cérémonial et de simplicité. Ce repas d'ailleurs, comme celui des premiers chrétiens, était comme une sorte de communion mystique et sociale où ils versaient, avec un perdreau cuit suivant de rares recettes que connaissait M. de Guermantes, la connaissance de leur vieil ami le duc d'Albon, de leur nièce de passage, S.A. la princesse de Weinbourg, de M. Bréfort, hélas ! et de bien d'autres. Ces présentations, faites dans des termes qui faisaient que tous les invités qui arrivaient avaient les yeux sur moi, la causerie familière qui suivait pendant le repas entre tous ces gens fort habillés, les maîtres de maison aussi, fort polis, mais aussi très simples et gais, étaient pour M. et Mme de Guermantes des plaisirs du même ordre et inséparables de la mastication des perdreaux et de la dégustation du château-yquem <dont>, avec une libéralité merveilleuse, même pour les plus intimes, pour des gens qui venaient chaque semaine, ils croyaient devoir assaisonner la causerie à table, selon des rites immuables. Le voisinage à table supprimant les différences d'âge aussi bien que la présentation, nous étions tous, ces habitués et moi, pour Mme de Guermantes, des cousins interchangeables et parce qu'ils me rencontraient chez elle, elle pensait que nous devions avoir une vie commune au-dehors. Quand je parlais de mon désir d'aller à un théâtre[a], ou à une campagne, pour lesquels elle n'était pas libre, elle me disait : « Vous devriez arranger cela avec Agrigente, il vous amènerait dans sa voiture. »

Hélas ! je dînai précisément avec ces mêmes convives, qui étaient apparus à mon imagination si différents les uns des autres, si [un mot illisible], si nuancés, si différents pourtant des hommes <que> je connaissais, le prince d'Agrigente, le duc de Hanovre-Weiningen, le prince de Parme. Mais dans la réalité leur nom mystérieux était affublé d'un corps, d'une conversation qui n'en étaient nullement [un mot illisible], qui n'en retenaient aucune originalité, qui étaient semblables, plus souvent inférieurs, à ceux de tout le monde.

Mais hélas ! le nom mystérieux de chacun de ces convives était affublé d'un corps et d'un esprit analogue ou inférieur à celui des autres hommes que je connaissais et j'avais la déception qu'on a quand on voit dans les coulisses du théâtre que Titania ou César[1] sont un homme et une femme comme tout le monde. Quand je ne connaissais que son nom le prince d'Agrigente [interrompu[b]]

Plus intéressant encore que le prince d'Agrigente m'avait paru devoir être le duc de Hanovre-Weiningen. C'était etc.

La demeure[c] de Mme de Guermantes devint bien vite pour moi une maison comme toutes les autres, composée de matériaux qui n'avaient rien de spécial et qui eussent pu se trouver dans toute autre maison. Elle perdit son âme. Mais quand j'y étais allé pour la première fois je savais que j'étais seul de mon espèce à pénétrer dans ces lieux auxquels le caractère particulier, mystérieux des gens qui les fréquentaient, donnait une atmosphère spéciale, les seules différences vraiment profondes entre les choses étant celles que leur impose notre imagination. Alors ces lieux, où ce qui constituait le caractère banal ou mystérieux des êtres est qu'ils pouvaient ou non y pénétrer, participaient de ce mystère tout autant que les gens. Curieux de cette vie où j'entrais sans aucun droit, je recevais dans mon regard l'aspect de sa configuration matérielle comme une notion aussi positive que la présence des invités. Je ne pouvais séparer les uns des autres ; et la longue galerie obscure, meublée de fauteuils de velours vert parce que seuls des gens du faubourg Saint-Germain s'y asseyaient à bavarder avec Mme de Guermantes avant de passer à table, et le petit bout de jardin obscur parce que seuls des gens du faubourg Saint-Germain y prenaient les liqueurs après dîner sur les petites chaises de fer par les jours chauds, frappaient mes yeux de voyageur comme étant précisément l'aspect pittoresque, les paysages d'arrivée rêvés, les accidents naturels du faubourg Saint-Germain, < comme > un voyageur arrivant à Venise où il va surtout pour voir des tableaux et des églises n'ouvre pas moins de grands yeux quand du train il voit l'eau semer autour de lui le sable et se dit : « Voici donc Venise. » Au reste tant qu'il y a encore pour nous des personnes, dans ces premiers débuts de la vie mondaine, il y a encore des demeures personnelles. Chaque fée ayant son petit royaume à son image, Paris est semé de palais magiques. Comme ce n'est que pour la commodité du raisonnement et du langage que nous isolons les personnes des demeures, les impressions réelles sont une synthèse de toutes les impressions différentes que nous associons en même temps et qui sont au fond inséparables. L'idée que nous nous faisons de la fée, différente de toutes les autres, suffit à rendre particulière sa demeure où nous nous acheminons quand nous allons la voir, et ainsi la demeure impose sa couleur particulière, l'originalité de sa forme, de ses usages matériels, des couleurs et des parfums qu'y mettent les saisons ou les heures où nous y allons, à la fée qui l'habite, et aux hôtes qu'elle y reçoit[1]. Ici c'est dans une rue luxueuse et déserte derrière l'Arc de Triomphe une maîtresse de maison qui reçoit l'hiver à six heures et demie du soir et dont l'hôtel éclairé à travers ses rideaux, tandis que nous nous acheminons vers lui, dans le froid, la neige, et en traversant la longueur d'une nuit déjà vaste de plusieurs heures comme on marche un soir de Noël vers une chapelle de campagne, semble entre les maisons de pierre, comme une flamme de cierge, une vapeur de thé, la percale brillante, dans le minerai où elle est engainée, d'une opale. Là, dans l'avenue du Bois, Mme de Lectoure recevait l'hiver aussi mais à déjeuner et très tard, de sorte que son hôtel apparaissait toujours précédé de la promenade que pour ne pas arriver avant la maîtresse de maison, on faisait à pied malgré le froid, s'il faisait un peu de soleil, dans le bois qui avait perdu toute sa verdure sauf ce beau cuir vert et ancien dont sont reliés les vieux troncs et ses derniers promeneurs rentrés depuis longtemps chez eux.

Un jour chez elle[1] *(mettre cela quelque part) de préférence au jardin* Mme de Guermantes me présente Mme de Lectoure (Le Hon[2]) qui est là. Elle me tend la main en souriant et plaisante avec moi comme un vieil ami. C'est une bonne femme ronde, simple et gaie, un gros gâteau de miel.

Je la revois chez Mme de Chemisy.

Elle ne me reconnaissait pas et je ne me fis pas reconnaître. On lui présenta un jeune homme, elle fut froide, distante, donna la main, en la retirant aussitôt. Le fait de connaître quelqu'un chez Mme de Guermantes développait en elle une bonhomie, une sécurité, le sentiment que puisque Mme de Guermantes traitait quelqu'un en ami, c'était quelqu'un d'aussi bien qu'elle qui ne m'avait pas laissé supposer que ce gros gâteau de miel pourrait se couvrir d'autant de sifflantes, piquantes et infernales abeilles chez Mme de Chemisy.

Peut-être changer cette métaphore.

Esquisse XXXII

[LE MILIEU GUERMANTES]

[Cette rédaction, commencée sur le Cahier 41, se poursuit sur les Cahiers 42 et 43. Les portes du faubourg Saint-Germain s'ouvrent enfin devant le héros : Mme de Guermantes va le recevoir. Il pourra comparer le rêve à la réalité, la divinité idéalisée à la femme « semblable à toutes les autres ».]

Peut-être[a] dans ces sociétés fermées et pleines d'espace libre comme un beau jardin, les femmes n'ont pas autant que les femmes des milieux élégants de second ordre, si envahis, l'habitude de défendre leur porte, d'écarter la plupart des nouveaux venus qu'on leur présente[3]. Ici il faut un événement pour qu'un étranger se présente à la porte du jardin, il faut qu'il soit l'ami d'une parente, ou qu'une raison intéressante l'amène. Dégagées de l'hypnotisme du snobisme, les femmes l'y jugent sur ses qualités réelles, on le reçoit avec grâce, on lui fait place à goûter sous les arbres.

Contrairement aux dieux anciens qui avaient double visage, double corps, il semble que sous la silhouette de la femme que nous voyons passer il y ait deux femmes. Une divinité hostile dont le regard froid nous indiquait la pensée méprisante, que nous prolongions en une vie qu'elle tenait bien haut en dehors de nos atteintes. Et au moment où elle passe dans le salon et s'arrête, c'est une déesse bienveillante qui a pris sa place, qui s'avance vers nous, souriante, la pensée comme les mains pleines de dons et nous ouvrant sa vie en nous demandant d'y entrer. Jamais nous ne saurons ce qui a changé la divinité hostile en déesse bienveillante, ce qui a fait que la vie dont nous étions indigne d'approcher nous est tout d'un coup offerte sous sa forme la plus belle, comme la seule où elle ne soit pas trop indigne d'être acceptée par nous. De sorte que ce n'est pas seulement deux femmes que nous voyons sous la femme changée, mais deux moi différents que nous révélons à nos propres yeux, l'un méprisable et réprouvé, l'autre supérieur, objet de convoitises qui nous avaient été cachées jusqu'ici. Nous ne saurons d'ailleurs jamais au juste quelle est la cause du revirement, s'il ne change qu'une attitude et si l'opinion de nous que manifeste la seconde était déjà plus ancienne, s'il manifeste un changement d'impression sur nous-même, d'information par les autres, de point de vue dans la vie, changeant l'échelle des valeurs.

Elle a pu se dire : « Il est agréable le petit X, il faut que je lui dise de venir chez moi », et n'ayant pas eu l'occasion de le dire, rien ne l'a laissé supposer au jeune homme qui — ne sachant pas quel travail dynamique a préparé ce crochet imprévu — est stupéfait de la voir, passant dans un salon, obliquer, le retraversant tout entier, pour venir s'asseoir amicalement à côté de lui. Quoi qu'il en soit, ces quelques pas que fit Mme de Guermantes pour venir à moi, ne furent que < le > déclenchement de tout le jeu de son amabilité avec ses divers usages, dîners, parties de théâtre etc., ce jeu hermétiquement fermé à moi jusqu'ici, dont je n'avais aperçu que l'envers et qui en une seconde , comme ces jeux qu'on retourne tout entier, en secouant la boucle qu'on a dans la main, fut mis à ma disposition, dans sa plénitude et sa complexité, et ainsi il était à peine assez bon pour qu'on osât espérer que je consente à m'en distraire. Si j'avais jamais espéré que Mme de Guermantes m'eût demandé d'aller la voir, j'aurais cru tout au plus apercevoir en visite de ces gens qui dînaient chez elle, mais à qui cette faveur était exclusivement réservée. Pour moi, je ne pensais pas qu'elle m'inviterait jamais à dîner chez elle, ou qu'après un long stage, et en tout cas croyant me faire déjà trop de plaisir en me faisant dîner chez elle, m'inviterait seul, où à des dîners où elle faisait des politesses à des personnes de second ordre, en me faisant croire que c'était une plus grande faveur, comme les gens qui disent : « Venez donc, nous serons *absolument* seuls », transformant en une faveur qu'ils vous font valoir, le désir qu'ils ont de ne pas vous montrer.

Or sur cette chaise qu'elle avait approchée de moi après m'avoir reproché de ne jamais aller la voir, Mme de Guermantes ajouta : « Vous n'aimez pas les petits dîners, vous ne voudriez pas dîner chez moi ? Vous ne connaissez pas la princesse de Parme (je savais que les dîners qu'elle donnait pour la princesse de Parme étaient des dîners élégants entre tous, où elle n'invitait pour la princesse fort difficile que les gens les plus agréables), elle est charmante. Elle vient dîner le samedi en huit à la maison. Venez donc, ce sera un dîner gentil, sans cela je ne vous le demanderais pas, il y aura le prince de Wurtzburg Meningen, le duc d'Albon (vous connaissez bien d'Albon), je crois que vous vous amuserez. » C'était, en m'invitant avec <ce> qu'elle avait de mieux, à un de ces dîners si enviés, me montrer qu'elle ne croyait rien d'assez bien pour moi et c'était du rang d'hommme si au-dessous de sa vie que je croyais occuper me faire passer d'emblée, comme si ce fût ma place originelle et de tout temps, à convive désigné, de ce qu'elle avait de mieux comme réunion, à qui on est presque intimidé de ne pouvoir offrir davantage. Mme de Villeparisis passa, je me levai. « Mais non, mais non, ne vous dérangez pas, dit Mme de Villeparisis[1]. Puisque vous êtes bien à causer avec ma nièce », et elle ajouta : « Vous ne voulez pas venir dîner jeudi avec elle », comme si de l'amabilité de Mme de Guermantes avec moi elle avait conclu que j'étais probablement un de ses grand amis, plus lié peut-être avec Mme de Guermantes qu'elle sa tante, et qu'elle serait contente de retrouver. Beaucoup de personnes étaient déjà parties. Mme de Guermantes, regardant l'heure, se leva et partit avec elle[a2] après m'avoir demandé de venir la voir le lendemain. On n'était plus nombreux. M. de Guermantes, retenu par une élection au Jockey, venait d'arriver[b].

J'allai le lendemain voir Mme de Guermantes, je pénétrai dans ces lieux qui n'étaient pas pour moi que le cadre abstrait de cette vie mystérieuse mais qui avaient eux-mêmes absorbé son mystère, je m'avançai, dans cette atmosphère particulière, vers Mme de Guermantes habillée de la même robe dans laquelle je l'avais rencontrée un matin où elle allait chez la princesse de Parme et qui entre ses deux valves nacrées de satin rose contenait la vie du faubourg Saint-Germain. Venant elle-même rapidement au-devant de moi, elle me fit asseoir à côté d'elle, son visage illuminé d'une lumière rose, ce visage rempli des opinions du faubourg Saint-Germain accordait à ma personne, pour des raisons inexplicables, un prix élevé, et entre les bandes roses qui s'étendaient sur ses joues comme sur un ciel au couchant, ses deux yeux d'un bleu céleste brillaient en m'écoutant d'une curiosité, d'un intérêt presque déférents. Car j'étais obligé de parler, de répondre à ses questions, et déjà la conversation tissait sa trame d'idées générales, de mots communs, d'attention habituelle à ce qu'on va dire, du désir de plaire, refaisait de moi la même personne que j'eusse été avec n'importe qui, n'importe où et avait déjà mis fin pour moi à la possibilité d'éprouver de ce lieu si convoité aucune impression particulière. Plusieurs de ces amis de Mme de Guermantes dont j'avais entendu dire les noms par Françoise ou que j'avais rencontrés dans sa cour, et un peu à cause desquels je pensais qu'elle me repoussait, ne pensant pas que je pouvais frayer avec eux comme toute personne du milieu Guermantes, vinrent la voir[a]. Elle me les présentait comme des petits fours, et < voyant > qu'ils ne semblaient exciter en moi aucune envie, elle les laissait dans leur coin et se remettait à parler avec moi avec animation. Si d'ailleurs ils avaient en eux *a priori* une hostilité méprisante pour les jeunes gens obscurs comme j'étais, ces dieux ennemis s'étaient changés comme Mme de Guermantes elle-même en amis bienveillants qui de tous temps avaient entendu parler de moi comme d'un être extraordinaire, et qui m'aimaient avant de me connaître. Quelques-uns fort en vue vinrent à la fin de la journée, elle leur disait mon nom obscur, puis me disait leur nom célèbre, comme si c'eussent été deux quantités égales et interchangeables. En entendant mon nom, ils avaient l'air d'accueillir la bonne fortune de me connaître chacun à sa façon, les uns avec une joie marquée, les autres avec une déférence plus grave. Quand Mme de Guermantes me nomma, le visage du prince de X s'illumina, et pour compliquer son salut et sa poignée de main du maximum d'efforts musculaires qui pouvaient en prolonger et compléter l'amabilité, il commença par assurer malicieusement son monocle dans le coin de son œil où s'allumait déjà un sourire, écarta un pied, y joignit l'autre, me prit la main, l'approcha de lui, me dit la joie et l'honneur qu'il avait à me connaître. Je sentais que je pourrais compter sur son amitié et qu'en faisant plus tard appel à son obligeance, c'était plutôt lui, à cause de la haute considération qu'il avait pour moi, que j'obligerais, que je flatterais. Il s'assit et se tut pour me laisser causer avec Mme de Guermantes, mais le monocle écarquillé d'attention et luisant de bienveillance et d'intérêt ne cessa de m'écouter, se montra aussi curieux de moi que si j'eusse été une nouvelle de la guerre de Mandchourie[1] ou un moyen de guérir le cancer.

M. de Bréauté[b] entra et voyant un monsieur qu'il ne connaissait pas, qui ne faisait pas partie de la société, il mit son monocle dans l'espoir que celui-ci l'aiderait plus encore qu'à me voir, à discerner quelle espèce d'homme j'étais. Il savait que la duchesse de Guermantes, ce qui faisait partie de ses attributs de femme supérieure, avait « un salon », c'est-à-dire ajoutait parfois aux gens de son monde quelque notabilité qui venait de mettre en vue une découverte ou un chef-d'œuvre. Néanmoins il pensa que j'étais peut-être simplement le nouvel attaché d'ambassade suédois dont on lui avait parlé ; mais quand la duchesse m'eut présenté, il se mit à manifester une satisfaction intense en multipliant les révérences et des sourires que filtrait son monocle, comme s'il s'était trouvé devant des « naturels » d'une terre transocéanique à qui il voulait faire, tout en les observant curieusement, des démonstrations d'amitié. C'est qu'ayant entendu mon nom qui n'était pas celui de l'attaché suédois, et qui d'autre part lui était entièrement inconnu, il avait alors pensé que j'étais évidemment quelque célébrité. Il se léchait déjà les babines de pouvoir à six heures raconter chez la princesse de Parme que la réunion était très intéressante chez Oriane, ne doutant pas que j'eusse au moins trouvé un remède contre le cancer ou écrit la pièce qu'on répétait au Théâtre-Français. Et dans l'idée fausse qu'un jeune homme de valeur l'estimerait davantage s'il parvenait à lui inculquer l'illusion que pour lui, marquis de Bréauté, les privilèges de la pensée valaient ceux de la naissance, il ne cessait pas de s'incliner et de sourire d'un air engageant.

Le salut du général marquis de X[1] fut plus grave, mais plus cérémonieux, et tel que je n'aurais pu le faire plus profond à un membre du Conseil supérieur de la guerre. D'ailleurs pour moi qui à la maison étais encore traité un peu en enfant par les « grandes personnes » qui y venaient, si on me laissait dîner à table avec elles, sans aller jusqu'à appliquer à la présentation le mot de Balzac sur les titres de noblesse, dont se moquait Mme de Villeparisis : « Une de ces grandes choses » etc.[2], je goûtais puissamment dans ce rite, qui met face à face et de plain-pied le nom d'un glorieux général et d'un enfant inconnu et les force à se rendre l'un à l'autre un salut égal, une vertu au moins aussi émancipatrice qu'égalisante. Mais je me rendis compte que cette égalité que la présentation symbolisait existait réellement aux yeux de Mme de Guermantes entre moi et ses amis. Elle avait l'air de considérer que c'était par un pur effet du hasard que je ne les connaissais pas de tout temps, et ne faisait entre nous aucune différence.

En venant dîner chez elle le samedi suivant[3], j'avais peur qu'elle n'eût pas prévenu M. de Guermantes et qu'il ne fût étonné de me voir entrer, mais j'avais à peine sonné que M. de Guermantes, descendant les marches de l'escalier intérieur, apparaissant entre les domestiques, m'aidait à ôter mon pardessus, me prenait par la main en me remerciant de venir. Je lui dis que j'avais appris qu'il possédait une peinture d'Elstir et que je serais curieux de la voir, il me demanda si je désirais la voir tout de suite avant d'aller au salon, sur ma réponse affirmative aussitôt il donna

l'ordre qu'on éclairât la pièce, fit ouvrir des bouches de chaleur
pour que je n'aie pas froid ; il me conduisit, s'effaçant gracieusement devant chaque porte et s'excusant quand par hasard pour
me montrer il était obligé de passer devant ; je reconnaissais cette
même grâce que j'avais éprouvée chez Saint-Loup ; et lui ayant
dit que je désirais prendre quelques notes pour me rappeler le
tableau, il se retira aussitôt en me disant de ne pas me presser.
Je me souvenais de cet ancêtre des Guermantes dont Saint-Simon
nous dit qu'il lui fit visiter sa maison et je me disais qu'il n'y
avait peut-être pas en ceci grande différence entre la façon dont
m'avait conduit M. de Guermantes et dont avait dû se comporter
son ancêtre, comme s'il y avait là un devoir — un des rares devoirs
— de la vie de gentilhomme, une scène noble et gracieuse qui,
toujours la même, s'était déplacée depuis le XVIIe siècle,
s'incarnant en des acteurs successifs, comme s'il fallait en effet
faire remonter la politesse banale et contemporaine en apparence
des grands seigneurs de notre temps à cette réserve, à ces espaces
secrets de politesse que nous trouvons avec étonnement (nous
qui ne croyons pas qu'on doive prêter aucune intention, aucune
pensée au-delà de la stricte expression qu'ils emploient à toute
personne un peu éloignée de nous, et qui nous étonnons autant
qu'il puisse y avoir des dessous, des intentions, une vie
inexprimée chez un personnage du temps de Louis XIV que
quand nous trouvons dans Homère des sentiments ou des usages
analogues à certains des nôtres), impliqués par telles lettres de
grands seigneurs de ce temps qui écrivent à des personnages de
rang inférieur au leur et qui ne peuvent en rien leur être utiles,
leur témoignent un empressement, une courtoisie, et usent avec
eux de bons procédés qui décèlent tout un espace libre et vaste
où gît, inexprimée, la croyance qui leur a été enseignée qu'il
faut par politesse feindre certains sentiments, qu'on doit exercer
certaines fonctions d'amabilité[1], obligations dont ils ne parlent
jamais mais auxquelles ils se croient tenus et dont décèle la place
qu'elle tient silencieusement dans leur pensée — que par politesse
même ils se gardent bien d'exprimer, puisque les choses aimables
qu'on dit ne le seraient plus si on comprenait qu'on les dit par
amabilité — l'exacte observance qu'ils en font dans toutes les
pages de leur correspondance, et les curiosités minimes de leur
vie.

Je restai[a] assez longtemps devant le tableau d'Elstir, cependant
que les coups de sonnette qui d'abord n'avaient < pas > arrêté
avaient cessé depuis quelque temps de se faire entendre[2]. Et en
tirant ma montre je m'aperçus avec effroi qu'on devait être à table.
Un domestique qui m'attendait à la porte me dit qu'on n'était
pas encore à table, mais que tout le monde était là en effet depuis
assez longtemps. Je sentis qu'on m'attendait pour servir, et

j'entrai au salon craignant que M. de Guermantes ne fût de
mauvaise humeur. Mais il n'en était rien. En m'apercevant et
tandis que je saluais Mme de Guermantes qui était en grande
robe décolletée de satin noir, un éventail d'écaille et de plumes
à la main, et qu'elle me nommait aux différentes personnes, il
réprima[a] un « Ah ! très bien » d'un air naturel, nullement
mécontent et légèrement intimidé, fit signe au maître d'hôtel de
servir tout de suite. Il était visible que dans certains cas, quand
il voulait faire plaisir à quelqu'un[1], il avait l'art de tout effacer
devant lui, d'en faire le personnage principal devant qui rien ne
tenait. J'eusse été curieux de voir les modalités diverses que selon
la circonstance et l'endroit revêtaient ces « distinctions » et ces
« grâces ». Nul doute que si ce jour-là j'avais passé la journée
à Guermantes il n'eût quitté tous ses amis pour m'amener faire
un tour avec lui en voiture. Il me pria d'offrir le bras à la duchesse.
Aussitôt[b], comme si toute la maison eût été un théâtre de pupazzi[2]
habilement machiné, <un petit signe> fit dans un énorme
déclenchement giratoire multiple et simultané ouvrir à deux
battants les portes de la salle à manger, surgir sur le seuil un
maître d'hôtel qui s'inclina en disant : « Madame la duchesse
est servie », et glisser deux à deux les femmes décolletées au
bras des hommes en habit vers la salle à manger où les valets
de pied leur poussaient leur chaise vers la table, et commencer
à tourner les plats fumants. Comme si toute la maison eût été
un théâtre de pupazzi habilement machiné qui s'était mis en
mouvement sur un signe de l'imprésario grand seigneur et que
je trouvai grand seigneur surtout de n'avoir pas pris des façons
conventionnelles, de ne s'être pas impatienté que je misse en
retard la mise en scène de son dîner, de ne pas m'avoir fait
chercher, d'avoir subordonné à la commodité de son hôte, toute
cette machinerie à effet dont l'effet seul eût été plus grand s'il
n'avait pas paru dépendre de mon arrivée peu représentative,
et s'il n'eût pas mis cette sorte de timidité et d'incertitude dans
l'ordre qu'il donna de servir et qui provenaient de la crainte qu'il
avait de me laisser voir qu'on m'avait attendu pour dîner. Je n'eus
même pas à me demander si je ne serais pas intimidé de donner
le bras à la duchesse. Elle pivota avec tant de grâce et de majesté
autour de moi que je trouvai son bras sur le mien et que je me
trouvai entraîné dans un système de mouvements simples et
nobles qui me furent parfaitement aisés.

Sur Mme de Guermantes qui alors n'aimait pas Elstir[c].
    Quand on parlait d'Elstir elle disait parfois[3] : « Il a fait un
affreux portrait de moi que M. de Guermantes voulait détruire »,
parce qu'elle avait de la coquetterie, mais comme elle avait encore
davantage de vanité elle disait plus souvent : « Je n'aime pas sa
peinture et pourtant il a fait une fois un beau portrait de moi. »

Ne pas oublier plus tard quand elle admire Elstir[a] : « Le visage n'est pas très ressemblant mais est-ce bien, cette robe rouge violacé. Swann disait que cela donnait soif et faim de manger des framboises. »

Il[b] y avait aussi chez la duchesse de Guermantes deux Elstir devenus depuis fameux et acquis depuis par le Luxembourg. L'un est un intérieur élégant. C'est un couple qui attend peut-être du monde ou dont les invités viennent de partir. Chez le mari — un grand homme barbu — l'opposition entre les blancs bouillons de sa chemise et les nobles sinuosités du frac donnait une élégance sévère, digne de Vélasquez, à notre habit de soirée d'où on n'eût pas cru qu'on pût extraire tant de beauté. Il est debout derrière sa femme assise dans une robe de velours noir, dont la traîne qui a par terre la croupe foncée et grondante d'une magnifique vague, se borde d'une écume jaillissante et soulevée de dentelles. De petits enfants sont autour du couple, en tendres couleurs presque végétales assorties aux délicates nuances des tapis, des tentures, des fleurs dans des vases. Peut-être jamais depuis les maîtres du XVIe siècle la poésie du luxe n'a été dégagée comme elle l'est dans ce salon. Il m'en coûtait de quitter pour aller dîner cet homme, cette femme, ces enfants, qui avaient charmé le regard, exercé les pinceaux d'Elstir. Il m'en coûtait surtout de ne pas les connaître davantage, tant leur vie affleurant à la toile était tentatrice et invitait à y pénétrer. Ah ! si au lieu d'aller dîner dans la pièce à côté avec la duchesse de Guermantes j'avais pu dîner avec eux ! Dans la suite cela m'eût particulièrement intéressé de les connaître, pour une raison qui fera paraître bien légitime ma curiosité. Dans l'autre tableau qui est un tableau de réjouissance populaire, assez morose et lassée, d'une observation cruelle, au milieu des filles en cheveux, l'air très triste, et des hommes en casquette qui ont l'air de s'ennuyer terriblement, il y a un seul monsieur en chapeau haute forme qui regarde d'un air indulgent[1]. Il est aisé de reconnaître en lui l'élégant maître de maison de l'autre tableau. Ce n'était[c] donc pas un simple modèle d'Elstir mais un ami particulièrement cher, qu'il avait fait évidemment figurer pour s'amuser, ou pour lui faire plaisir, dans cette scène où il n'avait que faire, comme souvent les peintres se sont mis eux-mêmes en contemplateurs dans un coin d'un tableau préféré. Aussi me promis-je de demander là-dessus des éclaircissements à M. de Guermantes.

Et dans la conversation après dîner, je dirai. Je demandai à M. de Guermantes le nom du monsieur en chapeau haute forme dans le tableau populaire que j'avais reconnu pour être celui dont le portrait d'apparat était à côté. « Mon Dieu, me répondit-il, c'est un homme qui n'est pas tout à fait un inconnu ni un imbécile

dans sa spécialité, j'ai le nom sur le bout de la langue mais je
ne peux pas me le rappeler. » Peut-être l'avait-il en effet oublié
momentanément, peut-être se le rappelait-il et voulait-il affecter
comme il le disait d'être brouillé avec les noms. « Ce qui a du
bon, c'est que j'ai vu ce monsieur. Monsieur, monsieur, je ne
peux pas me souvenir. Swann vous dirait ça. C'est lui qui m'a
fait acheter ces deux machins-là et entre nous je crois qu'il m'a
collé deux croûtes. Ce que je peux vous dire c'est que ce monsieur
est pour ce M. Elstir une espèce de protecteur qui l'a souvent
tiré d'embarras en lui commandant des peintures. Et par
reconnaissance, si vous trouvez cela de la reconnaissance, il l'a
peint dans cet endroit où il fait un assez drôle d'effet. Ce peut
être un homme très comme il faut mais il ne sait évidemment
pas quand on doit se mettre en chapeau haute forme. Il a l'air
d'un petit notaire de province. Mais dites donc, vous me semblez
bien féru de ces tableaux-là. Si j'avais su ça je me serais documenté
pour vous répondre. Je vous dirai que jamais personne ne me
pose ces questions-là », ajouta-t-il d'un air avantageux, avantageux surtout pour ses invités, comme si c'était de leur part une
supériorité sur moi de ne pas être intéressés par l'histoire du
tableau d'Elstir. « Ce qu'on regarde là-dedans, me dit-il, d'un
air de m'enseigner, c'est que c'est bien observé, amusant, parisien.
Et puis on passe. Ce n'est pas *La Source* d'Ingres ou *Les Enfants
d'Édouard* de Paul Delaroche[1]. Il n'y a pas à se mettre martel
en tête pour ce tableau-là où à écrire des in-folio dessus. C'est
amusant, c'est une pochade, il n'y a pas besoin d'être une[2] érudit
pour regarder ça. Mme de Guermantes dira qu'ils sont d'une
beauté rare, jusqu'au jour où elle les cédera à la princesse de
Guermantes laquelle les vendra au Luxembourg. Personnellement je trouve ça affreux. Je ne trouve pas que l'art soit fait pour
nous montrer la vie en laid. Elle est déjà assez laide comme ça.
Mais que voulez-vous, Swann est entiché de cette école réaliste,
il en a collé quelques bons numéros à la duchesse qui est faible
et s'est laissée faire pour être aimable. Dans le fond elle trouve
ça aussi laid que moi. Ce que je dis n'est pas pour vous en
dégoûter. J'ai été charmé que vous preniez plaisir à les voir. Mais
ça m'étonne qu'un esprit fin comme vous, un cerveau distingué,
vous aimiez cela. Tenez, nous avons été voir tantôt avec la
duchesse aux aquarellistes un petit tableautin de Vibert, *Le Retour
du missionnaire*[3]. Ce n'est rien du tout évidemment, cela tiendrait
dans le creux de la main. Mais il y a de l'esprit jusqu'au bout
des ongles. Ce pauvre missionnaire maigre qui fait peine, et il
y a une évêque en train de prendre des liqueurs et de faire jouer
son petit chien, qui l'écoute dans le fond de son fauteuil. Voilà
de l'observation ! »

Malheureusement dès que M. de Guermantes n'offrait simplement à mon attention que des manières où mon imagination pouvait extraire ce qu'elles avaient de conforme à son nom en tant qu'il était la continuité d'une famille dont l'histoire m'avait appris la grandeur dès le Moyen Âge et ensuite les hautes charges à la cour de François Ier et de Louis XIV, dès qu'il parlait, l'écart entre lui et les pensées que je mettais dans son nom devenait énorme. « Est-ce que vous étiez encore là l'autre soir chez ma tante Villeparisis, me dit-il à peine fut-on à table, quand on l'a fait monter sur Balzac[1] ? C'était à payer sa place. Ah ! dame, c'est une fine peste que ma tante Villeparisis, elle n'a pas sa langue dans sa poche. Il n'y en a pas comme elle pour emporter le morceau, c'est toujours avec tant d'esprit. — Mais je ne l'ai pas entendu parler de Balzac », interrompit d'un accent volontairement enfantin et d'un air rêveur Mme de Guermantes, à la beauté de qui une robe de satin blanc donnait plus de douceur, faisant au-dessous de ses cheveux plus pâles comme un *[un mot illisible]* de douce soie chastement divisé, faisant nager comme sur une huile vivante la lumière de son regard, et <donnant> quelque chose d'angélique à son visage où l'accentuation énergique du nez était atténuée de face. « Mais non[a] ma chère, vous étiez partie. Mais je vous ai regrettée, si vous aviez entendu, il y a ce M... Bloch, je crois (M. de Guermantes prononçait ce nom étranger en faisant sonner l'*h* rude comme s'il avait dit en allemand *hoch*) qui lui avait dit que Balzac était superbe, merveilleux, enfin je ne sais plus quel terme il avait pris, ma tante n'a fait ni une ni deux — et en le regardant bien en face, elle lui a lâché à bout portant, de sa petite voix que vous connaissez en faisant rouler les *r* : "Mais si vous trouvez M. de Balzac merveilleux, lui dit-elle, que laisserez-vous pour M. de Bossuet ?" (M. de Guermantes croyait donner un air ancien et aristocratique aux histoires en faisant précéder tous les noms du mot Monsieur, et d'autre part il pensait que tous les écrivains du siècle de Louis XIV étaient nobles.) Si vous aviez vu la tête de M. Bloch, je vous réponds qu'il n'a pas demandé son reste et il court encore. — Dame, mon ami, dit Mme de Guermantes, qu'est-ce que vous voulez, tout le monde n'est pas ferré sur Balzac comme vous qui le lisez tous les jours depuis vingt-cinq ans. — Astolphe connaît bien Balzac ? demanda la princesse de Parme. — Astolphe ?, répondit Mme de Guermantes indignée de l'ignorance de la princesse, mais vous pouvez lui demander ce qu'on trouve à n'importe quelle page de n'importe quel volume, il pourra je ne dis pas vous le réciter, mais vous reproduire l'essentiel. »

J'étais placé à côté du prince d'Agrigente[2] que Françoise m'avait cité souvent comme un des convives de Mme de Guermantes, et qui m'apparaissait alors comme le souverain

effectif — de passage seulement à Paris — d'un petit état sicilien
que j'apercevais dans le nom de ce grand seigneur, comme dans
une transparente verrerie étagée au-dessus de la mer bleue, ses
maisons roses frappées horizontalement d'un soleil d'or. Mais
hélas dès que je vis le prince d'Agrigente je m'aperçus qu'il y
avait séparation absolue entre lui et son nom. Mon voisin que
je devais souvent revoir dans le monde où il pirouettait sans cesse,
le bras tendu devant lui en faisant prendre sa main aux hommes
qu'il connaissait d'un air qu'il croyait sans doute désinvolte et
élégant, était évidemment le prince d'Agrigente, en ce sens qu'il
était le seul homme qui eût le droit d'écrire ce nom en bas d'un
acte ou d'une lettre, mais si pour être prince d'Agrigente il eût
fallu, si peu que ce fût, prendre possession par l'intelligence de
ce qu'il y a de beauté et de luminosité contenue dans ce nom,
il n'y avait probablement <pas> dans la terre entière beaucoup
d'hommes qui le fussent moins que lui. Il n'y avait pas plus en
lui de la poésie d'Agrigente qu'il n'y a de la poésie de Venise
dans l'ancien coupe-gorge parisien qui porte le nom de rue de
Venise. Comme*a* si le nom avait attiré hors de lui et concentré
en soi tout ce qu'il peut y avoir de noble, de délicat, de lumineux
épars dans un homme quelconque, il ne restait plus un atome
de tout cela dans la personne du prince. Son nom était
entièrement distinct de lui, posé hors de ses atteintes comme ces
plans en relief d'une île qu'on voit souvent dans les musées, isolés
dans un cube de verre. Il n'avait jamais dû lever les yeux sur
lui, ses gros yeux d'étourneau, et apercevoir ce qu'il renfermait,
ni en approcher pour le casser sa grosse main que dans les salons
il tenait droite, tout en pirouettant, au bout de son bras tendu
pour que pussent la serrer les gens qu'il connaissait.

À droite de M. de Guermantes était la princesse de Parme[1].
Ce beau nom compact, verni, trop doux de Parme, qui a bu en
ses surfaces lisses comme certaines substances grasses le parfum
des fleurs, la couleur des violettes de Parme, ce nom où ne circule
pas d'air et qui fait étouffer comme un soir de juillet entre la
foule trop parfumée d'une rue d'une grande ville en Italie, je
lui avais fait absorber aussi cette douceur particulière qu'il y a
dans le livre de Stendhal, tous les rêves que j'avais formés autour
du comte Mosca, de Fabrice del Dongo, de Ranuce-Ernest IV[2].
Il n'y avait pas un palais de Parme, pas une rue de Parme, pas
un seigneur de Parme que je ne me représentasse, non d'après
les palais, les rues, les seigneurs d'Italie en général, mais en tirant
du nom de Parme la douceur compacte, la nuance mauve, les
larges surfaces polies, les rêves stendhaliens d'après lesquels je
les imaginais. L'imagination tend tellement à connaître ses rêves
par l'expérience des sens, quelque déception qu'elle en doive
éprouver, que quand j'avais appris que Mme de Guermantes

connaissait une princesse de la maison de Parme qui avait encore un palais à Parme, j'aurais été aussi heureux de la connaître que si on avait pu me présenter à l'original d'Anna Karénine[1] ou me mener dans le jardin du Pont aux belles. Cette Parme inconnue, sa société stendhalienne, ses palais, dont j'avais tant rêvé, que je savais réels, connaître une de celles qui l'habitaient, qui sur ses douces places violettes, à sa cour minuscule, ont succédé à la duchesse de Sanseverina et à Clélia Conti, ç'eût été, comme un calculateur cherchant une équation à une inconnue, substituer à ce que je me figurais, ce qui s'y trouvait effectivement, mettre à la place d'une Parmesane de rêve, pour le même volume, pour la même hauteur, le même volume d'une Parmesane vraie. Mais de même qu'il n'y avait pas un palais, pas une rue, pas un seigneur de Parme que je ne m'imaginais non d'après ce que je pouvais savoir des palais, rues et seigneurs italiens, mais que je taillais d'un seul bloc dans la matière spéciale du nom de Parme, colorée par les violettes et par Stendhal, mon imagination, si avertie qu'elle put être qu'une ville, une femme ressemblant à d'autres villes, à d'autres femmes et ne peuvent pas avoir cette irréductible originalité d'un rêve différent de tout autre, ne pouvait s'empêcher de donner à la princesse de Parme, avant que je ne me trouvasse avec cette petite personne laide, intelligente et brune, qui ne s'occupait qu'à placer des fauteuils pour son abonnement, et à avoir de l'argent pour ses œuvres, cette[a] douceur compacte, ces nuances mauves, ces larges surfaces polies, ce charme stendhalien qui étaient dans son nom et dont elle était si essentiellement dépourvue.

Mais la plus grande déception me fut donnée par le prince allemand[2], Altesse Sérénissime « Durchlaucht[3] » qui était à côté de la princesse de Parme. M. de Guermantes, après m'avoir présenté, m'avait dit tout bas son nom, composé de trois noms dont chacun était lui-même composé de plusieurs radicaux. Il gardait dans la rude attaque de sa première syllabe la franchise, et dans la répétition bégayante de la seconde, la naïveté maniérée, couleur de dragées, les lourdes « délicatesses » du peuple issu du Rhin[b] et des montagnes des géants. Cependant qu'à la fin du deuxième vocable un *heim* d'émail bleu déploie sur tout le titre la mysticité translucide et sombre d'un vitrail d'église rhénane où apparaissent emprisonnés les rudes branchages agités, verdâtres des syllabes du commencement. Enfin le troisième nom se revêtait avec un *meiningen* des dorures pâles et finement brodées du XVIIIe siècle allemand. Mais[c] à peine M. de Guermantes me l'avait-il prononcé, que le second de ces noms, à peine entendu, sembla diminuer, trouver assez grande pour lui une petite place où venir s'attacher dans ma mémoire et où, devenu tout pénétré d'humanité, assimilé clairement par moi-même, il semblait terre à terre, familier, pittoresque, autorisé, et prochain comme un but de petite promenade à pied qu'on peut faire sans se fatiguer à cinq heures une fois le traitement fini, ou comme le nom d'un cru voisin dont le vin servi à la table de l'hôtel n'est pas considéré par le médecin comme contraire au régime et contredisant les effets de la cure. Ma mémoire hésita un instant puis reconnut le nom d'une petite montagne de la ville d'eaux allemande où j'étais allé avec ma mère l'année d'avant Querqueville, je montais souvent au soleil couchant voir jouer les enfants sur les pentes et relire la description que Goethe a donnée des gorges où se resserre et bouillonne entre des forêts le fleuve qui coule à ses pieds. Cependant tout ce nom fort guttural et fort long, M. de Guermantes riait de la tâche compliquée que c'était de le prononcer, et en prenant prétexte, comme pour s'amuser à le compliquer encore, mais en réalité pour me montrer l'importance de son convive (que pour plus de clarté il avait commencé par souligner en me disant : « C'est le frère au duc de Saxe »), il[a] m'énuméra les autres titres qu'il portait et qui me montrèrent que c'était bien la station thermale où j'avais passé deux mois que le nom de tout à l'heure désignait, et dont je reconnus aussi l'un pour le nom d'un village situé presque sur la rivière et où j'allais quelquefois en barque, par les jours chauds ; un autre comme le but d'une excursion lointaine que j'avais espéré faire, la cure finie, mais qui était trop éloignée, et d'où on <ne> pouvait, si tôt qu'on partait, revenir, le même jour, chacun confirmant que les autres noms désignaient bien ces lieux que j'avais connus et n'étaient pas de simples homonymes, car il est compréhensible que la suzeraineté d'un seigneur s'étendît sur tous les pays circonvoisins et la coïncidence eût été trop invraisemblable qui eût mis à côté les uns des autres dans ces titres les mêmes noms qui <dans> une carte de cette région désignaient le village, la grande ville ou la forêt. Je n'osais pas, tandis que M. de Guermantes me disait ces noms et me faisait ressortir la bizarrerie des titres, regarder celui qui les portait pour qu'il ne s'aperçût pas que c'était de lui que nous parlions. Mais combien cela m'intéressait de me trouver avec lui !

Souvent devant ces titres de la noblesse allemande, burgraves, margraves, écuyers franconiens ou teutoniques, je souhaitais savoir ce qu'il y avait au fond d'eux, ce qu'il y avait au fond des noms, de ceux qui en étaient investis et quels pouvaient être ces lieux dont ils les faisaient souverains. Or voici que la réalité vivante dont était fait l'un de ces rhingraviats était connue de moi, familière, aimée, à peine redevenue mystérieuse par l'éloignement ; que le corps vivant, les membres de ce fief, c'était cette forêt, ces villages, cette rivière remplie de joncs, qui avaient passé à travers ma vie, avaient été assimilés par elle et qui étaient pour toujours imprégnés des sensations, leurs noms, si souvent prononcés le soir à dîner par ma mère et par moi, dans la salle à manger de l'Oranienhof[1], c'était eux qui, mis bout à bout, composaient le titre du prince, sonore, plein de choses et rythmé comme un quatrain de Goethe ; sous la visière de quelques-uns de ces beaux titres chevaleresques c'étaient de vieux amis que je retrouvais, sur le visage desquels était arrêté à jamais le rayon fugitif et poudreux du soleil de cinq heures. Et d'autre part, moi qui dans ce pays me désolais de ne pas trouver sous l'apparence composite, disparate, que mes yeux voyaient, quelque essence où se reflétât un peu de ce qu'il y avait de particulier dans leur nom, voici que l'assemblage des choses facilement vulgaires que sont le Kurhaus, le jardin municipal, les chemins boisés qui menaient à la Restauration, la rivière et le lac où l'on canotait, analogues à ceux dont m'avait tant parlé l'histoire de l'Allemagne depuis le Moyen Âge, ce rhingraviat dont ils faisaient partie leur donnait comme une unité nouvelle, timbrait leur banalité du cercle immense de la couronne du Saint-Empire germanique qu'il imposait, invisible mais réelle, dans l'air, entre les branches des sapins, au-dessus des vignes et des eaux. « C'est un homme charmant, fort intelligent », me dit M. de Guermantes. Je ne doutais pas de son intelligence mais je l'imaginais moins semblable à ce qu'on appelle dans le monde intelligence qu'à l'étrange génie qui a pu faire écrire à Victor Hugo *Les Burgraves*[2] ou à Leconte de Lisle « Le Lévrier de Magnus[3] ». Il me semblait devoir contenir la poésie dont les poètes n'avaient pu que s'approprier des parcelles. Effectivement, n'était-il pas un de ces princes médiatisés, seigneurs de Franconie ou de Souabe dont le nom, apparenté à la vallée peuplée de gnomes ou <à> la montagne enchantée où s'éleva d'abord leur vieux burg, reste le portrait le plus émouvant que nous ayons gardé des paysages de l'Allemagne pendant ce crépuscule du Moyen Âge indéfiniment prolongé là-bas sur ses possessions féodales jusqu'à ce qu'il s'épanoûît au début du XIXe siècle en jaillissement lumineux de littérature, de philosophie et de musique ? Il avait été landgrave, électeur palatin, prince du Saint-Empire. Son adresse quand on voulait lui écrire en Allemagne était faite du nom d'une terre chantée par Hoffmann, Schiller et Wagner, gardant les traces du passage de Charlemagne, de Louis le Germanique et de Luther. Mais les revenus qu'il tirait du bois et du fleuve qu'on n'ose plus traverser à minuit à cause des farces qu'y font les lutins et du sort qu'y jettent les ondines, je compris, par ce que me dit de lui M. de Guermantes, et par ce qu'il me dit lui-même dès qu'il me parla, qu'il les employait à acheter beaucoup d'automobiles Panhard et Renault[4], à avoir un appartement à Paris, à Londres et à Monte-Carlo, une loge aux Français et à l'Opéra. Je ne cessais de le <regarder> pendant tout le dîner, pour peser avec plus

de force son nom, et pour tâcher de l'identifier avec le gros
homme rouge au gilet d'habit boutonné par de grosses perles,
aux cheveux collés par le cosmétique, qui était semblable à tout
homme de sa fortune et de son âge, ayant la culture moyenne
d'un Parisien qui lit les articles de tête du *Figaro*. Mais était-il
simplement pareil à ces hommes quelconques d'aujourd'hui (au
lieu d'être ce que je me disais quand je pensais son nom : prince
de Saxe, rhingrave, le plus grand d'entre les seigneurs germaniques), était-il seulement l'un de ces hommes quelconques
d'aujourd'hui, était-il l'un d'eux ? Lui-même, non par un aveu
explicite, mais par ce qu'impliquait sa vie, sa manière de penser,
ses discours, semblait le croire, car il se proposait le même idéal
d'esprit, de culture, de philosophie, de luxe. Il était certainement
heureux de son rang à cause des avantages qu'il lui conférait,
comme il eût été heureux d'avoir de bonnes valeurs, ou une
bonne santé, mais intellectuellement il en jugeait à la façon
démocratique d'aujourd'hui : « Et dame, les princes aujourd'hui,
ça ne signifie pas grand-chose », dit-il, je ne compris pas à propos
de quoi, en allant à table. Ce qu'il avait de plus allemand était
son accent mais là encore, où je ne pensais même pas à un accent
proprement dit, mais à une voix mystérieuse, j'entendis cette
manière de prononcer les *b* comme des *p*, et les *d* comme des
t, ne différenciant pas ce prince du Saint-Empire de n'importe
quel caporal alsacien, juif allemand ou professeur prussien, tels
que les acteurs les imitent traditionnellement sur notre théâtre.
Ce fut même cet accent, si laid et commun à tous, la seule
impression poétique qu'il me donna, comme si à ce moment-là
j'avais senti se réfracter dans sa voix l'originalité même de
l'Allemagne, perçue d'une façon d'autant plus saisissante qu'elle
était plus matérielle et plus inattendue.

*Quand[a] Mme de Guermantes me dit dans une phrase :
Palamède[1].*

Cette façon familière de désigner M. de Gurcy par son prénom
avait dans la bouche de Mme de Guermantes beaucoup de
douceur, parce qu'elle était pleine de la simplicité involontaire
avec laquelle elle parlait d'un homme qui, si brillant qu'il pût
être, n'était pour elle que le parent avec qui elle avait été élevée,
dépouillé pour elle qui le connaissait à fond de toute solennité
et à qui elle ne cherchait pas à en donner à mes yeux, d'une
grande distinction aussi, puisque ce qui lui était moins que tout
le reste et si familier était précisément un homme de si haute
race et enfin mystérieux parce que ce nom était comme une partie
mise en lumière de *[interrompu]*

« Vous n'étiez pas[b] encore parti n'est-ce pas, l'autre jour, de
chez ma tante Villeparisis, me dit dès le commencement du dîner

M. de Guermantes pour me mêler à la conversation, quand elle est montée sur ses grands chevaux à propos de Balzac, c'était à payer sa place. — Est-ce que c'était le jour où il y avait ces musiques sur Alfred de Musset dont on m'a parlé[1] ? », dit la princesse de Parme qui avait entendu il y a un an dire « des musiques » et qui trouvait cela raffiné mais qui malgré ces délicatesses ajoutées ne voyait *[quelques mots illisibles]* exactement que ces autres gens < du > monde les images qu'il y a dans les mots et qui pensait qu'on peut voir une audition. « Je[a] regrette de ne pas avoir vu cette audition, car il me semble qu'on aurait pu la représenter avec succès à un de mes mercredis. — Oui, je crois que cela aurait beaucoup intéressé Madame, dit M. de Guermantes. D'ailleurs le public était aussi intéressant que ce qu'on jouait, ajouta-t-il, il y avait notamment M. de Borrelli[2]. — Ah ! vraiment, dit la princesse de Parme. J'aurais été heureuse de serrer la main de cet esprit si distingué. J'aimerais qu'il esquissât quelques rimes en l'honneur de mes pauvres. » M. de Guermantes lança un regard à sa femme, pour tâcher de voir si elle pensait qu'on pût faire une démarche auprès de M. de Borrelli, mais qu'ayant reçu d'elle aucun encouragement, il se contenta de paroles vagues. « Il serait certainement très honoré par Votre Altesse, il trouverait sûrement quelque chose qui serait tout à fait dans la note », et il se hâta[b] de détourner la conversation vers son point de départ, « mais ce qui était impayable c'était ma tante lancée sur Balzac. — Je sais que c'est une fine mouche que Matame de Filleparisis, interrompit le rhingrave. Je l'ai entendue une fois dauber sur le tiers et le quart et je me suis fait une pinte de bon sang que je n'oublierai pas, comme dit notre oncle Sarcey[3].

— Mais savez-vous qu'elle ne doit plus être jeune, dit le prince d'Agrigente.

— Ça n'empêche pas qu'il n'y en a pas une autre quand elle n'aime pas quelqu'un pour enlever le morceau comme elle, dit Mme de Guermantes. Mais elle l'enlève si joliment, avec tant d'esprit, qu'on ne peut pas lui en vouloir. Mais quand donc a-t-elle parlé de Balzac l'autre jour ? J'étais pourtant là.

— Mais Rosemonde, je vous dis que c'est quand vous étiez partie, dit M. de Guermantes d'une voix plaintive. C'est venu à propos d'un jeune monsieur Bloch (M. de Guermantes prononçait le *ch* aspiré de ce nom étranger, comme s'il le lisait pour la première fois dans une grammaire allemande).

— Que disait ce M. Bloch ? dit Mme de Guermantes qui manquant d'originalité à ce moment crut devoir répéter exactement la prononciation de son mari.

— Il venait de dire que Balzac était superbe, merveilleux, enfin je ne sais plus l'expression au juste, mais évidemment quelque

chose qui jurait un peu, qui n'était pas du tout dans la note. Alors
ma tante n'a fait ni une ni deux, et le regardant bien en face
elle lui a lâché en plein visage de sa petite voix mi huile mi
vinaigre que vous connaissez : "Mais monsieur, si vous trouvez
M. de Balzac merveilleux, qu'auriez-vous dit de M. de Bossuet ?"
(M. de Guermantes trouvait que cela avait l'air ancien de faire
précéder les noms propres du mot Monsieur, et d'autre part il
était persuadé que tous les écrivains du siècle de Louis XIV
portaient la particule, M. de Fénelon, M. de la Rochefoucauld,
M. de Pascal, M. de Bossuet). Non, si vous aviez vu la tête qu'a
fait M. Bloch ! Je vous réponds qu'il n'a pas demandé son reste
et il court encore.
   — Dame, mon ami, dit Mme de Guermantes, ce monsieur
n'est pas forcé d'être aussi ferré sur Balzac que vous. Il ne
< le > lit peut-être pas tous les jours depuis vingt-cinq ans.
   — Astolphe est un fanatique de Balzac ? demanda la princesse
de Parme. — Comment, Madame ne le savait pas ? s'écria la
duchesse de Guermantes[a]. Mais vous pouvez l'interroger sur
n'importe quelle page que vous prendrez au hasard, il vous
répondra les yeux fermés. — Mais est-ce compréhensible ?
demanda la princesse. J'avoue que je suis très vieux jeu, j'aime
comprendre ce que je lis, dit-elle avec complaisance. Est-ce que
vous comprenez tout dans la nouvelle école ? Je ne suis peut-être
pas à la hauteur, ajouta-t-elle en souriant. — Ah ! Ah ! j'aime
beaucoup la princesse qui dit qu'elle n'est pas à la hauteur, s'écria
en riant Mme de Guermantes. — Mais madame, il n'y a pas
a comprendre dans Balzac, dit M. de Guermantes. Comment,
Votre Altesse ne connaît pas *Le Bal de Sceaux, Eugénie Grandet,
Le Marquis de Létorière, Les Mohicans de Paris*[1], c'est charmant. Ah !
si mon frère était là ! — Tiens mais oui, où est donc M. de
Gurcy ? Voilà plus d'un an que je ne l'ai vu. — Comment,
Madame ne sait pas qu'il est allé passer un an en Égypte et aux
Indes ? — Quelle blague, dit le prince d'Agrigente. — Il n'y
a aucune blague là-dedans, dit M. de Guermantes, froissé. Sa
dernière lettre est du Caire. Il revient dans quinze jours. — Après
tout, je ne sais pas pourquoi j'ai dit cela, dit le prince d'Agrigente.
Il paraît qu'on peut très bien s'amuser au Caire. Il y a un golf.
   — C'est un voyage qui me tente beaucoup, dit sérieusement la
princesse. Avec les moyens de communication actuels, tout est
si près. Le Caire, mais c'est presque pas plus loin que Marseille.
   — Vous exagérez, princesse, dit le prince d'Agrigente.
   — J'attendrai que ma fille soit assez grande pour bien profiter
de ce voyage, dit la princesse, et je le ferai avec elle, elle en
jouira beaucoup. — Je crois que la jeune princesse a des goûts
très sérieux, dit M. de Guermantes. — Oh ! Dieu merci, dit la
princesse d'un air grave, elle n'aime ni le monde, ni le bal, elle

n'a qu'une passion, la lecture. — Si elle n'en a jamais d'autre, dit le prince d'Agrigente. — Elle adore aussi la peinture, elle me dit tous les jours : "Maman, quand me mèneras-tu à Rome ?" — Je vois, dit le rhingrave, qu'elle ne sera pas comme cette jeune Américaine à qui on demandait si elle avait été à Rome. "Rome ? Rome ? je ne me rappelle pas... Ah ! si, c'est là que j'ai acheté mon chapeau bleu." » La princesse sourit et d'une voix mélancolique et chantante : « Mon Dieu, merci, en fait de chapeaux, elle ne s'occupe que de ceux qu'elle fait pour nos petits pauvres... Comment faites-vous pour avoir une argenterie si bien tenue, Rosemonde ? » dit la princesse de Parme qui trouvait qu'il était de son rang de ne pas *[interrompu]*

La princesse de Parme ayant dit qu'elle avait reçu le matin une lettre de l'empereur d'Autriche, le rhingrave traça un portrait intéressant de ce souverain. Il raconta certaines conversations qu'il avait eues avec lui et montra comment François-Joseph savait se servir de la sévérité même de l'étiquette qu'il imposait à sa cour pour donner, quand par hasard il s'en relâchait vis-à-vis d'une personne, une extrême impression d'amabilité. La princesse de Parme jugeait de même et raconta que quand elle était allée dîner avec lui, un quart d'heure avant le moment d'aller au palais, il était venu la chercher à son hôtel, avait monté lui-même les deux étages, et l'avait attendue derrière la porte de sa chambre, et le soir après le dîner, quoique souffrant d'une bronchite, l'avait ramenée à son hôtel, avait remonté les deux étages et l'avait quittée qu'à la porte de sa chambre. Je vis que sur des personnages connus, l'opinion habituellement accréditée dans le public ne correspondait pas à la réalité. Je les étonnai en demandant si tel souverain dont les vertus étaient vantées dans les journaux était un brave homme. Son manque absolu de probité, à ce que je vis, était une chose parfaitement connue et incontestée d'eux tous.

« Mais*ᵃ* est-ce que Claire de Joyeuse ne devait pas dîner ? demanda la princesse de Parme.

— Mais Madame ne sait pas ce qu'il lui est arrivé ? demanda M. de Guermantes. Hé bien, imaginez-vous qu'hier soir, vous savez le temps qu'il faisait, gras et glissant, Mme de Joyeuse a conduit à la matinée des Français la duchesse d'Orléans[1]. À la sortie, dans le sens où les voitures arrivaient, la place la plus près du trottoir était la droite ; il aurait donc fallu, la princesse montant la première, que Mme de Joyeuse la laissât se mettre à gauche, ce qui n'aurait peut-être pas été possible, dit-il en riant beaucoup, ou qu'elle laissât la princesse se mettre à droite et passât devant elle en montant — ce qui ne me semble pas très protocolaire non plus, ajouta-t-il en riant encore plus, comme d'une hypothèse invraisemblable*ᵇ*. Alors, bravement, Claire a fait ce que nous aurions tous fait à sa place, puisqu'il n'y avait pas moyen de faire autrement, elle a couru à la tête des chevaux, pour faire le tour de la voiture et arriver à la portière de gauche de façon à prendre la gauche sans passer devant la princesse ; seulement vous savez qu'elle a eu un épanchement de synovie qui lui donne la démarche encore peu assurée, elle voulait se dépêcher pour être montée en même temps que la princesse sans la faire attendre, il venait des voitures en tous sens, les têtes des chevaux la touchaient, elle a fait un faux pas, elle est tombée, c'est un miracle qu'elle n'ait pas été écrasée mais enfin elle a la jambe brisée et elle est couchée pour six semaines.

— Pauvre Claire, dit la princesse de Parme. Je ne savais pas, je ferai prendre de ses nouvelles, j'irai même demain.

— Madame est toujours si bonne.

— Mais non, j'aime beaucoup Claire. Il me semble vraiment que venant d'être malade, avec un pavé si glissant et l'encombrement que je peux facilement me figurer à la sortie des Français, on aurait peut-être pu trouver une combinaison sans la faire courir entre les voitures.

— Eh bien, reprit M. de Guermantes. C'est ce que la duchesse d'Orléans, paraît-il, a dit. Elle qui est pourtant si "haute", si "grande", qui sait si bien se faire rendre ce qu'on lui doit, il paraît qu'elle a dit : "Mais elle aurait dû passer devant moi, ou je me serais mise à gauche. Voyons, en pareille circonstance. Je n'ai pas eu le temps de voir. Je ne l'aurais pas laissé faire." On a dit cela à Mme de Joyeuse qui a été très touchée de la bonté de la duchesse d'Orléans. Mais vous savez comme sont les princes, ils disent ça après, si l'autre lui avait frotté les genoux, reste à savoir ce qu'elle aurait pensé. Et puis que voulez-vous que je vous dise, moi, je trouve que Claire a bien fait. C'est très embêtant évidemment de se casser la cheville, mais que voulez-vous, il y a des choses qui ne se font pas, on ne passe pas devant la duchesse d'Orléans. Sapristi, c'est tout de même quelque chose, la duchesse d'Orléans. Je sais que je vais contre les convictions de Madame.

— Mais non, mais non, le comte de Chambord[1] s'est désisté.

— Qu'est-ce que voulez, pour moi, quoi que je pense, ce ne sont pas des rois. Mais enfin ce sont tout de même les femmes du sang des petits-fils d'Henri IV et j'ai la prétention de savoir très bien ce qu'on me doit et cela n'empêche pas que je trouverais tout naturel qu'on ne me donne pas le pas sur la duchesse d'Orléans. »

Cette naïve superstition de M. de Guermantes et de ses hôtes pour la grandeur royale, cette préoccupation au fond exclusive du rang, de la naissance, mêlée à la politesse la plus exagérée pour ceux qui n'en avaient pas, à la faveur de tout cela, je voyais de nouveau, à leur place, de petits personnages du XVIIᵉ siècle dont ils avaient par éducation et atavisme recueilli la mentalité qu'ils ne comprenaient plus et que je pouvais dégager de leurs plus vulgaires paroles comme un chercheur qui, dans les propos grossiers d'un paysan breton, retrouve telle image du Moyen Âge ou même de l'Antiquité qu'il ne comprend plus. Dans ce respect, cette révérence à la dignité des Bourbons et en général pour les chefs d'armes de leurs maisons je reconnaissais la révérence profonde que faisait le duc d'Orléans au petit Louis XV de sept ans quand il le quittait et les expressions qu'il employait en lui parlant : « le respect que je dois au roi etc.[1] » *(mettre cette phrase dans la précédente)*.

À[a] mettre à la fin des conversations de ce dîner.

Si chacun des convives du dîner[2], en affublant son nom d'un corps et d'un esprit qui me paraissaient pareils ou inférieurs à ceux de toutes les personnes que je connaissais, m'avait déçu comme l'homme ou la femme quelconques qui tout à l'heure étaient Titania et Hamlet[3] et dont nous faisons la connaissance à la ville, du moins j'attendais encore que recommencent à se célébrer les mystères de leur vie[4]. Ils ne s'étaient pas réunis pour se dire seulement les paroles que j'avais entendues. À vrai dire, si le titre de Mme de Guermantes l'enfermait pour moi comme dans une tourelle gothique où se succédaient les occupations mystérieuses pour lesquelles les jeunes filles de la bourgeoisie qui épousent un grand seigneur délaissent leurs anciennes amies, je ne l'avais jamais aperçue jusqu'ici qu'en train de se livrer aux mêmes occupations que toutes les femmes, mais j'avais pensé que c'était sous cet aspect seul qu'elle avait voulu que je la visse, flânant un instant sur le seuil du château, au bord de son nom. Mais à ces moments-là, elle n'était pas elle-même et devait bien vite rentrer pour redevenir la duchesse de Guermantes. J'étais plus étonné ce soir qu'au cours de ce dîner où se trouvaient en somme les mêmes personnes qu'elle recevait d'habitude et qui faisaient aussi partie du faubourg Saint-Germain, ma seule présence eût suffi depuis déjà deux heures à ajourner la célébration des mystères. On ne disait que des riens sans doute parce qu'on ne voulait rien dire devant moi. J'avais presque de la gêne pour toutes ces personnes du vide de leur causerie, et j'en éprouvais surtout des remords car je sentais que ma présence était cause qu'elles se contentaient, tant que j'étais là, de dire des choses insignifiantes et d'ajourner le plaisir qu'elles s'étaient proposé. Toutes étaient venues, empressées, ravies, remerciant Mme de Guermantes de son invitation, toutes armées sans doute pour leurs jeux favoris. Et voilà que cela ne commençait toujours pas, qu'elles parlaient comme pour tuer le temps, et parfois même laissaient tomber la conversation. Aussi, dès que je l'osai, je voulus me retirer et fus bien étonné de voir M. et Mme de

Guermantes mettre une grande insistance à me retenir, à me demander de rester après les autres convives. Je fus encore plus étonné d'entendre chacun de ceux-ci en se retirant remercier avec effusion Mme de Guermantes de cette soirée « délicieuse », disaient-ils, et lui donner rendez-vous à un prochain dîner chez la princesse de Guermantes comme à une fête du même genre. Je commençais à être traversé par le soupçon qu'il n'y avait peut-être pas derrière l'apparence humaine de M. et Mme de Guermantes, derrière l'apparence de leur maison, de leurs amis, de leur vie cet au-delà mystérieux que j'avais supposé. Je restai le dernier.

Les[a] invités se retirèrent de bonne heure, mais M. et Mme de Guermantes me retinrent encore un peu. Mme de Guermantes me parla de sujets de littérature auxquels elle savait que je m'intéressais particulièrement. Droite sur sa chaise, remuant légèrement son éventail, elle voulait montrer de l'auteur dont je m'occupais alors une connaissance superficielle et peut-être acquise le jour même, mais enfin assez rare chez une femme, citant à propos le nom de ses ouvrages, me posant des questions qui pussent me permettre de mettre en valeur ce que j'avais étudié, tout en faisant signe qu'on rapporte un peu d'orangeade, et comme si sa culture, les raffinements intellectuels de son amabilité, n'étaient qu'une partie de ses devoirs de grande maîtresse de maison. Elle se dit heureuse que le tableau d'Elstir m'ait intéressé, et aurait voulu pouvoir m'en montrer un plus important qu'elle avait hérité d'une parente allemande mais qui s'était trouvé « fieffé[1] » dans son château et qu'on ne pouvait en faire sortir. « Vous ne connaissiez pas cela, une peinture fieffée », dit-elle en riant et elle me parla de certains tableaux de Hollande assez peu connus qui montraient qu'elle en avait intelligemment visité les musées et que ce tableau d'Elstir lui rappelait. M. de Guermantes[b] l'écoutait avec admiration[2], de quelle science elle faisait preuve, avec quel tact elle avait l'air seulement de recevoir de moi des connaissances qu'elle avait déjà, cependant qu'il admirait sa prestance célèbre, la façon dont elle veillait à tout le confort de sa réception, causait longuement avec le cuisinier des plats qu'il ferait. Il écoutait avec émerveillement les noms de ces tableaux hollandais qu'elle connaissait et citait à propos, toujours droite dans sa chaise, aimable avec moi, me réoffrant de l'orangeade, faisant battre son éventail[c]. Il se disait qu'il n'y avait pas dans tout le faubourg Saint-Germain une seconde femme sachant recevoir comme elle, capable de tenir tête à n'importe quel intellectuel et ayant gardé les grandes traditions de l'hospitalité d'autrefois.

Je[a] ne sais pas au juste à quel endroit j'ai décrit le duc en admiration devant le savoir d'Oriane comme le marquis de Castellane devant sa femme[1]. J'ajouterai (capital) : il est vrai qu'à d'autres moments, quand le duc parlait avec la suffisance d'un homme habitué à ne pas être interrompu, si la duchesse hasardait quelque réflexion inopportune, il lui lançait un regard de ses petits yeux jaunes, qui maintenant n'avaient plus l'air de deux monocles mais de deux balles[2] et, se taisant, immobile, la tenant pendant quelques minutes sous leur feu braqué, il nous donnait la sensation que quelquefois quand les invités n'étaient pas là le ménage ne devait pas marcher tout seul.

Et moi[b], cependant, je les regardais aussi tous deux, qui jadis, portés sur les eaux de leur nom, de leur vie, flottaient, réalité inimaginable, toujours au-dessus de ce que mon imagination se forgeait. Maintenant ils étaient là devant moi. Quand il disait : « Et vous, Rosemonde, vous ne prenez pas d'orangeade ? », c'était bien à cette fameuse Rosemonde de Guermantes dont on m'avait parlé comme d'une femme que je ne pourrais pas connaître, qui ne voyait que la crème du faubourg Saint-Germain qu'il s'adressait. C'était un de leurs mystérieux entretiens. Ils étaient là devant moi, comme retirés de leur nom, du nom détruit aussi, de leurs amis, n'étaient plus qu'un homme à longues moustaches comme j'en avais vu porter à beaucoup de banquiers, appartenant à une couleur, un type de figure que je connaissais bien ; elle, une femme, une femme en chair et que le petit signe qu'elle avait au coin du nez mettait plus impérieusement encore dans la catégorie de la chair. Eux-mêmes, quand ils pensaient à eux, ne voyaient pas autour d'eux leur nom, ils étaient simplement et pour eux-mêmes un monsieur et une dame, qui commencent à désirer que leur invité s'en aille car il est onze heures et qu'ils vont à la messe de bonne heure le lendemain.

À peine je les eus quittés, et faisant quelques pas dans la rue avant de monter me coucher, que je commençai, en faisant tourbillonner ma canne, à m'écrier moi-même : « Quels gens intelligents, bons, charmants, instruits. » Ces paroles n'exprimaient pas tout à fait ma pensée[c].

Il[d] semble que nous puissions à notre choix livrer notre vie à l'une ou l'autre de deux forces, à l'un ou l'autre de deux courants, l'un qui vient de nous-même, de nos impressions profondes, l'autre qui nous vient de dehors. Le premier porte naturellement avec lui le plaisir (d'où la joie des créateurs, cette joie que j'avais eue sur la route de Guermantes en cherchant à comprendre l'impression éveillée en moi par les deux clochers). Le second n'est pas accompagné de plaisir ; nous y en ajoutons à la réflexion, mais qui est factice, d'où chez les mondains un incurable ennui, une tristesse qui va quelquefois jusqu'au suicide.

En revenant de chez la duchesse de Guermantes mon impression en somme était double[1]. Il arrivait souvent que j'avais dîné avec quelque personnage intéressant, quelque ambassadeur étranger, qui nous avait fait quelque récit curieux, émouvant, sur un point d'histoire contemporaine, qu'il avait bien connu. Au moment même de ce récit, les réflexions de l'homme important ne m'avaient causé aucun plaisir mais une fois seul je me les redisais. Je me répétais tel récit, glissais ces ternes images de ma soirée dans une sorte de stéréoscope intérieur où elles m'apparaissaient énormes, vivantes, telle anecdote sur l'empereur d'Allemagne, qui m'était absolument étrangère, telle conversation qu'un prince allemand parent des Guermantes avait eue avec le général Botha[2] sur la manière de faire la guerre des Anglais, tous propos qui ne pouvaient en rien éveiller ma pensée personnelle et le courant de l'intérieur à l'extérieur qui était ma vie ; mais le besoin de ne pas avoir perdu ma soirée, l'activité de l'homme du monde que chacun porte en soi et qui est toujours prêt à prendre la place du poète, le plaisir factice que dans la solitude on trouve à se rappeler, avec une passivité continuée mais exaltée, ce qu'on a appris dans la société, me faisait grandir démesurément l'importance de ce que j'avais entendu ; et si petits et plats pendant le dîner, maintenant introduits par moi dans une sorte de stéréoscope intérieur, prenaient un relief, une vie, une couleur, que leur prêtait seulement en moi quelque chose qui était trop peu sincère, trop peu profond pour que je pusse éprouver un plaisir véritable. Celui que me donnaient les images du général Botha dans le stéréoscope mental était si incomplet et restait si mondain que j'éprouvais aussitôt un immense besoin de l'achever en allant refaire le récit, grandi, coloré, rendu vivant à quelque Mme Swann ou Mme de Villeparisis qui ne l'avait pas entendu. Il était trop tard. J'étais forcé de rester chez moi, tout seul, et je le déplorais. Que pouvais-je faire en effet de la solitude, à un moment où je n'étais pas moi-même, mais un homme social, un montreur de vues prises par d'autres ?

Pour[a] les trouver vraiment intelligents il eût fallu que j'eusse oublié leur manière de parler, les réflexions ridicules qu'ils avaient faites sur Balzac, tout ce qui, si je l'avais entendu dire à quelque ami de mes parents, m'eût fait sourire de pitié. Pour les trouver instruits, il fallait que je me cache volontairement à moi-même ce qu'avait de factice le sourire de Mme de Guermantes, que je ne sente pas, par sa manière souvent inexacte d'employer les mots, combien peu profondément les connaissances littéraires avaient pénétré en elle, avaient mis peu de clarté dans son esprit et de précision dans son langage. J'étais obligé pour m'extasier sur la bonté de la princesse de Parme de fermer les yeux sur ce que j'y avais senti de mondain. Et si elle et le rhingrave avaient dit des choses fort sensées et qui m'avaient surpris dans leur bouche sur l'éducation, sur la frivolité des bals, sur l'utilité des lectures et des voyages sérieux pour une jeune fille, et les éducations sérieuses, je les avais cent fois entendu répéter par mes parents sans les trouver autres que poncives et ennuyeuses, tandis que la frivolité des bals me paraissait quelque chose de plus délicieux, <ces choses> m'avaient charmé dans la bouche de ces personnes frivoles qui, parce qu'elles honoraient la lecture et l'amour du foyer, en faisaient tout d'un coup à mes yeux des choses encore plus délicieuses que le bal et le plaisir. Mais même après que j'avais vu combien ils différaient de leur nom, ce nom continuait à agir sur moi, à donner un prix à leur amabilité, à me la rendre délicieuse, à m'animer de plaisir et mon admiration*a* n'était en réalité que le contreseing que notre intelligence est bien obligée de donner à nos émotions, fût-ce en s'abaissant quand ces émotions sont basses. Quand un plaisir causé par l'amabilité de personnes brillantes mais médiocres, ou même la cordialité, l'affection touchante d'amis aimés, mais médiocres, nous cause, quand nous les avons quittés, une sorte d'exaltation, notre intelligence est obligée de nous déclarer à nos propres yeux tels que l'amabilité des uns, l'affection des autres puissent nous faire plaisir, et d'appeler qualité ou mérites chez eux ce <qui>, si aucune émotion humaine ne venait s'y mêler, si nous jugions sincèrement, par exemple, si ce qu'ils nous ont dit nous l'avions lu dans un livre, nous ferait hausser les épaules. D'ailleurs ne nous est-il jamais arrivé, étant encore adolescents, quand nous lisions les articles d'un critique coté « bel artiste », « éminent esthète », d'avoir lu avec respect tel article où pourtant dans chaque phrase il nous semblait y avoir de ces incohérences d'image qui sembleraient le signe d'une pensée peu forte ? Mais on nous avait répété qu'il était le premier des critiques d'art contemporains. Il employait certains mots, donnait leur forme grecque aux noms des dieux, l'emploi desquels nous semblait révéler une supériorité incontestable, indépendamment de la beauté des phrases où on les introduisait, en sorte que tous ceux qui disaient « Zeus assembleur de nuées[1] » nous parais- saient appartenir à une catégorie d'esprits supérieurs à ceux qui, si bien qu'ils écrivissent, disaient « Jupiter ». La fâcheuse manière d'employer certaines images de la princesse de Parme ou de Mme de Guermantes, n'était-elle pas comme les manies du critique, devais-je m'arrêter à eux quand je savais que Mme de Guermantes était une femme supérieure, que la princesse de Parme était une des lumières de l'Europe ? Ma croyance en leur

valeur intrinsèque ne devait-elle pas balayer ces petites critiques ?
Pour ce qu'ils disaient comme pour ce que lui écrivait la signature
était tout. Ces propos, quels qu'ils fussent, c'étaient les propos
de la duchesse de Guermantes, de la princesse de Parme,
c'est-à-dire quelque chose d'émanant de personnes inestimables,
et plus précieux en sa banalité que ce qu'aurait pu dire de mieux
tout inconnu. Peut-être*ᵈ* même cette manière de parler si inexacte
qui m'avait tellement frappé chez eux tous était-elle particulière
aux gens du monde, comme de bien savoir comment on doit
s'adresser à une altesse et à quel moment on doit passer le
château-yquem ? Volontiers je me fusse exercé à tâcher de parler
de même et je n'étais pas éloigné d'essayer sur mes amis de dire
de temps en temps comme M. de Guermantes : « quelque chose
qui n'est pas dans la note ». Le plaisir que j'avais à sentir la
charmante gentillesse pour moi de ces illustres personnes ajoutait
à ces moments que j'avais passés chez eux un coefficient tel,
quoique indépendant de la valeur réelle de ces instants, qu'ils
dominaient tout l'horizon de ma pensée, où avant d'aller chez
eux ils m'avaient paru un plaisir peu important. Quant à
l'impression causée par le feu, et qui alors me semblait si
importante que je trouvais mal d'aller chez Mme de Guermantes,
non seulement je ne la voyais plus en moi, mais l'importance
qu'elle avait pu avoir avait disparu. D'ailleurs me parlant à
moi-même comme à un étranger, c'est-à-dire pas en pensée, et
reportant sur des êtres qui au fond étaient sans intérêt véritable
pour ma pensée le trop plein du plaisir qui était en moi, je n'aurais
pas pu écrire, c'est-à-dire me résoudre à congédier, à faire sortir
de moi-même, l'interlocuteur avec qui je causais, comme on
cause, sans exprimer sa pensée, à fuir la société, que j'avais
suscitée en moi pour ne pas laisser sans compagnie l'être sociable
que j'étais en rentrant de ce dîner, et la conversation intérieure
qui pour ne pas < être > parlée à haute voix est aussi frivole
que l'autre, et à rechercher la solitude avec moi-même. Pourtant
j'avais l'impression amère que je devais toujours avoir dans le
monde que je n'avais eu aucun plaisir et que j'avais perdu mon
temps. Mais comme tous les raisonnements qui essayent de pallier
l'absence d'un sentiment instinctif, par exemple les raisonnements
par lesquels on essaie de se prouver qu'on a bien agi quand on
n'a pas la joie de conscience qu'une bonne action apporte avec
elle — ou par lesquels, quand on se sent malade et qu'on devrait
se priver d'un plaisir, on se persuade par des raisonnements
chimico-physiologiques qu'il pourra en résulter un abaissement
de température — ou par lesquels, quand on n'est pas content
d'un livre qu'on a fait, qu'il est intéressant d'avoir pu écrire tant
de pages neuves sur un sujet si difficile et qui n'avait jamais été
traité, à défaut du plaisir que je n'avais eu, et du sentiment de

temps bien employé que je n'avais pas, je récapitulais toutes les choses intéressantes que j'avais faites, connaissance de personnes qui m'avaient raconté sur l'empereur d'Autriche des choses que j'eusse en vain trouvées dans un livre d'histoire, etc. En somme pourquoi avais-je du remords d'avoir passé une soirée à rien faire ? Puisque j'avais entendu dire ces choses que je n'eusse pas trouvées dans un livre d'histoire, c'est comme si j'avais travaillé. Quand quelques jours après je passai toute une journée avec M. de Guermantes au lieu de travailler, je me dis qu'en somme j'avais pu faire sur lui des remarques psychologiques, et que je n'avais pas perdu ma journée. Pourtant je rentrais triste tandis que quand j'avais produit quelque chose ou même quand j'étais resté à rien faire mais pour le plaisir d'être seul avec moi-même, de jouir de l'instant présent, je chantais comme une poule qui vient de pondre un œuf, ou comme un oiseau immobile sur une branche[1]. Quand j'avais passé une journée à faire des visites, je substituais, pour m'en consoler, au vide de ma journée, les sept, huit formalités utiles que j'avais remplies. Je n'avais rien fait de ma journée, mais j'avais casé dans ma journée des visites utiles dont il eût bien fallu un jour ou l'autre me débarrasser, et si je n'avais pas vécu, j'avais supprimé quelques-uns des obstacles qui m'empêchaient de vivre. Quand j'avais eu du plaisir, que ce fût par la paresse ou la fainéance, je ne comptais plus les choses que j'avais faites, car elles n'étaient pas des ennemis sans cesse renaissants d'ailleurs dont je m'étais débarrassé, je n'avais rien à démontrer, dégageant les parties encore virtuelles de ma pensée par le travail, ou en vivant avec moi-même par la fainéance et la rêverie, j'avais accédé à la vie et, ma plume posée ou immobile[a] à ma fenêtre, comme une poule qui vient de pondre un œuf — ou comme un oiseau sur la branche — je chantais. Mais pour me faire à moi-même ce mensonge de les trouver intelligents, supérieurs, exquis, je trouvai <une> complice dans ma grand-mère qui, sans doute heureuse que j'allasse dans un milieu qu'on jugeait distrayant, utile, destiné à développer en moi des points de vue qui s'opposaient à la nervosité et à la bohème, non seulement rit de l'histoire : « Rome, j'ai acheté un chapeau etc. », approuva les principes de la princesse de Parme, apprécia que Mme de Guermantes se rappelât les musées de Hollande mais disait : « En somme c'est un milieu bien intelligent, ce doit être une femme bien distinguée. Elle doit être charmante, jolie, bonne, aimable, instruite en littérature, en peinture » comme si elle avait voulu que je cultive un milieu que je ne pouvais cultiver que par snobisme, mais que pour ne pas mentir à ses principes, et ne pas me démoraliser, en me laissant faire quelque chose que je faisais par snobisme, elle voulût me faire croire qu'en faisant cela, je ne faisais que céder à un goût bien légitime pour l'intelligence, la vertu, la bonté et l'histoire de la peinture flamande.

Je[a] me félicitais d'avoir été admis à entendre ces conversations curieuses, exalté de reconnaissance pour les Guermantes, je me répétais les paroles de l'ambassadeur dans le silence de la nuit, j'aurais voulu pouvoir les raconter à quelqu'un, lui faire partager mon plaisir. Mais par cela même je comprenais que ce plaisir de société que j'avais eu ne pouvait avoir que des suites sociales ; il ne me faisait pas entrer plus profondément en moi-même, il me changeait en une espèce d'acteur qui répétait les choses qu'il avait entendu dire ; certes j'étais embrasé, j'éprouvais un vif sentiment de chaleur, d'électricité intérieure, mais que je ne songeais à transformer qu'en mouvement, non en lumière. Or je sentais que c'était aller à contre-sens de ma véritable nature. Plus je voyais des gens, plus ma pensée, comme il arrive dans nos rêves, était pleine des figures que j'avais vues. Mais tout cela n'était pas tiré de moi-même, n'augmentait pas ma valeur intérieure. Je pourrais tous les jours passer des soirées pareilles, en revenir aussi exalté, je ne gagnerais pas plus en valeur que si je m'étais grisé tous les soirs, peut-être moins, car si je m'étais grisé je serais peut-être resté seul. Et je sentais que ce plaisir social n'était pas du plaisir, que le plaisir c'était ce que, sans comprendre pourquoi cela me rendait si heureux, ce que j'avais éprouvé à Combray quand j'étais arrivé à démêler l'image des deux clochers peints sur le ciel[1], analogue à ce que je devais éprouver plus tard à chercher ce que me rappelait le goût de la madeleine trempée dans la tasse de thé. Malgré cela ce que je recherchais c'était les soirées où je rencontrais des gens que je me persuadais être agréables, et dont je me répétais les conversations avec un plaisir probablement incomplet et où cependant ma pensée n'était pas intéressée puisque je brûlais de les réciter à d'autres, mais en attendant ne pouvais que me les répéter tout haut, sentais bien que je ne pouvais en rien les approfondir dans la solitude et les < transformer >, car on ne peut travailler en soi-même que sur une impression absolument vraie et que celles-là, si agréables qu'elles fussent, étaient malgré tout un peu factices.

Il[b] vaudrait mieux mettre la conversation de M. de Vedel, je me la répète, je m'aperçois que je ne fais que la répéter en pleurant presque, mais que je ne cherche pas à la transformer et que je cherche des gens à qui la redire. À ce moment je pourrai peut-être avoir une impression poétique vraie (comme les arbres avec Mme de Villeparisis) ; je sens la différence du bonheur et du faux plaisir. Mais je continue à rechercher le second. Ce pourrait être même Mme de Villeparisis qui me dit ces choses intéressantes. Je descends de voiture pour me sentir seul et je vais contempler les trois arbres.

Aussi[a] acceptai-je presque chaque semaine d'aller dîner chez M. et Mme de Guermantes[1] dont le grand plaisir était d'avoir presque chaque soir où ils ne dînaient pas en ville fût-ce un ou deux amis à dîner, et avec qui ils m'invitaient toujours, à moins que ce ne fussent des gens si ennuyeux que Mme de Guermantes disait à son mari : « Non, ne l'invitez pas ce jour-là, sans cela il ne viendra plus. » Ces dîners auxquels ils m'invitaient, si peu nombreux qu'on fût, étaient une sorte de célébration rituelle en ce sens que, n'eussent-ils que deux invités, le menu était toujours aussi raffiné, donnait du plus vieux château-yquem et des plus rares ortolans à des intimes, que M. de Guermantes et Mme de Guermantes s'habillaient comme s'il y avait eu vingt personnes et que même avec les intimes leurs rapports étaient empreints d'une grande politesse et d'une grande cérémonie, avec étalage des titres de « mon cher prince » et de « ma chère duchesse » entre gens qui se connaissaient depuis vingt ans[b].

Ces gens si bien habillés et si polis étaient aussi très simples. Débarrassée de cet apprêt de paroles factices que les bourgeoises, quand elles dînent en ville (en même temps qu'elles mettent une aigrette de cailloux du Rhin[2] dans leurs cheveux et prennent un manteau comme on fait cette année), croient devoir épingler sur leurs préoccupations naïves, et qui s'orne de tout ce qu'elles s'imaginent chic (avoir été invité à une première, à un vernissage, être allé à la Chambre, être abonné au téléphone, aller au mois d'août à Cabourg[3], avoir une amie qui a une loge à l'Opéra), la conversation des convives de Mme de Guermantes laissait au contraire à *[un mot illisible]* les sujets les plus simples de la vie, dont ils s'entretenaient d'autant plus familièrement que M. et Mme de Guermantes étaient aussi très simples. Comme M. et Mme de Guermantes me présentaient à eux dans les termes les plus chaleureux, comme un ami qu'ils aimaient tout particulièrement, ils tenaient à montrer ce que cela signifiait pour eux en me traitant comme les amis qu'ils avaient toujours connus, en ajoutant cette pointe de sympathie bienveillante et de curiosité qu'on éprouve pour un être qui vous est ainsi désigné, qui vous est ainsi recommandé, quand de plus il est inconnu et tout jeune. De sorte que les dîners délicieux où j'étais invité à venir manger des perdreaux cuits suivant une recette particulière à M. de Guermantes, de la purée de marrons cuite d'une manière que je ne connaissais pas, consistaient en même temps, comme les repas des premiers chrétiens, en une sorte de communion mystique où j'assimilais en même temps que l'aile de perdreau et les pointes d'asperges, la connaissance des différents amis de

M. et Mme de Guermantes et des personnes aussi qu'ils voyaient
moins souvent, du duc d'Aumale, pour qui ils donnaient un dîner,
de leur nièce allemande de passage. Après le dîner venaient
habituellement des hommes qui venaient plusieurs fois par
semaine passer leur soirée chez M. et Mme de Guermantes, et
qui venaient passer là une heure, soit dans la sombre galerie où
on restait causer, soit, quand le printemps fut venu, dans le jardin
obscur. Il y avait parmi eux des < gens > intelligents, d'anciens
officiers qui parlaient bien des choses de leur vie. Pour tous, du
reste, l'éducation avait été une sorte de gymnastique de l'esprit
de finesse qui l'avait développée et lui avait donné l'habitude
de se mettre avec agilité à la place des différents amours-propres.

Cette*a* sorte de manducation mystique du même genre qui,
pour les plus vieux habitués de Mme de Guermantes n'avait pas
besoin d'être accompagnée du symbole matériel du repas, était
probablement pour eux leur manière d'appréhender, dans ce
nom, dans ces noms, qui avaient apporté tant d'images, une
substance toute différente, une sorte d'aliment social. C'était
quelques hommes, quelques-uns seulement gens du monde,
d'autres anciens officiers ou anciens diplomates, dont on était
toujours sûr de voir l'un ou l'autre venir en visite après le dîner,
causer une heure, prendre un verre d'orangeade, alors que tant
de femmes de grands financiers, tant de femmes nobles, plus
riches que Mme de Guermantes mais d'une situation moindre,
auraient tant souhaité les avoir pendant ce temps-là dans leur loge
à l'Opéra, ou à leurs somptueux dîners après lesquels on
applaudissait les plus grands chanteurs. Plusieurs d'entre eux
étaient des gens vraiment intelligents, et parlaient très bien des
choses de leur ancien métier. Si on parlait de la politique actuelle
ils gardaient le silence[1], mais ne disaient jamais un mot qui pût
blesser, même des absents eût-on pu dire, puisqu'ils étaient tous
à peu près de même opinion. Mais la violence de cette opinion
ne s'exprimait que par la profondeur de leur mutisme. Leurs
propos avec moi semblaient toujours impliquer (alors qu'ils
savaient que c'était faux) que chacun devait souhaiter de me
connaître. Si je disais que j'avais dîné avec la princesse de Parme,
là où un petit bourgeois eût dit : « Vous avez dû être content »
ou « Cela devait être assommant », eux, se mettant à ma place,
comme des psychologues qui sont détachés de leur propre
amour-propre et savent venir se placer au milieu du vôtre, me
répondaient avec un sourire pénétré : « Ah ! elle a dû être bien
contente. Du reste elle est très intelligente. Je la vois demain,
certainement elle va m'en parler, et je vais pouvoir me faire
valoir, dire que moi aussi je vous connais, qu'il n'y a pas qu'elle. »
Et si je disais que j'irais la voir : « Ah ! elle a de la chance la

princesse de Parme. Sérieusement, je suis sûr que vous lui ferez
très plaisir, elle sera certainement ravie. » Si ces hommes dans
leur personne et dans leur conversation ne possédaient rien du
charme de leur nom et ne le ressentaient probablement pas, ils
s'attachaient cependant avec beaucoup de force à une autre face
en quelque sorte des noms, laquelle n'est pas perceptible à
l'imagination ou à l'intelligence, mais à un sens particulier que
je ne possédais pas, permettant à leur instinct mondain de trouver
une nourriture à sa convenance[a].

Ces[b] quelques maîtresses de maison célèbres à qui il[1] avait
toujours refusé plus obstinément qu'aucun de se laisser jamais
présenter auraient, s'il avait voulu aller chez elles, offert des
plaisirs qui lui eussent été particulièrement sensibles. Ce grand
chasseur aurait trouvé là à certains jours des battues qui eussent
donné à son spectacle favori une ampleur qu'il ne pouvait certes
pas retrouver ailleurs et moins que partout aux maigres chasses
de Guermantes, et qui lui auraient donné la même joie qu'à un
artiste de voir représenter avec un orchestre un opéra qu'il n'a
jamais entendu qu'au piano. Dernièrement à l'occasion de la
venue du roi d'Espagne, la femme d'un de ces grands financiers
qui devaient recevoir Alphonse XIII pendant deux jours à une
de ses chasses avait prié l'ambassadeur d'Espagne de tâcher
d'obtenir que le duc d'Étampes vînt chez elle, mais ç'avait été
peine perdue. Il avait refusé aussi bien la chasse que l'Opéra,
les dîners, les soirées magnifiques. Deux ou trois fois par semaine
en revanche il venait après le dîner chez Mme de Guermantes
qui l'accueillait beaucoup avec moins de joie que n'eût fait la
femme du grand financier, et il restait une heure ou deux à causer,
dans la galerie ou dans le petit jardin obscur, non par snobisme
certes — aucune situation mondaine n'était plus grande que celle
de ce premier duc de France — mais parce que le nom des
Guermantes, comme celui des autres amis qu'il fréquentait, lui
présentait des notions anciennes, cet ensemble qui n'était même
pas pour lui une garantie rationnelle qu'il pouvait aller chez eux
sans descendre mais qui, quand il était fatigué d'être seul, avait
pour son appétit de société le goût familier, sapide, rassurant et
sain d'un mets de bonne qualité qui fait notre ordinaire succulent
et mangeable. Il regardait au contraire de loin les fêtes des gens
qui n'étaient pas de ce milieu comme une table où la nourriture
sociale eût été fastueuse mais frelatée. Le dégoût qu'il en avait
était d'ailleurs trop sincère pour qu'il en fît montre et qu'il se
permît même un mot de critique pour eux. Quand on lui
demandait : « Allez-vous ce soir chez la baronne X qui a pour
le roi d'Angleterre comédie, ballet, bal, chasse et feu d'artifice ? »
il faisait simplement de sa tête blanche que non, et ne disait pas

qu'il avait été fort sollicité par des intermédiaires de s'y rendre et avait préféré venir chez les Guermantes qui ne lui offriraient qu'un verre d'orangeade.

Ces hommes savaient si parfaitement l'histoire de ces noms dont leur imagination ne connaissait pas la beauté que chacun résumait pour eux, avec la clarté de la précision d'une formule algébrique, toutes les alliances, illustrations, hauts faits, grandes charges dont il était l'équivalence. Par là M. de Guermantes et ses amis étaient en quelque sorte, sans faire montre de leur science le moins du monde, comme les lettrés, les grammairiens, les érudits des noms et leur esprit était, comme certains marbres ou certains papiers anciens, quadrillé et chiné de mille dessins qui n'existent pas à la surface du nôtre et qui, joints à toute leur science des manières, des égards, de l'étiquette, mettaient sous le personnage insignifiant qu'ils montraient un autre personnage complexe et rempli de notions. Ces notions, ils n'en possédaient d'ailleurs que la partie matérielle, et n'en éprouvaient que l'intérêt pratique, ne pensant pas que cela eût aucun rapport avec l'intelligence et la littérature, se jugeaient intelligents ou littéraires dans la mesure où ils en étaient affranchis mais en réalité me plaisaient par là en parlant le langage de réalités poétiques pour moi et non pour eux, plus que des gens intelligents, comme la conversation des matelots nous évoque la poésie de la mer qu'ils ne sentent pas, en nous parlant des vagues, des poissons, du brouillard et de la lune. Comme le prix de leurs noms était pour eux un avantage purement pratique et qu'ils en causaient comme d'intérêts de famille, ce genre de conversation leur paraissait terre à terre et presque d'aussi mauvais goût que de parler de leur fortune. Et, sauf M. de Guermantes qui semblait trouver quelque chose de si amusant à ce qu'une personne — même s'il ne la fréquentait pas, ne la connaissait pas, ne voulait pas faire sa connaissance — fût sa parente, qu'il ne pouvait, si on la nommait, le laisser un seul instant ignorer, c'était au contraire évasivement, du bout des lèvres, du ton le plus détaché, comme il convient pour un renseignement purement pratique et sans intérêt que le duc de Limoges, par exemple à propos de la mort ou du mariage de [*un blanc*] demandait qu'on lui rappelât qui avait épousé les filles de la défunte, de qui venait au fiancé son titre de prince ou ses grands biens. Parlait-on d'une femme quelconque, la voix de M. de Guermantes bondissait dans le petit jardin obscur et s'écriait, comme s'il eût craint de retarder d'une minute cette grande nouvelle : « Mais parbleu ! c'est une nièce ! » Quelquefois un des invités, le duc de Limoges par exemple, disait avec politesse[1] : « Mais, pardon, comment est-elle donc votre nièce ? Je sais bien qu'elle est parente avec Rosemonde, mais avec vous je ne vois pas comment... — Comment ? disait

M. de Guermantes. Vous me demandez conseil ? Mais c'est bien
simple, elle est même plus parente avec moi qu'avec Rosemonde.
— Ah ! oui, interrompit le duc, c'est vrai, sa mère était une
Bouillon de la branche allemande[a]. — Mais c'est pas du tout par
là, disait M. de Guermantes, les deux branches ne se sont pas
alliées ensemble depuis Louis XIII, c'est bien plus près, c'est par
la mère de son père, une Noailles, dont la mère était Montansier
comme mon arrière-grand-père. » J'aurais voulu connaître ainsi
toute la généalogie de tous les gens que je voyais là, comme
j'aurais voulu connaître l'histoire et les habitants d'une ville où
j'avais passé. Car la réalité mystérieuse de ces gens était pour moi
leur nom, je pénétrais plus avant dans cette réalité en connaissant
son histoire.

« C'est[b] tout à fait intéressant ce que vous racontez là,
Adolphe, disait ironiquement Mme de Guermantes. Mais
savez-vous que vous êtes tous très ennuyeux, ce soir, et ce jeune
homme, ajoutait-elle en me désignant, ne reviendra plus si vous
parlez de choses aussi bêtes. J'aime beaucoup Agrigente mais
m'intéresse aussi peu que ce soit aux différents mariages de son
arrière-grand-mère ! » Je n'osais pas dire à Mme de Guermantes
que c'était au contraire, de tous les propos qu'échangeaient ses
amis, les seuls qui m'intéressaient, les seuls[c] où reposait leur
puissance, maintenant qu'on les prononçait, maintenant qu'on les
citait et qu'ils n'étaient plus incarnés dans des personnes
quelconques dans le salon de Mme de Guermantes. Au fur et
à mesure que je prenais contact avec ceux qui les portaient, les
noms < n' > adressaient plus qu'à mon imagination ces créatures
qui n'avaient plus de rapports — dans la mention qu'on faisait
d'une alliance, des alliances, c'était forcément ce à quoi aboutit
toute question de parenté, de filiation, de généalogie — qu'avec
d'autres noms. C'était assez pour que devant ma pensée, tandis
qu'ils parlaient, défilassent des noms désincarnés, qui n'étaient
plus que des noms et qui, rapprochés quand on indiquait une
filiation, une alliance de noms avec lesquels je ne savais pas qu'ils
eussent de la connexité, changeaient en quelque sorte de place
dans mon esprit où ils étaient déjà pétrifiés, sclérosés, et où ils
reprenaient leur vie et leur élasticité.

Le[d] nom du prince d'Agrigente se trouvait offusqué pour moi
d'être celui du gros homme avec qui j'avais dîné, mais il
s'enfermait précieusement dans une gaîne de rêve quand il
s'enveloppait d'un nom qui n'était pas qu'un nom : Damas[1]. Et
ces noms des habitués de l'hôtel de Guermantes, assez vagues
généralement pour moi, matière inconnue et que je prolongeais

toujours la même dans le passé, recevaient de ces alliances qu'on citait dans le courant de la conversation des déterminantes variées et imprévues. Dans toute famille historique du reste dont je connaissais le nom, même si je n'avais jamais vu les membres, dont j'apprenais à l'hôtel de Guermantes une alliance qu'elle avait faite à une époque quelconque, le rapprochement qu'elle faisait entre deux noms qui jusque-là étaient sans connexité dans mon esprit, les forçait à se déplacer, à venir l'un près de l'autre, rendait à la partie de mon esprit où ils étaient fichés loin l'un de l'autre depuis longtemps, une élasticité qui valait celle des autres, entre lesquels il se plaçait tout naturellement et où il prenait d'autant plus de beauté que son éclat était comme velouté d'ombre.

À[a] un autre point de vue capitalissime et très intéressant tout cela fait que tandis que la parenté d'un bourgeois s'enfonce dans la nuit, les recueils de mémoires, de correspondances du XIXe, XVIIIe, XVIIe, XVIe siècle me permirent de retrouver aisément tous les ascendants de M. ou de Mme de Guermantes comme des gens visibles, vivants, dont leurs amis en leur écrivant faisaient le portrait, (Mme de Castel., mère de Beaul., grand-mère du marquis de C.[1]) dans les lettres de la duchesse de Broglie[2]. Et cela me permettait par exemple de suivre les origines de telle tare nerveuse (nervosité de Mme de Castel.) et l'alternance des mères vertueuses et filles vicieuses et l'amusant des recueils moraux écrits pour les secondes par les premières.

Je voyais par lui[3] s'unir une fois de plus les Guermantes et les Montargis, cependant que par d'autres noms qu'on prononçait devant moi, d'autres liens de parenté se croisaient et s'entrecroisaient, liant ensemble dans mon esprit des maisons qui y étaient jusque-là restées loin les unes des autres sans connexité et qui maintenant s'y composaient, se fondaient, ne laissant plus de vide et de lacune comme dans un tableau bien fait où chaque partie tient aux autres, est en relation avec elles, échange avec elles, leur donne et reçoit d'elles une raison d'être et un reflet[4]. M. de Guermantes avait ainsi très présentes à l'esprit ces alliances et les grandes charges de familles dont le nom est aujourd'hui rarement prononcé, et dont le plus souvent il ne connaissait pas personnellement les descendants vivants. Comme Mme de Guermantes parlait du mariage de la nièce de M. de Norpois avec un M. de Beaucerfeuil, en s'étonnant de ce choix en disant que c'était un nom qu'elle entendait pour la première fois et alors qu'elle avait été demandée par M. de X, M. de Guermantes hocha la tête comme s'il équilibrait intérieurement une balance en mettant des poids dans chaque plateau : « Mais non, ma chère amie, c'est une erreur. Beaucerfeuil était maréchal de camp sous

Louis XIV et chevalier de l'Ordre. Il avait épousé je ne sais plus si c'eſt une Lauzun ou une Montmorency, je ne me souviens plus, c'eſt très bien. Je comprends très bien Norpois. » Un nom qui ne nous disait rien lui faisait voir à lui un maréchal de camp, la poitrine étoilée de la croix de Saint-Louis, son bâton de maréchal à la main devant Neerwinden[1], une de ces nombreuses peintures du temps dont son esprit était plein et qui me le faisait aimer comme une de ces vieilles maisons où il reste encore aux murs des portraits du XVIIe siècle authentiques, cérémonieux et médiocres en leur laque noire et rouge, assombrie et craquelée. Parfois même ce n'était pas seulement un nom de noblesse relativement peu connue, mais un nom tout à fait bourgeois qu'il se trouvait tirer de telle femme quand il voulait dire le nom de sa famille. Comme le nom d'un grand navigateur[2] par exemple, dont il nous dit : « Ma grand-mère était sa petite-fille. Les deux demoiselles X avaient épousé l'une mon grand-père, l'autre le duc de Montmorency. » C'était alors une autre forme que revêtait le nom de Guermantes, rehaussé d'une façon toute concrète dans un moment particulier de sa durée, cependant qu'il indiquait par la place inattendue qu'il prenait près de lui, le rang élevé qu'occupait le nom bourgeois du navigateur au temps de *[plusieurs mots illisibles]*. Perdant sa beauté exclusivement princière et ancienne il devenait le nom d'hommes du monde admirablement posés du temps de Louis-Philippe sans qu'une démarcation trop absolue apparût entre le nom aristocratique et le nom bourgeois, absorbés tous deux dans deux personnages en chair et en os, à favoris et en pantalons gris, tous deux fort bien enveloppés de leur nom considérable qui servait seulement à les désigner, sans qu'on remarquât presque le feston plus historié que faisait autour de l'un d'eux son nom féodal qui dans le monde signifiait seulement, comme celui du navigateur : gens de premier rang, tenant le haut du pavé. Je voyais^a le nom bourgeois se diviser en deux comme certaines graines, dans chacune desquelles se dessinait bientôt à mes yeux la forme d'une jeune fille, les deux futures duchesses, qui en robe d'organdi, en *[un blanc]*, jouaient de l'éventail aux grands bals de l'époque, courtisées pour leur beauté et leur grande fortune par deux danseurs en pantalons gris dont je voyais l'un sortir de ce nom princier de Guermantes, purifié aujourd'hui de toute relation avec les classes bourgeoises, et son inséparable < ami > qu'il avait amené avec lui au bal pour lui montrer les deux jolies héritières, le jeune duc de Montmorency^b.

Je^c n'osais pas dire à Mme de Guermantes que ces propos étaient de tous ceux qu'on tenait chez elle les seuls qui m'intéressaient, les seuls où reprenaient vie les êtres imaginaires qui s'étaient évanouis au contaƈt des êtres réels qui les portaient

— les noms retrouvaient leur beauté maintenant qu'ils n'étaient plus que des noms, maintenant que, désincarnés, ils n'avaient plus de rapports, dans la mention qu'on faisait d'une alliance — car c'est toujours à des alliances qu'aboutissaient les questions de parenté et de filiation —, qu'avec d'autres noms. La poésie que mes relations avec M. et Mme de Guermantes lui avaient fait perdre, leur nom la retrouvait quand, au cours de ces conversations il se variait et s'ornait tout le long de son arbre généalogique d'autres noms qui s'y greffaient et qui — Chevreuse, Joinville, Joyeuse, Charente, Aumale, Ligne — n'étaient pour moi que des noms dont aucun résidu d'expérience mondaine, aucune matière ne venait troubler la pureté et altérer les couleurs, dépliant des bourgeons alternatifs, teintés et translucides, comme ceux qui, dans un vitrail de Jessé, font fleurir les ancêtres de Jésus sur l'un et l'autre côté de l'arbre de verre[1].

Certes ces alliances que j'entendais citer pour la première fois étaient surtout intéressantes pour moi à connaître quand elles concernaient M. et Mme de Guermantes. Car à la nature vague, inconnue qu'était pour moi le nom de leur maison et que je prolongeais telle quelle, toujours identique dans le passé, les noms des autres familles auxquelles elle s'était alliée apportaient des déterminations variées, souvent imprévues, qui le bornaient de-ci, de-là, l'orientaient d'un côté déjà connu de moi, lui donnaient une forme, et me décrivaient ses alentours, me permettant de le situer plus exactement. Ainsi aimerait-on pouvoir par la lecture rapprocher de son histoire une ville où on a passé. Mais même quand les deux noms qu'elles réunissaient, jusque-là sans connexité dans mon esprit, étaient ceux de familles dont je n'avais pas vu les descendants, j'avais encore plaisir à apprendre de ces alliances. Comme jadis quand un camarade de classe, m'envoyant sur un papier la liste des acteurs des Français par ordre de mérite, mettait Thiron au rang où d'habitude je voyais toujours Febvre[2], en sentant un nom fiché depuis longtemps dans un coin de mon cerveau, qu'il avait sclérosé, solitaire, ne répondant à rien, Damas, par exemple, qui se mettait en branle, se déplaçait et venait se ranger à côté de celui *[interrompu]* Mon cerveau immobilisé, sclérosé par les noms qui s'étaient fichés en lui, loin les uns des autres, isolés, morts, pétrifiés, à jamais semblables à eux-mêmes — on sentait l'un de ces noms se mettre en branle dans son coin, se déplacer, venir se ranger à côté d'un autre — retrouvant son élasticité, sa souplesse, le sang recommençait à y circuler. Un des noms, effacé, introduisait dans l'autre, un peu vide, une substance nouvelle, une signification inattendue.

Parfois l'un de ces noms qui venait ainsi au XVIIᵉ siècle s'accoler au nom de Guermantes ou de La Trémoïlle était celui de tel ami des Guermantes ou de telle personnalité littéraire ou militaire d'aujourd'hui mais que je croyais, comme nom, fort obscur et récent et qui se gonflait pour moi de contenir cette union avec une La Trémoïlle qui avait marqué dans l'histoire. Il recevait, des grands emplois où j'apprenais qu'il avait figuré sous Louis XIV et de la place et du rang qu'il occupe dans les Mémoires de Saint-Simon et les lettres de Mme de Sévigné et de ces noms de Guermantes ou de La Trémoïlle, une effigie qui ciselait sa terne surface et de métal sans valeur, en faisant pour moi < une > médaille ancienne. Ces alliances, en unissant un nom < illustre > à un nom relativement obscur, restituaient à ce second la noblesse, qui était d'ailleurs en lui souvent aussi ancienne que celle du premier mais moins connue et que j'en avais crue absente, et qui maintenant m'y frappait davantage, sous ce vêtement nouveau et sombre où je n'avais l'habitude de la voir que dans les syllabes éclatantes avec lesquelles elle s'était si bien confondue qu'on n'y prenait plus garde à elle. Et l'autre nom lui-même, l'illustre, prenait par rapport à celui qu'il ennoblissait un prix qu'il n'avait pas jusqu'ici. J'étais un peu blasé sur le nom de ces Guermantes que je pouvais voir tous les soirs si je voulais, mais il redevenait tout d'un coup précieux comme nom de jeune fille de telle femme qui portait un nom peu connu, mais qui, parce qu'elle était née Guermantes, me paraissait une créature extraordinaire, comme les personnes qu'on est habitué à rencontrer et qui dans un milieu nouveau prennent tout d'un coup un relief différent, comme ces deux ou trois arbres et ce petit bout de ciel dont on paye la jouissance faubourg Saint-Honoré ou avenue Montaigne plus de mille fois le prix dont on dédaigne de l'acheter à la campagne. M. de Guermantes[a] avait l'histoire des noms très présente à la mémoire, même pour ceux dont il ne connaissait pas personnellement les descendants. Comme sa femme s'étonnait du mariage que M. de Norpois faisait faire à sa nièce. « Mais où est-il aller dénicher ce Beauchevreuil, Beaucerfeil, je ne sais plus ? Quand il avait tant de partis riches, tant d'hommes distingués et d'avenir qui n'auraient demandé qu'à épouser cette petite qui est charmante, il a fallu qu'il lui amène quelqu'un dont personne n'a jamais entendu parler[b]. — Mais ma chère vous vous trompez complètement, disait M. de Guermantes, les Beaucerfeuil sont d'excellente souche, Beaucerfeuil était capitaine des gardes et chevalier de l'Ordre sous Louis XIII où leur terre a été érigée en marquisat des plus authentiques. M. de Beaucerfeuil était général de camp sous Louis XIV et s'est distingué à Maëstricht et à Neerwinden et avait épousé je ne sais plus si c'est une Laigle ou une Durfort. C'est au contraire très bien et je comprends parfaitement Norpois. » Là où Mme de Guermantes avait entendu un nom qui ne lui disait rien, M. de Guermantes avait vu un général de camp à cheval, son bâton à la main, devant Neerwinden. Son esprit, que j'aimais à cause de cela, possédait, comme ces maisons du XVIIᵉ siècle, bien rares aujourd'hui, qui sont restées intactes, possédait beaucoup de vieilles peintures de ce genre, sans valeur mais non sans charme, et qu'il cotait à un prix qui prouvait en somme un certain désintéressement de collectionneur, presque un certain idéalisme, puisqu'il n'hésitait pas à < faire > figurer parmi les avantages d'un parti — capables de compenser l'insuffisance de la dot — quelques vieux portraits Louis XIV emperruqués, authentiques, cérémonieux et médiocres qui suspendaient aux parois de sa mémoire leur tonalité rouge et noire sous leur laque assombrie et craquelée. Et ainsi peu à peu les noms des moindres gentilshommes m'apparaissaient aussi anciens, aussi bien tissés de métaux précieux que des noms plus célèbres, comme les fils argentés d'une même tapisserie qui s'étaient souvent entrecroisés au cours de l'histoire. Des espaces entiers de ma mémoire se couvraient peu à peu de noms qui ne cessaient de s'ordonner, se composer les uns à côté des autres, sans laisser de lacune entre eux, s'unissant par des rapports de plus en plus nombreux comme dans une œuvre d'art bien faite où il n'y a pas une seule touche qui soit isolée, où chaque partie reçoit des autres et leur impose sa raison d'être et ses reflets[1]. Cette mobilité et cette vie qui naissait de leurs allées et venues n'était pas d'ailleurs uniquement dans mon cerveau, qui les sentait se détacher de la paroi où ils y étaient restés longtemps incrustés pour changer de place avec d'autres. Elle avait existé aussi autrefois dans la réalité de leur vie, comme le prouvait l'histoire de leurs alliances, et les noms tels qu'ils étaient fixés aujourd'hui n'étaient que la combinaison, ayant enfin trouvé un état stable, de parties interchangeables et vagabondes qui avaient eu jadis une existence séparée, comme ces radicaux distincts, ces métaphores aujourd'hui effacées qui sont maintenant indissolubles, confondues, difficiles à apercevoir sinon en soumettant le corps composé à l'analyse, dans la plupart des mots que nous employons.

Des noms qui forment aujourd'hui un tout indivisible comme Luynes, duc de Chevreuse, comme Rohan-Chabot vécurent autrefois séparés. Au commencement du XVIIᵉ siècle, le titre de duc de Chevreuse était fort éloigné du nom de Luynes et appartenait au prince de Joinville, jusqu'à ce que la veuve du connétable de Luynes, Anne de Rohan, ayant épousé le prince de Joinville en deuxièmes noces obtînt qu'il laissât à un fils Luynes du premier lit le titre de Chevreuse, tandis que, suivant un autre sort, le titre de Joinville a passé dans la maison de France. On connaît les longues pages qui dans Saint-Simon sont consacrées à l'alliance de la maison de Rohan avec les Chabot[2].

Tous les titres de la maison d'Albert de Luynes, de La Trémoïlle, de Rohan, qui semblent dessiner sur une seule surface un seul interminable nom, ne sont en réalité que la projection sur un plan de volumes de solides <dont> il faut replacer et réordonner les révolutions dans l'espace et dans le temps si on veut comprendre la signification de leur agencement linéaire. C'est que les éléments intégrants des noms furent d'abord, comme les éléments intégrants des mots, des choses, terres et châteaux, et le nom suivait la terre et le château d'une personne à l'autre, et signifiait ainsi successivement des familles différentes, comme les images incluses dans les mots s'appliquèrent successivement, au cours de l'histoire du langage, à des sens fort différents. Dans ce grand quadrille où des seigneurs de l'Ancien Régime se mêlaient les uns aux autres, portant chacun dans la main son château, sa terre, et son titre, l'un échangeait souvent avec l'autre les noms de Mettancourt et de Vaulincourt, de Forbin des Issarts, de Luynes et de Chevreuse, de Gramont et de Guiche, de Talleyrand et de Sagan, de Rohan et de Chabot etc., qui sont aujourd'hui agglutinés en un seul nom, un nom <qui> est d'autre part un tout séparé de tous les autres. Mais au XVIIe siècle, comme ces bernard-l'ermite qui viennent se loger dans la tourelle crénelée d'un autre mollusque, les seigneurs se revêtaient du château d'un autre, dont le nom les recouvre à demi et les masque comme ces personnages de féerie dont la tête est cachée dans l'attribut qu'ils représentent. Alors un Gramont est affublé du titre encore portatif, et qui ira bientôt rejoindre à jamais une famille toute différente, quand il ne sera plus qu'un nom et n'aura plus de réalité territoriale, de comte de Toulongeon, un Haussonville comte de Vaubecourt, un Uzès prince de Sagan, un Maillé marquis de Kerouan.

D'autres fois ce n'était pas l'alliance de deux noms nobles que rappelait M. de Guermantes mais l'alliance — les conditions où elle se présentait empêchaient de dire la mésalliance — d'un nom noble et d'un nom roturier, comme le jour où, parlant d'un navigateur qui fut fameux au commencement du règne de Louis-Philippe, il dit : « Mon arrière-grand-mère était sa fille. Il avait deux filles, très jolies, très riches, qui avaient épousé l'une mon arrière-grand-père, l'autre le duc de Montmorency. » C'était alors un autre genre de détermination, plus étroite et précise, que ce nom bourgeois, récent, dont l'éclat ne datait pas et avait commencé à une date, apportait au nom de Guermantes, soudain réalisé d'une façon toute concrète, dans un moment de son histoire, et replacé au milieu et dans la solidarité de l'histoire de ce temps-là, incarné dans un homme de sa lignée, qui était aussi un des hommes d'une certaine génération. Ce navigateur de famille huguenote colossalement riche et bien posée, devait occuper une grande situation dans le monde pour avoir pu penser à marier sa fille avec le fils de M. de Guermantes, lequel ne nous apparaît non plus que comme un gros personnage de l'époque, richement accoutré dans son nom qui ne sert plus qu'à l'identifier, à le désigner, comme une sorte d'enveloppe sociale (perdant l'image de son histoire isolée, enfermée, déroulée le long du temps sans se mêler à rien autour de lui dans l'étendue), un nom fort en vue et où il est aussi bien confortable de se draper, comme celui du navigateur, à peine un peu plus festonné sinon par le titre, qu'on prononce peu, que par la particule et la poétique sonorité finale. Je voyais le nom bourgeois se séparer en deux parties comme une graine, sur la face de chacune desquelles apparaissaient les deux jolies demoiselles — les deux futures duchesses — se rendant en robe d'organdi à un des beaux bals de l'époque, où un jeune homme sorti en pantalon gris et en chapeau [un blanc], du nom de Guermantes, était venu pour les courtiser, accompagné de son inséparable, M. de Montmorency*.

Et d'autres fois, enfin, ce n'était pas seulement une certaine époque qu'isolait telle alliance que j'entendais mentionner dans le salon de Guermantes, pour retrouver une parenté, la provenance d'une terre, ou la place qu'on donnait, ou qu'on aurait dû donner à table à un convive qui venait de partir. Là ce n'était pas seulement un noble de la Restauration, de la Régence, de la monarchie de Juillet, qu'elle évoquait, non, la précision qu'elle apportait était plus grande, ce n'était pas un seigneur, une grande dame quelconque, c'était un individu célèbre et unique qui, avec son prénom, sa biographie particulière, tragique ou romanesque, tiendrait des deux noms que le mariage rappelé avait unis. Il y avait eu par exemple à dîner chez Mme de Guermantes M. de Choiseul ou M. de Lucinge, dans les noms de qui, comme dans de précieuses sphères de cristal et d'or, je n'aurais pas su deviner les sanglantes reliques qui y étaient enfermées si, après leur départ, une question de l'un des convives n'avait fait apparaître dans la transparence des précieuses sphères de cristal et d'or qu'étaient les noms des deux convives qui venaient de sortir, deux autres noms bien significatifs. Sans le rappel d'alliances que fit M. de Guermantes après le départ de ses convives, je n'aurais pas su les sanglantes reliques qu'enfermaient leurs noms précieux et que désigna à ma vénération l'autre nom que M. de Guermantes fit apparaître dans la transparence de chacune des deux sphères de cristal et d'or. M. de Choiseul en s'en allant avait donné son adresse à la campagne à M. de Limoges qui devait lui faire parvenir un ouvrage. « Mais je ne vois pas en ce moment d'où lui vient cette terre, dit M. de Limoges après son départ. — Mais vous savez bien, répondit M. de Guermantes, que sa mère était Mlle Sebas-

tiani. — Ah ! mon Dieu c'est vrai, dit M. de Limoges. — Mais
Astolphe, dit Mme de Guermantes, je ne comprends pas ce que
vous voulez dire par origine à demi-royale, pour avoir fait passer
Lucinge avant les autres. — Mais ce n'est pas pour cela, mais
c'est bien à demi-royal, en effet. — Pourquoi ? — Mais vous savez
bien que son père avait épousé Mlle d'Issoudun. » Je compris
que les deux hommes avec qui je venais de dîner et qui sous
la chemise ornée de perles m'avaient paru si pareils à tous les
autres étaient les fils, l'un de la malheureuse duchesse de Praslin,
née Sebastiani, qui mourut étranglée par son mari, l'autre de cette
fille naturelle du duc de Berri, que le prince frappé à mort dans
l'attentat de la rue *?* recommanda à sa femme qui la maria plus
tard à M. de Lucinge sous le nom de Mlle d'Issoudun[1]. Parfois
la relique enfermée < dans > le nom était plus voluptueuse,
c'était quelques cheveux d'une tête charmante. M. de Limoges
ayant demandé comment était née la mère d'un M. de Chimay
avec qui il avait dîné la veille, M. de Guermantes de faire chercher
dans le Gotha où il trouva : « du mariage du deuxième prince
avec Marie-Thérèse de Cabarrus ». C'était la fille de Mme Tallien[2]. Ou bien les Guermantes avaient à dîner le duc de
Wurtemberg, et le prince d'Agrigente ayant demandé pourquoi
le prince avait dit « mon oncle » en parlant du duc d'Aumale,
M. de Guermantes lui répondit que c'était son propre oncle en
effet, le père du duc actuel ayant épousé une fille de Louis-
Philippe[3]. Aussitôt le nom du prince devint pour moi plus qu'un
simple reliquaire, un autel portatif, une véritable châsse que ma
mémoire peignit d'autant de scènes que faisaient *[un blanc]*
Carpaccio ou Memling quand les confréries saintes de *[un blanc]*,
de Bruges ou de Venise leur demandaient de peindre la vie de
sainte Ursule[4] ou de *[un blanc]*. Je voyais dans la première scène
la princesse assistant en robe de jardin aux fêtes du mariage de son
frère le duc d'Orléans, pour témoigner sa mauvaise humeur
d'avoir vu repousser ses ambassadeurs qui étaient allés demander
pour elle la main du prince de Syracuse. Le compartiment suivant
me montrait un beau jeune homme, le duc de Wurtemberg, qui
vient la demander en mariage, elle est si heureuse de partir avec
lui qu'elle embrasse en souriant ses parents en larmes, ce que
jugent sévèrement les domestiques immobiles dans le fond. Puis
elle accouche d'un garçon, précisément ce duc de Wurtemberg
avec qui je venais de dîner et tombe malade sans avoir vu l'unique
château de son époux, Fantaisie, Fantaisie, le château qui porte le
même nom que le château de Louis de Bavière, que le château où
peu avant sa mort vint habiter un génial fantaisiste aussi, le prince
de Polignac. Mais non, ce n'est pas un château portant le même
nom, c'est le même château. Et en effet la reine de France
n'écrit-elle pas : « Marie aura un château dont le nom lui convient
bien : Fantaisie près Bayreuth[5]. »

Quand il disait ses alliances je voyais la formidable histoire, tout le règne de Louis XIV glisser, s'approcher, séparé d'eux seulement par deux ou trois femmes, une mère, une grand-mère, une arrière-grand-mère qui se tenaient l'une l'autre par la main, longeaient tout l'espace du temps qui remonte de nous au XVIIe siècle, nous faisant paraître si court le passé, qui à d'autres heures nous semble sans fond, qu'en ajoutant à la chaîne de leurs bras quarante autres femmes nous arriverions au premier siècle de l'ère chrétienne. « Du mariage du bisaïeul avec... Le Tellier de Louvois[1]. » Mais l'Histoire n'était pas seulement plus rapprochée d'eux, entrée sous un visage individuel à leur service privé — la même que nous apprenions au collège et que les grands écrivains ont chantée — c'était elle, en faisant servir, à ces fins domestiques et particulières, les événements les plus célèbres, qui nous indiquait leur adresse à la campagne et la place qu'il fallait leur donner à table... du mariage du deuxième prince avec Claire *(vérifier d'Issoudun, ajouter Marie-Louise, etc.)*... Wurtemberg... du mariage du bisaïeul avec Letellier de Louvois. Nous disons Louvois, la trahison, Marie-Louise, la fille de Louis-Philippe, mais nous n'avons reconnu le nom du grand homme que sous l'affublement des prénoms qui le déguisaient en grand-père, en grand-oncle, de ce monsieur qui vient de partir, et le grand événement dans toute sa généralité nous était caché sous l'apparence toute privée[d], presque secrète, sous l'incognito d'une affaire de famille, ouverture de successions ou prise de son titre par le convive, en qui l'Histoire abstraite s'est en quelque sorte individualisée, incarnée, insanguinisée, et de qui, maintenant qu'il n'était plus là, s'échappant de cet habit orné de grosses perles, sous lequel il m'avait paru pareil à tous les hommes et où je savais maintenant la relique sanglante et glorieuse qui y était cachée — je voyais irradier des lignes écarlates, comme de la poitrine des martyrs, ou des lignes d'or, comme de la poitrine des bienheureux.

À placer quelque part là.

Une[b] de ces dames, la marquise de Viriville[c], était née Arcangues, nom que je ne croyais pas appartenir aux humains mais seulement au château que j'apercevais dans mes promenades autour de Combray[2]. Et en effet ce n'est plus que par lui qu'était porté ce nom d'une famille éteinte en ses descendants mâles et qui me faisait l'effet d'un nom changé en pierre, nom de naissance devenu lieu de naissance, dont le nom de Mme de Viriville entourait de son pourtour vivant le double donjon démantelé, la façade percée.

En écoutant ces généalogies[d], je me plaisais surtout aux noms que je n'avais presque jamais entendus, à ces noms infréquents, locaux, obscurs, ardus, inégaux comme des ruelles et que leurs filles toujours bien mariées font déboucher dans les grandes voies planes des Noailles et des La Rochefoucauld.

Ici mettre peut-être ce qui vient à la dernière ligne de cette page. Parfois en remontant le cours de ces généalogies (Grandin de l'Épervier).

Parfois en remontant le cours d'une généalogie je m'apercevais que deux personnes de ce monde avaient en commun dans leur parenté, comme une œuvre d'art indivise, un de ces vieux noms charmants et biscornus, où subsiste une orthographe perdue, une étymologie oubliée, une coutume féodale, un peu d'une vie ancienne et locale qu'ils dépeignent en une enseigne unique, en une estampe introuvable. Mais, combien ces femmes si elles étaient fières de posséder un peu de ce nom pour leur quote-part, combien, ce nom, étaient-elles incapables de le goûter et le comprendre ! Il suffisait pour le savoir d'entendre les mots qu'elles employaient, toujours choisis à contresens, toujours vulgaires par la signification la plus banale et la plus sotte, pour voir combien peu elles pouvaient être amateurs d'une pareille œuvre d'art, il suffisait de s'informer, en peinture, en littérature, en musique, à quelles œuvres d'art ou prétendues telles elles trouvaient du plaisir. Vulgaires, sottes et ridicules, elles ne connaissaient pas plus leur nom que l'employé de chemin de fer qui crie : « Beaumont-l'Évêque » ou « Bailleau-le-Pin[1] ».

Un voyageur[a] qui ne peut pas retrouver dans une ville la particularité de son nom, peut ensuite y faire cependant des études intéressantes et finit par dégager, sans grand plaisir, par l'observation et avec l'intelligence, des traits uniques, des traits que le raisonnement lui fait tenir pour particuliers à elle, si bien que plus tard il pourra en parler comme d'une cité différente des autres, unique, et en énumérant ses caractéristiques aux hommes d'imagination qui ne l'ont pas vue, leur donner, en leur laissant croire malgré lui que ces particularités s'imposeraient instinctivement à leur imagination la soif de joies qu'il n'a pas ressenties[b]. Il en avait été de même pour M. et Mme de Guermantes. Le charme spécial de leur nom, je n'avais pu < le trouver > en eux, ni dans leur esprit ni dans leur corps. Et comment l'aurais-je pu ? Leurs joues, leur nez, leur poitrine étaient engendrés sur un modèle humain et faisaient penser à d'autres nez, à d'autres poitrines, non à des rêves suggérés par la forme d'une lettre et la sonorité de deux syllabes. Quant à la grande intelligence qu'on m'avait dit qu'avait la duchesse de Guermantes, j'avais supposé que c'était un sortilège mystérieux et mélancolique, comme celui que devaient posséder les mystérieuses princesses de Burne-Jones[2], à cette intelligence aussi je donnais un titre de duchesse et une couleur jaunie. Or, eût-elle

été vaste, profonde, qu'elle eût été humaine, c'est-à-dire de même
famille que l'intelligence des hommes qui l'ont vaste et profonde
et non pas de même famille que les rêves suggérés par la forme
d'une lettre et la sonorité de deux syllabes *(changer)*. À plus
forte raison si elle était médiocre. Tandis que l'esprit des
Guermantes, étant médiocre, va chercher ses idées dans les plus
médiocres des idées courantes, et ne les extrayant nullement de
son nom, qu'il ne connaît même pas, elles n'en sauraient avoir la
couleur. Mais en revanche le privilège de ces constatations
logiques, de toutes ces caractéristiques et différences que, arrivé
en présence d'un lieu ou d'un être, nous recevons de la nature,
comme ces actions de jouissance que les compagnies nous donnent
en échange de celles de leurs actions dont le numéro est sorti,
poussées très haut par la spéculation, à peine eussé-je fait la
connaissance de M. et Mme de Guermantes que j'entrai en pleine
possession de lui. Si mon imagination ne pouvait plus retrouver,
en présence d'une réalité toute matérielle, les rêves d'essence
différente qu'elle avait formés, en revanche, des observations que
je fis avec mes sens, et par conséquent sans plaisir, sur M. et Mme de
Guermantes, je pus ensuite dégager avec l'intelligence de ces
constatations qui, simplement constatées et dégagées sans plaisir,
s'exprimaient à peu près de la même manière que l'indicible
rêverie que nous formions, de sorte que la personne qui ne
connaîtrait pas les Guermantes et à qui nous parlerions d'eux
pourrait croire que nous avions en effet trouvé en eux ce que nous
en avions rêvé, qu'eux le trouveraient aussi, qu'ils sont des
créatures pleines d'un charme imaginé. C'est ainsi que, même pour
étendre d'abord à tout ce qui était né Guermantes, aux parents
mêmes de M. et de Mme de Guermantes les constatations que
j'avais faites sur eux, je devais pouvoir dire un jour avec vérité,
bien que ce fût une vérité qui n'avait aucun rapport avec mon rêve
et qui ne pouvait faire rêver que ceux qui ne les connaissaient pas,
que les Guermantes étaient en effet des êtres particuliers, qui
avaient quelque chose de différent de toute autre personne, et à
qui me demandait alors : « Mais telle personne peut-elle m'en
donner une idée ? » répondre : « Non, ils étaient différents. »

Et de combien des anciens compagnons de notre vie ne
pouvons-nous en dire autant ? Même dans le monde et dans un
certain monde, où il semble en apparence qu'il y ait unité de
manières et de façons de se comporter, chaque coterie, bien plus
chaque famille, bien plus chaque foyer, chaque personne a ses
manières, son amabilité particulière. Telle, à la première
présentation, vous tend la main et vous dit « vous », sans
« monsieur », mais ne croit pas avoir à vous inviter si elle a du
monde, telle du moment que vous lui avez été présenté ne croit
pas pouvoir avoir un bal sans vous inviter mais continue à vous
appeler froidement « monsieur », telle vous invite à dîner dans

son petit hôtel clair, telle à déjeuner dans un grand appartement sombre. Aucune amabilité, aucune façon de recevoir n'est la même ; sans parler des mille subdivisions de la société même dans le même monde et même d'une même coterie qui a chacune ses traditions, différentes de la coterie voisine, le physique, le caractère de chaque maîtresse de maison donne une couleur spéciale à sa façon de recevoir ; et la particularité de ses rapports antérieurs avec vous y ajoutera aussi une nuance particulière. La familiarité, pour vous grande, avec laquelle elle vous a tendu la main, vous parlera, sa facilité plus ou moins grande à vous inviter, à vous parler des siens, tiendra non seulement à ce que c'est la manière de faire dans cette petite société différente des autres, qu'on appelle une famille, mais aussi à son tour d'esprit, à sa façon d'envisager la vie, au désir plus ou moins grand qu'elle a de vous être agréable. Cette façon d'être particulière à chaque intérieur, on la subit d'autant plus puissamment que, tandis qu'on parle avec les gens chez qui on se trouve, le reste du monde devient un simple objet inférieur d'observation relativement à ceux qui vous en parlent et tous les autres — tous ces autres qui un autre jour peindront à leur tour ceux qui vous parlent en ce moment comme une des parties de ce monde qu'ils jugent et qui leur est inférieur — et d'autre part relativement à vous, à qui, si peu liés qu'ils soient avec vous, ils parlent comme s'ils vous préféraient à tous ceux qu'ils critiquent par cela seul qu'ils ont l'air de vous soumettre leurs défauts. Les autres ne sont plus que la substance des paroles de la maîtresse de maison. Ils ont pris la fraîcheur de sa bouche, le son de sa voix, la forme de ses phrases ; ils sont investis, dominés par son esprit. Seul, par le fait qu'elle s'adresse à vous, vous êtes exempté de ce monde qui n'existe que dans ses phrases, vous êtes la seule réalité qu'elle reconnaît. Ainsi non seulement chaque milieu est en réalité différent, mais tandis qu'on y est il est le seul. L'état particulier que nous y apportons nous-même achève de donner à ces instants un caractère unique. Et plus tard, quand ceux qui étaient particuliers sont morts, quand le changement qui s'accomplit si vite dans les mœurs, dans les façons d'être, rend plus improbables, au moins pour quelque temps, les êtres qui leur ressembleraient, quand nous rappelant telle qualité qu'ils avaient, telle façon de se comporter dans quelle circonstance, nous songeons, quand on nous demande : « Ressemblaient-ils à tel ou tel ? », que cet autre n'a pas telle qualité qu'il avait, n'a pas son visage, n'a pas avec nous tel soir offert de rester à nous tenir compagnie la nuit, n'a pas connu comme lui telles personnes dans les maisons de jeu, n'a pas les mêmes sévérités sur telle chose, ni la même amabilité avec tels gens, c'est de bonne foi que nous répondons : « Oh ! non, c'était quelqu'un de particulier, je ne vois aucun équivalent que je pourrais vous montrer. Tout cela n'existe plus[1]. » Si ce qui était particulier est de plus éphémère, il devient un jour quelque chose d'unique.

Il en avait été de même pour Mme de Guermantes. Son être physique s'était manifesté à mes yeux par un nez, des joues, une taille, son intelligence par des mots et des phrases qui m'avaient fait penser à d'autres joues, d'autres nez, d'autres mots, d'autres phrases que je reconnaissais, c'est-à-dire à d'autres personnes, et qui en revanche n'avaient rien de la forme ni de la couleur du nom de Guermantes. Et cette intelligence de Mme de Guermantes que j'avais imaginée différente de toute intelligence que je connusse, comme la tristesse d'une princesse de Burne-Jones, médiocre, elle était apparentée à toutes les intelligences médiocres du temps, elle s'était mentalement assimilé beaucoup de leurs idées et de leurs expressions, mais profonde et vaste elle ne m'eût pas donné une moindre déception car alors elle eût été de même famille que certaines grandes intelligences de philosophes ou d'artistes, c'eût été une intelligence humaine et non pas une intelligence inconcevable, engendrée par son nom, taillée dans sa matière, teinte de ses jaunes couleurs. Mais en compensation du déboire de mon imagination, je commençai, dès que j'eus fait leur connaissance, à prendre conscience de ce qu'il y a tout de même de particulier dans chaque être humain par ces froides constatations de l'expérience, les abstractions purement logiques de la raison que la nature nous donne en présence des êtres et des lieux connus et déflorés, pour remplacer le rêve que nous avions formé d'eux[a], comme ces actions de jouissance que les sociétés financières nous allouent en échange d'une action, poussée à des cours élevés par la spéculation et qui venant d'être tirée, nous est brusquement remboursée au pair.

Le visage tout en n'étant qu'un visage humain, a ses traits distinctifs, l'intelligence aussi, et le caractère. Les manières elles-mêmes, et même dans une société en apparence aussi unifiée que la haute aristocratie, diffèrent légèrement de coterie à coterie, de famille à famille, de salon à salon, de personne à personne, sans compter qu'elles sont encore différenciées par les rapports antérieurs et particuliers de la personne avec nous. Or cette manière de recevoir, de parler, de juger, quand nous sommes chez une personne, nous apparaît comme la seule qui existe, parce que la conversation fait de ceux qui sont dans un salon ou autour d'une table comme des dieux qu'on n'aperçoivent que de loin le reste du monde. Pendant[b] que nous causons avec cette maîtresse de maison, toutes les autres personnes, par le fait qu'elle en parle avec nous, qu'elle nous dit son opinion sur elles, qu'elle les juge et nous les fait juger, < elle > les fait apparaître comme inférieures à elle, comme contenues, unifiées dans sa voix dont la sonorité est leur atmosphère et leur balance commune, comme dominées par son esprit qui, s'il descend jusqu'à elles, en fait aisément le tour — et d'autre part, parce que tout ce qu'elle dit des autres, c'est à nous qu'elle le dit, nous fait apparaître à nous-même comme de plain-pied avec elle, comme supérieur aux absents, comme mesure de leurs mérites et confident de leurs travers. Pendant les courts instants que dure cette fiction de la conversation qui supprime tout intermédiaire entre elle et nous et nous laisse seul avec elle sur une cime désertée, cet ensemble de proportions parfait qu'a une personne harmonieuse, la forme de sa bouche avec les jugements qu'elle porte, sa bienveillance et son regard, nous paraissent d'autant plus un ensemble d'agréments supérieurs à tous les autres que nous sommes sous la suggestion de sa réalité, qu'il n'y a que lui pour nous, et que ce n'est que par le souvenir de raisonnements antérieurs que nous pouvons lui en égaler ou superposer d'autres, qu'il est un système vivant de jugements et d'inclinations harmonisées, mais encore, même loin d'elle, il reste un tout unique, parce que tout être l'est en effet. Même dans sa conduite avec nous, aucun n'est comparable aux autres. Tel nous a rendu un service d'argent, qui n'a pas compati comme cet autre à un chagrin que nous avions eu, nous avons senti chez celui-là un amour-propre resté hostile au soin de l'amitié, mais aussi un appui courageux que tel autre qui nous admire uniquement ne manquerait pas de refuser. Même les traits sociaux les plus frivoles qui recouvrent les relations sont différents. Telle maîtresse de maison qui nous dit « monsieur » nous invite à l'Opéra, telle qui nous appelle par notre nom reçoit sans nous inviter jamais. Ce que celui-ci comprend est inintelligible à celui-ci, tels tours de langage, telles expressions familières à celui-là, tel autre n'aurait pas pu les dire, ils n'avaient pas connu les mêmes personnes, c'est un passé différent que nous avons en commun avec chacun d'eux. Celui-ci eût adhéré aux opinions de notre ami d'aujourd'hui mais eût refusé de prendre part à son divertissement favori, qui eût rallié au contraire l'approbation de cet autre devant qui il eût été impossible de soutenir les mêmes théories. Certes[a] rien n'est plus différent d'une essence particulière rêvée en un être par l'imagination que cette notion acquise et conservée sans plaisir par la raison, d'une particularité qui est faite d'un arrangement, d'une combinaison particulière d'éléments rationnels et commun à tous les êtres.

Et ces différences[b], souvent exprimées à l'aide des ressemblances avec d'autres choses qui ont lui même genre de particularité : (« Tenez, dans certaines phrases de Villiers de l'Isle-Adam, par exemple, quand il dit *(voir dans « La Gloire[1] »)*, il y a de l'accent du prince de Polignac et de Montesquiou »), nous les disons aux autres comme une chose précieuse mais nous les disons sans éprouver de plaisir. Car elles sont une constatation de notre intelligence se référant à l'expérience, aux êtres que nous avons connus, comme si cela avait un prix quelconque, alors que nous savons bien qu'il n'y a de prix que dans les créations de notre imagination, comme le prouvent les livres, plus réels que les traits qu'on reconnaissait d'une personne et l'insignifiance des chapitres de Sainte-Beuve sur tel salon.

Et toutes ces particularités d'un être, quand nous y repensons, nous les incarnons dans le souvenir de son visage, de ce visage, qui, s'il nous paraissait de même nature que les autres, comparé à un fantôme imaginaire, en revanche, quand nous le comparons aux autres visages humains, est comme tout visage, mais absolument différent des autres et particulier. Et le jour où ce visage-là, tout ce qui vivait en lui de notre pensée est détruit, ce même particulier, pour avoir été éphémère, est devenu quelque chose d'unique, d'autant plus que le temps d'une génération l'aspect de chaque classe de la société a déjà changé, et que nous n'avons plus chance de retrouver un être du genre de celui que nous avons connu, un médecin qui ait les façons de ceux de notre jeunesse, un domestique du genre de celui qui nous a élevé, une jeune fille, une mère de famille, une cocotte, un républicain, un prêtre analogues à ceux de la génération précédente. Alors quand nous nous reportons à la large fleur, à jamais fauchée, de ce visage humain qui ne ressemblait à aucune autre, à tous les doux baumes qu'elle nous distilla au temps de notre jeunesse dans des heures qui restèrent comme un secret entre lui et nous, et qui n'ont plus qu'un seul possesseur maintenant qu'il n'est plus, et dont le sourire avait vu tant d'heures de notre vie que personne ne verra plus, nous ne sommes[a] pas éloignés de croire qu'elle était la fleur délicieuse et irretrouvable comme notre jeunesse elle-même — d'une terre qui a déjà changé d'aspect et n'en produira plus de semblables. Mais comme cette particularité s'exprime à peu près de la même manière que l'autre, quand quelqu'un plus tard nous parle ainsi que de telle cité, de telles personnes, des Guermantes par exemple, et nous dit : « Tâchez de nous en donner une idée ; ressemblaient-ils à tels ou tels, avaient-ils quelque chose de Legrandin ? — Oh ! non pas du tout. — Des Chemisey ? — Oh ! pas davantage. — De Swann ? — Peut-être un peu plus, mais c'était très différent tout de même. — De votre grand-mère, de Bloch ? — Oh ! en rien. Non, vraiment, je ne vois personne des gens que vous connaissez à qui ils ressemblent, et qui puissent vous en donner une idée. C'étaient des gens très particuliers », c'est sans mentir dans les termes, que — éveillant mensongèrement en eux qui ne les ont pas connus l'idée d'une essence particulière et d'ordre imaginatif qu'ils nous envient d'avoir perçue — nous leur répondons simplement : « Ah ! non, les Guermantes, c'était autre chose, c'étaient des gens très particuliers, je ne crois < pas > vraiment que vous puissiez trouver dans les personnes que vous connaissez le moindre équivalent. »

Sans doute cela est vrai de tout le monde mais peut-être cela l'était-il tout de même des Guermantes plus que de tout le monde. Une ville comme Venise, comme Bruges, un village comme Volendam[1] ou les Baux peuvent décevoir, n'étant que de la matière qui tombe sous les sens, celui en qui le plaisir n'est produit que par l'imagination. Cela n'empêche pas que la raison reconnaît qu'entre les villes et les villages, elles ont quelque chose de particulier.

Mon imagination[a] n'avait pas trouvé en eux la spécialité de leur nom ; à elle ils étaient apparu comme un homme et une femme quelconques ; mais mon intelligence travaillant aussitôt sur mes mornes observations ne tarda pas à découvrir qu'ils étaient malgré cela assez particuliers[2]. Et d'abord, au nom Guermantes même, c'est-à-dire dans le domaine de l'observation, à tous ceux qui le portaient, elle restitua sous une forme, rationnelle, une partie de la particularité imaginative qui s'était évanouie. Non pas seulement parce que, au contraire de tant de nobles que je connus plus tard, qui ne furent jamais pour moi que la grosse dame qui voulait que je dîne chez elle, ou le monsieur myope qui voulait me marier, et dont le nom ne me montra jamais que l'apparence charnelle, comme à un homme du monde que j'étais devenu, le nom de Guermantes était entré en moi à une époque où les noms signifiaient encore des êtres différents de tous les autres, parfois un rayon échappé de ce temps-là venait encore éclairer sur le visage des Guermantes quand ils ne furent plus devenus pour moi, eux aussi, que des gens du monde, la mystérieuse image d'autrefois — mais aussi parce qu'en effet il y avait chez eux un certain air de famille, une certaine couleur de la chair, des cheveux, des yeux, un certain tour du caractère et de l'esprit, une certaine qualité sociale plus précieuse, plus fine et d'autant plus reconnue qu'elle était promulguée par eux ; les Guermantes restaient toujours reconnaissables, faciles à discerner et à suivre dans la pierre rare de la société aristocratique où on les apercevait engaînés çà et là, comme ces filons d'une matière plus blonde, plus douce qui veinent un morceau de jaspe ou comme le souple ondoiement de cette chevelure de lumière dont les crins d'or dépeignés couvent dans les flancs de l'agate mousse. Et d'abord la pâte de leur visage était plus tendre et rose, leurs cheveux plus soyeux et dorés que ceux des autres humains, leurs yeux bleus d'une nature plus précieuse, si bien que quand on voyait passer un jeune homme pétri de cette matière fine et colorée et laissant de son chapeau passer ses cheveux dorés on disait : « Tiens ce doit être un Guermantes, on dirait un Guermantes. » En ce sens-là, l'expression de Saxe que m'avait dit Montargis était juste et même pour lui-même, joli garde français aux vives et douces couleurs d'une figurine de porcelaine. Leur nez busqué et trop long au-dessus de leur lèvre trop mince d'où sortait le son rauque de leur voix délinéait dans leur visage comme une allusion à un profil d'oiseau dont les amours avec une déesse auraient été l'origine mystérieuse de leur race.

Leurs cheveux dorés, la beauté matérielle de leurs yeux, leur teint d'un rose vif qui tournait vite à la couperose, qui chez beaucoup tournait au mauve, et allait jusqu'au violet chez certains *(arranger cela comme style avec la version d'en face*[a]*, je n'indique que le mouvement)*, leur nez busqué qui faisait du moindre jeune Guermantes débutant dans le monde comme une sorte d'être mythologique, d'une race quasi divine, issue des amours d'une déesse et d'un oiseau, leur distinction particulière, qui leur faisait toujours chercher une sorte de silhouette *(voir*[b]*)*, un choix plus exclusif dans leurs relations, une sorte de raffinement mondain, de goût qui ne choisit que ce qui lui plaît, tout en ne le choisissant que dans la haute aristocratie, et qui faisait qu'on attachait à les connaître un prix plus grand que celui qui était matériellement contenu dans leur noblesse effective, qui était de premier ordre mais enfin avait quelques égales ; un raffinement de culture intellectuelle qui dans le faubourg Saint-Germain passait pour extraordinaire ; et sur tout cela pour moi la coloration particulière distinguant des êtres qui avaient <été> longtemps des noms pour moi, de tous ceux que je devais connaître plus tard et qui de prime abord furent des hommes et des femmes, la grosse duchesse qui donnait des soirées amusantes ou la jeune marquise qui voulait me marier, tout cela faisait des Guermantes au sein de la matière sociale ou ils étaient engainés comme *(mettre la comparaison de l'agate mousse*[c]*)*.

Il y avait chez les hommes grands et toujours construits d'une façon asymétrique qu'augmentait encore l'état de leurs membres qui avaient souvent été cassés un certain nombre de fois à la chasse ou au polo, une espèce de nerveuse recherche d'une silhouette instable, qu'ils créaient à tout moment comme un violoniste fabrique ses notes, après[d] laquelle courait une de leurs jambes traînante, un de leurs yeux qui clignait sous son monocle, et dont s'écartait la tempe correspondante et la mèche blonde qui la couvrait, une épaule remontée pour compléter l'arabesque inclinée de leur port de tête. Le rose si vif de leur teint, déjà proverbial au XVIIe siècle, et susceptible parfois de se changer dès un âge encore peu avancé <en> couperose, tournait chez certains membres de la famille au mauve, et chez le duc de Guermantes il s'était assombri et foncé jusqu'au violet. Sans cesse occupé à tourner nerveusement son cou, à l'étirer, à le rentrer en pointant de son bec crochu, proéminent entre ses pommettes d'améthyste et ses joues de grenat, il avait l'air d'un beau cygne, majestueusement empanaché de plumes empourprées qui s'acharnait après des touffes d'iris et d'héliotrope. Les yeux des Guermantes étaient scrutateurs et quand ils vous regardaient surtout pour la première fois ils vous faisaient subir pendant un instant la pointe inflexible de leur saphir pour vous faire admirer leur beauté ; en même temps ils vous montraient combien ils étaient perspicaces et décidés à ne se laisser arrêter par rien pour pénétrer jusqu'au fond de votre personnalité. De sorte que les yeux des Guermantes les plus niais ou les plus timides avaient l'air de lire dans les cœurs, de se faire un jeu des plus complexes psychologies et de dominer la situation.

Quand on leur présentait quelqu'un, ils abaissaient sur vous un regard de maître, et leurs pupilles se contractaient devant votre visage comme devant un problème de trigonométrie des plus compliqués et qui n'était d'ailleurs qu'un jeu pour eux, bien qu'ils posassent leur cigarette pour que rien ne troublât leur attention ; puis la solution vous ayant été favorable, leur visage se détendait, un sourire adoucissait la prunelle, et ils vous tendaient la main avec une bienveillance qui vous touchait d'autant plus qu'elle semblait exempte de faveur, et ne vous avoir été accordée qu'en pleine connaissance de cause, après un examen rapide mais infaillible de vos mérites ; et d'autre part un Guermantes avait-il été frappé comme un chien ou condamné à la prison, il lui restait la revanche du regard qui battait son vainqueur et la suprématie de la prunelle qui jugeait ses juges, car les yeux des Guermantes les plus niais et les plus timides avaient toujours l'air de lire dans les cœurs et de dominer la situation.

Certains Guermantes étaient intelligents, certains Guermantes étaient intellectuels et moraux mais ce n'étaient généralement pas les mêmes ; le seul qui eût un esprit et une sensibilité vraiment délicieuse passait pour tricher au jeu et avait été condamné pour chantage et pour escroquerie. Il n'était plus guère reçu que dans la famille et les jours où il n'y avait pas grand monde ; mais sa présence suffisait à rendre ces jours-là charmants car on ne pouvait se lasser de le voir et on ne pouvait le voir sans l'aimer. Sur toutes choses il avait non seulement le mot juste, mais le sentiment juste, ce qui était rare chez les Guermantes. Plein de cœur et de tact, personne ne savait comme lui compatir à ma peine. Un même génie de la famille était épars entre les divers Guermantes et apparaissait par moments dans certaines formes plus profondes de leur pensée. Quand ils jugeaient les gens les Guermantes disaient : « C'est une bonne nature, on sait qu'il a de bons instincts, que c'est une nature droite, que c'est un garçon qui restera toujours dans le droit chemin. » Celui qui disait cela de la façon la plus persuasive était le Guermantes condamnable et charmant. Quand il vous disait cela de quelqu'un on se sentait d'accord avec lui, on admirait son sens moral, et entré de plain-pied dans son cœur qu'il vous ouvrait tout entier, on n'attachait plus aucune importance aux radiations de club et aux poursuites en correctionnelle. Les Guermantes intellectuels et moraux croyaient que la moralité consiste à professer certaines opinions et l'intelligence à posséder beaucoup de connaissances.

Un livre qui avait pour objet des choses qu'ils connaissaient déjà leur paraissait inutile à lire, insignifiant. Ils ne perdaient pas leur temps à lire *L'Orme du Mail*[1] puisqu'il parle de la vie de province qu'ils avaient vécue, mais étaient friands des études sur le lac Tchad et sur le Japon. Ils avaient appris les devoirs de la morale, *[lacune*[a]*]* catéchisme avec la pratique du culte et ne pensaient pas que cela différait. La vie leur semblait trop courte pour qu'on pût gaspiller une heure à lire des romans, exception faite pour ceux d'aujourd'hui car, persuadés qu'ils étaient toujours à clefs ils s'en faisaient un régal s'ils avaient pu trouver pour les « initier » quelqu'un qui savait « le dessous des cartes ». La piété[b] leur paraissait la même chose que la bonté, sauf chez les israélites convertis dont on discutait souvent chez les Guermantes s'ils n'étaient pas encore plus mauvais que les autres. Publiquement, les Guermantes faisaient profession de tenir la vie mondaine en général et les questions nobiliaires en particulier comme une chose méprisable, sans importance, et dégageant d'ailleurs un insupportable ennui. Mais secrètement ils estimaient que la noblesse n'avait de plaisir dans le monde, et même quand par exemple il leur semblait le quitter pour autre chose — que ce fût l'intelligence, l'art, la charité —, c'était en réalité le monde encore qu'ils désignaient sous ces noms immérités. Ils étaient persuadés qu'ils donnaient la preuve de leur horreur du monde en se plaisant aux dîners intelligents de la duchesse de Guermantes, et en souscrivant une loge pour l'abonnement de la princesse de Parme, au bénéfice des ouvriers des faubourgs, d'une indifférence au rang et à l'élégance, qui malheureusement n'était pas aussi reconnue qu'il eût fallu < pour > combattre les campagnes des « mauvais journaux ». La définition que les Guermantes eussent donné de l'intelligence eût varié selon qu'ils l'eussent considérée dans leur société ou en dehors. Les signes auxquels ils la reconnaissaient étaient l'étalage de connaissances qu'ils n'avaient pas, une certaine vivacité à tenir tête à des personnes qu'on flattait d'habitude et à leur dire leurs quatre vérités. Le type de la personne intelligente était une personne qui était capable de « vous répondre aussi bien en russe, en espagnol, en ce que vous voudrez » et qui n'avait pas « sa langue dans sa poche ». Mais si l'intelligence se rencontrait chez une personne qui n'était pas de leur société — et les Guermantes confessaient que c'était là malheureusement, chez de telles personnes, qu'elle se rencontrait le plus souvent — elle était pour les Guermantes synonyme non plus de médisance, mais d'habileté machiavélique à réussir. Quand les Guermantes disaient de quelqu'un qu'ils ne voyaient que chez des étrangers : « Il a oublié d'être bête », cela revenait à dire non seulement qu'il était souverainement antipathique, mais encore : « Il a dû assassiner père et mère, on ne sait pas d'où ça sort, il arrivera à ce qu'il voudra, je vous conseille pour votre gouverne de vous tenir sur vos gardes. »

Tous ceux dont on disait : « Ce sont de vrais Guermantes » passaient pour doués d'une exceptionnelle intelligence — cette intelligence à laquelle je donnais, quand je ne les connaissais pas, le charme particulier du nom de Guermantes. Cette intelligence était simplement une certaine aptitude à s'assimiler des idées moyennes, comme pouvait en avoir autrefois un élève médiocre des jésuites. Mais ils avaient tant de grâce dans leurs personnes, de douceur dans leur amabilité, de séduction dans leur façon de recevoir, ils plaisantaient si gaiement les prétentions des nobles, les préjugés du faubourg Saint-Germain, ils prenaient avec tant de chaleur la défense du travail et de la vertu que, chez eux, enserré dans le réseau de ce point de vue particulier où se place chaque individu, chaque famille, chaque coterie qui vous fait voir l'univers à travers elle et comme au-dessous d'elle, tandis qu'on causait avec eux, on trouvait que tout le monde leur était inférieur ou les aimait. Dans ces moments où le fond qu'on reconnaissait immanent en eux tous apparaissait, leur principal point de vue intellectuel était *[interrompu]*

Pour le point de vue intellectuel, un seul faisait exception, un Guermantes que personne ne voyait plus parce qu'il avait été poursuivi, etc. et qui lui, délicieusement intelligent, comprenait tout, aimait la littérature comme un littérateur, etc. Mais pour le point de vue moral il parlait sans cesse *(voir la forme suivie)* de bonne nature. Du reste il avait une sensibilité charmante, etc.

Guermantes, la duchesse de Guermantes l'était au plus haut point, et comme disait un homme de grand talent qui est l'homme le plus spirituel d'aujourd'hui, Robert de Montesquiou[1], « elle était Guermantes dans la bonne acception du mot ». Plus qu'aucun elle raillait la noblesse[2], la vie mondaine, elle ne prisait que l'esprit, l'art et la charité. Sa vie à vrai dire était en contradiction flagrante avec ces théories. Mais elle semblait la considérer non comme une production de sa volonté et un sujet de ses goûts, mais comme une sorte d'organisme défectueux mais avec lequel nous naissons et dont nous ne pouvons pas sortir, de milieu vital dans lequel on est bien obligé de vivre comme on peut. Elle écoutait le valet de pied lui dire : « madame la duchesse » comme elle eût constaté qu'il pleuvait ou qu'il faisait froid et comme si c'était un *[lacune]* cosmique dont elle était bien obligée de s'arranger. Elle voyait que l'après-midi était très chargée, qu'il y avait la matinée de la princesse de Parme, que c'était le jour de la duchesse de Guermantes, le dernier *five o'clock* de la duchesse d'Autun, comme elle eût vu qu'il y avait des nuages au ciel et qu'il y avait quelques gouttes. Elle soupirait mélancoliquement et disait d'une voix enfantine et triste : « C'est tout de même assommant de ne pas avoir une heure à soi et d'aller s'ennuyer chez Ottilie, chez Edwige », mais personne n'eût songé à supposer que si elle s'y rendait, c'est qu'elle s'y amusait. D'ailleurs Mme de Villeparisis elle-même, qui l'avait élevée dans l'idée que l'intelligence est tout, passant son temps à plaisanter devant ses amis bourgeois et les autres sur la manie des rites, avait l'air de trouver que cela ne signifie rien. De sorte que ses amis s'étaient demandé à quel homme de lettres elle trouverait assez de talent, quel esprit fort elle jugerait assez libéré de tous préjugés pour lui faire épouser sa nièce. Or, quand Mlle de Guermantes fut en âge d'être mariée, Mme de Villeparisis choisit, en s'occupant aussi de la fortune, l'alliance qui était héraldiquement la plus grande et pouvant lui assurer un titre de duchesse, et elle lui fit épouser son cousin. Mme de Guermantes resta très aimable — chez sa tante car elle ne les recevait pas — avec les gens non mondains qu'elle avait connus chez sa tante. S'ils perdaient quelque parent et lui en faisaient part, elle leur écrivait une longue lettre de sympathie. Mais elle se gardait de se faire inscrire à leur enterrement de sorte qu'on ne voyait jamais son nom dans ces enterrements obscurs, tandis que pour n'importe quel duc qu'elle connaissait à peine mourant, elle disait : « Astolphe, pensez à nous inscrire. »

La*ª* distinction des Guermantes hommes se marquait dans leur tenue. Quand ils s'habillaient en sombre, leurs pardessus ou leurs vestons les plus foncés avaient çà et là dans leur tissu une parcelle de vert, ou de violet qui suffisait à les distinguer de tous les autres pardessus foncés. Quant à des costumes clairs, ils n'en portaient généralement que quand la mode en était absolument passée, que personne n'en portait plus ; on voyait quelquefois un Guermantes avec un pardessus clair, un chapeau gris et tout cela ayant un charme de suranné, d'élégance de dix ans avant, par un propos délibéré de montrer qu'il y avait des choses oubliées qui avaient leur charme, comme quand une chanteuse de talent chante une vieille chanson du temps de notre enfance, et ce qui en même temps voulait promulguer une vérité d'élégance : par exemple qu'on peut porter un paletot clair ou un chapeau rond en octobre parce qu'on n'est à Paris que de passage, venant de Guermantes ou d'ailleurs. Et leur silhouette contournée et nerveuse, la coloration générale de leur personne, cheveux, visage et habits, était si spéciale et si distinguée, que comme ils affectionnaient avec un dédain de grands seigneurs millionnaires et intelligents les modes de locomotion dont n'usent pas les bourgeois millionnaires et bêtes, l'omnibus et plus tard le métropolitain, si un passant levait les yeux sur un omnibus passant au grand trot de ses percherons, il reconnaissait tout de suite que le monsieur qui était sur la plate-forme, immobile et droit, et voilant dans une attitude d'être un monsieur quelconque le feu perçant d'un regard dominateur, ce monsieur au pantalon vaguement violet, ou au paletot vaguement vert et d'un tissu de plaid plutôt que de pardessus, était « quelqu'un ». Habituellement le sobre et original cachet d'art des Guermantes diminuait chez beaucoup d'entre eux au fur et à mesure qu'on s'élevait du corps et des habits vers la pensée. Il est plus facile d'avoir de la distinction dans ses vêtements que dans son esprit. Cependant même chez les Guermantes bêtes et non affectés d'originalité au point de vue intellectuel la voix et l'écriture, la voix si voisine pourtant de la pensée qu'elle contient, étaient encore spéciales, curieuses. Les caractères d'un manuscrit du XIIIe siècle n'eussent pas plus étrangement fleuri que ceux de telle lettre signée Guermantes pour emprunter de l'argent à leur homme d'affaires. Quant à leur voix, dirigée obliquement au fil d'une intonation curieuse, aigrelette et nuancée, ils semblaient, le menton nerveusement abaissé pendant qu'ils parlaient, comme s'ils avaient appuyé contre lui un stradivarius[a], en faire eux-mêmes à tous moments le son, en serrant plus ou moins les cordes vocales, comme si c'eût été au lieu d'une vulgaire voix humaine, un précieux son de violon qui restait tout le temps, comme certains airs de Fauré, dans les harmonies étranges, fausses en apparence, de la gamme chinoise.

Dès leur enfance sans doute, les Guermantes les plus incapables de travail intellectuel s'exerçaient à fleurir amoureusement leurs *f* et leurs *p*, à tarabiscoter en forme de pagodes leurs *d* et leurs *a*, à adopter[b] certaines manières un peu désuètes et presque paysannes de parler, mêlées à quelques vieilles expressions qu'ils croyaient ancien régime : « Je croyais qu'il était *de* vos amis », « Est-ce *une* homme *aimable* » (pour dire « agréable »), etc., à dire « je l'ai rencontré *su* le pont des Saint-Pères », « c'est un cousin *à* Philibert », et au lieu de dire « il est bête comme une oie », « il est bête comme *eu noi* », à prononcer les noms propres d'une façon aussi différente de leur orthographe que certains noms français quand ils sont proférés par les Anglais qui prononcent « Beauchamp » *Bitel*, mais eux au contraire francisant à l'excès, comme feraient des paysans, des noms d'apparence anglo-saxonne, appelant Mrs Bohnstone Mme Bonston et les duchesses de Rohan et d'Uzès « Mme de Rouen, Mme d'Usai », mais surtout pour tous les mots de la conversation, altérant chaque voyelle, serrant la bouche et plissant les lèvres de manière à filer d'un seul son, au besoin avec un peu de salive les mots que le vulgaire sépare habituellement, morcelant au contraire ceux qui semblent indivisibles, faisant des liaisons rares et choisies, et évitant celles qu'on fait d'habitude, disant « Comman (sans *t*) allez-vous », tout cela sur une sonorité grêle, même filée avec une virtuosité qui ne se peut rendre, et qui faisait que même ceux qui ne savaient faire entendre dans la conversation que les plus banales rengaines, tous les vieux ponts-neufs de l'esprit de province ou du boulevard, se servaient pour cela, avec un art consommé, d'un instrument de famille que personne d'autre ne possédait et dont le son savamment obtenu était rare et savoureux[d].

Aux yeux de la plupart des gens du monde, les Guermantes[b] et la duchesse de Guermantes en particulier passaient pour remarquablement intelligents, le mot intelligent ayant aux yeux de ces personnes deux significations absolument distinctes. Aux yeux d'un homme comme le prince d'Agrigente par exemple, et sa manière de voir était partagée par toute la bonne société et notamment par toute une famille Courvoisier[1], l'intelligence, quand on lui apprenait qu'elle se rencontrait chez une personne de la société, chez la duchesse de Guermantes par exemple — car, ne connaissant pas l'intelligence par lui-même, il s'en rapportait à l'avis des autres —, signifiait que cette personne était méchante comme la gale, savait tenir tête à des personnes qu'on flattait d'habitude et leur dire leurs quatre vérités, capable de répondre aussi bien en anglais qu'en allemand, et de tenir tête à n'importe qui, qu'elle n'avait pas sa langue dans sa poche et avait une tendance prétentieuse de parler. En un mot chez une personne de leur société, l'intelligence inspirait à M. d'Agrigente, aux Courvoisier et à beaucoup d'autres, une crainte qui n'excluait pas une certaine estime.

M. d'Agrigente[c] ou les Courvoisier auraient dit d'un tel individu : « Oh ! il a oublié d'être bête », autant dire qu'il avait dû assassiner père et mère, qu'il leur était souverainement antipathique, qu'il savait parfaitement « se bien faufiler partout » et faire son chemin, et flattait ceux qui pouvaient lui être utiles, que personne ne savait d'où ça sort, que tout cela finirait mal et que les honnêtes gens n'avaient qu'à se tenir sur leurs gardes. Quelque peu flatteur que fût le nom d'un homme intelligent, les Courvoisier se défiaient que ce ne fût pas son véritable nom. Ils avaient des doutes sur sa nationalité, sur son âge, rien n'était clair. Pendant longtemps Swann représenta aux yeux des Courvoisier l'intelligence de la seconde catégorie. Si quelqu'un assurait : « Swann qui a trente ans », Mme de Courvoisier ripostait : « Du moins il vous le dit » ; en revanche la duchesse de Guermantes, et les Guermantes en général, symbolisaient l'intelligence de la première. L'esprit des Guermantes était une réputation comme les biscuits de Reims. Et parmi ceux qui n'avaient pas d'esprit et qui étaient jugés comme tels par Mme de Guermantes, par Swann, par M. de Gurcy, ceux qui n'étaient pas trop stupides s'étaient assimilé le tour d'esprit, la manière d'envisager les choses, de juger les gens, de recevoir, des Guermantes plus intelligents, si bien qu'aux yeux des Courvoisier, ils passaient pour aussi spirituels que les autres et en conséquence pour aussi méchants. Et à vrai dire, c'étaient peut-être les Courvoisier qui avaient raison contre Mme de Guermantes en attribuant à l'esprit des Guermantes une si grande extension. Si nous soumettions les propos de personnes qui fréquentent un même groupe, propos qui nous semblent absolument différents les uns des autres parce que nous les rattachons aux personnages non ressemblants entre eux qui les prononcent, à cette même analyse qui, dans des phrases prises des différents romans d'un même auteur, nous permet de reconnaître une même manière de placer l'adjectif, un même rythme, un même procédé, une même vision des choses, nous trouverions que les propos du monsieur à moustaches blondes sur un petit four comme de la dame aux cheveux blancs sur la guerre russo-japonaise, dérivent d'un même esprit, usent d'une même syntaxe, sont en quelque sorte d'un même écrivain. Sans doute dans les coteries mondaines l'intelligence quand elle apparaît reste si amorphe que cet esprit d'un salon, d'une coterie, immanent en tous ses membres, était presque impossible à saisir. Mais il n'en est pas de même dans les salons dits littéraires, bien mieux dans les groupes littéraires, dans les écoles. Là, cette forme typique de la pensée, de l'expression, de la phrase, de la voix, a une grande netteté, et peut être isolée des propos divers, des sons de voix différents, des visages opposés. De plus elle a une bien plus grande extension. Les milieux mondains sont à tous ces points de vue-là plus morcelés, plus individualistes, non pas certes que l'originalité individuelle qui s'oppose à l'imitation y soit plus grande, ni même à beaucoup près aussi grande, mais parce que la plupart du temps il y a très faible possibilité d'imitation parce qu'il y a perception infiniment faible, et qui reste indifférente, de la forme d'esprit, du son particulier de la voix, de la manière de penser et de parler des autres. Pour retenir un air et le reproduire, il faut encore avoir l'oreille assez musicienne. C'est par exemple ce qui avait empêché les Courvoisier d'être annexés par l'esprit des Guermantes, car les diverses formules de cet esprit ne leur causaient aucun plaisir, n'étaient pas discernées par eux. Ils se rendaient si peu compte de la façon de parler de chacun que par exemple, si Mme de Guermantes qui avait le talent de faire ce qu'on appelle des imitations, s'amusait à parler comme la princesse de Parme ou comme le duc de Limoges, des Guermantes inférieurs, mais sensibles à l'esprit des Guermantes, disaient l'un : « Elle est vraiment drolatique », et l'autre : « Le plus fort c'est qu'elle leur ressemble pendant qu'elle les imite » et tous réclamaient : « Encore un peu Limoges », tandis que les Courvoisier, n'ayant jamais su distinguer ce qu'il y avait de particulier dans la manière de parler de la princesse de Parme et du duc de Limoges, disaient : « Oh ! voyons, ils ne parlent pas tout de même comme cela. Je les ai encore vus hier, ils ne parlaient pas comme cela. » Le genre de disposition qui fait au contraire un amateur de littérature, un littérateur, rendait au contraire infiniment sensible à ces formes particulières de la pensée et du langage où un littérateur formule avec charme ou esprit, ou injustice, ses théories. Les nouveaux adeptes de sa pensée adoptent ses mots favoris, son débit, jusqu'à son accent et de proche en proche ces types de pensée et de public prennent un telle extension qu'à une même époque il n'y en a peut-être pas plus de trois ou quatre dans un même pays. Si d'ailleurs la sensibilité particulière qui fait inventer à un ou deux écrivains, imiter avec variété à sept ou huit, et reproduire uniformément à des milliers, ce genre de procédé, de cliché verbal, est apparentée aux qualités littéraires, de création originale et d'imitation, ils en sont des tics, comme le talent de conversation, qui peut coïncider avec lui, peut cependant rester distinct du talent véritable[1]. C'est ainsi que j'ai connu des écrivains qui, si on allait au fond de leur manière de parler, de ce qu'il y avait de plus intime et de plus essentiel dans leur syntaxe verbale, dans l'émission même de leur voix, le geste de leur main, le jeu de leur regard, la tenaient comme beaucoup d'autres d'un écrivain de second ordre, de la famille de qui ils semblaient un des membres les moins inventifs et qui comme écrivains étaient devenus des écrivains absolument originaux, infiniment plus grands que le créateur d'une manière nouvelle de juger, de parler, de prononcer, de rythmer son débit, de regarder en parlant et de gesticuler, qui lui en revanche, comme écrivain, reste toujours un écrivain de deuxième ordre. Sans vouloir ici essayer le moins du monde de définir et de délimiter ces diverses zones de la conversation, je crois par exemple que trois grands écrivains vraiment géniaux, dont les œuvres sont originales, dérivent comme conversation du regretté Robert de

Bonnières[1], qui était un homme intelligent, et un lettré, mais dont l'œuvre est sans originalité auprès des leurs. Chose troublante même quand, en entendant parler un homme, vous vous dites : « C'est du déjà connu, c'est du langage de X. Il n'a pas eu assez d'originalité pour préserver sa voix, sa pensée, de son influence. Je sens l'être que c'est, la personne qu'au fond il est, mais ce n'est même pas un être, une personne, c'est du X. » Et cet homme est un écrivain original, plus original que cet X qu'il imite. Comme si l'originalité du causeur, même en ce qu'il a de plus humain, de plus essentiel, de plus vital tenait encore trop à *l'homme*, à l'homme qui, quoi qu'on en ait dit, n'est rien dans l'écrivain, et comme si cette dépendance déférente de la voix, du débit, des formules d'un homme de génie pour celles d'un moindre écrivain n'était qu'un symbole, qu'une forme inconsciente de cette déférence où le génie, quand il se place au point de vue humain, c'est-à-dire à un point de vue qui ne s'applique plus à lui, pour un écrivain moindre que lui mais qui a une plus grande situation, qui peut le célébrer dans ses critiques, le faire nommer à l'Académie, etc.

Certes, à côté de ces quelques formes d'esprit si arrêtées auxquelles venaient s'agglutiner selon les affluents les deux ou trois grandes factions de la gent littéraire, un esprit comme l'esprit des Guermantes était bien peu distinct et peu formé. Mais si on avait eu l'idée de rapprocher les phrases prononcées de temps en temps par un gros homme rouge à barbe grise et à voix chevrotante comme le marquis des Pruns et par une femme à voix grave comme Mme de Guermantes, on < se > serait rendu compte qu'une même intonation les rythmait, qu'elles étaient distribuées, équilibrées de la même manière, que la même intention d'esprit — fort courte — la même recherche d'élégance et asymétrie — fort niaises — y présidaient. Et beaucoup de Guermantes sans esprit parlaient de même, avec plus de continuité même que la duchesse de Guermantes ou que Swann, parce que moins intelligents, et en plats imitateurs, ils cherchaient à appliquer à tout leurs formules. Sans doute la duchesse de Guermantes ou Swann qui les savaient bêtes leur refusaient l'esprit des Guermantes. Mais ils pouvaient faire illusion aux Courvoisier, et en réalité c'était bien l'esprit des Guermantes, le génie de la famille[2], qui était au cœur de leurs voix diverses, dans le fil de leur intonation, et qui sous la diversité de leurs jugements apparaissait par moments à moi, comme une même manière de juger. Les Courvoisier ne voyaient pas si loin. Que même tous les jugements intellectuels des Guermantes se résumassent en *(voir plus haut)* et tous les jugements moraux *(voir plus haut)*, ils ne s'en apercevaient pas. Ils voyaient seulement que les Guermantes bêtes comme les intelligents ne parlaient pas comme eux, faisaient de l'esprit sur des « pointes d'aiguille », et faisaient par orgueil des choses qu'eux ne faisaient point. C'était assez pour y retrouver l'esprit des Guermantes. Si par exemple une Courvoisier à son jour avait plus de monde qu'elle n'avait pensé ou manquait de chaises, ou si son domestique faisait quelque chose qu'il ne doit pas se faire, la pauvre Courvoisier rougissait, s'excusait, ou au contraire prenait < un air > grave et sévère, pour montrer qu'elle n'était pas atteinte par ce coup du sort. Mais si pareille mésaventure arrivait à une Guermantes, par un détestable esprit d'orgueil, elle s'imaginait que rien chez elle ne pouvait être mal, et que le fait que ses invités eussent manqué de chaises ou se fussent attiré du domestique une réponse ridicule, ne pouvait être qu'amusant. Elle faisait ressortir le manque de chaises ou la réponse du domestique, faisait là-dessus mille plaisanteries, qui paraissaient déplacées aux Courvoisier mais qui faisaient rire aux larmes les autres Guermantes, qui s'en allaient les uns chez les autres en se disant : « Vous savez la dernière de Rosemonde ; vous savez le dernier mot de Félibien[a]. » Tous les premiers mercredis[1], le duc et la duchesse de Guermantes qui n'invitaient jamais leur famille (sauf deux ou trois membres très élégants) à leurs fêtes, recevaient leurs parents. Sauf les Courvoisier, tous étaient avides d'apprendre les divers histoires et mots de Rosemonde de façon à en faire des greffes chez eux, dans leurs salons de la rue de la Chaise[2], pour leurs petits-cousins étonnés. Mme de Guermantes n'eût peut-être pas d'elle-même raconté ces histoires. Mais M. de Guermantes, d'un air de blâmer ce qui y avait donné lieu, de critiquer qu'elle eût manqué de chaises ou qu'elle eût des domestiques si mal dressés, l'amenait habilement à protester contre les reproches de son mari, à s'animer, à faire ressortir avec verve l'aspect « drolatique » de la scène, à refaire tout un amusant récit que les Courvoisier écoutaient sans donner de leur sentiment des marques d'aucune sorte, mais qui ravissait tout ce qui se rattachait de plus ou moins loin aux Guermantes, et qui pour la plupart ne connaissaient pas encore l'histoire. « Vous ne la connaissez pas encore », disaient-ils avec satisfaction à quelque cousine qui éprouvait pour lui le plus profond et craintif respect, comme à un homme d'une situation supérieure et d'un caractère orgueilleux. Parfois la cousine troublée répondait en rougissant : « Si, on me l'avait déjà racontée chez mes cousins de Patelan. Mais c'est tout autre chose de l'entendre raconter ainsi par ma cousine. Maintenant je vais pouvoir me faire valoir en disant que je l'ai entendu raconter par ma cousine même », ajoutait-elle pour flatter une parente riche, spirituelle, à la mode et duchesse, et qui ne la recevait qu'aux petits jours[b]. Les Courvoisier aussi donnaient des dîners de famille où ils se gardaient d'ailleurs d'inviter le duc et la duchesse de Guermantes car ils savaient bien qu'ils ne viendraient pas, mais ils auraient cru impossible d'inviter à ces dîners une seule personne qui ne fût pas de la famille. Le petit Courvoisier eût-il supplié ses parents pendant huit jours de laisser venir exceptionnellement un de ses camarades à un dîner de famille, que les Courvoisier eussent pensé en le lui accordant commettre une action scandaleuse et qui serait jugée sévèrement par toute la famille. On voyait d'ici la tête que ferait la grand-maman Courvoisier qui arrivait d'avance avec son ouvrage si elle voyait entrer quelqu'un qui n'était pas de la famille. Des Guermantes de second ordre ayant affirmé qu'ils avaient dîné une fois avec moi au dîner de famille du duc et de la duchesse de Guermantes, le fait, bien qu'il fallût s'attendre à tout avec Rosemonde, resta douteux pour les Courvoisier. Une des originalités des Guermantes était qu'ils prétendaient voir les gens qu'ils recevaient et chez qui ils allaient non pas parce qu'ils étaient bien apparentés, de leur milieu, amis de leur famille, mais parce qu'ils les trouvaient agréables, agréables c'est-à-dire spirituels, jolis, séduisants. En réalité ils ne trouvaient cet agrément que dans des personnes du plus haut rang social — et si une reine était laide Mme de Guermantes disait : « Je reconnais qu'elle n'est pas jolie mais elle a tant d'esprit », ou bien : « Elle a tant de séduction à force d'être bonne » —, d'un plus haut rang même que celles que fréquentaient les Courvoisier, mais ils ne faisaient jamais intervenir cette question de noblesse dans les raisons qu'ils donnaient de leur fréquentation, pas plus que les Courvoisier n'auraient fait intervenir la question d'agrément. Il y avait dans les familles apparentées aux Guermantes et aux Courvoisier un grand nombre de personnes de la meilleure souche et peu agréables que Mme de Guermantes, M. de Gurcy, la marquise de Montargis[a1], etc. n'avaient jamais voulu connaître. La foule de gens qu'on reçoit parce qu'ils connaissent les Guermantes, parce qu'on les voit chez la princesse de Parme, parce qu'ils sont alliés aux Orléans, Mme de Guermantes pouvait les rencontrer depuis dix ans, elle ne les laissait pas franchir son seuil, elle s'en tenait aux personnes qui les justifiaient et les expliquaient, à la princesse de Parme, aux Orléans, aux Guermantes ; elle avait comme simples relations dans son salon toutes les personnes dont une seule suffit généralement pour trôner sur une société. Les comparses[2] n'existaient pas. Aussi celles des relations de Mme de Guermantes qui n'obéissaient pas dans la composition de leur salon à la notion d'« agrément » tremblaient-elles quand elles invitaient Mme de Guermantes qu'elle ne trouvât pas agréables les gens avec qui on la faisait dîner. Si le mari proposait à sa femme des gens qui n'étaient pas de la première noblesse, la femme sentait obscurément que cela ne plairait pas à Mme de Guermantes et disait : « Oh ! non, ce n'est pas le milieu de Rosemonde, elle est capable de leur faire faire quelque chose d'impoli », mais s'il proposait des gens de la plus haute noblesse elle disait : « Tu sais, la noblesse c'est tout à fait égal à Rosemonde. J'ai peur qu'elle ne les trouve assommants et qu'elle ne soit pas polie avec eux. » Même aux jours[1] quand par une fenêtre on la voyait descendre de voiture et s'avancer lentement, son ombrelle à la main, ses yeux bleus ennuyés de faire une visite sous un joli chapeau, et ayant dans sa démarche lente l'importance involontaire d'une femme qui ne prenait pas la visite qu'elle allait faire du point de vue de ceux chez qui elle allait, elle qui en somme en recevait toute la journée d'aussi considérables que la sienne, mais au point de vue de sa vie et de sa journée de femme ennuyée, difficile, qui faisait à ces gens la grâce de s'être dérangée pour eux, chacun sentait l'importance de ce qui allait se passer, avait déjà remarqué quel joli corsage elle avait, quel joli chapeau, était prêt à tâcher de lui faire oublier sous les compliments les gens au milieu de qui elle allait se trouver et trouver sans doute ennuyeux ; elle entrait, tout ce qu'il y avait d'agréable dans le salon quittait ceux auprès de qui ils étaient et venaient faire cour auprès d'elle, tandis qu'elle disait poliment bonjour aux personnes qu'elle connaissait depuis vingt ans mais avec qui elle ne voulait pas être en relation, dont elle trouvait la foule dans chaque visite qu'elle faisait, dans chaque soirée où elle allait, mais aussi intangible que si elle avait été revêtue d'une armure de fer qui les empêchait de rester auprès d'elle, et pour qui l'hôtel de Guermantes était un château enchanté où ils ne pouvaient pas entrer, et qui continuaient à la saluer, sans espérer que cela changeât jamais. Les femmes du milieu Courvoisier en rentrant[a] le soir disaient à leur mari : « Hé bien, mon cher, j'étais chez la duchesse de Laon, qui est-ce qui est arrivé, Rosemonde. — Non ! Mais les Laon devaient être ravis. — Hé bien naturellement, répondait l'épouse irritée, on sait bien que quand Rosemonde est quelque part il n'y en a que pour elle. Tout le monde faisait un chichi comme si ç'avait été une reine. J'aurais voulu les battre et je suis partie parce que cela me *[un mot illisible]*. Ce n'est pas que cela me fasse rien qu'on soit aimable pour Rosemonde, ajoutait-elle, au contraire, mais tant mieux, mais tant mieux puisque ça peut lui faire plaisir à cette femme. Qu'elle en profite tant que ça dure, ça pourrait bien changer un jour quand elle sera vieille, elle nous dira alors si on est toujours à ses pieds[2]. Seulement j'aime autant que ça se passe sans moi, moi je n'aime pas les manifestations ridicules et je ne sais pas pourquoi j'irais faire des salamalecs à Rosemonde quand nos grand-mères étaient sœurs, et que les Courvoisier n'ont rien à envier aux Guermantes, je pense, ni pour l'ancienneté ni pour l'illustration. »

Les gens les plus nobles comme la princesse de Parme[1] n'eussent pas osé inviter Mme de Guermantes ou M. de Gurcy avec beaucoup de leurs amis, même les plus brillants, car ils croyaient que la noblesse leur était absolument indifférente et qu'ils n'étaient sensibles qu'à l'intelligence. Et en effet à combien de princesses ennuyeuses et laides M. de Gurcy faisait-il depuis bien des années chez la princesse de Parme le même salut profond sans avoir jamais voulu mettre sa carte chez elles, et répondre à leurs invités de venir retrouver chez elles la princesse de Parme ! Cet agrément que les Guermantes étaient censés rechercher principalement dans la composition de leur société consistait en un certain tour de conversation et d'esprit, d'où semblait ressortir que la noblesse ne signifie rien, que toutes les questions de naissance sont absolument ridicules, que rien n'est plus assommant que d'aller dans le monde, que l'intelligence et l'esprit sont tout, mais une intelligence exempte de pédantisme, de grandes phrases, d'affectation de sensibilité, et un esprit dédaigneux des calembours, des plaisanteries faciles et vulgaires, qui était plutôt une manière recherchée d'exprimer une remarque fine, que les Guermantes plaçaient plus haut que l'intelligence, comme s'il en était la fleur, l'originalité, le talent, la réalisation et la formule. De quelqu'un qui eût, dans un salon où elle se trouvait en visite, fait étalage de sentiments romantiques, Mme de Guermantes eût dit à son voisin : « Quelle est cette personne si bête ? », aussi bien que si elle l'avait entendu faire « de l'esprit » ou dire qu'il fréquentait ou ne fréquentait pas quelqu'un « parce qu'il était bien né ». À vrai dire, si les Guermantes détestaient le monde, ils ne faisaient absolument rien au monde que d'y aller et même quand une fois par hasard ils enlevaient une soirée en faveur de l'intelligence ou de la charité, le monde n'y perdait rien, car la forme la plus sévère de l'intelligence consistait à dîner chez une duchesse avec des gens du monde affectant un peu moins que les autres de croire que le monde est tout, entre lesquels était précisément mélangé, à doses infinitésimales, un aliment dit artistique ou littéraire sous la forme d'un prétendu artiste qui, persuadé lui au contraire, que le monde était tout, trouvait dans un dîner la consécration d'une carrière où il n'avait d'ailleurs jamais produit que des œuvres essentiellement mondaines. Si en se rendant à un tel dîner les Guermantes prouvaient leur horreur du monde, ils prouvaient leur propre indifférence à toutes les distinctions sociales en allant à une fête de charité dont le produit était versé à des gens du peuple mais dans le comité de patronage de laquelle il n'y avait que des duchesses. Mais la réputation d'amour désintéressé des choses de l'esprit des Guermantes ne s'était pas moins répandue au loin[2]. Et des dames d'un rang social inférieur aux Guermantes, femmes de la petite noblesse ou de la haute banque, qui par ailleurs n'avaient jamais manifesté leur goût de l'intelligence qu'en dînant en ville tous les soirs, en passant leur journée chez la couturière ou aux courses, ne possédaient qu'un seul livre, un petit volume de Parny[1] qui servait sur la table XVIIIe siècle de leur petit salon à ajouter à la couleur des tapis et qu'elles n'avaient d'ailleurs jamais ouvert, trouvaient en Mme de Guermantes l'intelligence et la culture une chose admirable, et en se désespérant de penser qu'elles ne pourraient jamais arriver à la connaître, s'imaginaient de bonne foi que la cause de la tristesse qu'elles en éprouvaient venait seulement de ce que Mme de Guermantes était, disait-on, si intelligente, si lettrée, comme si ces qualités ne pouvaient pas se rencontrer chez d'autres personnes, moins difficiles à approcher, et peut-être tout près d'elles, chez la maîtresse de piano de leurs filles.

De même que Leibniz[2] admet que chaque monade en reflétant le même univers y ajoute un petit élément de différenciation, les différents salons d'un même monde ont pourtant chacun tel élément qui ne se retrouve pas dans les autres[a]. Il y avait dans le salon de Mme de Guermantes trois ou quatre femmes, belles ou qui l'avaient été, qui avaient été successivement les maîtresses de M. de Guermantes. Elles ne l'étaient plus, sauf la dernière en date, qui était sur le point de ne plus l'être. Par là, en un sens, il eût été inutile à M. de Guermantes, puisqu'il n'attendait plus rien d'elles, < de > les faire recevoir chez lui. Mais nos relations solides, nos amitiés fixes, sont comme les montagnes, les terrains volcaniques. À l'œil de l'observateur elles racontent aujourd'hui des bouleversements parfois déjà anciens. Dans le grand creuset de la passion, mille sentiments d'amitié, de prévenance, de bonté, de la sensibilité à la beauté de ce qu'on aime, du plaisir de se voir, de serviabilité, d'appréciation pour les qualités de cœur, sont précipités, et tout cela, avec les formes solides que cela a revêtues, subsiste quand la passion a disparu. Ce n'est pas tant au moment où on voudrait avoir une femme qu'on fait beaucoup pour elle, que quand on ne l'a plus, mais que l'estime qu'on a eue pour elle au cours de relations amoureuses fait qu'ensuite on ne voudrait pas manquer à l'idée qu'on souhaite qu'elle ait de notre délicatesse. Or comme le prestige de Mme de Guermantes n'avait été pour aucune étranger aux raisons qu'elles avaient eues de céder à l'amour du mari, qui d'ailleurs avait été fort beau[b], être reçue par sa femme avait été la promesse qu'il avait fini par être amené à leur faire, quelquefois, dans la folie de l'amour, en échange d'un simple baiser, quand en commençant l'aventure il avait cru s'en tirer à meilleur compte pour la possession complète, et sans avoir à les mener chez lui. Mais il fallait une occasion pour les présenter à sa femme, et souvent la femme avait succombé, leur liaison avait duré, était finie, quand Mme de Guermantes invitait pour la première fois à dîner la femme, dont elle savait d'ailleurs la bonne influence qu'elle avait sur son mari, car toutes admiraient Mme de Guermantes et cherchaient à se faire bien voir d'elle. Ainsi ces corps, dont chacun avait été pour M. de Guermantes l'objet d'une passion folle, le but et le tourment de sa vie pendant plusieurs années, qu'il avait couverts de ses baisers et de ses larmes, pour qui des instants, sur un soupçon, sur un mot il était revenu à toute vitesse de Guermantes ou de plus loin, aujourd'hui, à côté les uns des autres, réconciliés dans la paix des relations mondaines, deux rivales qui avaient voulu se tuer alors, aidaient ensemble Mme de Guermantes à servir le thé, sachant que maintenant il en aimait une troisième *[un mot illisible]* seulement dans cette demeure.

Assises à côté les unes des autres dans le salon de sa femme, elles semblaient contenir chacune en elle plusieurs années de sa vie.

Ayant chacune été pendant bien longtemps toute la pensée, toutes les tristesses, toutes les actions de sa vie, beaucoup d'années auxquelles lui-même ne pensait jamais plus semblaient avoir été concentrées, absorbées, intériorisées en chacune d'elles, comme tous les rêves d'un sculpteur se sont intériorisés en une statue. Maintenant, liées ensemble dans cette réconciliation du présent, où quand les chagrins sont effacés, les ambitions déçues, les révoltes épuisées, la déchéance consentie, vivent rapprochées et de concert les périodes diverses et discordantes de notre vie, elles se trouvaient souvent assises l'une à côté de l'autre aux jours de réception de sa femme, mais n'étaient en quelque sorte que la projection de cette juxtaposition dans un salon d'années très différentes, bien douloureuses et bien passionnées et auxquelles il ne *[interrompuᵃ]*

Mais*ᵇ* tandis que, à ce goût persistant pour la beauté de ses anciennes maîtresses, M. de Guermantes joignait souvent, par périodes, de l'irritation contre l'indiscrétion de l'une, de l'ennui des susceptibilités d'une autre et de l'ironie pour les ridicules d'une troisième, tandis que la dernière en date*ᶜ* même, qui l'était encore un peu, une femme d'une admirable beauté, mais d'un caractère tracassier, qui le forçait à continuer à venir chez elle tous les jours mais n'en obtenait plus tout ce qu'elle voulait et n'avait pas encore réussi cette année à faire présenter par lui au Jockey ses deux fils, héritiers de sa beauté et qui, grâce à l'appui de M. de Guermantes, étaient invités dans plus d'un salon où on ne voulait pas recevoir leur mère, il y avait une personne avec qui il les jugeait toutes, avec qui il jugeait tout le monde, mais qu'il ne jugeait pas, et qui ne le jugeait pas, il y avait en un mot une personne qu'il préférait à toutes les autres et qui le préférait aussi, c'était Mme de Guermantes. Pendant des années il s'était rendu compte qu'on le jugeait plus heureux qu'il ne méritait d'avoir une femme non pas seulement si belle, mais si bonne, si intelligente, si instruite, si supérieure, si vertueuse, si discrète, qui couvrait tous ses désordres et maintenait le premier rang à son salon (car dans le monde c'est le résultat suprême) et cette opinion des autres sur sa femme, dont il s'était si souvent moqué, maintenant que son sang se refroidissait à l'égard des autres, voici qu'elle lui arrivait à lui, qu'il l'adoptait avec enthousiasme, qu'il la regardait avec attendrissement être tellement trop remarquable et trop bonne pour l'homme qu'il avait été et qu'il n'était plus guère capable d'être. Quant à Mme de Guermantes son mari était le seul être à qui elle pensait comme à un être supérieur à elle, parce qu'elle l'avait aimé sans qu'il la payât de retour, que son intelligence, sa beauté, sa volonté n'avaient trouvé que lui à qui elles fussent restées indifférentes, et qu'elle le jugeait supérieur aux autres à cause de cela, non pas avec son intelligence qui sans doute en déclarait d'autres plus lettrés, non pas avec son cœur qui en discernait d'autres plus sensibles, mais avec sa volonté qui avait rencontré un être plus fort et s'en sentait maîtrisée.

Or, le respect de la volonté pour une volonté plus forte était en Mme de Guermantes la seule base assez fixe à un attachement pour qu'il ne subît aucune variation. Son intelligence était trop incertaine et trop frivole pour ne pas se dégoûter assez vite, quitte à s'y replaire ensuite, quand elle l'aurait un peu oublié, du genre d'esprit de quelqu'un dont elle s'était engouée la veille et qu'elle dénigrait le lendemain. Sa sensibilité était trop superficielle pour que le charme qu'elle avait trouvé à un homme de cœur ne se changeât pas en ennui, bientôt en agacement et en dérision, surtout si par l'ascendant qu'elle avait sur lui, elle sentait sa profonde volonté plus faible que la sienne. La vie mondaine par sa nullité, par son ennui, donne un besoin perpétuel de changement, et les mondains, comme les neurasthéniques, ne subissent la loi que des volontés indifférentes à leurs caprices et qui ne se laissent pas plier. Par là M. de Guermantes devait être le seul associé inamovible de Mme de Guermantes dans les petits jeux où elle se livrait vis-à-vis de ses amis et du monde. Son intelligence oisive ayant besoin de nouveautés, elle le faisait consister à prendre sur une personne le contrepied de l'opinion admise jusque-là, comme fait la critique qui de temps en temps découvre que Zola n'était pas un naturaliste mais un lyrique, que Flaubert n'était pas un artiste mais un bourgeois, que ce qu'il y a de grand chez Musset ce n'est pas le poète mais le prosateur, et chez Sainte-Beuve pas le prosateur mais le poète, que Wagner ne fut pas le premier des grands musiciens modernes, mais le

dernier des Italiens, que le vrai Wagner fut Liszt et le vrai Manet
Corot, etc[a1]. Avaient-ils un ami inintelligent et bon, un beau jour
Mme de Guermantes décidait, et son mari se rangeait aussitôt
à son opinion, qu'il était beaucoup moins bon qu'on ne croyait,
mais aussi beaucoup plus fin. Un de leurs parents était-il connu
pour sa générosité, Mme de Guermantes lançait pour tout l'hiver
comme une mode qu'il était fastueux mais au fond avare. Dans
un couple, le mari était-il un scélérat et la femme une sainte,
on décidait tacitement un beau soir qu'il serait convenu maintenant
de plaindre le mari léger mais sensible d'avoir eu une femme
austère certes, mais sans cœur et terrible et qu'il était trop
excusable d'avoir tant trompée. Un de leurs amis avait-il une
réputation d'esprit, ils le déclaraient un beau jour ennuyeux
comme la pluie, et dissimulaient difficilement les signes d'impatience chaque fois qu'il ouvrait la bouche. Seul M. de
Guermantes, éternel partenaire de Mme de Guermantes dans ces
jeux, avait échappé aux variations de jugement de sa femme. Dès
que Mme de Guermantes avait inventé une opinion de ce genre
sur un de ses intimes, cela devenait une distraction pour elle d'en
essayer sur tous les autres l'originalité, d'en faire étinceler le
paradoxe, et partager la malveillance. Elle y était puissamment
aidée par M. de Guermantes qui, seule personne qui n'eût jamais
eu à subir l'inconstance des jugements de sa femme, se trouvait
le partenaire unique, désigné, invariable de ce jeu de société.
Un tiers, un spectacteur, un membre de la famille à qui on brûlait
d'apprendre les défauts de l'intime sur lequel s'exerçait en ce
moment la psychologie et la malveillance des Guermantes, était-il
à cent lieues de se douter que l'intime ne fût plus au comble
de la faveur, il était difficile à Mme de Guermantes qui avait à
soutenir sa réputation de sensibilité, de douceur, d'incomparable
amie, de commencer elle-même l'attaque. M. de Guermantes,
connu pour bourru bienfaisant n'avait pas tant de précautions à
prendre. Il produisait le premier l'opinion nouvelle généralement
sous une forme incomplète, énigmatique, qui forçait Mme de
Guermantes, laquelle n'attendait que cela, à expliquer au visiteur
ce que son mari voulait dire et en même temps à le rectifier[2].
Sans doute ces opinions nouvelles n'avaient pas plus de vérité
que les anciennes, généralement moins. Mais justement ce
qu'elles avaient d'arbitraire, de faux, leur donnait quelque chose
de théâtral qui les rendait émouvantes à communiquer. Et ce
n'était pas qu'à ses jugements sur les personnes que Mme de
Guermantes demandait ces émotions factices qui lui tromperaient
l'ennui de la vie. C'était aussi à sa manière de faire, d'agir, à
sa conduite sociale, à ses moindres décisions mondaines. Elle
vivait de ces devoirs et de ces émotions artificielles.

Mais ces édits successifs et contradictoires, proclamant ou niant, ou intervertissant les qualités des différentes personnes qu'elle connaissait, ne suffisaient pas à distraire Mme de Guermantes. Elle vivait aussi de ces émotions, de ces principes arbitraires qui remplissent la sensibilité et le cerveau des politiques, des assemblées parlementaires. Si à la Chambre un ministre interpellé explique sa conduite en disant qu'il a cru bien faire de, etc., qu'il a pensé qu'il serait plus simple de... choses qui pour une personne de bon sens les entendant paraîtraient fort raisonnables, < elles > sont accueillies par une longue agitation : « C'est très grave, c'est très inquiétant » et que si l'orateur qui réplique commence en ponctuant les mots : « La stupeur, ce n'est pas trop dire, que m'ont causée les paroles de M. le ministre », il est accueilli par une triple salve d'applaudissements, mouvements divers qui révèlent dans l'esprit des parlementaires assemblés une idée du devoir absolument factice que les explications du ministre ont exaspérée tandis qu'elles eussent convaincu une conscience simplement humaine, et un besoin d'émotion théâtrale qui se déchaîne en dehors de tout motif d'émotion humaine. Si des délégués grévistes se sont présentés auprès d'un ministre et que chaque député se demande, au commencement de la séance « que leur a dit le ministre ; a-t-il promis d'intervenir, leur a-t-il < parlé > sévèrement, a-t-il pris parti pour eux ? », ces diverses questions — étant en somme humaines — n'excitent pas une grande fièvre. Mais que le ministre interrogé réponde avec hauteur : « Je n'ai naturellement pas reçu une délégation dont l'autorité de ma fonction n'avait pas à connaître », l'enthousiasme délirant de la Chambre prouve qu'elle a reconnu dans l'action imprévue et négative du ministre une conception arbitraire d'un devoir factice et en descendant de la tribune il reçoit les félicitations d'un grand nombre de ses collègues. Mme de Guermantes avait ainsi de ce qu'elle devait faire et de ce qu'elle ne devait pas faire une conception dont les manifestations charmaient d'autant plus la société qui avait les yeux fixés sur elle, qu'étant arbitraires, elles étaient inattendues. Quand tout le monde se demandait quel costume on mettrait pour aller au bal costumé du ministre de Grèce, si Mme de Courvoisier ayant demandé à Mme de Guermantes : « Et toi, Oriane, en quoi te mettras-tu au bal costumé du ministre de Grèce », Mme de Guermantes répondait « Mais en rien... », chacun comprenait que, tandis que chacun cherchait un costume, Mme de Guermantes avait décidé de ne pas aller chez le ministre de Grèce, ce qui signifiait qu'elle « ne savait pas ce qu'elle irait faire là-bas », que « ce n'était pas sa place » et que cela révélait du monde mystérieux et souverain de Mme de Guermantes un article sur la situation mondaine du ministre de Grèce qui n'était pas piqué des vers. Ces manifestations imprévues et autocratiques avaient toujours un grand retentissement : « D'un côté vous savez Oriane n'a pas absolument tort. Je reconnais que tout le monde n'est pas en position de faire comme elle et de rompre avec tous les usages. Mais entre nous, il est certain qu'on peut se demander pourquoi notre faubourg se met à plat ventre devant des étrangers qui ne valent pas souvent la corde pour les pendre quand nous sommes si peu accueillants pour tant de Français, même pour des parents de province que nous aurions plus de peine à faire recevoir au Club que le ministre du Guatemala. » Ainsi, comme un ministre qui varie en toutes choses se tient ferme comme roc au refus d'inviter le président d'un conseil municipal nationaliste ou de recevoir une délégation, Mme de Guermantes qui détestait une année ceux qu'elle avait aimés l'autre, qui était indulgente chez les uns aux mêmes vices qu'elle avait flétris chez les autres, qui n'aimait que l'intelligence et n'allait que dans le monde, qui croyait Dreyfus innocent et ne voulait pas recevoir de dreyfusards, Mme de Guermantes n'était fixe qu'en une chose, c'était à une de ces actions qui témoignaient de la puissance et de l'originalité de ses décisions mondaines. Toute la famille du ministre de Grèce aurait pu venir en larmes devant sa porte qu'elle ne fût pas allée pour cela à son bal si elle avait décrété qu'elle « n'avait rien à y faire ». Car c'étaient bien des décrets à ses yeux. Et l'importance et la signification qu'elle savait que chacun attachait à son absence ou à sa présence dans une fête, lui faisait éprouver autant de plaisir en faisant à l'entrée d'un bal une apparition qu'elle savait une consécration, ou en faisant au contraire ce soir-là au coin de son feu une partie de cartes qui avait la valeur d'une abstention voulue. Elle savait se grandir par une humilité qui ne manquerait pas d'être commentée, quand dans une cérémonie où des femmes qui ne la valaient pas se rendaient en tenue de ville, elle avait cru devoir mettre ses plus beaux bijoux, ou au contraire si à une représentation où chacune avait cherché à aller dans les loges les plus en vue, elle qui était invitée dans les plus brillantes, elle avait voulu pour bien goûter la pièce, aller à un simple fauteuil d'orchestre, près de la scène où sa présence frappait plus encore et montrait toute l'originalité de sa vie intérieure, son non-conformisme aux habitudes, son goût sincère des choses de l'esprit. « Vous savez la dernière d'Oriane ? — Non ? — Comment, on ne vous a pas dit, hier aux Français ? — Non, elle était avec la princesse de Parme ? — Non. — Avec la grande-duchesse ? — Non ! — Où ça ? — À un fauteuil d'orchestre où elle était arrivée avant que le rideau se lève, tout en noir, avec un tout petit chapeau. On ne regardait qu'elle. — Mais au fond, voulez-vous que je vous dise, moi je ne trouve pas qu'elle ait tort. Évidemment tout le monde ne peut pas faire cela. Mais enfin avec ce genre d'arriver tard, de prendre le théâtre seulement comme un plaisir mondain, on n'entend plus aucune pièce. Vous savez, Oriane est très intelligente. Il paraît qu'elle discute avec tous ces auteurs comme une personne de leur métier. Au fond, le monde l'assomme, elle n'aime que la littérature, elle le dit assez. Hé bien, elle a voulu le marquer, elle a toujours naturellement sa manière à elle mais qui n'est déjà pas si mauvaise puisque tout le monde en parle. Vous savez ce qu'elle a dit au grand-duc à propos de Tolstoï ? "Monseigneur, quand faites-vous assassiner Tolstoï ?" Je trouve cela délicieux. Ah ! ma chère, M. de Vendôme y était, il m'a dit que le grand-duc a fait une tête. Il n'y a tout de même qu'Oriane pour avoir de ces toupets-là. »

Mme de Villeparisis passait dans le monde pour une femme de beaucoup de cœur pour ceux qu'elle aimait, et d'une rare intelligence. Aussi M. et Mme de Guermantes éprouvèrent-ils une joie intellectuelle très grande durant les jours où ils mirent à nu cette opinion qu'elle avait une espèce de brio tout superficiel, était fort peu intelligente et d'une insensibilité absolue[1]. Il y eut là, quelques après-déjeuners, quand on développait cette idée nouvelle entre intimes plus intelligents que les autres qui y avaient tout de suite adhéré, des heures de brillante activité spirituelle où on ne connaît pas l'ennui. La malignité même était à ces premières heures éblouissantes de la création absente de la joie de Mme de Guermantes ; c'était une joie désintéressée, la joie de l'artiste qui voit lui apparaître une beauté nouvelle. Elle éprouvait à faire confidence de sa découverte au marquis de Gurcy, à Swann, au vicomte de Bedon, la joie qu'elle avait eue à leur montrer le nouveau tableau qu'elle venait d'acheter. Le marquis de Sponde était resté cette année-là plus tard à la campagne, elle se desséchait d'impatience de l'impression que lui ferait le nouveau chef-d'œuvre de son esprit. Bientôt ce fut une vérité admise dans le petit milieu des Guermantes, et qui perdit de sa nouveauté. Alors la malignité s'en mêla. Et Mme de Guermantes souffrait quand un de ses amis semblait ignorer le nouvel évangile. Au nom de Mme de Villeparisis je dis : « Je l'aime beaucoup, elle a tant de cœur. » M. de Guermantes me regarda d'un air que je ne compris pas car il ressemblait à un air d'étonnement, or il ne pouvait pas en éprouver à entendre parler du nom de sa bonne tante. Comme je ne fis aucune réponse à une expression de visage que je n'avais pas comprise, Mme de Guermantes jugea qu'il n'avait pas été assez explicite et crut devoir la préciser. Et d'un air d'excuser son mari : « Astolphe vous regarde d'un air ahuri < parce que vous > avez parlé du cœur de ma tante, mais remarquez qu'il est le premier à bien l'aimer tout de même, car elle a malgré tout de grandes qualités, et en somme elle nous aime dans la mesure où elle peut aimer

quelqu'un. — Mais je n'ai eu aucun air ahuri, reprit avec politesse
M. de Guermantes. Je n'ai voulu dire aucun mal de ma tante.
Je n'ai même pas été surpris de vous entendre parler du bon cœur
de ma tante mais vous dites cela par politesse. » Je me récriai
que je ne l'avais nullement dit par politesse. « Ne vous défendez
pas, dit Mme de Guermantes, nous vous croyons trop intelligent
et trop fin pour avoir pu croire jamais de cœur à une femme
qui n'est pas d'ailleurs une méchante femme et qui a de la bonne
grâce quand on fait bien dans son salon, mais qui à part cela est
le plus insensible rocher que j'aie jamais connu, une égoïste de
comédie. » Je ne voulais ni abandonner Mme de Villeparisis ni
avoir l'air de manquer de perspicacité, mais je sentais combien
j'en avais manqué. « Vous croyez, dis-je, que chez elle
l'intelligence a fini par remplacer le cœur ? » M. de Guermantes
me regarda de nouveau d'un air étonné. « Voyons Astolphe, dit
Mme de Guermantes en riant, vous allez faire peur à ce garçon
si vous lui faites tout le temps les gros yeux. Je vous assure qu'elle
n'est pas si intelligente que cela, ma tante, reprit-elle avec douceur
en se tournant vers moi. Oh ! elle est très amusante ! ça c'est
vrai. Elle a beaucoup de mouvement dans l'esprit. Remarquez
que je ne m'ennuie jamais chez elle. Quand elle prend le dé de
la conversation, qu'elle fonce sur quelqu'un, elle est étonnante
pour son âge. Mais cet esprit-là, cette verve, allez, sont bien peu
profonds, bien inintelligents. Je ne dis pas qu'elle n'a pas certains
bonheurs d'expression et souvent des audaces qui reviennent
ensuite un peu trop souvent pour nous qui les connaissons,
comme ses souvenirs et anecdotes d'ailleurs généralement
inventés de toutes pièces mais qui sont amusants. Mais c'est une
femme qui n'a jamais réfléchi à rien, jamais senti, jamais souffert,
ajouta-t-elle après un silence et avec une petite modulation dans
la voix. C'est un étourneau, un perroquet, tout ce que vous
voudrez. Mais causez un peu à fond avec elle, vous verrez qu'elle
n'est pas intelligente.

— Je ne crois pas que M. de Gurcy soit de votre avis, dis-je.

— Ah ! répondit Mme de Guermantes d'un air contrarié, mon
beau-frère est un être délicieux qui s'imagine que du
moment qu'il fait à une personne l'honneur de l'aimer elle ne
peut plus avoir de défauts. C'est comme la faveur du roi ! Elle
couvre tout. Qu'est-ce que vous voulez, Adalbert ne pourra pas
se trouver dans un même salon avec des gens charmants que nous
connaissons tous, mais si quelqu'un qu'il aime épouse une
Gothon, il la traitera en princesse du sang. On ne peut tout de
même pas citer les jugements d'un être aussi partial. Remarquez,
ajouta-t-elle au bout d'un moment, qu'il sait aussi bien que nous
que notre tante a un cœur de pierre, et qu'elle comprend très
peu de choses. Seulement il n'aime pas se l'avouer à lui-même. »

À mettre çà ou là quand je vais chez eux.*

Sans doute depuis bien longtemps la duchesse de Guermantes de mes premiers rêves, luisant de l'or mourant de son nom, n'existait plus pour moi. Même il me fallait faire des fouilles profondes dans mes plus anciens souvenirs, et pour qu'elles réussissent qu'une excitation passagère — par exemple celle due à un excès de bière — mît devant eux son verre stéréoscopique, leur rendît leur vivacité, tous les traits et comme en relief, les impressions attachées à eux dont je recommençais à revivre le tronçon qui leur était adhérent, pour que ce personnage de Mme de Guermantes je pus même l'imaginer. Cela ne m'empêchait certes pas de prononcer ce nom de Mme de Guermantes. Mais pour le prononcer sans émoi, pour le prononcer comme Mme de Villeparisis seulement comme celui de la personne que j'allais voir tout à l'heure, plus ne m'était besoin de cette affectation que je jouais autrefois quand au temps de la première visite que je fis à Mme de Villeparisis je parlais de Mme de Guermantes sans laisser sentir qu'à ce moment des arpents de bois jaunissant passaient sur mes lèvres. À tout moment de notre vie ne charrions-nous pas ainsi dans notre langage, ayant perdu leur forme première, retournés à la vie inaccessible, les cadavres des vivants que nous avons le plus chéris et dont nous pouvons à peine retrouver le souvenir ? Il n'y a pas une seule phrase que nous prononçons qui n'atteste comme autant de tombeaux les parjures de nos affections, le renoncement à nos désirs, l'aveu de la déception formidable qu'un monde qui n'est pas fait pour elle, qui ne contient pas d'individu, a imposé à notre imagination, et dont nous ne nous sommes consolés qu'en cessant d'être individuels, en adoptant le langage et les plaisirs des autres. Mais si cette duchesse de Guermantes, impalpable comme un reflet, n'existait plus pour moi, pourtant de même qu'à Balbec quand j'avais su que l'église blottie dans la transparence de son nom persan* n'existait plus, j'avais rebondi en me disant d'après Elstir que cette église était le plus beau cantique d'amour que le Moyen Âge eût composé à l'honneur de la Vierge, de même lisant des Mémoires du XVIIᵉ siècle où la duchesse de Guermantes était appelée ma cousine par Louis XIV[1] et passait avant les Guise, me rappelant que cette situation n'était pas abolie car aujourd'hui encore la reine d'Angleterre, la reine d'Espagne traitaient Mme de Guermantes en amie de la plus haute naissance, j'avais fait de cette sorte de grandeur, à laquelle les souverains d'autrefois et d'aujourd'hui rendaient hommage, comme une sorte de contenu de la personne de Mme de Guermantes qui la faisait différente des autres personnes.

Si* le nom de duc et duchesse de Guermantes ne signifiait plus pour moi qu'un homme et une femme de même nature que tous

les autres, qui pouvaient avoir plus envie de me voir un jour
que l'autre selon qu'ils avaient plus ou moins à faire, mais enfin
avec qui j'avais des relations purement humaines, je veux dire
que des mille petits problèmes psychologiques que la vie sociale
nous pose dans nos relations avec les autres[a], j'avais éliminé cette
inconnue, leur nom, qui me les avait rendus longtemps plus
séduisants, plus mystérieux et moins accessibles. Mais comme un
mot, heureusement placé par un poète auprès d'un autre, semble
un mot neuf, se remplit d'impressions inconnues, prend un prix
particulier, de même ce nom de Guermantes avait gardé pour
moi de sa force dans la personne du prince et de la princesse
de Guermantes[b]. Souvent mon père, qui dans le trajet habituel
de son bureau à la maison passait devant l'hôtel de Bavière, nous
disait : « Je suis encore passé devant l'hôtel de Bavière. C'est
princier. La porte cochère était entrouverte. Quelles merveilleuses statues on aperçoit de chaque côté du perron. Du reste
ce n'est pas extraordinaire, on me disait qu'après deux
milliardaires américains c'est la troisième plus grande fortune du
monde. C'est un vrai palais de conte de fées. C'est malheureux
que ce ne soit pas plutôt ceux-là que tu connaisses », me disait-il,
car quoique n'aimant pas que j'aille dans le monde, il était presque
piqué contre les gens qui ne m'invitaient pas. Mais moi, étant
encore à l'âge où l'imagination met derrière des choses analogues
des individualités distinctes, je pensais qu'il devait y avoir dans
un palais de conte de fées quelque chose de différent des demeures
que je connaissais et qui m'empêchait d'y pénétrer. N'ayant
encore jamais été chez une maîtresse de maison portant le titre
de princesse, je me disais, bien que je susse fort bien que ce titre
était inférieur à celui de duc, que peut-être les princesses, surtout
celles qui ont une fortune colossale, ne recevaient-elles pas
comme font les duchesses, des jeunes gens qui ne sont pas nés,
et que c'était peut-être chez elles que se réfugiait cette vie spéciale
que je n'avais pas trouvée chez la duchesse de Guermantes, qui
semblait cesser quand j'entrais dans son salon. La duchesse de
Guermantes et ses amies ne célébraient sans doute plus les fêtes
mystérieuses, aussi avaient-elles pu me laisser pénétrer chez elles
sans danger. Mais j'avais bien vu au salut que la princesse de
Guermantes m'avait fait devant la cour de sa cousine que je ne
pénétrerais jamais dans sa demeure que comme ces livres dont
nous gardons un souvenir où ce que l'auteur a mis effectivement
tient moins de place que leur coloration, telle rêverie due à un
mot mal compris, à une phrase qui nous a exagérément frappés,
je me représentais à la fois comme le palais d'une fée défendu
par des génies, et comme l'hôtel de Bavière dont parle
Saint-Simon, où je voyais autour du prince et de la princesse de
Guermantes actuels, non pas des gens du monde d'aujourd'hui,

mais tous les personnages de Saint-Simon, Mme de Chevreuse, Mme de La Fayette, et à côté d'elles Marie-Antoinette, la princesse de Lamballe, et Madame Élisabeth.

Ainsi quand, pendant le séjour de Mme de Guermantes à Cannes, un jour en décachetant mon courrier je trouvai une carte où étaient imprimés ces mots :

> *La princesse de Guermantes*
> *née archiduchesse de Bavière*
> *sera chez elle le 2 avril*[a]

ce fut comme un plaisir de pure imagination, un plaisir encore intact de toute dégradation humaine, de toute ressemblance avec ce que je connaissais, que m'offrait la carte que je venais de recevoir, un véritable palais de conte de fées, dont elle m'ouvrait la porte mystérieuse. « Sera chez elle » était comme les trois coups qui annonçaient le lever du rideau devant une salle pleine mais où ne figuraient que les personnes comprises dans le royaume du nom « la princesse de Guermantes » et auxquelles, je ne savais pourquoi, je me trouvais agrégé ; mais le caprice de la princesse de Guermantes pouvait-il faire que je devinsse l'un de ceux pour qui ses fêtes se célébraient ? C'était un nom, un nom plein d'images que l'expérience n'avait pas effacées, un nom familier de toutes les grandeurs du XVIIe siècle, un nom antique et glorieux qui semblait, puisque l'enveloppe qui le contenait m'était adressée, me connaître, me rechercher, me prier de venir me mêler dans l'hôtel princier aux fantôme de l'Ancien Régime et aux fées, de la société desquels je me sentais si indigne que le geste du *[lacune]* invraisemblable que je craignais tout d'un coup d'être victime de la farce de quelqu'un qui se serait procuré une de ces cartes imprimées, et qui l'aurait mise dans une enveloppe à mon nom. Mais comment le savoir ? Mme de Guermantes était absente. Mme de Villeparisis ne voyait presque jamais la princesse de Guermantes. D'ailleurs ma grand-mère trouvait ridicule d'aller lui demander si cette invitation était une farce. Dans son dédain du monde, elle ne trouvait à cette invitation rien d'extraordinaire et par conséquent d'invraisemblable. « Vas-y chez ces personnes si cela t'amuse, n'y vas pas si cela ne t'amuse pas. Cela n'a aucune importance. — Mais même s'ils m'ont vraiment invité, cela les ennuiera peut-être que j'y aille, je leur témoignerais peut-être mieux ma reconnaissance en n'y allant pas. — Mais mon pauvre petit, tu es idiot. S'ils n'avaient pas envie que tu y ailles, ils ne t'auraient pas invité. Maintenant si tu n'y vas pas, sois sûr qu'ils n'en feront pas une maladie. Tu n'as pas besoin de t'agiter. Tu verras bien le jour même comment tu seras disposé. Si tu veux travailler tu feras mieux de rester chez toi, si tu as besoin de te changer les idées, tu iras y faire un tour. Crois-moi, cela ne vaut pas la peine d'y penser d'avance comme à un événement. » Car depuis que j'étais souffrant, ma grand-mère elle-même venait de faire fléchir ses principes d'air et on n'aimait pas que je sorte le soir, en revanche le printemps et l'air doux venus, on me laissait libre de reſter beaucoup dehors et *[un mot illisible]*, ce qui m'encourageait à sortir. J'en profitais pour donner rendez-vous à cette bonne de Querqueville ou à d'autres femmes, de sorte que dès le printemps, au lieu d'être concentré en moi-même et à la maison le monde m'apparaissait comme un tiède grenier d'abondances où à toute heure même de la soirée des verdures qui ne s'en allaient ni la nuit ni les jours de mauvais temps, des conversations mondaines dans les salons ouverts chaque soir, et la possibilité de rendez-vous amoureux m'attendaient et me faisaient penser au lendemain avec plaisir, à quelque chose d'excitant pour ma jeunesse, aussi étais-je sorti tous les jours ce printemps-là et maintenant, car la saison mondaine finissait plus tôt à ce moment-là, c'était une des dernières soirées de l'année.

Le jour de la soirée venue[1], j'appris par Françoise que la duchesse était rentrée de la veille au soir. J'allai la voir avant dîner, sans avouer à ma grand-mère le but de la visite que j'allai faire ; elle n'était pas encore rentrée mais on me dit que le duc était là et que sûrement il serait content de me voir, et je montai dans sa bibliothèque où il lisait la fenêtre ouverte tandis que la pluie tombait sur les arbres de son jardin et des jardins voisins[2]. « Ah ! ça c'eſt gentil le jour de notre retour. La duchesse n'eſt pas encore rentrée. Je ne sais pas ce qu'elle peut faire dehors d'un temps pareil, mais elle ne tardera pas car nous dînons en ville et il eſt déjà sept heures. » Je lui demandai s'ils iraient chez la princesse de Guermantes. Il me répondit que ce n'était pas certain, car sa femme était un peu fatiguée du voyage, que cela dépendait d'elle, comment elle se trouverait après dîner. « Mais comment savez-vous qu'il y a une soirée chez la princesse de Guermantes ? » Je lui dis que j'avais reçu une invitation et que j'aurais même été très heureux s'il avait pu envoyer chez sa cousine savoir si c'était vrai. Sa figure se rembrunit. J'avais sans le vouloir effleuré le genre de services que M. et Mme de Guermantes n'aimaient pas rendre. Il me dit d'ailleurs assez juſtement qu'il était trop tard, que si par hasard je n'étais pas invité j'aurais l'air de demander une invitation, qu'il avait déjà eu des ennuis avec sa cousine pour une invitation qu'elle lui avait refusée et qu'il ne voulait ni de près ni de loin avoir l'air de se mêler de ses liſtes, que cela l'étonnait qu'elle m'invitât, mais qu'après tout il n'y avait pas de raison pour qu'on m'eût joué une farce ; sa grande raison de ne pas s'en mêler eſt qu'il révélerait ainsi son retour à ses cousins, et qu'il aimait mieux

ne pas annoncer ce retour à son de trompe pour ménager plus
facilement à sa femme si elle se trouvait fatiguée après dîner,
la possibilité de ne pas y aller. Il me demanda même de ne pas
lui en parler, craignant qu'elle ne fît par amabilité pour moi une
démarche qu'il désapprouvait, ou voulant laisser intacte sa
réputation d'amabilité en lui évitant ainsi d'avoir à me refuser.
« Mais allez-y donc, qui voulez-vous qui vous ait fait cette farce ?
Je vous dis cela du reste égoïstement, car si nous y allons nous
serons ravis de passer la soirée avec vous. » Mme de Guermantes
en rentrant vint causer un moment avec nous, puis alla s'habiller.
Un domestique vint dire : « Mme la duchesse fait demander si
M. le duc veut recevoir M. Swann pendant que Mme la duchesse
finit de s'habiller. » M. de Guermantes fit entrer Swann, nous
amena dans son cabinet de toilette et s'habilla devant nous. Puis
la duchesse entra toute prête, haute et superbe dans une longue
robe de soie d'un rouge sombre. Elle avait dans les cheveux une
plume d'autruche teinte en pourpre, et sur les épaules une
écharpe en tulle du même rouge. Elle s'excusa auprès de Swann ;
comme M. de Guermantes était prêt et attendait l'heure de partir,
nous descendîmes causer en bas dans le vestibule. Swann parla
du voyage en Hollande qu'il venait de faire avec M. de Gurcy.
« Savez-vous, dit Mme de Guermantes, vous devriez le refaire
l'année prochaine avec Astolphe. — Mais Madame, je ne crois
pas que ce sera possible. — Comment, un an d'avance vous savez
cela ? dit en riant Mme de Guermantes. — Oui, duchesse, répondit
Swann, en riant aussi. — Peut-on savoir ce grave empêchement ?
— Si vous y tenez, madame. » À ce moment un valet de pied
parut à la porte. La voiture de la duchesse était avancée. « Hé
bien ? dit la duchesse en se levant. — C'est que, hélas ! d'après
tous les médecins que j'ai consultés, le mal que j'ai depuis l'année
dernière ne peut pas me laisser vivre au-delà de quelques mois
au plus », répondit Swann tandis que le valet de pied ouvrait
la porte vitrée pour faire passer la duchesse. « Qu'est-ce que vous
dites là », dit la duchesse, en levant sur lui sa belle tête rouge,
et en fixant sur lui d'un air embarrassé ses beaux yeux bleus
mélancoliques et incertains, car c'était la première fois qu'elle
se trouvait avoir à choisir entre deux devoirs aussi différents,
monter dans sa voiture ou montrer de la pitié à quelqu'un qui
va bientôt mourir. Le code des convenances mondaines ne lui
indiquait pas la solution à adopter dans un conflit de ce genre,
elle tenta de croire qu'il n'existait pas et dit : « Vous voulez
plaisanter. — Ce serait une plaisanterie d'un goût charmant,
répondit ironiquement Swann, mais je vous en prie, ne vous
retardez pas, je ne sais pas pourquoi je vous dis cela, je
ne vous avais pas parlé de ma maladie jusqu'ici. Mais maintenant que je peux mourir d'un jour à l'autre... — Voyons

Oriane, ne reſtez pas à bavarder comme cela, s'écria M. de Guermantes avec mauvaise humeur, vous savez pourtant bien que Sponde tient à ce qu'on se mette à table à huit heures précises ; et vous laissez vos chevaux immobiles sous l'eau par un temps pareil. Je vous demande pardon Charley, dit-il en se tournant vers Swann, mais il eſt huit heures moins dix, Oriane eſt toujours en retard, nous mettrons bien cinq minutes pour aller chez Sponde. » Mme de Guermantes s'avança vers la voiture et redit encore un dernier adieu à Swann. « Vous savez, nous reparlerons de cela, je ne vous crois pas, venez déjeuner que nous en parlions », et relevant sa jupe rouge elle entrait dans la voiture, quand M. de Guermantes qui la suivait pour monter à côté d'elle s'écria d'une voix de ſtentor : « Oriane ! qu'eſt-ce que vous alliez faire, vous avez gardé vos souliers noirs. Avec une toilette rouge ! Remontez vite mettre des souliers rouges. — Mais mon ami, puisque nous serons en retard, répondit doucement Mme de Guermantes, voyant que Swann était encore là. — Mais non, nous avons le temps, il n'eſt que moins dix, il ne faut pas dix minutes pour aller chez Sponde. Et puis enfin il serait huit heures et demie, qu'eſt-ce que vous voulez, ils patienteront, vous ne pouvez pas aller avec une robe rouge et des souliers noirs. Nous ne serons pas les derniers, allez, il y a les Vilcoloires, vous savez qu'ilſ ne viennent jamais avant neuf heures moins vingt. » Mme de Guermantes remonta chez elle. « Croyez-vous tout de même, dit M. de Guermantes, les pauvres maris, on se moque bien d'eux, mais ils ont du bon tout de même. Sans moi Rosemonde allait dîner en souliers noirs avec une robe rouge. — Remarquez que cela n'eſt pas laid, dit Swann. — Je ne vous dis pas, dit le duc. Mais pour une femme élégante comme ma femme, ajouta-t-il en riant, avouez que c'eſt plus élégant d'avoir des souliers rouges puisqu'elle eſt en rouge. Et puis soyez tranquille, elle m'aurait plutôt fait revenir une fois arrivé si elle s'en était aperçue. Adieu mes petits, allez-vous-en, dit-il en nous repoussant Swann et moi. Si vous êtes encore là quand Oriane redescend, elle va recommencer à causer avec vous, et Dieu sait à quelle heure nous arriverons dîner. Je vous avoue franchement que je meurs de faim, j'ai très mal déjeuné ce matin, et je ne serais pas fâché de me mettre à table. Ah ! les femmes[d] ! »

NOTICES, NOTES ET VARIANTES

À l'ombre
des jeunes filles en fleurs
[suite]

NOMS DE PAYS : LE PAYS

NOTICE

La deuxième partie d'*À l'ombre des jeunes filles en fleurs*, récit du premier séjour du héros à Balbec, est dominée, dans sa forme achevée, par la leçon d'Elstir et par la bande des jeunes filles. Dès les premières ébauches d'*À la recherche du temps perdu* était pourtant dessiné un séjour à la mer qui devait surtout répondre au désir du héros de voir des tempêtes ; son projet de voyage en Italie étant différé, cet épisode marin donnait seul réalité à ses rêveries sur les noms, que nous lisons aujourd'hui au début de la troisième partie de *Du côté de chez Swann*. À « Noms de pays : le nom » répondait donc déjà dans l'esprit de Proust « Noms de pays : le pays ». Mais au fil des années, le premier séjour marin a pris trop d'ampleur pour qu'on puisse réduire son rôle à celui d'un deuxième volet de la méditation sur les noms. En somme, si le titre général *À l'ombre des jeunes filles en fleurs* convient surtout au dernier tiers du volume, le sous-titre « Noms de pays : le pays » s'applique au mieux aux pages qui racontent le voyage et le début du séjour à Balbec[1].

La plupart des composantes de cette deuxième partie d'*À l'ombre des jeunes filles en fleurs* ont une origine fort ancienne. Le séjour à la mer est présent dans *Jean Santeuil* où il est directement inspiré par un voyage que Proust fit dans le Finistère, notamment à Beg-Meil, avec son ami Reynaldo Hahn, en septembre 1895. Les sentiments du héros pour un jeune aristocrate dont l'amitié le flatte, Robert de Saint-Loup, sont préfigurés par ceux de Jean pour Bertrand de Réveillon, Proust s'inspirant dans les deux romans de son amitié avec Bertrand de Salignac-Fénelon. La rencontre de l'écrivain C***, dans Jean Santeuil, pouvait être considérée comme une transposition de celle que Proust et Reynaldo Hahn firent à

---

1. On en a confirmation par le verso de la page de faux-titre de l'édition Grasset de *Du côté de chez Swann* (1913), où « Noms de pays : le pays » précède « Premiers crayons du baron de Charlus et de Robert de Saint-Loup » (voir p. 1323).

Beg-Meil du peintre américain Alexander Harrison. On s'étonnera que pour une fois, *À la recherche du temps perdu* nous rapproche plus de l'expérience vécue que le roman abandonné ; Bergotte étant dans celui-ci le nom d'un peintre, Proust s'est livré, non sans indécisions, à un chassé-croisé sur l'importance duquel nous reviendrons. L'éveil à la vocation littéraire de Jean trouve un prolongement dans l'épisode des trois arbres d'Hudimesnil[1]. Albertine tient, dans les scènes du furet et du baiser refusé, le même rôle que Charlotte dans des scènes voisines de *Jean Santeuil*. En outre, « Noms de pays : le pays » est, autant que « Noms de pays : le nom », imprégné par les lectures de Ruskin auxquelles Proust se consacra vers l'époque où il abandonna *Jean Santeuil*. Mais, lorsqu'il entreprend *À la recherche du temps perdu*, il considère d'un œil critique l'œuvre du philosophe anglais. Enfin, les propos que tient Mme de Villeparisis sur la littérature, illustrant les erreurs de la méthode de Sainte-Beuve, rattachent visiblement le roman au projet d'essai critique dont il est dérivé.

Du Carnet de 1908 aux dactylographies.

En 1908, pour le deuxième été consécutif, Proust séjourne au Grand-Hôtel de Cabourg[2]. Sur le premier de ces longs et étroits carnets que lui a offerts Mme Straus — Carnet 1, appelé aussi Carnet de 1908[3] bien qu'il l'utilise jusqu'en décembre 1910 au moins —, il note des bribes de phrases, à la destination probablement incertaine. Quelques-unes peuvent être lues comme de simples observations sur Cabourg et l'hôtel : « Avenues de Cabourg. Hôtel du Grand-Belon et ses hôtes[4] » ou « Tache rose de Lucie Gérard[5] » ou encore « Meilleur d'aimer ce qui est du pays, Plantevigne, Foucart ; — gens chics enveloppés dans leur milieu, nobles ne souffrant pas à l'hôtel d'être inconnus des autres[6] ». D'autres mettent ses impressions en relation avec des souvenirs : « Maman retrouvée en voyage, arrivée à Cabourg, même chambre qu'à Évian, la glace carrée[7] » ou « Charme du Casino où on se retrouve tous les derniers jours de pluie. Départ prochain *idem* à Beg-Meil etc.[8] » ou même « Harrison dont nous n'avions rien vu, étions émus de le connaître, sensation de grand homme[9] » ; cette dernière note est-elle inspirée par une

---

1. Voir p. 76-79.

2. Il avait déjà séjourné enfant à Cabourg avec sa grand-mère, comme en témoigne un carnet de notes tenu par Mme Proust, où elle cite une lettre adressée par Marcel de Cabourg en septembre 1891 dans laquelle il lui disait : « Quelle différence avec ces années de mer où grand-mère et moi, fondus ensemble, nous allions contre le vent en causant » (Georges Cattaui, *Marcel Proust. Documents iconographiques*, Genève, 1956, pl. XXXIV, cité par Ph. Kolb, *Correspondance*, t. III, p. 407, n. 6).

3. C'est sous ce titre qu'il a été édité par Ph. Kolb, dans la série des *Cahiers Marcel Proust*, n° 8, Gallimard, 1976, édition à laquelle renvoient nos références.

4. *Ibid.*, p. 53.

5. *Ibid.*, p. 55.

6. *Ibid.*, p. 54.

7. *Ibid.*, p. 53.

8. *Ibid.*, p. 56.

9. *Ibid.*, p. 54.

impression récente, par exemple une visite aux peintres Helleu ou Vuillard[1] qui séjournaient souvent sur cette partie de la côte normande, ou le souvenir de Beg-Meil suffit-il à Proust pour qu'il amorce un virtuel développement romanesque ? On lit un peu plus loin : « Homme de lettres près de Cabourg travaillant avec l'espoir de voir de temps à autre des amis, de leur paraître grand par ce qu'il fait, puis la pensée de ses amis se substitue à eux, [il] ne les voit jamais. Marcel va le voir, sans avoir rien lu de lui, morceau sur Harrison[2]. » Ébauchant ici, grâce à l'emploi de la troisième personne, un personnage de roman, Proust imagine peut-être la visite à un écrivain comme une transposition de sa visite à un peintre. Puis, dans *À la recherche du temps perdu*, la peinture se révèle pour le héros d'un apprentissage plus fructueux que la littérature : « je » visite pour finir l'atelier d'un peintre. Proust retournerait-il à l'expérience vécue ? Au contraire : « je » a plus d'épaisseur romanesque que « Marcel » et Elstir, quoique peintre, est affranchi de Harrison. Des références aux écrivains qui compteront parmi les « phares » de l'œuvre préfigurent d'une autre façon, dans le Carnet de 1908, le dessein littéraire de Proust : Baudelaire[3], Nerval, ou plus tard Barbey d'Aurevilly[4]. Si Baudelaire, invoqué dans « Noms de pays : le pays » comme le poète de la mer, est aussi celui de ces « vierges en fleurs » que Proust ne peut, à ce stade du roman, célébrer comme des filles de Lesbos, Nerval a inspiré de façon moins visible, mais peut-être plus profonde, l'épisode de Balbec[5]. Au moins Proust se console-t-il, grâce à son exemple, de ne savoir quelle forme son œuvre prendra[6]. Ainsi, au cours de cet été 1908, récapitulant sur le même carnet des pages déjà écrites qui préfigurent l'épisode de « Combray[7] », cherche-t-il non pas des modèles, mais des inspirateurs et des points de comparaison, et esquisse-t-il quelques grands thèmes de « Noms de pays : le pays » : les impressions de dépaysement à l'arrivée dans une chambre d'hôtel et la nostalgie du départ, la visite à un grand artiste, peut-être aussi l'apparition d'une jeune fille. Mais il ne peut prévoir que ces thèmes seront finalement réunis dans le même épisode.

Sans doute a-t-il, au cours de l'automne et des hivers suivants, rempli une grande partie des Cahiers qu'on a coutume d'appeler les « Cahiers Sainte-Beuve ». Si on les considère suivant l'ordre chronologique suggéré par le *Bulletin d'informations proustiennes*, n° 9, du printemps 1979, on relève dans le Cahier 3 que le héros, depuis la fenêtre de sa chambre à Paris, voit passer des jeunes filles de la bourgeoisie qui se rendent à leurs cours[8]. Dans le Cahier 2, il se

---

1. Voir n. 1, p. 197.
2. Carnet de 1908, p. 61.
3. *Ibid.*, p. 65.
4. *Ibid.*, p. 94-95.
5. Voir, dans le tome I de la présente édition, l'Introduction à *À l'ombre des jeunes filles en fleurs*, p. 1298.
6. Voir le Carnet de 1908, p. 61 et 65.
7. *Ibid.*, p. 56.
8. Ff^{os} 29 v° et 30 v°.

souvient, au cours d'une conversation avec « Maman » d'une jeune paysanne apportant du café au lait, à l'aube, aux voyageurs du train : c'est le voyage d'Évian de septembre 1899[1]. Du portrait de Françoise contenu dans le Cahier 5, notamment aux folios 24-29 r⁰ˢ, on retrouve certains traits dans « Noms de pays : le pays[2] ». Mme de Villeparisis apparaît dans le Cahier 1 ; elle a connu Balzac, et le juge « très commun », au contraire de Sainte-Beuve, « homme charmant, fin, de bonne compagnie » ; ces goûts diffèrent de ceux de Henri et Charles de Guermantes, ses neveux, qui sont au contraire de grands admirateurs de Balzac[3]. Les jeunes filles réapparaissent dans le Cahier 4, encore vues depuis la fenêtre ou au bal[4] ; la rémanence du bal dans des cahiers ultérieurs, au moins sous forme de souvenir, le signale comme un de ces motifs que Proust a abandonnés au cours de l'élaboration d'*À la recherche du temps perdu*. Mais le Cahier 4 dessine surtout le souvenir de vacances enfantines au bord de la mer, où le héros se rendait avec sa grand-mère ; dans cette station, que Proust ne nomme pas encore, il pouvait voir Swann et Mme de Villeparisis que sa grand-mère avait connue au Sacré-Cœur et qu'elle s'obstinait à ignorer, ce qui causait le désespoir du héros, car cette relation l'aurait « posé » auprès de deux jeunes filles ravissantes et moqueuses[5]. Jacques de Montargis, petit-neveu de Mme de Villeparisis, apparaît dans le Cahier 31 ; sa grand-mère ayant enfin abordé Mme de Villeparisis, le héros devient l'ami de ce jeune noble qui lui a d'abord paru si dédaigneux[6]. Le Cahier 36 offre de nouvelles variations sur les jeunes filles, aperçues par le héros de sa fenêtre ou chez les Guermantes ; surtout y apparaît Mlle de Penhoët, « celle qui avait le feutre gris avec la plume de faisan dans la salle à manger de Saint-Valéry[7] » ; le héros la rencontre dans l'île du Bois[8] en compagnie de Mlle de Forcheville, de Cécile, que sa tenue sportive apparente déjà aux jeunes filles de la bande de Balbec, et d'une blonde au regard de myope[9]. À l'envers du cahier, Mlle de Penhoët, appelée cette fois successivement de Caudéran et de Quimperlé, est décrite en compagnie de son père, déjà porteuse du rêve d'un « Guermantes breton » que nous retrouverons dans la version définitive[10]. Le Cahier 7 introduit sous des noms variés, Guercy, Gurcy, Guercœur,

---

1. Voir l'Esquisse XXX, p. 892 à 894.
2. Voir p. 137-138. Voir aussi « Portrait de Françoise : texte inédit », publié par J.-Y. Tadié dans la *Revue d'histoire littéraire de la France*, sept.-déc. 1971, p. 753-764.
3. Ff⁰ˢ 33 à 26 v⁰ˢ (Proust utilise souvent ses cahiers à l'envers après avoir rempli à l'endroit les rectos de ses pages ; ainsi s'expliquent de nombreuses numérotations décroissantes).
4. Ff⁰ˢ 69 v⁰ et 65 v⁰.
5. Voir l'Esquisse XXXVI, p. 910 et suiv.
6. Ff⁰ˢ 24 à 36 r⁰ˢ.
7. Est-ce le premier nom du lieu qui deviendra Balbec ?
8. Voir le rendez-vous avec Mme de Stermaria dans l'île du Bois de Boulogne, dans *Le Côté de Guermantes II*, p. 678.
9. Ff⁰ˢ 38 à 41 r⁰ˢ.
10. Voir l'Esquisse XXXV, p. 906 et suiv. et le texte définitif, p. 44 et suiv.

l'oncle de Montargis ; le héros ne reconnaît pas dans l'étrange personnage qui le dévisage devant l'hôtel l'homme à femmes « entiché de noblesse » dont son ami lui a fait le portrait ; quand il lui aura été présenté, il sera ravi de voir un homme aussi important lui témoigner autant de prévenances[1]. À la suite est développée, dans le Cahier, la vie de M. de Guercy à Paris qui lève le voile sur son homosexualité, mais Proust sait déjà qu'il réservera ces révélations pour une partie ultérieure de son roman. Le nom de Querqueville, futur Balbec, apparaît pour la première fois, semble-t-il, dans le Cahier 6 : mais on ne peut rattacher à aucune partie du roman l'évocation du jeune homme qui s'y promenait « mélancolique et seul » et dont le narrateur se souvient[2]. En somme, de « Noms de pays : le pays », les Cahiers Sainte-Beuve n'esquissent que la partie que Proust aurait souhaité voir publiée dans le premier volume de son roman. Il semble hésiter sur la manière dont les jeunes filles enrichiront l'expérience de son héros : les connaîtra-t-il au bal, à Paris, à la mer ? Seule celle qui porte un feutre gris, et qui s'appellera en définitive Mlle de Stermaria, paraît déjà nettement dessinée.

Les cahiers que Proust va remplir ensuite, probablement à partir du printemps 1909, ébauchent plus précisément son projet romanesque tel qu'il le prévoit alors, c'est-à-dire d'une part le souvenir d'un premier séjour dans une station désormais nommée Querqueville, d'autre part l'introduction d'une bande de jeunes filles lors d'un séjour ultérieur. Le Cahier 32 donne en ses premiers feuillets la matrice commune à la rêverie sur les noms de lieux liée à un projet de voyage en Italie, qu'on lit aujourd'hui dans « Noms de pays : le nom[3] », et au départ pour Querqueville, situé « entre Normandie et Bretagne » et où le héros se rend en passant par Amiens, pèlerinage ruskinien obligé qui lui inspire de la déception[4]. Le voyage en train, l'arrivée à Querqueville[5], la distinction entre Querqueville-le-Vieux et la station balnéaire proprement dite[6] figurent selon le plan que suivra le texte définitif. Les passages sur Mme de Villeparisis et son neveu Montargis, désormais prénommé Guy, sont repris et affinés[7]. Enfin est rapidement ébauchée une première rencontre avec le peintre X[8].

Les Cahiers 26, 12, 25, 64, 29 et 27 sont contemporains du Cahier 32 ou ne lui sont que légèrement postérieurs. Le Cahier 26 compare les chambres de Combray et de Querqueville[9], décrit un hôtel de commis-voyageurs à Querqueville où le héros bénéficie de la

---

1. Voir l'Esquisse XLIII, p. 921 et suiv. Voir aussi cet « ajoutage » du Carnet de 1908, datant sans doute de 1909 : « Gurcy toujours l'air d'un souverain incognito ou d'un conspirateur qui craint d'être découvert » (p. 118).

2. Ff^os 35-36 v^os.

3. Voir t. I, p. 380.

4. Voir l'Esquisse XXVIII, p. 887 et suiv.

5. Voir l'Esquisse XXXI, p. 894 et suiv.

6. Voir l'Esquisse XXXII, p. 898 et suiv.

7. Voir l'Esquisse XLI, p. 918-919.

8. F^o 67 r°.

9. Ff^os 22 à 25 r^os.

disponibilité de jeunes serveuses[1] ; il développe enfin le motif des jeunes filles, mais sans le lier encore nettement à l'épisode marin. Un troublant passage du « il » au « je » laisse supposer que c'est d'abord Swann que Proust a rendu sensible au charme des jeunes filles[2]. Quatre d'entre elles se détachent : Mlle Swann, Mlle de Forcheville, Mlle de Quimperlé et Rolande. « Cruelle golfeuse », la première pourrait esquisser Albertine aussi bien que Gilberte — au moins son patronyme paraît-il fixer définitivement les rôles respectifs de Swann et du héros ; elle se distingue de Mlle de Forcheville, qui ne fera finalement qu'un avec elle, dans le roman ; privée de son « château breton » et de sa « lande mélancolique », Mlle de Quimperlé est disponible pour s'intégrer à une bande de jeunes filles — mais Proust lui restituera en définitive son prestige lointain ; Rolande enfin, compagne « ennuyeuse », peut préfigurer Gisèle, qu'Albertine jugera « barbante[3] ». Mais d'autres jeunes filles vont enrichir la liste, même si Simone est surtout un nom, qui deviendra « usuel » pour le héros[4], préfigurant peut-être le nom de Simonet.

Le Cahier 12 donne un aperçu de ce que Proust espérera voir publier, trois ans plus tard, dans le premier volume de son roman. Le souvenir des vacances à Querqueville enchaîne en effet sur les deux « côtés » de chez Swann et de Guermantes ; manquent l'épisode de Gilberte aux Champs-Élysées, que le Cahier 27 va bientôt ébaucher, et l'épisode d'un amour de Swann, qui n'a pas encore trouvé sa forme et sa place définitives. Ce Cahier 12 reprend et précise certains développements des Cahiers antérieurs, comme le choix de Françoise pour accompagner le héros et sa grand-mère, ou la rencontre de Mme de Villeparisis, mais évoque aussi les regrets inspirés au héros par le départ de la jeune fille désirée — peut-être Mlle de Quimperlé[5] — et par son propre départ. Les Chemisey, futurs Soulangy, puis Cambremer, deviennent le pôle d'attraction mondain de la station balnéaire[6] : sans doute n'auront-ils pas, dans la version définitive, l'importance que Proust semble leur promettre à cette date. Enfin, c'est un deuxième séjour à Querqueville qu'ébauche ce Cahier avec la rencontre des jeunes filles, en particulier la brune espagnole à qui le héros est présenté chez le peintre[7] avant de la voir dans la voiture de Mme de Chemisey[8]. Bientôt nommée Maria, cette jeune fille l'intéresse surtout, dès qu'il la connaît, parce qu'elle peut le présenter à son amie Andrée[9]. Ainsi se détachent dès maintenant les deux jeunes filles dont les figures seront dominantes lors du séjour

---

1. Voir l'Esquisse LXXIII, p. 1010 et suiv.
2. Voir l'Esquisse XLVIII, p. 944 et suiv.
3. Voir p. 242. Proust l'appellera Berthe, parfois jusqu'au stade des épreuves Gallimard, avant de la nommer définitivement Gisèle.
4. Voir l'Esquisse LI, p. 959.
5. Voir l'Esquisse LXXII, p. 1009-1010.
6. Voir l'Esquisse XXXVIII, p. 913-914.
7. Voir l'Esquisse LXIII, p. 989 et suiv.
8. Voir l'Esquisse LXV, p. 993-994.
9. Voir l'Esquisse LXVII, p. 995 et suiv.

à Balbec, Maria préfigurant assez exactement Albertine, tandis qu'Andrée demeurera, sous le même nom, le personnage le plus persistant de la petite bande. S'ébauche en outre le caractère « papillonnant » du héros, chaque jeune fille cessant d'être désirable du moment où elle ne représente plus l'inconnu et devenant l'intermédiaire qui donne accès à un autre inconnu. On notera enfin que ce Cahier 12 renvoie au Cahier 25, grâce à deux paons dessinés qui se correspondent et signalent des développements voisins sur les jeunes filles, ainsi qu'au « Cahier rouge[1] ».

Le Cahier 25 confirme l'indécision originelle de Proust quant aux aventures sentimentales qu'il prêtera à Swann et à son héros. Il y évoque en effet Swann jaloux d'Anna, prénom substitué à celui de Maria, mais attiré aussi par une certaine Septimie, que Proust a d'abord prénommée Solange. À cette ébauche, qui prépare plutôt « Un amour de Swann », fait suite dans le Cahier 25 l'évocation de jeunes filles qui n'étaient, dans le Cahier 34, qu'une « masse amorphe et délicieuse de petites filles » la première année que le héros les a aperçues à Querqueville[2]. Parmi elles se détache Mlle Floriot, qui préfigure l'Andrée du roman, puisque sous des allures d'« amazone » elle cache une nature sensible et intellectuelle[3], mais aussi Albertine par le jugement sévère qu'elle porte sur les femmes corrompues et les jeunes filles trop libres. Quant à la « lycéenne », dont l'histoire est amorcée dans le Cahier 12 et développée dans le « Cahier rouge », on la retrouvera dans le roman sous le nom de Gisèle : dans le Cahier 25, Mlle Floriot l'écarte comme une gêneuse[4]. Tenant cette fois encore le rôle qui sera finalement dévolu à Albertine, Mlle Floriot doit-elle être confondue avec Maria ? On est tenté de le penser, puisque la scène où elle refuse de se laisser embrasser par le héros monté dans sa chambre[5] sera notée par Proust dans le Cahier 29 comme déjà écrite, à un endroit où il est question de Maria[6]. Enfin, le Cahier 25 raconte comment le héros et son ami Montargis abordent le peintre.

Le Cahier 64 offre une première synthèse du rôle dévolu aux séjours à Querqueville dans l'ensemble du roman[7]. Solange y apparaît au premier plan, tandis que Maria devient celle que le héros désire connaître par son intermédiaire. « Fantasque », elle reçoit certains traits dont héritera Andrée dans la version définitive[8]. Ce Cahier, riche en nouveaux noms, noms nobles et noms de lieux,

---

1. Il existe plusieurs cahiers de cette couleur dans le fonds Proust de la Bibliothèque nationale. Mais sans doute Proust renvoie-t-il en l'occurrence au Cahier 64.
2. Voir l'Esquisse LIV, p. 962-963.
3. Sur les sources du personnage d'Andrée, nature proche de celle du héros malgré les apparences, voir n. 1, p. 295.
4. Voir l'Esquisse LXXI, p. 1007.
5. *Ibid.*, p. 1008-1009.
6. Voir l'Esquisse LXVIII, p. 1001.
7. Voir l'Esquisse LXIX, p. 1003-1004.
8. Voir p. 240.

donne des précisions sur la maison du peintre. L'envers contient des ajouts destinés au deuxième séjour à Querqueville, sur la présentation aux jeunes filles par le peintre, sur les Chemisey, ainsi que des réflexions déjà récapitulatives sur Maria. Maria et Andrée échangent souvent leurs caractéristiques. Enfin est esquissé un troisième séjour à Querqueville, où Maria se laisse embrasser.

Les pages du Cahier 29 qui se rapportent à Querqueville développent les descriptions du Cahier 32 en accentuant l'intérêt du héros pour la baie et les paysages marins ; la référence à Whistler où aboutit sa contemplation prépare le développement sur Elstir, à peine amorcé ici à deux reprises et qui va s'épanouir dans un Cahier suivant. Pour l'instant, Proust approfondit surtout l'analyse des sentiments de son héros pour les jeunes filles, donnant dans les premiers feuillets la primauté à Maria. Ses allures d'amazone et les rappels de la « scène du lit » l'identifient désormais à Mlle Floriot, mais sa blondeur empêche qu'on la considère trop facilement comme un relais entre la « brune espagnole » et Albertine[1]. L'ébauche du troisième séjour à Querqueville est confirmée ; à la suite de l'allusion à la « scène du lit », Proust écrit en effet : « Je reviens l'année suivante. Suit Septimie etc.[2]. » À Paris, le héros revoit Solange qu'il oppose à Maria, comme il opposera plus tard Andrée à Albertine, les amabilités d'Hélène au début du troisième séjour compliquant encore le ballet. Enfin, on s'étonne que Proust évoque ensuite, du folio 33 au folio 36 rectos, la fin d'une liaison avec Andrée, qu'on aurait cru supplantée.

Un fragment du Cahier 27 module de façon troublante le personnage de Maria. Sa présence dans la voiture de Mme de Chemisey, son hostilité aux jeunes filles trop libres, un intérêt pour la lecture qui dément son aspect sportif : tout cela nous confirme qu'il s'agit bien de la même Maria. Son « œil bleu » ne saurait plus étonner. Mais, outre qu'elle présente le héros à son père, « son petit nez un peu roussâtre[3] » semble l'apparenter à Gilberte, dont le portrait est pourtant mis au point dans ce même Cahier. Le Cahier 27 complète d'une autre manière le Cahier 29, puisqu'il organise non seulement deux, mais plusieurs séjours à Querqueville. « J'y allai plusieurs années de suite. J'avais un désir fou d'y aller à cause des noms. Page à transcrire Pont-Aven etc. Voyage avec détour pour y aller. Déception. Retrouve ma grand-mère. Fille au café au lait. Arrivée fatigue. Personnel de la plage. Enfants élégantes et mal élevées faisant tache spéciale réaperçues un ou deux ans de suite à peu près pareilles comme vairons au même endroit de la Vivonne. Mlle de Quimperlé. Mme de Villeparisis renoue avec ma grand-mère.

---

1. Voir l'Esquisse LXVIII, p. 999 et suiv.

2. *Ibid.*, p. 1002. Nous avons vu le prénom de Septimie plutôt lié à Swann. Sur cette amorce possible d'une autre intrigue, v. K. Yoshikawa, « Remarques sur les transformations subies par la *Recherche* autour des années 1914 d'après des cahiers inédits », *Bulletin d'informations proustiennes*, n° 7, printemps 1978, p. 19-20.

3. Ff^{os} 60-61 r^{os}.

Le M < arqu > is de Guercy. Mlle d'Autun, de Valenciennes[1]. Mantes. Montargis[2]. L'année suivante je ne repasse pas par Bayeux, pas café au lait. Rencontre des jeunes filles, peut-être enfants des autres années. Matinée chez le peintre. Connaissance de Simone. Voulu l'embrasser. Presque scandale. Adieu aux autres d'Andrée. "Je plaquerai mon institutrice ". Mon galopage à la gare. Désir de retourner à Querqueville[3] ». Simone tient dans ce projet le rôle dévolu ailleurs à Maria ou Mlle Floriot, et le départ d'Andrée, relayant celui de Mlle de Quimperlé[4], annonce celui d'Albertine.

Ainsi ce groupe de cahiers, allant du printemps 1909 au printemps 1910 environ, modèle-t-il la « nébuleuse » des jeunes filles suivant des formes variables et déconcertantes. Substituant un prénom à un autre, Proust réutilise parfois celui qu'il avait rayé ; parfois, deux descriptions se contredisent, à moins que deux jeunes filles ne répondent à la même ; parfois encore, il essaye deux ou plusieurs noms pour un même scénario. Jusque dans le roman, on peinera à individualiser, voire à dénombrer les visages de la petite bande. L'indécision du texte reflétera alors les incertitudes de la vision et l'hésitation sentimentale du héros. En peinture, de même, quoiqu'il tienne d'abord à l'inachèvement, le flou de l'esquisse peut anticiper celui de l'œuvre achevée. Mais on retiendra surtout qu'à ce stade de la genèse, Proust réserve ces marivaudages pour la deuxième moitié de son roman ; leur mise au point s'impose donc avec moins d'urgence que le récit du voyage en train et de l'arrivée à Querqueville dont il donne une rédaction avancée dans le Cahier 65 qu'il appelle « Cahier vert Querqueville ».

De même l'atelier d'Elstir ne doit-il figurer que sommairement dans le premier manuscrit que Proust soumettra aux éditeurs. Ainsi, malgré son habitude de travailler simultanément à plusieurs pans de l'édifice, Proust mène-t-il moins près de leur terme que le récit du premier séjour ses considérations les plus approfondies sur l'art du peintre. Par exemple, à l'endroit du Cahier 28, il donne un historique et une définition encore vagues de l'art d'Elstir[5], montrant qu'il hésite, au moins dans le détail, sur le rôle qu'il attribuera au peintre et à Bergotte dans la formation du héros[6]. Mais à l'envers, les premières pages du Cahier offrent un montage déjà très précis des principaux événements du premier séjour à Querqueville : l'amitié avec Montargis ; l'inquiétude de la grand-mère qui, voulant détourner son petit-fils de la vie de bohème dont Bloch donne l'exemple, se félicite de sa fréquentation de Montargis ; les dîners à Clairville, qui dans le cours du Cahier devient Rivebelle ; enfin la rencontre avec Elstir[7].

---

1. Les noms « d'Autun » et « de Valenciennes » ont été biffés.
2. « Montargis » est écrit en addition interlinéaire.
3. F° 592°.
4. Voir l'Esquisse LXXII, p. 1009-1010.
5. Voir l'Esquisse LVI, p. 968 et suiv.
6. Voir l'Esquisse LIX, p. 979.
7. Voir l'Esquisse LV, p. 963 et suiv.

L'amabilité des artistes paraît alors au héros supérieure à celle des grands seigneurs[1]. Mais dans quelle proportion les pages suivantes sont-elles réservées par Proust au premier ou à un second séjour ? Visitant l'atelier du peintre, le héros y apprend quel usage il fait de la métaphore. Il peut admirer, entre autres tableaux, un *Dégel*[2], une entrée de port à Viraville qui préfigure *Le Port de Carquethuit,* un tableau des Kréniers, le portrait de Miss Sacripant[3]. Les placards Grasset amèneront à penser que dans le premier séjour, ces tableaux devaient donner au héros une leçon de modernisme en art, mais que la difficile leçon de la métaphore était réservée pour plus tard.

Du Cahier 28, qu'il appelle le « Cahier rugueux », Proust passe au Cahier 38, en tête duquel il a écrit « Mer ». Les premiers feuillets esquissent en effet des paysages marins que le héros aperçoit depuis la fenêtre de l'hôtel[4], comme si, après avoir imaginé la leçon d'Elstir, Proust se souciait de disposer l'élève à la recevoir. La suite du Cahier est composée de morceaux fort divers, telle l'évocation de la ville de garnison de Montargis[5] qu'il n'appellera que beaucoup plus tard Doncières et où il avait sans doute prévu que le héros se rendrait depuis la station balnéaire ; ou différents morceaux sur le « restaurant de plein air », ajouts aux développements sur Rivebelle amorcés dans le Cahier précédent. L'inclinant au luxe et à l'ivresse, Rivebelle détourne le jeune homme de se mettre au travail : ces réflexions, esquissées dans le récit des soirées passées au restaurant, seront prolongées dans *Le Temps retrouvé.* Le Cahier 38 évoque enfin le regret qu'inspire au héros la perspective de son départ de Querqueville[6]. De la même époque doit dater l'évocation, dans le Cahier 30, d'une arrière-saison nostalgique, dominée par le départ d'Andrée[7] : celle-ci apparaît donc bien, à ce stade de la genèse, comme la figure triomphante du séjour ; quant aux tempêtes auxquelles assiste le héros dans le même fragment, elles laissent supposer que la situation géographique de Querqueville répond encore à son désir initial. Nous relèverons enfin cette note au folio 33 r° du Cahier 30 : « Après sourire mettre sans doute les impressions que me donne le sourire de la jeune fille dans la voiture de Mme de Chemisey car cette scène sera supprimée. » Cette scène est évidemment celle qui figure dans le Cahier 12[8] ; mais on remarque que Proust ne nomme pas la « jeune fille », comme s'il se réservait la possibilité de changer son identité.

On peut supposer que les Cahiers 28, 38 et 30 ont été remplis dans le courant de l'année 1910. La datation d'autres Cahiers est plus difficile. Ainsi pour le Cahier 29 où les remarques sur les jeunes filles

1. Voir l'Esquisse LVIII, p. 976 et suiv.
2. Voir n. 2, p. 191 et n. 1, p. 192.
3. Voir l'Esquisse LX, p. 979 et suiv.
4. Voir l'Esquisse XXXIV, p. 905-906.
5. Fᵒˢ 12 à 14 r°ˢ.
6. Voir l'Esquisse LXXVI, p. 1019-1020.
7. Voir l'Esquisse LXXV, p. 1016 et suiv.
8. Voir l'Esquisse LXV, p. 993-994.

et Querqueville[1] semblent de quelques mois antérieurs aux fragments sur Bergotte que nous avons situés au printemps 1910[2]. Le Cahier 7, rangé parmi les « Cahiers Sainte-Beuve » (1908-début 1909), offre sur des versos de pages une version de l'apparition de l'oncle de Montargis, appelé cette fois Guercœur : la grand-mère est allée se faire photographier, et c'est en observant sur la mer les effets peints par Elstir que le héros se sent observé[3]. Or, jusque vers le début des Cahiers 28 et 38, Elstir est désigné comme X ou « le peintre[4] », ce qui nous incite à dater de 1910 ces versos du Cahier 7. Quant au Cahier 13, il donne sur l'aristocratie de Mme de Villeparisis un fragment qu'on n'imagine guère postérieur à 1910[5], puis un plan des séjours à Balbec évidemment plus tardif et sur lequel nous reviendrons. Proust reprend souvent des Cahiers délaissés. Nous avons signalé qu'il réutilisait des noms auxquels il paraissait avoir renoncé. Le fil de la genèse se perd plus d'une fois dans un tel écheveau.

La mise au point du premier séjour à la mer est achevée dans le Cahier 70, qui commence par « Quand nous partîmes cette année-là pour Cricquebec[6] », et le Cahier 35, qui décrit l'arrivée de l'oncle de Montargis, les dîners à Rivebelle et la fin des vacances. Outre la station, plusieurs noms ont changé : la jeune fille au feutre gris, appelée successivement Mlle de Penhoët, de Caudéran, de Quimperlé, s'appelle désormais de Silaria, et M. de Gurcy, ou Guercy ou Guercœur, souvent qualifié de marquis, est maintenant le baron de Fleurus. Ces cahiers vont sans doute servir à la dactylographie que Nahmias presse Miss Hayward d'avancer en avril 1912[7].

Les placards Grasset.

Les dactylographies menées à terme au cours de l'année 1912 permettront l'impression des placards Grasset de mai-juin 1913. On sait qu'une partie seulement de ces placards seront retenus pour l'impression de *Du côté de chez Swann,* publié en novembre 1913. Les pages réservées par Grasset pour un second volume comprennent les chapitres que Proust annonce sous les titres de « Chez Mme Swann », « Noms de pays : le pays » et « Premiers crayons du baron de Charlus et de Robert de Saint-Loup ». Nous avons étudié dans le premier volume de cette édition la destinée de « Chez Mme Swann ». Celle des deux chapitres suivants connaît une évolution

1. Ff[os] 1 à 15 r[os].

2. Voir t. I, les notules des pages 1515-1516.

3. Ff[os] 25 v° et suiv.

4. En un endroit du Cahier 28, « Elstir » remplace « Elstorn », biffé (f° 88 v°). Voir n. 2, p. 14.

5. Voir l'Esquisse XXXVII, p. 912-913.

6. Cricquebec est souvent orthographié *Criquebec.*

7. Voir notre Introduction à *À l'ombre des jeunes filles en fleurs,* au tome I de la présente édition, p. 1285.

comparable puisqu'ils seront eux aussi considérablement augmentés jusqu'à composer, avec « Autour de Mme Swann », le volume intitulé *À l'ombre des jeunes filles en fleurs*. Avant de livrer les dactylographies à Grasset, Proust leur a apporté de nouvelles corrections manuscrites, changeant encore le nom de la station balnéaire, qui s'appelle désormais Bricquebec. Voici le résumé du premier séjour tel qu'on peut le lire sur ces placards : départ pour Bricquebec, le voyage en train avec Françoise et la grand-mère, l'arrivée à l'hôtel, le personnel et les clients de l'hôtel, la grand-mère ignore Mme de Villeparisis, puis renoue avec elle, l'indifférence hautaine de Mlle de Silaria, l'arrivée de Montargis et le début de son amitié avec le héros, la mauvaise éducation de Bloch, l'apparition, puis l'étrange comportement du baron de Fleurus, les dîners à Rivebelle. Le séjour prend fin peu après le départ de Montargis. Le héros est désolé : il ne sait s'il reviendra à Bricquebec, et à supposer qu'il y revienne, rien n'y sera pareil. La perspective narrative des derniers placards est nettement récapitulative : quand le temps était doux, son désir de voir l'église persane de Bricquebec battue par la tempête renaissait intact, comme s'il n'avait pas désormais l'expérience des lieux ; de même renaquit son désir de Florence, où il n'était jamais allé[1]. La vendeuse de café au lait sur le quai de la gare, des paysannes aperçues au cours de promenades en voiture avec Mme de Villeparisis sont les seules fugitives promesses de bonheur de ce premier séjour ; on ne parle jamais de ces « fillettes » que le héros doit revoir « en fleurs » un ou deux ans plus tard. Quant à la brève allusion à Elstir, elle eût été fort énigmatique, si le premier volume avait été publié sous la forme que souhaitait Proust : attendant l'arrivée de son oncle, Montargis ne peut en effet accompagner le héros chez Elstir ; le soir, quand le héros revient de chez Elstir, l'oncle n'est toujours pas arrivé. Mais une ellipse audacieuse soustrait cette visite au lecteur. Le Cahier 34 explique cette bizarrerie : Proust a en effet décidé de transférer la rencontre avec Elstir et la visite à son atelier à l'intérieur du séjour dans la ville de garnison de Montargis, appelée ultérieurement Doncières, séjour dont on lit aujourd'hui le récit dans *Le Côté de Guermantes I*. Sans doute le désir d'alléger un premier volume jugé trop long par les éditeurs lui a-t-il dicté cette opération ; aussitôt *Du côté de chez Swann* publié sous sa forme réduite, il n'aura plus de raison de délester le premier séjour à Balbec désormais promis au deuxième volume, et la rencontre d'Elstir suivie de la visite à l'atelier retrouvera sa place initiale, plus satisfaisante pour la diégèse de l'œuvre[2].

---

1. Voir var. *a*, p. 306. Proust lui-même n'est jamais allé à Florence. « Hélas la fièvre de foins et de fleurs m'interdit Florence », écrivait-il à Marie Nordlinger le 25 ou 26 avril 1900 (*Correspondance*, t. II, p. 396), prenant à la lettre la signification du nom de la ville. Ainsi une rêverie d'inspiration florale devait-elle déjà clore *Du côté de chez Swann* à l'époque des placards Grasset.
2. Le détail de cette opération est décrit par Jo Yoshida, « La Genèse de l'atelier d'Elstir à la lumière de plusieurs versions inédites », *Bulletin d'informations proustiennes*, nº 8, automne 1978.

Les placards de 1914 enregistrent ce rétablissement. Mais pour l'essentiel, ils n'apportent que des modifications mineures et parfois peu cohérentes aux placards de 1913, comme si Proust était moins préoccupé par la mise au point de son second volume que par les directions nouvelles que prend alors *À la recherche du temps perdu*. Le meilleur signe en est que persiste, sur ces placards imprimés en mai-juin 1914, le nom de Fleurus quand le baron s'appelait déjà Charlus dans *Du côté de chez Swann* paru six mois plus tôt. En revanche, Bricquebec est devenu Balbec[1], modification qui remonte aux premières corrections de *Du côté de chez Swann* d'avril 1913 ; Montargis est devenu Saint-Loup, changement sans doute un peu plus tardif, et Soulangy, qui avait succédé à Chemisey, est devenu Cambremer[2]. Le récit des souffrances que Saint-Loup endure à cause de sa maîtresse est en outre développé. Tel qu'on le lit sur les placards de 1914, le premier séjour à la mer dessine un héros plus âgé que celui qu'eût présenté un *Du côté de chez Swann* conforme aux placards de 1913. On admet difficilement que, frappant encore à la cloison de la chambre de sa grand-mère qui lui délace ses bottines, il ait pour ami un jeune homme dont la vie sentimentale est aussi agitée[3]. Mais la visite à l'atelier d'Elstir, quoiqu'elle débouche sur des considérations moins savantes que dans la version définitive, contribue elle-même à augmenter la maturité du héros. Ainsi le transfert provisoire de cette scène, réalisé pour des motifs avant tout matériels, avait-il le mérite de donner une figure plus cohérente au héros à l'intérieur du volume. Le suivant eût, il est vrai, révélé rétrospectivement sa précocité intellectuelle et artistique. L'incohérence sera plus grande encore dans la version définitive, puisque, sans rien retrancher au caractère enfantin de son personnage, Proust introduira dans le premier séjour des révélations esthétiques qu'il aurait d'abord prévues plus tardives.

Une autre dérive, d'ordre géographique, s'apprécie à partir d'une remarque d'Elstir qui apparaît sur les placards de 1914 : « La Pointe du Raz, d'ici, me dit-il, ce serait tout un voyage[4]. » Ainsi s'est-on éloigné des lieux où le héros souhaitait assister à des tempêtes et auxquels Beg-Meil a sans doute donné forme. Souhaitant respirer le grand air et mettre ses pas dans ceux de Mme de Sévigné, la grand-mère y trouvait son compte. Le paysage montagneux où Proust, en route vers Évian, avait jadis aperçu une vendeuse de café au lait offrait un décor plausible à un voyage vers le Finistère. Conseillant à Proust la Normandie plutôt que la Bretagne, Émile Mâle a pu jouer un rôle dans la genèse d'*À la recherche du temps perdu*[5]. Enfin, s'installant au Grand-Hôtel de Cabourg qui lui offrit chaque année

1. Sans doute par erreur, Grasset imprime souvent *Bolbec*.
2. « Soulangy » et « Cambremer » figurent tous deux sur une liste de noms dressée dès 1909 (Carnet de 1908, éd. citée, p. 117).
3. Sans doute le séjour que Proust fit à Cabourg, alors qu'il était enfant, avec sa grand-mère (voir n. 2, p. 1314), a-t-il nourri son récit et dans une certaine mesure interféré avec des observations d'adulte.
4. Voir la phrase correspondante dans le roman, p. 210.
5. Voir la lettre du 18 août 1906, citée à la note 1, p. 198.

le spectacle de sa clientèle et d'une mer qu'agitaient rarement les tempêtes, Proust a adapté les désirs du héros aux habitudes du créateur. Les montagnes, la longueur du trajet, cette baie que le touriste cherche vainement à creuser en rêvant qu'à Riva Bella brillent les lumières du restaurant de plein air, tout cela protège Balbec d'une identification facile avec un lieu réel. Au moins les régates, les hippodromes, la sonorité des noms des stations du petit train orientent-ils infailliblement vers la Côte Fleurie. À la santé fragile, au besoin de confort, à la curiosité mondaine de Proust, le roman doit la leçon de modernisme d'Elstir. Mais, lésinant sur les prix de pension, boudant la sophistication de la cuisine, à l'affût du moindre souffle d'air, la grand-mère semble regretter la simplicité rustique et vivifiante dont se contentait Jean Santeuil.

Au vrai, le Finistère est abandonné dès les premières esquisses qui situent le séjour « entre Normandie et Bretagne », même si le héros s'y rendra « par le plus long », c'est-à-dire par Lorient[1]. La statue de Duguay-Trouin, maintenue dans le roman, peut alors désigner les environs de Saint-Malo, localisation autorisée jusque sur des esquisses tardives par l'origine des pensionnaires de l'hôtel. Puis, déplaçant ceux-ci vers l'est[2], Proust suggère le déplacement de leur villégiature. Sur la dénomination de ce lieu, il observe d'abord une prudence qui préserve sa liberté de choix. Au Cahier 6 apparaît « Querqueville » qui signifie « ville de l'église » : la valeur symbolique du nom relègue à l'accessoire l'existence d'un Querqueville dans l'arrondissement de Cherbourg[3]. Cricquebec, dont la racine *cricque* (ou *crique*) évoque encore l'église, est imaginaire, même si sa sonorité nous ancre définitivement en Normandie[4]. Bricquebec ramène le géographe dans l'arrondissement de Cherbourg ; mais à cette localisation, on préférera les étymologies de noms imaginaires dont Brichot se révélera l'expert dans *Sodome et Gomorrhe* : Bricquebec sera alors le « ruisseau de la hauteur », *bec* signifiant le ruisseau, et *bric*, de *briga*, lieu fortifié. Peut-être la conviction qu'un romancier utilise des noms réels a-t-elle conduit les typographes à imprimer *Bolbec* sur les épreuves de *Du Côté de chez Swann* et sur les placards de 1914 : Bolbec se trouve en effet dans l'arrondissement du Havre. Mais Proust écrit bien *Balbec*, que Brichot interprétera comme une

---

1. Voir l'Esquisse XXVIII, p. 887.

2. Voir les variantes des pages 35 et 36.

3. « Querqueville » apparaît, sans doute pour désigner la ville réelle, dans le texte définitif *(Sodome et Gomorrhe)*. Mais on trouve aussi, dans *À l'ombre des jeunes filles en fleurs* (p. 75), Carqueville dont l'église est couverte de lierre : là où le héros attendait une église battue par les flots (image romantique et conventionnelle), il voit une église dont les feuilles déferlent les unes contre les autres, où les piliers « onduleux, caressés et fuyants » se font eux-mêmes tempête.

4. On trouve dans le Calvados un Cricquebœuf et deux Cricqueville, l'un dans l'arrondissement de Lisieux, l'autre dans celui de Bayeux. Dans le texte définitif, les églises de Cricquebec, entourées d'eau, évoquent la permanence du rêve du héros déçu par l'église de Balbec-en-terre (voir p. 192). On relève cependant dans ce qui est probablement une note à usage personnel de Proust, mais dactylographiée par erreur : « la grève bretonne étant Cricquebec » (voir n. 1 de la variante *c*, p. 170.)

altération de *Dalbec*. Quant à la sonorité orientale du nom de cette ville dont l'église est de style persan, on l'attribuera au hasard : inspiré de celui de la cathédrale de Bayeux, ce style préexiste au nom définitif.

L'apparition d'Albertine et le déplacement des jeunes filles dans le premier séjour à Balbec.

Le nom d'Albertine apparaît dans le Cahier 33, cahier marbré vert que Proust appelle le « Cahier fridolin », dans le Cahier 34 et sur une page du Cahier 13. En ce qui concerne les deux premiers Cahiers, il ne fait pas de doute, contrairement aux suppositions de M. Bardèche[1], que Proust les a commencés au début de 1913 au plus tard.

Au début du Cahier 34, commencé avant le Cahier 33, le héros et son ami, encore nommé Montargis, sont dans la ville de garnison de ce dernier ; ils se souviennent de la visite à l'atelier d'Elstir. Ces pages datent donc de l'époque où Proust a, provisoirement, décidé de retarder le récit de cette visite. Le nom de la station balnéaire est Balbec à partir du folio 9 r°, puis, par inadvertance, Proust écrit parfois à nouveau Cricquebec, comme si le nom intermédiaire de Bricquebec s'était peu gravé dans sa mémoire. Les pages suivantes sont consacrées à l'œuvre d'Elstir. Jo Yoshida[2] fait observer que dans ce nouvel inventaire, Proust ne retient que deux des œuvres qu'il avait déjà présentées dans le Cahier 28, peut-être pour mettre le reste en réserve. Ce sont : une aquarelle de la mer pâlie près d'une falaise et un effet du dégel à Apollonville. Apparaissent en revanche : une marine représentant une femme en barège dans un yacht, de petites études d'une ville de province française et une étude d'huître. Elstir révèle en outre au héros les richesses de l'église de Balbec. Comme le note encore Jo Yoshida, cette page d'architecture un peu livresque inspirée d'Émile Mâle, à laquelle Proust a donné en l'agrémentant, par des ajouts interlinéaires ou marginaux, des tics de langage de Vuillard[3], n'est pas l'essentiel du message d'Elstir : celui-ci se trouve avant tout dans ses tableaux. Mais sans doute fallait-il que le héros, encore inexpérimenté, entendît la parole du maître et fût ébloui par sa science pour accéder ensuite au langage tellement plus personnel de sa peinture. Il semble en effet que dans ce Cahier 34, Proust se hâte de mettre au point ce qu'il insérera dans la première visite à l'atelier : de ces pages, nous trouvons la version définitive dans le texte imprimé sur les placards Grasset de 1914[4].

La suite du Cahier concerne les jeunes filles. En tête du folio 24 r°, Proust écrit : « Chapitre II / À l'ombre des jeunes filles en fleur *[sic]* » et ébauche l'apparition des jeunes filles sur la digue, en un texte déjà

---

1. M. Bardèche pense que l'adjectif « fridolin », surnom donné par les Français aux soldats allemands, est postérieur à octobre 1914 (*Marcel Proust romancier*, Les Sept Couleurs, 1971, t. II, p. 33). Notons qu'il existe un « Prince Fridolin » dans le Cahier 51 (f° 68 v°) qui date de 1909.
2. Art. cité, p. 25.
3. Voir n. 1, p. 197.
4. Voir var. *a*, p. 198, ainsi que les Esquisses LXI et LXII, p. 986 et suiv.

fort proche de la version définitive. Or, fait remarquer K. Yoshikawa[1], les pages relatives au séjour dans la ville de garnison qu'on lit aujourd'hui dans *Le Côté de Guermantes I* sont données par Proust dans ce Cahier comme le premier chapitre de son second volume. « À l'ombre des jeunes filles en fleur », désignant le deuxième séjour à Balbec avec les jeunes filles, est donc à ce moment destiné à suivre, dans le second volume, un chapitre où le héros, rendant visite à Mme de Villeparisis, entrevoit la duchesse de Guermantes. De fait, dans une page du Cahier 33 consacrée aux jeunes filles, le héros se dit qu'il pourrait « peut-être tâcher de revoir la duchesse de Guermantes qui me semblait plus agréable et plus belle qu'aucune de ces jeunes filles et pour laquelle je les donnerais toutes[2] ». K. Yoshikawa en conclut que « le projet de ce "Chapitre II" devrait remonter à l'époque où le premier volume embrassait encore toute la première année à Balbec sans "jeunes filles", c'est-à-dire avant l'été 1913[3]. » Les pages suivantes individualisent la petite Boucteau, ou Bouqueteau, et font allusion au premier séjour où les jeunes filles n'étaient qu'une masse amorphe et délicieuse[4]. Montargis est devenu Saint-Loup. Au folio 54 r°, un développement sur Albertine évoque l'impression que le héros a ressentie auparavant, quand il s'agit « Gilberte, puis Mme de Guermantes ». Si l'hypothèse de K. Yoshikawa est fondée, c'est donc avant l'été 1913 que Proust a adopté le nom de Saint-Loup. À la fin de cette page, qui clôt le cahier, Proust renvoie à ce qu'il a écrit dans le « Cahier fridolin », c'est-à-dire le Cahier 33.

Le Cahier 33 comprend douze feuillets écrits au recto avec quelques ajouts aux versos. Le nom de la station est d'emblée Balbec, et le folio 3 r° esquisse l'histoire de « la golfeuse brune au polo noir » ensuite appelée Albertine[5]. Un peu plus loin, la place de celle-ci est nettement définie dans la bande des jeunes filles[6], mais, peut-être par lapsus, Proust laisse coexister Maria et Albertine dans un passage sans doute plus tardif écrit sur le folio 3 v°.

Nous en venons maintenant à un feuillet du Cahier 13[7] que nous transcrivons dans les Esquisses[8] en raison du nombre et de l'importance de ses variantes. Proust l'intitule « Deuxième année à Balbec ». Le nom de la station le signale comme postérieur au premier trimestre de 1913 ; le nom de Montargis — qui figure en addition[9] —, comme antérieur à l'été de cette même année. L'écriture du fragment laisse supposer que le nom d'Albertine, substitué à celui

1. Art. cité, p. 18.
2. F° 9 r°.
3. Art. cité, p. 18.
4. Voir les Esquisses LII, p. 960-961, et LIV, p. 962-963.
5. À partir du folio 9 r°.
6 Voir l'Esquisse LXVI, p. 994.
7. F° 28 r°.
8. Voir l'Esquisse XLIV, p. 926.
9. Voir var. *e*, p. 926.

de Maria[1], est de la même date. Le « peut-être[2] », ajouté pour nuancer d'incertitude le renoncement à Andrée, atteste que Proust hésite encore à amoindrir le rôle de celle que nous avions vue, à un stade antérieur de la genèse, triompher à la fin du séjour dans le cœur du héros. Au-delà de la deuxième année à Balbec, Proust indique les grandes lignes de ce qui sera *Le Côté de Guermantes*, le nom d'Albertine figurant cette fois dans le premier jet de la rédaction, et ébauche l'un des thèmes du troisième séjour à Balbec, le deuxième séjour dans la version définitive : l'homosexualité d'Albertine, révélée par son attitude avec Andrée. Cette page capitale, datant l'apparition du nom d'Albertine dans les brouillons, prouve que Proust n'a pas attendu qu'Alfred Agostinelli devienne son « prisonnier », puis le « fugitif » pour concevoir un personnage qui lui devra assurément beaucoup. En mai 1913, Agostinelli s'installe chez Proust avec sa femme Anna et c'est peut-être une coïncidence si, environ la même époque, « Albertine » est substituée à « Maria ». S'agit-il d'un simple changement de prénom ? Il semble qu'une jeune fille assez indécise, appelée la « brune espagnole », Mlle Floriot et en dernier lieu Maria, devenue blonde aux yeux bleus, confondant parfois ses contours avec ceux d'autres jeunes filles et notamment Andrée, devienne ici définitivement une brune joufflue nommée Albertine. Mais son nom de famille sera encore modifié. Sa destinée, surtout, est imprévisible en ce printemps de l'année 1913[3].

Dès le 12 novembre 1913, Proust envisage d'intituler *À l'ombre des jeunes filles en fleurs* le deuxième volume de son roman[4]. Ce projet, contredisant l'annonce de la page de faux-titre de *Du côté de chez Swann* publié ce même mois, augure-t-il l'important remaniement qui va introduire la bande des jeunes filles dans le premier séjour à Balbec ? Au moins les placards Grasset imprimés en juin 1914, et probablement le titre « Le Côté de Guermantes » donné à l'extrait publié en même temps par *La Nouvelle Revue française*, témoignent-ils d'un état déjà dépassé du roman. K. Yoshikawa[5] a décelé au stade des Cahiers 46 et 54, écrits en 1914, les signes du déplacement des jeunes filles. Dans le Cahier 46, c'est au cours d'un « deuxième séjour à Balbec » que Proust situe désormais certains des événements que nous lisons aujourd'hui dans *Sodome et Gomorrhe*, notamment la « danse contre seins » réservée dans le Cahier 13 pour un troisième séjour[6]. Puis, après avoir évoqué dans le Cahier 54 la jalousie causée à Charlus par un jeune protégé nommé Félix[7], Proust y ébauche l'histoire de

---

1. Voir var. *a*, p. 926.
2. Voir var. *d*, p. 926.
3. La variante *b*, p. 295, plaide pour une identification bien ancrée dans l'esprit de Proust entre Maria et Albertine.
4. Voir sa lettre à Gaston Calmette, *Correspondance*, t. XII, p. 309, citée dans le tome I de la présente édition, p. 1287.
5. Art. cité, p. 21-22.
6. Voir la fin de l'Esquisse XLIV, p. 926.
7. Félix sera ensuite appelé Bobby Santois avant de devenir Charles Morel dans la version définitive. Voir l'Esquisse LXXIV, p. 1015-1016.

la « fugitive ». Le dispositif définitif d'*À la recherche du temps perdu* est cette fois en place. Le transfert des jeunes filles dans le premier séjour à Balbec va porter le deuxième volume aux dimensions que nous lui connaissons. Accentue-t-il le vieillissement du héros autant que le fait la visite à l'atelier d'Elstir ? On ne saurait le prétendre. Jouant au furet avec ses amies et bornant ses ambitions à leur dérober des baisers, le jeune homme n'atteint pas à la maturité sentimentale de son ami Saint-Loup.

Additions et corrections jusqu'aux épreuves Gallimard.

Les progrès de la composition de « Noms de pays : le pays » pendant les années de guerre sont aussi difficiles à cerner que ceux d'« Autour de Mme Swann » en raison de la mise en pièces du manuscrit d'*À l'ombre des jeunes filles en fleurs*[1]. La deuxième partie de l'épisode ayant été, après l'impression des placards Grasset, augmentée bien plus considérablement que la première, elle offre moins de fragments imprimés retouchés et allongés, et davantage de fragments proprement manuscrits. La plupart de ceux que nous avons pu consulter portent, au crayon, la mention « Cahier violet » assortie d'un numéro[2]. Parmi ces cahiers, K. Yoshikawa avait déjà relevé l'existence du « Cahier Dux » et supposé qu'il contenait, dans les premières pages de sa seconde partie, l'histoire du « lift[3] ». On admettra donc qu'un ou plusieurs cahiers violets ont été mis en pièces pour être insérés dans les exemplaires de l'édition de luxe de 1920.

Les autres documents qui nous permettent d'apprécier les progrès du travail de Proust sont les Carnets 2, 3 et 4, le Cahier 61, tous consacrés à des additions, et le jeu d'épreuves Gallimard déposé à la Bibliothèque nationale.

Les Carnets contiennent peu d'additions importantes relatives à « Noms de pays : le pays[4] » et toutes celles qui ont trait à Albertine semblent postérieures aux trois Cahiers où nous avons relevé les premières occurrences du nom du personnage. Le Cahier 61 est beaucoup plus riche[5]. Il s'ouvre par une analyse de l'impression ressentie par le héros lors de son arrivée à Balbec[6], que ne retiendra

---

1. Voir, dans le tome I de la présente édition, l'Introduction à *À l'ombre des jeunes filles en fleurs*, p. 1290.

2. Ces mentions ne sont pas de la main de Proust. Sans doute sont-elles dues à l'imprimeur qui confectionna les exemplaires de luxe. Les numéros, qui vont de 9 à 31 pour les fragments que nous avons pu consulter, ne suivent pas forcément l'ordre du texte.

3. Voir K. Yoshikawa, art. cité, p. 22, n. 3. Yoshikawa hésitait s'il fallait lire « deux » ou « dux ». L'acquisition par la Bibliothèque nationale de ce Cahier permet désormais de l'identifier comme le « Cahier Dux » (Cahier 71).

4. Voir toutefois n. 1, p. 35.

5. En tête du folio 1 r° de ce Cahier, à la suite de « Pour ajouter dans les épreuves Gallimard », Proust a précisé : « C'est-à-dire dans la 1re partie d'*À l'ombre des jeunes filles en fleurs*. » Puis il entame le Cahier avec des notes sur Balbec. Pense-t-il, quand il inscrit le titre, n'apporter des ajouts qu'à « Autour de Mme Swann » ?

6. Voir n. 1, 32.

pas le texte définitif. Puis, après des notes sur Bloch, qui met trois *l* devant le nom de Legrandin[1], et sur la déception causée au héros par le salut glacial de Saint-Loup, si éloigné des lettres charmantes qu'il imaginait[2], Proust enchaîne avec un passage noté « Capital » : « Pour la rencontre des jeunes filles avec Elstir. » Elstir et les jeunes filles sont liés depuis longtemps dans l'esprit de Proust : c'est chez le peintre que le héros était présenté à la « brune espagnole[3] » comme le sera Albertine. Mais cette rencontre était alors prévue pour le deuxième séjour. Dans le premier, la place d'Elstir fut longtemps réduite, voire précaire ; celle des jeunes filles inexistante. Du moment où les deux motifs occupaient ensemble une place majeure, il fallait les orchestrer. Le Cahier 61 organise notamment la première présentation manquée[4], puis développe les multiples aspects d'Albertine[5]. Alternent ensuite des ajouts à « Autour de Mme Swann » et des compléments pour Albertine. Le brusque départ en train d'une jeune fille désirée, depuis longtemps esquissé[6], trouve grâce à elle son emploi[7]. Plusieurs notations caractérisent la vulgarité du langage d'Albertine et préparent la scène de la dissertation de Gisèle : « Albertine à ses amies pour la composition faire un sommaire », « Albertine / potasser ses examens », « Pour Albertine / Sécher (examens), se blouser, mes petits agneaux[8]. »

Le document le plus riche d'enseignements sur les ajouts et corrections effectuées sur « Noms de pays : le pays » est le jeu d'épreuves Gallimard conservé à la Bibliothèque nationale. Ayant retrouvé sur ces épreuves, souvent presque mot pour mot, le texte des fragments manuscrits que nous avons pu consulter, nous conjecturons qu'il en va de même pour l'ensemble de l'épisode : la mise en pièces du manuscrit semble donc moins grave qu'on pouvait le penser. Les écarts minimes qui séparent les épreuves corrigées et le texte définitif nous ont fait supposer qu'il s'agissait d'un avant-dernier jeu[9]. Sur la première page est écrit et biffé : « 4ᵉ épreuves. 330 à 440 », les folios ainsi désignés correspondant à la partie du texte qui va de la page 192 à la fin de l'épisode, l'ouverture des rideaux par Françoise exceptée. Cette annotation est troublante : le texte imprimé des épreuves est en effet imparfait au point de présenter non seulement de nombreuses constructions de phrases incohérentes, mais des espaces blancs et même des notes écrites par Proust dans ses Cahiers à son usage personnel[10]. Comment admettre que de pareilles bévues aient survécu à trois corrections

---

1. Voir p. 104.
2. Voir p. 90.
3. Voir l'Esquisse LXIII, p. 989 et suiv.
4. Ff⁰ˢ 32-4r⁰ et 8 r⁰. Voir p. 210 et suiv.
5. Ff⁰ˢ 5 r⁰-12 r⁰.
6. Voir l'Esquisse LXXII, p. 1009-1010.
7. Au folio 33 recto.
8. Respectivement : f⁰ 7 r⁰, f⁰ 46 r⁰, f⁰ 55 r⁰.
9. Les bons à tirer (dernières épreuves) ne sont pas conservés par les éditeurs.
10. Voir n. 1, p. 219.

successives ? Faut-il penser que les trois premiers jeux n'ont pas été relus par Proust lui-même ? Au demeurant, si les corrections apportées à « Autour de Mme Swann » étaient déjà nombreuses et parfois importantes, celles de « Noms de pays : le pays », s'accumulant et s'allongeant à mesure qu'on avance dans l'épisode, finissent par constituer, à force de ratures, de surcharges et d'additions, une véritable réécriture du texte, aussi peu lisible que les cahiers de brouillon.

Deux fragments dactylographiés insérés dans le jeu d'épreuves imprimées signalent des passages écrits à une date postérieure à la composition des épreuves : celui qui comprend une allusion au grand couturier Fortuny, amorce d'un motif développé dans *La Prisonnière,* et la dissertation de Gisèle, où s'épanouit grâce à l'art du pastiche la figure anciennement imaginée de la « lycéenne[1] ». De la même époque datent l'interpolation du passage évoquant l'ouverture des rideaux par Françoise, qui permet à Proust de clore l'épisode en beauté[2] et celle du dîner chez monsieur Bloch, primitivement placé avant l'arrivée et le séjour de Charlus[3]. Des interversions dans les noms des jeunes filles, la résurgence de noms anciens[4] peuvent signifier que jusqu'au dernier moment, Proust a peiné autant que son héros à individualiser nettement les figures de la nébuleuse. En revanche, la persistance dans le texte imprimé de noms aussi anciens que Bricquebec ou Montargis[5] prouve que les épreuves ont été composées, pour les parties anciennes, d'après le matériau des placards Grasset, mais elle augmente notre perplexité devant la mention « 4e épreuves », qui correspond à une partie presque entièrement nouvelle. Le seul nom nouveau introduit lors de la correction des épreuves nous semble être en définitive celui de Carquethuit, substitué à « Équemauville ». Avant même la composition des épreuves en effet, « Simonet » a remplacé « Bouqueteau » ou « Bouçteau » comme patronyme d'Albertine, encore qu'apparaisse ici ou là un « Simonin[6] ». Notons enfin que si les paperoles collées en marge des feuillets des épreuves permettent d'apprécier les additions et réécritures de Proust, de nombreux papiers collés sur les pages elles-mêmes masquent le texte auxquels ils se substituent.

---

1. Voir n. 1 de la var. *a*, p. 255 et n. 3, p. 252 ; var. *b* et n. 1, p. 264.
2. Voir var. *c*, p. 65 et var. *a*, p. 306. Notons qu'à l'endroit où se trouvait primitivement placé l'épisode qui clôt aujourd'hui le volume (voir var. *c*, p. 65), Proust, dès l'époque des dactylogrammes, avait porté à la main et au crayon l'indication : « Le Ier volume peut *à la rigueur* se terminer ici » *(dactyl. 1)*. Entendons que l'épisode de l'ouverture des rideaux aurait pu clore *Du côté de chez Swann* du moment où Grasset en exigea la réduction. On ne s'étonnera pas que cette page ait ensuite servi à conclure le deuxième volume.
3. Voir var. *b*, p. 145.
4. Interversion d'Andrée et d'Albertine, var. *a*, p. 283 et *c*, p. 287. Survivance de « Maria », var. *b*, p. 295, et de « Berthe »., var. *a*, p. 300 et *e*, p. 301.
5. Voir var. *a*, p. 303.
6. Voir n. 2, p. 201.

Rôle de « Noms de pays : le pays » : le pays dans le cours d'« À la recherche du temps perdu ».

Proust, peu prodigue de repères chronologiques, précise que deux ans séparent le dénouement d'« Autour de Mme Swann » du départ pour Balbec. D'adolescent devenu jeune homme, son héros est presque totalement guéri de son amour pour Gilberte. Soumis aux intermittences du cœur et de la mémoire, cet amour connaîtra de brèves résurgences jusque durant le séjour à Balbec, mais il est remarquable que Proust les mentionne dès les premières pages de « Noms de pays : le pays » pour n'y plus revenir. Si le nom de Gilberte figure ensuite, c'est parce que le narrateur adulte rapproche ses sentiments d'adolescent d'amours ultérieures, notant en particulier que l'idéal physique représenté par Gilberte a pu freiner son amour pour Albertine[1] ; mais dès le voyage en train, le héros est disponible pour d'autres aventures, fussent-elles de simples rêveries. Cet intervalle de deux ans s'accorde avec le transfert dans le premier séjour de la bande des jeunes filles, même si, à l'occasion de tel ou tel détail qui ramène son héros en enfance, Proust semble oublier d'en tirer les conséquences. Il autorise surtout la formation artistique du jeune homme. Nous avions vu, dans « Autour de Mme Swann », sa vocation littéraire tiraillée entre les conseils académiques du marquis de Norpois, hygiéniques de la grand-mère, mondains de Mme Swann, fourvoyée par l'idolâtrie de Charles Swann, ébranlée par le démenti apporté à l'image qu'il s'était formée du grand écrivain par l'apparence et les manières de Bergotte. Contradictoires, ces chemins au carrefour desquels il hésitait avaient un point commun : ils dessinaient des modèles. En empruntant les voies obligées de la littérature, le héros eût risqué de faire au mieux du Bergotte, au pis de la prose à l'usage des abonnés de *La Revue des Deux Mondes*. Le séjour à la mer va le faire bénéficier d'une cure qui n'est pas exactement celle que prévoyait la grand-mère. En lui offrant le détour d'un autre art, Elstir va le préserver des dangers du pastiche, sa plus grande maturité autant que le spectacle de la mer l'autorisant à tirer le meilleur parti de la leçon du peintre. Si, au plan psychologique, aucune frontière ne sépare nettement la mémoire et l'oubli, puisqu'il suffit d'une phrase banale pour changer soudain le paysage du cœur et de l'esprit, au plan esthétique de même la baie abolit quotidiennement toute démarcation entre les éléments, accorde à un objet trivial autant de noblesse qu'à un être humain et, grâce aux clignotements de la lumière et aux infinies ressources du soleil marin, soumet la vision du héros à ces intermittences qui, donnant la sensation du passage, vident le tableau de sa cohérence intellectuelle et matérielle pour en reporter l'unité dans l'esprit de celui qui le contemple.

---

1. Voir p. 153. Les variantes que nous avons relevées dans les épreuves Gallimard montrent que Proust a supprimé plusieurs parallèles entre Gilberte et Albertine, ainsi qu'entre Balbec et Combray.

Que l'épisode marin soit celui des jeunes filles ne répond pas à une simple nécessité d'intrigue. Écolières naguère, bientôt femmes, les jeunes filles figurent elles aussi le passage. Leurs apparitions collectives favorisent l'hésitation du héros à les distinguer et leurs traits changeants symbolisent au mieux les incertitudes d'une perception qui eût été, quel que fût son objet, exposée à l'erreur. L'évocation de Mme Swann au Bois pouvait, pour qui discerne un ordre des saisons dans *À la recherche du temps perdu*[1], donner le sentiment que les fruits avaient devancé la promesse des fleurs ; mais si, dépassant l'anecdote ou le symbole, on lit d'abord le roman comme l'histoire de la formation d'un artiste, la « transparence liquide » et le « vernis lumineux de l'ombre[2] » que versait sur Mme Swann son ombrelle appartiendront à un tableau pré-impressionniste préludant à des jeux de lumière que des jeunes filles sur fond marin en plein cœur de l'été traduisent une vivacité et une fugacité supérieures. Car, quand bien même l'originalité de l'œuvre d'art réside non dans le sujet choisi, mais dans l'artiste, ce n'est pas par hasard qu'Elstir a élu domicile au bord de la mer et il n'est pas indifférent qu'il permette au héros d'accéder aux jeunes filles aussi bien qu'à l'Art. La vision d'Albertine silhouettée sur un décor marin compose l'éducation à la fois sentimentale et artistique du jeune homme. Sans doute n'en a-t-il encore qu'une conscience confuse. Il n'est pas loin de penser, avec sa grand-mère, que la fréquentation d'Elstir lui apporte un profit d'abord intellectuel, éclatant dans l'évocation des beautés de l'église de Balbec, tandis que son attrait pour les jeunes filles répondrait à une éphémère tentation des sens qu'il ne pourra sublimer qu'à condition d'en rapporter l'objet, tel Swann, à des œuvres de grands maîtres. Pourtant, découpant leurs allures garçonnières et faisant sonner leurs expressions vulgaires dans un univers que le jeune homme a abordé la mémoire pleine de vers de Baudelaire et de références aux Cimmériens, elles concourent, aussi bien que les régates ou les modestes édifices qui avoisinent l'église de Balbec, à bâtir son univers romanesque. Comment le formulerait-il, quand l'essentiel consiste pour lui à deviner quel milieu social garantit l'homogénéité de ce groupe dont il se sent exclu, quelle jeune fille lui donnera accès à telle autre, laquelle enfin se laissera le plus facilement embrasser ? Au moins cette indécision, fragilement rompue en faveur d'Albertine, empêche-t-elle les souffrances du cœur d'étouffer l'éveil des sensations poétiques. Si les tortures que lui infligent Gilberte dans « Autour de Mme Swann » ou Albertine dans la suite du roman sécrètent finalement de l'art, c'est parce qu'elles sont transmuées dans *Le Temps retrouvé* par l'« allégresse du fabricateur ». Traversé d'inquiétudes, d'espoirs déçus, de regrets, le premier séjour à Balbec est du moins exempt de peines trop

---

1. Voir, au tome I de la présente édition, notre Introduction à *À l'ombre des jeunes filles en fleurs*, p. 1299.
2. T. I de la présente édition, p. 629.

cruelles. Ainsi peuvent s'éveiller en liberté, dussent-elles ne porter leurs fruits que beaucoup plus tard, les premières sensations vraiment artistiques du héros.

De cet éveil témoigne l'épisode des trois arbres d'Hudimesnil. Pour jalonner l'itinéraire du héros plus que par besoin de pittoresque, le premier séjour à Balbec devait être aussi tourné vers la campagne. Multipliant les tentations amoureuses, les promenades dans la voiture de Mme de Villeparisis font penser que, paysanne, aristocrate ou bourgeoise, toute proie est enviable aux yeux de ce jeune don juan prisonnier du giron de sa grand-mère ; plus profondément, la diversité des jeunes filles désirées révèle un éperdu désir de la Beauté dont l'émoi sensuel limite ou pervertit les élans. Ces promenades mesurent surtout le chemin accompli depuis le jour où, apercevant les clochers de Martinville, l'enfant avait été saisi d'une joie créatrice. Si le rapport géométrique et abstrait qui unit les trois arbres d'Hudimesnil, promettant confusément une révélation de leur essence, ne débouche dans l'immédiat sur aucune page d'écriture, c'est le signe que, conscient de la grandeur de l'Art auquel il se voue, le jeune homme a passé l'âge des épanchements faciles où se reconnaissait son penchant au pastiche. La grand-mère, inquiète pour l'avenir de son petit-fils, n'a sans doute pas tort de le juger sensuel et paresseux : cette quête improductive et incertaine de son but prépare cependant l'Œuvre à venir.

Le séjour à la mer répond à une dernière motivation : il favorise l'entrée du héros dans le grand monde. Tandis que l'élégance et la beauté d'Odette se promenant au Bois donnaient à la fine fleur de l'aristocratie l'image d'une bourgeoisie triomphante, les bourgeois de province du Grand-Hôtel de Balbec ne savent pas reconnaître dans la « robe de laine noire » et le « bonnet démodé[1] » de Mme de Villeparisis les dehors de la plus haute noblesse. Une fois encore, le héros va devoir apprendre à juger au-delà des apparences. À défaut de lui donner accès au « Guermantes breton » auquel le fait rêver Mlle de Stermaria, Mme de Villeparisis permettra au jeune homme que son neveu, le marquis de Saint-Loup, aux yeux « couleur de la mer[2] » et aux cheveux « aussi dorés que s'ils avaient absorbé tous les rayons du soleil », devienne son ami, et que le baron de Charlus, ce terrible Guermantes qui lui avait lancé des œillades, le touche par des prévenances inattendues. « Autour de Mme Swann » nous a appris de quelles révolutions la société était coutumière. L'affaire Dreyfus, dont le maître d'hôtel Aimé attend prématurément le dénouement, va imprimer un nouveau tour au kaléidoscope. Mais il fallait la promiscuité de la vie de bains de mer pour ouvrir au héros l'accès du faubourg Saint-Germain et préparer ainsi *Le Côté de Guermantes*[3].

PIERRE-LOUIS REY.

1. P. 39.
2. P. 88.
3. Voir l'Introduction à *À l'ombre des jeunes filles en fleurs*, t. I de la présente édition, p. 1288 et suiv.

NOTES ET VARIANTES

SIGLES UTILISÉS

Nous rappelons ici la signification des sigles utilisés dans le relevé de variantes. Pour plus de détails, on se reportera à la Note sur le texte d'*À l'ombre des jeunes filles en fleurs*, dans le tome I de la présente édition, p. 1302-1308.

dactyl. 1	première dactylographie.
dactyl. 2	deuxième dactylographie[1].
plac. Gt 1	placards de 1913, non corrigés.
plac. Gt 1b	placards de 1913, corrigés.
plac. Gt 5	placards de 1914.
épr. NRF 1914	épreuves corrigées de l'extrait paru sous le titre « À la recherche du temps perdu » dans la *NRF* du 1er juin 1914, p. 921-969.
plac. Gt 5 add. 14-17[2]	rédactions composites ajoutées entre 1914 et 1917 aux placards Grasset de 1914.
épr. Gd	épreuves Gallimard de 1918, corrigées.
add. 14-18	rédactions ajoutées soit aux placards Grasset de 1914 (entre 1914 et 1917) soit aux épreuves Gallimard de 1918 (en 1918)[3].
orig.	édition originale.
orig. b	exemplaire incomplet de l'édition originale portant quelques corrections manuscrites.
Gd 1920	édition Gallimard de 1920.

---

1. Nous suivons ici la numérotation de la Bibliothèque nationale. voir t. I de la présente édition, p. 1284 et n. 2.
2. On trouvera aussi le sigle *add. 14-17* ; voir t. I, p. 1306-1307.
3. Voir t. I de la présente édition, n. 2, p. 591.

Page 3.

a. Dans les dactylographies et les placards Grasset, un simple passage à la ligne séparait l'évocation de Mme Swann au Bois (ultérieurement répartie entre la fin de « Noms de pays : le nom » et la fin d'« Autour de Mme Swann ») et le départ pour la mer — dont les préliminaires étaient alors moins développés. Dans les placards Grasset 5 corrigés (placards Grasset 5 auxquels s'ajoutent les fragments manuscrits[1] rédigés entre 1914 et 1917) utilisés par Proust comme manuscrit d'« À l'ombre des jeunes filles en fleurs », Proust a ajouté à la main un astérisque au milieu de la ligne à la suite de sous le reflet d'un berceau de glycines *(voir t. I, var. a, p. 630) et avant ce qui constitue sans doute désormais dans son esprit la deuxième partie d'« À l'ombre des jeunes filles en fleurs ». Nous rappelons que, le jeu d'épreuves Gallimard conservé à la Bibliothèque nationale étant incomplet, nous ne disposons pas du début de « Noms de pays : les pays » dans cet état. Le texte en notre possession de ces épreuves Gallimard reprend à la page 10 (voir var. b, p. 10).* ◆◆ *b.* J'étais arrivé à être indifférent à l'égard de Gilberte [au moins d'une façon intermittente *biffé*] quand *plac. Gt 5 add. 14-17*[2]. *Pour le début de l'épisode dans les états antérieurs (dactyl. 1, dactyl. 2, plac. Gt 1, plac. Gt 1b, plac. Gt 5), voir la variante a, p. 7.* ◆◆ *c.* associations de sensations agréables *plac. Gt 5 add. 14-17* ◆◆ *d.* l'avant-veille, dans des jours pris parmi ceux d'autrefois, [parmi ceux *biffé*] où j'aimais *plac. Gt 5 add. 14-17*

1. Cette indication, aussi bien que les séries de sous-titres qui suivent, figure dans la table des matières (voir n. 1, p. 306), mais non dans le corps du texte de l'édition de 1918. Celle-ci ne porte à cet endroit que trois astérisques. Pour les états préliminaires du texte, voir var. *a*. À propos de l'usage des sous-titres, voir t. I de la présente édition, n. 1, p. 423.

2. Sur le nom de Balbec, voir la Notice de « Noms de pays : le pays », p. 1325, ainsi qu'Eugène Nicole, « Genèses onomastiques du texte proustien », *Études proustiennes*, V, Gallimard, 1984, p. 74 et suiv.

Page 4.

a. importante *[p. 3, dernière ligne].* Par exemple, j'entendis *plac. Gt 5 add. 14-17* ◆◆ *b.* sur la digue *[2ᵉ ligne de la page]* dire : « La famille du directeur du ministère des Postes. » Or, ce propos [...] relativement à la famille du « directeur du ministère des Postes » [(famille dont j'ignorais encore à Balbec la terrible influence qu'elle devait avoir sur ma vie) *biffé*] [(comme je ne savais pas alors l'influence que cette famille devait avoir sur ma vie[3]) *corr.*] Or, les souvenirs *plac. Gt 5 add. 14-17* ◆◆ *c.* Hors de nous ? en nous [si l'on aime mieux puisque c'est la même chose *biffé*] [pour mieux dire *corr.*], mais *plac. Gt 5 add. 14-17*

1. Le fragment manuscrit nº 17 figurant en encart dans l'exemplaire de l'édition de 1920, et que nous avons pu consulter, est conservé à la Bibliothèque nationale (Réserve du département des Imprimés).

2. Les fragments manuscrits écrits par Proust entre 1914 et 1917 *(plac. Gt 5 add. 14-17)*, qui concernent le tout début de la seconde partie d'*À l'ombre des jeunes filles en fleurs* (pages 3 à 7), et que nous avons pu consulter, s'arrêtent à la page 4, ligne 38.

3. Cette phrase entre parenthèses sera déplacée ultérieurement par Proust (voir lignes 3-4 de cette page).

Page 5.

a. gradations [par *biffé*] [selon *corr.*] lesquelles change la face de la terre. *épr. NRF 1914*[1] ✦✦ *b.* telle qu'elle était [dans notre pensée *biffé*] [en nous *corr.*] quand *épr. NRF 1914* ✦✦ *c.* ne font [presque *corr.*] pas partie [pour ainsi dire *biffé*] de la ville *épr. NRF 1914*

1. Tout ce qui précède (de « J'étais arrivé » à « qu'il est guéri ») a été écrit postérieurement aux placards Grasset. À partir du paragraphe suivant (« Ce voyage ») débute le séjour à Balbec tel qu'il figurait au stade des placards ; mais il commençait alors par les mots : « Quand nous partîmes cette année-là pour Balbec » (voir var. *a*, p. 7), le développement sur le plaisir du voyage étant lui-même amené de manière différente (voir var. *a*, p. 9).

Page 6.

1. « Je ne tiens pas si ce n'est pas nécessaire à avoir des tableaux dans ma chambre », écrivait Proust à Mme Catusse peu après le 26 octobre 1906 (*Correspondance*, éd. Ph. Kolb, Plon, t. VI, p. 262). Dans sa préface à *Sésame et les lys*, il ironisait sur les « gens de goût » qui ornent leur demeure « avec la reproduction des chefs-d'œuvre qu'ils admirent » (*Pastiches et mélanges, Contre Sainte-Beuve*, Bibl. de la Pléiade, p. 167).

2. Juliette Monnin-Hornung souligne comment, tout en s'écartant de la manière dont Monet et Whistler avaient peint les gares, Proust se laisse aller à l'« esprit profanateur » qui paraît ici « sous la forme d'un rapprochement ironique entre cet acte banal, qu'est un départ en chemin de fer, et celui (aux conséquences tragiques et d'une portée symbolique immense) de l'érection de la croix » (*Proust et la peinture*, Droz-Giard, 1951, p. 172). On peut supposer que les allusions de Proust renvoient à *La Crucifixion*, de Mantegna, et au *Calvaire*, de Véronèse, tous deux exposés au musée du Louvre.

3. Voir *Jean Santeuil* : « C'était sa chambre. En entendant dire "sa chambre" il tressauta [...] » (Bibl. de la Pléiade, p. 356).

4. Voir t. I de la présente édition, n. 2, p. 423.

Page 7.

a. Début de « Noms de pays : le pays » dans la dactylographie 1, la dactylographie 2, les placards Grasset 1, les placards Grasset 1 corrigés et les placards Grasset 5[2] : Quand nous partîmes cette année-là pour Balbec, mon[a]

a. pour [Cricquebec *biffé*] [Bricquebec *corr.*], mon *dactyl. 1, dactyl. 2* : pour Bricquebec, mon *plac. G1 1* : pour [Bricquebec *biffé*] [Balbec *corr.*], mon *plac. G1 1b.* Sur les placards Grasset 5, Balbec *est souvent par erreur imprimé* Bolbec. *Ces changements de noms sont constants dans la suite du texte. Nous ne les signalerons plus.*

1. Voir la variante *b*, p. 3.

2. En fait le passage que l'on peut lire sur les placards Grasset 5 a été modifié par Proust entre 1914 et 1917 (voir var. *b*, p. 3 à var. *c*, p. 5) et offre un texte proche de la version définitive.

corps qui n'avait opposé aucune résistance à ce voyage tant que je m'étais contenté en y pensant, d'apercevoir du fond de mon lit de Paris, l'église persane à côté de la tempête, mon corps se révolta aussitôt qu'il eut compris qu'il était de la partie, et qu'à mon arrivée on me conduirait dans une chambre qu'on appellerait ma chambre et que je n'aurais jamais vue. À partir de ce jour-là j'eus l'air si malheureux que le nouveau médecin qui me soignait et qui avait conseillé qu'on m'habituât à tout ce dont le précédent m'avait prescrit de m'abstenir, me dit : / « Ça n'a pas l'air de vous amuser de partir. Ça ne vous dit rien Balbec. C'est drôle de ne pas aimer les voyages. Moi je trouve ça exquis (il prononçait esquis). Je vous réponds que si je pouvais trouver seulement huit jours pour aller prendre le frais au bord de la mer, je ne me ferais pas prier. Et puis il y aura des courses, des régates, vous vous amuserez beaucoup. » Il est probable pourtant que le désir que j'avais de voir Balbec était beaucoup plus fort que celui du docteur, et que j'aimais tout autant que lui les voyages. Mais j'avais soupçonné, quand j'avais été entendre la Berma, et toutes les fois où j'allais jouer aux Champs-Élysées avec Gilberte, que ceux qui aiment et ceux qui ont du plaisir, ne sont peut-être pas les mêmes. La contemplation de Balbec ne me semblait pas moins désirable parce qu'il fallait l'acheter au prix d'un mal : celui qui était au contraire comme le symbole de la réalité de l'impression que j'allais chercher, et qu'aucun spectacle équivalent, aucune vue stéréoscopique qui ne m'eût pas empêché de rentrer coucher chez moi, n'aurait pu remplacer. Et comme je sentais déjà que quelle que fût, plus tard, la chose que j'aimerais, elle ne serait jamais placée qu'au bout d'une poursuite douloureuse où j'aurais d'abord à sacrifier mon plaisir à ce bien suprême au lieu de l'y chercher, et à traverser comme un obstacle, à vaincre, ma propre santé, je n'aurais pas voulu demander à ne pas faire ce voyage — tout en souhaitant secrètement que quelque incident imprévu vînt l'empêcher — ce qui m'eût semblé renoncer dès la première expérience, sinon à connaître la situation, car je ne l'éprouverais jamais, du moins à posséder l'objet du bonheur. Mais les résistances de mon corps furent cette fois-là d'autant plus difficiles à dominer que mon père, n'étant pas encore revenu du voyage en Espagne qu'il était allé faire avec M. de Norpois, et préférant louer une maison pour l'été dans les environs de Paris, ma mère décida, ce qu'elle ne m'annonça que la veille de mon départ pour abréger mes angoisses, qu'elle ne nous accompagnerait pas et que ma grand-mère irait seule avec moi à Bricquebec. / Celle-ci, toujours désireuse de donner aux présents qu'on me faisait un caractère artistique, avait d'abord voulu m'offrir de ce voyage une « épreuve » ancienne, et que nous refissions moitié ⬌ *b*. « le » Pont-Audemer. Mais tout en trouvant que « c'était une pitié » de me laisser passer près de belles choses sans les voir, elle fut obligée *dactyl. 1, dactyl. 2, plac. Gt 1* : « le » Pont-Audemer. Mais [tout en trouvant que « c'était une pitié » de me laisser passer près de belles choses sans les voir *biffé*], elle [fut *biffé*] [avait été *corr.*] obligée *plac. Gt 1b* : « le » Pont-Audemer. Mais elle avait été obligée *plac. Gt 5*

1. Pour « L'Orient », Proust respecte l'orthographe en vigueur jusqu'en 1789. La ville fut fondée en 1666, quand la Compagnie des Indes orientales, créée deux ans plus tôt, vint s'installer au confluent du Scorff et du Blavet, sur les terrains de la seigneurie des princes de Guéméné. Du nom du premier bateau construit dans les

chantiers navals de la compagnie, *Soleil d'Orient*, fut tiré celui de la ville. Quand la compagnie disparaîtra, L'Orient deviendra Lorient. Dans une lettre à Mme de Grignan, envoyée d'Auray le vendredi 12 août 1689, la marquise de Sévigné écrit notamment : « Nous allâmes le lendemain, qui était jeudi, dans un lieu qu'on appelle l'Orient, à une lieue de la mer. » À cette date, ce n'est en effet qu'un « lieu » : c'est à partir de 1720 que la ville sera vraiment bâtie. L'Esquisse XXVIII (p. 887) donne de ce voyage en Bretagne une version plus détaillée. Mme de Sévigné est bien passée par Amiens ; le 27 avril 1689, elle écrivait à sa fille : « Nous partîmes de Chaulnes lundi, et nous vînmes coucher à Amiens, où Mme de Chaulnes est honorée et révérée comme vous l'êtes en Provence ; je n'ai jamais vu que cela de pareil. » Suivent des lettres du Pont-Audemer, de Caen, de Dole, de Rennes (où Mme de Chaulnes et la marquise retrouvent le duc de Chaulnes, gouverneur de Bretagne) et des Rochers (près de Vitré). Mme de Sévigné séjourne durant les semaines suivantes tantôt à Rennes, tantôt dans son château des Rochers avant de se rendre à Auray le 30 juillet. Contrairement à ce que laisse supposer l'Esquisse I, ses lettres ne portent pas trace d'un passage à Quimperlé. — Pour les *Lettres* de Mme de Sévigné, nous nous référons à l'édition de Monmerqué, Hachette, 1862. C'est assurément celle que lit la grand-mère du héros.

2. Voir sa lettre du 28 juin 1671 à Mme de Grignan : « Vous savez comme je suis sur le chagrin de voir partir une compagnie agréable ; vous savez aussi mes transports de voir partir une chienne de carrossée qui m'a contrainte et ennuyée : c'est ce qui nous faisait décider nettement qu'une méchante compagnie est plus souhaitable qu'une bonne. »

3. Les sœurs de la grand-mère étaient précédemment nommées Céline et Flora. Voir t. I de la présente édition, p. 24-25.

Page 8.

a. crois qu'on aura *[Iᵉʳ §, dernière ligne]* compris. / Bref nous partirions simplement de Paris par ce train de 1 h [25 *biffé*] [22 *corr.*] que pendant bien des années j'avais souvent cherché dans l'indicateur [à ces beaux jours d'après-midi d'où il partait, paré de toutes les merveilleuses villes qu'il traversait, ici doré du reflet de Bayeux, là m'offrant les saphirs et les améthystes des vitraux du Mans, là la porcelaine normande et presque barbare de ce nom : Saint-Lô, et qui à cause de ces mêmes désirs qu'il éveillait toujours en moi, de ces mêmes dons dont il prétendait me combler, avait une figure spéciale comme un certain génie bienfaisant que j'aurais voulu suivre *biffé*] [où son heure de départ me donnait l'émotion, presque l'illusion du départ. Le prendre, descendre à Bayeux ou à Coutances me représentait depuis longtemps l'un des plus grands bonheurs possibles ; et comme la détermination des traits d'un bonheur dans notre imagination vient beaucoup plus de ce que nous avons de lui des désirs toujours identiques que des notions précises, je croyais [...] le couchant *corr.*] Comme ma grand-mère *dactyl. 1, dactyl. 2* : crois qu'on aura *[comme dans dactyl. 1 et dactyl. 2]* le couchant. Comme ma

grand-mère *plac. Gt 1* : crois qu'on aura [...] l'indicateur où son heure
de départ me donnait l'émotion, presque l'illusion du départ et du plus
grand bonheur possible. Et comme la détermination [...] le couchant.
Comme ma grand-mère *plac. Gt 5*

1. Voir t. I de la présente édition, p. 378 et n. 1, p. 379.

2. Collégiale, puis cathédrale, l'église Notre-Dame de Saint-Lô fut
construite à partir de la fin du XIIIe siècle ou du début du XIVe. Ruskin
prend le bouquet de pinacle de son tympan comme exemple du style
flamboyant (*Les Sept Lampes de l'architecture*, « La Lampe de force »,
XVI, Les Presses d'aujourd'hui, 1980, p. 92). Nous voici déjà, au moins
par la pensée, entraînés dans le Cotentin.

Page 9.

a. Mais il fallait d'abord quitter *[p. 8, 6e ligne en bas de page]* l'ancienne
et Maman nous accompagnerait. Elle nous conduirait à la gare. Comme
elle devait passer l'été avec mon père à Saint-Cloud, elle avait arrangé
d'y aménager ce jour-là même et avait pris, ou feint de prendre, toutes
ses dispositions pour y aller directement en quittant la gare, sans repasser
par la maison où elle craignait que je ne voulusse, au lieu de partir, rentrer
avec elle. Et même elle avait pris le prétexte d'avoir beaucoup à faire
dans la maison nouvelle et d'avoir peu de temps, afin de ne pas rester
avec nous (pensant que je serais moins malheureux de la quitter), jusqu'à
ce départ du train où *[p. 9, 6e ligne]*, dissimulée [...] impuissante et *[p. 9,
1er § dernière ligne]* suprême. / Elle entra avec nous dans la gare, dans
ce lieu tragique et merveilleux où il fallait abandonner toute espérance
de rentrer tout à l'heure dans les lieux familiers où j'avais vécu, mais aussi
où le miracle devait s'accomplir grâce auquel ceux où je vivrais bientôt
seraient ceux-là mêmes qui n'avaient encore d'existence que dans ma
pensée. / Sans doute, aujourd'hui, ce serait en automobile qu'on ferait
ce voyage et on penserait le faire ainsi plus agréable et plus vrai, suivant
de près aussi les diverses gradations par lesquelles change la face de la
terre. J'ai dit ailleurs, et à d'autres points de vue, je montrerai plus tard
dans la suite de ce récit que je ne méconnais pas l'automobile. Mais je
n'apprécie pas cet esprit nouveau qui, en tout veut nous montrer à côté
des choses ce qui les entoure dans la réalité, supprime l'essentiel, l'acte
intellectuel qui les en isolait, et masque sous une satisfaction médiocre
qu'il vient nous accorder par surcroît, le plaisir original qu'elles devaient
nous donner. On prétend qu'il faut voir un tableau du XVIIIe siècle au
milieu de meubles, de bibelots, de tentures de l'époque et on ne
reconstitue que la fade décor que nous montrent tous les hôtels
d'aujourd'hui où Rembrandt humilié finit par refléter le pauvre goût d'une
maîtresse de maison qui a d'ailleurs passé des années aux archives comme
toutes ses pareilles font maintenant, et où rien que le temps d'un dîner
on s'ennuie au milieu de chefs-d'œuvre qui ne nous redonneront
l'enivrante joie qu'on doit leur demander que sur les murs d'une salle
de musée, jamais assez nue, assez dépouillée de toutes particularités si
elle veut symboliser les espaces intérieurs où l'artiste s'abstrayait de son
milieu pour créer. Le plaisir spécifique *[p. 5, 2e §, 6e ligne]*, du voyage
[...] ou l'érection de la *[p. 6, 2e §, dernière ligne]* Croix. [Pour la première
fois *[p. 9, 2e §, 1re ligne]* je sentais [...] prendre ma valise. *add.]* Ma

mère   dactyl 1, dactyl. 2. Les placards Grasset 1, les placards Grasset 1 corrigés
et les placards Grasset 5 donnent un texte similaire à celui des deux dactylographies.

1. Ruskin parle en maints endroits de l'émerveillement du voyageur
(voir par exemple le passage de *Praeterita*, I, IX, cité par Proust en
note de sa traduction de *La Bible d'Amiens*, Mercure de France, 1904,
p. 105, n. 2). Encore doit-on noter que Ruskin n'appréciait guère
les voyages en chemin de fer : aux « heures de jouissance douce et
pénétrante » que procuraient les « voyages des temps jadis », il
oppose « la secousse du temps d'arrêt dans une station de chemin
de fer » (*Les Pierres de Venise*, Hermann, 1983, p. 35-36). Ainsi que
le remarque J.-C. Garcias dans une note de cette édition, Ruskin
accusait les chemins de fer de « dénaturer le paysage » et voyait
« dans les grandes compagnies de chemin de fer l'archétype de
l'organisation capitaliste inhumaine ».

2. Lettre du 9 février 1671 à Mme de Grignan : « J'ai une carte
devant les yeux ; je sais tous les endroits où vous couchez. »

Page 10.

a. Puis elle cherchait à me distraire, elle me demandait ce que je
commanderais pour le dîner, admirait la tenue de Françoise et lui en faisait
compliment. / « Mais Françoise vous êtes magnifique ! Où avez-vous
déniché ce chapeau, ce manteau ? » / Françoise répondait que nous les
connaissions bien et forçait ma mère à se rappeler un ancien chapeau,
un ancien manteau de ma grand-tante, lesquels avaient excité l'horreur
de ma mère quand*a* ils étaient neufs, le 1er §, *dactyl. 1, dactyl. 2, plac. Gt 1,
plac. Gt 1b* ◆◆ *b.* Et de même qu'il est quelquefois *C'est ici que reprend
le jeu d'épreuves Gallimard incomplet conservé à la Bibliothèque nationale. Les
feuillets manquants de ce jeu correspondent, dans notre édition, aux pages qui
vont du tome I, page 591, dernier § 9e ligne, au tome II, page 10, 11e ligne
(voir t. I, n. 2, p. 591).* ◆◆ *c.* chapeau devenu *[1er §, avant-dernière ligne]*
charmant. / Mais surtout les sentiments qui lui étaient habituels, sa
tendresse pour les siens, son respect pour ses maîtres, l'orgueil de son
honnêteté qui lui permettait de « porter le front haut », la modestie pour
sa condition dont elle trouvait que c'était « à la bêtise » de vouloir sortir,
tout cela n'avait pas seulement donné une noblesse singulière à son visage
régulier qui avait dû être charmant au temps de sa jeunesse, mais avait
gagné son maintien et son port de tête ; et même, les vêtements inattendus
qu'elle avait revêtus pour le voyage afin d'être digne d'être vue avec nous
sans avoir l'air de chercher à se faire voir, — depuis le drap cerise mais
ancien de son manteau, jusqu'aux poils comme il faut et sans raideur de
son collier de fourrure, pareils à ceux qui ombrageaient sa bouche,
— avaient contracté cette expression réservée et sans bassesse d'une femme
qui sait à la fois « tenir son rang et garder sa place » et faisaient penser
à ces portraits où les vieux maîtres peignaient un vitrail d'église ou pour
un livre d'heures quelque Anne de Bretagne en prière, et où tout est
bien en place, où le sentiment de l'ensemble s'est si bien résorbé dans
toutes les parties que la riche et désuète singularité du costume n'exprime
plus que la même piété, la même gravité douce que les lèvres et que
les yeux. On *états ant., plac. Gt 5*

a. excité [l'horreur de ma mère   *biffé*] [notre horreur   *corr.*] quand   *plac. Gt 1b*

1. Pour la première fois dans le roman apparaissent les noms de ces deux peintres dont l'importance fut considérable dans la formation esthétique de Proust. À Jean-Baptiste Siméon Chardin (1699-1779), il a consacré une étude écrite probablement en 1895, à laquelle il adjoignit sans doute postérieurement des considérations sur Rembrandt, publiées dans *Essais et articles, Contre Sainte-Beuve*, Bibl. de la Pléiade, p. 372-382. Dans l'*Autoportrait aux bésicles*, pastel conservé au musée du Louvre et commenté par Proust dans son étude, Chardin s'est représenté coiffé d'un bonnet de nuit orné d'un ruban bleu, et d'un ruban rose dans l'*Autoportrait à l'abat-jour*, autre pastel du musée du Louvre. James Abbott Mc Neill Whistler (1834-1903), peintre américain, passa de nombreuses années à Paris et à Londres (Chelsea). Proust a pu le rencontrer par l'intermédiaire de J.-É. Blanche et a connu son portrait du comte de Montesquiou qui date de 1891. Lucien Daudet apprit la peinture dans son atelier. Mais Proust pouvait aussi être prévenu par les jugements sévères portés par Ruskin contre lui. De ce mépris, il fera justice dans un article de 1905 (« Un professeur de beauté », *Esssais et articles,* éd. citée, p. 512), qui le montre libéré de l'influence de Ruskin. Le 15 juin 1905, très souffrant, il se lève pour aller voir une exposition Whistler, et le 24 juin, il écrit à Marie Nordlinger : « Si celui qui a peint les *Venise* en turquoises, les *Amsterdam* en topaze, les *Bretagne* en opale, si le portraitiste de Miss Alexander, le peintre de la chambre aux rideaux semés de bouquets roses et surtout des voiles dans la nuit à MM. Vanderbilt et Freer (pourquoi voit-on la voile seule et pas le bateau) n'est pas un grand peintre, c'est à penser qu'il n'y en eut jamais » (*Correspondance,* t. V, p. 260-261). Voir aussi n. 2, p. 328. De nombreux portraits de Whistler peuvent justifier l'allusion à laquelle Proust se livre ici.

2. Allusion probable au livre illustré par Jean Bourdichon, *Les Heures d'Anne de Bretagne*, 1508. Voir l'Esquisse XXVIII, p. 891.

Page 11.

a. les lèvres [*p. 10, 2ᵉ §, dernière ligne*] et les mains. / Ma mère [*p. 11, 2ᵉ §, 1ʳᵉ ligne*], voyant que j'avais peine à contenir mes larmes, disait : « Régulus avait coutume dans les grandes circonstances... » Et se rappelant *états ant.* : les lèvres et les mains. / [On n'aurait pu [...] talent, que [*1ᵉʳ §, dernière ligne*] du savoir. *add. 14-17*] / Ma mère [...] circonstances... [Et puis [...] tu n'as pas" *add. 14-17*]. » Et se rappelant *plac. Gt 5, épr. Gd* ⟷ *b.* déjà à cette demeure où je *états ant.* : déjà à [cette demeure *corrigé entre 1914 et 1917 en* la villa de Saint-Cloud] où je *plac. Gt 5, épr. Gd* ⟷ *c.* trop de bière afin *états ant.* : trop de bière [ou de cognac, *add. 14-17*] afin *plac. Gt 5, épr. Gd*

1. Dans un texte cité par B. de Fallois dans son édition du *Contre Sainte-Beuve* (chap. XV, « Retour à Guermantes »), « Maman » disait à l'enfant, « citant Plutarque » : « Léonidas dans les grandes catastrophes savait montrer un visage... J'espère que mon jaunet va

être digne de Léonidas » ; mais un peu plus loin : « Maman en souriant me dit : "Régulus étonnait par sa fermeté dans les circonstances douloureuses." » Ces citations semblent, comme celle de notre texte, hasardeuses ou erronées : Plutarque n'a pas écrit de vie de Régulus, général romain qui montra une attitude héroïque à l'occasion des guerres contre Carthage, et dont les mérites ont été célébrés par Aulu-Gelle, par Cicéron dans le *De officiis* (III) et par Horace (*Odes*, III, v).

2. Lettre à Mme de Grignan du 9 février 1671 : « Si vous voulez me faire un véritable plaisir, ayez soin de votre santé, dormez dans ce joli petit lit, mangez du potage, et servez-vous de tout le courage qui me manque. »

3. Montretout fait partie de la commune de Saint-Cloud.

Page 12.

a. boirais de la bière, buffet *états ant., plac. Gt 5* ◆◆ *b.* donnes ! » / Et m'apercevant seulement alors, tant le chagrin de quitter Maman avait absorbé jusque-là mon attention, que la crise que je redoutais était déjà amorcée, le remords physiologique d'avoir trompé ma grand-mère par un air de bonne santé apparent me poussa à me plaindre, à confesser par des signes extérieurs le mal que j'éprouvais et que j'avais omis de manifester. / Ma grand-mère eut un air si désolé *états ant., plac. Gt 5* ◆◆ *c.* chercher de la bière, si cela *états ant.* : chercher de la bière [ou une liqueur *add. 14-17*], si cela *plac. Gt 5, épr. Gd* ◆◆ *d.* baisers par lesquels ma tendresse s'imaginait effacer le chagrin que je n'avais pas hésité à lui causer pour satisfaire au désir que mon corps avait d'être plaint. Et si *états ant., plac. Gt 5* ◆◆ *e.* encore ce qui peinerait le plus ma grand-mère. Mais il fallut en prendre bien davantage que si je n'avais eu qu'à prévenir une crise possible, c'était une crise commençante qu'il fallait bien rétrocéder. Quand, *états ant.* : encore ce qui peinerait le plus ma grand-mère. [Mais il fallut *[comme dans états ant.]* rétrocéder. *biffé*] Quand, *plac. Gt 5, épr. Gd* ◆◆ *f.* essayer de dormir [*2ᵉ §, 18ᵉ ligne*] un peu ». / Mais quand *états ant.* : essayer de dormir un peu » [et tourna *[...]* les clairières *add. 14-17*]. / Mais quand *plac. Gt 5, épr. Gd*

Page 13.

1. Mme de Beausergent est un personnage imaginaire. Proust s'est inspiré de Mme de Rémusat, elle-même auteur de *Mémoires* (1802-1808), avec lesquels Mme Proust se trouvait dans une « intimité cordiale » (lettre à Marcel de septembre 1889, *Correspondance*, t. I, p. 131). Mais il a pu penser à une autre œuvre : *Les Récits d'une tante : Mémoires de la comtesse de Boigne, née d'Osmond* (1781-1866). Plon, 1907-1908 (réédités avec une présentation et une annotation de J.-C. Berchet, Mercure de France, 1971), dont il rendit compte dans un article paru dans *Le Figaro* du 20 mars 1907. Amputé par la rédaction du journal de la partie à laquelle Proust tenait le plus, cet article est reproduit intégralement dans *Essais et articles*, éd. citée, p. 527-533 et 924-929. « [...] des livres comme les *Mémoires* de Mme de Boigne, y écrit Proust, [...] donnent l'illusion que l'on continue

à faire des visites, à faire des visites aux gens à qui on n'avait pas pu en faire parce qu'on n'était pas encore né sous Louis XVI » ; ils « ont ceci d'émouvant qu'ils donnent à l'époque contemporaine, à nos jours vécus sans beauté, une perspective assez noble et assez mélancolique, en faisant d'eux comme le premier plan de l'Histoire » (p. 530-531). Dans la partie censurée de l'article, Proust mettait plus nettement en cause la « frivolité » des *Mémoires*, attribuant l'intérêt de ce genre d'ouvrage à la facilité avec laquelle n'importe quelle dame élégante abuse la postérité sur ses succès mondains. Que la grand-mère ait élu à la fois Mme de Sévigné et « Mme de Beausergent » laisse soupçonner qu'en la première, elle admire moins le grand écrivain que le narrateur apparentera à Dostoïevski, que la mémorialiste qui fait ressurgir magiquement le passé. Brian G. Rogers a montré en outre comment Mme de Boigne et Sainte-Beuve avaient également inspiré à Proust le personnage de Mme de Villeparisis (« Deux sources littéraires d'*À la recherche du temps perdu* : l'évolution d'un personnage », *Études proustiennes*, V, Gallimard, 1984, p. 53-68).

2. Ce passage, de « Ne bougeant pas » (15ᵉ ligne de la page) à « employé », se trouve à quelques détails près parmi les ajouts portés par Proust sur le Cahier 61 (fᵒ 7 rᵒ), précédé de la mention : « Pour le voyage en chemin de fer avec ma grand-mère. Capital. Quand la bière a agi, après que ma grand-mère s'est mise à lire ou avant. »

Page 14.

a. exercice qui lui [*p. 13, 1ʳᵉ ligne*] est pénible. / [Alors je lui parlais [...] au-delà du temps [*p. 13, 2ᵉ §, 7ᵉ ligne*] habituel. *add.*] Pour compenser le sacrifice de bien-être que je faisais à mon amour de l'architecture en me faisant voir un beau monument de plus, vers le milieu de la journée, comme nous approchions de la ville où nous devions nous arrêter chez son amie, ma grand-mère me dit : / « Tu sais que la station après celle-là est Bayeux, ne préfères-tu pas ne descendre que là pour voir la cathédrale, au lieu de venir avec moi. Il fait beau, le soleil n'est pas couché, tu auras encore le temps de bien voir. » / Je me rappelais tout ce que j'avais lu sur la cathédrale de Bayeux, sur la tapisserie de la reine Mathilde, mais ma grand-mère était là, je n'avais pas la force de me séparer d'elle ; elle me redevenait brusquement plus chère que tout au monde ; la haute dentelle artistique et dorée du nom de Bayeux me parut moins belle ; pourtant par raison pendant un instant j'hésitai et comme la seule idée d'une résolution (à moins qu'on n'ait rendu cette idée inerte en décidant qu'on ne prendrait pas la résolution) développe en un moment comme une graine vivace les linéaments tout le détail des émotions qui naîtraient de l'acte exécuté je me fis dans mon hésitation effleurer et déchirer le cœur tout autant que si j'eusse quitté ma grand-mère, d'un chagrin que j'aurais pu m'épargner puisque quand le train repartit j'étais descendu avec elle. / Quand le soir, *dactyl. 1, dactyl. 2* : exercice qui lui [*comme dans dactyl. 1 et dactyl. 2*], Quand le soir, *plac. Gt 1, plac. Gt 1b, plac. Gt 5*

1. Pauline de Simiane (1674-1737) était la fille de la comtesse de Grignan et la petite-fille de la marquise de Sévigné. Ses lettres « offrent un air de famille avec celles de son aïeule et de sa mère »,

écrit Laharpe qui les édite en 1773. La première citation
(« M. de la Boulie [...] ») est extraite d'une lettre du 15 mars 1735,
à d'Héricourt ; la seconde (dont le texte exact est : « Oh ! mon cher
marquis, que votre lettre me plaît ! qu'elle est sensée ! qu'elle est
aimable ! le moyen de n'y pas répondre ? ») d'une lettre du
8 mars 1734 au marquis de Caumont ; la troisième (« Il me
semble [...] »), d'une lettre du 3 février 1735, à d'Héricourt. La lettre
sur la saignée est celle qu'elle adresse le 17 novembre 1734 au marquis
de Caumont (« Vous avez été saigné, mon cher marquis [...] »). Le
13 janvier 1735, Mme de Simiane écrit à d'Héricourt : « [Verdun]
vous envoya hier, Monsieur, un panier contenant des citrons de Vence
d'une figure singulière [...] » ; et le 17 janvier 1735, au même :
« Vous avez fait bien de l'honneur à nos monstres citrons,
Monsieur [...]. » Ces lettres figurent dans le tome XI de l'édition
des *Lettres* de Mme de Sévigné, de sa famille et de ses amis, par
M. Monmerqué (voir n. 1, p. 7).

2. Pour la première fois est mentionné dans le roman le nom du
peintre qui était surnommé Biche dans « Un amour de Swann ».
Sur l'apparition du nom d'Elstir dans les brouillons, voir la Notice
de « Noms de pays : le pays », p. 1323. On peut observer que
« Elstir » est l'anagramme approximative de Whistler (voir n. 1,
p. 10), mais aussi que dans *Le Soleil des morts*, roman de Camille
Mauclair paru en 1898 chez Ollendorff, un peintre se nommait Niels
Elstiern.

3. Lettre du 12 juin 1680, à Mme de Grignan : « Je ne pus résister
à la tentation ; je mets mon infanterie sur pied ; je mets tous les
bonnets, coiffes et casaques qui n'étaient point nécessaires ; je vais
dans ce mail, dont l'air est comme celui de ma chambre ; je trouve
[...] des hommes noirs, d'autres ensevelis [...]. »

Page 15.

a. les jeux de cartes, [les clochers gothiques, les conscrits *biffé*], les
barques qui s'évertuent sans avancer sur une rivière au soleil couchant,
sous un store bleu à demi baissé. À un moment   *dactyl. 1, dactyl. 2*

Page 16.

a. continu. / Mais j'en fus empêché par le soleil lui-même, car tout
à coup, mécaniquement propulsé comme un œuf dont un changement
de densité rompt l'équilibre, il bondit de derrière le rideau à travers la
translucidité duquel je le sentais depuis un moment frémir, n'attendant
que l'instant d'entrer en scène et dont il effaça sous un flot de lumière
la pourpre mystérieuse. Déjà il illuminait des paysages matinaux dans
lesquels il donnait à mon imagination une joyeuse envie d'aller vivre que
ne neutralisait aucune appréhension de mon corps assuré de ne pas avoir
à s'y transporter et à y arriver sans habitudes. Celui d'entre eux que le
train longeait était sillonné par une rivière où les arbres exposaient sous
le vernis de l'eau le tableau doré de leurs feuillages, comme à l'heure
où le promeneur qui a fait sa sieste à l'ombre pendant la chaleur du jour,

se lève pour se remettre en marche, en voyant le soleil baisser ; des bateaux dans le désordre des brouillards bleus de la nuit qui traînaient encore sur les eaux encombrées des débris de nacre et de rose de l'aurore, passaient en souriant dans la lumière oblique qui, comme quand ils rentrent le soir, mouillait et jaunissait le bas de leur voile, emmanchant à leur beaupré une pointe d'or : scène imaginaire, grelottante et déserte, pure évocation du couchant, ne reposant pas sur la suite des heures du jour qui doivent la précéder, interpolée, inconsistante comme une image du souvenir ou du songe. Puis la rivière disparut, le paysage *états ant., plac. Gt 5* ⟷ *b.* dans les bois de Troussinville, ce devait *états ant.* : dans les bois de [Troussinville *biffé*] [Roussainville *corr.*], ce devait *plac. Gt 1b*

1. Ces montagnes suffiraient à dissuader qui voudrait voir dans l'itinéraire de Paris à Balbec un simple décalque du trajet Paris-Cabourg. Sans doute cet itinéraire doit-il au voyage que Proust fit en Bretagne en 1895 avec Reynaldo Hahn et que reflète assez fidèlement *Jean Santeuil* : ainsi s'explique la mention de villes bretonnes, qui deviendront une simple référence au trajet de Mme de Sévigné, voire de possibles erreurs d'itinéraire, quand ses séjours à Cabourg persuaderont Proust de situer Balbec, non sans quelques incohérences, sur la côte normande. Mais dans ce cas précis, Proust se souvient surtout du voyage qu'il effectua en septembre 1903 en direction d'Évian où se trouvaient déjà ses parents. Dans une lettre datée par Ph. Kolb « vers le 8 ou 9 [?]septembre 1903 », il écrit à Georges de Lauris : « Je n'ai pas songé à dormir dans le train. J'ai vu se lever le soleil ce qui ne m'était pas arrivé depuis longtemps et est une belle chose, une inversion plus charmante à mon gré du coucher. Au matin un désir fou de violer des petites villes endormies (lisez bien villes et non des petites filles endormies !) celles qui étaient à l'occident dans un reste mourant de clair de lune, celles qui étaient à l'orient en plein soleil levant, mais je me suis retenu, je suis resté dans le train » (*Correspondance*, t. III, p. 418). Voir n. 2, p. 965.

Page 17.

a. tandis qu'un beau livre est [individuel *biffé*] [particulier *corr.*], c'est-à-dire imprévisible. Ce sera *La Chartreuse de Parme*, un roman d'Émilie Brontë, une nouvelle de Francis Jammes et aussitôt le lettré *dactyl. 1, dactyl. 2* : tandis qu'un *[comme dans dactyl. 1 et dactyl. 2]* une nouvelle de François James[1] et aussitôt le lettré *plac. Gt 1* : tandis qu'un *[comme dans dactyl. 1 et dactyl. 2]* une nouvelle de [François James *corrigé en* Bergotte] et aussitôt le lettré *plac. Gt 1b* : tandis qu'un *[comme dans plac. Gt 1b]* Bergotte et aussitôt le lettré *plac. Gt 5*

Page 18.

1. Proust écrit à propos de Baudelaire : « Rappelle-toi que toutes les couleurs vraies, modernes, poétiques, c'est lui qui les a trouvées,

---

1. Le texte des deux dactylographies étant entièrement manuscrit pour ce passage, nous supposons que le typographe a lu « François James » pour « Francis Jammes ».

pas très poussées, mais délicieuses, surtout les roses, avec du bleu, de l'or ou du vert » (*Contre Sainte-Beuve*, Bibl. de la Pléiade, p. 258). « La littérature, écrit-il ailleurs, ne devrait montrer une femme que portant, comme si elle était un miroir, les couleurs de l'arbre ou de la rivière près desquels nous avons l'habitude de nous la représenter » (inédit cité par J.-Y. Tadié, *Proust et le roman*, Gallimard, 1971, p. 103).

Page 19.

   a. Elle ne me vit pas *[p. 17, 3ᵉ ligne en bas de page]*, je l'appelai. Elle revint sur ses pas, me fixant de son regard droit et perçant, et comme les employés commençaient à fermer les portières, me versa avec rapidité et adresse le café bouillant. Je la regardais, elle ne détournait pas les yeux. J'essayai de l'attirer dans le wagon, elle se détacha en riant : « Allons, [voyons, *add.*] on part » [et je la vis pendant que la marche du train s'accélérait, je la vis s'éloigner de cette gare, où je me demandai quel jour prochain j'allais pouvoir revenir dans cette vallée où je marcherais à côté d'elle qui connaissait le charme de la vie rurale et du matin, quand elle suivait ce sentier où je l'apercevais encore de la portière regagnant la maison du garde d'une marche assurée et vive sous le ciel qui moins que son visage était rose *biffé*]. / Certains *dactyl. 1, dactyl. 2, plac.* *Gt 1* : Elle ne me vit pas, je l'appelai *[comme dans états ant.]* dans le wagon, [elle se détacha en riant : « Allons, voyons on part » *corrigé en* elle se dégagea en riant : « Allons, voyons, on part »], le train se mit en marche ; je la vis s'éloigner de la gare et reprendre le sentier. Que l'état d'exaltation dans lequel je me trouvais eût été produit par elle, ou au contraire eût causé la plus grande partie du plaisir que j'avais eu à me trouver près d'elle, en tout cas elle était si mêlée à lui, que mon désir de la revoir, comme la prédilection qui attache les fumeurs d'opium à leurs compagnons de fumeries, était avant tout le désir moral de ne pas être séparé à jamais de l'être qui y avait participé *[p. 18, 16ᵉ ligne]*. Ce n'est [...] la recevoir de nouveau *[p. 19, 4ᵉ ligne de la page]* du dehors. Tel mon esprit combinait les itinéraires qui me permettraient de retrouver la belle fille tandis que je l'apercevais encore qui regagnait la maison du garde d'une marche assurée et vive, sous le ciel moins rose que son visage.] / Certains *plac.* Gt 1b : Elle ne me vit pas *[comme dans plac. Gt 1b]* que son visage. / Certains *plac.* Gt 5 ↔ *b.* Vézelay ou Jumièges, Bourges *états ant., plac.* Gt 5 ↔ *c.* de maisons aux cheminées desquelles *états ant., plac.* Gt 5

   1. Sur le Carnet de 1908, on lit : « Tristesse de penser / voyage = 2ᵉ thème / 1ᵉʳ la marchande / de café au lait » (éd. de Ph. Kolb, *Cahiers Marcel Proust,* nᵒ 8, Gallimard, 1976, p. 74). Voir l'Esquisse XXX, p. 892.
   2. Proust a visité l'église de la Madeleine, de Vézelay, au cours du voyage à Évian de septembre 1903. Il la décrit à G. de Lauris dans la lettre citée plus haut comme une « délicieuse mosquée chrétienne ». Quant à Bourges, c'est « la cathédrale de l'aubépine », (*Pastiches et mélanges*, éd. citée, p. 81, note* en bas de page).
   3. Encore que les flots aient, au Moyen Âge, rejeté bien des statues et que Proust ait, dans ses brouillons, hésité sur le lieu qu'il élirait

pour y situer un Christ miraculeux (voir le Cahier 32, f°s 2 v° et 48 r°), celui-ci pourrait faire penser que l'église de Balbec-le-Vieux lui a été inspirée par celle de Dives-sur-Mer, localité située à deux kilomètres de Cabourg. Les pêcheurs divais auraient ramené un Christ sans croix dans leurs filets en avril 1001, puis la croix elle-même. Après avoir attiré un grand nombre de pèlerins, la statue fut brûlée par les protestants de l'amiral de Coligny en 1562. Mais si l'on voulait rattacher l'église du roman à un modèle précis, c'est vers d'autres églises qu'il faudrait s'orienter. Jo Yoshida a montré comment, sans être une ville maritime, Bayeux avait pu fournir à Proust l'image d'une église se détachant sur la mer démentie par la réalité, surtout si on l'associe à un vieux quartier dont Proust a pu aussi trouver l'inspiration à Bayeux : « Une ville que nous ne connaissons que par l'imagination, que nous construisons en mettant un rêve derrière chacune de ses syllabes, quand elle ne peut plus nous offrir que des pierres pareilles à toutes les pierres qui tombent sous nos yeux, n'a plus aucun rapport avec le Bayeux imaginé et groupé caillouteusement autour de sa place, avec à peine une corniche ancienne que nous ne pouvons séparer des maisons modernes les clochers de brume et de corail que nous édifions (Saint-Pol-de-Léon) juste au-dessus d'une mer blanchissante de février [...] » (Cahier 12, f°s 125 et 126 v^os). Peut-être l'église de Saint-Pol-de-Léon fournit-elle à Proust un nouveau modèle d'église marine ? Il reste que sur d'autres brouillons, c'est la cathédrale d'Amiens qui servira de modèle au narrateur ; elle aussi peut se révéler décevante pour le héros en raison des édifices modernes qui l'entourent, mais aussi pour que Proust en raison de l'accentuation de ses divergences avec Ruskin, aux yeux de qui elle représentait un idéal (voir Jo Yoshida, « Métamorphose de l'église de Balbec : un aperçu génétique du " voyage au Nord " », *Bulletin d'informations proustiennes,* n° 14, 1983, p. 41-61). À propos de Balbec-le-Vieux, notons encore qu'à la mi-août 1907, Proust demande à Émile Mâle de lui indiquer « une vieille ville provinciale, balzacienne, intacte » (*Correspondance*, t. VII, p. 256). Cherche-t-il un modèle pour ce qui sera Querqueville-le-Vieux avant d'être Balbec-en-Terre ou Balbec-le-Vieux (voir l'Esquisse XXXII, p. 898) ? Sur Proust et É. Mâle, voir n. 1, p. 198.

4. Relevant la persistance du terme « café-billard » comme un symbole, chez Proust, de l'urbanisme moderne et mesquin, Jo Yoshida y voit une possible réminiscence de Ruskin qui dénonce « les cafés et les maisons de jeux » qui remplacent les monuments anciens (art. cité, p. 58). Mais la suite du texte nous apprendra, grâce à la leçon d'Elstir, que ce sont ceux que Proust qualifie ailleurs de « matériellement spiritualistes » qui se désolent ainsi de voir l'ancien remplacé par le nouveau. G. D. Painter écrit pour sa part : « Pour achever la déception du narrateur, Proust transporte à Balbec le tramway, la salle de billard et la statue de l'amiral Duguay-Trouin, qu'il avait aperçus à Saint-Malo, lors de sa croisière sur le yacht *Hélène* » (*Marcel Proust,* Mercure de France, t. II, 1965, p. 111). De cette croisière, Proust retrace les étapes dans une lettre à sa mère

du 11 août 1904. Le yacht a fait escale durant deux jours à Dinard, mais Proust ne mentionne pas le nom de Saint-Malo.

Page 20.

a. immuable comme celle d'un chien mort et ne se *états ant.* : immuable comme celle d'un [chien mort *biffé*] [être mort *corr.*] ne se *épr. Gd* ◆◆ b. statue elle-même, ce sont elles ; elles, les uniques, c'est bien plus. *états ant., plac. Gt 5* : statue elle-même, [ce sont elles ; *biffé*] elles, les uniques [, *corrigé en* :] c'est bien plus *épr. NRF 1914* ◆◆ c. de courage qu'il possède et dont *états ant., plac. Gt 5* : de courage [qu'il possède et *biffé*] dont *épr. NRF 1914*

Page 21.

1. Cette « Vierge illustre » peut être, comme le note Jo Yoshida (art. cité), un souvenir de la Vierge dorée d'Amiens, que Ruskin décrit comme une « Madone de décadence, en dépit, ou plutôt en raison de sa joliesse et de son gai sourire de soubrette » (*Pastiches et mélanges*, éd. citée, p. 79-80). « Telle qu'elle est, avec son sourire si particulier, combien j'aime la Vierge Dorée, avec son sourire de maîtresse de maison céleste ; combien j'aime son accueil à cette porte de la cathédrale, dans sa parure exquise et simple d'aubépines » (*ibid.*, p. 84).

2. Sur ce qu'évoquent les noms de Quimperlé et Pont-Aven, voir t. I de la présente édition, p. 381-382.

Page 22.

a. mon corps aurait à s'accoutumer. *états ant., plac. Gt 5* : mon corps [aurait *biffé*] [allait avoir *corr.*] à s'accoutumer. *épr. NRF 1914* ◆◆ . b. dont les noms mêmes (Bergeville, Criqueville, Équemanville, Couliville) me semblaient *états ant., plac. Gt 5* : dont les noms mêmes ([Bergeville *biffé*], Criqueville, [Équemanville *biffé*] [Équemanville *corr.*], Couliville) me semblaient *épr. NRF 1914* : dont les noms mêmes (Incarville, Marcouville, Doville, [Pont-à-Couleuvre, *add.*] Arambouville, Saint-Mars-le-Vieux, Hermonville, Maineville) me semblaient *épr. Gd*[1]

1. On trouve deux Incarville en Normandie, mais à l'intérieur des terres ; deux Marcouville dans l'Eure et un autre dans l'Eure-et-Loir ; Doville peut être une altération de Deauville ou de Douville ; Pont-à-Couleuvre est une pure invention de Proust ; Arambouville également (on rapprochera ce nom de Harambouville, cité dans *Sodome et Gomorrhe* ; sans doute s'agit-il d'une simple variation d'orthographe pour un même lieu : voir var. *a* et n. 1, p. 252) ; Saint-Mars-le-Vieux fait songer aux deux Saint-Martin-le-Vieux situés

1. On remarquera que le texte de l'épreuve Gallimard est différent de celui des placards Grasset 5 et de celui de l'épreuve de la *NRF*. Proust a sans doute modifié ce passage entre 1914 et 1917.

dans le Calvados ; Hermonville est située en Champagne, mais il
existe deux Hermanville en Normandie ; Maineville est peut-être
inspiré par Mainvilliers, dans l'Eure-et-Loir (voir A. Ferré, *Géographie
de Marcel Proust*, éditions du Sagittaire, 1939).

Page 23.

a. pour la première fois mais par leur dehors quotidien, des joueurs
de tennis en casquettes blanches, le chef   *dactyl. 1, dactyl. 2, plac. Gt 1* :
pour la première fois mais par leur dehors habituel des joueurs de tennis
en casquettes blanches, le chef   *plac. Gt 5* : pour la première fois mais
par leur dehors habituel, des joueurs de tennis en [casquettes blanches   *corrigé en* casquette blanche], le chef   *épr. NRF 1914*

1. Si toute identification de Balbec avec Cabourg serait imprudente, au moins le Grand-Hôtel de Cabourg, où il a séjourné tous
les étés de 1907 à 1914, a-t-il précisément inspiré à Proust le
Grand-Hôtel de Balbec. Ce « palace » de 200 chambres environ,
de construction récente à l'époque où se déroule le roman, comprend
une vaste salle à manger qu'on reconnaît sans peine comme
l'« aquarium » décrit par Proust, et jouxte le casino (voir l'Esquisse
LXXV, p. 1017, et la lettre de Proust à G. de Lauris : « Je [...] vais
au Casino par l'hôtel (ils communiquent maintenant) », peu après
le 26 août 1909, *Correspondance*, t. IX, p. 175). Il faisait partie d'une
chaîne d'établissements énumérés sur le papier à en-tête utilisé par
Proust lors de ses séjours et situés à Paris, Cannes, Biarritz
(Carlton-Hôtel dans ces trois villes), Dinard, Nice, Chantilly,
Maisons-Laffitte et le Havre ; à ce titre, il devait recevoir la visite
périodique d'un directeur général, celui que Proust appelle plus
communément le « directeur » faisant plutôt fonction de gérant (voir
p. 51).

Page 24.

a. degrés en faux *[2ᵉ §, 19ᵉ ligne]* marbre. / Mon impression *états
ant.* : degrés en faux marbre. [Et en même temps *[...]* d'y pénétrer. *add. 14-17*] / Mon impression *plac. Gt 5, épr. Gd*

Page 25.

a. manqué, [comme des tricots, des chaussons, une boule d'eau
chaude, *biffé*] j'allais en l'attendant faire *états ant., plac. Gt 1b* ⬦⬦ *b.* une
désillusion profonde [en lui disant que j'avais été déçu par l'église de
Criquebec *biffé*], en lui avouant que j'étais malade et qu'il valait mieux
ne pas persévérer dans ce voyage sur lequel elle avait fondé tant
d'espérances pour ma santé. Elle devait être découragée, sentir que si
je ne supportais pas cette fatigue c'était à désespérer que rien pût me
faire du bien. [En pensant à cette tristesse que je ne pourrais peut-être
pas apaiser avant deux heures de là, *biffé*] j'étais retourné deux fois à
l'hôtel et elle n'était pas encore rentrée. [Mon angoisse était si aiguë
qu'elle ne pouvait durer, comme quand on essaie de se représenter content

dans le vide du haut d'un ballon ou dans le fond de la mer, et j'atteignais à un néant d'un instant et j'étais obligé de m'arrêter pour retenir mon souffle et recommencer à vivre ; deux fois j'étais allé à la porte de l'hôtel, elle n'était pas rentrée ; je me rappelais son air désappointé quand elle avait compris que je n'avais pas eu grand plaisir à voir l'église de Criquebec ; sa mauvaise mine, je voulais l'embrasser, la persuader et je voulais enfin l'attendre dans ma chambre.   *biffé*] Je me décidai   *dactyl. 1*, *dactyl 2* ◆◆ *c.* (et qui à ce point le plus   *états ant., plac. Gt 5*   : (et qui [à ce point   *corrigé en*   au point] le plus   *épr. NRF 1914*   : (et qui à ce point le plus   *orig. Nous corrigeons d'après les épreuves de la NRF de 1914.*

1. Partant précipitamment pour Cabourg en juillet 1910, Proust a connu une mésaventure semblable. « Mes bagages ont été mal enregistrés. Quand je suis arrivé ici brisé, on m'a donné à la gare les cartons à chapeaux d'une dame qui avait par erreur emporté mes malles en Bretagne, et, depuis vingt-quatre heures que je suis ici, je n'ai encore pu me déshabiller et me coucher » (à J.-L. Vaudoyer, lundi soir 18 juillet 1910, *Correspondance*, t. X, p.141).

2. Voir n. 4, p. 19.

Page 26.

   a. le dôme de la nef *[p.25, 6ᵉ ligne en bas de page]* commerciale. Pour dissiper,   *états ant.*   : le dôme de la nef commerciale. [À chaque *[...]* néant. Cependant   *add.14-17]* pour dissiper   *plac. Gt 5, épr. Gd* ◆◆ *b.* figure du directeur, [cosmopolite *[...]* roumaine ») *add.14-17]*, son geste   *plac. Gt 5, épr. Gd*

Page 27.

   a. d'un tiers *[5 lignes plus haut]* les irrite. J'étais tourmenté   *états ant., plac. Gt 5* ◆◆ *b.* belvédère étroit situé   *états ant., plac. Gt 5*

1. Jean Balue, ou La Balue (vers 1421-1491), aumônier de Louis XI, évêque d'Évreux, puis d'Angers, enfin cardinal en 1467, fut puni par son souverain pour avoir entamé des négociations secrètes avec Charles le Téméraire. Il fut enfermé onze ans durant, de 1469 à 1480, au château de Loches ; mais les historiens doutent aujourd'hui que ce fût dans une cage de fer.

2. On trouve déjà dans *Jean Santeuil* le motif de l'habitude lié à celui des chambres nouvelles ; voir l'édition citée, p. 209, et surtout l'arrivée de Jean à l'hôtel des Roches-Noires de Trouville : « À Paris quand il allait à sa chambre, il n'avait aucun effort à faire pour y entrer. L'habitude l'attendait dès la porte et l'ouvrait gaiement pour lui » (*ibid.*, p. 356).

3. La hauteur détermine souvent pour Proust l'hostilité de la chambre (voir J. Milly, « Étude génétique de la rêverie des chambres dans l'"Ouverture" de la *Recherche* », *Bulletin d'informations proustiennes*, nº 10, automne 1979). Dans *Jean Santeuil*, la chambre d'hôtel de Dieppe, accueillante, est « grande, très large, pas trop haute de plafond » (éd. citée, p. 554).

4. Sans doute Proust pense-t-il au tableau de Paul Delaroche, *Assassinat du duc de Guise* (1835), exposé au musée de Chantilly, où l'isolement du cadavre, à droite du tableau, par rapport aux conjurés groupés sur la gauche, est fortement exprimé grâce aux vastes dimensions de la chambre.

5. Thomas Cook (1808-1892) organisa, en 1841, un « train de plaisir » qui fut à l'origine de la célèbre agence de voyages qu'il légua, à sa mort, à son fils aîné.

6. Dans le Carnet de 1908, Proust a noté : « Maman retrouvée en voyage, arrivée à Cabourg, même chambre qu'à Évian, la glace carrée » (éd. citée, p. 53).

Page 28.

1. Dans *Jean Santeuil* aussi, Jean se mure dans sa chambre « comme contre [des] ennemis qui frapperaient au-dehors » (éd. citée, p. 519).

Page 29.

a. moi-même, elle m'arrêta d'un regard suppliant comme si mes mains en touchant aux premiers boutons de ma veste et de mes bottines allaient briser sans pitié son fragile bonheur. / « Oh, *états ant., plac. Gt 5*

Page 30.

a. mon pauvre loup avec *dactyl. 1, dactyl. 2, plac. Gt 1* : mon pauvre [loup *biffé*] [chou *corr.*] avec *plac. Gt 1b* : mon pauvre chou *plac. Gt 5* : mon pauvre [chou *biffé*] [loup *corr.*] avec *épr. NRF 1914* : mon pauvre chou avec *épr. Gd, orig.* ↔ *b.* manèges. / Elle me donnait mon lait, entrouvait les volets ; à l'annexe *états ant., plac. Gt 5*

1. Voir var. *a.* Mme Proust appelait ses deux fils « mon loup ». Voir par exemple sa lettre à Marcel du 7 septembre 1889 : « Cher pauvre petit loup [...] ». Certaines lettres de 1890 commencent simplement par « loup ». Également « mon loup » dans les brouillons publiés par B. de Fallois dans son édition du *Contre Sainte-Beuve* (chap. XV, « Retour à Guermantes »). Que la grand-mère du héros joue dans le roman le rôle qu'avait, dans la vie, sa mère pour Marcel apparaît nettement ici. Les hésitations de Proust entre « chou » et « loup », que traduit la variante *a*, signifient sans doute son hésitation entre une plus ou moins grande transposition romanesque.

Page 31.

1. On peut imaginer que c'est aux Établissements français de l'Océanie que Swann fait allusion. Entre autres artistes, l'écrivain Robert Louis Stevenson visita en 1867 Tahiti et les îles environnantes avant de demeurer plus longtemps à Samoa, et Gauguin s'installa en 1890 à Tahiti. Voir l'Esquisse XXXIII, p. 904.

Page 32.

1. Au début du Cahier 61, Proust écrit : « Le soir de ma première arrivée à Balbec. / Je sentais que j'allais être longtemps malade. Les images de choses auxquelles je ne pensais pas d'habitude, de parties de plaisir, d'excursions, de jeux, ne quittaient pas mon imagination et je ne pensais à ma guérison que comme au moment où je pourrais goûter ces plaisirs. Il est vrai que le lendemain quand je vis que je n'étais nullement malade, j'avais recouvré l'indifférence à ces plaisirs avec la possibilité de m'y livrer. Elles étaient comme ces fruits, ces boissons glacées qu'on désire pendant qu'on a une forte fièvre au point de souhaiter surtout qu'elle tombe pour y goûter et les boire. On ne réfléchit pas qu'alors et justement parce qu'on n'aura plus la fièvre, ils cesseront de nous être non seulement défendus, mais agréables » (f⁰ 1 r⁰).

Page 33.

a. Mais le lendemain matin ! — comme à Combray, après une nuit de tristesse, à l'heure où le soleil qui, les effaçant toutes à la fois, entrait par la fenêtre et semblait me dire : descends au jardin ; où, voyant flamboyer les ardoises du clocher de Saint-Hilaire, je m'apprêtais pour aller sur la place, à l'église, au bord de la Vivonne, — le lendemain matin, après *états ant., plac. Gt 5* ◆◆ *b.* alpestres, translucides comme l'émeraude (dans *états ant., plac. Gt 5*

1. On peut songer, par exemple, à un tableau de Giovanni di Paolo, peintre né et mort à Sienne (vers 1403-1482), *Saint Jean Baptiste se retirant dans le désert*, exposé à la National Gallery de Londres. — Les termes « alpestres » utilisés par le narrateur pour désigner le paysage marin préparent la révélation qu'il recevra en voyant *Le Port de Carquethuit* (p. 192 et suiv.) ; ainsi l'art d'Elstir ira-t-il à la rencontre de sa propre vision du monde et de ses prédispositions à la « métaphore ». Voir à ce sujet G. Genette, *Figures I*, Éditions du Seuil, 1966, p. 47 et suiv., et J.-P. Richard, *Proust et le monde sensible*, Éditions du Seuil, 1974, p. 104.

Page 34.

1. « Assis sur le môle » renvoie sans doute à la fin du « Port », poème XLI du *Spleen de Paris* : « Et puis, surtout, il y a une sorte de plaisir mystérieux et aristocratique pour celui qui n'a plus ni curiosité ni ambition, à contempler, couché dans le belvédère ou accoudé sur le môle, tous ces mouvements de ceux qui partent et de ceux qui reviennent, de ceux qui ont encore la force de vouloir, le désir de voyager ou de s'enrichir » (Baudelaire, *Œuvres complètes*, Bibl. de la Pléiade, t. I, p. 344-345). Le « boudoir » et le « soleil rayonnant sur la mer, » renvoient à « Chant d'automne », poème LVI des *Fleurs du mal*, cinquième strophe : « J'aime de vos longs yeux la lumière verdâtre, / Douce beauté, mais tout aujourd'hui m'est

amer, / Et rien, ni votre amour, ni le boudoir, ni l'âtre, / Ne me vaut le soleil rayonnant sur la mer » (*ibid.*, p. 57). À Mme Scheikévitch, Proust écrit de Cabourg le 7 septembre 1912 : « Je pense aussi, par le soleil enfin revenu que je vois à sept heures du soir (ce qui est pour moi le levant) "rayonner sur la mer", aux vers de Baudelaire : / *J'aime de vos longs yeux* [...] » (*Correspondance*, t. XI, p. 210). Voir l'Esquisse XXXIV, p. 905-906.

Page 35.

a. un miroir dans *[p. 34, 3ᵉ ligne en bas de page]* le ciel. Et cette instabilité de la lumière, qu'on ne rencontre que sur la mer et dans la montagne, faisait penser aux incertitudes, à la perpétuelle mise au point de quelque sublime lanterne magique, tant les accidents sur lesquels elle se jouait semblaient avoir peu d'importance ; une grande clarté joignait le rivage aux flots, puis le désertait, s'isolait au milieu de la mer, réunissait deux bateaux, coupait un vapeur en deux moitiés dont l'une restait à l'ombre, avec autant d'indifférence que ma lanterne magique de Combray projetait Geneviève de Brabant aussi bien sur les rideaux de la fenêtre que sur le bouton de la porte ou l'encoignure de la cheminée. Mais ma grand-mère ne pouvant supporter l'idée que je perdais le bénéfice d'une heure de mer, ouvrit *états ant., plac. Gt 5* ⮞⮞ *b.* président du Mans, d'un bâtonnier de Cherbourg, d'un grand notaire de Nantes qui *états ant. plac Gt 5* : président [du Mans *biffé*] [de Rennes *corr. biffée*] [de Caen *corr.*], d'un bâtonnier de Cherbourg, d'un grand notaire [de Nantes *biffé*] [du Mans *corr.*] qui *épr. NRF 1914*

1. Voir l'Esquisse XXXVI, p. 910. Sur le Carnet 3, Proust a écrit : « Pour ajouter au déjeuner de l'hôtel de Balbec : / Pour quelques-uns cependant (quand j'ai dit que tout le monde se connaissait) l'entrée de la salle à manger était redoutable. Un monsieur l'abrégeait en allant au pas de course s'asseoir à sa place ; d'autres incertains des mouvements qu'ils devaient accomplir leur en superposaient d'autres qu'ils croyaient devoir masquer les premiers et interrompaient leur marche pour s'essuyer le front, tirer un mouchoir de leur poche, donner un ordre au maître d'hôtel, regarder la mer, se frotter les mains comme s'ils avaient froid. Et une famille sous la conduite d'une grand-mère qui faisait briller à son doigt une améthyste familiale qu'elle supposait devoir la protéger de tout mépris des assistants et résumer dans son sobre éclat les précieuses traditions de sa famille, se déplaçait processionnellement sous les colonnes doriques du vestibule de la salle à manger et arrivés devant la nappe blanche comme s'ils avaient été devant un autel balançaient quelques instants leurs corps, faisaient à mi-voix la lecture du menu et déplaçaient les instruments d'argent et les calices de verre » (fᵒ 18 rᵒ, 18 vᵒ et 19 rᵒ).

2. On notera l'imprécision de cette désignation géographique. Voir les variantes *b*, de cette page et *a*, p. 36, qui suggèrent que Proust a déplacé Balbec d'ouest en est.

Page 36.

a. président de Rennes un siège *états ant., plac. Gt 5* : président de [Rennes *biffé*] [Caen *corr.*] un siège *épr. NRF 1914*

1. D'abord appelé Clairville (voir la Notice, p. 1321), Rivebelle peut faire songer à Riva-Bella, situé sur la côte normande non loin de Cabourg.

Page 37.

a. le même — [Clodion *biffé*] [Aimé *corr.*] — qui *dactyl.* 1, *dactyl.* 2 ◆◆ *b.* bonne société de Nantes ni d'Alençon. Ils *états ant., plac. Gt 5* : bonne société de Nantes [ni d'Alençon *biffé*]. Ils *épr. NRF 1914* : bonne société d'Alençon.] Ils *épr. Gd, orig.* ◆◆ *c.* l'Océanie habité par *états ant., plac. Gt 5* : l'Océanie [habité *biffé*] [peuplé seulement *corr.*] par *épr. NRF 1914*

1. G. D. Painter suggère des ressemblances entre Aimé et le premier maître d'hôtel du Ritz, Olivier Dabescat, « personnage équivoque et important », secondairement avec Hector, de l'hôtel des Réservoirs de Versailles, et Charles, de chez Larue (*Marcel Proust*, éd. citée, t. II, p. 319).

2. « Allusion à un personnage notoire de l'époque, Jacques Lebaudy, fils d'un sucrier millionnaire qui, ayant acquis un bout de terre dans les monts de l'Atlas, s'était proclamé empereur de Sahara, distribuant des titres de noblesse et faisant de la chanteuse Marguerite Dellier son impératrice ; en exil aux États-Unis, il proposa à cette dernière — selon l'exemple des Pharaons, ses pairs — d'épouser leur fille, sur quoi l'impératrice le tua d'un coup de révolver et fut acquittée par un jury compréhensif » (*ibid.*, p. 188).

3. À partir d'ici, le « montage » publié par la *NRF* de juin 1914 (voir, au tome I de la présente édition, notre Note sur le texte, p. 1307) enchaîne ainsi : « Les jours où nous allions faire une grande promenade en voiture avec Mme de Villeparisis, je devais sur l'ordre du médecin rester couché jusqu'au déjeuner et à cause de la trop grande lumière [...] » Suit le récit de l'ouverture des rideaux par Françoise (voir p. 306), mêlé, avant que Proust ne le déplaçât à la fin de l'épisode, au spectacle de la mer vue depuis la fenêtre de la chambre (voir p. 64), lui-même suivi du récit des promenades en voiture avec Mme de Villeparisis.

Page 38.

a. fêtard d'un « remisier » millionnaire et qui, *états ant., plac. Gt 5* ◆◆ *b.* chagrin ses parents. / Ce sentiment peut-être la colonie avait-elle moins l'occasion de l'éprouver à l'égard d'une actrice (plus connue [*p. 40, 2ᵉ §, 2ᵉ ligne*] d'ailleurs [...] mais qui la séparait [*p. 42,*

1. On remarquera que le texte de l'épreuve Gallimard est différent de celui des placards Grasset 5. Proust a vraisemblablement corrigé ce passage, entre 1914 et 1917 sur des feuillets aujourd'hui disparus.

2ᵉ §, dernière ligne] du monde[1]. De telle sorte qu'ils passaient presque inaperçus des habitants de l'hôtel. Il n'en allait pas de même à l'égard d'une vieille dame riche et titrée de laquelle, quoiqu'elle fût à une autre aile de l'hôtel, le valet de chambre de notre hôtel nous avait parlé, impressionné comme tous ses camarades parce qu'elle avait amené avec elle, femme de chambre, cocher, chevaux, voitures, et avait été précédée par un maître d'hôtel chargé de choisir les chambres et de les rendre, grâce à des bibelots, à de précieuses vieilleries qu'il avait apportées, aussi peu différentes que possible de celles que sa maîtresse habitait à Paris. Le bâtonnier et ses amis ne tarissaient pas de sarcasmes au sujet de ce respect du personnel pour une dame à particule qui ne se déplaçait qu'avec tout son train de maison. *états ant., plac. Gt 5* ⟷ *c.* distant, un air renseigné et *états ant., plac. Gt 5*

1. Ce jeune homme dont nous saurons plus tard qu'il se prénomme Octave (voir p. 233) a pu être rapproché de Jean Cocteau (« Octave » est presque l'anagramme de « Cocteau »). Proust a dû rencontrer Cocteau chez Émile Straus et sa femme lors d'une soirée le 18 mars 1910 ; ayant lu ses vers et le découvrant ensuite en personne, il peut ainsi comparer « à la fleur sculptée la fleur vivante » (décembre 1910, *Correspondance*, t. X, p. 232) et l'appelle encore « cette fleur si belle et si douce, si innocente et penchée » (peu après le 20 juin 1912, *ibid.*, t. XI, p. 148). Guère flatteuse au début, l'image d'Octave changera dans la suite d'*À la recherche du temps perdu* : quand, dans *Albertine disparue*, il se révélera comme un écrivain de génie, il autorisera mieux le rapprochement avec Cocteau. Mais Ph. Kolb pense que Proust a pu aussi emprunter le prénom d'Octave à Octavio del Monte qui, le 19 août 1910, épousa à Cabourg Anita Nahmias (voir la *Correspondance*, t. IX, n. 3, p. 218). On peut enfin supposer que le jeune Marcel Plantevignes, que Proust connut à Cabourg, a partiellement inspiré le personnage.

Page 40.

a. M. et Mlle de Silaria, *états ant., plac. Gt 5. Nous ne reviendrons pas sur cette variante, constante dans la suite du texte.*

1. L'Esquisse XXXV, p. 906, rend partiellement compte de la genèse du personnage de Mlle de Stermaria. Voir en particulier la notule de l'Esquisse XXXV, p. 1847. Peut-être se confond-elle avec une des « deux ravissantes jeunes filles » qui semblent se moquer de la grand-mère du héros dans un cahier très ancien (voir l'Esquisse XXXVI, p. 911) ? Mais l'allure distante et un peu triste de Mlle de Stermaria dès les premières ébauches paraît mal s'accommoder de cette espièglerie. Ses origines aristocratiques excluent en tout cas l'idée que Proust ait songé à l'intégrer à une bande de jeunes bourgeoises. Sa pauvreté l'associe peut-être à l'un des motifs les plus anciens d'*À la recherche du temps perdu* : « Dans la 2ᵉ partie du roman la jeune fille

---

1. En fait le passage compris entre « plus connue d'ailleurs » et « qui la séparait du monde », qui évoque l'actrice et ses trois compagnons est légèrement différent du texte définitif.

sera ruinée, je l'entretiendrai sans chercher à la posséder par
impuissance de bonheur » (Carnet de 1908, éd. citée, p. 49) ; faut-il
supposer que le développement de la figure d'Albertine a contribué
à estomper la sienne ? Peut-être aussi son caractère aristocratique
fait-il doublon avec celui de Saint-Loup, qui présente plusieurs traits
communs avec elle. Son ascendance bretonne, lisible dans son nom
depuis les brouillons (« Stermaria » peut être rapproché de
Kermaria, Locmaria, etc.) augmente le mystère du rêve dont elle est
porteuse du moment où la Bretagne, lieu de séjour dans *Jean Santeuil*
et proche encore dans les premières esquisses d'*À la recherche du temps
perdu*, s'éloigne dans le texte définitif (voir p. 210 : la pointe du Raz
serait « d'ici, tout un voyage »). Le personnage a-t-il été inspiré à
Proust par cette jeune fille qui séjournait à Cabourg, dont les parents
étaient presque ruinés et qu'il songea à épouser (voir M. Plantevignes,
Avec Marcel Proust, Nizet, 1966, p. 289-293) ? Ou par Marcel Plantevignes lui-même, qu'il voyait avec son père dans la salle à manger
de l'hôtel (voir *Contre Sainte-Beuve*, éd. B. de Fallois, chap. XII) ? De
ce personnage ne demeure dans *À la recherche du temps perdu* qu'une
silhouette fragile, de style un peu nervalien ou aurevillien, qui
connaîtra une brève résurgence dans *Le Côté de Guermantes*.

Page 42.

    a. aux autres que le goûter *[p. 41, 14ᵉ ligne en bas de page]* attendait. Il en
était de la campagne comme de la mer et des hommes. Et le soir quand ils
allaient dîner dehors, la route bordée de pommiers *états ant., plac.
Gt 5* ◆◆ *b.* souciais ; je n'aurais pas voulu être méprisé par eux. Je n'avais
pas encore eu à cette époque le réconfort d'apprendre les traits de caractère
de Swann qui aurait cru en faisant venir de Paris sa maîtresse pour passer
sur elle le désir qu'une inconnue lui avait inspiré, ne pas croire à ce désir,
substituer une réalité particulière à laquelle on ne pouvait pas souhaiter être
inconnu d'un homme au front déprimé, *dactyl. 1, dactyl. 2, plac. Gt 1* ◆◆
c. beau-frère de Legrandin qui venait quelquefois *dactyl. 1, dactyl. 2, plac.
Gt 1* : beau-frère de Legrandin [qui *biffé*] venait quelquefois *plac.
Gt 1b* : beau-frère de Legrandin venait quelquefois *plac. Gt 5, épr. Gd,
orig. Nous corrigeons, pour des raisons de sens, d'après les placards Grasset 1.*

    1. Cette réflexion sociale postérieure à 1914 (voir var. *a*) peut
s'expliquer par les menaces de révolution qu'on sentit parfois gronder
vers la fin de la guerre.

Page 43.

    a. excursion *[1ʳᵉ ligne de la page]* éloignée. J'aurais voulu *états ant.* :
excursion éloignée. [Il avait [...] pour qui la première *[16ᵉ ligne de la page]*
société d'Alençon n'a pas de secrets, [...] son propre *[1ᵉʳ §, dernière ligne]*
cléricalisme, peut-être tout simplement parce que par le premier président
et le bâtonnier qui le connaissaient elle savait qui il était. / J'avais*ᵈ* [...]
sur le sable. *add. 14-17]* J'aurais voulu *plac. Gt 5, épr. Gd*

    a. cléricalisme [, peut-être tout simplement parce que par le premier président
et le bâtonnier qui le connaissaient elle savait qui il était *biffé*]. J'avais *épr. Gd*

Page 44.

a. des trésors *[p. 43, 4ᵉ ligne en bas de page]* d'affection. Je me souciais *états ant.* : des trésors d'affection. [D'ailleurs *[…]* bains de mer. *add. 14-17]* Je me souciais *plac. Gt 5, épr. Gd* ⬥ *b.* bonne voie. Cette hérédité et cette éducation, en ajoutant *états ant., plac. Gt 5* ⬥ *c.* descendait de chez elle, coiffée d'un bonnet à brides et peu imposante par son corps, mais grâce au valet [...] oubliés, exerçant une action *états ant., plac. Gt 5*

1. On attendrait plutôt Ranavalona. La dernière reine de Madagascar, Ranavalona III, fut déposée et exilée par la France en février 1897.

Page 45.

1. Voir t. I de la présente édition, p. 219 et n. 1.

Page 46.

a. regard de joyeuse *[p. 45, 6ᵉ ligne de la page]* surprise. / Malheureusement, *états ant.* : regard de joyeuse surprise. [/On peut penser *[…]* rencontrer *[p. 45, 2ᵉ §, 12ᵉ ligne]* Legrandin, le curé de Combray, le concierge*ᵃ* *[...]* pouvait pas m'être *[p. 45, 13ᵉ ligne en bas de page]* de plus d'utilité qu'elle ne*ᵇ* l'eût pu *[p. 45, 10ᵉ ligne en bas de page]* dans la fresque *[…]* Mlle de Stermaria. *add. 14-17]* / Malheureusement, *plac. Gt 5, épr. Gd* ⬥ *b.* différenciais pas M. Grévy, président *états ant., plac. Gt 5* ⬥ *c.* avec celle du maréchal chez le marchand en plein vent qui faisait le coin de la rue Royale. D'autre part ma grand-mère *dactyl. 1, dactyl. 2, plac. Gt 1* : avec celle du maréchal [chez le marchand en plein vent qui faisait le coin de la rue Royale. D'autre part *biffé]* ma grand-mère *plac. Gt 1b* : avec celle du maréchal. Ma grand-mère *plac. Gt 5, épr. Gd¹*

1. La rue Lord-Byron, située dans le VIIIᵉ arrondissement de Paris entre l'avenue des Champs-Élysées et l'avenue de Friedland, fut ouverte en 1825 ; le poète anglais dont elle reçut le nom était mort l'année précédente. La rue Rochechouart, du nom de Marguerite de Rochechouart de Monpipeau, abbesse de Montmartre de 1717 à 1727, se trouve dans le IXᵉ arrondissement ; jusqu'au XVIIIᵉ siècle, elle compta surtout des cabarets ; à l'époque de Proust, on y voyait la salle des concerts Pleyel et le théâtre des Folies-Rochechouart (devenu Théâtre moderne en 1910). La rue de Gramont est située dans le IIᵉ arrondissement, perpendiculairement au boulevard des Italiens ; elle fut inaugurée à la fin du XVIIIᵉ siècle sur l'emplacement d'un hôtel qui avait appartenu à la famille de Gramont, le dernier en date étant le maréchal Antoine V, duc de Gramont. La rue fut fautivement appelée « de Grammont » jusqu'en 1930 (c'est cette orthographe que donne l'édition de 1918). La rue Léonce-Reynaud,

a. Legrandin, [le curé de Combray, *biffé]* le concierge *épr. Gd*
b. utilité [, entourée *[...]* nager) *add.]* qu'elle ne *épr. Gd*

1. C'est sans doute sur le dernier jeu d'épreuves que Proust a remplacé « du maréchal » par « de Pie IX ». Voir le tome I de la présente édition, page 478.

ouverte en 1884 dans le XVIe arrondissement, près de la place de l'Alma, tient son nom d'un ingénieur qui fut directeur des phares et écrivit un mémoire sur l'éclairage des côtes de France. La rue Hippolyte-Lebas, inaugurée en 1861 dans le IXe arrondissement, reçut le nom de l'architecte à qui on doit l'église Notre-Dame-de-Lorette, située à proximité.

2. Voir les Esquisses XXXVI et XXXVII, p. 910 et 912.

Page 47.

a. à son tour dans *[p. 46, 4e ligne en bas de page]* le vague. / Elle prenait *états ant.* : à son tour dans le vague. [Elle s'éloigna *[...]* arrêté. *add. 14-17*] / Elle prenait *plac. Gt 5, épr. Gd* ◆◆ *b.* pas même M. de Soulangy ; en effet *dactyl. 1, dactyl. 2, plac. Gt 1* : pas même M. de [Soulangy *biffé*] [Cambremer *corr.*] ; en effet, *plac. Gt 1b (même correction dans les deux pages suivantes)* ◆◆ *c.* nous restons dans notre petit coin. / — Mais *états ant., plac. Gt 5*

1. L'emploi de la particule avec le nom propre sans mention du titre trahit un manque d'expérience du monde chez la femme du premier président. Mais le père du héros, aussi bien, disait : « De Norpois m'a invité de nouveau à dîner » (t. I de la présente édition, p. 428).

2. Racine, *Esther*, acte II, sc. VII, v. 660 (d'après le livre d'Esther, V, 3).

Page 48.

a. regret du bâtonnier, qui depuis le jour où un garçon lui avait appris le nom de cet inconnu avait trouvé qu'on voyait tout de suite que c'était un homme parfaitement bien élevé. Mais *états ant., plac. Gt 5* ◆◆ *b.* je ne sais plus » *[6 lignes plus haut]*, dit le bâtonnier. / Comme *états ant.* : je ne sais plus », dit le bâtonnier [, qui comme beaucoup *[...]* la méfiance *add. 14-17*]. / Comme *plac. Gt 5, épr. Gd* ◆◆ *c.* deux avant-bras pareils aux deux pieds d'un vase, la sécheresse *états ant., plac. Gt 5*

1. Proust paraît se souvenir ici de Féternes, petite localité située tout près d'Évian.

Page 49.

a. faute, et vers cette éducation qui avait borné le monde pour elle à son oncle l'évêque, à sa tante l'abbesse. De jeunes cousins nobles devaient avoir pris la douce habitude, le contact familier de son corps au cours de chasses, de jeux loin desquels hélas ! j'avais vécu au fond de cette baie grise, semée de mille petits rochers qui, les soirs calmes comme celui où la *[un blanc]* de Tristan y était apparue *[un blanc]*, à l'infini des nuances du coucher du soleil, dans cette île où les chênes reflétaient des clartés vertes au-dessus des fontaines des fées et des bruyères roses et qui me semblait avoir tant de charme parce qu'elle enfermait la vie de Mlle de Silaria et reposait dans la mémoire de ses yeux. Mais *dactyl. 1, dactyl. 2, plac. Gt 1* ◆◆ *b.* Et dans un mois d'hiver où *états ant., épr. Gd*

Page 50.

a. clapotement des *[p. 49, dernière ligne]* vagues. Car il *dactyl. 1, dactyl. 2, plac. Gt 1*

Page 52.

1. Le passage allant de « Alors, presque au commencement du dîner, » (p. 51, ligne 14) à « librement. » figure à quelques variantes près parmi les additions portées sur le Cahier 61, fº 31 rº ; le texte de cette addition manuscrite s'achève ainsi : « [...] au bout de quelques instants, il se retirait et je me sentais plus libre. »

2. Dans son édition de 1928, remise à jour en 1950, le *Larousse du XXᵉ siècle*, tout comme le *Littré*, édition de 1873, ne connaît « caféterie » que comme synonyme de « caféière » (terrain planté de caféiers). Le supplément du *Robert* remarque qu'on l'a employé au sens de « pièce où l'on prépare le café » (dans un hôtel, etc.), et au sens actuel de « cafeteria » (mot daté de 1939), sans en fournir d'autre exemple que celui de notre texte.

Page 54.

a. et comprenait la *[p. 51, 4ᵉ ligne de la page]* plaisanterie. / Mais quelques jours plus tard, ma grand-mère et Mme de Villeparisis tombèrent *états ant.* : et comprenait la plaisanterie. [/ Si intimidants [...] je respirais plus *[p. 52, 1ᵉʳ §, avant dernière ligne]* librement. *add. 14-17]* / Mais quelques jours plus tard, ma grand-mère et Mme de Villeparisis tombèrent *plac. Gt 5* : et comprenait la plaisanterie. Si intimidants [...] je respirais plus librement. [Ma vie [...] « Le fait *[p. 54, 3ᵉ ligne de la page]* est... » De sorte¹ [...] chauffer *add.]* / Mais quelques jours plus tard, ma grand-mère et Mme de Villeparisis tombèrent *épr. Gd*

1. Cette longue addition par rapport aux placards Grasset (voir var. *a* de cette page) confirme en partie la thèse d'A. Feuillerat, *Comment Proust a composé son roman* (Yale University Press, 1934 ; Slatkine, 1972), suivant laquelle, après 1914, Proust a noirci certains caractères, dont celui de Françoise. Mais les perfidies de celle-ci s'inscrivent dans un développement plus général, qui tend surtout à montrer le snobisme de toutes les couches de la société, y compris les plus humbles.

2. Proust paraît songer au début de la scène IV de l'acte I de *L'École des femmes* de Molière, où Arnolphe et Horace monologuent un bref instant avant d'être sûrs de se reconnaître. Version plus animée de ces retrouvailles dans le Cahier 32, fº 56 rº : « Ma grand-mère avait cependant fini par se trouver face à face avec Mme de Villeparisis d'une façon si flagrante que la "reconnaissance" n'avait pas été évitable et quoiqu'elles se fussent vues tous les jours depuis trois semaines, comme ces personnages de Molière qui sur la même place,

---

1. Le passage compris entre « Le fait est... » et « De sorte » a dû être ajouté par Proust sur un état postérieur à l'épreuve Gallimard et que nous ne possédons pas.

parlant depuis une demi-heure tous les deux sans s'apercevoir et tout d'un coup levant les bras disant : "Mais... que vois-je ? Se pourrait-il ? Hé là... Mais encore... Si fait c'est bien le seigneur Anselme... Parbleu je n'ai point la berlue, voici le seigneur Trufaldin." » Anselme et Trufaldin, personnages traditionnels de comédie, figurent dans *L'Étourdi*, de Molière, mais on n'y trouve aucune scène de reconnaissance semblable à celle qui est évoquée ici. Voir sur la genèse de ce passage l'article de Loïc Depecker dans le *Bulletin d'informations proustiennes*, n° 17, 1986, p. 31-34.

3. « Il y eut un souper d'une magnificence à mourir de faim », écrit Mme de Sévigné à sa fille, d'Auray, le 30 juillet 1689 (éd. citée). Ce souper avait été donné par l'évêque de Vannes ; on y servit du gibier des plus raffinés, quand Mme de Sévigné aurait souhaité du veau ou une de ces « bonnes poulardes de Rennes ». Dans le Cahier 32, f° 62 r°, Mme de Villeparisis fait écho à la citation de la grand-mère : « Ah ! le souper de l'évêque de Vannes ! »

4. Le moment où « on vient de finir de déjeuner et où la table n'est pas encore complètement desservie », où l'on voit « un dernier couteau traîner sur la nappe à demi relevée qui pend jusqu'à terre » est évoqué par Proust dans son étude sur Chardin : ce spectacle modeste, qu'on jugerait facilement répugnant, le peintre a su en voir la beauté (*Essais et articles*, éd. citée, p. 372). « Avant d'avoir vu des Chardin, écrira Proust à Walter Berry vers le 5 août 1917, je ne m'étais jamais rendu compte de ce qu'avait de beau, chez mes parents, la table desservie, un coin de nappe relevé, un couteau contre une huître vide [...] » (voir D. Backus, « La Leçon d'Elstir et la Leçon de Chardin », *Bulletin de la société des amis de Marcel Proust*, n° 32, 1982).

5. Balbec étant à « la pointe extrême de la terre », alors que la pointe du Raz serait « d'ici, tout un voyage » (p. 210), on pourrait, suggère A. Ferré, localiser Balbec dans le Cotentin (*Géographie de Marcel Proust*, éd. citée, p. 106). Il nous paraît plutôt que, quoique postérieure à 1914 (voir var. *a*, p. 56), cette notation traduit le sentiment d'un narrateur encore tributaire des premiers projets de Proust qui imaginait de situer le séjour à la mer en Bretagne.

Page 55.

1. Sur les Cimmériens, probablement inspirés à Proust par le début de *La Prière sur l'Acropole*, d'E. Renan, et qui rattacheraient donc encore Balbec à la Bretagne, voir t. I de la présente édition, n. 3, p. 129.

2. L'archiduc d'Autriche Rodolphe (1858-1889), fils de l'empereur François-Joseph, fut trouvé mort, ainsi qu'une jeune fille viennoise, dans son pavillon de chasse de Mayerling. Ce drame est toujours demeuré mystérieux.

Page 56.

a. levions *[p. 54, 12ᵉ ligne en bas de page]* que nous nous dérangions en rien pour elle. Mais il me semble *dactyl. 1, dactyl. 2, plac. Gt 1* : levions, que nous nous dérangions en rien pour elle. [Tout au plus nous attardions-nous souvent à causer avec elle, notre déjeuner fini, à ce moment quotidien et sordide où les couteaux traînent sur la nappe à côté des serviettes *[p. 54, 9ᵉ ligne en bas de page]* défaites. add.] Mais il me semble *plac. Gt 1b* : levions, que nous nous dérangions en rien pour elle. Tout au plus *[comme dans plac. Gt 1b]* serviettes défaites. [Pour ma part, [...] rince-bouches *[p. 55, 2ᵉ §, 10ᵉ ligne]* avec le sourire orgueilleusement modeste d'une maîtresse de maison qui se retire discrètement pour ne pas gêner par sa présence l'éclosion de conversations, d'intimités particulières dont son salon a pour fonction et pour gloire d'être le berceau. On eût dit [...] Chaque fois que ma grand-mère[1] *[p. 56, 22ᵉ ligne]* remarquait un livre [...] bord de la *[p. 56, 1ᵉʳ §, dernière ligne]* mer. » Et ils étaient en effet *[p. 57, 8ᵉ ligne]* si beaux [...] de tout autre *[p. 57, 11ᵉ ligne]* dessert[2]. add. 14-17]* Mais il me semble *plac. Gt 5. Les corrections portées par Proust sur l'épreuve Gallimard aboutissent au texte définitif.*

Page 57.

a. fait porter *[8ᵉ ligne de la page]* la veille. « Je ne peux *états ant.* : fait porter la veille. [Et ils étaient en effet [...] tout autre dessert[3]. » Ma grand-mère [...] détestables. *add.]* « Je ne peux *épr. Gd*

1. Lettres à Mme de Grignan du 18 et du 11 février 1671. Mais la « conclusion » ajoutée dans la suite du texte ne figure pas sur ces lettres.

2. Lettre à Coulanges, de Grignan, le 9 septembre 1694 : « Si nous voulions, par quelque bizarre fantaisie, trouver un mauvais melon, nous serions obligés de le faire venir de Paris, il ne s'en trouve point ici. »

Page 58.

a. les *Mémoires* de *[p. 57, 1ᵉʳ §, dernière ligne]* Mme [de Charlus *biffé plac. Gt 1b]* [Beausergent *corr. plac. Gt 1b].* En revanche si ma grand-mère avait remarqué un livre que Mme de Villeparisis lisait ou admiré des fruits qu'elle avait à son dessert ou trouvé beaux, une heure après un valet de chambre montait [chez nous et priait Françoise — flattée de la provenance — de *biffé plac. Gt 1b]* nous remettre livre ou fruits [« de la part de madame la Marquise » *biffé plac. Gt 1b].* Et quand nous la voyions *[p. 56, 1ᵉʳ §, 7ᵉ ligne en bas]* ensuite, [...] au bord de *[p. 56, 1ᵉʳ §, dernière ligne]* la mer » [ou « c'est toujours assez difficile d'avoir de bons fruits au bord de la mer quoique ils aient ici des petites poires assez agréables. Mais pour mon goût pas assez juteuses. Mais vous les aimez, ajouta-t-elle d'un air entendu comme si c'était que nous avions était une chose importante », ou « ce sont des mémoires assez amusants à lire pour

---

1. En fait, le passage qui va de « Chaque fois que ma grand-mère » à « bord de la mer » avait été écrit par Proust, avec quelques variantes de détail, avant 1914, mais n'occupait pas sa place définitive (voir var. *a,* p. 58).

2. Le passage qui va de « Et ils étaient en effet » à « tout autre dessert » se trouve à cette place dans le texte imprimé des épreuves Gallimard, et a été déplacé par Proust, sur ces mêmes épreuves, à la place où il se trouve dans le texte définitif.

3. En fait, le passage qui va de « Et ils étaient en effet » à « dessert » avait été déjà ajouté par Proust entre 1914 et 1917 (voir var. *a,* p. 56) mais c'est sur l'épreuve Gallimard que Proust lui a donné sa place définitive.

tout ce qui touche aux Orléans que l'auteur a bien connus, mais la partie sur les Bourbons est faite de chic et ne vaut rien. » On sentait une femme qui déteste les phrases, qui s'attachait aux détails précis, particuliers, aux goûts matériels, avec une sorte de parti pris, en vertu d'une sorte d'esthétique comme celle d'un *[un blanc]* social. *biffé plac. Gt 1b*) « Il faudra *dactyl. 1, dactyl. 2, plac. Gt 1, plac. Gt 1b* : les mémoires de Mme Beausergent *[comme dans plac. Gt 1b]* au bord de la mer. » [Quand Mme de Villeparisis *[p. 57, 2ᵉ §, 1ʳᵉ ligne]* rencontrait [...] chaque trait. *add. 14-17]* « Il faudra *plac. Gt 5. Les corrections portées par Proust sur l'épreuve Gallimard aboutissent au texte définitif.* ◆◆ *b.* un peu fort, une dame d'honneur à côté d'elle, la princesse *états ant., plac. Gt 5* ◆◆ *c.* pouvaient être destinés, ces fruits, des prunes glauques, *états ant., épr. Gd* : pouvaient être destinées ces prunes glauques, *orig. Comme souvent, Proust accorde le verbe avec le sujet le plus rapproché. Nous rétablissons* destinés *qu'impose la suite de la phrase.*

1. La princesse de Luxembourg a été inspirée à Proust par la princesse de Sagan. Elle passait ses étés à Trouville, à la villa Persane, où on la voyait sous son ombrelle, accompagnée d'un petit nègre. Proust se souvient de l'avoir vue, sans doute en 1891, en compagnie de la marquise de Gallifet, « toutes deux dans leur élégance aujourd'hui à peu près indescriptible, d'anciennes belles de l'Empire » (*Essais et articles,* éd. citée, p. 572).

Page 59.

a. Car ce ne pouvait être *[p. 58, 16ᵉ ligne en bas de page]* à Mme de Villeparisis que la princesse avait voulu faire visite. Comment l'aurait-elle connue ? Pourtant une heure après Mme de Villeparisis nous envoya des poires et des raisins que nous reconnûmes. Le lendemain matin nous rencontrâmes Mme de Villeparisis en sortant du concert symphonique qui se donnait sur la plage. J'y avais la veille rencontré Bloch qui n'en manquait pas un, m'avait-il dit, parce que le chef d'orchestre, un grand musicien selon lui, jouait de nombreuses scènes de Wagner et des transcriptions de Schumann. Et il m'avait récité de belles phrases de Baudelaire sur Wagner et de Schopenhauer sur la musique. C'est ainsi que j'entendis des fragments de *Lohengrin,* de *L'Or du Rhin,* qu'après ma nuit en chemin de fer j'avais reconnus pour les avoir si souvent vus au *[un blanc], le Réveil de Brunhilde* — où les mêmes phrases que j'avais entendues dès la fin de la *Walkyrie* prirent, retrouvées à une autre place préparant non plus le sommeil de la vierge mais sa résurrection la même acception nouvelle et mystérieuse que certaines lueurs roses, certains rayons obliques du soleil, pareils à ceux que j'avais vus si souvent au couchant mais qui cette fois signifiaient le lever — et enfin le *Carnaval* de Schumann. Sachant que la musique reflétait la « Volonté du moi[1] et tous les spectacles de l'univers » je ne m'arrêtais pas un instant à l'idée que Schumann avait pu chercher à peindre quelque chose d'aussi limité, d'une importance spirituelle aussi médiocre, et, si je m'en rapportais à mes propres goûts d'aussi ennuyeux et d'aussi vulgaire qu'un soir de carnaval. C'était les alternatives d'irrésistible allégresse et d'ineffable

1. En fait, sur les placards Grasset 1, on lit : « volonté du roi ». Voir t. I de la présente édition, n. 2, p. 524.

mélancolie auxquelles l'âme se donne tour à tour que je cherchais à saisir dans cette musique. / Or, en sortant   *dactyl. 1, dactyl. 2, plac. Gt 1*

Page 60.

   a. nègre [en   *biffé*] [habillé   *corr.*] satin rouge   *épr. Gd*[1]   : nègre habillé en satin rouge   *orig. Le dernier jeu d'épreuves sur lequel Proust a donné son bon à tirer n'étant plus en notre possession, il nous est impossible de savoir si   en   est une addition manuscrite de Proust ou si c'est une correction de l'imprimeur.*

Page 61.

   a. Mon nom parut lui faire une grande impression. Cependant la princesse *[p. 59, 17ᵉ ligne en bas de page]* de Luxembourg nous avait tendu la main, en riant comme pour une plaisanterie. Un marchand de plaisirs ayant passé, elle lui acheta tout ce qu'il avait et nous en tendit à moi et à ma grand-mère comme à un bébé et à sa nourrice, et m'en mit de plus un paquet tout ficelé dans ma poche en me disant : « Vous les ferez manger à votre grand-mère. » Elle appelait Mme de Villeparisis par son prénom et l'invita à dîner pour le lendemain. De temps en temps elle posait ses yeux sur nous en souriant avec mille signes d'intelligence comme sur des muets avec qui on ne peut pas causer mais à qui on veut montrer qu'on les aime. Et ce sourire était si doux que je croyais qu'elle allait tendre la main pour nous caresser, ma grand-mère et moi, comme des animaux étranges et sympathiques qu'on a devant soi au Jardin d'Acclimatation. Un autre marchand passa avec des babas, elle les acheta encore et les mit dans mon autre poche. Puis elle dit adieu à Mme de Villeparisis *[p. 60, 15ᵉ ligne]* et nous tendit [...] au revoir comme à *[p. 60, 21ᵉ ligne en bas de page]* une grande personne. Enfin, nous ayant quittés tous trois, la princesse reprit sa promenade sur la digue ensoleillée en incurvant sa taille magnifique qui se tordait comme un serpent autour de son ombrelle blanche imprimée de bleu. / « Est-ce que   *états ant., plac. Gt 5*

   1. Domenikos Theotokopoulos, dit le Greco (1541-1614), né à Candie, a travaillé jusqu'à trente ans environ en Vénétie dans l'entourage du Titien. C'est vers 1576 qu'il partit s'installer à Tolède où, grâce aux commandes de Philippe II, il peignit ses plus belles œuvres. Plusieurs d'entre elles se trouvent au Musée Greco et à la cathédrale de Tolède, sans oublier l'admirable *Assomption de la Vierge* qu'il peignit pour l'église San Vicente (Musée de Santa Cruz) et qu'aimait tant Maurice Barrès (*Greco ou le Secret de Tolède*, Plon, 1910). Proust avait eu l'occasion d'admirer, chez Maria de Madrazo, « un Greco vraiment divin avec des tons aussi précieux dans leur genre différent, que ceux d'un Ver Meer et d'une fraîcheur intacte sous son incomparable émail » (décembre 1907, *Correspondance*, t. VII, p. 319). Il lira, sur le Greco, un article du comte de Montesquiou (*ibid.*, t. IX, p. 33), auquel Barrès dédiera son ouvrage (*ibid.*, t. XI, p. 52).

   1. Pour les états antérieurs, voir la variante *a* de la page 61.

2. Allusion à *Jupiter et Sémélé*, tableau de 1896. Dans une lettre à R. de Montesquiou du 27 avril 1905, Proust parle de ce « Jupiter quatre fois grandeur nature » (*Correspondance*, t. V, p. 115). Sur Proust et Gustave Moreau, voir l'article de Patrick Gauthier dans la revue *Europe*, août-septembre 1970, p. 237-241. — Ce « hasard » qui émerveille le jeune homme trahit la liaison de Mme de Villeparisis avec le marquis de Norpois. Dans son compte rendu des *Mémoires* de Mme de Boigne (*Le Figaro*, 20 mars 1907), Proust avait écrit : « Les personnes de ce genre ont souvent une longue liaison avec un vieil homme d'État qui vient causer politique avec elles tous les soirs en jouant au bézigue [...] » (*Essais et articles*, éd. citée, p. 929). Notons qu'au mois d'août 1870, le docteur Adrien Proust, père de Marcel, fut envoyé en Espagne pour y mener une enquête sur un début d'épidémie de choléra. Voir t. I de la présente édition, n. 3, p. 428.

Page 62.

a. la regardait avec son face à main d'un air d'examiner un plat dans lequel on n'a pas confiance et auquel on ne touchera pas, qui faisait   *états ant., plac. Gt 5*

Page 63.

1. La baronne d'Ange est le nom emprunté par Suzanne, héroïne du *Demi-Monde* (1855), comédie d'Alexandre Dumas fils. Voir t. I de la présente édition, n. 1, p. 433.
2. C'est sous ce titre qu'est généralement connue la satire XIII de Mathurin Régnier (1573-1613). Macette y est une entremetteuse qui, sur ses vieux jours, après avoir « soutenu le prix en l'escrime d'amours », « imite avec ses pleurs la sainte pêcheresse ».
3. « À la côte » : sans argent. L'expression est d'origine maritime : mettre quelqu'un à la côte signifiait, pour les corsaires et les naufrageurs, l'abandonner sans ressources.

Page 64.

a. Avais-je raison de me *[p. 63, 7ᵉ ligne de la page]* méfier ! / le médecin *états ant.*   : Avais-je raison de me méfier ! [C'est agréable *[...]* dénigrement pour *[p. 63, milieu du dernier §]* leurs amis particulièrement tarés, qui achève *[...]* invisibles. *add. 14-17]* / Le médecin *plac. Gt 5, épr. Gd* ◆◆ *b.* promenades en voiture. Ces jours-là pour ne pas me fatiguer, je devais rester couché jusqu'au déjeuner, et à cause de la trop grande lumière garder fermés le plus longtemps possible les grands rideaux rouges qui m'avaient témoigné tant d'hostilité le premier soir. Mais comme malgré les épingles *[p. 305, 2ᵉ §, 15ᵉ ligne]* avec lesquelles *[comme dans le texte définitif avec lég. var.]* sa vitesse en tournant *[p. 305, 2ᵉ §, avant-dernière ligne]* sur elle-même. Parfois c'était l'heure de la pleine mer. J'entendais du haut de mon belvédère le bruit du flot qui déferlait doucement, ponctué par les appels des enfants qui jouaient, des marchands de journaux, des baigneurs comme par des cris d'oiseaux de mer. Soudain à dix heures le concert symphonique éclatait sous mes fenêtres *[p. 306, 12ᵉ ligne]*. Entre les [...] intermittents d'une musique *[p. 306, 17ᵉ ligne]* sous-marine. Pour voir si Françoise ne venait pas défaire les rideaux et m'apporter mes affaires, — car l'heure du déjeuner approchait, — je courais jusqu'à la chambre de ma grand-mère. *états ant.* : promenades en voiture. [D'ailleurs je ne regrettais pas trop d'être empêché de rester au bord de la mer, d'abord parce que les jours chauds, le manteau ensoleillé me semblaient jetés comme un déguisement morne, momentané et hideux sur la sauvage beauté du « pays des Cimmériens », dissipant ces brouillards éternels dans lesquels j'avais rêvé de venir m'ensevelir. *add.]* Ces jours-là pour *[comme dans états ant.]* chambre de ma grand-mère. *plac. Gt 1b* : promenades en voiture. D'ailleurs *[comme dans plac. Gt 1b]* chambre de ma grand-mère. *plac. Gt 5. Les corrections portées par Proust sur l'épreuve Gallimard aboutissent au texte définitif.*

1. Proust a dû se souvenir ici de Bretteville-l'Orgueilleuse, localité située sur la route de Caen à Bayeux, tout près de Norrey dont il avait pu admirer l'église (voir la lettre à Antoine Bibesco, octobre 1907, *Correspondance*, t. VII, p. 296).

2. Jusqu'au stade des épreuves Gallimard, et par conséquent à l'époque où est publié le « montage » de textes dans la *NRF* (juin 1914), cette évocation de la chambre de la grand-mère fait suite à l'ouverture des rideaux de la chambre par Françoise, finalement déplacée à la fin de l'épisode. Voir n. 3, p. 37.

Page 65.

a. par la surprise comme devant un miracle. Par quel *états ant., plac. Gt 5* ◆◆ *b.* nymphe Alecto, dont *états ant., plac. Gt 5* : nymphe [Alecto *biffé*] [Glaukonomè *corr.*], dont *épr. NRF 1914* ◆◆ *c.* palpitation. Mais d'autres fois il n'y avait pas cette opposition si grande entre une promenade agreste et ce but inaccessible, ce voisinage fluide et mythologique. Car la mer semblait alors rurale elle-même et la chaleur y avait tracé comme à travers champs une route poussiéreuse et blanche derrière laquelle la fine pointe d'un bateau de pêche dépassait comme un clocher villageois. Un remorqueur dont on ne voyait que la cheminée fumait au loin comme une usine écartée, tandis que seul à l'horizon un carré blanc et bombé, peint sans doute par une voile mais qui semblait compact et comme calcaire, faisait penser à l'angle ensoleillé de quelque bâtiment isolé, hôpital ou école. Et les nuages et le vent les jours où il s'en ajoutait au soleil, parachevaient sinon l'erreur de jugement, du moins l'illusion du premier regard, la suggestion qu'il éveille dans l'imagination. Car l'alternance d'espaces de couleurs nettement tranchées comme celles qui résultent dans la campagne, de la contiguïté de cultures différentes, les inégalités âpres, jaunes, et comme boueuses de la surface marine, les levées, talus qui dérobaient à la vue la barque où une équipe d'agiles matelots semblait moissonner tout cela par les jours orageux faisait de l'océan quelque chose d'aussi varié, d'aussi consistant, d'aussi accidenté, d'aussi populeux, d'aussi civilisé que la terre carrossable d'où, en voiture avec Mme de Villeparisis nous le regarderions. / Mais parfois aussi, et pendant des semaines de suite, le beau temps fut si éclatant et si fixe que quand Françoise venait ouvrir la fenêtre j'étais sûr de trouver le même pan *[p. 306, 11ᵉ ligne en bas de page]* de soleil *[comme dans le texte définitif avec lég. var.]* dans sa robe *[p. 306, avant-dernière ligne]* d'or[1]. / Mme de Villeparisis *états ant., plac. Gt 5* ◆◆ d. d'aller jusqu'à Couliville, jusqu'aux rochers d'Erméez ou à *états ant., plac. Gt 5*

1. Glaukonomè, Néréide « qui se plaît au sourire », d'après Hésiode, *Théogonie*, v. 256.

2. Voir l'Esquisse XXXIX, p. 915.

Page 66.

a. en attendant que Mme de Villeparisis fût *[p. 65, 3ᵉ §, 9ᵉ ligne]* prête. À côté *dactyl. 1* : en attendant que Mme de Villeparisis fût prête. [Quand c'était dimanche, sa voiture [...] château de Féterne *[p. 65, 3ᵉ §, 12ᵉ ligne]* chez Mme de Chemisey, mais celles [...] nous étions aux cascades *[p. 65, 5ᵉ ligne en bas de page]* de l'Allaire, comme si [...] autrement intéressant. » *add.]* À côté *dactyl. 2* : en attendant que Mme de Villeparisis [...] chez Mme de Chemisey[2], mais celles [...] nous étions aux cascades de l'Allaire, comme si [...] autrement intéressant. À côté *plac. Gt 1, plac. Gt 1b, plac. Gt 5*

1. Allusion à *Esther* et à *Athalie*, les deux dernières tragédies de Racine, écrites à la demande de Mme de Maintenon pour les demoiselles de Saint-Cyr, qui jouèrent dans les chœurs des deux pièces.

2. Ce « d'une part » appellerait normalement un « d'autre part » avant « que les nobles ».

Page 67.

a. vous, c'est autrement *[p. 65, dernière ligne]* intéressant. » / Nous partions ; *états ant.* : vous, c'est autrement intéressant. » [/ À côté des voitures, devant le porche où j'attendais, étaient plantés un arbrisseau d'une espèce rare et un jeune chasseur [...] appartenait à la *[p. 66, 6ᵉ ligne en bas de page]* fois à ces deux catégories. Le chasseur [...] immobilité végétale. *add. 14-17]* / Nous partions *plac. Gt 5, épr. Gd* : vous c'est autrement intéressant. » / À côté [...] à la fois à deux de ces catégories. Le chasseur [...] Nous partions ; *orig. Nous corrigeons, pour des raisons de sens, d'après l'épreuve Gallimard.* ◆◆ b. suffisait à me faire battre le cœur parce que *états ant., plac. Gt 5* ◆◆ c. dans le mois de mai suivant — gardant de cette route et aussi de certains clos qu'il y avait à quelque distance, le même souvenir présent, fixe, immuable que jadis de certaines scènes classiques que je me récitais, et que j'aurais voulu entendre dire par la Berma, — combien de fois j'ai acheté une branche *états ant., plac. Gt 5*

1. Voir n. 1, p. 34.

1. Voir notre Notice, p. 1332 et n. 2.

2. En fait sur les placards Grasset 1, au lieu de « Chemisey », on lit parfois « Chemusey », « Chimesey » ou « Soulangy ». Ces noms deviendront « Cambremer » à partir des placards Grasset 5.

Page 68.

a. plus foncée que lui. Parfois sachant faire plaisir à ma grand-mère, elle demandait au cocher de couper par les bois de l'Arbonne. L'invisibilité des innombrables *[p. 79, 10ᵉ ligne en bas de page]* oiseaux [...] j'écoutais mes *[p. 79, 6ᵉ ligne en bas de page]* Océanides. Le cocher qui ne connaissait pas encore bien le pays demandait un renseignement à quelque paysan et souvent j'entendais qu'on lui citait comme point de repère, ce village dont je voulais tant voir l'église, Blenpertuis. Comme il n'était pas directement sur notre chemin, je ne pouvais, à cause de Mme de Villeparisis, demander qu'on s'y arrêtât, mais je donnais à son nom une place à part, un tour de faveur, dans ma mémoire, me promettant que si cette année ma santé ne s'améliorait pas assez pour qu'on me laissât faire des promenades seul et visiter cette église, du moins l'année suivante, je viendrais, fût-ce de Paris exprès pour cela. Et en me persuadant, en prenant vis-à-vis de moi-même l'engagement que mon pèlerinage n'était qu'ajourné, je pouvais sans trop de regret voir notre voiture continuer sa route et laisser loin derrière elle, sur les côtés, l'église de Blenpertuis. Je savais pourtant bien que si entre toutes les autres églises aussi intéressantes que signalait mon Précis d'archéologie monumentale de l'ouest, c'était elle que je désirais tant voir, elle n'avait pas de supériorité intrinsèque qui justifiât cette préférence exclusive. Mais à partir du moment où je l'eus arbitrairement choisie, c'est vers elle uniquement que s'était dirigé, chaque fois qu'il renaissait, mon désir d'églises de village. Elle lui avait donné un objet à aimer, à nommer, à se représenter. Dans l'étendue informe et vide de la France entière je ne voyais que le clocher bleu de Blenpertuis. Renoncer à Blenpertuis c'eût été le premier pas que je ne voulais pas faire vers cette déchéance où je tomberais peut-être un jour de ne plus considérer la vie comme la connaissance et la possession de ce que j'avais désiré, c'eût été de demander à la réalité ce dont mon imagination et mon intelligence avaient d'abord fixé le prix. / Mme de Villeparisis voyant *états ant., plac. Gt 5* ↔ *b.* celle de Brissinville « toute *états ant., plac. Gt 5* : celle de [Briseville *biffé*] [Carqueville *corr.*] « toute *épr. NRF 1914*

1. Allusion au début des *Érynnies*, tragédie à l'antique en deux parties de Leconte de Lisle, inspirée de l'*Orestie* d'Eschyle et représentée pour la première fois le 6 janvier 1873 au Théâtre de l'Odéon, avec une musique de J. Massenet (reprise le 16 mars 1889). Ces premiers vers sont prononcés par Talthybios ; en voici le texte exact : « Ô chers vieillards, depuis dix très longues années, / Ils sont partis, les Rois des nefs éperonnées, / Entraînant sur la mer tempétueuse, hélas ! / Les hommes chevelus de l'héroïque Hellas, / Qui, tels qu'un vol d'oiseaux carnassiers dans l'aurore, / De cent mille avirons battaient le flot sonore. / Et nul n'est revenu, des guerriers ou des chefs ! » *Les Érynnies* ont été publiées par Alphonse Lemerre l'année de leur création.

2. À Louisa de Mornand, Proust écrit le 14 juillet 1905 : « Si vous allez voir la petite église de Criquebœuf toute pelotonnée sous son lierre, dites-lui de tendres choses de ma part » (*Correspondance*, t. V, p. 301). L'église romane de Criquebœuf, qui date du XIIᵉ siècle, se trouve située à sept kilomètres de Honfleur. Mais Proust pensait-il

déjà à Criquebœuf quand Jean Santeuil, à la mauvaise saison, visitait près de Réveillon une petite église abandonnée « parmi le lierre et les vignes vierges » (*Jean Santeuil,* éd. citée, p. 513) ?

Page 69.

a. Elle semblait chercher *[p. 68, 2ᵉ §, 11ᵉ ligne]* à s'en excuser sur ce qu'un des châteaux de son père, et où elle avait été élevée, était situé dans une région où il y avait des églises du même style et comme si l'architecture — dont il eût été honteux, disait-elle, ce château étant le plus bel exemple de celle de la Renaissance, qu'elle ne prît pas le goût de la peinture... dont il était un vrai musée, la musique même et la littérature, Chopin venant de jouer du piano et Lamartine réciter des vers pour sa mère eussent été une sorte d'annexe de sa large enfance aristocratique et cultivée. Peut-être même à force d'attribuer, soit par grâce d'une bonne éducation, ou manque d'esprit philosophique cette origine purement matérielle *[p. 68, 12ᵉ ligne en bas de page]* à ses goûts artistiques, avait-elle fini par les en faire dépendre trop exclusivement. Elle ne se serait pas dérangée pour aller voir un chef-d'œuvre dans une de ces collections faite à coup d'argent où « on n'est pas sûr si tout n'est pas faux », où on ne sait pas ce qu'on voit. Ma grand-mère ayant admiré deux grains d'un collier rouge qui passait sous son manteau, elle lui répondit : / « C'est gentil, n'est-ce pas ? Cela m'amuse de le porter parce qu'il est dans le portrait du Titien de la bisaïeule de laquelle il me vient, comme le portrait d'ailleurs. Il était dans ma chambre d'enfant. C'est un des plus beaux Titien qu'il y ait et il n'est jamais sorti de la famille. Comme cela on est sûr de l'authenticité. Mais ne me parlez pas de ces tableaux, achetés on ne sait pas comment, je suis sûre que ce sont des faux, ça ne m'intéresse pas. » Ma grand-mère n'était pas du reste étonnée de la voir si au fait de la peinture sachant qu'elle faisait des aquarelles de fleurs, et elle lui dit qu'elle les aurait même entendu vanter. Mme de Villeparisis changea *états ant., plac. Gt 5 ♦♦ b.* pour les imiter *[13ᵉ ligne de la page]*, on ne se lassait pas. Elle ne travaillait pas à Bricquebec où elle avait donné vacances complètes à ses yeux qui baissaient, mais à Paris elle serait contente de nous donner quelques fleurs à sa façon. / Mais si la nature, quelques églises, quelques tableaux, avaient leur part dans les petites vignettes perlées dont Mme de Villeparisis ornait sa conversation, celle-ci autant que j'en pus juger au cours de nos promenades, était surtout humaine et décrivait beaucoup plus souvent des anecdotes mondaines auxquelles le caractère public des personnes que la vieille dame avait connues dans sa jeunesse donnait un petit intérêt historique ou littéraire. Et avec le même petit geste de la main, la même épithète modérée que pour un clocher ou pour une meule, elle nous montrait la reine des Belges en visite, Louis-Philippe entrant chez son père quand elle était enfant, Mérimée faisant des caricatures, l'atelier de Delacroix. Mais il semblait que ce fût malgré elle, et parce qu'elle les revoyait tels dans son souvenir, si le nom des personnages qui figuraient dans ces historiettes, la familiarité de leur attitude et de leurs propos, montrait dans l'intimité de combien de gens elle avait vécu. Car elle ne cherchait jamais à parler d'elle ; dans les plus petites circonstances, dans les plus futiles incidents de nos promenades, elle nous disait toujours la chose qui la mettait, elle, au second plan, mais pouvait nous faire valoir, se montrait toujours pleine de tact, d'à-propos, d'agrément, de cœur (le contraire vivant de mon ami Bloch) ; plus plus tandis que dans les préoccupations d'une société moins brillante les privilèges du grand monde, soit dénigrés, soit loués, toujours enviés et respectés, tiennent une place importante, Mme de Villeparisis parlait de la naissance et du rang, comme venant bien après le talent et l'intelligence. / Elle poussait cette modestie jusqu'à rejeter les idées qui sans être inévitablement aristocratiques ou mondaines, nous semblaient cependant devoir être professées par l'aristocratie et dans le grand monde. Elle s'étonnait *états ant., plac. Gt 5*

Page 70.

a. et qui parlent d'une façon *états ant.* : et qui parlant d'une façon *épr. Gd. orig. Nous corrigeons d'après les états antérieurs.* ◆◆ *b.* apporter aussi bien que dans leurs jugements sur Manet et sur Baudelaire *états ant., plac. Gt 1, plac. Gt 5*[1] ◆◆ *c.* entrevus par elle-même, jugeait *états ant., plac. Gt 5* ◆◆ *d.* des ministres, Molé, Barante, Fontanes, Vitrolles, Pasquier, Lebrun ou Daru. *épr. Gd*[2]

1. Le comte Louis-Mathieu Molé (1781-1855) fut ministre et pair de France sous la Restauration, premier ministre de 1836 à 1839 sous Louis-Philippe, élu à l'Académie française en 1840 (voir n. 1, p. 82) ; il condamna le coup d'État du 2 décembre 1851. Il fait partie des écrivains qu'on jugerait supérieurs à Stendhal, selon Proust, si l'on s'en remettait aux *Lundis* de Sainte-Beuve (voir *Contre Sainte-Beuve*, Bibl. de la Pléiade p. 223). — Louis de Fontanes (1757-1821), poète et homme d'État, fut président du Corps législatif en 1804, grand maître de l'Université en 1808, sénateur en 1810, ministre sous la Restauration. Proust sent en germe, chez lui, cette « sorte de paresse ou de frivolité » qui « empêche de descendre spontanément dans les régions profondes de soi-même où commence la véritable vie de l'esprit » (*ibid.*, p. 179). — Eugène d'Arnauld, baron de Vitrolles (1774-1854), prépara le retour des Bourbons ; arrêté pendant les Cent-Jours, ministre sous la Restauration, il fut de nouveau inquiété sous Louis-Philippe pour ses menées légitimistes. — Pierre-Ernest Bersot (1816-1880), philosophe et écrivain, démissionna de l'Université après le coup d'État du 2 décembre 1851 ; il fut néanmoins élu à l'Académie des sciences morales et politiques en 1866, et directeur de l'École normale supérieure à partir de 1871. — Étienne-Denis, baron, puis duc Pasquier (1767-1862), descendant d'Étienne Pasquier, fut conseiller d'État et préfet de police en 1810, plusieurs fois ministre sous la Restauration, président de la Chambre des pairs, puis chancelier sous Louis-Philippe, élu à l'Académie française en 1842. Ses *Mémoires* sont parus en 1893. Sa liaison bien connue avec Mme de Boigne est évoquée par Proust dans un fragment sur « la méthode

1. Les placards Grasset impriment « dans leurs fragments sur Marcel et Baudelaire ». Nous rectifions d'après le texte des dactylographies.
2. De cette variante à la variante *c*, p. 76, nous ne donnons que les états postérieurs aux placards Grasset 5. Le texte, des placards Grasset 5 et des états antérieurs à ces placards, est donné, dans son intégralité, dans la variante *a*, page 77.

de Sainte-Beuve » (voir *Contre Sainte-Beuve*, éd. citée, p. 229).

— Pierre-Antoine Lebrun (1785-1873), poète et dramaturge, élu à l'Académie française en 1828, fut conseiller d'État et pair de France sous la monarchie de Juillet, sénateur sous le second Empire.

— Narcisse-Achille, comte de Salvandy (1795-1856), homme politique et écrivain, fut conseiller d'État sous la Restauration et la monarchie de Juillet, élu à l'Académie française en 1835, ministre de l'Instruction publique de 1837 à 1839, puis, de 1845 à 1848, ambassadeur ; il refusa de se rallier au second Empire. Il est l'auteur d'ouvrages historiques et littéraires qu'il comparait lui-même à ceux de Chateaubriand. — Pierre Bruno, comte Daru (1767-1829), homme d'État et littérateur, intendant de la Grande Armée, élu à l'Académie française en 1806, auteur d'une *Histoire de la République de Venise*, était cousin de Stendhal, qu'il aida dans sa carrière.

2. Proust raconte que c'est après avoir recueilli « auprès de M. Mérimée et de M. Ampère tous les renseignements qu'il pouvait » que Sainte-Beuve jugea les romans de Stendhal « franchement détestables ». Pourtant, ajoutait Sainte-Beuve, « ses romans sont ce qu'ils peuvent, mais ils ne sont pas vulgaires » (*Contre Sainte-Beuve*, éd. citée, p. 222-223).

3. « On voit combien je suis loin, à l'égard de *La Chartreuse* de Beyle, de partager l'enthousiasme de M. de Balzac », écrivait Sainte-Beuve (propos cités dans *Contre Sainte-Beuve*, éd. citée, p. 223). Dans un article paru le 25 septembre 1840 dans la *Revue parisienne*, Balzac avait fait de *La Chartreuse de Parme* un bel éloge, la couronnant comme « le chef-d'œuvre de la littérature à idées », mais il l'accompagnait de réserves sur la composition et le style du roman. La réponse que Stendhal lui envoie le 30 octobre, empreinte de gratitude, n'est nullement un « haussement d'épaules ». Cette modestie lui sera comptée comme un mérite par Sainte-Beuve. « Tout compte fait, ce Beyle, un brave homme », conclut Proust, résumant ironiquement le jugement des *Lundis* (*Contre Sainte-Beuve*, éd. citée, p. 223).

4. Dans *Jean Santeuil*, Mme de Lavardin tient à Jean des propos proches de ceux de Mme de Villeparisis : « Pour elle comme pour toute sa société, un homme de lettres était quelqu'un qui ne disait rien devant le monde, mais était charmant "dans l'intimité, au coin du feu" » (*Jean Santeuil*, éd. citée, p. 662-663).

Page 71.

a. Certes Bloch m'avait ouvert   *épr. Gd*

1. Il n'y aura pas de bleuets à Combray dans le texte définitif. Voir, au tome I de la présente édition, l'Esquisse LX, p. 849, ainsi que les notes 1, p. 848 et 1, p. 851.

Page 73.

a. Si j'avais pu descendre, lui parler, aurais-je été déconcerté par quelque défaut *épr. NRF 1914* : Si j'avais pu descendre parler à la fille [...] quelque défaut *épr. Gd*

1. « Fugitive beauté / Dont le regard m'a fait soudainement renaître, / Ne te verrai-je plus que dans l'éternité », écrit Baudelaire dans « À une passante » (*Les Fleurs du mal*, *Œuvres complètes*, Bibl. de la Pléiade, t. I, p. 93). « Le mystère, le regret, sont aussi des caractères du Beau », lit-on d'autre part dans « Fusées » (*ibid.*, p. 657). Voir l'Esquisse XL, p. 917.

2. En ajoutant « sans doute » à la main sur les épreuves Gallimard, Proust ménage la possibilité d'une croyance en une vie future. Voir ici p. 87, et, dans *La Prisonnière*, ses réflexions sur la mort de Bergotte.

Page 75.

a. à [Briseville *biffé*] [Carqueville *corr.*] où *épr. NRF 1914*

1. Se fondant sur l'étymologie de « Carquethuit » dévoilée plus tard par Brichot (« carque », comme « crique », signifie « église ») et mettant en valeur le caractère aquatique de l'église de Carqueville (le feuillage « traduit », selon lui, la mer), Michel Butor voit en elle une première esquisse de l'église de Carquethuit (voir p. 192 et suiv.) : « Le rideau de lierre sur l'église nous permet de bien voir comment le feuillage des trois arbres voile les trois clochers, et que c'est ce voile qui fait que le bonheur cette fois reste incomplet. / C'est l'expérience fondamentale des trois clochers de Martinville cachée sous le feuillage des trois arbres qui va dédoubler l'église de Carqueville dans le tableau d'Elstir, dédoubler aussi son nom en Carquethuit et Criquebec. / On sent bien qu'au moment où Proust écrit *À l'ombre des jeunes filles en fleurs* le nom de Criquebec est avant tout celui qui peut relier Carquethuit à Balbec, la première syllabe de l'un à la dernière de l'autre » (*Répertoire II*, Éditions de Minuit, 1964, p. 277). Grâce aux feuillages qui la recouvrent, l'église de Carqueville est tordue par les vents comme le serait une mer par les tempêtes ; involontairement sans doute, Proust évoque ici un tableau plus proche de ceux de Van Gogh que de ceux des impressionnistes auxquels il se réfère d'ordinaire, Monet notamment. Voir la Notice, n. 3, p. 1326.

Page 76.

a. que l'idée de moi [qui était en elle, qui *corrigé en* qui entrerait dans cet être qui] s'y accrocherait [...] pourrais la retrouver. *épr. Gd* : que l'idée de moi [...] pourrais la retrouver. *orig. Nous rétablissons* le *, qu'imposent les corrections de l'épreuve Gallimard.* ◆◆ *b.* souviendrait de moi [; je sentais se dissiper mon *corrigé en* et se dissipa avec mon] effroi *épr. NRF 1914* ◆◆ *c.* possession physique. [Je levai les yeux *[comme dans plac. Gt 5*[1]*]* à nous regarder. *biffé*] Nous *épr. NRF 1914*

1. Voir var. *a*, p. 77.

Page 77.

a. des ministres, Molé *[p. 70, fin du 1ᵉʳ §]* Barante*ᵈ*, Fontanes, Vitrolles, Pasquier, Lebrun ou Daru¹. Eux aussi pourtant, Chateaubriand quand elle était petite, Balzac chez Mme de Castries, Stendhal, elle les avait connus, elle avait d'eux des autographes, des souvenirs. / Elle semblait se prévaloir de ces relations particulières pour penser que son jugement sur eux était plus juste que celui des jeunes gens qui comme moi n'avaient pas pu les fréquenter. Je crois que je peux *[p. 70, 5ᵉ ligne en bas de page]* en parler, [...] des terres labourées *[p. 71, 2ᵉ ligne],* tout d'un coup les champs qui étaient des deux côtés de moi me semblaient des champs miraculeusement vrais, des champs beaux comme ceux de la Bible, et un souffle me parcourait. C'est que je venais de voir quelques bleuets hésitants qui sur le talus suivaient notre voiture. Or depuis Combray, certaines choses très communes que je regrettais, avaient fini par prendre ce caractère précieux, inaccessible, de tout ce qui est dans notre pensée, c'est-à-dire si près de nous sans que nous puissions le toucher. Un bleuet exposant au bas d'un champ sa signature pour en certifier l'authenticité me semblait quelque chose de plus estimable que ces fleurettes par lesquelles certains maîtres anciens signaient leurs toiles. Bientôt nos chevaux *[p. 71, 6ᵉ ligne]* les distançaient, [...] son étoile bleue ; d'autres s'enhardissaient [...] comme les fleurs des champs *[p. 71, 2ᵉ §, 4ᵉ ligne],* car il reste à chacune quelque chose qui n'est pas ailleurs et qui n'empêchera pas que nous puissions contenter avec une pareille le désir qu'elle a fait naître en nous — quelque paysanne poussant sa vache [...]. Certes Bloch, autant qu'un grand savant ou un fondateur de religion, m'avait ouvert² une ère nouvelle et avait changé pour moi la valeur de la vie et du bonheur, le jour [...] villageoises *[p. 71, 2ᵉ §, 18ᵉ ligne]* ou demoiselles, ne songeaient qu'à faire l'amour. Et dussé-je, maintenant que j'étais souffrant et ne sortais pas seul, ne jamais pouvoir le faire avec elle, j'étais comme un enfant né dans une prison ou dans un hôpital et qui croirait que l'organisme humain ne peut digérer que du pain sec et des médicaments, et qui apprend tout d'un coup [...]. Même si les ordres de son geôlier et de son garde-malade ne lui permettent pas de cueillir ces beaux fruits, le monde cependant lui paraîtrait meilleur et la vie plus clémente. Car un désir nous paraît plus beau, nous nous appuyons à lui avec plus de confiance quand nous savons qu'en dehors de nous la réalité y obéit, même si pour nous il n'est pas réalisable. Et nous pensons avec plus de joie à une vie qui sait l'assouvir, à une vie où, à condition [...] qui nous empêche de le faire, nous pouvons nous imaginer nous-même l'assouvissement. / La voiture de Mme Villeparisis [...] m'avaient déjà³ oublié *[p. 72, 29ᵉ ligne],* si même elle ne s'était pas moqué de moi. Était-ce à cause du passage si rapide que je l'avais trouvée si belle ? Si j'avais pu descendre lui parler⁴, aurais-je été déconcerté *[p. 73,*

---

a. Barante *dactyl. 1, dactyl. 2* : Barat *plac. Gt 1, plac. Gt 1b, plac. Gt 5*

1. Voir var. *d,* p. 70.

2. Voir var. *a,* p. 71.

3. Le texte des placards Grasset et des deux dactylographies compris entre « la voiture de Mme de Villeparisis » et « m'avaient déjà » est en réalité légèrement différent de celui des épreuves Gallimard et du texte définitif. Notons en outre que sur les dactylographies, « anthères » a été biffé et remplacé par « pistils ».

4. Voir var. *a,* p. 73.

2ᵉ §, 1ʳᵉ ligne] par quelque défaut de sa peau que de la voiture je n'avais pas distingué ? peut-être un seul mot qu'elle eût dit, un sourire m'eût fourni une clef *[comme dans le texte définitif avec lég. var.]* que je ne pouvais quitter *[p. 73, 2ᵉ §, 14ᵉ ligne]*, malgré les mille prétextes que j'inventais. Celui d'un brusque mal de tête, qui ne céderait que si je quittais la voiture et rentrais à Bricquebec à pied, ne convainquait ni Mme de Villeparisis, ni ma grand-mère qui refusaient de me laisser descendre. Et mon grand regret de ne pas m'être arrêté auprès de la belle fille, de ne pas l'avoir connue, était plus amer que celui que m'avait laissé l'église du village ou le clocher, et mon désir de la trouver elle et non une autre plus exclusif. Car je savais que sous la grâce de la belle fille, il y avait autre chose que sous la grâce des vieilles pierres : une pensée si vaste dans laquelle je ne serais pas, pour qui je continuais à ne pas exister quand même je serais connu, aimé de toutes les autres filles du monde, mais je n'avais pas comme pour l'église le point de repère d'un nom, ou pour le champ d'une borne kilométrique. Elles étaient bien vagues les particularités que je tâchais de me rappeler. Elle avait passé à telle heure sur une charrette, ou dans une victoria, à tel endroit allant vers tel village ; mais cela me permettrait-il de la retrouver ? En attendant je me disais que le monde est beau qui fait *[p. 74, 13ᵉ ligne en bas de page]* ainsi croître *[comme dans le texte définitif avec lég. var.]* Mme de Villeparisis nous mena *[p. 75, 1ʳᵉ ligne]* une fois à Briseville[1] où était [...] auxquelles ils sont *[p. 75, 16ᵉ ligne]* accoutumés, j'étais obligé de faire perpétuellement appel à cette église, cette idée d'église dont je n'avais guère besoin d'habitude devant des clochers qui se faisaient reconnaître d'eux-mêmes, j'étais obligé de faire perpétuellement appel pour ne pas oublier qu'ici l'arcade, cette corbeille de lierre était celle d'une verrière ogivale, là que le renflement vertical des feuilles était le relief d'un pilier. Mais alors *[comme dans le texte définitif avec lég. var.]* j'aurais voulu que l'idée *[p. 76, 2ᵉ §, 8ᵉ ligne]* de moi qui était en elle, qu'elle s'y accrocherait[2] n'amenât *[comme dans le texte définitif avec lég. var.]* une grande idée de moi *[p. 76, 4ᵉ §, 2ᵉ ligne]*, et j'avais eu si peur qu'elle ne m'écoutât pas jusqu'au bout, que j'avais tenu la pièce de cinq francs devant ses yeux (pour avoir plus de chance qu'elle acceptât la commission avant de commencer ma phrase et que je n'osai pas lever les yeux avant de l'avoir finie, de peur d'apercevoir un geste de refus qui l'eût interrompue et m'eût ôté tout prétexte d'apprendre à cette villageoise que j'étais attendu par la voiture à deux chevaux d'une marquise. Mais quand j'eus prononcé les mots marquise et deux chevaux, soudain un grand apaisement se fit en moi. Je sentis qu'elle se souviendrait de moi ; je sentais se dissiper mon effroi[3] de ne pouvoir le retrouver, et avec lui une partie de mon désir de la retrouver. Il me semblait [...] possession *[p. 76, 5ᵉ ligne en bas de page]* physique. Je levai les yeux sur elle et lui donnai la pièce. Alors je vis que ses joues brunes étaient couturées, ses yeux que j'avais crus dédaigneux et doux m'exprimaient un empressement humble et stupide et pour dire à ses compagnes quelque chose que je n'entendis pas mais qui était de veiller à son pot de poisson qu'elle leur montra, elle donna à sa bouche une forme grimaçante et vulgaire. Je songeai qu'il ne fallait pas la laisser aller jusqu'à la voiture

1. Voir var. *a*, p. 75.
2. Voir var. *a*, p. 76.
3. Voir var. *b*, p. 76.

où ma grand-mère et Mme de Villeparisis n'eussent pas compris pourquoi je l'avais envoyée. / « Mais ce n'est pas loin, lui dis-je, le plus simple est que je vienne avec vous. » / Et sitôt en vue du pâtissier : « Je reconnais la voiture, lui dis-je, c'est bien cela », et je pris congé d'elle. / Elle resta à l'angle de la place à nous regarder[1] partir avec des yeux écarquillés. Mais l'être que j'avais composé avec quelques traits aperçus de son visage et que d'autres avaient contredit, avec mon imagination qui m'avait fait supposer en elle une hauteur que je pensais *[un blanc]* qu'elle imaginait en moi, cet être n'existait plus. Il ne restait qu'une fille assez laide avec un grand corps et un joli nez, et par laquelle il me fut indifférent d'être contemplé au moment glorieux où aussitôt que je fus monté dans la voiture, celle-ci démarra, nous faisant faire un départ retentissant et solennel aux yeux de tous les habitants de Briseville attirés sur le pas de leur porte. / Une fois, comme nous prenions une route de traverse qui descendait sur Couliville, je fus rempli de ce bonheur profond que je n'avais ressenti qu'une fois en respirant l'odeur humide du petit pavillon des Champs-Élysées, depuis ces promenades autour de Combray où il me saisissais si souvent. Du strapontin où j'étais assis en face de ma grand-mère et de Mme de Villeparisis, je venais d'apercevoir en retrait de la route en dos d'âne que nous suivions trois arbres qui devaient être l'entrée d'une allée couverte et formaient un dessin que je sentis en même temps qu'il passait devant mes yeux, palpiter mon cœur. / Dans ces lieux que je voyais pour la première fois ils intercalaient un fragment du site que je n'avais pas reconnu mais que je sentais si bien m'avoir été familier autrefois que mon esprit ayant *[p. 77, 8ᵉ ligne de la page]* trébuché *[comme dans le texte définitif avec lég. var.]* transporté. / Cette illusion ne dura qu'une seconde, je sentis bien que les trois arbres n'étaient pas pareils à trois autres arbres qui ailleurs devaient s'ouvrir de la même manière sur un paysage qui m'était familier. Mais lequel ? Je les regardai, je les voyais bien,   *états ant.*, *plac.* Gt 5 ◆◆ *b.* m'isolais de *[2ᵉ §, 11ᵉ ligne]* mes parents. Je mis   *états ant.* : m'isolais de mes parents. [Il me semblait même [...] vraie vie.   *add. 14-17]* Je mis   *plac.* Gt 5, *épr.* Gd

Page 78.

a. pour moi chez qui   *états ant.* : pour moi [chez *biffé*] [en   *corr.*] qui   *épr. Gd. Malgré cette correction, l'originale, que nous suivons, donne encore* chez qui . ◆◆ *b.* Comme les ombres autour d'Énée ils semblaient   *états ant.*, *plac.* Gt 5

1. Les nornes étaient les déesses du Destin dans la mythologie scandinave.

Page 79.

a. abandonna. / Je vis   *états ant.* : abandonna. [Elle m'entraînait [...] ma vie.   *add. 14-17]* / Je vis   *plac.* Gt 5, *épr.* Gd ◆◆ *b.* me demandant pouquoi   *états ant.* : me [demandant *corrigé entre 1914 et 1917* en demandant] pourquoi   *plac.* Gt 5[2] : me demandat *[sic]* pourquoi   *épr. Gd* : me demandant pourquoi   *orig. Nous rectifions d'après la correction manuscrite de Proust.*

1. Voir var. *c*, p. 76.
2. Voir var. *a*, p. 80.

1. L'épisode des trois arbres d'Hudimesnil est un jalon capital sur l'itinéraire qui mènera le héros à la découverte de sa vocation. Il est à rapprocher de celui des trois clochers de Martinville, mais aussi, dans un premier état du texte (voir var. *a*, p. 77), de celui du pavillon des Champs-Élysées (voir t. I, p. 483 et 485). Si la vue des trois arbres lui procure une joie moins complète que celle des trois clochers, qui avait aussitôt débouché sur une page d'écriture, c'est que l'enfant, peu exigeant, s'était contenté d'exprimer son plaisir avec le style aisé d'un élève doué. Le mélange de bonheur et d'inquiétude qu'éprouve cette fois le jeune homme, et qu'aucune page ne traduit dans l'immédiat, correspond à une exigence plus grande, plus douloureuse aussi, de la Vérité. Comment interpréter son impression ? La mention de l'odeur humide du pavillon des Champs-Élysées dans un premier état du texte inciterait à la ranger parmi les souvenirs involontaires, à moins que Proust n'ait éliminé ce rapprochement du texte définitif précisément parce qu'il le trouvait inadéquat. Au reste, cette hypothèse est la première des cinq que formule le narrateur lui-même, c'est-à-dire, en bonne rhétorique, celle que le lecteur retiendra le moins volontiers. La dernière hypothèse, en revanche, s'accommode du rapprochement avec l'épisode des clochers de Martinville, seul retenu dans le texte définitif ; elle renvoie à la paramnésie, ou illusion de fausse reconnaissance, phénomène qui intéressait les contemporains de Proust (nous renvoyons à Bernard-Leroy, *L'Illusion de fausse reconnaissance*, Alcan, 1898, cité par É. Jackson, *L'Évolution de la mémoire involontaire dans l'œuvre de Marcel Proust*, Nizet, 1966, p. 234-235, mais voir aussi « Le Souvenir du présent et la Fausse Reconnaissance », étude de Bergson parue dans la *Revue philosophique* de décembre 1908 et reprise dans *L'Énergie spirituelle*, P.U.F., édition du Centenaire, p. 897-930 ; voir Joyce N. Megay, *Bergson et Proust. Essai de mise au point de la question de l'influence de Bergson sur Proust*, Vrin, p. 80-82). La troisième hypothèse, la plus brièvement formulée, assimile l'impression à un fragment de rêve. Mais sans doute la seconde et la quatrième, au demeurant difficiles à séparer, approchent-elles davantage de cette conception platonicienne de la Beauté qui justifie finalement la vocation du héros : c'est d'une patrie perdue dont il est exilé que se souvient plutôt l'artiste. Sur le sens indécis de l'épisode, voir H. Bonnet, « Impressions obscures et souvenirs involontaires », *Bulletin de la Société des amis de Marcel Proust*, n° 23, 1973, p. 1709-1710. — Dans *Jean Santeuil* déjà, la vocation littéraire apparaissait liée au souvenir du passé. « [...] dans ce lieu véritablement sublime, il [l'écrivain C***] examinait le vol des oiseaux qui passaient sur la mer, écoutant le vent, regardant le ciel, à la façon des anciens augures, non comme un présage de l'avenir, mais plutôt, à ce que j'ai compris, comme un ressouvenir du passé » (éd. citée, p. 186). Mais, comme dans la tradition romantique, c'est plutôt la nostalgie et un sentiment de l'idéal qui inspiraient ici l'écrivain. Toutefois, un texte datant de l'époque où Proust travaillait à *Jean Santeuil*, intitulé par P. Clarac et Y. Sandre « La Poésie ou les Lois mystérieuses », orientant la vocation de l'artiste dans une voie plus

spécifiquement proustienne, annonce plus directement l'épisode des trois arbres d'Hudimesnil : « [...] le poète reste arrêté devant toute chose qui ne mérite pas l'attention de l'homme bien posé, de sorte qu'on se demande si c'est un amoureux ou un espion et, depuis longtemps qu'il semble regarder cet arbre, ce qu'il regarde en réalité. [...] Il reste devant cet arbre, mais ce qu'il cherche est sans doute au-delà de l'arbre, car il ne sent plus ce qu'il a senti, puis tout d'un coup il le ressent de nouveau, mais ne peut l'approfondir, aller plus loin » (*Essais et articles*, éd. citée, p. 417).

2. L'extrait publié par la *NRF* de juin 1914 ne donne pas l'épisode des trois arbres d'Hudimesnil. À la suite de « la possession physique » (p. 76, 5e ligne en bas de page), il enchaîne ainsi : « Nous revenions par une route qui traversait la forêt. »

3. Les Océanides, filles de l'Océan et de Thétys, forment, dans *Prométhée enchaîné* d'Eschyle, un chœur qui compatit aux souffrances du héros.

Page 80.

a. ni où je les avais vus. *[p. 79, 2e §, 11e ligne]* Et quand la voiture bifurqua, je leur tournai le dos et cessai de les voir, tandis que je répondais en souriant à Mme de Villeparisis, me demandant pourquoi j'avais l'air rêveur, mon cœur battait d'angoisse comme si à ce moment-là et pour toujours je venais de perdre un ami, de mourir à moi-même, de renier un mort ou de méconnaître un dieu. Le jour tombait souvent avant que nous fussions de retour *[p. 81, 1re ligne]*. Timidement [...] — Et vous trouvez cela beau ? me disait-elle. Je vous dirai [...] les premiers *[p. 81, 2e §, 5e ligne]* à plaisanter. C'est comme les romans de Stendhal *[p. 70, 2e §, 1re ligne]*. Vous l'auriez beaucoup surpris en lui parlant sur le ton que vous preniez tout à l'heure. C'était un homme de bonne compagnie et aux éloges *[un blanc]* de M. de Balzac (sous lesquels il y avait d'ailleurs une vilaine histoire d'argent) avance qu'il n'avait pu se retenir d'un éclat de rire. On ne prodiguait *[p. 81, 2e §, 6e ligne]* pas le nom de génie comme aujourd'hui [...] le clair de lune. Je vous dirais que j'ai mes raisons pour y être réfractaire. M. de Chateaubriand [...] à poser et était ridicule ; devant mon père [...] les plus insensés *[p. 81, 2e §, 18e ligne]*. Quant à ses phrases[1] sur le clair de lune je vous dirais qu'elles étaient devenues [...] aucune espèce d'importance, *[p. 82, 2e ligne]*, il n'y a rien à dire. De même elle reprochait à Balzac *[p. 82, 4e §, 1re ligne]* qu'elle s'étonnait [...] Quant à M. Victor Hugo, elle nous disait que M. de Villeparisis son père qui avait des camarades [...] pour les dangereuses divagations *[p. 82, 4e §, dernière ligne]*, des socialistes. / Il fallait songer au retour *[p. 79, 3e §, 1re ligne]*. Mme de Villeparisis qui avait un certain sentiment de la nature — plus froid que celui de ma grand-mère, mais se retrouvant avec lui pour admirer les mêmes beautés — et qui sur les routes comme sans doute dans les musées montrait ce goût élevé et clairvoyant, qui distingue, qui

1. Le passage de « Il fallait entendre » à « un autre homme que M. de Chateaubriand » ne figure pas non plus sur le jeu d'épreuves Gallimard dont nous disposons. Il a dû être rajouté sur le dernier jeu d'épreuves sur lequel Proust a donné son bon à tirer.

sait reconnaître les choses plus belles d'autrefois, dit un jour au cocher de revenir sur la vieille route de Bricquebec qu'on ne prenait presque jamais et qui est bien plus belle que l'autre, plantée de vieux ormes qui transportèrent ma grand-mère. / Mme de Villeparisis à cause du genre d'éducation et même de culture littéraire qu'elle avait reçu, aurait trouvé ridicule de faire des phrases admiratives sur ces ormes séculaires. Pourtant elle les appréciait puisqu'elle choisissait de rentrer par la vieille route pour passer devant eux et elle pouvait sourire de l'enthousiasme de ma grand-mère qui sans elle ne les eût sans doute jamais vus. Mais la familiarité de certaines personnes de goût avec les objets plus récents pour nous, de notre admiration, ne prouve pas que, chez elles, cette admiration ait été la même. Mme de Villeparisis n'éprouvait pas un sentiment d'admiration pour lui-même, ne cherchait pas à le comprendre, à l'analyser. Elle le laissait toucher immédiatement dans le domaine obscur de la vie pratique et se composait ainsi des habitudes nobles qui pour les autres faisaient un beau cadre à sa vie, sans que son esprit à elle s'y arrêtât beaucoup. / Une fois que nous connûmes la vieille route, pour changer, si nous n'avions pas passé par là à l'aller, nous prenions au retour une route qui traversait la forêt, route pareille à tant d'autres de ce genre qu'on rencontre souvent en France *[p. 80, 2ᵉ ligne]*, montant en pente assez raide, puis redescendant sur une assez grande longueur. Au moment même, je ne lui trouvais pas grand charme, j'étais seulement content de rentrer. Il faisait frais, les feuilles sentaient bon. Mme de Villeparisis jetait une couverture sur mes jambes. Je commençais à avoir faim. Parfois, d'une voiture qui passait à toute vitesse, une dame envoyait des bonjours à Mme de Villeparisis. C'était la princesse de Luxembourg qui allait venir chez une de ses cousines ; on apercevait un village, et au-delà dans les arbres, comme un site plus éloigné, comme la localité suivante, distante et forestière et qu'on ne pourrait pas atteindre ce soir-là, le coucher du soleil. Mais cette route devint *états ant., plac.* Gt 5

1. Tout ce qui suit, jusqu'à la page 110, ligne 32, ne figure pas dans les extraits donnés à la *NRF* de juin 1914.

Page 81.

a. me demandait-elle. Je vous *états ant.* : me demandait-elle [« génial », comme vous dites ? *add. 14-17*] Je vous *plac.* Gt 5, *épr.* Gd ↔ *b.* insensés. Quant aux phrases *états ant. épr.* Gd

1. Chateaubriand a écrit exactement dans *Atala* : « Bientôt elle répandit dans les bois ce grand secret de mélancolie (*Œuvres romanesques et voyages,* Bibl. de la Pléiade, t. I, p. 89). » La deuxième citation est la fin de « La Maison du berger », poème des *Destinées,* d'Alfred de Vigny : « Pleurant, comme Diane au bord de ses fontaines, / Ton amour taciturne et toujours menacé » (*Œuvres complètes,* éd. de Fr. Germain et A. Jarry, Bibl. de la Pléiade, t. I, p. 128) ; la troisième, de « Booz endormi », poème de *La Légende des siècles,* de Victor Hugo (Bibl. de la Pléiade, p. 36).

2. J. Nathan a recensé chez Chateaubriand « sept clairs de lune américains », dont le dernier en date se trouve dans *Le Génie du christianisme*, Ire partie, livre V, chap. XII (*Citations, références et allusions de Marcel Proust [...]*, éd. citée, p. 85-86).

3. Ainsi que Proust l'a lui-même indiqué au comte de Montesquiou en 1921 (*Correspondance générale*, éd. Brach-Proust, t. I, p. 281-282), Sophie de Beaulaincourt fut un modèle de Mme de Villeparisis. Née en 1818, elle était la fille du maréchal de Castellane et de Cordelia Greffulhe ; grand-tante du comte Greffulhe, cette dernière avait été la maîtresse du comte Molé et de Chateaubriand.

4. Il s'agit du conclave tenu à la fin de mars 1829, qui aboutit à l'élection de Pie VIII. Chateaubriand, qui était alors ambassadeur à Rome, en fait le récit dans les *Mémoires d'outre-tombe*, livre XXXI, chap. V (Bibl. de la Pléiade, t. II, p. 328 et suiv.). À l'en croire, l'élection du futur Pie VIII ne l'a pas pris au dépourvu : « Victoire ! j'ai un des papes que j'avais mis sur ma liste : c'est Castiglioni, le cardinal même que je portais à la papauté en 1823, lorsque j'étais ministre [...] », écrit-il à Mme de Récamier le 31 mars 1829 (éd. citée, p. 332). C'est par une lettre du 28 août 1829 que Chateaubriand adressa au prince Polignac, premier ministre de Charles X, sa démission de l'ambassade de Rome (voir les *Mémoires d'outre-tombe*, livre XXXII, chap. III ; éd. citée, t. II, p. 379 et suiv.) — Casimir, duc de Blacas d'Aulps (1771-1839), secrétaire de la maison de Louis XVIII en 1814, pair de France et ambassadeur à Naples de 1815 à 1830, maintint sa fidélité aux Bourbons en suivant Charles X en exil. Chateaubriand ne l'épargne guère dans ses *Mémoires d'outre-tombe* : cet homme « dévoué et fidèle » était, à l'en croire, « l'entrepreneur des pompes funèbres de la monarchie » (livre XXXVIII, chap. IX ; éd. citée, t. II, p. 689 et 690).

5. Dans le Cahier 32, c'est les *Mémoires d'outre-tombe* que le jeune homme présente plus précisément à Mme de Villeparisis comme objet de son admiration : ils sont à son avis « le plus beau livre de prose du XIXe siècle » (f° 67 v°).

Page 82.

a. intéressant pour le *[3e §, 4e ligne]* lecteur ! / Elle reprochait *états ant.* : intéressant pour le lecteur ! [C'est comme Musset, [...] d'impertinence » *add. 14-17*] / Elle reprochait *plac. Gt 5, épr. Gd* ↤↦ b. elle nous disait que M. de Villeparisis, son père *états ant.* : elle nous disait que [M. de Villeparisis *biffé 14-17*] [M. de Bouillon *corr. 14-17*], son père, *plac. Gt 5, épr. Gd*

1. Vigny écrit dans « L'Esprit pur » (poème des *Destinées*), aux vers 3 et suivants : « J'ai mis sur le cimier doré du gentilhomme / Une plume de fer qui n'est pas sans beauté. / J'ai fait illustre un nom qu'on m'a transmis sans gloire » (*Œuvres complètes*, éd. citée, t. I, p. 166). Rien là, on le voit, qui témoigne d'abusives prétentions à la noblesse. Musset, de son côté, écrit dans le sonnet « À M. Alfred Tattet »

(*Poésies nouvelles*) : « Souvenez-vous d'un cœur qui prouva sa noblesse / Mieux que l'épervier d'or dont mon casque est armé. » Les armes de Musset étaient « d'azur à l'épervier d'or longé et perché de gueules ». Le comte Molé reçut Vigny à l'Académie française le 29 janvier 1846. Après avoir fait un éloge perfide de *Cinq-Mars*, roman dans lequel Vigny avait montré peu de respect pour le cardinal de Richelieu, fondateur de l'Académie, Molé ajouta qu'« heureusement il se fait aussi de savants et laborieux efforts pour défendre et maintenir la vérité historique ». Ayant rappelé les « constants succès » de Vigny, il conclut en distinguant les ouvrages d'un « mérite relatif, appropriés au plus grand nombre de lecteurs » et qui « obtiennent de bruyants applaudissements », de ceux qui puisent aux « sources des éternelles vérités ». Dans ses *Portraits littéraires*, Sainte-Beuve jugea les paroles de Molé « simples et saines ». — Sur les ressemblances entre les propos de Mme de Villeparisis et ceux de Mme de Boigne dans ses *Mémoires*, voir l'article de Brian G. Rogers, cité n. 1, p. 13.

2. Voir les propos presque identiques que Mme de Villeparisis tient sur Balzac dans *Contre Sainte-Beuve*, éd. citée, p. 283.

3. Cyrus, comte de Bouillon, est censé être apparenté aux La Tour d'Auvergne.

Page 83.

a. car ils contiennent plus *[p. 82, dernière ligne]* de notre actuel nous-même. Nous descendions *états ant., plac. Gt 5* ◆◆ *b.* politesses. En ce qui nous concernait personnellement, Mme de Villeparisis avait certainement le désir de continuer avec nous dans son salon de Paris des relations auxquelles sa crainte était au contraire que ma grand-mère mît fin en quittant Bricquebec. Mais elle avait pris une fois pour toutes ce pli professionnel *états ant.* : politesse. [En ce qui *[comme dans états ant.]* fois pour toutes *biffé 14-17]* ce pli professionnel *plac. Gt 5. L'épreuve Gallimard donne le texte définitif.* ◆◆ *c.* souhaiterait nous avoir chez elle *états ant., épr. Gd*

Page 84.

a. envois de raisins, de roses *états ant.* : envois [de raisins, *biffé 14-17]* de roses *plac. Gt 5, épr. Gd* ◆◆ *b.* effusions *[4ᵉ ligne de la page]* verbales. « Mais non, au contraire, je suis charmée, restez, finissons ensemble cette bonne journée. Donnez vos manteaux *états ant.* : effusions verbales. [Et par là *[...]* sous-océaniques *[7ᵉ ligne de la page]* de chambres nues comme des piscines, tout *[...]* bains de mer. *add. 14-17]* « [Mais non *[comme dans états ant.]* journée. *biffé 14-17]* Donnez vos manteaux *plac. Gt 5, épr. Gd*

1. Sans doute Proust fait-il ici allusion à Louis-Charles-Philippe d'Orléans (1814-1896), second fils de Louis-Philippe.

2. César Bagard (1639-1709), sculpteur né et mort à Nancy, surnommé le « Grand César », décora de ses boiseries certains hôtels parisiens. La plupart de ses sculptures ont disparu pendant la

Révolution. Proust possédait une « boîte ronde » et une « pendule » de Bagard, léguées par sa mère (voir la *Correspondance*, t. VI, p. 293).

Page 85.

   a. l'escalier, et souffle, *daćtyl. 1, daćtyl. 2, plac. Gt 1, plac. Gt 1b* : l'escalier, [et *corrigé entre 1914 et 1917 en* a] souffle, *plac. Gt 5* : l'escalier, à souffle, *épr. Gd, orig. Nous rećtifions d'après la correćtion manuscrite portée par Proust entre 1914 et 1917*[1]. ◆◆ *b.* malgré cette, comment dire, cette... importance, *états ant.* : malgré cette [, comment dire, cette *biffé 14-17*] ... importance *plac. Gt 5* : malgré cette importance, *épr. Gd*

   1. Le duc de Choiseul-Praslin (1805-1847) épousa en 1824 la fille du général Sébastiani, dont il eut dix enfants, puis la délaissa pour leur gouvernante. La duchesse fut retrouvée poignardée en 1847. Arrêté, le duc s'empoisonna. — Le Bassigny, petit canton de la cité de Langres, connut une grande extension au Moyen Âge autour de Chaumont et du Barrois.

Page 86.

   a. de soi-même conduisaient à rien de bien précieux, puisque *états ant.* : de soi-même [conduisaient à rien de bien précieux, *corrigé entre 1914 et 1917 en* n'étaient peut-être pas bien précieuses,] puisque *plac. Gt 5* : de soi-même n'étaient peut-être pas bien précieux, puisque *épr. Gd, orig. Nous rećtifions d'après la correćtion portée par Proust, entre 1914 et 1917.* ◆◆ *b.* des Molé et des Vitrolles, et que *états ant., plac. Gt 5* ◆◆ *c.* d'un Doudan, d'une Mme de Rémusat [d'un M. de Charlus, *add. daćtyl. 1*], voire d'une Mme de Sévigné, esprit *daćtyl. 1, daćtyl. 2* : d'un Doudan, d'un M. de Rémusat, d'un M. de Charlus, voire d'une Mme de Sévigné, esprit *plac. Gt 1, plac. Gt 1b* : d'un Doudan, d'un M. de Rémusat, [d'un M. de Charlus, voire d'une Mme de Sévigné, *biffé*] [pour ne pas dire d'une Beausergent, d'un Joubert, d'une Sévigné *add. 14-17*], esprit *plac. Gt 5* ◆◆ *d.* un Baudelaire, un Poe, à des *états ant.* : un Baudelaire, un Poe, [un Verlaine, *add. 14-17*] à des *plac. Gt 5* : un Baudelaire, un Poe, un Verlaine, [un Rimbaud, *add.*] à des *épr. Gd*

   1. Sur Loménie, voir t. I de la présente édition, n. 1, p. 466.
   2. Ximénès Doudan (1800-1872) fut direćteur de cabinet, puis secrétaire particulier du duc de Broglie. Sa correspondance parue après sa mort, en 1876, sous le titre *Mélanges et lettres* (4 volumes) révèle un esprit ennemi de tout excès. — Charles, comte de Rémusat (1797-1875) fut ministre de l'Intérieur sous Louis-Philippe, en 1840, puis il se consacra à des recherches philosophiques où il révèle un esprit éclećtique et modéré. Il fut élu à l'Académie française en 1846, puis de nouveau ministre, aux Affaires étrangères, sous le gouvernement Thiers, à partir de 1871. — Joseph Joubert (1754-1824) était ami de Fontanes, qui le nomma conseiller de l'Université, et de

   1. Comparer avec « A s'est décollée » (t. I de la présente édition, p. 612)

Chateaubriand qui assura la publication posthume de ses *Pensées* ;
« Un Platon avec l'âme de La Fontaine », disait Chateaubriand de
ce sage intuitif et désabusé qui révélait pourtant, dans sa correspondance, son « besoin d'être apprécié » de ses amis (voir *Essais et
articles*, éd. citée, p. 650-651). On notera la présence de Mme de
Beausergent, auteur imaginaire, parmi des auteurs réels.

Page 87.

a. n'étaient pas elle. Souvent je lui disais : « Sans toi je ne pourrai
pas vivre. — Mais il ne faut pas, me répondait-elle d'une *états ant., épr.
Gd* ◆◆ *b.* et leur future *[avant-dernier §, dernière ligne]* réunion. / Bientôt
Mme de Villeparisis cessa de nous voir aussi souvent. Un jeune neveu
récemment entré à Saint-Cyr dont elle attendait la visite pour quelques
semaines était arrivé et elle passait beaucoup de temps avec lui. Elle nous
avait parlé de lui au cours de nos promenades, vantant son intelligence,
surtout son cœur, et déjà *états ant., plac. Gt 5*

1. « En qualité de nœud ferroviaire sur le chemin de Cabourg,
Mézidon correspond à Doncières sur le chemin de Balbec », note
G.D. Painter (*Marcel Proust*, éd. citée, t. II, p. 112). Mais *Le Côté de
Guermantes* nous montrera que Doncières peut aussi rappeler d'autres
lieux (voir n. 1, p. 373). Ce n'est que tardivement que Proust a imaginé
ce nom : voir var. *b*, p. 87 et t. I de la présente édition, n. 1, p. 9.

Page 88.

1. De nombreuses localités portent le nom de Saint-Loup, entre
autres : Saint-Loup-de-Naud, en Seine-et-Marne, près de Guermantes. Proust visita l'église de ce village en compagnie de jeunes
nobles (G.D. Painter, ouvr. cité, t. I, p. 73) ; Saint-Loup-Hors près
de Bayeux, dont la cathédrale a inspiré l'église de Balbec ; et aussi
un Saint-Loup, dans l'Eure-et-Loir, à une quinzaine de kilomètres
d'Illiers. Notons que Saint-Loup porte dans son nom ce surnom
de « loup » dont usait Mme Proust avec ses fils (voir n. 1, p. 30)
et que son prénom, Robert, est celui du frère de Marcel. Dans
une lettre peut-être adressée à É. Mâle, non datée, Proust écrit :
« Un de mes héros s'appelle le c[om]te de Saint-Loup-en-Bray
(je ne tiens pas à ce nom si vous en voyez de plus beau). Puis-je
dire que le cri de guerre de sa famille (qui est supposée très illustre)
était : Bray... ou bien en Bray ? Et la ville de Combray peut-elle
y être pour quelque chose [...] ? » (Catalogue Hôtel Drouot ; étude
de MM^e Ader, Picard, Tajan, vente du 22 novembre 1985). Cette
lettre est en tout cas postérieure au printemps 1913 : jusqu'à cette
date, le personnage s'appelle en effet Montargis, ou le comte de
Beauvais, exceptionnellement Guy de Villeparisis (voir la Notice,
p. 1325, ainsi que l'Esquisse XLII et n. 1 au bas de la page 1385).
Préfiguré par le comte de Saintré et Bernard de Réveillon dans
Jean Santeuil, Saint-Loup doit beaucoup au comte Bertrand de
Salignac-Fénelon, dont Proust admirait la distinction aristocratique

et de qui il devint l'ami. Fénelon fut tué à la guerre le 17 décembre
1914. Vers novembre 1906, Proust, ayant reçu des cartes postales de
lui, lui écrivait : « [...] si j'avais plus de talent, plus de vie, plus de
temps, si j'étais un meilleur ami, avec ces cartes postales, vraiment
exquises et ce que je peux avoir recueilli moi-même dans le commerce
de leur auteur, je ferais ce que Sainte-Beuve a fait pour des
personnages marquants de son temps qui, sans lui, seraient oubliés,
car ils n'ont jamais écrit que ces lettres, dit ces mots d'une qualité
supérieure, mais qu'il fallait relier, interpréter, et ne sont nulle part
exprimées. Or il semble malheureusement probable que soit labeur
excessif, soit paresse ou dédain, tu n'écriras pas d'ouvrage d'imagination, de livres personnels. Tu n'as donc plus de ressources que dans
le portraitiste, causeur de mémoire qui saura fixer avec talent, avec
plus de soins, de tendresse et d'application, la physionomie qui sans
cela risquerait d'être inconnue. Puisque la mienne a été trop tôt brisée
par le chagrin, cherche une autre plume, celle-là d'or » (*Correspondance*, t. VI, p. 266-267). On peut supposer que jusqu'à un certain
point, la plume de Proust aura finalement célébré son ami dans le
personnage de Saint-Loup.

Page 89.

    a. leurs interstices *[p. 88, 2ᵉ §, 4ᵉ ligne]* laissaient passer le clignotement
bleu de la mer, quand je vis passer dans le hall qui, allant de la plage
à la route, traversait toute la largeur de l'hôtel, un jeune homme, habillé
d'une étoffe grise, presque blanche, comme je n'en avais jamais vu sur
personne, comme je n'aurais jamais cru qu'aucun homme osât en porter,
dont la fraîcheur évidente évoquait autant que celle de la salle à manger
la chaleur et le beau temps dehors. Son visage et ses cheveux étaient d'une
blondeur qui semblait due à l'absorption, — comme dans le raisin ou
le miel, — à l'absorption des rayons du soleil, et ses paupières dans leur
mince écartement laissaient passer un œil vert et bougeant de la couleur
de la mer. C'était le neveu de Mme de Villeparisis, le comte de Beauvais,
qui était arrivé le matin. Devant lui voltigeait son monocle qu'il semblait
poursuivre comme un papillon   *états ant., plac. Gt 5*

Page 90.

    a. impitoyablement au jeune *[p. 89, 2ᵉ ligne en bas de page]* comte / Cette
morgue que je devinais, son mépris pour nous et tout ce qu'il supposait
de dureté naturelle, se trouva vérifié chaque jour par son attitude ; chaque
fois que nous passions à côté de lui dans l'hôtel ou dehors, il posait sur
nous un regard impassible, implacable, dépouillé de ce vague respect pour
les droits d'une autre existence qu'on a en face d'une créature humaine,
ne la connaît-on pas, et comme s'il ne nous distinguait pas des meubles
du hall ou des pierres du chemin. Et cette preuve que ces regards, cette
attitude venaient apporter ainsi à mon hypothèse sur sa nature insensible,
orgueilleuse et méchante, en avaient fait une certitude *[un blanc]* si absolue
que quand Mme de Villeparisis, sans doute   *états ant.* : impitoyablement

au jeune marquis[1]. [Mon intelligence [...] appris quelque *[p. 89, dernière ligne]* chose. *add. 14-17]* Cette morgue que je devinais *[comme dans états ant.]* quand Mme de Villeparisis, sans doute *plac. Gt 5. Les corrections portées par Proust sur l'épreuve Gallimard aboutissent au texte définitif.*

Page 91.

a. sa carte en demandant si je pouvais le recevoir. mais *états ant., épr. Gd* ◆◆ *b.* duquel *états ant., épr. Gd* : de laquelle *orig. Nous corrigeons d'après les états antérieurs.* ◆◆ *c.* eût un péril *états ant., épr. Gd, orig. Nous corrigeons.*

Page 92.

1. Dans cet emploi, le mot « intellectuel » constituait presque un néologisme. Il apparaît pour la première fois dans le « Manifeste des intellectuels » signé à l'automne de 1898 par une centaine de savants, professeurs, écrivains (dont Proust lui-même) pour protester contre les poursuites judiciaires engagées à l'encontre du lieutenant-colonel Picquart, partisan de la révision du procès d'Alfred Dreyfus. Les dreyfusards revendiquèrent cette étiquette avec fierté, tandis que leurs adversaires la leur jetaient comme une insulte.

Page 93.

a. demeurer une seconde *[p. 91, 6ᵉ ligne en bas de page]* de plus. Ce jeune homme *[p. 92, 2ᵉ §, 1ʳᵉ ligne]* qui avait [...] des heures à *[p. 92, 2ᵉ §, 7ᵉ ligne]* étudier Proudhon. Dès les premiers jours *états ant.* : demeurer une seconde de plus. Ce jeune homme [...] des heures à étudier Proudhon. [Mais les rites d'exorcisme *[p. 91, 5ᵉ ligne en bas de page]* une fois *[comme dans le texte définitif avec lég. var.]* être mais autre que celui *[p. 92, 1ᵉʳ §, dernière ligne]* que je soupçonnais. C'était un de ces jeunes gens, prompts à l'admiration, qui s'enfermant dans un livre passait des nuits à lire, ne se souciant que d'art et de haute pensée, au point que chez Saint-Loup l'expression de ce souci, si différent des miens, tout en me touchant, m'ennuyait un peu. Ne jugeant les choses qu'au poids d'intelligence qu'elles enferment, ne percevant pas les enchantements d'imagination que je percevais à certaines choses qu'il jugeait frivoles, il s'étonnait que je pusse m'y intéresser. Il passait des nuits à lire au lieu de dormir, principalement *add.²]* Dès les premiers jours *plac. Gt 5*

1. Voir t. I de la présente édition, n. 3, p. 185.

1. C'est sur les placards Grasset 1 corrigés que Proust a corrigé « Comte de Beauvais » ou « Comte de Montargis » en « marquis de Saint-Loup ». Nous ne signalerons plus ces corrections.
2. On notera que ce passage constitue la seconde addition des placards 5 (voir la Note sur le texte d'*À l'ombre des jeunes filles en fleurs*, t. I de la présente édition, p. 1305).

Page 94.

a. s'emparait aussi irrésistiblement de son visage que font certains éternuements ou certains fous rires ; la peau *états ant., épr. Gd* ◆◆ *b.* « Sévigné ou Charlus » ; il ne *états ant., plac. Gt 5*

Page 96.

1. Proust écrit à J. Rivière le 1ᵉʳ, 2 ou 3 décembre 1919 : « Je me souviens d'avoir trouvé jadis inexacte une phrase de vous (dans la *NRF* d'il y a au moins 6 ans) où vous placiez trop haut à mon avis l'amitié. Du reste *Jeunes Filles en fleurs* et les suivants sont imprégnés du même esprit anti-amical. Or l'intérêt que je ressens pour vous, me porterait maintenant à modifier ma manière de voir. (Notez du reste que si théoriquement je suis un athée de l'amitié, je la pratique avec beaucoup plus de ferveur que tant d'apôtres de l'amitié.) » (M. Proust-J. Rivière, *Correspondance (1914-1922)*, Gallimard, 1976, p. 74-75). *Jean Santeuil* fournissait sur ce thème des réflexions moins sévères qu'*À l'ombre des jeunes filles en fleurs* : ainsi, p. 766 de l'édition citée, à propos de Jean et Vésale, qui ont « cette timidité, cette sincérité de ceux qui sont encore en partie inconnus l'un à l'autre mais qui se devinent et voudraient se connaître ». Il est vrai qu'à la différence du héros d'*À la recherche du temps perdu*, Jean n'est pas un grand artiste. Voir, ici même, p. 260-261, d'autres propos contre l'amitié.

Page 97.

a. étudiants prétentieux *[6ᵉ ligne de la page]* et mal mis et notamment Bloch à qui il me demanda de rappeler qu'il l'avait rencontré dans une université populaire, avaient chez lui quelque chose de vraiment pur et désintéressé qu'elles n'avaient pas chez eux. Se croyant l'héritier d'une caste ignorante et égoïste, il cherchait sincèrement à se faire pardonner par eux, cette origine aristocratique qu'il exerçait sur eux était au contraire une séduction qu'ils dissimulaient sous de la froideur et de l'insolence, et à cause de laquelle ils le recherchaient. Et les opinions qu'il professait n'étaient pas dictées chez lui comme elle l'était chez eux sans qu'ils se l'avouassent, par le désir de faire une brillante carrière. Tout au plus *états ant., plac. Gt 5* ◆◆ *b.* « Comme je ne peux pas supporter *le passage qui débute par ces mots et qui se termine à* « je m'endormais dans les larmes. » *[p. 145, fin du 1ᵉʳ §], est composé, dans les états antérieurs à l'édition originale qui sont en notre possession — dactyl. 1, dactyl. 2, plac. Gt 1, plac. Gt 1b, plac. Gt 5, épr. Gd —, de paragraphes qui se succèdent dans un ordre différent de celui des paragraphes de la version définitive. Nous donnons dans la variante a de la page 145 la totalité de ce passage dans les placards Grasset 5, en indiquant au bas des pages les variantes des états antérieurs à ces placards. Ce passage a été grandement modifié par Proust entre 1914 et 1917, ce que nous constatons à la lecture des épreuves Gallimard. Nous ne signalons pas ces modifications (additions, corrections, biffures 14-17). Nous nous contentons de donner en leur lieu les leçons de l'épreuve Gallimard, quand celle-ci porte un texte différent de la version définitive et d'indiquer dans la variante b, page 145 l'ordre dans lequel se succèdent les paragraphes dans cette épreuve Gallimard.*

1. « Il ne cherchait qu'à se faire pardonner d'être noble », écrivait Proust de Bertrand de Réveillon dans *Jean Santeuil* (éd. citée, p. 449).

2. « Quelques "marchands de biens" israélites sont l'aristocratie d'ailleurs orgueilleuse du lieu », écrit Proust à Robert de Billy depuis le Grand-Hôtel de Cabourg, à la fin de juillet 1908 (*Correspondance*, t. VIII, p. 193) ; et à Max Daireaux, il écrit en septembre de la même année : « Mon Dieu, j'ai connu dans l'Hôtel de Cabourg, qui est probablement la colline de Jérusalem, la race dont tu as voulu naître » (*ibid.*, p. 223). Mme Adrien Proust, née Weil, d'origine juive elle-même, parlait déjà à son fils de l'« élément sémite » représenté à l'hôtel d'Évian où elle était descendue (17 août 1900, *ibid.*, t. II, p. 407).

Page 98.

a. même [de *biffé*] [certains *corr.*] simples *épr. Gd* ◆◆ *b.* horde de fillettes mal *épr. Gd* ◆◆ *c.* plus gros joueur de Balbec. *épr. Gd*

Page 99.

1. *The Stones of Venice*, de John Ruskin, en 3 volumes, parut à Londres en 1851 pour le tome I, en 1853 pour les deux suivants. Mais c'est en 1874, où il sera réédité sous une présentation un peu différente, et plus encore dans sa version abrégée de 1881, que l'ouvrage connaîtra un grand succès. Proust l'avait en mains quand il visita Saint-Marc de Venise au printemps de 1900 (voir *Pastiches et mélanges*, éd. citée, p. 133). La version abrégée fut traduite en français en 1906 par Mathilde Crémieux sous le titre *Les Pierres de Venise*, avec une préface de Robert de La Sizeranne (voir t. I de la présente édition, n. 4, p. 432).

Page 104.

1. C'est l'admirateur de Leconte de Lisle qui rappelle ici que Zeus est fils de Kronos (voir *Poèmes antiques*, « Hélène »), avant d'évoquer les Kères, génies qui jouent un grand rôle dans l'*Iliade*, et qu'on représente comme des êtres ailés et noirs pourvus de longues dents et d'ongles crochus. Ce sont les Kères d'Achille et d'Hector que Zeus pèse sur une balance pour savoir qui mourra : la Kère d'Hector penchant vers l'Hadès, le héros troyen est abandonné à son sort.

Page 106.

1. P. Clarac et A. Ferré pensent que Proust désigne la famille du chocolatier Gaston Menier, dont le yacht Ariane était alors célèbre, et qui y offrit en juin 1909 un déjeuner à Guillaume II et au prince de Bülow.

Page 107.

1. Dans le Cahier 1 (pages consacrées à Sainte-Beuve et à Balzac), c'est au comte de Guermantes, personnage qui préfigure très approximativement le duc de Guermantes d'*À la recherche du temps*

perdu, que Proust attribue cette manie du stéréoscope. Comme M. Bloch, le comte de Guermantes montre l'instrument aux invités de marque (voir *Contre Sainte-Beuve*, éd. citée, p. 280). Dans la réalité, révèle G. D. Painter, le stéréoscope était « la joie et l'orgueil du comte et de la comtesse Greffulhe, quand ils régalaient leurs hôtes, à Bois-Boudran, des vues prises pendant leur voyage en Égypte » (*Marcel Proust*, éd. citée, t. II, p. 175).

2. En 1914, époque où furent imprimés les deuxièmes jeux de placards Grasset, Proust n'avait pas encore écrit les huit pages (p. 100 à 107) que nous venons de lire (voir var. *a*, p. 145) : réflexions morales de caractère général, sur la mauvaise éducation de Bloch en particulier, et invitation à dîner chez M. Bloch père ; des fautes de prononciation de Bloch, on enchaînait directement sur la délicatesse de Saint-Loup, alors nommé Montargis ou comte de Beauvais, suivie de ses démêlés avec sa maîtresse (p. 138-144) et des conseils qu'il donnait au héros à propos des jeunes filles (var. *a*, p. 145 à la page 1401) ; c'est alors qu'on apprenait qu'il ne pourrait accompagner le héros dans une visite que celui-ci devait faire chez Elstir parce qu'il attendait ce jour-là un de ses oncles, « très adonné aux exercices physiques, surtout à la marche ». Ce n'est donc pas l'arrivée de l'oncle qui retardait, comme ce sera le cas dans le texte définitif, le dîner chez M. Bloch. Sur les épreuves Gallimard, l'annonce de cette arrivée est pareillement différée (voir var. *a*, p. 145).

Page 109.

a. me parla de la jeunesse, [, depuis longtemps passée, *add.*] de son oncle. *épr. Gd* ◆◆ *b.* fera apprendre un *[3ᵉ §, 20ᵉ ligne]* métier. Il paraît *épr. Gd*

1. Même expression dans l'article qu'inspirent à Proust les *Mémoires* de Mme de Boigne (passage coupé par la rédaction du *Figaro*) : « "Pas trop d'Altesses, pas trop d'Altesses, cela ne prouve rien", recommandait naguère à sa belle-fille quelqu'un que Balzac aurait appelé "un des hommes les plus en vue du faubourg Saint-Germain" » (*Essais et articles*, éd. citée, p. 928).

2. Les brouillons de *Sodome et Gomorrhe* permettent d'identifier ce « malheureux » comme étant Vaugoubert (voir A. Compagnon, « Proust sur Racine », *Revue des sciences humaines*, 1984-4, p. 43).

Page 110.

a. pendant des années. [Quand il est à Paris, il va encore au cimetière presque chaque jour. » *add.*] Le lendemain matin *épr. Gd*

1. Marcel Plantevignes rapporte que Proust s'était lui-même fait commander un manteau de vigogne pareil à celui qu'il avait vu sur le comte de Montesquiou (*Avec Marcel Proust*, éd. citée, p. 41).

2. On sait que vers la fin de la guerre, Proust demanda lui-même au Quatuor Poulet de venir jouer chez lui.

3. Voir l'Esquisse XLIII, p. 921.

4. L'extrait donné à la *NRF* de juin 1914 reprend ici, faisant suite aux tableaux de mer et au récit de l'ivresse à Rivebelle (p. 163-164). Après « [...] l'espoir de sa ruche » (voir p. 173, ligne 12) étaient, sur le texte de la revue, imprimés trois astérisques, et on enchaînait de la façon suivante : « Un matin, comme je passais devant le casino [...] » (voir, dans notre texte, le début du dernier paragraphe de la page 110).

Page 111.

a. un voleur tantôt pour un [fou *corrigé en* aliéné]. Pourtant *épr. Gd*

1. Ce trait est encore emprunté à Montesquiou, comme le montre ce passage de *Jean Santeuil* où le comte est désigné sous son nom : « Souvent, ayant vu à la boutonnière de M. de Montesquiou une fleur et l'ayant remarquée, ce connaisseur consommé des beautés artistiques de la nature d'un mot l'enflamma d'amour pour la rose mousseuse, le calice de la gentiane dont le bleu est si profond, l'admirable couleur des cinéraires » (éd. citée, p. 332). Mais certains traits, comme la forte corpulence et les moustaches teintes en noir, sont empruntés à un autre homosexuel, le baron Doäzan (1840-1907). À Mme Straus, le 3 juin 1914, Proust précise que dans l'extrait publié par la *NRF* du 1er juin 1914, le « quelque peu doasanesque Charlus » s'oppose au Swann du premier volume (*Correspondance*, t. XIII, p. 231).

Page 113.

a. tête ? dit *[p. 112, dernière ligne]* celle-ci [en riant *corr.*], voilà que [...] grande, ajouta-t-elle [en riant *biffé*], tu es *épr. NRF 1914* : tête ? dit celle-ci, voilà que [...] grande, ajouta-t-elle, tu es *épr. Gd, orig.*

1. L'extrait donné à la *NRF* de juin 1914 passe de « surveillance professionnelle. » à « Quand Mme de Villeparisis en rentrant de sa promenade [...] » (voir p. 1410, 18e ligne en bas de page).

Page 114.

a. Il y a, ce qui est plus intéressant un superbe portrait de ma tante par Carrière et de magnifiques peintures de Gustave Moreau. Ma tante, *épr. Gd*[1]. *Les corrections portées par Proust sur l'épreuve Gallimard aboutissent au texte définitif.* ◆◆ *b.* qu'est [ton *corrigé en* votre] oncle ? *épr. Gd*

1. Eugène Carrière (1849-1906) était un peintre auteur de nombreux portraits et de scènes familiales, profanes ou sacrées. À défaut de le considérer comme l'égal de Whistler ou de Velasquez,

---

1. On notera que le texte des épreuves Gallimard est différent de celui des placards Grasset 5 (voir var. *a*, p. 145). C'est vraisemblablement entre 1914 et 1917 que Proust a modifié ce passage.

Proust le cite dans une lettre à Marie Nordlinger parmi « les artistes vraiment intelligents de France » avec Besnard et Rodin (24 juin 1905, *Correspondance*, t. V, p. 261).

2. Ici et dans les pages suivantes, le baron est appelé Fleurus sur les placards Grasset de 1914, alors que dans *Du côté de chez Swann*, il portait déjà le nom de Charlus (voir, au tome I, l'Introduction à *À l'ombre des jeunes filles en fleurs*, p. 1286).

Page 115.

a. voudrai voyager *[p. 114, dernier §, 14ᵉ ligne]* incognito. » Il n'y a pas selon lui[1] [...] et avec plaisir *[p. 114, dernier §, 6ᵉ ligne en bas de page]* parce que [quoiqu'il soit loin d'être bête *biffé*] [quoiqu'il soit très fin, très doué *corr.*], il trouve cela [...] trop courte. / Je reconnaissais *épr.* Gd

Page 116.

a. les autres leur [prestige *biffé*] [prédominance *corr.*] séculaire ; *épr.* Gd

1. Albert Lebourg (1849-1928), peintre paysagiste, fut influencé par la couleur des impressionnistes, mais ses tableaux demeurent d'une facture assez académique. Armand Guillaumin (1841-1927) a rencontré à l'Académie suisse Cézanne et Pissarro avec qui il restera lié ; il a participé à la première exposition des Impressionnistes, auxquels il demeurera fidèle, même si ses derniers tableaux l'apparentent davantage aux peintres « fauves ».

Page 117.

a. bourgeoise était pour lui ce qu'est à une toile *épr. Gd, orig. Nous adoptons la correction de Clarac et Ferré.*

1. « Je suis un peu effrayé de voir que M. de Charlus semble seulement un noble plein de préjugés », confiera Proust à Paul Souday (cité par J.-Y. Tadié, *Proust et le roman*, éd. citée, p. 39, n. 2) — apparence que démentiront les volumes suivants.

2. La Bruyère fut en 1684 chargé d'enseigner l'histoire, la géographie, les institutions de France et la philosophie au duc de Bourbon (1668-1710), petit-fils du Grand Condé. Quant à Fénelon, le roi Louis XIV le nomma en 1684 précepteur de son petit-fils, le duc de Bourgogne (1682-1712), fils aîné du Grand dauphin ; c'est à son usage qu'il composa notamment *Les Aventures de Télémaque* et les *Fables*.

---

1. On remarquera que le passage qui va de « Il n'y a pas selon lui » à « trop courte » est différent du texte des placards Grasset 5 (voir var. *a*, p. 145). C'est vraisemblablement entre 1914 et 1917 que Proust a corrigé ce passage.

Page 118.

a. ne peut lui faire que *[fin du § précédent]* du bien. / J'avais pensé qu'en nous invitant ainsi chez sa tante, que je ne doutais pas qu'il eût prévenue, M. de Charlus avait voulu réparer l'impolitesse qu'il m'avait témoignée pendant la promenade du matin. Mais *épr. Gd*[1]

Page 119.

a. Sans doute s'il n'y avait pas eu ces yeux, *épr. N.R.F. 1914* : Sans doute s'il n'avait pas eu ces yeux, *épr. Gd, orig. L'imprimeur a sans doute omis le* y *qui figure, non seulement sur l'épreuve NRF de 1914 mais sur les placards Grasset 1 et 5 (voir var. a, p. 145). Nous restituons ce* y .

1. « Ne pouvait être la bonne », donné par l'édition de 1920, est moins surprenant, mais d'un sens peu plausible.

Page 120.

a. le portait en soi, *épr. NRF 1914* : le portrait en soi, *épr. Gd* : le porterait en soi, *orig. Sans doute la coquille sur l'épreuve Gallimard a-t-elle été mal corrigée par l'imprimeur. Nous adoptons la leçon des placards Grasset 5 (voir var. a, p. 145)* ✦✦ *b.* une antipathie personnelle [à mon égard *biffé*] [contre moi *corr.*] car d'une *épr. Gd* ✦✦ *c.* il parlait sans jamais se départir d'une grande *épr. Gd. C'est vraisemblablement entre 1914 et 1917 que Proust a ajouté* jamais *(voir var. a, p. 145).*

Page 121.

a. (lui-même dans ses longs voyages à pied, après des heures de course, disait se jeter brûlant *épr. NRF 1914* ✦✦ *b.* bague. Et je remarquai que même autour de cet annulaire qu'il nous avait tendu il n'y en avait aucune. Mais *épr. NRF 1914. Voir la variante c de cette page.* ✦✦ *c.* Mais ce parti-pris [*sic*] de virilité *épr. NRF 1914* : Mais ce parti de virilité *épr. Gd. Sans doute l'imprimeur a-t-il omis* pris *(Voir var. a, p. 145).*

1. Voir les *Fables* de La Fontaine, « Les Deux Amis » (VIII, XI) : « Deux vrais amis vivaient au Monomotapa [...] » (le Monomotapa était un grand royaume situé le long de la côte sud-est du continent africain) ; et « Les Deux Pigeons » (IX, II). À Mme Catusse, Proust écrivait : « Je m'étais levé, comme l'ami du Monotapa [*sic*] dans la Fontaine et j'avais [ac] couru » (daté par Ph. Kolb « peu après le 7 octobre 1907 », *Correspondance*, t. VII, p. 291).

2. « Je sens qu'il m'ennuie de ne plus vous avoir ; cette séparation me fait une douleur au cœur et à l'âme, que je sens comme un mal du corps » (à Mme de Grignan, 18 février 1671) ; et : « Dans l'absence ce n'est plus cela, on ne s'en soucie point, on les pousse

1. On remarquera que ce passage est différent de celui que l'on peut lire dans les placards Grasset (voir var. *a*, p. 145). C'est vraisemblablement entre 1914 et 1917 que Proust l'a modifié.

même quelquefois ; on avance dans un temps auquel on aspire ; c'est cet ouvrage de tapisserie que l'on veut achever ; on est libérale des jours, on les jette à qui en veut » (à la même, 10 janvier 1689).

Page 122.

a. grande ignorance *[3ᵉ §, dernière ligne]* de la vie. [— Tu aimes beaucoup *[...]* le consolait. *add.*] / Dans ces réflexions *épr. Gd*

1. « Une de vos réflexions pourrait effacer des crimes, à plus forte raison des choses si légères qu'il n'y a quasi que vous et moi qui soyons capables de les remarquer » (à Mme de Grignan, 29 mai 1675).
2. « Être avec des gens qu'on aime, cela suffit ; rêver, leur parler, ne leur parler point, penser à eux, penser à des choses plus indifférentes, mais auprès d'eux, tout est égal » (La Bruyère, *Les Caractères*, « Du cœur », 23).

Page 123.

a. quand ses grands yeux ignoraient [encore *biffé*] la trahison de mon cousin. *épr. Gd* ↔ *b.* appâts *épr. Gd, orig. Nous corrigeons. On trouve* appâts *dans un sens différent à la page 164, 2ᵉ ligne.*

1. L'hôtel de Chimay, situé au numéro 17, quai Malaquais, avait été construit en 1640 par Mansart ; Le Nôtre en dessina le jardin une cinquantaine d'années plus tard. Après avoir appartenu à Bertrand de La Bazinière (qui le loua au Grand Condé), à Henriette de France et au duc de Bouillon, il devint en 1823 propriété du receveur général des finances Pellaprat qui maria sa fille putative au prince de Chimay, puis, en 1884, un bâtiment de l'École des beaux-arts. La comtesse Greffulhe, que Proust rencontra chez le comte de Montesquiou, était la fille aînée du prince de Caraman-Chimay et de Marie de Montesquiou, tante du comte. Clara Ward, princesse de Chimay, quitta son mari en 1896 pour s'enfuir avec un violoniste.

Page 124.

a. au contraire eu peur que ce que [Montargis *corrigé en* Saint-Loup] lui avait *épr. Gd. On remarquera que c'est seulement sur l'épreuve Gallimard que Proust a corrigé* Montargis *en* Saint-Loup. ↔ *b.* mérite personnel, [je n'en sais rien, *add.*] si peu d'êtres *épr. NRF 1914*

1. Marie-Antoinette, qui ne se plaisait, dit-on, qu'au petit Trianon, y fit dessiner en 1783 un jardin à l'anglaise (le Hameau) par les soins de l'architecte Richard Mique et du peintre Hubert Robert, qui, bouleversant les plans du jardin de Jussieu, composèrent un paysage rustique agrémenté de maisonnettes aux toits de chaume.

Page 126.

a. je l'adore [, je n'aime rien tant qu'elle au monde, *biffé*] ! / — Monsieur, *épr. NRF 1914*[1] : je l'adore ! / — Monsieur, *épr. Gd. On notera que sur l'épreuve Gallimard* je n'aime rien tant qu'elle au monde *a disparu (voir le texte des placards Grasset 5, dans la variante a de la page 145). C'est vraisemblablement entre 1914 et 1917 que Proust a corrigé ce passage* ◆◆ *b.* — Monsieur, me dit-il en s'éloignant *[4ᵉ ligne de la page]* d'un pas [...] prendre froid. Bonsoir, monsieur. » *Fin du texte dans l'épr. NRF 1914*

1. Ici s'arrête l'extrait donné à la *NRF* de juin 1914, avec la mention « à suivre ».

2. Voir l'Esquisse XLIII, p. 923-924.

3. Jusqu'au stade des épreuves Gallimard, on enchaînait ici avec : « Quand quelques jours après [...] » (p.144, 13ᵉ ligne). Le dîner chez M. Bloch, qu'on va lire à la suite du texte, ne figurait pas sur les placards Grasset ; sur les épreuves Gallimard, il était placé avant l'arrivée de Charlus (voir var. *a*, p. 145).

Page 127.

a. qui méprise *[p. 126, dernière ligne]* le Musset des *Nuits* quand nous n'osons pas encore le faire, qui plus tard « lâchera le père Leconte » et reviendra au Musset de la *Ballade à la lune* quand nous nous attarderons aux Poèmes barbares. Or, de quelqu'un *plac. G1 5 add. 14-17*[2], *épr. Gd*

1. « L'Espoir en Dieu », daté de février 1838, fait partie du recueil des *Poésies nouvelles*. Énumérant des systèmes philosophiques avant de déboucher sur un appel mystique, ce long poème peut sembler aujourd'hui bien rhétorique.

2. Sur le « père Leconte », voir t. I, n. 8, p. 89. En 1911 encore, Proust avouait ne guère connaître l'œuvre de Claudel (voir t. I, fin de la note 1, p. 428). C'est cette année-là que Claudel fonda avec Gide, J. Copeau, J. Rivière et G. Gallimard le « comptoir d'éditions » de *La Nouvelle Revue française*. Sans doute Proust allait-il mieux le connaître dans les années suivantes.

3. « À Saint-Blaise, à la Zuecca [...] » est le début de *Chanson* (Venise, 3 février 1834). « Ce que je vous avais écrit après vos vers Siciliens rimés avec l'insolence de *À Saint-Blaise, à la Zuecca* pourrait trouver son application ici [...] », écrit Proust à Anna de Noailles le 3 juin 1912, *Correspondance*, t. XI, p. 137. Dans son article « À propos du style de Flaubert » (janvier 1920), il écrira : « Quand Musset, année par année, branche par branche, se hausse jusqu'aux *Nuits*, et Molière jusqu'au *Misanthrope*, n'y a-t-il pas quelque cruauté à préférer aux premières : / *À Saint Blaise, à la Zuecca / Nous étions, nous étions bien aise,* / au second *Les Fourberies de Scapin* ? » (*Essais et articles*, éd. citée, p. 598). « Padoue est un

---

1. Voir la variante *b* de cette page.
2. Le passage qui va de « or je compris » *[p. 126, dernier §, 2ᵉ ligne]*, à « qu'elle lui avait pardonné » *[p. 138, premier §, dernière ligne]*, constaté sur l'épreuve Gallimard, a dû être ajouté par Proust entre 1914 et 1917 (voir var. *b.* p. 145)

fort bel endroit [...] » est extrait de *À mon frère revenant d'Italie* (mars 1844) ; « Au Havre, devant l'Atlantique [...] », de *La Nuit de décembre* (novembre 1835). Ces trois poèmes figurent dans le recueil des *Poésies nouvelles,* de Musset.

4. Anne-Marie Bigot, épouse Cornuel (1605-1694). Alors qu'elle se mourait, raconte Saint-Simon, M. de Soubise vint la voir pour lui apprendre son mariage, « tout engoué de la grande naissance et des grands biens qui s'y trouvaient joints ». « Ho ! Monsieur, lui répondit la bonne femme, [...] que voilà un grand et bon mariage pour dans soixante ou quatre-vingts ans d'ici ! » (Saint-Simon, *Mémoires,* Bibl. de la Pléiade, t. I, p. 171).

Page 128.

1. À l'époque où l'on peut situer le premier séjour à Balbec (vers 1898), M. Bloch ne peut avoir lu de commentaires sur la guerre russo-japonaise, qui eut lieu en 1905 et s'acheva, comme on sait, par un succès des Japonais.

2. Voir t. I, n. 4, p. 509.

Page 129.

a. prévenir notre illustre père et notre   *plac. Gt 5 add. 14-17* : prévenir notre [illustre *biffé*] père [prudent *corr.*] et notre *épr. Gd*

1. Allusion à une réplique alors célèbre de la *La Dame de chez Maxim's* (1899), comédie en trois actes de G. Feydeau : « Eh ! allez donc, c'est pas mon père. » Cette expression, maintes fois répétée au cours de la pièce par l'héroïne, jeune femme de mœurs légères, signifie : « Il n'y a pas de mal à ça ! »

Page 131.

1. Le duc d'Aumale (1822-1897) était le quatrième fils de Louis-Philippe. Il s'illustra en Algérie, notamment par la prise de la smala d'Abd-el-Kader. Auteur d'une *Histoire des princes de Condé,* il entra à l'Académie française en 1871.

2. La princesse de Wagram fut appelée « reine de Naples » après avoir épousé en 1851 Joseph-Joachim-Napoléon Murat, petit-fils du maréchal Murat. Il ne faut pas la confondre avec Marie-Sophie-Amélie, qui devint reine de Naples par son mariage avec François II et que nous verrons figurer dans la suite de *À la recherche du temps perdu.*

3. Allusion probable à Charles-Robert de Gramont-Caderousse (1808-1865 ?), descendant d'une branche illustre de la famille de Gramont, qui mena une vie dissolue avant de finir ses jours en Orient, laissant sa fortune à un certain docteur Déclat et à une actrice.

4. Fondé en 1871, *Le Radical,* quotidien parisien de gauche, eut des débuts difficiles avant d'être racheté en 1881 par Victor Simond

et Henry Maret. Il tirait à plus de quarante mille exemplaires en 1885, et à plus de trente mille en 1912.

5. Au moins Charles Haas, le modèle de Swann, y fut-il admis. Mais il est vrai que ce cercle était, le Jockey-Club excepté, le plus élégant et le plus fermé de Paris.

Page 132.

a. sans défense de l'adversaire soit   *plac. Gt 5 add.* 14-17, *épr. Gd*

1. « Villiers » est Auguste Villiers de L'Isle-Adam (1838-1889) ; « Catulle », Catulle Mendès (1841-1909) dramaturge, poète et romancier. Du premier, Proust a, curieusement, fort peu parlé, ne citant à notre connaissance que *Les Présents,* pièce en vers mise en musique par G. Fauré (voir la *Correspondance,* notamment t. VI, p. 42 et 53). Le second est un dramaturge et un poète qui doit aux Parnassiens, mais aussi à la littérature « décadente » de son époque. « On s'explique mal aujourd'hui l'extraordinaire célébrité que, de son vivant, il avait pu atteindre », note Gide dans son *Journal* (3 août 1930 ; *Journal 1889-1939,* Bibl. de la Pléiade, p. 1004) ; pour Proust, il est « le commentateur et l'ami de Wagner » (*Essais et articles,* éd. citée, p. 555), mais aussi l'auteur de *La Vierge d'Avila,* pièce mise en musique par Reynaldo Hahn (voir la *Correspondance,* t. VI, p. 283). Dans *Jean Santeuil,* M. Rustinlor dit d'Anatole France qu'il est un « assez subtil coco », et de Racine qu'il est un « assez vilain coco » (éd. citée, p. 239).

2. Schlemihl est le héros du roman d'Adalbert von Chamisso (1781-1838), *L'Histoire merveilleuse de Pierre Schlemihl* (1814), l'homme qui avait vendu son ombre au diable. En yiddish, *Schlemihl* signifie : le malchanceux, celui qui a le guignon.

3. Khorsabad est un village du Kurdistan (Irak), situé sur l'emplacement de la cité antique de Dour-Sharroukîn, ville bâtie de 711 à 707 av. J.-C. par le roi d'Assyrie Sargon II, qui lui donna son nom et y fut assassiné deux ans plus tard. Le palais de Sargon II fut découvert et exploré de 1843 à 1845 par Botta, consul de France à Mossoul, puis une quinzaine d'années plus tard par Place.

Page 133.

a. son côté juif, de même   *plac. Gt 5 add. 14-17*   : son côté [juif *biffé*] [oriental *corr.*], de même   *épr. Gd*

1. « Lui » désigne Bergotte. L'addition d'un long passage a obscurci le sens du texte. En effet, l'addition apportée aux placards Grasset (voir var. *b,* p. 138) ne comporte pas encore, sur les fragments manuscrits que nous avons pu consulter, le passage qui va de « Celui-ci » (p. 132, dernière ligne) à « le malheureux oncle » (p. 133, ligne 20). Il figure toutefois sur l'épreuve Gallimard.

Page 134.

a. des menteurs [à un point de vue, comme il disait, « balzacien » *biffé épr. Gd*]. « Plus   *plac. Gt 5 add. 14-17, épr. Gd* ◆◆ *b.* aux yeux du camarade. Cependant   *plac. Gt 5 add. 14-17* : aux yeux du [camarade *biffé*] [« potache »   *corr.*]. Cependant   *épr. Gd* ◆◆ *c.* capitale, et quand Bloch eut passé son agrégation, M. Bloch ajouta à   *plac. Gt 5 add. 14-17, épr. Gd* : capitale, comme quand son fils par exemple fut reçu à l'agrégation, M. Bloch ajouta à   *orig. Proust a remplacé, sur un état postérieur à l'épreuve Gallimard et que nous ne possédons pas,* et   *par* comme *et a vraisemblablement omis de modifier le* passé simple *ajouta* en l'imparfait *ajoutait* . *Nous corrigeons.*

1. Au chant XIII de l'*Odyssée*, Athéna dit à Ulysse : « Il serait fourbe et astucieux, celui qui te vaincrait en quelque ruse que ce soit, fût-il un dieu ! » (trad. Ph. Jaccottet, Club français du livre, 1955, v. 291-292).

2. Kālidāsa est un poète et dramaturge indien, de langue sanskrite, qui vécut au IVe ou Ve siècle av. J.-C. Son chef-d'œuvre, *Śakuntalā*, pièce qui traduit l'idéal chevaleresque de la société brahmanique, fut traduit en français au XIXe siècle.

3. Voir t. I, n. 2, p. 73.

Page 135.

a. les deux copains de son   *plac. Gt 5 add. 14-17, épr. Gd*

1. « Labadens », mot peu usité, signifie : ancien camarade de collège. Le mot vient de la comédie d'E. Labiche, *L'Affaire de la rue de Lourcine* (1857), où l'on assiste aux retrouvailles de deux anciens condisciples de la pension Labadens.

2. C'est ordinairement comme une déesse « aux doigts de rose » qu'Eôs (l'Aurore) est désignée par les auteurs grecs.

Page 136.

a. À propos, demanda-t-il à Saint-Loup quand *[p. 135, 9e ligne en bas de page]* nous fûmes dehors, j'oublie toujours, chaque fois que nous sommes ensemble, de te demander un renseignement utile. Quelle est   *plac. Gt 5 add. 14-17, épr. Gd* ◆◆ *b.* dans le train de Versailles. Elle voulut bien dénouer la sienne   *plac. Gt 5 add. 14-17* : dans le train de [Versailles *biffé*] [Ceinture *corr.*]. Elle voulut bien dénouer la sienne   *épr. Gd. Avant la correction de Proust sur l'épreuve Gallimard, la phrase suivante n'avait aucun sens.*

Page 137.

a. raffinée, entre Paris *[p. 136, dernière ligne]* et Ville d'Avray. Je la   *plac. Gt 5 add. 14-17* : raffiner, entre Paris et [Ville d'Avray *biffé*] [le Point-du-Jour   *corr.*]. Je la   *épr. Gd* ◆◆ *b.* seulement qu'un jeune homme était passé   *plac. Gt 5 add. 14-17, épr. Gd*

1. Marie-Amélie, princesse d'Orléans, née en 1865, fille du comte de Paris et d'Isabelle d'Orléans et sœur de Philippe duc d'Orléans, épousa en 1886 le prince Carlos. Celui-ci régna sur le Portugal sous le nom de Carlos Ier de 1889 à 1908, date à laquelle il fut assassiné.

Page 138.

a. que si je lui eusse *[p. 137, dernière ligne]* donné une perle, de laquelle, elle m'eût remercié avec effusion et qu'ensuite un bijoutier lui eût révélé être fausse. Elle *plac. Gt 5 add. 14-17. Les corrections portées par Proust sur l'épreuve Gallimard aboutissent au texte définitif.* ◆◆ *b.* premier jour et qu'elle lui avait pardonné. *plac. Gt 5 add. 14-17, épr. Gd. C'est par ces mots que se termine la longue addition écrite par Proust entre 1914 et 1917 et visible sur l'épreuve Gallimard.* ◆◆ *c.* ce n'est pas *épr. Gd[1] ; orig. Nous adoptons la correction de Clarac et Ferré.*

Page 139.

a. mais celle-là, non ! Elle a fait *épr. Gd*

Page 140.

a. emportait les roses qui *épr. Gd. Voir la dernière ligne de la page 124.*

Page 141.

1. Les premiers « Kodak » datent de 1888. Très vite, le nom de la marque fut couramment utilisé comme un terme générique pour désigner un appareil photographique.

Page 142.

a. qu'elle trouvât un second *[p. 141, 5ᵉ ligne en bas de page]* homme qui fût d'une pareille bonté pour elle. [Je ne songeais pas [...] gagner de l'argent. *add.*] Mais Saint-Loup qui *épr. Gd* ◆◆ *b.* songé à le quitter [— si elle était belle et avait de l'avenir, au théâtre, *biffé*] attendait-elle *épr. Gd*

1. À l'ange venu lui annoncer qu'elle mettra au monde un fils, Marie répond : « Voici la servante du Seigneur » *(Ecce ancilla Domini)* (Luc, I, 38). Dans les scènes religieuses du Moyen Âge, la Vierge est presque toujours représentée un lys à la main. Peut-être Proust se souvient-il ici d'un tableau de Dante Gabriel Rossetti, *Ecce Ancilla Domini* (1850).

Page 145.

a. Nous donnons ci-dessous le texte du passage, dans les placards Grasset 5 et les états antérieurs à ces placards, qui va de la page 97 à la page 145 (voir la variante b, page 97) :

	« Comme je ne peux pas supporter d'attendre
p. 97,	parmi le faux chic de ces grands caravansérails, et que les
dernier §,	tziganes me feraient trouver mal, dites au "laïft" de les faire
1ʳᵉ ligne	taire et de vous prévenir de suite. » / Montargis quant à lui
p. 99,	trouvait d'autant moins grave que Bloch ne sût pas prononcer
15ᵉ ligne	le mot lift, qu'il y voyait surtout dans cette faute *[sic]*
	un manque de savoir vivre que lui, Montargis, pratiquait à

1. Ces lignes où on peut lire ces mots ne figurent pas dans les placards Grasset 5. Elles ont dû être ajoutées par Proust entre 1914 et 1917 (voir var. *a.* p. 145).

merveille mais méprisait absolument. Mais la peur qu'on ne la révélât un jour à Bloch qui croirait avoir été trouvé par lui ridicule fit qu'il se trouva coupable comme s'il avait trouvé son ami ridicule en effet et que la rougeur qui colorerait sans doute les joues de Bloch à la découverte de son erreur, il la sentait par anticipation et réversibilité monter aux siennes propres. Car il pensait que Bloch attachait bien plus d'importance que lui à cette faute. Ce que Bloch prouva quelques temps après un jour qu'il m'entendit dire lift en disant : / — Ah ! on dit lift. / Et d'un ton sec et hautain : / — Cela n'a d'ailleurs aucune espèce d'importance. Phrase peu réflexe, qui, identique chez tous les hommes, dans les grandes circonstances comme dans les petites dénonce l'importance qu'il attachait à une chose qui manque de s'échapper, la première de toutes si lamentables et si navrantes, des lèvres de tout homme un peu fier dont on vient de tirer la dernière espérance en lui refusant un service : / — Cela n'a aucune espèce d'importance, je m'arrangerai autrement. / L'autre arrangement et sans aucune espèce d'importance était quelquefois le suicide... [sic]. Mais si Beauvais[1] rougit de l'erreur de Bloch, il n'en rit pas comme Bloch n'aurait pas manqué de rire de lui. Et si, de cette bienveillance, je sentais l'aristocrate devenir exempt de la timidité et de l'envie qui se cachent souvent sous l'ironie méchante des petits bourgeois, là encore en lui l'aristocratie, en maintenant la grande pureté de son atmosphère morale, avait favorisé l'éclosion de certaines vertus. Et c'est cette grande pureté qui, ne pouvant se satisfaire entièrement dans un sentiment égoïste comme l'amour, se rencontrait d'autre part en lui comme elle s'est rencontrée en moi l'impossibilité de trouver sa nourriture spirituelle autre part qu'en soi-même, le rendait vraiment capable d'amitié. Personne moins que lui n'avait le préjugé des classes. Un jour qu'il s'était emporté contre son cocher et que je lui en avais fait reproche.

— Pourquoi affecterais-je de lui parler poliment ? N'est-il pas mon égal ? [comme dans le texte définitif avec lég. var.] ma cousine[2]. / — Comment est-elle votre cousine ? / Il me répondit distraitement et avec ennui. / — Oh ! je n'en sais rien, je vous dirai que ces questions de généalogie me laissent froid. La vie est si courte et il me semble qu'il y a vraiment des choses plus intéressantes dont nous pouvons parler dans le monde le plus récent [sic] possible. L'habitude qui avait été pour lui la conséquence de cette sorte de préjugés contre les gens du monde et les jours où il y allait, l'attitude méprisante ou hostile qu'il gardait le plus souvent, augmentait encore chez ses proches parents leur chagrin de sa liaison avec une actrice, liaison qu'ils accusaient de ne lui avoir fait que du mal, que

p. 138,
2ᵉ §,
2ᵉ ligne

p. 138,
2ᵉ ligne
en bas de
page

p. 139,
2ᵉ ligne

---

1. Ce nom désigne Montargis, qui deviendra Saint-Loup. Il apparaît ici comme une résurgence d'un état antérieur.

2. Ici reprend après interruption (voir la Note sur le texte dans le tome I de la présente édition) le jeu de placards Grasset 1 b, dont nous disposons.

de lui être fatale et notamment d'avoir développé chez lui cet
esprit de dénigrement, ce mauvais esprit, de l'avoir « dévoyé », en attendant qu'il se « déclassât » complètement. Car
il n'était pas le premier [...] d'un jeune clubman comme
Montargis ou d'un jeune ouvrier, son amant l'admire trop pour
ne pas respecter ce qu'elle respecte et pour lui l'échelle des

*p. 140,
6ᵉ ligne*

valeurs [...] croire, qu'il respecte maintenant sans avoir besoin
pour cela de la connaître, qu'il respectera même quand ce
serait d'autres qui lui en parleront. La maîtresse de Montargis
— comme les premiers moines du Moyen Âge, à la chrétienté
— lui avait enseigné la pitié envers les animaux car elle en
avait la passion, ne se déplaçait jamais sans son chien, ses
serins, ses perroquets ; Montargis veillait sur eux avec des soins
maternels et traitait de brutes les gens qui ne sont pas bons
avec les bêtes. Une actrice*ᵃ* comme celle qui vivait avec
Montargis — qu'elle fût intelligente ou non, je n'en savais
rien — lui avait*ᵇ* procuré aussi cet avantage de lui faire trouver
ennuyeuse la société des femmes du monde, considérer comme
une corvée l'obligation d'aller dans une soirée, elle l'avait
guéri du snobisme et de la frivolité. Mais si grâce à elle les

*p. 141,
7ᵉ ligne*

relations [...] tout le bien qu'elle pouvait pour lui, et
maintenant elle ne faisait plus que le faire souffrir, car elle
l'avait pris en horreur. Elle avait commencé par le trouver bête
et ridicule, parce que les amis qu'elle avait parmi les jeunes
auteurs et acteurs lui avaient appris*ᶜ* cette passion, cette absence
de réserves avec lesquelles on adopte les opinions ou les usages
qu'on ignorait entièrement et qu'on a reçus tout faits du
dehors. Elle professait volontiers comme eux qu'entre elle et
Montargis le fossé était infranchissable parce qu'ils étaient
d'une autre race. [...] son amant. Mais ce mépris pour lui était
devenu de l'horreur quand les mêmes amis l'avaient convaincue qu'elle détruisait dans une compagnie aussi peu faite pour
elle les grandes espérances qu'elle avait données, que son
amant finirait par déteindre sur elle, qu'elle gâchait son avenir
d'artiste. Alors elle ressentait pour Montargis la même haine
que s'il s'était obstiné à vouloir lui inoculer une maladie
mortelle. Elle le voyait le moins possible tout en hésitant
encore à rompre définitivement avec lui si même elle en avait
vraiment l'intention, ce qui me semblait bien peu vraisemblable. Car Saint Loup faisait pour elle de tels sacrifices que
à moins qu'elle ne fût ravissante — il n'avait jamais voulu

<hr/>

a. lui en parleront. Une actrice *états ant.*   : lui en parleront. [la
maîtresse de Montargis — comme les premiers moines [...] bons avec
les bêtes. *add.*] Une actrice *plac. Gt 1b*

b. Montargis — et une cocotte y eût suffi — lui avait *états ant.*   :
Montargis — [et une cocotte y eût suffi *biffé*] [qu'elle fût intelligente
ou non, je n'en savais rien *corr.* — lui avait *plac. Gt 1b*

c. amis qu'elle avait dans la jeunesse littéraire lui avaient appris *états ant.*   : amis qu'elle avait [dans la jeunesse littéraire *biffé*]
[parmi les jeunes auteurs et acteurs *corr.*] lui avaient appris *plac.
Gt 1b*

me montrer sa photographie, me disait, « d'abord ce n'est pas
une beauté et puis elle vient mal en photographie. Ce sont
des instantanés que j'ai faits moi-même avec mon Kodak et
ils te donneraient une fausse idée d'elle », il me semblait
difficile qu'elle trouvât un second homme qui fût d'une pareille
bonté pour elle. Mais Saint-Loup qui[1], sans bien comprendre
ce qui se passait dans la pensée de sa maîtresse, ne la croyait
qu'à demi sincère, ni dans les reproches injustes ni dans les
promesses d'amour éternel, qu'elle lui faisait souvent, avait
pourtant à certains moments le sentiment qu'elle romprait
quand elle le pourrait, avait, par une sorte d'intérêt pratique
qui se conciliait chez lui, avec les plus grands égarements du
cœur, refusé de lui constituer un capital. Il avait emprunté
des sommes énormes pour qu'elle ne manquât de rien, mais
ne lui remettait d'argent qu'au jour le jour, non sans doute
par un instinct de conservation de son amour, plus clairvoyant
que Saint-Loup n'était lui-même. Et sans doute, au cas où elle
eût vraiment songé à le quitter — si elle était belle et avait
de l'avenir, au théâtre, attendait-elle[2] froidement d'avoir « fait
sa pelote ». Avec tout ce que Saint-Loup lui donnait elle ne
pouvait pas donner un temps bien long mais enfin qui lui était
tout de même concédé pour prolonger son bonheur — ou
son malheur. Cette période[a] orageuse de leur liaison — et
qui était arrivée maintenant à son point le plus aigu, le plus
cruel pour Montargis, car elle lui avait défendu de rester à
Paris où elle était exaspérée par sa présence et l'avait envoyé
seul à Bricquebec, — avait commencé à une soirée où
Montargis avait obtenu d'une de ses tantes chez qui cette soirée
avait lieu que son amie viendrait y réciter des fragments d'un
drame symboliste qu'elle avait joué une fois sur une scène
d'avant-garde et pour lequel elle lui avait fait partager *[comme
dans le texte définitif avec lég. var.]* « Chez quelles dindes, chez
quelles p... sans éducation, chez quels goujats m'as-tu
fourvoyée ? J'aime mieux te le dire, dans les hommes qui
étaient là, il n'y avait pas un de ces hommes qui ne m'eût fait
de l'œil, du pied, et c'est parce que j'ai repoussé leurs avances
qu'ils ont cherché à se venger. » Et ce qu'elle avait dit alors
avait changé l'antipathie qu'il avait pour les gens du monde
en une horreur autrement profonde et qui lui faisait endurer
d'incessantes souffrances. Tous ceux de ses cousins, de ses
camarades qu'il lui avait présentés, elle lui avait assuré, — soit
pour couper les ponts entre lui et des jeunes gens qui peut-être
avaient pris le parti de ses parents et avaient dit à la jeune
femme la peine que cette liaison leur faisait et tâché de lui
faire accepter l'idée d'une rupture, soit pour exciter sa jalousie,
soit pour expliquer l'insuccès qu'elle avait eu quand elle était

p. 142,
4ᵉ ligne

p. 142,
2ᵉ §,
avant-
dernière
ligne à
p. 143,
3ᵉ §,
2ᵉ ligne

---

a. rompre définitivement avec lui. Cette période *plac. Gt* : rompre
définitivement avec lui [si même elle en avait vraiment l'intention,
[comme dans plac. Gt 5] ou son malheur *add*]. Cette période *plac.
Gt 1b*

1. Voir var. *a*, p. 142.
2. Voir var. *b*, p. 142.

allée réciter chez sa tante, soit tout simplement parce que c'était vrai, — elle lui avait avoué qu'ils avaient tous essayé de coucher avec elle et même de la prendre de force. Et Montargis quoiqu'il se fût et elle aussi brouillé avec eux pensant que peut-être quand il était loin d'elle comme en ce moment à Bricquebec, ceux-là ou d'autres en profitaient pour revenir à la charge. C'est bien souvent les mains vides et le front soucieux que je le voyais rentrer de la poste où seul de tout l'hôtel avec Françoise, lui par impatience d'amant comme elle par méfiance de domestique, il allait chercher et poster les lettres lui-même. Et quand il parlait d'un de ses viveurs qui trompent leurs amis *[comme dans le texte définitif avec lég. var.]* la cruauté des riches. Le nombre des lettres et des dépêches qu'il envoyait à sa maîtresse était incalculable. Tout en l'empêchant de venir à Paris, chaque fois qu'à distance elle trouvait le moyen de se brouiller avec lui, on le voyait à sa figure décomposée. Le chagrin qu'il éprouvait avait pour singulier effet de le persuader qu'il avait eu tort. Comme sa maîtresse ne lui disait jamais ce qu'elle avait à lui reprocher, tout en soupçonnant que si elle ne lui disait pas c'est qu'elle ne savait pas et qu'elle avait simplement assez de lui, il avait

*p. 144,
1*^{re} *ligne*

voulu avoir des explications, il lui écrivait : « Dis-moi ce que j'ai fait de mal. Je suis prêt à reconnaître mes torts. » L'espèce de douleur au cœur qu'il gardait pendant ces jours-là était quelque chose de constant, d'atroce, qui lui donnait envie de se tuer ; mais l'accablante fixité physique de cette souffrance avait pour correspondant moral des états bien plus morbides. Car quand il voulait, soit en lui-même, soit en causant avec moi, soit en écrivant à sa maîtresse, « parler sa souffrance », en donner une traduction rationnelle, tantôt le mal, pourtant toujours le même, né de leur brouille et qui durait autant qu'elle, était une terrible colère contre sa maîtresse pour qui il avait tout fait, tantôt une crainte anxieuse de n'avoir pas bien agi avec elle. Et quand elle se conciliait, ses scrupules comme son indignation s'épanouissaient avec sa souffrance. Seulement il gardait une crainte pour l'avenir et se félicitait de ne pas lui avoir constitué un capital. « Vous comprenez, me dit-il d'un ton à la fois triste et content. De cette façon j'ai barre sur elle. » / Ce mot excita en moi moins d'agacement par ce qu'il exprimait d'heureuse sécurité que de pitié par ce qu'il impliquait de doutes douloureux. Comme ma grand-mère[a] approuvait que je fusse le plus possible avec Montargis elle permit même que nous sortissions ensemble le soir. Nous avions commencé par ne pas revenir dîner un jour que nous étions allés ensemble à un ancien moulin, situé à quelques kilomètres de Bricquebec, et qui était devenu le restaurant des sous-officiers de la garnison voisine, et où des employés venaient se reposer de la sécheresse de leurs occupations quotidiennes, de la chaleur et de la poussière de la ville, en

---

a. cruauté des riches *[13*^e *ligne]*. Comme ma grand-mère *états ant.* : cruauté des riches. Le nombre des lettres *[comme dans plac. Gt 5]* doutes douloureux. *add.]* Comme ma grand-mère *plac. Gt 1b*

louant une barque et en dînant au bord de l'eau. Montargis m'avait dit : « ta grand-mère est si bonne, elle ne te grondera pas si nous ne rentrons qu'à neuf heures », nous avions commandé des truites, et Montargis m'avait promené sur l'eau que frappait le soleil oblique jusqu'à ce que la servante nous eût fait signe que le dîner était prêt. Je lui demandais s'il croyait qu'on pourrait facilement faire monter la servante dans la petite chambre qu'on louait en haut. Il ne le croyait pas ; d'ailleurs je trouvais plus simple de rester avec lui et je me contentais de la regarder en mangeant la truite, au gazouillement de l'eau, sous les feuillages pleins d'oiseaux. Et je lui posai des questions sur la vertu de telle ou telle femme ; personnellement il s'en désintéressait, car il gardait loin de sa maîtresse une chasteté qui lui coûtait peu, les autres femmes lui étant devenues indifférentes, et qui l'apaisait beaucoup parce que par sa propre fidélité il cherchait à se prouver qu'elle n'est pas une vertu impossible et à se persuader que peut-être sa maîtresse la mettait en pratique comme lui. Mais je ne lui causais pas en l'interrogeant sur la légéreté certaine ou possible d'une femme ou d'une autre, le même malaise insupportable que si je lui avais parlé d'hommes débauchés ; parce que eux sans s'en rendre compte c'était toujours sa maîtresse qu'il les imaginait en train de désirer. Il m'assura que les jeunes filles étaient souvent moins farouches que je ne croyais. / — Pour Mlle de Silaria que je connais un peu, me dit-il, je n'ai presque aucun doute. Je regrette de ne pas avoir été là, je vous aurais abouchés. / J'en profitai pour lui parler d'une grande jeune fille à qui il m'avait présenté devant l'hôtel, une de ses cousines, en villégiature chez la princesse de Parme. Il me semblait impossible de confondre avec aucune autre cette majestueuse et souple nymphe de Jean Goujon ou du Primatice avec son haut diadème de cheveux blonds, son front prolongé par un nez pur, cette beauté radieuse, grecque dans la mesure où le sont des déesses de cour, affinées et hautaines que croyait emprunter à l'Antiquité l'école de Fontainebleau. Et pourtant si Montargis ne m'eût pas dit qu'elle était une de ses parentes j'aurais cru la reconnaître, l'avoir rencontrée plusieurs fois dehors dans mon quartier de Paris. Elle m'y avait frappé par quelque chose — que je ne voyais jamais aux bourgeoises comme il faut — de trop élégant et de trop négligé à la fois dans la mise — d'oisif, d'inconscient d'une foule ambiante et affinée dans la démarche — qui donnant rétrospectivement dans mon souvenir à la promenade de Paris l'air de s'y trouver comme sur une de ces promenades sortant de la ville d'une amie, en toilette de plage. Or, à Paris, cette belle fille en m'apercevant s'était arrêtée net, m'avait regardé dans les yeux, souriante, les lèvres tendues, avec une impudeur que n'aurait pas eue une cocotte. Et je l'avais vue faire de même devant un autre jeune homme. J'interrogeai donc Montargis sur sa cousine. Elle était au contraire d'une vertu revêche. — Elle est odieuse, me dit-il, si elle n'est pas encore mariée c'est qu'elle ne veut que d'une altesse ou au moins le chef d'une grande maison ducale. Mais je t'assure[1] que c'est à peine si elle dit bonjour à ma tante Villeparisis. C'est ignoble ! Elle n'a pour elle que d'être belle comme un antique et d'être austère. On ne peut pas lui refuser cela, à Claremonde. Mais elle croit que cela lui donne le droit d'être le dédain même. / En effet elle ne m'avait même pas fait un signe de tête quand Montargis m'avait présenté. / J'appris qu'il ne pouvait y avoir rien de commun entre cette jeune fille et mon inconnue de Paris. Je fus effrayé de penser aux risques qu'il y a d'identifier une image présente à une autre qui n'est plus que dans notre mémoire toujours incertaine et où nous ne pouvons ne pas apercevoir la petite différence qui eût suffi à nous détromper. Et par une bizarre coïncidence qui ne put me rejeter dans des perplexités parce que les renseignements fournis par Montargis m'avaient démontré mon erreur et donné une certitude, étant allé quelques jours après me promener seul sur la digue jusqu'à son extrémité, là où il n'y a presque plus de maisons, là où commencent les dunes du pays avoisinant, je croisai Mlle Claremonde qui se retourna trois ou quatre fois et s'arrêta même, et fit même un signe sans que j'eusse pu apercevoir les amis qu'elle avait sans doute aperçus et qui arrêtaient son attention. Montargis ne put m'accompagner dans une visite que je fis à quelque distance de Bricquebec chez le peintre Elstir dont nous avions fait tous deux connaissance. Attendant ce jour-là un de ses oncles qui devait venir passer deux ou trois jours auprès de Mme de Villeparisis, Montargis avait préféré, puisque je ne serais pas là, lui consacrer cette première après-midi pour être plus facilement excusé de passer les autres avec moi. / Mais ce n'était pas d'une façon à fait certaine que son oncle s'était annoncé ce jour-là, car très adonné aux exercices physiques, surtout à la marche, c'était en partie à pied, en couchant dans les fermes, qu'il devait faire la plus grande partie de la route, depuis le château où il était en villégiature ce qui laissait assez incertain le moment où il serait à Bricquebec. Cet oncle s'appelait Palamède, d'un prénom qu'il avait hérité des princes de Sicile dont il descendait. Et plus tard quand je retrouvais dans mes lectures historiques, appartenant à tel podestat ou tel pape, non pas un prénom semblable, mais celui-là même, belle médaille de la Renaissance, — d'aucuns disaient véritable, antique, — toujours restée dans la famille, ayant glissé de descendant en descendant depuis le Cabinet du Vatican jusqu'à l'oncle de mon ami, j'éprouvais le plaisir réservé à ceux qui ne pouvant pas faire de collections de statues ou de camées font, s'ils ont de l'imagination, faire des collections de vieux noms, noms de localité dans lesquels survit l'état ancien d'un usage ou d'une région — documentaires et pittoresques avec une carte ancienne, même cavalière, une enseigne ou un couturier,

p. 108,
1re ligne

---

1. Ici, le jeu dont nous disposons de placards Grasset 1 corrigés est provisoirement interrompu, jusqu'au texte donné dans la var. *a*, p. 799.

— vieux prénoms dans les belles finales françaises desquels résonne et *[un blanc]* comme un défaut de langue, l'intonation d'une vulgarité ethnique, la faute de prononciation législatrice et grammairienne, avec laquelle nos ancêtres villageois faisaient subir aux mots latins ou saxons des mutilations augustes et durables, — font en un mot des collections dans ces sonorités anciennes avec lesquelles je me donnais à moi-même des concerts, comme certains qui recherchent les violes de Gambe et les violes d'amour jouant de la musique d'autrefois, sur des instruments anciens. Montargis me dit que, même dans la société *[comme dans le texte définitif avec lég. var.]*

p. 109,
3ᵉ ligne

jamais présenter. Et chez le comte de Paris il était*[a]* connu sous le sobriquet du « Prince » à cause de son élégance et de sa fierté. Cet orgueil aristocratique, bien atténué paraît-il par la dévotion et les années, aurait dû particulièrement déplaire à Montargis. Mais il m'assurait que, malgré ce qu'il appelait « des idées de l'autre monde », personne n'était aussi intelligent, ni doué pour les arts que son oncle Palamède lequel vivait dans ce milieu isolé, lointain, ravissant comme un rocher de corail dans les mers australes, apparaissait à mon esprit, non avec les disparates et l'opacité d'un homme réel, mais avec la translucide homogénéité d'un personnage légendaire. Il me donnait l'idée d'une puissance, non pas seulement plus grande que celle des autres hommes comme est celle des rois, mais d'une puissance autre, particulière au noble Palamède et qui ajoutait quelque chose de si flatteur par la vanité aux images que son nom éveillait, mais en même temps restait tellement sous leur dépendance, que sous le plaisir d'imaginer ce grand seigneur, se cachait inaperçue à mes yeux, l'ambition de le connaître, laquelle par contre ne se trouvait nullement satisfaite s'il ne ressemblait pas au personnage que je m'étais figuré. / Montargis me parla de la jeunesse de son oncle[1]. Il amenait tous les jours des femmes dans une garçonnière qu'il avait avec deux de ses amis, tous deux beaux comme lui, ce qui faisait qu'on les appelait « les trois Grâces ». / — Un jour, un des hommes qui est aujourd'hui des plus en vue dans le faubourg Saint-Germain, mais qui dans sa jeunesse avait des goûts bizarres avait demandé à mon oncle de venir dans cette garçonnière. Mais voilà qu'il *[sic]* ne fut pas aux femmes mais à mon oncle qu'il se mit à faire une déclaration. Mon oncle fit *[comme dans le texte définitif avec lég. var.]* le faire renoncer. Naturellement il ne ferait plus cela aujourd'hui quoiqu'il déteste ce genre d'homme. Mais il est au contraire très bon et tu n'imagines pas le nombre de gens du peuple qu'il prend en affection, qu'il protège, quitte à être payé d'ingratitude. Ce sera un domestique qui l'aura servi dans un hôtel et qu'il placera à Paris, ou un paysan à qui il fera apprendre un métier.

a. le comte de [Chateaubriand *biffé*] [Paris *corr.*] il était *dactyl. 1, dactyl. 2*

1. Voir var. *a*, p. 109.

Il n'est pas si méchant qu'il n'en a l'air. Il paraît[1] qu'on ne peut s'imaginer comme il faisait la loi [...] se remplissaient de rafraîchissements. Si pour une pièce pour laquelle il était *p. 110,* utile de voir toute la scène, il quittait sa loge et descendait *4ᵉ ligne* à l'orchestre, c'était les fauteuils qui devenaient les places recherchées. Un été très pluvieux où il avait un peu de rhumatisme il s'était commandé un pardessus dans une vigogne souple mais chaude qui ne sert guère que pour faire des couvertures de voyage et dont il avait respecté les jolies rayures bleu et orange. Les grands tailleurs se virent commander aussitôt par leurs clients des pardessus bleus et orangés, à longs poils. Si par exemple pour une raison quelconque [...] veston. Si pour manger un gâteau il demandait une fourchette au lieu de sa cuiller, ou commandait à un orfèvre un couvert de son invention, ou se servait de ses doigts, il n'était plus permis de faire autrement. Il avait eu envie de réentendre certains quatuors de Beethoven et avait fait venir [...] musique de chambre. Ah ! je crois qu'il ne s'est pas ennuyé dans la vie. Beau comme il a été, il a dû en avoir des femmes, je ne sais d'ailleurs pas exactement lesquelles, car il est très discret. Mais je sais [...] pendant des années. Ainsi Montargis, tout en m'accompagnant à la gare où j'allais prendre le train pour aller chez Elstir, me parlait de cet oncle dont il escomptait l'arrivée. Mais il attendit en vain. Le soir quand je revins de chez Elstir, l'oncle Palamède n'était toujours pas arrivé. Le lendemain matin[2] comme je passai devant le casino en rentrant de [sic] l'hôtel, j'eus la sensation [...] nerveusement avec une badine son pantalon de toile blanche, fixait sur moi des yeux dilatés par l'attention. Par moments des regards d'une extrême activité les perçaient en tous sens comme en ont seuls devant *p. 111,* une personne qu'ils ne connaissent pas des hommes à qui, pour *1ʳᵉ ligne* une raison quelconque, elle inspire des pensées que n'auraient pas les autres, par exemple un fou ou un espion. Il lança sur moi un dernier regard à la fois hardi, prudent, rapide et profond, comme un dernier coup que l'on tire au moment de prendre la fuite, et après avoir jeté un coup d'œil tout autour de lui [...] boutonnière. Il tira de sa poche un calepin sur lequel il eut l'air de prendre en note le titre du spectacle annoncé car c'était dimanche et il y avait grande matinée, tira deux ou trois fois sa montre, [...] si quelqu'un n'arrivait pas, et fit avec la main le geste mécontent par lequel on croit [...] donner le change, il cherchait seulement par sa nouvelle attitude à exprimer l'indifférence et le détachement [...] qu'à mon insu je lui aurais infligé, [...] sa taille d'un air de fronde, *p. 112,* pinçait des [sic] lèvres, relevait [...] tantôt pour un voleur, et *1ʳᵉ ligne* tantôt pour un fou. Pourtant[3] [...] que je voyais à Bricquebec, et rassurante [...] devant l'hôtel où elle était allée chercher quelque chose quand je vis sortir Mme de Villeparisis avec Montargis et l'inconnu qui m'avait regardé si fixement devant

1. Voir var. *b*, p. 109.
2. Voir var. *a*, p. 110.
3. Voir var. *a*, p. 111.

le casino. Avec la rapidité d'un éclair son regard me traversa comme au moment où [...] le regard neutre qui paraît ne rien voir au dehors et n'est capable de ne rien lire au dedans, le regard qui n'exprime que la satisfaction de sentir autour de lui les [*un blanc*] qu'il écoute [*sic*] de sa rondeur béate [...] c'est que la véritable élégance intimide moins, est moins loin de la simplicité que la fausse ; mais ce n'était pas que cela ; d'un peu près [...] de vert sombre au pantalon s'harmonisait à la rayure des chaussettes avec un raffinement qui décelait la vivacité d'un goût [*un blanc*] ailleurs et à qui [...] le petit doigt, l'annulaire et le pouce, me tendait le troisième doigt et l'annulaire que je m'empressai de serrer sous mon [*sic*] gant

p. *113*,
1re *ligne*

de suède ; puis [...] dit celle-ci[1], voilà que je t'appelle le baron de Guermantes. Je vous présente le baron de Fleurus. Après tout l'erreur n'est pas si grande, ajouta-t-elle en riant, tu es[2] bien un Guermantes tout de même. » / Cependant ma grand-mère sortait, nous fîmes route ensemble. L'oncle de Montargis ne m'honora non seulement pas d'une parole mais même d'un regard. S'il dévisageait les gens qu'il ne connaissait pas (et pendant [...] qu'il connaissait ou qui se trouvaient avec d'autres qu'il connaissait, comme un policier en mission secrète mais qui tient ses amis en dehors de sa surveillance professionnelle. Les laissant ma grand-mère, Mme de Villeparisis et lui causer, je retins Montargis en arrière : — Dis-moi[3], ai-je bien entendu ? Madame de Villeparisis a dit à votre oncle qu'il était un Guermantes. / — Mais oui, naturellement, il est Palamède de Guermantes./ — Mais des mêmes Guermantes qui ont un château près de Combray, qui descendent de Geneviève de Brabant ? / — Mais absolument : mon oncle qui est plus héraldique que moi te répondrait que notre *cri*, notre cri de guerre, était même Combraysis, dit-il [...] actuel au château. Comment connaissez-vous donc ce château[4] ? Vous l'avez visité, ou vous connaissez peut-être les Gilbert de

1. Voir var. *a*, p. 113.
2. *Ibid.*
3. Jusque sur les placards Grasset 1 subsistent des incohérences entre le « tu » et le « vous » dans les dialogues du héros et de Montargis.
4. Sur un fragment manuscrit (*add. 14-17*) publié par Clarac et Ferré on peut lire un passage beaucoup plus détaillé qui correspond à celui qui va de « Comment connaissez-vous donc ce château ? » à « — Oui c'est un beau spectacle ». En voici le texte : « Ainsi madame de Villeparisis qui quand j'étais petit et que j'en entendais parler par ma grand-mère me semblait une vieille dame de même sorte que ses autres amies et qui était toujours restée telle pour moi, cette personne qui m'avait donné autrefois une boîte de chocolat tenue par un canard, qui maintenant ne cherchait qu'à nous faire plaisir, était une des puissantes de Guermantes. Ce changement de la valeur de ce que nous possédons, ces vieux ballots qui se trouvent d'inestimables trésors, est une des choses qui mettent le plus de merveilleux, le plus de vie, le plus de variété et, par conséquences, le plus de poésie dans l'adolescence (cette adolescence qui, tout en se rétrécissant, en n'étant plus qu'un mince filet souvent à sec, se prolonge pourtant parfois pendant tout le cours de la vie). Cette hausse ou cette dépréciation de notre richesse, cette estimation fantastiquement imprévue de nos

Guermantes, ma tante de Guermantes - La Trémoïlle qui l'habitait avant, me dit-il, soit que trouvant tout naturel qu'on connût les mêmes gens que lui, il ne se rendait pas compte

possessions, ces travestissements des gens que nous connaissons et qui font notre jeune âge aussi fabuleux que les métamorphoses d'Ovide ou même les métempsycoses hindoues, provient pour une part de l'ignorance, de l'ignorance étendue aux noms de personnes comme à toute chose. Ma grand-tante avait acheté pour une pièce de Combray de grossières toiles peintes (peut-être même n'était-ce que du papier peint) encadrées de bois café au lait, et qui représentaient des scènes de Téniers. J'avais dit de bonne foi à Bloch que nous avions une pièce décorée de Téniers. Dans le monde vague, où aucune notion < ne > s'introduisait de discrimination, qu'était pour moi la peinture, je ne voyais aucune différence entre une reproduction à cinq francs le mètre et des originaux. De même au régiment on a un capitaine qui s'appelle Lévy, un autre qui s'appelle de Lévy-Mirepoix : ces deux noms paraissent, le second un peu plus ridicule que le premier parce qu'il est plus long, mais sans cela interchangeables. Quand on est enfant, certains mots placés devant un nom semblent drôles, sauf M. l'abbé qui est respectable ; mais si Mme Galopin s'appelle Marie-Euphrosine Galopin, ou Mme de Villeparisis la marquise de Villeparisis, cela met quelque chose seulement d'un peu hétéroclite à des personnes d'ailleurs de la même farine. Car on part des impressions qu'on a reçues, et non pas des notions qui font que l'homme instruit sait ce que c'est qu'une peinture, et l'homme du monde, les Villeparisis. Pour peu que la personne se soit présentée à nos yeux sous un jour particulièrement simple — ce qui arrive particulièrement souvent avec les gens élégants —, comme Swann qui tirait le piano et envoyait des fraises pour ma grand-tante ou comme Mme de Villeparisis qui m'avait donné un canard, tout en étant pareilles aux autres modestes figurants des relations familiales, ces personnes nous semblent pourtant d'un rang un peu inférieur. Un beau jour, nous sommes stupéfaits d'entendre quelqu'un très haut, vers qui nous cherchons à nous élever, parler d'elles comme de personnes très supérieures à lui. Ainsi s'ajoute à l'ignorance, pour nous égarer, l'homogénéité dans le souvenir des impressions d'une même série, et leur hétérogénéité avec des impressions d'une autre série. Cette hétérogénéité, en effet, nous rend bien plus difficile de calculer la valeur. Pour comparer, pour soustraire, il faut d'abord réduire en qualités de même nature. Ceux qui partent de notions le peuvent. L'enfance, enfermée dans ses impressions, ne le peut pas. Mme de Villeparisis, vieille relation familiale, moins intimidante et brillante que l'opticien, était plus éloignée du « côté de Guermantes » que si elle avait été enfermée dans le « côté de Méséglise ». Mais ces différences de nature, si elles rendent l'évaluation des valeurs impossible, sont de grandes sources de poésie (d'autant plus que ces croyances de notre jeunesse, comme les forces qui ont besoin d'espace pour se déployer, jouent sur les belles et vastes surfaces du temps étalé derrière nous). Quand nous apprenons que le capitaine bon garçon qui — non content d'être gentil avec nous tous les jours — avant que nous finissions notre temps, nous a invités à déjeuner, et que nous traitions avec moins d'égards que le capitaine Lévy, était le beau-frère du duc de Fezensac (une fois que nous avons des notions et que nous savons qui est ce dernier), cela prend une sorte de charme poétique, ce vif déplacement — comme d'un rayon bougeant du bout de l'horizon — < de > ce personnage qui glisse rapidement du milieu vulgaire et charmant où nous l'avions toujours situé, dans un monde si différent. Il était devenu presque irréel, comme tout ce que nous avons connu dans un certain

que j'étais d'un autre milieu ou par politesse, faisait semblant
de ne pas s'en rendre compte./ — Non... mais... j'ai entendu
p. 114, parler de ce château. Il y a là tous les bustes des anciens
3ᵉ ligne seigneurs de Guermantes, n'est-ce-pas ?/ — Oui, c'est un beau
spectacle, dit ironiquement Montargis, moitié par modestie,
puisqu'il était à mon grand étonnement parent des Guermantes, moitié à cause de son indifférence sincère, voire de
son préjugé hostile à tout ce qui concernait la noblesse. Il y
a, ce qui est plus intéressant ! un superbe portrait de ma tante
par Carolus Duran et de magnifiques dessins de Delacroix.
Ma tante ¹ est la nièce de votre amie Mme de Villeparisis, elle
a été élevée par elle, et a épousé son cousin qui était neveu
aussi de ma tante Villeparisis, le duc de Guermantes actuel.
Et alors qui est ton oncle ² ? Il porte le titre de baron de
Fleurus. [...] Mais mon oncle a sur la noblesse des idées
particulières. Et comme il trouve qu'on abuse un peu des
duchés italiens, grandeurs espagnoles et jusqu'à des titres de
page, et bien qu'il eût le choix entre quatre ou cinq titres de
prince, il a gardé celui de baron de Fleurus, par protestation.
[...] incognito. » Il vous prouvera du reste qu'il n'y a pas de
titre plus anciens, bien qu'il est *[sic]* antérieur à celui des
Montmorency qui se disaient faussement les premiers barons
de France. Mais, ajouta Montargis, vous n'allez pas me faire
p. 115, parler généalogie. Il n'y a rien qui m'assomme autant./
1ʳᵉ ligne Je reconnaissais³ maintenant dans le regard qui m'avait fait

pays où nous ne sommes par retournés, dans une vie spéciale qui s'est
enclavée trois ans dans notre vie si différente, comme nos officiers de
régiment, comme auparavant les bonnes gens de Combray. Apprendre
que ces gens, différents des gens réels comme des compères de féerie,
le samedi, leur uniforme ou leur tenue de campagne enlevée, prenaient
le train et allaient dîner chez Mme de Pourtalès, comme cela rend
soudain amusant pour nous de connaître Mme de Pourtalès, comme
nous voudrions la faire parler d'eux ! Mais ce qu'elle nous dira ne
pourra pas plus nous renseigner que ce que nous demandons à des
gens qui ont connu les personnages réels d'après lesquels ont été faits
Mme Bovary ou Frédéric Moreau. Comment ces renseignements
pourraient-ils élucider un charme intérieur qui tient à un certain écart
du souvenir et à certaines transformations de la réalité ? Ainsi
Saint-Loup aurait-il pu me parler indéfiniment de sa famille sans m'aider
à approfondir le plaisir que j'avais que, tout d'un coup, d'une prison
familiale et bourgeoise envolée comme dans une féerie, Mme de
Villeparisis délivrée passât — ou plutôt (tel l'enchantement avait été
rapide) fût venue m'attendre — du côté de Guermantes.
« Mais comment connaissez-vous le château de Guermantes ? me
dit Saint-Loup. Vous l'avez visité, ou vous connaissiez peut-être les
Gilbert de Guermantes, ma tante de Guermantes-la-Trémoïlle qui
l'habitait avant ? me dit-il, soit que, trouvant tout naturel qu'on connût
les mêmes gens que lui, il ne se rendît pas compte que j'étais d'un
autre milieu, ou, par politesse, fît semblant de ne pas s'en rendre
compte. / — Non... mais... j'ai entendu parler de ce château. Il y a
là tous les bustes des anciens seigneurs de Guermantes, n'est-ce pas ?
— Oui, c'est un beau spectacle [...] »

1. Voir var. *a*, p. 114.
2. Voir var. *b*, p. 114.
3. Voir var. *a*, p. 115.

retourner tout à l'heure près du Casino celui que j'avais vu fixé sur moi à la Frapelière au moment où Mme Swann avait appelé Gilberte./ — Mais est-ce que votre oncle ne passe pas pour avoir été l'amant de Mme Swann ?/ — Oh ! pas du tout ! [...] Je n'osai lui répondre que j'aurais causé bien plus d'étonnement à Combray si j'avais eu l'air de ne pas le croire./ Ma grand-mère fut enchantée de M. de Fleurus. Sans doute elle avait remarqué l'importance qu'avaient pour lui les questions de naissance et de situation mondaine, mais précisément parce qu'elle n'y en attachait elle-même aucune, elle l'avait remarqué sans rien de cette sévérité où il y avait souvent une secrète envie et l'irritation de voir un autre se réjouir d'avantages qu'on voudrait et qu'on ne peut posséder. Comme au contraire ma grand-mère qui était contente de son sort et ne regrettait nullement de ne pas vivre dans une société plus brillante ne se servait pour observer les travers de M. de Fleurus que de son intelligence, que dans le jugement qu'elle portait sur eux, son caractère ne l'intéressait pas, qu'il en restait extrêmement détaché, elle parlait de l'oncle de Montargis avec cette absence de mauvaise humeur, cette bienveillance souriante, presque sympathique, avec laquelle nous récompensons l'objet de notre observation désintéressée du plaisir que celle-ci nous procure, et d'autant plus que cette fois l'objet était un personnage dont elle trouvait les prétentions légitimes, du moins pittoresques, qui étaient amusantes pour elle par la façon dont il tranchait sur les personnes qu'elle avait habituellement l'occasion de voir. Mais c'était surtout en faveur de l'intelligence et de la sensibilité qu'on sentait en lui, qu'elle avait aisément pardonné à M. de Fleurus un préjugé aristocratique qui d'ailleurs chez lui ne s'opposait pas à elle comme chez ces nobles que raillait Montargis que pourtant il ne leur avait pas non plus sacrifiées mais qu'il avait plutôt conciliées avec elles. Possédant, comme descendant des ducs de Nemours, des princes de Lamballe, de la Trémoïlle et de Choiseul, des archives, des meubles, des tapisseries, des portraits faits pour *p. 116,* ses aïeux par Raphaël, par Velasquez, par Boucher, pouvait *1ʳᵉ ligne* dire justement qu'il « visitait » un musée et une incomparable bibliothèque rien qu'en parcourant ses souvenirs de famille. Il avait à cause de tout ce qu'elles ont de précieux pour l'imagination replacé au rang où son neveu l'avait déchu l'héritage de l'aristocratie française. Peut-être aussi moins idéologue que son neveu, se payant moins de mots, plus réaliste observateur des hommes, ne voulait-il pas négliger un élément essentiel de prestige sur eux et qui, s'il donnait à son imagination des jouissances désintéressées pouvait être souvent pour son action utilitaire un mobile puissant. Le débat reste éternellement ouvert entre les hommes de cette sorte et ceux qui obéissent à l'idéal intérieur qui les pousse à renoncer à leurs propres avantages pour chercher à le réaliser, artistes qui renoncent leur virtuosité, peuples artistes qui se modernisent en peuples guerriers qui rêvent de désarmements et gouvernements, qui se font démocratiques ou législations humaines, de

même que la réalité employée à leur rêve en faisait perdre
aux uns leur talent, aux autres leur prestige séculaire [1], en
multipliait les guerres, les crimes, les tyrannies, même un peu
d'une esthétique. Si le goût de M. de Fleurus était *[un blanc]*,
il semblait fermé à l'art moderne que depuis le romantisme
il considérait comme en décadence, il était permis de nommer
cette étroitesse plus avisée que l'effort de l'émancipation
qu'avait fait Montargis si l'on en jugeait sur les résultats
extérieurs, sur l'hôtel où M. de Fleurus avait transporté une
grande partie des admirables boiseries de l'hôtel Guermantes,
au lieu de les échanger comme avait fait son neveu pour celles
qu'il avait possédées contre un mobilier modern style et des
statues polychromes de Gérôme. À quelques femmes [...] nos
jours qui le laisseraient indifférent. Chacune des femmes à côté

p. 117,   d'une jolie bourgeoise était pour lui ce qu'est à une toile [2]
2e ligne   contemporaine [...] par conséquent nous rappelle des connais-
             sances [...] érudition. M. de Fleurus se félicitait [...] sang moins
noble, les offrait intacts à son admiration, dans leur noblesse
inaltérée, comme telle façade du XVIIIe siècle soutenue par
ses colonnes plates de marbre rose et à laquelle les temps
nouveaux n'ont rien changé. Enfin M. de Fleurus célébrait des
êtres à qui le préjugé plus grossier mais plus innocent d'un
noble qui ne regarde qu'aux quartiers et ne se soucie pas du
reste, eussent *[sic]* semblé trop ridicule et particulièrement
pour ma grand-mère toujours sans défense [...] comme
précepteurs. / Mme de Villeparisis emmena son neveu faire
une petite promenade. Quoique ce fût dimanche [...] voiture

p. 118,   pour aller chez le *[un blanc]*, et elle se contentait de rester
4e ligne   dans sa chambre. / — Est-ce que Mme Bruland est souffrante ?
[...] soir. Je lui ai persuadé de descendre. Cela ne peut que
lui faire du bien. / Quand Mme de Villeparisis en rentrant
de sa promenade nous fit demander à la fin de la journée de
venir prendre le thé avec M. de Fleurus, je pensai que s'étant
peut-être aperçu de l'impolitesse qu'il avait marqué à mon
égard elle avait voulu lui donner l'occasion de la réparer. Mais [3]
quand dans le petit salon de son appartement où elle nous
reçut je voulus saluer M. de Fleurus, j'eus beau tourner autour
de lui qui faisait un récit d'une voix aiguë à Mme de
Villeparisis, je ne pus pas attraper son regard ; [...] alors que
ses yeux en effet qui n'étaient jamais fixés [...] boniment et
montrent leur marchandise illicite, scrutent cependant sans

p. 118,   tourner la tête, les différents points de l'horizon par où pourrait
11e ligne   venir la police. / Sans doute s'il n'y avait pas eu ces yeux [4],
en bas de   le visage et le corps de M. de Fleurus étaient semblables
page   au visage et au corps de beaucoup de beaux hommes et
             même je m'imaginais un « grand seigneur » comme un
p. 120,   être si différent des autres que j'avais été déçu de voir M. de
1re ligne   Fleurus avoir une taille élancée, un profil régulier et de fines

1. Voir var. *a*, p. 116.
2. Voir var. *a*, p. 117.
3. Voir var. *a*, p. 118.
4. Voir var. *a*, p. 119.

moustaches de la même façon que beaucoup d'autres gens que j'avais vus ou que je connaissais. Je pensais que seul ce grand seigneur faisait exception parmi les autres en revêtant le corps d'un homme quelconque. Et quand Montargis en me parlant d'autres Guermantes me dit : « Dame, ils n'ont pas l'air [...] particulière, je sentis s'envoler une de mes illusions. Mais ce visage semblable à d'autres, auquel une légère couche de poudre donnait un peu l'aspect d'un visage de théâtre, M. de Fleurus avait beau en fermer hermétiquement l'expression, ces yeux étaient comme une lézarde, une meurtrière que seule il n'avait pu boucher et par laquelle, selon les mouvements qu'il faisait, ou le point où on se plaçait, on se sentait brusquement croisé du reflet de quelque engin qui semblait en équilibre instable et n'avait rien de rassurant, même pour celui qui, sans en être absolument maître, le portait en soi[1], à l'état d'équilibre instable et toujours sur le point d'éclater ; et l'expression circonspecte, incessante et inquiète de ces yeux, avec toute la fatigue qui, autour d'eux, jusqu'à un cerne très bas descendu, en résultait pour le visage, si bien composé et arrangé qu'il fût, faisait penser à quelque incognito, à quelque déguisement d'un homme puissant ou seulement dangereux, mais tragique. J'aurais voulu deviner quel était ce secret que ne portaient pas en eux les autres hommes et qui m'avait rendu son regard si énigmatique quand [...] voleur, ni avec ce que j'entendais de sa conversation, que ce fût celui d'un fou. S'il était si froid avec moi, alors qu'il était si aimable avec ma grand-mère, cela ne tenait peut-être pas à une antipathie personnelle contre moi car d'une[2] manière générale, autant il était bienveillant pour les femmes, des défauts de qui il parlait sans se départir d'une grande[3] indulgence [...] De deux ou trois qui étaient de la famille ou de l'intimité de Montargis et dont Montargis cita par hasard le nom, il dit avec une expression [...] disait-il avec mépris. Mais qui n'eût pas semblé efféminé, jugé d'après la vie qu'il voulait que menât un homme et qu'il ne trouvait jamais assez virile ? (lui-même racontait que dans ses voyages à pied, après des heures de marche, il se jetait brûlant[4] dans des rivières glacées.) Il n'admettait même pas qu'un homme portât une seule bague. Et je remarquai que même autour de cet annulaire qu'il savait tendre il n'y en avait aucune. Mais[5] ce parti pris de virilité[6] ne [...] vrai, c'est par là que les lettres de Mme Sévigné sont vraiment profondes, humaines. C'était du reste [...] seule avec sa fille. / — Mais une fois seule avec elle, elle n'avait rien à lui dire, répondit Mme de Villeparisis. — Certainement si ; fût-ce de ce qu'elle appelait « choses si légères qu'il n'y a que vous et moi qui les remarquons *[sic]* ». Et même si elle n'avait

p. 121,
1ʳᵉ ligne

p. 122,
1ʳᵉ ligne

1. Voir var. *a*, p. 120.
2. Voir var. *b*, p. 120.
3. Voir var. *c*, p. 120.
4. Voir var. *a*, p. 121.
5. Voir var. *b*, p. 121.
6. Voir var. *c*, p. 121.

rien à lui dire, elle était du moins près d'elle. La Bruyère nous dit [...] ajouta M.de Fleurus d'une voix mélancolique [...] que d'autre *[sic]*. Elle a en somme passé [...] d'un ton plus péremptoire et presque tranchant [...] son Dieu. Ses démarcations trop étroites que nous traçons autour de l'amour viennent seulement de notre grande ignorance de la vie. Ces réflexions[1] sur la tristesse qu'il y a à vivre loin de ce qu'on aime (qui devaient le même soir amener ma grand-mère à me dire que M. de Fleurus comprenait autrement bien certaines œuvres que Mme de Villeparisis, et surtout avait quelque chose qui le mettait bien au-dessus de la plupart des gens de club souvent grossiers, et lui donnait des intuitions presque féminines), il n'y laissait pas seulement paraître une délicatesse de pensée

p. 123,
1ʳᵉ ligne

que montrent [...] moment où il parlait de ces sentiments si fiers, sur des notes hautes, prenait une douceur imprévue et semblait contenir des chœurs de sœurs, de mères, de fiancées, qui répandaient leur tendresse. Mais la nichée de jeunes filles que M. de Fleurus, avec son horreur [...] de fines mouches. / — Mon Dieu, j'aurais pu vous faire aller dans le Château qui vous intéresse, dit-il à ma grand-mère, quand il y avait encore des Montmorency, mais leur famille est éteinte. / — Tu es aimable pour ton cousin le duc de Montmorency, dit Montargis. — Ah ! permets, je parlais des Montmorency, des membres de la famille de Montmorency. Le charmant homme auquel tu fais allusion ne sachant probablement pas quel nom prendre et réfléchissant qu'il n'y avait plus de Montmorency, a trouvé sans inconvénient d'arborer le nom de cette station de la ligne du Nord. Il avait peut-être une maison de ce côté-là, on ne sait jamais ! ajouta-t-il en rentrant pudiquement dans sa poche un mouchoir brodé dont il venait d'apercevoir que le liséré de couleur dépassait, avec la mine effarouchée d'une femme pudibonde, mais point innocente, cachant des appâts[2] que par excès de scrupules elle jugeait indécents. / Toujours est-il, ajouta-t-il en se tournant vers ma grand-mère, que les propriétaires de ce château dont vous me parliez montrent en ce moment combien ils étaient peu dignes de le posséder, car ils vont le vendre, et malheureusement il est à craindre que ce soit des gens plus indignes encore qui vont l'acheter. En tout cas, je ne veux plus rien savoir d'une demeure sotte et infidèle qui s'est laissée vendre à de tels gens et défigurer par eux. Je ne veux plus avoir rien de commun avec elle qu'avec une belle cousine Avaray qui a mal tourné et qui n'est plus belle. Mais je garde le portrait de la maison comme celui de la cousine, et je regarde souvent ces beaux traits que j'ignoraient encore la trahison. Je ne vais pas jusqu'à le porter sur moi mais je pourrai vous en faire donner communication. La photographie acquiert un peu de la dignité qui lui manque quand elle nous montre des choses qui n'existent plus. Il raconta qu'une demeure qui avait appartenu à sa famille, où

1. Voir var. *a*, p. 122.
2. Voir var. *b*, p. 123.

Marie-Antoinette avait passé, dont le jardin était de Lenôtre, appartenait maintenant aux riches financiers Gebzeltern qui l'avaient achetée. / — Avoir été la demeure des Guermantes et appartenir aux Gebzeltern !! s'écria-t-il. Ces gens ont commencé par détruire le jardin et le remplacer par un jardin anglais. Une personne qui détruit un jardin de Lenôtre est aussi coupable que celle qui lacère un tableau de Poussin. Pour cela, les Gebzeltern devraient être en prison. Il est vrai, ajouta-t-il en souriant [...] est du style du Trianon, dit Mme de Villeparisis, et Marie-Antoinette y a bien fait un jardin anglais. — Qui dépare entièrement la façade de Gabriel, dit M. de Fleurus. Évidemment [...] une fantaisie de Mme Gebzeltern ait [...] me coucher, malgré les prières de Montargis qui, à ma grande honte, avait fait allusion devant M. de Fleurus — qui avait dû trouver cela bien peu viril — à la tristesse que j'éprouvais souvent le soir avant de m'endormir. Je tardai encore un peu, puis m'en allai, et je fus bien étonné quand un peu après, ayant entendu frapper à ma porte et ayant demandé qui était là, j'entendis la voix de M. de Fleurus qui disait d'un ton sec : / — C'est Fleurus. Puis-je entrer, monsieur ? Monsieur, me dit-il, du même ton, mon neveu disait tout à l'heure que vous étiez un peu ennuyé avant de vous endormir, et d'autre part que vous admiriez les livres de Bergotte. Comme j'en ai un dans ma malle que vous ne connaissez probablement pas, je vous l'apporte pour vous aider à passer ces moments où vous ne vous sentez pas content. Je remerciai M. de Fleurus avec émotion et lui dis que j'avais au contraire eu peur que ce que Montargis lui avait[1] dit de mon malaise à l'approche de la nuit, m'eût fait paraître à ses yeux plus stupide encore que je n'étais. / — Mais non, répondit-il d'un ton plus doux. Vous n'avez peut-être pas de mérite personnel, si peu d'êtres[2] en ont ! [...] tristesses ne sont pas cruelles, je sais [...] en quels termes le faire. Quelques minutes se passèrent ainsi, puis, de sa voix redevenue cinglante, il me jeta : « boujour, monsieur » et partit. / Aussi après tous les sentiments élevés que je lui avais entendu exprimer fus-je bien étonné le lendemain matin qui était le jour de son départ, sur la plage, au moment où j'allais prendre mon bain, comme M. de Fleurus s'était approché de moi pour m'avertir que ma grand-mère m'attendait aussitôt que je serais sorti de l'eau, de l'entendre me dire, en me pinçant le cou, avec une familiarité et un rire vulgaires : / — Mais on s'en fiche bien de sa vieille grand-mère, hein ? petite fripouille ! / — Comment, monsieur, je l'adore, je n'aime rien tant qu'elle au monde. / Monsieur[3], me dit-il en s'éloignant [...] votre costume de bain. Vous me faites apercevoir [...] Bonsoir, monsieur[4]. » / Sans doute eut-il regret de ces paroles, car

p. 124,
1ʳᵉ ligne

p. 125,
4ᵉ ligne

p. 126,
1ʳᵉ ligne

1. Voir var. *a,* p. 124.
2. Voir var. *b,* p. 124.
3. Voir var. *a,* p. 126.
4. Voir var. *b,* p. 126.

p. 126,
4ᵉ §,
1ʳᵉ ligne
p. 144,
3ᵉ §,
1ʳᵉ ligne

quelque temps après je reçus dans une reliure sur laquelle mes initiales étaient entourées d'une branche de myosotis, le livre de Bergotte qu'il m'avait prêté et que je lui avais fait rapporter au moment de son départ. / Quand quelques jours[1] après le départ de M. de Fleurus ma grand-mère me dit d'un air joyeux que Montargis venait de lui demander si avant qu'il quittât Bricquebec elle ne voulait pas qu'il la photographiât, [...] de cet enfantillage, de cette coquetterie qui m'étonnait tellement de sa part. J'en arrivais même à me demander si je ne m'étais pas trompé sur ma grand-mère, si je ne la plaçais pas trop haut, si elle était aussi détachée que j'avais toujours cru de ce qui la concernait personnellement. Cette semaine-là, je ne pus pas plus l'avoir à moi le jour que le soir. Si je rentrais pour être un peu seul avec elle, on me disait qu'elle n'était pas là, ou bien elle s'enfermait avec Françoise pour de longs conciliabules qu'il ne m'était pas permis de troubler. Malheureusement je laissai apercevoir le mécontentement que me causa le projet de photographie et surtout la satisfaction puérile que ma grand-mère paraissait en ressentir, pour que Françoise le remarquât et s'empressât involontairement de l'accroître par la façon sentimentale et attendrie dont elle me parla et à laquelle je ne voulus pas avoir l'air d'adhérer. / « Oh ! Monsieur, cette pauvre Madame qui sera si heureuse qu'on tire son portrait, et qu'elle va même mettre le chapeau que sa vieille Françoise lui a arrangé, il faut la laisser faire, Monsieur. » / Je me convainquis que je n'étais pas cruel de me moquer de la sensibilité de Françoise, en me rappelant que ma mère et ma grand-mère, mes modèles en tout, en souriaient elles-mêmes aussi. Mais ma grand-mère s'aperçut aussi que j'avais l'air ennuyé, si bien qu'elle me dit que si cela pouvait me contrarier elle renoncerait à ce projet. Je ne le

p. 145,
1ʳᵉ ligne

voulus pas, je l'assurai que je n'y voyais aucun inconvénient et la laissai se faire belle mais crus faire preuve de finesse et de puissance en ajoutant quelques paroles désagréables destinées à neutraliser le plaisir qu'elle semblait trouver à être photographiée, de sorte que si je fus contraint de voir son magnifique chapeau, je réussis du moins à faire disparaître de son visage cette expression joyeuse qui aurait dû me rendre heureux et qui, comme il arrive trop souvent tant que sont encore en vie les êtres que nous aimons le mieux, nous apparaît comme la manifestation de travers mesquins que nous détestons et cherchons à détruire plutôt que comme la forme précieuse du bonheur que nous voudrions tant leur procurer. Le point de départ de ma mauvaise humeur venait surtout de ce que cette semaine-là ma grand-mère avait paru une fois et que je n'avais pas pu l'avoir un instant à moi. Quand je rentrais

---

1. On notera que le passage qui va de « Une fois M. de Charlus parti » (p. 126, dernier §, 1ʳᵉ ligne) à « qu'elle lui avait pardonné » (p. 138, premier §, dernière ligne) ne figurait pas sur les placards Grasset 5 (ni sur les états antérieurs à ces placards). Il a, vraisemblablement, été ajouté par Proust entre 1914 et 1917.

dans l'après-midi pour être un peu seul avec elle, on me disait qu'elle n'était pas là ; ou bien elle s'enfermait avec Françoise pour de longs conciliabules qu'il ne m'était pas permis de troubler. Et quand ayant passé la soirée dehors avec Montargis, je songeais pendant le trajet de retour au moment où j'allais avoir à retrouver et à embrasser ma grand-mère, j'avais beau attendre qu'elle frappât contre la cloison ces petits coups qui me diraient d'entrer lui dire bonsoir, je n'entendais rien et finissais par me coucher, en larmes et lui en voulant un peu de cette indifférence nouvelle avec laquelle elle me privait ainsi d'une joie dont j'avais tant besoin, sur laquelle j'avais tant compté et je m'endormais dans les larmes[1].   *états ant., plac. Gt 5*

b. émouvoir son fils à faire venir *[p. 107, 6ᵉ ligne en bas de page]* l'instrument. [...] Ce jour-là   *Sur l'épreuve Gallimard, le passage compris entre ces mots est composé de paragraphes similaires — à quelques variantes de détail près que nous signalons en leur lieu — au texte définitif mais qui se succèdent dans un ordre différent. Ce passage se présente ainsi :   Mais le temps matériel manqua, car nous vînmes dîner deux jours après. Or je compris [p. 126, 10ᵉ ligne en bas de page] pendant cette petite fête [...] premiers jours et qu'elle lui avait [p. 138, 1ᵉʳ §, dernière ligne] pardonné. Or la sincérité [...] forçaient à faire beaucoup plus de [p. 144, 2ᵉ §, dernière ligne] chemin. Et une fois il me chargea d'aller mettre une dépêche à Incarville où était le bureau du télégraphe et où il ne pouvait se rendre en personne, attendant ce jour-là un de ses oncles qui devait venir passer quarante-huit heures auprès de Mme de Villeparisis. Comme très adonné [p. 108, 1ᵉ ligne] aux exercices physiques [...] « de sortie », mais par [p. 126, avant-dernier §, dernière ligne] le liftier. / Quand quelques jours après [p. 144, 3ᵉ §, 1ʳᵉ ligne], le départ de M. de Charlus, ma grand-mère me dit [...] m'endormais dans les larmes*ᵈ.   ◆◆   *c.* les autres dans l'hôtellerie concurrente du Grand-Hôtel, des jeunes   *plac. Gt 5 add. 14-17*[2] : les autres [dans l'hôtellerie concurrente du Grand-Hôtel *biffé*] [chez le glacier *corr.*], des jeunes   *épr. Gd*

1. Au début de septembre 1905, Mme Adrien Proust, malade, séjournait avec son fils à Évian. Proust s'en souviendra dans une lettre à Mme Catusse : « [...] elle voulait et ne voulait pas être photographiée, par peur d'une mauvaise photographie et par peur qu'elle fût trop triste » (vers novembre 1910, *Correspondance*, t. X, p. 215).

2. Ici commence ce qu'on peut presque considérer comme la troisième partie d'*À l'ombre des jeunes filles en fleurs*, celle qui justifiera le titre de l'épisode. Dans l'édition originale, on trouve après « dans les larmes » trois astérisques.

a. m'endormais dans les larmes. Si je rentrais parce que   *états ant., plac. Gt 5. Voir la dernière note de la variante a, p. 145.*

1. Après ces mots, on lit sur les placards Grasset 5, le passage qui commence par « Si je rentrais parce que,» et qui se situe page 156 (voir var. *a* de cette page). Le texte qui va de « Ce jour-là » (p. 145, 2ᵉ §, 1ʳᵉ ligne), à « vers laquelle il navigue » (p. 156, 1ᵉʳ §, dernière ligne) figure sur l'épreuve Gallimard. Il a vraisemblablement été ajouté par Proust entre 1914 et 1917.

2. Pour cette variante et les variantes suivantes, jusqu'à la variante *b*. p. 155, voir la variante *a*, p. 156.

Page 146.

a. les plus jolies femmes que la vie *plac. Gt 5 add. 14-17, épr. Gd* ➡ *b.* curiosité). Aussi j'aurais voulu aller observer celles plus inconnues qui en ce moment même dansaient au Casino et goûtaient à l'hôtellerie. J'aurais osé entrer dans l'un, puis dans l'autre, si *plac. Gt 5 add. 14-17* : curiosité). [Aussi j'aurais *[comme dans plac. Gt 5 add. 14-17]* dans l'autre *biffé*] [J'aurais osé entrer dans la salle de bal *corr.*], si *épr. Gd* ➡ *c.* d'oiseaux. Deux de ces inconnues poussaient devant elles, de la main, leur bicyclette ; une autre tenait des « clubs » de golf ; *plac. Gt 5 add. 14-17. Les corrections portées par Proust sur l'épreuve Gallimard aboutissent au texte définitif.*

1. On peut songer au bicycliste que voit Jean Santeuil dans le chemin de fer qui va de Pont-l'Abbé à Penmarch, silhouetté un peu à la manière dont le sera plus tard Albertine, la bicycliste d'*À l'ombre des jeunes filles en fleurs* : « De temps en temps Jean ne pouvait s'empêcher de jeter les yeux sur la plate-forme où le jeune bicycliste fixant sur l'horizon son œil grave et découpant sur le ciel gris, le long de l'appui de fer, son délicat profil, gelait au vent » (*Jean Santeuil*, éd. citée p. 378). — En 1897, on compte en France plus de quatre cent mille bicyclettes mais toutes comportent la tringle horizontale qui paraît les destiner aux hommes. Que des femmes de plus en plus nombreuses les enfourchent pose le délicat problème de leur tenue vestimentaire. Ainsi, dans une grande enquête menée sur la passionnante question de savoir si la culotte est plus adéquate que la jupe pour pratiquer cet exercice, Sarah Bernhardt n'hésite pas à déclarer : « Toutes ces jeunes femmes, toutes ces jeunes filles qui s'en vont dévorant l'espace renoncent pour une part notable à la vie intérieure, à la vie de famille », tandis que pour Mlle Wanda de Boucza, de l'Odéon, « la bicycliste constitue un troisième sexe » (C. de Loris, *La Femme à bicyclette. Ce qu'elles en pensent*, Librairies-imprimeries, Paris, 1896).

Page 147.

a. obtenir, quand on sort [...] arrêté, on préfère *plac. Gt 5 add. 14-17, épr. Gd* : obtenir, quand il sort [...] arrêté, préfère *orig. Nous rétablissons* il *, manifestement oublié par l'imprimeur.*

Page 148.

a. géranium ; une troisième que par un nez droit dans un visage presque mulâtre ; et même *plac. Gt 5 add. 14-17, épr. Gd* ➡ *b.* beauté collective, multiforme et mobile. / Ce n'était *plac. Gt 5 add. 14-17, épr. Gd* ➡ *c.* ces amies qu'on sentait inséparables, les avait *plac. Gt 5 add. 14-17,* : ces amies [qu'on sentait inséparables *biffé*], les avait *épr. Gd*

Page 149.

   a. ajoutée celle *[6ᵉ ligne de la page]*, de l'intelligence, produit *[9ᵉ ligne de la page]* naturellement [...] de ruse. Ce milieu social, cette culture physique ont alors la fécondité harmonieuse de la sculpture des époques qui ne recherchent pas encore l'expression tourmentée. Et n'était-ce *plac. Gt 5 add. 14-17. Les corrections portées par Proust sur l'épreuve Gallimard aboutissent au texte définitif.* ➤ *b.* leur bande si distincte qui progressait *plac. Gt 5 add. 14-17, épr. Gd* ➤ *c.* jugé la foule environnante comme des êtres d'une autre race *plac. Gt 5 add. 14-17, épr. Gd* : jugé que la foule environnante était composée des êtres d'une autre race[1] *orig. Nous substituons* d' *à* des *.* ➤ *d.* femme du premier président, après *plac. Gt 5 add. 14-17* : femme [du premier président *biffé*] [d'un vieux banquier *corr.*], après *épr. Gd*

   1. Sur le Cahier 34, Proust avait écrit : « [...] soit grâce à la fortune et au loisir, ou aux modes nouvelles du sport, si elles n'étaient que des filles de boutiquiers formant une sorte d'équipe pour des championnats féminins [...] » (fᵒ 33 rᵒ).

Page 150.

   a. en un conciliabule irrégulier, compact, insolite et piaillant, comme d'oiseaux qui s'assemblent au moment de s'envoler, puis *plac. Gt 5 add. 14-17* : en [un conciliabule irrégulier *biffé*] [un agrégat de forme irrégulière *corr.*], compact, insolite et piaillant, comme [un conciliabule *corr.*] d'oiseaux qui s'assemblent au moment de s'envoler [, *biffé*] [; *corr.*] puis *épr. Gd* : en un conciliabule, un agrégat de forme irrégulière, compact, insolite et piaillant, comme des oiseaux qui s'assemblent au moment de s'envoler ; puis *orig. Les corrections manuscrites de l'épreuve Gallimard ont été mal comprises par l'imprimeur ; l'addition marginale d'*« un conciliabule » *est en effet placée de manière équivoque.* ➤ *b.* au milieu des autres, comme placée là par la fantaisie d'un Rubens, d'une autre au nez busqué de jeune homme, grande, *plac. Gt 5 add. 14-17. Les corrections portées par Proust sur l'épreuve Gallimard aboutissent au texte définitif.*

   1. Cet « exploit » sportif ne conviendrait-il pas mieux à un jeune garçon ? M. Plantevignes se souvient d'une jeune fille inconnue qui, à Cabourg, aurait sauté du kiosque à musique par-dessus les personnes assises en bas (*Avec Marcel Proust,* Nizet, 1966, p. 78). Sur Andrée, auteur de l'exploit, voir n. 1, p. 295, mais aussi *Le Côté de Guermantes,* p. 363.
   2. Juliette Hassine rapproche judicieusement ce passage du poème de Baudelaire « Le Beau Navire » (*Essai sur Proust et Baudelaire,* Nizet, 1979, p. 176).

   1. Le texte de l'épreuve Gallimard est différent de celui de l'édition originale. Proust a dû porter ses corrections sur un état intermédiaire que nous ne possédons pas.

Page 151.

1. Sur les épreuves Gallimard, le typographe a imprimé ici par erreur, en l'intégrant au texte, une note de Proust à usage personnel, comme on en trouve si fréquemment dans les cahiers de brouillon : « Bien préciser qu'Andrée est celle qui saute par-dessus le premier président ; la collante celle qui dit : "C'pauvre vieux" ; et qu'Albertine ne m'intéresse qu'en tant que pouvant me présenter aux autres et surtout à ces deux-là. » En définitive, tout cela n'est pas tellement précisé dans le texte définitif. Cette note a été évidemment rayée par Proust sur les épreuves.

Page 152.

a. télescope, dans la planète Mars, il est *plac. Gt 5 add. 14-17, épr. Gd*

1. Peut-être Proust a-t-il songé à *La Péri*, poème dansé de Paul Dukas créé par Natalia Trouhanova et les Ballets russes, à Paris, en 1912 ? Messagère du paradis, la Péri (sorcière de la cosmogonie iranienne) rejoint son royaume après avoir séduit le prince Iskander qui lui avait ravi la fleur de lotus, laquelle donne l'immortalité.

Page 153.

a. en relations avec elle d'abord, avec la planète Mars qu'avec le soleil), car elle me présenterait aux autres, à l'impitoyable *plac. Gt 5 add. 14-17* : en relations avec elle d'abord [, avec la planète Mars qu'avec le soleil *biffé*], car elle me présenterait [aux autres *biffé*] à l'impitoyable *épr. Gd ↔ b. Voir la variante a, p. 154.*

Page 154.

a. l'inséparable *[p. 153, 2ᵉ §, 18ᵉ ligne]* compagne. [Et cependant, [...] que si devant quelque *[p. 153, 11ᵉ ligne en bas de page]* frise attique ou quelque *[...]* que nous fréquentons *corr.*[1]] finissent *épr. Gd ↔ b.* ces jeunes filles, retirées de l'élément qui leur donnait tant de nuances et de vague, m'eussent *plac. Gt 5 add. 14-17, épr. Gd*

Page 155.

a. transparent et *[p. 154, 1ᵉʳ §, dernière ligne]* mobile azur. [Ces jeunes filles [...] avait pour elle *[p. 154, dernier §, 1ʳᵉ ligne]* de n'être un extrait de la fuite *[...]* corps de la femme *corr.*[2]] ceux que j'avais *épr. Gd.* Le texte de l'édition originale est similaire à celui de l'épreuve Gallimard. Nous adoptons la correction de Clarac et Ferré qui ajoutent qu' devant un

1. Le passage entre crochets figure, dans l'épreuve Gallimard, sur un papier collé qui masque le texte primitif — peut-être peu différent de la version définitive — écrit par Proust entre 1914 et 1917. Pour les états antérieurs, voir la variante a, p. 156. On notera que Proust a écrit de sa main « frise attique ». « Frise antique », donné par l'originale, peut venir d'une ultime correction.
2. Même remarque que pour la variante a, p. 154 (voir la note 1 de cette variante).

extrait . ◆◆ *b.* leur amitié pût être un plus enivrant bonheur. Ni *plac.*
Gt 5 add. 14-17 : leur amitié pût être [un plus enivrant bonheur *biffé*]
[une telle ivresse *corr.*]. Ni *épr. Gd* ◆◆ *c.* demoiselles du pensionnat *plac. Gt 5 add. 14-17* : demoiselles [du *corrigé en* de] pensionnat *épr. Gd* : demoiselles du pensionnat *orig. Nous adoptons la leçon*
de l'épreuve Gallimard.

Page 156.

a. je m'endormais *[p. 145, 1ᵉʳ §, dernière ligne]* dans les larmes. Si je
rentrais[1] parce que *états ant.* : je m'endormais dans les larmes. [/ Ce
jour-là [...] vers laquelle il navigue. *add. 14-17*[2]] Si je rentrais parce
que *plac. Gt 5, épr. Gd*

1. On trouve le nom de *rosa pensilvanica* chez certains botanistes
(notamment André Michaux, 1746-1802) pour désigner telle ou telle
variété de rose d'Amérique du Nord orientale (rose de Caroline,
rose de Virginie en particulier). L'appellation « rose de Pennsylvanie » était-elle courante à l'époque de Proust ? Nous voyons plutôt
dans cette mention le signe de son érudition, évidemment livresque,
en matière de botanique. Voir, au tome I de la présente édition, notre
Introduction à *À l'ombre des jeunes filles en fleurs*, p. 1299.

2. Pour tout ce premier développement sur l'apparition de la bande
des jeunes filles, voir les Esquisses XLV à LI, p. 927 et suiv.

Page 157.

a. Si je rentrais *[voir var. a, p. 156]* ainsi assez tard à Bricquebec, c'est
que depuis quelque temps ma grand-mère qui ne désapprouvait guère
pour moi des projets, s'ils devaient être réalisés de concert avec Montargis
dont elle estimait que l'influence sur moi était salutaire, avait permis que
j'allasse une fois ou deux par semaine dîner avec lui. Et à l'heure où les
autres jours j'étais déjà à table, Montargis qui avait fait atteler m'emmenait
dîner fort loin de Bricquebec au grand restaurant de Rivebelle où se
réunissaient à certains jours toutes les élégances de cette côte beaucoup
plus à la mode alors qu'aujourd'hui et où des spéculateurs audacieux
avaient ouvert des lieux d'attractions et de plaisirs qui sont aujourd'hui
désertés. Ces jours-là ma grand-mère exigeait que contre mon habitude
je rentrasse me reposer une heure sur mon lit avant de partir avec
Montargis, et dès six heures et demie je rentrais à l'hôtel, sonnant
maintenant sans timidité et sans tristesse le lift qui ne restait pas silencieux
comme autrefois pendant que je m'élevais *dactyl. 1, dactyl. 2, plac. Gt 1.*
Dans les placards Grasset 5, on lit le portrait du directeur, altéré cependant par
de nombreuses coquilles.

1. On trouvera dans la variante *a* de la page 157 les différents états du passage
qui commence par ces mots.

2. En fait cette addition est légèrement différente du texte définitif. Voir à ce
propos de la variante *a*, page 145 à la variante *b*, page 155.

Page 158.

a. s'en aller, les jours [*p. 157, 16ᵉ ligne de la page*] baissent. » / Et c'était lui maintenant   *états ant.* : s'en aller, les jours baissent. » [Il disait cela, non [...] de la dame [*p. 158, 6ᵉ ligne de la page*] belge). Mais d'habitude [*p. 158, 10ᵉ ligne de la page*], car mon [...] au lift.   *add. 14-17*] / Et c'était lui maintenant *plac. Gt 5* : s'en aller, les jours baissent. » / Il disait cela, [...] dame belge) [, satisfaction [...] le pauvre... *add.*] Mais d'habitude [...] au lift. Et c'était lui maintenant *épr. Gd*

1. Voir n. 2, p. 52.
2. Voir *Athalie*, acte II, sc. IX, v. 837-838 : « Pendant que le pauvre à ta table / Goûtera de ta paix la douceur ineffable » ; et acte IV, sc. III, v. 1406 : « Entre le pauvre et vous vous prendrez Dieu pour juge. »
3. On peut songer, pour « l'appui d'une fenêtre », au tableau de la Sainte Famille : *Le Ménage du menuisier* (musée du Louvre) ou au *Philosophe méditant au pied d'un escalier* (*ibid.*) ; pour « la manivelle d'un puits », au *Bon Samaritain* (Wallace Collection, Londres), encore que, fait observer J. Nathan (*Citations, références et allusions de Marcel Proust dans « À la recherche du temps perdu »*, nouv. éd., Nizet, 1969, p. 93), les puits n'eussent pas alors à proprement parler de manivelle.
4. Pour la première fois est ici mentionné le nom de famille d'Albertine, connue jusqu'à présent comme la nièce de Mme Bontemps (voir t. I, p. 503). Ce nom fut d'abord Bouqueteau ou Boucteau. Comme souvent chez Proust, ce changement est difficilement explicable et répond peut-être à l'arbitraire du romancier. Si « Simonet » permet une intéressante hésitation sur l'orthographe du nom (voir p. 201 et n. 2), Bouqueteau en fournissait une autre, comme l'atteste l'hésitation de Proust lui-même sur ses brouillons (voir l'Esquisse LII, p. 960). Notons que si l'on retranche à « Gilberte » et « Albertine Simonet » la désinence « bert[in]e » qui confondra un instant les deux jeunes filles dans *Albertine disparue*, restent, à un *m* près, les lettres du nom d'Agostinelli.

Page 159.

a. est *orig. Nous adoptons la leçon de l'épreuve Gallimard (voir var. b de cette page).* ◆◆ *b.* jeune prince de [*p. 158, 5ᵉ ligne en bas de page*] Galles. [J'ai souvent cherché [...] avant toute [*p. 159, 13ᵉ ligne de la page*] autre était celle [...] nom de Simonet *corr.*] devait être *épr. Gd. Nous ne possédons pas pour ce passage d'état antérieur à l'épreuve Gallimard (voir var. e de cette page). Le texte qui va de* J'ai souvent cherché *à* nom de Simonet *figure sur un papier collé qui masque la version primitive, vraisemblablement écrite entre 1914 et 1917.* ◆◆ *c.* supérieurs à elle-même pour qu'elle *épr. Gd. Nous ne possédons pas pour ce passage d'état antérieur à l'épreuve Gallimard (voir var. e de cette page)* ◆◆ *d.* fixe regard et y répondre autant que la présence de ses amies le lui permettait. Je demandai *épr. Gd. Même remarque que pour la variante précédente.* ◆◆ *e.* la fenêtre des cabinets [*p. 158, fin du 1ᵉʳ §*]. / Arrivé au dernier étage, je quittai l'ascenseur *états ant., plac. Gt* : la fenêtre des cabinets. / [Je me demandais [...] listes [*p. 159, 3ᵉ ligne en bas de page*] d'étrangers, mais pas seulement cela. Si le désir que nous éprouvons un jour a pour effet de nous transporter, habitant inconnu de l'homme que nous étions hier, dans une zone nouvelle, l'avantage eſt que dans cette zone tout eſt harmonisé, se dégrade par des différences aussi petites que possible qui nous conduisent du plaisir que nous ne pouvons pas atteindre à des plaisirs du même genre — des plaisirs d'un autre genre ne seraient pas pour nous ce jour-là des plaisirs — qui seront peut-être plus accessibles. Il y a des jours où, peut-être parce que nous sommes fatigués de récentes nuits trop actives, nous nous remettons à désirer une certaine femme qui n'eſt pour nous qu'une amante bien platonique. Mais elle eſt loin, impossible de la voir. En jouant du piano à quatre mains avec une autre, en appelant la manucure, en faisant un tour de valse avec une troisième, nous reſtons dans la gamme de ces attouchements sans conséquence qui sans l'exaucer tout à fait nous aideront à le tromper. Un autre jour nous aurons la noſtalgie du coucher du soleil sur les canaux d'Amſterdam sans pouvoir partir pour la Hollande, nous irons voir dans une collection — ne jetant pas même un regard à la peinture italienne — tel portrait de femme, par Rembrandt, portrait acheté récemment à une vente, mais qui pendant des siècles vit au bord de l'Herengracht les feuillages jaunis par l'automne précoce tomber devant lui et eſt un exilé de Hollande, une parcelle de Hollande importée ; ou bien nous boirons un verre de Schiedam. Aujourd'hui, à cause de l'ébranlement causé par le cortège de jeunes filles, je continuais à les imaginer, à penser à elles et je désirais à défaut de les connaître, parcourir cette région de vignobles où j'imaginais qu'elles allaient en bicyclette, et auquel me faisait aussi penser leur beauté dorée au soleil couchant. Mais même cette excursion m'était impossible. Seulement dans un grand hôtel comme celui de Balbec, où il y avait un personnel toujours prêt et des ressources d'une infinie variété — d'ailleurs inutiles pour le cas présent, dans le garde-manger du « grill-room » il y avait une manière pour ainsi dire immobile, de faire à toute heure l'excursion qu'on souhaitait. Ne pouvant connaître les jeunes filles ni partir en bicyclette pour une région de vignobles où je ne serais arrivé qu'à la nuit, je demandais au lift ce qui serait parcourir grain à grain, *[goutte à goutte add. épr. Gd]*, dans ma chambre un sentier à travers les vignes et goûter sur mon lit la fraîcheur dorée d'une sieſte sous la treille, au couchant — de me faire montrer une belle grappe de raisin. *plac. Gt 5 add. 14-17]* [Arrivé au dernier étage, je quittai *corrigé entre 1914 et 1917 en* Je sortis de] l'ascenseur *plac. Gt 5, épr. Gd*

Page 160.

a. adossé l'hôtel et d'où, sous une brume précoce qui la gazait déjà, s'échappait par saccades, un bruit secret d'infiltration ou de source et qui *états ant., plac. Gt 5* ⬌ *b.* verreries *[1ᵉʳ §, dernière ligne]* de Gallé. / [Mais le plus souvent il faisait beau, Et parfois sur la mer calme des mouettes éparpillées flottaient comme des nymphéas que selon l'heure je voyais blancs, jaunes, ou quand le soleil était couché, roses. Elles semblaient offrir un but si inerte aux petits flots qui les ballottaient que ceux-ci par contraſte semblaient dans leur poursuite avoir une intention, prendre de la vie. Puis tout d'un coup, s'échappant comme d'un déguisement de leur incognito de fleurs, les mouettes montaient toutes ensemble vers le soleil, tandis que de l'extrémité la plus éloignée de la côte, ne daignant pas voir leurs jeux, un grand oiseau solitaire et hâtif, fouettant l'air du mouvement régulier de ses ailes, passait à toute vitesse au-dessus de la plage tachée çà et là de reflets pareils sur le sable à de petits morceaux de papier rouge déchirés, et la traversait dans toute sa longueur, sans ralentir son allure, sans détourner son attention, sans dévier de son chemin, comme un émissaire, qui va porter bien loin de là un ordre urgent et capital *biffé épr. Gd*] Bientôt les jours diminuèrent et au moment où j'entrais dans ma chambre, [celle-ci faisait refluer une lumière rose qui remplissait la chambre et changeait les rideaux de mousseline blanche en lampas aurore : elle émanait du *biffé épr. Gd*] ciel violet [qui¹ *biffé épr. Gd*] [semblait *add. épr. Gd*] stigmatisé *états ant., épr. Gd*

1. Antonio Pisano, dit Pisanello (av. 1395-1455), peintre et graveur italien. Dans un article datant de 1905, Proust fait allusion à son *Portrait de la princesse d'Este*, exposé au musée du Louvre (voir *Essais et articles*, éd. citée, p. 515). — Émile Gallé (1846-1904), verrier et ébéniste français. « La mort de M. Gallé est douloureusement ressentie par tous ceux qui savent ce qu'un vase peut enfermer de rêverie, de sentiment et de beauté », écrivait Proust dans une lettre du 29 septembre 1904 (*Correspondance*, t. XI, p. 341). Le comte de Montesquiou était un grand admirateur de ces deux artistes.

2. On peut songer aux vers 61-64 du « Voyage », de Baudelaire : « La gloire du soleil sur la mer vaincue, / La gloire des cités dans le soleil couchant, / Allumaient dans nos cœurs une ardeur inquiète / De plonger dans un ciel au reflet alléchant » (*Œuvres complètes*, éd. citée, t. I, p. 131).

Page 161.

a. Calvaire quand je rentrais de promenade et m'apprêtais *états ant.* : Calvaire [quand je rentrais *biffé*] [à mes retours *corr.*] de promenade et m'apprêtais *épr. Gd* : Calvaire à mes retours de promenade et m'apprêtais *orig. Nous corrigeons, pour des raisons de sens, d'après la leçon des états antérieurs à l'épreuve Gallimard.*

1. G. Poulet voit dans cette image une métaphore de l'ensemble d'*À la recherche du temps perdu* : « Les vitres de la bibliothèque ne reflètent pas seulement les "parties différentes" du couchant : elles reproduisent encore et encadrent figurativement les diverses parties du roman entier » ; ainsi le « surface du roman » serait-elle une « série de prédelles » (*L'Espace proustien*, Gallimard, 1963, p. 129-130). On lira aussi l'article de Christian Robin, « Le Retable de la cathédrale », *Études proustiennes*, III, Gallimard, 1979, p. 67-93 ; notant l'influence qu'ont pu avoir sur Proust des œuvres telles que le retable de *L'Agneau mystique*, de Van Eyck, ou la châsse peinte par Memling, à Bruges, C. Robin fait observer que se succèdent ici à brefs intervalles « une de ces architectures en miniature » (voir notre texte, p. 160), dont les termes ne sont pas sans analogie avec la châsse de Memling,

---

1. C'est sans doute par erreur que Proust a biffé ce mot.

et le retable. Ce passage est même « le lieu d'une curieuse transformation. S'il faut respecter la syntaxe du texte, en effet, les scènes détachées de la *châsse*, une fois qu'elles sont regroupées, forment un *retable* » (art. cité, p. 83, n. 3).

Page 162.

a. en moi, comme au temps où je me préparais à mes premières promenades avec Mme de Villeparisis des impressions *états ant., plac. Gt 5* ⟷ *b.* amincie sa coque et les cordages en lesquels elle s'était amincie et filigranée *états ant.* : amincie [sa coque *biffé*] [son avant *corr.*] et les cordages en lesquels elle s'était amincie et filigranée *épr. Gd* : amincie son avant et les cordages en lesquels elle s'était amincie et filigranée *orig. Nous restituons, d'après la leçon des états antérieurs à l'épreuve Gallimard,* sa coque *, la suite de la phrase n'ayant pas été modifiée par Proust.* ⟷ *c.* être de la mer encore *états ant., épr. Gd*

Page 163.

1. L'influence des estampes japonaises aussi bien que la confusion des éléments : on trouve déjà ici une grande part de ce qui fait l'art d'Elstir. Ainsi se confirme-t-il qu'en visitant l'atelier du peintre, le héros ne recevra que les révélations dont il était déjà porteur.
2. On peut songer au *Portrait de Lady Meux*, appelé aussi « Harmonie en gris et rose », qui fut exposé à Paris en 1892 et appartient aujourd'hui à la Frick Collection de New York. Voir l'Esquisse LIII, p. 961-962.

Page 164.

a. d'étrangers et trois grappes de raisins, pareilles aux deux moments différents d'un orage : l'une, courroucée, biblique, noire comme le ciel où Dieu va tonner ; l'autre, verte comme le jour qui tombe des feuilles avec la pluie ; je pris la troisième qui suspendait à un branchage déjà sec l'or d'une journée d'automne et je commençai à parcourir l'ombre lumineuse et fraîchissante de cette grappe, où [pour que ma déambulation fût bien complète et que je ne manquasse pas d'entendre au-dessous de l'azur le vol *biffé épr. Gd*] sur plus d'un grain un coup de bec était fidèlement noté comme pour que ma déambulation imaginaire le long de la treille fût bien complètement restituée et que je ne manquasse pas d'entendre dans la pampre sous l'azur pâlissant, le vol interposé des oiseaux. / Aimé *plac. Gt 5 add. 14-17, épr. Gd*[1] ⟷ *b.* l'état-major. M. le marquis de Cambremer (si je n'ai pas dit qu'Aimé ne le connaissait pas[2]) qui me *plac. Gt 5 add. 14-17* : l'état-major. [M. le marquis de Cambremer (si je n'ai pas dit qu'il ne le connaissait pas) *biffé*] qui me *épr. Gd* ⟷ *c.* fait M. de Cambremer, voulant *plac. Gt 5 add.*

1. Pour cette variante et les variantes suivantes — jusqu'à la variante *a*, p. 165 — voir la variante *b*, p. 165.
2. La phrase qui va de « M. le marquis » à « connaissait pas » est une note personnelle de Proust qui sera biffée sur l'épreuve Gallimard (voir n. 1 p. 151).

14-17 : fait [M. de Cambremer *biffé*] [son client *corr.*], voulant *épr. Gd* ↔ *d.* familiarité du marquis, soit *plac. Gt 5 add. 14-17* :
familiarité [du marquis *biffé*] [d'un grand personnage *corr.*],
soit *épr. Gd* ↔ *e.* enfance, toute une « saynète » que je montais tout
seul, s'il se trouvait une actrice pour la jouer ; l'« action » se résumait
toujours en ceci, que toute la tendresse *plac. Gt 5 add. 14-17, épr. Gd*

1. On peut supposer d'après cette indication que nous sommes en
1898 : l'Affaire a en effet rebondi le 29 octobre 1897, quand le
sénateur Scheurer-Kestner, ayant acquis la conviction de l'innocence
de Dreyfus, a décidé de tout mettre en œuvre pour obtenir la révision
du procès. Tandis qu'Esterhazy est dénoncé par certains « dreyfusards » comme le vrai coupable, Méline, président du Conseil,
déclare le 4 décembre : « Il n'y a pas d'affaire Dreyfus. » En janvier
1898, Esterhazy est innocenté par le Conseil de guerre de Paris, et
le colonel Picquart mis aux arrêts de forteresse. Le 13, dans *L'Aurore*,
paraît le « J'accuse » de Zola, dont le procès en diffamation s'ouvre
le 7 février. Après les élections législatives des 8 et 22 mai, Brisson
forme un cabinet modéré qui bénéficie des voix des nationalistes
(lesquels approuvent surtout le choix de Godefroy Cavaignac au
ministère de la Guerre) et paraît se donner pour mission d'empêcher
la révision du procès. Devant l'insistance des révisionnistes et sous
l'influence de l'État-major, Cavaignac présente le 7 juillet à la
Chambre un dossier qui lui a été préparé par le colonel Henry,
contenant des pièces tenues jusqu'alors secrètes, et qui devrait établir
définitivement la culpabilité de Dreyfus. Parmi elles figure le fameux
billet « Alexandrine ». C'est à ce dossier que fait probablement
allusion Aimé. Or, on sait que, convaincu de faux, Henry se suicidera
le 31 août. Toutefois — ce genre d'incohérences n'est pas
exceptionnel dans *À la recherche du temps perdu* —, le colonel Henry
sera encore vivant lorsqu'on évoquera l'Affaire dans *Le Côté de
Guermantes I*, à la matinée chez Mme de Villeparisis (voir p. 487).

Page 165.

a. fruitier, à lire un nom de valseuse dans le compte-rendu d'un bal
— j'avais *plac. Gt 5 add. 14-17* : fruitier [, à lire un nom de valseuse
dans le compte-rendu d'un bal *biffé*] — j'avais *épr. Gd* ↔ *b.* gourmandise ou mon [*p. 164, 1ᵉʳ §, dernière ligne*] imagination. / Les premiers
temps, *états ant.* : gourmandise ou mon imagination. [Et tout à la fin,
[...] dîner à Rivebelle. *add. 14-17*[1]] / Les premiers temps, *plac. Gt 5,
épr. Gd* ↔ *c.* d'onyx ou d'agate. Bientôt *états ant.* : d'onyx [ou
d'agate *biffé*]. Bientôt *épr. Gd*

1. Proust s'est amusé à imaginer, dans ses *Pastiches,* que Giotto
avait représenté l'affaire Lemoine dans une de ses fresques ; à qui
s'en étonnerait, il rétorque que peu importe le sujet choisi par un
grand artiste (*Pastiches et mélanges*, éd. citée, p. 204). Aussi bien Giotto
aurait-il pu représenter « une procession sportive ».

1. En fait cette addition est légèrement différente du texte définitif. Voir à ce
propos les variantes de la page 164 et la variante *a* de cette page.

Page 166.

a. constant, faisant toujours attention à l'état de chaleur, d'appétit, de fatigue où je me trouvais pour savoir si je pouvais ôter un manteau, manger d'un plat, faire un tour, me rappelant exactement avant de boire, combien j'avais déjà pris de bière pour rester un peu au-dessous de l'unique verre qu'en dehors des périodes de crises je ne devais pas dépasser. On n'aurait pu *états ant.* : constant [, faisant toujours *[comme dans états ant.]* dépasser. *biffé*] On n'aurait pu *épr. Gd* ◆◆ *b.* me disait : / « Tu n'auras pas froid ? Tu ferais peut-être *états ant., plac. Gt 5*

1. C'est une des nombreuses erreurs que commet le héros sur le chemin qui le mène à l'accomplissement de sa vocation : dans *Le Temps retrouvé*, Proust célébrera « l'allégresse du fabricateur ». De même, si l'on rapporte l'expérience du héros à celle de Proust lui-même, mesure-t-on l'erreur de la grand-mère qui croit qu'il faut être en bonne santé pour travailler.

Page 167.

a. venant de chanter *états ant., épr. Gd, orig. Nous corrigeons.* ◆◆ *b.* bière qu'à *états ant.* : bière [, à plus forte raison de champagne *add. 14-17]* qu'à *plac. Gt 5, épr. Gd* ◆◆ *c.* une heure sans même la goûter en y *états ant., épr. Gd* ◆◆ *d.* les deux « louis » *[3e §, 8e ligne]* que j'avais économisés depuis un mois en vue d'un achat que je ne me rappelais pas. Je regardais *états ant. plac. Gt 5. Cependant entre 1914 et 1917, Proust a ajouté un passage qui va, dans le texte imprimé, de* Quelques uns des garçons *[3e §, 10e ligne] à* harmonie *[3e ligne en bas de page]. Nous ne pouvons en donner le texte car, sur l'épreuve Gallimard, Proust a collé un feuillet recouvrant non seulement ce passage mais les deux lignes qui le précèdent, depuis* que j'avais économisés *(voir le début de la variante). Sur ce feuillet on peut lire le texte définitif.*

Page 168.

a. dîneurs, étaient *états ant., épr. Gd, orig. Nous corrigeons.*

Page 169.

a. sensation de la *[3e ligne de la page]* couleur. [J'avais déjà bu *[...]* restaurant de Rivebelle *corr.*] réunissait *épr. Gd*

Page 170.

a. mon amour pour la petite Simonet n'était *plac. Gt 5 add. 14-17* : mon amour [pour la petite Simonet *biffé*] n'était *épr. Gd* ◆◆ *b.* n'était séparée sauf quelques colonnes *plac. Gt 5 add. 14-17* : n'était séparée sauf [en exceptant *add.*] quelques colonnes *épr. Gd* ◆◆ n'était séparée sauf en exceptant quelques colonnes *orig. En ajoutant* en exceptant *sur l'épreuve Gallimard, Proust a omis de biffer* sauf *. Nous* *rectifions.* ◆◆ *c.* éblouissant, empêchant   *plac. Gt 5 add. 14-17* : éblouissant [et instable[1] *add.*], empêchant *épr. Gd* : éblouissant, empêchant *orig. Nous adoptons la leçon de l'épreuve Gallimard.* ◆◆ *d.* dînait, apparaissent au-delà *plac. Gt 5 add. 14-17, épr. Gd, orig. Nous corrigeons.*

Page 171.

   a. fin de l'après-midi *[p. 170, 4ᵉ ligne en bas de page]* le long [du couloir bleuâtre [...] dîner en *[p. 171, 9ᵉ ligne]* marche abandonnât l'un [...] interchangé quelques unes   *corr. épr. Gd*] de leurs fleurs. *plac. Gt 5 add. 14-17, épr. Gd.*   : *La correction de l'épreuve Gallimard figure sur un papier collé qui masque la version primitive.* ◆◆ *b.* irrésistible *[p. 170, 5ᵉ ligne].* Et quand un monsieur se détachant et se plaçant devant l'orchestre chanta la belle mélodie de Reynaldo Hahn : « Je sais un coin perdu de la grève bretonne où j'aurais tant aimé pendant les soirs d'automne, chère, à vous emmener », il me sembla que mon amour pour Mlle de Silaria (à qui j'adressais cette proposition[2]) n'était plus quelque chose de déplaisant et dont elle pourrait sourire, mais avait précisément la beauté touchante, la séduction de cette musique. La mélodie comme un milieu sympathique où nous nous serions rencontrés avait établi entre Mlle de Silaria et moi tant d'intimité que le mot chère adressé à elle me semblait aussi naturel dans ma bouche que l'était l'accent que la phrase musicale lui donnait. Et ne doutant pas que mon projet ne lui parût aussi voluptueux que me semblait cette phrase, mon amour timide et malheureux se sentit soudain consolé par toute la poésie que je sentais se dégager pour Mlle de Silaria et par cette nouvelle qu'en ce moment « par ce soir d'automne » elle était occupée à la tristesse que je ne l'eusse pas « emmenée dans un coin perdu de la terre bretonne ». / Si par hasard   *états ant., plac. Gt 1 b* : irrésistible. [Et quand un monsieur *[comme dans les états antérieurs]*, de la terre bretonne   *corrigé entre 1914 et 1917 en*   Il me semblait [...] se fût mis à chanter[3].] Si par hasard *plac. Gt 5, épr. Gd* ◆◆ *c.* d'amis de Montargis que nous avions rencontrée, nous allions au Casino d'une autre plage, si Montargis allait avec eux et me mettait   *états ant., plac. Gt 5*

1. Dans une lettre à Mme John Work Garrett du 25 avril 1919, Proust écrit : « Je crois qu'il s'est glissé un malentendu dans ce que je vous ai dit que j'avais écrit des choses sur vous, et, ce qui n'a aucun rapport, que j'avais écrit des *Pastiches* qui n'étaient pas aimables pour tout le monde. Ce que j'ai écrit sur vous sont des pages qui ne seront pas imprimées, que j'ai même peut-être brûlées, où j'essaye d'exprimer l'admiration que j'ai ressentie pour vous les rares fois où je vous ai vue. Les seules lignes de cela qui paraîtront dans quelques jours, sont dans le second Swann (À l'ombre des jeunes filles en fleurs), la chose du rossignol et naturellement sans vous nommer [...] Vous recevrez bientôt le 1ᵉʳ volume de *Pastiches* (où vous n'êtes pas)

---

   1. Cette addition est peu visible sur l'épreuve Gallimard.
   2. On lit ici sur les dactylographies, biffée par Proust, la mention « la grève bretonne étant Cricquebec ». Peut-être la dactylographe a-t-elle recopié ce qui n'était qu'une indication à usage personnel.
   3. En fait ce passage est légèrement différent du texte définitif. Voir de la variante *a*, p. 170 à la variante *a*, p. 171.

et À l'ombre des j. filles en fleurs où il y a seulement, sans vous nommer, quelques lignes sur l'impression délicieuse que j'eus un soir où vous me dîtes bonsoir de loin dans la galerie du Ritz et où sur le fond des ramures assombries votre voix s'éleva pure comme celle du rossignol » (citée par Richard Macksey, « Marcel Proust and the "Chant d'un rossignol", an unpublished letter », *Modern Language Notes*, vol. LXXVII ; 1962, p. 463-469). Voir à ce sujet Elyane Dezon-Jones, « L'Écrit et le Lu, statut de l'épistolaire dans *À la recherche du temps perdu* », *Bulletin d'informations proustiennes*, n° 17, 1986, p. 21-26.

Page 172.

 a. la crainte du danger *[8ᵉ ligne de la page]* jusqu'à ma raison. Ne faisant en somme que concentrer *états ant., plac. Gt 1b.* : la crainte du danger jusqu'à ma raison. [C'est que pas [...] en proie *[16ᵉ ligne de la page]* à une sorte d'ataxie morale, ne sachant pas ce que je faisais, ce que je voulais, et comme s'il n'y avait pas eu de veille et s'il ne devait pas y avoir de lendemain (de même qu'autrefois aux goûters de Gilberte, éclairs au chocolat sur éclairs au chocolat), carafes de bière sur carafes de bière. L'excès même de celle-ci en tendant exceptionnellement mes nerfs avait à son tour donné aux minutes actuelles, une qualité, un charme [...] accident. *add. 14-17]* Ne faisant, en fait, que concentrer *plac. Gt 5* : la crainte du danger jusqu'à ma raison. C'est que pas [...] en proie à une sorte d'ataxie morale, [ne sachant pas ce que je faisais, ce que je voulais, et comme s'il n'y avait pas eu de veille et s'il ne devait pas y avoir de lendemain *[j'avais entassé add. biffée]* (de même qu'autrefois aux goûters de Gilberte, éclairs au chocolat sur éclairs au chocolat), carafes de bière sur carafes de bière *[petits verres sur petits verres ceux-ci add. biffée]* L'excès même de celle-ci *biffé* [l'alcool *corr.*] en tendant exceptionnellement mes nerfs avait [à son tour *biffé*] donné aux minutes actuelles, une qualité, un charme [...] accident. [Ne faisant *biffé*] [Je ne faisais *corr.*] du reste, [en fait *biffé*] [en somme *corr.*] que concentrer *épr. Gd*

 1. « La phrase qui se termine ainsi, m'a serré le cœur : "... quand les attend à la maison l'être dont leur mort briserait la vie..." puisque je reviens de voyage » (A. Gide à M. Proust, 6 juin 1914 ; M. Proust, *Correspondance*, t. XIII, p. 235). Gide a lu ce passage dans l'extrait publié par la *NRF* du 1ᵉʳ juin 1914.

Page 173.

 1. On rapprochera ce développement sur l'ivresse de certaines notations de *Jean Santeuil* : Proust y évoquait « ces moments de profonde illumination où l'esprit descend au fond de toutes les choses » et où une grappe soudain illuminée d'un rayon de soleil « suffit à lui donner sans fatigue cette ivresse que les autres hommes ne cherchent dans les poisons que pour l'expier dans les souffrances, ivresse non plus stérile qui ne sert qu'à voir pour une heure les mêmes choses d'une manière agréable, mais qui fait voir autre chose qui subsistera [...] » (éd. citée, p. 194) ; plus précisément encore

de l'exaltation de Jean : « Souvent, après un repas copieux, légèrement ivre, il prenait une voiture pour aller en soirée. [...] ces soirs-là, il ne pouvait s'empêcher de faire aller son corps, de tenir la portière, et quand il avait commencé un mouvement ne pouvait l'arrêter [...] » (*ibid.*, p. 777). En revanche, les considérations qui suivent dans notre texte, plus théoriques et étendues à l'amour, appartiennent en propre à *À la Recherche du temps perdu* et témoignent du chemin parcouru.

2. On attendrait plutôt « le » ; mais « la » peut désigner l'écume.

Page 174.

a. et l'espoir de sa *[p. 173, 1ᵉʳ §, dernière ligne]* ruche. / Avant qu'il   *états ant.* : et l'espoir de sa ruche. [Je dois du reste *[...]* actuel nous ne *[p. 173, 8ᵉ ligne en bas de page]* nous soucions pas. En revanche, ce qui avoisine directement notre moi actuel, ce qui fait la nature de notre sensation présente, cela est devenu d'insignifiant, merveilleux, de difficile, aisé. Malheureusement *[...]* de moi, par Saint-Loup.   *add. 14-17*] / Avant qu'il   *plac. Gt 5. Les corrections portées par Proust sur l'épreuve Gallimard aboutissent au texte définitif.*

Page 175.

a. lui trouver. Elle a des pieds comme des bateaux, de faux sourcils et des dessous   *états ant., plac. Gt 5*

1. En ce sens, une « queue » est une « infidélité faite à une femme par son amant ou à un homme par sa maîtresse » (Delvau, *Dictionnaire de la langue verte*, 1867). Zola écrit dans *L'Assommoir* (1877) : « Pardi ! un homme qui lui fait des queues tous les jours ! » (chap. XI). Sans doute les typographes n'étaient-ils guère familiarisés avec cette expression : ceux de Grasset et de Gallimard (placards et épreuves) impriment curieusement : « [...] il ne lui faut pas de gueuses. »

Page 176.

a. de telles de ces *plac. Gt 5 add. 14-17*[1] : de [telles *biffé*] [telle *corr.*] de ces   *épr. Gd* : de telles de ces   *orig. Nous adoptons la leçon de l'épreuve Gallimard.* ◆◆ *b.* qu'il y eût encore des fleuristes d'ouverts à cette heure-là, j'eusse payé mille francs de fleurs à l'inconnue. *plac. Gt 5. Les corrections portées par Proust sur l'épreuve Gallimard aboutissent au texte définitif.*

1. C'est du prince Edmond de Polignac que Proust a dit qu'il ressemblait à « un donjon désaffecté qu'on aurait aménagé en bibliothèque » (*Essais et articles*, éd. citée, p. 465). Proust aurait souhaité dédier *À l'ombre des jeunes filles en fleurs* à la mémoire du prince, mort en 1901, mais la princesse refusa (voir M. de Cossart, *The Food of Love*, Londres, Hamish Hamilton, 1978, p. 129).

1. En ce qui concerne cette variante et les variantes suivantes (jusqu'à la variante *a*, p. 181), voir la variante *a*, p. 182.

Page 177.

a. anéantie pour l'oubli *épr. Gd, orig. Nous corrigeons.* ◆◆ *b.* causer en *[1ᵉʳ §, dernière ligne]* rêve. Je m'éveillais, *plac. Gt 5 add. 14-17* : causer en rêve. [/ Puis, même [...] Tout à coup *add.*] je m'éveillais, *épr. Gd*

Page 178.

a. trois fois sur *[1ᵉʳ §, avant-dernière ligne]* l'oreiller [en proie à une ivresse analogue à celle que la vendange donne ou la convalescence *biffé*]. [Enfin je voyais [...] posais mille¹ questions sur la famille Legrandin. *add.*] / Ce n'est pas *épr. Gd*

1. Sur un fragment du manuscrit (fragment déposé à la bibliothèque Doucet. « Cahier violet n° 9 »), on peut lire à cet endroit du texte : « N.B. En principe répartir entre les différents sommeils du livre les images, chacun ayant celles qui sont cohérentes entre elles. »

Page 179.

a. allégresse ; elle m'avait découvert, elle *plac. Gt 5 add. 14-17, épr. Gd* ◆◆ *b.* Peut-être [n'y en a-t-il *biffé*] [n'en est-il *corr.*] pas de plus complètement subi [par nous, *add.*] que celui qui en vertu d'une force ascensionnelle comprimée pendant l'action, fait une fois notre pensée au repos, remonter ainsi un souvenir nivelé avec les autres *épr. Gd* : Peut-être n'en est-il [...] pendant l'action fait jusque là une fois [...] avec les autres *orig. Proust a vraisemblablement ajouté* jusque là *sur un état postérieur à l'épreuve Gallimard, et il a dû être mal placé par l'imprimeur.* ◆◆ *c.* distraction et dans le repos s'élance parce qu'à *plac. Gt 5 add. 14-17* : distraction [et dans le repos s'élance *biffé*] [s'élancer *corr.*] parce qu'à *épr. Gd*

1. Sur le fragment du manuscrit cité n. 1, p. 178, après avoir écrit : « À la faveur d'un long sommeil — il était midi, je n'avais pas entendu le concert symphonique — le calme et la santé étaient rentrés en moi. Une fois de plus j'avais échappé à l'impossibilité de dormir, aux crises nerveuses [...] » (suite proche du texte définitif : voir ligne 11-12), Proust a ajouté : « N. B. Dans la ligne en haut au lieu de : le calme et la santé étaient rentrés en moi dire : Ce n'est pas assez dire que j'avais rejoint le calme et la santé, car [...] seulement » (texte coupé à cet endroit).

2. Amphion, fils de Zeus et d'Antiope (voir l'*Odyssée*, chant XI, v. 260-265 ; et Horace, *Art poétique*, v. 394-397); ayant reçu d'Hermès une lyre en cadeau, s'adonnait à la musique et se querellait souvent avec son frère Zéthos, plus porté vers les arts manuels. Les deux frères s'entendirent pourtant pour délivrer leur mère, prisonnière de Lycos et de Dircé, puis régnèrent sur Thèbes qu'ils entourèrent de murailles ; tandis que Zéthos portait les pierres sur son dos, Amphion les attirait à lui aux accents de la lyre. Ruskin fait plusieurs allusions,

1. C'est vraisemblablement sur un état postérieur à l'épreuve Gallimard et que nous ne possédons pas que Proust a corrigé « mille » en « quelques ».

dans son œuvre, à cette histoire qui symbolise à ses yeux l'harmonie entre les classes sociales.

Page 180.

  a. photographie que j'ai gardée,   *plac. Gt 5 add. 14-17, épr. Gd.*

Page 181.

  a. désunies de la pâle nébuleuse d'autrefois. / Sans doute bien des fois, dans les rues de Paris, sur les routes qui partaient de Balbec, au passage de jolies jeunes filles, je m'étais fait cette promesse de les revoir que nous poussent à nous donner à nous-même même des êtres laids, une vieille bonne, un chef de gare, s'ils se sont trouvés avec nous — comme les compagnons d'une nuit d'opium — pendant une de ces minutes d'exaltation dont nous voudrions garder tout ce que le hasard y associe et qu'elles nous firent trouver précieux. Mais d'habitude, pas plus que chef de gare ou vieille bonne, les jeunes filles rencontrées ne reparaissent ; d'ailleurs   *plac. Gt 5 add. 14-17. Les corrections portées par Proust sur l'épreuve Gallimard aboutissent au texte définitif.*

Page 182.

  a. se cachaient des souvenirs *[p. 175, 3ᵉ ligne en bas de page]* d'amour*a*. Ce fut dans ce restaurant de Rivebelle que nous fîmes connaissance du peintre Elstir dont on verra plus tard que l'influence sur ma vie devait être grande. Sans savoir son nom nous l'avions remarqué qui venait quand tout le monde commençait à partir, dîner seul à une table mise à l'écart. C'était un homme grand, d'un visage régulier et d'un corps athlétique, mais de qui le regard songeur restait fixé avec application dans le vague. / « Comment vous ne connaissez pas le célèbre peintre Elstir », avait répondu le restaurateur quand nous lui avions demandé qui était ce dîneur tardif et solitaire. Swann avait une fois   *plac. Gt 1b*[1]   : se cachaient des souvenirs d'amour. [Quant à Robert [...] entendu parler.   *add. 14-17*[2]] Ce fut dans ce restaurant *[comme dans plac. Gt 1b]* dîneur tardif et solitaire. Swann avait une fois   *plac. Gt 5. Les corrections portées par Proust sur l'épreuve Gallimard aboutissent au texte définitif.* ◆◆ *b.* « C'est un grand ami *[p. 182, 18 lignes plus haut]* de Swann, dis-je de la meilleure foi à Saint-Loup. Il a un immense talent. » Elstir n'était peut-être pas encore aussi célèbre que prétendait   *plac. Gt 1b, plac. Gt 5*

---

  a. des souvenirs d'amour. / Le séjour de Montargis à Bricquebec toucha à sa fin, et ma grand-mère était *[p. 220, dernière ligne]*, désireuse de témoigner à mon ami sa reconnaissance   *dactyl. 1, dactyl. 2, plac. Gt 1. Le passage compris entre*   des souvenirs d'amour   *Le séjour de Montargis à Bricquebec toucha à sa fin, et ma grand-mère était*   *est une longue addition de Proust sur les placards Grasset 1 corrigés (voir var. c, p. 220 et var. a, en bas de la page 1449).*

  1. Pour les états antérieurs, voir la variante *a* de cette variante.
  2. En fait cette addition est légèrement différente du texte définitif. Voir à ce propos de la variante *a*, p. 176 à la variante *a*, p. 181.

Page 183.

a. valait pas une *[2ᵉ §, dernière ligne]* fortune. Nous étions encore à certains points de vue si près de l'enfance, Saint-Loup et moi que la vue d'Elstir de qui nous supposions qu'il était un grand artiste nous causa autant d'émotion que si nous eussions connu et admiré ses œuvres. Puis nous supporions impatiemment qu'il l'ignorât, et aussi que les gens qui étaient encore dans le restaurant et se montraient Elstir ignorassent comme lui, que nous étions Saint-Loup et moi liés avec son brillant ami M. Swann. Notre enthousiasme, notre incognito nous étouffant, nous fîmes remettre à Elstir une lettre impatiemment signée de nous deux où nous lui disions que son grand ami M. Swann nous avait cent fois parlé de lui, et que nous demandions à lui présenter l'hommage de notre admiration. Nous le vîmes *plac. Gt 1b, plac. Gt 5* ◆◆ *b.* avons *orig. Nous adoptons la leçon de l'épreuve Gallimard.*

Page 184.

a. émotions. [Écrire à Elstir pour lui dire que je l'admirais (de même que saluer Mme Swann au Bois sans la connaître, ou écrire à Swann pour me justifier d'avoir une mauvaise influence sur sa fille) sont de ces actions dont je ne peux même pas me rendre compte si elles éveilleraient encore en moi aujourd'hui un émoi semblable, tel je serais incapable de les accomplir. Toujours est-il que l'ébranlement nerveux, le choc qu'elles me causaient était tel qu'il pourrait être suivi d'un sentiment presque d'amour s'il s'agissait de Mme Swann, d'admiration s'il s'agissait d'Elstir (avant que j'eusse vu ses œuvres, car l'admiration préventive se trouve alors trop justifiée) qui n'avait peut-être pas de raisons au sens intellectuel du mot et qui n'était que l'écho affaibli, la lente convalescence d'une crise d'émotion. *biffé*] Dans les quelques mots *épr. Gd. Pour les états antérieurs, voir la variante b de cette page.* ◆◆ *b.* sans avoir été remarqués *[p. 183, 14ᵉ ligne en bas de page]* par lui. Mais au moment où il arrivait près de la porte, il avait fait un crochet et était venu à nous. J'avais pensé que le nom de Saint-Loup l'impressionnerait particulièrement mais ce fut avec moi qu'il causa davantage ce soir-là, et un jour suivant, où j'allai le voir comme il m'y avait invité et où Saint-Loup n'avait pu m'accompagner, il prodigua pour moi seul une amabilité — me donnant même une étude qu'il venait de finir — qui était *plac. Gt 1b, plac. Gt 5* ◆◆ *c.* indifférence, mais par *plac. Gt 1b, plac. Gt 5* : indifférence [mais *biffé*] par *épr. Gd* : indifférence, mais par *orig. Ce* mais *a pu être rétabli par Proust sur les dernières épreuves, que nous ne possédons pas.*

1. Cette rencontre avec le peintre Elstir est assez précisément préfigurée dans *Jean Santeuil* par la rencontre de Jean et de son ami avec l'écrivain C. à Kerengrimen, « qui n'était alors (en 1895) qu'une ferme loin de tout village, dans les pommiers, au bord de la baie de Concarneau ». À l'hôtel, C. prend ses repas à une table voisine. Mais il paraît lié avec deux dames anglaises et couche, paraît-il, avec la servante de l'auberge (réputation qui l'apparenterait plutôt au Bergotte d'*À la recherche du temps perdu*). Jean et son ami lui font porter une lettre et, comme dans *À la recherche du temps perdu*, attendent sa réponse avec anxiété. Puis ils l'interrogent « à la façon des jeunes gens en présence d'un maître qu'ils admirent ». Comme Elstir, C.

est « très fort » et ses cheveux roux grisonnent. Mais cette constitution sportive lui permet d'affronter la haute mer en pleine nuit (goût que Proust donnera curieusement, dans une ébauche de À la recherche du temps perdu, à son héros lui-même ; voir l'Esquisse LXXV, p. 1016) et de nager pendant des heures (voir Jean Santeuil, éd. citée p. 183-191). Dans le Carnet de 1908, on lit : « Harrison dont nous n'avions rien vu, étions émus de le connaître, sensation de gd homme » (éd. citée, p. 54). Cette note nous rapproche de la réalité puisque, en septembre-octobre 1895, séjournant à Beg-Meil, dans le Finistère, avec son ami Reynaldo Hahn, Proust rencontra le peintre américain Alexander Harrison dans des conditions peut-être voisines de celles qui entourent la rencontre du héros et de Saint-Loup avec Elstir. Ainsi l'expérience des États-Unis d'Elstir (voir l'allusion à la Floride, ici même, p. 210) doit-elle sans doute à Whistler (voir n. 1, p. 10 ; n. 2, p. 14), mais aussi à Harrison (voir n. 2, p. 210). Quant à l'apparence physique d'Elstir, elle fait songer à Monet, peut-être à Helleu (voir n. 1, p. 252). — Voir l'Esquisse LV, p. 963.

Page 185.

a. dès que nous l'avons connue. *Voir la variante a. page 196.* ◆◆
b. son « anglaise », laquelle *plac. Gt 5 add. 14-17, épr. Gd*

1. Canapville est dans la réalité une petite localité située entre Pont-L'Évêque et Trouville ; on ne saurait donc y trouver de falaises.
2. La famille de l'avocat John Jeffreys (et non « Jeffries ») fut représentée par le peintre William Hogarth (1697-1764) (collection Jeffreys).

Page 186.

a. un peu différente de la jeune fille aux yeux brillants. [Sans doute jamais je n'en rencontrai à Balbec une autre à peu près pareille, tenant des clubs de golf ; puis je sus que la jeune fille aux yeux rieurs avait une amie chez qui il était bien possible qu'elle fût allée ce jour-là, laquelle demeurait de ce côté de la plage, à un de ces angles de petites rues, mais ils étaient tous trop pareils pour que je pusse me rappeler exactement lequel c'était, quand je fus plus tard à même d'avoir facilement ce renseignement que je ne pensai d'ailleurs jamais à demander. Et maintenant la jeune fille aux yeux rieurs, qui, d'ailleurs, ne se rappellerait certainement pas ce que je veux dire, n'existe plus. J'induisis que c'était bien certainement la jeune fille aux yeux rieurs de la petite bande que j'avais rencontrée ce jour-là. Mais ce ne fut jamais qu'une induction, d'ailleurs infiniment plausible. *biffé épr. Gd*] / À partir de *plac. Gt 5 add. 14-17, épr. Gd* ◆◆ *b.* préoccuper ni gêner en rien d'ailleurs désireuse de me revoir. Je ne peux du reste pas dire qu'elle parut me reconnaître quand je vis à nouveau passer la petite bande. Au milieu *plac. Gt 5 add. 14-17, épr. Gd* ◆◆ *c.* maintenant, détachée sur l'écran *plac. Gt 5 add. 14-17, épr. Gd* ❦ *d.* première image, désirée, *plac. Gt 5 add. 14-17, épr. Gd* ❦ *e.* retrouvée ; que j'ai depuis souvent cherché à retrouver dans un visage que j'avais auprès de moi en essayant de le projeter dans le passé, de ne lui faire faire qu'un avec la silhouette sous le polo, de me dire : « C'était elle ! » *plac. Gt 5 add. 14-17. Les corrections portées par Proust sur l'épreuve Gallimard aboutissent au texte définitif.* ❦ *f.* connaître. Elle me semblait, en effet, la plus vicieuse de toutes. Celle-là, si je l'avais vue seule, j'aurais eu et su d'elle tout ce que j'aurais voulu et par elle j'aurais facilement connu toutes les autres. Quelle que fût, *plac. Gt 5 add. 14-17* : connaître. Elle me semblait, en effet, [la plus vicieuse de toutes *biffé*] [devoir être la plus perverse *corr.*]. Celle-là, si [comme dans *plac. Gt 5 add. 14-17*] Quelle que fût, *épr. Gd* ❦ *g.* constituer ; [quelle que fût celle dont je fusse devenu l'ami *biffé*] [en devenant l'ami de l'une d'elles *corr.*] j'eusse [de toutes façons *biffé*] pénétré — comme *épr. Gd*

Page 187.

1. On lit sur le Cahier 34 : « À un de ces moments quand je les aperçois chaque jour dire négligemment : Je me rappelai vers ce temps-là que j'avais emporté à Balbec beaucoup de complets et de cravates que je ne mettais jamais. Je ne remis plus jamais deux jours de suite les mêmes. Et je fis venir de Paris des melons gris que j'y avais laissés » (f⁰ 40 v⁰).

Page 188.

a. ou rentrer pas à Paris. *plac. Gt 5 add. 14-17, épr. Gd, orig.* : ou rentrer à Paris. *Gd 1920. Nous corrigeons d'après l'édition Gallimard de 1920.* ❦ *b.* il faut — et c'est peut-être cela plutôt qu'un être, l'objet même que cherche anxieusement à étreindre l'amour — le risque *plac. Gt 5 add. 14-17. Les corrections portées par Proust sur l'épreuve Gallimard aboutissent au texte définitif.* ❦ *c.* donne *plac. Gt 5 add. 14-17, épr. Gd, orig. Nous corrigeons.*

Page 189.

a. jeunes filles, [car *biffé*] [puisqu' *corr.*] elles *épr. Gd* ❦ *b.* essence spéciale qui stagnait de façon permanente dans mon cœur, c'était *plac. Gt 5 add. 14-17* : essence spéciale [qui stagnait de façon permanente dans mon cœur *biffé*], c'était *épr. Gd* ❦ *c.* où elles seraient. [À cela se mêlait la crainte de ne pas les voir, ces hausses folles que subissait pour moi la valeur de Gilberte les jours où il pouvait pleuvoir, et du fait que sa mère ne voulant pas m'inviter à goûter, puis le désir sexuel errant, en quête d'un prestige. Mais tout de même celui auquel il s'était momentanément fixé, c'était la mer. De sorte que je me demande si ce que nous aimons dans la vie, ce qui nous fait plaisir tant de soirs, ce qui nous fait quitter nos parents, torturer une maîtresse, ce n'est pas quelque chose de tout autre que nous ne croyons, quelque chose qui ne nous cause tant de désirs et de troubles que dénaturé, qui ayant subi bien des alliages, mais quelque chose pourtant qui dans les désirs et ses troubles étend, part principale d'eux tous, ses hauteurs brumeuses ou son étendue bleue, quelque chose qui n'est pas un être et qui prête momentanément aux êtres sa valeur, une cathédrale, une vallée, dans le cas actuel, au bord des montagnes bleues de la mer, au soleil, une plage. *biffé épr. Gd*] Ma grand-mère [à laquelle je préférais les jeunes filles sous les espèces de qui je pensais à la mer, estimait la conversation d'un homme supérieur, aussi puissante pour former et affermir un être que le vent du large, et qui craignait d'autant moins en faveur de la première de me priver du second qu'il était déconseillé comme un peu trop excitants par le médecin, s'étonnait de me voir remettre de jour en jour cette visite à Elstir, errer comme une âme en peine sur la digue. Ayant toujours pensé que la seule fortune enviable des princes était d'avoir pour précepteurs des La Bruyère et des Fénelon, elle *biffé épr. Gd*] me témoignait, *plac. Gt 5 add. 14-17, épr. Gd*

Page 190.

1. Dans la légende de Tristan et Iseult, c'est à Marc, roi de Cornouailles, qu'est promise Iseult ; mais sur le bateau qui amène au roi sa fiancée, les deux jeunes gens boivent le philtre d'amour qui les enchaînera jusqu'à la mort. La forêt de Brocéliande, aujourd'hui forêt de Paimpont (Ille-et-Vilaine), est, dans la plupart des romans de la Table ronde, le théâtre des amours de l'enchanteur Merlin et de la fée Viviane.

Page 191.

a. s'irise comme une agate. Tandis *plac. Gt 5 add. 14-17* : s'irise [comme une agate *biffé*]. Tandis *épr. Gd*

1. L'art japonais avait fait une première apparition en France à l'occasion de l'Exposition universelle de 1855. Une boutique appelée *La Porte chinoise* s'ouvrit rue de Rivoli et les « chinoiseries » furent subitement à la mode (dans les années 1890, Mme Swann les trouvera démodées et un peu « toc » ; voir t. I, p. 530). Whistler, James Tissot (l'ami de Degas) collectionnèrent des objets d'Extrême-Orient ; Monet et bien d'autres découvrirent les beautés du papier d'emballage japonais, souvent décoré d'estampes ; les estampes, d'Hokusai notamment, ont pu apprendre à Degas l'utilisation de la couleur pure sur des formes en aplats et le traitement de l'espace comme d'un objet en lui-même. Aux Expositions universelles de 1867 et 1878, le pavillon du Japon connaît un succès considérable. Une étude de Chesneau, « Le Japon à Paris », parue en 1878 dans la *Gazette des beaux-arts*, témoigne de cette vogue. Pierre Francastel (*L'Impressionnisme*, Denoël, éd. de 1974, p. 110) attribue à Whistler, installé à Paris en 1883, une influence majeure dans le développement du « japonisme » en France. Whistler a en tout cas tiré le meilleur parti des fonds gris et du caractère d'abord décoratif des estampes japonaises. « Les artistes japonais, écrira Pissarro en 1893, me confirment dans notre parti pris visuel ». Quant à la « manière

mythologique », c'est d'abord aux tableaux de Gustave Moreau qu'elle fait songer. Mais J. Autret fait observer que ce fut aussi la première manière de Turner (*L'Influence de Ruskin sur la vie et les idées de Marcel Proust*, Droz-Giard, 1955, p. 129). Voir l'Esquisse LVI, p. 968.

2. « [...] je crois que la métaphore seule peut donner une sorte d'éternité au style », écrira Proust (« À propos du style de Flaubert », article paru dans la *NRF* de janvier 1920, *Essais et articles*, éd. citée, p. 586). L'intéressant est ici l'équivalence proposée entre la métamorphose (visuelle, donc assez naturellement picturale) et la métaphore, figure d'abord littéraire. Ainsi Proust parlera-t-il un peu plus loin à propos du *Port de Carquethuit* des « termes marins » ou « urbains » employés par le peintre (voir p. 192). Or, si la métaphore suppose en principe que vivent, dans l'esprit du lecteur, les deux réalités rapprochées par l'artiste (la réussite de la figure venant de l'effet de surprise ou de l'enrichissement réciproque des deux termes), les « métaphores » d'Elstir, elles, substituent une réalité à l'autre. Sans doute un peu inadéquat, le terme de « métaphore » permet en tout cas à Proust de suggérer comment c'est en voyant des tableaux d'Elstir que le jeune homme apprendra à écrire. Sur l'indécision de Proust quant aux rôles d'Elstir et de Bergotte, donc de la peinture et de la littérature, dans la formation du héros, voir p. 559 et l'Esquisse LIX, p. 979 ; ainsi que, dans le tome I, l'Esquisse XX d'*À l'ombre des jeunes filles en fleurs*. Sur la question de la métaphore chez Proust, voir G. Genette, *Figures I*, « Proust palimpseste », éd. citée, notamment p. 47 et suiv. ; ainsi que Anne Henry, « Quand une peinture métaphysique sert de propédeutique à l'écriture : les métaphores d'Elstir dans *À la recherche du temps perdu* », dans *La Critique artistique, un genre littéraire*, P.U.F., 1983, p. 205-226.

Page 192.

a. le port d'Équemauville, tableau   *plac. Gt 5 add. 14-17* : le port [d'Équemauville *biffé*] [de Carquethuit *corr.*], tableau   *épr. Gd. Sur le texte imprimé de l'épreuve Gallimard (résultant des placards Grasset 5 et des additions effectuées par Proust entre 1914 et 1917), on lit seulement* Équenonville *ou* Équenouville. *Il s'agit sans doute de coquilles.*

1. Bien avant de la formuler grâce au terme de « métaphore » qui fera d'Elstir l'initiateur du héros, Proust a été sensible aux paysages marins où s'abolit la frontière entre le ciel et la mer. Ainsi dans *Les Plaisirs et les Jours* : « La mer a le charme des choses qui ne se taisent pas la nuit [...]. Elle n'est pas séparée du ciel comme la terre, est toujours en harmonie avec ses couleurs, s'émeut dans ses nuances les plus délicates » (« La Mer », texte paru dans *Le Banquet* en novembre 1892 ; *Les Plaisirs et les Jours*, *Jean Santeuil*, éd. citée, p. 143). Une description de Beg-Meil dans *Jean Santeuil* annonce plus précisément encore *Le Port de Carquethuit* : « Si étroite entre ces deux rives, la mer s'allonge à ses pieds comme un chemin

charmant qui mène au port voisin les barques qui rentrent à la file, comme des vaches, s'arrêtant çà et là pour paître encore... » (p. 364).

2. Voir n. 1, p. 978.

Page 194.

1. « On a l'impression que ce sont six tableaux au moins qui ont servi de modèle pour cette toile surchargée », écrit J. Monnin-Hornung (*Proust et la peinture*, éd. citée, p. 75). Elle-même suggère plusieurs œuvres de Turner : *Portsmouth vu de la mer* (« des toits [...] dépassés (comme ils l'eussent été par des cheminées ou par des clochers) par des mâts »), *Pêcheurs sous le vent* (« Des hommes qui poussaient [...] comme s'ils avaient été de l'eau »), *Le Port de Dieppe*, mais aussi, de Monet, *Le Port de Honfleur*. J. Autret (*L'Influence de Ruskin [...]*, éd. citée) songe lui aussi à Turner, *Scarborough* et *Plymouth* (mais, note-t-il page 134, « l'absence de toute couleur dans la description nous porte à croire que ce ne sont pas les originaux de Turner qui ont inspiré Proust »), mais il propose également Carpaccio, *La Légende de sainte Ursule* (à laquelle il sera fait allusion p. 252). D'autres ont évoqué *Le Port de Bordeaux*, de Manet, ou celui de Boudin ; ou encore *La Seine à Rouen*, de Monet. G. Bataille pense que les termes de Proust, faisant d'un vaisseau « quelque chose de citadin, de construit sur terre », s'appliquent au mieux au *Départ du vapeur de Folkestone*, de Manet (*Manet*, Skira, éd. illustrée de 1983, p. 80). Mais pour M. Butor, Proust a inventé là « une grande composition originale » à laquelle on ne peut comparer que *L'Après-midi à la Grande Jatte*, de Seurat, « que Proust ne devait guère connaître » (*Répertoire II*, éd. citée, p. 266 et 269). La multitude des éléments contenus dans le tableau imaginé par Proust rend sa « représentation » quasiment impossible, d'autant qu'en réussissant à identifier ces éléments, fût-ce avec difficulté, le narrateur ne saurait nous donner l'image la plus fidèle d'une toile à la manière de Turner ou des Impressionnistes. On ne saurait « voir » *Le Port de Carquethuit*, pas plus qu'on ne peut « entendre » la *Sonate* de Vinteuil. On peut lire dans *Les Plaisirs et les Jours* une pièce intitulée « Voiles au port » dans laquelle, inspiré peut-être par « Le Port », petit poème en prose de Baudelaire, Proust se livrait déjà à une description de bateaux à l'ancre (voir éd. citée, p. 145).

2. « [...] mon affaire est de dessiner ce que je vois, non ce que je sais », aurait déclaré Turner (*Pastiches et mélanges*, éd. citée, p. 121).

Page 195.

1. J. Monnin-Hornung propose plusieurs rapprochements possibles de cette toile avec des tableaux de Turner. « Dans un tableau pris de Balbec [...] des ombres et la pâleur de la lumière » évoquerait *Lulworth Cove* (encore que, comme elle-même le signale, les falaises de Turner étant jaunâtres, le rose de celles-ci fasse plutôt songer aux falaises d'Étretat de Monet) ; « Un fleuve qui passe [...] la fraîcheur du soir » évoquerait *The Crook of the Lune* (« Le coude de la rivière

Lune ») ; « [...] et le rythme même [...] fleuve écrasé et décousu »,
Lausanne from the Signal (*Proust et la peinture*, éd. citée, p. 91-92).

Page 196.

a. dès que nous l'avons *[p. 185, 1ᵉʳ §, dernière ligne]* connue. / Le plus
grand charme qu'eut pour moi cette visite que je fis à l'atelier d'Elstir,
ce fut d'ouvrir un champ nouveau aux désirs que j'avais apportés à Balbec
et auxquels la réalité si différente n'avait guère répondu. Sans doute pour
ce qui était par exemple de l'église de Balbec la conversation d'Elstir,
les paroles qu'il me dit furent aussi efficaces que ses tableaux pour me
faire oublier ma déception et me faire souhaiter de revenir devant la vieille
façade. « Comment vous avez été déçu par ce porche, mais c'est la plus
belle bible historiée que le peuple ait jamais pu contempler, je vous assure
en aucun temps, on n'a jamais rien fait d'aussi chouette[1]. Cette
Vierge *plac. Gt 1b* : dès que nous l'avons connue. [/ Elstir ne resta
[...] lacets intermédiaires. *add. 14-17*[2]] / Le plus grand charme *[comme
dans plac. Gt 1b]* d'aussi chouette. Cette Vierge *plac. Gt 5. Les corrections
portées par Proust sur l'épreuve Gallimard aboutissent au texte définitif.*

Page 197.

a. l'époux qui aidant sa jeune *états ant., épr. Gd* ↔ *b.* bat vraiment.
Et l'ange *états ant., épr. Gd*

1. « J'ai été hier voir Vuillard qui avait un bourgeron d'ouvrier
bleu [...]. Il dit avec intensité "un type comme Giotto n'est-ce pas,
ou encore un type comme Titien n'est-ce pas, savaient aussi bien que
Monet, n'est-ce pas, un type comme Raphaël etc." Il dit bien type
une fois par vingt secondes mais c'est un être rare » (À Reynaldo
Hahn, Cabourg, le 1ᵉʳ ou le 2 septembre 1907, *Correspondance*, t. VII,
p. 267).

2. Allusion à *L'Apocalypse de saint Jean* (1899), d'Odilon Redon.

Page 198.

a. *[page coupée]* [m'avait parlé de belles et laides restaurations. [Ainsi,
quand je parlais avec dédain des restaurations il me dit qu'il y en avait
de laides et de très belles, et même établissait des distinctions profondes
entre celles que Viollet-le-Duc avait faites au cours de sa carrière. *add.
biffée épr. Gd]* Et puis les plages mêmes, la ligne des plages du côté
d'Équemauville est ravissante, ajouta-t-il tout en portant un regard sur
le bouquet de fleurs qu'il peignait. Ici la ligne de la plage est quelconque.
Mais là, je ne peux pas vous dire quelle grâce, quelle douceur. Du reste
je vous donnerai comme petit souvenir de notre amitié, si vous le
permettez, une petite esquisse que j'ai faite pour ce tableau et où on voit
bien mieux la cernure de la plage. Le tableau n'est pas trop mauvais, mais

1. Voir la 15ᵉ ligne de la page 197 et la variante *b* de cette page.
2. En fait cette addition est légèrement différente du texte définitif. Voir à ce
propos de la var. *a*, p. 185 à la var. *a*, p. 192.

c'est autre chose. » Et en *[un blanc]* vers la toile qu'il devait me donner. Il était ainsi d'une amabilité de grand artiste, à côté de laquelle l'amabilité de grand seigneur de Montargis, si charmant pourtant, n'avait l'air que d'une simulation, d'un jeu d'acteur. Saint-Loup cherchait à plaire, Elstir était heureux de donner. Tout ce qu'il possédait d'inestimable, idée, œuvres, qui lui étaient infiniment moins, il eût été heureux de le donner à ceux *[un blanc]* été capable de les aimer, les gardait jalousement *[un blanc]* ceux, et n'avait de société avec personne. Aussi les gens du monde le trouvaient-ils mal élevé et sauvage, les gens de gouvernement orgueilleux ou révolté, et sa propre famille dénaturé. Il avait été assez long à choisir la solitude par impossibilité de trouver une société supportable. Et sans doute les premiers temps dans la solitude même, avait-il pensé avec plaisir que par ses œuvres il agissait à distance, donnait une plus belle idée de lui à ceux qui l'avaient méconnu ou froissé. Mais peu à peu la pratique de la solitude lui en avait donné l'amour ; il avait peut-être fait des œuvres d'abord pour les autres, mais les faire c'était vivre pour soi-même, et ainsi il n'avait pris le goût de la solitude qu'après en avoir pris l'habitude comme il arrive pour toute grande chose, qu'avant de la connaître nous ne pensons qu'à pouvoir concilier avec des plaisirs auxquels nous avons peur qu'elle ne nous oblige à renoncer, tandis que, une fois que nous la connaîtrons, ce n'est pas les plaisirs qu'elle nous ôtera, mais le désir de ces plaisirs qui ne nous paraîtront plus qu'ennui. Telle la solitude avait donné à Elstir une sorte de détachement plus que ne fait une cure toute physique d'isolement, moins pourtant que ne fait la vie religieuse. C'est ainsi que je l'avais cru modeste ;   *biffé*[1] *épr. Gd*] je compris que je m'étais trompé,   *plac. Gt 5 add. 14-17, épr. Gd*[2]

1. J. Autret (*L'Influence de Ruskin [...]*, éd. citée, p. 144-151), a montré que, pour la description du porche de l'église de Balbec, Proust avait presque recopié mot pour mot certains passages de *L'Art religieux du XIIIᵉ siècle en France*, d'Émile Mâle, Paris, Leroux, 1898 (réédité avec quelques différences de texte par Armand Colin, 1986). R. de Billy raconte qu'il lui prêta un exemplaire de cet ouvrage et le récupéra quatre ans plus tard en fort mauvais état (voir la *Correspondance*, t. II, p. 456, n. 5). Pourtant, le 3 ou le 10 octobre 1901, Proust en demande un exemplaire à Antoine Bibesco pour y chercher « des choses sur Chartres » (*ibid.*). Il le cite dans ses études sur Ruskin (voir « Journées de pèlerinage », *Pastiches et mélanges*, éd. citée, p. 69 et suiv.), l'œuvre tout entière du philosophe anglais lui semblant « l'illustration des vérités dégagées par M. Mâle » (*Correspondance*, t. IV, p. 399). Il entretient avec É. Mâle une correspondance dont nous ne connaissons que quelques lettres (*ibid.*, t. VI, p. 192, n. 2). Le 18 août 1906, É. Mâle conseille à Proust, dans l'état de santé qui est le sien, la Normandie plutôt que la Bretagne, orientant peut-être ainsi le Balbec du roman à venir : « Je vous indiquerai le moyen de la faire à petites journées, en voyant plusieurs belles choses sur la route de Caen et de Bayeux » (*ibid.*, t. VI, p. 191).

---

1. Voir (au bas de la page 1450) la note 1 de la variante *c*, p. 220.
2. Pour cette variante et les variantes suivantes, jusqu'à la variante *b*, p. 220, voir la variante *c*, p. 220.

En août 1907, Proust sollicite de son correspondant de nouveaux conseils, puis le remercie au retour d'un voyage qui l'a conduit à Caen, à Bayeux (« Les figures orientales de la cathédrale de Bayeux (partie romane de la nef) m'ont charmé mais je ne les comprends pas, je ne sais pas ce que c'est »), à Balleroy, à Dives (*ibid.*, t. VII, p. 255-256). Il réemprunte l'ouvrage d'É. Mâle à G. de Lauris, « pour vingt-quatre heures », en novembre 1909 (*ibid.*, t. IX, p. 218).

Quant aux emprunts signalés par J. Autret pour ce passage de notre texte, ils sont effectivement flagrants. Ces extraits de l'ouvrage d'É. Mâle en donneront une idée (nous nous référons à l'édition Leroux, utilisée par Proust) : « Il y a, à la façade de presque toutes nos grandes cathédrales du XIIIᵉ siècle, une galerie où sont rangées des statues colossales et qu'on appelle la galerie des rois. Ces rois ne sont pas les rois de France, comme on l'a cru si longtemps, mais les rois de Juda [...]. La galerie des rois est une autre forme de l'arbre de Jessé. L'étude attentive des statues de rois qui ornent la façade méridionale de la cathédrale de Chartres ne laisse aucun doute à ce sujet. On voit aux pieds d'une statue, qui est évidemment celle de David, le vieux Jessé et les pousses de l'arbre symbolique : de sorte qu'il est impossible de ne pas reconnaître dans les dix-huit rois de Chartres, dix-huit rois de Juda. » On en trouve, signale en outre É. Mâle, vingt-huit à la façade de Notre-Dame de Paris, vingt-deux à celle de la cathédrale d'Amiens, cinquante-six à celle de Reims (p. 219-220). Évoquant un motif répandu dans de nombreuses cathédrales de l'époque, É. Mâle décrit : « D'un côté l'Église, couronnée, nimbée, un étendard triomphal à la main, recueille dans le calice l'eau et le sang qui sortent de la plaie du Sauveur. De l'autre côté la Synagogue, les yeux couverts d'un bandeau, tient d'une main la hampe brisée de son drapeau, et de l'autre laisse échapper les tables de la Loi, pendant que la couronne tombe de sa tête » (p. 249 ; une note en bas de page fait référence à un vitrail de Bourges). Un peu plus loin, on lit : « C'est un fait curieux qu'au XIIIᵉ siècle la légende ou l'histoire de la Vierge soient sculptées aux portails de toutes nos cathédrales » (p. 306). Décrivant le tympan de Notre-Dame de Paris, É. Mâle écrit : « Deux anges, tremblants de respect, enlèvent la Vierge au tombeau. Ils la portent doucement sur un long voile, car ils n'osent toucher son corps sacré » (p. 326). À Chartres, « près du tombeau de Marie, deux archanges portent respectueusement sur une nappe l'âme de la Vierge qui va se réunir à son corps » (p. 327). Autre évocation de la résurrection de la Vierge : « Saint-Thomas, qui était absent, arrive après la résurrection, voit le tombeau vide, mais, fidèle à son caractère, refuse de croire au miracle. Marie, du haut du ciel, pour le convaincre, lui jette sa ceinture » (p. 327) ; cette représentation, précise É. Mâle, ne se rencontre guère que dans l'art italien. Au moins ces emprunts suggèrent-ils la diversité des modèles possibles de l'église de Balbec.

Il reste que les figures orientales de la cathédrale de Bayeux, dont Proust dit à É. Mâle qu'il ne les a pas comprises, ont dû jouer un rôle déterminant. En voici la description. Côté nord : bateleur avec singe, prêtre foulant le serpent ; lion avec oiseau saisissant une tête d'homme ; évêque bénissant. Côté sud : homme barbu ; dragon ; deux monstres bicéphales entrelacés ; tigre et griffon. H. Focillon confirme que l'analogie de ces figures « avec certaines formes de l'Asie orientale est frappante » (*Art d'Occident*, t. I, *Le Moyen Âge roman*, le Livre de poche, 1965, p. 291).

Page 199.

a. vaguement ce chemin rustique. Tout à coup   *plac. Gt 5 add. 14-17, épr. Gd* ◆◆ *b.* promesses sur lesquelles je n'aurais pas cru pouvoir compter en ce monde, je la vis   *plac. Gt 5 add. 14-17* : promesses [sur lesquelles je n'aurais pas cru pouvoir compter en ce monde   *biffé*], je la vis   *épr. Gd*

Page 200.

a. salut souriant [*p. 199, 3ᵉ ligne en bas de page*] d'amie. Elle s'approcha   *plac. Gt 5 add. 14-17* : salut souriant d'amie [, arc-en-ciel [...] inaccessibles. *add.*] Elle s'approcha   *épr. Gd* ◆◆ *b.* Je ne pus qu'admirer [la bourgeoisie française comme un merveilleux atelier de la sculpture la plus généreuse et *corrigé en* combien la bourgeoisie française était un atelier merveilleux de la sculpture] la plus variée.   *épr. Gd* : Je ne pus qu'admirer la bourgeoisie française comme un atelier merveilleux de sculpture la plus généreuse et la plus variée.   *orig. Nous corrigeons d'après l'épreuve Gallimard* ◆◆ *c.* les plus grands des sculpteurs. D'ailleurs qu'importait qu'elles fussent filles de bourgeois, rien ne pouvait plus contre elles puisque je les aimais, je fus seulement obligé de me les représenter. Avant que   *plac. Gt 5 add. 14-17* : les plus grands des sculpteurs. [D'ailleurs [*comme dans plac. Gt 5 add. 14-17*] représenter.   *biffé*] Avant que   *épr. Gd* ◆◆ *d.* famille de tel agent de change que nous   *plac. Gt 5 add. 14-17* : famille de tel [agent de change   *biffé*] [notaire   *corr.*] que nous   *épr. Gd*

Page 201.

a. au lieu de deux, un orgueil tranquille et mystérieux, mais qui ne le cédait pas en hauteur à celui que le duc d'Orléans peut avoir à se sentir le chef du nom et d'armes de la maison de France. Je demandai   *plac. Gt 5 add. 14-17. Les corrections portées par Proust sur l'épreuve Gallimard aboutissent au texte définitif.* ◆◆ *b.* laquelle   *épr. Gd* : lequel   *orig. Nous adoptons la leçon de l'épreuve Gallimard.*

1. Voir n. 1, p. 185.
2. À plusieurs reprises, les épreuves Gallimard impriment « Simonin ». Et ici, dans une page recopiée de sa main sur ce jeu d'épreuves [de « Comme cette jeune fille » à « en revanche », ligne 37], Proust lui-même écrit « Simonin ».

Page 202.

a. je ne l'ai jamais [*p. 202, 1ᵉʳ §, dernière ligne*] revue. / Peut-être cette première incertitude sur l'identité d'Albertine, eut-elle pour effet de mieux dégager en moi une impression que j'avais déjà ressentie quand j'aimais Gilberte, celle de la multiplicité de tout être, de la richesse *[p. 269, 19ᵉ ligne]* des lignes [...] différents et qu'on ne voit pas *[p. 270, 3ᵉ ligne]* à la fois. / Et puis pour Albertine il en fut de même que pour cette mer sur laquelle je l'avais vue se détacher d'abord, je ne disais Albertine, — comme je disais : la mer — que pour la commodité du langage ; si j'avais voulu être vrai, aussi attentif qu'Elstir à ne pas laisser le raisonnement altérer mes impressions, si j'avais voulu nommer ce que je voyais et non pas ce que, par induction pratique, je savais être, j'aurais dû user, pour Albertine aussi, de noms chaque fois autres, désignant les diverses jeunes filles dont elle m'offrait, selon le profil qu'elle me laissait voir, selon l'ordre que la gaieté, la tristesse, la fatigue, le cadre de la toilette imposaient à son visage, les visages différents. / Mon hésitation *plac. Gt 5 add. 14-17, épr. Gd* ➺ *b.* intérieure et purement *[p. 202, 2ᵉ §, avant-dernière ligne]* subjective. / Elle s'était *plac. Gt 5 add. 14-17* : intérieure et purement subjective, [/ « Il n'y a pas [...] d'Albertine, *add.*] / Elle s'était *épr. Gd*

Page 203.

a. fleurs de pommiers, [— mais des fleurs qui n'étaient pour moi que des fleurs de chez le fleuriste, des fleurs pour Mme Swann, des fleurs qui par ce qu'elle m'en avait dit n'avaient l'air humides, luxueuses, des orchidées. Elstir tout en peignant s'éleva contre ce que je disais d'elles et commença à me raconter relativement à la merveille de leur fécondation de ces histoires que *[un blanc]* a contées, que d'autres suivants ont complétées et, qu'enfin le livre de Metschnikof et les splendides essais de Maeterlinck ont rendues populaires. Il me parlait des ruses de celles qui forcent un insecte soit en lui donnant des morceaux charnus à manger après quoi elles le font trébucher dans un godet plein d'eau, d'où il ne peut s'échapper que par un couloir ou il s'enduit les ailes de pollen et de *[un blanc]*. Mais je ne l'écoutais plus guère ; pour moi *biffé épr. Gd*] il ne se suffisait plus *plac. Gt 5 add. 14-17, épr. Gd* ➺

1. Plus bas, à deux reprises, le porte-bouquet contiendra des œillets (p. 204).

Page 204.

a. déjà et oblique et bas *épr. Gd, orig.* : déjà oblique et bas *Gd 1920. Nous adoptons la leçon de l'édition Gallimard de 1920.* ➺ *b.* nacré comme la chevelure de la jeune femme avait çà *plac. Gt 5 add. 14-17* : nacré [comme la chevelure de la jeune femme *biffé*] avait çà *épr. Gd*

1. *Sacripant* est un opéra-comique par Ph. Gille et J. Duprato (1866), dont le héros apparaît déguisé en femme. Ce portrait pourrait avoir été inspiré par *Madame Henriot en page*, de Renoir, encore que le contraste entre le blanc du plastron et le noir du veston fasse songer à certains tableaux de Whistler : *Lady Archibald Campbell déguisée en Orlando* ou *Connie Gilchrist*. G. D. Painter (*Marcel Proust*, éd. citée, t. I, p. 279-280) voit l'une des sources possibles de cette Odette en Méry Laurent, actrice et modèle, qui fut la maîtresse de Manet. Celui-ci peignit plusieurs de ses modèles favoris en travesti masculin,

mais jamais Méry, semble-t-il. Ph. Kolb, de son côté, rappelle que
Marie Van Zandt, chanteuse à l'Opéra-Comique, avait offert au
docteur Adrien Proust une photographie d'elle-même en travesti
masculin, dédicacée à la date du 23 octobre 1881. Marcel serait entré
en possession de la photo (que peut-être, comme Elstir dans le roman,
Adrien Proust ne se souciait pas de montrer à son épouse) et aurait
pu s'en inspirer pour le portrait de son roman (voir la *Correspondance*,
t. VII, p. 242, n. 14). Peut-être le plus important est-il que ce tableau
relie l'Elstir de Balbec au Biche d'« Un amour de Swann » (ainsi
que nous le verrons quand sera révélée l'identité du modèle), mais
surtout fasse d'Elstir un peintre de l'indécision sexuelle, accentuant
encore les similitudes entre son œuvre et celle du narrateur — si
l'on peut identifier celle-ci au roman de Marcel Proust.

Page 205.

   a. Le rebord de la fenêtre était maintenant rose et transparent comme
s'il avait été non de plâtre, mais d'aventurine. Notre   *plac. Gt 5 add.*
14-17 : Le rebord de la fenêtre [était maintenant rose et transparent
comme s'il avait été non de plâtre, mais d'aventurine   *biffé*] [fut bientôt
rose   *corr.*]. Notre   *épr. Gd*

   1. Cette date, l'une des rares d'*À la recherche du temps perdu*, donne
une idée de l'âge d'Odette et situe approximativement l'épisode
d'« Un amour de Swann ». Voir l'Esquisse LX, p. 979 et suiv. et
n. 2, p. 985.
   2. Le théâtre des Variétés, ouvert en 1807 au numéro 7, boulevard
Montmartre, connut de grands succès sous le Second Empire grâce
aux vaudevilles et au répertoire d'Offenbach. Plus tard, on y
représenta plutôt la comédie de genre (Donnay, Capus, Flers et
Caillavet). Le 27 novembre 1909, Proust y assista à une représentation
du *Circuit*, pièce en trois actes de Georges Feydeau et Francis de
Croisset.

Page 206.

   a. content ; cet idéal, c'était   *plac. Gt 5 add. 14-17* : content ; [cet
idéal,   *biffé*] c'était   *épr. Gd* ◆◆ *b.* détachement, en tirer [*18ᵉ ligne de la
page*] des émotions, [de même qu'on ne peut s'attendrir sur ses propres
maladies comme sur celles des autres, si en revanche, on en souffre
davantage. Mais cet idéal avait pu au contraire contenter chez Elstir le
besoin de romanesque, d'émotions, qui survit chez les plus fortes, chez
les plus viriles, quand il l'avait un jour rencontré en dehors de lui, dans
le corps d'une femme, de celle qui était devenue Mme Elstir   *biffé épr.
Gd*] et chez qui il avait pu le trouver méritoire, attendrissant, divin. [Elstir
avait alors quitté déjà l'extrême jeunesse où l'on n'attend la réalisation
de son idéal que de la force de sa pensée. Il faisait déjà plus de place
à son corps, aux satisfactions de son corps, il comptait sur elles pour
stimuler les forces de son esprit.   *biffé épr. Gd*] Quel repos,   *plac. Gt 5
add. 14-17, épr. Gd*

Page 207.

a. sans doute. Et il le fit bien plus voir encore dans quelques femmes qu'il aima dans la suite. Les données *plac. Gt 5 add. 14-17* : sans doute. [Et il le fit bien plus voir encore dans quelques femmes qu'il aima dans la suite. *biffé*] Les données *épr. Gd* ◆◆ *b.* à voir deux portraits par Elstir ou par Rembrandt les uns à côté des autres, que ce sont avant tout des Elstir, des Rembrandt. Seulement, *plac. Gt 5 add. 14-17. Les corrections portées par Proust sur l'épreuve Gallimard aboutissent au texte définitif.* ◆◆ *c.* cerveau due à l'âge, ou à la maladie, ou à telle ou telle autre cause comme l'abus des plaisirs ou des poisons, il n'aura *plac. Gt 5 add. 14-17* : cerveau [due à l'âge, ou à la maladie, ou à telle ou telle autre cause comme l'abus des plaisirs ou des poisons *biffé*], il n'aura *épr. Gd* ◆◆ *d.* produire son œuvre *plac. Gt 5 add. 14-17* : produire [son *biffé*] [l' *corr.*] œuvre *épr. Gd*

1. Le portrait de Mme Elstir est assez précisément préfiguré par celui de Mme Martial, la femme du peintre dans *Jean Santeuil*, écrit sans doute pendant l'été de 1902. Mme Martial était « une personne de près de soixante ans, extrêmement grande, extrêmement forte, extrêmement nulle, d'une majesté incessante, qui pouvait avoir été admirable, mais on n'y pensait pas, et seulement à son extrême ennui. [...] quand Martial l'avait épousée, la majesté absolue de son corps et de ses traits, alors qu'elle était dans la beauté de la jeunesse, avait dû faire d'elle pour Martial comme une sorte d'apparition de la beauté de son rêve dont il allait chercher les traces dans les statues de la Grèce et les tableaux de l'Italie [...] » (éd. citée, p. 455-456). Dans *Jean Santeuil* encore, le peintre continue de trouver belle Mme Delven, son modèle, qui est pourtant devenue laide (voir éd. citée, p. 788).

Page 209.

a. les choses devaient lui *[p. 208, 18ᵉ ligne]* apparaître. [Pour dire *[...]* blâmer, ce que *[p. 209, 14ᵉ ligne]* je ferais sans doute si j'avais *[...]* « sur la digue ». *corr.¹*] Que de ruses *épr. Gd*

1. Élan un peu puéril du jeune homme, qui sera corrigé par la réflexion du narrateur adulte. De même, « Un tableau de Monet nous fait aimer le pays qui nous y plaît [...]. Alors, nous partons pour ces lieux bénis » (*Essais et articles*, éd. citée, p. 675-676) ; ou encore : « Nous voudrions aller voir ce champ que Millet [...] nous montre dans son *Printemps*, nous voudrions que M. Claude Monet nous conduisît à Giverny [...] » (*Pastiches et mélanges*, éd. citée, p. 177). Mais « ce qui nous les fait paraître autres et plus beaux que le reste du monde, c'est qu'ils portent sur eux comme un reflet insaisissable l'impression qu'ils ont donnée au génie, et que nous verrions errer aussi singulière et aussi despotique sur la face indifférente et soumise de tous les pays qu'il aurait peints » (*ibid.*). Voir l'Esquisse LXII, p. 987.

1. Même remarque que pour la variante *a*, page 154 (voir la note 1 de cette variante).

Page 210.

   a. jugement ironique et sévère. Sentant   *plac. Gt 5 add. 14-17, épr. Gd*

   1. Voir n. 5, p. 54.
   2. Proust écrivait à G. de Lauris le 20 août 1903 : « Vous ne pouvez pas ne pas aller à la pointe du Raz [...]. Ce sont des lieux funèbres et d'une malédiction illustre qu'il faut connaître. Mais j'avoue que je leur préfère infiniment Penn'March que vous ne pouvez éviter, sorte de mélange de la Hollande et des Indes et de la Floride (Harrison *dixit*) d'où une tempête est la plus sublime chose qui se puisse voir » (*Correspondance*, t. III, p. 408). Sur Harrison, voir n. 1, p. 184. Dans le *Carnet de 1908*, on lit : « Je n'admets les autres que comme indicateurs excitants (Harrison Floride) » (éd. citée, p. 99).
   3. Ces noms semblent être imaginaires.
   4. Sur le Cahier 33, Proust avait écrit : « [...] je tournai le dos comme à Balbec faisaient certains baigneurs pour recevoir la lame [...] » (f⁰ 2 r⁰). Les baigneurs de Balbec sont rarement évoqués.

Page 211.

   a. historiques, contraint *[20ᵉ ligne de la page]* de négliger. [D'ailleurs ce qui [...] n'étais pas préparé [15ᵉ ligne en bas de page]. Je n'y¹ reconnaissais [...] me l'enlever. *add.*] Et il reprit, *épr. Gd* : historiques [...] Je ne reconnaissais [...] Et il reprit, *orig. Nous corrigeons d'après l'épreuve Gallimard.* ↔ *b.* la figure de Mlle Simonet, grosse et azurée par ses *plac. Gt 5 add. 14-17. Les corrections portées par Proust sur l'épreuve Gallimard aboutissent au texte définitif.*

Page 212.

   1. Dans le *Carnet de 1908*, on lit : « *Sylvie*. Les 2 états plaisir jour, tristesse de perdre Maman soir (page 8) » (éd. citée, p. 64). Il s'agit, bien entendu, de *Sylvie* de G. de Nerval.

Page 213.

   a. tout d'un coup, comme cela devait m'arriver quelques années plus tard pour Albertine, que cette *plac. Gt 5 add. 14-17* : tout d'un coup [, comme cela devait m'arriver quelques années plus tard pour Albertine, *biffé*] que cette *épr. Gd* ↔ *b.* pensé. [Ces considérations ne seront pas inutiles pour expliquer dans une autre partie de cet ouvrage certaines particularités du second ou troisième amour que j'avais pour Albertine et qui, si différent qu'il fût de ce premier désir en garde toujours l'inconsistance et l'ardeur. Au moment où Elstir était arrêté et où j'avais cru que j'allais la connaître, Albertine, autour de qui venait d'être subitement retranchée toute l'angoisse qui l'entourait pour moi, me semblait n'être presque plus rien. *biffé épr. Gd*] Que connaissais-je *plac. Gt 5 add. 14-17, épr. Gd* ↔ *c.* Or, est-ce à d'autres raisons que je pouvais

   1. Le « y » est peu lisible.

obéir, puisque, *épr. Gd* : Or, pouvais-je en d'autres raisons, puisque, *orig. Nous corrigeons d'après l'épreuve Gallimard.*

Page 214.

a. je ne possédais rien *[p. 213, 6ᵉ ligne en bas de page]* d'autre ? Il en
est *plac. Gt 5 add. 14-17* : je ne possédais rien d'autre ? [Depuis que
j'avais [...] effectifs. *add.*] Il en est *épr. Gd* ◆ *b.* Elle était laide ;
comme *plac. Gt 5 add. 14-17* : Elle était laide [et d'une ressemblance
avec le vieux maître de dessin qui ôta tous les doutes *add.*] ; comme *épr.*
Gd ◆ *c.* chapeau. » / Je voulus rejoindre Elstir. Je m'aperçus dans une
glace, la fleur que j'avais prise chez lui dans mon trouble en m'éloignant
je n'avais pas vu qu'elle s'était détachée, était tout de travers et cachait
ma jolie cravate. Même en mettant de côté le désastre de n'avoir pas été
appelé et présenté par Elstir, en ne jugeant la chose que comme une
première entrevue qui me faisait connaître de vue, quelle mauvaise
chance, même ne les connaissant pas, comme j'aurais voulu retoucher cet
aspect raté ; puis j'étais très rouge, mon chapeau était de travers et je
m'aperçus qu'on voyait mes cheveux longs, *plac. Gt 5 add. 14-17. Les*
corrections portées par Proust sur l'épreuve Gallimard aboutissent au texte définitif.

1. G. D. Painter (*Marcel Proust,* éd. citée, t. II, p. 308) rapporte
que Proust s'est inspiré ici d'une réplique d'Ernest Guiraud,
(1837-1892), père de Mlle Joinville d'Artois, professeur au Conservatoire et maître de Debussy, et qui fut peut-être un des modèles de
Vinteuil. C'est à Mme Straus, veuve de G. Bizet, dont il fréquentait
le salon, qu'il aurait répondu avec la naïveté qui est ici prêtée au
professeur de dessin. Voir la *Correspondance,* t. XIV, p. 125 et n. 10.

Page 215.

a. réflexe. [Or, tout ce qui est de la vie profonde et inconsciente n'est
pas supérieur chez les grands hommes que chez la multitude. Les
saignements de nez ou les hoquets de Goethe ne devaient pas différer
de ceux de Françoise. *biffé épr. Gd*] « Elles étaient *plac. Gt 5 add. 14-17,*
épr. Gd

Page 217.

1. Un trottin est un domestique employé pour faire les courses.

Page 218.

a. le cœur, un Legrandin, peut-être même un Swann, m'eût peut-être
simplement dit au revoir un peu sèchement et après cela ne m'eût plus
revu, comme on dit que Louis XIV ne voulut plus revoir Racine qui avait
prononcé le nom de *[un blanc]*[1]. Mais *plac. Gt 5 add. 14-17* : le cœur
[, un Legrandin, peut-être même un Swann, *biffé*] m'eût peut-être
simplement dit au revoir un peu sèchement et après cela [ne m'eût plus

1. Voir t. I de la présente édition, n. 2, p. 553.

[comme dans plac. Gt 5 add. 14-17] le nom de *[un blanc] biffé]* [eût évité de me revoir *corr.*]. Mais *épr. Gd*

   1. Voir n. 1, p. 204.

Page 219.

   a. maintenant toutes, même Albertine, savaient certainement qui j'étais ; elles ne pouvaient plus ignorer mon nom ni qu'Elstir m'estimait ; il y aurait *plac. Gt 5 add. 14-17, épr. Gd*

   1. Ici, comme précédemment (voir n. 1, p. 151), a été imprimée par erreur sur les épreuves Gallimard une note personnelle de Proust : « Tout cela est bien mal dit et est peut-être écrit ailleurs mieux. »

Page 220.

   a. hasards merveilleux que quelques heures auparavant je n'eusse *plac. Gt 5 add. 14-17, épr. Gd* ◆◆ *b.* avec ces jeunes filles, que j'eusse eu l'idée d'aller le voir le jour où elles avaient passé devant chez lui sans quoi j'aurais peut-être ignoré toujours qu'il les connût que maintenant celles qui le matin encore étaient pour moi des princesses tragiques vivant dans un monde où je ne pouvais pas entrer, m'eussent vu, *plac. Gt 5 add. 14-17. Les corrections portées par Proust l'épreuve Gallimard aboutissent au texte définitif.* ◆◆ *c.* ces mots : « église presque *[p. 198, 2ᵉ §, dernière ligne]* persane. N'importe ces autres mots, « délicieuse poésie, profondes pensées, poème d'amour en l'honneur de la Vierge », mon esprit les avait maintenant accueillis, ils l'avaient enflammé ; ils lui avaient rendu un désir nouveau d'aller devant le porche où je pourrais voir « la plus belle Bible historiée que le peuple ait jamais eue devant lui et les balustrades de la Jérusalem céleste ». Un homme de grand goût venait de jeter en moi les fondements de nouveaux désirs. Et plus tard cet homme de goût je n'ai pas eu besoin d'aller le consulter dans un atelier, à Balbec ; car peu à peu il s'en est développé un en moi-même qui, devant les monuments, scéance tenante, et même plus tard encore au fur et à mesure que les déceptions de ma vie, l'affaiblissement de ma pensée ou le dessèchement de mon cœur eurent diminué ma faculté d'admirer, j'eus soin d'ajouter en moi à l'homme de goût qui vieillissait un peu, un historien, un érudit qui à Balbec par exemple devant les statues des porches ou les vitraux des chapelles, au lieu d'écouter en lui ce qu'y éveillait leur vue cherchait à leur trouver un autre intérêt que leur beauté artistique, en les rattachant à l'histoire d'un saint dont le culte avait Balbec pour principal centre au Moyen Âge, parce que l'église possédait les reliques de ce saint, en compulsant les vieux dictionnaires, en cherchant dans les chansons de geste où il est question des miracles de ce saint, pour voir si Balbec ou quelque lieu approprié n'y était pas nommé, et quand j'abaissais les yeux sur le pavage de la nef et du chœur, en cherchant à y lire les relations de la vieille église avec l'histoire de France, les raisons qui firent que tel grand écrivain y avait sa sépulture, que tel prince, dont je savais que par son testament il avait demandé que son cœur fût déposé dans un couvent de Paris, avait été enterré ici — me consolant de ne pas recevoir la même impression poétique que j'avais eue jadis à Combray devant les pierres tombales pareilles aux alvéoles d'un miel durci, doré et doux. / Mais bien plus que ces conversations[1], ces tableaux avaient changé la forme de mes rêves, avaient dirigé constamment mes désirs sur ce qu'ils avaient dédaigné jusque-là. Par exemple, à Balbec, je m'étais toujours devant la mer, efforcé d'expulser du champ de ma vision les baigneuses du premier plan, les yachts de plaisance aux voiles trop blanches comme un costume de plage en coutil blanc, tout ce qui m'empêchait de me persuader que je contemplais le flot immémorial qui déroulait déjà cette même vie mystérieuse avant l'apparition de l'espèce humaine jusqu'à ce que j'eusse vu dans l'atelier d'Elstir une marine de lui où une jeune femme en robe de barège dans un yacht échenillant le long de ses drisses au soleil et au vent, ses flammes multicolores, mit dans mon imagination le « double » spirituel d'une robe de barège et du grand pavois d'un yacht, qui réchauffa, y couva un désir insatiable d'en voir le plus tôt possible comme si cela ne m'était jamais arrivé. Malheureusement il était déjà trop tard dans la saison et je ne rêvais que de revenir à Balbec en plein été, pendant ces jours dont jusque-là l'ensoleillement d'un temps radieux me semblait simplement cacher sous la parure banale de l'universel été, cette côte de brumes et de tempêtes, et ces beaux jours n'être qu'une simple interruption au lieu de la réalité véritable, l'équivalent de ce qu'on appelle en musique une mesure pour rien. Maintenant vivait en moi le désir qu'ils revinssent, éveillé non seulement par l'aquarelle qui représentait les yachts mais aussi par une autre où au bord de la mer, pâlie, vaporisée par le soleil, et où les ailes blanches de quelques bateaux semblaient engourdies de chaleur comme des papillons pâmés, j'avais vu en contraste, dans l'eau encore mais tout au pied de la falaise, rose, gigantesque, friable et dentelée comme les arcs-boutants d'une cathédrale, les ombres qui étaient mises à l'abri et au frais, j'avais attendu avec impatience la prochaine journée brûlante où je pourrais aller guetter dans l'eau entre les rochers, ces déesses cachées qui évoquaient la luminosité et la chaleur d'un temps radieux, mieux peut-être que ne faisait l'horizon ensoleillé et blanc par leur beauté d'un vert glissant et verni, par leurs prunelles d'un blanc intense et sombre. / Quand j'avais vu, en descendant du train, l'église de Balbec j'aurais voulu pouvoir la séparer des gens qui prenaient du café où était écrit le mot : « Billard ». Mais Elstir me rendit moins exclusif, d'abord en me montrant de petites études de lui. Le charme qu'il faisait ressortir comme caractéristique d'une ville de province française — certes on ne voit pas cela en Amérique — c'était celui qui est fait de la juxtaposition des scènes pittoresques de la vie populaire familièrement dominées, au-dessus du « marché », du magasin de bonneterie ou du grand café, par deux vieilles tours de la vieille église abbatiale, image d'une aïeule authentique qui n'était pas là pour orner mais qui faisait vraiment partie de l'histoire et du passé de la ville, née à ses pieds. — Mais le même goût d'harmoniser la vieille église avec ce qui l'entourait, certains tableaux d'Elstir m'avaient donné plus que ces petites études et d'une manière plus profonde. Dans ces petits dessins, presque tous à la plume, il n'était qu'un homme de goût, qui se souvient habilement de ce qu'il sait. Mais quand il faisait vraiment œuvre de créateur, dans ses grandes toiles, c'était merveille de voir comme tout ce qu'Elstir pouvait savoir

1. Le passage qui commence par ces mots et qui se termine à « une mesure pour rien » est très voisin de celui qu'on peut lire dans le texte définitif, de la page 255, 2ᵉ §, 1ʳᵉ ligne à la page 256, 1ᵉʳ §, dernière ligne.

— et Dieu sait si dans sa curiosité d'historien, d'amateur d'art et de savant, il était instruit — il avait le courage de les oublier quand il faisait un tableau afin de prendre les choses comme elles apparaissent, à ce moment premier le seul vrai, où notre intelligence n'étant pas encore intervenue pour nous expliquer ce qu'elles sont, nous ne substituons pas à l'impression qu'elles nous ont donnée les notions que nous avons d'elles, où devant une impression de bleu aérien comme en donne si souvent la mer, ou du bleu compact et liquide comme en donne si souvent le ciel, nous n'avons pas encore reconnu notre erreur et conclu à la suite d'un raisonnement que nous ne pouvons pas être en présence de celui de ces deux éléments que nous avions cru d'abord. Quand il peignait il n'avait plus de connaissances en archéologie ; les monuments anciens et les bâtisses modernes étaient alors pour lui sur un tel pied d'égalité, l'église avec ce qui l'entourait, deux tableaux d'Elstir que non seulement son « École communale » à Nemours valait, si elle ne lui était pas supérieure, son Abbaye de Verclay, mais que dans une même toile, représentant un coucher de soleil, la contemplation du peintre, placée comme au cœur des rayons roses du soir enveloppait d'un même amour et fondait dans une seule lumière la cathédrale et la poste. On lui reprochait dans ces tableaux-là où il se rapprochait un peu des impressionnistes de ne faire que des « effets » et de se contenter d'un art matériel, sans se rendre compte au contraire qu'aucun art n'était aussi purement spirituel. C'est parce qu'Elstir arrivait à composer entièrement sa toile, rien qu'avec des parcelles de réalité qui toutes avaient été personnellement senties, sans l'adjonction d'une seule qu'il se fût contenté matériellement de transcrire, qu'elle avait cette même unité profonde qu'ont nos impressions, et que les objets les plus différents pour l'érudit ou l'homme pratique — le chef-d'œuvre d'architecture et la bâtisse médiocre mais utile — y semblaient des accidents homogènes produits par un même regard. Et cette unité correspondait à celle de la nature ; car tous ces monuments qui chez de très grands peintres, ayant traité les mêmes sujets, continuaient à rester isolés, comme dans une description exacte et composite, manifestent tous dans la nature à cette heure-là la loi d'optique. Ces tableaux d'Elstir rendaient pour moi semblables à eux, c'est-à-dire me permettaient d'aimer des choses naturelles auxquelles je n'avais jamais fait attention et par là me permettaient de les aimer. En me montrant une petite étude qu'il venait de terminer et qui représentait une huître entrouverte en son bénitier calcaire doublé d'émail, sur les beaux plis d'une nappe damassée à côté d'un couteau brillant des reflets d'un jour terne, il avait fait autant que s'il m'eût donné ce chef-d'œuvre, ou plutôt s'il m'en avait donné mille, le chef-d'œuvre quotidien que me présenterait indéfiniment, après chaque déjeuner, cette chose que jusque-là j'avais regardée avec ennui, une table desservie. De beaucoup des endroits dont j'avais entendu la première fois le nom quand avec ma grand-mère j'étais arrivé à Balbec par le petit chemin de fer d'intérêt local, Briseville, Fourgeville, Marville en me montrant une étude, en me disant un mot, il m'avait désigné le charme, auquel parfois il ajoutait le charme plus général, — et entièrement renouvelé — de la saison et de l'heure. — C'est ainsi que jadis aux Champs-Élysées capable d'aimer la neige unie et pure, j'avais tant cru que Gilberte ne viendrait pas, de voir la Seine déjà à demi libre, avec la glace attaquée partout par les pics des terrassiers ; mais un « Effet de dégel à Briseville » que je vis dans l'atelier d'Elstir et où la dissimulation de toutes limites sous la glace cassée en mille morceaux et du milieu de laquelle s'élevaient des arbres presque entièrement défeuillés, empêchait de savoir si on avait devant soi le lit d'un fleuve ou une clairière dans les bois, m'avait appris la beauté qu'il y a dans cette immense équivoque de reflets où l'œil ébloui est incertain s'il voit briller un morceau de glace azurée, ou une lueur de soleil sur l'eau, tandis que les feuilles mortes mêlées à la neige et aussi à la rousseur des cimes des arbres réverbèrent dans le ciel et son miroir glacé des lueurs roses comme un coucher de soleil qui dure du matin au soir. Aussi ce tableau me donna-t-il l'envie d'aller à Équenonville[1] et j'avouai à Elstir qu'avec la Pointe du Raz, c'était maintenant ce que j'avais le plus envie de voir. / « La Pointe du Raz, d'ici, me dit-il, ce serait tout un voyage *[p. 210, 6ᵉ ligne]*. — Et puis [...] Ici, la ligne de la *[p. 210, 18ᵉ ligne]* plage est quelconque. / C'est ainsi qu'il introduisait en tout ces différences, des qualités esthétiques qui m'enflammaient, comme quand, à propos d'une porte de l'église de Balbec lui ayant dit avec dédain, mais avec ennui, ce que je ne faisais que répéter un lieu commun : / « Ce n 'est pas intéressant, c'est restauré. — Oh ! il y a restauration et restauration. C'est une très belle restauration qui a été admirablement faite au XVIIᵉ siècle par un grand architecte ; c'est loin d'être sans beauté. » / Le matin où j'étais allé le voir, il m'avait retenu à déjeuner heureux d'avoir auprès de lui quelqu'un par qui il se sentait admiré, il avait su mettre un sens riche dans son invitation, dans l'acte de m'accompagner à la gare, dans tous les gestes et démarches de l'amabilité devenus nécessaires pour exprimer ce qu'il ressentait, et que les autres hommes qui n'en usent que par habitude ont laissé s'évider et devenir si secs. Au moment de me quitter il m'avait fait don de deux « Variations en opale » qu'il venait de finir et qui représentaient l'une, un curieux effet produit par des globes de gaz allumés sur la plage dans la nuit et un feu d'artifice qu'on tirait, l'autre la plage de Balbec irisée comme un arc-en-ciel par les prismes qu'y émiettaient d'innombrables méduses, transparentes comme de grandes girandoles mauves, bleuâtres et rosées. En le quittant j'aurais peut-être dû chercher à approfondir et à rendre féconde l'exaltation que cette visite m'avait donnée ; mais cette joie était restée stérile car je l'avais usée en courant de droite et de gauche dans un wagon noir où j'étais, me suspendant aux embrasses des portières, répétant tout haut : « Quel être adorable ! quel homme de génie ! », tandis que les employés criaient successivement : Apollonville, Briseville, Transville, tous les noms de stations que j'avais entendus une première fois dans des dispositions bien différentes, quand j'avais fait avec ma grand-mère, le jour de l'arrivée à Bolbec[2] le même petit chemin de fer d'intérêt local. Le séjour de Montargis toucha*ᵃ* à sa fin et ma grand-mère était *plac. Gt 1b* : ces mots : « église presque persane. N'importe ces autres *[comme dans plac.*

---

a. se cachaient des souvenirs *[p. 175, 3ᵉ ligne en bas de page]* d'amour. / Le séjour de Montargis à Bricquebec toucha à sa fin et ma grand-mère était *dactyl. 1, dactyl. 2, plac. Gt 1. Nous rappelons que le passage compris entre* souvenirs d'amour *et le* Le séjour de Montargis *est une longue addition de Proust sur les placards Grasset 1 corrigés (voir var. a, p. 182).*

1. Voir var. *a*, p. 192.
2. Voir var. *b*, p. 22.

Gt 1b¹] fer d'intérêt local. [Les joies intellectuelles *[p. 198, 3ᵉ §, 1ʳᵉ ligne]* que je goûtais *[...]* départ de Saint-Loup. *add. 14-17²*] Le séjour de Montargis toucha à sa fin et ma grand-mère était *plac. Gt 5. Les corrections portées par Proust, à l'exception de quelques-unes données en variantes de la page 198 à la page 220, sur l'épreuve Gallimard aboutissent au texte définitif.*

Page 221.

a. très peu *[3ᵉ §, 11ᵉ ligne]* éloignée. Je l'aurais pris *plac. Gt 5 add. 14-17³* : très peu éloignée. [Il avait pensé *[...]* "tortillard". » *add.*] Je l'aurais pris *épr. Gd*

Page 223.

a. sa reconnaissance me priait *[p. 221, 3ᵉ §, 9ᵉ ligne]* encore le lendemain, du wagon, de l'en excuser auprès d'elle, puis le surlendemain, dans une lettre *états ant.* : sa reconnaissance me priait [encore le lendemain, du wagon, de l'en excuser auprès d'elle, puis le surlendemain *corrigé entre 1914 et 1917⁴ en* encore de l'en excuser, le lendemain *[...]* sa gratitude, le surlendemain], dans une lettre *plac. Gt 5, épr. Gd* ✦ b. fermée *états ant., épr. Gd* : formée *orig. Nous corrigeons d'après l'épreuve Gallimard.*

1. Cette périphrase pour désigner la ville de garnison de Saint-Loup trahit un état du texte antérieur à celui des pages précédentes, où Doncières est nommée, Voir n. 1, p. 87.

2. Arvède Barine n'est pas un auteur russe, comme le croit Saint-Loup, mais le pseudonyme de Mme Charles Vincens (1840-1908), auteur d'ouvrages critiques, notamment sur Bernardin de Saint-Pierre (1891) et Musset (1893), et d'une biographie en deux volumes de la Grande Mademoiselle (1901 et 1905).

Page 224.

a. et plus digne de *[p. 223, 3ᵉ ligne en bas de page]* vous. » / Et à partir de ce moment-là quand on apportait le courrier je reconnaissais tout de suite si c'était de lui *états ant., plac. Gt 5* ✦ b. à l'or — comme la mer de septembre à la fin de l'après-midi — dans le compotier déjà à demi dépouillé comme un verger d'automne, la promenade *plac. Gt 5 add. 14-17⁵* : à l'or — comme la mer de septembre à la fin de l'après-midi — dans le compotier déjà à demi dépouillé [comme un verger

1. En fait le passage qui va de « N'importe ces autres mots » (début de la variante) à « d'intérêt local » a dû être modifié par Proust entre 1914 et 1917 car, dans l'épreuve Gallimard, sur un feuillet coupé (voir var. *a*, p. 198) on peut lire, récrite par Proust, une partie de ce passage.

2. Cette addition est légèrement différente du texte définitif. Voir à ce propos de la variante *a*, page 198 à la variante *b*, page 220.

3. Pour cette variante, voir la variante *a*, page 223.

4. En fait cette correction est légèrement différente du texte définitif. Voir à ce propos de la variante *a*, page 221.

5. Pour cette variante et les variantes suivantes, jusqu'à la variante *c* page 302, voir la variante *a* page 303.

d'automne *biffé*], la promenade *épr. Gd* ⟷ *c.* où je rencontrerais
Albertine, [quand, après m'être longtemps reposé pour avoir bonne mine,
avoir fait acheter une fleur et choisi une cravate qui me parurent s'accorder
à merveille à ma coiffure et à mon teint et qui je vis m'attendre devant
l'hôtel, dans une voiture que j'avais commandée pour aller chercher Elstir,
tant de soins, la réussite instable d'un charme momentané que je crus
que j'avais, me parurent *[un blanc]* précieuses, *biffé épr. Gd*] je
regrettai *plac. Gt 5 add. 14-17, épr. Gd*

1. Voir l'évocation des natures mortes de Chardin dans un texte
daté par P. Clarac et Y. Sandre de 1895 : « Le compotier aussi
glorieux encore et dépouillé déjà qu'un verger d'automne [...].
Transparents comme le jour et désirables comme des sources, des
verres où quelques gorgées de vin doux se prélassent comme au fond
d'un gosier, sont à côté de verres déjà presque vides, comme à côté
des emblèmes de la soif ardente, les emblèmes de la soif apaisée [...].
Légères comme des coupes nacrées et fraîches comme l'eau de la
mer qu'elles nous tendent, des huîtres traînent sur la nappe [...] »
(*Essais et articles*, éd. citée, p. 375). Comme les tableaux des
impressionnistes, c'est le passage, l'état transitoire, le « geste
interrompu » que nous donnent à voir ces Chardin.

Page 225.

a. trouver que c'était *[1ᵉʳ §, avant-dernière ligne]* dommage. Elles eussent
été bien attrapées si ma volonté avait donné une autre adresse. [Et pourtant
si elle se décommandait au dernier moment chez Elstir. Ce sont des choses
qui arrivent. Je regardai la pendule — la pendule dont le tic-tac m'avait
tant gêné le premier soir — et la vue de l'aiguille placée quarante minutes
avant le moment où il faudrait partir chez Elstir était de ces choses qui
nous forcent à mettre la main sur notre cœur pour qu'il ne batte pas trop
vite, comme par exemple le bruit de pas qui nous apportait une réponse
que nous ne savons pas encore et d'où va dépendre un rendez-vous. *biffé*
épr. Gd] / Quand j'arrivai *plac. Gt 5 add. 14-17, épr. Gd*

Page 226.

a. aura oubliées le *[6ᵉ ligne de la page]* lendemain. [Obligé de suivre,
[...] de cet événement. *corr.¹*] / Au moment *épr. Gd* ⟷ *b.* Pour le
plaisir que cette présentation à Albertine me causa, je *plac. Gt 5 add.*
14-17 : Pour le plaisir [que cette présentation à Albertine me
causa, *biffé*] je *épr. Gd*

Page 227.

a. à l'infini aux regards venus de plus loin que la planète Mars, et
que *plac. Gt 5 add. 14-17* : à l'infini [aux regards venus de plus loin
que la planète Mars *biffé*], et que *épr. Gd* ⟷ *b.* à rencontrer) [le regard
conscient, *add.*] la pensée inconnaissable que nous cherchions vient

1. Même remarque que pour la var *a* page 154 (voir la note 1 de cette variante).

d'être　*épr. Gd*　: à rencontrer) le regard conscient, la pensée inconnaissable que nous cherchions vient d'être　*orig. Nous corrigeons* vient *en* viennent . ↔ *c.* qui sourirait. [La forme de la personne nouvelle est encore incertaine, mais les quelques paroles qu'elle va nous dire la sculpteront aussi vite que font les ciroplastes qui sur une scène de théâtre modèlent en dix minutes la tête d'une femme et la transforment en une voiture attelée.　*biffé épr. Gd*] Si l'incarnation　*plac. Gt 5 add. 14-17, épr. Gd*

　1. Le mot, d'un sens évident (qui travaille la cire), est inconnu des dictionnaires.

Page 228.

　a. discernée [, et où ce que nous ne savons pas, même des détails de son visage, est remplacé par autant de parties, par toutes les hypothèses merveilleuses de ces deux puissances suivantes : le désir et l'imagination　*biffé épr. Gd*]. La parenté d'Albertine avec Mme Bontemps　*plac. Gt 5 add. 14-17, épr. Gd*

Page 229.

　a. changer encore bien des fois *[p. 228, 12ᵉ ligne en bas de page]* pour moi. La vraie connaissance d'une personne qui n'est d'ailleurs peut-être pas une chose possible, cette personne elle-même n'était pas immuable de l'acquit qu'après qu'on a reconnu un certain nombre d'erreurs d'optique. Les qualités et les défauts qu'elle vient disposer en première ligne sur son visage et qui à quelques pas nous la font apparaître hautaine de forme promet une formation tout autre dès que nous l'abordons, d'un autre côté comme une ville s'échelonnent en profondeur quand on s'approche. Si ç'avait été toute la bande des jeunes filles que j'avais vu le premier jour comparer à cette musique de Vinteuil où la première fois je ne savais même pas reconnaître si une phrase — en ce sens une des jeunes filles — était celle que j'avais entendue, par abolition trop rapide de la mémoire, c'était maintenant une jeune fille en particulier qui m'apparaissait comme une œuvre où on démêle à chaque fois quelque chose d'autre. Déjà la Muse orgiaque du golf et de la bicyclette qu'Albertine m'avait apparu d'abord quand je la voyais flotter et claquer brillante et souple devant moi comme un drapeau d'un pays inconnu où il est vraiment trop difficile de donner un équivalent rationnel précis aux quelques couleurs gracieusement juxtaposées qui s'offrent aux yeux, avait fait place à une jeune fille bien élevée, comme il faut et plutôt sévère. Mais ce n'était qu'une seconde vue, et il y en avait sans doute d'autres par lesquelles je devais passer avant d'atteindre l'être lui-même. Du moins quelques déceptions　*plac. Gt 5 add. 14-17*　: changer encore bien des fois pour moi. [La vraie connaissance *[comme dans plac. Gt 5 add. 14-17]* Du moins　*biffé*] [Les qualités et les défauts [...] représentent plus. Pourtant　*corr.*¹] quelques déceptions　*épr. Gd* ↔ *b.* loisir de désirer, d'imaginer, que ce soit au bord de la mer, une église ou une jeune fille, cette démarche est la seule qui soit saine pour les sens, qui y entretienne

　　1. Ce passage corrigé figure sur un papier collé.

l'appétit et le désir. C'était la règle de Swann. De quel *plac. Gt 5 add. 14-17. Les corrections portées par Proust sur l'épreuve Gallimard aboutissent au texte définitif.* ◆◆ *c.* rêvé d'eux [tandis que sur le parcours sans oser faire arrêter la voiture, des jeunes femmes fragmentaires, complétées par leur imagination leur donnent une furieuse envie de descendre, de les aborder, d'entreprendre une confrontation du rêve à la réalité qui quelquefois laisse assez de prestige du premier au sein de la seconde pour que celle-ci reste assez dangereuse pour nous, ainsi qu'il advint plus tard pour moi, à l'égard d'Albertine *biffé épr. Gd*]. Je rentrai *plac. Gt 5 add. 14-17, épr. Gd*

Page 230.

a. « parfaitement commun » *épr. Gd* : « parfaitement commune » *orig. Nous corrigeons d'après l'épreuve Gallimard.* ◆◆ *b.* tantôt là [comme si ce grain de beauté n'avait été qu'une petite ombre de lanterne magique qui se superpose seulement, toujours mobile, aux choses immuables *biffé épr. Gd*] / J'avais beau *plac. Gt 5 add. 14-17, épr. Gd*

1. Voir les Esquisses LXIII et LXIV, p. 989 et suiv.

Page 231.

a. répondre de loin à mon *[2ᵉ §, 6ᵉ ligne]* salut, [lequel dans ce cas [...] digue par une *[3ᵉ §, 3ᵉ ligne]* jeune fille [rouge avec un toquet et un manchon de fourrure *corrigé en* portant un toquet et son manchon/, si différente [...] pas constante. *corr.*[1]] « Quel *épr. Gd*

Page 232.

a. non plus. Comme vous devez *[p. 231, 16ᵉ ligne en bas de page]* vous ennuyer ! Je vois que vous n'êtes pas comme moi, j'adore tous les sports ! En parlant, *plac. Gt 5 add. 14-17* : non plus. Comme vous devez vous ennuyer ! [Vous ne trouvez [...] de reste. *add.*] Je vois que vous n'êtes pas comme moi, j'adore tous les sports ! [Vous n'étiez pas [...] révélée. *add.*] En parlant, *épr. Gd* ◆◆ *b.* plus désirable. [/ Je m'étais promis depuis la matinée chez Elstir d'être plus hardi avec Albertine quand je la rencontrerais que je n'avais été le premier soir et je m'étais davantage tracé tout ce que je lui dirais et les plaisirs que je lui demanderais. Mais l'esprit est implacable comme la plante, comme la cellule, comme les éléments chimiques, et ce milieu qui le modifie si on l'y plonge, ce sont les circonstances, le cadre nouveau. Me sentant devenu autre, je ne savais que dire. Et puis seul je n'avais pensé qu'à mon plaisir. Et maintenant je pensais à l'effet que mes paroles feraient sur Albertine, si elle n'apprécierait pas plus ma gentillesse qu'elle sentirait désintéressée. D'ailleurs, le dictionnaire des expressions de figure ne donne pas pour certains regards, pour certains sourires qu'une seule signification. Et je me demandais devant son visage comme un élève embarrassé de sa version grecque, s'ils signifiaient avec certitude légèreté de vie, mœurs faciles ou peut-être simplement gaieté un peu bête, esprit sémillant mais

1. Même remarque que pour le variante *a* page 154 (voir la note 1 de cette variante).

honnête[1]. *biffé épr. Gd*] / Nous formions *plac. Gt 5 add. 14-17, épr. Gd* ◆◆ *c.* au-dessous du nez. / À ce moment, *plac. Gt 5 add. 14-17, épr. Gd* ◆◆ *d.* par le vent, comme la pierre de certaines sculptures de Grèce, les amies *plac. Gt 5 add. 14-17* : par le vent, [comme la pierre de certaines sculptures de Grèce, *biffé*] les amies *épr. Gd*

Page 233.

a. que nous nous promènerions *[3ᵉ ligne de la page]* ensemble. [Un jeune homme *[...]* quatre-vingt-deux hier. »   *corr.*[2]] Il était le fils   *épr. Gd*

1. Marcel Plantevignes a parlé dans ses souvenirs d'un jeune homme qui abordait toujours Proust, à Cabourg, pour lui dire : « Alors, on est dans les choux ? » (*Avec Marcel Proust*, éd. citée, p. 79-80).

2. Ainsi que le fait observer G. D. Painter (ouvr. cité, t. II, p. 217), si Proust suivit certaines parties de golf (comme en a témoigné Jacques Porel, le fils de Réjane), il n'en comprit apparemment guère les règles puisqu'il semble croire ici que le but de la partie est de totaliser le plus grand nombre de points possible.

3. Si l'on s'en tient à la date de 1898 pour cet été à Balbec (voir n. 1, p. 164), la « prochaine » Exposition universelle ne peut être que celle de l'année 1900.

Page 234.

a. calme et impassible de César, un énervement caché, d'inefficaces *plac. Gt 5 add. 14-17* : calme [et impassible de César, un énervement caché, *biffé*] d'inefficaces *épr. Gd* ◆◆ *b.* sur le point de demander à [lui *add.*] être présenté. *épr. Gd* : sur le point de lui demander à être présenté. *orig. L'addition de* lui *sur l'épreuve Gallimard a vraisemblablement été mal comprise par l'imprimeur. Nous corrigeons.*

1. L'originale donne bien « À la disposition ». « La » est-il une coquille pour « ta » ?

2. Construction très rude, conforme à l'édition de 1918 et aux épreuves Gallimard.

3. Au pédantisme qui lui fait appeler Voltaire « Arouet », Bloch joint l'ignorance puisque ces deux vers sont de Corneille (*Polyeucte*, acte III, sc. II). En revanche, l'erreur du premier vers (il faut dire : « ne dépend point du sien ») appartient sans doute à Proust qui cite généralement de mémoire.

Page 235.

a. une sorte de mondanité. *plac. Gt 5 add. 14-17, épr. Gd*

Page 236.

a. du garçon qui disait *[2ᵉ ligne de la page]* ces choses. Il n'était pas besoin d'elles d'ailleurs et dès le premier jour elle me dit : « Ah ! ce

1. Voir le passage, dans le texte définitif, page 236, 3ᵉ ligne du 2ᵉ §, à la 1ʳᵉ ligne de la page 237.
2. Même remarque que pour la variante *a* page 154 (voir la note 1 de cette variante).

qu'il m'énerve ! » Nous nous [interrogeâmes *biffé épr. Gd*] [quit-
tâmes *corr. épr. Gd*], Albertine et moi, [sur nos occupations ; nous nous
promîmes de sortir ensemble. Je causais avec elle, du reste, sans savoir
plus où tombaient mes paroles et ce qu'elles devenaient qu'une pierre
qu'on jette dans un abîme sans fond. Que nos paroles ne portent que
pour nous le sens que nous leur donnons, mais que la personne à qui
nous les adresserons tirera de sa propre substance fort différente souvent
la signification qu'elle leur donnera, c'est un fait dont nous avons
furtivement le soupçon quand, ayant cru être très gentil avec quelqu'un
nous apprenons que nous avons causé chez lui par nos confidences ou
nos prières un étonnement, voire une stupéfaction qu'il ne nous a pas
marqués, ou encore quand nous voyons que même une personne qui aime
un même livre que nous semble n'être touchée ni même apercevoir aucune
des beautés qui nous enchantent et en adorent d'autres que nous ne
percevons pas. Même quand nous nous trouvons comme moi auprès
d'Albertine *biffé épr. Gd*] auprès d'une personne nous est inconcevable-
ble, *plac. Gt 5 add. 14-17, épr. Gd* ◆◆ *b.* un exercice aussi [*1ᵉʳ §, 3ᵉ ligne
en bas]* malaisé [et aussi passionnant *biffé épr. Gd*] que dresser un cheval,
élever des abeilles, [ou *biffé épr. Gd*] [aussi reposant *corr. épr. Gd*]
cultiver des rosiers. [Et ce premier jour quand je la quittais, je fus stupéfait
de voir que je l'avais quittée devant la revoir, ayant déjà quelques liens
avec elle et cette jeune fille dont une heure avant je me disais que peut-être
jusqu'à la fin de la saison elle ne ferait peut-être que répondre à mon
salut. Il y a une espèce de merveilleux dans toute circonstance où un
entretien tourne autrement que nous ne l'avions cru, où ce que nous
n'avions pas cru obtenir nous l'avons reçu aisément, cela et septante dix
fois *biffé¹ épr. Gd*] [Ce premier jour quand, en revenant déjeuner je me
retrouvai seul, en constatant que j'avais quitté sur le projet d'une
promenade en commun cette jeune fille dont le matin même je me disais
qu'elle ne ferait peut-être que me saluer de loin, j'éprouvais l'impression
de merveilleux que donne, tournant autrement que nous n'avions cru,
où l'improbable, nous l'avons reçu aisément à satiété. *corr. épr. Gd*]
Seulement nous l'avons reçu tout en causant, obligés de faire face à
l'interlocuteur. De sorte que nous sortons de là riche comme par un
enchantement des *Mille et une Nuits*, mais sans guère le savoir n'ayant
pu faire attention à notre trésor ni le recenser et quand nous en avons
enfin le loisir, les quelques minutes depuis quoi la possession nous en
semble assurée, ont suffi pour nous habituer à elle et nous faire regarder
comme un cauchemar impossible la possibilité encore si menaçante une
heure auparavant [de ne jamais échanger plus qu'un salut à distance.
Aussi j'étais surtout mécontent de n'avoir pu connaître les amies. Mais
avec elle je me rendais bien compte que mes relations s'étaient accrues
comme une lune effilant récemment encore le croissant étroit de son
premier quartier et qui brille maintenant toute pleine. Je fus quelques
jours sans rencontrer Albertine, mais maintenant que la certitude de ne
pas la perdre avait rendu moins urgent le désir, sinon moins vive
la joie, de la revoir. *biffé épr. Gd*] [Aussi l'impression qui dominait en
moi était moins la satisfaction de connaître Albertine (cette connaissance,
par une brusque amnésie des difficultés qu'elle pouvait présenter)
que le mécontentement de demeurer inconnu à ses amies. Mais avec

---

1. En fait le passage est biffé à partir du « ment » de « autrement » qui est en
haut d'une page. Proust a vraisemblablement omis de biffer la partie du texte qui
figurait sur la page précédente.

Albertine, je me rendais cependant compte que mes relations *[texte presque identique à celui que Proust a biffé un peu plus haut]* de la revoir.   *corr. épr. Gd*] Je me promis   *plac. Gt 5 add. 14-17, épr. Gd* ◆◆ *c.* n'apprécie-rait *épr. Gd* : n'appréciait *orig. Nous corrigeons d'après l'épreuve Gallimard.*

1. Sur le fragment manuscrit n⁰ 23, Proust a écrit : « L'ajoutage immédiatement ci-dessous, c'est-à-dire en haut de la page à "je m'étais promis depuis la matinée chez Elstir", il vaut mieux le mettre un peu plus loin avant la seconde ou la 3ᵉ rencontre et dire : "Je m'étais promis après la première rencontre avec Albertine sur la plage" (puisque au contraire la 1ʳᵉ dépasse ce que j'espérais). » Le collage de fragments divers pratiqué sur ce document que nous avons pu consulter ne rend pas très claire la mention : « L'ajoutage immédiatement ci-dessous ».

Page 237.

a. [Haut de page coupé] [-geaisons de penser qui la suit l'empêchent de dormir comme il arrive à un métaphysicien surmené. Il fit quelques pas avec nous, nous quitta, puis ce fut le tour de la jeune fille aux yeux clairs qui arrivée devant sa villa rentra sans que de toute la promenade elle m'eût dit un seul mot.   *biffé épr. Gd*] / Cinq messieurs   *plac. Gt 5 add. 14-17, épr. Gd* ◆◆ *b.* de danse, il ne peut   *plac. Gt 5 add. 14-17, épr. Gd* ◆◆ *c.* Ce n'est que pour cela que je l'aime !   *plac. Gt 5 add. 14-17* : ce n'est [que   *biffé*] [pas   *corr.*] pour cela que je l'aime !   *épr. Gd*

1. Drame lyrique en un acte et deux tableaux, livret de Targioni-Tozzetti et Menasci d'après une nouvelle de Giovanni Verga, musique de Pietro Mascagni, représenté pour la première fois à Rome en 1890 et, en traduction française, à Paris, à l'Opéra-Comique, le 19 janvier 1892. Par son goût pour cette œuvre « vériste » assez déclamatoire, Proust traduit ici la vulgarité d'Albertine. Voir t. I de la présente édition, n. 1, p. 919.

Page 238.

a. améliorée [: en effet, comme je saluais les demoiselles d'Ambresac qui passaient à ce moment-là, je vis qu'Albertine les connaissait aussi. Or c'était *biffé épr. Gd*] [. Elles étaient   *corr. épr. Gd*] les filles   *plac. Gt 5 add. 14-17, épr. Gd* ◆◆ *b.* contradictoire. [Ce qui est contradictoire c'est la manière d'être qu'on prête aux gens d'un rang élevé — à commencer par les souverains — en partant de l'idée factice que notre imagination se fait d'eux, et la manière d'être qui dans la réalité est nécessairement produite par l'habitude du premier rang, au lieu de l'imagination du premier rang, c'est-à-dire par le premier rang réduit à rien.   *biffé épr. Gd*] « Elles sont   *plac. Gt 5 add. 14-17, épr. Gd*

Page 239.

a. vous êtes servi à *[p. 238, 2ᵉ ligne en bas de page]* souhait. Moi   *plac. Gt 5 add. 14-17* : vous êtes servi à souhait. [Il paraît [...] ce jeune homme. *add.*] Moi, *épr.* Gd ◆◆ *b.* argent fou [pour ses toilettes. » Je regardai Albertine avec étonnement. Je n'étais pas observateur. Tout ce qui ne correspondait pas en dehors à une idée d'art préconçue pour moi ne me frappait pas. *biffé épr.* Gd]. Les robes *plac.* Gt 5 *add. 14-17, épr.* Gd

Page 240.

a. bien bon d'attacher, de donner de l'importance. *orig. Nous corrigeons d'après l'épreuve Gallimard. Voir la variante* a, *page 241.*

1. De cet emploi fautif du subjonctif avec *après que*, on trouve d'autres exemples chez d'excellents auteurs.

Page 241.

a. guère encore *[p. 239, 5ᵉ ligne en bas de page]*, elle était très *[texte masqué par un papier collé[1]]* -songe insignifiant. C'est que je me suis aperçu que la vie qui nous semble un enchaînement de circonstances, n'est qu'un tableau de caractères. Ce que vous voyez un être faire, à quelque autre moment de sa vie que vous le preniez, sauf des évolutions logiques, comme celles par exemple qu'on a déjà commencé à voir chez Swann, il le refera. Il y a des gens que je suis allé voir de cinq ans en cinq ans ; et chaque fois je les trouvais affectés du même inconvénient. Celui qui avait eu un rhume la première fois, je le retrouvais avec un rhume, et celui qui n'avait pas été exact au rendez-vous, rentrait en retard, pour une raison qu'il croyait différente. Les personnes qui le premier jour vous disent qu'elles doivent rester à soigner leur tante quand elles sont à un pique-nique, ont simplement fait devant vous le mouvement qui caractérise leur espèce comme un oiseau quand il vole et un poisson quand il nage. Elles l'ont fait, elles le referont. / Quelquefois bien que ces jeunes filles fussent peu avec leurs familles, j'apercevais celle qui s'appelait Rosemonde, ou Andrée, accompagnant leur mère. Et si je n'avais pas eu déjà profondément en moi le sentiment que les visages humains ne nous paraissent immobiles que comme une planète ou une mer dont on ne perçoit pas la révolution ou la marée, si en suivant avec délices, chez telle de ces jeunes filles la ligne légèrement renflée du nez cela n'avait pas été comme celle, dessinable mais mobile qui *[un mot illisible]* d'une vaguelette une eau matinale, il m'eût suffi de regarder la tante ou la mère à côté de la fille ou de la nièce pour mesurer la distance que subissait l'attraction d'un type encore généralement affreux à réaliser, ces traits sauraient parcourir en moins de quarante ans, jusqu'à l'heure du déclin des regards, jusqu'à celle où le visage tout entier passé au-dessous de l'horizon ne reçoit plus aucune lumière. Un des matins *plac.* Gt 5 *add. 14-17* : guère encore, elle était très *[[texte masqué par un papier collé] -songe insignifiant [comme dans plac.* Gt 5 *add. 14-17]* plus aucune lumière. *biffé]* [intelligente et dans les choses[2] [...] amies. « Vous *[p. 240, 2ᵉ §, 4ᵉ ligne]* êtes bien bon d'attacher *[de l'importance biffé]* de

---

1. Voir la note 2 de cette variante.
2. Le passage qui commence par ces mots et qui va jusqu'à « des circonstances » figure sur un papier collé qui masque une partie de la version primitive écrite par Proust entre 1914 et 1917.

leur donner de l'importance[1]. Ne *[...]* parfaitement fantasque[2], mais les autres *[...]* des circonstances. *corr.*] Un des matins *épr. Gd* ◆◆ *b.* méchant : « Elle me fait de la peine cette pauvre vieille » en parlant de la femme du premier président vint *plac. Gt 5 add. 14-17, épr. Gd* ◆◆ *c.* pensait[3]-elle *épr. Gd* : pensa-t-elle *orig. Nous corrigeons d'après l'épreuve Gallimard.*

1. Il s'agit d'une des figures des *Allégories des vertus et des vices* de la chapelle des Scrovegni de Padoue (voir t. I de la présente édition, n. 3, p. 80). On y voit un homme tenant dans la main droite une idole qui lui a mis la corde au cou et tournant le dos à Dieu. En haut du panneau, on lit le nom du vice ainsi figuré : *Infidelitas*, qu'il convient de traduire en français par « Idolâtrie ».

2. En vogue sous la Restauration, puis tombé en désuétude, ce jeu dérivé du « diable » japonais fit sa réapparition en France dans les années 1906-1907.

3. La chapelle des Scrovegni a été édifiée, à Padoue, sur l'emplacement d'un théâtre antique, d'où le nom qui lui est parfois donné de chapelle de l'Arena.

Page 242.

    a. présence d'Albertine seule autant *plac. Gt 5 add. 14-17, épr. Gd* ◆◆ *b.* désagréable avec son amie fidèle. « Cela lui apprendra à être plus discrète. Elle est une bonne petite fille, mais elle est énervante. Elle n'a *plac. Gt 5 add. 14-17. Les corrections portées par Proust sur l'épreuve Gallimard aboutissent au texte définitif.*

Page 243.

    a. Non, elle seulement, elle *[2e ligne de la page]* et Miss. / Je rentrai *plac. Gt 5 add. 14-17* : Non, elle seulement, elle et Miss [parce qu'elle a à repasser ses examens, la pauvre gosse. Ce *[...]* Philinte *[1er §, 9e ligne en bas]* était un homme du monde[4] flatteur *[...]* bon coup de piston. » *add.*] / Je rentrai *épr. Gd*

    1. Voir la variante *a*, page 240.

    2. On trouve dans un fragment manuscrit, vraisemblablement écrit par Proust entre 1914 et 1917, un passage dont voici le texte : « parfaitement fantasque. D'ailleurs tout cela ce sont des petites gosses, qu'est-ce qu'elles peuvent compter pour un homme de votre valeur. Elle encore est intelligente. C'est une bonne petite fille. Mais les autres sont vraiment très stupides." L'emploi de très devant un superlatif tout autant que celui de parfaitement au lieu de tout à fait, acheva d'éloigner pour moi Albertine de cet idéal de filles entièrement inintellectuelles, incultes, amorales, maîtresses de coureurs cyclistes et ayant même entre elles des jeux *[tache sur ce fragment]* ce que le premier jour j'avais souhaité atteindre en ces jeunes filles. / Mais deux ou trois soirs j'aperçus la jeune fille aux yeux clairs, celle qui avait été si froide avec moi, se promener seule, presque dans l'obscurité, sur la plage. Je pensai qu'elle m'aimait peut-être, il errait alors, soit pour rêver à moi, soit pour me permettre de la rejoindre. Mais je ne sais dans quelle maison elle entrait je ne pus l'approcher ».

    3. Le « a » et le « i » de « pensait » sont collés sur l'épreuve Gallimard.

    4. « Du monde », qui fait partie de l'addition manuscrite de Proust sur l'épreuve Gallimard, ne figure plus dans l'originale. Nous retenons l'hypothèse d'une suppression sur le dernier jeu d'épreuves, sans exclure un nouvel oubli de l'imprimeur.

1. Alceste et Philinte sont, bien entendu, les deux principaux personnages masculins du *Misanthrope*, de Molière.

2. Fondé en 1868, *Le Gaulois*, d'abord bonapartiste, devint favorable aux légitimistes en 1882, après son rachat par Arthur Meyer. De 1885 à 1914, son tirage oscilla entre vingt mille et trente mille exemplaires. Grâce à ses rubriques mondaines et à son ton de bonne compagnie (il se flattait d'être lu par les jeunes filles « du monde »), il ravit au *Figaro* une bonne partie de sa clientèle. Son audience ayant baissé après la guerre, il fut racheté en 1928 par le parfumeur François Coty et fusionna avec *Le Figaro*.

Page 244.

a. suivant. Puis je tâcherais de rentrer le plus tôt possible à Paris. Tout de même, *plac. Gt 5 add. 14-17* : suivant. [Puis je tâcherais de rentrer le plus tôt possible à Paris. *biffé*] Tout de même *épr. Gd* ↔ *b.* clairs, et de la brune au nez fin ! J'en *plac. Gt 5 add. 14-17* : clairs et de [la brune au nez fin *biffé*] [Rosemonde *corr.*] ! J'en *épr. Gd* ↔ *c.* qu'Albertine ne me plaisait *[9e ligne de la page]* plus. Tandis que *plac. Gt 5 add. 14-17* : qu'Albertine ne me plaisait plus. [Je l'avais vue [...] seule en vue. *add.*] Tandis que *épr. Gd* ↔ *d.* loin dans toute laitière ou dans toute amazone qui paraît assez loin pour que *plac. Gt 5 add. 14-17. Les corrections portées par Proust sur l'épreuve Gallimard aboutissent au texte définitif.*

Page 245.

a. variétés ravissantes de roses ou d'œillets qu'on obtient grâce à une autre espèce. *plac. Gt 5 add. 14-17. Les corrections portées par Proust sur l'épreuve Gallimard aboutissent au texte définitif.* ↔ *b.* nouveau. [Je remerciais dans l'ancienne rose d'avoir produit celle d'une autre couleur. Mais la précédente était si jolie que ce m'était une raison nouvelle de désirer la porter à mes lèvres. *biffé épr. Gd*] Bientôt *plac. Gt 5 add. 14-17, épr. Gd* ↔ *c.* jeunes filles. [Si Mme de Villeparisis m'invitait à une promenade, je trouvais une excuse pour n'être pas libre. Si elles venaient avec moi *[à moins qu'elles ne vinssent avec moi chez lui add.[1]]* je ne faisais plus de visites à Elstir. Même je ne pus pas trouver un jour pour aller voir Saint-Loup à Doncières comme je le lui avais promis. Toutes les réunions mondaines, les conversations sérieuses, m'eussent semblé, si elles avaient pris la place de mes sottises avec ces jeunes filles, comme si à l'heure du déjeuner on m'avait demandé au lieu d'aller à table, de venir regarder un *[journal biffé]* [album *corr.]* illustré. C'est que les *[hommes biffé]* [jeunes gens *corr.],* les femmes vieilles ou mûres, dans la société de qui nous croyons nous plaire, nous ne prenons conscience d'eux qu'avec les yeux ; ils ne sont pour nous portés que sur un plan, comme des ombres ; tandis *[que les biffé]* [qu'auprès des *corr.]* jeunes filles, même s'il ne nous est permis ni d'embrasser leurs joues, ni de palper leur poitrine, ces contacts interdits à nos mains, à nos lèvres, sont réalisés par nos regards qu'elles se substituent, et qui sous la couleur des joues

---

1. Toutes les modifications apportées par Proust à ce passage ont été effectuées sur l'épreuve Gallimard.

vont chercher une odeur, une saveur, un attouchement, comme ils font quand nous nous promenons dans une roseraie ou dans une vigne dont nous mangeons des yeux les grappes¹.   *biffé épr. Gd*] / Hélas ! *plac. Gt 5 add. 14-17, épr. Gd. On notera que la mise au point par Proust de ce passage — corrigé d'abord, puis biffé entièrement — révèle au moins deux stades de révision de l'épreuve Gallimard.*

1. L'édition originale corrige le texte des épreuves en donnant « inconnus, tenus en réserve » etc., mais en laissant subsister « profond », « inéluctable », « habitait ». Nous maintenons les singuliers en vertu de l'accord avec le sujet le plus rapproché, courant chez Proust.

Page 246.

a. d'une imprudence, tenons-nous   *plac. Gt 5 add. 14-17, épr. Gd*

Page 247.

a. c'était la saison *[p. 246, 2ᵉ §, 5ᵉ ligne]* des fleurs. [Aussi quand Mme de Villeparisis [...] des yeux les grappes. *corr².*] / S'il pleuvait *épr. Gd* ↭ *b.* entrées et qui ne connaissaient pas mes amies. Et *plac. Gt 5 add. 14-17* : entrées [et qui ne connaissaient pas mes amies *biffé*]. Et *épr. Gd*

1. *Les Travaux et les Jours,* d'Hésiode, répondent, parmi d'autres, à cette définition.

Page 249.

a. un sourire gai pour excuser *[p. 247, 4ᵉ ligne en bas de page]* l'enfantillage d'Albertine qui ne savait pas renoncer pour rester auprès de moi à un plaisir qu'Andrée dédaignait et dont Albertine exprimait avec une rudesse naïve la tentation irrésistible qu'il offrait pour elle. Comme Andrée était extrêmement riche, *plac. Gt 5 add. 14-17* : un sourire gai pour excuser l'enfantillage d'Albertine qui [ne savait pas renoncer *comme dans plac. Gt 5 add. 14-17*] offrait pour elle. *corrigé en* ne savait pas refuser pour causer avec moi un plaisir qu'elle-même dédaignait et dont Albertine exprimait avec une violence naïve la tentation irrésistible qu'il offrait pour elle. Si en cela elle avait quelque chose de la Gilberte des premiers temps des Champs-Élysées, la cause en est non à une ressemblance entre toutes les jeunes filles, mais à la continuité de notre tempérament, de notre caractère, lequel, éliminant les êtres par lesquels nous ne pouvons pas souffrir, dans les femmes que nous aimerons une certaine monotonie, qui n'est que le reflet de sa propre et permanente identité.] Comme Andrée était très riche, *épr. Gd³* ↭ *b.* elle humble,

1. Le passage qui va de « Si Mme de Villeparisis m'invitait » à « des yeux les grappes », légèrement modifié, sera repris plus loin par Proust (voir p. 246, 2ᵉ §, 6ᵉ ligne à p. 247, 4ᵉ ligne de la page, et var. *a* p. 247).
2. Même remarque que pour la variante *a,* page 154 (voir la note 1 de cette variante).
3. Voir la note 1 de la variante *a,* page 292.

[elle *biffé*[1]] modeste *épr. Gd*[2] : elle humble, elle modeste *orig. Nous adoptons la leçon de l'épreuve Gallimard.*

Page 250.

a. une telle vie. [« Je ne comprends [...] son latin. » *add.*] Ou bien *épr. Gd* ◆◆ *b.* propre qui [chez *biffé*] [une *corr.*] personne ne ressemble [jamais *corr.*] à *épr. Gd. Cette correction est aberrante. Proust a sans doute modifié ce passage sur un état postérieur à l'épreuve Gallimard et que nous ne possédons pas.* ◆◆ *c.* de m'engager dans *épr. Gd*

Page 251.

a. Rosemonde, d'autres [*1ᵉʳ §, dernière ligne*] parfois, nous partions. / [Toutes les aquarelles de régates que nous montrait Elstir étaient généralement faites par des temps de plein soleil. De sorte que maintenant ce que j'aurais voulu voir à Balbec c'est tout ce que j'avais dédaigné, écarté de ma vue, les yachts, les effets de soleil, tout ce que j'avais dédaigné, écarté de ma vision était ce que j'aurais recherché maintenant avec passion pour la même raison qu'avant cela je n'aurais voulu voir qu'une mer nue sous la brume, parce que cela se rattachait pour moi à une idée esthétique préconçue. Aussi étais-je particulièrement content les jours où il faisait beau. *biffé*] / Après avoir fait préparer des sandwiches au chester et à la salade et acheter chez le glacier voisin des gâteaux et des tartes que nous emportions pour goûter si ces jeunes filles n'allaient pas au tennis ou au golf je partais en promenade avec elles, à pied ou en bicyclette. Autrefois *épr. Gd* ◆◆ *b.* Balbec. [Les modèles qu'on peut voir en attendant chez une grande couturière m'eussent semblé en tant que ne contenant aucune beauté naturelle, aucun mystère, le spectacle le plus ennuyeux, le plus attristant ; quant aux courses je m'efforçais d'oublier qu'une société hippique en avait donné sur cette terre brumeuse que je voulais voir pareilles au pays des Cimmériens. *biffé*] J'avouai timidement que je n'avais pas voulu *épr. Gd* ◆◆ *c.* « Vous avez eu tort [*14ᵉ ligne en bas de page*], me dit-il, c'est ravissant. La première *épr. Gd*

1. Voir t. I de la présente édition, n. 4, p. 103.
2. Voir n. 1, p. 55.

Page 252.

a. tel désir de [*6ᵉ ligne de la page*] travailler. Les œuvres d'Art en me montrant certaines choses comme belles et aussi les paroles d'un artiste dans la pensée duquel j'avais foi, en me montrant certaines choses et en les disant belles, les séparait pour moi du limon, les appelait à une existence supérieure. Aussi — comme jadis cette région fluviatile, avec de hautes fleurs violettes que j'avais vues décrites dans un roman, je désirais maintenant voir des femmes bien habillées, baignant dans la lumière glauque de cet hippodrome marin. Il cessa de me paraître le seul lieu inintéressant dans cette contrée de Balbec, et même comme si destructif de son charme au point que je m'étais toujours efforcé d'oublier qu'on

1. Cette biffure est peu visible.
2. Pour cette variante et les variantes suivantes, jusqu'à la variante *c*, page 254, voir la variante *a*, page 255 et sa note.

donnait des courses près de Balbec. Et voici que je comprenais maintenant que des régates, que des meetings sportifs d'Harambouville où des femmes bien habillées baignent dans la glauque lumière d'un hippodrome marin, sont pour un peintre un motif aussi intéressant *épr. Gd* ◆◆ *b.* décrivait Elstir. [Elle tenait ses yeux posés sur lui. Mais devant leur prunelle fixe un rideau qui éblouissait était tendu par l'éclairage oblique et surnaturel de son matin d'or. *biffé*] « Oh ! *épr. Gd.*

1. La variante *a* de cette page montre que Proust situa d'abord ces courses de chevaux à Harambouville. Faut-il identifier ce lieu à Arambouville, cité p. 22 ? On observera dans ce cas que sur le trajet du chemin de fer de Paris à Balbec, Arambouville voisine avec Doville. Or, c'est à l'hippodrome de Deauville qu'on est tenté de penser ici. Les réunions hippiques y jouissaient déjà d'une grande faveur. À Deauville résidait le peintre Helleu, à qui Proust rendit probablement visite dans son atelier.

2. On sait que c'est sans doute à Ruskin que Proust doit sa découverte de Carpaccio (voir t. I de la présente édition, n. 4, p. 432). La série des toiles représentant *La Légende de sainte Ursule*, commencée en 1490 et achevée au début du XVIᵉ siècle, est conservée à la Galerie de l'Académie des beaux-arts de Venise.

3. Mariano Fortuny y Madrazo (1871-1949), peintre et créateur de mode espagnol, fonda une fabrique d'étoffes et de tapis à Venise en 1907. Il ouvrit une succursale à Paris, 2 *bis*, rue de Marignan, mais ses étoffes étaient également vendues chez V. Babani, 98, boulevard Haussman. C'est à peine si on commence à parler de lui à Paris quand Proust fait allusion à lui dans une lettre à Reynaldo Hahn du 9 ou 10 mai 1909 (*Correspondance*, t. IX, p. 94). On peut donc juger anachronique la mention de son nom dans l'épisode de Balbec. C'est surtout en février-mars 1916 que Proust se renseigne auprès de Maria de Madrazo : « Et savez-vous aussi s'il y a à Venise des tableaux (je voudrais quelques titres) où il y a des manteaux, des robes, dont Fortuny se serait (ou aurait pu) s'inspirer » (6 février 1916 ; *Correspondance*, t. XV, p. 49) ; « Quant à Fortuny j'aimerais beaucoup savoir de quels Carpaccio il s'est inspiré ou a pu s'inspirer, et dans ces Carpaccio de quelle robe exactement et dans quelle mesure » (17 février 1916, *ibid.*, p. 56). Ainsi a-t-on confirmation (voir var. *a*, p. 255 et sa note) que ce passage est d'une écriture tardive ; en fait, il prépare surtout, associé à Venise, le motif Fortuny de *La Prisonnière* (voir J.-Y. Tadié, *Proust et le roman*, éd. citée, p. 96-98 ; et K. Yoshikawa, *Étude sur la genèse de « La Prisonnière » d'après les brouillons inédits*, thèse dactylographiée, Paris IV-Sorbonne, 1976, t. I, p. 146-157). Sur le rôle de Fortuny comme inspirateur d'*À la recherche du temps perdu*, voir Gérard Macé, *Le Manteau de Fortuny*, « Le Chemin », Gallimard, 1987.

Page 253.

a. dessins d'Orient. [Mais je ne sais [...] régates, car *add.*] pour en *épr. Gd*

a. peu de couturières, une ou   *épr. Gd, orig.* Nous adoptons la correction de Clarac et Ferré, bien que les sœurs Callot inaugurent l'énumération. ◆◆
b. Doucet, quelquefois   *épr. Gd* ◆◆ *c.* cathédrale de Chartres et   *épr. Gd*

1. Cowes est une ville et un port de l'île de Wight (Grande-Bretagne), célèbre par ses bains de mer et ses régates.

2. Callot sœurs était une maison de couture située à l'époque de Proust au numéro 24, rue Taitbout. Doucet se trouvait au numéro 21, rue de la Paix (l'actuel chemisier situé à la même adresse a gardé le nom de son prédécesseur); c'était le fournisseur de Réjane, notamment. Cheruit, couturier, était au numéro 21, place Vendôme, près de l'hôtel Ritz. Enfin Paquin, maison de couture fondée vers 1880 place Vendôme, se transporta vers 1900 au numéro 3, rue de la Paix.

3. Elstir choisit ses exemples avec discernement : Proust pouvait apercevoir le dôme de l'église Saint-Augustin du balcon de ses parents, boulevard Malesherbes (ce dôme est déjà évoqué dans « Combray », t. I, p. 65). Quant à la cathédrale de Reims, on peut la supposer proche de Combray (voir t. I, p. 134). Les épreuves Gallimard gardent la trace de la situation initiale de Combray (voir var. *c* de cette page).

4. Les Creuniers se situent en réalité à proximité de Trouville. À Louisa de Mornand qui se trouvait à Trouville, Proust écrivait le 14 juillet 1905 : « Je vous conseille une promenade à pied très jolie qui s'appelle les Creuniers (je ne réponds pas de l'orthographe). De là vous aurez une vue admirable, et une paix, un infini dans lequel on a la sensation de se dissoudre entièrement. De là tous vos soucis, tous vos chagrins vous apparaissent aussi petits que les petits bonshommes ridicules qu'on aperçoit en bas sur le sable. On est vraiment en plein ciel » (*Correspondance*, t. V, p. 300).

a. brouilles d'Andrée ne duraient *[p. 249, 2ᵉ §, dernière ligne]* pas longtemps. / En sortant du casino, ces après-midi de mauvais temps, nous allions quelquefois voir Elstir. À cause de la présence des jeunes filles, il nous montrait de préférence des croquis d'après des femmes élégantes ou quelques esquisses prises aux courses à un hippodrome voisin de Balbec et aux régates, et il modifiait par là l'idée que je m'étais faite jusqu'ici, non seulement du pays de Balbec, mais de la nature elle-même et de la beauté. Avant ces visites chez Elstir, avant *plac. Gt 5 add. 14-17* : brouilles d'Andrée ne duraient pas longtemps. / [En sortant du casino, *[comme dans plac. Gt 5 add. 14-17]* et de la beauté. *biffé*] [Sauf ces jours *[p. 249, 3ᵉ §, 1ʳᵉ ligne]* de pluie, [...] instantanée et dormante. *add.* ¹] Avant

1. Le passage qui va de « Sauf ces jours de pluie » à « instantanée et dormante » figure sur des feuillets dactylographiés, insérés dans l'épreuve Gallimard, qui portent des corrections manuscrites de Proust — que nous donnons de la variante *b* page 249 à la variante *c* page 254. Sans doute s'agit-il d'un passage postérieur à la

ces visites chez Elstir, avant   *épr. Gd* ◆◆ *b*. de plage en coutil blanc,
tout   *plac. Gt 5 add. 14-17*   : de plage en coutil [blanc *biffé*], tout *épr.
Gd*

1. « Le narrateur [...] semble mêler des souvenirs de toiles
impressionnistes (de Monet, en particulier), d'impressions personnelles devant la nature à un essai de symbolisme mythologique »
(J. Monnin-Hornung, *Proust et la peinture*, éd. citée, p. 86).

2. Cette jeune femme « en robe de barège ou de linon » peut
faire penser à *En bateau* ou *Argenteuil*, toiles peintes par Manet en
1874. Le barège — du nom du village des Pyrénées où l'on en
fabriquait — était une étoffe légère à trame de laine et chaîne de
soie ou coton, voire duvet d'albatros (barège de Virginie).

Page 256.

a. rien, [et il n'y avait que cela *biffé épr. Gd*] dans mon imagination
[comme il n'y avait que cela dans le tableau *biffé épr. Gd*]. Maintenant
il n'y avait plus qu'eux dans mon imagination. C'était *plac. Gt 5 add.
14-17, épr. Gd* ◆◆ *b.* de l'héroïque [*3ᵉ §, dernière ligne*] Hellas. / Maintenant
au contraire que n'aurais-je pas donné pour voir au soleil un yacht
emmenant au large des femmes habillées de linon blanc, comme
l'aquarelle d'Elstir. Ce motif que j'avais si souvent eu sous les yeux sans
vouloir le regarder me paraissait maintenant quelque chose d'extraordinaire, absolument différent de tout ce qui était autour de moi et
regardant l'horizon j'appelais de mes vœux un yacht que j'eus < se >
détaché avec amour du reste de la nature. [Albertine disait : « Mme
Ioussot m'a donné huit et j'aurais eu neuf si je n'avais pas eu un mauvais
accent espagnol (Esther) » *biffé épr. Gd*]. Quant à des régates, quant à
comme pour les courses, il fallait attendre l'année prochaine. Je ne voyais
devant moi que les prés, et au-dessus d'eux non pas les sept ciels de la
physique chrétienne, mais la superposition de deux ciels, un plus foncé
— la mer — et en haut un plus pâle. / Jamais il ne faisait assez beau
à mon gré, j'aurais voulu qu'il fît plus chaud, qu'il y eût plus de fleurs,
car ce qu'Elstir m'avait dit des merveilles de la fécondation végétale me
revenait à l'esprit et j'aurais bien voulu emmener comme compagnon
quelqu'un qui m'apprît à distinguer d'une fleur à l'autre ces transports
de pollen, par l'air, par une abeille, par un coléoptère qui eussent ajouté
pour moi un tel émerveillement à ces journées d'été. / Souvent
nous *plac. Gt 5 add. 14-17, épr. Gd*

1. Phrase bizarrement construite. La longue proposition subordonnée qui commence au début du paragraphe (« De sorte que [...] »)
aboutit à une principale curieusement précédée de « or ».

2. Voir n. 1, p. 68.

composition des épreuves. De nouveaux feuillets imprimés, correspondant à ces pages
dactylographiées, et enregistrant les corrections de Proust ont été ensuite ajoutés
aux épreuves Gallimard. Ils sont vierges de toute correction, à l'exception de
quelques coquilles rectifiées par une main qui n'est pas celle de Proust.

Page 257.

1. Les fermes de la Croix-d'Heuland et de Marie-Antoinette se trouvaient à un kilomètre et demi de Saint-Vaast, entre Cabourg et Trouville (d'après G. D. Painter, ouvr. cité, t. II, p. 113).

Page 258.

a. les lilas de Perse *[11ᵉ ligne de la page]*, comme [dans tel vieux roman tourangeau de Balzac *biffé épr. Gd*] la magnifique collection de vieux Chine [d'une vieille fille de province¹ *biffé épr. Gd*]. / Étendus sur la falaise, nous goûtions, *plac. Gt 5 add. 14-17, épr. Gd*

1. Cette fois (voir var. *c*, p. 254), Proust situe dès le premier jet Combray en Champagne. Rédaction postérieure, ou simplement plus attentive ?

2. Voir t. I de la présente édition, n. 2, p. 56. Les assiettes de tante Léonie sont de Creil/Montereau. On les fabriquait par douzaines sur un thème (*Les Mille et Une Nuits, Le Tour du monde en quatre-vingts jours* etc.).

Page 259.

1. « Texte décisif qui éclaire à la fois tout le roman des *Jeunes filles*, et un registre essentiel de la sensualité proustienne. La mer y est bien posée comme le lieu de l'origine, mais d'une origine *oublieuse* : elle est "l'eau antique, mais, dans sa divine enfance, restée toujours couleur du temps et qui oublie à tout moment les images des nuages et des fleurs" (*Le Côté de Guermantes II*, p. 680) » (J.-P. Richard, *Proust et le monde sensible*, éd. citée, p. 128).

Page 260.

a. laquelle ce que devait *[p. 258, 2ᵉ ligne en bas de page]* être [dans quelques années *[...]* devant la mer. *corr.²*] / Ce n'était pas *épr. Gd* ↔ *b.* le jour parmi cette roseraie de jeunes filles. Les êtres *plac. Gt 5 add. 14-17* : le jour [parmi cette roseraie de jeunes filles *biffé*] [dans ce jardin *corr.*]. Les êtres *épr. Gd* ↔ *c.* de découvertes miraculeuses dans *plac. Gt 5 add. 14-17, épr. Gd*

1. À cet endroit du texte, sur un fragment manuscrit (nᵒ 25 du Cahier violet), Proust a écrit en marge : « N.B. Ce que j'ai ajouté en haut sur les très jeunes filles irait peut-être mieux quand je parle de leurs figures en formation plus loin de quelques pages. »

---

1. Mlle Gamard, dans *Le Curé de Tours,* ne possède pas de porcelaine, et Mlle Cormon, dans *La Vieille Fille,* a deux vases en bleu de Sèvres ; au reste, ce dernier roman se situe à Alençon.

2. Même remarque que pour la variante *a*, page 154 (voir la note 1 de cette variante).

Page 261.

a. seuls [et que quand nous causons avec un autre, ce n'est plus nous qui parlons, qui nous modèle à la ressemblance des autres et non d'un moi qui diffère et nous empêche de nous avouer que quand nous causons, ce n'est plus *corrigé en* et nous empêche de nous avouer que, quand nous causons, ce n'est plus] nous qui parlons, que nous nous modelons alors à la ressemblance des autres et non d'un moi *épr. Gd*

1. Voir n. 1, p. 96.

Page 262.

a. comme le second *[4ᵉ ligne de la page]* changerait. Malgré tout *plac. Gt. 5 add. 14-17* : comme le second changerait. [Comme les enfants [...] notes différentes. *add.*] Malgré tout *épr. Gd*

1. Gentile Bellini (1429-1507). Sans doute Proust songe-t-il aux Anges musiciens qui entourent la Vierge et l'Enfant sur le retable de l'église Santa Maria dei Frari, à Venise. Dans « Journées de pèlerinage », il parlait déjà des « anges de Bellini qui [...], même les plus jeunes, chantent avec autant de calme que filent les Parques » (*Pastiches et mélanges*, éd. citée, p. 81, note).

Page 263.

a. des femmes [, car il y a certaines choses qui ne sont pas plus séantes avant d'être mariée que de porter des bijoux, même si on vous les a donnés à vos étrennes de jeune fille *biffé épr. Gd*] On les *plac. Gt 5 add. 14-17. épr. Gd* ◆◆ *b.* Palais-Royal. Et depuis sa première communion elle disait comme sa mère : « C'est un monsieur *parfaitement* commun, je trouve cela *parfaitement* stupide. » On lui *plac. Gt 5 add. 14-17. Les corrections portées par Proust sur l'épreuve Gallimard aboutissent au texte définitif.*

1. À cet endroit sur le fragment manuscrit n° 25, Proust note : « Ce passage ajouté peut être mis ailleurs (oui, sans doute quelques pages plus loin car comme plan cela n'explique pas pourquoi on se plaît avec les jeunes filles. Et pourtant ce serait plus joli de finir par les raisins. Alors avant ou beaucoup plus loin) dans le tableau plus complet de les différences *[sic]* mais très bien là et *[manuscrit coupé]* Capitalissime. » En fait, les fragments du manuscrit tel que nous avons pu le consulter avaient déjà été coupés et collés conformément à cette note : le passage s'achève bien sur les raisins (voir p. 264, ligne 14 et var. *a*).

Page 264.

a. s'incorporer à mon regard, comme au bord de la mer les yeux deviennent calmes, les lèvres salées, le teint bruni, comme au soleil peu à peu les raisins se sucrent et se dorent. Et par *plac. Gt 5 add. 14-17. Les corrections portées par Proust sur l'épreuve Gallimard aboutissent au texte définitif.* ➤➤ *b.* « Je vous aime *[3ᵉ §, dernière ligne]* bien ». [Ce sérieux[1] particulier à leur âge me frappait peut-être plus encore quand il s'appliquait non plus à leurs yeux mais à leurs travaux, peut-être parce que ces travaux me semblaient encore plus frivoles que des jeux. *biffé*] [« Mais au lieu [...] utile ! » *corr.*] Gisèle avait *épr. Gd*

1. Ici commence un épisode qui ne figurait pas d'abord sur les épreuves Gallimard (voir var. *b*, p. 268). Le manuscrit de ce passage a été étudié par André Guyaux et Maurice Paz (« La Dissertation de Gisèle. Note sur trois pages manuscrites des *Jeunes filles* », *Bulletin d'informations proustiennes*, nᵒ 11, 1980, p. 33-38). Sauf au début (voir var. *b* de cette page), il ne présente que des différences mineures avec le texte définitif (en rendent compte les corrections apportées sur les fᵒˢ 397 à 401 du jeu d'épreuves Gallimard). Au plus les auteurs de l'article relèvent-ils quelques accentuations du « caractère pittoresque, et même caricatural du pastiche » (voir var. *a*, p. 265). Si Proust n'a rédigé que très tardivement ce passage (voir la note 1 de la variante *b*, p. 264), il s'en préoccupait toutefois dès le 31 janvier 1916, comme en témoigne une lettre envoyée à cette date à Marcelle Larivière : « Parmi tant de remerciements que je vous dois, peu me sont aussi agréables à vous exprimer que celui qui a trait aux deux "plans" de dissertation. J'ai été émerveillé par ces petits résumés que vous avez eu la bonté et pris la peine de faire pour moi » (*Correspondance*, t. XV, p. 43).

2. Il s'agit du certificat d'études primaires supérieures, ou brevet élémentaire, correspondant à la fin de la classe de troisième des collèges.

3. « Si on faisait encore de ces devoirs ridicules qui ne sont plus en honneur que dans certaines écoles de jeunes filles et où Plaute écrit "des enfers" à un dramaturge contemporain pour lui dire ce qu'il pense de sa nouvelle pièce [...] », écrit Proust dans sa Préface aux *Propos de peintre*, de J.-É. Blanche, parus en mars 1919 (*Essais et articles*, éd. citée, p. 581). Mais Proust eut lui-même à disserter, comme tant d'autres lycéens, sur les mérites comparés de Corneille et de Racine (voir *ibid.*, p. 329 et suiv.). A. Compagnon note que la « dissertation de Gisèle » représente « l'une des rares apparitions

---

1. Le passage qui va de « Ce sérieux particulier » à « m'avait passée Albertine » (p. 268, 2ᵉ §, 2ᵉ ligne) figure sur un fragment manuscrit déposé à la bibliothèque Martin Bodmer, à Coligny, près de Genève (voir la Note sur le texte, t. I de la présente édition, p. 1306). Le texte de ce fragment manuscrit a sans doute été écrit par Proust à la fin de l'année 1917, postérieurement aux autres additions que nous codons *plac. G1 5 add. 14-17*, et donc trop tard pour qu'il soit imprimé avec l'avant-dernier jeu d'épreuves que nous possédons, c'est-à-dire l'épreuve Gallimard. Sur l'épreuve Gallimard, en effet, ce passage est dactylographié sur des feuillets différents (voir var. *b*, p. 268). De la variante *a*, page 265 à la variante *b*, page 268, nous donnons les leçons de l'épreuve Gallimard. Le texte de l'épreuve Gallimard est donc celui de ce fragment manuscrit corrigé par Proust.

de la culture scolaire (à laquelle Baudelaire en particulier n'appartenait pas encore à la fin du XIXᵉ) chez un écrivain qui y fut peu sensible et dans un roman qui paraît bien plus marqué par la culture bourgeoise de la famille et de *La Revue des Deux Mondes*. C'est que Racine est un lieu privilégié de contact entre les deux cultures, d'autant plus que Proust fit ses classes lors d'un tournant dans la critique racinienne » (« Proust sur Racine », *Revue des sciences humaines*, 1984 n° IV, p. 55).

Page 265.

  a. si délié, [si fignolé, *add.*] si charmeur, *épr. Gd*

  1. Boileau, *Art poétique*, III, v. 95 et 96.

Page 266.

  a. aimes mieux [, Titine, *add.*] puisque *épr. Gd* ↔ *b.* Gisèle a [commis des fautes *biffé*] [gaffé *corr.*]. Écrivant *épr. Gd*

  1. Dans la première moitié du XVIᵉ siècle se multiplièrent en France les traductions de tragédies antiques avec chœurs, dont celles d'*Électre*, de Sophocle et d'*Hécube*, d'Euripide, par Lazare de Baïf, mais aussi d'*Iphigénie à Aulis*, d'*Hélène*, etc. En 1553, Étienne Jodelle donna avec *Cléopâtre captive* l'exemple d'une tragédie française avec chœurs. Robert Garnier et Antoine de Montchrétien s'illustrèrent ensuite dans la même voie. *Les Juives* (1583) et *Aman* (1601) ne sont donc pas les premières du genre ; mais ce sont, comme *Esther* et *Athalie*, des pièces bibliques.

Page 267.

  a. un effet monstre. » Mais *épr. Gd*

  1. Cette affirmation se trouve plus d'une fois dans l'œuvre et la correspondance de Voltaire. Voir par exemple *Le Siècle de Louis XIV*, chap. XXXII (*Œuvres historiques*, Bibl. de la Pléiade, p. 1011).

Page 268.

  a. quelques jugements [de *add.*] critiques [célèbres *add.*] *épr. Gd* : jugements des critiques célèbres *orig. L'addition interlinéaire de* de *est peu lisible. Nous corrigeons d'après l'épreuve Gallimard.* ↔ *b.* « Je vous aime bien [p. 264, 3ᵉ §, dernière ligne] ». [Et aussitôt pendant deux jours j'avais cru que c'était avec elle que j'aurais mon roman. / Entre cet état caractérisé par un ensemble de signes auxquels nous reconnaissons d'habitude que nous sommes amoureux, ces ordres que je donnais *biffé*] Le texte des épreuves Gallimard imprimées s'interrompt au bas de la page pour laisser la place à des feuillets dactylographiés, numérotés 397 à 401 qui portent le texte définitif à quelques variantes de détail près (voir de la var. a, p. 265 à la var. b, p. 268). On enchaîne après ces feuillets avec un texte, dont nous avons pu consulter l'état sur des fragments manuscrits (plac. Gt 5 add. 14-17), reproduit sur l'épreuve*

Gallimard qui témoigne, par son retour en arrière, d'une rédaction qui se superpose à la précédente. On y lit en effet : Parfois une gentille *[p. 264, 3ᵉ §, 1ʳᵉ ligne]* attention [...] « Je vous aime bien » *[p. 264, 3ᵉ §, dernière ligne].* Alors pendant deux jours j'avais cru que c'était avec elle que j'aurais mon roman *[p. 268, 2ᵉ §, dernière ligne]. Cette superposition des deux rédactions explique la répétition de « Je vous aime bien » à quatre pages d'intervalle.* ◆◆ *c.* devant Albertine, ou devant Andrée, ou devant Gilberte[1], sans doute cet état, renaissant alternativement pour l'une ou l'autre des quatre personnes[2] était *plac. Gt 5 add. 14-17. Les corrections portées par Proust sur l'épreuve Gallimard aboutissent au texte définitif.* ◆◆ *d.* celle des madrépores où *plac. Gt 5 add. 14-17, épr. Gd*

1. Gustave Merlet (1828-1891), professeur de rhétorique au lycée Louis-le-Grand, a publié de nombreuses études critiques, notamment un *Tableau de la littérature française de 1800 à 1875*, et des études de grands classiques français, latins et grecs à l'usage de la rhétorique des classes supérieures et du baccalauréat ès-lettres.

2. Nicolas-Félix Deltour (1822-1904), professeur et écrivain, est surtout connu pour son étude intitulée *Les Ennemis de Racine* (1859). Léon Gasc-Desfossés, né en 1860, est l'auteur d'un *Théâtre choisi* de Racine (1898) qui cite, dans l'Introduction, les jugements de Voltaire sur *Athalie*. Il existe aussi, signé de A. et L. Gasc-Desfossés, un *Recueil des sujets de composition française donnés à la Sorbonne aux examens du baccalauréat ès-lettres (première partie) de 1881 à 1885*, publié en 1886 chez Croville-Morant et Foucart. On y apprend qu'en 1882 fut donné pour sujet : « Aimeriez-vous mieux vivre avec Alceste ou avec Philinte ? » ; et en 1884 : « Rollin félicite Racine d'avoir, à l'exemple des anciens, introduit des chœurs dans ses dernières tragédies. » On lit notamment dans le « corrigé » de ce dernier sujet : « Quelques essais informes avaient été faits dans cette voie, au siècle dernier, témoins les chœurs qu'on trouve dans l'*Aman* de Montchrestien ; mais c'est à vous qu'il appartenait de remettre le chœur antique en honneur parmi nous [...]. Puisse la tradition de Sophocle, que votre heureux génie a retrouvé du premier coup, ne pas périr désormais parmi nos descendants [...]. »

Page 269.

a. aimer [, les ondes sentimentales que chacune avait éveillées en moi tour à tour, se trouvant neutralisées en une sorte d'harmonieuse cohésion *biffé épr. Gd*]. Au *plac. Gt 5 add. 14-17, épr. Gd* ◆ *b.* dépaysé. [Ce fut un jour où nous jouions au « furet » que fut enfin rompue en faveur d'Albertine l'harmonieuse cohésion où se neutralisaient, par la résistance qu'elles apportaient chacune à l'expansion des autres, les ondes sentimentales qu'avaient tour à tour éveillées en moi chacune de ces jeunes filles. *biffé épr. Gd*] D'ailleurs *plac. Gt 5 add. 14-17, épr. Gd*

1. Titre imaginaire, semble-t-il, à la manière de Whistler.

---

1. « Gilberte » est une possible coquille ou une inadvertance de Proust pour « Gisèle ».

2. On remarquera qu'on ne lit pourtant que trois prénoms.

Page 270.

a. une nouvelle face *[p. 269, 18ᵉ ligne] de lui-même. / Mais pour plac. Gt 5 add. 14-17, épr. Gd. C'est sur un état postérieur à l'épreuve Gallimard et que nous ne possédons pas que Proust a dû ajouter le passage qu'on peut lire dans le texte définitif.* ⮞⮜ *b.* encore voir et avant que l'habitude nous ait rendus aveugles, au moment *plac. Gt 5 add. 14-17, épr. Gd* ⮞⮜ *c.* obligés comme un mauvais dessinateur de *plac. Gt 5 add. 14-17 :* obligés [comme un mauvais dessinateur *biffé*] de *épr. Gd*

Page 271.

a. la fois suivante, l'air hardi et énergique oublié viendra *plac. Gt 5 add. 14-17, épr. Gd*

Page 272.

a. particulière. [Car les mains des autres personnes ne donnaient pas d'une autre façon cette sensation-là ; d'ordinaire elles ne la donnaient pas du tout. Les mains qui dégagent quelque chose de particulier quand on les touche sont encore plus rares que les pentes si bien aménagées que les pas ont du plaisir à les monter, ou que les atmosphères d'une réalité si fine que le plaisir qu'elles donnent rend conscient l'acte de respirer. *biffé épr. Gd]* La pression *plac. Gt 5 add. 14-17, épr. Gd* ⮞⮜ *b.* passa je faisais semblant de ne pas m'en apercevoir et la suivais des yeux *plac. Gt 5 add. 14-17, épr. Gd :* passa je fis semblant de ne pas m'en apercevoir et la suivais des yeux *orig. Nous adoptons la correction de Clarac et Ferré.*

Page 273.

a. descendante aimée de Chateaubriand compliment qui était un peu d'après Swann. Vous *plac. Gt 5 add. 14-17 :* descendante aimée de Chateaubriand [compliment qui était un peu d'après Swann *biffé*]. Vous *épr. Gd*

1. Laura Dianti, favorite d'Alphonse Iᵉʳ d'Este (1476-1534), l'époux de Lucrèce Borgia, a sans doute servi de modèle au Titien pour la *Flore* à la Galerie des Offices, à Florence, et la *Jeune fille au miroir* du musée du Louvre. Les deux figures présentent de longues tresses bouclées. Éléonore de Guyenne (1122-1204) avait une chevelure célèbre, mais Proust (ou son héros) doit la confondre avec Marguerite de Provence, ancêtre de Delphine de Sabran, marquise de Custines (1770-1826). Chateaubriand et elle s'aimèrent de 1802 à 1805 environ. Elle est évoquée dans les *Mémoires d'outre-tombe* (livre XIV, chap. I) : « [...] héritière des longs cheveux de Marguerite de Provence, femme de saint Louis, dont elle avait du sang » (Bibl. de la Pléiade, t. I, p. 472).

Page 274.

1. Proust reprend ici une scène de *Jean Santeuil*, allant jusqu'à en reproduire presque exactement certaines phrases, notamment les

paroles de Charlotte à Jean : « Mais prenez-la donc, dit tout bas Charlotte avec rage en lui mettant de force la bague dans la main, voilà une heure que je vous la passe » ; et : « On ne joue pas quand on ne veut pas faire attention. Si vous l'invitez encore, Juliette, moi je ne viendrai pas » (éd. citée, p. 828).

Page 275.

a. l'église de *[un blanc]* qui est *plac. Gt 5 add. 14-17* : l'église de [Saint-Denis-du-Désert *add.*] qui est *épr. Gd* ◆◆ *b.* Andrée et je recommençai *plac. Gt 5 add. 14-17* : André [et je *biffé*] [, *corr.*] recommençai *épr. Gd*

1. G. D. Painter croit voir ici un souvenir du geste pareillement délicat de Reynaldo Hahn, restant un peu à l'écart pendant que Proust retrouvait les rosiers du château de Réveillon (*Marcel Proust*, éd. citée, t. I, p. 227-228). La scène se trouvait déjà transposée dans *Jean Santeuil* (éd. citée, p. 472).

2. La première personne du singulier, donnée par l'édition originale, est nécessaire pour donner un sens à la phrase, même si elle est grammaticalement peu tolérable.

Page 276.

a. peine qu'une courtisane qui veut conquérir un empereur. Elle *plac. Gt 5 add. 14-17. Les corrections portées par Proust sur l'épreuve Gallimard aboutissent au texte définitif.* ◆◆ *b.* pauvreté d'Albertine et en ses actes aussi elle était mille fois plus gentille qu'elle n'eût été pour *plac. Gt 5 add. 14-17* : pauvreté d'Albertine et [en ses actes aussi elle était mille fois plus gentille pour elle qu'elle *biffé*] [se donnait mille fois plus de peine pour elle qu'elle *corr.*] n'eût été pour *épr. Gd* : pauvreté d'Albertine [...] pour elle qu'elle n'eût été pour *orig. La correction incomplète portée par Proust sur l'épreuve Gallimard a été reproduite sur l'originale. Après Clarac et Ferré, nous adoptons la correction de la Gerbe*[1]. ◆◆ *c.* qu'après tout elle ne serait peut-être pas aussi difficile à marier qu'on pensait *épr. Gd* : qu'après tout elle ne serait peut-être moins difficile à marier qu'on pensait *orig.* : qu'après tout elle serait peut-être moins difficile à marier qu'on pensait *Gd 1920. Nous corrigeons d'après l'édition Gallimard de 1920.*

Page 277.

a. éprouvé sans cela que je pus *plac. Gt 5 add. 14-17* : éprouvé cela que je pus *épr. Gd* : éprouvé que je pus *orig. Nous corrigeons d'après le fragment manuscrit (plac. Gt 5 add. 14-17).*

1. Proust s'est lui-même battu en duel, le 6 février 1897, au bois de Meudon, avec Jean Lorrain.

1. Voir, au tome I de la présente édition, l'Introduction à *À l'ombre des jeunes filles en fleurs*, p. 1296.

Page 278.

  a. dans un trou *[p. 277, 3ᵉ ligne en bas de page]*, et promptes *[à survenir,
seules dans l'assombrissement, sous le soleil extincteur de l'Océan
décoloré, immobilisées à côté du rocher qu'elles semblent éveiller comme
son âme attentive et légère, leurs corps visqueux et leurs regards
foncés.   *biffé*][,la menace du rayon passé *[sic]* à revenir auprès de la roche
ou de l'algue dont, sous le soleil [...] yeux foncés.   *corr.*] / Nous
allâmes   *épr. Gd*   : dans un trou, et promptes, la menace du rayon passée,
à revenir auprès de la roche ou de l'algue, sous le soleil [...] décoloré
dont elles semblent [...] yeux foncés. / Nous allâmes   *orig. Nous corrigeons
d'après l'épreuve Gallimard* ◂▸ b. ignorerait que je *[2ᵉ §, dernière ligne]*
l'éprouverais. Car elle avait un peu de la légèreté de Gilberte, des qualités
et des défauts pareils donnant aux femmes que nous aimons successivement
une sorte de ressemblance presque monotone. Comme c'est notre
tempérament qui les choisit, [elles ont quelque chose de la fixité, elles
ne varient qu'éliminant tout ce qui n'est pas propre à satisfaire nos sens
et à faire souffrir le cœur, elles ont toutes quelque chose de sa fixité et
ne varient qu'avec lui. Elles sont un produit de notre tempérament, une
image renversée de notre caractère. À des années de distance, non
seulement les mouvements qui accompagnent le prélude d'un amour
restent chez nous tellement les mêmes, que nos préparatifs pour recevoir
à des années de distance les années nouvelles, les mille pas que nous faisons
dans notre impatiente attente, dessineront aux yeux d'un observateur
étranger, un graphique presque aussi immuable que les allées et venues
des fourmis ou des abeilles. Mais encore ces femmes elles-mêmes, comme
c'est notre tempérament   *biffé épr. Gd*] qui les choisit, éliminant tout ce
qui ne nous est pas opposé et complémentaire, c'est-à-dire propre à
satisfaire nos sens et à faire souffrir notre cœur. Elles ont toutes quelque chose
de la fixité de ce tempérament et ne varient qu'avec lui. Elles sont un
produit de notre tempérament, une image, une projection renversées, un
« négatif » de notre caractère. De sorte qu'un romancier pourrait au cours
de la vie de son héros, peindre presque exactement semblables ses
successives amours, et donner par là l'impression non de s'imiter lui-même
mais de créer, puisqu'il y a moins de force dans une innovation artificielle
que dans une répétition destinée à suggérer une vérité neuve.
[Considérations qui n'ont d'ailleurs rien d'apologique à expliquer
avantageusement la monotonie de l'aventure qui se prépare, puisque au
contraire le lecteur qui le suivra jusqu'à la fin de cet ouvrage, verra
s'accuser de plus en plus dans mon amour pour Albertine l'indice d'une
variation plus ample que mon caractère d'amoureux n'avait semblé
d'abord pouvoir en compter et qui indique l'arrivée   *biffé épr. Gd*] dans
de nouvelles régions, sous d'autres latitudes de la vie. Et peut-être
exprimerait-il encore une vérité de plus si, peignant pour ses autres
personnages des caractères, il s'abstenait d'en donner aucun à la femme
aimée. Nous connaissons le caractère des indifférents, comment pourrions-
nous saisir celui d'un être qui se confond avec notre vie, que bientôt nous
ne séparons plus de nous-même, sur les mobiles duquel nous ne cessons
de faire d'anciennes hypothèses, perpétuellement remaniées. [Notre
curiosité de la femme que nous aimons part de trop loin, s'élançant de
plus profond que notre intelligence, elle dépasse, en l'être aimé, le
caractère sans pouvoir s'y arrêter. À vrai dire, même si elle pouvait créer

une station intermédiaire dans le caractère de celle qu'elle aime, ne le voudrait-elle pas. L'objet de sa recherche est plus essentiel. *biffé épr. Gd*] S'élançant d'au-delà de l'intelligence, notre curiosité de la femme que nous aimons dépasse, dans sa course, le caractère de cette femme. Nous pourrions nous y arrêter que sans doute nous ne le voudrions pas. L'objet de notre inquiète investigation est plus essentiel que ces particularités de caractère pareilles à ces petits losanges d'épiderme dont les combinaisons variées font l'originalité fleurie de la chair. Notre radiation intuitive les traverse et les images qu'elle nous rapporte ne sont point celles d'un visage particulier mais représentent la morne et douloureuse universalité d'un squelette. / Pendant *plac. Gt 5 add. 14-17, épr. Gd* ↔ *c.* de dimension et d'odeur haïssables qui *plac. Gt 5 add. 14-17* : de dimension et d'odeur [haïssables *biffé*] qui *épr. Gd* ↔ *d.* point de vue à demi égoïste *plac. Gt 5 add. 14-17, épr. Gd*

Page 279.

a. me voir une bonne idée *[p. 278, dernière ligne]* de moi. [Et sans doute ce plaisir tout égoïste en devenait plus émouvant et me faisait encore mieux aimer ma chambre pour moi quand je pensais que si les choses avaient été un peu autrement, j'eusse pu y donner des rendez-vous à Albertine, qu'elle eût pu y venir chaque jour, que nous y eussions vécu beaucoup ; de sorte qu' *biffé épr. Gd*] à la place d'un lieu de transition où se terre un autel [avant de m'étendre vers la plage ou vers Rivebelle qu'un lieu que j'eusse pu habiter quelques heures chaque jour avec Albertine, où je me plairais, ce qui déjà lui donnait un aspect mieux connu, plus ami, comme ma chambre de Paris où j'attendais des lettres de Gilberte, mais surtout parce qu'au fait, ce n'était plus moi qui la voyais, que je m'imaginais Albertine — ces fauteuils hostiles du premier jour où elle s'assoirait à côté de moi, non sans louer leur beauté — entrant, que j'en regardais les meubles par ses yeux et que ce changement dans la vision rendait tout d'un coup — comme le fait la nouveauté, ou l'ivresse, ou la fatigue, ou la maladie, nouveaux des lieux pourtant connus, voilà ce que ma chambre devenait pour moi dans ces moments où mon imagination caressait un désir qui me semblait d'ailleurs bien difficile à atteindre. Et pourtant un hasard me fit quinze jours après goûter pendant quelques instants ce plaisir si doux que quelques années plus tard je devais connaître longtemps avec Albertine. / Cette irréalisation pour ce soir-là de mon désir de la voir, l'inéquation de mon amour et de sa personne, je le sentais dès qu'elle était là, je parlais à côté d'elle plutôt qu'à elle, j'effleurais de mes paroles son visage blanc, rose, sans l'atteindre. Et pourtant je *[un blanc]* que dès qu'elle était là, je tâchais de la garder tant que je pouvais, car tout de même sa présence suspendait une souffrance et il me semblait que si elle avait été toujours là je n'aurais jamais été malheureux. / Pourtant par une sorte d'instinct, ce plaisir doux que quelques années plus tard je devais connaître longtemps avec Albertine et qui consiste en ceci : elle qu'on aime et qu'on voyait si peu, si mal, toujours en promenade, au milieu des autres, par une faveur dont on n'osait abuser, et sans oser la regarder trop fixement — la savoir dans une chambre où on peut entrer et rester comme on veut et où on la retrouvera nous attendant, où on peut approcher d'elle plus ou moins en cherchant paisiblement comme pour un tableau qu'on veut bien comprendre la place d'où il vaut mieux

le regarder, une chambre où elle n'est pas venue pour nous, mais pour
dîner, pour dormir, pour les actes de cette vie quotidienne qui la séparait
de nous et qui maintenant lui sont communs avec nous dans notre chez
nous et qui devenu son chez elle, ne fait plus qu'un avec notre chez nous. / Bien
avant le hasard dont je vais parler et le lendemain même de la partie
de furet, comme nous étions allés si loin que nous fûmes très heureux
de trouver à *[un blanc]* deux petites charrettes où l'on pouvait dans chacune
tenir deux. Mon amour pour Albertine était déjà si vif que pour qu'elle
n'en fût pas effarouchée, pour ne pas non plus le laisser voir aux deux
autres qui si elles m'avaient su amoureux d'elle auraient pu en causer
avec elle, me desservir à ses yeux, ce n'est pas à Albertine, c'est à Andrée
et à Rosemonde que je proposai de monter, soit l'une soit l'autre, dans
la charrette où je serais. Une autre conséquence de la vivacité de mon
amour était mon ingéniosité. Et elle fut si grande que tout en réclamant
par mes paroles Andrée ou Rosemonde *biffé épr. Gd*], par des
considérations secondaires d'heures, de chemin et de manteaux, j'amenai
tout le monde à décider *plac. Gt 5 add. 14-17, épr. Gd ↔ b.* par
lui-même, à ceux qui *[2ᵉ §, 22ᵉ ligne]* suivraient. []'aurais pourtant bien
dû savoir que ceux-là ne pourraient pas m'apporter davantage, qu'il n'en
est pas d'une être comme d'une place forte et qu'on n'enlève pas sa
possession — sa possession véritable, sa possession matérielle ne faisant
rien posséder du tout — à la longue, par une répétition indéfinie de ce
qui n'a servi à rien la première fois. Même j'aurais dû penser que si on
ne gagne pas à cette répétition, en revanche on y perd. Car on cesse bien
vite d'être pour la femme et qui ne vous connaît guère encore, l'inconnu
qu'on peut à peine s'imaginer qu'on lui représentait alors. Ils ne sont pas
un prélude insignifiant, ces premiers entretiens. *[un blanc]* met sur lequel
on ne restera pas. Ma gentillesse pour Albertine lui donnait alors un
émerveillement qu'elle ne garderait pas plus tard, quand elle me
connaîtrait trop. Et puis si je lui donnais beaucoup, je ne lui avais encore
rien demandé. Elle pouvait imaginer ce que je désirais, elle n'était pas
sûre. Ce vague lui laissait en ma faveur une illusion de désintéressement
qui grandissait ma gentillesse et en ne donnant pas de but précis à nos
relations, leur laissait pour elle *biffé épr. Gd*] ce vague délicieux, riche
de surprises attendues, ce merveilleux qui est proprement romanesque. *plac. Gt 5 add. 14-17, épr. Gd*

Page 280.

   a. sacrifierait par plaisir, [car j'étais plein d'inconnu pour elle, *biffé
épr. Gd*] et *plac. Gt 5 add. 14-17, épr. Gd ↔ b.* mondain, [c'est-à-dire
un de ces plaisirs qu'elle faisait tout au moins profession ou *[sic]* de
détester, pour le plaisir, déclaré par elle mille fois plus grand de causer
seule une heure avec un ami *biffé épr. Gd*]. Je *plac. Gt 5 add. 14-17,
épr. Gd ↔ c.* en relations [, en évoquant le souvenir de Swann, *biffé
épr. Gd*] avec *plac. Gt 5 add. 14-17, épr. Gd*

Page 281.

   a. toute façon à la *[p. 280, dernière ligne]* rencontrer. Cela m'était arrivé
tout dernièrement mais sans que je la reconnusse ; j'avais bien aperçu
une dame qui était venue passer quelques heures avec Albertine, mais
qui avait l'air plus joli et plus jeune que Mme Bontemps, laquelle n'avait

pu, me semblait-il, que vieillir depuis le temps que je ne l'avais vue. Il me semblait à tort, car le temps ne fait rien à l'affaire. [Pour les traits d'une femme, la jeunesse est une forme, comme un rond ou un carré et tant que la femme ne l'a pas inflexiblement dessinée, elle peut très bien ne pas avoir l'air jeune quel que soit son âge. Comme son amie Mme Swann, ce fut fort tardivement que *[un blanc]* Mme Bontemps connut la jeunesse, mais grâce à un procédé inverse : Mme *biffé épr. Gd*] Par un procédé inverse de celui qui avait servi à son amie Mme Swann, Mme Bontemps avait connu tardivement la jeunesse. Madame Swann avait concentré ses traits qui étaient charmants, mais lâches ; Mme Bontemps pour adoucir les siens qui étaient laids et durs, grâce à une sorte de savant dérapage les espaça, les relâcha, les dispersa. Elle avait toujours un nez trop fort qui lui donnait l'air d'un Louis XIV roux. Or comme les personnes à qui il n'est pas possible d'augmenter leurs revenus, mais qui arrivent au même résultat en restreignant leurs dépenses, Mme Bontemps en changeant sa coiffure, noya dans des surfaces infinies ce nez qu'elle ne pouvait changer. De plus elle laissa tomber le long des oreilles de douces boucles si emmêlées que tout son visage en prenait un air de négligé, d'improvisation, qui laissait espérer, quand elle serait coiffée, un mieux dont son nez lui-même profiterait. Il paraissait non seulement diminué, mais provisoire, et le peu d'excédent qui lui restait semblait dû au désordre dans lequel on s'excuse de vous recevoir après une heure de migraine et qu'en réalité Mme Bontemps avait soin de conserver d'une manière permanente. Dans l'aristocratie à vrai dire la jeunesse vient plus vite, presque aussitôt après le mariage. Le mari a eu des maîtresses desquelles il a appris cet art de transformation ; ou bien il n'aime pas les femmes, et n'en a que plus de goût pour ces arrangements esthétiques de la femme. [Quoiqu'il en soit des causes qui avaient amené plus tardivement la forme de la jeunesse sur le visage de Mme Bontemps, qui passait plutôt pour intrigante, intéressée et folle que proprement légère, je ne me consolais pas de ne pas avoir renoué avec elle. *biffé épr. Gd*] Je tâchai *plac. Gt 5 add. 14-17, épr. Gd ➻ b.* pensée que je résumerai ainsi *épr. Gd* : pensée qui peut résumer ainsi *orig. Nous corrigeons. ➻ c.* degré, c'est-à-dire qu'elles *orig. Nous suivons le texte manuscrit de l'épreuve Gallimard. ➻ d.* sommets sublimes aussitôt *plac. Gt 5 add. 14-17, épr. Gd ➻ e.* Environ une quinzaine après *plac. Gt 5 add. 14-17* : Environ [une quinzaine *biffé*] [un mois *corr.*] après *épr. Gd*

Page 282.

a. non ? [me dit-elle avec colère. *biffé épr. Gd*] Cela *plac. Gt 5 add. 14-17, épr. Gd ➻ b.* derrière ce mot « il paraît » une *épr. Gd* : derrière ce mot une *orig. Nous corrigeons d'après l'épreuve Gallimard. ➻ c.* se suppléer. « Elle *plac. Gt 5 add. 14-17* : se suppléer [, et sa voix [...] visuelle *add.]* « Elle *épr. Gd*

Page 283.

a. ici. » / Albertine ne se mêla [...] d'ailleurs qu'Andrée ni *plac. Gt 5 add. 14-17. Les corrections portées par Proust sur l'épreuve Gallimard aboutissent au texte définitif. ➻ b.* raison. » [Mme Bontemps aurait voulu surtout qu'elle portât des nattes dans le dos pour que la nièce ayant l'air d'une enfant,

la tante en fût d'autant rajeunie.   *biffé épr. Gd*] Je voyais   *plac. Gt 5 add.
14-17, épr. Gd*

Page 285.

   a. de tout temps *[5ᵉ ligne de la page]* appartenu. Je trouvai   *plac. Gt 5
add. 14-17*   : de tout temps appartenu. [Puis tout à coup *[...]* amie.   *add.*]
Je trouvai   *épr. Gd ◆◆ b.* rose ; je pensai au rose hivernal du matin, dont
j'allais   *plac. Gt 5 add. 14-17. Les corrections portées par Proust sur l'épreuve
Gallimard aboutissent au texte définitif. ◆◆ c.* c'est-à-dire avait [telle-
ment[1] *add.*] mis *épr. Gd* : c'est-à-dire avait mis   *orig. Nous corrigeons
d'après l'épreuve Gallimard. ◆◆ d.* falaises d'Équeranville, le ciel   *plac. Gt
5 add. 14-17* : falaises [d'Équeranville   *biffé*] [de Maineville   *corr.*], le
ciel   *épr. Gd ◆◆ e.* hors de moi dans le monde, elle   *plac. Gt 5 add. 14-17,
épr. Gd*

Page 286.

   a. occasions ; dans mon ivresse, le visage   *plac. Gt 5 add. 14-17, épr.
Gd*

   1. Vers la fin de son compte rendu des *Éblouissements*, d'Anna de
Noailles, publié dans *Le Figaro* du 15 juin 1907, Proust avait écrit
un développement qui ne figura finalement pas dans son article et
que nous retrouvons en partie dans notre texte : « Je me souviens
qu'un jour où je partais en voyage, ayant quitté Paris légèrement
grisé par le vin dont un philosophe nous a dit qu'il nous donne
momentanément la liberté, regardant du wagon les seins bombés des
coteaux de Sèvres, le fleuve, l'arche immense du ciel, je les sentais
reposer légèrement — de simples peintures — sur le globe de mon
œil qui saillait, s'offrant à porter bien d'autres fardeaux sur sa surface
délicate. Le cercle de mon regard se trouvait insuffisamment rempli
par la sphère de l'horizon ; tout ce que la nature m'apportait de vie
dans les jours d'été me semblait un souffle bien chétif et court auprès
de l'immense aspiration qui gonflait ma poitrine. La vie n'était pas
hors de moi dans le monde ; elle était en moi. Je n'étais pas perdu
dans l'univers ; l'univers était perdu dans mon cœur infini où je
m'amusais dédaigneusement à le jeter dans un coin. Aussi, à cette
minute, la pensée que je mourrais un jour, que la force éternelle
qu'il y avait en ces coteaux, en ce fleuve, en ce soleil, me survivrait,
et que je n'étais qu'un grain de poussière sous ses pieds divins, cette
pensée me fit sourire. Comment pourrais-je durer moins longtemps
que ces choses, comment pourraient-elles m'opprimer de leur
puissance, puisqu'elles étaient en moi, puisque c'est l'univers qui était
prisonnier et perdu au sein de ma conscience, comme ces coteaux
et ce ciel ensoleillé reposaient sur mon œil ? Sans doute l'ivresse
artificielle et vulgaire dont j'évoque ici la raisonnable frénésie ne peut
donner qu'une idée bien imparfaite de l'inspiration qui possède
Mme de Noailles [...] » (*Essais et articles*, éd. citée, p. 931-932). Voir

1. Ce mot est peu lisible.

également Y. Sandre, « Destin d'une variante », *Études proustiennes*, II, Gallimard, 1975, p. 143-155).

2. Allusion aux figures représentant la Genèse, peintes par Michel-Ange sur la voûte de la chapelle Sixtine.

3. Cette scène est nettement préfigurée dans *Jean Santeuil* (éd. citée, p. 837-841). Jean se tient auprès du lit de Charlotte et celle-ci propose de lui masser son poignet douloureux. La naissance du désir (la figure rose de Charlotte, ses cheveux défaits), l'explication de son intensité (naissance chez Jean d'un autre « lui »), le dénouement (Charlotte refuse que Jean l'embrasse, mais elle menace seulement de sonner) : toute la scène est construite de façon assez voisine ; mais, dans *À la recherche du temps perdu*, Proust fait participer le monde extérieur à l'ivresse du héros en lui donnant une portée métaphysique et en poussant plus loin son analyse du désir. G. D. Painter croit pouvoir dater de septembre 1899 l'événement qui inspira à Proust la scène de *Jean Santeuil* : à cette époque, séjournant à Évian, il souffrit effectivement du poignet (ouvr. cité, t. I, p. 310). Voir aussi l'Esquisse LXXI, p. 1006.

Page 287.

a. se reporter sur telle *plac. Gt 5 add. 14-17* : se reporter [— selon le charme *[...]* par elle — *add.*] sur telle *épr. Gd* ⬩⬩ *b.* par la nature [, comme moi, comme Andrée, comme tant d'autres, *biffé épr. Gd*] viennent *plac. Gt 5 add. 14-17, épr. Gd* ⬩⬩ *c.* on demandait Andrée plutôt *plac. Gt 5 add. 14-17* : on demandait [Andrée *biffé*] [Albertine *corr.*] plutôt *épr. Gd. Il est vraisemblable que* Andrée *est un lapsus de Proust. Voir également la variante a, page 283.*

Page 288.

a. villa [d'Incarville *biffé épr. Gd*], parce que, *plac. Gt 5 add. 14-17, épr. Gd*

Page 289.

a. chez l'une tout *plac. Gt 5 add. 14-17* : chez l'une [(et « vice-versa ») *add.*] tout *épr. Gd*

1. On désignait sous le nom de « panamistes » les personnes plus ou moins compromises dans le scandale de Panama, ou qui montraient peu d'empressement à voir l'affaire éclaircie. Celle-ci, dans laquelle furent impliquées beaucoup de personnalités du monde financier et de la politique, passionna, un temps, les Français, et fut le prétexte de campagnes contre la finance juive et le Parlement.

Page 290.

a. Elle ne disait jamais : « Il a *plac. Gt 5 add. 14-17* : Elle ne disait jamais [de quelqu'un *add.*] : « Il a *épr. Gd* : Elle ne disait jamais à quelqu'un : « Il a *orig. Sur l'addition autographe de l'épreuve Gallimard, le* e *de* de *se confond avec le* I *de* Il a envie, *ce qui explique que les imprimeurs aient pris* de *pour* à. *Nous rectifions d'après l'épreuve Gallimard.* ◆◆ *b.* arrivés. Ce trait est extrêmement important parce qu'il existe à l'état *plac. Gt 5 add. 14-17* : arrivés. [Ce trait est extrêmement important parce qu'il *biffé*] [Ce vice qui *corr.*] existe à l'état *épr. Gd*

Page 291.

a. un caractère de désintéressement. Dans *plac. Gt 5 add. 14-17, épr. Gd.* ◆◆ *b.* contradiction. *épr. Gd, orig. Nous corrigeons, la phrase suivante commandant le pluriel.*

1. Rupture de construction, conforme au texte donné par l'édition de 1918 et les épreuves Gallimard.

Page 292.

a. M. de Norpois. / Plaisant *plac. Gt 5 add. 14-17* : M. de Norpois. [Et souvent [...] servait. *add.*] / Plaisant *épr. Gd* ◆◆ *b.* j'avais bâtie le premier *[11ᵉ ligne en bas de page]* jour quand j'avais cru Albertine la vicieuse maîtresse de coureurs cyclistes ! Puis tant d'actes [...] sur la sonnette. *plac. Gt 5 add. 14-17*[1], *épr. Gd*

1. Terme employé surtout en musique : il désigne une voix d'un morceau qui s'oppose à une autre. « Jouer, chanter la contre-partie » ; au sens figuré : « Opinion contraire. [...] Faire la contre-partie d'un ouvrage, traiter le même sujet dans des vues opposées » (*Littré*).

Page 293.

a. mon état maladif pouvait *plac. Gt 5 add. 14-17* : mon état [maladif *biffé*] [de faiblesse nerveuse *corr.*] pouvait *épr. Gd*

Page 295.

a. contagieux par le *[p. 293, 1ᵉʳ §, dernière ligne]* baiser. La préférence *plac. Gt 5 add. 14-17* : contagieux par le baiser. [Elle fut

1. On trouve également sur un fragment manuscrit, écrit par Proust entre 1914 et 1917 mais vraisemblablement d'une conception antérieure à cette rédaction, un passage dont voici le texte : « Si Albertine ne faisait pas plus montre de ses succès mondains, si tant est qu'on peut parler de mondanité pour le lieu de société où tout cela s'agitait, que de ses succès de jeune fille, elle aimait le divertissement avec une fougue irrésistible. Quand l'heure d'aller à un goûter <ou> au golf approchait, si nous étions tous ensemble *[p. 248, 2ᵉ ligne]* à ce moment-là [...] et la jugeait *[p. 248, 18ᵉ ligne]* à la fois. / Je dois pourtant dire que quant à la violence avec laquelle elle avait refusé de se laisser embrasser et prendre avait sonné, je ne laissai pas de remanier souvent l'hypothèse d'une vertu absolue à laquelle je l'avais d'abord attribuée (et qui n'était d'ailleurs nullement indispensable à mon idée de la bonté, de l'honnêteté foncière de sa nature). Cette hypothèse était si différente de celle que j'avais faite le premier jour quand je l'avais crue la plus vicieuse maîtresse de boxeur. Mais de plus son acte de violence était baigné de tous côtés dans tant d'actes de gentillesse caressante, presque romanesque pour moi, allant jusqu'à être jalouse et inquiète de ma préférence pour Andrée que je ne pouvais me l'expliquer. »

certainement [...] d'une âme *[p. 294, 5ᵉ ligne en bas de page]* étrangère.
/ Si Albertine pas plus que de ses succès de jeune fille ne faisait montre
de ses succès mondains (dans la mesure où ce mot peut s'appliquer à un
milieu qui était si distant du monde), en revanche c'est avec une fougue
irrésistible qu'elle aimait tout divertissement, quand *[texte interrompu en
bas de page] add.*[1] La préférence *épr. Gd.* ◆◆ *b.* à moi. Si [Maria[2] *biffé*]
[Albertine *corr.*] depuis la scène du lit me semblait vide, comme une
créature sans réalité, Andrée était *plac. Gt 5 add. 14-17* : à moi. Si
Albertine *[comme dans plac. Gt 5 add. 14-17]* Andrée était *épr. Gd* ◆◆ *c.* Or,
il est [comme on le verra *biffé épr. Gd*] telles *plac. Gt 5 add. 14-17, épr. Gd*

1. Sur George Eliot, voir t. I, n. 2, p. 546. Un passage du Cahier
36 indique qu'Andrée a eu un modèle masculin : « Je me suis lié
avec un sportman éminent qui me semblait mon pôle contraire et
dont la fréquentation serait pour mes nerfs surmenés une cure de
calme et il me dit que s'il faisait tant de sport c'était pour soigner
sa neurasthénie » (fᵒ 33 rᵒ).

Page 296.

a. comme Rosemonde et Berthe, même *plac. Gt 5 add. 14-17, épr.
Gd* ◆◆ *b.* distinguées d'abord l'une *[2ᵉ §, 4ᵉ ligne]* de l'autre, mais une
amie qui avait sur Albertine l'avantage de n'être peut-être pas pour moi
impossible à posséder et sous les espèces de qui j'aimais peut-être
inconsciemment encore cette Albertine à laquelle il m'avait fallu renoncer.
Puis entre ces jeunes filles [, tiges de roses [...] sur la mer, *add.*]
régnait *plac. Gt 5 add. 14-17* : distinguées d'abord l'une de l'autre, mais
[comme dans plac. Gt 5 add. 14-17] la mer, régnait *épr. Gd* ◆◆ *c.* pas su
dire le plaisir de voir les autres la suivre de près ou venir la retrouver
un peu plus tard, *plac. Gt 5 add. 14-17. Les corrections portées par Proust
sur l'épreuve Gallimard aboutissent au texte définitif. La suppression de* plaisir
avant de voir *rend la phrase un peu obscure* ◆◆ *d.* les faveurs. Même celles
du genre que je ne pouvais plus espérer d'Albertine, sur un mot, un
regard, un geste ambigus que l'une ou l'autre avaient eus, j'échafaudais
en les quittant tout le rêve, qui n'était fixé que sur celle-là dans mon
souvenir, non seulement les visages des autres avaient été effacés comme
par un chiffon sur un tableau noir, mais même tous les visages que celle-là
m'avait montrés jusqu'ici et qu'avait remplacés le dernier visage plein de
promesses auquel se substituerait peut-être le lendemain, quand pour
profiter des avantages qu'elle avait paru m'offrir, je lui dirais des mots
que je préférais ; d'avance se substituerait encore un nouveau visage
qu'elle me tendrait alors et qu'elle unirait au mien dans un baiser. Mais
le lendemain quand je la retrouvais, elle n'avait plus, comme quand j'étais
seul, qu'une figure que j'avais envie d'embrasser ; mais je me trouvais
en face d'une personnalité multiple, et vis-à-vis de laquelle, par orgueil,
ou par timidité, ou par manque de décision, je disais au lieu des mots
que j'avais préparés et que je craignais qu'elle attendît d'autres tout à

1. Des fragments de texte imprimé alternent en réalité avec les additions
manuscrites.
2. À ce stade de la rédaction, simple lapsus, révélateur cependant.

fait indifférents. Je levais les yeux sur elle ; une expression honnête, ou froide faisait s'évanouir le visage que j'avais emporté la veille dans ma mémoire et c'était vers une autre de ces jeunes filles que se tournait mon désir.   *plac. Gt 5 add. 14-17* : les faveurs. [Même celles du genre *[comme dans plac. Gt 5 add. 14-17]* tout à fait indifférents.   *biffé* [Même celles que je n'avais pu obtenir d'Albertine, je les espérais tout d'un coup de telle ou telle qui m'avait quitté le soir en me disant un mot, en me jetant un regard ambigu, sur lesquels j'échafaudais tout un rêve. C'est sur celle-là que se fixait mon désir, si j'attendais impatiemment le lendemain c'était pour voir sous quelle forme il me la montrerait. Dans mon souvenir avaient été effacés comme par un chiffon noir non seulement les visages des autres, mais ceux qu'elle-même m'avait montrés jusqu'ici remplacés par le dernier plein de promesses, et auxquels se substituerait dans quelques heures quand je tirerais hardiment profit de ce qu'elle avait paru m'offrir un visage nouveau encore bientôt uni au mien dans un baiser. Mais le lendemain quand je la retrouvais elle n'avait plus seulement, comme quand j'avais pensé à elle, une figure que j'avais envie d'embrasser. Il me fallait faire face à une personnalité complexe dont la présence mettait en jeu mon orgueil, ma timidité, ma crainte d'être mal jugé. Je manquais de décision, je ne disais que des choses indifférentes   *corr.*]. Je levais les yeux sur [elle   *biffé*] [une jeune fille   *corr.*] ; une expression honnête, ou froide, faisait s'évanouir [le visage   *biffé*] [les traits   *corr.*] que j'avais emporté la veille dans ma mémoire et c'était vers une [autre de ces jeunes filles   *biffé*] [de ses amies   *corr.*] que se tournait mon désir.   *épr. Gd ↔ e*. Il errait entre elles d'autant plus voluptueusement que ces visages en train d'éclore, encore dorés par le jaune niais du poussin qui sort de l'œuf, ces visages encore en formation offraient pourtant — rendant la plage de Balbec particulièrement intéressante et privilégiée pour les amateurs d'observation de ce genre — une collection tout à fait rare des types de beauté les plus divers et les mieux caractérisés. Sur ces visages mobiles,   *plac. Gt 5 add. 14-17, épr. Gd*

Page 297.

a. jumeaux ; ou si c'était son nez qu'on voyait le premier, les yeux avaient l'air seulement d'en dédoubler le fil ténu qui s'élargissait, devenait réfléchissant mais pour mirer précisément, dans un clignotement de soleil, cette même subtile douceur jusque-là réunie en un trait et unique, et aveugle, où on la lisait déjà très bien. Une ligne   *plac. Gt 5 add. 14-17, épr. Gd ↔ b*. héréditaire. Car[1] les   *épr. Gd* : héréditaire, les   *orig. Nous corrigeons d'après l'épreuve Gallimard.*

Page 298.

a. inégalités du *[p. 297, 17ᵉ ligne]* terrain. [Certes comparé [...] en arpenteurs.   *corr.*[2] / Il en était   *épr. Gd ↔ b*. d'exilée [à laquelle la finesse du nez d'Albertine et la souplesse de taille prêtait un intérêt

---

1. Ce mot est peu lisible sur l'épreuve Gallimard.
2. Même remarque que pour la variante *a*, page 154 (voir la note 1 de cette variante).

extraordinaire et me la rendait importante à pénétrer et à comprendre *biffé épr. Gd*]. D'autres *plac. Gt 5 add. 14-17, épr. Gd* ⟷ *c.* engluait mes désirs *plac. Gt 5 add. 14-17, épr. Gd* ⟷ *d.* empêchait d'aller *[2ᵉ §, 7ᵉ ligne]* au-delà ; [d'ailleurs, les yeux, ces jours-là, ne montraient pas de profondeur où plonger, soit que dans les joues blanches et brillantes comme *[un blanc]* et qui semblaient rondes, ils semblaient comme deux globes rêveurs qui faisaient penser qu'elle était bonne et docile et fatiguée, soit que quelques nuances délicates eussent joué comme une ombre lumineuse sur son visage *[un blanc]* fissent jouer sur lui un brin de clarté si mobile que la peau fluide et vague et comme laissant passer des regards sous-jacents semblaient d'une autre couleur, mais non d'une autre matière que les yeux, dans cette figure ambrée, ponctuée de petits points bruns comme un œuf change de chardonneret où flottent deux taches d'azur, ou comme une agate opaline encore engainée dans son minerai, et qui à deux places seulement a été polie et laisse apparaître au milieu de la pierre brune comme les ailes de soie bleue d'un papillon aperçu sous verre. Et on se demande comment il se fait que les yeux semblent les deux seules places du visage où la matière ait été travaillée, laisse apercevoir à travers une moindre opacité l'âme qui pourtant ne se trouve pas dans le corps. Il n'en est pas moins vrai que la matière interpose entre l'âme et nous un plus mince rideau. Et pourtant ils ne sont qu'un miroir des objets, ce qui ne semble pas se prêter plus que la chair à exprimer les nuances de l'âme. *biffé épr. Gd*] Mais *plac. Gt 5 add. 14-17, épr. Gd*

1. Léon Bakſt (1866-1924), décorateur, s'illustra notamment avec la troupe des Ballets russes de Serge de Diaghilev. C'est au début de juin 1910 que Prouſt assiſta pour la première fois à une représentation des Ballets russes (voir la *Correspondance*, t. X, p. 113 ; et t. I de la présente édition, p. 1498). En mai 1911, il assiſtera à la répétition générale du *Martyre de saint Sébaſtien*, myſtère en cinq aĉtes de G. D'Annunzio, musique de Cl. Debussy, décors et coſtumes de L. Bakſt (voir la *Correspondance*, t. X, p. 289) ; dans une lettre adressée à R. de Montesquiou le 1ᵉʳ *[?]* juin 1911, il se rappelle le plafond de saphir du temple imaginé par Bakſt pour cette représentation (*ibid.*, p. 299). Prouſt rencontra Bakſt et fut sensible à son amabilité (G. D. Painter, ouvr. cité, t. II, p. 202).

Page 300.

a. vérification de ce qu'il *[2ᵉ §, 8ᵉ ligne]* a supposé. Et les jeunes filles qui de loin m'avaient paru une maîtresse de boxeur, une fourbe perverse, une cruelle dénuée aussi bien de respeĉt humain que de pitié, — de près, et maintenant que je connaissais la « légende » du dessin, le « programme » de la symphonie, étaient devenues : Albertine une jeune fille bourgeoise, sensible et loyale, pleine de cœur ; la dionysiaque Andrée une « intelleĉtuelle » neuraſthénique de la plus grande finesse ; [Berthe *biffé épr. Gd*] [Gisèle *corr. épr. Gd*] une « raseuse » capable de grandes timidités. Et pour les êtres comme pour les choses, nous oublions si vite ce qu'ils ont d'abord signifié pour nous, — [nous sommes si incapables de tenir d'eux autre chose que le bout quotidien de la chaîne tandis que la partie déjà déroulée et souvent d'un métal fort différent eſt déjà entrée dans une nuit où nous ne la diſtinguons plus, *biffé épr. Gd*]

— que je me rappelais rarement quelles étranges inconnues avaient été mes amies de maintenant. Puis je commençai à douter très fort que leur « mauvais genre » apparent correspondît à une certaine facilité de mœurs. Même il n'y en avait aucune que j'eusse encore osé embrasser, [si je n'étais pourtant pas absolument certain qu'à force de ruses je n'en aurais pas un jour *biffé épr. Gd*] l'une ou l'autre pour maîtresse. / J'avais remplacé *plac. Gt 5 add. 14-17, épr. Gd ↔ b.* petites choses, quand un lapsus de lecture vous a laissé persuadé qu'il y avait dans un journal ou dans un livre parcourus trop vite un nom qui n'y était pas, quand une erreur *plac. Gt 5 add. 14-17, épr. Gd*

1. Leucothea est le nom que porta Ino, fille de Cadmos, après que, victime de la colère d'Héra, elle se fut jetée dans la mer avec le cadavre de son fils Mélicerte et eut été transformée en déesse marine. Mélicerte devint le petit dieu Palaemon, qu'on appela aussi Portunus, dieu des portes (voir Virgile, *L'Énéide*, chant V, v. 241 et 823). Ino devint Leucothea, la déesse blanche ou la déesse de l'embrun. Tous deux étaient censés être secourables aux marins.

Page 301.

a. sans doute *[p. 300, avant-dernière ligne]* possible, avait été musicien. / Pour *plac. Gt 5 add. 14-17* : sans doute possible, [avait été musicien *biffé*] [écrivait des levers de rideaux *corr.*]. / Pour *épr. Gd ↔ b.* dernier bout et dans *plac. Gt 5 add. 14-17* : dernier bout [, souvent *[...]* la nuit, *add.*] et dans *épr. Gd ↔ c.* la mer [que j'avais cru impossible de connaître, et qu'en effet je n'avais jamais connues, puisqu'elles s'étaient muées en d'autres au moment où je m'étais approché d'elles, comme toutes les choses qu'on a remplies arbitrairement d'inconnu quand on les percevait par l'imagination, et que quand on les perçoit par l'expérience on remplit de connu, peut-être aussi arbitrairement — puisque l'imagination peut être inutile et puisque la matière commune que sécrète l'expérience et sous laquelle elle uniformise cet amas d'habitudes que nous appelons monde réel nous sépare bien plutôt de la réalité à laquelle nous avons ensuite tant de peine à revenir qu'elle n'est la réalité. / Toutes les fables, toute la gracieuse mythologie océanique que j'avais composées ce premier jour s'étaient évanouies *biffé épr. Gd*]. Les géographes, *plac. Gt 5 add. 14-17, épr. Gd ↔ d.* le palais de Thésée. Seulement *[...]* femme, Thésée qu'un roi *plac. Gt 5 add. 14-17, épr. Gd ↔ e.* même nom. [Dans le visage de la sournoise et vicieuse maîtresse du boxeur, je lisais maintenant le regard honnête d'une fille franche et bonne, si pudique qu'elle ne se laissait pas embrasser. La dionysiaque Andrée était une intellectuelle neurasthénique et scrupuleuse, l'impitoyable Berthe une timide un peu collante. *biffé épr. Gd*[1]] Et pourtant il n'est pas tout à fait *plac. Gt 5 add. 14-17, épr. Gd ↔ f.* ne parvient pas à *plac. Gt 5 add. 14-17, épr. Gd, orig. Nous corrigeons.*

1. Le 10 août *[?]* 1902, Proust confiait à Antoine Bibesco qu'il souhaitait que son affection pour Bertrand de Salignac-Fénelon, que Proust désigne par l'anagramme Nonelef, ne prît pas trop de place

1. En ce qui concerne ce passage, voir la variante *a*, page 300.

dans son cœur : « Si rien de nouveau ne survient bientôt je trouverai Nonelef exactement comme vingt autres personnes et n'aurai plus à lutter contre cette Sirène classique aux Yeux bleus de mer qui vient en droite ligne de Télémaque et dont M. Bérard a dû retrouver les traces près de l'île de Calypso » (*Correspondance*, t. III, p. 88). Victor Bérard (1864-1931), qui venait de publier le premier volume des *Phéniciens de l'Odyssée*, identifie l'île de Calypso avec Perejil, petite île située entre l'Afrique et l'Espagne (livre III, chap. III). On se souviendra qu'un autre Fénelon fit commencer ses *Aventures de Télémaque* par une évocation de Calypso, inconsolable après le départ d'Ulysse.

2. C'est à partir de 1900 que l'archéologue Sir Arthur Evans mit à jour le palais de Cnossos, siège et symbole de l'empire que Minos (ou la dynastie qu'il représente) étendit sur la Crète aux alentours de 1500 av. J.-C.

Page 302.

a. des yeux [bleu clair de Rosemonde ou d'Albertine *biffé épr. Gd*] qui *plac. Gt 5 add. 14-17, épr. Gd* ◆◆ *b.* qui cherchent la *épr. Gd, orig. Nous corrigeons.* ◆◆ *c.* au milieu des nymphes. / Puis le lendemain matin, je restais couché, de sorte que je ne les voyais pas, tandis qu'elles défilaient devant les chaînons inégaux [*p. 305, 4ᵉ ligne en bas de page*] de la mer [...] intermittents d'une musique [*p. 306, 17ᵉ ligne*] sous-marine. Puis les concerts *plac. Gt 5 add. 14-17, épr. Gd*

1. *Le Tireur d'épine*, qui représente un jeune homme extrayant une épine de son talon, est une statue en bronze de l'époque hellénistique, exposée au palais des Conservateurs à Rome. Voir la lettre de Proust citée dans le tome I de la présente édition, n. 2, p. 117.

2. Proust peut faire allusion à la série de toiles représentant la vie de Marie de Médicis, qui font intervenir, auprès de la reine, Junon, Minerve et les trois Grâces, ou encore à des tableaux plus spécifiquement mythologiques, comme *L'Offrande à Vénus*, où l'on reconnaît Hélène Fourment, l'épouse du peintre.

3. Dans le Cahier 61, Proust a noté : « Pour le départ des filles. Albertine partit la première, brusquement » (la suite est proche du texte définitif) ; mais pour ses amies : « Elles partirent environ deux semaines après Albertine. »

Page 303.

a. du nez ou les inflexions de la [*p. 224, 1ᵉʳ §, dernière ligne*] voix. Mais nous restâmes peu de temps à Bricquebec après le départ de Montargis dans l'hôtel qui n'allait pas tarder à fermer et n'avait jamais été si agréable, où parfois la pluie nous retenait, le casino étant fermé, *états ant.* : du nez ou les inflexions de la ligne. [/ Je restais maintenant [...] les hirondelles, mais dans la même [*p. 302, 2ᵉ §, 3ᵉ ligne*] semaine. *add. 14-17*] [Mais nous restâmes peu de temps [*comme dans états ant.*] le casino *corrigé entre 1914 et 1917 en* Parfois pourtant la pluie trop cinglante nous retenait, ma grand-mère et moi ; le casino] étant fermé *plac. Gt 5* : du nez ou des inflexions de la ligne. / Je restais maintenant [...] les hirondelles, mais dans la même semaine. [Albertine s'en alla *[...]* l'hiver que j'avais passé *[p. 303, 1ᵉʳ §, dernière ligne]* à Combray.   *add.*[1]] Parfois pourtant la pluie trop cinglante nous retenait, ma grand-mère et moi ; le casino étant fermé,   *épr. Gd* ◄► *b.* conversation, inventaient   *états ant.*   : conversation [(ce qui me donnait le plaisir de rester longtemps à table, au moment admirable et quotidien où sur la table desservie les couteaux traînent au milieu des serviettes défaites)   *add.*], inventaient   *plac. Gt 1b* : conversation (ce qui me donnait *[comme dans plac. Gt 1b]* défaites), inventaient   *plac. Gt 5*

1. Voir Jean Santeuil à Beg-Meil : « L'automne s'avança. Les rares Parisiens qui viennent sur les côtes étaient partis. Il était maintenant seul dans l'hôtel comme s'il en était le maître, plus que le maître. Le maître n'était-il pas respectueux avec lui, plus au-dessous de lui que de lui les domestiques ? Mais ces distances, Jean aimait à les rapprocher. Il allait avec lui dans sa voiture [...] » (*Jean Santeuil,* éd. citée, p. 385). Voir aussi l'Esquisse LXXV, p. 1016 et suiv.

Page 304.

   a. interrompre. Je fis   *états ant.*   : interrompre. [La brièveté des journées me donnait d'ailleurs le plaisir de pouvoir allumer l'électricité de bonne heure dans ma chambre et m'enchanter de ces effets qu'Elstir avait rendus avec subtilité. Malheureusement il n'y avait plus de feux d'artifice. J'aurais tant aimé en voir. / « On n'en tirera plus ? demandais-je au directeur. — Oh ! non, nous sommes tout à fait à la fin de la saison. » / C'était aussi l'avis du lift qui voyant l'amabilité *[sic]* de ses efforts pour nous décider à rentrer à Paris avait fini par partir. / « Et des régates il n'y en aura plus ? — Encore moins. — J'aurais si envie d'en voir. — Mais vous en avez vu de magnifiques il y a deux mois. — Oui... mais... — Il faudra revenir l'année prochaine ; je pourrai vous donner de meilleures chambres[2]. — Oh ! j'aime mieux celle que j'ai, elle est très bien. »   *add.*] / Je fis   *plac. Gt 1b*   : interrompre. La brièveté *[comme dans plac. Gt 1b]* très bien. » / Je fis   *plac. Gt 5*   : interrompre. [La brièveté des journées me donnait d'ailleurs le plaisir de pouvoir allumer l'électricité *[page coupée]   biffé*] / Je fis   *épr. Gd*

Page 305.

1. Voir la Bible (Exode, XIII, 21). De Venise, peu avant le 3 mai 1900, Proust promettait à Léon Yeatman que les « Ruskin italiens » le guideraient en l'éblouissant « comme la colonne de feu qui marchait devant les Israëlites » (*Correspondance,* t. II, p. 397).

────────────

1. En fait cette addition est légèrement différente du texte définitif. Voir, à ce propos, de la variante *b,* page 224 à la variante *c,* page 302.
2. Voir le passage qui va de la page 304, 5ᵉ ligne en bas de page, à la page 305, 3ᵉ ligne.

a. dîner avec nous *[p. 304, 4ᵉ §]* » / J'étais désolé de partir. Certes, surtout depuis que Montargis m'avait fait connaître des plaisirs mondains, Bricquebec m'avait donné bien peu d'impressions, mais enfin je savais que j'y demeurais effectivement et que c'était le nom qu'on était obligé de mettre comme adresse sur une lettre pour qu'elle me parvînt, et je sentais que la possibilité restait du moins près de moi des impressions que je n'avais pas eues. D'ailleurs comme dans ces lettres on me demandait si je ne reviendrais jamais, comment je pouvais rester à Briquebec quand tout le monde était parti depuis longtemps, je me persuadais par raisonnement, si je ne l'éprouvais pas directement, que par la prolongation de mon séjour j'acquérais une connaissance plus approfondie de cette côte, et que je prouvais mon amour pour elle. Contre le témoignage opposé de mon ennui, de mon manque d'impressions, j'appelais à mon secours cette opinion que j'avais souvent entendu émettre et qui pouvait être vraie que nous sommes souvent mal renseignés par notre sensation intime et mauvais juges pour nous-mêmes, nous trouvant moins bien portants après un traitement qui nous a réussi étant mécontents de notre œuvre la meilleure, nous croyant plus méchants que nous ne sommes. Et comme ma fenêtre donnait, au lieu que ce fût sur une campagne ou sur une rue, sur les champs de la mer, que j'entendais pendant la nuit sa rumeur montagneuse, étendue comme un paysage dans les ténèbres qu'elle accidentait et à la résistance de laquelle j'avais avant de m'endormir, confié comme une barque mon sommeil *[un blanc]*, il me semblait que cette *[un blanc]* avec la mer devait matériellement, à mon insu, faire pénétrer en moi la notion de son charme à la façon de ces leçons qu'on apprend en dormant. Et je profitais des derniers jours du soleil pour m'exposer à ses rayons marins, comme s'il y avait eu en moi, ignorées de moi, des impressions qu'il mûrirait nécessairement, comme les raisins d'une vigne. Et le peu de joie que j'avais en somme reçue de la mer, de la campagne et des églises normandes ne me faisait pas souhaiter moins, mais au contraire davantage, non seulement de rester plus tard cette année, mais de revenir l'année suivante. Car c'est bien moins le plaisir que la déception, qui donne ce désir de la répétition et du recommencement, véritable aveu de l'inachèvement. Et puis mon besoin de savoir que je reviendrais naissait aussi de cet attachement aux choses qui avaient quelques mois plus tôt causé ma souffrance quand j'avais dû quitter ma chambre de Paris pour celle à laquelle je m'étais maintenant habitué, où j'entrais sans plus jamais sentir l'odeur du vetiver et dont ma pensée, qui s'y élevait jadis si difficilement, avait fini par prendre si exactement les dimensions que je fus obligé de lui faire subir un traitement inverse quand je dus coucher dans une chambre nouvelle, laquelle était basse de plafond. / Et quand j'eus quitté Bricquebec sans jamais y avoir connu ce dont le désir m'avait fait surmonter maladies et tristesse — des flots soulevés par la tempête qui battaient une église persane, au milieu d'éternels brouillards, tandis qu'au petit jour je buvais du café au lait dans l'auberge — il se trouva qu'ensuite, chaque fois qu'à ces images le souvenir, pour me donner envie de retourner à Bricquebec, substitua les siennes, il ne les choisit pas moins arbitraires que celles de l'imagination, elles furent aussi étroites, aussi délimitées dans leur cadre, aussi instantanées dans leur durée, aussi exclusives de toute autre, aussi privilégiées, aussi excitantes pour mon désir, aussi impérieuses pour ma volonté. Ce qui maintenant me faisait rêver, de revenir un jour à Bricquebec, c'était le désir, par un temps de soleil et de vent, remontant de la plage avec Mme de Villeparisis qui en passant envoyait un bonjour de la main à la princesse de Luxembourg et m'annonçait que nous allions avoir des œufs à la crème et des soles frites, d'entrer à midi dans la salle à manger à travers le grand vitrage azuré de laquelle je verrais des ombres promenées du ciel sur la mer comme par un miroir ; ou bien d'être dans une barque arrêtée au fil de l'eau devant l'ancien moulin, sous la lumière abaissée de la fin du jour, pendant que la servante — la même — se pencherait pour annoncer que les truites sont prêtes. Ce n'était pas une promenade en barque ailleurs qu'il me fallait, ni sur une autre rivière les mêmes rayons ; je voulais que ce fût devant l'ancien moulin ; transportées dans un autre lieu, la même servante, les mêmes truites n'étaient rien ; mais pourtant sans la servante et les truites, la promenade en barque et la lumière ne suffisaient pas. Sans doute certains de ces plaisirs étaient eux-mêmes insignifiants. Mais le souvenir les maintenait dans un assemblage, dans un équilibre où il n'était pas permis de rien distraire et de rien refuser sans altérer son authenticité. Or je sentais bien que toutes ces circonstances je ne pourrais pas les retrouver semblables. La servante aurait peut-être changé et peut-être même, une fois à Bricquebec, pris dans l'engrenage d'une vie que je ne pouvais prévoir, je n'irais peut-être jamais jusqu'au moulin. L'hôtel pourrait rester le même. Mais Mme de Villeparisis n'y viendrait pas, ou serait alors trop âgée pour se promener, la princesse de Luxembourg ne serait plus là cette année-là. Et dès lors le petit chemin qui nous ramenait de la plage, ne serait plus le même. Car les lieux n'appartiennent pas qu'au monde fixe de l'espace où nous les situons pour plus de commodité. / Ils n'étaient quand nous les avons connus qu'une mince tranche au milieu d'impressions contiguës qui étaient notre vie d'alors, le souvenir d'une certaine image n'est au fond < que > le regret d'un certain instant, et les maisons, les routes, les plages, sont aussi fugitives que les années. Mais même si à peu de temps de distance j'avais pu artificiellement réunir les éléments de ce souvenir, je me serais aperçu qu'il était pourtant impossible de l'atteindre. Car il était d'essence spirituelle, perçu par la pensée et le désir de déjeuner à Bricquebec un jour de vent n'était au fond comme jadis le désir de voir Bricquebec dans le brouillard, qu'une forme de ce besoin contradictoire que nous avons de tâcher de connaître par l'expérience de nos sens ce que nous apercevons en nous-mêmes. D'ailleurs, à l'église de Bricquebec, sa solidarité avec les différentes parties de la ville qui lui donnait dans mon souvenir non seulement cette même lumière qui la baignait comme le Comptoir d'escompte et le café-billard, mais la même qualité d'état d'esprit dans lequel je les avais vus — état d'esprit fait de mes dispositions et de mes rêveries d'une journée de voyage, auxquelles la ville s'était opposée comme une réalité qui n'avait rien de subjectif et à laquelle je ne pouvais rien modifier, — cette solidarité qui m'avait gêné ce jour-là assurait au contraire au monument cette vive saveur d'être d'une certaine ville, d'être unique, que je lui imaginais quand je donnais une existence individuelle au nom de Bricquebec. J'aurais voulu revoir ces bons apôtres qui m'avaient reçu sur le seuil de leur église, j'aurais voulu les revoir comme des hôtes chez qui on a passé de bons moments sans qu'on sache au juste si le charme qu'on leur a trouvé ne venait pas un peu de la nouveauté de l'endroit où on était allé les voir, de l'amusement, du changement de vie et de l'excitation du grand air. Comme en les contemplant devant l'église j'avais tâché de me pénétrer uniquement de la signification de la sculpture, la sensation du beau temps, l'odeur du train que je gardais sur moi, n'avaient pas été affaiblies par ma réflexion qui s'était détournée d'elles, me revenaient particulièrement intenses, si bien que quand je revoyais ces bienveillants seigneurs de pierre, c'était toujours dépliant autour d'eux la lumière qui s'enfonçait dans le porche comme sur un berceau de vignes — comme il arrive pour certains paysages d'une beauté intellectuelle et d'une si noble signification que dès qu'on pense à eux on se rappelle le goût du vin qu'on a bu et du cigare qu'on a fumé devant eux. Quant aux images d'une église persane dans le brouillard et la tempête, l'expérience les avait détruites. Détruites, mais non sans les laisser renaître quelquefois. Quand le temps était doux, que j'entendais le vent souffler dans la cheminée, le désir d'aller voir une tempête au bord de l'église persane de Bricquebec, de prendre le beau train d'une heure cinquante, renaissait en moi pareil à ce qu'il était autrefois. Et j'oubliais un instant que cette église de Bricquebec je la connaissais, qu'elle n'était pas au bord de la mer, dans des brumes éternelles, mais éclairée par le même bec de gaz que la succursale du Comptoir d'Escompte dans une ville traversée par un tramway. / De la même façon renaquit aussi en moi le désir de Florence. Et ce fut le souvenir du désir de Florence (et non comme c'était autrefois le souvenir de ces vacances de Pâques passées à Combray) qui donna pour moi cette année-là et les suivantes, sa tonalité et ses images aux temps du Carême. La semaine sainte comme j'avais dû l'année précédente y voir Florence, continuait pour moi à s'entourer comme si elle avait été son atmosphère naturelle. Comme cette ville, elle semblait avoir une physionomie spéciale, en harmonie avec la sienne. La semaine sainte, la semaine de Pâques, avait quelque chose de toscan, Florence quelque chose de pascal, chacune des deux m'aidait à pénétrer le secret de l'autre. Je savais cependant bien que les raisons pour lesquelles je n'avais trouvé à l'église de Bricquebec le charme qu'elle avait dans mon imagination ne lui étaient pas plus particulières que ne le sont à l'eau qu'en se penchant d'une barque on puise dans le creux de sa main, les raisons qui la dépouillaient des reflets dont de loin elle semblait revêtue. À Florence quand j'y arriverais, pas plus qu'à Bricquebec, mon imagination ne pourrait se substituer à mes yeux pour regarder. Je le savais. Mais j'avais mis autrefois dans le nom de Florence, dans le nom de Parme, dans le nom de Venise, un monde particulier, sans lien avec un autre et j'avais beau me dire que les villes ne peuvent pas être si différentes des villes voisines, malgré cela leur nom continuait à me montrer l'âme individuelle que j'y avais mise et qui s'en laissait difficilement déloger. D'autre part je savais tout aussi bien que l'individualité que nous prêtons aux jours, ils ne la possèdent pas, je me rappelais encore la bouffée d'air qui m'en avait averti, un soir du jour de l'an, devant une affiche de théâtre. Je savais que ces jours de la semaine sainte qui approchait seraient des jours comme les autres, mais je ne pouvais empêcher que mes souvenirs les fissent différents. Dans la rangée des jours qui s'étendait devant moi, quelques uns se détachaient plus clairs, entre les jours contigus, comme s'ils avaient été d'une autre matière, ou touchés d'un rayon ainsi que sont quelques-unes seulement des maisons d'un village qu'on aperçoit au loin dans un reflet d'ombre et de lumière.

Comme elles ils retenaient sur eux tout le soleil, c'étaient les jours saints. Il gelait, l'hiver semblait recommencer et Françoise, dernière sectatrice en qui survivait obscurément la doctrine de ma tante Léonie, voyait dans ce temps hors de saison une preuve de la colère du bon Dieu. Mais je ne répondais à ces plaintes que par un sourire plein de langueur, car un état de faiblesse analogue à celui de convalescence, quand il n'est pas la cause du goût que nous reprenons aux choses, du réveil de nos désirs de vivre et de voyager, en est l'effet. Comme pour la ville bretonne qui ne remonte du fond de la mer qu'à une certaine époque de l'année, les jours étaient venus où Florence renaissait pour moi. / La semaine sainte toucha à sa fin. Ce fut la veille de Pâques, Françoise mettait une bûche dans le feu, allumait la lampe, annonçait de la pluie pour le lendemain. Pour moi, il ferait certainement beau car je me chauffais au soleil de Fiesole et la violence de ces rayons me forçait à fermer à demi les yeux et à sourire. Ce n'était seulement les cloches qui revenaient d'Italie, c'était l'Italie même. Et mes mains fidèles ne manqueraient pas de fleurs pour honorer l'anniversaire du voyage que j'avais dû faire l'an passé, car, depuis qu'à Paris le temps était redevenu froid et sombre, comme cela avait eu lieu déjà cette autre année à la fin du Carême, dans l'air liquide et glacial qui baignait les marronniers de l'avenue et les platanes des boulevards, s'entrouvraient comme dans une coupe d'eau pure, les narcisses, les jonquilles, les anémones du Ponte-Vecchio[1] *états ant., plac. Gt 1*[2] : dîner avec nous ? » / [Au fond j'en avais été ravi parce que je pensais qu'on devait servir des huîtres. Il n'y avait plus moyen d'en avoir à l'hôtel et j'en étais extrêmement curieux, j'aurais été bien loin pour en avoir et pour en manger. *add. plac. Gt 1b*] / J'étais désolé de partir *[comme dans plac. Gt 1]* les raisins d'une vigne. [Et le peu de joie que j'avais en somme reçue de la mer, de la campagne et des églises normandes *biffé plac. Gt 1b*] [J'eus un vrai plaisir un jour à voir qu'un gros temps avait déposé sur le sable d'innombrables méduses. Je m'enchantais à voir le soleil briller dans les lustres d'opale, même je touchai leur délicate ceinture lilas avec autant de joie que si ç'avait été l'écharpe d'Iris. De dégoût je n'en avais aucun car le sentiment esthétique nous fait franchir les limites qu'imposent à nos goûts les préférences du corps. C'est ainsi qu'un grand artiste pourra comparer à de belles Muses, pourra s'enchanter à regarder de jeunes hommes que trouverait écœurants un homme de club, livré aux étroites répulsions de l'instinct sexuel. Malgré cela j'avais en somme reçu bien peu de joie de la mer, de la campagne et des églises normandes ; mais cela *corr. plac. Gt 1b*] ne me faisait pas souhaiter moins, *[comme dans plac. Gt 1]* les anémones du Ponte-Vecchio. *plac. Gt 1b, plac. Gt 5*[3] : dîner avec nous ? » / [Au fond j'en avais été ravi *[comme dans plac. Gt 5]* et pour en manger *biffé*] / Je regrettais qu'on ne servît plus d'huîtres à l'hôtel, qu'on ne tirât plus de feux d'artifice sur la plage, qu'il n'y eût plus de régates, enfin toutes les choses dont j'aurais pu si aisément jouir et aisément insupporté, quelques mois plus tôt, avant que la peinture d'Elstir en eût dégagé pour moi la valeur esthétique. / [Le chemin de fer d'intérêt local qui ne fonctionne que pendant la saison, cessa son service, de sorte qu'on envoya chercher les lettres tous les jours en carriole — depuis longtemps il n'y

---

1. Voir *Le Côté de Guermantes I*, p. 446-447.
2. Ici s'interrompt le jeu de placards Grasset 1.
3. Ici s'interrompt le jeu de placards Grasset 1 corrigés et celui de placards Grasset 5.

avait plus d'omnibus — à la station la plus voisine. Je demandai souvent à y accompagner le gardien de nuit qui y allait. Cela me fit faire des promenades par tous les temps comme dans l'hiver que j'avais passé à Combray, maintenant surtout par temps de pluie, de ciel gris, des tempêtes et des journées de plus en plus courtes, des promenades qui me donnaient l'ivresse de m'aguerrir, de me sentir du pays ! La carriole attendait patiemment de partir si je m'attardais dans un village. Et il y avait des jours de tempête où je ne pouvais pas échanger une parole avec le gardien, où la voiture risquait à tous moments d'être renversée, où les monts italiens de la mer en cristal bleuâtre, étaient transformés en une terrible [*sic*] avec des montagnes infiniment plus hautes, recouvertes de neige, aux cimes éblouissantes et vertigineuses. / J'étais désolé de partir. [*comme dans plac. Gt 1*] plus méchants que nous ne sommes. *biffé*] [En somme [*p. 304, avant-dernier §, 1ʳᵉ ligne*] j'avais bien peu profité [...] qu'on apprend en [*p. 304, avant-dernier §, dernière ligne*] dormant. *corr.*] [Et je profitais des derniers jours du soleil pour m'exposer à ses rayons marins, comme s'il y avait en moi, ignorées de moi, des impressions qu'ils mûriraient nécessairement, comme les raisins d'une vigne. J'eus un vrai plaisir un jour à voir qu'un gros temps avait déposé sur le sable d'innombrables méduses. Je m'enchantais, à voir le soleil briller dans leurs lustres d'opale, même je touchai leur délicate ceinture lilas avec autant de joie que si ç'avait été l'écharpe d'Iris. De dégoût je n'en sentis aucun, car le sentiment esthétique nous fait franchir les limites qu'imposent à nos goûts les préférences du corps. C'est ainsi qu'un grand artiste pourra comparer à de belles Muses, pourra s'enchanter à regarder de jeunes hommes que trouverait écœurants un homme de club, livré à une étroite répulsion de l'instinct sexuel. Malgré cela, j'avais en somme reçu bien peu de joie de la mer, de la campagne et des églises normandes ; mais cela ne me faisait pas souhaiter moins, mais au contraire davantage, non seulement de rester plus tard cette année, mais de revenir l'année suivante. Car c'est bien moins le plaisir que la déception, qui donne ce désir de la répétition et du recommencement, véritable aveu de l'inachèvement. Et puis mon besoin de savoir que je reviendrais naissait aussi de cet attachement aux choses qui avaient quelques mois plus tôt causé ma souffrance quand j'avais dû quitter ma chambre de Paris pour celle à laquelle je m'étais maintenant habitué. *biffé*] Le directeur [*p. 304, dernier §, 1ʳᵉ ligne*] m'offrait [...] basse [*p. 305, 3ᵉ ligne*] de plafond. / [Et quand j'eus quitté Bricquebec [*comme dans plac. Gt 1*] la promenade en barque et la lumière *biffé*[1] [Il avait fallu quitter Balbec en effet [*p. 305, 2ᵉ §, 1ʳᵉ ligne*] [...] ces dernières semaines [*p. 305, 2ᵉ §, 5ᵉ ligne*]. Ce que je revis invariablement quand je pensai à Balbec, ce fut le moment où chaque jour, pendant la belle saison, Françoise était venue ouvrir ma fenêtre. Or pendant des mois de suite, dans ce Balbec que j'avais tant désiré parce que je ne l'imaginais *corr.*[2]] que battu par la tempête et perdu dans les brumes,

---

1. Ce texte biffé est brusquement interrompu en milieu de phrase par le découpage des feuillets d'épreuves. On notera la présence, dans le texte imprimé des épreuves Gallimard, du nom de « Bricquebec » et, plus haut, de « Montargis », qui prouve que ces épreuves ont été composées à partir du matériau ancien des placards Grasset.

2. Cette correction manuscrite ne fait qu'assurer le raccord avec le texte imprimé qui enchaîne la suite, avec les deux dernières syllabes d'« imaginais ». Les collages et découpages du jeu d'épreuves imprimées entraînent, au cours de ces pages, de nombreux fragments manuscrits dont il est difficile de vérifier si ce sont de « vraies » additions.

— le beau temps [fut *biffé*] [avait été *corr.*] si éclatant et si fixe que quand Françoise venait ouvrir la fenêtre [j'étais sûr de *biffé*] [j'avais pu toujours, sans être trompé, m'attendre à *corr.*] trouver le même pan de soleil plié à l'angle du mur extérieur, et d'une couleur immuable qui [n'était plus émouvante comme une révélation de l'été mais *biffé*] [était moins émouvante comme un signe de l'été qu'elle n'était *corr.*] morne *[p. 306, 8ᵉ ligne en bas de page]* comme celle d'un émail [...] embaumée dans sa robe d'or[1]. *épr. Gd*

1. À Eugène Fasquelle, Proust écrivait le 28 octobre 1912 : « Peut-être [...] y a-t-il moyen de faire tenir en un volume le manuscrit que je vous envoie (c'est-à-dire les trois parties du *Temps perdu*, moitié de l'ouvrage total). Si c'est impossible au moins faudrait-il que le volume allât jusqu'à la page 633 (j'ai marqué l'endroit au crayon bleu) de la dactylographie [...] » (*Correspondance*, t. XI, p. 257). En clair, cela signifie qu'à défaut de se terminer par le texte que nous donnons dans la variante *a* de cette page, Proust souhaitait que le premier volume de son roman s'achevât par la phrase : « Et tandis que Françoise [...] embaumée dans sa robe d'or », qui se trouvait placée alors bien avant dans le texte (voir var. *b*, p. 64). Le découpage imposé par Grasset, plus rigoureux encore que celui auquel Proust se résignait dans sa lettre à Fasquelle, aboutissait à situer l'ouverture des rideaux par Françoise dans le courant du deuxième volume à paraître (c'est l'état du texte tel qu'il nous est donné par les placards Grasset). Donnant à ce deuxième volume la forme qu'il aura définitivement (*À l'ombre des jeunes filles en fleurs*), Proust persiste à juger la phrase sur l'ouverture des rideaux assez conclusive pour la déplacer à la fin de l'épisode. L'étonnant est peut-être que ce transfert ne soit opéré qu'au stade de la correction des épreuves.

À la fin de l'édition originale, on trouve la table des matières analytique d'*À l'ombre des jeunes filles en fleurs*, que voici : « PREMIÈRE PARTIE : AUTOUR DE MME SWANN. — / Coup de barre et changement de direction dans les caractères. — Le marquis de Norpois. — Bergotte. — Comment je cesse momentanément de voir Gilberte ; première et légère esquisse du chagrin que cause une séparation et des progrès irréguliers de l'oubli. / DEUXIÈME PARTIE : NOMS DE PAYS, LE PAYS. — (Premier séjour à Balbec, jeunes filles au bord de la mer). / Premiers crayons de M. de Charlus et de Robert de Saint-Loup. — Dîner chez Bloch. — Les dîners de Rivebelle. — Albertine apparaît. »

---

1. À la suite de ces mots, on lit en continuité le texte suivant, imprimé et biffé : « La voiture de Mme de Villeparisis nous emmenait. Parfois comme la voiture gravissait une route montante entre des terres labourées, je voyais — rendant les champs plus réels, les prolongeant jusque dans le passé, — quelques » coupé à cet endroit, fin du jeu d'épreuves Gallimard. Ce texte, différent de celui des placards Grasset et du texte définitif (voir p. 67, Iᵉʳ §), a été imprimé avant que Proust ne décide de placer en conclusion de son volume le passage qui s'achève par « embaumée dans sa robe d'or » (voir n. 1 de cette page).

Le Côté de Guermantes I

NOTICE

Quand *Du côté de chez Swann* parut en 1913, Proust espérait encore que la suite de son roman pourrait être publiée en deux volumes : *Le Côté de Guermantes* et *Le Temps retrouvé.* Sans doute cette disposition en trilogie était-elle motivée par des impératifs commerciaux. Elle répondait cependant à une profonde vocation dialectique de Proust et avait l'avantage de mettre l'accent sur la progression d'un récit qui, jouant sur des oppositions et des révélations successives, avait dès la première page adopté le rythme ternaire. *Le Côté de Guermantes* tenait alors son rôle, indispensable à la compréhension de l'ensemble, panneau central du triptyque. La maladie, la guerre, les tragédies intimes firent évoluer ce plan et ce n'est pas « disposés trois par trois », comme ceux de Bergotte, que se présentèrent les livres de Proust, mais dans l'alignement de treize volumes. Le temps avait fait son œuvre.

Bien que, dans l'organisation définitive du roman, la place accordée au *Côté de Guermantes* soit naturellement moindre que dans le projet de 1913, le volume reste tout aussi important pour comprendre la démonstration proustienne. Pourtant, il n'a pas toujours été estimé à sa juste valeur. Le lecteur apprécie la poésie de *Du Côté de chez Swann* et d'*À l'ombre des jeunes filles en fleurs,* les études de mœurs de *Sodome et Gomorrhe,* l'analyse psychologique de *La Prisonnière* et d'*Albertine disparue,* la philosophie du *Temps retrouvé* — mais du *Côté de Guermantes,* que lui faut-il louer ? Après le grand air de Combray et des Champs-Élysées, après les brises marines de Balbec, il se retrouve dans l'atmosphère confinée des salons. Le récit semble suspendu, enlisé dans les conversations frivoles, dans les bavardages superficiels qui vont conférer un nouveau crédit à l'image d'un Proust « snob », d'un « mondain amateur[1] ». Comme il arrive, les ramifications ont dissimulé la branche maîtresse.

Le Côté de Guermantes est en effet le plus long des romans qui forment *À la recherche du temps perdu,* et il apparaît souvent comme celui qui est le moins « composé ». En acceptant de publier un ouvrage morcelé — la première partie est imprimée en 1920 ; la

---

1. Ce sont les termes employés par Gide en 1914 (voir Marcel Proust, *Correspondance,* édition de Philip Kolb, Plon, t. XIII, p. 53).

seconde en 1921 —, Proust a sans doute, malgré lui, aidé cette opinion à s'établir. Ainsi, en 1920, Paul Souday, critique du _Temps,_ voyait en _Le Côté de Guermantes I_ un « volume de transition[1] », et, cinquante ans plus tard, Maurice Bardèche parlait encore de son « caractère hybride[2] ».

Il faut reconnaître que l'œuvre a de quoi dérouter et que, pour qui attend du romancier qu'il lui fournisse un quelconque fil d'Ariane, il n'est pas toujours très facile de se retrouver dans ce labyrinthe. Mais n'y a-t-il pas quelque vrai bonheur à se perdre ainsi de salon en salon ? Le héros, lui-même, savait-il où il mettait les pieds en foulant le « paillasson usé » de l'hôtel des Guermantes ? Au demeurant, _Le Côté de Guermantes_ est moins le roman d'un monde que celui de sa découverte, moins le livre du snobisme que celui de sa poésie. Et s'il est un « volume de transition », c'est parce qu'il décrit le passage de l'adolescence à l'âge adulte, de la sensibilité à l'intelligence ; c'est en donnant au mot transition son sens le plus large, qui suppose l'écoulement du temps et l'apprentissage de la réalité. L'œuvre tout entière est dans ce mouvement : un homme se souvient, et il confronte les illusions de son passé aux certitudes du présent.

Par un étrange phénomène de mimétisme, cette évolution trouve son équivalent dans la genèse du roman, comme si le livre, pour se construire, devait parcourir à son tour le chemin accompli par son héros, comme s'il devait, lui aussi, au fur et à mesure de sa rédaction, accumuler les erreurs, contourner les obstacles, surmonter les épreuves, dissiper les chimères qu'il est censé décrire.

L'illusion primordiale est ici suscitée par les noms propres, par leurs syllabes qui contiennent tout un monde idéalisé et qui donnent envie, à celui qui les prononce, de connaître le pays ou la personne qu'elles désignent. Beaucoup plus qu'un simple thème récurrent — déjà développé dans « Noms de pays : le nom » —, beaucoup plus qu'un révélateur de la situation du héros par rapport aux choses et aux êtres, la poésie de l'onomastique est, dès les premières esquisses du roman, en 1908 et 1909, la marque d'un imaginaire créateur. À l'aide d'un nom, le narrateur construit un château, un domaine, un hôtel, une femme, une société. À l'aide des noms, Proust écrit _Le Côté de Guermantes_[3]. Tous les cahiers dans lesquels il a accumulé les matériaux de son œuvre présentent de longs développements sur la poésie des noms. C'est elle qui est à l'origine des scènes principales, et celles-ci ne sont d'abord que son illustration. Elles ne peuvent naître qu'en étant accompagnées des réflexions du narrateur sur les noms. Certes,

---

1. Paul Souday, _Le Temps,_ 4 novembre 1920 ; article repris dans _Marcel Proust,_ Kra, 1927, p. 29.

2. Maurice Bardèche, _Marcel Proust romancier,_ Les Sept Couleurs, 1971, t. II, p. 100.

3. Voir Roland Barthes : « L'événement (poétique) qui a "lancé" la _Recherche,_ c'est la découverte des Noms » (« Proust et les noms », _Le Degré zéro de l'écriture_ suivi de _Nouveaux essais critiques,_ Seuil, 1972, p. 124), et les réserves formulées par Eugène Nicole dans « Genèses onomastiques du texte proustien », _Études proustiennes,_ V, Gallimard, 1984, p. 69-124.

elles prennent peu à peu une forme d'indépendance, se dégagent du thème qui les a tout à la fois engendrées et parrainées. Mais elles gardent toujours de cette impulsion primordiale, comme une image rémanente, l'éclairage particulier de sa poésie.

Le premier texte que Proust ait consacré aux noms figure sur les soixante-quinze feuillets dont Bernard de Fallois a publié une partie dans le *Contre Sainte-Beuve*[1], à la suite de pages tirées du Cahier 5, sous le titre « Noms de personnes ». Les noms y sont évoqués pour eux-mêmes, en dehors de toute contingence : il ne s'agit pas d'un récit, mais d'une causerie, de quelques remarques sur les noms nobles. Dans le Cahier 7[2], en revanche, le narrateur parle à sa mère de Guermantes ; le rêve est confronté à la réalité et se trouve désormais pris dans un projet narratif : le « récit d'une matinée » qui, peu à peu, se transforme en roman[3].

Ce n'est pas seulement le nom de Guermantes qui est mis à contribution, mais tous ceux qui peuvent engendrer la rêverie, qu'ils soient réels — et donc modèles, tels que Luynes, Brantes, Joinville[4] — ou fictifs comme Faffenheim-Munsterburg-Weinigen[5]. Proust rassemble ses observations dans des fragments qu'il fait précéder des mentions « À propos des noms », ou « Encore les noms[6] ». En même temps, les personnages prennent vie ; et ceux qui furent d'abord des noms deviennent des comtes, des duchesses, des propriétaires de châteaux, d'hôtels particuliers dans le faubourg Saint-Germain, de voitures aux portières armoriées. Ils acquièrent des habitudes, des manies, des tics de langage. Ils s'habillent avec élégance ou négligence, vont à l'Opéra, font « atteler pour huit heures ». C'est ainsi que sur la poésie se greffe peu à peu la réalité et qu'entre en scène l'aristocratie.

Elle ne présente tout d'abord d'intérêt aux yeux du narrateur qu'en fonction de son ancienneté, car les noms qu'elle porte sont du temps éternisé, témoins des époques reculées, d'un Moyen Âge mythique qui, par l'entremise des vitraux de l'église et de la lanterne magique de Combray, ont suscité la rêverie. C'est un peu du « temps perdu » qui est retrouvé en eux.

Dès lors, le glissement du récit vers la mondanité est inévitable, et voulu. Ces êtres aux noms prestigieux semblent inaccessibles. Le héros ne peut les observer qu'à la dérobée, comme s'ils participaient à quelque spectacle interdit au commun des mortels. Françoise, l'Opéra, Saint-Loup, la marquise de Villeparisis vont tour à tour servir d'intermédiaires entre le héros et son rêve matérialisé. Puis le jeune homme fera son entrée dans le monde, perdant peu à peu ses illusions, oubliant le nom pour s'intéresser davantage aux personnes.

1. *Contre Sainte-Beuve*, édition de Bernard de Fallois, Gallimard, 1954, p. 274-283.
2. Voir l'Esquisse VI, p. 1045-1048.
3. Voir Claudine Quémar, « Autour de trois "Avant-textes" de l'"ouverture" d'*À la recherche du temps perdu* : nouvelles approches des problèmes du *Contre Sainte-Beuve* », *Bulletin d'informations proustiennes*, n° 3, 1976, p. 19-21.
4. Voir l'Esquisse VI, p. 1048.
5. Voir p. 552-553.
6. Voir var. *b*, p. 1049 et var. *c*, p. 1050.

En 1910, l'écrivain, qui dispose de l'essentiel de la matière de son livre[1], se contente d'enrichir, d'agencer ou d'ajuster les épisodes, en leur faisant subir deux types de transformations qui peuvent sembler contradictoires : d'une part, il assemble des bribes éparses ; d'autre part, il fragmente certains textes trop denses — ce que Bardèche appelle des « compacts ». En outre, il transfère des scènes, des phrases, parfois un seul mot, d'une page à une autre, d'un cahier à un autre[2].

En ce qui concerne *Le Côté de Guermantes* — qui ne porte encore aucun titre — la première tentative d'organisation du récit a lieu sur le Cahier 66 à couverture orangée[3]. Proust y développe avec insistance l'opposition entre noms de pays et noms de personnes, et n'approfondit guère les rapports du héros avec l'aristocratie. Ces variations féeriques lui permettent d'évoquer la duchesse de Guermantes sans vraiment la décrire. L'heure est encore à l'émerveillement. Le désenchantement et l'ironie viendront plus tard.

L'étape suivante, décisive, est la rédaction de cinq cahiers[4], qui, pour la première fois, offrent l'image d'un texte relativement clair et ordonné : ils constituent en effet la première version suivie du *Côté de Guermantes* et sont l'aboutissement d'un travail de mise en ordre. Tant bien que mal, un récit s'organise, éliminant tout ce qui pourrait nuire à sa cohérence et à son intégrité. Les épisodes s'enchaînent, se développent. Ils ne sont plus de ces fragments disséminés dans différents cahiers, mais le regroupement, le remaniement et l'agencement de textes antérieurs, dispersés jusque-là. À mi-chemin entre le brouillon et le manuscrit de mise au net, ils présentent certes de profondes différences avec le texte définitif, et les tâtonnements y sont encore nombreux. Mais ils ont été rédigés les uns après les autres et dans un seul élan, entre avril-mai 1910 et septembre de la même année, certains ajouts datant du premier trimestre de 1911. Ils sont, en outre, parcourus par un fil narratif continu qui assure de manière logique l'assemblage des divers épisodes. La succession des scènes, bien que différente de celle du texte définitif, n'en est pas moins cimentée solidement par des phrases de transition très travaillées.

Telle est du moins la règle générale, car la réalité est beaucoup plus complexe, comme on s'en aperçoit fréquemment chez Proust.

Sur la couverture de chacun de ces cinq cahiers, l'écrivain a collé une étiquette portant une inscription manuscrite, à l'encre noire :

CAHIER 39	CAHIER 40	CAHIER 41	CAHIER 42	CAHIER 43
IVe partie	(IVe partie)	IVe partie		
1	2	3	4	5

1. Si l'on excepte l'épisode d'Albertine (qui est en germe, cependant, dans les brouillons relatifs à Maria et aux jeunes filles) et quelques scènes tardives (mort de Bergotte, Paris pendant la guerre, etc.).

2. Nous en donnons un exemple dans la note 1 de la page 312.

3. Voir les Esquisses VIII, p. 1051-1063 et XIV, p. 1114-1116.

4. Cahiers 39 à 43 (N.a.fr. 16679 et 16683) que nous appellerons par la suite Cahiers *Guermantes*.

C'est donc Proust lui-même qui a assigné un ordre à ces cahiers. Mais cet ordre est-il celui de la rédaction ? En examinant attentivement les étiquettes, on remarque que, sur celle du Cahier 41, le « 3 » est écrit en surcharge sur un « 1 ». Or, les premiers folios de ce Cahier offrent trois versions du début de la « IVe partie[1] ». Il apparaît donc que Proust a commencé la « IVe partie » sur ce Cahier qu'il a numéroté « 1 ». Après s'être interrompu, il fait recopier ce début sur le Cahier 39[2], qu'il numérote « 2 », puis il reprend sa rédaction. À la fin du Cahier 39[3], Proust note : « Suivre au Cahier 3[4] ». Le « Cahier 3 » n'est autre que le Cahier 40. Et, en effet, le folio 1 recto de ce Cahier reprend, de la main d'un copiste, le texte du folio 67 verso du Cahier 39[5]. Quand Proust achève le Cahier 40, il continue alors sur le Cahier 41, primitivement numéroté « 1 », mais se voit dans l'obligation de réviser sa numérotation. Par conséquent, il biffe les chiffres initiaux et les remplace par de nouveaux : le Cahier 39, primitivement « 2 », devient le numéro « 1 » ; le Cahier 40, primitivement « 3 », le numéro « 2 » ; le Cahier 41, primitivement « 1 », le numéro « 3 ». Il n'est donc guère douteux que les étiquettes sont contemporaines de la rédaction des cahiers et que le changement de leur numérotation est intervenu en cours de route.

Même si cela est fort probable, on ne dispose, hélas, d'aucun indice pour affirmer que la mention « IVe partie » est également inscrite dès le début. Bien plus, il est impossible aujourd'hui de savoir si cette mention, qui n'apparaît que sur les trois premiers cahiers, a jamais figuré sur les deux derniers dont les étiquettes sont largement déchirées et usées[6]. Si l'on ne considère que les Cahiers 39, 40 et 41, la « IVe partie » correspond, dans l'ensemble, à ce que nous connaissons sous le titre *Le Côté de Guermantes I*. Si l'on y inclut les Cahiers 42 et 43, comme il semble logique de le faire, elle s'étend alors jusqu'au récit de la soirée chez la princesse de Guermantes qu'on lit dans *Sodome et Gomorrhe*. Un tableau, dans lequel figurent, à gauche, le sommaire de chacun des cinq cahiers et, à droite, la pagination des épisodes correspondants dans *À la recherche du temps perdu*, permettra d'envisager ce que représentait la « IVe partie » en 1910.

Cahier 39. *Le Côté de Guermantes I*

Installation dans un nouvel appartement ; rêves du narrateur autour du nom de Guermantes

F^{fos} 1 r° à 32 r° p. 309-336

---

1. De « À l'âge où les noms [...] » jusqu'à « [...] la divinité des eaux » (f^{fos} 1 à 3 r°).
2. Au folio 1 recto.
3. Au folio 67 verso.
4. Voir var. *a*, p. 1159.
5. Voir var. *a*, p. 1200.
6. Voir le *Bulletin d'informations proustiennes*, n° 1, 1975, p. 16.

1. Voir l'Esquisse XXI, p. 1174.
2. Voir l'Esquisse XXII, p. 1195.
3. Voir l'Esquisse XVII, p. 1151.
4. Voir l'Esquisse XXIII, p. 1200.
5. Voir l'Esquisse XI, p. 1080.
6. Voir l'Esquisse XV, p. 1116.
7. *Ibid.*
8. Voir l'Esquisse XVIII, p. 1159.
9. Voir l'Esquisse XXXII, p. 1234-1265.

Cahier 42.

Le salon Guermantes : poésie des noms, des généalogies, des alliances. L'esprit des Guermantes. Les maîtresses de M. de Guermantes[1].

Ff^os 1 à 52 r°

p. 709-836

Cahier 43.

Le salon Guermantes (suite)

Ff^os 1 r° à 18 r°

Invitation de la princesse de Guermantes. Visite du héros au duc et à la duchesse de Guermantes. Les souliers rouges de la duchesse[2].

f°s 18 r° à 27 r°

p. 856-884
Sodome et Gomorrhe
chapitre II

Soirée chez la princesse de Guermantes
f°s 28 r° à la fin

t. III, p. 34 et suiv.

Ainsi, la « IVe partie » est exclusivement consacrée au monde des Guermantes et à l'ascension du héros dans ce milieu. En ont été écartés les épisodes sans rapport aucun avec la famille Guermantes, comme le récit de la maladie et de la mort de la grand-mère, ou les passages dans lesquels la vie mondaine n'était pas au premier plan, tels la visite au baron de Charlus après le dîner chez les Guermantes et la découverte de l'homosexualité de ce personnage. Ainsi, rien ne demeurait qui pût détourner de l'univers aristocratique[3] l'attention du lecteur. Ce que Proust voulait montrer dans sa « IVe partie », c'était le faubourg Saint-Germain, sa grandeur et sa vanité, et la fascination qu'il a pu exercer sur le narrateur. Celui-ci commençait par épier Mme de Guermantes dans la cour de son hôtel, la poursuivait dans divers salons, puis allait dîner chez elle ; enfin, apothéose, c'était la soirée chez la princesse, le *nec plus ultra* de cette société, la consécration suprême pour le jeune héros éberlué, qui avait cru que l'invitation était une farce qu'on lui faisait.

L'unité de la « IVe partie » apparaît si importante et si indivisible à Proust qu'il ne peut se résoudre à la fractionner. En 1912, dans le cas où son roman ne peut être publié en un seul volume « de 8 à 900 pages,», il songe à « deux volumes de 400 pages chacun ». « Et pour trouver une division apparente il faudrait publier dans le premier volume (s'ils ont des titres différents, la première, la

1. Voir l'Esquisse XXXII, p. 1265-1297.
2. Voir l'Esquisse XXXII, p. 1297-1309.
3. Seul le séjour dans la ville de garnison nous en éloigne un peu ; mais Montargis est un Guermantes lui aussi, et son rôle de médiateur entre le héros et la duchesse est beaucoup plus important dans les Esquisses que n'est celui de Saint-Loup dans *Le Côté de Guermantes.*

deuxième, la troisième et la cinquième partie, en ne donnant la quatrième que dans le deuxième volume[1] [...] » L'ouvrage ne porte pas encore de titre : ce n'est qu'en octobre de la même année que Proust songe au titre général *Les Intermittences du cœur* ; un premier volume, *Le Temps perdu*, regroupant les trois premières parties ; un second, *Le Temps retrouvé*, recueillant toute la suite[2]. Le rapport de lecture établi par Jacques Madeleine pour Fasquelle permet de mettre un nom sur chacune des trois premières parties[3].

La première correspond à « Combray », la deuxième à « Un amour de Swann », la troisième à « Noms de pays : le nom[4] ». La cinquième, qui viendra se placer avant la quatrième, est « Autour de Mme Swann ». Certes, au fur et à mesure que l'œuvre se développe, ce projet se modifie et la «IVᵉ partie» finira par perdre son unité initiale. Mais en 1910-1911, il est clair qu'elle constitue, à l'intérieur du roman, un cycle à part entière : il n'y figure presque rien qui ne concerne les Guermantes, et on rencontre peu les Guermantes dans les autres parties du texte déjà rédigé.

La « IVᵉ partie » du roman de Proust s'organise autour de deux thèmes principaux : la peinture du faubourg Saint-Germain et l'infatuation du héros pour la duchesse de Guermantes. Le travail de l'écrivain, dans les Cahiers *Guermantes*, consiste donc à ne retenir des brouillons déjà rédigés que ce qui a rapport au snobisme ou à la duchesse.

La peinture de la mondanité participe de cette « étude sur la noblesse » dont Proust parlait en mai 1908 dans une lettre à Louis d'Albufera[5] : elle est une composante essentielle du roman, et non un essai de sociologie détaché de toutes considérations narratives. La fascination qu'exerce le monde sur le héros prend sa source dans les Noms, et c'est sous leur signe qu'est placée l'ouverture de la « IVᵉ partie » : les noms éveillent en celui qui se laisse charmer par leur magie une poésie qui, seule, permet d'aborder la mondanité en s'élevant au-dessus de l'anecdotique. Proust confie à Lucien Daudet : « J'ai toujours eu soin, quand je parlais des Guermantes, de ne pas les considérer en homme du monde, mais avec ce qu'il peut *y avoir de poésie dans le snobisme*. Je n'en ai pas parlé avec le ton dégagé de l'homme du monde, mais avec le ton émerveillé de quelqu'un pour qui ce serait très loin[6]. » De même, il écrit à Paul Souday en novembre 1920 : « Comment, sachant probablement que j'ai toute ma vie connu des duchesses de Guermantes, n'avez-vous pas compris l'effort qu'il m'avait fallu faire

1. Lettre du 24 mars 1912, à Georges de Lauris, *Correspondance*, t. XI, p. 76.

2. Lettre du 28 octobre 1912, à Eugène Fasquelle, *ibid.*, p. 256-257.

3. Le texte de ce rapport est reproduit par Jean-Yves Tadié dans *Lectures de Proust*, Colin, 1971, p. 10-17.

4. Voir Jean-Yves Tadié, *Proust*, Belfond, 1983, p. 273 et Maurice Bardèche, *Marcel Proust romancier*, éd. citée, t. I, p. 238-240.

5. *Correspondance*, t. VIII, p. 112.

6. Lucien Daudet, *Autour de soixante lettres de Marcel Proust*, Gallimard, 1929, p. 157.

pour me mettre à la place de quelqu'un qui n'en connaîtrait pas et souhaiterait d'en connaître ? Là comme pour le rêve, etc., etc., j'ai tâché de voir les choses par le dedans, d'étudier l'imagination. Les romanciers snobs, ce sont ceux qui, du dehors, peignent ironiquement le snobisme qu'ils pratiquent[1]. » Et, toujours sur le même sujet, il précise à Louis-Martin Chauffier, en décembre 1920 : « C'est un livre snob que *Guermantes*, car quand un snob écrit un roman il se représente comme un homme chic et prend un air moqueur à l'endroit des gens chics. La vérité c'est que par la logique naturelle après avoir affronté à la poésie du nom de lieu Balbec la banalité du pays Balbec, il me fallait procéder de même pour le nom de personne de Guermantes. C'est ce qu'on nomme des livres peu composés ou pas composés du tout. [...] D'autre part on a, depuis Hervieu, Hermant, etc., tellement peint le snobisme par le dehors que j'ai voulu essayer de le montrer à l'intérieur de l'être, comme une belle imagination[2]. » On retrouve les mêmes préoccupations dans la première version de ce qui deviendra l'ouverture de la « IVe partie » et qui, dans le Cahier 30, n'est encore qu'une justification et une légitimation de la peinture du snobisme : « Les peintures de débuts dans la vie mondaine sont sans intérêt parce que les romanciers y négligent la seule chose qui y soit intéressante, la sensation éprouvée par le débutant. Mais à l'âge où le monde apparaît rempli d'êtres inconnus et merveilleux cachés sous chaque nom de ville, de rivière et de pays, les noms de personnes ne cachent pas des génies et des fées moins séduisants, assimilés au pouvoir et à la particularité de leur nom, et il faut des années avant que nous ayons renoncé à voir dans telle femme dont le nom brillait pour nous comme une tranche de grenade autre chose qu'une combinaison quelconque de lignes du nez et de morceaux de peau comme du taffetas où le pouvoir de son nom n'habitait pas. Tant que l'identification existe la vie mondaine, ce qu'on appelle le snobisme n'est pas indigne d'entrer dans la littérature[3]. »

La défense du snobisme disparaît cependant du début de la « IVe partie » lorsque Proust le reprend dans le Cahier 66[4], puis dans le Cahier 41[5], sans doute pour cette raison, alléguée par Proust lui-même, qu'« une œuvre où il y a des théories est comme un objet sur lequel on laisse la marque du prix[6] » :

« À l'âge où les noms de la géographie nous offrant l'image de l'inconnaissable que nous avons versé en eux dans le même moment où ils signifient aussi un lieu réel qu'ils nous forcent par là à remplir de l'âme particulière, immense, bientôt incompressible, qui s'est répandue sans obstacle dans leurs syllabes, ce n'est pas seulement

1. *Correspondance générale*, éd. Robert Proust et Paul Brach, Plon, 1930-1936, t. III, p. 85.
2. *Ibid.*, p. 305-306.
3. Voir le Cahier 30, f⁰ 4 r⁰.
4. Voir l'Esquisse VIII, p. 1051.
5. Voir le Cahier 41, f⁰ 1 et 2 r⁰.
6. Voir *Le Temps retrouvé, CF*, t. III, p. 882.

aux cités et aux fleuves que, comme les peintures allégoriques, les noms donnent une individualité surnaturelle, ce n'est pas seulement l'univers physique mais aussi l'univers social qu'ils peuplent de merveilleux[1]. »

Ainsi, dans cette première phrase s'inscrit le titre que Proust avait, un moment, songé à donner à l'une des parties de son roman : *L'Âge des noms*[2]. L'Âge des noms, c'est l'enfance, c'est l'adolescence[3], c'est la jeunesse[4], c'est le temps de la rêverie et de la synesthésie. Proust veut ainsi indiquer dès le début que le point de vue qu'il va donner sur l'aristocratie n'est pas définitif, que le narrateur n'est pas au terme de son expérience et qu'il commet les erreurs de perspective propres à son âge. Cette ouverture annonce clairement ce qui est en jeu dans la « IVe partie » et ce que les Cahiers *Guermantes* développent : un mouvement binaire, également fréquent chez Proust, qui fait succéder l'ennui à l'enthousiasme, la déception à l'exaltation et la désillusion à l'émerveillement. Comme l'écrit Michel Raimond, « *Le Côté de Guermantes,* c'est l'initiation à la vie mondaine, une initiation qui donne plus et moins que ce qu'elle promettait. *Moins,* parce que le héros ne rencontre jamais cette essence mystérieuse de la vie mondaine, et que le prosaïsme de la réalité dément les illusions de l'imaginaire ; *plus,* parce que les joies véritables de l'intelligence ont remplacé les promesses trompeuses de l'imagination[5]. » La jeunesse bâtit un château de Guermantes à l'aide du merveilleux qu'elle trouve dans ce nom : l'expérience se charge de le détruire peu à peu. Un hôtel irréel le remplace : Montargis, en quelques mots, brise ce nouveau rêve. Le narrateur poursuit la duchesse dans plusieurs Cahiers, sans parvenir à la rejoindre vraiment. Mais quand la rencontre inespérée a enfin lieu, il a cessé de penser à elle et la trouve très commune.

Cependant, Proust retarde comme à plaisir le moment du retour à la réalité. Dans les Cahiers *Guermantes,* tous les efforts du héros, toutes ses démarches, toutes ses pensées sont tendus vers un but : connaître Mme de Guermantes. Mais, étrangement, la matinée chez Mme de Villeparisis, qui occupe plus d'un tiers du Cahier 39[6], se distingue par une absence remarquable : celle, précisément, de Mme de Guermantes[7]. La plupart des éléments qui constituent la

1. Voir le Cahier 41, f° 2 r°.

2. Dans une lettre à Louis de Robert, en juillet 1913, Proust proposait en effet ce titre en remplacement de *Du côté de chez Swann,* le deuxième volume devant s'intituler *L'Âge des mots,* et le troisième *L'Âge des choses* (*Correspondance,* t. XII, p. 232).

3. Voir l'Esquisse VII, p. 1049 : les Guermantes « plongeaient en moi dans une adolescence où les noms étaient encore pour moi des êtres ».

4. Voir le Cahier 32, f° 8 r° : « La jeunesse est l'âge des noms. » et le Cahier 41, f° 1 : « Dans la jeunesse, à l'âge où les noms [...] ».

5. Michel Raimond, « Note sur la structure du *Côté de Guermantes* », *Revue d'histoire littéraire de la France,* septembre-décembre 1971, p. 858.

6. Voir l'Esquisse XXI, p. 1174.

7. Absence d'autant plus remarquable que, dans le Cahier 31, le narrateur rencontrait bien Mme de Guermantes aux « cinq heures » de Mme de Villeparisis (voir l'Esquisse XIX, p. 1165-1172).

scène, telle qu'on peut la lire dans *Le Côté de Guermantes,* sont déjà en place dans la version très suivie des rectos de ce Cahier. Le narrateur s'interroge sur les raisons de la déchéance mondaine de Mme de Villeparisis ; celle-ci travaille à la documentation de ses Mémoires ; Norpois et un « jeune homme de lettres » discutent de l'affaire Dreyfus ; un prince étranger intrigue auprès du vieil ambassadeur pour se faire élire à l'Académie des sciences morales. Mais le narrateur termine son récit en disant : « Ma visite avait déjà duré trop longtemps, je me retirai, je n'avais pas vu Mme de Guermantes[1]. »

Dès lors, l'épisode semble nul et non avenu. Proust a conscience qu'en retardant l'apparition de la duchesse, il risque de lasser la patience du lecteur, et, partagé entre le désir de ne pas briser trop vite les rêves du héros — car rencontrer la duchesse, c'est s'apercevoir qu'elle n'est ni une fée ni un personnage de légende — et la nécessité d'éviter un écueil narratif, il essaye de tourner la difficulté par divers « ajoutages », sur les versos. On sent toutefois qu'il bute contre un obstacle, car il reprend plus de six fois la même phrase : « Et je me rendais bien compte qu'en dehors du salon de Mme de Villeparisis je n'aurais pas d'occasions de la voir[2]. »

Le narrateur et le récit sont dans une impasse. S'il n'y a aucun autre salon que celui de Mme de Villeparisis où l'on puisse rencontrer la duchesse de Guermantes, faudra-t-il revenir une seconde fois dans ce salon, quitte à rédiger une scène qui fera double emploi ? Proust a d'abord envisagé des solutions intermédiaires qui lui permettaient de temporiser. « Sans doute Montargis eût pu me présenter à elle. » Cette éventualité est aussitôt détruite : « Mais il était en ce moment très tenu dans sa garnison, il venait rarement en permission et en passait toute la durée auprès de sa maîtresse[3]. » Le narrateur pourrait rencontrer la duchesse à la fête donnée par le marquis de T. pour ses noces d'argent[4]. Mais elle n'y viendra pas. Il pourra la voir au théâtre : « Mon père reçut précisément ce jour d'un de ses amis un fauteuil pour une de ces soirées d'abonnement etc.[5] » La poursuite de la duchesse s'engage dans la succession des Cahiers : « Tous les matins maintenant j'allais poster fort loin dans la rue que Mme de Guermantes était obligée de prendre pour sortir à pied[6]. » « Alors j'écrivis un poème où je lui disais que je voudrais donner ma vie pour elle[7]. » La rencontre a enfin lieu, à l'occasion d'une soirée chez

---

1. Voir l'Esquisse XXI, p. 1192.
2. Voir le Cahier 39, f° 56 v°. La phrase réapparaît aux folios 58 verso et 67 verso du même Cahier, et sur le folio 1 du Cahier 40 (voir les Esquisses XXII et XXIII, p. 1195 et 1200).
3. Voir l'Esquisse XVII, p. 1152.
4. Voir l'Esquisse XXII, p. 1195.
5. Voir le Cahier 39, f° 62 v° (Esquisse XXII, var. *a*, p. 1200) et l'Esquisse XI, p. 1080.
6. Voir le Cahier 40, f° 32 r° ; Esquisse XV, p. 1117.
7. Voir le Cahier 41, f° 13 v° ; Esquisse XVIII, p. 1159.

Mme de Villeparisis, dans le Cahier 41[1]. La duchesse de Guermantes invite le héros à dîner, mais trop tard : il a « entièrement cessé de penser » à elle[2].

On voit comment, autour d'une rencontre toujours remise, s'organisait primitivement l'épisode : les tentatives du héros étaient encadrées par deux visites à Mme de Villeparisis : matinée et déception dans le Cahier 39 — Mme de Guermantes n'est pas là ; soirée et indifférence dans le Cahier 41 — Mme de Guermantes est là, mais c'est le narrateur qui « n'y est plus », s'étant lassé d'attendre. Or, si sa déception est le fruit de l'absence et son indifférence celui de la lassitude, le héros, passif, n'a tiré aucune leçon de la fréquentation du monde et peut, à tout instant, reproduire les mêmes erreurs de jugement. Il faut que la déception naisse de la confrontation du rêve et de la réalité, de la présence de Mme de Guermantes dans le salon de Mme de Villeparisis, et que l'indifférence soit le produit d'une réflexion, d'une volonté, d'un choix raisonné. C'est à ce prix que le narrateur pourra, un jour, se détourner du monde. Dans ce sens, Proust apporte une modification capitale. Il récrit une partie de la matinée chez Mme de Villeparisis, en ménageant une rencontre entre le héros et la duchesse. Ce nouveau texte[3] ne peut avoir été rédigé qu'après l'ensemble des Cahiers 39 à 43[4].

Certes, il ne se produit rien de déterminant lors de cette rencontre — Mme de Guermantes ne dit pas même bonjour au narrateur. Mais le processus de désillusion peut commencer. Dès lors, tout le travail de Proust consiste en un développement de cette scène. La présence de Mme de Guermantes chez Mme de Villeparisis se fait chaque fois plus envahissante : dans la première rédaction du Cahier 39, la duchesse ne venait pas. Dans la seconde, elle est là dès l'entrée du héros dans le salon. Fidèle à la technique des « éléments retardants[5] », Proust adoptera finalement un moyen terme, en faisant apparaître la duchesse dans le salon dix pages après que le héros y a pénétré lui-même[6].

La duchesse n'étant désormais plus hors d'atteinte, la déception du narrateur ne peut plus être motivée que par la différence qu'il constate entre la personne rêvée et la personne réelle. Le ton sarcastique sur lequel Mme de Guermantes commente une représentation des *Sept Princesses* de Maeterlinck lui montrera que cette femme partage les préjugés du commun des mortels et qu'elle n'entend rien

---

1. Cahier 41, f⁰ 22 r⁰ ; Esquisse XVIII, p. 1159.
2. *Ibid*, f⁰ 17 v⁰ ; Esquisse XVIII, p. 1162.
3. Voir le Cahier 39, f⁰s 36 v⁰, 37 v⁰ et 38 v⁰, et l'Esquisse XXI, p. 1192.
4. C'est-à-dire après l'ensemble de la « IV⁰ partie » dont le plan primitif et toute l'intrigue reposaient sur le fait que le héros n'avait pas vu Mme de Guermantes lors de la matinée chez Mme de Villeparisis. — C'est dans l'ajout des f⁰s 36 v⁰-38 v⁰ que figure le mot destiné à Reynaldo Hahn qui nous permet de dater cette modification de la mi-février 1911. Voir var. *c*, p. 1193.
5. Leo Spitzer, *Études de style*, Gallimard, 1970, p. 411.
6. Voir *Le Côté de Guermantes I*, p. 486 et 497.

à l'art. Cette scène importante de la matinée chez Mme de Villeparisis a également été ajoutée tardivement sur deux versos du Cahier 39[1].

Une fois tous ces changements effectués, rien ne justifie plus la structure initiale de la « IVᵉ partie ». C'est pourquoi les épisodes où l'on voit le narrateur tenter d'apercevoir Mme de Guermantes[2] ou de se faire présenter à elle par Montargis[3] seront, lors de la constitution du manuscrit du *Côté de Guermantes* au printemps de 1913, placés avant la matinée chez Mme de Villeparisis. Mais Proust reproduira alors les mêmes hésitations en reprenant son texte dans le Cahier 44 : « Et pourtant excepté chez sa tante je ne voyais pas où je pourrais rencontrer Mme de Guermantes[4] », phrase qui est contredite, au folio 17 recto, par la description de la duchesse, « prise au piège dans ce salon où elle n'allait pas pouvoir faire autrement que de me connaître ». Bel exemple d'opiniâtreté dans l'incertitude, qui montre la fragilité de toute structure narrative, la variété des combinaisons textuelles, et qui devrait nous engager à beaucoup de prudence quand nous parlons des « intentions de l'auteur » qui, lui-même, a nourri un livre de ses hésitations.

Les Cahiers 39 à 43 ne sont pas l'ultime étape de la genèse du *Côté de Guermantes*. Proust dispose encore de neuf années pour parfaire son texte, et les changements seront nombreux, tant sur le manuscrit que sur les épreuves. Une partie du Cahier 39 est cependant reprise directement, sans version intermédiaire, dans la dactylographie : il s'agit des vingt-trois premiers feuillets du Cahier qui peuvent être considérés non comme un brouillon, mais comme un manuscrit. On ne trouve en effet aucune reprise de l'ouverture de la « IVᵉ partie » dans les Cahiers postérieurs au Cahier 39. Le Cahier 44 débute par la matinée chez Mme de Villeparisis. Or toutes les pages qui précèdent le récit de cette matinée dans le Cahier 39 ont été numérotées par Proust au crayon bleu, ce qui indique qu'il était satisfait de son texte et qu'il songeait à le faire recopier.

Dans la dactylographie du *Côté de Guermantes I*, les folios 1 à 21, correspondant aux folios 1 à 23 du Cahier 39, présentent également un certain nombre de particularités matérielles — paginations, frappes de machines à écrire différentes — qui permettent de les isoler du reste. De plus, le premier feuillet porte le numéro 713. Or, la dactylographie de *Du côté de chez Swann* comptait 712 feuillets[5]. Tout laisse donc penser que le début de la dactylographie du *Côté de Guermantes I* a été établi très tôt, aussitôt après celle de *Du côté de chez Swann* : au plus tard vers le milieu de 1912[6].

1. Fᵒˢ 50 vᵒ et 51 vᵒ ; voir l'Esquisse XXI, p. 1193.

2. Comme pendant la soirée d'abonnement au théâtre.

3. Lors du séjour dans la ville de garnison.

4. Fᵒ 30 rᵒ.

5. N.a.fr. 16732, fᵒ 317, numéroté 712. Voir le rapport de lecture de Jacques Madeleine reproduit par Jean-Yves Tadié, *Lectures de Proust*, éd. citée, p. 10.

6. Voir la lettre de Proust à Albert Nahmias, datant peut-être du 27 juin 1912, *Correspondance*, t. XI, p. 153.

Cependant, Proust ne va pas plus loin dans la mise au net des cahiers *Guermantes*, mais décide de reprendre toute la « IVe partie » dans différents cahiers (34, 35, 44 et 45) qu'il paginera ensuite de 25 à 244 pour constituer le vrai manuscrit du *Côté de Guermantes I* qui n'a donc pas été détruit, comme on le supposait d'après certaines déclarations de Céleste Albaret qui aurait, sur la demande de Proust, brûlé trente-deux cahiers[1].

De l'été 1912 au printemps de 1913, Proust donne au *Côté de Guermantes* l'aspect que nous lui connaissons. Tous les épisodes sont maintenant en place, plus ou moins développés. Seuls diffèrent encore quelques noms propres, et la fin, qui intervient aussitôt après que le héros a quitté le salon de Mme de Villeparisis. Le « premier chapitre du second volume[2] » s'achève en effet sur un texte consacré à Florence, auquel Proust tenait tout particulièrement, et qu'il publia à part dans *Le Figaro* du 25 mars 1913[3]. Le thème du pèlerinage artistique, hérité de Ruskin, réintroduit ainsi, à l'issue d'un chapitre « snob », le leitmotiv de la vocation réelle du héros, qui est littéraire et philosophique.

Proust fait ensuite dactylographier son manuscrit, pressé par l'imminente parution de *Du côté de chez Swann* aux éditions Bernard Grasset. L'annonce faite au verso du faux titre de ce volume comprend de précieuses indications sur l'état du roman à la fin de 1913 : « Pour paraître en 1914 : LE CÔTÉ DE GUERMANTES (Chez Mme Swann. — Noms de pays : le pays. — Premiers crayons du baron de Charlus et de Robert de Saint-Loup. — Noms de personnes : la duchesse de Guermantes. — Le salon de Mme de Villeparisis). »

Les trois premiers chapitres sont ceux que Proust a dû retrancher de *Du côté de chez Swann* pour ne pas surcharger le volume : ils passeront finalement dans *À l'ombre des jeunes filles en fleurs*. Les deux derniers appartiennent bien au *Côté de Guermantes*. Mais la « maladie et mort de ma grand-mère » doit figurer dans *Le Temps retrouvé*, et il n'est question dans ce sommaire ni de la représentation à l'Opéra ni du séjour dans la ville de garnison, épisodes qui sont pourtant rédigés et dactylographiés à cette époque.

Par une coïncidence dramatique, les premières épreuves du *Côté de Guermantes I* sont composées par l'imprimeur Colin entre le 6 et le 11 juin 1914. Or, le 30 mai, Alfred Agostinelli s'est noyé au large d'Antibes, à la suite d'un accident d'avion. Cette tragédie, qui aura des conséquences importantes sur la rédaction d'*À la recherche du temps perdu*, va suspendre pour un temps le travail de Proust. « Un être que j'aimais profondément est mort à vingt-six ans noyé », écrit

---

1. Céleste Albaret, *Monsieur Proust*, Laffont, 1973, p. 325. Voir Marcel Proust, *Matinée chez la princesse de Guermantes*, édition critique établie par Henri Bonnet en collaboration avec Bernard Brun, Gallimard, 1982, p. 84-85. Comme le manuscrit de *Du côté de chez Swann*, celui du *Côté de Guermantes* ne se présente pas sous une forme conventionnelle (*Bulletin d'informations proustiennes*, n° 14, 1983, p. 85).

2. Voir var. *b*, p. 579. Le premier volume est *Du côté de chez Swann* qui, en 1912, incluait les épisodes qui constitueront plus tard *À l'ombre des jeunes filles en fleurs*.

3. Voir n. 1, p. 441.

Proust le 8 ou le 9 juin à Henry Bordeaux, « [...] et je ne peux plus que pleurer avec sa veuve, j'ai ajourné la publication de mon second volume n'ayant pas la force de corriger des épreuves, de me relire, moins encore de lire[1]. »

À Gide, le 19 juin, il confie encore : « Depuis la mort de mon pauvre ami, je n'ai pas eu le courage d'ouvrir un seul des paquets d'épreuves que Grasset m'envoie chaque jour. Ils s'empilent tout ficelés les uns sur les autres, et je ne vois pas quand, ni si jamais, j'aurai le courage de me remettre à la besogne[2]. »

Certes, des extraits du volume paraissent dans la *Nouvelle Revue française* du 1er juillet 1914. Mais, consacrés au milieu Guermantes et à la maladie et à la mort de la grand-mère du narrateur, ils sont établis d'après des dactylographies, et donc antérieurs à la mort d'Agostinelli. Pour l'heure, Proust abandonne *Le Côté de Guermantes* et entreprend de développer l'épisode d'Albertine, « prisonnière » et « fugitive », en s'inspirant du drame qu'il vient de vivre.

Le 1er août 1914 est lancé un ordre de mobilisation générale, auquel doivent répondre Bernard Grasset et ses collaborateurs. Le surlendemain, l'Allemagne déclare la guerre à la France. Par la force des choses, la publication d'*À la recherche du temps perdu* est suspendue jusqu'à la fin des hostilités. Proust dispose désormais d'un répit prolongé qui va lui permettre d'enrichir son œuvre. Il n'entreprendra toutefois la correction des épreuves du *Côté de Guermantes I* qu'en 1916, après que Grasset aura renoncé à publier la suite de son roman, et que Proust aura pu, enfin, signer un contrat avec les Éditions de la Nouvelle Revue française.

Dès lors, il ne travaille plus que sur des séries de placards d'imprimeries, les longues additions qu'il introduit nécessitant chaque fois la composition d'un nouveau jeu d'épreuves. Il ne se décide pas à mettre le point final ; mais en même temps, distrait du son travail par le prix Goncourt qui lui est attribué en décembre 1919, malade, fatigué, il a de plus en plus de difficulté à revoir son propre texte. Vers le 18 février 1920, il demande à Jacques Rivière, directeur de la *Nouvelle Revue française*, de lui envoyer « quelqu'un d'instruit [...] qui [lui] lirait à haute voix les épreuves de la première partie du *Côté de Guermantes*[3] ». C'est ainsi qu'un jeune écrivain dadaïste viendra en aide à Marcel Proust : il s'appelle André Breton[4].

1. *Correspondance*, t. XIII, p. 243.
2. *Ibid.*, p. 254.
3. Marcel Proust-Jacques Rivière, *Correspondance 1914-1922*, Gallimard, 1976, p. 89.
4. *Ibid.*, p. 110. Cette collaboration fut exceptionnelle et on ne trouve pas trace de l'écriture de Breton sur les épreuves conservées du *Côté de Guermantes*. Sans doute ne fit-il, comme l'avait demandé Proust, que les lire à haute voix — mais n'est-il pas certain que les deux hommes se soient vraiment rencontrés (*ibid.*, n. 1, p. 110). Dans une lettre à Philippe Soupault, datant du début d'octobre 1920, Proust écrit : « J'ai vu que mon prochain livre, pourtant relu par M. Breton, contenait tant de fautes que si je ne dressais pas un erratum j'en serais déshonoré. Il m'a pris plus de 8 jours, compte 23 pages (au moins tel que je viens de l'envoyer), j'ai relevé plus de 200 fautes. Encore à la moitié du livre me suis-je arrêté, vaincu par la fatigue. » (*Revue d'histoire littéraire de la France*, avril-juin 1965, p. 262.)

En mars 1920, sur les instances de Gaston Gallimard, Proust accepte enfin de publier *Le Côté de Guermantes* en deux volumes[1]. Le premier peut donc paraître sans tarder ; il est achevé d'imprimer le 7 août.

Douze ans ont passé depuis que Proust a rédigé les premières esquisses consacrées aux noms. Au cours de cette période, la société française s'est métamorphosée, le monde a changé de visage. Proust, lui-même, a vu sa vie bouleversée. *Le Côté de Guermantes* a bénéficié d'une longue maturation et la complexité de sa composition doit autant à l'originalité du dessein primitif qu'à l'apport des années écoulées entre sa conception et sa publication. La création de cette œuvre immense n'est pas sans mystère : elle voulut retrouver le temps, elle parvint à le maîtriser, à le contenir, mais ce fut en se laissant porter, ballotter, déborder par lui, en étant immergée dans ce flux des jours qui imposèrent leur rythme à l'écriture.

Proust a formé le projet de décrire les débuts mondains du héros, et chaque épisode qu'il rédige a ainsi la valeur d'une étape initiatique. Passé l'ouverture du volume[2], la soirée d'abonnement à l'Opéra indique clairement qu'avant d'être acteur du monde, le héros en fut spectateur. À cet égard, il est remarquable que « la mort de l'art », qui est la conséquence du développement de la vie mondaine[3], soit précisément consommée dans un lieu qui est dédié à l'art : le théâtre. Car l'erreur du héros est bien d'assimiler le spectacle qui se déroule sur la scène à celui qu'il observe dans la salle, et de préférer ce dernier. Il fallait une figure de style pour pouvoir, dans le récit, autoriser cet escamotage, et substituer la fausse monnaie à la vraie. La célèbre métaphore maritime, où le théâtre est montré comme un vaste aquarium et où les occupantes des loges et des baignoires sont comparées à des néréides dans leurs grottes, est en effet la seule excuse que le narrateur puisse alléguer pour sa défense : il est la victime d'un mirage. En embellissant ce qui n'est au plus que vain prestige et élégance d'apparat, en les faisant passer pour ce qu'il y a de plus élevé dans l'ordre esthétique, il se trompe et abuse le lecteur — mais cette mystification, à son tour, est féconde, puisque nous lui devons quelques-unes des plus belles pages d'*À la recherche du temps perdu*[4]. Ainsi la rhétorique se met-elle au service de l'aveuglement.

On pourrait croire qu'après une telle expérience, le théâtre n'a plus aucun rôle à jouer dans la vie du héros. Il n'en est rien. Au contraire même, tout *Le Côté de Guermantes* est placé sous son signe. Car si le héros ne cherche plus, dans le jeu des acteurs, une « vérité artistique[5] », il n'en continue pas moins de juger le monde selon des critères qui relèvent d'une morale de l'art, la seule à laquelle il ait jamais souscrit. Cependant, cette morale est dévoyée et ne sert plus à apprécier les œuvres de l'esprit, mais à cataloguer les êtres.

1. Marcel Proust-Jacques Rivière, *Correspondance 1914-1922*, éd. citée, p. 97-99.
2. Scène d'exposition et rappel des rêves de Combray.
3. Jean-Yves Tadié, *Proust et le roman*, Gallimard, 1971, p. 271.
4. *Le Côté de Guermantes I*, p. 337-344.
5. P. 470.

Rachel, la maîtresse de Saint-Loup, est une actrice. Sans jamais l'avoir vue jouer, le narrateur conclut qu'elle n'a guère de talent : « Elle s'aperçut très bien que je devais la tenir pour une artiste médiocre et avoir au contraire beaucoup de considération pour ceux qu'elle méprisait[1]. » Il ne l'a pas connue par l'imagination et elle n'est auréolée d'aucun prestige.

Mme de Guermantes se moque de Maeterlinck : « "Quelle buse !" pensais-je [...] "C'est pour une pareille femme que tous les matins je fais tant de kilomètres, vraiment j'ai de la bonté[2] !" » L'admiration irraisonnée finira pourtant par avoir le dessus, et le narrateur étouffera ses scrupules. Mme de Guermantes est une « fée », son pouvoir de métamorphose semble inépuisable.

Legrandin, le bohème, tentera bien de remettre le héros dans « le droit chemin ». Mais son discours moralisateur[3] aura un effet contraire à celui qui était attendu : par son ridicule, son snobisme honteux et son hypocrisie, il donnera le coup de grâce à l'art. Plutôt fréquenter des duchesses incultes que des écrivains prétentieux.

Si la soirée d'abonnement à l'Opéra marque la mort de l'art, le séjour à Doncières sonne le glas de l'adolescence. Pour la première fois dans son existence, le héros est livré à lui-même, obligé d'affronter seul l'angoisse du coucher. La surprise est à la mesure de l'appréhension. « Je n'eus pas le temps d'être triste, car je ne fus pas un instant seul[4]. » Pour la première fois aussi — et sans doute pour la dernière —, le héros est heureux, d'un bonheur sans mélange, pacifié, insouciant. La présence chaleureuse de ses nouveaux amis le rassure plus que ne saurait faire la tendresse inquiète de sa mère ou de sa grand-mère.

Proust, ici, parle d'expérience. L'année de volontariat qu'il a accompli à Orléans en 1889-1890 lui a laissé un souvenir nostalgique, qu'il évoque déjà en 1896, dans *Les Plaisirs et les Jours*[5] : « Ma vie de régiment est pleine de scènes de ce genre que je vécus naturellement, sans joie bien vive et sans grand chagrin, et dont je me souviens avec beaucoup de douceur. Le caractère agreste des lieux, la simplicité de quelques-uns de mes camarades paysans, dont le corps était resté plus beau, plus agile, l'esprit plus original, le cœur plus spontané, le caractère plus naturel que chez les jeunes gens que j'avais fréquentés auparavant et que je fréquentai dans la suite, le calme d'une vie où les occupations sont plus réglées et l'imagination moins asservie que dans toute autre, où le plaisir nous accompagne d'autant plus continuellement que nous n'avons jamais le temps de le fuir en courant à sa recherche, tout concourt à faire aujourd'hui de cette époque de ma vie comme une suite, coupée de lacunes, il

1. P. 466.
2. P. 526.
3. P. 452.
4. P. 381.
5. « Tableaux de genre du souvenir », *Les Plaisirs et les Jours, Jean Santeuil*. Bibl. de la Pléiade, p. 130-131.

est vrai, de petits tableaux pleins de vérité heureuse et de charme sur lesquels le temps a répandu sa tristesse douce et sa poésie. »

Ces souvenirs de régiment sont si vifs que Proust prend plaisir à les évoquer toujours plus longuement à mesure que son œuvre s'accroît. Dans la première esquisse de 1908-1909[1], le séjour dans la ville de garnison n'a d'autre utilité que de rapprocher le héros de son ami Montargis, qui est parent de Mme de Guermantes. Mais peu à peu, la poésie gagne le récit. Proust s'attarde ; il ne peut pas plus se résoudre à délaisser Doncières qu'il n'avait voulu quitter Orléans à la fin de son service militaire[2]. Cette époque de sa jeunesse est comme un paradis perdu, semblable à ce « domaine mystérieux » du *Grand Meaulnes* où les lueurs aperçues à travers la brume, les bruits résonnant dans la nuit, le reflet des bougies sur les verres de champagne confèrent à la réalité l'apparence d'un songe.

Cette atmosphère favorise d'ailleurs l'étude des différents types de sommeil et des rêves qui les accompagnent. Les pages consacrées à ce sujet font écho à celles qui ouvrent *Du côté de chez Swann* et à celles qui rythment les journées de *La Prisonnière*. Mais dans *Le Côté de Guermantes,* ce n'est pas l'érotisme qui est lié aux songes. Après un « sommeil de plomb », le réveil est comme une résurrection[3]. Car dans ce royaume des ombres rôde la mort, et elle s'impose naturellement à l'esprit du narrateur qui découvre que le bonheur de Doncières est fragile, qu'il ne peut se maintenir qu'au prix d'une anesthésie de la conscience, et que l'ivresse est inéluctablement remplacée par la gravité. La quiétude apparente du paradis perdu ne repose que sur la souffrance. Saint-Loup, qui paraissait si fort, est torturé par les silences de sa maîtresse. Ce sont des « jours atroces[4] » pendant lesquels le héros mesure toute son impuissance à soulager le chagrin de son ami. Sortir de l'adolescence, c'est aussi s'apercevoir que l'homme est seul face au monde.

La conversation téléphonique avec sa grand-mère achève de dégriser le héros. Quand la communication est interrompue, l'angoisse contenue pendant tous ces jours d'insouciance se concentre dans quelques paroles : « Il me semblait que c'était déjà une ombre chérie que je venais de laisser se perdre parmi les ombres, et seul devant l'appareil, je continuais à répéter en vain : "Grand-mère, grand-mère", comme Orphée, resté seul, répète le nom de la morte[5]. »

La mort, enfin, est présente jusque dans ces conversations stratégiques qui font l'enchantement du narrateur. Ses nouveaux amis lui expliquent qu'une bataille peut-être considérée comme une œuvre d'art et appréciée d'un point de vue esthétique. Cette découverte a un grand prix pour lui qui, ayant renoncé à l'art, se sent moins

1. Voir l'Esquisse XII, p. 1101-1112.

2. Voir sa lettre d'avril 1922 à Binet-Valmer, *Bulletin de la Société des amis de Marcel Proust*, n° 30, 1980, p. 184.

3. P. 387.

4. P. 422.

5. P. 434.

coupable de cet abandon, s'il sait qu'il peut retrouver la beauté dans des objets pour lesquels il n'a pas à forcer son admiration : après l'aristocratie, la guerre.

Il est vrai que la démonstration de Proust, dans *Le Côté de Guermantes*, est purement intellectuelle, et qu'aux prévisions que font les jeunes sous-officiers — prévisions au demeurant très perspicaces et pour ainsi dire « nostradamiques » — il ne faut pas chercher à mêler le massacre de millions de jeunes hommes qui aura lieu entre 1914 et 1918. Mais *Le Côté de Guermantes* n'a pas été créé *ex nihilo*, et il faut le rapprocher ici des autres parties du roman. La Grande Guerre est bien présente dans *Le Temps retrouvé*, et si Proust n'a pas fait de son œuvre l'oraison funèbre de tous les soldats tués au feu, on ne peut s'empêcher de penser que les conversations de Doncières préparaient le conflit et que ces morts y étaient comme sous-entendus. Le chagrin du narrateur, quand il apprend l'acte d'héroïsme qui a coûté la vie à Saint-Loup, existait, sous la forme d'une menace informulée, dans l'atmosphère enjouée du restaurant de Doncières. Seul un raisonnement séduisant pour l'esprit, seule l'intelligence pouvait parvenir à si bien masquer l'émotion.

Mais, dira-t-on, l'exposé de ces théories militaires était rédigé bien avant le début de la guerre, et il est difficile de voir s'y profiler l'ombre d'un holocauste. Proust a voulu montrer qu'il y avait une coïncidence entre le destin des individus, celui des œuvres d'art et celui des nations, rejoignant ainsi l'épopée[1]. Certes. Mais sur ce point-là, il n'a pas dit toute la vérité. Il a même triché — si discrètement qu'on ne peut lui en faire grief. Dans une lettre à Gaston Gallimard de mai 1916[2], il affirme en effet : ces « conversations stratégiques [...] ont si je me rappelle bien paru dans l'extrait que j'ai donné dans la *NRF* (je n'en suis pas sûr, en tout cas c'est entre Robert de Saint-Loup et ses amis officiers) (tout cela écrit bien entendu quand je ne me doutais pas qu'il y aurait la guerre) ». Or, il suffit de lire les esquisses consacrées à la ville de garnison et le numéro de juillet 1914 de la *Nouvelle Revue française* auquel Proust fait allusion dans sa lettre pour voir que ces considérations n'y figurent pas. Elles n'apparaissent, sous la forme d'additions, que dans les épreuves Grasset. Proust n'était pas devin. Il n'était même pas stratège, car l'essentiel de sa science est tirée d'articles publiés pendant la guerre par Henry Bidou dans *Le Journal des débats*[3], et il complétera ses prédictions jusqu'en 1920.

Son dessein était donc bien de lier les conversations stratégiques du *Côté de Guermantes* aux passages consacrés à la guerre dans *Le Temps retrouvé*. Une note, non destinée à la publication, mais ajoutée sur les épreuves Grasset, ne laisse aucun doute à cet égard : « [...] avant la guerre Saint-Loup me comparera Lüleburgaz à Ulm, au début de la guerre Charleroi à Ulm[4]. » D'autre part, des allusions à des articles parus en février 1917 datent précisément cette addition.

1. Sur ce sujet, voir Jean-Yves Tadié, « La Plume et l'Épée », *NRF*, novembre 1971, p. 31.
2. *Correspondance*, t. XV, p. 132.
3. Voir n. 1, p. 408.
4. Voir var. *b*, p. 414.

Ainsi, la douceur de Doncières se dégrade progressivement, et le bonheur parfait des premières nuits cède la place à l'angoisse, et à la mort, si proche de l'art que la mort de l'art devient à Doncières un art de la mort. Sans doute Proust parvient-il toujours à débusquer la beauté là où le lecteur ne voyait que laideur et insignifiance. Les surréalistes lui en ont d'ailleurs fait le reproche[1]. Il semble que Proust puisse seul expliquer ce phénomène : « Moi je dis que la loi cruelle de l'art est que les êtres meurent et que nous-mêmes mourions en épuisant toutes les souffrances, pour que pousse l'herbe non de l'oubli mais de la vie éternelle, l'herbe drue des œuvres fécondes, sur laquelle les générations viendront faire gaiement, sans souci de ceux qui dorment en dessous, leur "déjeuner sur l'herbe"[2]. »

Il faut fuir les endroits où l'on est heureux et ne plus jamais y revenir que par la pensée. Le héros regagne Paris par le premier train et se replonge dans cette vie d'insignifiance sur laquelle règne la duchesse de Guermantes.

Dès lors, tout ce qui lui paraissait amical devient hostile à ses yeux. À Doncières, déjà, le dernier jour, il avait reçu un salut très distant de Saint-Loup[3]. En rentrant chez lui, il découvre un « fantôme » à la place de sa grand-mère, une étrangère, une « vieille femme » qu'il ne connaît pas[4]. Mme de Guermantes, malgré l'intervention de Saint-Loup, ne l'invite pas à voir ses tableaux d'Elstir[5]. Il n'est pas jusqu'à Jupien, le concierge, qui ne lui témoigne de la froideur[6]. Et il n'a même pas la consolation de se savoir créateur, tous ses efforts pour « commencer à écrire » se soldant par « une page blanche[7] ».

C'est alors que prend place une journée exceptionnelle, une journée si importante que son récit occupe la moitié du *Côté de Guermantes I*[8]. Enfin, les portes du faubourg Saint-Germain s'ouvrent devant le héros, car Saint-Loup, de passage à Paris, lui a promis de l'emmener chez Mme de Villeparisis. Du matin au soir, il va découvrir cette vie d'adulte qu'il ne pouvait qu'imaginer, et faire ses débuts dans le monde.

---

1. Tristan Tzara écrit : « Il est parfaitement admis aujourd'hui qu'on peut être poète sans jamais avoir écrit un vers, qu'il existe une qualité de poésie dans la rue, dans un spectacle commercial, n'importe où, la confusion est grande, elle est "poétique". Proust s'était même ingénié à la trouver dans les pissotières, ce qui a entraîné l'éclosion d'une nouvelle *génération* de chercheurs de poésie à-tout-prix-et-partout. » (« Essai sur la situation de la poésie », *Le Surréalisme au service de la Révolution*, n° 4, décembre 1931, p. 15.)

2. *Le Temps retrouvé*, CF, t. III, p. 1038.

3. Voir p. 436.

4. Voir p. 438-439.

5. Voir p. 440. L'utilisation de ces tableaux comme moyen de se rapprocher d'une femme est bien caractéristique de la nouvelle attitude qu'a adoptée le héros face à l'art, qui n'est plus qu'un passeport social, une recommandation. Ainsi, dans l'Esquisse XIX, p. 1165, c'est à la suite d'un « petit essai » qu'il a publié, que Mme de Villeparisis l'invite à ses « cinq heures ».

6. Voir p. 440.

7. Voir p. 447.

8. Voir p. 451-594.

La matinée chez Mme de Villeparisis est la première grande scène mondaine d'*À la recherche du temps perdu* à laquelle participe le héros. C'est aussi l'un des textes qui a pris le plus d'ampleur au cours des ans. Entre le récit sommaire de 1909 et les cent pages de 1920, il y a toute la différence qui sépare l'argument précédant une tragédie de Corneille de la pièce elle-même. Dans le Cahier 31[1], le salon de Mme de Villeparisis est décrit d'une manière un peu sèche, presque sans dialogues, à peine animé par la présence de quelques habitués. Proust ne cherche pas à montrer, mais à définir, à étudier un type de coterie. C'est, aurait dit Balzac, son côté Linné de la mondanité. Il développe ensuite la *scène* dans une optique théâtrale : mots d'esprit de la duchesse de Guermantes qui sont des mots d'auteur, tirades du marquis de Norpois qui sont des morceaux de bravoure — malgré le manque de hardiesse du diplomate —, interventions ridicules de Bloch ou de l'archiviste qui tiennent le rôle de quelques précieux moliéresques. Les portes s'ouvrent et se ferment, comme au boulevard, laissant entrer des personnages que l'on a envie d'applaudir avant même qu'ils n'aient prononcé un seul mot[2]. Tout au long de la rédaction de son roman, Proust a relevé des lieux communs ou des sottises dignes d'être placés dans la bouche de ses personnages. Le Cahier 61 recèle ainsi un trésor d'expressions figées qui serviront à alimenter la conversation de Norpois[3]. Sur les épreuves, Proust ajoute des bribes de dialogues qui s'interrompent, s'entrecroisent, se chevauchent, et il obtient un résultat très proche, dans son esprit, du « poème-conversation » que Guillaume Apollinaire inventait à la même époque.

En dehors des éléments communs à toutes les scènes mondaines d'*À la recherche du temps perdu* — qui sont, comme l'a montré Michel Raimond, « la présentation et le salut, la gaffe, la sollicitation, la passe d'armes, le dénigrement, le potin, la conversation sur un sujet artistique et littéraire, l'affleurement de la colère sous l'écorce de la courtoisie[4] » — il est une caractéristique de la matinée chez Mme de Villeparisis particulièrement propice au comique : la présence, dans un même salon, de personnalités appartenant à des milieux très différents et opposés. À l'intérieur de chaque catégorie sociale passent d'invisibles frontières qui séparent l'aristocrate de haut lignage du noble d'obscure ascendance, le médecin réputé de l'auteur dramatique que l'on traite avec peu d'égard. Il est vrai que, du point de vue de Mme de Guermantes, les uns et les autres se valent, confondus

---

1. Voir l'Esquisse XIX, p. 1165.

2. Voir par exemple p. 493 : « Au bout d'un instant entra [...] une vieille dame [...] » ; p. 497 : « La porte s'ouvrit et la duchesse de Guermantes entra. » ; p. 498 : « Le visiteur importun entra » ; p. 503 : « L'excellent écrivain G*** entra » ; p. 551 : « À ce moment la porte s'était ouverte de nouveau, [Saint-Loup] entra », etc.

3. On lit ainsi sur le folio 29 de ce Cahier : « [C'est la bouteille à l'encre *biffé*] / [éloigner d'eux le calice *biffé*] / [gagner du temps, *biffé*] / avoir sa place au tapis vert / nous parlerons clair / Qui trompe-t-on ? / [la soldatesque qui *biffé*] / dame justice / J'entends. Vous ». Quelques-unes de ces formules, notées pendant la guerre, se retrouveront dans *Le Côté de Guermantes*, p. 542-543.

4. Michel Raimond, *Proust romancier*, SEDES, 1984, p. 224.

dans un même dédain. La distance est grande cependant entre Norpois, l'ancien ambassadeur réactionnaire, et Bloch, le jeune juif dreyfusard, entre Mme de Marsantes, la sainte du faubourg Saint-Germain, et Legrandin, le poète contempteur du monde qui flagorne les vieilles marquises. L'autre est un étranger que l'on observe avec la curiosité et l'étonnement qu'éprouvaient les Persans de Montesquieu en découvrant l'Europe du XVIIIe siècle, et tous, soucieux de se conformer à l'idée qu'ils se font des mœurs indigènes, accumulent les gaffes et les bévues. Il devient impossible de savoir à qui l'on a affaire : pendant toute sa conversation avec Norpois, Bloch se demande si le vieux diplomate est ou n'est pas révisionniste. À l'inverse, pour ne pas paraître trop maladroit, on s'empresse d'imiter un geste que l'on a vu faire, de répéter une plaisanterie que l'on a entendue[1].

Chacun doute de ses capacités à comprendre son voisin et c'est avec d'infinies précautions — ou avec une grossièreté insultante — que l'on tente de prendre part à la conversation. La méconnaissance du savoir-vivre ou de l'étiquette, les différences de coutume entre les divers peuples fournissent quelques-uns des épisodes les plus divertissants. Proust s'est ainsi amusé à écrire des variations sur un chapeau, qui apparaît, disparaît, comme dans un tour de prestidigitateur, et donne finalement une unité assez inattendue à toute la scène. À peine le narrateur a-t-il pénétré dans le salon qu'il entend Mme de Villeparisis parler du chapeau que M. Molé tenait toujours à la main, quand il dînait chez lui. Bloch s'étonne. Était-ce une « habitude universelle » de ce temps-là[2] ? Mme de Villeparisis lui répond par un cours sur les différentes attitudes à adopter vis-à-vis d'un couvre-chef. M. de Norpois ne sait que faire du sien, quand il entre à son tour dans le salon. Mme de Villeparisis avait dit à ses invités qu'il travaillait dans son bureau, mais le diplomate, voulant faire croire qu'il venait du dehors, a pris un chapeau au hasard dans l'antichambre. Le héros reconnaît le sien et l'en débarrasse « obligeamment[3] ». Bloch, encore lui, est très préoccupé : « Qu'on fasse attention à mon chapeau haute forme », dit-il[4]. Le duc de Châtellerault et le baron de Guermantes, « suivant une habitude qui était très a la mode à ce moment là », posent leurs hauts de forme par terre. Aussitôt, l'historien de la Fronde croit « devoir intervenir charitablement » : « Non, non, leur dit-il, ne les posez pas par terre, vous allez les abîmer[5] », réflexion qui lui vaut d'être considéré avec

---

1. Voir p. 528, par exemple : « — Allons, monsieur Vallenères, faites la jeune fille, dit Mme de Villeparisis à l'archiviste, selon une plaisanterie consacrée. [...] — Monsieur remplit à merveille son rôle de jeune fille, dit M. d'Argencourt qui, par esprit d'imitation, reprit la plaisanterie de Mme de Villeparisis. [...] — Vous vous acquittez à merveille de vos fonctions, dit [l']historien de la Fronde] par timidité et pour tâcher de conquérir la sympathie générale. »
2. Voir p. 490.
3. Voir p. 518-519.
4. Voir p. 489.
5. Voir p. 509-510.

condescendance par les jeunes aristocrates. Mme de Villeparisis fait alors une nouvelle mise au point sur le sort qui doit être réservé aux chapeaux, agrémentant son exposé d'un exemple pris sur le vif : « [...] mon neveu Robert [...] laisse toujours le sien dans l'antichambre. Je lui dis, quand je le vois entrer ainsi, qu'il a l'air de l'horloger et je lui demande s'il vient remonter les pendules[1]. » Enfin, le héros, quittant le salon avec M. de Charlus, voit que celui-ci prend « un chapeau au fond duquel il y avait un G et une couronne ducale ». Ayant oublié que Charlus est un Guermantes, il lui signale qu'il a « pris par erreur le chapeau d'un des visiteurs ». « Vous voulez m'empêcher de prendre mon chapeau ? » s'entend-il répondre[2]. Et pendant tout ce temps, l'historien de la Fronde a désespérément tenté de placer une plaisanterie sur le « chapitre des chapeaux » d'Aristote[3].

Tous ces éléments sont éparpillés dans le texte, mais rassemblés ainsi, ils révèlent une obsession « chapelière » qui tourne à la farce, et qui résume, de manière paradoxale, le but que s'était proposé Proust en décrivant le salon de Mme de Villeparisis : tous ces invités sont juxtaposés, ils ne peuvent communiquer entre eux, si ce n'est par l'intermédiaire d'un objet dérisoire sur lequel ils ne parviennent d'ailleurs à fonder aucun compromis durable. Cette société est mêlée, hétérogène, elle constitue un salon de second ordre.

C'est en lisant les *Mémoires* de Mme de Boigne que Proust a eu l'idée de faire le portrait d'un tel salon. Née à Versailles en 1781, morte à Paris en 1866, Louise-Elléonore-Adélaïde d'Osmond, comtesse de Boigne, a écrit les *Récits d'une tante* qui ne furent publiés qu'en 1907. Destinés à son neveu Rainulphe d'Osmond — d'où leur titre — ces mémoires sont l'œuvre d'une femme qui, comme le souligne Proust dans une lettre de mars 1909 à Henry Bordeaux, « fut élevée avant la Révolution sur les genoux de la Reine[4] » et vécut dans l'intimité des altesses de son temps. Brian Rogers a montré tout ce que Mme de Villeparisis devait à ce personnage réel[5] : une certaine « voix », des erreurs de jugement sur les écrivains semblables à celles de Sainte-Beuve, des préjugés aristocratiques, etc. À la fin de ses *Mémoires*, Mme de Boigne rend hommage à deux hommes, qui l'ont profondément marquée : son père, et son « meilleur ami », le chancelier Pasquier[6]. Or, quand le narrateur pénètre dans le salon de Mme de Villeparisis, celle-ci parle de son grand-père — son père dans certaines esquisses — et le lecteur sait déjà qu'elle entretient avec M. de Norpois une liaison de vingt ans.

---

1. Voir p. 510.
2. Voir p. 573-574. Le chapeau de Charlus finira fort mal, piétiné par le héros dans *Le Côté de Guermantes II* (p. 847).
3. Voir p. 490 et 510.
4. *Correspondance*, t. IX, p. 56.
5. « Deux sources littéraires d'*À la recherche du temps perdu* : l'évolution d'un personnage », *Études proustiennes*, V, Gallimard, p. 53-68.
6. *Mémoires de la comtesse de Boigne*, Mercure de France, 1971, t. II, p. 488.

Adélaïde d'Osmond n'est, en réalité, que la femme de M. de Boigne, « né dans la plus petite bourgeoisie[1] », qui avait été longtemps soldat. Cette alliance, pour une femme qui se flattait d'appartenir, par son père, à une noblesse remontant à Guillaume le Conquérant, a de quoi surprendre. Mme de Villeparisis, quant à elle, « a eu la fantaisie en se remariant avec un certain petit M. Thirion, de plonger dans le néant le plus grand nom de France ». Ce Thirion prit un nom « aristocratique et éteint », et devint M. de Villeparisis[2]. Les deux femmes écrivent leurs Mémoires, et l'on pourrait prolonger les parallèles à l'infini...

Toutefois, plus que le personnage de Mme de Boigne, plus que son livre, c'est l'article que Proust lui consacre en 1907[3], année de la parution posthume des *Récits d'une tante*, qui a essaimé dans *Le Côté de Guermantes*. Proust, en vérité, n'y parlait guère de l'ouvrage qu'il s'était proposé d'étudier. Très vite, et débordant son sujet, il s'était laissé entraîner vers des réflexions poétiques sur la magie du téléphone. De proche en proche, il en était venu à évoquer la conversation téléphonique avec une personne aimée, dans un texte qu'il reprendra sur les épreuves du *Côté de Guermantes*, en juillet 1919, et où sont évoquées les demoiselles du téléphone, « Danaïdes de l'invisible ». Continuant sur sa lancée, il avait rédigé le passage selon lui le plus intéressant de son article[4], une réflexion sur « le Snobisme et la postérité ». À partir de ces deux mots, il développait une argumentation qui rejoignait la première ouverture du *Côté de Guermantes*, celle du Cahier 30, citée plus haut, justification du roman mondain. Cette seconde partie, à cause de sa longueur, fut coupée par la rédaction du *Figaro*, mais elle devait servir plus tard de modèle pour le salon de Mme de Villeparisis, Proust reprenant parfois mot à mot les phrases écrites en 1907.

On ne peut suivre, dans tout son détail, le destin de ce texte qui était avant l'heure une esquisse d'*À la recherche du temps perdu*. Mais deux exemples montreront à quel point les *Mémoires* de la comtesse de Boigne ont influé sur la description du salon Villeparisis. En 1907, Proust écrivait : « Il est possible que Mme de Boigne ait été de son vivant une femme extrêmement recherchée, et j'admets que l'impression d'élégance qu'elle nous donne d'elle dans ses Mémoires, n'a rien d'un bluff posthume et littéraire. Toujours est-il que, pour écrire ces charmants mémoires frivoles, il lui fallut faire d'abord de

---

1. *Mémoires de la comtesse de Boigne*, éd. citée, t. I, p. 115. Son vrai nom était Leborgne et « il avait obtenu du gouvernement anglais un décret de naturalisation sous le nom de Bennet de Boigne » (Introduction de Jean-Claude Berchet à l'ouvrage cité, p. 11).

2. Voir p. 589-590. Si Proust copie ici la vie de Mme de Boigne, il emprunte également à Balzac, comme nous le signale M. Jean-Yves Tadié. Dans *Le Cabinet des Antiques*, Mme Camusot de Marville, femme d'un juge d'instruction, est née Cécile-Amélie Thirion (*La Comédie humaine*, Bibl. de la Pléiade, t. IV, p. 1072-1073).

3. « Journées de lecture », *Le Figaro*, 20 mars 1907 ; recueilli dans *Essais et articles*, *Contre Sainte-Beuve*, Bibl. de la Pléiade, p. 527-533. Voir ici-même n. 4, p. 432.

4. Lettre du 18-19 mars 1907 à Reynaldo Hahn, *Correspondance*, t. VII, p. 110.

mauvais livres sérieux qu'on ne lit plus guère aujourd'hui[1] [...]. »
Mme de Boigne est en effet l'auteur de deux romans posthumes, que
Sainte-Beuve n'appréciait guère[2]. Dans le Cahier 31, en 1908-1909,
Proust crée le personnage de Mme de Villeparisis sur le modèle de
celui de Mme de Boigne. Le narrateur se demande quelle est la vraie
raison de la déchéance sociale de la marquise : « Était-ce parce que
Mme de Villeparisis dans ses Mémoires, et même disait-on des romans
à clefs, qui devaient paraître après sa mort, disait pas mal de
méchancetés sur beaucoup de monde[3] ? » Il ne semble pas que Proust
ait eu, à ce moment-là, son article sous les yeux, mais il en sera
beaucoup plus proche dans le Cahier 39, en 1910. Mme de Villeparisis
s'est alors nettement détachée de son modèle que Proust a utilisé
pour définir un type, celui du bas-bleu qui veut abuser la postérité :
« Sans doute les Mémoires de Mme de Villeparisis n'offrent pourtant
qu'une sorte de grâce mondaine et passent à côté des grandes choses
qui ont échappé à l'auteur, ne donnant guère, de l'époque qu'ils
racontent que l'impression, charmante d'ailleurs de sa frivolité. Mais
un ouvrage même inintellectuel est une œuvre de l'intelligence ; pour
donner dans un livre l'impression de la frivolité, il faut encore avoir
eu un certain sérieux dans l'esprit, une personne qui n'eût été que
frivole n'en eût pas été capable[4] [...] ». Le texte définitif s'écarte peu
de cette formulation[5].

Il est clair qu'en écrivant ces lignes, Proust pensait à son œuvre
même, et réfutait d'avance le reproche de frivolité que certains
lecteurs ne manqueraient pas de lui adresser. Ne se fait-il pas ici le
mémorialiste d'une société frivole ? « Je crois qu'il n'y a pas de sujets
sots », dit-il à René Blum en novembre 1913, « et que la seule chose
importante est la profondeur où on a su descendre dans une
impression même frivole[6]. »

Le second exemple est plus directement lié à la création romanesque, dans la mesure où il témoigne de l'individualisation d'une
remarque à caractère général. Parmi les dames que Proust a connues,
« celles qui ont chance de faire figure de grandes dames aux yeux
de la postérité » sont deux femmes « de grande naissance, mais que
les décrets mystérieux de la mode avaient rejetées à recevoir surtout
des gens qui n'étaient pas de leur monde, malgré quelques exceptions
qui seront parfaitement suffisantes à meubler très somptueusement
leurs mémoires ». « Les personnes de ce genre ont souvent une
longue liaison avec un vieil homme d'État qui vient causer politique
avec elles tous les soirs en jouant au bézigue et qui généralement n'a
pu parvenir à fixer chez elles la société élégante qu'il fréquente, mais
a attiré chez elles de temps en temps ce qu'il y avait de plus intéressant
parmi les grandes personnalités européennes avec qui il était en

---

1. *Essais et articles*, éd. citée, p. 927.
2. *Ibid.* et n. 1.
3. Voir l'Esquisse XIX, p. 1166.
4. Voir l'Esquisse XXI, p. 1175-1176.
5. Voir p. 482-483.
6. *Correspondance*, t. XII, p. 329.

rapport et qui désiraient lui être agréables, et avec qui elles auront le ridicule de parler des plus grandes affaires[1] [...]. » Tel est le texte de 1907. Proust habille ensuite ce squelette narratif et donne un nom aux personnages, qui n'étaient d'abord que des types, eux-mêmes inspirés de la réalité. Mme de Boigne devient une « personne de ce genre » qui devient Mme de Villeparisis. Le chancelier Pasquier se transforme en vieil homme d'État qui se transforme lui-même d'abord en un « illustre ancien ministre » et « vieux parlementaire[2] », puis en ancien ambassadeur, le marquis de Norpois. Les altesses évoquées dans les *Récits d'une tante* deviennent de « grandes personnalités européennes » qui deviennent le prince Tchiguine[3], puis le prince Faffenheim. Et « les grandes affaires », qui chez Mme de Boigne sont l'assassinat du duc de Berry ou la chute de la monarchie d'Orléans[4], se résument, chez Mme de Villeparisis, à l'affaire Dreyfus.

L'influence des *Récits d'une tante* sur *À la recherche du temps perdu* est évidemment moins importante que celle qu'ont pu exercer les *Mémoires* de Saint-Simon. Mais, attribués à Mme de Villeparisis, ils marquent une étape capitale dans l'évolution du narrateur. Celui-ci comprend tout ce qu'une littérature qui fait passer pour élégant un salon de second ordre peut avoir de mensonger. Sa réplique sera de décrire celui de Mme de Villeparisis sans se laisser subjuguer par les alliances prestigieuses et les amitiés royales qu'elle invoque. Un pas de plus vers la désillusion. Un pas de plus vers la vérité.

La matinée chez Mme de Villeparisis et la fin du *Côté de Guermantes I* donnent également à Proust l'occasion de mettre en place quelques-uns de ces « amorçages » auxquels il tenait tant, mais que l'évolution de son roman l'obligeait à refaire sans cesse. « Un amour de Swann », on le sait, contient en germe l'analyse psychologique de la jalousie que le narrateur éprouvera, quand il deviendra le geôlier d'Albertine. Mais la rencontre de Swann et d'Odette a eu lieu avant sa naissance, et tout ce qu'il en sait lui a été rapporté par des tiers. Dans *Le Côté de Guermantes*, en revanche, il est le témoin principal de la liaison de Saint-Loup avec Rachel, et pour la première fois, il assiste à ces scènes de cruauté qui marqueront également son amour avec la « prisonnière ». La première se déroule avant la matinée chez Mme de Villeparisis, dans les coulisses d'un théâtre. Rachel provoque volontairement la jalousie de son amant en badinant avec un danseur et, quand Saint-Loup, hors de lui, laisse percer sa colère, elle s'exclame en s'adressant au danseur : « Regarde, il souffre[5] ». Paroles terribles qui font prendre Saint-Loup en pitié. Mais Proust, lui, n'oublie pas que les êtres sont doubles, triples, multiples. Alors que les invités de la marquise de Villeparisis commencent à quitter le salon, le martyr

---

1. Voir n. 1, p. 481.
2. Dans le Cahier 31, Esquisse XIX, p. 1166.
3. Dans le Cahier 39, Esquisse XXI, p. 1190.
4. *Mémoires de la comtesse de Boigne*, éd. citée, t. II, p. 20-33 et 462-488.
5. Voir p. 477.

devient bourreau en brisant la joie que sa mère avait de le revoir. Inflexible, il doit repartir vers Rachel — et Mme de Marsantes sait qu'elle ne le reverra pas pendant un an. Elle tente de le retenir, mais il se cabre. « Et il fit à sa mère les reproches que sans doute il se sentait peut-être mériter ; c'est ainsi que les égoïstes ont toujours le dernier mot ; ayant posé d'abord que leur résolution est inébranlable, plus le sentiment auquel on fait appel en eux pour qu'ils y renoncent est touchant, plus ils trouvent condamnables, non pas eux qui y résistent, mais ceux qui les mettent dans la nécessité d'y résister, de sorte que leur propre dureté peut aller jusqu'à la plus extrême cruauté sans que cela fasse à leurs yeux qu'aggraver d'autant la culpabilité de l'être assez indélicat pour souffrir, pour avoir raison, et leur causer ainsi lâchement la douleur d'agir contre leur propre pitié[1]. »

Cette douleur, que l'on subit soi-même en l'infligeant, deviendra inséparable des amours proustiennes. Swann, Saint-Loup : il suffit de deux points pour tracer une droite. L'admiration et l'amitié, même tempérées, dictent une conduite. Saint-Loup aurait pu devenir un modèle positif pour le narrateur. Par sa générosité, par sa vitalité, par sa simplicité, il aurait pu le mener vers d'autres dénouements. Mais le héros se fera défiant et ne saura que reproduire les erreurs qu'il avait d'abord condamnées, tout en prenant ses distances avec son ami. Déjà, le bateau de Virgile risquait de se briser sur les écueils, en cabotant.

Le deuxième amorçage est plus important, car il annonce *Sodome et Gomorrhe*. Il s'agit de la conversation entre Charlus et le narrateur, qui a lieu après la matinée chez Mme de Villeparisis. Elle n'existait pas sur le manuscrit et ne fut ajoutée que sur la dactylographie. Proust prépare *Sodome et Gomorrhe*, mais le narrateur, toujours naïf, ne comprend pas que les étranges propos du baron de Charlus sont inspirés par une particularité de ses mœurs. Il a déjà fait beaucoup de découvertes depuis le matin, et à chaque jour suffit sa peine.

Le dernier amorçage est capital pour la structure générale du *Côté de Guermantes*. Jusqu'en 1914, la première partie s'achevait sur la conversation que nous venons d'évoquer[2]. C'est après la composition des épreuves Grasset que Proust a eu l'idée de terminer *Le Côté de Guermantes I* par l'épisode intitulé « Maladie et mort de ma grand-mère ». Ce chapitre eut toujours, dans l'esprit de Proust, une unité très forte : rédigé et dactylographié à part, il s'est développé parallèlement au *Côté de Guermantes*, semblable à une nouvelle, distinct de l'ensemble du roman. Cependant, en l'intégrant à son œuvre, Proust l'a coupé en deux parties, la première s'interrompant après le moment où la grand-mère vient d'avoir « une petite attaque », la seconde servant d'ouverture au *Côté de Guermantes II*. En même temps, Proust a ajouté une phrase au tout début du *Côté de Guermantes I*, expliquant que les parents du héros ont déménagé à

---

1. Voir p. 577.
2. Voir var. *a*, p. 594.

cause de l'état de santé de la grand-mère[1]. Ainsi, le thème de la maladie borne le volume, achève de lui donner une unité, tout en ménageant une transition avec celui qui suit — les deux ne devant former, pour le lecteur, qu'une seule partie du grand œuvre. Dans cette optique, la maladie de la grand-mère est la charnière d'un diptyque dont *Le Côté de Guermantes I* n'est que le premier volet.

THIERRY LAGET.

NOTE SUR LE TEXTE

I. MANUSCRIT

Pour *Le Côté de Guermantes I*, nous ne disposons d'aucun manuscrit au net, mais une série de documents composites en tient lieu. L'ouverture, rédigée dès 1910, figure sur les folios 1 à 23 du Cahier 39, numérotés par Proust de 1 à 24. Dactylographié en 1912, ce passage sera considérablement remanié. La suite du manuscrit est constituée par les Cahiers 34, 35, 44 et 45, de 1912 et 1913, qui sont paginés par Proust de façon continue de 25 à 244. Mais il s'agit d'une mise en ordre postérieure à leur rédaction et qui, seule, donne une cohérence à l'ensemble. Les épisodes, en effet, ne se suivent pas. Une phrase commencée sur telle page de tel cahier s'achève sur telle autre dans un cahier différent. Les personnages changent de nom en cours de récit. Un tableau permettra d'entrevoir la complexité qui a présidé à la composition du manuscrit :

Cahiers	Pagination de Proust	Foliotage B. N.	Pagination de notre édition
39	1-24	1 r°-23 r°	310-330
45	25-31	1 r°-7 r°	330-333
45	32-66	9 r°-42 r°	333-358
45	67-94	44 r°-72 r°	358-393
35	96-108	59 r°-71 r°	394-402
35	109-115	76 r°-82 r°	402-417
34	116-130	2 r°-22 r°	423-426
35	131-133	83 r°-85 r°	426
35	134-135	73 r°-74 r°	427-428
35	136-139	86 r°-89 r°	428-430
35	140-141	91 r°-92 r°	
35	143-146	95 r°-98 r°	} 430-440
35	147-156	100 r°-108 r°	

1. Voir var. *b*, p. 310.

Cahiers	Pagination de Proust	Foliotage B. N.	Pagination de notre édition
35	157-164	111 r°-119 r°	
35	165	110 r°	
35	166-167	121 r°-122 r°	440-445
35	168	120 r°	
35	169-171	125 r°-127 r°	
35	172	124 r°	
35	173-174	149 r°-150 r°	446-464
35	176	123 r°	
44	177-181	51 r°-55 r°	464-469
35	182-184	128 r°-130 r°	
35	185	136 r°	
35	186-189	131 r°-134 r°	470-481
35	190-191	139 r°-140 r°	
44	192-208	2 r°-16 r°	481-497
44	209-210 bis	56 r°-58 r°	501-507
44	211-219	18 r°-26 r°	507-519
44	220-221	28 r°-29 r°	539-543
44	222-235	32 r°-46 r°	545-559
44	236	27 r°	569-570
44	237-238	47 r°-48 r°	571-573
35	239-244	143 r°-149 r°	576-580

II. DACTYLOGRAPHIE

Le volume de dactylographies conservé à la Bibliothèque nationale (N.a.fr. 16736) comprend 311 pages, tapées en 1912 (f°s 1 à 25) et au printemps de 1913 (f°s 26 à 311). Le récit s'interrompt après la visite chez Mme de Villeparisis[1]. Le chapitre « Maladie et mort de ma grand-mère », rédigé[2] et dactylographié à part, figure dans le volume N.a.fr. 16737.

III. PRÉPUBLICATION

La Nouvelle Revue française du 1er juillet 1914 a publié un montage de textes extraits du *Côté de Guermantes I* et du *Côté de Guermantes II*[3]. Nous signalons les variantes les plus importantes sous le sigle *NRF 1914*.

1. Voir var. *a*, p. 592.
2. Voir var. *a*, p. 594.
3. Les extraits correspondent dans notre édition aux pages 316-320, 321-322, 322-324, 324-326, 327-328, 330-333, 339-341, 357-358, 360-361, 362-363, 365-367, 369, 418-422, 438-440, 452-453, 454, 455-456, 594-596, 604-606, 607-608, et aux vingt premières pages du *Côté de Guermantes II*.

IV. ÉPREUVES

Placards Grasset.

Les premiers placards imprimés du *Côté de Guermantes I* ont été imprimés entre le 6 et le 11 juin 1914. Ils portent le cachet « CH. COLIN, IMPRIMEUR À MAYENNE ». La guerre ayant interrompu la publication de son œuvre, Proust a pu corriger ces épreuves pendant toute la durée des hostilités, et au-delà. Le volume, qui comprend 28 placards, est conservé à la Bibliothèque nationale sous la cote N. a. fr. 16760.

Par « placard », on entend le premier état imprimé du texte, en feuilles non encore découpées. Chaque placard est numéroté et se compose de huit pages, non définitives. Proust appelait indifféremment ces feuilles des « placards », des « épreuves » ou, même, des « planches ».

Placards NRF.

En août 1916, Bernard Grasset renonce à publier la suite d'*À la recherche du temps perdu*. Les Éditions de la Nouvelle Revue française prennent le relai, et le texte du *Côté de Guermantes I* doit être entièrement recomposé. Il est difficile d'établir avec certitude le nombre de jeux d'épreuves que Proust a successivement corrigés. Il y en eut peut-être trois ou quatre, mais tous n'étaient pas complets.

— Le premier jeu, composé par l'Imprimerie de la Semeuse en décembre 1918, ne comprenait, semble-t-il, que cinq ou six pages. Proust les renvoie à son éditeur en avril 1919. « Que le nouvel imprimeur tienne compte des corrections bien qu'elles ne soient pas complètes, mais qu'il considère ces épreuves comme un simple manuscrit, écrit-il à Jacques Rivière. C'est d'ailleurs ce qu'il aura à faire pour les suivantes (que la Semeuse a dû vous rendre) et qui sont de Grasset[1]. » Ce nouvel imprimeur est Louis Bellenand.

— Vers juin 1919, Proust reçoit « les premières épreuves du *Côté de Guermantes*[2] ». Il doit s'agir du *premier jeu complet* dont nous ne connaissons qu'un placard, reproduit en fac-similé dans un livre de Pierre Abraham[3].

— Vers la fin de novembre 1919, Proust attend d'autres épreuves[4]. Sans doute lui parviennent-elles après le 8 décembre : une carte, jointe au volume que nous désignons sous le sigle *plac. Gd* (N.a.f.r. 16762), porte en effet la mention imprimée : « Prière de retourner ces

1. Lettre du 29 ou 30 avril 1919, M. Proust-J. Rivière, *Correspondance 1914-1922*, p. 51.
2. *Lettres à la NRF*, p. 121.
3. *Proust*, Rieder, 1930, plac. LVI-LIX. Nous ne tenons pas compte de ce document pour l'établissement du texte. Il correspond aux pages 418-421 de notre édition.
4. *Lettres à la NRF*, p. 113.

épreuves corrigées et signées à M. Gallimard. », et, à l'encre : « Le 8 décembre. M. Marcel Proust. » En février 1920, Proust les relit, et il demande à Jacques Rivière s'il ne connaît pas quelqu'un qui puisse l'aider dans cette tâche[1]. Mais il devient impossible de déterminer si le texte a été entièrement recomposé ou s'il est fait de placards appartenant à des jeux différents. À cet égard, une lettre de Proust à Rivière témoigne de la difficulté qu'il éprouvait lui-même à savoir où il en était : « Voulez-vous dire à Gaston [Gallimard] que toutes réflexions faites comme mes épreuves à partir de la page 20 (*Côté de Guermantes*) sont seulement des premières épreuves (cela s'appelle-t-il même des premières épreuves, ce sont les premiers placards) et jusqu'à la page 20 des deuxièmes épreuves (ou premières épreuves, si les placards ne s'appellent pas premières épreuves) je trouve les 30 premières pages (surtout les 20 premières) tellement corrigées, remaniées, compliquées d'ajoutages, qu'il est préférable de faire faire des deuxièmes (ou troisièmes) épreuves. Ce sera celles-là (qu'il serait urgent de faire faire *tout de suite*) qu'on me lira, je ne changerai plus rien et on pourra donner le bon à tirer[2]. »

Cette confusion aura pour conséquence directe d'introduire plusieurs erreurs dans le texte, certains placards, corrigés par Proust n'étant pas parvenus à l'imprimeur[3]. Les additions manuscrites les plus importantes seront à leur tour dactylographiées et jointes aux épreuves pour l'établissement du dernier jeu[4].

Ce document ne figure pas dans les collections de la Bibliothèque nationale. Les corrections et additions de Proust n'y étaient sans doute guère nombreuses. Mais on peut constater qu'elles interviennent jusqu'au dernier moment. Des allusions à un article du général Mangin paru dans *La Revue des Deux Mondes* du 1er avril 1920[5] prouvent que Proust travaillait encore sur ces épreuves après cette date. Le bon à tirer est signé vers la fin du mois de mai[6], mais le 24 juillet, Proust écrit encore à Rivière : « Je crois que le *Côté de Guermantes* que vous avez lu est sans les derniers ajoutés[7]. »

V. ÉDITION ORIGINALE

Le Côté de Guermantes I paraît en un volume aux Éditions de la Nouvelle Revue française. Imprimé par Louis Bellenand à Fontenay-

---

1. *Lettres à la NRF*, p. 113 ; M. Proust-J. Rivière, *Correspondance*, p. 89.
2. M. Proust-J. Rivière, *Correspondance*, p. 94-95.
3. Ainsi, les corrections portées sur les placards 13 et 14 ne sont-elles pas passées dans l'édition originale (voir var. *b*, p. 466). Le placard 23 existe en deux exemplaires corrigés de façon différente (voir var. *b*, p. 581). Le jeu complet comporte 24 placards.
4. Ces pages dactylographiées sont conservées à la Bibliothèque nationale dans un carton sans cote.
5. Voir n. 4, p. 411.
6. M. Proust-J. Rivière, *Correspondance*, p. 106.
7. *Ibid.*, p. 121.

aux-Roses, l'ouvrage compte 279 pages. L'achevé d'imprimer est daté du 7 août 1920.

Un errata très incomplet de quatre pages est également publié et joint à chaque exemplaire. Il corrige quelques coquilles ou supprime certaines répétitions, mais introduit parfois de nouvelles incohérences.

VI. EXEMPLAIRE CORRIGÉ

Il existe un exemplaire du *Côté de Guermantes I* (3ᵉ édition achevée d'imprimer le 17 août 1920) sur lequel Proust a porté quelques corrections. Toutes les pages du livre n'ont pas été coupées : la campagne de révision ne fut donc pas systématique. On ne compte d'ailleurs qu'une quinzaine de corrections qui montrent le souci qu'avait l'auteur de ne pas se répéter ou de remédier à certaines erreurs évidentes dues à une mauvaise relecture des épreuves. Aucune n'introduit de changement significatif dans le texte.

VII. ÉTABLISSEMENT DU TEXTE

Le dernier état du texte du *Côté de Guermantes I* intégralement revu par Proust, et donc le seul qui fasse autorité pour nous, est celui de l'édition originale de 1920. Après sa parution, l'auteur l'a partiellement relu et corrigé à deux reprises : d'abord pour établir l'errata, puis sur son exemplaire personnel en prévision, sans doute, d'une réimpression du livre. Nous avons tenu compte de ces modifications, que nous avons fait passer dans le texte lorsqu'elles n'introduisaient pas, comme c'est parfois le cas, de nouvelles erreurs.

Malgré ces corrections, les fautes ou les absurdités sont encore nombreuses dans l'édition originale. Quand elles sont d'origine typographique (coquilles, bourdons, etc.), elles sont relativement aisées à déceler et à rectifier. Les incohérences, les contradictions, les obscurités représentent toutes, quant à elles, un problème particulier que nous exposons et tentons de résoudre dans les variantes. La plupart du temps, les passages suspects peuvent être améliorés par le rétablissement d'une leçon antérieure à celle de l'édition originale, le premier texte manuscrit s'étant corrompu au moment où le recopiaient des personnes qui lisaient avec difficulté l'écriture de Proust. Nous avons également adopté certaines des corrections proposées par P. Clarac et A. Ferré dans leur édition de 1954.

La ponctuation de l'édition originale n'est pas toujours celle de l'auteur : les typographes suivent l'usage, dont Proust s'écarte souvent. Nous avons cependant conservé cette ponctuation, puisque Proust l'avait acceptée.

L'abondance de documents nous a contraint à ne donner qu'un choix de variantes, qui n'a pas été pratiqué au détriment de la richesse.

L'exhaustivité eût été fastidieuse. Le lecteur trouvera néanmoins signalées toutes les modifications importantes, qu'elles concernent l'ajout, la suppression ou le déplacement d'un texte, le changement d'un nom propre ou le développement d'un épisode.

SIGLES UTILISÉS

ms.	Manuscrit (cahiers 39, 34, 35, 44 et 45).
dactyl.	Dactylographie (N. a. fr. 16736 et 16737).
NRF 1914	*Nouvelle Revue française* du 1ᵉʳ juillet 1914.
plac. Gt	Placards corrigés pour les Éditions Bernard Grasset (N. a. fr. 16760).
plac. Gd	Placards corrigés pour les Éditions de la Nouvelle Revue française (N. a. fr. 16762).
orig.	Édition originale (1920).
errata orig.	Errata.
orig. b	Édition originale corrigée par Proust.

NOTES ET VARIANTES

Page 307.

a. LE CÔTÉ DES GUERMANTES *plac. Gt* : [LE CÔTÉ DES GUER-MANTES *biffé*] *plac. Gd*

1. Cette dédicace est destinée à remercier Léon Daudet, membre de l'Académie Goncourt, des efforts qu'il avait déployés, en décembre 1919, pour faire couronner *À l'ombre des jeunes filles en fleurs*. Proust avait déjà exprimé sa gratitude dans une note de son article sur le style de Flaubert, paru dans *La Nouvelle Revue française* du 1ᵉʳ janvier 1920 : « Une nouvelle critique littéraire découle de l'*Hérédo* et du *Monde des images*, ces livres admirables et si grands de conséquence de M. Léon Daudet, comme une nouvelle physique, une nouvelle médecine, de la philosophie cartésienne » (*Essais et articles,* éd. citée, p. 596, note). Proust a rédigé sa dédicace tardivement. Dans une lettre datée du 30 ou 31 mars 1920, il confie à Jacques Rivière : « Je dédie ce livre [*Le Côté de Guermantes*] à Léon Daudet. Il me semble qu'il est inutile de faire ma dédicace d'avance, un feuillet liminaire est aisé à ajouter » (Marcel Proust-Jacques Rivière, *Correspondance 1914-1922*, Gallimard, 1976, p. 98). Mais la dédicace devait être écrite en juillet 1920, puisque Proust songeait alors à la soumettre à Léon Daudet (voir *Lettres à la NRF*, Gallimard, 1932, p. 119).

Page 309.

a. Le pépiement *Le passage qui commence ici et qui va jusqu'à* qui dépendait de l'hôtel de Guermantes. *[p. 310, fin du premier § est une addition manuscrite sur une paperole collée sur* plac. Gd. *Dans un premier temps, Proust*

*avait placé ce passage plus loin dans le texte ; il l'a déplacé, en le corrigeant ;
voir var. a, p. 321.* ◆◆ *b.* la chanson (distincte de loin même lorsqu'elle
était faible, comme un motif d'orchestre) d'un homme   *plac. Gd* : la
chanson (distincte de loin, quand elle est faible, comme un motif
d'orchestre) d'un homme   *orig. Il nous paraît que l'adverbe* même *est ici
indispensable au sens ; c'est la raison pour laquelle nous avons cru devoir le
rétablir.* ◆◆ *c.* rites de Combray, [et   *biffé*] en déclarant [...] en revanche,
moi qui [avais autant de peine   *add.*] assimilais [...] nouvelles choses que
[j'abandonnais aisément   *biffé*] [j'en avais pour   *corr.*] les anciennes   *orig. b. La correction de Proust étant incomplète, nous ne pouvons
l'intégrer dans le texte.*

Page 310.

a. départ qui m'avait été indifférent,   *plac. Gd* ◆◆ *b.* Or il est temps
de dire ici que [la nouvelle était un appartement qui dépendait de l'hôtel
de Guermantes. / À l'âge où les noms   *biffé*] celle-ci — et nous étions
venus y habiter sans en dire la raison à ma grand-mère, parce que ne
se portant pas très bien elle avait besoin d'un air   *plac. Gd* ◆◆ *c.* l'hôtel
de Guermantes. / [Or notre   *biffé*] / À l'âge   *plac. Gd. Nous donnons la
leçon des états antérieurs var. a, p. 311.*

Page 311.

a. [À l'âge où les Noms *[p. 310, début du dernier §]* de la géographie,
nous offrant [...] moment où ils signifient aussi pour nous un lieu réel
[...] chercher dans un pays une âme qu'il ne peut contenir, mais que nous
n'avons pas le pouvoir d'expulser de son nom, ce n'est pas seulement
à chaque cité et à chaque fleuve qu'ils donnent, comme font les peintures
allégoriques, une individualité surnaturelle, ce n'est pas seulement
l'univers physique qu'ils peuplent de merveilleux, mais aussi l'univers
social : alors chaque dynastie princière, chaque château, hôtel, ou palais
fameux a sa dame et sa fée, aussi nombreuses, aussi mystérieuses que les
génies de la forêt ou les divinités des eaux[1]. La fée dépérit, dans le nom
où elle vivait, si nous approchons la personne qu'il désignait, mais peut
renaître sous une autre forme si nous nous en éloignons   *biffé*] / À l'âge
où les Noms, — nous offrant l'image [...] moment où ils signifient aussi
un lieu réel, — nous forcent [...] l'univers physique qu'ils remplissent
de différences, qu'ils peuplent d'êtres et de merveilleux,   *ms.* : À l'âge
où les Noms [...] peuplent d'êtres et de merveilleux,   *dactyl.,
plac. Gt* ◆◆ *b.* sa fée, aussi nombreuses que les Génies de la Forêt ou
les Divinités des Eaux.   *ms., dactyl., plac. Gt* ◆◆ *c.* Mme de Guermantes
vivait en moi.   *ms., dactyl., plac. Gt* ◆◆ *d.* d'église, s'éteignait peu à peu,
quand de nouveaux rêves l'imprégnèrent   *ms., dactyl., plac. Gt* ◆◆ *e.* Alors
le Nom, — le nom —, sous les repeints   *ms., dactyl., plac. Gt* ◆◆ *f.* tubes
dont se servent les enfants pour peindre,   *ms.*

---

1. Du début jusqu'à ce mot « eaux », le passage est écrit de la main d'un copiste.
Proust a porté dans ce texte quelques corrections, puis il a rayé l'ensemble ligne
à ligne.

1. En réalité, Mélusine est la fondatrice de la maison des Lusignan (selon certaines étymologies, Mélusine est la déformation de « Mère Lusignan »). Dans le roman de Jean d'Arras, il est dit que la fée apparaîtrait au château de Lusignan « trois jours devant que ceste fortesce devroit muer seigneur, ou que l'un des hoirs devroit mourir » (*Mélusine* roman du XIVe siècle publié par Louis Stouff, Genève, Slatkine, 1974, p. 289). En juillet ou août 1905, Proust avait composé, à l'intention d'Antoine Bibesco, une liste de noms éteints susceptibles d'être employés par un écrivain : Lusignan y figure (la dernière représentante de la famille est Catherine Cornaro [1454-1510]). Philip Kolb signale cependant qu'un prince de Lusignan vivait encore en 1905 (*Correspondance*, t. V, p. 324-325). Dans *Le Côté de Guermantes II* (p. 862), le duc affirme que les Guermantes descendent des Lusignan (voir aussi la *Correspondance*, t. VII, p. 250). Le narrateur a donc plus d'une raison d'associer la duchesse à la fée : toutes deux appartiennent à l'illustre famille ; toutes deux ont le pouvoir de se métamorphoser. Sur l'importance du mythe de Mélusine dans *À la recherche du temps perdu*, et particulièrement de son association au personnage de Gilberte, voir Marie Miguet-Ollagnier, *La Mythologie de Marcel Proust*, Les Belles-Lettres, 1982, p. 93-94 et 99-100.

2. Cet instrument de musique ressemble au fameux « pianola » qu'Albertine actionne dans *La Prisonnière* (t. III de la présente édition ; le mot *pianola* était une marque déposée. Il est employé abusivement pour désigner tout type de piano mécanique). Proust s'était documenté sur cet instrument dès son apparition en France, en 1904 (voir la lettre au duc de Guiche du 23 novembre 1904, *Correspondance*, t. IV, p. 350). Toutefois, le pianola ne faisait que reproduire des mélodies, et l'instrument évoqué ici par Proust est sans doute le Welte-Mignon, mis au point à Fribourg, en 1904, par Edwin Welte. Ce piano mécanique « évolué » permettait en effet d'enregistrer et de reproduire fidèlement toutes les nuances du jeu d'un musicien. Le fonctionnement du pianola, du Welte-Mignon et de quelques autres pianos mécaniques enregistreurs (« DEA » de la firme allemande Hupfeld, Bechstein-Welte, etc.) est expliqué en détail dans *The New Grove Dictionary of Music and Musicians,* par Stanley Sadie, London, Macmillan, 1980, t. XIV, p. 714 (art. « Pianola ») et p. 860-861 (art. « Player piano »).

Page 312.

a. connaissons plus et qui *[7ᵉ ligne de la page]* nous ravissent si tout à coup nous les revoyons ; si dans un livre les mots lunettes d'or me font penser après tant d'années au docteur Béchu, aussitôt le nom de Guermantes — qui a repris le son si différent de celui d'aujourd'hui qu'il avait pour moi en ce matin où j'allai assister au mariage de la fille du docteur — me redonne ce mauve doux, trop brillant, trop neuf dont se veloutait la cravate gonflée de Mme de Guermantes, ses yeux ensoleillés d'un sourire et bleus comme une pervenche incueillissable, et les rayons de soleil, inquiets de la pluie prochaine qui se posaient dans la sacristie, s'envolaient, se reposaient encore. Et le nom de Guermantes d'alors est aussi comme un de ces petits ballons dans lesquels on a enfermé de l'air, si je pouvais arriver à le crever, à en faire sortir ce qu'il contenait, je respirerais l'air de Combray de cette année-là, l'odeur des aubépines qu'il y avait sur l'autel, le vent du coin de la place, [le soleil qui chauffait de nouveau devant notre porte quand nous rentrâmes de la messe et qui dans le corridor plein de l'odeur des pommes de terre qui nous attendaient semait tour à tour, selon l'intensité changeante de ses rayons, des marguerites blanches ou des boutons d'or, cependant qu'au pied des rideaux rouges il tressait par terre des coquelicots et qu'il étendait sur *biffé*] revêtant le tapis de laine rouge qui menait à la [salle à manger *biffé*] sacristie d'une carnation brillante mais presque rose de géranium, et de cette douceur [pour ainsi dire wagnérienne *add.*] dans l'allégresse qui conserve tant de noblesse à la festivité [et, caractéristique de telle peinture de Carpaccio à Saint-Georges des Esclavons, de telle page de Wagner dans *Lohengrin*, permet aussi à Baudelaire d'appliquer au son de la trompette l'épithète de délicieux. *biffé*]. Mais — même en dehors de ces rares instants où brusquement nous sentons tressaillir et reprendre sa forme et sa ciselure au sein d'un nom aujourd'hui mort l'entité originale et vivante qu'il fut pour nous à une époque — si dans le tourbillon *ms. Le texte définitif apparaît, avec quelques variantes négligeables, dans dactyl. où Proust remplace* Béchu *par* Percepied.

1. La cérémonie du mariage de la fille du docteur Percepied, à l'occasion de laquelle le héros voit pour la première fois la duchesse de Guermantes, est racontée à deux reprises dans *À la recherche du temps perdu* : la première, dans *Du côté de chez Swann* (t. I, p. 172), à la place qui lui revient dans l'ordre chronologique des événements ; la seconde, dans *Le Côté de Guermantes*, quelques années plus tard, sous la forme d'un rappel. Il suffit de confronter les deux textes pour constater qu'ils ont plus d'une expression en commun. En fait, il s'agit de deux textes jumeaux qui sont une parfaite illustration de « la multiplication cellulaire par dédoublement des noyaux » qui, selon Julien Gracq, caractérise « l'enchaînement des séquences dans *La Recherche du Temps Perdu* » (*En lisant, en écrivant*, Corti, 1980, p. 97). La matrice commune est ici le Cahier 13. Proust y fait le récit d'une messe de l'Assomption à laquelle assiste le narrateur dans l'espoir d'entrevoir Mme de Guermantes qui doit venir rendre le pain bénit (Cahier 13, ffos 1 ro à 5 ro). La scène est ensuite évoquée dans le Cahier 39, mais il s'agit dorénavant de la messe de mariage de la fille d'un médecin, le docteur Béchu (voir var. *a*, p. 312). Parallèlement, Proust reprend une nouvelle fois cette scène dans le Cahier 11 (fo 25 ro-26 ro). Mais sans doute « Béchu » ne lui convient-il plus, car il le remplace par « Percepied », nom qui, dans le Cahier 13 (fo 4 ro), était celui d'une habitante de Combray. Il dispose alors de deux versions qui ont comme seule et même source le Cahier 13. Il compare ensuite ses deux textes et entreprend de les harmoniser en permutant ou en répétant certains de leurs éléments. Voyant que, dans le Cahier 11, il parle des yeux de la duchesse qui « brillaient comme une pervenche impossible à cueillir » (fo 25 ro), il décide

d'introduire également ce motif dans le Cahier 39, ce qui se traduit par une addition interlinéaire au folio 3 recto : « [...] ses yeux ensoleillés d'un sourire et bleus comme une pervenche incueillissable [...]. » De même, il transfère du Cahier 39 au Cahier 11 une partie de la description de « cette douceur dans l'allégresse qui conserve tant de noblesse à la festivité [et, caractéristique de telle peinture de Carpaccio à Saint-Georges des Esclavons, de telle page de Wagner dans *Lohengrin*, permet aussi à Baudelaire d'appliquer au son de la trompette l'épithète de délicieux *biffé*] » (Cahier 39, fᵒ 4 rᵒ ; voir var. *a*, p. 312). Pour ce faire, après avoir biffé la fin de sa phrase, il la recopie à peu près textuellement dans le Cahier 11 : « [...] une sorte de tendresse, de sérieuse douceur dans la pompe et la joie qui caractérisent certaines pages de Lohengrin, certaines peintures de Carpaccio et fait comprendre que Baudelaire ait pu appliquer au son de la trompette l'épithète de délicieux » (Cahier 11, fᵒ 26 rᵒ). Mais, fidèle à son désir d'établir des correspondances entre les deux évocations, il se retourne vers le Cahier 39 pour y replacer, en la condensant dans une incidente sous la forme d'une addition interlinéaire, la substance de ce qu'il y a précédemment biffé : « [...] pour ainsi dire wagnérienne [...]. » Le système d'échos entre les deux textes de *Du côté de chez Swann* et du *Côté de Guermantes* est donc le résultat de leur confrontation et de leur entremêlement.

Page 313.

a. berçait de cette vieille *chanson* (?)[1] populaire. « Gloire   ms. ◆◆
b. enfant ! Mademoiselle Bébé est-elle sage ? » et sortait d'une bonbonnière de poche une pastille de chocolat, je ne le sais pas.   ms. ◆◆ *c.* Mais plus tard [après Mme de Guermantes, donnant de sa tour orangée l'ordre de pendre ses vassaux   *biffé*, je trouve successivement dans la durée du nom de Guermantes sept ou huit figures différentes [dans le nom de Mme de Guermantes, que l'approche de la réalité effaçait quand la réalité délogeait mon rêve de la position où il s'était incarné, la figure du moins en nobles, belles   *biffé*] qu'on a déjà vues ou qui paraîtront. Les premières   ms. ◆◆ *d.* intenable *À partir de ce mot, nous ne donnons que les leçons des états postérieurs au manuscrit ; on trouvera la leçon de ce dernier, var. b, p. 316.* ◆◆ intenable, se cantonnait à nouveau un peu en deçà dans une autre, jusqu'à ce qu'il fût obligé de reculer encore [, et sans se lasser, reprenait toujours le même chant, mais chaque fois un ton plus bas. Selon les transformations de son nom,   *biffé*] [. Et   *corr.*] en même temps   *dactyl.* ◆◆ *f.* rêveries, ne contenant pas un seul élément qui ne dérivât de ses syllabes, les reflétait dans ses pierres même devenues réfléchissantes comme la surface d'un nuage ou d'un lac. Un donjon   *dactyl., plac. Gt* ◆◆ *g.* avait fait place à cette terre torrentueuse   *dactyl.* ◆◆ *h.* violettes et jaunes qui décoraient   *dactyl.*

---

1. Ce point d'interrogation est de Proust qui s'interroge probablement sur la justesse du mot qu'il souligne. On trouvera, plus bas, d'autres cas semblables.

1. Cet épisode est déjà évoqué dans un ajout du Cahier 32 datant de 1909 (f° 41 v°), où le vieux maréchal n'est autre que Mac-Mahon : le maréchal de Mac-Mahon « m'avait pincé la joue aux Champs-Élysées et avait dit : "Quel gentil enfant !" ce qui n'avait enorgueilli que ma bonne ».

2. Sur les grappes de fleurs, voir *Du côté de chez Swann*, t. I, p. 85 et 170, et Jean Milly, *Les Pastiches de Proust*, Armand Colin, 1970, p. 89-91. Peut-être y a-t-il, dans cette « terre torrentueuse », un souvenir du séjour de Proust à Glisolles, « cette résidence du planteur ou du chasseur de truites » (Lettre à Mme de Clermont-Tonnerre, octobre 1907, *Correspondance*, t. VII, p. 275 ; voir n. 1, p. 315).

3. La construction de Notre-Dame de Paris débuta en 1163 ; celle de Notre-Dame de Chartres en 1194.

Page 314.

a. et Notre-Dame de Chartres, *[p. 313, 8 lignes en bas de page]* [alors qu'au sommet [...] Ararat, débordante de Patriarches et de Justes qui se penchaient anxieusement aux fenêtres *[...]* terre, emplie d'animaux qui en débordent comme ces bœufs qui s'échappent par l'embouchure des tours et se promènent paisiblement sur les toits regardant d'en haut les plaines de Champagne ; *add. dactyl.*] alors que *dactyl., plac. Gt ↔ b.* cathédrale. C'était, comme le cadre d'un roman, un paysage imaginaire que j'avais peine à me représenter enclavé — et d'autant plus le désir d'y découvrir — au milieu des terres et de routes réelles qui tout d'un coup [...] gare ; je me répétais les noms des localités *dactyl.* : cathédrale. *[comme dans dactyl.]* gare ; je me rappelais les noms des localités *plac. Gt ↔ c.* tous les coins de la France : terres immenses *dactyl., plac. Gt ↔ d.* Mais alors j'avais connu Montargis ; il m'avait appris *dactyl., plac. Gt*

1. La ville de Laon est située sur une butte isolée qui, à cent quatre-vingt-un mètres d'altitude, domine la plaine champenoise de cent mètres environ. À l'est, au cœur de l'ancienne cité, s'élève la cathédrale Notre-Dame, commencée au début du XIIe siècle et achevée en 1225. Ruskin rapporte ainsi la légende des bœufs de Laon : « Dans la cathédrale de Laon il y a un joli compliment fait aux bœufs qui transportèrent les pierres de ses tours au sommet de la montagne sur laquelle elle s'élève. La tradition est qu'ils se harnachèrent eux-mêmes, mais la tradition ne dit pas comment un bœuf peut se harnacher lui-même, même s'il en avait envie. [...] Mais, quoi qu'il en soit, leurs statues sont sculptées sur le haut des tours, au nombre de huit, colossales, regardant de ses galeries, à travers les plaines de France » (*La Bible d'Amiens*, traduction M. Proust, Mercure de France, 1904, p. 296). Proust, dans une note de sa traduction, renvoie à *L'Art religieux du XIIIe siècle en France* d'Émile Mâle, où figure le texte suivant : « À Laon, presque au sommet des tours, seize grands bœufs dressent leurs silhouettes colossales. La tradition veut que ces farouches statues aient été destinées à éterniser le souvenir des bœufs infatigables qui, pendant tant d'années, transportèrent de la plaine

au sommet de l'acropole de Laon les pierres de la cathédrale. Une légende, racontée par Guibert de Nogent, semble fortifier la tradition locale. Il nous dit qu'un jour un des bœufs qui traînaient sur la pente de la montagne un chariot plein de matériaux destinés à l'église tomba sur le chemin, épuisé de fatigue. Le conducteur était fort empêché de continuer sa route, quand un autre bœuf apparut soudain et se présenta pour être attelé. Le char put, de la sorte, arriver jusqu'au sommet ; la tâche terminée, le bœuf mystérieux disparut » (Armand Colin, 1958 [la première édition est de 1898], p. 55-56). Dans son article sur « La Mort des cathédrales » paru dans *Le Figaro* du 16 août 1904, Proust avait déjà décrit les bœufs de Laon. Mais en 1919, reprenant ce même article pour l'intégrer dans *Pastiches et mélanges*, il développe le paragraphe qui leur était consacré et introduit le motif de l'arche de Noé échouée sur le mont Ararat (Genèse, VII-VIII) : « Les bœufs de Laon eux-mêmes ayant chrétiennement monté jusque sur la colline où s'élève la cathédrale les matériaux qui servirent à la construire, l'architecte les en récompensa en dressant leurs statues au pied des tours, d'où vous pouvez les voir encore aujourd'hui, dans le bruit des cloches et la stagnation du soleil, poursuivre jusqu'à l'horizon des plaines de France leur "songe intérieur". Hélas, s'ils ne sont pas détruits, que n'ont-ils pas vu dans ces campagnes où chaque printemps ne vient plus fleurir que des tombes ? Pour des bêtes, c'est tout ce qu'on pouvait faire, les placer ainsi au-dehors, sortant comme d'une arche de Noé gigantesque qui se serait arrêtée sur ce mont Ararat, au milieu du déluge de sang. Aux hommes on accordait davantage » (*Pastiches et mélanges, Contre Sainte-Beuve*, Bibl. de la Pléiade, p. 148-149). Proust visita la cathédrale de Laon en avril 1903 (*Correspondance*, t. III, p. 21). Son architecture lui parut « curieuse, savoureuse plus qu'aucune autre », car il pouvait voir en elle « la première floraison du gothique » (*ibid.*, t. V, p. 124-125 ; voir aussi p. 191). Il évoquait encore pendant la guerre les « bœufs commémoratifs » en redoutant leur destruction (Paul Morand, *Journal d'un attaché d'ambassade*, Gallimard, 1963, p. 202).

2. La construction de la cathédrale de Beauvais débuta en 1247.

3. Les armes réelles des Guermantes étaient « de gueules, à une fleur de lis au naturel » (voir Marcel Plantevignes, *Avec Marcel Proust*, Nizet, 1966, p. 393, et fac-similé des armes dans Henri Bonnet, *Marcel Proust de 1907 à 1914*, Nizet, 1971, en frontispice).

4. Dans diverses esquisses et sur la dactylographie de *Combray*, il est question de ce Childebert Ier (fils de Clovis, né vers 495, mort en 558) qui, selon le curé de Combray, avait eu une « maison de campagne » à Pinsonville et fut le fondateur de la « primitive église » de Combray (voir Claudine Quémar, « L'Église de Combray, son curé et le Narrateur », *Études proustiennes*, I, Gallimard, 1973, p. 305, 311 et 327).

5. Dans la tradition des romans de chevalerie, la Dame du Lac n'est autre que Viviane, qui, après avoir aimé Merlin, élève Lancelot. Or, dans une esquisse du Cahier 12, f° 53 r°, le château de Guermantes est associé à « cette forêt de Brocéliande semée de lacs bleus où

Viviane trouve Merlin au pied d'un arbre » (voir Georgette Tupinier, « Autour de cinq ébauches de Mlle de Stermaria », *Études proustiennes*, lieu cité, p. 224 et 274 ; voir la lettre d'Émile Mâle à Proust, en date du 18 août 1906 : « Il n'y a pas en Normandie de forêt de Brocéliande, jamais les chevaliers n'y furent aimés par les fées des lacs » (*Correspondance*, t. VI, p. 191-192). Dans le Cahier 7, f° 29 r°, il est question d'une jeune paysanne, « Viviane à forme de couleuvre » ; on reconnaît l'alliance de deux mythes : Viviane, la fée du lac, et Mélusine, la femme-serpent (voir n. 1, p. 311). Marie Miguet-Ollagnier signale que dans certaines versions du mythe, Viviane est la mère de Mélusine (*La Mythologie de Marcel Proust*, éd. citée, p. 95).

Page 315.

a. Elle avait résidé jusque-là dans le voisinage, *[p. 314, 5 lignes en bas de page]* et elle et son titre venaient [de Provence *biffé*] du Midi. Le village de Guermantes avait reçu son nom du château [: il s'appelait avant cela la Blinville *biffé*] après il avait été construit, [*comme dans le texte définitif avec lég. var.*] maisons. Quant aux tapisseries c'étaient des tapisseries [d'Oudry[1] *biffé*] de Boucher, *dactyl.* : Elle avait résidé jusque-là dans le voisinage, et son titre venait du Midi. Le village [*comme dans dactyl.*] Boucher, *plac. Gt ↔ b.* peluche. Par là Montargis avait introduit pour moi dans le château *dactyl., plac. Gt ↔ c.* hôtel de verre. Puis quand Montargis m'eut raconté *dactyl., plac. Gt. Nous ne signalerons plus la variante Montargis/Saint-Loup.*

1. Le modèle du château de Guermantes est ici le château de Balleroy, près de Bayeux, construit par Mansart entre 1626 et 1636. Proust, qui l'avait visité en août 1907, avait pu y admirer les tapisseries de François Boucher (1703-1770), qu'un guide lui avait affirmé être de « Leboucher », et « dans le salon de nombreuses peintures cynégétiques par M. le comte, père de M. le marquis propriétaire actuel », qui n'étaient pas « l'ornement le moins divertissant de cette demeure ». « Malheureusement M. le marquis semble avoir hérité du goût de M. le comte et s'il ne fait pas de scènes de chasse il a encadré les tapisseries de Leboucher de damas rouge qui donnent à penser qu'il est trop modeste et qu'il pourrait s'essayer dans la peinture cynégétique avec le même succès que M. le comte » (Lettre du 27 août 1907, à Georges de Lauris, *Correspondance*, t. VII, p. 264.) Sur un fragment recueilli dans le volume *À la recherche du temps perdu — Reliquat manuscrit* (Bibliothèque nationale, N.a.fr. 16729), f° 156 r°, se trouve une brève ébauche de notre texte : « Le château de Balleroy / Je savais qu'il y avait là d'admirables tapisseries. [...] Que j'aurais aimé arriver par une fin d'après-midi d'automne en face de ce château. » On peut cependant trouver d'autres « clés », qui

_____

1. Jean-Baptiste Oudry (1686-1755), peintre et graveur français, fut également administrateur de la manufacture des tapisseries de Beauvais. Ses plus célèbres cartons, réalisés pour les Gobelins, illustrent les *Chasses royales*.

nous sont fournies par Proust lui-même dans l'un de ses cahiers. En marge d'une description du château de Guermantes, il note en effet trois noms : « Glisolles Balleroy Eyragues » (voir var. *b*, p. 316). Le château de Glisolles, près d'Évreux, fut bâti au XVIIIe siècle. Proust le visita également en 1907. Il appartenait alors à la famille de Clermont-Tonnerre. Dans une lettre d'octobre 1907 à Mme de Clermont-Tonnerre, Proust évoque « ses claires boiseries norvégiennes et ses vieilles toiles françaises [qui] resteront au premier rang de [ses] souvenirs des charmes de Normandie, à côté des architectures gothiques et des habitations Renaissance » (*Correspondance*, t. VII, p. 274). Dans le Cahier 29, f° 24 r°, à propos de l'enfant pour qui « le monde est peuplé d'êtres inconnus », Proust écrit : « Mais dites-lui de vous écrire au château de Glisolles, parce que ce lieu a un nom à lui, il imaginera ce lieu comme aucun autre et l'imaginera à l'aide des syllabes qui le composent, il le bâtira non d'éléments réels, mais de rêve de couleurs et de sonorité. » Eyragues, enfin, est le nom d'une famille originaire du Midi (château d'Eyragues, dans les Bouches-du-Rhône). En août 1907, Proust rendit visite au marquis et à la marquise d'Eyragues dans l'hôtel particulier qu'ils possédaient à Falaise (voir *Le Carnet de 1908*, établi et présenté par Philip Kolb, Gallimard, 1976, p. 104 et 191). Dans les « soixante-quinze feuillets » publiés par Bernard de Fallois, des allusions à un « château près de Bayeux », à « un hôtel au coin de la grand-place à Falaise » et aux Clermont-Tonnerre montrent comment Proust a eu, dès le début, l'idée de se servir de ces trois souvenirs de demeures pour bâtir celle des Guermantes (*Contre Sainte-Beuve*, éd. Fallois, chap. XIV). Sans doute convient-il d'ajouter à cette liste le château de Coppet que Proust, dans un article sur « Le Salon de la comtesse d'Haussonville » paru dans *Le Figaro* du 4 janvier 1904, décrivait en des termes très proches de ceux qu'il emploie dans certaines esquisses : « Il est exquis d'arriver à Coppet par une journée amortie et dorée d'automne, quand les vignes sont d'or sur le lac encore bleu, dans cette demeure un peu froide du dix-huitième siècle, tout ensemble historique et vivante, habitée par des descendants qui ont à la fois "du style" et de la vie. [...] On cause, on chante, on rit, on fait des parties d'automobile, on soupe, on lit, on fait à sa manière et sans affectation de les imiter, ce que faisaient les gens d'autrefois, on vit » (*Essais et articles*, éd. citée, p. 485 ; voir var. *b*, p. 316, et l'Esquisse II, p. 1029).

2. Le Louvre de Philippe Auguste, dont la construction débuta en 1204, était « un château fort comportant un donjon entouré d'une enceinte ». Au nord de cette forteresse était un jardin dans lequel, sous Charles V, poussaient des salades, divers fruits et légumes, des rosiers, etc. (Jacques Hillairet, *Évocation du vieux Paris*, Éditions de Minuit, 1965, t. I, p. 369 et 374.)

Page 316.

a. évanouie quand *[p. 315, 3 lignes en bas de page]* ma grand-mère cédant aux conseils de Mme de Villeparisis était venue occuper avec nous un des appartements voisins à celui de Mme de Guermantes dans une aile de son hôtel. *dactyl., plac. Gt, plac. Gd* ◂▸ *b. Comme nous l'avons annoncé dans la variante d de la page 313, nous donnons ici le texte des folios 5 v°, 6 r°, 6 v°, 7 r°, 7 v°, 8 r° et 8 v° du Cahier 39 qui est — rappelons-le — le manuscrit. Ces feuillets sont barrés d'une croix au crayon bleu et on y lit la mention « Nul ». Proust les a recopiés sur des feuilles volantes qui sont venues compléter le manuscrit et qui ont servi de base à la dactylographie pour ce passage ; nous en donnons la transcription après avoir donné celle du texte — très confus — du Cahier 39, que voici :* intenable, [*p. 313, 14ᵉ ligne de la page*] se cantonnait un peu en deçà, jusqu'à ce qu'il fût obligé de reculer encore, et sans se lasser, reprenait toujours le même chant, mais chaque fois un ton plus bas. [Sa demeure changeait avec elle, mais tirait toujours sa matière de son nom, un donjon de teinte orangée, mince comme la lumière du soleil couchant, d'où elle donnait l'ordre de mettre à mort ses vassaux, s'était effacé pour faire place à des rivières écumantes où elle m'apprenait à pêcher la truite, à des enclos bordés de murs bas, le long desquels, en une lente promenade elle m'apprenait à connaître des fleurs aux grappes violettes et mauves. Puis ç'avait été *biffé*] *[Le texte s'interrompt ici, mais est repris aussitôt. Dans la marge Proust a noté :* à refaire et revivifier *appréciation concernant ce passage barré ligne à ligne. Il a également écrit ces trois noms :* Glisolles Balleroy Eyragues[1]*.] /* [Selon les transformations de son nom, son logis changeait avec elle ; un donjon composé de la couleur orangée de la dernière syllabe de son nom, et d'où elle donnait l'ordre de mettre à mort ses vassaux, avait fait place à un parc traversé de rivières écumantes où elle m'apprenait à pêcher la truite, et dont nous visitions ensuite en une lente promenade les enclos aux murs bas décorés de grappes jaunes et violettes dont elle m'enseignait les noms ; *biffé* / issu de son nom que fécondait d'année en année telle ou telle parole entendue qui modifiait ma rêverie, ne contenant pas un seul élément qui ne dérivât de lui, un seul morceau de pierre brute et reflétant ses syllabes en toutes ses molécules qui absorbaient la couleur aussi harmonieusement que la surface d'un lac ou d'un nuage au coucher du soleil. Un donjon de teinte orangée [de la dernière syllabe antes, du nom de Guermantes, *biffé*] comme une projection de lanterne magique *biffé*] mince comme une bande de soleil oblique et du haut duquel elle donnait l'ordre de mettre à mort ses vassaux avait fait place à cette terre torrentueuse où elle m'apprenait à pêcher la truite et dans une lente promenade à connaître les noms des fleurs aux grappes orangées et jaunes qui décoraient les murs bas des enclos environnants, [puis un *[lieu biffé]*[château *biffé*] mystérieux comme un paysage de livre, morceau de rêve enclavé au milieu des terres réelles de France où il n'eût été émouvant d'arriver une fin d'après-midi d'automne quand, dès la gare les dernières futaies du château déjà dorées par l'automne exhalaient, en se disant que dans un quart d'heure on allait voir enfin l'aspect réel d'un rêve, se promener près du fameux étang dont il est parlé dans le *Roman de la Rose*[2] *biffé en définitive*] / puis à une poétique domaine, terre héréditaire depuis les temps où ce nom altier et jaunissant de Guermantes, comme une tour fleuronnée qui doit traverser les âges, s'élevait déjà sur la France, [alors que Guillaume n'était pas encore parti

---

1. Voir n. 1, p. 315.
2. Dans la marge, Proust a noté : « en parler en son temps ».

à la Conquête de l'Angleterre, que vivait Macbeth, que le voyageur qui
quittait Beauvais à la fin du jour n'y voyait pas encore se déplier sur
l'or du couchant les ailes noires de la Cathédrale   *biffé*] alors que le sol
était encore nu là où devaient en sortir plus tard Notre-Dame de Paris
et Notre-Dame de Chartres, alors que le voyageur qui quittait Beauvais
à la fin du jour ne voyait pas le suivre dépliées sur l'or du couchant
les ailes noires de la cathédrale. C'était pour moi, comme le paysage
d'un roman, une enclave de rêve au milieu des terres et des routes réelles
de France, à deux lieues d'une gare où il eût été doux d'arriver par
une fin d'après-midi d'automne quand les bois déjà jaunis qui
enveloppaient Guermantes exhalaient une ombre plus tenace ; château
gothique tel qu'on les produisait dans cette vieille et poétique province
[et dont les murs étaient ornés de tapisseries qui répétaient les couleurs
passées des fleurs des parterres, et dont Mme de Guermantes qui y vivait
comme une Dame du Lac, étant la châtelaine héréditaire, devait en sa
personne même contenir le charme et le secret de cette vie
fé < odale >   *biffé*] dans le fin fond des terres de laquelle, et les secrets
et le charme de sa vie féodale d'autrefois il me semblait que rien que
la vue de Mme de Guermantes me ferait pénétrer comme un voyage
et la lecture d'un chartrier ; la vie chevaleresque et locale dans le secret
de laquelle rien que connaître la personne de Mme de Guermantes qui
était la suzeraine de la terre et la Dame du Lac, ferait entrer, comme
si sa beauté, sa conversation devait vous charmer < comme > un chartrier
et comme un voyage ; château dont chaque fois < que > j'étais amoureux
l'image me rendait triste, puisqu'en y résidant comme faisait Mme de
Guermantes, on ne pouvait poursuivre, espérer rencontrer un visage aimé
qu'on savait qui n'apparaîtrait jamais au tournant des routes domaniales
où l'on se promenait l'après-midi, et dont on devait cacher le regret dans
l'amusement accepté des plaisirs de la comédie de château et des jeux
de cartes à la veillée, forme suprême de renoncement. [*Proust abandonne
ici la description du château pour se consacrer à celle de l'hôtel. Nous interrompons
la transcription du folio 8 r⁰ (qui n'offre cependant aucune solution de continuité,
Proust n'allant pas à la ligne) pour donner une dernière reprise du passage
concernant le château ; il figure sur le verso des feuillets :*] / où la brume couvre
déjà le lac d'émeraude chanté par les trouvères dans ce parc où les noms
jaillissaient de toute la suite des tombes des Guermantes dont chaque
génération, chaque siècle offrait la dalle au pas, devant ce château dont
les ailes vêtues au revers par les célèbres tapisseries d'une diaprure de
papillons et d'un tissu de pétales, répétaient le long des salons les tons
passés et frais des corolles des parterres tandis que dans la chapelle*ᵃ* les
armoiries semblables à celles que j'avais vues aux vitraux de Combray
dont les quartiers s'étaient remplis siècle par siècle de toutes ces
seigneuries que par mariages ou acquisitions les Guermantes avaient fait
voler à eux de tous les coins de la France, d'où, terres immenses du
Nord, cités puissantes du Midi, elles étaient venues pour se rejoindre

---

a. par les célèbres tapisseries [...] dans la chapelle   *On trouve, en marge de ce passage,
qui n'est pas biffé, une autre rédaction que voici :* par les célèbres tapisseries qui répétaient
le long des salons les tons passés et frais des corolles des parterres, jardin de soie
tissé pour les ancêtres, flore naturelle du lieu et de l'époque qui en garderait le
charme ayant surgi nécessairement d'elle et où j'en apprendrais le secret — tandis
que dans la chapelle

mystiquement en Guermantes inscrire leur donjon de sinople ou leur
château d'argent dans son champ d'azur. Le plus beau château gothique,
et le type de l'architecture privée particulière à cette partie de la province,
avais-je lu, fin fond du pays à la fois et lointain des siècles dans les secrets
desquels rien qu'approcher un instant à Paris Mme de Guermantes qui
était la suzeraine de la terre et la Dame du Lac m'eût fait entrer, comme
si son visage et ses paroles eussent le charme local du paysage de l'arrivée,
et les particularités séculaires du vieux coutumier de ses archives. Mais
la vue du château reflété dans son lac au fond du nom de Guermantes
m'attristait toutes les fois que j'étais amoureux en pensant à la vie d'une
châtelaine qui passe la plus grande partie de l'année enfermée dans des
terres où on ne peut comme à la ville ou en voyage se mouvoir dans
des lieux où le hasard peut vous faire rencontrer, où un renseignement
peut vous permettre de chercher l'objet qu'on aime et qu'on ne connaît
pas, mais de la présence, de la vue, du voisinage, de la possibilité duquel
on est à jamais privé dans ces demeures closes et les terres attenantes,
libres d'accès en apparence mais que <leur> solitude, leur retrait
enferment comme d'une clôture plus impénétrable que le cher étranger
ne franchira jamais. Mon cœur qui ne respirait que l'espoir d'apercevoir,
demain, ou un jour, un être que j'aimais, étouffait la pensée de ce plus
absolu des renoncements pour une amoureuse, goûter les plaisirs du
château, et le soir jouant aux cartes à Guermantes se réjouir en entendant
la trompe inattendue d'une automobile revêtir et mouiller ses sons d'or
de cet écho bleuâtre des bois où ne baignaient jadis que le son du cor
ou la voix des chiens, et annoncer la visite d'un voisin qui mettrait dans
le vide du salon de Guermantes la chaude et passagère palpitation d'une
vie ajoutée où l'on s'effacerait[1] pour quelques heures, reportant la pensée
de la châtelaine sur la vie de celui qui ne viendra pas, tandis qu'elle s'anime
et rougit en gais propos, immobilise au loin son œil désenchanté et froisse
ses lèvres, comme une fleur, d'un sourire distrait et voulu.   *Fin du texte
qui figure au verso des feuillets ; nous revenons au texte qui figure aux rectos :*] /
puis, [Montargis ayant introduit dans le château de Guermantes qui ne
leur avait pas donné son nom mais l'avait reçu d'eux quand ils l'avaient
acquis, trop d'éléments modernes, ne laissant guère subsister du passé
que cette antique servitude qui forçait   *add. marg. inachevée*] la demeure
était devenue l'hôtel de Guermantes, transparent comme une vitrine où
étaient assemblés des seigneurs et des dames en porcelaine saxe. C'était
dans son hôtel que je voyais Mme de Guermantes ; dans son hôtel limpide
comme son nom, car aucun élément matériel et opaque n'en venait
interrompre la transparence ; comme l'église ne signifie pas seulement
le temple, mais aussi l'assemblée des fidèles, cet hôtel de Guermantes
comprenait tous ceux, toutes les personnes qui partageaient la vie de Mme
de Guermantes. Mais ces personnes n'étaient pour moi que des noms,
des noms historiques et poétiques, issus et alliés rien que de noms, ne
connaissant eux-mêmes que d'autres noms, un repas de fantômes, un
peuple de rêves eût introduit plus de matière dans l'hôtel de Guermantes
que ce que j'appelais sa société et qui n'était que comme une sorte de
halo étendu autour du nom de Guermantes qui le faisait plus vaste,
accroissait sur une surface plus grande sa zone imperméable pour moi,
le mystère et l'inaccessible de ce nom étant entouré, protégé par le

---

1. On peut également lire « s'appuierait ».

tourbillon de tous ces mystères inaccessibles s'agitant vertigineusement autour de lui. Je ne voyais[a] pas une joue, pas une moustache, pas un frac, pas une bottine, pas même un nom que j'eusse connu ailleurs et qui eussent pu me donner des images communes à autre chose comme ces noms qui me semblaient si communs, Orléans, des rois qu'on apprend au collège, La Rochefoucauld qui a écrit des livres, Gramont qui a une vilaine rue au coin des Boulevards ; rien que des noms mystérieux. Puis Montargis m'avait raconté des histoires de son chapelain, de ses jardiniers, cet hôtel était devenu une sorte de château entouré de ses terres au milieu de Paris même, comme pouvait être autrefois le Louvre (?) ou le (?), possédé héréditairement en vertu d'une bizarre survivance, et sur lequel elle devait exercer des privilèges féodaux. Mais cette dernière demeure s'était évanouie, quand ma grand-mère cédant aux conseils de Mme de Villeparisis était venue occuper un des appartements presque contigu aux siens qu'elle nous avait recommandés dans une des ailes latérales de la maison où elle habitait, une de ces vieilles demeures comme on pouvait en voir encore il y a quelques dizaines d'années à Paris, dont la Cour d'honneur — soit alluvions apportées par le flot montant de la démocratie — soit survivance de temps plus anciens où les divers métiers étaient groupés *Ici s'achèvent les feuillets du manuscrit barrés en croix au crayon bleu. Le dernier a été recopié par Proust sur une feuille recueillie dans le volume « Reliquat manuscrit » (Bibliothèque Nationale, N.a.fr. 16729, f⁰ 93 r⁰). Voici son texte[a]* : eux-mêmes que d'autres noms, *[p. 315, 3 lignes avant la fin du 1ᵉʳ §]* ne faisaient qu'étendre autour du nom de la duchesse <de> Guermantes un vaste halo dégradé, protégeaient de leurs mystères aussi inaccessibles que le sien, dans les fêtes qu'elle donnait et pendant lesquelles comme je n'y imaginais aucun corps d'invité, aucune moustache, [...] originale d'une façon humaine et rationnelle, ce tourbillon de noms n'introduisait <pas moins> de matière que n'eût fait un repas de fantômes ou un bal de songes, et laissaient autour de ce « Saxe » en porcelaine qu'était la duchesse de Guermantes, toute sa transparence de vitrine à son hôtel de verre. Puis quand Montargis m'eut raconté des « mots » relatifs au chapelain, aux jardiniers qu'elle avait, l'hôtel <de> Guermantes *[comme dans le texte définitif, avec lég. var.]* évanoui quand ma grand-mère cédant aux conseils de Mme de Villeparisis était venue occuper avec nous un des appartements presque contigus au sien dans une aile d'une de ces vieilles demeures comme on pouvait en voir encore il y a quelque vingtaine d'années à Paris, et où la Cour d'honneur, soit alluvions [...] soit survivance de temps plus anciens où les divers métiers étaient groupés ●● *c.* ses côtés de petites boutiques comme elles s'accolent encore aux flancs des cathédrales *ms.* ●● *d.* deux chevaux, *[13ᵉ ligne de la page]* levant le long de son chapeau un iris qui ressemblait à ceux qui ornaient dans des pots le rebord de la « loge » et ajoutait une fleur mouvante à la cour, envoyait des sourires et des petits bonjours

---

a. Je ne voyais *Après ces mots, on trouve en marge une autre rédaction qui amplifie le passage; la voici* : en l'hôtel de Guermantes, dans le tourbillon des fêtes ou des habitudes quotidiennes qu'une circulation de noms, qu'une féerie de rêves — et encore aucun de ces noms, à plus forte raison pas une joue, pas une moustache,[1] pas une bottine, pas un frac, pas une réflexion banale, pas une phrase intelligente[1] c'est-à-dire commune à autre chose, rien que du rêve, de la lumière, de la transparence autour de la statuette aux douces couleurs : un Saxe sur une planchette de cristal dans un hôtel de verre.

1. On peut également lire « inintelligente ».

de la main indistinctement aux enfants du concierge et aux locataires bourgeois des appartements, notaires ou médecins qui passaient à ce moment-là, jusqu'à ce que la double porte cochère se fût refermée, le concierge suivant des yeux la calèche qui s'arrêtait de porte en porte pour que le valet de pied cornât une carte dans un hôtel ou achetât un médicament chez le pharmacien ou des petits fours pour le dîner chez la pâtissière, qui laissant sa boutique vide courait présenter sa marchandise avec d'humbles saluts devant la portière armoriée. Or la comtesse — devenue récemment duchesse — du fond de notre cour était Mme de Guermantes et les renseignements que devait bientôt me fournir < Françoise > sur leur habitation du fond de la cour « formant hôtel et leur jardin » devaient détruire la piètre image de demeure qu'eût créée en moi le nom de Guermantes. Car Françoise s'informait beaucoup sur les Guermantes, les Guermantes étaient devenus, du jour où nous avions pris un appartement dans cette maison son grand sujet de préoccupation. Dès le matin en coiffant Maman, bien que Maman recommandât qu'on ne regardât pas par les croisées, que cela avait l'air curieux et mal élevé, elle jetait dans la direction du fond de la cour un coup d'œil dédaigneux et passionné et disait : « Tiens deux bonnes sœurs qui passent, cela va chez la duchesse,» ou bien « Oh les beaux faisans à la fenêtre de < la > cuisine, le duc sera-t-allé à la chasse ». Si, après notre déjeuner elle entendait un bruit de chansonnettes elle disait « Ils ont du monde chez la duchesse, c'est à la gaieté », et dans son visage régulier *ms* : deux chevaux, *[comme dans le texte définitif, avec lég. var.]* habiter, la comtesse du fond de la cour était une duchesse, *[comme dans le texte définitif, avec lég. var]* visage régulier *dactyl., plac. Gt, plac. Gd*

Page 317.

    a. permis de les sonner, *[8ᵉ ligne de la page]* sachant d'ailleurs qu'il eût commis cette inconvenance en pure perte, et qu'aucun ne se serait dérangé, pas plus au [dixième *biffé*] cinquième coup qu'au premier. Les derniers rites *ms.* : permis de les sonner, *[comme dans le texte définitif, avec lég. var.]* depuis qu'elle était une très vieille femme, *[comme dans le texte définitif, avec lég. var.]* son mécontentement. / Les derniers rites *dactyl.* ◆◆ *b.* se versait une dernière libation de vin, détachait de son cou la serviette rituelle, la pliait en essuyant une dernière fois ses lèvres qui sentaient l'eau rougie et le café, la mettait dans son rond, *ms.* ◆◆ *c.* un peu de raisin » elle allait aussitôt *ms., dactyl., plac. Gt*

Page 318.

    a. cheminée de ma chambre, *À la suite de ces mots, les placards Grasset font défaut. On ne la retrouve qu'au passage qui, dans le texte définitif, correspond à* « Du bien bon monde, ces Jupien *p. 320, 2ᵉ ligne ; voir var. a, p. 321.* ◆◆ *b.* en sentant *[p. 317, 3ᵉ ligne en bas de page]* la chaleur du soleil sur l'appui de la croisée et la douceur de l'air qu'elle avait respiré : « Ah ! Combray, Combray, s'écriait-elle en une invocation dont la déclamation presque chantée et l'accent tout méridional semblaient indiquer non moins que les traits arlésiens de son visage que cette patrie perdue qu'elle regrettait n'était qu'une patrie d'adoption. Ah ! Combray, quand est-ce que je te reverrai, *ms.* : en sentant la douceur de l'air qui était entré quand elle avait ouvert la fenêtre et la chaleur du soleil qui en brûlait l'appui et regardait à l'angle du toit *[comme dans le texte définitif, avec lég. var.]* s'écriait-elle en une invocation <dont> le ton chantant révélait chez Françoise non moins que la pureté arlésienne de son visage une origine méridionale et que la patrie qu'elle regrettait n'était qu'une patrie d'adoption. Oh ! Combray, quand est-ce que je te reverrai, *dactyl.* ◆◆ *c.* pauvres lilas en *[9 lignes]* entendant les mésanges et les *[fauvettes biffé]* rougesgorges et le bruit de la Vivonne comme un murmure, au lieu de cette misérable sonnette qui me fait tout le temps courir le long de ce satané couloir. Hélas pauvre Combray peut-être *ms.* : pauvres lilas [...] satané couloir. Hélas pauvre Combray peut-être *dactyl.* ◆◆ *d.* dans ma vie. Faut-il tout de même que des maîtres, des personnes qui ont de quoi, passent leur vie dans cette misérable ville, puisqu'ils peuvent faire ce qui leur plaît et se retirer. Moi qui ne suis qu'une pauvre domestique, si j'avais seulement du pain sec à manger et du bois pour me chauffer l'hiver il y a bien longtemps que j'y serais à Combray dans la pauvre maison de mon frère. » Mais elle était interrompue par les appels du fleuriste de la cour, *ms.* : dans ma vie. [Faut-il *[comme dans ms.]* mon frère. » *biffé]* / Mais elle était interrompue par les appels du fleuriste de la cour, *dactyl.* : dans ma vie. / Mais elle était interrompue par les appels du [fleuriste *biffé]* [giletier *corr.]* de la cour, *plac.* Gd ◆◆ *e.* dire bonjour. *[6 lignes]* Le visage de la jeune Arlésienne d'autrefois reparaissait avec une coquetterie pleine de réserve, de familiarité et de pudeur dans la vieille figure de Françoise, elle lui faisait un gracieux salut *ms.* : dire bonjour. [...] affirmait alors pour un instant le visage [...] qu'elle adressait au fleuriste un gracieux salut *dactyl.*

1. L'origine méridionale de Françoise était plus nette dans le Cahier 5, où son village natal est Gelos, près de Pau. Voir l'Esquisse IV, p. 1032.

Page 319.

a. causer par la fenêtre. [Borniche lui montrait la calèche attelée *biffé]* Elle lui montrait *ms.* : causer par la fenêtre. Elle lui montrait *dactyl.* ◆◆ *b.* « beaux chevaux hein », mais en réalité parce qu'elle savait *ms., dactyl.* ◆◆ *c.* c'était nous, mais Borniche avait raison *ms., dactyl.* Nous ne signalerons plus la variante Borniche / Jupien. ◆◆ *d.* dire vous car Françoise, comme ces plantes *ms.* ◆◆ *e.* d'amour-propre dont *[5 lignes plus haut]* — avec le <droit> consenti d'exercer librement le culte du déjeuner suivant les anciennes coutumes la petite [...] emplettes, — était formée la part : d'amour-propre dont était formée — *[comme dans le texte définitif, avec lég. var.]* le dimanche pour aller voir son neveu — la part *dactyl.* : d'amour-propre [...] pour aller voir [son neveu *biffé]* [sa nièce *corr.]* — la part *plac.* Gd

1. Le mot est, semble-t-il, une déformation du mot *chabraque* (parfois écrit *schabraque*) qui désigne la couverture destinée à recouvrir la selle du cavalier. Pierre Larousse note cependant, à l'article *chabraque* de son *Grand dictionnaire universel du XIXe siècle*, que le terme qualifie en patois une « fille qui vit dans le désordre ». L'expression de Françoise pourrait s'appliquer à la calèche — le sens du mot *sabraque* glissant, comme il arrive, de la

couverture de selle au cheval, puis du cheval à la voiture hippomobile — ou, de façon métaphorique, à la duchesse de Guermantes.

2. Au XVIIᵉ siècle, le mot « ennui » désignait un violent désespoir (« [...] Et quoi que vous conseille un inutile ennui, / Vos cris et vos sanglots ne vont point jusqu'à lui », Corneille, *Clitandre ou l'Innocence délivrée*, acte IV, sc. I ; « Mon cœur outré d'ennuis n'ose rien espérer [...] », *Le Cid*, acte II, sc. III). Ce sens est encore attesté par Littré : « Tourment de l'âme causé par la mort de personnes aimées, par leur absence, par la perte d'espérance, par des malheurs quelconques. »

Page 321.

   a. indispensable à sa vie. Aussi *[p. 319, 10ᵉ ligne en bas de page]* le départ d'une maison « où on était si bien estimé de partout », l'installation dans une nouvelle maison où le concierge ne nous connaissait pas, elle cesserait de recevoir la considération nécessaire à sa nutrition, la jeta dans l'état de dépérissement et de lamentation dont elle se releva rapidement quand les Borniche lui procurèrent un plaisir plus raffiné que celui qu'elle aurait eu si nous avions pris une voiture, en comprenant et proclamant que si nous n'en avions pas, c'est que nous ne voulions pas. Aussi Françoise chaque fois qu'on parlait des Borniche disait-elle : « C'est du bien bon monde, de bien braves gens. » Et quand un fournisseur *ms.* : indispensable à sa vie. Aussi notre départ d'un immeuble que nous avions longtemps habité, « où l'on était si bien estimé *[comme dans ms.]* nouvelle maison où les premiers jours, où le concierge ne nous connaissait pas, Françoise avait cessé momentanément de recevoir les marques < de > considération nécessaire à sa bonne nutrition morale, l'avait jetée dans un état de dépérissement pendant la durée duquel elle faisait continuellement entendre des lamentations. Mais elle s'en releva rapidement car les Borniche — « De bien bon monde les Borniche, de bien braves gens » — lui procurèrent un plaisir aussi vif et plus raffiné *[comme dans ms.]* voiture, en sachant tout de suite comprendre et répéter dans toute la maison que si nous n'en avions pas, d'équipage, c'est que nous ne voulions pas. Et quand un fournisseur   *dactyl.* : *Comme nous l'avons signalé var. a, p. 318, il y a une lacune dans les placards Grasset ; ceux-ci ne reprennent que par ces mots :* [— De bien bon monde[1] ces Borniche *[comme dans dactyl.]* voulions pas. / Et   *biffé]* Même quand un fournisseur *plac. Gt* : *Sur les plac. Gd, apparaît un texte qui ne figure pas sur plac. Gt ; Proust le rature entièrement et il le transfère, en le corrigeant, au début du « Côté de Guermantes I*[2] » : indispensable à la vie. [Aussi notre départ *[comme dans dactyl.]* lamentations. Elle avait pleuré au moment de la quitter, selon les rites de Combray[3], une maison qu'elle jugeait supérieure à toutes parce qu'elle était nôtre. Et moi, sans doute parce que je ne pouvais supporter sans irritation chez autrui l'exhibition d'impressions que moi aussi je ressentais, je m'étais moqué de ses larmes. Mais je n'avais pas été loin de les trouver celles d'une prophétesse quand j'avais eu à assimiler le nouveau logis. Alors je m'étais mis à rechercher Françoise pour trouver quelqu'un qui comprît mes lamentations (pour les êtres ce qui me coûtait

   1. Voir p. 320, 2ᵉ ligne.
   2. Voir var. *a*, p. 309.
   3. Voir p. 309, 11ᵉ ligne en bas de page.

c'était de les quitter, pour les choses au contraire de m'habituer à elles).
Le valet de pied de Françoise n'aurait pu me comprendre. Pour lui,
emménager, habiter un nouveau quartier, c'était comme des vacances où
la nouveauté des choses donnait le même repos que si on eût voyagé.
Il se croyait à la campagne *[et un rhume de cerveau qu'il prit dès le premier
jour, lui donna comme « un coup d'air dans le train » l'impression
délicieuse qu'il aurait changé de pays. Pour un peu il aurait envoyé à ses
amis des « cartes » postales add. manuscrite]*. Françoise au contraire, qui
était de Combray comme moi, souffrit cruellement à l'arrivée. Les
« bonnes » ne faisaient pas plus de bruit à ce sixième qu'à son ancien.
Mais elle connaissait celles qui parlaient chez nous, elle avait changé le
bruit des conversations moitié en amitié, moitié en habitude. Elle n'en
souffrait plus. Ici elle s'interrogeait sur chaque pas, elle était incommodée
par chaque parole. Le pépiement *[p. 309, 1ʳᵉ ligne]* matinal des oiseaux
dans le jardin lui paraissait stupide ; et quand elle était dans une villa
donnant sur la mer, comme notre nouvelle demeure était aussi calme que
notre ancien boulevard était bruyant, la chanson distincte d'un homme
qui passait lui semblait un tel refrain d'exil, si poignant, que les larmes
lui venaient aux yeux. Mais je ne pus trouver longtemps de consolation
auprès d'elle. Car avec la grande infidélité des femmes, ayant dû au bout
de deux jours aller chercher dans la maison que nous avions quittée des
objets que les déménageurs avaient oubliés, elle déclara que notre
ancienne maison était affreuse, que rien que pour s'y rendre elle s'était
trouvée toute déroutée et qu'elle ne voudrait pour rien au monde bouger
de celle-ci où j'avais la fièvre mais qu'elle aimait déjà. Ce qui avait aidé
au relèvement rapide de Françoise accablée dans une maison où tous les
titres de mon père n'étaient pas connus était dû à *biffé]* [Aussi
comprend-on *[p. 319, 10 lignes en bas de page]* que Françoise *[comme dans
le texte définitif, avec lég. var.]* bien bon monde ces Jupien, de bien braves
gens, *[comme dans le texte définitif, avec lég. var.]* nous ne voulions pas. add.
manuscrite]* Jupien avec lequel elle [ne tarda pas *biffé]* [n'avait pas
tardé corr. manuscrite]* à se lier [. Jupien ne plaisait pas beaucoup au
premier abord. Les yeux tenaient dans sa figure la place excessive qu'ils
ont chez les gens très malades ou chez ceux qui ont un grand chagrin.
Comme on voyait qu'il ne rentrait dans aucune de ces deux catégories,
on le rangeait plutôt parmi les types peu sympathiques, à l'air un peu
faux. Mais je m'aperçus vite qu'à ces yeux qui inondaient toute la partie
supérieure de la figure correspondait l'intelligence la plus littéraire en
ce sens *biffé]* [vivait peu chez lui, *[p. 320, 7ᵉ ligne]* ayant obtenu *[comme
dans le texte définitif, avec lég. var.]* connaître, en ce sens corr. manuscrite]*
que, sans culture *[p. 321, 14ᵉ ligne]* probablement, il possédait [...]
généreux. / Même quand un fournisseur ↔ *b.* Si elle tenait tant d'ailleurs
à ce que l'on nous sût riches, *ms., dactyl.* : Si elle tenait tant [...]
Saint-Loup appelait les explétifs et disait avoir d'argent, boire de vin,
apporter d'eau) à ce qu'on nous sût riches, *plac. Gt*

Page 322.

a. condition nécessaire *[p. 321, 4 lignes en bas de page]* de la vertu, qui
la rend méritoire et agréable. Elle les séparait [...] exiger quelque chose
de confortable dans la vertu, à reconnaître *ms.* : condition nécessaire

de la vertu, à défaut [...] à reconnaître   *daĉtyl., plac. G1, plac. Gd* ◆◆
b. Une fois la fenêtre refermée elle commençait   *ms., daĉtyl., plac. G1*

1. « Eh ! allez donc, c'est pas mon père » est une célèbre réplique
de la pièce en trois actes de Georges Feydeau, *La Dame de chez
Maxim's*, créée aux Nouveautés le 17 janvier 1899. Il s'agit donc ici
d'un léger anachronisme, puisque *Le Côté de Guermantes* débute en
1897, alors que le procès Zola n'est pas encore ouvert. Voir *À l'ombre
des jeunes filles en fleurs*, t. II, p. 129, où l'on trouve une partie de
l'expression dans la bouche de Bloch.

Page 323.

1. Jacques Nathan remarque que « Pascal humilie au contraire la
raison par tous les moyens possibles, et [qu'] il n'admet l'autorité
des Écritures qu'à titre de preuve complémentaire pour un ancien
incroyant déjà presque convaincu par d'autres voies » (*Citations,
références et allusions de Marcel Proust dans « À la recherche du temps
perdu »*, Nizet, 1969, p. 104). Proust a longtemps hésité sur les deux
termes « Raison » et « Écritures ». Dans le Cahier 5, il n'avait retenu
que « l'autorité des miracles » (voir l'Esquisse IV, p. 1037). En réalité,
pour Pascal, les « Preuves de la religion » sont les suivantes :
« Morale, Doctrine, Miracles, Prophéties, Figures » (*Pensées*, Hachette, 1925, coll. Les Grands écrivains de la France, t. XIII, p. 211,
pensée 290). Mais le Cahier 5 et le Cahier 39 (voir var. *a*, p. 324)
nous apprennent que Proust cite Pascal à travers le *Port-Royal* de
Sainte-Beuve qu'il interprète peut-être mal : « Image d'un homme
qui s'est lassé de chercher Dieu par le seul raisonnement, et qui
commence à lire l'Écriture » (*Port-Royal*, Bibl. de la Pléiade, t. II,
livre III, chap. XXI, p. 396).

2. Mme de Sévigné emploie en effet souvent cette expression.
Citons, par exemple, la lettre à Mme de Grignan datée du vendredi
saint, [27 mars 1671], où elle apparaît à deux reprises : « J'ai trouvé
ici un gros paquet de vos lettres. Je ferai réponse aux hommes [...] » ;
et : « Je ferai réponse à votre jolie lettre » (*Correspondance*, Bibl. de
la Pléiade, t. I, p. 201 et 203).

Page 324.

a. piqueur du baron de Guermantes *[p. 322, 11ᵉ ligne]* [rue de
l'Université ça doit être de   *biffé*]... — Oh ! ils doivent être alliancés avec
tout ça, c'est de la même parenthèse, disait Françoise qui croyait que
parenthèse voulait dire parenté. C'est une grande famille que les
Guermantes ! » ajoutait-elle avec respect. [Pascal fonde la vérité de la
religion sur (voir Sainte-Beuve[1])   *add. marg.*] Elle voulait dire par là que
c'était une famille nombreuse mais aussi une famille glorieuse, car n'ayant
qu'un mot pour les deux choses [...] son vocabulaire gardant ainsi par
endroits une taie, de l'obscurité, un défaut comme ont certaines pierres. »

---

1. Voir n. 1, p. 323.

Je voulais demander à leur maître d'hôtel si c'est < eux > qui ont leur château à [vingt *biffé*] dix lieues de Combray, mais c'est un grand pédant qui ne cause pas, on dirait qu'on lui a coupé la langue, il se croit encore plus seigneur que ses maîtres. Ah ! si c'était à moi le château de Guermantes, *ms.* : piqueur du baron de Guermantes... — La duchesse doit être alliancée avec tout ça, c'est de la même parenthèse, disait Françoise. C'est une grande famille *[comme dans le texte définitif, avec lég. var.]* la pensée de Françoise. Je voulais demander *[comme dans ms.]* mais c'est un vrai seigneur, un grand pédant *[comme dans ms.]* la langue. Ah ! si c'était à moi le château de Guermantes, *dactyl.* : piqueur du baron *[comme dans le texte définitif, avec lég. var.]* « toujours le même ». Elle était du reste heureuse, *[p. 322, 21 lignes en bas de page]*, car [...] à l'andante *[p. 322, dernière ligne]*. C'est de la même parenthèse. C'est une grande famille *[p. 323, 2ᵉ ligne]* que [...] à dix lieues de Combray, alors. Je voulais le demander à leur maître d'hôtel, Antoine qu'on l'appelle. Mais c'est un vrai seigneur *[comme dans le texte définitif, avec lég. var.]* celle des autres. En tous cas il est bien impoli, *[un mot illisible]* rien en face bien sûr, mais dès que je suis passée j'entends des messes basses qu'il dit contre moi. Tout ça n'est pas très catholique. [...] signifiait simplement travailleur, laborieux.) C'est un vrai feignant que cet Antoine *[comme dans le texte définitif, avec lég. var.]* chanoinesse. On avait d'ailleurs immédiatement après *[comme dans le texte définitif, avec lég. var.]* le château de Guermantes, *plac.* Gt ↔ *b.* misérable ville quand ils seraient libres d'aller à Combray. Qu'est-ce qu'ils attendent *ms., dactyl.* ↔ *c.* on entend les grillons chanter *ms.* : on entend *[un blanc]* [les grenouilles *add. manuscrite*] chanter *dactyl.*

1. La rue Chanoinesse, qui relie la rue d'Arcole à la rue du Cloître-Notre-Dame, doit en effet son nom, qui est très ancien, aux nombreux chanoines du cloître Notre-Dame.

Page 325.

a. valet de pied *[p. 324, 7 lignes en bas de page]* avec un enthousiasme qui semblait déchaîné par ce dernier trait. « Au moins on sait qu'on fait, on entend chaque heure, *ms.* : valet de pied [...] Venise. Au moins on sait ce qu'on fait [...] bouton d'or à Pâques qu'à la Noël et que je n'ai pas seulement [...] Là-bas tu entends chaque heure, *dactyl.* : valet de pied *[comme dans le texte définitif, avec lég. var.]* bouton d'or à Pâques qu'à la Noël *[comme dans dactyl.]* Là-bas on entend chaque heure, *plac.* Gt ↔ *b.* le jour qui baisse, tu as le temps *ms., dactyl.* ↔ *c.* seulement pas dire ce qu'on a fait. *ms.* ↔ *d.* Combray, de Pinsonville : ils faisaient *ms., dactyl., plac.* Gt ↔ *e.* gaieté assez voisine < de celle > que déchaîne un professeur chez les élèves quand il risque une allusion au milieu de sa classe à certain homme politique ou à certaine comédienne en vogue dont ils n'avaient pas eu l'idée que le nom pût être prononcé du haut de la chaire. *ms.*

1. Les cloches des églises sonnent « pour les biens de la terre » à l'occasion des Rogations, prières et processions faites pendant les trois jours qui précèdent l'Ascension et qui ont pour but d'attirer sur les récoltes la bénédiction du ciel. Voir *Pastiches et mélanges*, éd. citée, p. 169.

Page 326.

1. Par exemple dans la phrase : [...] « il ne lui manque aucune
de ces curieuses bagatelles que l'on porte sur soi autant pour la vanité
que pour l'usage, et il ne se plaint non plus toute sorte de parure
qu'un jeune homme qui a épousé une riche vieille » (La Bruyère,
Les Caractères, « Du mérite personnel », éd. R. Garapon, Garnier,
1962, p. 104). « Se plaindre une chose, s'en passer par avarice »
(*Littré*, avec cet exemple) ; « Plaindre [...] 3° Employer à regret,
donner avec répugnance et parcimonie » (*ibid.*).

Page 328.

a. joli Méséglise. *[p. 325, 8 lignes en bas de page]* reprit-elle fièrement,
et Pinsonville, où on entend l'eau de la rivière comme un murmure, *[et
Mirecourt où nous allions chez une pauvre fille* biffé*]* je vous promets
qu'il faisait meilleur là sous les cerisiers que près de ce misérable
fourneau. — Mais c'est à Combray même *[p. 326, début du 4ᵉ §]* chez une
cousine de Madame que vous étiez alors. — Oui chez une cousine de
Madame, Madame Octave, ah ! une sainte femme, mes pauvres enfants,
et où il y avait toujours de quoi, et du beau, vous pouviez arriver à cinq,
à six, ce n'était pas la viande qui manquait et de première qualité, et du
vin blanc, et du vin rouge, tout ce qu'il fallait. Comme nous disait M. le
curé, s'il y a une femme qui est sûre d'aller près du bon Dieu c'est bien
celle-là. Pauvre Madame, je l'entends encore qui me disait de sa petite
voix : "Françoise, vous savez, moi je ne mange pas, mais je veux que
ce soit aussi bon pour tout le monde que si je mangeais." Pauvre Madame,
je crois que je l'entends encore. » Elle leur parlait aussi d'Eulalie *[p. 326,
début du 3ᵉ §]* comme d'une bien bonne personne. Depuis qu'Eulalie était
morte, elle avait en effet complètement oublié qu'elle l'avait peu aimée
durant sa vie. Mais déjà depuis un quart d'heure *[p. 327, 16 lignes en bas
de page]* Maman disant : « Mais qu'est-ce qu'ils peuvent faire *[comme dans
le texte définitif, avec lég. var.]* recommencer et avec un soupir, chacun
prévoyant la reprise prochaine du travail commençait à remettre ses
affaires en place à la cuisine, à aller écrire ou porter à la poste ses lettres
personnelles. / Malgré la morgue   ms.   : joli Méséglise *[comme dans le
texte définitif, avec lég. var.]* comment que tu as entendu parler, toi, de
Méséglise ? — Comment j'ai entendu parler de Méséglise ? Mais c'est
bien connu ; on m'en a causé et même souvent » répondait-il [...] Ah !
je vous promets *[comme dans ms. avec lég. var.]* si je mangeais. » Elle leur
parlait aussi d'Eulalie *[comme dans ms.]* recommencer et qu'on sent *[p. 327,
7 lignes en bas de page]* qu'il n'y aura plus [...] Françoise montait ranger
[...] morgue   *dactyl.*   : joli Méséglise *[comme dans le texte définitif, avec
lég. var.]* il n'y en avait pas. *[p. 326, 5 lignes en bas de page]* Et puis ce n'est
pas là-bas [...] sauvette. » / Mais déjà depuis un quart d'heure *[p. 327,
16 lignes en bas de page]* ma mère *[comme dans le texte définitif, avec lég. var.]*
la morgue   *plac.* Gt   ◆◆ *b.* maître d'hôtel, [lequel n'était du reste pas
destiné à rester longtemps d'après ce que Françoise apprit bientôt de la
durée éphémère de chaque équipe de serviteurs dans l'hôtel Guermantes, *add. manuscrite]* Françoise   *plac.* Gt. *Le texte de cette addition est
biffé sur plac.* Gd.   ◆◆ *c.* contigus, j'avais dû chasser à jamais les ponts-levis,

le four banal, le pont péager et la grange aux dîmes que j'y avais imaginés. Mais comme Elstir, quand la baie de Querqueville vidée de son mystère était devenue   *ms.*   : contigus [...] baie de Cricquebec ayant perdu son mystère étant devenue   *dactyl., plac. Gt. Nous ne signalerons plus la variante Querqueville/Cricquebec/Balbec.*   ⬥ *d.* demeure née de lui, quand le marquis de T., vieil ami de mon père qui venait souvent dîner à la maison, nous dit   *ms.*

1. Un sauvoir est un bassin aménagé pour l'élevage des poissons.

2. *Harmonie bleu et argent,* tableau de J.A. McNeill Whistler, représentant Courbet à Trouville (1865 ; Isabella Stewart Gardner Museum, Boston) : Proust a dû voir ce tableau à l'exposition Whistler de 1905 (voir la *Correspondance,* t. V, p. 219-221 ; le 24 juin, il écrit à Marie Nordlinger : « Si celui qui a peint les *Venise* en turquoise, les *Amsterdam* en topaze, les *Bretagne* en opale [...] n'est pas un grand peintre, c'est à penser qu'il n'y en eut jamais » [p. 260-261] ; et le 1er juillet, dans une lettre à la même, il parle de deux autres tableaux de Whistler, *« Plage d'opale* et *Mer d'opale.* J'avoue que je serais curieux de savoir quelle est cette plage bénie et aimerais aller y vivre » [p. 282]). Whistler a peint une autre toile intitulée *Harmonie bleu et argent* (Étretat, 1897) et un *Crépuscule opale : Trouville* (1865 ; voir Andrew McLaren Young et *alii, The Paintings of James McNeill Whistler,* New Haven et Londres, Yale University Press, 1980, n°s 38, 39 et 55). Dans le Cahier 29, les harmonies sont en « bleu et rose » (f° 14 r°). Proust a pastiché les titres caractéristiques de Whistler dans *À l'ombre des jeunes filles en fleurs* (t. II, p. 163 : « harmonie gris et rose » ; *ibid.* p. 269 : « harmonie en rose et or »). Voir *Du côté de chez Swann,* t. I de la présente édition, p. 129. Sur Whistler, voir n. 1, p. 10.

Page 329.

a. lois de la matière, glissera   *dactyl. La leçon* nature — *que nous conservons cependant, car elle offre un sens* — est *une mauvaise lecture du typographe sur les placards Grasset.* — *Pour la leçon de ms., voir var. b.*   ⬥ *b. Certes déjà [p. 328, 3 lignes en bas de page]* à Combray, à cette messe de mariage, brusquement, dans l'éclair d'une métamorphose telle que celles < qui, > où devait être un Dieu ou une nymphe qu'on adorait en esprit mettent un gros cygne à plumage lisse, à bec jaune qui nage avec lenteur ou un saule enraciné aux feuilles innombrables qu'agite le vent, de même à la place de mon rêve foudroyé, évanoui d'une femme qui était un Nom, qui en avait la couleur, la poésie, l'époque, une femme tout en chair, belle de la même manière que d'autres femmes, qui regardait en souriant de ses yeux bleus, et avait une trop grosse, trop brillante cravate en soie mauve, dont la quantité matérielle d'étoffe de même que la quantité de chair employée pour le visage, continuait d'être là, de ne pas changer, d'avoir une existence matérielle, une existence de joues et de cravate qui ne se laissait pas discipliner par le nom de Guermantes et lui restait étrangère. Mais ces reflets que mon imagination avait répandus sur Mme de Guermantes alors que je ne la connaissais pas, si près d'elle je ne les avais plus aperçus, à peine l'avais-je quittée   *ms.*   ⬥ *c.* bouton d'or ou un parapluie,   *dactyl., plac. Gt*

1. Les Hespérides (« Nymphes du Couchant »), s'étant fait ravir les pommes d'or sur lesquelles elles veillaient, furent transformées en arbres : un ormeau, un peuplier et un saule. Zeus prit la forme d'un cygne pour séduire Léda. Dans *Lohengrin* de Wagner, Godefroy est métamorphosé en cygne. La comparaison établie entre Mme de Guermantes et un cygne n'est pas fortuite. On peut lire dans le Cahier 5 : « Il y avait certain Guermantes, [...] qui venait peu à Paris, et qui, se tortillant comme tous les Guermantes au-dessous de son bec proéminent entre ses joues grenat et ses pommettes améthyste, avait l'air de quelque cygne majestueusement empanaché de plumes pourprées qui s'acharne méchamment après des touffes d'iris ou d'héliotrope » (Esquisse II, p. 1027-1028).

Page 330.

a. Le Cahier 39 cesse d'être le manuscrit après les mots : dans le faubourg Saint-Germain. *qui sont inscrits sur un feuillet numéroté « 24 » par Proust. Pour la suite du texte, le manuscrit est constitué par l'ensemble des cahiers 45, 35, 34 et 44. Sur le Cahier 45, les premiers mots du folio 1 r°, sur lequel Proust marque le numéro « 25 » sont :* La vie.

Page 331.

a. respirer, du même coup, les brises   *NRF 1914*

1. Les colonnes du temple de Salomon étaient de bronze (Deuxième livre des Chroniques, III, 15 et IV, 12 : Premier livre des Rois, VII, 15-21). Dans certaines esquisses, Proust affirme qu'elles étaient de cèdre et de santal (voir les Esquisses VIII, p. 1062 et IX, p. 1066).

2. « Dans le sanctuaire de la Sainte-Chapelle, les sculpteurs adossèrent à douze colonnes douze statues d'apôtres portant à la main des croix de consécration. Les liturgistes nous enseignent, en effet, que, lorsque l'évêque consacre une église, il doit marquer de douze croix douze colonnes de la nef ou du chœur. Il veut faire entendre par là que les douze apôtres sont les vrais piliers du temple » (Émile Mâle, *L'Art religieux du XIIIe siècle en France,* Armand Colin, 1931, p. 20.) Dans « Impressions de route en automobile », article paru dans *Le Figaro* du 19 novembre 1907, Proust compare son mécanicien Agostinelli à l'un de ces apôtres, à cause du volant de l'automobile qui ressemble aux croix de consécration (*Pastiches et mélanges,* éd. citée, p. 67).

3. L'oasis de Figuig est située dans le Sahara marocain. Elle fut bombardée par les Français le 1er juin 1903.

Page 332.

a. baronne de Montfort, habillés   *ms. Nous ne signalerons plus la variante* Montfort / Norpois.

1. Vouée à la restauration des formes musicales du passé, grégoriennes et palestriniennes, la Schola cantorum fut d'abord une société de musique religieuse, fondée en 1894 par Charles Bordes : les Chanteurs de Saint-Gervais. Sous la direction de Vincent d'Indy, et à partir de 1896, la Schola cantorum devint un conservatoire officieux et prestigieux, établi rue Saint-Jacques, à Paris. On y dispensait un enseignement de très haut niveau, trop austère ou trop formaliste selon certains, mais que suivirent des élèves nommés Georges Auric, Arthur Honegger, Roland-Manuel, Érik Satie ou Edgar Varèse.

Page 334.

a. chez le duc [d'Aumale *biffé*] [de Chartres *corr.*]. Mais *ms.* : chez le duc de Chartres, mais *dactyl.* ◆◆ *b.* chez la duchesse de Vermandois, mais *ms., dactyl., plac.* Gt

1. Le duc d'Aumale (1822-1897), quatrième fils de Louis-Philippe, était propriétaire du château de Chantilly, dans l'Oise. Par un testament du 29 août 1886, il le légua à l'Institut de France qui en prit possession après sa mort et en fit un musée ouvert au public. Les déjeuners dominicaux de Chantilly furent célèbres. Vers 1890, le duc d'Aumale accueillait à sa table toutes les personnalités en vue, aristocrates, soldats, académiciens, artistes ou hommes politiques.

2. La princesse Isabelle d'Orléans (1878-1961) épousa, en 1899, Jean Pierre Clément Marie d'Orléans, duc de Guise (1874-1940).

Page 335.

a. souvent dans la baignoire *[p. 334, 15 lignes en bas de page]* de sa cousine la princesse de Guermantes qui est la sœur du duc de Bavière. » Cette villa [de la duchesse de Vermandois *biffé*], ce château [du duc de Chartres *biffé*], ce palais [de la princesse de Parme *biffé*], cette baignoire, *ms.* : souvent dans la baignoire [...] Bavière. / Cette villa, cette baignoire, *dactyl.* : souvent dans la baignoire *[comme dans le texte définitif, avec lég. var.]* encore ce soir. *[p. 334, avant-dernière ligne]* / Françoise apprit aussi *[comme dans le texte définitif, avec lég. var.]* presque décidé. S'ils me disaient *ms.* : Les noms de Vermandois, de Parme, de Guermantes-Bavière, différenciaient les villégiatures où se rendait Mme de Guermantes, les fêtes quotidiennes *[comme dans ms.]* disaient *dactyl., plac.* Gt ◆◆ *c.* Méditerranée mais dans la villa de Mme de Vermandois, où la Reine *ms.* : Méditerranée [...] villa de Mme de Vermandois, où la Reine *dactyl., plac.* Gt, *plac.* Gd

1. Les premières transmissions par télégraphie sans fil eurent lieu en 1896 grâce à Guglielmo Marconi et aux travaux de Hertz, Popov et Branly.

Page 336.

a. Mon père reçut d'un ami un fauteuil pour l'un de ces soirs d'abonnement de l'Opéra-Comique [qui étaient patronnés *biffé*] par la princesse de Parme et comme la Berma *ms.* : Mon père *[comme dans ms.]* soirs de galas de l'Opéra-Comique et comme la Berma *dactyl., plac.* Gt

1. Le nom de ce personnage épisodique semble trop énigmatique. Sans doute cache-t-il quelque clin d'œil de l'auteur. Diverses interprétations ont été proposées : A. comme Adrien, J. comme Jeanne, prénoms des parents de Proust ; Moreau comme Gustave (le peintre), etc. Voir Marie Miguet, « Sur A.-J. Moreau et Proust », *Bulletin de la Société des amis de Marcel Proust*, n° 30, 1980, p. 211-217.

2. Gaston Maspéro rapporte qu'en Égypte, « dès l'époque thinite, on pensait que [...] l'intégrité du corps était indispensable à la persistance de l'âme et, par conséquent, à la survie de l'individu ». L'âme était considérée comme un *double* de l'être humain, qui naissait, vivait et mourait en même temps que lui. « Toutefois les destinées de ces deux êtres jumeaux étaient liées si intimement qu'à laisser le cadavre se décomposer, le double se serait décomposé avec lui. » Aussi embaumait-on les corps. Mais le double continuant à vivre, il fallait lui apporter « les aliments et les objets de toute espèce dont il avait envie ou besoin » afin d'éviter que, « exaspéré par la faim », il n'aille se glisser dans les corps des vivants « pour les consumer par la maladie jusqu'à ce qu'ils périssent à leur tour ». Maspéro fait une description saisissante de ce *double lumineux* qui n'est pas sans évoquer les personnages de lanterne magique proustiens : « On voyait volontiers en lui un corps glorieux semblable de tout point au corps matériel, une projection colorée, mais aérienne, de l'individu, le décalquant trait pour trait » (*Guide du visiteur au musée du Caire*, Le Caire, Imprimerie de l'Institut français d'archéologie orientale, 1915, p. 9-11).

Page 337.

a. [Mais celle-ci *[p. 336, 11ᵉ ligne en bas de page]* les situait maintenant dans certains sites, dans certains vitraux, dans certaines tapisseries, dans certains tableaux modernes en vue de la contemplation desquels j'étais animé du même esprit de sacrifice dans lequel j'étais parti la première fois pour aller entendre la Berma ou pour aller à Balbec. Maintenant cette réalité émigrée ailleurs avait déserté les représentations de la Berma qui étaient devenues médiocres comme les dispositions dans lesquelles j'allais l'entendre. *add.]* Au moment *ms.* : Mais celle-ci *[comme dans le texte définitif, avec lég. var.]* ne l'habitait plus *[p. 337, 1ʳᵉ ligne]* et il ne consistait plus qu'en une mince croûte de sons et d'attitudes. Maintenant c'est pour aller voir tel tableau d'Elstir, telle tapisserie gothique que j'aurais fait litière de ma santé, peut-être bon marché de ma vie. Mais je me disais que dans quelques années sans doute, ces œuvres-là, je me trouverais peut-être à quelques pas d'elles sans même désirer d'aller les regarder et à sentir la vanité des efforts que j'aurais faits maintenant pour les contempler, les nuits sans sommeil, les crises d'étouffement en wagon, je sentais pour la première fois l'énormité de cet effort comme ces nerveux qui ne sont fatigués que quand se présente à eux la notion de leur fatigue. / Au moment *dactyl.* : Mais celle-ci *[comme dans dactyl.]* sans même désirer les regarder et à sentir la vanité des efforts que j'aurais fait montre pour les contempler *[comme dans dactyl.]* fatigue. Au moment *plac. Gt* ◆◆ *b.* pris d'abord pour M. de Fleurus dont il avait la tournure ; quand il tourna *ms.* ◆◆ *c.* le portrait qu'on avait pu voir dans les journaux du prince de Saxe [parent *biffé*] [neveu *corr.*] du [roi des Belges et *biffé*] de l'Empereur d'Autriche, et qui se trouvait *ms.*

Page 338.

a. guerrier grec. *[fin du 1er § de la page]* / Seuls les fauteuils d'orchestre *ms.*

1. Chez Homère comme chez Virgile, Athéna est la protectrice des Achéens. Elle les soutient dans les combats, intercède en leur faveur auprès des autres dieux, calme les tempêtes dans lesquelles sont pris leurs vaisseaux. Elle a recours à des métamorphoses ou intervient en restant invisible.

Page 339.

a. Dans *NRF 1914* Un étudiant génial *est remplacé par* Un jeune poète lyrique comme Bloch *Pour le passage sur cet étudiant, voir var. a, p. 357. Tout le passage a été profondément remanié du manuscrit à la dactylographie ; voir la variante suivante.* ◆◆ *b. La variante qui suit montre combien le texte a été ici remanié, certains passages, que nous signalons, ayant été développés ou transférés plus loin dans le roman :* nommaient tout haut. *[2e ligne de la page]* Piquées de fleurs humaines, les loges semblaient des bourriches *[p. 354. 1er §, 11 lignes avant la fin]* gonflées, attachées par les brides rouges de leurs séparations de velours, tout le long de la courbe cintrée de la salle. On reconnaissait cependant la duchesse de Montmorency avec la duchesse de Stinvilliers, et que c'était la première l'invitée *[p. 356, 2e ligne]* à l'air d'intérêt plus grand que par amabilité elle prenait au spectacle, à l'attention aussi que pour faire honneur à son hôtesse elle portait à sa propre toilette, à ses épaulettes, à son aigrette. Toutes deux étaient regardées avec admiration par une femme plantée droite comme une fleur montée sur une tige de fer, sur le devant de sa loge, de l'autre côté de la barrière de velours qui était comme le ruban rouge où finissait la corbeille, c'est-à-dire n'étant pas avec elles, par une femme qui pouvait d'autant mieux garder les yeux fixés sur elles, qu'elle n'avait pas l'air de quêter un bonjour, n'étant pas de leurs relations. C'était la comtesse de Cambremer née Legrandin. Car la princesse de Parme pour arriver à couvrir la totalité de son abonnement avait cédé *[p. 354, 5 lignes en bas de page]* quelques loges à des femmes qui sans faire partie de la société la plus aristocratique étaient en rapport avec elle pour ses œuvres de bienfaisance. Connaître Mme de Stinvilliers et Mme de Guermantes était le but poursuivi avec une inlassable patience par Mme de Cambremer. Elle avait calculé *[comme dans le texte définitif, avec lég. var.]* marquis de Beausergent frère de Mme [de Romorantin *biffé*] d'Argencourt, qui fréquentait *[comme dans le texte définitif, avec lég. var.]* momentanément gênante. *[p. 355, avant-dernière ligne]* La porte de la loge de Mme de Stinvilliers s'ouvrit, celle-ci se leva et alla au-devant de la comtesse de Romorantin qu'elle fit asseoir sur le devant à côté de Mme de Montmorency. Et du haut en bas toute la salle présentait comme la toile d'un panorama le tableau de toutes les vies brillantes de cette année-là. / S'élevant de peu de hauteur au-dessus de moi tout autour de l'orchestre, les baignoires ne laissaient distinguer d'abord qu'un vide de ténè-bres *ms.* : nommaient tout haut. *[comme dans le texte définitif, avec lég. var.]* ils avaient eu de l'esprit. *[fin du 1ᵉʳ § de la page]* [Chez ceux et celles qui en avaient un peu, malgré la plus forte éducation il était resté débile, comme une constitution qu'aucun traitement ne peut refaire. Ils avaient du moins pour eux leur bonne volonté, rendue plus efficace par ce calme parfait. Comme une invitée à un dîner, laquelle si elle ne voit au vestiaire que cinq ou six manteaux sait que dans la soirée, il viendra six cents personnes, les femmes qui entraient dans ces loges jetaient-elles en traversant le vestibule de la loge, jetaient-elles dans la glace un regard rapide mais concentré, en profitant de ce que les personnes déjà assises n'avaient pas encore remarqué leur apparition silencieuse et ne s'étaient pas encore levées. Au reste, une fois assises, les invitées restaient reconnaissables de la maîtresse de la loge. On voyait tout de suite que, de la comtesse de Marsantes et de la duchesse de Maucreux[1], cette dernière était l'invitée d'abord à l'intérêt plus grand qu'elle avait l'air de prendre au spectacle de la scène et *biffé*] de la salle pour être aimable envers son hôtesse. Mais en même temps que cette force centrifuge, une force inverse, développée par le même désir d'amabilité ramenait l'attention de Mme de Maucreux vers son aigrette, vers son collier qui devaient faire honneur à Mme de Marsantes — et vers Mme de Marsantes elle-même. Mais la princesse de Parme avait donné çà et là une loge à des femmes qui ne faisaient pas partie de la société la plus aristocratique. Mais la princesse de Parme ‹était› en rapports ‹avec elles› pour ses œuvres de bienfaisance. Et c'est ainsi que tout contre la loge au premier rang de laquelle étaient assises la duchesse de [Luxembourg *biffé*] Vaucreux et la comtesse de Marsantes se trouvait, mais de l'autre côté de la barrière de velours, c'est-à-dire n'étant pas avec elles, se trouvait la comtesse de Cambremer qui pouvait d'autant mieux garder les yeux fixés sur ces deux grandes dames qu'elle n'avait pas l'air de quêter un bonjour, n'étant pas de leurs relations. / *[lacune]* citoyenne de sa loge et être devenue vaguement étrangère au reste de la salle où se trouvaient pourtant toutes ses amies dans la loge de chacune desquelles d'ailleurs, elle éprouverait et manifesterait à tour de rôle pendant toute la saison ce civisme exclusif, hebdomadaire et momentané. De temps en temps elle se retournait en souriant vers Mme de Marsantes d'un air de dire, je suis chez vous, je suis votre fidèle sujette, si cela vous plaît mieux que nous n'écoutions pas, que nous nous en allions, je vous suis, je me ferai tuer avec vous s'il le faut. S'élevant de peu de hauteur au-dessus de l'orchestre où j'étais, les baignoires ne laissaient distinguer d'abord que des ténèbres *dactyl.* ⚫ *c.* duc d'Aumale. *[8 lignes plus haut]* Mais presque partout, les blanches déités, qui *ms., dactyl., plac.* G1

　1. Exode, XIV.

---

1. La lecture de ce mot est incertaine.

Page 340.

a. les diverses sœurs *plac. Gt. Cette leçon est une mauvaise lecture du typographe, et elle est restée dans tous les états postérieurs. Nous croyons devoir corriger en adoptant la leçon de dactyl. qui, seule, offre un sens acceptable.*

Page 341.

a. légitime de la beauté. Pour la duchesse de Brancas[1], de Stinvilliers, pour Mme de [Saint-Euverte *biffé*] [Bauvillers *corr.*], pour tant d'autres ce qui permettait *ms.*

1. Alcyone, fille du roi Éole, ayant perdu son époux, se jeta dans la mer. Thétis, l'une des Néréides, la changea en un oiseau marin, l'alcyon (voir Virgile, *Géorgiques*, I, v. 398 ; *Dilectae Thetidi alcyones*, « les alcyons chers à Thétis »). Proust connaissait bien la mythologie gréco-latine et sans doute, derrière l'expression *nid d'alcyon* — qu'il reprend p. 344 et dans *La Prisonnière*, t. III de la présente édition : le chapitre III de la seconde partie d'*Une vieille maîtresse* de Jules Barbey d'Aurevilly (*Œuvres romanesques complètes*, Bibl. de la Pléiade, t. I, p. 367), consacré à la description d'une « marine », est intitulé « Un nid d'alcyon » —, derrière cette expression chargée de réminiscences, voyait-il se profiler la néréide « par excellence ». Il est significatif que Mme de Guermantes soit rapprochée, ne serait-ce qu'allusivement, de Thétis. Dans tout *Le Côté de Guermantes*, Proust tend à associer la duchesse aux mythes marins, lacustres ou fluviatiles. L'allusion cède le pas à la citation explicite dans le Cahier 37, au folio 1 r°, où les demeures des amies de la duchesse, leurs habitudes, leurs particularités semblent sortir, pour le narrateur, « comme des attributs mythologiques, des usages locaux, des lois intransgressibles, ou des productions naturelles, de l'individualité particulière de la divinité du logis édifié et fleuri de toute éternité autour d'elle, comme les stalactites de la grotte de Thétis ou les bosquets des jardins d'Armide ». Sur Thétis, voir *Du côté de chez Swann*, t. I, p. 17.

Page 342.

a. qui le reste du temps faisaient partie *[6 lignes]* de son intimité dans son palais de Paris ou de Dresde, était le meilleur certificat d'authenticité aux yeux des amateurs d'aristocratie pour le tableau — sorte d'évocation, de scène détachée de sa peinture et spéciale de la princesse, dans son palais de Paris ou de Dresde — que présentait sa baignoire. / Notre imagination *ms.* : n'amenait [...] d'évocation, de scène détachée de la vie familière et spéciale [...] imagination *dactyl.* : n'amenait [...] d'évocation de scène [...] imagination *plac. Gd. Le texte s'est corrompu peu à peu, sans que Proust intervienne.* ◆◆ *b.* parler de la princesse de Guermantes-Condé, c'étaient des souvenirs de certaines œuvres du XVIe siècle qui commençaient à chanter en moi. Mais je ne les distinguais pas et le plaisir particulier qu'ils me donnaient c'était à la princesse que

1. « Brancas » est de lecture incertaine.

j'en donnais chaque fois le bénéfice. Et il me fallait le lui retirer maintenant *ms.* : parler de la princesse de Guermantes-Condé, le souvenir [...] chanter en moi, me donnant des plaisirs dont je ne reconnaissais pas l'origine et que je rapportais à la princesse. Il me fallait l'en dépouiller maintenant *dactyl.* ◆◆ *c.* importante) ils convenaient en vertu des rites ignorés de moi, qu'ils feignaient en ce moment d'offrir *plac. Gt, plac. Gd* : importante) ils convenaient en vertu des rites ignorés de moi, ils feignaient d'offrir *orig. Pour la leçon de ms., voir var. a, p. 343. — Nous avons adopté ici le texte de dactyl., seul cohérent ; les leçons des états postérieurs sont dues à des fautes de lecture du typographe de plac. Gt, que Proust cherche à corriger pour leur donner un sens.*

1. Whistler a signé certains de ses tableaux d'un papillon (voir *À l'ombre des jeunes filles en fleurs,* p. 163).

2. Proust a noté cette question dans son article « Un dimanche au Conservatoire » paru dans *Le Gaulois* du 14 janvier 1895. Le commentaire qui l'accompagne est moins ironique, mais plus désobligeant. L'orchestre du Conservatoire joue l'Andante de la *Symphonie en ut mineur* de Beethoven : « À ce moment, j'entendis tout près de moi une dame qui disait à une autre : "Voulez-vous des bonbons ?" La souffrance que j'éprouvai était pleine de pitié, de mauvaise humeur, d'étonnement surtout que dans ces circonstances héroïques où tous les intérêts d'un esprit magnanime sont engagés, on se sentît encore un estomac gourmand, un corps oisif » (*Essais et articles,* éd. citée, p. 371).

Page 343.

a. n'était qu'un jeu, *[p. 342, 14 lignes en bas de page]* qu'à ce moment-là la princesse et ses invités réservaient leur originalité profonde, qu'en vertu d'un rite que j'avais ignoré ils convinssent de s'offrir à ce moment-là des bonbons et comme je savais que ce geste insignifiant était celui de gens de génie, je le trouvais délicieux de sécheresse, à cause de tout ce qu'il cachait. Ce geste, jusque-là méconnu pour moi d'offrir et de refuser ou de prendre des bonbons — et qu'ils dépouillaient sans doute autant de sa signification habituelle que les danseuses le geste de ramasser une écharpe ou de tenir leur pied, était un de ces rites par lesquels ils préludaient avant de vivre leur vie véritable, dont ils ne devaient pas vivre d'ailleurs ici la partie importante. Mais qu'importe, ils savaient qu'ils venaient de s'y livrer, qu'ils allaient recommencer tout à l'heure. Tandis que la Déesse offrait les bonbons avec des mots qui n'exprimaient nullement sa pensée sublime et qu'elle devait relever par un délicieux accent d'ironie, son ami voyait certes cette pensée qu'il connaissait béante devant lui. Lui aussi sa pensée sublime était prête, mais ce n'était pas encore le moment de les engager l'une contre l'autre, pour la vie inconcevable qu'était évidemment l'accomplissement nécessaire de ces deux natures différentes de la race des hommes. Ils se contentaient de ces premiers gestes et saluts conventionnels de tournoi. « Voulez-vous des bonbons ? » devait dire la princesse ; et pendant ce temps-là son ton devait dire : « Vous saurez qu'une déesse à ce moment-ci doit dire cela, vous le savez bien, vous qui êtes un dieu. » Il devait répondre : « Non merci », mais son ton ajoutait : « Je sais qu'il est élégant pour une duchesse de Condé d'offrir des chocolats et pour moi d'en prendre, mais je sais tout le reste, et à tout ce que vous ne me dites pas répond en ce sourire d'ironie supérieure tout ce que je vous tais. » Ce qu'ils savaient l'un de l'autre, ce qu'ils avaient à se dire, ce qu'ils se diraient sans doute hors du théâtre dès qu'ils se remettraient à vivre leur vraie vie, n'avait aucun rapport avec cela. Mais dans les entractes de leur vraie vie il était élégant qu'elle montrât son goût pour les bonbons et en offrît et qu'ils ne dédaignassent pas le côté gourmand de la vie. Aussi ces riens m'intéressaient-ils d'autant plus qu'ils étaient insignifiants car ils prenaient une importance rituelle qui me semblait bien plus importante encore dans certains chefs-d'œuvre du théâtre léger, certaines scènes qui ne nous apportent aucune phrase telle que celles que nous aimons, aucune pensée profonde, comme nous supposons que leur auteur aurait été mille fois capable s'il l'avait voulu, nous semble d'autant plus intéressante, parce que nous comprenons que c'était cela qu'il était élégant d'écrire, et nous nous sentons en relisant le *Roi Candaule* pleins de mépris pour la profondeur et la poésie. / « Ce gros-là c'est le marquis de Galançay, dit d'un air entendu mon voisin *ms.* ←→ *b.* bleu comme [Sarah Bern \<hardt\> *biffé*] quelque merveilleuse *ms.*

1. *Le Mari de la débutante*, comédie en quatre actes de Henri Meilhac et Ludovic Halévy. Représentée pour la première fois au Palais-Royal le 5 février 1879, la pièce fut reprise dans une nouvelle version en cinq actes, le 7 novembre de la même année. Sur le manuscrit, Proust ne parle pas du *Mari de la débutante*, mais du *Roi Candaule* (voir var. *a*, p. 343). Il ne s'agit pas du drame d'André Gide (publié en 1901 dans *La Revue blanche*), mais de la comédie en un acte et en prose de Meilhac et Halévy, créée au Palais-Royal le 9 avril 1873 et publiée la même année par Michel Lévy.

2. Dans « Un amour de Swann », Proust décrit le monocle de M. de Palancy en des termes très proches (*Du côté de chez Swann*, t. I de la présente édition, p. 322). Le modèle réel de M. de Palancy est Louis de Turenne (1843 ?-1907), dont on peut admirer le monocle et le chapeau haut de forme sur une photographie de Paul Nadar (*Catalogue de l'exposition « Le Monde de Marcel Proust »*, photographies de Paul Nadar, 1977, p. 30).

3. Personnages de *Zaïre*, tragédie en cinq actes et en vers de Voltaire, représentée en 1732 et publiée en 1733. Orosmane est le sultan de Jérusalem, qui s'est épris de sa prisonnière Zaïre. Dans une crise de jalousie, il la poignarde, puis se tue. Sarah Bernhardt a joué le rôle de Zaïre en 1873, et la variante *a* montre que Proust a pensé à elle pour la « merveilleuse tragédienne », bien qu'il n'ait pu la voir dans cette pièce.

Page 344.

1. L'utilisation du daguerréotype pour l'observation des phénomènes astronomiques s'est développée à partir du milieu du XIXᵉ siècle, et la première photographie du soleil obtenue par impression directe date de 1855. Cependant, un fait précis semble ici inspirer Proust : le passage de la comète de Halley au printemps

de 1910. Ce fut un événement retentissant, non seulement pour les scientifiques, mais aussi pour les hommes et femmes du monde entier. Certains craignirent que la comète n'entraînât « l'empoisonnement de l'humanité et la fin du monde » ; on assista à des scènes de panique ; quelques-uns allèrent jusqu'à se suicider. Pour diverses raisons, la comète tant attendue ne se montra guère à Paris, et l'émoi retomba. On se moqua. On fit des chansons. Ce fut néanmoins l'occasion pour les astronomes de saisir toute une série de photographies, et l'effort fut international, comme le prouvent le « Journal de la Comète » que tint Camille Flammarion dans _L'Illustration_ entre le 23 avril et le 28 mai 1910, et les nombreux clichés qui furent publiés, ici et là, notamment « la plus belle photographie de la comète de Halley, prise le 4 mai à l'observatoire du Transvaal » (_L'Illustration_, 24 décembre 1910, p. 493). Flammarion recensa deux cent quatre-vingt-huit observateurs, et un M. Herbert Curtis prit trois cent soixante-dix photographies. Proust lui-même n'est pas resté insensible au phénomène, et la comparaison qu'il établit en avril 1910 entre un livre de Montesquiou et une « étoile qui voyage pour prêter de la lumière aux planètes » peut fort bien avoir été dictée par la comète (_Correspondance_, t. X, p. 71).

2. _Phèdre_, acte II, sc. v, où la femme de Thésée, dévoile son amour à Hippolyte (voir _À l'ombre des jeunes filles en fleurs_, t. I, p. 432).

Page 345.

a. semblaient inséparables. _[p. 344, 16 lignes en bas de page]_ Maintenant aucune pensée ne se levait en moi pour aller attendre la Berma avec respect et recueillir pieusement la beauté qu'elle répandait. C'était un esprit vide que je lui offrais, j'allais l'écouter simplement parce que j'étais là. Je n'eus _ms._ : semblaient inséparables [...] absolue, _[p. 344, 14 lignes en bas de page]_ bonnes et difficiles [...] solides, Phèdre, la « manière dont le disait la Berma ». Mais maintenant, comme _[p. 345, 5ᵉ ligne de la page]_ une colline _[comme dans le texte définitif, avec lég. var.]_ où étaient mêlés. Je n'eus _dactyl._ : semblaient inséparables _[comme dans le texte définitif, avec lég. var.]_ au bout de peu de temps. _[17 lignes]_ En attendant il donnait du prestige _[9 lignes]_ à tout ce qui pouvait se rattacher à lui. Et même [...] je n'eus _plac. Gt_

Page 346.

1. Personnages de _Phèdre_. Aricie est une « princesse du sang royal d'Athènes » dont s'est épris Hippolyte ; Ismène est sa confidente.

Page 347.

a. dans ses yeux. _[p. 346, 12 lignes en bas de page]_ C'était une actrice _ms., dactyl._ : dans ses yeux. Elle ne pouvait d'ailleurs s'adresser _[comme dans le texte définitif, avec lég. var.]_ pneumatiques et en taxis des provinces [...] actrice _plac. Gt_ ◆◆ *b.* faisait qu'un avec lui. _[12 lignes plus haut]_ Les intentions, dépassant comme une bordure pompeuse ou délicate, la voix,

la mimique *ms.* : faisait qu'un avec lui *[comme dans ms.]* Les
« intentions » entourant [...] mimique *dactyl.*

1. L'Urbaine (59, rue Taitbout) était une des plus importantes
compagnies parisiennes de louage de fiacres, petites voitures et
voitures de place.

Page 348.

a. larmes qu'on voyait couler *[p. 347, avant-dernière ligne]* sur la voix
de marbre d'Aricie où elles n'avaient pu s'imbiber, mais avait été *ms.,*
dactyl., plac. G1 ➤➤ *b.* discernable et concrète s'y était *dactyl., plac. G1,*
plac. Gd, orig. La mauvaise lecture de la dactylographe est restée dans tous les
états du texte ; nous adoptons la leçon de ms. ➤➤ *c.* un vers — mais corps [...]
humains ne sont pas devant l'âme comme un obstacle opaque qui nous
empêche de l'apercevoir, mais comme un vêtement purifié, vitrifié où
elle s'est diffusée et où on la retrouve — n'était que des enveloppes *ms.,*
dactyl., plac. G1 : un vers (corps qui au contraire des corps humains
n'est pas un obstacle opaque, mais un vêtement purifié, spiritualisé), que
des enveloppes *plac. Gd* ➤➤ *d.* au lieu de la [cacher rendaient
plus *corrigé en* cacher ne rendaient que plus] splendidement [...]
répandue, [que *biffé*] [comme *corr.*] des coulées *orig. b*

Page 350.

a. vivifiée par le génie *[p. 348, fin du 1ᵉʳ §]*. Le génie de
Racine ? *ms.* ➤➤ *b.* Je devais être détrompé quand, une fois l'acte *[comme*
dans le texte définitif, avec lég. var.] qui passa inaperçue, — j'écoutais la pièce
suivante, une de ces nouveautés *ms.* : Je devais être détrompé quand,
une fois l'acte *[comme dans le texte définitif, avec lég. var.]* qui passa inaperçue
[, j'écoutais la *biffé*] [La *corr.*] pièce suivante [était *add.*] une < de >
ces nouveautés *dactyl. En modifiant sa phrase sur dactyl., Proust a omis de*
biffer quand *qui subsiste dans orig., bien que n'introduisant plus aucune*
proposition. Nous corrigeons.

1. Le 9 décembre 1896, Sarah Bernhardt joua en matinée, au
Théâtre de la Renaissance, le deuxième acte de *Phèdre*, puis le
quatrième acte de *Rome vaincue* d'Alexandre Parodi (1842-1901), une
pièce qui n'était pas vraiment pour elle une « nouveauté »,
puisqu'elle l'avait créée en 1876, mais que Jules Renard tenait pour
« une ignoble chose » (Jules Renard, *Journal*, Bibl. de la Pléiade,
p. 362). C'est à une représentation de ce genre qu'assiste le narrateur.

Page 351.

a. comme un grand peintre qui trouve le motif de deux tableaux qui
se valent, dans un hôpital sans caractère ou dans une cathédrale *ms.* ➤➤ *b.* inflexion propre. Mais elle les faisait obéir à des systèmes
plus vastes *ms., dactyl.*

Page 352.

a. l'impression de la veille. *[10 lignes plus haut]* Au moment *ms.* ◆◆
b. avec une douceur inconnue *[4 lignes plus haut]* que lui donnaient les mousselines blanches dans lesquelles elle était enveloppée et l'air timide et confus qu'elle mêlait à son sourire victorieux pour dire : « Ne vous dérangez pas, ne troublez pas la pièce », la duchesse de Guermantes qui venait d'entrer alla vers sa cousine, *ms.* : avec une douceur inconnue *[comme dans ms.]* et l'air habilement naïf, timide et confus que son arrivée tardive et tout ce monde qu'elle faisait lever au milieu de la représentation, mêlait à son sourire victorieux, la duchesse *[comme dans ms.]* cousine, *dactyl. plac. Gt* : avec une douceur inconnue que d'arriver si tard et de faire lever tout le monde au milieu de la représentation, mêlait les mousselines blanches dans lesquelles elle était enveloppée et l'air habilement naïf, timide et confus à son sourire victorieux, la duchesse de Guermantes qui venait d'entrer, alla vers sa cousine, *orig.* : avec une douceur inconnue que d'arriver si tard et de faire lever tout le monde au milieu de la représentation, mêlait aux mousselines blanches dans lesquelles elle était enveloppée, de même qu'un air habilement naïf, timide et confus tempérait son sourire victorieux, la duchesse de Guermantes qui venait d'entrer alla vers sa cousine, *errata orig. Nous avons adopté la leçon de plac. Gd. seule cohérente.* ◆◆ *c.* Jockey-Club (qui à ce moment-là, notamment M. de Palancy, furent les hommes que j'aurais le plus aimé et que je ne pourrais jamais être, car si même j'arrivais un jour à recevoir un regard de bonté[1] de Mme de Guermantes ce ne serait que dans un intervalle de sa vraie vie) un bonjour *ms.*

Page 353.

1. En mai 1912, Proust fit la connaissance de Mme Henry Standish avec qui Mme Greffulhe l'emmena au théâtre. Il la trouva « épatante d'élégance marinée, de simplicité artificieuse » (_Correspondance_, t. XI, p. 128). Quelques jours après la représentation, il écrit à Mme Straus : « Moi qui vais si rarement au théâtre, le hasard fait que j'ai connu dans une loge une de vos amies [...] Mme Standish. [...] Cela m'aurait amusé de parler d'elle avec vous. Et sur sa façon de s'habiller vous m'auriez dit des choses précieuses pour mon livre » (_ibid._, p. 141.) Mais c'est à Mme Gaston de Caillavet qu'il demande les renseignements dont il a besoin pour décrire les toilettes de la duchesse et de la princesse de Guermantes : « Est-ce que par hasard vous pourriez me donner pour le livre que je finis quelques petites explications couturières ? [...] Voilà j'ai besoin de beaucoup de détails, de mots que vous ne pourrez pas me donner parce que c'est trop ancien. Vous étiez trop petite. Mais voici ce que peut-être vous pourriez. Avez-vous cette année vu, en toilettes analogues à celles qu'on a pour l'Opéra, Mme Standish et Mme Greffulhe ? Un soir de représentation de Monte-Carlo Mme Greffulhe m'avait emmené à l'Opéra avec Mme Standish. Et j'avais eu l'impression de deux façons de

_____

1. Ce mot est de lecture incertaine.

comprendre la toilette, l'élégance, très différentes, très opposées. Je ne pense pas que vous ayez pu les voir ce soir-là car c'était dans une baignoire d'avant-scène fort noire [...] mais vous les avez peut-être vues, séparément, à d'autres représentations. Je désirerais qu'elles ne sachent ni l'une ni l'autre que cela m'intéresse [...] parce que les deux femmes que je recouvrirais — comme deux mannequins — de leurs robes n'ont aucun rapport avec elles, que mon roman n'a aucune clef [...] » (*Correspondance*, t. XI, p. 154-155).

Page 354.

    a. baronne de Forcheville l'air *ms.* ◆◆ *b. Voir var. a, p. 356.*

Page 356.

    a. chic de la duchesse de Guermantes *[p. 354, 16ᵉ ligne de la page]* donner à Mme de Chemisey l'air d'une pensionnaire provinciale, montée sur fil de fer et piquée droit, sèche et pointue au milieu de sa loge. Elle savait *ms.* : chic de la duchesse de Guermantes, faire seulement ressembler *[comme dans le texte définitif, avec lég. var.]* première flamme d'un incendie. *[p. 354, fin du 1ᵉʳ §]* / Mais la princesse de Parme avait cédé çà *[p. 354, 5 lignes en bas de page]* et là *[comme dans le texte définitif, avec lég. var.]* Elle savait *dactyl. plac. Gt. Le passage relatif à Mme de Cambremer se trouvait plus haut dans* ms. *(voir var. b, p. 339). Proust l'a transposé ici en déplaçant les deux pages foliotées 59 et 60 de* dactyl. ◆◆ *b.* être à Paris le soir, et d'arriver au théâtre, éblouissante, avec derrière elle l'image de la campagne qu'elle venait de quitter comme ces paysages au fond desquels vous représentaient toujours les anciens photographes. « Peut-être *ms.* ◆◆ *c.* en commun avec M. de *[Fleurus biffé]* Charlus : « C'est un des êtres *ms.* ◆◆ *d.* Pour moi qui faisais dériver la vie, la pensée des deux cousines — puisque je ne le pouvais plus pour leur visage que je connaissais — de chacune du nom de Guermantes et du nom de Condé, j'aurais *ms.* : Pour moi [...] Guermantes et du nom de Condé *[comme dans le texte définitif avec lég. var.]* j'aurais *dactyl., plac. Gt*

Page 357.

    a. du côté de Guermantes. Aussi avec combien plus d'autorité que les plus grands critiques me semblaient-elles juger la pièce du bord de leur baignoire. Mme de Cambremer *ms.* : du côté de Guermantes. [Et à vrai dire, une opinion sur *Phèdre*, il est incroyable à quel point tous ces spectateurs cherchaient à s'en former une. Contrairement à ce qu'on a l'habitude de dire, seuls les gens du monde, précisément parce qu'ils viennent au théâtre s'asseoir dans leurs loges comme dans de petits salons suspendus dont un des pans aurait été abattu, ou comme dans de petits cafés aux glaces brillantes où on va prendre une bavaroise, *[et sans être intimidé ni par les personnes avoisinantes ni par les murs en carton pâte qui sont le luxe prêté par l'établissement, biffé]* sont les seuls qui ont l'esprit assez libre pour écouter, sans être intimidés par les honneurs excessifs que semblent leur rendre les figures allégoriques qui leur tendent des lauriers et qui posent une main sans émoi sur les fûts dorés des colonnes qui soutiennent leur temple. Si leur calme est parfait, leur esprit médiocre, mais l'étudiant génial ne pense qu'à ne pas déchirer son gant, à ne pas gêner son voisin, à chercher et à fuir tour à tour pendant toute la soirée le regard d'une dame de connaissance à qui il adresse en rougissant des sourires chaque fois qu'elle ne peut pas le voir et qu'il se décide à aller saluer en faisant se lever tout le monde au moment où l'acte recommence.   *add. marg. biffée en définitive*] / Mme de Cambremer   *dactyl. En fait, l'addition, biffée sur dactyl., a été transférée après remaniement — plus haut ; voir p. 339, et var. a.*

1. Junon, qui est la déesse romaine assimilée à Héra, a pour attribut le paon, sur la queue duquel elle a transporté les yeux d'Argus. Dans *Les Plaisirs et les Jours,* Proust décrit le paon : « l'oiseau de Junon brillant non de mortes pierreries, mais des yeux mêmes d'Argus, le paon dont le luxe fabuleux étonne » dans la basse-cour dont il est l'« oiseau de paradis » (éd. citée, p. 107).

2. Minerve, divinité latine identifiée avec la Pallas grecque, était détentrice de l'égide, cuirasse ou bouclier couvert de la peau de la chèvre Amalthée. L'expression « égide à franges » ou « égide frangée » revient souvent dans Homère (*Iliade,* V, 733 et suiv.; XVIII, 203 et suiv.).

3. Le plafond de la salle du palais Garnier était ornée d'une peinture de Jules Lenepveu, *Les Heures du jour et de la nuit.* Le soleil, la lune, l'aurore et le crépuscule étaient représentés par des personnages jouant de la trompette, de la flûte, tendant des couronnes de laurier, dansant, entourés de nuages et d'angelots. Ces figures allégoriques furent recouvertes en 1964 par une peinture de Marc Chagall. Il n'est pas sûr, toutefois, que Proust pense précisément au plafond de Lenepveu. Dans l'extrait du *Côté de Guermantes* publié dans la *NRF* de juillet 1914, la soirée d'abonnement avait lieu à l'Opéra-Comique (le nom de ce théâtre subsiste d'ailleurs dans l'édition originale, Proust ayant omis de le remplacer par celui de l'Opéra : voir var. *a,* p. 359). Si Proust a changé par la suite, c'est peut-être parce que l'Opéra-Comique, détruit en 1887, n'avait été reconstruit qu'en 1898. Ainsi, le plafond décrit pourrait aussi bien être celui de la salle Favart, ou n'importe quel autre plafond de théâtre décoré par un peintre pompier.

Page 358.

a. venait de dire bonjour, par trois fois, celle-ci qui m'avait reconnu, fit pleuvoir sur moi l'averse étincelante et bleue de son sourire.   *ms.* ◆◆ *b.* à la voir. *[7ᵉ ligne de ce §] souvent, avant   ms., dactyl.*

1. « Quand chaque matin j'allais avenue Marigny voir passer Mme de Chevigné je prenais toujours cette rue La Ville-l'Évêque, la place des Voitures [...] », écrivait Proust à Reynaldo Hahn, en mai 1895 (*Correspondance,* t. I, p. 384). Le modèle de la duchesse de Guermantes est donc ici la comtesse Adhéaume de Chevigné, née Laure de Sade (voir G. Painter, *Marcel Proust,* Mercure de France, 1966, t. II, p. 390-393).

Page 359.

a. assouvir. / En quittant le théâtre, j'avais   *ms.* :   assouvir. / En rentrant de l'Opéra-Comique, j'avais *dactyl., plac. Gt, plac. Gd., orig. Dans ms., dactyl. et plac. Gt, la soirée a lieu à l'Opéra-Comique. Mais Proust a parfois corrigé « Opéra-Comique » en « Opéra » sur un jeu d'épreuves qui ne nous est pas parvenu et, dans les additions aux plac. Gd, il écrit toujours « Opéra ». Nous adoptons donc la leçon « Opéra » chaque fois que Proust a oublié de corriger « Opéra-Comique » sur épr. Gd.* ◆◆ *b.* l'image de Mme de Guermantes, haute, blonde, avec ces cheveux légers et coiffés haut, telle que je l'avais aperçue jadis à Combray, avec la tendresse *ms.*

Page 360.

a. la sortie *[p. 359, 2ᵉ §, 9ᵉ ligne]* du cours et du catéchisme. Or voici que chaque jour *ms.* : la sortie du cours et du catéchisme. Or chaque jour *dactyl.*

Page 361.

a. pas lui plaire. *[3ᵉ ligne de la page]* Et, au bout de quelques jours, je ne m'occupais plus de catéchumènes ni de laitières, quoique je n'espérasse plus ni la tendresse promise au théâtre dans le sourire, ni de retrouver de près la haute silhouette qui n'était telle que de loin et le visage clair sous la chevelure blonde qui n'était plus la même de près. Maintenant *ms.* : pas lui plaire. Et pourtant, au bout de quelques jours, je ne m'occupais plus que de Mme de Guermantes, je ne songeais plus aux fillettes du catéchisme ni <à> la laitière, quoique je n'espérasse plus de ce que j'étais venu chercher ni la tendresse *[comme dans ms.]* ni même de retrouver de près la haute silhouette ni le visage *[comme dans ms.]* qui n'étaient tels que de loin. Maintenant *dactyl.* ◆◆ *b.* comme quelque figure égyptienne ? *[10 lignes plus haut]* Je venais *ms.* : comme quelque divinité égyptienne ? Tel jour, je venais *dactyl.*

Page 362.

a. contraire contendus et vifs *ms., dactyl.* : contraire entendus et vifs *plac. Gt* ◆◆ *b.* composaient sous une capote ronde ou au bas *ms.* : composaient sous [une capote ronde *[ou add.]* biffé*] [, sous un chapeau rond *corr.*] au bas *dactyl.* ◆◆ *c.* sans même lui répondre *[9 lignes plus haut]* Et à cause de ces apparitions *ms., dactyl., plac. Gt*

Page 363.

a. leur importance. Même cette mine que je désirais le soir blonde et brillante était de près le plus souvent rouge et couperosée, le désir qui me faisait le soir décider de ne pas manquer de sortir le lendemain matin, ce n'était plus celui d'une mine blonde et douce mais de revoir une peau rouge et couperosée. / Je n'aurais *ms.* : leur importance. Même le visage que, avant de m'endormir je revois clair et brillant étant le plus souvent, quand le matin je le voyais de près, rouge, bientôt le désir qui me faisait le soir me décidait de ne pas manquer de sortir le lendemain, ce ne fut plus celui de retrouver une tête blonde et dorée mais de revoir une peau couperosée. Je n'aurais *dactyl., plac. Gt, NRF 1914 avec lég. var., plac. Gd* ◆◆ *b.* sorties matinales. Elle avait pour *ms.* ◆◆ *c. Pour ms., voir var. a, p. 367.* ◆◆ *d.* domestique de Paris que ┃ *plac. Gt*

Page 365.

  a. lu « sur » le journal *NRF 1914*

  1. Allusion à la fin de *La Prisonnière* et au début d'*Albertine disparue.*

Page 366.

  a. directement, que les arbres *orig. Nous adoptons la leçon de plac.
Gd.* ◆◆ *b.* la fille de Jupien *dactyl., plac. Gt., NRF 1914, plac. Gd, orig. Nous
corrigeons.*

Page 367.

  a. sur son chemin *[p. 363, var. c]* et l'avaient répété à Françoise. Mais
plus probablement la crainte, l'attention, l'habitude et la ruse avaient fini
par lui donner de nous cette sorte de connaissance intuitive et presque
divinatoire que le matelot a de la mer, le gibier du chasseur et le malade
de la maladie. Je n'ai jamais éprouvé une humiliation *[p. 365, 3ᵉ ligne]* sans
avoir trouvé d'avance sur son visage des condoléances préparées ; et quand
dans ma colère d'être plaint, je tentais de prétendre au contraire avoir
remporté un succès, mes mensonges venaient inutilement se briser à
l'incrédulité respectueuse mais visible de Françoise et à la conscience qu'elle
avait de son infaillibilité. J'aimais vraiment *ms.* ┃ : sur son chemin *[comme
dans ms. avec lég. var.]* de son infaillibilité. *[p. 365, 9ᵉ ligne de la page]* Car
elle savait la vérité *[comme dans le texte définitif, avec lég. var.]* centupler nos
revenus. *[p. 365, 21 lignes en bas de page]* Mais la première Françoise me
donna […] on le verra dans *[p. 365, 14 lignes en bas de page]* le dernier volume
de cet ouvrage *[comme dans le texte définitif, avec lég. var.]* les apercevoir.
[p. 366, 9ᵉ ligne de la page] Quoi qu'il en soit, ce fut Françoise la première
qui me donna l'idée qu'une autre personne, avec ses qualités, ses défauts,
ses intentions à notre égard n'est pas un tableau visible comme celui que
fait un jardin avec ses plates-bandes et qu'on aperçoit à travers une grille,
mais une ombre où nous ne pouvons pas pénétrer. Mais Jupien révéla depuis
[…] le mal possible. Le pensait-elle vraiment ? L'avait-elle dit seulement
[p. 366, 4 lignes en bas de page] pour brouiller Jupien avec moi […] Et ainsi
ce fut elle la première qui m'enleva l'idée qu'une autre personne que nous,
est devant nous immobile et visible, avec ses qualités […] grille, mais qu'une
autre personne est une ombre où nous ne pouvons *[comme dans le texte
définitif, avec lég. var.]* l'amour. *]* J'aimais vraiment *dactyl.* ┃ : sur son
chemin *[comme dans le texte définitif, avec lég. var.]* verra dans le dernier volume
[p. 365, 14 lignes en bas de page] de cet ouvrage *[comme dans dactyl.]* Mais Jupien
[comme dans le texte définitif, avec lég. var.] J'aimais vraiment *plac. Gt* ┃ : sur
son chemin […] Françoise. / En tout cas le concierge lui avait sans doute
exprimé à mon sujet un blâme qu'il m'était facile de deviner, car chaque
fois que je sortais, je voyais ses yeux inquisiteurs se fixer sur moi. Et il devait
être plus avant que personne dans les confidences de la duchesse, car
souvent en rentrant d'une promenade à pied, elle entrait dans la loge et
y restait assez longtemps au grand désespoir de ses domestiques. / Pour
ce qui était des nôtres, mes parents certes auraient pu *[comme dans le texte
définitif, avec lég. var.]* J'aimais vraiment *plac. Gd*

Page 368.

a. pas le courage. *[14ᵉ ligne de la page]* Mais dans une direction qui me rapprochât d'elle ? Ce n'était pas impossible. *ms., dactyl.* : pas le courage. J'y songeai un instant. Je disais parfois à Françoise de préparer mes affaires, puis de ne pas les préparer. Elle n'aimait pas cela, [...] car elle avait le vocabulaire de Saint-Simon. [...] Je n'avais pas le courage de partir. Mais dans une direction *[comme dans ms. avec lég. var.]* impossible. *plac. Gt*

1. Le mot *dingo* fait son apparition à la fin du XIXᵉ siècle (voir *La Prisonnière*, t. III de la présente édition).

2. Après Mme de Sévigné et La Bruyère, c'est à Saint-Simon que Françoise emprunte une expression. Le mot *balancer*, dans le sens de « hésiter », n'est cependant pas une particularité du vocabulaire du seul auteur des *Mémoires* ; on le rencontre déjà chez tous les écrivains du XVIIᵉ siècle, et, encore, chez certains auteurs du XVIIIᵉ et du XIXᵉ.

Page 369.

a. intervenir même indirectement on pénètre dans une machine non avec sa main mais avec un levier, *dactyl. plac. Gt. Il y a ici une lacune dans ms. ; voir var. b.* ◆◆ *b. Lacune dans ms. due à une déchirure du papier :* sans m'avancer en rien, *[p. 368, 9 lignes en bas de page]* si je partais à beaucoup de lieues d'elle, mais chez quelqu'un qu'elle connaissait, qui pourrait lui répéter ce que je voulais, ou même s'il n'y réussissait, avec qui je pourrais *[lacune]* et qui m'appréciait. Encore c'était un progrès, un fait nouveau et favorable qu'elle ajouterait à son idée de moi. Même cette amitié, cette admiration qu'il avait ◆◆ *c.* qu'on possède et qu'on ne porte pas écrits sur soi, on voudrait *ms., dactyl., plac. Gt* ◆◆ *d.* on ne sait pas. Car qui sait si le monsieur que nous rencontrons ne vient pas de quitter la plus flatteuse maîtresse, peut-être la nôtre ? Montargis ne pouvait *ms.* : on ne sait pas. L'ivrogne rempli de son bonheur et de la facilité qu'il voit à dénouer toutes choses ne songe pas que la personne qu'il rencontrera ne lui tiendra aucun compte d'un état qu'elle ne partage pas et ne comblera pas plus aisément ses vœux qu'il y a une heure avant boire, quand tous les obstacles lui apparaissaient clairement. Mais il y a des avantages plus réels qu'un optimisme subjectif et momentané et sur lesquels n'est pas mieux renseigné le passant qu'ils influenceraient peut-être. Qui sait si le Monsieur *[comme dans ms.]* la nôtre ? / Saint-Loup ne pouvait *dactyl.* : on ne sait pas. L'ivrogne tel que je l'avais été à Rivebelle, rempli *[comme dans dactyl., avec lég. var.]* ne pouvait *plac. Gt, plac. Gd* ◆◆ *e.* avec laquelle il avait déjà rompu deux fois, il m'avait *ms.* ◆◆ *f.* C'était, dans le Nord, une de ces petites cités *ms., dactyl., plac. Gt*

Page 370.

a. hallucinées, par le silence. [J'y avais souvent pensé à cette ville. Je me rappelais comment quand Montargis avait quitté Cricquebec, craignant qu'il m'oubliât aussitôt parti, le surlendemain Françoise m'avait apporté une lettre venant de la ville où il était en garnison, et qui, avec son nom timbré par la poste sur l'enveloppe, semblait accourir bien vite elle-même vers moi et me dire qu'entre ses vieilles murailles, dans la caserne Louis XIV, il pensait encore à moi. Avec quelle joie j'avais ouvert cette lettre armoriée d'un lion sous une couronne que semblait fermer le bonnet de pair de France. « Après un voyage qui s'est assez bien effectué, me disait-il, en lisant un < livre > acheté à la gare et qui est par Arvède Barine[1] c'est un auteur russe je suppose, *biffé*] Elle était située assez près de Paris pour qu'en descendant du train je sentisse la possibilité, en remontant dans le prochain, de rentrer retrouver *ms.* ✷✷ *b.* rester dans la ville ; *[8 lignes plus haut]* mais j'en eus assez pour laisser un employé porter [...] fiacre, pour prendre en marchant derrière lui l'âme sans arrière-pensée d'un voyageur [...] n'attend, pour monter [...] savoir ce qu'il veut, et à donner [...] quartier. Je pensais que Montargis viendrait *ms.* : rester *[comme dans ms.]* l'âme dépourvue d'arrière-pensées [...] n'attend, pour monter dans une voiture [...] savoir ce qu'il veut, et pour donner [...] viendrait *dactyl., plac. Gt* ✷✷ *c.* première nuit, il interrompait *ms.*

Page 371.

   a. vieilles tapisseries *[4ᵉ ligne de la page]*, c'est ravissant. » Moins artiste que lui, — ou davantage — le plaisir que donne une jolie demeure était pour moi superficiel et ne pouvait pas calmer une angoisse profonde comme celles que j'avais *ms., dactyl., avec lég. var.* : vieilles tapisseries. Ça fait assez *[comme dans le texte définitif, avec lég. var.]* indirectement inculqués. *[11ᵉ ligne de ce §]* « D'ailleurs, conclut-il, c'est ravissant cet hôtel. » Mais moi, moins artiste *[comme dans ms.]* pas calmer mon angoisse commençante, dis-je, aussi profonde que celle que j'avais *plac. Gt*

Page 372.

   a. tout à l'heure. Et le travail *ms.*

   1. Dans *À l'ombre des jeunes filles en fleurs*, la grand-mère du narrateur offre à Saint-Loup des lettres de Proudhon (p. 221).

Page 373.

   a. tableau historique et *[5 lignes]* avant de partir pour la bataille. Je m'engageai *ms.* : tableau historique et s'il allait partir pour une bataille. Je m'engageai *dactyl., plac. Gt*

   1. Le nom de Doncières n'apparaît pas avant 1917 et ne figure ni sur le manuscrit ni sur la dactylographie. En revanche, la ville de garnison est une idée ancienne dans l'imaginaire de Proust, puisque déjà, dans *Jean Santeuil*, plusieurs pages lui sont consacrées (Bibl. de la Pléiade, p. 540-578). Le modèle le plus évident de cette petite cité est Orléans, où Proust accomplit son service militaire entre le 15 novembre 1889 et le 15 novembre 1890. Mais les « clés » sont innombrables, et certains critiques ont reconnu Fontainebleau,

---

   1. Voir *À l'ombre des jeunes filles en fleurs*, p. 223 et n. 2.

Provins, Versailles, Saint-Cloud, Caen, Saint-Lô, Évreux, Alençon, Le Mans ou Rennes. De même, et selon les exégètes, l'Hôtel de Flandres à Doncières est l'Hôtel de France et d'Angleterre à Fontainebleau, l'Hôtel des Réservoirs à Versailles ou l'Hostellerie du Grand-Cerf à Évreux (voir André Ferré, *Géographie de Marcel Proust*, Le Sagittaire, 1939, p. 112-114 et Clovis Duveau, « Proust à Orléans », *Bulletin de la Société des amis de Marcel Proust*, n° 33, 1983, p. 9-68). Autant dire que Doncières n'est que Doncières, une petite ville de garnison, en province.

Page *374*.

a. pain bis. [Sur sa table il y avait des livres de travail et *Ainsi parla Zarathoustra*, des photographies parmi lesquelles je reconnus la mienne, et celle de Mme de Guermantes. *biffé*] C'est là hélas que j'eusse *ms.* ◆◆ *b. Voir var. a, p. 377.*

Page *375*.

1. Prométhée n'a pas créé le feu, mais il l'a volé à la forge d'Héphaïstos pour le porter aux humains qui en étaient privés.

Page *377*.

a. paroi de la cheminée. *[p. 374, 13ᵉ ligne et var. b]* La porte s'ouvrit et *ms.* : paroi de la cheminée. J'entendais *[comme dans le texte définitif, avec lég. var.]* les sons n'ont pas de lieu. / La porte s'ouvrit et *dactyl., plac. G1* : paroi de la cheminée. J'entendais *[comme dans le texte définitif, avec lég. var.]* gazouillement céleste ; *[p. 374, 8 lignes en bas de page]* on fait des réussites *[comme dans le texte définitif, avec lég. var.]* mises à jouer avec nous. Qu'on épaississe encore *[p. 375, 2ᵉ §, 1ʳᵉ ligne]* une des boules qui [...] chef d'État. *[p. 375, 2ᵉ §, 11ᵉ ligne]* Que si au contraire on retire pour un instant *[p. 375, 11 lignes en bas de page]* au malade [...] soulèvements obliques ; *[p. 376, 12ᵉ ligne de la page]* et si le malade n'avait pas pris les précautions *[comme dans le texte définitif, avec lég. var.]* ils s'envolent *[p. 376, 2 lignes en bas de page]* comme dans les mastodontes ailés *[comme dans le texte définitif, avec lég. var.]* La porte s'ouvrit et *plac. Gd* ◆◆ *b.* Ah ! Charles, qu'on *ms. Nous ne signalerons plus désormais la variante Charles / Robert.*

Page *378*.

a. sans aucune difficulté, maintenant *ms., dactyl.* ◆◆ *b. Voir var. a, p. 381.*

Page *381*.

a. cacher mes larmes ; *[p. 378, 4ᵉ ligne et var. b]* mon angoisse venait de se détacher de moi, elle ne m'étreignait plus, elle n'était plus mienne, j'avais assez de détachement, d'insincérité, de loisir, pour pouvoir pleurer.

Plusieurs fois entrèrent l'un ou l'autre des camarades de Montargis. Il les jetait à la porte. Mon attendrissement *[p. 379, 2ᵉ §, 1ʳᵉ ligne]* s'augmentait du bien être que me faisait éprouver la chaleur du feu, du champagne, qui faisait perler des larmes à mes yeux et des gouttes de sueur à mon front ; il arrosait des perdreaux et je mangeais ce dîner exquis avec l'émerveillement qu'éprouvent tous les profanes de trouver dans une certaine vie qu'ils ne connaissent pas ce qu'ils avaient cru qu'elle excluait et que connaissent tous les libres penseurs qui ont été reçus dans un presbytère ou un évêché. *[Importante lacune. La fin du folio a été découpée ; le feuillet suivant, également découpé, rejoint notre texte :]* Mais dès le second jour il me fallut *ms.* : cacher mes larmes *[comme dans ms.]* camarades de Saint-Loup. *[p. 378, 5ᵉ ligne de la page]* que j'ai tant désirés. *[p. 378, 12ᵉ ligne de la page]* Je regardais la photographie *[p. 379, 1ʳᵉ ligne de la page]* et tout d'un coup la pensée *[comme dans le texte définitif, avec lég. var.]* de la valeur pour moi *[p. 379, 20ᵉ ligne de la page]* Telle fut du moins mon impression à ce moment-là. Mais plus tard ce qui m'en avait d'abord paru être le plus précieux dans cette photographie — l'immobilité de Mme de Guermantes, la durée, la permanence de son apparition — devait m'en paraître le défaut. Je sentis que cette femme qui n'avait qu'un seul profil, qui ne pouvait s'empêcher de regarder *[un blanc]* mon attendrissement s'augmentait *[p. 379, 2ᵉ §, 1ʳᵉ ligne]* d'un bien-être causé [...] presbytère. *[p. 380, 3ᵉ ligne]* / Mais dès le second jour il me fallut *dactyl.* : cacher mes larmes *[comme dans le texte définitif avec lég. var.]* valeur pour moi. *[comme dans dactyl.]* qu'un seul profil, *[D'ailleurs¹* en regardant Robert je m'aperçus *[comme dans le texte définitif, avec lég. var.]* d'un oiseau *add. manuscrite]* s'empêcher de regarder² mon attendrissement *[comme dans dactyl.]* presbytère). Et le lendemain matin *[comme dans le texte définitif, avec lég. var.]* sa forme réverbérée *[p. 380, 17 lignes en bas de page]* se profila toujours sur les moindres impressions qu'avais et pour commencer *[comme dans le texte définitif, avec lég. var.]* il me fallut *plac. Gt* : cacher mes larmes. *[comme dans le texte définitif, avec lég. var.]* valeur pour moi. *[comme dans dactyl.]* paraître le défaut. En regardant Robert *[comme dans le texte définitif, avec lég. var.]* il me fallut *plac. Gd ◆◆ b.* pas grandi, pleurant [...] défaite. N'en est-il pas ainsi pour notre caractère qui ne suit nullement les progrès de notre intelligence ? Celle-ci, pourvu qu'elle arrive à temps, nous fait tenir aux autres et à nous-mêmes les discours les plus généreux ; mais qu'une fois nous nous trouvions pris de court et que ce soit notre caractère qui soit chargé de répondre, il le fera par la même interjection révélatrice, pleine de bassesse et de lâcheté qu'il l'eût fait dans notre enfance. / Hé bien je m'étais trompé. *ms.*

Page 382.

a. prévenance silencieuse *[p. 381, 3 lignes en bas de page]* qui me donnait un vif sentiment de ma puissance et de ma liberté. Si je voulais *ms.* : prévenance silencieuse. Si je voulais *dactyl., plac. Gt. En fait, à ce stade d'élaboration, le passage qui figure ici dans le texte définitif se trouvait plus bas dans plac. Gt ; voir var. b.* ◆◆ *b.* sensualité particulière. Mais si les sensations de la vue et de l'odorat la réveillent souvent en nous, il n'en est pas de

---

1. En tête de cette addition, Proust note « Puis ajouter ».
2. Ici Proust note en marge : « une phrase a été sautée ».

même de celles du toucher, et il m'avait fallu *dactyl.* : sensualité particulière. En somme l'idée d'une demeure, simple contenant *[p. 381, avant-dernière ligne]* de notre existence actuelle et elle-même sans existence — nous préservant *[comme dans le texte définitif, avec lég. var.]* trois marches ébréchées. Mais si les sensations *[comme dans dactyl.]* m'avait fallu *plac. Gt*

Page 383.

a. sentiment de ma liberté aussi exaltant que celui que j'éprouvais à Combray dans un cabinet semblable, ménagé sous les toits, et qui regardait le clocher de Pinçonville. Celui-ci ne donnait que sur une cour, *ms.* : sentiment de ma liberté, à sa manière presque aussi exaltant *[comme dans ms.]* Combray sous les toits, en regardant le donjon de Roussainville dans un cabinet semblable. Celui dont je jouissais maintenant dans ce vieil hôtel ne donnait que sur une cour, *dactyl., plac. Gt, plac. Gd avec lég. var.*

Page 384.

a. avec effroi *[p. 383, 5 lignes en bas de page]* par son œil de bœuf dont le clair de lune faisait un œil bleu. Le matin je fus réveillé par la fanfare d'un régiment ; les matins suivants il passa encore sous mes fenêtres. Mais une fois mon sommeil interposé *ms.* : avec effroi [...] lune. Le lendemain je fus réveillé *[comme dans ms., avec lég. var.]* Mais deux ou trois fois mon sommeil interposé *dactyl.* : avec effroi *[comme dans le texte définitif, avec lég. var.]* le fil nouveau de mes rêves *[p. 384, 12ᵉ ligne de la page]* Je fus éveillé par la fanfare *[comme dans le texte définitif, avec lég. var.]* interposé *plac. Gt* ◆◆ *b.* dormi, ma pensée, comme *ms.*

Page 385.

a. rêve suscité par la crainte *ms.* ◆◆ *b.* Pour *ms., dactyl.* et *plac. Gt, voir var. a, p. 387.* ◆◆ *c.* fait quand on a pris un chemin mental qui tourne le dos à l'évidence, atteint *plac. Gd*

1. Allusion aux trois sorcières de *Macbeth* qui, dans une caverne et autour d'un chaudron bouillant, préparent leurs charmes et leurs sortilèges et font apparaître des spectres (Shakespeare, *Macbeth*, acte IV, sc. 1 ; Voir Anne Henry, *Marcel Proust, théories pour une esthétique*, Klincksieck, 1981, p. 341).

Page 386.

a. Pour le passage qui va de Non loin de là *[p. 385, début du dernier §]* à Au-delà encore *nous disposons, sur plac. Gd, de deux versions manuscrites. Première version :* Non loin de là [...] les uns des autres, sommeil de l'amyle, sommeil de datura, sommeil de la valériane, sommeil de l'éthyle, sommeil de l'opium, sommeil du hachisch, et qui restent ou jusqu'à ce que le fiancé que peut-être ils ne connaîtront jamais soit venu les toucher, les faire épanouir et dans un être émerveillé et surpris dégager pour de longues heures tous leurs rêves. À côté de sa grille est la carrière *[comme dans le texte définitif, avec lég. var.]* Au-delà encore *Seconde version :* Non loin de là [...] les uns des autres, sommeil du datura, du hachisch, des multiples [...] jusqu'au jour où elles ne connaîtront peut-être jamais viendra les toucher *[comme dans le texte définitif, avec lég. var.]* Au-delà encore ↔ *b.* l'attention continue ; les cauchemars   *plac. Gd*

1. Proust, qui était sujet à l'insomnie, prenait régulièrement des barbituriques. Dans une lettre à Montesquiou, il affirme être obligé de prendre de l'opium pour ne pas entendre les bruits occasionnés par des travaux dans son immeuble (*Correspondance,* t. X, p. 51), et dans la composition de la poudre antiasthmatique Legras dont il faisait des fumigations entrent la belladone et le datura. Par ailleurs, Proust a lui-même fait l'expérience d'un sommeil proche de la narcose (voir Céleste Albaret, *Monsieur Proust,* éd. citée, p. 333-338).

2. Comme l'a signalé Jean-Yves Tadié, Proust, quand il évoque le sommeil, s'inspire souvent du chant XI de l'*Odyssée* où Ulysse pénètre dans le royaume des morts, et du livre VI de *L'Énéide* où Énée descend aux Enfers (*Proust,* éd. citée, p. 101). Il nous semble qu'ici la réminiscence — le mot est d'ailleurs employé par Proust — est virgilienne. Il pourrait même s'agir d'une discrète citation arrangée du livre IV de *L'Énéide* : « Puis quand les hôtes sont partis, quand à son tour la lune qui se voile amortit son éclat, que les astres déclinant invitent au sommeil, seule dans sa maison vide elle [Didon] est triste et sur les lits abandonnés s'étend : absente, absent, elle le voit, elle l'écoute ou dans ses bras retient Ascagne, captive de la ressemblance de son père, tentant de donner le change à un amour qu'elle ne saurait nommer. Plus ne s'élèvent les tours commencées, plus ne s'exerce aux armes la jeunesse, on ne travaille plus aux bassins du port, aux bastions avancés qui repousseraient la guerre ; les ouvrages délaissés restent suspendus *[pendent opera interrupta]*, murs qui dressaient leurs puissantes menaces et tout un appareil élevé jusqu'aux cieux » ; *L'Énéide,* trad. J. Perret, Les Belles-Lettres, 1977, p. 113 [vers 80-89]). Proust connaissait bien ces vers, qu'il cite dans une lettre à Robert Dreyfus de janvier 1919 : « Mes épreuves [d'imprimerie] *pendent interrupta* » (Robert Dreyfus, *Souvenirs sur Marcel Proust,* Grasset, 1926, p. 308).

3. Siegfried, le héros de *L'Anneau du Nibelung* de Wagner, brise plusieurs épées sur une enclume avant de forger lui-même, en ressoudant les fragments de l'arme de son père, l'épée qui lui permettra de tuer le dragon Fafner et de s'emparer de l'anneau magique des Nibelungen.

Page 387.

a. l'illusion d'assister. *[p. 385, fin du 1ᵉʳ §, et var. b]* Une fois que j'étais réveillé, attiré   *ms.*   : l'illusion d'assister. Quand j'avais fini de dormir, attiré   *dactyl., plac. Gt. Le passage sur les différents types de sommeil est une addition manuscrite sur plac. Gd.*

1. Une légende rapporte qu'Héraclès, après sa naissance, téta le sein d'Héra, sa pire ennemie, mais il ne semble pas que le héros ait jamais été nourri par des nymphes. Peut-être Proust pensait-il à

Dionysos, lui aussi fils de Zeus, lui aussi victime de la jalousie d'Héra, et qui, d'après la tradition, fut élevé par les nymphes du mont Nysa.

Page 388.

a. pure vision. *[15ᵉ ligne de la page]* Persuadé que le lendemain j'allais me bien porter et travailler, confiance qui ne m'abandonnait pas un seul jour, sans que le nombre de <ceux> où elle avait déjà été trompée la diminuât en rien, j'écrivis à ma grand-mère que je me trouvais bien, que j'allais pouvoir me mettre au travail, me bien porter. Quelquefois j'étais soudain agité par l'envie de la revoir, ou par la peur qu'elle ne fût souffrante, ou d'avoir oublié à Paris quelque affaire en train, ou de m'être jeté ici dans quelque difficulté. Je n'avais pu dormir, et j'étais sans force contre ma tristesse qui en un instant avait rempli pour moi toute l'existence. Alors j'envoyais de l'hôtel un mot au quartier, j'y disais à Montargis que si cela lui était *ms.* : pure vision. Certains jours, agité par l'envie de revoir ma grand-mère [...] si cela lui était *dactyl, plac. Gt.* Sur la lettre du narrateur à sa grand-mère, voir var. a, p. 395.

Page 389.

a. à décider *[p. 388, avant-dernière ligne]* Il entrait : « J'espère *ms.* ◆◆ b. sur votre oreiller et dormez ; pas trop vite *ms., dactyl., plac. Gt*

Page 391.

a. ce soir à dîner. » *[p. 390, 1ʳᵉ ligne]* Je restais donc à faire la grasse matinée, mais il me suffisait de le voir partir, pressé, bien portant, content, qui devait passer toute la journée à manœuvrer à l'air par ce beau temps, pour que la vie m'apparût tout autre de ce que je l'avais vue jusqu'à son arrivée, et comportant du soleil, de l'énergie et mille occupations importantes qui réduisaient à rien la difficulté qui m'avait accablé. Les jours *ms.* : ce soir à dîner. Les jours *dactyl.* : ce soir à dîner. / [Mais un peu plus tard *[comme dans le texte définitif, avec lég. var.]* comme un vertige. *[p. 390, 12ᵉ ligne de la page]* Et le lendemain, quand après deux ou trois tentatives infructueuses pour ouvrir les yeux, suivies immédiatement d'une nouvelle perte d'équilibre qui me réengloutissait dans le sommeil, je réussissais à maintenir définitivement mon réveil, je m'apercevais en regardant l'heure que je n'avais pas plus entendu [...] concert de la plage. Je voulais me lever, mais comme dans ces métamorphoses où une nymphe est changée en arbre (préciser), je me sentais encore attaché *[comme dans le texte définitif, avec lég. var.]* nourricières. Il y avait bien enchantement mais l'enchantement était autre que mythologique. Je me sentais plein de force d'espérance, la vie s'étendait *[comme dans le texte définitif, avec lég. var.]* la ville morte, *[p. 390, dernière ligne de la page]* il faut la fouiller. On a vu, surtout on verra, combien certaines impressions [...] dislocations organiques. Mais ces dernières, parce qu'elles traînent un état physique avec elles semblent, comme si elles intéressaient plus que la mémoire, la santé, ne pas rajeunir seulement notre imagination mais notre corps. Tout ce qui remet en présence des phénomènes extérieurs de la vie devenus habituels, une manière de réagir sur eux abolie depuis longtemps, comporte plus ou moins cette récupération de forces qui suit la convalescence. Il est des hommes qui ayant presque toujours été malades meurent à un âge déjà avancé en ayant encore l'air jeune. Ce n'est pas seulement parce que n'ayant jamais pu réaliser, l'espérance intacte a maintenu leur volonté au point initial qu'ils n'ont pas pu dépasser ; ce n'est pas seulement parce que leur corps sevré de jouissance est resté sur son appétit ; c'est surtout parce que re<per>dant *[?]*, c'est-à-dire regagnant à chaque convalescence les jours déjà vécus, ils peuvent mourir sans avoir eu l'air vieux car leur vie n'a été en réalité qu'une succession de jeunesses.   *add. ms.*] / Les jours   *plac. Gt*   : ce soir à dîner. / Mais un peu plus tard [...] j'en éprouvais *[p. 390, 17ᵉ ligne de la page]* cette délicieuse incapacité que dépeint le poète latin quand il raconte la surprise d'une nymphe changée en arbre ; je me sentais attaché [...] plein de force. Je me sentais plein de force, mais de courte durée et fort salutaire, la vie s'étendait *[comme dans le texte définitif, avec lég. var.]* dislocations organiques. / Les jours   *plac. Gd. Le 2ᵉ § de la page 391 est une addition postérieure à plac. Gd* ↔ *b.* le voir au quartier. *[2ᵉ ligne de ce §]* Et tandis que je l'attendais devant sa chambre pendant qu'il était occupé à quelque service, il m'arrivait   *ms.*   : le voir au quartier. C'était loin ; [...] emplissait tous les bâtiments du quartier qui grondaient sans cesse (et même plus que le Grand Hôtel de Balbec à la fin de la saison) comme une grande outre des [comme un grand antre des   *plac. Gt*] vents. Tandis que *[comme dans le texte définitif, avec lég. var.]* il m'arrivait   *dactyl., plac. Gt*   : le voir au quartier [...] bâtiments du quartier qui grondaient [...] il m'arrivait   *plac. Gd., orig. Nous suivons errata orig.*

1. C'est au XVIIᵉ siècle que la France découvre et apprécie les « romans », qui sont souvent des poèmes épiques, que l'Italie et l'Espagne ont produits depuis le Moyen Âge : *Amadis de Gaule* de Montalvo, *Roland furieux* de l'Arioste, *La Jérusalem délivrée* du Tasse, etc. Un bon témoignage de cet engouement est le nombre de citations que Mme de Sévigné fait de ces auteurs et de leurs imitateurs français, au premier rang desquels figure Honoré d'Urfé. S'il est douteux que Proust ait eu un contact direct avec ces œuvres, il avait lu Mme de Sévigné.

2. Le Café de la Paix, 12, boulevard des Capucines.

3. Jacques de Crussol, duc d'Uzès (1868-1893).

4. Henri Philippe Marie, prince d'Orléans (1867-1901), était le fils du duc de Chartres (1840-1910) et l'arrière-petit-fils de Louis-Philippe.

Page 392.

a. mon frère l'a aperçu, il avait même un habit   *ms.* ↔ *b.* palmes, épatant. » Pour   *ms., dactyl., plac. Gt*

1. *Époilant* : très étonnant (argot).

Page 393.

a. un jeune bachelier qui cherchait   *ms.* ↔ *b.* Comment que tu le sais, vieux ? demanda le bachelier étalant   *ms. C'est sur ces mots que s'achève le*

Cahier 45 ; la suite de ms. est constituée par le Cahier 35 qui débute par ces mots au folio 59 r⁰ : Je rentrais me reposer et lire *[p. 394, 4ᵉ ligne de la page]. On constate donc une lacune d'une page dans ms., lacune qui existait déjà au moment où la dactylographe le recopiait, puisque Proust a fait le raccord entre les deux cahiers par une addition manuscrite sur dactyl.* ◆◆ *c.* Je comprends ! Et encore *dactyl.*

Page 394.

a. touché un pavé de la place rebondissait rajeuni, comme ailé. L'une des fontaines *ms.*

1. Les attributs de Mercure sont le caducée, le chapeau à larges bords et les sandales ailées.

Page 395.

a. sembler riches *[p. 394, 7 lignes en bas de page]* d'un contenu de vie, de toute une sorte d'existence à laquelle leur souvenir m'invite à goûter. Je sentais que je n'allais pas tarder à guérir et à travailler. En effet quelle que fût la cause qui me rendait malade et m'ôtait le courage de me mettre au travail, si elle était permanente, m'était en tout cas invisible, j'en voyais les effets, mais je ne voyais qu'eux, de sorte que tant qu'ils n'avaient pas eu lieu, je ne sentais aucun obstacle devant moi ; j'étais convaincu que le lendemain j'arrangerais ma journée à merveille et travaillerais plusieurs heures comme les personnes qui s'imaginent que si elles se trouvaient dans une guerre ou dans un procès en trois ou quatre mouvements elles mettraient les ennemis en fuite ou rétorqueraient toutes les accusations. L'objection que j'aurais pu me faire, à savoir que je me disais cela tous les jours, et que le lendemain ressemblait toujours à la veille, ne m'arrêtait pas. Oui, cela avait été ainsi, mais cela n'empêchait pas qu'au moment où je pensais j'avais d'une part un projet à réaliser, un travail à faire, et de l'autre une volonté pure, intacte, qui se réservait pour l'accomplir. Ils étaient seuls en tête-à-tête devant mon imagination dans un espace vide que j'appelais le lendemain, où je les tenais en réserve, ne doutant pas qu'au moment venu l'une ne vînt parfaitement à bout de l'autre. Peut-être mon tort était-il au moment où je me disais à un moment *[sic]*, de croire que cet autre moment serait précisément celui-ci et non pas un lourd fruit plein de poisons, de ne pas me rendre compte aussi qu'en devenant aujourd'hui ce lendemain laisserait entrer dans la cloche pneumatique de cet espace vide une atmosphère dans laquelle je me remuais avec beaucoup moins de facilité que dans l'avenir. Mais ce n'est pas ainsi que je jugeais la chose. Et j'écrivais de la meilleure foi du monde à ma grand-mère que j'allais enfin pouvoir mener une vie active et laborieuse. Puis je m'habillais, et une lettre pour ma grand-mère à la main, je ressortais pour aller dîner avec Montargis à son hôtel. J'aimais *ms.* : sembler riches *[comme dans ms.]* goûter et qu'il me semble que je saurais extraire d'elles s'il m'était donné de les retrouver. Je pensais avec joie [...] bien reçu. Cette vie était-elle indifférente en elle-même et les charmes que je lui trouvais était-ce seulement ce temps exaltant d'extrême automne qui me les versait dans son breuvage frais, vif et doré ? Ou bien est-ce un repos pour nous de concentrer sur quelques êtres comme étaient

Montargis et ses amis, sur un point fixe tout l'intérêt de notre vie, de faire porter sur quelques êtres comme étaient [Montarg < is >   *biffé*] Saint-Loup et ses amis tout l'effort de notre intelligence, de notre art de plaire, de notre bonté, de ne chercher à recueillir que là des satisfactions, fût-ce d'amour-propre ? Ou bien mon amour pour Mme de Guermantes qui saurait quelle bonne situation je m'étais faite dans la garnison de son neveu, cet amour était-il l'armature cachée qui soutenait pour moi cette vie, et sans quoi elle s'effondrerait ? L'amour sait si bien infuser dans les habitudes organisées autour de lui un agrément que nous nous figurons lui appartenir en propre. Swann, on l'a vu, moi, on le verra plus tard, ne crûmes-nous pas aimer pour elle-même la vie qu'on menait dans le salon Verdurin et dans le Casino de Balbec ? / En attendant l'heure de partir dîner avec Saint-Loup, j'écrivais à ma grand-mère que je me sentais bien, que j'allais enfin commencer à me bien porter et à travailler. Le nombre de fois que cette espérance avait déjà été trompée ne l'avait pas affaiblie en moi. Chaque jour j'étais convaincu que le lendemain j'arrangerais ma journée *[comme dans ms., avec lég. var.]* accusations. Non pas < que > la cause qui me rendait malade et m'ôtait le courage de travailler ne fût permanente. Mais je ne la connaissais que par ses effets passés ; je ne la sentais pas en moi où chaque soir, se trouvaient seulement en présence dans un espace imaginé et vide d'obstacles que j'appelais le lendemain, d'une part quelque projet à réaliser, quelque travail à faire, d'autre part une volonté pure, intacte, qui viendrait aisément à bout d'eux. Malheureusement dès que ce lendemain devenait aujourd'hui, il laissait aussitôt entrer sous sa cloche pneumatique une atmosphère *[comme dans ms., avec lég. var.]* dans l'« avenir ». Mais le résultat était que je prolongeais ainsi indéfiniment une paresse que je croyais passagère. Il est du reste probable que l'idée de la date de leur échéance que nous ajoutons aux choses au moment où nous les pensons les modifie extrêmement pour nous. De même que nous rendons l'idée de la mort à peu près nulle en écartant du présent immédiat l'attente de sa réalisation, de même les gens les plus sages, les plus vertueux, deviennent capables de mener jusqu'à la fin l'existence la plus coupable ou la plus folle en comptant sur les hasards du lendemain pour amener la résiliation d'une habitude dégradante ou ruineuse et qu'ils n'acquièrent pour toujours que parce qu'ils ne s'engagent jamais que pour un jour ou deux. / À sept heures je m'habillais et ma lettre pour ma grand-mère à la main, je ressortais pour aller dîner avec Saint-Loup à son hôtel. J'aimais *dactyl.* : sembler riches d'un contenu divin, de toute *[comme dans dactyl., avec lég. var.]* J'aimais *plac. Gt* : sembler riches d'un contenu divin, de toute *[comme dans dactyl.]* bien reçu. / À sept heures [...] J'aimais *plac. Gd* ◆◆ *b.* garnison de Montargis. Mais ces rues n'étaient *ms.* ◆◆ *c.* d'un endroit à un autre ; elles me semblaient nouvelles, douées d'une existence à elles, contenant des femmes qui leur étaient particulières et qui excitaient en moi le désir de les posséder. La vie *ms.* : d'un endroit *[comme dans ms., avec lég. var.]* particulières. La vie *dactyl., plac. Gt, plac. Gd*

Page 396.

    a. passante effrayée. *[16ᵉ ligne de la page]* Mais le vent *ms.* : passante effrayée. Cette *[16ᵉ ligne]* ruelle-là avait *[comme dans le texte définitif, avec lég. var.]* facile peut-être. Le vent *dactyl.*

Page 397.

1. Marcel Plantevignes rapporte comment Proust, vers 1908, quand il dînait à l'Hostellerie de Guillaume le Conquérant, à Dives, près de Cabourg, s'émerveillait de trouver dans le menu des « Demoiselles de Cherbourg au feu éternel » (*Avec Marcel Proust*, éd. citée, p. 321 et 336).

2. Pieter Bruegel dit l'Ancien a peint un *Dénombrement de Bethléem* en 1566 (Bruxelles, Musées royaux des beaux-arts), dont son fils, Bruegel d'Enfer, a fait une réplique. Le tableau ne représente pas la Bethléem de Jordanie, mais un village flamand sous la neige. Proust, se conformant à l'usage de son temps, écrit « Breughel », comme avait fait, par exemple, Fromentin dans *Les Maîtres d'autrefois*.

Page 398.

a. pas encore soupçonnée. À la table de Montargis, dans une petite salle [dans notre petite salle   *dactyl.*], je trouvai   *ms., dactyl.* ◆◆ *b.* je lui dis : Charles, le moment est mal choisi pour te dire cela,   *ms. Pendant quelques répliques, le narrateur et Montargis se tutoient sur ms.*

Page 399.

a. je n'y tiens pas autrement. Je ne peux   *ms., dactyl.* : je n'y tiens [*comme dans le texte définitif, avec lég. var.*] « Il y a des éternités que je ne l'ai vue » [...] Je ne peux   *plac. Gt* ◆◆ *b. Dans ms., le vouvoiement réapparaît ici.*

Page 400.

a. la présence des autres m'autorisait à une brièveté, à une interruption du propos qui me fournissaient des facilités pour dissimuler le mensonge que je faisais en disant à Charles que j'avais oublié sa parenté avec Mme de Guermantes, pour donner à ma demande qui était le but de mon voyage l'apparence d'une inspiration fortuite, incidente, négligeable et pour ne pas laisser à Montargis le temps   *ms.* ◆◆ *b.* elle ne voudra pas. — Je réponds pour elle ; j'en fais mon affaire. — Je ne peux   *ms., dactyl.*

Page 401.

a. importante ou non, désirable ou non,   *ms.* ◆◆ *b.* On fera les deux. — Charles [Robert   *dactyl., plac. Gt, plac. Gd*], comme je vous aime ! Écoutez, dis-je encore   *ms., dactyl., plac. Gt, plac. Gd* ◆◆ *c.* qui je veux dire. Vous ne voudriez   *ms.*

1. Écho du « Mémorial » de Pascal, un morceau de parchemin qu'il avait couvert d'exclamations destinées à commémorer la nuit du 23 novembre 1654 où il avait été touché par la grâce divine. Après sa mort, on retrouva ce papier caché dans la doublure de son pourpoint, et il fut publié dans les *Opuscules*. Le texte exact est : « Joie, joie, joie, pleurs de joie » (*Œuvres de Blaise Pascal*, Hachette, 1925, coll. des Grands écrivains de la France, t. XII, p. 5).

2. L'expression n'est guère courtoise pour les habitants de cette région de la Suisse. Le mot *crétin* vient cependant du dialecte valaisan du XVIIIᵉ siècle : il est une déformation du mot *chrétien* et désigne un cagot, une personne que la dévotion rend stupide. On affirme, d'autre part, que les populations des régions de haute altitude, où l'iode est rare, sont souvent atteintes d'hypothyroïdie. Littré donne la citation suivante : « Les crétins du Valais et des vallées voisines procureraient de riches moissons aux physiologistes qui voudraient approfondir un sujet si digne d'être approfondi. » La phrase est de Charles Bonnet, naturaliste et philosophe suisse. On dit également : crétin des Alpes.

Page 403.

a. je le détestai. *[p. 402, fin du 3ᵉ §]* Le troisième soir,   *ms., dactyl.* : je le détestai. / Et pourtant j'étais touché *[comme dans le texte définitif, avec lég. var.]* dans une glace. *[p. 402, fin de l'avant-dernier §]* Le troisième soir,   *plac. Gt* ●● *b.* soirée ensemble, séparés,   *ms.*

1. La théorie du phlogistique, critiquée par Lavoisier, a été développée par Georg Ernst Stahl, médecin et chimiste allemand (1660-1734), qui considérait le feu comme un principe entrant dans la composition des corps. Le phlogistique était un fluide, susceptible de s'enflammer.

Page 404.

a. la chaleur de cette petite pièce. *[p. 403, 18 lignes en bas de page]* Montargis m'avait parlé de lui ; je savais que seul d'eux tous il était partisan de la Révision du procès Dreyfus. « Il n'est pas de bonne foi, me disait Montargis ; au début il   *ms., dactyl., avec lég. var.* [1] ●● *b.* sincèrement (quoique personne ne soit, ou n'était, aussi clérical que mon ami, ajoutait Montargis). Alors   *ms.* ●● *c.* soldat républicain, était   *ms.* ●● *d.* ces idées-là. C'est que   *ms.*   : ces idées-là. — Vois-tu, dis-je à Saint-Loup, c'est que   *dactyl.* ●● *e. Pour ms. et dactyl., voir var. p. 406.*

1. L'affaire Dreyfus — que pendant des années on désignera simplement comme l'« Affaire » — est la plus importante crise politique de la Troisième République. Tout commence à la fin de septembre 1894. La femme de ménage de l'ambassade d'Allemagne, appointée par le Service de renseignement français, découvre dans la corbeille à papier de l'attaché militaire un « bordereau » annonçant la livraison de divers documents secrets relatifs à l'armement français et à l'organisation des troupes. Très vite, le ministère de la Guerre accuse un officier juif, Alfred Dreyfus (1859-1935), d'en être l'auteur. Une simple comparaison d'écriture suffit à le faire arrêter. Il est jugé par un Conseil de guerre en décembre 1894, puis condamné à la dégradation militaire et à la déportation perpétuelle. Sa culpabilité ne fait alors aucun doute. Mais

_____

1. Notamment « Saint-Loup » au lieu de « Montargis ».

Dreyfus s'affirme innocent et, peu à peu, des « intellectuels » vont prendre sa défense et réclamer la révision de son procès. Ce sont les « dreyfusards » : Bernard-Lazare, Joseph Reinach, Scheurer-Kestner, Émile Zola, Anatole France, Georges Clemenceau. Marcel Proust est avec eux : « Je crois bien avoir été le premier dreyfusard, écrira-t-il en 1919 à Paul Souday, puisque c'est moi qui suis allé demander sa signature à Anatole France » (*Correspondance générale*, éd. citée, t. III, p. 71). De leur côté, les adversaires de la révision — les antidreyfusards — lancent une campagne antisémite et xénophobe. Soutenus par l'Armée, par l'Église, par le gouvernement, leurs chefs se nomment Édouard Drumont, Maurice Barrès, Léon Daudet, etc.

2. Le général Raoul François Charles Le Mouton de Boisdeffre (1839-1919), chef d'état-major général de l'Armée de 1893 à 1898. Alfred Dreyfus lui-même avait commis l'erreur de croire que le général de Boisdeffre lui accorderait la réhabilitation (voir Jean-Denis Bredin, *L'Affaire*, Julliard, 1983, p. 205).

3. Le général Félix Gustave Saussier (1828-1905), gouverneur militaire de Paris de 1884 à janvier 1898, avait déconseillé au ministre de la Guerre de poursuivre Dreyfus. Il fut cependant contraint, le 3 décembre 1894, de donner l'ordre d'ouvrir une information (*ibid.*, p. 71 et 88).

4. En mars 1896, le commandant Georges Picquart (1854-1914), chef de la Section de la statistique — le Service de renseignement — depuis 1895, découvrit que la trahison dont on accusait Dreyfus avait probablement été le fait du commandant Marie Charles Ferdinand Walsin Esterhazy (1847-1923). L'État-Major tenta en vain d'étouffer cette révélation. Le 17 novembre 1897, Saussier demandait l'ouverture d'une enquête qui se transforma, le 4 décembre, en instruction judiciaire. Les 10 et 11 janvier 1898 se déroula le procès d'Esterhazy devant le Conseil de guerre, qui prononça l'acquittement.

Page 405.

a. plus que bienveillante. *[p. 404, 3 lignes en bas de page]* Quand   plac. Gt

1. Le comte Mosca, premier ministre du prince de Parme, et Fabrice del Dongo sont des personnages de *La Chartreuse de Parme*.
2. Allusion au Siegfried de Wagner.

Page 406.

a. modifient en rien ; *[p. 404, fin de l'avant-dernier §]* et comme une idée est quelque chose qui ne peut participer aux intérêts humains et ne pourrait jouir de leurs avantages, les hommes d'une idée ne sont pas influencés par l'intérêt. De même qu'un frère   *ms.* : modifient en rien ; *[comme dans ms.]* par l'intérêt. — Vous êtes épatant. » De même qu'un frère *dactyl.* ◆◆ *b.* de Victor Hugo. *Pour ms., et dactyl., voir var. a, p. 416. Les pages qui suivent, consacrées à l'art militaire (de :* Je me plaisais surtout *[début du § suivant]* à avec une infatigable bonté. *[p. 416, fin du 2ᵉ §] sont une addition datant de 1917 sur une longue paperole collée sur plac. Gt.*

1. Proust donne à ce commandant le nom d'un grand général français, Géraud-Christophe de Michel du Roc, dit Duroc (1772-1813), duc de Frioul, qui combattit à Austerlitz, Aspern, Wagram et fut tué à Bautzen.

2. Sur la nouveauté du mot *mentalité*, voir p. 533-534.

3. Schéhérazade est la conteuse des *Mille et Une Nuits*.

4. Sans doute faut-il voir dans cette « princesse d'Orient » la comtesse Anna de Noailles (1876-1933). Née Brancovan et roumaine d'origine, elle avait épousé en 1897 le comte Mathieu de Noailles. Elle est l'auteur de plusieurs recueils de poèmes : *Le Cœur innombrable* (1901), *Les Éblouissements* (1907), etc. Proust ne cessait de chanter ses louanges, la plaçant tour à tour aux côtés du Christ (*Correspondance*, t. III, p. 53), de Léonard de Vinci (*ibid.*, p. 69), et au-dessus de la sainte Vierge (*ibid.*, p. 446), de Victor Hugo (*ibid.*, t. IX, p. 197) ou de Chateaubriand (*ibid.*, t. IV, p. 148). Vos livres, lui écrivait-il, « sont toute notre poésie, notre beauté, notre joie », nous les « égalons à *La Légende des siècles*, aux *Contemplations*, aux *Méditations*, aux poésies de Vigny, à Baudelaire, à Racine, à tout ce que nous connaissons de plus beau au monde » (*ibid.*, t. VI, p. 157). Il aimait également la comparer à un jeune « poète persan » peint par Gustave Moreau (*ibid.*, t. III, p. 54, et *Essais et articles*, éd. citée, p. 534-535) ou à une « déesse carthaginoise » (*Correspondance*, t. III, p. 446). Les compliments étaient parfois si démesurés que, lorsque Anna de Noailles publia les lettres qu'elle avait reçues de Proust, sa modestie lui suggéra d'en supprimer certains passages (*Correspondance générale*, éd. citée, t. II, p. 68). Si l'étoile de la comtesse de Noailles a un peu pâli de nos jours, elle était au début de ce siècle un écrivain très admiré, que plus d'un a comparé à Victor Hugo. Toutefois, il faut voir dans cette surenchère un jeu proustien. Gide lui-même qui, lisant les lettres de Proust à Mme de Noailles, s'était écrié : « La flagornerie ne peut être poussée plus loin », a reconnu « dans ces flatteries éhontées moins d'hypocrisie qu'un besoin maniaque de servir à chacun ce qui peut lui être le plus agréable [...] » (*Journal 1889-1939*, Bibl. de la Pléiade, p. 1067).

Page 407.

1. Georges Picquart, témoin gênant pour l'armée, avait été désavoué par ses chefs et éloigné par le général Billot, ministre de la Guerre, qui, en 1896, l'envoya dans l'Est d'abord, puis en Tunisie.

2. La première vague de pogromes eut lieu en Russie entre 1880 et 1882. Des artisans, des employés, des ouvriers, des paysans pillaient les établissements ou les maisons des Juifs, violaient, assassinaient en toute impunité. Ces massacres entraînèrent l'émigration massive des Juifs de Russie et devaient se répéter entre 1903 et 1906, puis entre 1917 et 1921.

Page 408.

1. La longue exposition des théories militaires qui commence ici est un ajout datant de 1917 (voir var. *b*, p. 406). Proust entend établir un parallèle entre les prévisions faites par Saint-Loup et la réalité d'un conflit à l'échelle mondiale qui les démentira ou les vérifiera. Il prépare ainsi les pages qui seront consacrées à la guerre dans *Le Temps retrouvé* et, plus particulièrement, les conversations du narrateur avec Saint-Loup et avec Gilberte (t. IV de la présente édition). Avant de faire parler Saint-Loup, Proust s'est documenté, lisant notamment les articles publiés pendant la guerre par Henry Bidou dans *Le Journal des débats* et par le colonel Feyler dans *Le Journal de Genève* (Marcel Proust, *Lettres à Mme C.*, Janin, 1946, p. 137).

Page 409.

a. faire échec à son attaque *[7 lignes plus haut]* D'autre part, *plac. G1*

1. Voir l'article d'Henry Bidou dans *Le Journal des débats* du 26 juin 1916 : « On se demande, comme il est juste, la raison de l'obstination allemande à attaquer Verdun. Il y a deux explications plausibles. L'une est que les Allemands, comme l'indique une note française, essayent par ce moyen d'entraver la liberté de nos propres mouvements ; l'autre, est qu'ils masquent par cette offensive les prélèvements qu'ils font sur le front français au bénéfice du front russe. »

Page 410.

1. Le 20 octobre 1805, à Ulm, dans le Bade-Wurtemberg, le général autrichien Mack, encerclé par les troupes de Napoléon, capitula (voir n. 2, p. 414). La bataille de Lodi, en Lombardie, se déroula le 10 mai 1796 et vit la victoire des troupes françaises. La bataille de Leipzig, en Saxe, dite bataille des Nations, du 16 au 19 octobre 1813, fut une défaite pour l'armée française.

2. Cette bataille, à l'issue de laquelle Hannibal le Carthaginois vainquit l'armée romaine, se déroula à Cannes (*Cannae*), ancienne ville d'Italie méridionale, sur les bords de l'Aufide, pendant la deuxième guerre punique, en 216 avant Jésus-Christ. « L'armée romaine, plus de 80 000 hommes et 6 000 chevaux, fit front au Midi ; la cavalerie, commandée par Paul-Émile, forma l'aile droite, appuyée à l'Aufide ; l'aile gauche, sous Varron, se déployait vers la mer ; au centre, les légions, en formation profonde et massive, étaient sous les ordres du proconsul Cn. Servilius. Hannibal plaça Maharbal à sa droite avec la cavalerie numide, Asdrubal à sa gauche avec la cavalerie espagnole et gauloise ; lui-même avec son frère Magon au centre, avec l'infanterie déployée en ligne mince et convexe, des fantassins africains prêts à la rescousse aux deux extrémités : en tout,

environ 50 000 hommes dont 10 000 cavaliers. La cavalerie romaine heurta violemment de front celle des Espagnols et des Gaulois, toute manœuvre étant impossible entre le fleuve et les masses d'infanterie : les Romains furent vite dominés, les hommes souvent arrachés de leurs bêtes ; ils périrent ou s'enfuirent le long de l'Aufide. Au centre après la prise de contact des forces légères, la puissante infanterie romaine fit plier sous son poids la ligne punique, qui de convexe devint concave ; mais imprudemment engagés en cette sorte de poche, et déjà fatigués de combattre, les Romains furent assaillis de flanc par les fantassins d'Afrique, tandis qu'Asdrubal, ayant dispersé la cavalerie des *socii*, achevait de les encercler avec ses Numides. Les légions, incapables d'user de leur supériorité numérique, furent détruites ; Hannibal ensuite prit les deux camps romains ; et fit capituler plus de 10 000 hommes qui, pendant l'action, avaient attaqué en vain le camp punique » (*Histoire romaine*, t. I, Ettore Pais, *Des origines à l'achèvement de la conquête*, Presses universitaires de France, 1940, p. 313-316).

3. Austerlitz est une des plus brillantes victoires de Napoléon Ier, remportée le 2 décembre 1805 sur l'armée austro-russe.

4. Rossbach est un village de Saxe où, le 5 novembre 1757, pendant la guerre de Sept Ans, Frédéric II infligea une humiliante défaite aux troupes françaises commandées par le prince de Soubise.

5. La défaite de Napoléon Ier à Waterloo, le 18 juin 1815, entraîna sa chute et sa seconde abdication.

6. Le comte Alfred von Schlieffen (1833-1913), maréchal allemand, chef du Grand état-major de l'Armée allemande de 1891 à 1906, élabora à partir de 1905 un plan de guerre auquel on donna son nom et qui devait assurer une victoire rapide à l'Allemagne en cas de conflit : « Des troupes peu nombreuses protégeraient la Prusse orientale contre une avance des Russes, et quelques divisions de réserve garderaient l'Alsace, reculant en cas de besoin jusqu'au Rhin. Le gros des forces allemandes, évitant de se heurter aux fortifications des grandes villes du nord-est, effectuerait un vaste mouvement tournant à travers la Belgique pour envelopper les armées françaises, acculées à la reddition dans les Vosges ou à un nouveau passage en Suisse comme au temps de Bourbaki. Le renforcement de l'armée française par les troupes belges était considéré comme un risque négligeable, et l'armée allemande aurait ensuite le temps de se retourner contre les Russes avant même que ceux-ci eussent achevé leur mobilisation » (*Histoire universelle*, t. III, Encyclopédie de la Pléiade, p. 710). Cette stratégie, légèrement modifiée, devait être mise en œuvre en 1914 par le général Moltke.

7. Frédéric Ludwig, baron de Falkenhausen (1869-1936), général allemand, fut, pendant la Première Guerre mondiale, commandant du 6e corps d'armée (1916-1917), puis gouverneur de la Belgique (1917). Il est l'auteur de plusieurs ouvrages : *Der grosse Krieg der Jetztzeit* (1909), *Flankenbewegung und Massenheer* (1911), *Kriegführung und Wissenschaft* (1913).

Page 411.

a. sans parler des autres. *[p. 410, 3 lignes en bas de page]* Je te garantis *plac. G1* ⬤⬤ *b.* périmé que l'*Iliade. [11 lignes plus haut]* / Les paroles de Saint-Loup *plac. G1*

1. Friedrich von Bernhardi (1849-1930), général allemand, théoricien militaire du pangermanisme, auteur de *La Guerre d'aujourd'hui*, traduit en France en 1913, considérait que la guerre était un « devoir ». Dans *L'Allemagne et la prochaine guerre*, il prend volontiers pour modèle le roi de Prusse, Frédéric II le Grand, et l'appelle même « Frédéric l'Unique » (Lausanne-Paris, Payot, 1916, p. 176).

2. L'*ordre oblique* est « l'ordre de bataille dans lequel on présente à l'ennemi une aile en refusant l'autre » (Littré).

3. Frédéric le Grand battit les Autrichiens à Leuthen, en Silésie, le 5 décembre 1757, un mois après sa victoire sur les Français.

4. Le passage qui va de « Quelques-uns ne se gênent pas » à « plutôt que Cannes. » est une addition postérieure au 1ᵉʳ avril 1920 (voir var. *a*), date de parution d'un article du général Mangin dont Proust utilise certains éléments (voir n. 8 de cette page) : « Une étude du Feld-Maréchal von Schlieffen sur la bataille de Cannes avait transporté dans le domaine de la haute stratégie *la tactique d'Hannibal : fixer l'adversaire sur tout son front et l'entourer en l'attaquant par les deux ailes.* Le général baron de Falkenhausen en avait déduit un plan d'opérations qui déployait 44 corps d'armée allemands entre la Suisse et la mer du Nord avec *avance par les deux ailes,* mais *surtout* par la droite *en Belgique*, avec rabattement à travers le Nord de la France où les places Lille-Maubeuge, puis La Fère-Laon-Reims, restées inachevées, n'offraient pas d'obstacles sérieux. [...] Dans son ouvrage *La Guerre d'aujourd'hui*, le général von Bernhardi avait objecté que ce plan faisait état de formations de réserve employées en première ligne dès le commencement des opérations et jugeait cet emploi imprudent et d'ailleurs inutile. [...] Il proposait hardiment de concentrer les forces allemandes entre la Lorraine et le Limbourg hollandais, en laissant le champ libre à l'armée française au sud de Metz : plus elle s'avancerait vers l'Est, plus sa situation serait critique, car les armées allemandes, pivotant autour de sa gauche, marcheraient sur Paris découvert et prendraient l'armée française à revers : la concentration française se faisant N.-S. face à l'Est, la concentration allemande se ferait N.O.-S.E. ; c'était *l'ordre oblique du Grand Frédéric ressuscité, et non pas Cannes, mais Leuthen* » (général Mangin, « Comment finit la guerre — I », *La Revue des Deux-Mondes*, 1ᵉʳ avril 1920, p. 483 ; nous soulignons les mots ou expressions que Proust recopie).

5. Peut-être Proust se souvient-il d'un article d'Henry Bidou consacré à la « bataille défensive ». Le critique du *Journal des débats* décrit la bataille d'Austerlitz : « En arrière de la Littawa s'élevait un plateau ondulé, le Pratzen, avec d'excellentes positions défensives : c'est là que n'importe quel général aurait placé sa principale ligne

de défense. Napoléon l'abandonne, et va se cacher au pied de la contre-pente Ouest. » L'aile droite de l'armée française est alors violemment attaquée sans que Napoléon réagisse : « Depuis huit heures du matin, les deux divisions de Soult [...] attendaient au pied du Pratzen. Mais le génie de l'Empereur attendait son heure, cette heure de la contre-attaque, que l'art du chef est de choisir. À neuf heures, le moment était venu. Napoléon leva sa petite main blanche, et les Français tombèrent en avalanche sur l'ennemi » (*Le Journal des débats*, 7 avril 1916, p. 1).

6. Victoire de Bonaparte sur les Autrichiens le 14 janvier 1797, près de Vérone. La prédiction de Saint-Loup est rétrospective, Proust se servant ici d'une conférence d'Henry Bidou sur la bataille de la Marne prononcée le 1er février 1917. *Le Journal des débats* du lendemain en donnait un compte rendu dans lequel on peut lire : « Sur tout le front, la grande bataille s'engage, à la suite de l'ordre désormais historique du général Joffre : se faire tuer sur place plutôt que de reculer. M. Bidou en décrit, avec sa précision habituelle, les grandes péripéties. Déconcertés d'abord, les Allemands se reprennent quand se dessine la manœuvre qui les menace ; ils y opposent la riposte classique, l'effort violent, pour crever le centre de l'assaillant. À la tactique de Cannes, ils répondent par la parade de Rivoli » (« À la Société des Conférences : M. Henry Bidou décrit la bataille de la Marne », *Le Journal des débats*, 2 février 1917, p. 2).

7. La guerre de 1870 représenta pour la France une série de défaites. De Frœschwiller et Forbach le 6 août, à Sedan le 2 septembre, ce ne furent que troupes faisant retraite, encerclées ou bloquées, ne sachant pas profiter des quelques avantages dont elles disposaient, comme le 17 août à Rezonville, où Bazaine, alors même qu'il commandait une armée supérieure en nombre, préféra se replier sur Metz où il dut soutenir un siège de deux mois.

8. Charles-Marie-Emmanuel Mangin (1866-1925), général français qui joua un rôle important pendant la Grande Guerre, notamment à Verdun, où il reprit les forts de Douaumont et de Vaux, fut placé en 1916 à la tête de la 6e armée et dirigea l'offensive d'avril 1917. Il commanda ensuite la 9e, puis la 10e armée, et repoussa les Allemands au-delà de la Marne et de l'Oise en juillet et août 1918. Proust avait lu ses « remarquables articles [...] sur la guerre » parus en six livraisons dans *La Revue des Deux-Mondes* (1er avril-1er juillet 1920) et avait même songé à en rendre compte dans *La Nouvelle Revue française* (M. Proust-J. Rivière, *Correspondance 1914-1922*, éd. citée, lettre du 23 ou 24 juillet 1920, p. 120). Le passage concernant Mangin est une addition manuscrite sur les placards *NRF* (voir var. *b* p. 411). Sans doute Proust a-t-il voulu rendre un hommage au général qui, d'autre part, était un ami de son frère (voir la *Correspondance générale*, éd. citée, t. III, p. 313 ; et n. 4 et 9 de la présente page).

9. Dans son article du 1er avril 1920, le général Mangin cite la maxime : « Faire la guerre, c'est attaquer. » Puis il ajoute : « À toutes les époques il est arrivé que, sur certaines parties du champ de bataille, l'assaillant lui-même soit amené à prendre une attitude défensive, tout

au moins provisoirement, et à y attendre le résultat de sa manœuvre. Presque toujours d'ailleurs, la défense s'accompagne de contre-attaques prévues dont peut résulter une avance du défenseur, soit limitée dans son but, soit commencement d'une véritable attaque qui se terminera par une grande victoire, comme à Austerlitz, par exemple. Renoncer à toute offensive, c'est renoncer à toute manœuvre et se condamner à une attaque frontale, toujours la même, proie facile pour les manœuvres de l'ennemi prévenu. Plus le champ de bataille s'étend, plus il contiendra de zones défensives : *Où ? quand ? comment attaquer ? C'est là toute la guerre* » (« Comment finit la guerre », *La Revue des Deux-Mondes*, 1er avril 1920, p. 488).

Page 412.

a. décider si l'étouffement auquel on a à faire est plutôt toxique, ou nerveux, ou hépatique, ou pulmonaire, ou cardiaque, si la tumeur *plac. Gt*

1. Jean Lannes (1769-1809), maréchal de France en 1804, duc de Montebello en 1808, participa à la bataille d'Iéna le 14 octobre 1806. Le 12 octobre, Napoléon Ier lui écrivait : « L'art est aujourd'hui d'attaquer tout ce qu'on rencontre, afin de battre l'ennemi en détail et pendant qu'il se réunit. Quand je dis qu'il faut attaquer tout ce qu'on rencontre, je veux dire qu'il faut attaquer tout ce qui est en marche et non dans une position qui le rend trop supérieur » (*Correspondance de Napoléon Ier*, Plon-Dumaine, t. XIII, 1863, p. 337).

2. Voir un autre article d'Henry Bidou : « Nous avons vu que la bataille défensive, après la première lutte d'usure sur les avant-lignes et le choc des lignes principales, avait sa péripétie au moment où, les rôles se transformant, le défenseur attaquait à son tour. Le choix de ce moment est la partie la plus délicate, la plus artistique pour ainsi dire du rôle du chef, celle où son tempérament et son génie décident. À Austerlitz, la contre-attaque devait être faite par le centre français, tombant sur les colonnes russes et autrichiennes au moment où, essayant de tourner notre droite, elles présentaient le flanc. Nous avons vu Napoléon retarder cette contre-attaque d'une heure. / On se rendra mieux compte encore de l'importance d'un choix exact dans le moment de la contre-attaque en considérant un Austerlitz raté, je veux dire la bataille de Woerth en 1870 » (*Le Journal des débats*, 9 avril 1916, p. 1 ; cet article fait suite à celui que nous citons n. 5, p. 411).

3. Mme A. de Thèbes (1865-1916) était une célèbre chiromancienne qui habitait 29, avenue de Wagram. Proust l'avait consultée en 1894 ; elle lui avait dit qu'il filait, « au point de vue de la santé, un mauvais coton » (*Correspondance*, t. I, p. 348). Dans *Jean Santeuil*, il raconte une visite du héros chez la devineresse (éd. citée, p. 215-216).

Page 413.

1. Ce livre est *La Monadologie* (1714) de Wilhelm Gottfried Leibniz (1646-1716). Dans une lettre à Mme Schiff d'août 1919, Proust écrit : « Le monde des possibles est plus étendu que celui du réel, dit Leibniz. Pardonnez-moi de citer un philosophe allemand malgré la guerre, mais je n'ai aucunement l'idée qu'elle ait ôté de sa valeur à *La Monadologie*, à *La Tétralogie* et même à beaucoup de choses qui ne sont plus en vogue » (*Correspondance générale*, éd. citée, t. III, p. 12). Proust tait-il le nom du philosophe, dans ce passage du *Côté de Guermantes* ajouté en 1917 sur les placards Grasset (voir var. *b*, p. 406), pour ne pas offusquer ses éventuels lecteurs nationalistes ou combattants ? Cela paraît peu probable, car il ne se prive pas de citer le nom de Siegfried, qui est précisément un personnage de *La Tétralogie* de Wagner.

Page 414.

a. être attaqué. Les guerres de Napoléon sont pleines de feintes de ce genre[1]. C'est ainsi *plac. Gt* ⟷ *b.* rigoureusement exactes. Nota Bene : l'Exemple que je mettrai en regard de cela dans la guerre de 1916 sera la manœuvre de Falkenhayn vers Craïova, voir Bidou, *Débats* du 23 et 24 novembre 1916 à relire entièrement[2]. D'autre part avant la guerre Saint-Loup me comparera Lüleburgaz à Ulm, au début de la guerre Charleroi à Ulm[3]. Enfin pour les principes il les croira altérés par la guerre du Transvaal et la guerre de Mandchourie (et la guerre balkanique[4] ?). Je montrerai à sa femme qu'il se trompait à demi (peut-être revoir général

1. On retrouve cette phrase, sous une forme quelque peu différente, plus haut dans le texte définitif : « (C'est une feinte classique dans les guerres de Napoléon.) » (p. 409, 19 lignes en bas de page.)

2. Pendant la guerre de 1914-1918, Henry Bidou (1873-1943) fut le critique militaire du *Journal des débats*. Les articles que cite Proust décrivaient l'offensive de l'armée austro-allemande commandée par le général Erich von Falkenhayn (1861-1922) sur la ville de Craïova, en Roumanie.

3. Voir *Le Temps retrouvé*, t. IV de la présente édition. La bataille de Lüleburgaz (Proust écrit Loullé-Bourgas), en Turquie, eut lieu du 28 octobre au 2 novembre 1912, pendant la première guerre des Balkans. Les Bulgares furent vainqueurs des Turcs. À la fin d'août 1914, la bataille de Charleroi opposa les troupes allemandes de von Bülow et de von Hausen à l'armée française commandée par le général Lanrezac. Il s'agissait d'empêcher les Allemands de passer la Sambre, mais les Français durent faire retraite jusqu'à la Marne. Dans son article du 24 novembre 1916, Henry Bidou écrivait : « Aujourd'hui quelle est la situation ? Il est incontestable que Falkenhayn a réussi à amorcer le mouvement de son centre et de sa droite. Il ne l'est pas moins qu'il a fait dans ces conditions extrêmement précaires, qui ne rappellent que de fort loin les grands exemples que nous citions tout à l'heure, Ulm, Lulé-Burgas et Charleroi. » (*Le Journal des débats*, p. 1).

4. La guerre du Transvaal (Afrique du Sud) est encore appelée guerre des Boers (1899-1902). La guerre de Mandchourie, en Chine, opposa les Russes aux Japonais de février 1904 à septembre 1905. Les guerres balkaniques sont au nombre de deux : la première vit la victoire de l'entente balkanique (Serbie-Bulgarie-Grèce-Monténégro) sur la Turquie ; la seconde opposa la Bulgarie à la Serbie et à la Grèce (1912-1913).

de Lacroix[1]). Mais pourtant un peu de vrai ! (Pétain[2] : c'est de la guerre d'avant la guerre). (La feinte de Falkenhayn — manœuvre par le Prehovember direction de Campolmy trompe même après ce coup jusqu'à Bidou qui appelle le 23 échec de cette manœuvre, ce qu'il découvre feinte le lendemain 24 novembre 1916[3]). L'enfoncement par le centre à Rivoli, c'est ce qu'a essayé Kluck à la bataille de la Marne, voir dans les *Débats* du 1er ou 2 février 1917 la conférence de Bidou et mieux la conférence[4]. Quant aux *plac. Gt. Ce* Nota Bene *est biffé sur* plac. Gd. *Voir n. 1, p. 408.*

1. Proust s'inspire ici d'un article d'Henry Bidou paru en 1916. La critique indiquait que, au moment où avait commencé « l'offensive Falkenhayn contre la Roumanie [...] ce général avait le choix entre trois manœuvres » qui « pouvaient et sans doute devaient se conjuguer deux à deux » (« La Manœuvre sur Craïova », *Le Journal des débats*, 23 novembre 1916, p. 1).

2. Nouvel emprunt à un article de Bidou qui, à propos de la bataille de Craïova, en novembre 1916, écrivait : « L'entrée à Craïova des Allemands [...] donne sa forme au troisième plan de campagne de Falkenhayn. À n'en pas douter, nous sommes en présence d'un essai du grand enveloppement par l'aile, comme celui qui a commencé la première guerre balkanique, comme celui qui a commencé la guerre de France en 1914. C'est toujours la manœuvre d'Ulm. Falkenhayn, après avoir fixé l'attention des Roumains au nord de Bucarest, apparaît tout à coup avec sa principale force dans l'Ouest, où on ne l'attendait pas. Les Roumains, après avoir attendu la principale menace sur leur centre, reçoivent tout à coup le choc sur leur aile gauche. C'est ainsi que Mack, en 1805, après avoir regardé obstinément devant lui face à l'Ouest, se trouva tout à coup débordé du côté du Nord, où il n'avait rien vu, et sans savoir comment. / À vrai dire, ces manœuvres d'école dans la guerre actuelle sont plus

1. Le général Henri de Lacroix (1844-1924) commanda l'École de guerre, fut gouverneur militaire de Lyon, membre du Conseil supérieur de la guerre dont il devint vice-président en 1907. Il est l'auteur d'une plaquette sur *L'Effort de la Roumanie* (Alcan, 1917 ; extrait de la *Revue des sciences politiques* du 15 avril 1917).

2. Pendant la Première Guerre mondiale, Philippe Pétain (1856-1951), qui n'était encore que général, participa aux batailles de la Marne, d'Artois, de Champagne et fut le vainqueur de Verdun.

3. « Falkenhayn paraît avoir tenté d'abord le passage dans le secteur oriental, entre la Prahova et le Buzeu, puis s'être reporté sur le secteur occidental, en direction de Campullung. Puis, après les combats dont nous connaissons mal le détail, nous voyons son effort s'éteindre dans l'un, puis dans l'autre secteur. Au début de la seconde moitié de novembre, il est évident que la manœuvre du centre a échoué. » (Henry Bidou, « La Manœuvre sur Craïova », *Le Journal des débats*, 23 novembre 1916, p. 1 ; l'orthographe des noms de lieux roumains est très flottante dans l'usage français de l'époque). Le lendemain, Bidou reconnaissait en effet que la manœuvre de Falkenhayn était une feinte (voir n. 2, p. 414).

4. Au cours de la bataille de Craïova, l'aile droite de Falkenhayn « dessine un mouvement débordant autour de l'armée roumaine, comme von Kluck, dans l'été de 1914, en dessina un autour de l'armée française » (Henry Bidou, *Le Journal des débats*, 24 novembre 1916). Le général Alexander von Kluck (1846-1934) commandait la 1re armée allemande en 1914. Il fut vaincu par Maunoury après avoir franchi la Marne. Bidou décrit la bataille de la Marne dans une conférence du 1er février 1917 dont rend compte *Le Journal des débats* du 2 février (voir n. 6, p. 411).

impressionnantes que réellement dangereuses. [...] L'attaque du centre austro-allemand dans la zone de la Prahova a bien l'air d'avoir eu pour objet la fixation de l'adversaire » (« La Perte de Craïova », *Le Journal des débats*, 24 novembre 1916, p. 1). En 1805, le général autrichien Mack (1752-1828) devait capituler, cerné par les troupes de Napoléon.

3. Henri Poincaré (1854-1912), l'un des plus grands mathématiciens de son temps, membre de l'Académie des sciences et de l'Académie française, est également l'auteur d'ouvrages sur la philosophie des sciences : *La Science et l'hypothèse* (1902), *La Valeur de la science* (1906), *Science et méthode* (1909). S'il a bien développé l'idée du relativisme scientifique, il n'a jamais prétendu que les mathématiques ne fussent pas « rigoureusement exactes », mais a, au contraire, souligné leur importance comme seul langage véritablement scientifique.

4. Le *Décret du 28 mai 1895 portant règlement sur le service des armées en campagne* fut modifié plusieurs fois avant la Première Guerre mondiale. Son édition de 1910 précisait : la cavalerie « est l'arme par excellence de la surprise et, par suite, pourra souvent amener les plus grands résultats en intervenant brusquement soit sur une aile, soit sur les derrières de l'adversaire » (cité par Gareth H. Steel, *Chronology and Time in « À la recherche du temps perdu »*, Genève, Droz, 1979, p. 153).

Page 415.

a. constatant ainsi officiellement *[11ᵉ ligne de la page]* « Du reste, ajouta-t-il, ce qui précipite *plac. Gt*

1. Le 18 août 1870, à Saint-Privat-la-Montagne, en Moselle, les Iʳᵉ et IIᵉ armées prussiennes (deux cent mille hommes) battirent les troupes françaises (quarante mille hommes) commandées par le maréchal Bazaine. Un monument y fut par la suite érigé à la mémoire des membres de la garde prussienne qui trouvèrent la mort ce jour-là.

2. Les *turcos* étaient les tirailleurs algériens qui participèrent à la guerre de 1870 et, particulièrement, aux deux batailles à l'issue desquelles l'Alsace fut aux mains des Prussiens. Le 4 août, à Wissembourg (Bas-Rhin), la division du général Douay fut écrasée par les forces dix fois supérieures des Prussiens. À trois reprises, les turcos firent preuve d'une exceptionnelle bravoure en repoussant des assauts de l'infanterie bavaroise à la baïonnette. Le lendemain, près d'une localité voisine, Frœschwiller, s'engagea un combat entre les troupes de Mac-Mahon venues en renfort et celles, trois fois supérieures en nombre, du prince royal de Prusse. L'armée française fut forcée de se replier sur Reichshoffen.

Page 416.

a. génie du genre de Victor Hugo *[p. 406, fin de l'avant-dernier §]* ou d'Alfred de Vigny. Dès que la conversation devenait générale *[p. 417, début du 3ᵉ §]*, comme Montargis et tous ses autres camarades étaient antidreyfusards, on évitait de parler de l'Affaire Dreyfus, pour ne pas blesser mon nouvel ami. Je me sentais *ms.* : génie du *[comme dans ms.]* Vigny. / Je me sentais *dactyl.*[1].

Page 417.

a. plus que pour lui[2] ? » *[8 lignes plus haut]* me disaient Saint-Loup et ses camarades. Dès que la conversation devenait générale, comme lui était pour l'État-Major, on évitait [...] froisser mon nouvel ami. Celui-ci n'étant pas là le lendemain, un autre ami de Saint-Loup me dit combien *dactyl., plac. Gt* ✦✦ *b.* « C'est justement ce *[9 lignes* qu'avant-hier, etc. », quand, non sans en être un peu agacé, je vis Saint-Loup, absolument [...] terres, me souhaiter *dactyl.* : « C'est justement ce qu'avait hier, etc. » Mais j'avais compté sans les revers qu'avait la gentille admiration de Saint-Loup pour ses amis et qui était une si entière [...] idées que quarante-huit heures après il avait oublié qu'elles n'étaient pas de lui ; Saint-Loup, absolument [...] terres, me souhaiter *plac. Gt*

1. Vers 1566, Bernard Palissy ou ses élèves firent des céramiques à reliefs abondants d'animaux, de végétaux ou de minéraux. C'étaient des émaux foncés appelés « figulines rustiques ». Ainsi, sur un plat à fond blanc datant de cette époque, voisinent des poissons, des anguilles, des coquillages, des lézards, des algues, des crapauds, etc. (Sèvres, musée national de la Céramique).

Page 418.

a. vrille sur l'œil de son ami : « Tous *dactyl., plac. Gt* ✦✦ *b.* pareils, lui dit-il, *dactyl., plac. Gt* ✦✦ *c.* aucun souvenir que je le lui avais dit *[6 lignes plus haut]* deux jours avant. / Un souvenir, un chagrin sont choses mobiles. Un moment on ne les apercevait plus, aussitôt ils reviennent, de longtemps ils ne nous quittent plus. Il y avait *dactyl., plac. Gt* ✦✦ *d.* vers le restaurant, j'avais peine à marcher, on aurait dit *dactyl., plac. Gt* ✦✦ *e.* partie de l'amour. Et ainsi en étant triste à cause de Mme de Guermantes c'était — comme quand on replie en géométrie deux plans l'un sur l'autre — certains points de plus où mon état particulier coïncidait avec la passion appelée amour. Et sans doute de *dactyl., plac. Gt*

Page 419.

a. je n'ai vu Mme de Guermantes. » Et aussitôt ce n'était plus *dactyl., plac. Gt* ✦✦ *b.* douloureux et de poétique. Je me disais : « Elle n'attendra peut-être pas plus longtemps pour venir à résipiscence. Quatorze jours, quatorze jours d'attente, c'est une bien longue attente. » Et je ne songeais pas qu'elle n'attendait pas, et que ces quatorze jours de séparation, immenses à travers le microscope de mon regret qui m'avait permis d'en compter chaque dixième de seconde, étaient infimes, peut-être pur néant, et resteraient tels même quand à eux se seraient ajoutés cent fois quatorze jours, pour Mme de Guermantes qui pendant tout ce temps n'avait pas

1. Voir aussi var. *b*, p. 406.
2. Après ces mots, le manuscrit est le Cahier 34 ; voir var. *c*, p. 423.

pensé, ne penserait pas une seule fois à moi. Chaque jour   *dactyl., plac. Gt ◆◆ c.* Je respirai en apprenant que   *dactyl., plac. Gt, plac. Gd*

Page 421.

a. entre deux trains *[p. 419, 4 lignes en bas de page]* et sans que je l'aie su. En tout cas la querelle se poursuivait par lettres, elle lui déclarait qu'elle allait le quitter. Il lui écrivait à toutes minutes. Il avait beau savoir qu'elle ne lui avait jamais rien livré de sa pensée, qu'il ne la connaissait pas, que c'était seulement de ce qu'elle faisait et jamais de ce qu'elle disait — qui n'était même pas assez uniformément mensonger pour qu'il suffit d'en prendre le contrepied — qu'il pouvait induire ce qu'elle désirait, ce qu'elle voulait, malgré cela il attachait à ce qu'elle disait une importance extraordinaire. Aussi quoique persuadé d'avoir fait pour elle tout ce qui était possible, dans un moment comme celui-ci où elle était méchante avec lui, il éprouvait le besoin de lui demander, de la supplier de lui dire ce qu'elle pouvait avoir à lui reprocher et si en effet elle finissait par formuler un reproche, immédiatement il se mettait, durant de longues pages, à y répondre, à le réfuter. Pourtant bientôt ce ne fut plus avec sa maîtresse qu'il correspondit directement, car il ne voulut pas transiger sur certaines choses et crut devoir accepter sincèrement, ou par feinte une rupture. Peut-être sincèrement le tourment de quitter sa maîtresse pouvait lui sembler moins cruel encore que celui de rester avec elle dans certaines conditions. Peut-être lui semblait-il au contraire plus cruel mais nécessaire à maintenir ce qu'il croyait qu'elle avait encore pour lui de respect et d'amour. Tout en < ne > lui donnant plus signe de vie il passait tout son temps au télégraphe et au téléphone qu'on venait d'installer dans cette ville pour prendre, demander des nouvelles ou donner des instructions   *dactyl., plac. Gt*[1] : entre deux trains. Il est véritable qu'il souffrit *[p. 420, 5ᵉ ligne de la page]* horriblement *[comme dans le texte définitif, avec lég. var.]* cachée à Doncières *[p. 420, avant-dernière ligne du 1ᵉʳ §]* ou partie pour le Maroc. / On a dit que le silence *[comme dans le texte définitif, avec lég. var.]* des instructions   *plac. Gd*

Page 422.

a. Versailles. Il ne dormait   *dactyl, plac. Gt ◆◆ b.* jamais oublier. — Mon rêve   *dactyl.* : jamais oublier. / Il ne savait rien d'elle, il avait beau à chaque instant attendre une lettre, son ordonnance ne lui en apportait jamais. Sans aucune nouvelle, Robert formait toutes les suppositions. On a dit, dans un certain sens, que le silence *[p. 420, début du dernier §]* était une force, dans un tout autre sens *[comme dans le texte définitif, avec lég. var.]* trompe avec d'autres ? » Et il l'accusait. Et il se disait encore : [...] silence sans fin. / — Mon rêve   *plac. Gt ◆◆ c.* sur le point *[14 lignes plus haut]* de télégraphier à sa maîtresse que la réconciliation était faite. Puis son rêve s'effaça un peu de son esprit. Pour moi, sans rien savoir, il me semblait impossible qu'elle ait réellement l'intention de quitter Saint-Loup. Lui-même ne savait trop qu'en penser. Il souffrait d'avance *[p. 421, début du 2ᵉ §]* sans en oublier une *[comme dans le texte*

---

1. Pour le passage relatif à la force du silence, voir var. *b*, p. 422.

définitif, avec lég. var.] accoutumer sincèrement. Tous les matins il venait chez moi l'œil distrait et fixe *[p. 422, 6 lignes avant la fin de l'avant-dernier §]* et ces jours où il souffrit tant l'un après l'autre dessinèrent dans mon esprit comme la courbe magnifique et dure de quelque rampe d'escalier en fer forgé d'où Robert restait à sonder ce mystère qui l'occupait toujours — ce que pensait réellement sa maîtresse, ce qu'elle faisait, ce qu'elle était — mais était maintenant devenu autrement urgent et douloureux puisque ce < qu'> il fallait déchiffrer ce n'était pas seulement <ce> qu'elle pensait, mais ce qu'elle voulait, ce qu'elle avait résolu, puisque ce qu'elle était en réalité, et en particulier et par rapport à lui, son amie pour toujours ou son esclave haineuse [et fugitive *biffé*], n'était plus seulement une essence intime sur laquelle on pouvait discuter, mais allait devenir, effectivement, une réalité, se traduire en actes. Enfin elle *dactyl., plac. Gt*

Page 423.

a. 1er janvier. Lui-même aimait mieux lui montrer qu'il pouvait se passer d'elle, mais n'avait *dactyl., plac. Gt* ←→ *b.* Paris sans le voir. De sorte que la visite qu'il devait me faire faire à ce moment-là à sa tante Guermantes se trouva supprimée. / « Cela m'ennuie *dactyl., plac. Gt* ←→ *c. Après une lacune de plusieurs pages*[1] *que Proust a comblée par une addition sur dactyl., le Cahier 34 donne un texte manuscrit assez éloigné de la version définitive et commençant par ces mots :* Malheureusement dès les premiers jours Montargis reçut une nouvelle qui me contraria vivement. Je savais depuis peu que la vraie raison pour laquelle il n'allait pas à Paris c'est que sa maîtresse lui avait demandé comme un sacrifice, de ne pas le faire. Elle était agitée de le voir pour si peu de temps, et s'il consentait à venir sans aller chez elle, elle avait peur qu'il ne l'oubliât avec d'autres ; à Noël où il pourrait avoir quinze jours ils se dédommageraient. Mais ce soir-là en arrivant dîner il me prit à part : « Mes projets sont changés pour Noël, j'ai reçu une lettre de ma gosse. C'est elle qui viendra me chercher ici. » Elle lui demandait en effet à passer ensemble le jour de Noël à Bruges où « avec les clochers sur les canaux, tu comprends, et les béguines, c'est bougrement chouette, et me donnera des idées pour une grande machine de Nativité qu'il est question que je joue. Il n'y aurait pas de décors mais des projections photographiques des principaux primitifs. Ça peut être curieux et avoir pour moi une grosse importance. » Et de là ils iraient patiner en Hollande. « Tu vois que je ne t'ai pas menti et qu'elle est intelligente, me dit avec attendrissement Montargis, trop intelligente pour moi, hélas, je ne suis pas à sa hauteur. Et malgré cela si bonne, si gentille. Pauvre gosse ! » Elle lui conseillait de lire les *Maîtres d'autrefois*, *Bruges-la-Morte* et *L'Art aux Pays-Bas* de Taine[2]. « Tu vois qu'elle pense à tout. Pauvre chou ! Cela t'ennuie, à cause de notre visite chez ma tante ? — Mais voyons, au contraire ! — Je retournerai ←→ *d.* — Oui, mais cette année *[14 lignes plus haut]* comme je suis souffrant. » Je cherchai *ms.* : — Oui, mais [...] envoyer à Pâques. » Je cherchai *dactyl.* : — Oui, mais [...] envoyer à Pâques. » / Toute sa crainte

---

1. Voir la variante *a* de la page 417 et la note 2 au bas de la page 1581.
2. *Les Maîtres d'autrefois* d'Eugène Fromentin (1876), *Bruges-la-Morte* de Georges Rodenbach (1892) et *La Philosophie de l'art dans les Pays-Bas* d'Hippolyte Taine (1868).

[...] quelque chose de vatique, tu comprends [...] cherchai *plac. Gt*

1. La maîtresse de Saint-Loup fait vraisemblablement ce pèlerinage annuel en souvenir du livre de Georges Rodenbach, *Bruges-la-Morte* (1892), dont elle conseille la lecture à Montargis dans le manuscrit (voir var. *c*, p. 423 et Takaharu Ishiki, « Aimer une autre femme » *Bulletin de la Société des amis de Marcel Proust,* n° 33, 1983, p. 219-220).

2. Saint-Loup forme ce néologisme sur le latin *vates* qui signifie à la fois poète et prophète, les deux personnages étant inspirés par les dieux (voir aussi vaticiner, vaticinateur). Plus loin, Saint-Loup dit de sa maîtresse qu'« elle a vraiment quelque chose de pythique » (p. 455) ; et dans *Le Côté de Guermantes II*, la duchesse de Guermantes est hilare « devant les mots "vatique", "cosmique", "pythique", "suréminent", qu'employait Saint-Loup » (p. 840).

Page 424.

a. avions connu *[p. 423, 7 lignes en bas de page]* à Rivebelle. Sans doute là-bas dans cette visite à son atelier où la vue de ses œuvres et sa conversation avaient fait sur moi une impression si forte, ce que ses études avaient mis en moi c'était moins le désir de voir d'autres œuvres de lui, que les choses même qu'il représentait et dont son art me dévoilait la beauté. *À la suite de ce texte, le Cahier 34 donne une longue digression sur Elstir. Elle peut se décomposer en trois parties : 1°) ff^os 4 à 9 r° : dans un restaurant, le narrateur et Montargis font transmettre un message à Elstir, qu'ils ne connaissent pas (voir « À l'ombre des jeunes filles en fleurs », p. 181-184) ; 2°) ff^os 10 r° à 18 r° : visite de l'atelier d'Elstir, conversation avec le peintre (voir « À l'ombre des jeunes filles en fleurs », p. 192-198) ; 3°) ff^os 18 r° à 21 r° : réflexions sur la beauté enseignée par l'art d'Elstir (voir « À l'ombre des jeunes filles en fleurs », p. 224 et suiv.). Proust a fait recopier ce développement sur des pages qui, à l'origine, s'inséraient dans dactyl., et qui étaient numérotées de 121 à 134. Plus tard, il supprimera ces feuillets de la dactylographie du « Côté de Guermantes I » et il les joindra aux placards imprimés d'« À l'ombre des jeunes filles en fleurs ». Ils figurent maintenant dans le volume de la Bibliothèque nationale intitulé « Reliquat des dactylographies de la Recherche » (N.a.fr. 16752) ff^os 318 à 332. Nous ne donnons pas ces textes, qui concernent « À l'ombre des jeunes filles en fleurs », dans notre apparat critique du « Côté de Guermantes I ». — C'est au folio 19 r° que le Cahier 34 rejoint notre texte :* Aussi si j'avais été riche, ce que j'aurais souhaité, ce n'eût pas été d'acheter des tableaux d'Elstir mais de pouvoir lui en commander représentant tous les lieux de la terre, tous les moments du jour dont seul je ne savais pas découvrir la beauté. Sur toutes les fleurs, sur tous les monuments dont je n'avais pas su saisir la beauté j'aurais voulu — autant que lire sur une page de Bergotte — voir une étude d'Elstir. Mais depuis que j'avais quitté Balbec, ces tableaux que j'avais regardés pour la signification générale qu'ils contenaient, maintenant leur souvenir, le souvenir de leur originalité, de leur séduction particulière, ne cessait d'occuper ma pensée ; et le désir qu'ils développaient en moi ce n'était plus tant de voir des lieux, que de retrouver ce que je me rappelais, que d'avoir de nouveau cette sensation si spéciale que donnait sa peinture, de rejoindre ce que je me rappelais à des œuvres qui me le donneraient. Aussi ce désir était-il particulier, exclusif. Autant que quand j'avais le désir de Florence, celui de Balbec se trouvait rejeté au loin, de même mon désir des œuvres d'Elstir était comme une sorte d'amour qui m'empêchait de ressentir le désir d'œuvres d'autres peintres, même les plus grands, car je savais encore qu'ils étaient grands mais le seul art dont j'eusse la sensation immédiate en mon âme (la seule qui excite le désir) *[plusieurs mots illisibles]* pas déplacer pour d'autres, c'était celle d'Elstir. Il me semblait *ms.* : avions connu à Balbec. Sans doute *[comme dans ms.]* atelier qui m'avait laissé une si forte impression, le désir que la peinture qu'il m'avait montrée avait excité en moi était moins de voir d'autres œuvres *[comme dans ms.]* dont son art me proposait la beauté. Ses tableaux avaient été pour moi surtout des clefs m'ouvrant de nouveaux domaines de beauté que je ne connaissais pas. Aussi, à Balbec, si j'avais été riche *[comme dans ms.]* moments du jour dont je ne serais pas arrivé à découvrir seul la beauté. J'aurais voulu qu'il peignît de ces aubépines et de ces épines roses desquelles à Combray le charme m'était resté en partie obscur et que sans doute descendant plus avant que moi au cœur des choses, il aurait mieux su dégager. Et si j'avais pu lui faire faire le portrait des êtres, des choses, ou des lieux que j'aimais ce n'eût pas été pour me conserver leur beauté mais pour me la découvrir. Mais depuis que j'avais quitté Balbec, ces tableaux auxquels j'avais demandé seulement de mettre au jour pour moi des parties nouvelles de la réalité, comme j'aurais fait pour un livre de Bergotte ou une interprétation de la Berma, maintenant c'est le souvenir de leur originalité, de leur séduction particulière qui ne cessait d'occuper ma pensée ; et le désir *[comme dans ms.]* tant de voir dans la nature des choses qu'Elstir avait peintes, que de nouveaux tableaux de lui. Peut-être l'amour que j'avais pour sa peinture était-il, en cela, devenu moins noble que quand je croyais qu'il devait seulement me conduire à l'amour de choses meilleures et plus vraies qu'elle-même et dont elle n'était qu'un reflet ; quand le désir qu'éveillait en moi « la glace à Briseville », le « Jour de Marché », la « Salute », les « Femmes sur la Plage », le « Grand Pavois », j'en attendais impatiemment la satisfaction d'un temps de dégel, du retour de la saison des bains, d'un voyage à Venise, d'une journée de régates. Peut-être au contraire, en reportant mon désir de l'objet représenté sur la représentation elle-même, me rendais-je mieux compte de la nature du plaisir que j'avais ressenti et que ce dont mes yeux se repaissaient dans ces toiles c'était la vision d'Elstir qui l'y avait projeté mais que cela ne se rencontrait ni en Italie, ni par les temps de dégel, ni les jours de marché ou de régate. Peut-être aussi voulais-je maintenant retrouver les sensations mêmes que me donnait la vue de ces tableaux — de leur facture dont le caractère particulier m'avait d'abord été caché par leur signification générale — tout simplement parce que tout souvenir cherche à renaître ; tandis qu'au moment où je les voyais j'aurais voulu avoir devant moi les pavillons rouges et jaunes amenés le long des drisses sous un ciel bleu, et la glace cassée en petits morceaux entre les peupliers, et le reflet rose sur le Grand Canal — parce que le charme de ces tableaux était lui-même analogue à celui d'un souvenir, désireux de se prolonger, de revenir à la vie, spirituel, tyrannique, indivisible. De même que quand pénétrait en moi le désir de Florence, il y effaçait le désir de Balbec, de même cet amour des œuvres d'Elstir, toujours présent à ma pensée, l'occupant tout entière, y refusait aux œuvres des autres peintres, même de ceux que je savais plus grands que lui, le souvenir effectif, immédiat, qui seul eût pu me

donner le désir d'aller les revoir. / Il me semblait *dactyl., plac.
Gt* ⟷ *b.* maison [de Rome *biffé*] [de Mantes *biffé*] des Andelys   *ms.*

1. Ville de l'Eure, au confluent de la Seine et du Gambon.

Page 425.

1. L'eau de Portugal eſt une eau de toilette, parfumée à la bergamote et employée au nettoyage des cheveux et du cuir chevelu.

Page 426.

a. oublier son absence ! » *[p. 425, fin de l'avant-dernier §]* Et tous me dirent qu'aussi longtemps que je reſte ici, ou à [...] j'y revienne, si Charles n'était pas là, *ms.* : oublier son absence. Et tous me dirent qu'aussi longtemps que je reſtasse ici, ou [je reſterais ici, ou *plac. Gt*] à [...] revinsse, si Robert n'était pas là, *dactyl., plac. Gt* ⟷ *b.* comme un ancien. » *[fin du § précédent]* C'était vrai. *Après ces mots, le Cahier 34 cesse d'être le manuscrit et c'est le Cahier 35 qui prend le relais :* Avec cet agrandissement d'échelle à laquelle nous voyons les choses *[p. 406, 5ᵉ ligne du dernier §]*, même petites, au milieu desquelles nous mangeons, ‹ nous › causons, nous dormons, nous menons enfin notre vie réelle, avec cette formidable *[comme dans le texte définitif, avec lég. var.]* sous mes fenêtres. Aussi avec Robert et ses amis, ce dont j'aimais surtout causer, c'était du quartier, des officiers de la garnison, de l'armée en général. C'est surtout sur la valeur militaire de ces différents officiers que j'interrogeais mes nouveaux amis, sur ce qu'ils entendaient par valeur militaire, par intelligence militaire, par génie ſtratégique. Peut-être craignant que ces officiers dont j'entendais parler, qui recevaient sur eux un reflet charmant *[p. 411, 5ᵉ ligne du dernier §]* que les sauternes que je buvais en mangeant des huîtres, passeraient un jour à un plan aussi effacé de mes souvenirs qu'étaient maintenant tant de personnages qui m'avaient paru considérables à Cricquebec, le président de Caen, le souverain d'Océanie, la petite société des trois gourmets, le beau-frère de Legrandin — ce qui voudrait dire que ce qui me plaisait aujourd'hui me serait indifférent, que l'être que j'étais aujourd'hui n'exiſterait plus, je tâchais de trouver à l'intérêt, enflammé et fugitif comme une ivresse, que je trouvais pour quelques soirs, à cette vie militaire un fondement intellectuel, permanent, qui me permît de croire qu'une fois à Paris je continuerais à m'intéresser aux faits et geſtes de la garnison qui faisaient en ce moment mes délices, que quand je serais obligé de la quitter dans quelques jours ce ne serait pas à jamais, et que des raisons durables me donneraient une envie très compréhensible d'y revenir. Et pour bien comprendre ce que c'était que la valeur militaire, je faisais comparer à mes nouveaux amis les différents officiers dont je savais les noms, je leur demandais lequel avait le plus une nature de chef, des dons de tacticien, comme jadis je faisais faire par mes camarades des classements entre les différents acteurs du Théâtre-Français. *ms.* : comme un ancien. » C'était vrai. Grâce ‹ à › cet agrandissement *[comme dans ms., avec lég. var.]* faits et geſtes de la garnison, et ne tarderais pas à revenir. Et pour bien comprendre *[comme dans ms.]* Théâtre-Français. *dactyl.* ⟷ *c.* en tête de tous les autres, d'un Galliffet ou d'un Saussier dont j'avais épuisé toute la moelle, Montargis jetait *ms.* ◆◆ *d.* surprise heureuse, le même plaisir d'assouplissement cérébral, la même sensation d'un peu d'excellence encore inconnue, toute neuve, et qui allait assouvir mon besoin de vérité, que jadis quand le nom de Febvre ou de Thiron se trouvait repoussé par l'épanouissement *ms.*

1. Le général Gaston Auguste, marquis de Galliffet (1830-1909), qui fut ministre de la Guerre dans le cabinet Waldeck-Rousseau de 1899 à 1900, est surtout connu pour la sauvagerie avec laquelle il réprima la Commune de Paris en 1871.

2. Le général François Oscar de Négrier (1839-1913) participa à la guerre de 1870, avant de se distinguer en Algérie puis au Tonkin où il fut blessé en 1885.

3. Le général Paul Marie César Gérald Pau (1848-1932) perdit la main droite à Frœschwiller. En 1909, il fit partie du Conseil supérieur de la guerre, puis commanda l'armée d'Alsace en 1914.

4. Le général Yves-Marie Geslin de Bourgogne (1847-1910) commanda des brigades de cavalerie (1898) et d'infanterie (1900) du IIᵉ corps d'armée (voir *Le Temps*, 13 novembre 1900, p. 2). Il est l'auteur d'un ouvrage plusieurs fois réédité, *Instruction progressive du régiment de cavalerie dans ses exercices et manœuvres de guerre. École du cavalier, école du peloton, école d'escadron, école de régiment*, Berger-Levrault, 1885.

5. Charles-Joseph-Jean Thiron (1830-1891) était spécialisé dans les rôles de financiers et de vieillards. Voir *Du côté de chez Swann*, t. I de la présente édition, p. 73, et *À l'ombre des jeunes filles en fleurs, ibid.*, p. 475.

6. Alexandre-Frédéric Febvre (1835-1916), sociétaire de la Comédie-Française. Voir *Du côté de chez Swann*, t. I de la présente édition, p. 73.

Page 427.

a. aperçu le plus souvent, et que dès mon arrivée, comme il avait été obligé d'avoir Montargis [Saint-Loup *dactyl., plac.* Gᵗ] à dîner dans un repas de corps il m'avait invité avec lui, c'était son capitaine, le prince *ms., dactyl., plac.* Gᵗ ◆◆ *b.* S.E. le prince *ms., dactyl., plac.* Gᵗ

1. Ernest-Félix Socquet (1849-1910), dit Amaury, faisait partie de la troupe du théâtre de l'Odéon entre 1880 et 1900.

2. Le coup d'État du 2 décembre 1851, perpétré par Louis Napoléon Bonaparte, qui devait entraîner la restauration de l'Empire, un an plus tard.

3. C'est-à-dire à la maison royale de Prusse qui régna jusqu'en 1918.

Page 428.

a. écrivait Monseigneur, *[p. 427, avant-dernière ligne]* cousin de l'Empereur. Plus que cousin peut-être. *ms., dactyl., plac.* Gᵗ

1. Après la défaite de Sedan (2 septembre 1870), Napoléon III fut fait prisonnier et interné au château de Wilhelmshöhe, près de Kassel.

2. Sur un fragment biffé du Cahier 35, Proust cite le nom du maréchal de Mac-Mahon ou d'« un maréchal de France » (f° 75 r°).

Page 429.

1. Achille Fould (1800-1867) était, à l'origine, un banquier qui se fit élire député en 1842. En 1849, Louis Napoléon Bonaparte le nomma ministre des Finances, poste qu'il occupa jusqu'en 1852. Puis il fut tour à tour sénateur, ministre d'État (1852-1860), membre du Conseil privé et, de nouveau, ministre des Finances de 1861 à sa mort.

2. Eugène Rouher (1814-1884) était, lui aussi, issu de la bourgeoisie. Il commença sa carrière comme avocat, fut député en 1848 et plusieurs fois ministre de la Justice entre 1849 et 1851. Sous le second Empire, il fut conseiller d'État (1852-1855), puis ministre du Commerce, de l'Agriculture et des Travaux publics (1855-1863), ministre d'État (1863), président du Sénat (1870).

Page 430.

a. rues de la ville, un certain *ms., dactyl., plac. Gt, plac. Gd* ◆◆ *b.* d'officiers bourgeois qu'il faisait *ms.* ◆◆ *c.* son père par [l'Empereur de Russie *biffé*] Napoléon *ms.*

1. Les maréchaux Louis Alexandre Berthier (1753-1815) et André Masséna (1756-1817) participèrent à toute l'épopée napoléonienne et furent les plus proches collaborateurs militaires de l'Empereur.

2. Charles Maurice, duc de Talleyrand-Périgord (1754-1838), fut un grand diplomate : sa carrière même prouve son habileté. Évêque d'Autun sous l'Ancien Régime, condamné comme schismatique par le pape pendant la Révolution, émigré en 1792, ministre des Relations extérieures du Directoire puis du Consulat, grand chambellan de Napoléon Ier, en disgrâce de 1809 à 1813, membre du Conseil de régence en 1813, président du gouvernement provisoire du 1er au 3 avril 1814, ambassadeur de Louis-Philippe à Londres de 1830 à 1834, il est également l'auteur de *Mémoires* publiés en 1891.

3. Alexandre Ier (1777-1825), empereur de Russie de 1801 à sa mort, passa une grande partie de son règne à combattre Napoléon.

4. Napoléon III joua un rôle déterminant dans la réalisation des unités allemande et italienne. Il soutint Bismarck et Cavour, et exerça des pressions diplomatiques et militaires.

5. La comtesse Edmond de Pourtalès, née Mélanie de Bussière (vers 1832-1914), avait été dame d'honneur de l'impératrice Eugénie, épouse de Napoléon III.

6. À la fin du XIXe siècle, plusieurs personnes portaient ce nom qui avait été celui d'un haut dignitaire du premier Empire, Joachim Murat, maréchal de France et roi de Naples (1767-1815). Proust connaissait la princesse Lucien Murat, née Marie de Rohan-Chabot,

qui fut toujours « gentille » pour lui. Mais sans doute songe-t-il ici à ces « autres Murat » chez qui il n'alla « qu'à des soirées de deux mille personnes » (*Correspondance générale*, éd. citée, t. VI, p. 210-211).

Page 431.

a. survivante du regard. *[p. 430, 11 lignes en bas de page]* / Un matin Montargis [Saint-Loup *dactyl., plac. Gt]* m'avoua *ms., dactyl., plac. Gt, plac. Gd. Le passage qui va de* Et à propos *[p. 430, 10 lignes en bas de page] jusqu'à* de ses nouvelles. *[fin du 1ᵉʳ § de la page 431] est une addition postérieure à plac. Gd.* ✦ *b.* l'idée, comme le téléphone venait d'être installé entre la ville et Paris, de causer *ms.* : l'idée, comme un service téléphonique avec Paris venait d'être installé, de causer *dactyl., plac. Gt*

1. En 1889, il n'y avait que sept mille abonnés au téléphone dans Paris et sa banlieue (*Le Téléphone à la Belle Époque*, Bruxelles, Éditions Libro-sciences, 1976, p. 30).

Page 432.

a. le même jour *[p. 431, 5ᵉ ligne du 2ᵉ §]* à trois heures elle devait me demander au téléphone, et il était probable qu'elle aurait la communication une heure après. Il me conseillait donc d'aller vers quatre heures moins un quart à la poste. Elle m'avait déjà demandé, j'entrai *ms., dactyl., plac. Gt avec lég. var.*

1. Le contexte mythologique permet de penser que Proust compare ici les opératrices du téléphone aux vestales, prêtresses vouées à la chasteté qui avaient pour mission, à Rome, d'entretenir le feu sacré sur l'autel de Vesta.

2. Les Danaïdes sont, dans la mythologie grecque, les cinquante filles du roi Danaos qui, après avoir tué leurs époux la nuit même de leurs noces, furent condamnées à remplir éternellement d'eau un tonneau sans fond.

3. Les Furies, que les Grecs appellent les Érinyes ou les Euménides, sont des déesses violentes vivant dans les Enfers. Leur fonction principale est de pourchasser et de punir les criminels qu'elles font mourir par des tortures cruelles.

4. Proust a souvent parlé des propriétés magiques du téléphone, inspiré en cela par une expérience personnelle marquante. En octobre 1896, il s'installe à Fontainebleau pour travailler à *Jean Santeuil*. Il téléphone souvent à sa mère restée à Paris. « Tu n'as pas été la même hier au téléphone, lui écrit-il le 22 octobre. "Ce n'est plus ta voix" » (voir la *Correspondance*, t. II, p. 144 ; voir aussi p. 134 et 142). Six ans plus tard, il évoquera cet épisode dans une lettre à Antoine Bibesco : « Je me rappelle que quand Maman a perdu ses parents, [ce] qui a été pour elle une douleur auprès laquelle je me demande encore comment elle a pu vivre, j'avais eu beau la voir tous les jours et toutes les heures chaque jour, une fois que j'étais allé à Fontainebleau je lui ai téléphoné. Et dans le téléphone tout d'un coup m'est arrivée sa pauvre voix brisée, meurtrie, à jamais une autre que celle que

j'avais toujours connue, pleine de fêlures et de fissures ; et c'est en
en recueillant dans le récepteur les morceaux saignants et brisés que
j'ai eu pour la première fois la sensation atroce de ce qui s'était à
jamais brisé en elle » (*Correspondance*, t. III, p. 182, lettre du
4 décembre 1902). Entre-temps, il s'est servi de ce souvenir dans *Jean
Santeuil*, où le héros téléphone à sa mère : « [...] dans ce petit morceau
de voix brisée on sent toute sa vie pour lui donnée à ce moment
comme à tous, la seule tendresse qui soit toute à lui, sans une parcelle
retenue pour soi, la voix pure comme un petit morceau de glace où
il n'y a pas de voix, pas de force, la voix et la force de l'orgueil,
de l'égoïsme, des désirs, de l'intérêt, non rien que de la douceur,
de la douceur surnaturelle, qui était près de lui sans qu'il le sût, qui
n'avait pas l'air extraordinaire, et qui, ainsi surprise tout à coup entre
[ces] autres voix, s'entend comme à cent lieues d'elles, de la douceur
qui se brise et fond si doucement à l'oreille, au cœur » (éd. citée,
p. 361). Enfin, dans « Journées de lecture », un article consacré aux
Mémoires de la comtesse de Boigne et paru dans *Le Figaro* du 20 mars
1907, Proust parle à nouveau du téléphone et des voix qu'il met à
nu. Mais il enveloppe son récit dans une métaphore mythologique,
les opératrices étant transformées en Vierges Vigilantes, en Danaïdes,
en Furies. Or, c'est un extrait de cet article qu'il recopie presque
textuellement dans *Le Côté de Guermantes*, se contentant de changer
quelques pronoms, de déplacer quelques virgules et de supprimer
un paragraphe. Ainsi, le passage qui va de « Et pourtant l'habitude
[...] » (p. 431, 19e ligne) à « [...] jamais en poussière. » a été écrit
en 1907 (voir « Journées de lecture », *Essais et articles*, éd. citée,
p. 527-529 ; voir n. 2, p. 435) et ajouté sur les placards Gallimard,
après juillet 1919 : le 24 juillet, en effet, Proust recherchait son article
et demandait à Robert Dreyfus : « Tu n'as pas par hasard un article
de moi sur les Demoiselles du Téléphone (dans le *Figaro*) qui
s'appelait *Journées de lecture*. Cela me rendrait si grand service de
l'avoir *une* journée » (Robert Dreyfus, *Souvenirs sur Marcel Proust*,
éd. citée, p. 334).

Page 433.

a. puis je parlai ; *[9e ligne de la page]* je n'entendis rien ; et j'avais la
même angoisse que j'avais eu tout enfant un jour où nous nous étions
perdus dans une foule, angoisse moins encore de l'avoir perdue, que de
penser à elle qui m'avait perdu, me cherchait, ne me retrouvait pas. Puis
tout d'un coup j'entendis cette voix de ma grand-mère que je connaissais
si bien ou plutôt que je ne connaissais pas, car je me rendis compte que
jusque-là j'avais toujours suivi sur le visage de ma grand-mère comme
on suit sur une partition ouverte, ce qu'elle me disait, mais que sa voix
elle-même, je l'écoutais pour la première fois. *ms.*

Page 434.

a. flot de larmes. *[p. 433, 4 lignes avant la fin du 1er §]* Si douce, si
triste, pas seulement parce que je l'entendais ainsi changée dans ses

proportions, tout entière, nuancée de tous les chagrins qui l'avaient fêlée au cours de la vie ; cette douceur et cette tristesse qui me déchiraient, venaient moins de l'audition pour la première fois de cette voix seule, sans l'accompagnement et le masque du visage, que de l'évocation pour la première fois de ma grand-mère, seule loin de moi, sans le masque de tous ces commandements et défenses de chaque jour qu'elle me faisait d'exécuter une chose et de m'abstenir d'une autre, pour mon bien, je le savais, mais qui recouvraient si bien la tendresse qu'elle avait pour moi que je ne l'apercevais plus. Mais cet ennui de l'obéissance et la fièvre de la rébellion dont les pressions à chaque moment de la vie quotidienne faisaient contrepoids à ma tendresse pour ma grand-mère, pour ma grand-mère ayant renoncé à me commander, à m'avoir près d'elle sous sa loi (elle me disait même qu'elle espérait que j'allais rester tout à fait ici, qu'en tout cas il fallait prolonger le plus possible puisque je me trouvais bien pour la santé et pour le travail), me poussait, me jetait dans ses bras ; et sa vie sans moi, loin de moi, résignée à être privée de moi, dont je n'avais entrevu la possibilité et qui en ce moment m'était montrée dans son exactitude, me semblait quelque chose d'aussi triste que pourrait être sa mort, quand je l'aimerais encore et qu'elle aurait renoncé à moi ; et cet appareil me faisant entendre sa voix même pendant qu'elle était sans moi, je fus comme ces personnages de théâtre à qui un magicien dans une brusque évocation, dans un rectangle de nuit fait apparaître leur vieille grand-mère telle qu'elle est loin d'eux, rentrant s'informer si aucune lettre d'eux, et qui alors pris de folie, voudraient supprimer les lieues, voler vers elle. « Grand-mère, grand-mère », criai-je et j'aurais voulu l'embrasser ; *ms.* : flot de larmes ; *[comme dans le texte définitif, avec lég. var.]* son espoir *[2ᵉ ligne de la page]* que je resterais tout à fait ici, ou en tout cas *[comme dans le texte définitif, avec lég. var.]* renoncé à moi. Alors justement parce que je ne faisais que l'entendre, je la *vis* seule ; cette voix avec le pouvoir d'un magicien m'évoqua la solitude de ma grand-mère, me permettant, comme dans une apparition soudaine dans une féerie, de voir, malgré la distance de tant de lieues qui nous séparait, ma grand-mère, et la vie qu'elle menait en ce même moment sans moi, loin de moi, et alors je criai : [...] l'embrasser ; *dactyl, plac.* Gt

1. Allusion à l'errance d'Orphée de par le monde, après qu'il eut perdu Eurydice pour la seconde fois, alors que les dieux des Enfers la lui avaient rendue. Virgile (*Géorgiques*, livre IV, v. 452-526) rapporte qu'à sa mort, la tête d'Orphée arrachée de son corps répétait encore : « Eurydice ! »

Page 435.

a. je la cherchais. *[p. 434, 14 lignes en bas de page]* J'allai dîner et en arrivant je vis Charles, je lui dis que j'allais peut-être recevoir une dépêche qui m'obligerait à revenir, je lui demandai de me dire à tout hasard quels trains je pourrais prendre. Je ne lui disais pas que j'étais près de ma grand-mère, que je ne pouvais plus rester ici, je ne lui présentai mon départ que comme possible ; je ne lui dis pas qu'il était déjà irrévocablement décidé ; *ms., dactyl. avec lég. var.* : je la cherchais ; angoisse *[comme dans le texte définitif, avec lég. var.]* l'horaire des trains. / Je ne lui dis pas que mon cœur n'était plus avec eux mais auprès de ma

grand-mère, que mon départ [...] décidé.   *plac. Gt* ◆◆ *b.* matin et soir
d'ici à Paris,   *ms.*   : matin et soir de la ville de garnison où nous étions,
à Paris,   *dactyl., plac. Gt*

1. Gutenberg et Wagram ne sont ici que des indicatifs télé-
phoniques correspondant aux deux plus importants centraux de Paris :
le central de Wagram commença à fonctionner en 1892, il pouvait
desservir 3 000 abonnés ; celui de la rue Gutenberg avait une capacité
de 6 000 abonnés et fut mis en service en 1893 (voir *Le Téléphone
à la Belle Époque*, ouvr. cité, p. 31). Cependant, Proust se plaît à
rappeler que ces noms purement devenus utilitaires sont d'abord des
noms de personnes : Johannes Gensfleisch, dit Gutenberg (avant
1400-1468), inventeur des caractères typographiques mobiles fondus ;
Louis Marie Philippe Alexandre Berthier, dernier prince de Wagram,
né en 1883, « tué à l'ennemi » en octobre 1918, connu pour sa
passion de l'automobile et sa collection de peinture moderne (voir
M.-G. de La Coste-Messelière, « Un jeune prince amateur d'impressionnistes et chauffeur », *L'Œil*, novembre 1969, p. 19-27).

2. De « Et pourtant, avant de prendre cette résolution [...] »
(p. 434, avant-dernière ligne) à « [...] l'Invisible sollicité resterait
sourd. », Proust recopie un nouvel extrait de son article sur les
Mémoires de Mme de Boigne (*Essais et articles*, éd. citée, p. 529 ; voir
n. 4, p. 432).

Page 436.

a. quartier à deux heures. » *[p. 435, fin du dernier §]* Le matin quand
je vins il était trop tard, Saint-Loup était parti à son déjeuner   *ms., dactyl.,
plac. Gt*

Page 437.

a. drap comme ça. — On voit que vous êtes instruit, vous parlez de
la Sorbonne, dit un caporal malade à la chambre. — Mais non je ne parle
pas de la Sorbonne. — Pardon ; je croyais que vous aviez dit : "Tu nous
la sors bonne", répondit le caporal qui feignait d'avoir mal entendu pour
placer son jeu de mots[1]. — Monsieur ?   *ms.* ◆◆ *b.* qui s'appelle *[un blanc]*,
ayant   *ms., dactyl., plac. Gt* : qui s'appelle [Penbochguern *biffé*]
Penguern-Stederen, ayant   *plac. Gd* ◆◆ *c.* je pense. — Ah !   *ms., dactyl.,
plac. Gt*

1. Un *falzar* est, en argot, un pantalon. Proust écrit *phalzard*.

Page 438.

a. Droit sur son cheval, *[6 lignes]* le visage plein, l'œil lucide et résolu,
le capitaine de Borodino leva le bras et d'un beau geste tira son sabre,
et avec la voix calme des suprêmes résolutions lança : « Face en arrière ! »

1. Dans *Sodome et Gomorrhe*, c'est Cottard qui fait le jeu de mots ; voir t. III de
la présente édition, p. 364. On retrouve le même calembour, également supprimé
plus loin : voir var. *c*, p. 491.

« Demi-tour, ette ! » cria à sa section Montargis qui pirouettait sur lui-même, faisait épouser à son épaule remontée son oreille crispée d'un mouvement nerveux, et rendant brusquement la liberté à son monocle qui s'envola. Mais il fallut que je quitte le quartier, le régiment était déjà si loin, je ne pus pas distinguer si c'étaient ses fanfares que j'entendais encore ou quelque hallucination de mon ouïe quand après le passage du tramway je perçus dans le silence qui suivit son roulement, les stries d'une vague palpitation musciale. *ms., dactyl., plac. G1 avec lég. var.*

Page 439.

a. permanent dans l'esprit de ma grand-mère, comment n'en eussé-je *ms., dactyl.* ◆◆ *b.* notre œil, négligeant comme une tragédie classique, entre toutes les images que présente un monsieur qui marche dans la rue, toutes les images qui ne concourent pas à l'action, à l'action humaine et rationnelle, ne nous montre que l'image significative qui indique la volonté de se promener. Mais *ms.* ◆◆ *c.* d'Égypte aussi dissemblable de ce qu'il appelait lui-même que ces photographies d'une maîtresse dont on dit : « Ce n'est pas elle, je ne la reconnais pas », car en effet ses traits seuls y sont et *elle* est absente. Moi pour qui *ms.*

1. Des académiciens trébuchant figurent dans *L'Immortel* d'Alphonse Daudet (Lemerre, 1888, p. 193-194).

Page 440.

a. vieillit bien », les personnages de roman dont les dernières années sont isolées et attendrissent, pour *ms., dactyl., plac. G1*

Page 441.

1. Ce paragraphe sur Florence a paru, avec quelques variantes, dans « Vacances de Pâques », article de Proust publié dans *Le Figaro* du 25 mars 1913, qui n'était lui-même qu'un montage de textes provenant des dactylographies de *Du côté de chez Swann* et du *Côté de Guermantes* (Marcel Proust, *Chroniques*, Gallimard, 1927, p. 106-113). Voir n. 1, p. 447.

Page 442.

a. tableaux d'Elstir. *[p. 440, fin du 2ᵉ § de la page]* Souvent je voulais renoncer à mes sorties du matin pour ne plus la rencontrer. Mais comme le désir que j'avais de cette promenade m'y faisait penser sans cesse, je ne tardai pas à découvrir mille raisons de la faire qui n'avaient pas de rapport avec Mme de Guermantes et qui me persuadaient aisément que si Mme de Guermantes n'avait pas existé je l'aurais faite tout de même. Pendant ce temps il ne manquait pas de personnes qui désiraient me voir surtout depuis qu'on savait que je passerais une partie de l'année à Balbec, et qui m'avaient dit : « Si vous aimez à sortir le matin, nous sommes à telle heure au Bois, nous vous attendrons tous les jours. » Et sans doute supputaient-elles si j'avais plus ou moins de chances de venir, si telle ou telle raison ne serait pas plus forte que mon projet de les retrouver. Or ces raisons qu'elles imaginaient eussent été tout à fait inutiles. Car pendant des semaines ne se présentait pas une seule fois à moi le matin le souvenir qu'elles étaient au Bois et m'attendaient et si je les avais aperçus, j'aurais eu le brusque mouvement de quelqu'un qui se rappelle une obligation oubliée. Tandis que le passage de Mme de Guermantes dans ces rues, ce n'est pas seulement que je ne l'anéantissais pas par l'oubli, je le multipliais des centaines de fois par l'imagination et l'attente, son apparition était un dessin que ma pensée avait indéfiniment esquissé, avant que mes regards lui donnent sa forme définitive. Dans cette apparition convergeaient comme des rayons toutes les pensées de mes jours et de mes nuits. Hélas, si pour moi   *ms.*   : tableaux d'Elstir. S'il n'eût pas dû < m' > éloigner de Mme de Guermantes, c'est avec joie que j'eusse vu approcher notre départ pour Balbec   *Dans le Cahier 35, il existe deux versions du texte qui suit, consacré à Balbec. La première, aux folios 50 à 57, fait partie de la mise au net de « Noms de pays » et était, primitivement, destinée à clore le premier séjour à Balbec (voir Jo Yoshida, « Métamorphose de l'église de Balbec : un aperçu génétique du "voyage au Nord" », Bulletin d'informations proustiennes, n° 14, 1983, p. 47-48). La seconde, aux f*^{os}* 113 à 119, intégrée au ms. de « Guermantes I », apparaissait plus tard dans le cours du récit (voir var. d de cette page). Dactyl. a d'abord recopié ces pages telles qu'elles étaient disposées dans ms., puis Proust a déplacé les feuillets dactylographiés (f*^{os}* 156 à 161), changeant ainsi l'ordre des épisodes. Pour ne pas donner deux fois un même texte, nous ne transcrivons que celui figurant sur dactyl., plus développé que celui de ms. :*   Certes j'avais quitté Cricquebec sans y avoir connu ce dont le désir m'avait fait, la première fois, surmonter, pour partir, maladie et tristesse : des flots soulevés par la tempête autour d'une église persane, parmi l'immense brouillard, au petit jour, tandis que je buvais du café au lait dans une auberge. Mais mon désir d'aller à Balbec n'était pas moins fort, parce qu'à ces images, la mémoire en avait substitué d'autres, choisies par elle, et aussi arbitraires, aussi étroites, aussi fugitives dans leur durée, aussi fixes dans leur aspect, aussi délimitées dans leur cadre, aussi exclusives de toutes autres, aussi excitantes pour moi dans leur aspect, aussi dominatrices de ma volonté — et que le lecteur pourrait sans doute énumérer aussi bien que moi, si en les lui décrivant, tandis que je racontais mon premier séjour à Balbec, j'ai su les lui rendre chers. Ce que je voulais maintenant c'était par un jour de soleil et de vent remonter de la plage avec Mme de Villeparisis qui en passant envoyait un bonjour de la main à la princesse de Luxembourg et m'annonçait que nous allions avoir à déjeuner des œufs à la crème et des soles frites ; c'était entrer à midi dans la salle à manger à travers le grand vitrage azuré de laquelle je verrais des ombres promenées du ciel sur la mer comme par le jeu d'un miroir mobile ; ou bien être dans une barque arrêtée au fil de l'eau devant l'ancien moulin sous la lumière abaissée de la fin du jour, pendant que la même servante se pencherait pour annoncer que les truites étaient prêtes. Je sentais bien que tous ces tableaux-là étaient les uns et les autres d'essence spirituelle, que je ne les attendrais jamais, pas plus ceux qui étaient maintenant formés par ma mémoire que ceux qui l'avaient été autrefois par mon imagination et que la réalité avait détruits. Détruits ? pas pour toujours ; quand le temps était doux, que j'entendais le vent souffler dans la cheminée, que je me rappelais certaines phrases de Bergotte sur les églises du moyen âge ou sur les mers brumeuses de Bretagne, alors tout d'un coup ce désir qui m'avait tant de fois agité, de prendre le beau train d'une heure cinquante renaissait en moi pareil à ce qu'il était autrefois. J'oubliais un instant que cette église de Balbec je la connaissais, qu'elle n'était pas au bord de la mer, dans des brumes éternelles, mais sur une place traversée par un tramway, qu'elle était éclairée le soir par le même réverbère que la succursale du Comptoir d'Escompte. Comme autrefois, je me voyais arrivant à l'aube, pendant que des flocons d'écume volaient autour de la façade persane. Puis tout à coup je me rappelais ; ce tableau c'était avec des phrases, avec des noms, avec des désirs qu'il s'était composé en moi, il n'existait pas dans la réalité. Je ne pourrais pas plus le voir qu'étreindre une héroïne de roman, et je maudissais la médiocrité d'un monde où les plus beaux rêves de notre jeunesse sont dus à notre ignorance de la réalité, à notre foi excessive en certaines paroles et ne peuvent jamais être caressés que de loin sans que nous soyons jamais transportés parmi eux. / Nous le pouvons pourtant dans notre sommeil. Là le rêvé, l'inaccessible est à côté de nous. Nous avons pu enfin atteindre le but du voyage et il n'a pas cessé d'être conforme à ce que nous avions imaginé. Nous entendons le clapotis, nous sentons la fraîcheur des eaux mystérieuses, les fleurs inconnues sont à la portée de notre main. Cela m'était souvent arrivé pour Balbec et ma nostalgie la plus profonde, la plus insensée, avait pour but ce Balbec non pas même de mon imagination, mais de mes songes. Longtemps, découvrant dans la journée parmi les souvenirs oubliés de la nuit qu'on retrouve tout à coup comme un objet perdu, le lieu étranger que j'appelais Balbec en dormant, je crus que c'était la première fois que je faisais ce rêve et que c'était seulement une des illusions dont il était composé qui me faisait croire l'avoir rêvé souvent. Mais si c'est souvent un des effets du songe de nous faire paraître une nouveauté familière et reconnaître ce que nous n'avons jamais vu, il est facile de se repérer dans les « souvenirs de rêves » qui eux appartiennent au jour, à des jours qu'on peut se rappeler. Ainsi je me rendis compte que je faisais souvent un même rêve à propos de Balbec. Et je le fis en effet si souvent que le lieu que je voyais alors finit par prendre dans ma mémoire une place fixe et que je me demandais si je ne l'avais pas vu réellement autrefois, s'il ne me serait pas donné de le voir réellement un jour. Objectivant sans doute dans une réalisation synthétique ce que mon imagination avait souvent cherché pendant la veille à se représenter du paysage marin de Balbec et à la fois de son passé médiéval, je voyais en dormant une cité du moyen âge au milieu des flots, mais de flots immobiles comme sur un vitrail. Un bras de mer divisait en deux la ville. Je voyais l'eau verte à mes pieds ; sur la rive opposée elle baignait une église orientale (sans doute l'église persane), puis des maisons gothiques qui existaient encore dans le passé, si bien qu'aller vers elles comme j'allais avoir l'ivresse de pouvoir le faire, c'était comme remonter le fleuve des âges. Mais je songeais <que> le désir de cette synthèse où la nature avait appris l'art, où l'océan était devenu gothique, où le présent pouvait approcher le passé révolu depuis des siècles, ce n'était que dans un rêve qu'il était donné de l'atteindre car c'était le désir de l'impossible. / Cependant l'hiver finissait *[p. 440, début du dernier §]* Un matin *[comme dans le texte définitif, avec lég. var.]* premier beau jour. Et comme était rené dans la tempête le désir que j'avais eu de Balbec avant d'y être allé, ce qui renaquit en moi, avec les premiers soleils à l'approche du carnaval, ce fut le souvenir de mes projets inexécutés de voyage à Venise et à Florence. Je sentais bien *[p. 441, début du 2ᵉ §]* que les raisons *[comme dans le texte définitif, avec lég. var.]* yeux pour regarder. Je le sentais ; mais j'avais mis autrefois dans les noms de Parme, de Florence, de Venise, une âme individuelle qui certes les faisait plus différentes du reste du monde qu'il n'était vraisemblable, mais que je n'en pouvais plus déloger. De même (un soir de 1ᵉʳ janvier [...] d'affiches) j'avais découvert [...] j'avais cru, l'année précédente, passer à Florence *[comme dans le texte définitif, avec lég. var.]* n'eût-elle pas existé, je n'en eusse pas moins manqué à faire mes sorties tout de même. Cependant, sachant que je sortais le matin, bien des amis, et surtout depuis qu'on avait appris notre projet de passer une partie de l'année loin de Paris, m'avaient dit que chaque jour avant déjeuner ils m'attendraient l'un chez lui, l'autre avenue du Bois, l'autre au Louvre où il faisait une copie. Et sans doute supputeraient-ils *[comme dans ms. avec lég. var.]* Hélas si pour moi   *dactyl.*   : tableaux d'Elstir. *[comme dans dactyl.]* premier beau jour *[p. 441, 7ᵉ ligne de la page].* Ce matin-là je me surpris *[comme dans le texte définitif, avec lég. var.]* ce qu'il jouait. Et comme était rené dans la tempête *[comme dans dactyl.]* pour moi   *plac. Gt*   : tableaux d'Elstir. Je reçus *[comme dans dactyl. avec lég. var.]* n'eût-elle pas existé, je n'en eusse pas moins manqué de me promener¹ à cette même heure. Cependant, sachant *[comme dans dactyl.]* pour moi   *plac. Gd* ⬩⬩ *b.* supportable, parce que je l'aimais. Il   *ms.* ⬩⬩ *c.* une âme étrangère où ce ne soit pas soi qu'on retrouve. À ces moments-là leur rencontre devenait aisément une source de plaisir parce qu'elle semblait un effet du hasard. Elle se disait contente de les avoir « retrouvés » tandis que je sentais que pour moi, même si elle ne m'avait pas rencontré plus souvent qu'eux, elle se sentait comme suivie. Aussi même   *ms.* ⬩⬩ *d.* mal élevé. / Montargis ne venait toujours pas et nous devions aller cette année bien plus tôt à Balbec, ce qui eût été un grand plaisir pour moi si cela ne m'eût pas éloigné de Mme de Guermantes. Certes j'avais quitté Cricquebec sans y avoir connu ce dont le désir m'avait fait surmonter maladie et tristesse : *[Suit le développement sur Balbec dont nous avons donné la version plus complète de dactyl. dans la variante a de cette page. Nous ne reproduisons donc pas ce texte qui figure sur les folios 113 rᵒ à 119 rᵒ du Cahier 35. Il rejoint « Le Côté de Guermantes, I » à la fin de l'avant-dernier § de la page 441.]* ils retenaient sur eux tout le soleil. / Le temps était devenu plus doux. Et mes parents eux-mêmes me fournissaient un prétexte à ne pas cesser encore mes sorties du matin. Je ne peux cependant pas me rendre plus malade, pensai-je, et me priver d'air pour que Mme de Guermantes n'ait pas l'ennui de m'apercevoir. Elle avait   *ms.*

Page 445.

    a. gratuité des grands chefs-d'œuvre. *[p. 443, 8ᵉ ligne du 2ᵉ §]* Montargis [Saint-Loup   *dactyl.]* vint à Paris   *ms. dactyl.*   : gratuité *[comme dans le texte définitif, avec lég. var.]* le gris crépuscule des eaux *[p. 444, 12ᵉ ligne]* / Mais ce n'était pas tout ; les diminutions elles-mêmes qui caractérisent *[p. 444, 2ᵉ §, 1ʳᵉ ligne]* le sommeil [...] à Paris   *plac. Gt*

    1. Voir *Du côté de chez Swann*, t. I de la présente édition, p. 80-81.

    2. Du 21 février 1895 au 9 juin 1899, Alfred Dreyfus fut déporté à l'île du Diable, l'une des trois îles du Salut, archipel de la Guyane française, au nord de Cayenne.

---

    1. Nous adoptons, dans le texte, la correction proposée par Clarac et Ferré et nous écrivons *je ne m'en fusse pas moins promené* au lieu de *je n'en eusse pas moins manqué de me promener* qui signifie manifestement le contraire de ce que Proust veut dire.

Page 446.

1. Abréviation de *L'Intransigeant*, quotidien fondé en 1880 par Henri Rochefort. Ce journal avait fait campagne pour le général Boulanger, puis prit parti contre Dreyfus.

Page 447.

a. qu'Oriane et plus jeune. » *[p. 445, 16ᵉ ligne]* il ne comprenait pas que pour moi ce n'était pas la même chose. Le temps était redevenu froid *[p. 446, début du 2ᵉ §]* et Françoise, dernière sectatrice en qui survivait obscurément *[comme dans le texte définitif, avec lég. var.]* anémones du Ponte Vecchio. / Mon père nous avait dit : « Je sais maintenant où va le père Monfort¹ quand je le rencontre dans la maison. C'est *ms.* : qu'Oriane et plus jeune. Le temps était redevenu *[comme dans ms.]* / Mon père nous avait raconté qu'il savait maintenant où allait M. de Norpois quand il le rencontrait dans la maison. « C'est *dactyl., plac. Gt* ⟷ *b.* Tu devrais aller la voir, ajouta-t-il en se tournant vers moi. Monfort m'a dit qu'elle t'aimait *ms.* ⟷ *c.* suivre ta vocation. » Mais je ne pouvais trouver belle qu'une carrière qui contrariée par mes parents me laissait du moins la douceur de faire leur volonté, et je ne pus que répondre à mon père, en couvrant de larmes et de baisers ses joues colorées et sa barbe : « Non, je ne serai pas bientôt un homme, je ne serai jamais que ton petit garçon. D'ailleurs je n'ai aucune vocation pour écrire. Permets-moi d'avoir la même profession que toi. Quant à Mme de Villeparisis, puisque Montargis *[Saint-Loup dactyl., plac. Gt, plac. Gd]* vient à Paris avant notre départ, c'est lui qui m'y mènera. » Si au moins j'avais pu commencer une œuvre qui parût assez belle à mon père pour qu'en me demandant d'écrire il ne fît que me faire connaître son désir au lieu de se résigner au mien. Mais quelles que fussent *ms., dactyl., plac. Gt, plac. Gd avec lég. var.*

1. Cette page sur Fiesole et Florence était la conclusion de « Vacances de Pâques » : « Chacun déplorait le mauvais temps, le froid. Mais moi, dans une langueur de convalescence, le soleil qu'il devait y avoir dans les champs de Fiesole me forçait à cligner des yeux et à sourire. Ce ne furent pas seulement les cloches qui arrivaient d'Italie, l'Italie était venue elle-même. Mes mains fidèles ne manquèrent pas de fleurs pour honorer l'anniversaire du voyage que je n'avais pas fait. Car, depuis que le temps était redevenu froid autour des marronniers et des platanes du boulevard, dans l'air glacial qui les baignait, voici que, comme dans une coupe d'eau pure, s'étaient ouverts, les narcisses, les jonquilles, les jacinthes et les anémones du Ponte Vecchio » (*Chroniques*, éd. citée, p. 113 ; voir n. 1, p. 441 et *Du côté de chez Swann*, p. 379).

Page 448.

1. L'expression « bureau d'esprit » est plus qu'ironique. Elle désigne un salon où l'on se pique de parler art, littérature, politique

---

1. Nous ne signalerons plus la variante *Monfort / Norpois.*

ou sciences (voir Boileau, *Satires*, X, v. 447 : « Là du faux bel esprit se tiennent les bureaux » ; *Œuvres complètes*, Bibl. de la Pléiade, p. 73).

Page 449.

1. Le père du narrateur souhaite se présenter à l'Académie des sciences morales et politiques. Fondée en 1795, celle-ci se composait, au début du XXe siècle, de quarante membres titulaires, dix membres libres, cinq membres non résidents, huit associés étrangers et soixante correspondants. Elle comporte cinq sections : philosophie, morale, législation, économie politique et histoire. Le père de Marcel Proust fut lui-même élu membre de l'Académie de médecine le 17 juin 1879.

2. Anatole Leroy-Beaulieu (1842-1912) et son frère Paul (1843-1916) ont tous deux été membres de l'Académie des sciences morales et politiques. Le premier avait été le professeur de Proust à l'École libre des sciences politiques. Cependant, il doit ici s'agir du second : voir n. 3, p. 522.

Page 450.

1. Jules Méline (1838-1925), républicain modéré, fut président du Conseil d'avril 1896 à juin 1898. C'est lui qui, le 7 décembre 1897, prononça la phrase célèbre : « Il n'y a pas d'affaire Dreyfus » (Jean-Denis Bredin, *L'Affaire*, éd. citée, p. 217).

2. On remarquera que c'est ici le seul passage du *Côté de Guermantes I* (et même de tout *À la recherche du temps perdu*) où le narrateur prend position en faveur de Dreyfus. « Ne me croyez surtout pas devenu anti-dreyfusard », écrit Proust à Mme Straus en octobre 1920. « J'écris sous la dictée de mes personnages et il se trouve que beaucoup de ce volume-ci, le sont [...] » (*Correspondance générale*, éd. citée, t. VI, p. 235). Et à la même époque, il demande à Sydney Schiff : « Est-ce que vous avez été dreyfusard jadis ? je l'ai été passionnément. Or, comme dans mon livre je suis absolument objectif, il se trouve que *Le Côté de Guermantes* a l'air anti-dreyfusard. Mais *Sodome et Gomorrhe II* sera entièrement dreyfusard et rectificatif » (*ibid.*, t. III, p. 19).

3. Le recrutement de la garde nationale varia au cours du XIXᵉ siècle. Le service y fut obligatoire pour les hommes de vingt à soixante ans de 1812 à 1852, pour les hommes de vingt-cinq à soixante ans de 1852 au second Empire, puis réservé aux contribuables les plus imposés. Supprimée en août 1871, la garde nationale était préposée au maintien de l'ordre, mais elle participa parfois elle-même aux émeutes ou aux insurrections. Proust pense peut-être ici aux pages consacrées par Flaubert à l'enrôlement de Bouvard et Pécuchet dans la garde nationale en 1848 : « [...] on commença les exercices. / C'était sur la pelouse, devant l'église. Gorju, en bourgeron bleu, une cravate autour des reins, exécutait les mouvements d'une façon automatique. Sa voix, quand il commandait, était brutale. / "Rentrez les ventres." / Et tout de suite, Bouvard, s'empêchant de respirer,

creusait son abdomen, tendait la croupe. / "On ne vous dit pas de faire un arc, nom de Dieu !" Pécuchet confondait les files et les rangs, demi-tour à droite, demi-tour à gauche [...] » (Flaubert, *Œuvres*, Bibl. de la Pléiade, t. II, p. 848).

Page 451.

a. d'être assassinée. *[p. 448, fin du 1er §]* / Montargis devant *ms.* : d'être assassinée. / Mon père dans l'intervalle *[comme dans le texte définitif, avec lég. var.]* idée plus avantageuse. Quant à moi sans bien me représenter [...] ce qui du reste arriva. / Saint-Loup devant *dactyl., plac. Gt* : d'être assassinée *[comme dans le texte définitif, avec lég. var.]* service. *[p. 449, 2e §, 3 lignes avant la fin]* Et d'autre part sa prédilection pour mon père entre tous les hauts fonctionnaires du ministère n'était pas douteuse. Saint-Loup devant *plac. Gd. Le passage qui va de* Mon père fit une autre rencontre *[p. 449, début du dernier §]* à les mondes qui les séparaient. *[p. 451, fin du 1er §]* est une addition postérieure à plac. Gd. ◆◆ b. rencontrerions Mme de Guermantes. *[6e ligne de la page]* Il fut convenu de l'air qu'il viendrait me prendre pour aller déjeuner avec sa maîtresse que nous devions conduire à sa répétition. « J'aurais volontiers été seul avec toi, me dit-il, mais pauvre gosse, ça lui fait tant de plaisir, et elle est si gentille pour moi, tu sais, je ne peux pas lui refuser. Du reste c'est si gentil de déjeuner avec elle, elle est si agréable, toujours contente de tout. » Il vint me prendre pour déjeuner. « Comme tu t'es fait beau, me dit en souriant ma grand-mère ; tu ne vas pourtant pas avenue du Bois te promener avec Mme Swann. » Il faisait tant de soleil que j'avais mis une redingote grise ; nous passâmes avec Saint-Loup chez sa maîtresse qu'il monta chercher ; pendant que je l'attendais devant la porte passa Legrandin. Il était tout grisonnant maintenant mais avait gardé *ms.* : rencontrerions [...] où elle habitait. / Bien qu'il fît du vent, que le « fond de l'air » selon Françoise, fût assez froid, il y avait tant de soleil que j'avais mis une redingote grise ; et cette journée-là — comme je ne me servais jamais de l'air et des couleurs < du > temps ambiants que comme d'une matière à incorporer dans un rêve incessant que je faisais jusqu'à ce que je l'eusse remplacé par un autre — cette journée-là fut d'abord pour moi une journée de Balbec car j'avais demandé à Saint-Loup que le déjeuner eût lieu de préférence dans certain restaurant où Aimé m'avait dit qu'il devait entrer comme maître d'hôtel *[comme dans le texte définitif, avec lég. var.]* charme du voyage. *[p. 451, fin du 3e §]* J'avais envie de causer avec lui de Balbec comme j'avais eu envie de causer avec Saint-Loup de Mme de Guermantes. Saint-Loup devait m'attendre devant sa porte ; de là nous irions ensemble chercher sa maîtresse. Avant d'arriver chez lui je rencontrai Legrandin [...] gardé *dactyl.* : rencontrerions *[comme dans dactyl.]* Car j'avais demandé à Saint-Loup que le restaurant (après Rivebelle et Doncières ce n'était pas le premier et ce ne devait pas être le dernier mais dans la vie des jeunes nobles *[comme dans le texte définitif, avec lég. var.]* charme du voyage. *[comme dans dactyl.]* gardé *plac. Gt*

Page 452.

a. parmi les Gentils. Ne protestez pas ! on ne met pas une redingote pour aller comme moi dans les quartiers populaires parmi tous ces braves gens qui seuls m'attirent. Il suffit que vous soyez capable de rester un instant <dans> cette atmosphère des salons, pour moi plus que nauséabonde, irrespirable, pour avoir porté sur votre avenir *ms.* ◆◆ *b.* le cou à tous. Enfin mon *ms., dactyl., plac. Gt* ◆◆ *c.* le ciel qu'elle violacera la lune rose. *ms.* ◆◆ *d.* paysan de la Claire qui *ms.* ◆◆ *e.* un vieux troupier ; j'ai *dactyl., plac. Gt,* plac. *Gd, orig. Nous adoptons la leçon de ms.* ◆◆ *f. La promenade en banlieue avec Saint-Loup et sa maîtresse est une addition sur dactyl. Pour ms., voir var. b, p. 462.*

    1. Legrandin adopte l'attitude caricaturale du poète romantique, brocardée par Flaubert dans le *Dictionnaire des idées reçues* : « RUINES. Font rêver, et donnent de la poésie à un paysage » (*Œuvres*, éd. citée, t. II, p. 1021).

    2. Les Gentils sont les païens, ainsi nommés par les juifs et par les premiers chrétiens (du latin *gentiles*, correspondant à l'hébreu *gôim*, « peuples non juifs »).

    3. Proust emprunte ici un veston et une réflexion à Georges de Porto-Riche (1849-1930) : « Porto-Riche dit en parlant des nobles : il faudra couper le cou à tous ces gens-là. Et il passe un veston pour aller chez Mme d'Haussonville » (lettre à Antoine Bibesco du 9 novembre 1901, *Correspondance*, t. II, p. 466).

    4. Allusion à la fable de La Fontaine, « Le Paysan du Danube » : un sauvage des bords de ce fleuve vient à Rome et, devant le Sénat, prononce un discours par lequel il flétrit la corruption des mœurs. Son éloquence est fort admirée et on le récompense (*Fables*, XI, VII). Par extension, l'expression désigne toute personne d'un extérieur grossier et d'une franchise brutale, dont les paroles, cependant, expriment des vérités oubliées.

    5. Évangile selon Luc, X, 28. Dans son interprétation des statues de la cathédrale d'Amiens, Ruskin écrit : « Retournez-vous maintenant vers la statue centrale du Christ, écoutez son message et comprenez-le. Il tient le Livre de la Loi Éternelle dans Sa main gauche ; avec la droite Il bénit, mais bénit sous condition : "Fais ceci et tu vivras", ou plutôt dans un sens plus strict et plus rigoureux : "*Sois* ceci, et tu vivras", montrer de la pitié n'est rien, être pur en action n'est rien, tu dois être pur aussi dans ton cœur. » Proust ajoute une note à sa traduction : « Jésus lui dit : "Qu'est-ce qui est écrit dans la loi et qu'y lis-tu ?" Il répondit : "Tu aimeras le Seigneur ton Dieu de tout ton cœur, de toute ton âme, de toute ta force et de toute ta pensée et ton prochain comme toi-même." Et Jésus lui dit : "Tu as bien répondu ; *fais cela et tu vivras*" (saint Luc, X, 26, 27, 28) » (*La Bible d'Amiens*, éd. citée, p. 332-333). Proust a tenu lui-même les propos qu'il prête à Legrandin, citant en anglais le même texte évangélique, dans une lettre à Antoine Bibesco, en avril 1903 : « Tâche de rester comme tu es, revivifiant perpétuellement tes actes et tes paroles d'une pensée créatrice, ne laissant aucune place à la conversation, car ce qu'on croit un simple ridicule mondain ou une simple "moschanceté" est la mort de l'esprit. Mais continue à vivre ainsi, sincèrement, irrespectueusement, spontanément et je te le dis non dans le sens religieux mais d'immortalité littéraire. / *This do and*

thou shalt live / This if thou do not, thou shalt die / Die [whatever Die
means] totally and irrevocably » (*Correspondance*, t. III, p. 285).

Page 453.

a. Adieu, [*p. 452, fin du 1ᵉʳ §*] petit ami. » / Ayant vu à Paris, malgré
le printemps commençant, les arbres *dactyl.* : Adieu mon ami. / C'est
d'assez mauvaise humeur contre Legrandin que je le quittai. Mais tout
à coup son nom me rappela (parce que nous y rencontrions souvent
Legrandin) le pont de la Vivonne. Aussitôt rempli par le charme de cette
évocation, par l'image des boutons d'or et des ruines féodales tassées dans
l'herbe, je n'eus plus que de bons sentiments pour le snob honteux qui
venait de me faire un sermon. Il me semblait qu'il était pour moi, lui
qui les connaissait aussi, comme un moyen de retourner vers les bords
de la Vivonne. Et en cela je ne me trompais pas tout à fait puisque grâce
à lui, en ce moment même j'étais en train de les revoir. Puis certains
souvenirs sont comme des amis communs, ils savent faire des réconciliations, le petit pont de bois nous réunissait Legrandin et moi comme les
deux bords de la Vivonne ; Legrandin se trouvait incorporé à la beauté
des choses que je regrettais, il me semblait faire partie d'elles. Enfin il
y a en nous des parties de la pensée si pures que quand pour un instant
nous les habitons, nous ne pouvons plus qu'aimer. / Ayant vu [*comme
dans dactyl.*] arbres *plac. Gt*

1. Il n'existe pas, à proprement parler, de Palais du Soleil en Crète.
De grands palais furent exhumés sur cette île au début du XXᵉ siècle
par Sir Arthur John Evans et plusieurs équipes d'archéologues
britanniques et italiens : Cnossos ou Phaïstos. Minos, le roi
semi-légendaire de la Crète antique, avait épousé Pasiphaé, la fille
du Soleil. Cette parenté peut expliquer la méprise de Proust.

Page 454.

a. Boucheron. Cela me gêne bien parce qu'il coûte vingt-cinq mille
francs. *dactyl., plac. Gt*

1. Joaillerie fondée en 1858 et située 26, place Vendôme.

Page 455.

a. me le réserve. [*6ᵉ ligne de la page*] Pour gagner la maison *dactyl.* ●● *b.* après-midi de printemps, tandis que pêchait le pêcheur
à la ligne ; et cette ravissante tapisserie provinciale que je connaissais si
bien n'appartenait pas seulement au monde que nous observons
froidement avec nos regards. Elle en faisait commencer devant moi un
autre dont nous sentons que la vision — seul véritable enrichissement,
seul sentiment de réelle plénitude, seule source de pure joie — se projette,
s'étend ainsi dans notre cœur. Je pris *dactyl., plac. Gt* ●● *c.* prairie, une
de ces parcelles de vraie nature qu'on rejoint, qu'on identifie presque,
en faisant tomber les enclaves hétérogènes de la ville voisine à des lieux
semblables qu'on a aimés. Un air froid *dactyl., plac. Gt*

Page 456.

a. par les rayons. J'étais transporté par cette fantaisie, la plus enchanteresse, celle qu'on sent jaillir de la vie la plus simple, de la plus solide nature. Et je la quittai à regret pour retourner au jardin devant lequel m'avait quitté Saint-Loup car ainsi que nous nous émerveillons de ce qu'est le baiser, nous cherchons à penser jusqu'à quelle douceur il pourrait atteindre s'il était appliqué sur des lèvres chères et que nous n'avons jamais effleurées, j'aurais voulu pour sentir encore avec plus de force ce qu'avait de naturel et d'émouvant l'efflorescence du beau poirier, réussir à l'ajouter par la pensée à une certaine prairie, au coin de la route que j'avais si souvent prise dans mes promenades avec Mme de Villeparisis et par laquelle on sortait de Balbec. Saint-Loup n'était pas encore revenu devant le petit jardin quand j'y arrival. J'avais pensé à Combray et en effet c'était bien les fleurs de Combray, les fleurs qui avaient fait rêver mon enfance de tels enchantements que je ne croyais plus que, dans le monde médiocre, elles existassent réellement, c'était bien ces fleurs-là de poiriers, de cerisiers, que je voyais attachées aux arbres au-dessus de l'ombre propice à la sieste, à la lecture, à la pêche. Tout à coup Saint-Loup *dactyl., plac. Gt* ↔ *b.* enfermée dans un corps que le Saint des Saints dans le Tabernacle était l'objet inconnu sur *dactyl.*

1. Voir *À l'ombre des jeunes filles en fleurs,* t. I de la présente édition, p. 566-567.

Page 457.

a. me ferez chercher. » *[p. 456, fin du 2ᵉ §]* La pitié que j'aurais dû éprouver pour Robert ne fut pas le sentiment qui m'envahit alors. Non, si les larmes me vinrent aux yeux, ce fut plutôt par l'excès de la joie que me donna l'apparition au fond de moi d'une sorte de vérité confuse encore, mais générale et qui dépassait Robert et son amie. Je me rendais *dactyl.* : me ferez chercher. / Et quand on était *[comme dans le texte définitif, avec lég. var.]* sans y réussir. » *[p. 457, fin du 1ᵉʳ §]* / La pitié que j'aurais dû *[comme dans dactyl.]* Je me rendais *plac. Gt*

Page 458.

a. de soupçons, de rêves. *[p. 457, 10 lignes en bas de page]* Ce qui m'avait été offert pour vingt francs, il donnait plus d'un million pour l'avoir, pour que ce ne fût pas offert à d'autres. Il aurait su maintenant que cela était offert à tout le monde pour vingt francs, qu'il eût sans doute terriblement souffert mais n'eût pas moins donné un million pour le conserver. Car *dactyl. Sur plac. Gt, nous trouvons deux rédactions successives. La première est un montage de fragments d'épreuves découpés, collés et corrigés, mêlés à des additions manuscrites. Elle ne rejoint nulle part notre texte et a été abandonnée par Proust. Nous en retenons cependant le passage suivant :* de soupçons, de rêves. Il les avait à jamais agglutinés pour en faire quelque chose d'unique, d'indivisible, d'indestructiblement précieux, à ce visage qui me semblait à moi interchangeable avec tant d'autres, sous lequel je n'aurais pas eu la curiosité de chercher une personne, à ces regards, à ces sourires, à ces mouvements de bouche pour moi seulement significatifs *[un mot illisible]* général et d'une habitude professionnelle. Nous voudrions aller dans d'autres planètes, dans d'autres mondes. Mais ces autres mondes existent près de nous, infiniment différents, mais pourtant voisins ou même faisant occuper une seule place à leurs orbes immenses. Sans doute c'était le même mince et étroit *[p. 457, 2ᵉ §, 16ᵉ ligne]* visage de cette femme que nous voyions en ce moment Robert et moi. Mais nous ne le voyions pas dans le même monde. S'il eût appris le peu qu'elle était pour les habitants d'un autre monde comme j'étais, et que chacun pouvait l'avoir, il eût cruellement souffert, mais elle n'aurait pas perdu pour lui de son prix, car il n'était pas en son pouvoir de < sortir > du monde où il la voyait et dont l'atmosphère faisait, mettait devant et derrière elle un voile de caresses et une substructure de soupçons. Nous étions arrivés à ce visage par deux routes différentes qui ne communiqueront jamais et hors desquelles on ne peut se projeter soi-même. *La seconde rédaction de plac. Gt est semblable au texte définitif.* ◆◆ *b. côté du mystère.* Et en même temps ces jours où il avait tant souffert ne sachant pas si elle allait le quitter et où sans doute elle ne songeait qu'à rire de lui, ou à l'attacher davantage, à moins que la fortune tellement inespérée et folle eût avait lui eût tourné la tête, ces jours qui avaient dessiné en moi comme la courbe d'une dure et magnifique rampe en fer forgé de laquelle Saint-Loup se penchait vers le mystère, je croyais en voir se profiler ironiquement l'ombre inconsistante et exactement inverse. / Je revoyais (fondre[1] avec le reste) de Rachel le petit air impertinent qu'elle prenait quand le micheton apparaît et je comprenais que pour Robert c'était cela, les signes comme tracés de l'intérieur par la personnalité de cette femme et pour lesquels il eût tout donné. Il aurait su mon intérêt, qui elle était, qu'il eût souffert davantage mais qu'il ne l'aurait pas moins aimée. Je la regardais, je me disais, c'est cela, cela qui ne vaut pas vingt francs pour tout le monde, qu'on peut payer un million, préférer à la vie, à l'honneur, pour quoi on commettrait peut-être un crime. Et ce n'était pas *dactyl.* ◆◆ *c. prenant pour de rieuses étrangères ne m'étais-je dactyl. :* prenant pour des dieux étrangères ne m'étais-je *plac. Gt. La leçon* dieux *est une erreur de lecture que Proust ne corrige pas. Il se contente d'accorder* étrangères.

   1. Un *louis* désigne ici une pièce de vingt francs.

   2. Évangile selon Jean, XX, 15. Dans *Sésame et les lys*, Ruskin écrit : « Avez-vous jamais entendu parler [...] d'une Madeleine, qui, descendant à son jardin, à l'aurore, trouva quelqu'un qui attendait sur la porte, quelqu'un qu'elle supposa être le jardinier ? » Une note du traducteur, Marcel Proust, précise : « Saint Jean, XX, 15. Ruskin a fait de ces mêmes versets un bel usage dans *Fors Clavigera* : "Rappelez-vous seulement des jours où le Sauveur des hommes apparut aux yeux humains, se levant du tombeau pour rendre manifeste son immortalité. Vous pensiez sans doute qu'il était apparu dans sa gloire, d'une surnaturelle et inconcevable beauté ? Il apparut si simple dans son aspect, dans ses vêtements, que celle qui, de toute la terre, pouvait le mieux le reconnaître, l'apercevant à travers ses larmes, ne le reconnut pas. Elle le prit pour le 'jardinier'." (*Fors Clavigera*, lettre XII). Comparez Victor Hugo, *La Fin de Satan* : "Madeleine croira que c'est le jardinier" » (*Sésame et les lys*, éd. citée, p. 222-223).

---

   1. Ce mot est de lecture douteuse.

Page 459.

a. d'innocence en fleurs. Saint-Loup   *dactyl., plac.* Gt

1. Allusion aux anges de Sodome (Genèse, XIX, 1).

2. Le mot *skating* désigne aussi bien le patinage avec des patins à roulettes, que la piste circulaire sur laquelle on pratique ce sport. La mode en apparut en France vers 1875. Dans le chapitre XV de *Numa Roumestan* (1881), Alphonse Daudet décrit l'ambiance qui règne dans les salles de skating, caractérisée par le bruit des patins sur la piste, des conversations et des orchestres.

3. Littré donne la définition suivante du mot *calicot* : « Populairement et par dénigrement, commis chez les marchands de drap, de bonneterie, de nouveautés ; dénomination venue de ce que ces commis, dans les premières années de la Restauration, laissant croître leur barbe et affectant des airs militaires, furent tournés en ridicule dans une comédie jouée aux Variétés. » La comédie en question est la folie-vaudeville en un acte de Scribe, *Le Combat des montagnes, ou la Folie Beaujon* (1817), dans laquelle un personnage, marchand de nouveautés, se nomme Calicot.

Page 461.

a. un instant [devant Robert   *add.*] la Rachel nouvelle.   *orig.* b

1. La taverne de l'Olympia, située, comme la salle de spectacle de l'Olympia ouverte en 1893, au 28, boulevard des Capucines, était « fréquentée la nuit » (Guide Baedeker de Paris, 1914, p. 16).

Page 462.

a. contente de tout. *[p. 459, fin du 2ᵉ §]* Mais en réalité ces déjeuners,   *dactyl.*   : contente de tout. / Et c'était du reste vrai qu'elle était une « littéraire ». *[p. 462, 1ʳᵉ ligne du 2ᵉ §]* Elle ne s'interrompit *[comme dans le texte définitif, avec lég. var.]* sensibilité de Zézette. / Mais en réalité ces déjeuners,   *plac.* Gt ↔ *b.* vos snobinettes. *[p. 452, 7 lignes en bas de page]* Mais je vois vos amis qui vous attendent ; allez, tâchez de vous arracher au monde, rappelez-vous ce que disait le Christ : [...] Adieu, petit ami. » Nous partîmes déjeuner, Montargis, sa maîtresse et moi. J'avais demandé à Robert que ce fût de préférence dans un grand restaurant à la mode où il allait quelquefois et où Clodion, le maître d'hôtel de Balbec m'avait dit qu'il était engagé pour cette saison. *[lacune due à une déchirure du papier]* Il m'avait dit : « Tu es bien gentil de venir déjeuner avec nous, j'aurais mieux aimé rester seul avec toi, jusqu'au moment d'aller chez ma tante. Mais ça ferait de la peine à ma pauvre gosse si je ne déjeunais pas avec elle ; elle est si gentille, si bonne pour moi. Et puis, tu sais, c'est si gentil de déjeuner avec elle. Elle est toujours contente de tout. » Mais dès que nous fûmes arrivés au restaurant, Clodion s'était approché de moi pour prendre des nouvelles de ma grand-mère pendant que je lui en demandais de sa femme et de ses enfants, qu'il me donna avec émotion car il était homme de famille. Pendant un instant où il s'écarta j'entendis Saint-Loup demander d'un ton irrité à son amie : « Ce maître d'hôtel a quelque chose de très intéressant, Zézette, tu le regardes comme si tu voulais faire une étude d'après lui. — Bon, voilà que ça commence, répondit l'artiste. » Et en réalité cette chose que Saint-Loup m'avait dit être si gentille, aller déjeuner avec elle, était pour eux toujours ainsi. Car dès *ms.*

1. La place Pigalle a été peinte en 1880 par Auguste Renoir (Londres, National Gallery).

2. Philip Kolb signale que le surnom de la maîtresse de Saint-Loup était celui de Louisa de Mornand, une jeune actrice, maîtresse de Louis d'Albufera, qui en 1905 avait joué le rôle d'un personnage appelé Zézette dans la pièce de Du Quesne et André Barde : *Le Bon Numéro* (*Correspondance*, t. IV, p. 190 et t. V, p. 41).

Page 463.

a. Dans ms. et dactyl., on lit Clodion *au lieu d'* Aimé. *Proust substitue le second nom au premier sur plac. Gt ; nous ne signalerons plus cette variante.* ◆◆ *b.* cheveux légers et d'un nez *[p. 463, 20 lignes en bas de page]* droit. « J'ai tort, je n'ai rien dit ; mais j'ai bien le droit de te mettre en garde contre un garçon qui m'a l'air tout ce qu'il y a de pis et qui va croire que tu lui fais des avances. » Mais à ce moment Clodion vint prendre une commande. Il avait un air *ms.* : cheveux légers et d'un nez grec. Clodion vint prendre notre commande. Il s'informa de la santé *[p. 463, 4 lignes en bas de page]* de ma grand-mère [...] famille. Je voulus lui poser quelques questions sur Balbec, mais je vis bien vite que ses réponses ne me feraient pas entrer plus avant dans le charme de Balbec que la lecture d'un ouvrage sur les modèles qui ont servi à Stendhal pour Julien Sorel ou la Sanseverina dans le charme du *Rouge et le Noir* ou de la *Chartreuse*. Je ne savais même pas que lui dire. Il avait un air *dactyl.* : cheveux légers et d'un nez grec, grâce à quoi [...] homme de famille. Je voulais lui poser *[comme dans dactyl.]* que lui dire. Il avait un air *plac. Gt*

Page 464.

a. pendant tant d'années on avait pu voir toujours à la même place comme telle gravure représentant le prince Eugène ou l'Incendie de Châteaudun en entrant au fond de la salle à manger normande presque toujours vide, *ms.* : pendant tant d'années, comme telle *[comme dans ms.]* Châteaudun, <on avait pu> voir, toujours à la même place, au fond de la salle à manger, presque toujours vide, *dactyl. plac. Gt*

1. Un doute subsiste sur l'identité de ce personnage. Lorsqu'on parle du « prince Eugène », on pense généralement à Eugène de Savoie-Carignan (1663-1736), Feldmaréchal et homme politique autrichien. Alberto Beretta Anguissola signale toutefois qu'il existe à Illiers, dans la « Maison de tante Léonie », une gravure intitulée « Le Prince Eugène au tombeau de sa mère ». Il s'agit en l'occurrence du prince Eugène de Beauharnais (1781-1824), fils d'Alexandre de Beauharnais et de Joséphine. (Voir *Alla ricerca del tempo perduto*, Milan, Mondadori, 1986, t. II, p. 1005.)

Dans sa préface à *Sésame et les lys* (1906), Proust explique ce qu'est cette gravure : « Quant à la photographie par Brown du *Printemps* de Botticelli ou au moulage de la *Femme inconnue* du musée de Lille, [...] je dois avouer qu'ils étaient remplacés dans ma chambre par une sorte de gravure représentant le prince Eugène, terrible et beau dans son dolman, et que je fus très étonné d'apercevoir une nuit, dans un grand fracas de locomotives et de grêle, toujours terrible et beau, à la porte d'un buffet de gare, où il servait de réclame à une spécialité de biscuits. Je soupçonne aujourd'hui mon grand-père de l'avoir autrefois reçu, comme prime, de la munificence d'un fabricant, avant de l'installer à jamais dans ma chambre. Mais alors je ne me souciais pas de son origine, qui me paraissait historique et mystérieuse, et je ne m'imaginais pas qu'il pût y avoir plusieurs exemplaires de ce que je considérais comme une personne, comme un habitant permanent de la chambre que je ne faisais que partager avec lui et où je le retrouvais tous les ans, toujours pareil à lui-même. Il y a maintenant bien longtemps que je ne l'ai vu, et je suppose que je ne le reverrai jamais. Mais si une telle fortune m'advenait, je crois qu'il aurait bien plus de choses à me dire que le *Printemps* de Botticelli » (*Pastiches et mélanges*, éd. citée, p. 166-167).

Page 466.

  a. cénacles et des ateliers. *[p. 465, 5ᵉ ligne]* Mais en ce qui touchait le théâtre je ne pus me laisser aller aussi librement à causer avec eux. Car sauf peut-être de la Berma dont elle prit la défense contre Saint-Loup *[p. 465, 3ᵉ §, 4ᵉ ligne]* en disant : « Oh ! non c'est [...] grand cœur », la maîtresse de Saint-Loup — lequel faisait d'ailleurs chorus avec elle — < parlait > des artistes les plus connus sur un ton d'ironie et de supériorité, leur refusant le moindre talent. Or comme je savais que c'était elle qui n'en avait pas, je ne voulais pas avoir l'air d'être complice de leurs mensonges, et je restais silencieux. Elle s'aperçut *ms., dactyl. avec lég. var.* : cénacles et des ateliers. Elle l'étendait d'ailleurs *[comme dans le texte définitif, avec lég. var.]* qui est à tous. / Mais quand on toucha au théâtre je cessai de prendre part à la conversation. Car sauf peut-être de la Berma *[comme dans ms. et dactyl.]* supériorité, qui m'irritait parce que je savais que c'était elle qui leur était inférieure. Elle s'aperçut *plac. Gt* ◆◆ *b.* Proust a biffé *du* Palais-Royal *sur plac. Gd folioté 14, correction dont l'imprimeur ne semble pas avoir eu connaissance, ou qu'il a omis d'exécuter.* ◆◆ *c.* autant plu que la mienne. *[20ᵉ ligne de la page]* Mais bientôt, *ms., dactyl.* : autant plu que la mienne. [...] papelarde [qui avait [...] première fois *biffé*] [, qui, comme disait Rachel en son dialecte, « faisait sacristie » *corr.*], et chacun [...] Mais bientôt *plac. Gd. Notons que plac. Gt donnait le texte définitif à quelques variantes près.*

  1. La famille de Jussieu compte plusieurs botanistes. Le plus célèbre est Bernard de Jussieu (1699-1777), qui rapporta d'Angleterre, en 1734, le cèdre du Jardin des plantes, à Paris.

Page 467.

a. t'attendre au théâtre. *[2ᵉ ligne de la page]* — Allons bon ! *ms., dactyl.* ◆◆ *b.* dans ces conditions. » Et elle se mit *ms., dactyl.*

Page 468.

a. si tu es folle », dit Robert, lui assenant des regards et des intonations de voix qui auraient voulu pouvoir frapper. « Garçon, *ms.* ◆◆ *b.* Mais pas plus que ça. Robert a tort de se faire des idées. » Bientôt *ms.* ◆◆ *c.* champagne. J'avais mal déjeuné, *ms., dactyl., plac. Gt*

Page 469.

a. ressentais rien d'esthétique. Sans cela le plaisir que j'aurais eu m'aurait suffi à le justifier et je ne me serais pas ennuyé. En tout cas ce fut sans pouvoir me retenir de bâiller, sans diminuer le mécontentement où j'étais de moi-même que je humai la rose, cherchai à m'imaginer que le mouvement du bras de la jeune femme élevant la cigarette était celui d'une statue, et me répétai qu'il était agréable de connaître une jeune femme qui vous fournissait de rose et de cigarettes d'Orient. Quant à elle et à Robert ils avaient *ms.*

1. De 1881 à 1896, le Jardin de Paris, situé entre le palais de l'Industrie et la Seine, dans l'angle formé de nos jours par l'avenue Franklin-D.-Roosevelt et le Cours-la-Reine, fut un concert de plein air : un orchestre jouait, on dansait le vendredi soir, divers jeux et attractions étaient proposés, parmi lesquels des montagnes russes nautiques. En 1896, il fut transféré à l'angle de l'avenue des Champs-Élysées et de la place de la Concorde. Seul son nom a subsisté.

Page 470.

a. leurs façons de maintenant. *[p. 469, 14ᵉ ligne]* Ils semblaient croire que je ne m'en étais pas aperçu et n'en garder eux-mêmes pas plus de souvenir dans leur humeur nouvelle que ne garde des tons livides dont le rembrunissait l'orage, un moment auparavant, un diamant qui sourit tendrement au soleil. / Montargis me fit donner un fauteuil pour la première pièce, puis j'allais avec lui sur la scène, et avant cela ce fut pour moi, d'entendre de la salle où on me plaça un lever de rideau pourtant insignifiant, un plaisir d'autant plus vif que je n'avais plus la passion du théâtre. Dans ce temps-là les acteurs ne me semblaient exister que dans leur relation avec les vérités d'art que je pourrais extraire de leur diction, de leur jeu. Car de même que du jour où je cessai de chercher une grande impression d'art dans les pierres des cathédrales, elles m'intéressèrent en elles-mêmes comme se rattachant à de petits problèmes d'hagiographie et d'histoire, de même depuis que les acteurs *ms.* : leurs façons de maintenant. / Ce fut pour moi, d'aller dans les coulisses, et avant cela, dans la salle où Saint-Loup m'avait fait donner un fauteuil pour la première pièce, pourtant insignifiant, un plaisir *[comme dans ms.]* les acteurs *dactyl.* : leurs façons de maintenant. À force de boire [...] un homme spécial. Quelquefois nous le reconnaissons en l'entendant chanter

un certain air qu'il a déjà chanté quand nous avions le même degré
d'ivresse et que nous n'avons jamais entendu depuis ; car chacun de ces
airs enregistrés en nous comme ceux des gramophones ont comme eux
un numéro correspondant à celui de la cote de l'ivresse et qu'il possède
seul. Nous le reconnaissons donc le certain homme ivre que nous avons
déjà été en reconnaissant son répertoire, par les oreilles. Mais ce jour-là
il m'arriva mieux ou pis. Le cabinet où se trouvait Saint-Loup *[comme
dans le texte définitif, avec lég. var.]* Bobbey m'a tant parlé de Françoise.
[§ précédent, 1ʳᵉ ligne] Mais je ne pouvais rien raconter ainsi. / Ce fut pour
moi d'aller dans les coulisses *[comme dans dactyl.]* les acteurs　*plac. Gt*

　　1. *Wilhelm Meister* de Goethe, ou *Le Capitaine Fracasse* de Théophile
Gautier. Voir l'Esquisse XVII, p. 1152-1153.

Page 471.

　　1. Peut-être y a-t-il ici une allusion à Pascal.

Page 473.

　　a. méditer *[p. 471, fin du 1ᵉʳ §]* le mystère de la mort. Quand le
rideau　*ms., dactyl.*　: méditer *[comme dans le texte définitif, avec lég. var.]*
Mais vue ainsi, *[p. 472, 2ᵉ §, 8ᵉ ligne]* c'était une autre femme. Sans doute
une telle transformation n'est même pas nécessaire à l'amour qui peut
opérer les siennes sans avoir besoin que la réalité y collabore. Néanmoins
le cas actuel était d'autant plus important qu'il n'est pas forcément limité
au théâtre. Rachel avait un de ces visages *[comme dans le texte définitif, avec
lég. var.]* Quand le rideau　*plac. Gt*

Page 475.

　　a. salut militaire. *[p. 474, fin de l'avant-dernier §]* / Cependant j'étais
content de cheminer parmi les décors, tout ce cadre qu'autrefois mon
amour de la nature m'eût fait trouver ennuyeux, factice, humain, mais
auquel sa peinture par Goethe dans *Wilhelm Meister* avait donné une
certaine beauté qui faisait que j'étais heureux de le connaître ; et j'étais
déjà charmé　*ms., dactyl.*　: salut militaire. / Les décors encore plantés
[comme dans le texte définitif, avec lég. var.] distinguait plus que des myriades
de protubérances et de taches, et de fondrières. Mais malgré l'incohérence
où se résolvaient de près non seulement le visage féminin mais les toiles
peintes par un génial décorateur, j'étais heureux d'être là, de cheminer
parmi les décors [...] charmé　*plac. Gt* : salut militaire. [...] fondrières.
[Malgré l'incohérence *[...]* et j'étais déjà *biffé]* [/ Je fus *corr.]*
charmé　*plac. Gd* ⬌ *b.* lois de leur nature,　*ms.*

　　1. Voir n. 2, p. 1155.
　　2. Watteau a laissé de nombreux dessins à la sanguine.
　　3. Proust semble se souvenir ici du quatrain consacré par Baudelaire
à Watteau, dans « Les Phares » : « Watteau, ce carnaval où bien
des cœurs illustres, / Comme des papillons, errent en flamboyant,

/ Décors frais et légers éclairés par des lustres / Qui versent la folie à ce bal tournoyant » (Baudelaire, *Les Fleurs du mal*, *Œuvres complètes*, Bibl. de la Pléiade, t. I, p. 13).

4. Vatslav Nijinski est probablement le modèle de ce danseur. Voir l'Esquisse XVII, n. 2, p. 1156, et *À l'ombre des jeunes filles en fleurs*, t. I de la présente édition, Esquisse III, p. 1001-1002.

Page 476.

1. Sous la rubrique « Noms latinisés sur une fausse étymologie », Jules Quicherat note : « Des clercs ayant à consigner dans les chartes ou dans les chroniques latines des lieux dont ils ignoraient le nom latin composaient le nom sur la forme française », en s'inspirant des analogies phonétiques. Quicherat donne l'exemple suivant : « *Mater Semita*, Mère-Sente, ou *Amara Semita*, Mar-Sente, approximatif du nom de Marsantes (Eure-et-Loir) » (*De la formation française des anciens noms de lieux*, Librairie A. Franck, 1867, p. 78). Jacques Nathan remarque que « même si cette étymologie était exacte, le nom signifierait "allée principale" et non "mère israélite" » (*Citations, références et allusions [...]*, ouvr. cité, p. 107).

2. Le nom de cette famille s'orthographie habituellement : Lévis-Mirepoix.

Page 477.

a. une fois tort. [Lord Derby lui-même reconnaît que l'Angleterre n'a pas toujours l'air d'avoir raison vis-à-vis de l'Irlande[1]. *add.*] Et *plac. Gd* ◆◆ *b.* Je n'ose pas l'espérer. *[p. 476, 22 lignes en bas de page]* Ah ! *[début du § précédent]* il est vraiment chouette avec ses mains, continua la maîtresse de Montargis. Moi qui suis une femme je ne pourrais pas le faire. — Je te jure que tu auras beau faire, *ms.* : Je n'ose pas l'espérer. — Écoute, tu sais, *[comme dans le texte définitif, avec lég. var.]* la race. Mais tout n'est pas fini, sois-en sûr. [...] Robert avait mille fois raison. Mais [..] celui qui a mille fois raison peut avoir eu une fois tort. Et je ne pus m'empêcher *[comme dans le texte définitif, avec lég. var.]* qu'il fait là. — Écoute, pour la dernière fois, je te jure que tu auras beau faire, *dactyl.* : Je n'ose *[comme dans dactyl.]* ce qu'il fait là. Et se tournant vers le danseur en lui montrant [...] beau faire, *plac. Gt*

1. Ce Lord Derby peut être identifié avec Edward George Geoffroy Smith Stanley, quatorzième comte de Derby (1799-1869), qui fut, de 1830 à 1833, secrétaire pour l'Irlande dans le gouvernement de la Grande-Bretagne. Mais la phrase qui lui est ici consacrée étant une addition autographe aux placards *NRF* de 1920, il est plus vraisemblable que Proust fasse allusion à quelque déclaration d'Edward George Villiers Stanley, dix-septième comte de Derby (1865-1948), ambassadeur du Royaume-Uni à Paris de 1918 à 1920. Proust, qui avait rencontré ce diplomate, lui avait laissé une « impression ineffaçable », car il était le seul homme que Lord Derby ait « vu garder une pelisse à dîner » (*Correspondance générale*, éd. citée, t. III, p. 213-214 ; voir Élisabeth de Clermont-Tonnerre, *Robert de Montesquiou et Marcel Proust*, Flammarion, 1925, p. 204-205, et *Pastiches et mélanges*, éd. citée, p. 55).

Page 478.

     a. innocente d'ingénue. — Il n'est pas défendu   *ms., dactyl., plac. Gt*

Page 479.

     1. Proust oublie que les journalistes ne sont que trois (p. 475), et non quatre, comme ici (les trois « amis » et le « journaliste giflé »).

Page 480.

     a. « Voilà que tu t'emballes ! » *[p. 479, 6 lignes en bas de page]* / Peu à peu la douleur de Montargis se rétracta, *ms.* : « Voilà que tu t'emballes ! » / Pauvre Robert ; j'avais beau avoir senti le matin devant les poiriers en fleurs l'illusion sur laquelle reposait son amour pour « Rachel quand du Seigneur », je ne me rendais [...] se rétracta, *dactyl., plac. Gt*

Page 481.

     a. parut dans ses yeux ; *[p. 480, 3ᵉ ligne]* je lui demandai ce que nous allions faire ; il me demanda d'aller de mon côté chez Mme de Villeparisis ; il m'y retrouverait, *ms., dactyl., plac. Gt* ✦✦ *b. Dans ms., la matinée chez Mme de Villeparisis commence ainsi :* Mme de Villeparisis, comme je ne m'en rendis compte peut-être que tard, vivait bien comme je l'avais supposé avant de faire sa connaissance à Cricquebec — mais d'une autre façon et pour des raisons de fait qui ne donnent jamais aux choses ces différences absolues de caractère, de tonalité avec lesquelles notre imagination est capable de les distinguer profondément les unes des autres — dans un milieu tout autre que Mme de Guermantes. Elle était une de ces femmes *ms* : Comme je l'avais bien *[début de ce §]* supposé *[comme dans le texte définitif, avec lég. var.]* de Guermantes. Mais cette différence dont je ne me rendis peut-être compte que plus tard, tenait à des raisons de fait et n'avait pas ce caractère absolu, uni, poétique, des différences que l'imagination met entre les choses rien qu'en répandant sur elles ses tonalités diverses. Mme de Villeparisis était une de ces femmes *dactyl., plac. Gt* ✦✦ *c.* d'intimité trop ancienne. La liaison que Mme de Villeparisis avait depuis vingt ans avec M. de Monfort n'était *[M. de Norpois n'était*   *dactyl., plac. Gt]* certainement pas la raison de son déclassement dans un monde   *ms., dactyl., plac. Gt*

     1. Les réflexions que le narrateur va maintenant présenter sur la déchéance mondaine de Mme de Villeparisis, sur l'importance réelle de son salon et sur ses Mémoires posthumes (p. 482-487, 489-490 et 491-493) s'inspirent largement d'un long texte rédigé par Proust en 1907 et destiné à son article « Journées de lecture » sur les *Mémoires* de la comtesse de Boigne (*Le Figaro* du 20 mars 1907), mais que la rédaction du quotidien coupa et qui ne parut pas du vivant de son auteur. Pierre Clarac et Yves Sandre l'ont publié dans *Essais et articles,* éd. citée, p. 924-929, mais en y pratiquant à leur tour quelques coupures. Nous donnons ici les passages qui ont directement servi à Proust pour *Le Côté de Guermantes,* en établissant le texte d'après le manuscrit autographe conservé à la Bibliothèque nationale, sous la cote N.a.fr. 16634 (ff⁰ˢ 80 à 118) :

« Dans cette immense survie de tout ce qui parut à la surface de la terre, il est donc à craindre que le snobisme n'ait sa part, et nous verrons encore souvent, comme nous l'avons déjà vu, de pures femmes du monde survivre dans les Mémoires frivoles qu'elles nous laissent.

« Mais que furent de leur vivant celles qui dans leurs Mémoires font ainsi figure de "reines" de l'élégance ? Que furent-elles ? Des reines de l'élégance, vraiment ? De ces femmes à la mode dans les salons de qui tout ce qu'il y avait de plus brillant à leur époque cherchait à pénétrer ? À vrai dire (excepté peut-être pour Mme de Boigne) j'avoue que je n'en crois pas un mot. Je croirais plutôt que (sauf exceptions et notamment celle que je viens de dire) ces Mémoires furent et seront presque toujours écrits par cette sorte de personnes, souvent très bien nées, mais, on ne sait pourquoi, peu recherchées et que les femmes à la mode désignent volontiers par l'appellation de "chameaux". De sorte que leur salon qui nous donnait dans leurs écrits l'impression d'un sanctuaire précieux, inaccessible et clos, était de leur vivant systématiquement fui par les personnes élégantes auxquelles elles en ouvraient vainement les portes toutes grandes. Il y a à cela bien des raisons. La première est que les femmes élégantes ne savent pas écrire et, quand elles savent, n'ont ni le temps ni le désir de le faire, les meilleures se le reprocheraient comme une faute de goût. Les autres peuvent mettre beaucoup de grâce à écrire sur un carton : "Pensez à moi vendredi prochain à 10 heures", mais les rédactions plus longues leur sont inconnues. Tout de même j'imagine que la postérité, même pour le snobisme, sera plus exigeante et ne se contentera pas de si peu ; que même pour arriver à ne lui donner qu'une impression de frivolité, beaucoup de sérieux aura été nécessaire, ce sérieux spécial qui dans un salon sent si désagréablement le pédantisme et la cuisine. La pure frivolité est impuissante à éveiller aucune impression, même celle de la frivolité. Un ouvrage frivole est encore un ouvrage et c'est tout de même un auteur qui l'écrit. Il est possible que Mme de Boigne ait été de son vivant une femme extrêmement recherchée, et j'admets que l'impression d'élégance qu'elle nous donne d'elle dans ses Mémoires n'a rien d'un bluff posthume et littéraire. Toujours est-il que pour écrire ces charmants Mémoires frivoles il lui fallut faire d'abord de mauvais livres sérieux qu'on ne lit plus guère aujourd'hui, et tout cela n'alla pas sans dégager un parfum de gravité, de "livresque", de libéralisme, de chimère et d'acrimonie qui, même au travers de ces Mémoires, ne paraît pas avoir été toujours entièrement goûté de certaines coteries élégantes de son temps. Lisez dans les *Lundis* de Sainte-Beuve la vraiment belle lettre qu'elle lui écrivit après la mort du duc Pasquier. Son tour est si remarquable que tout esprit habitué à voir dans les choses le signe d'autres choses qui semblent d'un ordre tout différent se représentera aussitôt la dame capable d'écrire une pareille lettre (et il aura tort, puisque c'est Mme de Boigne) légèrement "dropée" et légèrement matinée par des jeunes femmes qui lui adressent des bonjours vagues, excessifs et éloignants, des bonjours cérémonieux qui ne "reconnaissent pas". La balance des biens et des maux est inflexible et délicate. Et il n'est pas de gloire

posthume qui ne s'achète au prix de quelques avanies viagères. Mais
la revanche des dames auteurs de Mémoires commence avec ces
Mémoires mêmes. Alors tout change, et la dame, recherchée ou non
de son vivant, peut nous en faire croire tout ce qu'il lui plaît. Si elle
nous dit qu'elle eut le salon le plus élégant de Paris, qui donc ira
y voir ? Songez avec quel petit nombre de personnes brillantes il suffit
que la dame auteur ait été liée pour qu'elle puisse donner au lecteur
l'impression maximum d'élégance qu'un lecteur est susceptible de
recevoir. Elle en aurait connu cent fois plus, que cela ne servirait
absolument à rien car elle ne pourrait pas les faire entrer dans son
cadre forcément limité. Et si elle fréquenta beaucoup de gens qui
n'étaient rien moins qu'élégants, comme elle n'aurait pas eu non plus
la place de les nommer, cela reviendra absolument au même que
si elle avait été "difficile dans le choix de ses relations". Dans l'absurde
conception actuelle de l'élégance, sans doute, quelques amitiés
illustres ne préjugent en rien de l'élégance de celle qui a su les
conquérir. Mais ce n'est plus de même pour la postérité. Qui faut-il
qu'un mémorialiste ait connu, qui faut-il qu'il puisse citer dans ses
Mémoires ? De grands personnages politiques sont utiles et, même
sous une monarchie, ce ne sont pas les salons les plus élégants où
ils fréquentent surtout, si même ils les fréquentent du tout. En France,
au moins depuis soixante ans il n'y a pas une femme à la mode que
l'on n'ait entendu dire qu'elle n'avait pas trouvé dix personnes à
saluer aux Tuileries comme si c'était l'"Élysée". Et déjà Versailles
semblait bien "mêlé" à Saint-Simon. Des Souverains ? Excellent. Or
on sait qu'ils sont souvent de très mauvaises relations, à moins de
n'avoir commencé à régner que très tard et d'avoir été aussi pendant
longtemps de simples gens du monde élégants (par exemple, les
souverains actuels d'Angleterre). Des Altesses ? Il y en a en ce
moment quatre ou cinq en France chez qui il est trop facile d'aller
pour que ce ne soit pas un peu déconsidérant aux yeux d'un snob
et je connais une jeune bourgeoise désireuse de "se lancer" que son
mari ne pouvait décider à accepter un dîner chez une de ces Altesses
avec qui il était lié sans lui promettre une indemnité de vingt-cinq
louis si leur équipée pouvait rester ignorée du public et de deux cents
si le dîner devait paraître le lendemain dans les "Mondanités" du
Figaro. M. Ferrari n'a jamais su que chaque fois qu'il citait ce ménage
aux dîners de l'Altesse en question, il coûtait deux cents louis au
mari. "Pas trop d'Altesses, pas trop d'Altesses, cela ne prouve rien",
recommandait naguère à sa belle-fille quelqu'un que Balzac aurait
appelé "un des hommes les plus en vue du faubourg Saint-Germain".
Dans la conception actuelle de l'élégance une Américaine snob qui
ne reçoit que des gens brillants est "plus élégante" qu'un prince qui
fréquente n'importe qui. Ce n'est pas ce qu'il est, ce sont les gens
qu'il voit qui sont la mesure de l'élégance de chacun. Pour se déclasser
il n'est pas nécessaire qu'un prince épouse une bergère, il suffit qu'il
reçoive des financiers. Croyez bien que la postérité n'entrera pas dans
ces folies et dites-vous qu'elle aura bien raison. Vous, vous savez que
si Mme X. (qui nous laissera, dit-on, des Mémoires) est traitée avec

amitié par l'Impératrice de ..., cette même Impératrice ne pourrait pas la faire dîner avec des gens élégants, avec telle entremetteuse américaine qui lui tournerait le dos. Cela désole peut-être aujourd'hui Mme X. Mais croyez-vous que pour ses Mémoires cela ait une importance quelconque ? Ce qui pourra y donner l'impression d'élégance c'est l'Impératrice, ce n'est pas l'Américaine. Sur le chapitre de l'élégance, ceux qui constituent, pour les générations qui les ont précédés, la postérité, en sont restés aux idées d'Homère et de Pindare. Pour elles l'élégance c'est la "naissance", l'extraction royale ou quasi royale. Et quand Mme X. (qui reçoit partout des camouflets que la postérité ne connaîtra pas) écrira dans ses Mémoires : "Ce matin la reine d'[Aquitaine   *biffé ms.*] Occident est venue me réveiller en me disant : 'Veux-tu me permettre de passer la journée avec toi, je suis triste, il n'y a que toi qui sois capable de me consoler un peu.'", la postérité dira "Ou... uuuu !" comme Mme Dieulafait d'Oudart dans l'admirable *Bel Avenir* de René Boylesve quand Mme Chef-Boutonne lui apprend que son fils pourrait bien épouser "une demoiselle de Saint-Évertèbre". Pour ma part, quand je cherche entre toutes les femmes que j'ai connues celles qui ont chance de faire figure de grandes dames aux yeux de la postérité, ce sont (j'étonnerais beaucoup de contemporains en les nommant) deux femmes qu'elles "coupèrent" bien souvent, je suppose ; de grande naissance, mais que les décrets mystérieux de la mode avaient rejetées à recevoir surtout des gens qui n'étaient pas de leur monde, malgré quelques exceptions qui seront parfaitement suffisantes à meubler très somptueusement leurs mémoires. Rien que ce qui se rattachera à leur parenté, de la noblesse la plus illustre (et très assidue chez elles, soit par respect du passé, soit par espérance de l'avenir représenté sous la forme d'un gros héritage) donnera au lecteur l'impression de la vie la plus brillante et du milieu le plus aristocratique. Leurs deux salons où tant de gens du monde ne voulaient pas aller, seront déclarés les plus élégants du XIXe siècle, d'abord par elles-mêmes, ensuite par des écrivains connus qui le diront sincèrement parce qu'elles le leur ont très facilement fait croire. Elles pourront parler dans leurs Mémoires de beaucoup d'artistes fameux, d'hommes politiques, de grands personnages étrangers, de familles célèbres et de noms historiques, et tout cela intéressera la postérité, parce que cela se rattachera à des choses qu'elle saura. Comme elles étaient l'une et l'autre très intelligentes, qu'elles avaient beaucoup de temps parce qu'on les invitait peu, et qu'on ne venait pas beaucoup les voir, elles ont pu beaucoup lire et beaucoup écrire, et l'originalité d'esprit qui les empêcha de réussir dans le monde, fera réussir leurs Mémoires. Les personnes de ce genre ont souvent une longue liaison avec un vieil homme d'État qui vient causer politique avec elles tous les soirs en jouant au bézigue et qui généralement n'a pu parvenir à fixer chez elles la société élégante qu'il fréquente, mais a attiré chez elles de temps en temps ce qu'il y avait de plus intéressant parmi les grandes personnalités européennes avec qui il était en rapport et qui désiraient lui être agréables, et avec qui elles auront le ridicule de parler des plus grandes affaires, ce qui leur permettra de raconter à nos petits-enfants des choses plus intéressantes pour eux tout de même que ces petits dîners de Mme X. auxquels de leur vivant elles regrettaient tant de ne pas être invitées. Je ne sais si je me trompe. Mais quand je me demande quelles sont celles de mes contemporaines que la postérité élira pour lui représenter l'élégance de notre temps, ce n'est pas parmi les femmes élégantes que je cherche ; non, ma pensée se reporte aux deux "chameaux" dont je viens de vous parler. Je vois, en visite l'une chez l'autre, dans un triste salon du faubourg Saint-Germain à peine chauffé par un maigre feu de bois, les deux "chameaux" dont je viens de vous parler. Deux visiteurs seulement, de la bourgeoisie la moins brillante et de la littérature la moins notoire. Ils regardent au mur le portrait de l'arrière-grand-père, le grand ami de Louis XV, et du père, frère de la Grande-duchesse de Hombourg. Et la maîtresse de maison s'exerce déjà inconsciemment sur eux, tout intimidés, au grand truc des Mémoires : "À ce moment-là, voyez-vous, mon cher Monsieur, personne dans la société ne voulait voir les ministres, et j'entends encore, j'étais encore bien petite, mon père disant au roi Charles X : 'Je ferai toujours ce qui pourra plaire à Votre Majesté. Mais me laisser présenter M. de Villèle, jamais.' Mais à quelque temps de là j'étais en train de regarder avec les petites princesses des images que m'avait envoyées madame Adélaïde pour me distraire, quand le Roi entre : 'Florimond, je fais appel à ton patriotisme', dit-il à mon père, etc." La vieille et charmante maîtresse de maison en était là de son récit quand entra une jolie jeune femme pressée, en costume tailleur : "Je vous présente ma nièce, la princesse de Gênes." Les deux visiteurs n'eurent plus aucun doute qu'ils étaient venus passer l'après-midi dans le salon le plus élégant de Paris. Ils étaient déjà "des lecteurs de leurs Mémoires". Ils étaient déjà un peu de la Postérité. Croyez-moi, c'est ces deux dames ou deux de leurs congénères qu'elle choisira. Que voulez-vous ? Elles auront plus de choses intéressantes à lui raconter que celles qui n'ont fait que de jouer au golf. »

Page 483.

   a. si nécessaire, comme entre certains caractères morphologiques dans les espèces animales que rien qu'en   *ms.*

Page 484.

   a. Voir var. a, p. 486.

Page 485.

   a. Malgré la correction de Proust sur plac. Gd, *nous adoptons, ici, la leçon de* plac. Gt ; *voir la variante a de la page 486 et la note 1 au bas de la page 1615.*

   1. Marie-Amélie de Bourbon (1782-1866), fille de Ferdinand IV,

roi des Deux-Siciles, était la femme de Louis-Philippe Ier, roi des Français.

Page 486.

a. ceux qu'elle reçoit *[p. 484, 7 lignes en bas de page]* Mais si le caractère particulier, le genre d'esprit de Mme de Villeparisis s'étaient naturellement et continuellement exercés à défaire la situation mondaine qu'elle avait d'abord, cela ne veut pas dire que pendant ce temps ses désirs, son ambition n'eussent pas été de conserver cette situation puis de la reconstituer ; nous tissons nous-mêmes à tous moments notre vie mais en y copiant malgré nous comme dessin les traits de l'être que nous sommes et non de celui que nous aimerions être. L'isolement *[p. 485, 18 lignes en bas de page]* l'inaction *[comme dans le texte définitif, avec lég. var.]* voyages. Les airs dédaigneux de Mme Leroi pouvaient exprimer certaines tendances profondes de < Mme de Villeparisis >, ils ne répondaient pas à son désir qui eût été de voir cette dame snob fréquenter son salon. D'ailleurs l'absence de Mme Leroi passait inaperçue sinon aux yeux de la maîtresse de maison, du moins à ceux d'un grand nombre de ses invités à qui la situation particulière de cette dame connue seulement du monde élégant, était inconnue, et qui ne doutaient *ms.* : ceux qu'elle reçoit. Certes le désir, l'ambition de Mme de Villeparisis avaient été bientôt de conserver, puis de reconstituer cette situation mondaine qu'elle tenait de sa grande naissance, que son genre d'esprit, son caractère particulier, s'étaient exercés à défaire avec une industrie persévérante et naturelle. De même l'isolement, l'inaction [...] aucunement à son désir. D'ailleurs dans le salon de Mme de Villeparisis, l'absence de Mme Leroi [...] doutaient *dactyl.* : ceux qu'elle reçoit. Certes si, à un moment donné *[comme dans le texte définitif, avec lég. var.]* selon son âge en a connu un moment différent [...] la fortune d'hommes aujourd'hui près de la tombe, ou dans la tombe. Sans doute au même moment où Mme Leroi *[p. 485, début du dernier §]* selon une expression *[comme dans le texte définitif, avec lég. var.]* garçons, chasseurs, et jusqu'au sommelier poussiéreux comme ses bouteilles, bancroche [...] doutaient *plac. Gt* : ceux qu'elle reçoit *[comme dans le texte définitif, avec lég. var.]* selon son âge, a comme un moral différent *[comme dans plac. Gt]* dans la tombe. Qu'elle se fût employée aussi [...] doutaient *plac. Gt* : ceux qu'elle reçoit [...] selon son âge, a comme un monde différent[1] [...] doutaient *orig.* ◆◆ *b.* framboises mûres. Partout des portraits des La Trémoïlle, des Guermantes, des Villeparisis, [un portrait des Rohan *biffé*] des portraits [et des photo < graphies > *biffé*], offerts par eux-mêmes, de la reine Marie-Amélie, [...] d'Autriche, [de la duchesse d'Alençon *biffé*]. Mme de Villeparisis, *ms.*

1. Louise-Marie d'Orléans (1812-1850), reine des Belges par son mariage avec Léopold Ier, et François Ferdinand Philippe d'Orléans, prince de Joinville (1818-1900), étaient deux des huit enfants de Louis-Philippe et de Marie-Amélie.

1. Comme nous l'avons signalé var. *a*, p. 485, nous avons adopté pour cette expression la leçon de *plac. Gt* ; la leçon de *plac. Gd* (« a comme un moral différent ») est en effet une mauvaise lecture du typographe que Proust corrige, de façon peu heureuse, en « a comme un monde différent ».

2. Élisabeth de Wittelsbach (1837-1898), fille aînée du duc Maximilien-Joseph de Bavière, avait épousé en 1854 l'empereur d'Autriche François-Joseph.

Page 487.

a. XVIIIe siècle. Il y avait là le docteur Cottard qu'elle avait récemment consulté et qu'elle comptait prendre comme son médecin habituel, un archiviste *ms.* : XVIIIe siècle. Il y avait, parmi les personnes présentes, quand j'arrivai, un archiviste *dactyl., plac. Gt, plac. Gd*

1. Marie-Félice Orsini, dite des Ursins (1601-1666), femme d'Henri II, duc de Montmorency, décapité à Toulouse en 1632. Après la mort de son époux, elle se retira, en 1634, dans le couvent de visitandines qu'elle avait fondé à Moulins. Elle prit le voile en 1657 et devint supérieure du couvent où elle « mourut en odeur de sainteté » (note 1 de Boislile aux *Mémoires* de Saint-Simon, Hachette, coll. Les Grands Écrivains de la France, t. V, p. 100 ; voir var. *a*, p. 489).

Page 488.

a. Voir la note 1 au bas de la page 1617.

1. *Salam* : salut, en arabe.
2. Mascarille est un personnage de comédie créé par Molière. Type du valet joyeux compagnon, intrigant et impudent, il apparaît dans *L'Étourdi, Le Dépit amoureux* et *Les Précieuses ridicules*.
3. Alexandre Gabriel Decamps (1803-1860), peintre français, spécialiste de l'orientalisme.
4. Darius Ier (522-486 av. J.-C.), roi de Perse, a fait bâtir les villes de Suse et de Persépolis. À Suse, la grande frise du palais, en briques émaillées, représente des archers vêtus de longues robes jaunes ou vertes (musée du Louvre) ; ce ne sont pas des Assyriens, dont l'empire était détruit depuis plus d'un siècle au moment de la construction du palais de Suse, mais des guerriers achéménides.
5. La « jeune dame grecque » est vraisemblablement la princesse Soutzo, née Hélène Chrisoveloni (1879-1975) : « Un personnage de légende en soi cette fille de grands banquiers grecs établis un peu partout dans les Balkans, fort riche, belle, élevée entre la Roumanie où elle était née, Trieste, plaque tournante de l'argent au début du siècle et Paris » (Ginette Guitard-Auviste, *Paul Morand*, Hachette, 1981, p. 77). Proust avait fait sa connaissance en 1917 — par l'intermédiaire de Paul Morand qu'elle devait épouser, en secondes noces, en 1927 — et l'admirait beaucoup. Ayant reçu une photographie la représentant, il lui écrivit : « Vous êtes la Bittô de Mme de Noailles dans cette charmante photographie. Le petit pied que je ne vois plus souvent dépasser de la jupe quand vous êtes allongée, est posé selon un rythme de danse. Au reste, la cadence de votre cou et de votre bras ne sont qu'à vous » (Paul Morand,

Le Visiteur du soir suivi de quarante-cinq lettres inédites de Marcel Proust, Genève, La Palatine, 1949, p. 76). (« Bittô » est un poème de la comtesse de Noailles, *Le Cœur innombrable*, Calmann-Lévy, 1901, p. 119-124.)

Page 489.

    a. rédiger *[p. 487, 18ᵉ ligne]* mon ancien camarade Bloch [...] matinées, enfin un historien solennel [...] Montmorency, femme de celui que Richelieu avait fait décapiter et qui avait fini abbesse à *[un blanc]*, était venu *[comme dans le texte définitif, avec lég. var.]* Fronde. « Mon Dieu, mon cher Monsieur, les ministres, dit-elle au jeune auteur, une fois que j'eus pris une chaise reprenant le fil *ms.* : rédiger puis un historien [...] Montmorency (femme *[comme dans ms.]* abbesse à *[un blanc]*), était venu *[comme dans le texte définitif, avec lég. var.]* Fronde, enfin mon ancien [...] matinées. « Mon Dieu, mon cher Monsieur, les ministres, dit-elle à Bloch, une fois *[comme dans ms.]* fil *dactyl.* : rédiger *[comme dans dactyl.]* matinées. Il est vrai que le kaléidoscope social *[p. 487, 18 lignes en bas de page]* était en train de tourner *[comme dans le texte définitif avec lég. var.]* leur parti étaient déjà menacés. Il portait maintenant une petite barbiche et un binocle, il avait une longue redingote. Mais pour un amateur d'exotisme, d'orientalisme il était aussi étrange et savoureux à regarder qu'un Juif de Decamps. Admirable puissance de la race *[p. 488, 13ᵉ ligne]* qui du fond des siècles [..] bureaux, dans un salon, dans la rue, une phalange intacte qui stylisant la coiffure moderne, absorbant, faisant oublier, disciplinant la mode, reste toute pareille à celle des archers qui aux monuments de Suse (?) défend les portes du Palais de Darius. Un peu plus tard, Bloch crut que c'était par malveillance que M. de Charlus s'informa s'il portait un prénom juif, c'était simplement [...] locale. / — Mon Dieu, mon cher Monsieur, les ministres *[comme dans dactyl.]* fil *épr. Gr.* : rédiger [...] Montmorency, celle[1] <qui> avait fini abbesse à XXX, était venu [...] costume de cérémonie à la frise d'un monument de Suse défend les portes du palais de Darius. *[comme dans le texte définitif, avec lég. var.]* fil *plac. Gd* : rédiger [...] costume de cérémonie *[comme dans plac. Gd]* Darius [...] fil *orig.* ↔ b. duchesse d'Orléans. « Vous *ms* ↔ *c.* Mon grand-père s'inclina profondément et écrivit *ms.* : Mon grand-père s'inclina et écrivit *dactyl., plac. Gt*

    1. Élie, duc Decazes et de Glücksberg (1780-1860), conseiller de Louis XVIII, ministre de la police générale (1815) puis de l'intérieur (1819), devint peu après président du Conseil, mais fut contraint de démissionner en février 1820, après l'assassinat du duc de Berry.

    2. Marie-Caroline Ferdinande Louise de Bourbon, princesse des Deux-Siciles (1798-1870), duchesse de Berry par son mariage, en 1816, avec Charles Ferdinand d'Artois (1778-1820).

    3. Armand Charles Augustin de Castries (1756-1842) fut fait pair de France et duc héréditaire en 1814.

----

    1. Nous ajoutons après ce mot un *qui* vraisemblablement omis par le typographe de *plac. Gd.*

4. Nouvel emprunt à l'article sur la comtesse de Boigne (voir n. 1, p. 481), où le roi est Charles X et le ministre indésirable Jean-Baptiste Guillaume Joseph, comte de Villèle (1773-1854). Dans le Cahier 39, le roi est Louis-Philippe et le ministre M. Molé (voir l'Esquisse XXI, p. 1177). Enfin, dans le manuscrit du *Côté de Guermantes*, Proust cite le nom de Jacques Laffitte (1767-1844), ministre des Finances et président du Conseil sous Louis-Philippe (voir var. *b*, p. 490).

Page 490.

a. la semaine suivante. *[p. 489, avant-dernière ligne]* Mais la veille *ms., dactyl., plac. Gt* ◂▸ *b.* pas eu M. Laffitte à son bal... *ms.* Laffitte *est un lapsus de Proust qui partout ailleurs sur ms. a bien écrit* Decazes.

1. Voir *À l'ombre des jeunes filles en fleurs*, p. 82.

2. Sur une feuille volante datant de l'époque de *Contre Sainte-Beuve*, Proust a déjà décrit M. Molé, « son chapeau haut-de-forme à la main » (*Contre Sainte-Beuve*, éd. citée, p. 231).

3. Voir la Notice, p. 1513.

Page 491.

a. son propre salon. *[p. 490, fin de l'avant-dernier §]* — Ah ! vraiment je ne savais absolument pas, dit Bloch, comme s'il était curieux qu'il ne le sût pas. Maigre, le visage ponctué *[p. 487, 7 lignes en bas de page]* maintenant d'une barbiche et le corps allongé dans une redingote, le nez équilibré et circonspect, il avait l'air de quelque scribe [phénicien *biffé*] assyrien peint en costume de cérémonie à la frise du palais de Darius et n'ayant qu'une main nue il tenait à celle-là un gant peau de chien, comme un rouleau de papyrus. Voulant montrer cependant qu'il était à l'aise il se leva pour aller admirer ce que faisait Mme de Villeparisis ; et prédisposé peut-être à l'émotion par le relief rose du meuble en tapisserie sur la soie jaune des tentures, par l'évocation de tant < de > grands souvenirs, il fut transporté par la vue de l'aquarelle, et les yeux humides, commençait une déclaration à la vieille dame sur un ton exalté, d'une voix de fausset qui la fit sourire, quand en levant le bras il renversa[1] le verre d'eau où posaient les cheveux de Vénus. Un valet de pied vint essuyer par terre et ramasser les morceaux de verre. Le docteur Cottard crut qu'il devait aussi faire un compliment à l'artiste. « Vous avez des doigts de fée, dit-il. » Mais comme il n'avait su à quel moment il devait le dire et que Mme de Villeparisis ne regardait pas de son côté, Bloch crut que ces mots s'adressaient à lui et faisaient allusion au verre renversé ; et pour dissimuler sous une insolence sa timidité et la honte de sa gaucherie : « Cela ne présente aucune espèce d'importance, dit-il, je ne suis pas mouillé. — Avec un talent pareil et vos cinq langues, vous êtes toujours sûre de pouvoir vous retourner dans la vie. — À propos de visite royale, dit Mme de Villeparisis à l'archiviste, comme je ne vous ai pas vu cette semaine, vous ne savez peut-être pas la farce que m'a faite l'autre jour mon neveu Guermantes. » À ce moment la porte s'ouvrit et un valet

1. Voir p. 512, 7 lignes en bas de page.

de pied vint présenter une carte en disant. « C'est ce Monsieur qui est déjà venu plusieurs fois[1]. — Est-ce que vous lui avez dit que je recevais ? *[comme dans le texte définitif, avec lég. var.]* froisser les gens, » elle s'interrompit car la porte se rouvrait livrant passage à Legrandin qui s'avança d'un air ingénu et ardent vers Mme de Villeparisis. « Je vous remercie *beaucoup* [...] Il s'arrêta net en m'apercevant. « Je racontais, lui dit Mme de Villeparisis, une farce que m'a faite mon neveu Guermantes. » J'avais voulu tout de suite aller dire bonjour à M. Legrandin[2] mais il se tenait constamment le plus éloigné *[comme dans le texte définitif, avec lég. var.]* les flatteries qu'à propos de tout il prodiguait en termes raffinés à Mme de Villeparisis. « J'étais en train de lire, dit Mme de Villeparisis en se tournant vers l'archiviste, quand mon maître d'hôtel m'annonce la visite de la reine de Suède[3]. — Ah ! elle est bien bonne, dit en s'esclaffant le docteur Cottard, tandis que l'historien [...] majestueuse. *ms. :* son propre salon. — Aristote l'a peut-être dit dans le chapitre des », hasarda [le docteur Cottard *biffé*] M. Pierres, l'historien de la Fronde [...] attention. / Bloch lui coupa la parole. [...] qu'il ne le sût pas. Le visage maigre ponctué maintenant d'une barbiche, le nez équilibré et circonspect, le corps allongé dans une redingote, n'ayant qu'une seule main nue dans laquelle il tenait un gant *[comme dans ms.]* Darius. *Proust a ici barré d'une croix le début du passage semblable à celui donné par ms. où Bloch renverse le verre d'eau, mais il a laissé subsister la fin de l'épisode :* qui la faisait sourire quand en levant le bras *[comme dans ms.]* doigts de fée, dit-il. » Mais comme il avait hésité un certain temps avant de dire ces mots, incertain s'ils étaient bien à leur place, ils sortirent de ses lèvres à un moment où Mme de Villeparisis ne regardait nullement de son côté *[comme dans ms., avec lég. var.]* cinq langues, vous ne manquez pas de cordes à votre arc si vous étiez ruinée du jour au lendemain, acheva Cottard. — À propos de visite royale *[comme dans ms.]* mon neveu Guermantes. J'étais en train de lire quand mon maître d'hôtel *[comme dans ms.]* Suède. — Ah ! il vous a dit ça comme ça, froidement. Il en a de bonnes ! [...] majestueuse. *dactyl. :* son propre salon. / — Aristote [...] attention. Bloch lui coupa la parole. / — Vraiment [...] absolument pas, dit Bloch, comme s'il était étrange qu'il ne le sût pas. Le visage maigre *[comme dans dactyl.]* Darius. / — Ah ! il vous a dit ça comme ça *[comme dans dactyl.]* majestueuse. *plac. Gt* ⬥ *b.* le savait déjà, reprit *ms., dactyl., plac. Gt :* le savait déjà, [et en tout cas, ne me laissât pas deux jours pour souffler un peu, *add.*] reprit *plac. Gd* ⬥ *c.* rien d'anormal pour Mme de Villeparisis. — Ah ! C'est joli ; on sent le style à travers la farce. On dirait une scène de Molière et du reste la façon dont c'était raconté était digne de lui, dit Legrandin à Mme de Villeparisis, en mettant son mouchoir de côté sur sa bouche pour tâcher que je ne l'entendisse pas. » Certes *ms. :* rien d'anormal pour leur hôtesse. [— Vous êtes donc universitaire que vous parlez de la Sorbonne, dit à mi-voix le docteur à Bloch ? — De la Sorbonne ? Moi ? — Mais oui, il me semblait que vous aviez dit : "Vous nous la sortez bonne", répondit le docteur qui ne réfléchissait pas que l'emploi du pluriel détruisait le calembour qu'il désirait placer. » *biffé*] Certes *dactyl. Sur ce calembour, voir var. a, p. 437.*

---

1. Voir p. 497, 22 lignes en bas de page.
2. Voir p. 499, début du 2e §.
3. Voir le milieu de l'avant-dernier paragraphe de cette page 491.

1. Dans *L'Homme invisible* de H.G. Wells (paru en Grande-Bretagne en 1897 et traduit en France en 1901), le héros, Griffin, endosse une redingote pour se mêler aux autres hommes.

2. La princesse Sophie de Nassau (1836-1913) avait épousé, en 1857, Oscar de Suède (1829-1907), qui devint roi de Suède et de Norvège en 1872 sous le nom d'Oscar II.

Page 492.

a. Suède, qui sera   *ms.*   ◆◆   *b.* philosophes, et toutes ces célébrités, elle les faisait seulement jouer au poker. *ms.* ◆◆ *c.* dans le monde fournissent des morceaux excellents aux Mémoires de Mme de Villeparisis comme aux tragédies de Corneille. *ms.*

1. Louis-Adolphe Thiers (1797-1877), chef de l'opposition libérale pendant le second Empire et « libérateur du territoire » après la Commune, premier président de la troisième République en 1871, est l'auteur d'une *Histoire de la Révolution* et d'une *Histoire du Consulat et de l'Empire.*

2. Charles Forbes de Tryon, comte de Montalembert (1810-1870), publiciste et homme politique français.

3. Félix Dupanloup (1802-1878), évêque d'Orléans, député en 1871, sénateur en 1876, est l'auteur de nombreux ouvrages religieux. Il fut membre de l'Académie française, de même que les quatre personnalités que Proust cite avant lui.

4. Dans une première version de son article sur les *Mémoires* de Mme de Boigne (voir n. 1, p. 481), Proust écrit que la postérité « est infiniment plus raisonnable et même en fait de frivolités veut des plats plus résistants. Au fond sur "les dons glorieux des immortels qu'il n'est permis à aucun homme d'accepter ni de refuser" (Homère) et sur la naissance en particulier elle en est restée aux idées d'Homère et de Pindare » (N.a.fr. 16634, f° 97). Les *Épinicies* de Pindare célèbrent les vainqueurs des compétitions athlétiques qui, pour la plupart, sont des princes ou des membres de grandes familles. La louange des athlètes se mêle au rappel de leur généalogie plus ou moins légendaire.

5. La « question d'Orient », au commencement du XIXᵉ siècle, se posait en ces termes : l'Europe doit-elle préserver l'intégrité de l'Empire ottoman, ou doit-elle le laisser se désagréger ? La guerre de l'Indépendance grecque, le soulèvement du pacha Méhémet-Ali, la guerre de Crimée, la guerre turco-russe furent des tentatives de résoudre cette question, qui perdit peu à peu de son acuité avec la création d'« États tampons » entre la Russie, l'Autriche et la Turquie. Elle devait cependant resurgir en 1908, après l'annexion de la Bosnie-Herzégovine par l'Autriche et la proclamation de l'indépendance de la Bulgarie. La guerre de 1914-1918 la rendit définitivement caduque.

6. Proust cite ce mot en 1893, dans une lettre à Robert de Billy : « Est-ce Mme de Lareinty ou Mme de La Trémoïlle à qui Caro

demanda ce qu'elle pensait de l'amour — et qui répondit brusquement : "Je le fais souvent mais je n'en parle jamais !" » (*Correspondance*, t. I, p. 201).

Page 493.

a. Pour ms. et dactyl., voir var. b, p. 496. ◆◆ *b.* une de ces [quatre ou *biffé*] cinq femmes *plac. Gt* : une des cinq femmes *plac. Gd*

1. Nouvel emprunt au texte inédit de 1907. Voir n. 1, p. 481.
2. Proust cite quelques-unes de ces femmes dans une lettre à Montesquiou du 21 mars 1912 : « C'est une question que je me suis souvent posée. Pourquoi des dames de Blocqueville née Ecmuhl, de Beaulaincourt née Castellane, de Janzé née Choiseul, de Chaponay née Courval, et bien d'autres n'ont-elles pu jamais recevoir le même "gratin" que s'offrent si facilement des personnes qui n'ont pas le même point de départ, et qui ne leur sont pas assez inférieures pour expliquer le phénomène » (*Correspondance*, t. XI, p. 62 ; voir notre note 4, p. 499).
3. La princesse-duchesse de Poix, née Madeleine du Bois de Courval (1870-1944).

Page 494.

a. unissait les cinq divinités *plac. Gt, plac. Gd* ◆◆ *b.* à leurs visiteurs. *plac. Gt, plac. Gd, orig. Nous adoptons la correction proposée par Clarac et Ferré.* ◆◆ *c.* la sœur était [Talleyrand *biffé*] avait *plac. Gt*

1. Dans la mythologie latine, les Parques sont trois sœurs, divinités du Destin : Clotho préside à la naissance ; Lachésis au mariage et Atropos à la mort. On les représente comme des fileuses : la première tient la quenouille, la deuxième tourne le fuseau, et la troisième coupe le fil.

Page 495.

a. Dans plac. Gt, ce prénom est ici orthographié Allix. ◆◆ *b.* du quai Malaquais. Celle-ci *plac. Gt, plac. Gd* ◆◆ *c.* déesse du [Primatice *biffé*] Coysevox qui avait *plac. Gt*

1. Messaline est l'épouse de l'empereur romain Claude, morte en 48 et célèbre par sa cruauté et ses débauches. Mère de Britannicus, elle fit assassiner les filles de celui-ci. Juvénal affirme qu'elle se livra à la prostitution. Ayant appris qu'elle voulait épouser le consul Silius, Claude la fit mettre à mort.
2. La « rose d'or » est un bijou en forme de rose que le pape bénit au quatrième dimanche de Carême, le Laetare *(Dominica rosarum)*, qu'il porte à la procession et qu'il offre ensuite à un prince souverain.
3. Voir n. 1, p. 496.
4. Adélaïde Ristori (1822-1906), tragédienne italienne, vint en France, en 1855, à l'occasion de l'Exposition universelle, donner des

représentations à la Comédie-Française. Elle remporta un vif succès, puis un triomphe, l'année suivante, dans *Médée* de Legouvé. Dès lors, elle se produisit régulièrement à Paris jusqu'en 1866. Elle fit ses adieux en 1885 et se retira à Rome, remontant sur scène en de rares occasions, comme en 1898, à Turin, où elle déclama le chant V de l'*Enfer* de Dante.

5. Antoine Coysevox (1640-1720) est un sculpteur français dont les œuvres ornent les jardins du château de Versailles, les Tuileries et le Louvre. Proust pense peut-être ici à *Vénus accroupie* (Versailles) ou au buste de *Marie-Adélaïde de Savoie en Diane* (Louvre). Dans les épreuves Grasset, il est fait allusion à une « déesse du Primatice » (var. *c* de cette page). Francesco Primaticcio, dit le Primatice (1504-1570), peintre et décorateur italien, travailla en France au château de Fontainebleau, pour François Ier. On lui doit de nombreuses peintures et sculptures s'inspirant de la mythologie grecque et latine.

Page 496.

a. avec une des Cinq dont   *plac. Gt, plac. Gd* ◆◆ *b.* atteler pour huit heures. [*p. 493, fin du 1er §*] Monsieur, j'crrois   *ms. dactyl. Tous les passages concernant Alix, « la dame à coiffure blanche de Marie-Antoinette » ont été ajoutés sur plac. Gt* ◆◆ *c.* quelque chose sur Mme la duchesse   *dactyl., plac. Gt, plac. Gd, orig. Nous adoptons ici la leçon de ms.*

1. Proust connaissait la vicomtesse Frédéric de Janzé, née Alix de Choiseul-Gouffier (1835-191?), qui épousa en secondes noces le prince Guy de Faucigny-Lucinge et Coligny. Même s'il s'est défendu de l'avoir fait paraître dans le salon de Mme de Villeparisis (voir lettre à Montesquiou, 1921, *Bulletin de la Société des amis de Marcel Proust*, n° 29, 1979, p. 9), il est probable qu'il lui emprunte plus que son prénom et son nom de jeune fille. Mme de Janzé était en effet l'auteur d'un ouvrage intitulé *Études et récits sur Alfred de Musset* (Plon et Nourrit, 1891). Or, la « dame à la coiffure blanche de Marie-Antoinette » pourrait bien être celle qui a « écrit sur la jeunesse de Lamartine » (p. 495).

2. Dans un couvent de Moulins, et non dans l'Est. Voir n. 1, p. 487.

3. Puissante famille de Toscane fondée par des banquiers et par des marchands, les Médicis se sont alliés à deux reprises à la maison de France : en 1533 par le mariage de Catherine de Médicis avec le futur Henri II, et en 1600 par celui de Marie de Médicis avec Henri IV. Dans *Sur Catherine de Médicis*, Balzac rappelle qu'à l'annonce du mariage de Catherine, les seigneurs français considérèrent que c'était une « mésalliance » : elle n'était que « la fille des épiciers de Florence » (*La Comédie humaine*, Bibl. de la Pléiade, t. XI, p. 189-190).

Page 497.

a. le portrait de la duchesse de Montmorency. *[p. 496, 3e §, 8e ligne]*
Tout le monde s'était levé, j'en profitai pour aller à Legrandin[1], et
ne trouvant rien de coupable dans sa présence je ne réfléchis <pas> que
je pouvais le blesser et je lui dis en riant : « Hé bien voilà comment
vous fuyez les salons ; je vois qu'on peut vous y trouver tout de même.
— Vous pourriez commencer par me dire bonjour[2], me répondit-il d'un
air furieux sans me donner la main. Naturellement[3], quand on me
persécute vingt fois de suite *[comme dans le texte définitif, avec lég. var.]* rustre.
— Ah ! Mais voilà   *ms.*   : le portrait *[comme dans ms.]* s'était levé. Ah !
Voilà   *dactyl.*   : le portrait *[comme dans ms.]* s'était levé. « Ma chère amie,
dit la dame *[comme dans le texte définitif, avec lég. var.]* déesse effritée d'un
Jardin. / — Ah ! voilà   *plac.*   *Gt*   : le portrait *[comme dans ms.]* s'était
levé. [...] Ah ! voilà   *plac.*   *Gd* ↔ *b.* dit l'historien. » À ce moment la
porte s'était ouverte et une dame encore assez jeune marchant comme
la princesse de Parme, comme si son buste était vissé sur sa taille et suivant
une ligne différente. « Bonjour [Céline *biffé*], comment allez-vous
aujourd'hui ? dit-elle à Mme de Villeparisis d'un air assez sec mais d'intérêt
tandis qu'elle jetait sur nous le regard mort par lequel on signifie à
l'entourage fâcheux au milieu duquel on trouve une personne qu'on aime
que les relations qu'on a avec elle ne s'étendront pas jusqu'à lui. — Tiens,
bonjour, *ms.*

1. Jeanne Élisabeth Carolyne de Sayn-Wittgenstein, née Iwanowska
(1819-1887), princesse polonaise, fut le « second amour » de Franz
Liszt. Ils se connurent en 1847 et vécurent ensemble à Weimar
pendant douze ans. Liszt fut sur le point de l'épouser en 1861, mais
elle était déjà mariée et le pape ne voulut point rompre cette première
union. Elle se retira alors à Rome où elle se consacra à la rédaction
d'ouvrages de théologie. Le premier amour de Liszt fut Marie de
Flavigny, comtesse d'Agoult (1805-1876), qui lui donna deux filles.
Elle tenait un salon littéraire et Sainte-Beuve la surnomma « la
Corinne du quai Malaquais » (allusion au roman de Mme de Staël,
Corinne ou l'Italie, paru en 1807). Elle faisait partie, avec Delphine
Gay et la duchesse de Gramont, du « trio des Trois Grâces Blondes »
(Bernard Gavoty, *Liszt — Le Virtuose 1811-1848*, Julliard, 1980,
p. 131). Proust se souvient sans doute de ces détails à propos d'Alix,
qu'il appelle « la Marie-Antoinette du quai Malaquais », qui a connu
Liszt, et qui est une des « trois Parques à cheveux blancs, bleus ou
roses ».

Page 498.

a. duchesse de La Rochefoucauld, *[p. 497, 15e ligne]* femme de l'auteur
des *Maximes*, qui me viennent de famille. Legrandin avait fait un tour
immense pour être le plus loin possible de moi, je distinguai pourtant
qu'au nom de La Rochefoucauld il dit à Mme de Villeparisis : « Ce que

1. Voir p. 501, 6e ligne.
2. Voir p. 501, début du 3e §.
3. Voir p. 501, avant-dernier §.

vous m'apprenez là *ms.* : duchesse de La Rochefoucauld... » Un domestique entra portant une carte sur plateau *[comme dans le texte définitif, avec lég. var.]* il me vient de famille *[p. 498, fin du 5ᵉ §]* Ce que vous nous apprenez là *dactyl.* : duchesse *[comme dans le dactyl.]* il me vient de famille. / Mme de Guermantes alla saluer Alix [...] jamais dire autant *[p. 498, fin du 7ᵉ §] /* — Ce que vous nous apprenez là *plac. Gt*

1. On ignore la date de naissance de la duchesse de La Rochefoucauld. Née Andrée de Vivonne, fille d'André, baron de La Chataigneraye, et de Marie-Antoinette de Loménie, elle devait avoir quatorze ans quand elle épousa, en 1628, François VI de La Rochefoucauld qui n'avait lui-même que quinze ans. Elle lui donna huit enfants et mourut en 1670, après avoir mené une existence très effacée.

2. Prénom de la princesse de Poix (voir n. 3, p. 493).

Page 499.

a. bien de la grâce. *[fin du 1ᵉʳ § de cette page]* Mme de Villeparisis haussa *ms.* ◆◆ *b.* en secondes noces *ms., dactyl.*

1. « Bien choisis, les mots sont des abrégés de phrases. L'habile écrivain s'attache à ceux qui sont amis de la mémoire, et rejette ceux qui ne le sont pas » (Joseph Joubert, *Pensées, essais et maximes*, Charles Gosselin, 1842, t. II, titre XXIX, « Du style », p. 63). Sainte-Beuve donne une autre version de cette pensée : « Il est des mots *amis de la mémoire* ; ce sont ceux-là qu'il faut employer. La plupart mettent leurs soins à écrire de telle sorte, qu'on les lise sans obstacle et sans difficulté, et qu'on ne puisse en aucune manière se souvenir de ce qu'ils ont dit ; leurs phrases amusent la voix, l'oreille, l'attention même, et ne laissent rien après elles ; elles flattent, elles passent comme un son qui sort d'un papier qu'on a feuilleté » (*Œuvres*, Bibl. de la Pléiade, t. II, *Portraits littéraires* — Joubert, p. 294).

2. Marie de Rohan-Montbazon, duchesse de Chevreuse (1600-1679), joua un rôle important pendant la Fronde. Voir l'Esquisse VII, n. 1, p. 1050.

3. Yolande Françoise Marie Julienne de La Rochefoucauld (1849-1905), princesse dans le royaume de Bavière, devint duchesse de Luynes et de Chevreuse en 1867 par son mariage avec Charles Honoré Emmanuel d'Albert (1845-1870).

4. Nom de plume d'Élisabeth Pauline Ottilie Louise de Wied (1843-1916), reine de Roumanie. Elle écrivit en allemand des poèmes, des contes (*Les Contes de Pelech*, 1883), et publia en français *Pensées d'une reine* (1882).

5. La comtesse de Beaulaincourt-Marles, née Sophie de Castellane (1818-1904), et la marquise de Chaponay-Morancé, née Alexandre du Bois de Courval (?-1897), sont deux de ces femmes qui n'ont pas le salon brillant que leur naissance aurait dû leur permettre de constituer (voir n. 2, p. 493). Elles ont, d'autre part, inspiré certains aspects du personnage de Mme de Villeparisis, comme Proust le confia à Montesquiou en 1921 : « Quant aux Blocqueville, Janzé,

etc., je ne les ai connues que de nom, et ma Mme de Villeparisis est plutôt Mme de Beaulaincourt (avec un rien de Mme de Chaponay-Courval). J'ai même dit qu'elle peignait des fleurs pour ne pas dire qu'elle en fabriquait. Car Mme de Beaulaincourt en fabriquait d'artificielles et c'eût été trop ressemblant » (*Correspondance générale*, éd. citée, t. I, p. 282 ; voir aussi *Bulletin de la Société des amis de Marcel Proust*, nº 29, 1979, p. 9-10).

6. Hélène Louise Henriette de France, princesse d'Orléans (1871-1951), fille du duc d'Orléans, épouse d'Emanuele Filiberto Vittorio Eugenio Genova Giuseppe Maria, duc d'Aoste (1869-1931), petit-fils de Victor-Emmanuel II. Le mariage fut célébré en 1895.

Page 500.

1. Le British Museum de Londres, fondé en 1753, est l'un des plus riches musées du monde.

Page 501.

a. M. de Luynes. *[p. 499, fin du 4ᵉ §]* Monsieur, me dit-elle, *[p. 497, avant-dernier §, 5ᵉ ligne]* et vous Monsieur *[comme dans le texte définitif, avec lég. var.]* ma nièce, la duchesse de Guermantes. Va donc prendre un peu de thé, *[p. 501, première ligne]* sers-toi toi-même [...] aussi bien que moi. » L'historien de la Fronde s'inclina profondément *[p. 497, début du dernier §]* ainsi que moi *[comme dans le texte définitif, avec lég. var.]* des ailes de son nez qui ne se détachaient avec cette importance que sur le vide absolu d'un esprit désœuvré. Elle s'était assise sur un pouf, et son nom, *ms.* :
M. de Luynes. Tenez, Monsieur, *[p. 500, 1ʳᵉ ligne]* vous aimez la peinture, *[comme dans le texte définitif, avec lég. var.]* tableaux du British. *[p. 500, 4ᵉ §, 7ᵉ ligne]* J'ai horreur des personnes qui voyagent avec "fruit". Telle que vous me voyez, en sortant de chez vous, je vais rendre sa visite à ce monstre. On ne peut même pas s'en tirer par un carton, parce que sous prétexte qu'elle est mourante [...] offrir des sandwichs. Comment, c'est le frère ! [...] l'intention de le blesser. Ou peut-être avais-je à cet âge l'intention de blesser, mais comme je ne souffrais pas moi-même de la blessure — à moins qu'on ne me la rendît, ce qui me stupéfiait et me donnait à réfléchir — le sentiment qui m'inspirait me semblait si inoffensif et si riant que je le croyais une forme plus ou moins secondaire de la bienveillance. Toujours est-il que M. Legrandin conclut (c'est ce jugement qu'il formula sur moi quelques jours plus tard) que j'étais un petit être [...] au mal, des paroles que je lui adressai en m'approchant de lui : « Hé bien Monsieur, voilà comme vous fuyez les salons ; je vois qu'on peut vous y trouver tout de même. — Vous pourriez commencer par me dire bonjour, me répondit-il d'un air furieux, sans me donner la main. Quand on me persécute *[comme dans le texte définitif, avec lég. var.]* rustre. Mme de Guermantes s'était assise sur un pouf. Son nom, *dactyl.*¹ : M. de Luynes. / « Ma chère, si j'avais pensé que vous fussiez libre hier soir, je vous aurais envoyé chercher ; Mme Ristori qui est venue à l'improviste a dit [des vers de Dante pour *biffé*] devant

---

1. Voir var. *a*, p. 497.

l'auteur *[comme dans le texte définitif, avec lég. var.]* tableaux du British. *[comme dans dactyl.]* en sortant de chez vous *[comme dans le texte définitif, avec lég. var.]* offrir des sandwichs. *[comme dans dactyl.]* en m'approchant de lui : / Hé bien, Monsieur, je suis presque excusé [...] je vous y trouve. — Vous pourriez avoir la politesse [...] Son nom,   *plac. Gt*

Page 502.

a. chevauchées au grand air. *[9ᵉ ligne de la page]* Pourtant c'était bien elle que désignait *ms., dactyl.* : chevauchées au grand air. Plus tard *[comme dans le texte définitif, avec lég. var.]* Mais ce premier jour comme celui où j'entendis pour la première fois la Berma, je ne discernais rien [...] désignait   *plac. Gt, plac. Gd*

Page 503.

a. haie de la Frapelière, les soleils *ms.* ↔ *b.* et de cette même désapprobation   *plac. Gd, orig. Nous adoptons la leçon de ms., dactyl., et plac. Gt.* ↔ *c. Pour ms. et dactyl., voir var. c, p. 506.* ↔ *d.* écrivain B. entra   *plac. Gt*

Page 504.

a. Sagan et bien d'autres. Mais   *plac. Gt*

Page 505.

a. et Meilhac qui   *plac. Gt* ↔ *b.* verbal [de la Restaurati < on >   *biffé*] d'une époque   *plac. Gt* ↔ *c.* assentiment : « Redonnez   *plac. Gt* ↔ *d.* l'intention [de se dire au sujet de la poésie pour   *biffé*] puisqu'ils   *plac. Gt* : l'intention puisqu'ils   *plac. Gd, orig. Nous rétablissons* de se dire. ↔ *e.* l'avant-goût à Combray, personne   *plac. Gt*

Page 506.

a. Sur plac. Gt figurent deux rédactions successives d'un passage qui n'est pas dans orig. Nous les donnons à la suite l'une de l'autre : surprendre et de charmer. Elle ne cherchait qu'à faire faire de bons déjeuners à B., à faire servir les plats qu'il se rappelait qu'il aimait et où le cuisinier des Guermantes — neveu de celui de Talleyrand — était incomparable, dans de jolies robes, à jouer avec lui au poker, au besoin avoir sur ses livres quelque opinion pleine de finesse qui admirablement rédigée, en une phrase concise et flatteuse, ne laissait pas de lui plaire. / *Seconde rédaction :* Mais si elle aimait parler avec précision et sans phrases à un écrivain des plats qu'il aimait, de la promenade en voiture qu'on irait faire ensemble, des précautions contre le mauvais temps, elle se disait que sa carrière d'écrivain était aussi une part de la vie réelle de cet ami. Et elle savait au besoin, entre deux phrases de politique ou de cuisine, avoir sur un de ses livres quelque opinion *[comme dans la 1ʳᵉ rédaction]* lui plaire. Parfois même, *La seconde rédaction figure également sur plac. Gd.* ↔ *b.* vitrail [gothique de Charles le Mauvais   *biffé*] gothique.   *plac. Gt* ↔ *c.* couche

de poussière *[p. 503, fin du 1ᵉʳ §]* Pour que je n'eusse pas été déçu *ms.,
dactyl.* ♦♦ *d.* il n'eût pas plus suffi que ces paroles [...] profondes, qu'à
Balbec que les statues fussent d'un art puissant ; il eût fallu *ms., dactyl.,
plac. Gt* : il n'eût pas plus suffi [...] fallu *plac. Gd, orig. Nous supprimons
le plus.* ♦♦ *e.* ce nom des aspects de bois *erreur de dactyl., qui est restée
dans tous les états postérieurs et que Proust a omis de corriger ; nous adoptons
la leçon de ms.*

Page 507.

a. évoqué sa vie. / Je croyais *ms., dactyl.* : évoqué sa vie. / Au reste,
entre notre perception et une personne dont nous venons seulement de
faire la connaissance, toutes ses particularités — un défaut de son nez,
un signe sur sa joue, la façon agaçante de prononcer un certain mot qui
de plus n'était pas celui que nous attendions — ne forment-elles pas une
sorte d'hiatus assez désagréable et auquel si nous restions fidèles à notre
impression nous donnerions le nom de déception. Cette manière de parler,
de rire, nous avait paru vulgaire, cette épithète assez sotte. Mais on nous
dit : « Elle est si distinguée, quelle race ! Comme elle est intelligente,
quel esprit ! » Jaloux de tenir bien notre partie dans le chœur social, nous
répétons : « Quelle race, quel esprit ! » À une deuxième rencontre la
vulgarité de l'accent, le défaut de prononciation nous frappent à nouveau.
Mais « quelle race, quel esprit » qui ont déjà pris racine en nous, en
un mot notre banale personnalité sociale [racine en nous, notre banalité
sociale *plac. Gd*], luttent victorieusement contre une impression qui
d'ailleurs en vertu des lois propres qui la régissent, va chaque fois
s'atténuant. Bientôt on ne voit pas plus le défaut du nez qu'on n'entend
le tic tac de la montre qu'on a auprès de soi et à qui on demande seulement
de vous dire s'il est l'heure de partir dîner en ville. L'hiatus est comblé,
les angles sont effacés, on ne dit plus seulement, on pense de tout son
cœur : « Quelle beauté, quelle race, quel esprit ! » et on le répète, comme
si c'était l'essence de ce qu'on pense (alors que ce n'est que la pensée
seconde, fort différente, par laquelle nous remplaçons, en tant qu'hommes
du monde, notre pensée d'essai, notre impression personnelle) aux
nouveaux venus qui eux sont encore sensibles aux défauts du nez, au signe
de la joue, aux adjectifs mal choisis. / — Je croyais *plac. Gt, plac.
Gd* ♦♦ *b.* trouver Audouin ici *ms.*

1. Allusion à la fable de La Fontaine « La Grenouille qui veut
se faire aussi grosse que le bœuf » (*Fables*, I, III).

Page 508.

a. elle est malade *[p. 507, fin du 5ᵉ §]* Elle a beaucoup demandé après
vous, et je crois qu'elle va vous demander un rendez-vous. Elle doit venir
dîner chez nous un jour *ms.* ♦♦ *b.* Pour *ms.*, et *dactyl.*, voir var. a,
p. 509. ♦♦ *c.* sous les toiles de pourpre *plac. Gd, orig. Nous adoptons la
leçon de l'addition manuscrite de plac. Gt* ♦♦ *d.* faubourg Saint-Germain. En
voyant l'équilibre se rompre et Bergotte passer par-dessus M. de Bréauté,
j'éprouvai le même étonnement que quand un camarade me disait que
Thiron qui ne venait que cinquième sur l'affiche saumon du Théâtre-
Français était supérieur à Maubant. Mais surtout je fus *plac. Gt* ♦♦
e. connaître. Cela *plac. Gt, plac. Gd*

1. Allusion au titre d'une autre fable de La Fontaine : « Les Grenouilles qui demandent un roi » (III, IV).

Page 509.

a. grommellement indistinct. *[p. 508, fin du 4ᵉ § de la page]* Le comte d'Argencourt, *ms., dactyl.* ◆◆ *b.* petit-cousin de Mme de Villeparisis par les Ligne entra *ms., dactyl., plac. Gt* ◆◆ *c. Pour ms., et dactyl., voir var. a, p. 513.*

Page 510.

a. s'il n'y allait pas y avoir *plac. Gt, plac. Gt, orig. Nous corrigeons.*

1. Dans *Les Usages et le savoir-vivre en toutes les circonstances de la vie* (1896), Autran note : « On ne laisse son chapeau dans l'antichambre que pour un bal ou pour une soirée » (cité par Gareth H. Steel, *Chronology and Time in « À la recherche du temps perdu »*, éd. citée, p. 127) De son côté, la baronne Staffe précise : « Pendant toute la durée de la visite qu'il fait dans un salon, un homme tient son chapeau à la main, sans l'abandonner une minute. Il ne le dépose jamais, pas plus que sa canne, sur une table, sur un meuble. Il s'arrange pour ne jamais présenter à la vue des autres, que l'extérieur de ce couvre-chef. En montrer la coiffe est ridicule » (*Règles du savoir-vivre dans la société moderne*, Victor-Havard, 1896, p. 89).

2. L'historien de la Fronde cite Molière en confondant les noms et les scènes. Dans *Le Mariage forcé*, le philosophe Pancrace s'interroge face à Sganarelle : « Je soutiens qu'il faut dire la figure d'un chapeau, et non pas la forme ; d'autant qu'il y a cette différence entre la forme et la figure, que la forme est la disposition extérieure des corps qui sont animés, et la figure, la disposition extérieure des corps qui sont inanimés ; et puisque le chapeau est un corps inanimé, il faut dire la figure d'un chapeau et non pas la forme. Oui, ignorant que vous êtes, c'est comme il faut parler ; et ce sont les termes exprès d'Aristote dans le chapitre *De la qualité* » (sc. IV ; *Œuvres complètes*, Bibl. de la Pléiade, t. I, p. 723). Dans *Le Médecin malgré lui*, le faux médecin Sganarelle, « *avec un chapeau des plus pointus* », s'adresse à Géronte : « Hippocrate dit... que nous nous couvrions tous deux. / Géronte : Hippocrate dit cela ? / Sganarelle : Oui. / Géronte : Dans quel chapitre, s'il vous plaît ? / Sganarelle : Dans son chapitre des chapeaux. / Géronte : Puisque Hippocrate le dit, il le faut faire » (acte II, sc. II ; éd. citée, t. II, p. 240-241).

3. Voir n. 2, p. 546.

4. Proust a laissé un portrait peu flatteur de Léon-Gustave Schlumberger (1844-1929). Cet historien, spécialiste de l'archéologie de Byzance et des croisades, avait fréquenté le salon de Mme Straus avant de le déserter au début de l'affaire Dreyfus. Proust n'a pas de mots assez forts pour le qualifier : c'est une « crapule » (*Correspondance*, t. VIII, p. 133), un « buffle des époques préhistoriques » (*ibid.*, p. 141), un « complet *imbécile* » (*ibid.*, t. IX, p. 67). De son côté,

Schlumberger, dans ses *Souvenirs*, a évoqué « le bizarre Marcel Proust » : il « a écrit des livres admirés des uns, bien incompréhensibles pour les autres, dont je suis » (cité par Philip Kolb, *Correspondance*, t. I, p. 330).

5. Georges, vicomte d'Avenel (1855-1939), historien et économiste français, est l'auteur d'une *Histoire économique de la propriété et des salaires, des denrées et de tous les prix en général depuis l'an 1200 jusqu'en 1800* (1894-1898), de *Richelieu et la monarchie française* (1884-1890), du *Mécanisme de la vie moderne* (1898-1900), etc.

6. Julien Viaud, dit Pierre Loti (1850-1923), officier de marine, s'inspira de ses nombreux voyages pour écrire des romans dont l'action se déroule en mer ou dans les pays lointains : *Pêcheur d'Islande, Le Mariage de Loti, Madame Chrysanthème*, etc. Il fut élu à l'Académie française en 1891. Le jeune Marcel Proust le considérait comme un de ses « *auteurs favoris en prose* » (*Essais et articles*, éd. citée, p. 337).

7. Edmond Rostand (1868-1918), poète et auteur dramatique, est l'auteur de *Cyrano de Bergerac* et de *L'Aiglon* (rôle créé par Sarah Bernhardt en 1900), deux pièces qui recueillirent un immense succès populaire. En 1912, il offrit son appui à Proust qui cherchait à publier le livre qui allait devenir *À la recherche du temps perdu* chez Fasquelle (*Correspondance*, t. XI, p. 293).

8. Marie-Charles Gabriel Sosthène, duc de Doudeauville (1825-1908), et sa femme, Marie, princesse de Ligne (1843-1898). Le duc fut président du Jockey-Club pendant vingt-quatre ans (*Correspondance*, t. VII, p. 140), et il avait été ambassadeur de France en Grande-Bretagne.

9. Paul Deschanel (1855-1922), élu à la Chambre des députés en 1885, président de la République de février à septembre 1920, est l'auteur d'un ouvrage sur *La Question du Tonkin* (1883).

10. Philip Kolb pense que ce personnage est inspiré par le prince Radolin (1841-1917), ambassadeur d'Allemagne de 1901 à 1914, et que Proust a assisté à une scène identique à celle décrite par M. d'Argencourt, en 1905 : « J'ai vu, écrit-il dans une lettre du 28 juin 1905 à sa mère, que Mme Greffulhe avait une conférence d'une heure chez les Murat et qui paraît-il durait déjà depuis une heure avec l'Ambassadeur d'Allemagne [...] » (*Correspondance*, t. V, p. XV et 267-268).

Page 511.

a. tenait le cercle. *[p. 510, dernière ligne] /* [Chacun s'était rapproché *biffé*] [Vous n'avez pas l'intention *[p. 523, début du 2ᵉ §]* d'entretenir l'Institut *[...]* s'était approché de *add.*] Mme de Villeparisis pour la voir peindre. *plac. Gd. Cette addition est mal placée par Proust, Norpois n'ayant pas encore fait son apparition dans le salon de Mme de Villeparisis. Voir var. a, p. 524.* ◆◆ *b. Dans un fragment isolé et biffé de dactyl., Legrandin dit :* [Ah ! vous laissez bien loin derrière vous van Huysum, Pisanello et van Spaedonck dont les fleurs sont exactes mais mortes. *biffé*]

1. Antonio di Puccio di Cerreto ou Antonio Pisano, dit Pisanello (avant 1395-entre 1450 et 1455), peintre et graveur italien. C'est Robert de Montesquiou qui a attiré l'attention de Proust sur le *Portrait d'une princesse de la maison d'Este* en décrivant le tableau des *Professionnelles beautés.* Rendant compte de cet ouvrage en 1905, Proust écrit : « Vous allez au Louvre et devant un Pisanello M. de Montesquiou vous montre, dans le fond du portrait, des fleurs que vous n'eussiez peut-être pas remarquées. Que dis-je des fleurs ? C'est là une généralité dont nos perceptions confuses sont bien obligées de se contenter. M. de Montesquiou vous a déjà nommé l'ancolie et fait remarquer avec quelle vérité elle est peinte » (« Un professeur de beauté », *Essais et articles*, éd. citée, p. 515).

2. Jan van Huysum (1682-1749), peintre de fleurs et de fruits de l'école hollandaise. Le musée du Louvre possède plusieurs de ses œuvres : *Fleurs et fruits, Vase de fleurs, Corbeille de fleurs.* Sur la dactylographie (var. *b*), Proust fait allusion à Gerardus (ou Gérard) van Spaendonck (1746-1822), miniaturiste et peintre de fleurs. Né à Tilbourg, en Hollande, il s'installa en France où il prolongea la tradition de van Huysum et devint l'un des plus célèbres artistes de son époque.

Page 512.

a. une année où il n'y a pas de pommes. *dactyl*[1]. ◆◆ *b.* monsieur Vallismère, dit-elle *dactyl., plac. Gt* : monsieur Valmère, dit-elle *plac. Gd* ◆◆ *c.* tirer d'affaire. / Bloch *plac. Gt*

1. Ce proverbe est cité par Anicet Bourgeois et Adolphe d'Ennery dans leur drame en cinq actes, *La Fille du paysan*, créé au Théâtre de la Gaîté le 8 janvier 1862 : « Pour une année où il y a des pommes, il n'y a pas de pommes ; mais pour une année où il n'y a pas de pommes, il y a des pommes » (*La Fille du paysan*, Michel Lévy frères, 1862, acte II, sc. V).

2. Proust se souvient peut-être ici de la maladresse dont il avait lui-même fait preuve en 1904, quand, à l'occasion d'un dîner chez Mme de Noailles, il avait fait « un trop grand geste » et « cassé un Tanagra en mille morceaux » (voir la *Correspondance*, t. IV, p. 195-197 et 199).

Page 513.

a. en boitant, *[p. 509, dernier §, 3ᵉ ligne]* puis deux jeunes gens, le vicomte et le baron de Villeparisis. Mme de Villeparisis les invita pour sa matinée *ms.* : en boitant, puis deux jeunes gens, deux neveux à elle, le baron de Villeparisis et le duc de Châtellerault, *[sic].* Minces, la peau blonde, les cheveux dorés et frisés, tout à fait dans le « type Guermantes », ils avaient l'air d'une condensation humaine de la lumière *[comme dans le texte définitif, avec lég. var.]* par terre près d'eux. Cottard

---

1. Voir la note 1 au bas de la page 1631.

pensa qu'ils étaient gênés [...] que faire de son chapeau. Il crut devoir conseiller à mi-voix à l'historien de la Fronde de venir en aide à la gaucherie et à la timidité des deux jeunes gens. « Non, non, leur dit charitablement M. Pierres, ne les posez pas par terre, vous allez les abîmer. » Un regard bleu pâle et glacé l'arrêta. « Qui est ce monsieur ? » me dit sèchement le duc de Châtellerault que Mme de Villeparisis venait de me présenter. « M. Pierres. — Pierres de quoi ? — M. Pierres, c'est un historien [...] chapeaux par terre, dit Mme de Villeparisis. — Ah ! je n'ai plus qu'à m'en aller, dit Mme de Guermantes en voyant son mari qui entrait avec lenteur et gesticulation, comme intimidé par tant de monde. — Nous en sommes, comme dit Aristote, au chapitre des chapeaux, dit le docteur Cottard, résumant pour Mme de Villeparisis l'incident des "tubes" posés par terre. Il faut que je vous présente mes devoirs, Madame. Je peux m'éclipser à l'anglaise, n'est-ce pas ? » Et il fila non sans jeter de droite et de gauche quelques regards incertains. « Oui, maintenant que je suis un peu familiarisé avec cette noble assistance, j'accepterai un baba, dit M. de Guermantes en s'installant dans un fauteuil. Quel est ce seigneur qui citait Aristote, ma tante ? Ça doit être *une* érudit. — C'est le docteur Cottard. — Ah ! Mais c'est une sommité, dit M. de Guermantes qui ce premier jour me déçut beaucoup. Il employait un certain nombre de locutions toutes faites ; dès qu'elles ne le soutenaient plus, sa conversation frappait par une certaine impropriété des termes qui est particulière aux gens du monde. Enfin il croyait [être talon rouge en employ < ant > *biffé*] faire revivre l'Ancien Régime en usant de certaines expressions passées de mode. — Mais tu ne l'as pas reconnu, tu l'as vu l'autre jour ici, tu avais trouvé la femme gentille. — Ah ! C'est lui qui était là avec toute sa smala, je le remets maintenant. » Mme de Villeparisis invita les deux jeunes gens pour sa matinée *dactyl. 1ʳᵉ rédaction* : en boitant *[comme dans le texte définitif, avec lég. var.]* personne ne l'entendit. *[p. 510, fin de l'avant-dernier §]* Chacun s'était *[p. 511, 1ʳᵉ ligne]* approché *[comme dans le texte définitif, avec lég. var.]* l'histoire de France, *[p. 512, 20 lignes en bas de page]* avec un talent [...] tirer d'affaire. Bloch voulu faire un geste [...] matinée *dactyl. 2ᵉ rédaction*[1] ◆◆ *b*. dire à Berthe et à Gisèle (les duchesses d'Auberjon et de Stinvilliers) d'être là *ms., dactyl.* : dire à Gisèle et à Berthe (les duchesses d'Auberjon et de Stinvilliers) d'être là *plac. Gt*

Page 514.

a. pour partir *[1ʳᵉ ligne de la page]* et comme il n'avait pas été présenté aux personnes présentes, croyant qu'il devait cependant par savoir-vivre les saluer, mais sans amabilité, il inclina *ms. dactyl.* : pour partir. Mme de Villeparisis, soit parce qu'elle connaissait les opinions [...] il inclina *plac. Gt, plac. Gd*

1. Traditionnellement, la « déesse aux yeux pers » est Athèna. Héra est qualifiée, dans l'*Iliade,* de « déesse aux bras blancs ».

---

1. C'est par commodité que nous avons signalé var. *a* et *b*, p. 512, des variantes de détail de *dactyl.*, qui appartiennent à cette seconde rédaction.

Page 516.

 a. tarderont pas à être séparés. *[p. 514, 4 lignes en bas de page]* Bloch *ms.,*
dactyl. : tarderont pas à être séparés. / — J'aime beaucoup de Saint-Loup-
en-Bray, dit Bloch, surtout parce qu'il est extrêmement bien élevé [...] avec
un jeune homme. Il nous présenta mais [...] conviction qu'on ne s'est pas
formées soi-même. *[4ᵉ ligne de la page]* Bloch *plac. G1* : tarderont pas à
être [...] J'aimais assez de Saint-Loup-en-Bray, dit Bloch, seulement parce
qu'il est extrêmement bien élevé. *[comme dans plac. G1]* formées soi-
même. / — Est-ce qu'il n'est pas un peu gâteux ? demandai-je *[p. 517, 2ᵉ §,*
4ᵉ ligne] — Mais je crois bien, il vise son siège avant de s'asseoir. Mais dis-moi,
[p. 516, 5ᵉ ligne] reprit Bloch [...] Je suis presque en nage. *[p. 516, 2ᵉ §,*
14ᵉ ligne] Et avec ce besoin d'esquisser [...] Bloch *plac. Gd* : tarderont
pas à être [...] J'aime beaucoup de Saint-Loup-en-Bray, dit Bloch, quoiqu'il
soit un mauvais chien, parce qu'il est extrêmement bien élevé. [...] formées
soi-même. / Bloch *orig. Nous avons tenu compte, pour établir notre texte, d'une*
correction qui a été portée par Proust sur plac. Gd. Dans orig., le passage qui va
de Mais dis-moi, reprit Bloch *[5ᵉ ligne de la page]* à c'est justement ce
qui vous enrhume. [fin du 2ᵉ § de la page] avait été placé, par erreur,
après inférieur à l'ambassadeur. *[avant-dernier § de la page]. Nous avons*
corrigé.

 1. Anténor est un sage vieillard troyen qui, dans l'*Iliade*, conseille
à ses compatriotes de rendre Hélène aux Grecs (chant VII, v. 345-354).
Cependant, Bloch commet une erreur : le fils du « large fleuve Alphée,
qui s'écoule à travers le pays de Pylos », est Ortiloque (chant V,
v. 546).

Page 517.

 a. inférieur à l'Ambassadeur *[p. 516, fin de l'avant-dernier §]* — Mais
attendez un instant, je ne sais pas ce qu'il peut faire, dit Mme de
Villeparisis. » Elle sonna *ms., dactyl.* ◄► *b.* domestique fut entré : « Allez *ms.* ◄► *c.* ce qui se passait. [De même *biffé*] [Pareillement *corr.*],
ces hommes politiques *orig. b*

 1. Voir *À l'ombre des jeunes filles en fleurs*, p. 128.

 2. Dans une lettre d'août 1908 à Henry Bernstein, Proust parle du
marquis de Castellane, « pauvre et charmant Lauzun à roulettes qui
fuse avec une rapidité vertigineuse et maladroite sur le fauteuil, la porte
ou l'ami qu'il a visés » (*Correspondance*, t. VIII, p. 210 ; voir t. I de la
présente édition, n. 3, p. 629).

Page 518.

 a. Les affaires vont-elles mieux ? » *[p. 517, 7 lignes en bas de page]* Le
maître d'hôtel *ms.* : Les affaires vont-elles mieux ? » « Vous n'êtes pas
trop *[p. 517, début de l'avant-dernier §]* pressé ? *[comme dans le texte définitif,*
avec lég. var.] dit Bloch confus et ravi. Et regardant, dans la lumière blonde
du couchant, M. de Châtellerault qui assis sur un canapé près de la fenêtre
avait l'air, un énorme œillet rose à sa boutonnière, de figurer dans quelque
tableau vivant une « fleur » animée, Bloch voyant s'ouvrir si inopinément
devant lui un avenir où il aurait ce jeune duc comme compagnon de voyage,

se demandait s'il n'était pas le jouet du songe d'une fin d'après-midi de printemps. / Le maître d'hôtel *dactyl., plac. Gt* ◆◆ *b.* elle coupa court en disant : « Monsieur l'Ambassadeur, je voudrais *ms., dactyl.* : elle coupa court en emmenant M. de Norpois et Bloch dans un salon voisin : « Monsieur l'Ambassadeur, je voudrais *plac. Gt*

1. Paul Morand rapporte l'anecdote suivante que lui a racontée Proust en 1917 : « Anatole France avait ses rendez-vous d'amour avec Mme Arman de Caillavet, chez lui, le matin. Ils revenaient ensemble à pied, puis se séparaient à cent mètres avant l'hôtel de Mme de Caillavet, laquelle entrait la première avenue Hoche. Deux minutes après, France arrivait à son tour. Ce manège ne trompait personne, mais l'étiquette le voulait ainsi. Après déjeuner, Mme de C. disait : "Monsieur France, il faut travailler" et elle le faisait monter dans le bureau de son mari. Au thé, Mme de Caillavet recevait une nombreuse assemblée à qui elle ne manquait jamais de laisser entendre que l'illustre écrivain travaillait à l'étage supérieur. Ce qui donnait l'air fort ridicule à M. France, lorsqu'il redescendait avec sa canne et son chapeau et entrait en disant : "Eh, bonjour chère amie, voilà plus d'une semaine que je n'ai eu le plaisir de vous voir !" (Paul Morand, *Journal d'un attaché d'ambassade 1916-1917*, Gallimard, 1963, p. 205-206 ; voir aussi Élisabeth de Gramont, *Marcel Proust*, Flammarion, 1948, p. 140).

Page 519.

a. le marquis de Norpois. *[p. 518, dernier §, 3ᵉ ligne]* M. de Norpois noya *ms., dactyl., plac. Gt*

1. Victor Cherbuliez (1829-1899), romancier d'origine suisse, a décrit dans ses livres une société cosmopolite (*L'Aventure de Ladislas Bolski* [1870]) et s'est fait une spécialité des grandes fresques romanesques mêlant l'Histoire et l'aventure (*À propos d'un cheval, Le Prince Vitale*, etc.).

Page 520.

a. vous avez bien connu Bismarck. *[p. 519, fin de l'avant-dernier §]* — J'ai entendu *ms., dactyl., plac. Gt* ◆◆ *b.* Pour ms., voir var. c, p. 521. ◆◆ *c.* voir entrer un mari. Celui-ci promenant *dactyl.*

1. Édouard Manet a peint une *Botte d'asperges* (1880) qui faisait partie de la collection de Charles Ephrussi (1849-1905). Proust a pu voir ce tableau et s'en inspirer pour le titre de celui qu'il attribue à Elstir (voir *Jean Santeuil*, éd. citée, p. 893 et n. 1 ; *Le Côté de Guermantes II*, p. 791).
2. Antoine Auguste Ernest Hébert (1817-1908) est un peintre d'histoire et de portraits. Sa *Vierge de la délivrance* appartient au musée de Grenoble.
3. Pascal Adolphe Jean Dagnan-Bouveret (1852-1929) fut un des portraitistes favoris de l'aristocratie parisienne. Sa *Vierge* fut présentée au Salon de 1885.

Page 521.

a. Quel brave homme ! » Il ne fit   *dactyl., plac. Gt.   :*   Quel brave
homme ! [Vous savez que nous sommes tous les deux très compains[1] »,
ajouta-t-il pour me flatter.   *add.*] Il ne fit   *plac. Gd ◆◆ b.* petit tablier. —
Vraiment ? elle   *dactyl.*   ◆◆ *c.* la primeur de ses ridicules. *[p. 520, avant-
dernière ligne de l'avant-dernier §]* — Non, vraiment ? — Mais voyons, elle
est venue réciter,   *ms.*

1. *Le Roi d'Yvetot* est une célèbre chanson de Pierre Jean de Béranger
(1780-1857), écrite en mai 1813, alors que la France, lassée de la
sanglante épopée napoléonienne, aspirait à la paix : « Il n'avait de goût
onéreux / Qu'une soif un peu vive » (*Œuvres complètes*, Perrotin, 1834,
t. I, p. 1-4). En réalité, le titre de « roi d'Yvetot » a été porté, du XIVe
au XVIe siècle par les possesseurs du « franc-alleu » de cette ville de
Normandie.

Page 522.

a. d'Academus. [D'ailleurs   *biffé*] [Du reste   *corr.*], il ne réunirait   *orig. b*

1. Académus (ou Académos) est un héros mythique de l'Attique
dont le tombeau était entouré d'un bois sacré fréquenté par des
philosophes. Platon y installa son école, l'Académie.
2. *L'Italia farà da sé* (« L'Italie fera par elle-même ») fut au
XIXe siècle la devise des nationalistes italiens, qui proclamaient ainsi
leur désir de voir l'unité de leur pays se réaliser sans intervention
étrangère.
3. Pierre Paul Leroy-Beaulieu, professeur au Collège de France,
économiste, était administrateur de la Société houillère et métallurgi-
que de Pennaroya (voir n. 2, p. 449, et la *Correspondance*, t. V, n. 15,
p. 286-287).
4. Dans une lettre à Lionel Hauser du 27 mai 1916, Proust écrit :
« La bataille de la Marne est un exemple différent de ces "impondérables" dont parlait Bismarck. » (*Correspondance*, t. XV, p. 127.) Bismarck parla en effet des « impondérables de la politique » (« *Imponde-
rabilien des Politik* » ; *Fürst Bismarcks Reden*, Leipzig, t. III, 1899, p. 260)
devant le Landtag de Prusse, le 1er février 1868. Comme le note Philip
Kolb, Proust avait sans doute eu connaissance de l'expression dans un
des articles publiés dans *Le Figaro* par Joseph Reinach qui la cita souvent
pendant la guerre (*Correspondance*, t. XV, p. 129).
5. Premiers mots d'un distique d'Ovide : « *Principiis obsta ; sero
medicina paratur, / Cum mala per longas conualuere moras* » (« Combats
le mal dès le principe ; il est trop tard pour y porter remède, lorsqu'un
trop long espace de temps l'a fortifié » ; *Remedia amoris*, v. 91-92, trad.
Henri Bornecque, Les Belles-Lettres, 1961, p. 12).

1. *Compain* dérive du latin populaire *companio* dont l'accusatif, *companionem*, a donné
« compagnon ». Littré signale encore « compain », en concurrence avec « copain ».

Page 523.

1. Mots latins empruntés à Virgile et signifiant : « Arcadiens tous deux. » Thyrsis et Corydon sont deux bergers qui se livrent à un concours de vers alternés : « *Ambo florentes aetatibus, Arcades ambo, / et cantare pares et respondere parati* » (« Tous deux dans la fleur de l'âge, Arcadiens tous les deux, chanteurs d'égale force et prêts à la réplique » ; *Bucoliques*, VII, 4-5, traduction E. de Saint-Denis, Les Belles-Lettres, 1970, p. 79).

Page 524.

a. d'autres lis « su » sa robe, *[p. 521, avant-dernier §, 2ᵉ ligne]* jamais vous n'avez imaginé *ms.* : d'autres lis [...] comme faisait sa tante.) Vous savez de qui nous parlons *[p. 524, début du 2ᵉ §]*, Basin, dit la duchesse à son mari [...] imaginé *dactyl., plac. Gt* : d'autres lis [...] fauteuil académique pour mon père. *[p. 521, dernière ligne]* Au nom de Leroy-Beaulieu M. de Norpois *[comme dans le texte définitif, avec lég. var.]* justement parce que je l'aime, *[p. 522, dernière ligne]* justement parce que je sais les services [...] je ne voterais pas pour lui ! » À plusieurs reprises M. de Norpois traita ses collègues de fossiles [...] un sens différent. *[p. 523, fin du 1ᵉʳ §]* / Vous savez de qui nous parlons, Basin ? dit la duchesse à son mari [...] imaginé *plac. Gt. Comme Clarac et Ferré l'avaient déjà fait dans la précédente édition, nous déplaçons l'addition que Proust introduit plus haut — par erreur (voir var. a, p. 511) — sur plac. Gd* ◆◆ *b.* quelque chose d'aussi ridicule. Je ne peux pas comprendre comment Charles a jamais pu l'aimer. *ms., dactyl., plac. Gt* ◆◆ *c.* Pour *ms.*, voir var. *b*, p. 525. ◆◆ *d.* philosophe [sceptique *biffé*] pyrrhonien et de sentimentale *dactyl.*

1. Drame musical en trois actes de Richard Wagner, créé en 1870, deuxième partie de *L'Anneau du Nibelung*.

Page 525.

a. qu'elle venait *[p. 524, dernière ligne]* d'émettre. [Du reste *biffé*] [Et puis *corr.*], au fond *orig. b* ◆◆ *b.* discuter ces choses-là *[p. 524, 6ᵉ §, 3ᵉ ligne]* ajouta-t-elle en philosophe. Mais tout de même c'est étonnant *ms.*

Page 526.

a. personne ridicule *[p. 525, 7ᵉ ligne]* Elle avait eu la prétention *ms.* : personne ridicule. — Pourtant, voyez Swann, objecta M. d'Argencourt *[comme dans le texte définitif, avec lég. var.]* Charles l'ait épousée *[p. 525, avant-dernière ligne]* mais je comprends qu'on pût l'aimer. Tandis que la demoiselle de Robert je vous assure qu'elle est à mourir de rire. D'abord imaginez-vous qu'elle avait eu la prétention *dactyl., plac. Gt* ◆◆ *b.* je connais toute la pièce. — Ah ! vous connaissez *ms., dactyl., plac. Gt* : je connais toute la pièce. C'est d'un de mes compatriotes. Il l'a envoyée au roi [...] demandé des explications. /— Ah ! vous connaissez *plac. Gd* ◆◆ *c.* Maeterlinck. « Et elle est ignorante comme une carpe. Et c'est pour une pareille femme *ms., dactyl., plac. Gt, plac. Gd* ◆◆ *d.* bonté ! Comme l'amie de Charles a raison de trouver qu'elle est idiote. Que peut-il y avoir de commun entre moi et une grue pareille ? Maintenant *ms.*

1. Ce vers d'Alfred de Musset figure dans la dédicace de *La Coupe et les lèvres* (*Poésies complètes*, Bibl. de la Pléiade, p. 157). La confusion de Proust peut s'expliquer par le fait qu'Augier est l'auteur d'un vers connu dans lequel il est également question de flacon : « Poudreux est le flacon, mais vive est la liqueur » (*L'Aventurière*, pièce créée en 1848, acte I, sc. 1 ; *Théâtre complet d'Émile Augier*, Calmann Lévy, 1892, t. I, p. 169).

2. *Les Sept Princesses*, pièce en un acte de Maurice Maeterlinck (1891). Dans les indications liminaires, l'auteur met en place le décor : « Une vaste salle de marbre, avec des lauriers, des lavandes et des lys en des vases de porcelaine. Un escalier aux sept marches de marbre blanc divise longitudinalement toute la salle, et sept princesses, en robes blanches et les bras nus, sont endormies sur ces marches garnies de coussins de soie pâle. » (*Les Sept Princesses*, Bruxelles, P. Lacomblez, 1891, p. 6.) En tout état de cause, l'intrigue fort mince de la pièce (un vieux roi, une vieille reine et un prince observent les princesses endormies) et le caractère répétitif, presque incantatoire, du style, ne sont pas pour plaire à Mme de Guermantes. Ses souvenirs semblent d'ailleurs la trahir — mais c'est sans doute l'ironie proustienne —, car la maîtresse de Saint-Loup qui est censée jouer l'une des sept princesses a un rôle muet. Les princesses ne se réveillent qu'à la page 59 (le livre en compte 64) et ne prononcent pas un seul mot. Qui plus est, Ursule, la princesse « qu'on ne voit pas bien » (p. 21) et dont le prince (Marcellus...) semble amoureux, « demeure étendue à la renverse » (p. 61), morte d'avoir trop attendue.

3. Joseph Peladan (1858-1918) est le type même du littérateur décadent. Auteur de romans, d'essais, de drames occultistes (les vingt et un volumes de *La Décadence latine*, *Sémiramis*, etc.), il fut le fondateur, en compagnie des « Sept » (parmi lesquels figurait Saint-Pol Roux), de la secte de la Rose-Croix esthétique qui organisa, de 1892 à 1897, plusieurs salons de peinture à la galerie Durand-Ruel. Une affiche annonçant l'une de ces manifestations pourrait servir d'illustration aux *Sept Princesses* : elle représente un escalier jonché de lis (voir Anne Rey, *Érik Satie*, Éditions du Seuil, 1974, p. 34). Peladan avait changé son prénom en Joséphin et affirmait que le titre de « Sâr » lui avait été donné par d'anciens mages de Chaldée.

Page 527.

a. dans le fond Charles m'en a toujours voulu. — Mais je croyais *ms.* : dans le fond Robert m'en a toujours voulu. D'abord la veille il y a une espèce de répétition *[comme dans le texte définitif, avec lég. var.]* je croyais *dactyl.* ●● *b.* Pour ms., voir var. a, p. 530.

Page 528.

a. Devallenères, *dactyl., plac.* Gt

Page 529.

a. reine de Suède. — Mais *dactyl.*

Page 530.

a. Tout le monde rit. *[p. 527, 6 lignes en bas de page]* Mais Bloch, entendant qu'on parlait de [Jeanne Maupré *biffé*] la maîtresse de Saint-Loup, dit : « Oh ! si, elle a du talent et d'ailleurs elle est encore beaucoup plus intelligente et agréable qu'elle n'a de talent. » Mme de Guermantes leva la tête et l'écouta avec le même air de non participation qu'elle aurait eu si elle avait entendu des charretiers s'injurier dans la rue. « Ainsi, dit Bloch, la Berma a certainement beaucoup plus de talent que l'amie de de Saint-Loup-en-Bray. Hé bien cela n'empêche pas que dans la conversation la Berma est nulle et ennuyeuse à côté de l'autre. Quelle différence ! » Je ne me doutais pas de ce que pouvait être la conversation de la Berma. Mais elle était tellement pour moi un être supérieur, que si elle n'eût jamais parlé que par monosyllabes, je les aurais écoutés avec respect, persuadé que c'était là une des formes de la conversation des êtres supérieurs ; et elle était un être d'un rang duquel l'idée que la maîtresse de Saint-Loup pût approcher ne m'était jamais venue, que la comparaison entre fût-ce les monosyllabes de l'une et la conversation si pareille à la mienne, si pleine de prévenances pour moi de l'autre, la conversation d'une femme avec qui j'avais déjeuné et qui avait encore voulu dîner avec moi, bouleversa mon esprit à la façon d'une révolution. Pour croire qu'elle fût supérieure, je l'avais même trouvée trop agréable. Le plaisir que j'avais à me trouver avec quelqu'un ne me paraissait pas contenir en lui une appréciation si absolue ; le mérite devait être quelque chose de plus caché et de plus différent. Bloch et M. de Norpois *ms.* ◆◆ *b.* démêler *à la suite de ce mot, il y a une importante lacune dans ms. ; voir var. d, p. 539.*

Page 531.

a. conduite par un cygne, *[2ᵉ ligne de la page]* M. de Norpois lui dit : « Il y en a deux dont j'ai entendu parler *dactyl.* : conduite par un cygne. Bloch avait pu *[comme dans le texte définitif, avec lég. var.]* n'avait pas déjeuné. *[6 lignes plus haut]* Il y avait une fois un être qui à certains jours était capable de secréter de vives couleurs ; il en peignait tout ce qu'il rencontrait, et c'étaient ces gens-là qu'il appelait bons, charmants, désirables... Cet être-là c'est l'homme et il n'y a pas une vie d'homme et surtout d'artiste qui ne pourrait commencer ainsi. Ces couleurs-là, Bloch qui en avait à revendre ces jours épuisants et excités d'audience, en teignait jusqu'à l'huissier qui par une petite porte le faisait entrer dans le Palais de Justice comme autrefois jusqu'à l'appariteur qui distribuait les grandes copies avec en-tête de l'Université de Paris pour les compositions de concours. À plus forte raison peignait-il en vives couleurs les officiers dont on avait tant parlé. Or l'homme est aussi l'être qui jouant perpétuellement entre deux plans de l'expérience [...] imaginer la vie. Les premiers rôles de l'Affaire Dreyfus étaient pour lui comme ces héros de roman dont on voudrait savoir quelle vie réelle ils menèrent avant que l'auteur en fît le comte Mosca, Madame Bovary, Lucien de Rubempré. À ses questions M. de Norpois répondit : / — Il y en a deux dont j'ai entendu parler *plac. Gt* ◆◆ *b.* grand cas, c'est *dactyl., plac. Gt* ◆◆ *c.* lieutenant-colonel Picquart. — Mais ils pensent exactement le contraire, s'écria Bloch. — M. de Norpois *dactyl., plac. Gt* : lieutenant-colonel Picquart. [...] tels deux lions. / M. de Norpois *plac. Gd*

1. À la fin de l'acte I de _Lohengrin_ de Wagner, le héros apparaît, debout dans une barque tirée par un cygne. Il porte une armure étincelante, et son heaume et son bouclier sont ornés d'un cygne d'argent.

2. Procès en diffamation intenté à Émile Zola devant les Assises de la Seine par le ministre de la Guerre, suite à la publication dans _L'Aurore_ du 13 janvier 1898 de la lettre au président de la République intitulée : « J'accuse ! » Zola proclamait l'innocence de Dreyfus et s'en prenait à la hiérarchie militaire et politique qu'il accusait d'avoir menti, falsifié des documents et « violé le droit ». Les audiences se déroulèrent au palais de justice de Paris du 7 au 23 février 1898.

3. Proust, qui avait assisté aux audiences du procès Zola, en fit le récit dans _Jean Santeuil_ (éd. citée, p. 619-659), dont il reprend ici certaines expressions : « [...] le matin il partait de bonne heure pour arriver à la Cour d'assises au procès Zola, emportant à peine quelques sandwiches et un peu de café dans une gourde et y restant, à jeun, excité, passionné, jusqu'à cinq heures, le soir quand il revenait dans Paris au milieu de gens qui n'étaient pas dans cet état physique, si doux, de ceux dont la vie est brusquement modifiée par une excitation spéciale, il éprouvait bien de la tristesse et de l'isolement à sentir cette vie excitante tout à coup finie » (p. 620).

4. Le général Marie-François Joseph, baron de Miribel (1831-1893), avait été chef d'état-major de l'armée française.

5. Le lieutenant-colonel Hubert Joseph Henry (1846-1898) devait sa réussite au général de Miribel qui l'avait choisi en 1875 comme officier d'ordonnance. On sait qu'il ne devait pas décevoir la confiance de ses chefs (aussi bien comme soldat — il participa à plusieurs campagnes et fut décoré de la Légion d'honneur — que comme agent de la section de statistique). Cependant, antidreyfusard acharné, son zèle l'emporta trop loin et il fut désavoué par ses supérieurs (voir n. 2, p. 538).

6. Voir n. 4, p. 404.

7. La Moire est, chez les Grecs, l'équivalent de la Parque romaine. Bloch parle ici le jargon inspiré par Leconte de Lisle.

Page 532.

_a._ tous comme Gombaud qui _dactyl., plac. Gt_ ♦♦ _b._ juifs à Jérusalem... — Ah ! oui, le prince de Guermantes est un antisémite à tous crins, interrompit M. d'Argencourt. — Mais ma chère, répondit le duc, il ne s'agit pas de Gombaud ni de Jérusalem, mais enfin vous m'avouerez _dactyl._ : juifs _[comme dans le texte définitif, avec lég. var.]_ nous parler de Gombaud et de Jérusalem, dit-il enfin. [...] m'avouerez _plac. Gt_

Page 533.

_a._ je vous dise ! _[p. 532, fin de l'avant-dernier §]_ Que voulez-vous, avec l'esprit qui règne là c'est assez compréhensible. — Vous ne saviez _dactyl._ : je vous dise ! _[comme dans le texte définitif, avec lég. var.]_

ne pouvaient se passer, *[p. 533, 5 lignes avant la fin du 1ᵉʳ §]* c'était Pierre Bloch », et la même phrase dans la bouche de bien d'autres qui remplaçaient seulement Pierre Bloch par leur propre prénom et nom, de même [...] il n'y a pas que sa mère, il y a une autre femme qui a plus d'influence sur lui [...] saviez *plac. Gt* : je vous dise ! [...] il n'y a pas que sa mère, il y a une autre femme qui a plus d'influence sur lui [...] saviez *plac. Gd*

1. La Ligue de la patrie française ne fut fondée qu'après le procès Zola, en décembre 1898, par des hommes de lettres antidreyfusards, parmi lesquels Ferdinand Brunetière, François Coppée, Jules Lemaître et Maurice Barrès, qui furent bientôt rejoints par de nombreux universitaires, des membres de l'Institut, Jules Verne, Frédéric Mistral, Pierre Louÿs, etc. La Ligue regroupa très vite plus de quarante mille adhérents, mais elle eut une existence éphémère et disparut en 1902 (Jean-Denis Bredin, *L'Affaire*, éd. citée, p. 322-323).

Page 534.

a. l'archiviste. *[p. 533, dernière ligne]* On dit *dactyl.* ◆◆ *b.* ce qu'on veut dire *[3ᵉ ligne de la page]* — Ah ! mentalité, j'en prends *dactyl., plac. Gt* : ce qu'on veut dire. / Cependant ayant entendu *[comme dans le texte définitif, avec lég. var.]* j'en prends *plac. Gd* ◆◆ *c.* dit le duc. Mentalité me plaît. *dactyl., plac. Gt* ◆◆ *d.* Je suis président d'une *dactyl., plac. Gt*

1. Littré, dans le *Supplément* à son dictionnaire, signale une occurrence de *mentalité*, « état mental », en 1877.
2. À l'époque de l'affaire Dreyfus, les antisémites français imaginaient que le pays était victime d'une conspiration menée par un puissant et occulte « Syndicat des Juifs ».
3. Le Cercle artistique et littéraire, 7, rue de Volney, dans le deuxième arrondissement, fut fondé en 1874. On y était admis sur présentation de deux parrains.
4. Émile Ollivier (1825-1913) est ce ministre qui, en 1870, avait fait voter la déclaration de guerre « d'un cœur léger ». Émigré en Italie, il ne revint en France qu'en 1873 et ne fit plus parler de lui que comme auteur d'ouvrages historiques. En 1870, il avait été élu à l'Académie française au fauteuil de Lamartine.
5. Le Cercle de l'union, 11, boulevard de la Madeleine, était, comme le Jockey, un club très fermé.

Page 535.

a. dit M. d'Argencourt. *[2ᵉ ligne de la page]* — Non, du ministre de la Guerre. *dactyl.* : dit M. d'Argencourt. *[comme dans le texte définitif, avec lég. var.]* imposées par Marie-Louise ou par Victurnienne. Je suis allée chez Marie-Louise avant-hier (en se tournant vers M. d'Argencourt : Vous connaissez ma belle-sœur Marsantes). C'était charmant [...] Non, du ministre de la Guerre. *plac. Gt* ◆◆ *b.* cousin Astolphe et que je n'ai aucun préjugé de races, j'ai la prétention d'être un homme de mon époque, je me promènerais *dactyl.* : cousin Nivelon et que je n'ai *[comme dans dactyl.]* promènerais *plac. Gt* ◆◆ *c.* Saint-Loup, on n'est pas dreyfusard et surtout huit jours *dactyl., plac. Gt*

1. Victurnienne est le prénom de Mme d'Épinay ; voir p. 758.

2. Citation du discours prononcé par Talleyrand à la Chambre des pairs, le 24 juillet 1821, lors de la discussion du projet de loi relatif aux journaux et écrits périodiques. Talleyrand s'opposait à la censure et défendait la liberté de la presse : « Il y a quelqu'un qui a plus d'esprit que Voltaire, plus d'esprit que Buonaparte, plus d'esprit que chacun des Directeurs, que chacun des ministres passés, présents, à venir ; c'est tout le monde. S'engager, ou du moins persister dans une lutte où tout le monde se croit intéressé, c'est une faute, et aujourd'hui toutes les fautes politiques sont dangereuses » (*Le Journal des débats*, 25 juillet 1821, p. 3).

3. Voir n. 1, p. 476.

Page 536.

1. Dans la Bible, Lévi est le troisième fils de Jacob (Genèse, XXIX, 34) et les membres de sa tribu, ses descendants, remplissent la fonction sacerdotale (Nombres, III ; Deutéronome, X, 8-9). Mais la famille Lévis, qui a formé plusieurs branches — la plus importante étant celle de Mirepoix —, n'a bien sûr aucun rapport de filiation avec le patriarche hébreu. Elle est originaire de Lévis-Saint-Nom, près de Chevreuse, et connue seulement depuis le XIIe siècle.

2. L'expression « Cela fera du bruit dans Landerneau » doit son origine à la pièce d'Alexandre Duval, *Le Naufrage, ou les Héritiers* (1796). La phrase y est employée pour indiquer que de grandes ambitions risquent d'être contrariées. Proust n'oublie pas que dans la bibliothèque du duc de Guermantes, il y a « le théâtre complet d'Alexandre Duval » (Esquisse I, p. 1022).

3. Les lettres d'Alfred Dreyfus furent publiées en 1898, par Stock, sous le titre *Lettres d'un innocent.* D'Esterhazy, on connaît surtout une lettre, dite « du Uhlan », adressée à son ancienne maîtresse, Mme de Boulancy, qu'il avait escroquée, et qu'elle publia par vengeance dans *Le Figaro* du 28 novembre 1897. On y lisait, entre autres protestations d'un vif sentiment patriotique : « Si ce soir on venait me dire que je serai tué demain comme capitaine de Uhlans en sabrant des Français, je serais parfaitement heureux... » (Rappelons qu'Esterhazy était officier de l'armée française). Il est également l'auteur d'une lettre adressée le 2 décembre 1897 au général de Pellieux, dans laquelle il demandait à passer devant un conseil de guerre afin d'être lavé de tout soupçon. La presse loua sa grandeur d'âme, qui n'était que calculatrice (Jean-Denis Bredin, *L'Affaire,* éd. citée, p. 209-210 et 214).

4. Dans une lettre de juillet 1907, Proust rappelle à Mme Straus quelques-uns des mots qu'elle a faits et qu'il aime à citer : « Si nous pouvions changer d'innocent » est de ceux-là (*Correspondance*, t. VII, p. 215). Dreyfus a beaucoup déçu ses défenseurs — il affirmait

lui-même n'être pas dreyfusard —, qui attendaient peut-être plus de reconnaissance de la part d'un homme qui, au demeurant, n'avait pas réclamé tant de sollicitude (sur ce point, voir Jean-Denis Bredin, ouvr. cité, p. 448-453).

5. Joseph Prudhomme est un personnage inventé par Henri Monnier (1799-1877) dans ses *Scènes populaires dessinées à la plume* (1830), dans sa comédie *Grandeur et décadence de Joseph Prudhomme* (1853) et dans les *Mémoires de monsieur Joseph Prudhomme* (1857). Il est le type du petit-bourgeois romantique, sentencieux et satisfait de sa propre nullité.

Page 537.

a. dans notre famille. *[p. 536, 10ᵉ ligne de la page] /* Bloch cherchait *dactyl.* : dans notre famille. N'importe quelles charmantes opinions de monsieur [...] complications. *[p. 536, fin du 2ᵉ §] /* Bloch cherchait *plac. Gt. Pour plac. Gd et orig., voir var. a, p. 538.* ◆◆ *b.* Il est certain, répondit M. de Norpois, que sa déposition à la première audience a produit une impression singulièrement heureuse. Quand on a vu cet officier, bien pris *dactyl.* : Il est hors de conteste, [...] bien pris *plac. Gt* : il est hors de conteste, répondit M. de Norpois, que la déposition du colonel devenait nécessaire pour peu que le gouvernement pensât qu'il pouvait bien y avoir là anguille sous roche. Je sais [...] bien pris *plac. Gd* ◆◆ *c.* je dis la vérité ! " — Non décidément *dactyl.* : je dis la vérité." Cette deuxième audience fut pour le lieutenant-colonel un véritable *fiasco* et les suivantes furent à l'avenant. — Non, décidément *plac. Gt*

1. Proust a décrit l'attitude de Picquart, pendant sa déposition devant les juges de Zola, dans *Jean Santeuil* (éd. citée, p. 632-634). Picquart avait expliqué aux jurés pourquoi il pensait qu'Esterhazy était coupable et Dreyfus innocent.

2. Archiviste de la Section de statistique, Félix Gribelin avait été témoin à charge contre Dreyfus. Comparaissant le 11 février 1898 au cours du procès Zola, il dit, en s'adressant à Picquart : « Sur mon honneur de soldat, cela est vrai, et vous savez que je ne mens jamais ! » (*Le Procès Zola*, compte rendu sténographique *in extenso*, t. I, Aux bureaux du « Siècle » — P.-V. Stock, 1898, p. 330). Proust évoque également cette confrontation dans *Jean Santeuil* (éd. citée, p. 640).

Page 538.

a. Gribelin ? » *[p. 537, dernier mot] /* Peut-être *dactyl., plac. Gt, plac. Gd* : Gribelin ? » / — En tout cas, *[p. 536, début du dernier §]* si ce Dreyfus [...] comme un écrivain. *[p. 537, fin du 1ᵉʳ §] /* Peut-être *orig. Voir var. a, p. 537 : orig. commet une erreur en plaçant ici ce texte qui apparaît sous forme d'une addition sur plac. Gd.*

1. Armand Auguste Charles Ferdinand-Marie Mercier, marquis du Paty de Clam (1853 ?-1916) était commandant du troisième Bureau de l'État-Major en 1894 quand lui fut confiée la première enquête sur Dreyfus. Il témoigna ensuite au procès Zola.

2. Henry affirmait avoir découvert en 1896 une lettre de l'attaché militaire d'Italie, Alessandro Panizzardi, à son homologue allemand,

Maximilien von Schwarzkoppen, document qui prouvait la trahison de Dreyfus. Il s'agissait en réalité d'un faux. Au cours du procès Zola, le général de Pellieux avait parlé de cette pièce, et le ministre de la Guerre l'avait lue à la tribune de la Chambre. Mais le 30 août 1898, Henry reconnut être l'auteur du faux ; il fut emprisonné au Mont-Valérien et se suicida le lendemain.

Page 539.

a. circonstances secondaires *[p. 538, 17ᵉ ligne de la page]* Tout ce que Bloch *dactyl.* : circonstances secondaires *[comme dans le texte définitif, avec lég. var.]* adversaire Reinach. D'ailleurs, dans la vie privée, ne gardons-nous pas une incertitude profonde sur les véritables mobiles des gens que nous avons approchés le plus près ; pouvons-nous affirmer dix ans après que dans notre rupture avec notre maîtresse qui d'elle ou de nous <a> eu les torts, que si nous avions agi autre <ment> *[lacune]* que cette rupture était préméditée par elle quoi que nous fissions, etc. Or pourquoi la vérité sur les événements politiques, historiques, serait-elle autre, concrète, indiscutable, c'est-à-dire en dehors de la vie, pourquoi le serait-elle puisque à ces événements sont mêlés des hommes, c'est-à-dire des créatures si difficiles à connaître et qui ne se connaissent pas eux-mêmes ? / Tout ce que Bloch *plac. Gt* ⬌ *b.* singulièrement regrettable. — J'ai entendu dire, ajouta-t-il, que le général Billot l'avait formellement désapprouvé. — Mais ces pièces *dactyl.* : singulièrement regrettable. / — Tenez pour assuré *[comme dans le texte définitif, avec lég. var.]* rester maître. Les Arabes disent cela d'une manière bien pittoresque et bien vraie : "Qui sème le vent peut s'attendre à récolter la tempête." — Mais ces pièces *plac. Gt* ⬌ *c.* M. de Norpois ne répondit pas, *[début du 4ᵉ § de cette page]* mais déclara qu'il n'approuvait pas le prince Henri d'Orléans d'avoir serré dans ses bras le capitaine Esterhazy : « Je n'ai pas eu l'honneur de rencontrer M. le duc de Chartres depuis longtemps mais je doute fort que cela ait été de son goût. "À vue de nez" *[p. 541, avant-dernier §, 3ᵉ ligne]* le colonel du Paty de Clam lui paraissait un cerveau fumeux et dont le choix n'avait peut-être pas été très heureux pour conduire cette chose délicate et qui exige tant de sang-froid et de discernement, une instruction. / Bloch ne put *dactyl., plac. Gt* ⬌ *d. Comme nous l'avons signalé var. b, p. 530, on trouve, dans ms., une importante lacune après les mots* arriver à démêler *[p. 530, 7 lignes en bas de page]. Ms. ne reprend que par ces mots :* Bloch ne put arriver à le faire parler du fond ni donner un pronostic *Sans doute Proust a-t-il rédigé une addition sur des feuilles volantes qui ne nous sont pas parvenues.*

1. Le 13 août 1898, le capitaine Louis Cuignet, attaché au cabinet du ministre de la Guerre, s'était aperçu, en examinant la lettre de Panizzardi, qu'elle était un collage maladroit de plusieurs documents. Il en informa aussitôt Godefroy Cavaignac (1853-1905), ancien député radical, ministre de la Guerre depuis le 29 juin. Celui-ci avait épousé la cause antirévisionniste. Il interrogea cependant Henry et obtint ses aveux, mais il continua à croire Dreyfus coupable et à refuser toute révision du procès, s'opposant sur ce point au président du Conseil, Brisson. Il dut démissionner le 4 septembre. Pour sa part,

Cuignet ne fut point troublé dans son antidreyfusisme et il accusa du Paty de Clam d'avoir poussé Henry à tenir le rôle de faussaire (Jean-Denis Bredin, ouvr. cité, p. 312).

2. Joseph Reinach (1856-1921) était député à l'époque de l'affaire Dreyfus, et l'un des plus ardents défenseurs de la révision. Proust le connaissait et correspondait alors avec lui. Il est l'auteur d'une monumentale *Histoire de l'affaire Dreyfus* en sept volumes (La Revue blanche, 1901-1911).

3. En novembre 1897, Victor Henri, marquis de Rochefort-Luçay, dit Henri Rochefort (1831-1913), directeur de *L'Intransigeant*, avait attaqué dans son journal le général de Boisdeffre et le général Billot. Pour faire cesser cette campagne, le commandant Pauffin de Saint-Morel, chef de cabinet du chef d'État-Major général (et non le général de Boisdeffre lui-même), rendit visite à Rochefort, lui confia que l'État-Major avait la preuve de la culpabilité de Dreyfus, et fit état de pièces décisives qui n'avaient pas encore été portées à la connaissance du public ou des juges : le bordereau annoté et certaines lettres de l'empereur d'Allemagne. Rochefort parla de cette visite dans *L'Intransigeant* du 13 décembre 1897. Joseph Reinach affirme que Boisdeffre reconnut plus tard avoir envoyé son chef de cabinet chez Rochefort (*Histoire de l'affaire Dreyfus*, éd. citée, t. III, 1903, p. 2-3).

4. Locution italienne signifiant « Dans la poitrine », c'est-à-dire « intérieurement, à part soi ».

5. Expression latine dont le sens est « Au milieu des coupes » — nous dirions en français : « le verre à la main ». S'exprimer *inter pocula*, c'est se confier à un cercle d'amis.

6. Le 18 février 1898 comparut Esterhazy, véritable auteur du bordereau qui avait fait condamner Dreyfus. Il fut acclamé par la foule, et le prince Henri Philippe Marie d'Orléans (1867-1901), arrière-petit-fils de Louis-Philippe, vint le féliciter. En rapportant l'incident, *L'Aurore* parla d'« accolade », et Viviani, député socialiste de Paris, y fit allusion dans un discours à la Chambre. Par une lettre du 25 février, le prince d'Orléans démentit avoir embrassé Esterhazy. Il avait seulement voulu « saluer l'uniforme français et le jugement de l'armée » (Joseph Reinach, *Histoire de l'affaire Dreyfus*, éd. citée, t. III, p. 462-463).

Page 540.

a. puissent invoquer. *[2ᵉ ligne de la page]* Vous n'allez pas   *ms., dactyl.*   : puissent invoquer. / Au sujet de la déclaration du général de Pellieux relative à une guerre possible, Bloch déclara, dans l'espoir que M. de Norpois lui demanderait de le lui raconter, qu'il trouvait fort joli le mot que Grosclaude[1] avait répondu l'autre jour à Heredia. Mais pas un muscle ne bougea dans le visage pâle et glabre de M. de Norpois devant lequel Bloch se démenait comme un déclamateur devant quelque statue du

1. Étienne Grosclaude (1858-1932), journaliste et humoriste. Proust le fréquenta en 1905.

Musée des Antiques. « Vous ne la connaissez pas ? » et sans attendre la réponse : « Heredia a dit : "S'il y a la guerre, je m'avancerai tout seul vers le camp ennemi, je serai tué et la guerre sera finie. — Pour vous, répondit Grosclaude." » Aucune marque d'improbation ou d'impatience n'avait altéré la rigidité du masque antique. La voix n'en parut que plus aiguë et plus mordante qui s'échappa comme du buste, soudain parlant, de Philopœmen[1]. « Oh ! c'est une vieille histoire, une réponse de Scholl[2] à Victor Hugo. » Il ne disait pas « vous mentez » ni « vous confondez » mais l'insolence était aussi grande. « Mais je vous affirme qu'Heredia l'a dit, tenez, mercredi dernier, c'était chez Mme Verdurin », insista Bloch qui ne songeait pas que ces précisions étaient absurdes du moment que l'histoire remontait à cinquante ans. Pour manifester qu'il était incrédule, M. de Norpois ne crut pas devoir sortir de son immobilité. Il fit entendre par politesse un « Ah ! » qui n'était ni interrogatif, ni exclamatif, mais pour montrer qu'il n'attachait aucune importance aux précisions de Bloch, rappela, comme si l'autre n'avait rien dit, dans quelles circonstances Victor Hugo avait prononcé ces paroles. / — Vous n'allez pas *plac. Gt* ◆◆ *b.* l'entretien avec Bloch [*§ précédent, 3ᵉ ligne*] — Non monsieur,   *ms., dactyl., plac. Gt* ◆◆ *c.* regard les deux jeunes gens et Bloch.   *ms., dactyl., plac. Gt*

1. Près de deux cents témoins comparurent lors du procès Zola. Les avocats trouvèrent sept cas de nullité et l'arrêt qui avait condamné Zola à un an de prison fut cassé le 2 avril 1898.

2. Le prince d'Orléans était le fils de Robert Philippe Louis Eugène Ferdinand, duc de Chartres (1840-1910).

3. Clémentine d'Orléans (1817-1907), fille de Louis-Philippe, princesse de Saxe-Cobourg-Gotha par son mariage, était la mère de Ferdinand de Bulgarie.

4. Ferdinand Iᵉʳ, prince de Saxe-Cobourg-Gotha (1861-1948), prince de Bulgarie depuis 1887, prit le titre de tsar des Bulgares en 1908 et abdiqua en 1918.

5. Nous ne trouvons pas l'expression « doctes Sœurs » chez Lamartine. Celui-ci écrivait d'ailleurs dans la première préface des *Méditations poétiques* : « Je suis le premier qui ai fait descendre la poésie du Parnasse, et qui ai donné à ce qu'on nommait la muse, au lieu d'une lyre à sept cordes de convention, les fibres mêmes du cœur de l'homme [...] » (*Méditations poétiques*, Hachette, 1922, t. II, p. 357). En revanche, l'expression figure bien dans l'« Ode à M. le comte du Luc » de Jean-Baptiste Rousseau (1671-1741) : « Je n'ai point l'heureux don de ces esprits faciles, / Pour qui les doctes Sœurs, caressantes, dociles, / Ouvrent tous leurs trésors ; / Et qui, dans la douceur d'un tranquille délire, / N'éprouvèrent jamais, en maniant

1. Philopœmen (vers 252-183 av. J.-C.), stratège et homme politique, surnommé par Plutarque « le dernier des Grecs ». Sa statue par David d'Angers est au Louvre.

2. Aurélien Scholl (1833-1902), célèbre chroniqueur, a réuni ses articles et ses nouvelles, témoignages de « l'esprit parisien », dans plusieurs recueils : *Les Amours de cinq minutes* (1875), *L'Esprit du boulevard* (1888), *Poivre et sel* (1901), etc. « Un soir, — c'était en mil huit cent soixante et onze, — on discutait chez Victor Hugo sur les moyens possibles de faire cesser la Commune. / — J'en ai bien un, s'écrie Victor Hugo... Il est infaillible... Je monte sur la première barricade venue et je me fais tuer !... La Commune cesse... / Scholl était présent à la discussion ; alors, de sa voix mordante : / — Pour vous, évidemment... » (*L'Esprit d'Aurélien Scholl*, propos, anecdotes et variétés recueillis par Léon Treich, Gallimard, 1925, p. 25).

la lyre, / Ni faveurs ni transports » (J.-B. Rousseau, *Œuvres*, Genève, Slatkine, 1972, t. I [réimpression de l'édition de Paris, 1820], p. 168).

a. l'y faire recevoir. / « Est-ce que vous n'êtes pas effrayé de la situation financière ? demanda le duc de Guermantes à M. de Norpois, voilà maintenant qu'on parle d'impôt sur le revenu. Certes je suis de ceux qui trouvent qu'il faut marcher avec son temps, ajouta-t-il, car il se piquait de n'être pas réactionnaire. — Commençons par avoir un ministère composé d'hommes capables, répondit M. de Norpois. Comme disait le baron Louis : "Faites-moi de bonne politique et je vous ferai de bonnes finances." » Nous avons en fait oublié de dire que, après un service quotidien qui avait duré de longues années, le proverbe : « Les chiens aboient, la caravane passe » et le mot de Talleyrand : « C'est plus qu'un crime » avaient été tellement fatigués, tellement hors d'usage, qu'ils avaient été remplacés au *Journal des débats*, au *Temps*, dans les bulletins politiques de la *Revue des Deux Mondes* (ces « petits chefs-d'œuvre ») et avant tout dans la conversation de M. de Norpois par la maxime du baron Louis et par : « Qui sème le vent ». Même ce proverbe arrivait avec des forces si fraîches qu'il aurait pu fournir une longue carrière et servir encore à M. de Norpois (qui n'est pas mort) à l'heure où le présent volume est achevé d'imprimer, s'il n'y avait pas eu la guerre. Mais alors ce fut le tour d'un proverbe japonais que quelqu'un s'avisa de citer (« Celui qui sait souffrir un quart d'heure de plus »). Tout le monde aussitôt imita ce quelqu'un et cita le proverbe. Et les « leaders » du *Temps*, des *Débats*, la conversation de M. de Norpois, fort remplis pourtant chaque jour par « les traités ne sont pas des chiffons de papier », la « fameuse Kultur », la manie du « Kolossal », la paix « boiteuse » et le « mordant » des troupes, trouvaient tout de même une petite place pour le quart d'heure des Japonais. Alors la tempête récoltée alla rejoindre dans l'oubli la caravane qui passe. C'est ainsi que les modes changent et marquent en changeant la fuite des années. / Est-ce que *plac. Gt. — Le passage qui a été retiré ici du « Côté de Guermantes I » est repris — et développé — dans « À l'ombre des jeunes filles en fleurs » (t. I de la présente édition, p. 453-454) et dans « Le Temps retrouvé » (CF, t. III, p. 782).* ✦✦ *b.* ces de Sagan ? *ms., dactyl., plac. Gt* ✦✦ *c.* plaisanteries parisiennes. — Je crois bien ! dit le docteur. Je ne connais pas la princesse mais j'ai pour client son beau-frère et il est venu me demander s'il pouvait sans inconvénient aller à ce bal. Je sais que la princesse désire beaucoup qu'il vienne. Et ce bal, n'est-ce pas, ajouta-t-il d'un air interrogatif, sera l'une des grandes *solennités mondaines*, l'une des grandes *assises mondaines* de la saison ? » Mme de Villeparisis appréciait beaucoup le docteur, elle dut pourtant trouver sa question ridicule car elle se mit à rire et dit gaiement *ms.* ✦✦ *d.* contraire, dit le docteur qui *ms.*

1. La princesse de Sagan, née Jeanne-Marguerite Seillière (1859-1937), était la fille d'un baron du second Empire. Ses bals furent, en effet, de « grandes assises mondaines ». Eugène Lami a fait une aquarelle gouachée représentant une fête costumée qu'elle avait organisée en 1883 (Catalogue de l'Exposition Marcel Proust, Bibliothèque nationale, 1965, pl. XII et n° 140), et Painter parle d'un bal qui, en 1885, rassembla le « Tout-Paris » déguisé en animaux (*Marcel Proust*, éd. citée, t. I, p. 210).

2. Curieusement, le jugement de Norpois sur du Paty de Clam est identique à celui de Zola dans « J'accuse ! » : « L'esprit le plus fumeux, le plus compliqué, hanté d'intrigues romanesques, se complaisant aux moyens des romans-feuilletons, les papiers volés, les lettres anonymes, les rendez-vous dans les endroits déserts, les femmes mystérieuses qui colportent, la nuit, des preuves accablantes » (*L'Aurore*, 13 janvier 1898).

3. Alfred Léon Gérault-Richard (1860-1911), député de Paris, rédacteur en chef du journal socialiste *La Petite République*. En septembre 1898, Proust avait eu l'intention d'assister à une conférence sur l'affaire Dreyfus présidée par Gérault-Richard, au cours de laquelle Jaurès devait prendre la parole (*Correspondance*, t. II, p. 259). En réalité, les socialistes se désintéressèrent longtemps de l'affaire Dreyfus qu'ils considéraient comme « une lutte entre deux factions de la classe bourgeoise », et ce n'est qu'à la fin de 1898 qu'ils se lancèrent dans la mêlée, conduits par Jean Jaurès (Jean-Denis Bredin, ouvr. cité, p. 274).

Page 542.

1. La Sprée est la rivière qui arrose Berlin.

2. Norpois fait allusion au conte en vers de François Andrieux (1759-1833), *Le Meunier Sans-Souci*, inspiré par une anecdote très populaire en Prusse : le roi Frédéric II voulait s'approprier un moulin qui gâtait les perspectives de son palais de Sans-Souci, à Potsdam. Le meunier protesta et soumit l'affaire à un tribunal de Berlin. Les juges donnèrent tort au roi, faisant ainsi la preuve de leur indépendance. Le meunier du conte put conclure : « Oui, si nous n'avions pas de juges à Berlin. » C'est ainsi que les mots « il y a des juges à Berlin » s'emploient quand la force prétend l'emporter sur le droit.

3. *Ultima ratio regum* : « le dernier argument des rois » ; devise que Richelieu avait fait graver sur les canons de la marine royale.

Page 543.

   a. une instruction. *[p. 541, fin de l'avant-dernier §]* « Vous Monsieur, *ms., dactyl.* : une instruction. / — Je sais que le parti [...] et consorts. Il va de soi [...] haut et clair. En attendant, c'est la bouteille à l'encre. Mais ce jour-là saurez-vous l'écouter ? demanda M. de Norpois à Bloch avec une violence qui intimida Bloch mais le flatta aussi, car l'ambassadeur avait l'air de s'adresser en lui à tout un parti, de l'interroger sur ses intentions comme si Bloch en avait reçu la confidence. Resterez-vous sourd à ses appels ? Désarmerez-vous ? Si vous agissiez autrement, ajouta M. de Norpois sans attendre la réponse, ce serait à votre grand dam. Ce jour-là vous aurez ville gagnée si vous ne manquez pas d'esprit politique. Il va de soi *[p. 543, 9ᵉ ligne]* d'ailleurs [...] appuis dans le cas adverse. Et il ne doit pas se donner l'air *[comme dans le texte définitif, avec lég. var.]* Vous, Monsieur *plac. Gt. Sur ces placards Grasset figure également l'addition suivante, que Proust a biffée, et pour laquelle il n'a indiqué aucun point d'insertion (voir p. 544)* : [Bloch était au fond un artiste. C'est dire que les curiosités désintéressées étaient chez lui les plus fortes. Les officiers qui étaient mêlés à l'Affaire Dreyfus n'étaient pour lui que des « noms », pouvoir connaître leur vie lui aurait paru aussi merveilleux qu'à moi d'aller à Venise. Aussi ayant cru entendre que du Paty de Clam était venu il y a quelques jours voir Mme de Villeparisis, il s'approcha de l'archiviste pour lui demander si le fait était vrai, si M. de Norpois le connaissait aussi, si le colonel avait parlé de l'Affaire Dreyfus. L'archiviste n'avait pas l'esprit artiste. Il n'éprouvait pas ce genre de curiosités. Il supposa que Bloch était chargé par sa caste, peut-être même par un journal, de se renseigner sur les attaches de M. de Norpois, sur le salon de Mme de Villeparisis. Il pensa que celle-ci avait commis une grande imprudence en recevant Bloch. Pour ce < qui le > concernait il se contenta de répondre évasivement à Bloch qui n'ayant pas de tact insista. Mais il jugea qu'il était de son devoir d'avertir la marquise dont il voyait déjà les fréquentations dénoncées dans *L'Aurore* et dans les *Droits de l'homme*, peut-être même elle et M. de Norpois cités comme témoins. *biffé*]

1. Émile Auguste Cyprien Driant (1855-1916), officier et écrivain militaire sous le pseudonyme de « Capitaine Danrit », était le gendre du général Boulanger. Il fut élu député de Nancy en 1910.

2. Georges Clemenceau (1841-1929) fut élu député en 1870 et siégea soit avec le groupe radical, soit à l'extrême gauche de l'Assemblée jusqu'en 1893. En 1898, il publia « J'accuse ! » dans *L'Aurore* et fut autorisé à plaider lors du procès Zola aux côtés de son frère Albert et de Labori.

3. L'épisode des « moutons de Panurge » apparaît dans *Le Quart Livre* de Rabelais. Pour se venger du marchand Dindenault qui l'avait traité de « cocu », Panurge acheta un de ses moutons, puis le jeta à la mer. Les autres bêtes du troupeau se précipitèrent d'elles-mêmes à sa suite et se noyèrent : « Possible n'estoit les en guarder, comme vous sçavez du mouton le naturel, tousjours suyvre le premier, quelque part qu'il aille » (Rabelais, *Œuvres complètes*, Éditions du Seuil, 1973, p. 603).

Page 544.

1. Les Japhétiques sont les descendants de Japhet, troisième fils de Noé et père de la race blanche.

Page 545.

1. *Le Petit Journal*, quotidien fondé en 1863, avait un tirage de un million d'exemplaires à l'époque de l'affaire Dreyfus. Ernest Judet (1851-1943) lui avait donné une ligne nationaliste avant de devenir rédacteur en chef de *L'Éclair*.

Page 546.

a. radicalement étrangers. *[p. 544, 14ᵉ ligne]* « Vous parliez *ms.,* *dactyl.* : radicalement étrangers. / *[lacune]* Sans reproches il a la joie de constater que les genres commandent les individus et que, le général existant, un esprit capable d'abstraction peut faire des prévisions justes. / Le jeu de Mme de Villeparisis fut plus raffiné. Au moment où Bloch s'approchait d'elle [*p. 545, 16ᵉ ligne*] pour prendre congé, enfoncée [*comme dans le texte définitif, avec lég. var.*] Vous parliez *plac. Gt* ↔ *b.* choqués. Moi, cela, je trouvais cela curieux. *ms., dactyl., plac. Gt* ↔ *c.* la vicomtesse de Saint-Loup, la mère de Charles. Legrandin se leva et garda longtemps la main que lui avait tendue Mme de Villeparisis en lui parlant très vite, avec beaucoup de gestes, mais à voix très basse si bien que je ne pus rien entendre de ce qu'il disait, ce qui était peut-être son but. Mme de Saint-Loup était considérée *ms.* : la vicomtesse de Marsantes, la mère de Robert. Legrandin [*comme dans ms., avec lég. var.*] son but. Mme de Marsantes était considérée *dactyl., plac. Gt*

1. Maurice Maeterlinck est né à Gand en 1862.

2. Le vicomte Raymond de Borrelli (1837-1906), déjà évoqué dans *Du côté de chez Swann* (t. I de la présente édition, n. 3, p. 237), est l'auteur d'une pièce en un acte et en « vers héroïques », *Alain Chartier*, qui fut créée au Théâtre-Français le 20 mai 1889 et n'eut que peu de succès. Son argument s'inspire d'un épisode de la vie de l'écrivain français Alain Chartier (v. 1385-v. 1433), ainsi rapporté par Jean Bouchet dans ses *Annales d'Aquitaine* : Marguerite d'Écosse, première femme du dauphin (futur Louis XI), ayant vu le poète endormi sur une chaise, s'approcha de lui et lui donna un baiser. Chartier était, paraît-il, fort laid, et la princesse dut s'expliquer auprès des témoins de cette scène : ce n'était pas l'homme qu'elle avait embrassé, mais la bouche d'où sortaient « tant de mots dorés » (cité d'après le *Grand dictionnaire universel du XIXᵉ siècle* de Pierre Larousse). Dans la pièce de Borrelli, le rôle de Chartier était tenu par Mounet-Sully, celui de Marguerite par Mlle Bartet. L'argument est très simple : Marguerite a demandé à Chartier d'écrire un poème en l'honneur du Dauphin. Mais le poète s'est contenté de lui envoyer un sonnet intitulé « Sous les lis », commençant par ces vers : « Sous les lis, les grands lis, par l'arrêt du destin, / La Princesse dormait son long sommeil magique » (*Alain Chartier*, Lemerre, 1889, p. 6). Il affirme qu'il a perdu l'inspiration et que seul un baiser de la future reine pourra la lui faire retrouver. Marguerite hésite, puis, apercevant le poète endormi sur un banc, lui donne le baiser « patriotique » qu'il réclamait. En réalité, Chartier faisait semblant de sommeiller et était pleinement conscient de ce qui se passait. Le marchandage du baiser et la ruse finale sont les plus grandes « audaces » de cette œuvre. On voit que Mme de Guermantes a l'esprit d'à-propos. Condamnant une pièce où des princesses entourées de lis dorment sur des marches d'escalier, elle en applaudit une autre où un poète, qui écrit des sonnets parlant d'une princesse endormie sous les lis, s'est assoupi sur un banc...

Page 547.

a. si elle est de cœur sec. Je ne pouvais *ms.* : si elle est de cœur dur. Quand je connus très bien en M. de Guermantes son joli nez complaisamment gonflé, niaisement important, son bel œil bleu si incontestablement dur et si faussement psychologue, j'eus bien de la peine en les retrouvant dans le visage de Mme de Marsantes <dans> une acception très différente. Elle suivait beaucoup de cours et vivait comme une sainte. Elle enthousiasmait le faubourg Saint-Germain et l'édifiait aussi. Mais la connexité [...] duc. Je ne pouvais *dactyl., plac. Gt* ✦✦ *b. Pour ms. et dactyl., voir var. c, p. 550.*

1. Ferdinand Brunetière (1849-1906), maître de conférence à l'École normale supérieure, professeur à la Sorbonne, secrétaire de rédaction puis directeur de *La Revue des Deux Mondes*, avait appliqué les théories évolutionnistes aux genres littéraires. Il se convertit au catholicisme en 1900. En apprenant sa mort, Proust écrivit à Georges Goyau, ami et admirateur du critique disparu : « À la peine que j'éprouve à voir disparaître un homme dont je ne connaissais que la pensée (mais sa pensée étant cœur et action, jamais on n'a tant connu quelqu'un en le lisant et en l'écoutant) je comprends que vous devez avoir beaucoup de chagrin. [...] Maman l'admirait comme moi, et aurait été triste comme moi. Et je sens que cette lumière qui s'éteint, jamais la France n'en avait un pareil besoin » (*Correspondance*, t. VI, p. 314).

Page 548.

a. pas assez « honoré », comme Ruskin faisait filer à la quenouille et aurait voulu (dit-on) qu'on ne voyageât pas en chemin de fer. Quelle que fût *plac. Gt* ✦✦ *b.* grand rôle et était remplie non de simplicité mais d'affectation. D'autre part, *plac. Gt*

Page 549.

a. despotisme ce qu'avait décidé son arbitraire mondain (voir cahier[1]). « Je vous remercie *plac. Gt*

Page 550.

a. lady Jacob ? demanda *plac. Gt* ✦✦ *b.* C'est à Marie-Louise qu'il faut *plac. Gt* ✦✦ *c.* brutalité. *[p. 547, 16 lignes en bas de page]* Si surtout la ressemblance était très grande entre le frère et la sœur il me semblait impossible que la nature pût résoudre sans beaucoup de déchets le problème de faire coexister par exemple un esprit véritablement élevé, une âme entièrement belle, avec le joli petit nez trop court de M. de Guermantes et son teint trop chaud. Or la ressemblance était extrême entre chacune des parties de la statue de la mélancolie qu'était Mme de Saint-Loup et les parties correspondantes du colosse enluminé qu'était M. de Guermantes, et c'est ce qui rendait plus troublant le mystère de cette incarnation de la noblesse morale dans un corps qui pouvait aussi

1. Proust songe sans doute aux pages du Cahier 43 où sont évoquées les actions qui témoignent « de la puissance et de l'originalité [des] décisions mondaines » de Mme de Guermantes. Voir *Le Côté de Guermantes II*, Esquisse XXXII, p. 1301.

bien servir à exprimer les plus viles passions. Car les yeux bleus, tristes
et lumineux, dont on eût voulu pouvoir approfondir la rêverie et les
désillusions, et qu'elle enchâssait dans son visage, liquides comme des
pierres précieuses, c'était bien de la même nuance unique qui fait la rareté
de certaines pierres, et aussi d'une grosseur qui semblait accroître leur
beauté et leur prix, ceux que j'avais vus à M. de Guermantes, mais qui
chez lui gardaient un éclat si froid tandis qu'il se contraignait pour être
aimable, mais pouvaient avoir une lueur coupante et dure quand il parlait
à des inférieurs et d'où filtrait une flamme si louche, si basse et si rampante,
presque jaune, quand il regardait une femme. Et les yeux n'étaient pas
seuls à rappeler le duc de Guermantes en Mme de Saint-Loup ; son teint
flétri restait coloré ; elle avait le même nez court qui me semblait devoir
arrêter net la portée des pensées ; et elle entra en se tenant non pas droite
mais le buste oblique et penché, comme s'il était seulement vissé sur les
jambes et indépendant d'elles, avec l'espèce de trémoussement du corps
qui était particulier au duc de Guermantes et d'ailleurs à Robert. On me
dit plus tard, quand je racontai que je l'avais vue, que j'avais pu
comprendre combien elle avait été ravissante. Mais en réalité j'avais
seulement remarqué qu'elle avait l'air triste. Car son visage était si spécial
qu'on s'attachait à le regarder comme quelque chose d'absolument
particulier à elle, et qu'on < n' > avait pas l'idée de lui appliquer le mot
de ravissant, de beau, qui semble commun à beaucoup d'autres. Je ne
songeais pas que cette particularité c'est justement la beauté ; et quand
on me dit qu'elle avait été ravissante, cela me choqua comme la révélation
d'un passé de frivolité, de publicité qu'elle aurait eu. « Vous n'avez pas
vu Robert, comme c'est samedi, je pensais qu'il serait peut-être venu et
dans ce cas il serait sûrement venu vous voir », demanda Mme de
Saint-Loup à Mme de Villeparisis. En réalité, elle était persuadée que son
fils n'aurait pas de permission ; *ms.* : brutalité. On me dit plus tard
quand je racontai que je l'avais vue, que j'avais dû me rendre compte
combien elle avait été ravissante. Mais en réalité je remarquai seulement
ce jour-là qu'elle avait l'air triste. « Vous n'avez pas vu Robert, comme
c'est samedi je pensais qu'il aurait pu passer 24 heures à Paris et dans
ce cas [*comme dans ms.*] voir », dit Mme de Marsantes à Mme de
Villeparisis. En réalité elle croyait que son fils [...] permission ; *dactyl.* ◆◆ d. Mme de Saint-Loup. Un imperceptible *ms. Nous ne*
signalerons plus la variante Saint-Loup/Marsantes.

Page 551.

    a. sur le tapis. Mais à ce moment la porte s'ouvrit de nouveau et Robert
entra. *ms., dactyl.* ◆◆ *b.* parle du loup... dit Mme de Villeparisis. — Du
Saint-Loup, rectifia Mme de Guermantes. » Mme de Saint-Loup
qui *ms.* : parle [*comme dans ms.*] Guermantes pendant que la porte se
rouvrait pour laisser passer M. de Charlus. Mme de Saint-Loup
qui *dactyl.* : parle [*comme dans ms.*] Guermantes. Mme de Marsantes
qui *plac. Gt* ◆◆ *c.* Bonjour, commen(t) allez-vous ? *ms. Voir var. b,*
p. 579 ◆◆ *d.* flattée. « Elle se tut ; mais Montargis restait là. Tiens je
vais *ms.* : flattée. » [*comme dans ms.*] restait là. Je voyais dans le fond
de la pièce, à côté de M. d'Argencourt avec qui il causait, M. de Charlus.
La houpette de ses cheveux gris, [*p. 566, 3ᵉ §, 1ʳᵉ ligne*] son œil dont le

sourcil *[comme dans le texte définitif, avec lég. var.]* de toute signification aimable. « Tiens je vais *dactyl.*

Page 552.

   a. voyais pas. « Vous êtes comme moi, vous aimez les promenades du matin. Ça fait *ms.* ◆◆ *b.* ce beau canard qui tenait un sac de chocolat que tu aimais tant. *ms., dactyl., plac. Gt* ◆◆ *c.* détachant la première consonne de chaque mot, elle va au bbal, elle se promène en vvictoria, [...] C'est pprodigieux. *ms., dactyl.* : détachant *[comme dans ms.]* va au bal [...] prodigieux. *plac. Gt* ◆◆ *d.* prince Tchiguine faisait *ms. Nous ne signalerons plus cette variante.* ◆◆ *e.* au-devant [du président du Conseil *biffé*] [de l'ancien ministre *corr.*] russe. Mais *ms.*

   1. Charlotte de Saxe-Cobourg (1840-1927) avait épousé l'archiduc Maximilien, frère de l'empereur François-Joseph d'Autriche. En 1863, Napoléon III offrit à son mari la couronne impériale du Mexique et le couple partit pour l'Amérique centrale l'année suivante. Mais Maximilien ne put imposer son pouvoir face à Juárez. Abandonné par Napoléon III, il fut capturé, puis fusillé en 1867. L'impératrice, qui avait regagné l'Europe, perdit la raison peu après la mort de son époux.

Page 553.

   1. *Heim* : le foyer, en allemand.
   2. En juillet 1895 et en août 1897, Marcel Proust et sa mère se rendirent dans une ville d'eaux allemande (Rhénanie-Palatinat), Bad Kreuznach. Ils descendirent au Kurhaus-Hotel. Proust a évoqué ces séjours dans *Jean Santeuil* (éd. citée, p. 386-392). Voir *Textes retrouvés,* Gallimard, 1971, p. 269, et les Esquisses XX, p. 1172 et XXXII, p. 1245-1248.
   3. Cette montagne est le Kauzenberg ou Schlossberg, au nord-ouest de Kreuznach. Sur ses pentes s'étagent des vignobles.
   4. La Franconie est un ancien état d'Allemagne qui s'étendait sur les rives du Rhin.

Page 554.

   a. la faveur qui l'attendait. *[p. 553, fin du 1er §]* Si le prince Tchiguine dont la femme *ms.* : la faveur qui l'attendait. Or le nom du prince *[comme dans le texte définitif, avec lég. var.]* conférait *[p. 554, 11ᵉ ligne]* ne montrait qu'il n'était pas français qu'en cherchant à être un peu trop parisien et n'avait plus que une ambition *[comme dans le texte définitif, avec lég. var.]* femme *dactyl.* : la faveur *[comme dans le texte définitif, avec lég. var.]* conférait *[comme dans dactyl.]* femme *plac. Gt, plac. Gd* ◆◆ *b.* fermée de Saint-Pétersbourg avait *ms.* ◆◆ *c.* d'habiles [transactions *biffé*] [tractations *corr.*], d'en ajouter *orig. b* ◆◆ *d.* connu en Russie était-il allé *ms.* ◆◆ *e.* politique étrangère de la *Revue des Deux Mondes,* il avait *ms.* ◆◆ *f.* se rendait lui-même à l'Ambassade où le prince était descendu, et quand le prince disait : « Je voudrais *ms.*

1. Château.
2. Louis II le Germanique (vers 804/805-876), roi de Germanie.
3. Fondée en 1901 par Charron, Girardot et Voigt, cette firme installée à Puteaux, prit le nom d'Automobiles Charron, S.A.R.L., en 1907. Ferdinand Charron, né en 1866, est mort en 1928.

Page 555.

   a. Le prince avait été lui-même ambassadeur et avait tenu,   *ms., dactyl., plac. Gt*

1. L'ordre de Saint-André, créé en 1698 par Pierre le Grand, était le plus élevé des anciens ordres de chevalerie russes. Il ne comptait qu'une seule classe de chevaliers et disparut en 1917. Le cordon bleu clair était porté en écharpe. Proust oublie que le prince n'est plus russe, comme dans le Cahier 39 (Esquisse XXI, p. 1190) ou comme dans le manuscrit (var. *d*, p. 552), mais allemand.

Page 556.

   a. Pour ms., dactyl. et plac. Gt, voir var. b, p. 557 ◆◆ *b. Proust a dessiné ces trois étoiles sur l'addition manuscrite de plac. Gt, afin d'éviter d'avoir à écrire en entier le nom du prince von Faffenheim-Munsterburg-Weinigen, qu'il n'a cependant pas rétabli par la suite.* ◆◆ *c.* béni dès que   *plac. Gd* : béni et que   *orig. Nous adoptons la correction proposée par Clarac et Ferré dans leur édition.*

1. Le théâtre du Gymnase, 38, boulevard Bonne-Nouvelle, fut construit en 1820. Il se spécialisa dès son ouverture dans les comédies.
2. *Kurgarten* : jardins d'un établissement thermal.

Page 557.

   a. dans les Livres Jaunes   *orig. Nous avons adopté la leçon de plac. Gd* ◆◆ *b.* qu'il voulait. *[p. 556, 7ᵉ ligne]* Mais l'hiver   *ms., dactyl., plac. Gt*

1. Selon un usage institué en 1852, le Livre jaune est le recueil de documents, de pièces, de rapports sous couverture jaune que le gouvernement français soumet au Parlement pour lui faire connaître sa politique extérieure.

Page 558.

   a. gratitude. Un docteur Cottard lui eût dit : « Hé bien faites-moi nommer de l'Institut », craignant que le marquis n'y pensât pas tout seul et de laisser échapper l'occasion. Le prince, lui, se dit,   *ms.* ◆◆ *b.* dîners et leur rêve   *ms.* ◆◆ *c.* peu de monde ; mais   *ms., dactyl., plac. Gt* ◆◆ *d.* grande-duchesse et de la princesse. Elle s'appelle la marquise   *ms.*

1. L'époux de la reine Victoria étant décédé en 1861, Proust pense ici à Alexandra-Caroline-Marie-Charlotte-Louisa-Julia (1844-1925),

fille de Christian IX, roi de Danemark, et à Albert-Édouard, prince de Galles (1841-1910). Leur mariage fut célébré en 1863, mais Édouard VII ne devint roi d'Angleterre qu'après la mort de sa mère, Victoria, en 1901.

2. *Happy few* signifie, en anglais, « quelques heureux ». Ce sont les personnes à qui Stendhal dédie ses livres, celles qui, seules, sont capables de les apprécier (voir Stendhal, *La Chartreuse de Parme*, *Romans*, Bibl. de la Pléiade, t. II, p. 493 et n. 3).

Page 559.

1. Samuel Bernard (1651-1739), financier français. Dans les dictionnaires Larousse illustrés contemporains de Proust, la ressemblance entre les différents portraits de ces personnages et ceux cités dans la variante *a*, p. 560, est en effet frappante.

Page 560.

a. à venir ce jour-là voir Mme de Villeparisis. *[p. 559, dernier §, 2ᵉ ligne]* « Vous ne voulez *ms., dactyl.* : à venir ce jour-là voir *[comme dans le texte définitif, avec lég. var.]* dictionnaire illustré Leibniz avec sa perruque et sa fraise diffère peu de Regnard ou de Turenne, une nationalité [...] caste qui feront subir à tous ses membres la même déviation phonétique. En s'inclinant devant Mme de Villeparisis, le prince du Burg, dans la voix de qui je pensais entendre les elfes du fleuve et les murmures des gnomes dans la forêt dit comme un concierge alsacien : « Ponchour matame. » / — Vous ne voulez *plac. Gt* : à venir ce jour-là voir *[comme dans le texte définitif, avec lég. var.]* Samuel Bernard ou de Turenne, une nationalité *[comme dans le texte définitif, avec lég. var.]* Villeparisis, le Landgrave lui dit : [...] voulez *plac. Gd* ⬌ *b. Pour ms. et dactyl., voir var. a, p. 567.* ⬌ *c. Pour plac. Gt, voir var. a, p. 563.*

1. Voir *Du côté de chez Swann*, t. I de la présente édition, p. 74-79.

Page 561.

1. Marcel Proust avait hérité de son oncle Louis Weil une série de photographies d'actrices. L'une d'elles, représentant Marie Heilbron, portait une dédicace semblable à celles citées par le narrateur : « Souvenir de très grande amitié offert aux plus aimables *[sic]* des hommes, à mon cher ami M. Weil » (*Marcel Proust*, catalogue de l'exposition de la Bibliothèque nationale, 1965, p. 66, n° 317).

Page 562.

a. disait tous les jours à son valet de chambre que *plac. Gd* ⬌ *b.* produit une [*vive biffé*] [*grande corr.*] impression *orig. b*

1. Achille Tenaille de Vaulabelle (1799-1879) est l'auteur d'une *Histoire des deux Restaurations* (1844). Voir *Du côté de chez Swann*, t. I de la présente édition, p. 78.

Page 563.

a. Palamède. *[p. 560, fin de l'avant-dernier §]* M. de Charlus   *plac.*
Gt ◆◆ b. trouvait, fort dédaigneux avec les hommes,   *plac.* Gt : trouvait,
et dédaigneux avec les hommes,   *plac. Gd, orig.* : trouvait, et dédaigneux à l'égard des hommes,   *orig.* b. Nous avons adopté la leçon de l'édition
corrigée. ◆◆ c. portraits remis par   *plac. Gd, orig. ; nous adoptons la leçon
de plac. Gt.*

Page 566.

a. la plus jolie femme qu'il y eût là. *[p. 564, fin du 1er §]* Mon Dieu
ça chauffe   *plac.* Gt : la plus jolie personne qu'il y eût là. Mme de
Villeparisis *[comme dans le texte définitif, avec lég. var.]* l'opinion que l'autre
avait de lui. *[p. 565, 7 lignes en bas de page]* / — Mon Dieu, ça chauffe   *plac.*
Gd

1. Saint-Loup cite l'Épître de Paul à Tite (I, 15).

Page 567.

a. sans me dire adieu. *[p. 560, début de l'antépénultième §]* Montargis
qui était resté pour la tenir chambrée à côté de moi se leva. « Comme
tu es l'air   *ms.* : sans me dire adieu. Je me décidais à aller saluer M. de
Charlus. Il devait très bien voir que je venais vers lui mais comme il n'en
donnait aucun signe je commençais à regretter de ne pouvoir revenir sur
mes pas. Au moment où je m'inclinai devant lui, *[p. 566, 3 lignes en bas
de page]* je trouvai, distants de son corps [...] bras tendu, deux doigts veufs,
eût-on dit [...] consacrée, et dus me contenter devant l'ininterruption de
son accueil constant, anonyme et épars, de paraître avoir pénétré [...]
sourire. Saint-Loup qui était resté *[comme dans ms.]* l'air *dactyl.* ◆◆
b. fatigué, *[p. 567, 2e §, 1re ligne]* lui dit sa mère qui n'avait pas encore
pu lui parler ; ça ne fait rien, c'est bon   *ms.* : fatigué et agité, lui dit
sa mère *[comme dans ms.]* parler. Et en effet ses regards semblaient par
moments [...] le fond. Car nos idées ont leur place. Il y en a qui sont
situées très loin à l'extrême frontière de l'esprit, où notre attention cherche
à les approcher, à les distinguer sans d'habitude et parvenir. Et je doute
que Saint-Loup eût jamais eu en lui de ces idées-là. Mais il y en a d'autres,
des idées douloureuses, qui sont situées très loin aussi, à une grande
profondeur du cœur et qui font si mal quand on les touche, qu'on les
quitte aussitôt, pour y revenir un instant après. Telle était l'idée qu'il avait
rompu avec sa maîtresse. [...] c'est bon   *dactyl., plac.* Gt

Page 569.

a. boutons d'or. *[p. 567, 5e §, 5e ligne]* « Quelle femme délicieuse »,
me disais-je en pensant à Mme de Guermantes. Certes les mots que je
lui avais entendu dire ne répondaient guère à l'idée que je m'étais faite d'une
d'une intelligence aussi particulière que son nom. Son mélange d'esprit
et d'incompréhension de l'art m'avait déçu en tant qu'il était le caractère
de bien d'autres conversations que la sienne, qu'il appartenait à toute une
famille d'esprits. Mais notre pensée n'est que flux et reflux. Elle s'élance

à la poursuite d'un idéal qu'elle ne rencontre pas, se brise à la réalité, en emporte quelques morceaux et avec eux recompose un idéal nouveau vers lequel elle s'élance. Ce rebondissement m'avait été d'autant plus facile que comme j'aimais Mme de Guermantes les paroles bienveillantes qu'elle m'avait dites m'avaient rempli d'une émotion qui pour se créer à elle-même un contenu, une cause légitime, me fit m'écrier au-dedans de moi : « Quelle femme délicieuse ! » et je fus aussitôt persuadé qu'elle l'était. Son opinion sur les *Sept Princesses* ne m'apparaissait plus que comme un des traits particuliers et fort intéressants d'un genre d'esprit que je connaissais peu, que je *[un mot illisible]*, et que j'aurais voulu approfondir. J'aurais aussi voulu *ms., dactyl.* : boutons d'or. / Mme Swann se trouvant *[comme dans le texte définitif, avec lég. var.]* de quoi lui parler. « Comme M. de Norpois est sympathique, lui dis-je en le lui montrant *[comme dans le texte définitif, avec lég. var.]* à moitié hystérique. *[p. 568, fin du 1ᵉʳ §]* Il est difficile à chacun de nous de calculer exactement à quelle échelle ses paroles ou ses gestes apparaissent à autrui ; par peur de nous exagérer notre importance et en grandissant jusqu'à l'infini le champ sur lequel est obligée de s'étendre la mémoire des autres au cours de leur vie, nous nous imaginons que les parties accessoires de notre discours, de notre gesticulation, pénètrent à peine dans la conscience de ceux avec qui nous causons et que bien vite l'oubli les en a effacés. C'est d'ailleurs à une supposition de ce genre qu'obéissent les criminels quand ils retouchent après coup un mot qu'ils ont dit et dont ils ne pensent pas qu'on pourra confronter cette variante à aucun souvenir subsistant. Mais il est au fond bien possible que, même en ce qui concerne la vie millénaire de l'humanité, la philosophie du feuilletoniste selon qui tout est promis à l'oubli soit moins vraie qu'une philosophie contraire qui prédirait la conservation de toutes choses. Dans le même journal où le moraliste de la première colonne nous dit d'un événement ou d'un chef-d'œuvre : « Qui s'en souviendra dans dix ans ? », à la troisième page, le compte rendu de l'Académie des Inscriptions ne parle-t-il pas souvent d'un fait par lui-même moins important, d'un poème de bien moindre valeur, qui date de l'époque des Pharaons et qu'on connaît encore intégralement. Peut-être n'est-ce pas aussi vrai pour la courte vie humaine. Toujours est-il que quand Mme Swann m'apprit que, à propos d'elle ne savait quel sujet (combien quelques années plus tôt j'aurais été heureux de lui apprendre ce « sujet », mais je le trouvais inutile, je n'aimais plus sa fille), M. de Norpois avait parlé d'une soirée vieille de plusieurs années où il avait cru que j'allais lui embrasser les mains (détail que j'avais oublié, dont je n'avais même pas cru qu'il se fût aperçu et que connaissait la princesse de Guermantes de qui je me croyais totalement ignoré) je fus aussi étonné que quand je lus dans un livre de Maspéro qu'on savait exactement aujourd'hui la liste des chasseurs qu'Assourbanipal conviait à ses battues, dix siècles avant Jésus-Christ. / En réalité chacune de nos actions *[comme dans le texte définitif, avec lég. var.]* le festin des dieux. *[p. 568, 12 lignes en bas de page]* D'ailleurs M. de Norpois était un ami de mon père et un brave homme, il m'eût semblé établi *a priori* qu'il ne pourrait dire un mot désobligeant sur moi. Pour toutes ces raisons que ce que nous nous rappelons de notre conduite restant ignoré de notre plus proche voisin, ce que nous en avons oublié ou même toujours ignoré allant provoquer une hilarité perceptible *[lacune]* / J'aurais voulu *plac. Gt¹* : boutons

---

1. Une partie du texte donné par *plac. Gt* est repris dans *À l'ombre des jeunes filles en fleurs* : voir t. I de la présente édition, p. 468-469.

d'or *[comme dans le texte définitif, avec lég. var.]* traduit de l'anglais qui s'était
ajouté au vocabulaire mondain. / J'aurais pourtant voulu   *plac. Gt*

Page 570.

    a. rien à ce que j'ai. *[fin du 1ᵉʳ § de la page]* M. de Norpois était en
train de dire au prince Tchiguine que [prince de Faffenheim que   *dactyl.*]
les opinions révisionnistes d'un des candidats à l'Académie l'empêcheraient peut-être de passer. Mais Mme de Villeparisis l'interrompit,
éprouvant   *ms., dactyl., plac. Gt*   : rien à ce que j'ai. / Mme de Marsantes
[...] être présenté. / M. de Norpois était en train *[comme dans ms.]*
éprouvant   *plac. Gd*

    1. Ami de Voltaire, Claude Henri de Fuzée, abbé de Voisenon
(1708-1775), mena une vie assez dissipée. Il est l'auteur de contes
libertins (*Zulmis et Yelmaïde, Misapouf,* etc.), de poésies galantes et
de comédies.
    2. Claude Prosper Jolyot de Crébillon, dit Crébillon fils (1707-
1777), a écrit, entre autres, des romans licencieux (*Le Sopha,
L'Écumoire*) qui lui valurent d'être emprisonné pendant quelques
années.

Page 571.

    a. clignement d'œil *[p. 570, dernier §, 2ᵉ ligne]* comme à une
concupiscence qu'il comprenait et contre laquelle il ne s'irritait pas, comme
à un roman possible pour Mme de Villeparisis et contre lequel avec une
indulgence un peu perverse et Crébillon fils il ne s'irriterait pas. « Bien
des mains   *ms.* ◆◆ *b.* coloris de la fleur. *[fin du 3ᵉ § de cette page]* C'est
peut-être moins savant, moins étudié mais c'est plus vrai. — Oh ! les fleurs
de Fantin-Latour sont bien belles, dit Mme de Villeparisis. — En voici
une des vôtres, dit le prince, qui est aussi naturelle que son modèle ; on
s'y tromperait. — Oh ! non, c'est cela qui est plus fort que Fantin-Latour
et que moi, dit Mme de Villeparisis en montrant les roses naturelles qui
étaient dans un verre. Permettez-moi de vous donner celle-ci, Prince,
dit-elle. » Le prince déclara qu'il voulait absolument la porter à sa
boutonnière et qu'il la donnerait ensuite à la princesse qui serait ravie.
Charles m'appela   *ms.*   : coloris de la fleur. » Robert m'appela   *dactyl.*   : coloris de la fleur. / — Je n'ai aucun mérite *[début du
précédent §]* à connaître les fleurs *[comme dans le texte définitif, avec lég. var.]*
Robert m'appela   *plac. Gt*

    1. À partir de 1864, Henri Fantin-Latour (1836-1904) participa à
tous les salons, exposant des portraits ou des natures mortes.
    2. Poète, commentateur et traducteur allemand, August Wilhelm
von Schlegel (1767-1845) fut un des promoteurs du romantisme et
le précepteur des enfants de Mme de Staël à qui il fit découvrir la
littérature allemande.
    3. Le château de Broglie, dans l'Eure, est la propriété des ducs
de Broglie depuis 1716.
    4. Cordelia Louisa Eucharis Greffulhe (1796-1847), épouse du
comte Boniface de Castellane (1788-1862), ne fut jamais maréchale,

son mari n'ayant reçu ce titre qu'en 1852. En 1823, elle avait inspiré une passion brûlante à Chateaubriand. Elle était la mère de Mme de Beaulaincourt, l'un des modèles de Mme de Villeparisis (voir n. 5, p. 499).

5. Voir *À l'ombre des jeunes filles en fleurs*, p. 70.

6. Voir *À l'ombre des jeunes filles en fleurs*, p. 86, Ximénès Doudan était le secrétaire du duc de Broglie.

7. L'ancienne abbaye du Val Richer est située à Saint-Ouen-le-Pin, entre Lisieux et Cambremer (Calvados). Guizot possédait des terres au Val Richer. Il y résida longtemps et y mourut en 1874.

8. La femme du duc de Broglie était Albertine Ida Gustavine de Staël-Holstein (1797-1838), fille de Mme de Staël. Mme de Boigne lui avait été présentée en 1815 : « Albertine de Staël était une des plus ravissantes personnes que j'aie jamais rencontrées, et sa figure avait quelque chose d'angélique, de pur et d'idéal que je n'ai vu qu'à elle » (*Mémoires de la comtesse de Boigne*, éd. citée, t. I, p. 270). Elle est l'auteur de plusieurs livres de piété, dont les *Fragments sur divers sujets de religion et de morale* (1840). Ses lettres n'ont pas été publiées par Marie Joséphine Césarine d'Houdetot, baronne de Barante (1794-1877) — laquelle a également écrit des ouvrages religieux (*La Présence de Dieu rappelée par les passages des livres saints, à l'usage des écoles et particulièrement des écoles de campagne* [1868]) —, mais par son propre fils, le duc de Broglie (*Lettres de la duchesse de Broglie, 1814-1838*, Calmann Lévy, 1896). Certaines d'entre elles ont toutefois paru dans les *Souvenirs du baron de Barante de l'Académie française, 1782-1866* (Calmann Lévy, 8 vol., 1890-1901), publiés par son petit-fils, Claude de Barante (1851-1925).

Page 572.

a. comment te remercier ? *[1ʳᵉ ligne de cette page]* — Mais je n'ai pas été gentil *ms., dactyl., plac. Gt* : comment te remercier ? [...] à la vie, à la mort. *[fin du 2ᵉ § de cette page]* Quant à gentil, tu dis que je l'ai été [...] gentil *plac. Gd*

Page 573.

a. ménager le mien. *[9ᵉ ligne de la page]* J'aurais voulu tout le temps pouvoir l'assurer que Robert *ms., dactyl.*

Page 574.

1. Semblable mésaventure est arrivée à Proust qui l'a racontée en 1917 à Paul Morand. Celui-ci l'a notée dans son Journal : Proust « est présenté à quelqu'un qu'il croit être le duc de Brissac [...] ; Proust retrouve le personnage à qui on l'a présenté quelques jours après ; il voit bien que le monsieur, en s'en allant, prend un chapeau initialé T.P., mais n'y prête pas autrement attention ; ils sortent ensemble ; Proust fait une remarque désobligeante sur Mme de Talleyrand ; alors

celui que Proust avait pris pour le duc de Brissac, très vexé, réplique :
"Vous êtes exquis, je le dirai à ma femme. — En quoi cette histoire
peut-elle intéresser Mme de Brissac ?" fait Proust, qui, en réalité,
s'adressait à M. de Talleyrand lui-même » (*Journal d'un attaché
d'ambassade*, éd. citée, p. 150-151).

2. En 1895, Proust lisait les œuvres du philosophe américain Ralph
Waldo Emerson (1803-1882) « avec ivresse » (lettre du 18 janvier
1895 à Reynaldo Hahn, *Correspondance*, t. I, p. 363). Les *Essais*
d'Emerson ont fourni plusieurs épigraphes aux pièces de *Les Plaisirs
et les Jours*.

3. Ces trois écrivains sont les représentants d'une intransigeante
philosophie morale dont les racines sont religieuses et mystiques.
Proust les considérait, avec Nietzsche et Ruskin, comme des
« directeurs de conscience », (*Essais et articles*, éd. citée, p. 439).

Page 575.

a. comptoir fleuri de Mme de Villeparisis *[p. 573, avant-dernier §,
3ᵉ ligne]* auquel celle-ci ne s'était plus rassise. Pour consoler sa fierté que
je croyais blessée je voulais chercher d'un mot à excuser sa maîtresse :
[p. 574, 4 lignes en bas de page] « Je ne sais pas comment j'ai pu me conduire
ainsi tout à l'heure, me dit-il. Que doit-elle penser de moi ? Pauvre chérie
qui est si gentille et qui m'aime tant, que doit-elle se dire ? Comme elle
doit regretter d'avoir jamais pu aimer un sauvage pareil, car elle doit
souffrir. Oh ! s'écria-t-il en portant la main à son front et avec une sorte
de sanglot, vois-tu c'est cela, c'est l'idée *ms.* : comptoir *[comme dans
le texte définitif, avec lég. var.]* en face de moi et dans l'embrasure *[comme
dans le texte définitif, avec lég. var.]* retiendrai qu'un instant. *[p. 574, fin du
1ᵉʳ §]* Je lui dis qu'il fallait d'abord que je dise quelques mots à Saint-Loup.
« Allez. » Pour mettre quelque baume sur sa fierté que je croyais blessée,
je voulus chercher à excuser sa maîtresse. Je ne savais <pas> qu'en ce
moment *[comme dans le texte définitif, avec lég. var.]* c'est l'idée *dactyl.* :
comptoir *[comme dans le texte définitif, avec lég. var.]* quelques mots à Saint-Loup. *[p.* — Je sais que
vous avez participé ce matin [...] sa pauvre mère. » J'aurais voulu
répondre qu'au déjeuner avec une personne qui le déshonorait on n'avait
parlé que d'Emerson, d'Ibsen, et qu'elle avait prêché Robert pour qu'il
cessât de boire. Mais quand des personnes immorales et dont la liaison
fait beaucoup de peine à d'autres sont réunies on ne parle souvent que
de choses bien plus sérieuses que dans le monde et les « orgies »
ressemblent souvent à des thèses en Sorbonne. Aussi je n'osai rien dire.
/ — Allez. *[comme dans dactyl.]* c'est l'idée *plac. Gt* ↔ *b.* Écoute, je cours
au théâtre où elle doit être encore pour lui demander pardon, je ne peux
la laisser comme ça, elle est si nerveuse, elle n'aurait qu'à faire un
malheur ! Ah ! mon Dieu ! jusqu'à *ms.* : Écoute, je cours [...]
jusqu'à *dactyl.*

Page 576.

a. je vais venir. *[p. 575, 7 lignes en bas de page]* Reviens nous retrouver
tout à l'heure mais bientôt [?] ; tu comprends, si je vois que cela lui fait

plaisir que nous allions dîner à la campagne, parce qu'elle aime beaucoup ces premières journées, tu comprends que je ne pourrai pas le lui refuser, après ce que j'ai fait. » Robert m'entraîna   *ms.*   ◆◆   *b. Pour ms. et dactyl., voir var. d de cette page* ◆◆   c. odieuse engeance qui semble croire   *plac. Gt* : odieuse vengeance qui semble croire   *plac. Gd* ◆◆   d. dès que je le saurai. » *[2ᵉ § de cette page]* Alors je vis le même battement d'aile que Mme de Saint-Loup n'avait pu réprimer à l'arrivée de son fils, l'éployer encore tout entière ;   *ms., dactyl.*

Page 579.

a. il est trop tard *[p. 577, fin de l'avant-dernier §]* Pardonnez-moi, Monsieur, de vous avoir amené sur cet escalier. » Mais je dégringolai jusqu'en bas, j'avisai Borniche : « Vous n'avez pas vu un jeune homme ? — Oh ! il est loin, la voiture est partie aussitôt, on ne la voit plus. » Je remontai auprès de Mme de Saint-Loup qui se confondit en excuses. « Et vous êtes descendu sans pardessus, avec cette redingote si légère. » Je crus qu'elle me le dit seulement pour ne pas avoir l'air de penser qu'à son fils car les pensées d'amour que m'avaient données le soleil m'avaient empêché de remarquer qu'il faisait froid. « Je ne me reproche   *ms.* : il est trop tard. / Nous rentrâmes dans le salon [...] de l'orage. « Je ne me reproche   *dactyl.* : il est trop tard. [...] quelques heures de distance. Mais il y a beaucoup de points de vue pour juger un même fait. Nous rentrâmes [...] de l'orage. » Robert alla chez sa maîtresse *[comme dans le texte définitif, avec lég. var.]* un véritable sphinx ! » / À cette époque Robert ignorait encore presque toutes les liaisons de sa maîtresse. Il mourait de jalousie pour l'avoir rencontrée dans la journée ici quand elle lui avait dit qu'elle serait là, buvant du thé avec un homme qu'elle lui avait assuré ne pas connaître. Il se disait qu'elle avait bien tort de mentir pour si peu de chose et sans la croire coupable était perpétuellement malheureux. Moi qui parfois à cette époque-là allai la voir le soir, au moment où Robert la quittait, et la trouvais prête à sortir de chez elle où il l'avait laissée en toute tranquillité et où elle n'habitait que de nom mais ne couchait jamais, je m'affligeais (et le sentiment qui naquit de là chez moi ne me quitta plus et eut autant que les récits concernant Odette une mauvaise influence sur ma défiance de moi et de l'amour), je m'affligeais de penser que les petits faits qui alarmaient la jalousie de Robert, sur lesquels il réfléchissait sans cesse et tâchait de recueillir toutes les informations possibles, étaient de misérables riens auprès de la vraie vie de Rachel, vie qui commençait juste au moment où Robert venait de la quitter et était pleine de tout ce qu'il ignorait. De tout ce qu'il ignorait alors du moins. Car peu après il apprit une partie des liaisons que Rachel avait eues, du moins des plus anciennes, mais sans que la tendre confiance qu'il avait en la nature vertueuse de sa maîtresse n'en fût nullement ébranlée. Ce n'était pas extraordinaire. Tout au plus l'était-il un peu que Robert eût pu apprendre ces liaisons ; car la charmante loi de nature [...] complexes, c'est de vivre dans l'ignorance [...]. D'un côté du miroir, l'amoureux *[comme dans le texte définitif, avec lég. var.]* reproche   *plac. Gt — P. Clarac et A. Ferré ont eu connaissance d'un placard Gd qui ne nous est pas parvenu. Proust y a noté quelques corrections qui ne sont pas passées dans l'originale et que nous ne reportons pas dans le texte.*

◆◆ *b. Ms. se termine ainsi :* pressé. » Et comme je lui disais que je ne tenais pas à cette visite : « Si, si, vous avez bien vu, il y attachait de l'importance » ; et elle ajouta : « Il voudrait que vous partiez s'il était encore là ; il faut faire ce qu'il voudrait, ce que vous savez qui lui ferait plaisir », sur le ton dont on le dit en parlant d'un mort aux volontés de qui on continue à se conformer. Je rentrai au salon avec elle, afin de dire adieu à Mme de Villeparisis. En ne revoyant pas Saint-Loup, Mme de Villeparisis échangea avec M. de Norpois ce regard interrogatif et ironique qui veut dire : « Tiens, il y a de l'orage » et qu'on a sans pitié pour les épouses jalouses ou les mères trop tendres qui donnent aux autres la comédie. Je dis adieu à Mme de Villeparisis, à Mme de Saint-Loup. Avant de dire adieu à M. de Norpois j'attendis un instant pour ne pas l'interrompre. Il était en effet en train de dire au prince Tchiguine dont la boutonnière laissait pendre une renoncule : « J'ai jeté votre nom dans la conversation, il a excité l'intérêt le plus soutenu chez mes collègues. L'idée de votre candidature a été très favorablement accueillie. Ne vous portez pas sur le premier fauteuil et pour le second je ne vous promets pas de passer, mais vous recueillerez au moins quatorze voix, il n'y aura pas de majorité, l'élection sera remise et cette fois vous passerez. » / [Fin du premier chapitre du second volume *biffé*] / « J'espère que vous avez un pardessus, me demanda Mme de Saint-Loup. — Mais il fait très beau, dit Mme de Villeparisis. — Tantôt ; mais ce soir le temps est tout à fait changé ; il fait même froid, je gelais en venant chez vous. — Vous ne m'étonnez qu'à demi, dit le prince Tchiguine, on annonce de la neige partout. — Ne le regrettez pas trop, dit avec un sourire malicieux M. de Norpois. Il va peut-être se produire des vacances sur de nouveaux sièges à l'Académie, si comme cela arrive souvent avant Pâques, où c'est particulièrement dangereux, nous assistons à une rentrée en scène, à une reprise offensive de l'hiver. » Ces mots suffirent pour me donner la sensation du Printemps. Dès le lendemain, comme l'avait annoncé M. de Norpois, l'hiver était revenu ; mais avec lui, avec ce temps froid, le même qui avait déjà sévi pendant cet autre Carême où nous <nous> préparions à partir pour l'Italie, avaient recommencé pour moi les jours qui, écartant le monde vulgaire qui m'entourait avaient mis à côté de moi un paradis inconnu. La mélodie reparut, à peine transformée, qui avait donné leur caractère à ces jours merveilleux et dont ceux-ci étaient pour moi comme une réminiscence. Comme pour la ville bretonne engloutie qui ne remontait du fond de l'abîme qu'à certaines périodes de l'année, les temps étaient revenus où renaissait pour moi Florence. Françoise se désolait du froid. Comme je lui demandais à tout propos des nouvelles pour avoir constamment l'occasion de dire « Commen(t) allez-vous ? » sans prononcer le t, prenant à parler ainsi comme Mme de Guermantes le même plaisir <à> chanter un air nouveau que nous avons, au moment où notre propre voix en produit librement les notes, presque le plaisir de créer, comme si nous l'avions composé nous-même — Françoise, dernière adepte en qui survivait obscurément la physique et la théologie de ma tante : « Hé, comme on peut aller quand toutes les semences des pauvres agriculteurs, elles vont être gelées. Ce temps-là c'est le restant de la colère de Dieu *[p. 446, 2ᵉ §, 7ᵉ ligne]*. » Mais je ne répondais aux lamentations de Françoise que par un sourire plein de langueur ; car un état de faiblesse analogue à celui de la convalescence quand il n'est pas la cause du goût que nous reprenons aux choses, du réveil de nos désirs de vivre et de voyager en eſt l'effet. Elle apportait la lampe, ajoutait une bûche dans le feu, et annonçait de la pluie pour le lendemain. Mais comme le croyant qui n'habite déjà plus ce monde d'apparence, j'étais d'autant plus indifférent aux sombres prédictions de Françoise que de toute manière il ferait beau pour moi ; déjà je voyais briller le soleil du matin sur les pentes de Fiesole, je me chauffais à ses rayons ; leur force et leur douceur m'obligeaient à sourire et à fermer mes paupières, remplies d'une lueur rose comme si elles avaient été deux veilleuses d'albâtre. Ce n'était pas seulement les cloches qui revenaient [de Rome *biffé*] d'Italie, l'Italie elle-même était venue avec elles. Mes mains fidèles ne manqueraient pas de fleurs pour honorer l'anniversaire du voyage que j'avais dû faire l'an passé car depuis que le temps était redevenu froid, autour des platanes des boulevards, des marronniers des avenues, de l'arbre de notre cour, dans l'air glacial et liquide qui les baignait, voici que comme dans une coupe d'eau pure s'étaient entrouvertes les anémones, les jonquilles et les narcisses du Ponte Vecchio. / Fin du premier chapitre. *Ce texte de ms. a été biffé sur dactyl. et remplacé par une longue addition manuscrite. Voir var. a, p. 447 ; n. 1, p. 441 ; n. 1, p. 447.*

Page 580.

a. vous êtes pressé. *[p. 579, fin du 2ᵉ §]* — Mais non, **Madame**, répondis-je, d'ailleurs j'attends M. de Charlus *dactyl.* ◆◆ *b.* contrariée. *[4ᵉ ligne de la page]* « Vous devez *dactyl., plac.* Gt ◆◆ *c.* Palamède ? me dit-elle. — Il m'a demandé *dactyl., plac.* Gt ◆◆ *d.* revenir avec lui. — Ne l'attendez donc pas, *dactyl., plac. Gt*

1. La statue de Zeus Olympien était l'une des « sept merveilles du monde ». Érigée à Olympie par Phidias, elle était en or et en ivoire, et mesurait dix-huit mètres cinquante de haut.

Page 581.

a. le dos tourné. » *[p. 580, fin de l'avant-dernier §]* Pourtant je n'étais guère pressé de retrouver *[comme dans le texte définitif, avec lég. var.]* son neveu, je pris congé d'elle. Dans l'escalier, *dactyl.* ◆◆ *b.* vouliez me parler, monsieur *plac. Gd/1*¹ ◆◆ *c.* sais trop si je le ferai. Certes *plac. Gd/1* ◆◆ *d.* décider. Je vous ai trouvé bien médiocre à Balbec, même en faisant la part de la ſtupidité inséparable du personnage de "baigneur" et du port de la chose appelée espadrilles. Peut-être *plac. Gd/1*

1. Pour le passage qui va de « que Robert ait pu apprendre ces liaisons ; car la charmante loi de nature » (p. 578, 7ᵉ ligne du dernier §) jusqu'à « Hélas ! d'autres créatures inférieures, que l'homme a » (p. 596, 20 lignes en bas de page) nous disposons en effet de deux *plac. Gd*, identiques, tous deux numérotés 23 et tous deux corrigés par Proust. Le premier (*plac. Gd/1*) est conservé à la Bibliothèque nationale dans un carton de paperoles sans cote. Il compte d'importantes corrections et des additions qui ne sont pas passées dans l'édition originale. Le second (*plac. Gd/2*) qui, seul, a été communiqué à l'imprimeur, figure dans le volume d'épreuves N.a.fr. 16762. Les corrections qu'il porte sont différentes de celles du premier. Quand les deux donnent un texte identique, nous conserverons le sigle *plac. Gd* sans rien préciser.

1. Une légende rapporte que le philosophe grec Diogène (413-327 av. J.-C.) vivait dans un tonneau par mépris de la richesse et du superflu. L'anecdote suivante est également fameuse : Diogène se promenait en plein jour dans les rues d'Athènes, une lanterne allumée à la main. À ceux qui demandaient la raison de cette bizarrerie, il répondait : « Je cherche un homme. »

Page 582.

a. personne qui en vaille la peine. *[p. 581, 9 lignes en bas de page]* La question est de savoir si vous valez ou non la peine. — Je ne voudrais, *dactyl., plac. Gt*

Page 583.

a. croire *[p. 582, 3 lignes en bas de page]* que c'est par « manque [...] l'ennui, que je vais vous la faire. Je n'aime pas beaucoup à parler de moi, Monsieur. Mais enfin vous *dactyl., plac. Gt, plac. Gd/2, orig. avec lég. var. Nous adoptons la leçon de plac. Gd/1.* ◆◆ *b.* secrets qu'un [Barante *biffé*] [Thiers *biffé*] Henri Martin aurait donné des années *dactyl.* : secrets qu'Henri Martin aurait donné des années *plac. Gt* : secrets qu'un Guizot aurait donné des années *plac. Gd./1. La leçon de plac. Gd/2 est semblable à celle de plac. Gt.*

1. Cette citation est évidemment un pastiche de Michelet.
2. Le quotidien anglais, fondé en 1785, était considéré en 1923 comme « le journal le mieux informé de tout ce qui se passe dans le monde entier » (*Larousse encyclopédique*, 1923).
3. Dernier représentant de la branche aînée des Bourbons, Henri de Bourbon, duc de Bordeaux, comte de Chambord (1820-1883), fut le dernier prétendant légitimiste au trône de France après l'abdication de Charles X, en 1830. En 1873, des pourparlers s'engagèrent entre orléanistes et légitimistes. Les premiers étaient prêts à reconnaître le comte de Chambord et à accomplir une restauration à son profit. Tous les éléments semblaient réunis pour que cette tentative de retour à la monarchie fût un succès, mais le descendant des Bourbons refusa de renoncer au drapeau blanc de la royauté, et la restauration échoua. Le comte de Chambord, qui vivait depuis 1830 en exil au château de Frohsdorf, en Autriche, mourut sans postérité.

Page 584.

1. Fondée en 1686 par Mme de Maintenon, la Maison royale de Saint-Louis, à Saint-Cyr, près de Versailles, était vouée à l'éducation des jeunes filles nobles et sans fortune. Les pensionnaires organisaient parfois des représentations théâtrales. Les deux tragédies bibliques de Racine, *Esther* et *Athalie*, y furent jouées devant le roi, de même que ses *Cantiques spirituels*, en 1694. (Voir *Contre Sainte-Beuve*, éd. citée, n. 1, p. 509).
2. David, roi d'Israël, abattit le géant Goliath d'un simple coup de fronde (Premier livre de Samuel, XVII).

3. Comme Proust le dit onze lignes plus loin, le mot *carogne* est emprunté à Molière. Une carogne est une femme hargneuse : « Tu ne m'entends que trop, Madame la carogne » (*Sganarelle*, sc. VI, v. 190) ; « Voilà une méchante carogne » (*George Dandin ou le Mari confondu*, acte III, sc. VII). C'est la forme normande ou picarde de « charogne ».

Page 585.

1. Émile Mâle explique que « les deux grandes figures de la Synagogue, aux yeux voilés, et de l'Église, qu'on voyait sur la façade de Notre-Dame de Paris, disaient très haut aux Juifs que la Bible n'avait plus de sens pour la Synagogue, aux chrétiens qu'elle n'avait plus de mystère pour l'Église. [...] Reims nous montre deux fois l'Église et la Synagogue, au portail du midi (près de la rosace) et au portail occidental, sous deux clochetons, près de la croix de Jésus-Christ. L'Église et la Synagogue du portail méridional de la cathédrale de Strasbourg sont justement célèbres. À Saint-Seurin de Bordeaux, la Synagogue a les yeux voilés, non par un bandeau, mais par la queue d'un dragon qui se tient derrière sa tête. Il en était de même à Paris » (*L'Art religieux du XIIIᵉ siècle en France*, éd. citée, p. 195).

Page 586.

1. Auteur de *La France juive*, un pamphlet qui, à sa parution en 1886, connut un succès considérable, Édouard Drumont (1844-1917) est l'un de ceux qui contribuèrent à répandre les idées xénophobes parmi les couches moyennes de la population française. Le quotidien qu'il fonda en 1892, *La Libre Parole*, s'affirmait « antisémite et indépendant » ; la devise en était : « La France aux Français ». Il mena campagne contre Dreyfus en employant les arguments les plus vils.

Page 587.

a. entièrement différent. *[p. 583, 11 lignes en bas de page]* Ceci n'est rien. Ayant une formidable *dactyl.* : entièrement différent. Et je ne parle pas *[comme dans le texte définitif, avec lég. var.]* mais de l'avenir. *[p. 583, fin du 1ᵉʳ §]* Il existe entre certains hommes, *[p. 586, 4 lignes en bas de page]* Monsieur, une franc-maçonnerie [...] l'un d'eux veut le guérir [...] sans résultat. *[p. 587, 10ᵉ ligne]* Je l'amenai au docteur du Boulbon (encore un être [...] nerveuseᵃ *[lacune]* formidable *plac.* : entièrement

a. nerveuse *Après ce mot, on lit dans plac. Gd/1 le texte suivant inachevé :* en une heure il rendit au malade la confiance, et celui-ci digéra sans malaise les dîners les plus succulents. Malheureusement il avait un rein en lambeaux, incapable d'éliminer les résidus de ce que son estomac digérait parfaitement. Du jour qu'il sut qu'il pouvait tout digérer, son rein, protégé jusque-là par la diète, ne put plus offrir de résistance, et mon cousin fut emporté par une crise d'urémie à la suite de ses excès de table. La Table Ronde d'<   >.

différent *[comme dans le texte définitif, avec lég. var.]* ma satisfaction. *[p. 585, 7 lignes en bas de page]* Toute cette affaire Dreyfus *[p. 586, début du 2ᵉ §]* n'a qu'un inconvénient *[comme dans le texte définitif, avec lég. var.]* franc-maçonnerie *[comme dans plac. Gt]* nerveuse *[comme dans le texte définitif, avec lég. var.]* formidable *plac. Gd/2* ♦♦ *b.* rêver. J'ai un fils qui n'est pas, je ne dirai pas digne, mais capable de recevoir *dactyl.*

1. Proust pense sans doute ici à l'affaire Eulenburg — un prince allemand accusé d'homosexualité en 1907 —, à la suite de laquelle Guillaume II ne fut plus entouré que de conseillers militaristes et pangermanistes (voir *Sodome et Gomorrhe*, t. III de la présente édition ; Painter, *Marcel Proust*, éd. citée, t. II, p. 136-137 ; *Correspondance*, t. VII, p. 310).

2. Cette même anecdote est évoquée dans *La Prisonnière* (t. III de la présente édition). Proust la citait déjà en 1893 dans le roman épistolaire qu'il écrivait en collaboration avec Fernand Gregh, Daniel Halévy et Louis de La Salle : « Vous ne connaissez donc pas l'histoire du fou qui croyait revoir dans une bouteille la princesse de la Chine. On lui cassa sa bouteille. De fou qu'il était, il devint bête » (« Un inédit de Marcel Proust », *Le Monde*, 26 juillet 1985, p. 14). Peut-être Proust en a-t-il eu connaissance en lisant quelque traité de médecine de la bibliothèque paternelle. Il peut également s'agir d'une histoire liée à la science cabalistique. Dans *La Rôtisserie de la reine Pédauque* (1893), Anatole France décrit ainsi certaines pratiques occultes : « M. Hercule d'Astarac [...] n'avait d'autres soins que de mettre dans des carafes la lumière du soleil. Cadette Saint-Avit ne sait pas comme il s'y prenait, mais ce dont elle est sûre, c'est qu'avec le temps, il se formait dans ces carafes, bien bouchées et chauffées au bain-marie, des femmes toutes petites, mais faites à ravir, et vêtues comme des princesses de théâtre » (*Œuvres*, Bibl. de la Pléiade, t. II, p. 51 ; nous remercions Mme Marie-Claire Bancquart qui nous a signalé ce texte de France).

Page 588.

a. chaque jour. *[fin du 1ᵉʳ § de cette page]* À ce moment mon ‹ bras › fut vivement déplacé par un choc comme il arrive quand tenant un objet électrisé on a mis par mégarde sa main sur un bouton électrique. C'était M. de Charlus qui venait de retirer *dactyl.* : chaque jour. / Je voulais profiter de ces bonnes dispositions *[comme dans le texte définitif, avec lég. var.]* belle-sœur, mais à ce moment *[comme dans dactyl.]* retirer *plac. Gt. Une feuille volante, conservée à la Bibliothèque nationale dans un carton sans cote, donne le texte suivant qui se raccorde vraisemblablement à la 3ᵉ ligne de la page 588 :* Je ne sais pas si vous comprenez bien comment le phénomène se pose, et ce qui se passe d'*auguste* en ce moment, ajouta-t-il en donnant une extrême importance au mot auguste ; et les mots qu'il prononçait, qu'il déclamait, qu'il chantait presque semblaient l'enivrer, comme dans une sorte d'ébriété sobre. D'un côté quels que puissent être d'ailleurs ses dons spéciaux, le représentant d'une race sans égale dans l'Histoire qu'un invraisemblable destin met à côté d'un jeune bourgeois parisien, voué semble-t-il à l'avenir le plus terne. C'est là le moment je peux dire sacré, car je crois aux lois mystérieuses qui conduisent tout cela. Vous êtes comme Hercule dans un double chemin. Vous allez décider de vous-même et de votre vie... » Je voulais déjà profiter de[1] *[feuille volante]* : chaque jour. [...] belle-sœur, quand cette « hésitation sublime » dans un carrefour unique où, piètre roturier, il me faisait pourtant jouer le rôle du fils d'Alcmène, fut brusquement interrompue par celui qui était en train de me l'offrir. Mon bras fut vivement [...] Charlus qui, pour quelque raison venue contrarier les lois « cosmiques » dont il était encore une seconde auparavant le « vates inspiré » venait de retirer *plac. Gd/1 ↔ b.* Je regrette cette rencontre, me dit M. de Charlus. C'est un de ces hommes *dactyl.* : Je regrette ce contretemps, me dit M. de Charlus. Argencourt [...] fourbe comme dans une pièce, est un de ces hommes *plac. Gd/1*

Page 589.

a. gens du monde. *[fin du 1ᵉʳ § de la page]* Et c'est justement *dactyl.*

Page 590.

1. Villeparisis est une commune de Seine-et-Marne, dans l'arrondissement de Meaux.
2. Léonora de Rothschild (1837-1911), épouse du régent de la Banque de France, Alphonse de Rothschild (1827-1905).
3. Le denier de Saint-Pierre est l'offrande faite au pape par les fidèles. L'expression semble ici être employée à propos d'une personne qui a refusé de se convertir au catholicisme.

Page 591.

a. sans inconvénients. *[p. 589, 3ᵉ §, 8 lignes avant la fin]* Actuellement vous ne feriez que nuire *dactyl.* : sans inconvénients. Alors je n'ai pas besoin [...] maître de l'heure. Je voulus profiter de ce que M. de Charlus parlait de cette visite chez Mme de Villeparisis *[p. 589, avant-dernier §, 1ʳᵉ ligne]* pour tâcher de savoir quelle était exactement celle-ci, mais la question se posa [...] famille Villeparisis. « C'est absolument comme si vous me demandiez ce que c'est que "rien" [que la famille "rien" *plac. Gd/2, orig.]* me répondit M. de Charlus. Ma tante a épousé par amour un M. Thirion d'ailleurs excessivement riche et dont les sœurs étaient très bien mariées et qui à partir de ce moment-là s'est appelé le marquis de Villeparisis. Cela n'a fait de mal à personne, tout au plus un peu à lui et bien peu ! Quant à la raison, je ne sais pas. Je suppose que c'était en effet un monsieur de Villeparisis, un monsieur né à Villeparisis, vous savez que c'est une petite localité près de Paris. Ma tante a prétendu qu'il y avait ce marquisat dans la famille, elle a voulu faire les choses régulièrement, je ne sais pas pourquoi. Du moment qu'on prend un nom auquel on n'a pas droit, le mieux est de ne pas simuler des formes régulières. Mme de Villeparisis n'étant que Mme Thirion *[p. 590 début du 2ᵉ §]* acheva la chute *[comme dans le texte définitif, avec lég. var.]*

1. Voir aussi p. 592.

nuire *plac. Gt, plac. Gd/2, orig. Nous adoptons le texte de plac. Gd/1.* ◆◆ *b.* efféminés comme on en rencontre tant aujourd'hui et qui mèneront peut-être demain [...] victimes. Il n'est pas comme les autres, *dactyl., plac. Gt*

1. *Truqueur* : jeune homme qui se prostitue à des hommes.

Page 592.

a. au grand trot. *C'est ici que se terminent dactyl. et plac. Gt.*

1. L'apologue d'*Héraclès au carrefour* est conté par Prodicos de Céos, sophiste grec du Ve siècle avant Jésus-Christ : Héraclès, se trouvant à l'embranchement de deux chemins, l'un, escarpé, montant vers une colline, l'autre descendant en pente douce vers la plaine, choisit le premier. C'est, évidemment, celui de la vertu. Xénophon a développé ce thème dans *Les Mémorables*, livre II, chap. I.

2. La Ligue des droits de l'homme fut fondée en février 1898 par le sénateur Ludovic Trarieux. Elle regroupait des intellectuels dreyfusards. Sur la Ligue de la patrie française, voir n. 1, p. 533.

Page 593.

a. par un ministère Millerand, changea *plac. Gd*

1. Le général Jean-Baptiste Billot (1828-1907) fut ministre de la Guerre de 1896 à 1898.

2. Georges Clemenceau fut ministre de l'Intérieur dans le gouvernement Sarrien, du 14 mars au 25 octobre 1906, puis président du Conseil jusqu'en 1909. L'affaire Dreyfus lui avait permis de revenir sur le devant de la scène politique.

3. Georges Picquart, qui avait été mis aux arrêts le 13 janvier 1898, fut libéré le 9 juin 1899. Promu général de brigade en 1903, il occupa ensuite le poste de ministre de la Guerre dans le cabinet Clemenceau.

4. Joseph Reinach était juif. Proust exagère son influence sur la vie politique de son temps. S'il fut bien l'un des plus ardents dreyfusards, jamais il ne remplit le rôle de *deus ex machina* qui lui est ici attribué.

Page 594.

a. L'épisode de la maladie de la grand-mère du narrateur ne figure ni dans le manuscrit ni dans les épreuves Grasset. Il a été développé à part sur plusieurs feuillets dactylographiés réunis dans le volume N.a.fr. 16737 que nous désignons sous le sigle dactyl. Le passage qui va de Pour ma part, à peine rentré à la maison *[p. 592, début du dernier §] à* Depuis quelque temps *est une addition manuscrite sur plac. Gd. Dans dactyl., il existe trois versions de l'épisode : la première (ff^os 1 à 35) n'est pas corrigée et présente de nombreuses et importantes lacunes : nous n'en tenons pas compte ; la deuxième (ff^os 36 à 51) est un montage ayant servi de copie aux extraits du « Côté de Guermantes » publiés par la « Nouvelle Revue Française » du 1er juillet 1914 : nous l'appellerons dactyl. 1 ; la troisième (ff^os 52 à 103), sur laquelle Proust a reporté certaines des corrections*

faites sur la deuxième, a été jointe aux plac. Gı pour la composition des plac.
Gd : nous la désignerons par le sigle daćtyl. 2. L'accord des deux daćtylographies
sera simplement noté daćtyl.

1. En décembre 1889, la grand-mère maternelle de Proust,
quelques jours avant sa mort, suivait un régime laćté : « Ta
grand-mère est aujourd'hui au lait, écrit Mme Proust à son
fils, — toujours par dose homéopathique — elle ne consent à la
prendre que moyennant qu'il n'aura pas le goût du *lait*. »
(*Correspondance*, t. I, p. 135.)

2. Fernand Widal (1862-1929), médecin et baćtériologiste français.
Élève du professeur Georges Dieulafoy (voir *Le Côté de Guermantes II*,
p. 632, 637, 638), il lui succéda en 1911 à la chaire de pathologie
interne. Il est surtout connu pour ses travaux sur le diagnostic de
la fièvre typhoïde. En 1903, il mit en évidence l'influence néfaste du
sel sur l'organisme des malades atteints de néphrites et conseilla le
régime déchloruré.

Page 595.

a. Cottard *[p. 594, 15 lignes en bas de page]* que contre mon désir on
avait appelé une fois auprès de ma grand-mère — un jour où du reste
elle ne se trouvait pas plus mal qu'elle n'était depuis plusieurs semaines
déjà — ordonna qu'on prît sa température. *daćtyl., NRF 1914* : Cottard
[...] l'agitation de sa malade [de la médication bromurée *biffé*] le régime
laćté. Mais le bromure ne fit pas d'effet car ma grand-mère prenait
beaucoup de sel dans ses soupes au lait, dont on ignorait l'inconvénient
en ce temps-là. Car la médecine étant un compendium [...] quelques
vérités. Cottard avait recommandé — un jour *[comme dans daćtyl.]* semaines
déjà — qu'on prît sa température. *plac. Gd* ↔ *b.* commander, la quinine.
Nous n'avions pas *daćtyl., NRF 1914*

1. L'aspirine a été préparée pour la première fois en Allemagne
par Dreser en 1899.

Page 596.

a. bien avancés. » *[6ᵉ ligne de la page]* Mais en attendant, comme une
Parque momentanément vaincue, elle tint immobile *daćtyl.,*
NRF 1914 ↔ *b. Pour daćtyl. 1 et NRF 1914, voir var. b, p. 605.*

1. Le serpent Python fut tué par Apollon venu fonder un sanćtuaire
au pied du Parnasse, près de Delphes. Fils de la terre, l'animal
fabuleux rendait des oracles.

Page 597.

a. perçoit la vérité *[3ᵉ ligne de la page]* Je suppliai [...] venir et bien
qu'il fût plutôt un spécialiste des maladies nerveuses, l'es-
poir *daćtyl. 2* ↔ *b.* la crainte que nous avions *[6ᵉ ligne de ce §]* d'effrayer
ma grand-mère en faisant appeler un consultant. Au lieu d'examiner ma
grand-mère, et tout en posant *daćtyl. 2*

1. Jean-Martin Charcot (1825-1893), auteur des _Leçons sur les maladies du système nerveux_ (1872-1883), est le fondateur de la neurologie moderne. Les paroles que lui prête Proust auraient pu être adressées à Sigmund Freud, qui fut son élève le plus célèbre. Mais les travaux de Freud n'étaient guère connus en France avant 1921. Dans une lettre à Francis Jammes, Proust signale qu'il s'est « inspiré un peu » du docteur Édouard Brissaud (1852-1909) pour décrire du Boulbon (Francis Jammes, Arthur Fontaine, _Correspondance 1898-1930_, Gallimard, 1959, p. 287). Ce médecin, spécialiste de neurologie, était l'auteur d'un ouvrage intitulé _L'Hygiène des asthmatiques_ (Masson et Cie, 1896), que Proust avait lu. Dans une lettre à Mme de Noailles datant d'août 1905, Brissaud est décrit comme « notre cher "Médecin malgré lui", celui qu'il faut presque battre pour le faire parler médecine [...], plus beau et plus charmant que jamais » (_Correspondance_, t. V, p. 318).

2. La citation est exacte, bien qu'incomplète. Mme de Sévigné écrivant à la comtesse de Guitaut, le 3 juin 1693, lui parle de la mort de sa meilleure amie, Mme de La Fayette, survenue le 25 mai : « Je la défendais toujours, car on disait qu'elle était folle de ne vouloir point sortir. Elle avait une tristesse mortelle : quelle folie encore ! n'est-elle pas la plus heureuse femme du monde ? Elle en convenait aussi, mais je disais à ces personnes, si précipitées dans leurs jugements : "Mme de La Fayette n'est pas folle", et je m'en tenais là. Hélas ! Madame, la pauvre femme n'est présentement que trop justifiée ; il a fallu qu'elle soit morte pour faire voir qu'elle avait raison et de ne point sortir et d'être triste » (_Correspondance_, t. III, p. 1006-1007).

Page 598.

_a._ inflexions : « Vous irez   _dactyl._

Page 599.

1. Voir n. 1, p. 596. Le laurier était l'arbre consacré à Apollon.

Page 600.

_a._ j'avais affaire ? » _[p. 599, fin du 1ᵉʳ §]_ Ma mère par désir   _dactyl._ 2

1. _Vésanie_ : aliénation, maladie mentale. Ce mot, tombé en désuétude, désignait différents types de psychoses de longue durée dues à des troubles purement mentaux. On parlait de « démences vésaniques », par opposition aux « démences organiques ».

2. Proust emploie l'expression « laisser tomber ma chaleur » dans sa correspondance avec sa mère : elle désigne « la transition qu'il se ménage avant de se lever en laissant entrer graduellement l'air frais sous ses couvertures » (_Correspondance_, t. IV, p. 281, note 6). Il semble que Proust fasse ici son autoportrait satirique : comme ce

neurasthénique, il a fait, en 1905, sur les conseils du docteur Brissaud, un séjour dans une maison de santé ; comme lui, il s'entoure de gilets de flanelle ; comme lui, enfin, il est « le plus grand poète de notre temps »...

Page 602.

a. de toute façon. Et si jamais *dactyl.* 2

1. Proust a relevé ce mot en 1909, dans une lettre à Reynaldo Hahn : « Quel joli mot de Talleyrand : "Il faudrait être un bien-portant imaginaire" » (*Correspondance*, t. IX, p. 172).

Page 603.

a. mettre à exécution. *[§ précédent, 8 lignes avant la fin]* / Des amis m'avaient demandé *dactyl.* 2

Page 604.

a. pierre de taille *[10ᵉ ligne de la page]* un tiède épiderme, le halo imprécis d'une humide haleine. Ma grand-mère obéit mais resta un temps infini *dactyl.* 2 ◆◆ *b.* distraite [comme *biffé*] [ainsi qu' *corr.*] une personne [...] affaires), [comme *biffé*] [au moment où *corr.*] j'arrivais *orig. b*

Page 605.

a. Je fus frappé [comme elle était *biffé*] [de la trouver très *corr.*] congestionnée *orig. b* ◆◆ *b.* état persistant que nous n'apercevions pas. *[p. 596, 15 lignes en bas de page]* / *** / Le docteur du Boulbon ayant déclaré que ma grand-mère n'avait rien, devait prendre sur elle et mener la vie de tout le monde, je décidai sur les instances de ma mère, à faire avec moi une première sortie. Comme nous venions d'arriver aux Champs-Élysées je la vis qui sans me parler se dirigeait vers un petit pavillon ancien, grillagé de vert, semblable aux bureaux d'octroi du vieux Paris, et dans lesquels avaient été installés des water-closets. Françoise s'y arrêtait souvent, au temps où je jouais avec Gilberte. La tenancière de l'établissement, vieille dame à perruque rousse et à joues plâtrées que Françoise assurait être une marquise tombée dans la misère avait alors l'habitude de m'ouvrir un cabinet, en me disant : « Vous ne voulez pas entrer ? en voici un tout propre, pour vous ce sera gratis », peut-être tout simplement comme les demoiselles de chez Boissier ou de chez Gouache quand Maman entrait faire une commande me faisaient l'offre « pour rien » d'un de ces bonbons qu'elles avaient sur le comptoir sous des cloches de verre (ce qui ne me causait d'ailleurs que des regrets, car Maman me défendait d'accepter) ; ou peut-être moins innocemment comme telle vieille fleuriste qui voulait toujours me donner une rose et me faisait les yeux doux. En tout cas si la marquise avait du goût pour les garçons très jeunes, en leur ouvrant la petite porte de ces cubes souterrains comme les hypogées égyptiens et où les hommes sont accroupis comme des sphinx, elle devait chercher dans la générosité moins l'espérance de nous corrompre, que le plaisir de se montrer vainement prodigue envers ce qu'on aime, car je n'avais jamais vu, assis en visiteur auprès d'elle, qu'un vieux garde forestier du jardin. Ce fut encore lui que je retrouvai quand, suivant ma grand-mère   *dactyl. 1, NRF 1914*

Page 606.

    a. ses petites habitudes. Ah ! Monsieur, reprit-elle d'un ton plus doux en constatant que le protecteur   *dactyl. 1*

Page 607.

    a. ce que j'appelle *[p. 606, 3ᵉ §, 2ᵉ ligne]* mon salon. » Enfin ma grand-mère sortit et   *dactyl. 1, NRF 1914*   : ce que j'appelle [...] Enfin, après une grande demi-heure, ma grand-mère sortit, et   *plac. Gd.*

Page 608.

    a. ces choses-là étaient mises. » Voilà le propos *dactyl., NRF 1914* ◆◆ *b.* serra la main. Elle comprenait que je m'étais aperçu qu'elle venait *dactyl., NRF 1914* ◆◆ *c. Sur plac. Gd, après* petite attaque. *Proust a noté :* N.B. FIN.

    1. Réplique de Philinte dans *Le Misanthrope* de Molière, à propos du Sonnet d'Oronte : « Ah ! qu'en termes galants ces choses-là sont mises ! » (acte I, sc. II, v. 325).

    2. La grand-mère du narrateur cite probablement, en la déformant, la lettre du 21 juin 1680 à Mme de Grignan, où Mme de Sévigné se plaint d'une visite ennuyeuse que lui fait Mme de La Hamelinière : « Il y a trois jours que cette femme est plantée ici. Je commence à m'y accoutumer, car comme elle n'est pas assez habile pour être charmée de la liberté que je prends de faire tout ce qu'il me plaît, de la quitter, d'aller voir mes ouvriers, d'écrire, j'espère qu'elle s'en trouvera offensée. Ainsi je me ménage les délices d'un adieu charmant qu'il est impossible d'avoir quand on a une bonne compagnie » (*Correspondance*, éd. citée, t. II, p. 984).

Le Côté de Guermantes II

NOTICE

    Le Côté de Guermantes II est né de deux exigences confondues et opposées. D'une part, Proust eut le souci de ne négliger, de ne sacrifier aucun des thèmes, aucune des scènes, aucune des réflexions qu'il avait développés et constamment enrichis dans ses cahiers d'esquisse, dans les dactylographies et sur les placards d'imprimerie de son roman. D'autre part, il se heurtait à un obstacle matériel et commercial : la nécessité de publier des livres dont la présentation ne fût pas celle de ces « pavés », naguère tant redoutés du lecteur pressé.

Quand le devoir de l'éditeur est de trancher, celui du critique est de ressouder : dans les esquisses, *Le Côté de Guermantes I* et *Le Côté de Guermantes II* forment un tout, et il semblerait difficile, voire impossible, pour un lecteur ignorant l'œuvre définitive et parcourant les Cahiers 39 à 43 — la première version de notre texte — de ménager une pause dans un récit qui se présente comme une suite ininterrompue de tableaux ayant pour point commun de concerner le faubourg Saint-Germain et ses habitants mystérieux. Jusqu'en 1916, en effet, la genèse de la seconde partie du *Côté de Guermantes* se confond avec celle de la première[1]. Il est donc clair que la volonté initiale de l'auteur était de rassembler dans un seul volume tous les épisodes décrivant l'ascension sociale du héros et mettant en scène la duchesse de Guermantes et ses pairs.

Toutefois, si cette unité de structure est évidente dans les esquisses, elle l'est beaucoup moins dans le texte publié. Plusieurs raisons à cela, à commencer par cette étrange division du *Côté de Guermantes II* en chapitres. Le premier compte une trentaine de pages, alors que le second en a plus de deux cent cinquante. Ce déséquilibre passerait pour un vice de composition, si l'on ignorait que le premier chapitre n'est, en réalité, que la fin du *Côté de Guermantes I*, sa conclusion retardée. Néanmoins, la coupure artificiellement pratiquée dans le récit de la maladie et de la mort de la grand-mère du narrateur — récit qui se présente toujours d'un seul tenant dans les esquisses — produit un effet de suspens digne des meilleurs romans-feuilletons. Comment tenir le lecteur en haleine, comment lui donner envie d'attendre « la suite » avec impatience — une année sépare en effet la publication des deux parties du *Côté de Guermantes* — si ce n'est en interrompant le récit au moment où l'un des personnages est en danger de mort ? Le procédé est ancien. Proust ne dédaigne pas de recourir parfois à ces recettes éprouvées.

Situé à la charnière d'un roman en deux volumes, l'épisode ne sert pas seulement à unifier les deux blocs de papier en un tout signifiant. Il annonce une évolution du héros. Il est le premier appel du destin inéluctable de l'homme, la première mort d'*À la recherche du temps perdu*, qui, pour un roman d'une telle ampleur, en contient si peu.

Ainsi, *Le Côté de Guermantes II* s'ouvre sur la mort de la grand-mère et s'achève sur l'annonce de celle de Swann. C'est Combray, c'est le côté de chez Swann qui, pour un instant, périt, englouti dans le temps, pour mieux laisser la place au côté de Guermantes, aux plaines

---

1. Sur les « Cahiers *Guermantes* » de 1910-1911 et sur les premières étapes de la composition du roman, voir la Notice du *Côté de Guermantes I*, p. 1494 et suiv.

de Sodome, aux souffrances de l'âme prisonnière de l'amour et de la jalousie.

Première confrontation du narrateur avec la mort ? Certes non. Mais première mort qui subjugue l'esprit, qui martyrise le corps de sa douleur. Première mort symbolique — avant celle de la femme aimée, avant celle du livre, elles-mêmes précédant cette résurrection finale du *Temps retrouvé*, cette « Adoration perpétuelle »... Première mort d'importance, car celles qui ont jusqu'ici été évoquées ne comptent guère pour le narrateur : il ne les a pas pleurées. Quand sa tante Léonie meurt « enfin », elle ne cause « de grande douleur qu'à un seul être », Françoise[1]. De son côté, l'oncle Adolphe trépasse avec discrétion, et c'est incidemment que nous apprenons sa disparition[2].

À partir du *Côté de Guermantes II*, les pages annonciatrices de la mort se chargent d'émotion : pensons à celles qui sont consacrées à Swann, à Bergotte, à Saint-Loup et, surtout, à Albertine. Mais ce ne sont que des *disparitions* : un être était là près de nous, puis il s'est éloigné et nous ne l'avons plus revu. Le héros n'assiste jamais à l'événement fatal. S'il en souffre, c'est par le récit que d'autres lui en font. Bien plus, la plupart de ces morts sont violentes, et donc imprévisibles[3]. Seule celle de la grand-mère est vécue, décrite de façon clinique ; seule, elle prend son temps pour s'installer dans la conscience du héros ; seule, elle est *une agonie*. La résonance tragique du mot — choisi par Proust pour une prépublication de ce passage dans la *Nouvelle Revue française* — indique bien l'importance de ce motif unique. Dans sa cruauté absolue, la mort ne peut être ainsi consommée qu'une seule fois dans tout un roman.

L'épisode apparaît d'abord dans le Cahier 14, datant de 1910-1911. La scène qui se déroule aux Champs-Élysées — placée dans *Le Côté de Guermantes I* — fut ajoutée postérieurement au développement qui, à l'origine, suivait sans interruption les progrès de la maladie.

L'histoire de la littérature est riche de ces descriptions d'agonie qui sont autant d'exercices de style où l'écrivain s'est plu à mettre en œuvre tout son talent pour se distinguer de ses devanciers, et sans doute Proust a-t-il songé, lui aussi, à ces textes célèbres qui, d'*Atala* au *Père Goriot*, de *Madame Bovary* à *Pelléas et Mélisande* ont brodé sur un thème dont l'archétype, évangélique, est l'un des fondements de notre civilisation. Toutefois, il est vraisemblable que ses sources principales n'appartiennent pas au domaine de l'art : « J'ai trouvé dernièrement », écrit-il à Mme de Noailles en juin 1912, « un cahier dans lequel Maman avait raconté heure par heure la dernière maladie de son père, de sa mère, de Papa, récits qui, sans qu'ils aient l'ombre d'intentions de suggérer quoi que ce soit, sont d'une telle

---

1. Voir *Du côté de chez Swann*, t. I de la présente édition, p. 151.
2. *Ibid.*, p. 79.
3. À l'exception de celle de Swann. Quant à la mort d'Albertine, « prédite et pourtant imprévue », elle surprend tout de même le héros (voir *La Prisonnière*, t. III de la présente édition, p. 703-705).

détresse qu'on a peine à continuer à vivre après les avoir lus[1]. » En découvrant ce document, Proust s'appropriait une manière de traiter le sujet, qui, sans pathétisme, sans lyrisme, sans symbolisme — sans « intention de suggérer quoi que ce soit » —, atteignait le but recherché : émouvoir. Fils et frère de médecins, Proust s'applique à décrire les symptômes de la maladie avec la neutralité du praticien. Cette crudité du récit concourt à susciter l'émotion. Il y a plus de tristesse à retenir ses larmes qu'à les épancher.

Mais c'est avant tout la mort de sa propre mère qui sert de modèle à l'écrivain, et nombreuses sont les ressemblances entre la fin de la grand-mère du narrateur et celle de Mme Proust le 26 septembre 1905. Dans les deux cas, la crise d'urémie est fatale[2], et le trépas confère à la morte une nouvelle jeunesse[3]. On pourrait multiplier les rapprochements entre la réalité et la fiction en s'appuyant sur les esquisses de cet épisode qui, plus violentes que le texte définitif, semblent le matériau brut de la douleur. Ainsi, ces phrases extraites d'une lettre de Proust à Mme de Noailles écrite le lendemain de la mort de sa mère : « Aujourd'hui je l'ai encore, morte mais recevant encore mes tendresses. Et puis je ne l'aurai jamais plus[4] » trouvent-elles un écho dans le Cahier 14 : « elle [la mère du narrateur] se disait qu'elle n'avait plus que quelques heures à posséder le corps chéri[5]. »

Proust avait d'ailleurs noté, lui aussi, le récit des dernières heures de sa mère dans une lettre, aujourd'hui perdue, à la comtesse de Noailles, qui en résume ainsi la teneur : c'était « une description, exacte et détaillée dans l'affliction [...] de l'agonie de sa mère », une « confidence, hâtivement écrite, où tout était dévoilé », qui entendait « ne rien sacrifier aux timides ou habituelles convenances ». « Cette mort maternelle, ajoute-t-elle, [...] je l'ai retrouvée dans celui de ses volumes où il nous montre — tableau incomparable — l'agonie de sa grand-mère, décrite dans les termes mêmes dont il s'était servi pour me faire assister avec lui au combat contre les ténèbres de l'être qui lui fut le plus cher[6]. »

L'intérêt d'un tel épisode — outre qu'il apporte dans un volume « frivole » un contrepoids tragique et philosophique — est de montrer que la mort se peut « regarder en face ». Mais après un tel spectacle, le silence s'impose. Le recueillement de l'auteur se traduit par une page blanche, et par le commencement d'un nouveau chapitre.

1. M. Proust, *Correspondance*, éd. Philip Kolb, Plon, t. XI, p. 138.

2. Voir ici même, p. 614 et la lettre de septembre 1905 à Mme Straus, *Correspondance*, t. V, p. 342.

3. « Sur ce lit funèbre, la mort, comme le sculpteur du Moyen Âge, l'avait couchée sous l'apparence d'une jeune fille » (*Le Côté de Guermantes II*, p. 641) ; « La mort lui a rendu la jeunesse » (lettre du 27 septembre 1905 à Mme de Noailles, *Correspondance*, t. V, p. 345).

4. *Ibid.*

5. Esquisse XXV, p. 1210.

6. M. Proust, *Correspondance générale*, éd. Robert Proust et Paul Brach, Plon, 1930-1936, t. II, p. 26-27.

Six mois — la durée coutumière du deuil[1] — se sont écoulés depuis la mort de la grand-mère du narrateur. C'est un nouveau commencement pour le roman et, fidèle à son habitude, Proust situe cette ouverture dans une *chambre*, par un *matin* d'automne. Encore une fois, le roman se régénère dans le sommeil qui le cerne, ou dans ces heures du réveil qui, après l'évocation de la mort, sont une renaissance[2].

C'est ici le véritable début du *Côté de Guermantes II*, un carrefour des chemins où, partant de Combray, des Champs-Élysées et de Balbec, aboutissent au seuil de l'hôtel de la duchesse. Nouveau point de départ de l'œuvre, *Le Côté de Guermantes II* introduit également dans l'architecture primitive du roman — l'opposition des « côtés » — une structure dont les deux volets correspondent, d'une part, au récit de la vie du narrateur avant le retour d'Albertine et, d'autre part, aux réflexions que lui inspireront son expérience amoureuse, sa folle jalousie, et la fuite de la jeune fille. *Le Côté de Guermantes II* se place ainsi au centre de l'œuvre : l'Albertine qui interrompt les rêveries du héros au commencement du second chapitre n'est plus la camarade qu'il désire à Balbec ; elle n'est pas encore la femme qui le fera souffrir dans *La Prisonnière*.

C'est donc d'une chambre que partiront les routes dont l'exploration semblera d'abord vaine à l'écrivain : l'amitié, l'angoisse amoureuse et l'initiation mondaine tant attendue. Prolongements démesurés des deux côtés de Combray, ces trajets apparemment stériles seront ponctués par le reflet intermittent de la lanterne magique de l'imagination. L'unité du *Côté de Guermantes II* est assurée par ce jeu constant qui juxtapose vie intérieure et vie extérieure, surfaces et volumes. Et si la source première de l'inspiration se tarit dans l'atmosphère étouffante des salons, l'intelligence, elle, découvre des vérités originales et de nouveaux motifs poétiques. C'est elle qui s'interrogera sur la survivance de l'Histoire telle que l'ont représentée les Mémoires ; c'est elle qui, aussi bien dans les livres de critique littéraire que dans les locutions favorites du duc de Guermantes, notera les anachronismes révélateurs ; c'est encore elle qui trouvera, derrière les corps, les gestes et le langage des aristocrates, un pont reliant passé et présent.

Une certaine grandiloquence accompagne cette résurrection : les « fameux coups d'archet par lesquels débute la *Symphonie en ut mineur* », « appels irrésistibles d'un mystérieux destin[3] », annoncent un bouleversement dans la situation du narrateur. Sa vocation mondaine peut se développer et s'affirmer en toute bonne conscience : elle est une fatalité.

---

1. Voir Willy Hachez, « La Chronologie d'*À la recherche du temps perdu* et les Faits historiques indiscutables », *Bulletin de la Société des amis de Marcel Proust*, n° 35, 1985, p. 379-380.
2. « [...] je venais de renaître » (p. 641).
3. *Ibid.* Cette symphonie est la « Cinquième » de Beethoven.

Aussi, après avoir fait mourir la grand-mère, Proust congédie le père et la mère qui abandonnent momentanément Paris et dont le rôle de censeurs ou de consolateurs tend par la suite à s'amoindrir, au point que le lecteur se demande parfois s'ils n'ont pas simplement disparu du roman. En réalité, l'éducation de leur fils est achevée et ils ne peuvent plus lui apporter qu'une compagnie occasionnelle comme à Balbec ou à Venise. Proust aura d'ailleurs soin de remarquer, dans *Sodome et Gomorrhe*, combien la mère ressemble à la grand-mère : en s'habillant comme elle, en citant Mme de Sévigné, elle a pris la place de la vieille dame. Le narrateur se retrouve « orphelin » ; ce n'est pas une grand-mère qu'il a perdue, mais le réconfort maternel. En cela, le roman ne se démarque qu'en apparence des vicissitudes de la vie de l'auteur. Toutefois, cette solitude offre un nouvel avantage : le héros a désormais le champ libre — et il ne faut pas s'étonner si la première visite qu'il reçoit est celle d'Albertine. Le baiser de la jeune fille va pouvoir se substituer à celui de la mère, dont la présence à Paris ne saurait plus être qu'inopportune, gênante, ou conduire à des situations scabreuses.

La réapparition d'Albertine dans *Le Côté de Guermantes* fut précédée d'un vaste travail de révision qui bouleversa les proportions du roman et devait s'étendre d'*À l'ombre des jeunes filles en fleurs* à *Albertine disparue*. Il s'agissait de développer une étude psychologique opposant l'art, la société et l'amour. Cette nouvelle et importante péripétie présentait cependant des difficultés de chronologie que Proust tenta de résoudre à plusieurs reprises. Les questions étaient les suivantes : comment réintroduire la jeune fille dans la vie du héros à un moment où il n'est préoccupé que par les Guermantes ? comment adapter à ce rebondissement la structure rigide constituée par les trois scènes mondaines : la matinée chez Mme de Villeparisis, le dîner Guermantes et la soirée chez la princesse de Guermantes ?

Les documents dont nous disposons permettent d'étudier les solutions successives adoptées par Proust. Dans le sommaire qui figure dans l'édition originale de *Du côté de chez Swann*, en 1913, Albertine n'apparaît que mêlée aux jeunes filles dans le troisième volume prévu, *Le Temps retrouvé*, mais en réalité, dans les esquisses contemporaines de ce sommaire, elle s'appelle encore Maria.

C'est à *Jean Santeuil* que Proust emprunte le scénario du retour d'Albertine : une jeune fille, Valentine, qui séjourne dans l'appartement du héros, refuse, un soir qu'il lui a rendu visite dans sa chambre, de se laisser embrasser. Cette dérobade est précédée par un jeu équivoque au cours duquel la jeune fille masse le poignet du héros et éveille en lui l'espoir de posséder moins le corps de Valentine que les différents « moi » qu'elle lui révèle en cet instant[1]. Dans *À la recherche du temps perdu*, la scène est divisée en deux parties : le baiser est refusé par Albertine à Balbec, dans *À l'ombre des jeunes filles en fleurs* ; les jeux excitant le désir se retrouvent dans *Le Côté de Guermantes II*, lors de la première visite d'Albertine.

---

1. *Jean Santeuil*, Bibl. de la Pléiade, p. 837-842.

En 1913-1914, un aide-mémoire noté sur le folio 28 r° du Cahier 13 témoigne des premiers remaniements envisagés par l'auteur. Nous sommes déjà loin du sommaire publié avec *Du côté de chez Swann* quelques mois plus tôt :

« 2ᵉ année à Balbec. Les filles. Je fais leur connaissance par le peintre. Je m'amourache [de Maria *biffé*] [d'Albertine. Est-ce que je pourrai vous voir à Paris ? Difficile *corr.*]. Gentillesse [d'Andrée *add.*] Jeux de furet. Espoir. [Déception *add.*] Scène du lit. Déception définitive. Désirs disponibles se retournent vers Andrée. Profite peut-être de sa gentillesse pour avoir prestige pour Albertine. Renoncement à Andrée. Paris Mme de Guermantes. [Mort de ma grand-mère. *biffé*] [visite chez Mme de Villeparisis *corr.*] Monsieur ne sait pas qui est venu ? Mlle Albertine. Mort de ma grand-mère. Montargis et Mlle de Silaria. Visite d'Albertine où elle me chatouille. L'Île du bois. Soirée chez Mme de Villeparisis. Milieu Guermantes. Vie maladive. Invitation chez la p < rin > cesse de Guermantes. Je me promets de faire signe à Albertine ce soir-là. »

On remarque qu'Albertine se substitue à Maria et que Proust hésite encore sur la place à donner à l'épisode de la mort de la grand-mère. Mais un point est déjà sûr : la réapparition d'Albertine sera liée à un projet de soirée chez Mlle de Silaria. On retrouve ce schéma, épuré, dans le Cahier 46 :

« 1ᵉʳ chapitre. Douleur de la mort de ma grand-mère. Les Filles. Désir de vivre avec Albertine. Elle veut sonner, je ne pense plus à elle.
2ᵉ chapitre, retour à Paris. Soirée chez Mme de Villeparisis. Mme de Guermantes. Retour de cette soirée : première réapparition d'Albertine [...] Visite chez les Guermantes. Visite d'Albertine après une assez longue absence d'elle. Reste très longtemps. Caresses. Regard méfiant de Françoise. Promenade à Saint-Cloud. Soirée chez la princesse de Guermantes, retour, attente d'Albertine, mieux vaut tard que jamais[1]. »

Le problème structural semble ici résolu : chacune des trois grandes scènes mondaines est suivie d'une visite d'Albertine. Mais ce strict parallélisme était peut-être trop artificiel pour subsister, et, avant d'entreprendre en 1916 la mise au net du manuscrit du *Côté de Guermantes II*, Proust imagina d'autres scénarios. Dans l'un d'eux, Albertine passe l'été à Balbec sans le narrateur, retenu à Paris par sa maladie. Les visites de la jeune fille peuvent ainsi durer tout l'hiver suivant. Mais l'intervalle séparant la matinée chez Mme de Villeparisis du dîner chez les Guermantes devient si long qu'il compromet la vraisemblance de l'initiation mondaine. Proust tenait à situer la deuxième visite — où le narrateur demande à Albertine de l'accompagner à l'île du Bois — vers la fin de la saison. Un premier développement introduit Albertine dans l'appartement parisien

1. F° 1 r°.

pendant que le héros se rase[1]. Préoccupé par la soirée qu'il doit passer avec Mme de Silaria le jour même, il n'éprouve pas plus de plaisir à contempler les joues d'Albertine que si elles avaient été « de cire ». Aucun jeu équivoque, aucun baiser. La seule joie ressentie est bien vite oubliée lors de la promenade au Bois et le développement se termine par une méditation sur la vie amoureuse du narrateur, qui se rattache à la description du salon de Mme de Guermantes, peuplé des femmes-statues aimées par son mari : la mémoire du narrateur est comme un atelier, jonchée des ébauches de grandes amours abandonnées.

Abandonnées, car les tentations diverses que représentent, au début du second chapitre, Mme de Guermantes ou Mme de Stermaria[2] seront supplantées bientôt par une passion exclusive. Mme de Stermaria ne viendra pas à l'île du Bois, et la mère du narrateur a guéri celui-ci de son amour pour Mme de Guermantes[3].

Des trois désirs enchevêtrés, seul celui qui est satisfait ne s'éteindra pas à la fin du *Côté de Guermantes II*. Il y a là une contradiction assez importante avec toute la philosophie proustienne qui veut qu'un objet soit d'autant plus recherché qu'il se dérobe. Or, Albertine ne se dérobe plus. Et pourtant, c'est dans ces pages qui voient la fin de deux amours que se noue de façon irrémédiable le lien étrange qui attachera la jeune fille au narrateur. Sans doute sommes-nous prévenus d'emblée : « Et je dois seulement ici regretter de n'être pas resté assez sage pour avoir eu simplement ma collection de femmes comme on en a de lorgnettes anciennes, jamais assez nombreuses derrière la vitrine où toujours une place vide attend une lorgnette nouvelle et plus rare[4] », écrit Proust. Ce que le narrateur appelle ici « n'être pas resté assez sage » est en réalité impuissance à lutter contre les arrêts du destin, et s'il n'a pu constituer une « collection de femmes », ce n'est certes pas faute de l'avoir d'abord souhaité[5].

Les commentaires du narrateur se remémorant le jour d'automne où Albertine fit son entrée dans sa chambre sont l'occasion d'une de ces mises au point qui reviennent périodiquement dans *À la recherche du temps perdu*, à chaque articulation du récit, et qui sont à la fois résumé et conclusion des épisodes précédents, et prélude à un nouveau départ de l'action ou à quelque coup de théâtre — la plupart du temps annoncé par des signes avant-coureurs, par des réflexions de l'auteur qui montre ainsi que l'événement a une importance secondaire et que seul compte l'enseignement que l'on peut en tirer, que la narration est subordonnée à la démonstration

1. Voir var. *a*, p. 1221.
2. Tel est, dans le texte définitif, le nom de la jeune femme avec qui le narrateur doit dîner à l'île du Bois.
3. P. 666.
4. P. 648.
5. Au demeurant, le lecteur apprendra dans *Albertine disparue* que le narrateur a eu d'autres maîtresses, nombreuses, et que « c'est le malheur des êtres de n'être pour nous que des planches de collections fort usables dans notre pensée » (t. IV de la présente édition).

philosophique[1]. Ainsi, Proust introduit son lecteur aux principaux thèmes qui vont être développés dans la suite de l'œuvre : le temps et l'amour, liés ici au personnage d'Albertine. « Elle semblait une magicienne me présentant un miroir du temps », écrit-il[2]. Ce n'est certes pas la première fois que le narrateur a le sentiment du passage des jours et déjà, dans *À l'ombre des jeunes filles en fleurs*, Proust notait : « mon père venait tout d'un coup de me faire apparaître à moi-même dans le Temps[3] ». Mais dans les deux cas, il est trop tôt pour que le narrateur consacre toutes ses forces à voir ce qu'il y a « derrière le miroir ». La jeune fille qui le lui présente suffirait d'ailleurs à le détourner de ce projet s'il le concevait : elle est une figure vivante de l'amour sensuel.

Une fois amorcé le retour d'Albertine dans la vie du narrateur, Proust doit reprendre le fil de l'initiation mondaine, interrompu par les six mois de deuil et par la première visite de la jeune fille. La transition entre l'univers solitaire du héros et le monde des salons va se faire par l'entremise de Saint-Loup et par l'évocation du « soir de l'amitié ». Les premières esquisses de cet épisode figurent dans le Cahier 48, qui fut rédigé, semble-t-il, à la même époque que les Cahiers 41, 42 et 43, en 1910 et 1911[4].

Le leitmotiv unissant les rédactions successives est le brouillard, dont la poésie magique rappelle les journées de Doncières et les développements sur l'univers féerique dans lequel vivent les Guermantes. Ainsi, la description d'un phénomène météorologique permet de replonger le lecteur dans une atmosphère mystérieuse — celle du faubourg Saint-Germain — et d'éloigner pour un temps le souvenir du visage d'Albertine, trop réel pour retenir longtemps l'imagination qui n'a pas encore fourni son travail de cristallisation.

Après que Mme de Stermaria s'est décommandée, le narrateur pleure, sur les tapis enroulés de sa salle à manger. C'est alors que survient Saint-Loup et que la joie de revoir un ami dissipe la douleur éprouvée devant le bonheur qui s'enfuit. L'amitié, qui se présente ici comme un succédané de l'amour, pouvait-elle inspirer à Proust des pages enthousiastes ? Alors même que ce sentiment atteint, dans le roman, son apogée, il est accompagné par sa plus implacable condamnation.

Dans le geste de Saint-Loup courant sur les banquettes de velours rouge pour venir porter un manteau au narrateur, on a voulu voir un acte d'une grande noblesse et une inestimable preuve d'amitié. Proust, d'habitude très méfiant à l'égard de ce sentiment qui est « si

1. « Je peux le dire ici, bien que je ne susse pas alors ce qui ne devait arriver que dans la suite » (p. 647). Cette surprenante réflexion tautologique est destinée à présenter des révélations sur la suite de l'œuvre. Dès cet instant, le lecteur attentif sait que le Narrateur vivra avec Albertine et qu'il connaîtra la jalousie.
2. P. 646.
3. T. I de la présente édition, p. 474.
4. Voir l'Esquisse XXX, p. 1223.

peu de chose[1] », semblait néanmoins partager cet avis, puisque la scène est déjà présente dans *Jean Santeuil*[2], où Bertrand de Réveillon court sur les tables pour rejoindre Jean.

« Il n'y a aucune clé pour Saint-Loup, écrit-il à Robert de Montesquiou en avril 1921, mais dans un passage non encore publié du livre [...] je me suis souvenu d'une promenade sur les banquettes d'un café, promenade exécutée par mon pauvre ami Bertrand de Fénelon[3], qui a été tué en 1914[4]. » L'« exploit » sportif semble avoir été répété plus tard par Jean Cocteau chez Larue, comme le suggèrent ces vers attribués à Proust :

> *Afin de me couvrir de fourrure et de moire*
> *Sans de ses larges yeux renverser l'encre noire*
> *Tel un sylphe au plafond, tel sur la neige un ski*
> *Jean sauta sur la table auprès de Nijinsky*[5].

L'acte lui-même paraît bien peu héroïque : si Proust y attachait tant d'importance, c'est sans doute à cause de l'affection qui le liait à Bertrand de Fénelon. Mais il n'est pas dupe : ce qui émeut le narrateur, c'est moins le témoignage d'une amitié que le fait que cette amitié soit celle d'un jeune aristocrate, et que le manteau appartienne au prince de Foix. Le narrateur, accueilli avec peu d'égards par le patron et les garçons du restaurant, puis traité avec servilité, quand on s'aperçoit qu'il est en compagnie de jeunes gens chic, savoure son triomphe. C'est la revanche du jeune bourgeois sur son destin ; il est accepté par ce monde dans lequel il rêvait d'entrer ; bien plus, il est adopté et fêté. Aussi cette amitié n'est-elle pas sans mélange : « Pour [Saint-Loup], comme pour moi, ce fut le soir de l'amitié. Pourtant celle que je ressentais en ce moment (et à cause de cela non sans quelque remords) n'était guère, je le craignais, celle qu'il lui eût plu d'inspirer. Tout rempli encore du plaisir que j'avais eu à le voir s'avancer au petit galop et toucher gracieusement au but, je sentais que ce plaisir tenait à ce que chacun des mouvements développés le long du mur, sur la banquette, avait sa signification, sa cause, dans la nature individuelle de Saint-Loup peut-être, mais plus encore dans celle que, par la naissance et par l'éducation, il avait héritée de sa race[6]. »

Encore une fois, c'est sous la surface que Proust va lire le véritable sens de l'anecdote. Il n'a que faire de la beauté morale du geste. Ce qui l'intéresse, c'est de retrouver le caractère aristocratique de son ami, c'est de découvrir « un plaisir qui n'est pas du tout [...]

1. P. 688.
2. Éd. citée, p. 452.
3. Bertrand de Réveillon dans *Jean Santeuil*.
4. *Correspondance générale*, éd. citée, t. I, p. 281-282.
5. Marcel Proust, « Poèmes » présentés et annotés par Claude Francis et Fernande Gontier, *Cahiers Marcel Proust*, n° 10, p. 147. Philip Kolb estime que ces vers ont en réalité été écrits par Cocteau lui-même, « pour faire croire que Proust l'avait pris comme modèle pour la scène du restaurant » (*Correspondance*, t. XII, p. 223).
6. P. 706.

un plaisir d'amitié, mais un plaisir intellectuel et désintéressé, une sorte de plaisir d'art[1] ».

Ces mêmes plaisirs accompagnent le narrateur jusqu'au seuil du salon de la duchesse de Guermantes où il est enfin reçu : le duc possède en effet plusieurs tableaux d'Elstir, et leur contemplation suscite d'importantes réflexions sur l'art, qui rejoignent, par certains aspects, celles qui seront exposées dans *Le Temps retrouvé*. La collection de peintures est en réalité une collection de « moi » successifs : des toiles datant d'époques différentes de la vie du peintre sont juxtaposées. Elles témoignent à la fois d'une unité, d'une identité de création, et d'une évolution stylistique, et donc du passage du temps, constitué par une suite d'instants. L'un de ces instants est dit « réaliste ». Un autre se rapproche de l'impressionnisme. Un dernier, appartenant en vérité à la première manière symboliste d'Elstir, est représenté par plusieurs aquarelles à sujets mythologiques. Et pourtant, « les parties du mur couvertes de peintures de lui, toutes homogènes les unes aux autres, étaient comme les images lumineuses d'une lanterne magique[2] ». Le narrateur saura retenir cette leçon qui ne vaut pas seulement pour l'œuvre d'un artiste admiré, mais aussi, et surtout, pour la vie même. L'esthétique de la lanterne magique permettra d'expliquer et de relier entre elles les différentes images offertes par la fée qui s'incarne en Mme de Guermantes, par l'insaisissable Albertine ou, plus tard, par les visages méconnaissables des participants du « bal de têtes ».

De toutes les réceptions mondaines d'*À la recherche du temps perdu*, le dîner chez Mme de Guermantes est peut-être la moins vivante — non la moins significative. En dépit de tant de noms illustres cités par le duc — ou à cause d'eux —, malgré tant de traits spirituels, l'épisode abandonne la satire, les portraits-charges, les litanies de « cuirs » et de gaffes qui constituent l'essentiel des scènes mondaines du roman de Proust. Le narrateur néglige un peu de décrire les convives, le dîner, le repas, de rapporter les conversations, pour s'intéresser au « génie des Guermantes » dont une définition était déjà esquissée dans le Cahier 5, dès 1908[3]. Ce nouveau salon qui nous est présenté est en effet conçu comme un écrin dans lequel doit seul se distinguer le couple formé par le duc et la duchesse. Les invités ne sont ici que des faire-valoir. Aussi dîner passe-t-il au second plan pour laisser la place à des réflexions sur la famille Guermantes, qui, pour être mieux définie dans sa spécificité, est opposée à la famille Courvoisier.

Il existe en effet un « génie des Guermantes » dont la meilleure manifestation est cet esprit d'Oriane que Proust s'est proposé de définir et d'illustrer après avoir relu Saint-Simon. « Ce qui m'avait poussé à écrire comme un pensum tant de répliques de la duchesse de Guermantes et à rendre cohérent, toujours identique, l'esprit des

1. P. 707-708.
2. P. 712.
3. Voir l'Esquisse II, p. 1025 et suiv.

Guermantes », écrit-il à Paul Souday le 17 juin 1921, « c'était la déception que j'avais eue en voyant Saint-Simon nous parler toujours de "l'esprit de Mortemart", du "tour si particulier" à M. de Montespan, à M. de Thianges, à l'abbesse de Fontevrault, de ne pas trouver un seul mot, la plus légère indication qui permît de savoir en quoi consistait cette singularité de langage propre aux Mortemart. Ne pouvant reconstituer dans le passé "l'esprit des Mortemart", je fis la gageure d'inventer "l'esprit des Guermantes[1]". »

Le long portrait de la famille Guermantes est un véritable traité d'anthropologie sociale. Jamais, peut-être, écrivain n'a su présenter à son lecteur un ensemble de personnes, unies par les liens du sang, avec tant de science du détail et de génie de la généralisation. Nous suivons une véritable démonstration logique, parfaitement structurée, dont on peut ainsi résumer les principaux arguments : l'auteur ne se contente pas du postulat de Saint-Simon ; les Guermantes sont certes « plus précieux et plus rares[2] » que les autres aristocrates, mais Proust réussit le tour de force de démontrer l'axiome. Les caractéristiques physiques de la famille sont passées en revue : « qualité de chair, de cheveu, de transparent regard, [...] manière de se tenir, de marcher, de saluer, de regarder avant de serrer la main[3] », etc. Puis leurs spécificités intellectuelles sont mises en lumière : les Guermantes prétendent placer au-dessus de tout l'intelligence et affectent de « ne faire aucun cas de la noblesse ». Autre caractéristique : l'art de marquer les distances, partagé avec les Courvoisier mais allié chez eux à la faculté de recourir parfois à l'amabilité vraie et spontanée. Puis, tel le naturaliste, Proust définit dans la famille Guermantes deux sous-espèces comprenant ceux qui sont « plus particulièrement intelligents », et ceux qui sont « plus particulièrement moraux[4] ». Affinant enfin son analyse, il étudie le cas de la duchesse, plus typique, et donc plus révélateur du « génie de la famille », en cela qu'Oriane est deux fois Guermantes : par sa naissance et par son mariage. Elle se distingue par son esprit, qu'elle place au-dessus de l'intelligence, c'est-à-dire au sommet de la hiérarchie des valeurs.

Mme de Guermantes a pour habitude de prendre le contre-pied des usages, des goûts et des jugements de son époque et de son milieu. Son snobisme s'exprime par le paradoxe. La discussion qui suit l'exposé de Proust sur la famille offre plusieurs exemples de cette faculté qu'a la duchesse de surprendre son auditoire, de provoquer un « effet de suffocation[5] ». Ainsi, alors que tout le monde se précipite au bal travesti donné par le nouveau ministre de Grèce,

1. *Correspondance générale*, éd. citée, t. III, p. 95. Voir aussi p. 83, où Proust indique à Souday, dans une lettre du 8 octobre 1920, qu'il n'a pu trouver d'exemple de cet « esprit des Guermantes » que chez « une femme non "née", Mme Straus ».
2. P. 730.
3. P. 731.
4. P. 733.
5. P. 789.

Oriane déclare qu'il est plus agréable « de rester au coin de son feu[1] ». Quand il est chic d'arriver au théâtre pour le dernier acte et de prendre place dans une loge, la duchesse est assise dès le début de la pièce, à l'orchestre[2]. S'il est de bon ton de déprécier Wagner ou le très dreyfusard Zola, Mme de Guermantes trouve que le premier a du génie[3] et que le second n'est pas un réaliste, mais un poète[4]. Dans sa singularité, la duchesse rejoint cependant la famille dont elle est issue (c'est ce qu'il fallait démontrer), et _Le Côté de Guermantes II_ apparaît ici comme une répétition des commentaires de Proust sur la jeunesse de Mme de Villeparisis et sur sa déchéance mondaine due à une intelligence et à un esprit trop vifs. C'est ainsi que, dans _Le Temps retrouvé_, Mme de Guermantes connaîtra le même destin que la tante qui l'a éduquée : en « sacrifiant sans doute à ce besoin héréditaire de nourriture spirituelle qui avait fait la décadence sociale de Mme de Villeparisis, elle était devenue elle-même une Mme de Villeparisis[5]. »

Malgré les observations qu'il a pu faire, le narrateur repart déçu de la soirée chez Mme de Guermantes : « Chacun des convives du dîner, affublant le nom mystérieux sous lequel je l'avais seulement connu et rêvé à distance, d'un corps et d'une intelligence pareils ou inférieurs à ceux de toutes les personnes que je connaissais, m'avait donné l'impression de plate vulgarité que peut donner l'entrée dans le port danois d'Elseneur à tout lecteur enfiévré d'_Hamlet_[6]. » Seules les considérations généalogiques de M. de Guermantes ont eu quelque charme à ses yeux. Dans les noms des ancêtres du duc, il a revu Combray, il a retrouvé l'histoire de France, il a aperçu les siècles lointains dans lesquels, au début du _Côté de Guermantes I_, il situait Mme de Guermantes.

Après ce dîner, le rêve du narrateur est détruit à jamais, mais sa poésie subsiste : elle peut être ressuscitée à tout instant, elle est une conquête de l'intelligence — cette intelligence tant prisée des Guermantes — qui analyse, qui dévoile, cette intelligence qui a su découvrir entre les noms cités par le duc, si éloignés les uns des autres en apparence, mais reliés par un fil continu — le Temps —, des rapports secrets. Proust retrouve ici sa conception du style qui est célébration de la métaphore et qui s'applique aussi bien aux expériences de l'écriture qu'à celles de la mémoire involontaire, du monde des salons ou de la cristallisation amoureuse : « On peut faire se succéder indéfiniment dans une description les objets qui figuraient dans le lieu décrit, la vérité ne commencera qu'au moment où l'écrivain prendra deux objets différents, posera leur rapport,

1. P. 767.
2. P. 769.
3. P. 781.
4. P. 789.
5. T. IV de la présente édition.
6. P. 821.

analogue dans le monde de l'art à celui qu'est le rapport unique de la loi causale dans le monde de la science, et les enfermera dans les anneaux nécessaires d'un beau style ; même, ainsi que la vie, quand, en rapprochant une qualité commune à deux sensations, il dégagera leur essence commune en les réunissant l'une et l'autre pour les soustraire aux contingences du temps, dans une métaphore[1]. » C'est ce rapprochement qu'opère le duc de Guermantes quand il énumère ses ancêtres : le nom de Guermantes n'est plus que la métaphore de tous les êtres qui se sont incarnés en lui et des rêves qu'il a suscités, dont le rapprochement éveille l'émotion. Il est tant de visages, tant d'existences dont seul un nom garde le souvenir et qu'il faut évoquer, comme les jours de Combray, comme les jours de Balbec, pour retrouver le temps, sa profondeur et sa pérennité.

Le Côté de Guermantes aurait pu se refermer après le dîner chez la duchesse. Tout ce que l'imagination suggérait dans l'ouverture du *Côté de Guermantes I* a été démenti par l'expérience ; le narrateur en fait d'ailleurs le bilan en opposant les rêves qu'il avait conçus, lors de son installation dans un nouvel appartement, à la réalité qu'il a découverte. Le paillasson du vestibule de l'hôtel des Guermantes, qu'il avait cru être le seuil du faubourg Saint-Germain[2], n'est en fait que « le terme du monde enchanté des noms[3] ». Seule la présence du jeune bourgeois a empêché la célébration d'un de ces mystères sacrés dont il s'était imaginé que le salon de la duchesse était le temple[4]. Quant aux invités qu'il se figurait comme les apôtres de la Sainte-Chapelle[5], ils communient seulement dans « une sorte de Cène sociale[6] ». Toutefois, malgré ces désillusions, le narrateur n'a décrit les Guermantes que de l'extérieur. Il n'est encore qu'un observateur. Il lui reste à devenir un habitué.

Si *Le Côté de Guermantes*, comme bien des romans, est le récit d'une quête, il se distingue en cela que l'objet désiré, même quand il est touché, apparaît comme un but insignifiant et indigne de la poursuite qu'il a inspirée. C'était déjà l'erreur de Swann s'apercevant qu'il avait gâché des années de sa vie « pour une femme qui ne [lui] plaisait pas, qui n'était pas [son] genre[7] ». Il faut alors partir à l'assaut d'autres illusions, se forger de nouvelles chimères. Car ce qui est « inattingible » — le mot est de Proust dans *Albertine disparue* —, ce n'est pas l'objet du désir, c'est sa permanence. Entraîné sur une voie où le temps ne peut se figer, le narrateur s'apprête à poursuivre d'autres rêves, mais aussi — et c'est en cela que le dîner chez Mme de Guermantes marque la fin d'un âge d'or pour le héros — d'autres cauchemars : les dernières pages du *Côté de Guermantes* sont destinées

---

1. *Le Temps retrouvé*, t. IV de la présente édition.
2. Voir *Le Côté de Guermantes I*, p. 330.
3. P. 831.
4. Voir p. 832.
5. Voir *Le Côté de Guermantes I*, p. 331.
6. P. 802.
7. Voir *Du côté de chez Swann*, t. I de la présente édition, p. 375.

à annoncer ces orages qui vont se déchaîner dès *Sodome et Gomorrhe*[1] : la Passion homosexuelle du baron de Charlus, la cruauté absolue du monde révélée dans l'épisode des souliers rouges, puis l'amour suspicieux, la jalousie, la mort.

Le Côté de Guermantes II est-il donc un volume purement négatif, à la fin duquel le narrateur, ayant perdu la faculté d'émerveillement de l'enfance et de l'adolescence, n'aurait plus qu'à adopter l'attitude cynique du mondain ? Il n'est pas d'expérience inutile. Ces années qui semblent perdues ont permis au héros d'amorcer une réflexion sur le Livre, sur ses rapports avec le Temps et sur leur écriture mensongère. Certains textes jalonnent, par leur présence invisible, la route de la vocation : *François le Champi*, les romans de Bergotte, dans « Combray » ; dans *Le Côté de Guermantes*, les *Mémoires* de Saint-Simon et de Mme de Boigne ; dans *Le Temps retrouvé*, le *Journal* des Goncourt, et *François le Champi*, lu d'une manière nouvelle. Dans *Le Côté de Guermantes I*, les Mémoires de Mme de Villeparisis se situent entre le bluff posthume et l'œuvre d'un écrivain mineur. Dans *Le Côté de Guermantes II*, les livres de Bergotte, découverts à Combray, meurent lentement pendant l'agonie de la grand-mère. Le dîner chez Mme de Guermantes met en scène l'attitude mensongère de Sainte-Beuve et de Mme de Boigne, déjà révélée dans *Le Côté de Guermantes I* lors de la matinée chez Mme de Villeparisis. Les passages de critique littéraire, attribués à la duchesse et à ses invités, sont une *reductio ad absurdum* d'une conception de l'écriture qui subordonne l'art aux surfaces et aux apparences. Les conversations, les jugements politiques, les fausses créations du duc et de la duchesse, les créations mondaines de Charlus — qui, lui, associe l'art à la séduction —, sont l'illustration d'une conception fausse du Livre.

Qu'est-ce donc que la littérature ? Dans *Le Temps retrouvé*, le narrateur répondra, après la lecture du *Journal* inédit des Goncourt, qu'elle est « magie illusoire[2] », qu'aucun livre ne saurait capter les impressions du passé. Toutefois, cette conclusion pessimiste, et provisoire, n'est guère éloignée de celle qui, déjà, est formulée dans *Le Côté de Guermantes* : « On s'ennuie à dîner parce que l'imagination est absente, et parce qu'elle nous y tient compagnie, on s'amuse avec un livre. Mais c'est des mêmes personnes qu'il est question[3]. » Ces mêmes personnes qui, évoquées par Goncourt, prendront un prestige que le narrateur n'avait pas su déceler, quand il les fréquentait.

Sans la réflexion amorcée dans *Le Côté de Guermantes*, le renouveau du *Temps retrouvé* serait incompréhensible. Car il faut que le livre meure pour renaître, et il faut que le temps se perde pour être un

---

1. Cette annonce était d'autant plus indispensable que, dans l'édition originale de 1921, *Sodome et Gomorrhe* était imprimé à la suite du *Côté de Guermantes II*, dans le même volume.
2. T. IV de la présente édition.
3. P. 857.

jour recherché. Dans *Le Côté de Guermantes*, le livre et le temps sont également présents. Mais rien ne les relie encore.

THIERRY LAGET et BRIAN ROGERS.

NOTE SUR LE TEXTE

I. MANUSCRIT

Le manuscrit du *Côté de Guermantes II* est composé de trois cahiers, rédigés entre 1916 et 1919[1], et correspond au second chapitre du roman. Il est la refonte et le montage de la version suivie[2] des Cahiers 41, 42 et 43, rédigés en 1910 et 1911, et des développements fragmentaires de 1913 et 1914 contenus dans les Cahiers 48 et 46.

Le premier de ces trois cahiers s'ouvre sur une note de Proust :

« N.B. Après la fin de Balbec (c'est-à-dire ce qui vient de finir, très transformé) vient le deuxième Cahier d'épreuves commençant par "À l'âge où les noms...", comprenant le séjour à Paris, la soirée à l'Opéra-Comique, la fugue à Doncières, la visite chez Mme de Villeparisis, puis les feuilles copiées à la machine sur la mort de ma grand-mère. Après la fin de la mort de ma grand-mère le livre continue par ce qui se suit de ce cahier-ci[3]. »

Ainsi, le manuscrit a servi de copie à l'imprimeur et il n'a jamais existé de dactylographie complète du *Côté de Guermantes II.*

II. DACTYLOGRAPHIE

Les « feuilles copiées à la machine sur la mort de ma grand-mère » dont parle Proust dans la note citée plus haut sont le document déjà évoqué dans la « Note sur le texte » du *Côté de Guermantes I* : le volume N.a.fr. 16737[4]. Cette dactylographie est la seule dont nous disposions pour *Le Côté de Guermantes II* et elle ne concerne que le premier chapitre.

III. ÉPREUVES

Dans une lettre de juin 1921 à Robert de Montesquiou, Proust affirme que son livre a « été "tiré" directement sur de vieux

1. N. a. fr. 16705, 16706 et 16707.
2. Voir la Notice du *Côté de Guermantes I*, p. 1494 et suiv.
3. N. a. fr. 16705, f° 1. Voir var. *a*, p. 641.
4. Voir p. 1519.

brouillons[1] ». Si la formule est plus qu'exagérée, il n'en est pas moins vrai que les imprimeurs du *Côté de Guermantes II* ont composé le texte des premiers placards à partir d'une dactylographie très chaotique pour le premier chapitre, et d'un manuscrit plus ou moins cohérent pour le second.

Nous disposons de trois jeux de placards imprimés en 1919-1921 pour le compte des Éditions de la Nouvelle Revue française.

— Les premiers placards (N.a.fr. 16763) ont été composés en août et septembre 1919 et corrigés par Proust[2].

— La Bibliothèque nationale possède deux jeux incomplets des deuxièmes placards. Le premier, relié à la suite des premiers placards (N.a.fr. 16763) ne contient que les placards 25 à 30, corrigés de la main de Proust. Le second (N.a.fr. 16764 ; placards 28 à 48) n'a pas été corrigé.

— Un troisième jeu (N.a.fr. 16765), datant de la fin de 1920, fut renvoyé à l'imprimeur en janvier 1921[3].

Le dernier jeu, sur lequel figurait le « bon à tirer », ne nous est pas parvenu. Il fut composé en février 1921[4]. Jacques Rivière a aidé Proust à le corriger — ce travail fut achevé le 20 avril 1921[5].

Pendant la correction des placards du *Côté de Guermantes*, Proust a noté, dans les Cahiers 60, 61 et 62[6], des idées qu'il se proposait de développer ou des « mots » qu'il souhaitait placer dans la bouche de ses personnages. Ces Cahiers lui servirent également de brouillons pour les ajouts qu'il intégrait à son roman. Nous citons quelques-uns de ces textes fragmentaires dans les variantes.

IV. PRÉPUBLICATIONS

Outre la fin du chapitre consacré à la mort de la grand-mère du narrateur, paru dans *La Nouvelle Revue française* du 1er juillet 1914[7], plusieurs extraits du *Côté de Guermantes II* furent donnés à des revues avant la publication du roman :

— « Une agonie », *NRF*, 1er janvier 1921. Ce texte correspond aux pages 609-610, 612-614, 616-621, 625-628 et 630-641 de ce volume.

— « Un baiser », *NRF*, 1er février 1921. (Pages 641-663, 664-665 de ce volume.)

---

1. *Correspondance générale*, éd. citée, t. I, p. 287. Dans une lettre à Sydney Schiff, datée du 16 juillet 1921, Proust précise : « Le livre en question, je n'ai pas été en état d'en corriger une seule épreuve, et ce sont les directeurs de la *Revue* qui gentiment ont chez eux corrigé mon brouillon et donné directement le bon à tirer sans que je m'en mêle. » (*ibid.*, t. III, p. 26.)

2. La date du « 19 août » figure sur le folio 28 et celle du « 29 septembre » sur le folio 45. Sur le terme de « placard », voir p. 1520.

3. Voir M. Proust-J. Rivière, *Correspondance*, Gallimard, 1976, p. 155-157.

4. *Ibid.*, p. 160.

5. *Ibid.*, p. 170.

6. N. a. fr. 16700 à 16702.

7. Voir la Note sur le texte du *Côté de Guermantes I*, p. 1519.

— « Une soirée de brouillard », *La Revue hebdomadaire*, XXX, t. 2, n° 9, 26 février 1921. (Pages 687-690, 690-691, 692-697, 699-704, 704-706, 706-708 de ce volume.)

V. ÉDITION ORIGINALE

L'achevé d'imprimer du *Côté de Guermantes II* est daté du 30 avril 1921 (Imprimerie Louis Bellenand, Fontenay-aux-Roses, pour le compte des Éditions de la Nouvelle Revue française). Le volume compte 282 pages, mais les 28 dernières sont occupées par *Sodome et Gomorrhe I*.

VI. EXEMPLAIRE CORRIGÉ

De même que pour *Le Côté de Guermantes I*, on dispose pour *Le Côté de Guermantes II* d'un exemplaire (2ᵉ édition[1]) ayant été revu par Proust. Les corrections autographes, au nombre d'une trentaine, ne portent, dans la plupart des cas, que sur des points mineurs de cohérence grammaticale ou stylistique.

VII. ÉTABLISSEMENT DU TEXTE

Notre texte de référence est celui de l'édition originale du *Côté de Guermantes II* de 1921. Nous nous sommes toutefois permis de le corriger dans les cas suivants :

Lorsque la leçon qu'il donne est incohérente ou absurde, nous avons eu recours aux états antérieurs, notamment aux troisièmes placards sur lesquels Proust a noté de nombreuses corrections qui ne sont pas passées dans l'édition originale. Nous nous interdisons d'intégrer ces corrections dans le texte définitif si celui-ci est sensé. Le hasard participe aussi à la création d'un roman ; la mauvaise volonté ou la nonchalance des typographes, lassés par des additions parfois difficilement déchiffrables, a été en quelque sorte acceptée par Proust qui, sachant son texte imparfait, a pourtant signé le bon à tirer. Le lecteur qui souhaite admirer ces quelques trésors négligés des troisièmes placards se reportera aux variantes où ils sont entreposés.

Quand l'exemplaire du *Côté de Guermantes II* appartenant à Proust a été corrigé par lui, nous introduisons les modifications dans le texte, à condition qu'elles n'apportent pas de nouvelles incohérences. Mais nous ne signalons les leçons de l'édition corrigée que lorsque le texte y est en effet corrigé. Dans les autres cas, le lecteur pourra déduire qu'elles sont identiques à celles de l'édition originale.

---

1. Il n'y a aucune variante entre le texte imprimé de cette deuxième édition et l'édition originale.

SIGLES UTILISÉS

ms.	Manuscrit
dactyl.	Dactylographie de la mort de la grand-mère
plac. 1	Premiers placards corrigés
plac. 2	Deuxièmes placards corrigés (placards 25 à 30 ; volume N.a.fr. 16763)
plac. 3	Troisièmes placards corrigés
orig.	Édition originale
orig. b	Exemplaire corrigé par Proust

NOTES ET VARIANTES

Page 609.

a. La note suivante fait son apparition dans orig. : Divers fragments de cet ouvrage ont été publiés en diverses revues. Le lecteur les retrouvera ici dans une version entièrement nouvelle. *Avant la division du « Côté de Guermantes » en deux parties, en mars 1920 (voir la Notice du « Côté de Guermantes I », p. 1506), seul un alinéa séparait la fin du « Côté de Guermantes I » et le début du « Côté de Guermantes II » actuels. L'indication* CHAPITRE PREMIER *et le sommaire en italique furent ajoutés sur plac. 3.* ◆◆ *b. Sur orig. b, Proust a souligné les mots* confiance *et* confiés *, sans doute pour indiquer une répétition qu'il se proposait de supprimer. Pour la leçon de la dactylographie, voir var. c.* ◆◆ *c. Nous retraversâmes [1ʳᵉ ligne de la page]* l'avenue Gabriel *[jusqu'à ce que nous eussions un fiacre.* biffé *] [, au milieu de la foule [comme dans le texte définitif, avec lég. var.] de ce* corr.*] dactyl. À partir de* néant *, et jusqu'à* quand nous *[p. 611, var. b], la dactylographie est remplacée par une page de la « Nouvelle Revue française » que Proust a collée sur le folio 72 et qui est extraite de la version de la mort de la grand-mère publiée en juillet 1914 dans cette revue¹. Il s'agit de la page 118. Elle remplace un passage barré dont le début est encore lisible sur le folio 71 :* La mort, sa première apparition, suit en nous un chemin si obscur, si invisible à nous, qu'elle se produit au milieu d'une journée pleine de petits projets particuliers et semblables à ceux qu'on a d'habitude. On a hésité sur le choix d'un mantelet, comme s'il ne devait rien se produire de particulier, on n'a pas voulu manquer sa promenade comme s'il ne devait rien s'y produire de particulier, on a pris une voiture découverte comme d'habitude, on ne savait pas ce qu'on amenait *La suite est cachée par la page collée de la revue.*

Page 610.

a. pour comble de malheur [mon habit *biffé orig. b*] [un de mes deux habits noirs *corr. orig. b*] a été déchiré *plac. 3, orig., orig. b. Pour les leçons des états antérieurs à plac. 3, voir var. b.* ◆◆ *b.* serait bientôt. *[p. 609, fin de l'avant-dernier §] /* Nous disons bien *dactyl., plac. 1 :* serait bientôt. / [« Monsieur, je ne dis pas, *[comme dans le texte définitif, avec lég. var.]* avec méfiance *add.*] / Nous disons bien *plac. 2*

1. T. XII, nᵒ 67, p. 110-124 ; voir la Note sur le texte du *Côté de Guermantes* I, p. 1519.

Page 611.

a. un autre plan, [au milieu d'une impénétrable obscurité, *biffé*] a choisi précisément *orig.* b ◆◆ *b. Fin de la page de la NRF collée sur dactyl.* (voir var. d, p. 609). *À la suite de cette page, Proust a inséré dans la dactylographie un folio manuscrit* (f° 73), *depuis* revînmes des Champs-Élysées *jusqu'à* la simple position négative d'une chose, mais [p. 612, var. a]. ◆◆ *c.* leva sa main [en l'air *biffé*] comme pour dire *orig.* b

Page 612.

a. immobile dans une situation stable que nous croyons d'habitude n'être rien que la simple position négative d'une chose, mais qui, si l'on veut que la tête reste droite et le regard calme, exige une véritable énergie vitale, cela devient l'objet d'une lutte aussi épuisante, aussi désespérée, que de se tenir accroché par le petit doigt au balustre d'un balcon, au-dessus du vide. / Et si Legrandin *dactyl. Le folio manuscrit inséré dans la dactylographie* (voir var. b, p. 611) *s'achève avec les mots* position négative d'une chose, mais . *À partir de* qui, si l'on veut que la tête *et jusqu'à* pour mieux garder plus tard [p. 615, var. b], *le texte est donné par deux pages de la version de la NRF de 1914* (pages 120-121), *que Proust a insérées à la suite du folio manuscrit.* : immobile [...] négative d'une chose [comme dans dactyl., avec lég. var.] Legrandin *plac. 1, plac. 2* ◆◆ *b. Pour les leçons antérieures à l'originale, à partir d'ici et jusqu'à la page 614, var. a, voir cette dernière variante.*

Page 613.

a. trois minutes [de beaux vers sur l'été radieux qu'il faisait *biffé*] [et par allusion au temps radieux qu'il faisait, de beaux vers sur l'été *corr.*]. Il l'avait assise *orig.* b ◆◆ *b.* à refaire [quelques *biffé*] [des *corr.*] citations *orig.* b ◆◆ *c.* ses fonctions [et préparait *biffé*] [préparant même *corr.*], disait-on *orig.* b

1. En novembre 1920, Proust parle d'un « événement subit » qui l'a empêché d'écrire une « préface véritable » au livre de Paul Morand, *Tendres stocks* : « Une étrangère a élu domicile dans mon cerveau. Elle allait, elle venait ; bientôt, d'après tout le train qu'elle menait, je connus ses habitudes. D'ailleurs, comme une locataire trop prévenante, elle tint à engager des rapports directs avec moi. Je fus surpris de voir qu'elle n'était pas belle. J'avais toujours cru que la Mort l'était. Sans cela comment aurait-elle raison de nous ? Quoi qu'il en soit, elle semble aujourd'hui s'être absentée. Pas pour longtemps sans doute, à en juger d'après tout ce qu'elle a laissé » (*Essais et articles, Contre Sainte-Beuve,* Bibl. de la Pléiade, p. 606).

2. Armand Fallières (1841-1931) fut président du Sénat en 1899 et président de la République de 1906 à 1913. Le 30 janvier 1883 (Fallières avait été nommé président du Conseil la veille), au cours d'une intervention à la Chambre des députés et alors qu'il était en butte aux attaques de la droite, qui lui reprochait de vouloir faire voter des lois de prescription devant un ministère incomplet, il déclara qu'il était « très fatigué », demanda une suspension de séance et s'évanouit. Il resta alité une semaine et, quelques jours après son rétablissement, présenta la démission de son gouvernement.

Page 614.

   a. elle avait lutté. *[p. 612, var. a]* / Le soleil déclinait ;   *dactyl.* : elle avait lutté. [/ J'ai pensé depuis *[comme dans orig., avec lég. var.]* abandonnés. *[p. 613, fin du 1ᵉʳ §]* *add.*] / Le soleil déclinait ;   *plac. 1* : elle avait lutté. J'ai pensé depuis *[comme dans le texte définitif, avec lég. var.]* abandonnés. / [Je mis ma grand-mère *[comme dans le texte définitif, avec lég. var.]* vers la maison. *add.*] / Le soleil déclinait ;   *plac. 2* ◆◆ *b.* noir [sur le *biffé*] [du *corr.*] fond rougeâtre   *orig. b*

   1. Il n'existait guère de vases peints à Pompéi. Parmi les auteurs que Proust a pu lire sur ce sujet, Gusman affirme que « les débris de poteries ne dénotent que quelques vases étrusco-campaniens à vernis noir brillant » et que l'on a retrouvé un bas-relief en terre cuite représentant un char (P. Gusman, *Pompéi*, Société d'édition d'art, s. d. [1898 ?], p. 444-445). Le *Dictionnaire des Antiquités grecques et romaines* de Daremberg et Saglio publie des planches reproduisant des chars funèbres d'après des œuvres d'art d'origines grecque, étrusque et romaine (Hachette, 1896, t. II, p. 1375-1376, 1383 et 1392).

Page 615.

   a. avec la peur [d'être maladroite *biffé*] [de n'être pas adroite *corr.*] et de lui faire mal   *orig. b* ◆◆ *b.* plus tard   *Après ce mot, Proust a biffé la fin de la page de la « NRF » qui sert de dactylographie (voir var. a, p. 612) ; voir la variante suivante.* ◆◆ *c. Au texte, biffé, de la fin de la page de la « NRF » (voir la variante précédente), Proust a, dans dactyl., substitué une paperole collée au folio 75 de la dactylographie. Nous reproduisons le début du texte de 1914 que l'auteur a sacrifié :* plus tard [intacte l'image du vrai visage de sa mère, rayonnant d'esprit et de bonté. Ainsi montèrent-elles l'une à côté de l'autre, — scandalisant presque, par leur froideur, Françoise qui eût voulu qu'elles se jetassent en pleurant dans les bras l'une de l'autre, — ma grand-mère cachée dans sa mantille blanche, ma mère détournant les yeux   *biffé*] [intacte l'image du vrai visage [...] chair qui souffre.   *corr.*]

Page 616.

   a. parlait beaucoup plus facilement, *dactyl., plac. 1* : parlait [beaucoup *biffé*] plus facilement, *plac. 2* : parlait beaucoup plus facilement, *plac. 3, orig. Nous adoptons la leçon de plac. 2, que semble imposer le paragraphe suivant.*

   1. Proust se rappelle ici les derniers jours de sa mère. Dans une lettre écrite peu avant le 26 septembre 1905 (jour du décès de Mme Proust), il confiait à Robert de Montesquiou : « Il y a depuis hier une légère amélioration qui s'est maintenue mais non accentuée » (*Correspondance*, éd. Philip Kolb, Plon, t. V, p. 344).

   2. Autre souvenir de la maladie de Mme Proust. Dans une lettre à Mme Catusse de septembre 1906, Proust évoque « l'embarras de la parole et la paralysie » dont sa mère avait été atteinte (*Correspondance*, t. VI, p. 200-201).

Page 617.

a. pieusement sur le front [*p. 616, fin du 5ᵉ §*] de sa mère. *Le paragraphe suivant, que voici, est biffé jusqu'à la fin du folio :* Au bout d'un moment ma mère vint me dire que ma grand-mère me faisait demander si je n'allais pas chez les Verdurin, que je devrais y aller, ou sinon envoyer une dépêche. Elle seule y avait pensé. Ma mère eut l'air de me dire que je pouvais y aller si je voulais, soit que dans ces moments de *Sur ce même folio, Proust a noté :* Ceci quelque part : Et si nous avions une parente ou amie qui n'était pas belle, elle disait par finasserie : « Mais elle est ravissante, Mme X. » Pour ne pas donner dans son jeu, je disais : « Oui, elle est très jolie. » Et elle commençait : « Elle a une grande bouche etc. » *Puis vient une lacune : un ou plusieurs feuillets manquent à la dactylographie. Le feuillet suivant porte ce texte, biffé :* nous ont aidé à vivre, nous sommes obligés pour affronter l'avenir de revenir à ce que nous avons rejeté parce que c'était en effet trop fragile, et à nous avouer que la vie ne possède rien de meilleur que ce que nous avons à bon droit méprisé, je conclus que le meilleur médecin, celui à qui il était le plus sage de s'adresser, c'était Cottard. Et pour beaucoup de gens maintenant c'était une autorité. Il dit que ses douleurs étaient justiciables d'un peu de morphine, bien que l'état de ses reins le contrindiquât ; qu'on ne pouvait cependant pas la laisser souffrir sans essayer, mais avec prudence. Malheureusement si la morphine calmait ses douleurs, le lendemain la quantité d'albumine avait doublé. Alors on supprimait le calmant mais on lui faisait mal d'une autre manière. Ma mère, sentant en elle-même le désir infini de la guérir, voyant le mal de sa mère, disait : « Il n'est pas possible qu'on ne se rende pas maître de son mal, qu'on n'en vienne pas à bout », avec la candeur d'un enfant qui, lisant le récit d'une guerre et n'en connaissant pas les difficultés, s'écrie : « Si j'avais été là, je les aurais tous exterminés. » Mais pour détruire ce mal il eût fallu l'atteindre, et les coups que nous lui portions c'était elle qui les recevait. Mais entre nous et lui était placé son corps chéri comme un *[un blanc]* d'un lion. *Le texte est repris en marge du folio précédent :* Ma mère et moi nous ne voulions même pas dire que ma grand-mère fût très malade, [...] le croit perdu, le plaint, voit les choses en noir. Si telle fut vis-à-vis de ma grand-mère l'attitude de Françoise, ce ne fut pas qu'elle ne l'aimât pas. Mais d'abord elle excellait à percer à jour les mensonges que nous lui faisions ou que nous nous faisions à nous-mêmes, elle tenait à montrer qu'elle n'en était pas dupe, en arborant un silence grave et désespéré que d'ailleurs selon son éthique de Saint-André-des-Champs elle croyait plus conforme à une maladie mortelle. De plus elle avait la spécialité commune à beaucoup de domestiques et qui tient peut-être à un manque de tact et d'éducation, peut-être inconsciente revanche prise sur nos malheurs de toujours remarquer, exagérer, déplorer, notre mauvaise santé, comme tout ce qui pouvait nous être désagréable. Si quelqu'un avait agi peu aimablement avec nous, là où Saint-Loup par gentillesse eût changé cela en une amabilité avec son bâton magique de l'amabilité du faubourg Saint-Germain, Françoise insistait, disait devant les autres domestiques, vis-à-vis de qui nous ne tenions pas à avoir l'air de pouvoir être insultés : « Quelle audace a eu ce cocher. Comme il a répondu grossièrement à Madame, etc. » et de même à ma moindre fatigue : « Ah ! si Monsieur voyait sa mine. Et ce qu'il a maigri ! » (Peut-être mettre cela

quand ma grand-mère est malade avant la sortie et ne mettre maintenant
que ce que je dis au début jusqu'à Saint-André-des-Champs à peu près.)
D'ailleurs elle nous rendait

1. Le « sou du franc » est la remise de cinq centimes par franc
d'achat qu'un commerçant consent parfois à un domestique qui se
fournit chez lui.

Page 618.

a. les besognes *[p. 617, 2ᵉ §, 2ᵉ ligne]* les plus dures qui nous émerveillait.
Et si [...] après qu'elle s'était endormie, gênés, désolés de la déranger
dans ce premier sommeil si bien gagné, elle était si heureuse *[comme dans
le texte définitif, avec lég. var.]* en retard. / À cause   *dactyl.*   : les besognes
[...] en retard. [Mais quelqu'un qui ne pouvait la suppléer en rien, c'était
son jeune valet de pied. Après avoir pris tant de papier à lettres chez
moi, il s'était mis à emporter aussi des volumes de vers. Il les lisait *[p. 618,
1ʳᵉ ligne]* une bonne moitié [...] ou même : bonjour.   *add.*] [/Il était
presque impossible d'alimenter notre malade. On lui faisait bien bouillir
du lait près d'elle dans une bouillotte électrique mais on le salait à l'excès
dans l'espoir de réveiller son appétit et dans l'ignorance du danger que
Widal à ce moment ignorait lui-même. Ma grand-mère poussait elle-même
le bouton qui devait arrêter l'ébullition. Et à ce moment on voyait se
défaire ce que l'ébullition avait fait. Parfois un énorme *[[plusieurs mots
illisibles]]*. Parfois une embarcation blanche comme   *biffé]* l'intérieur d'une
amande, et à qui le lait en montant avait permis de prendre la mer,
tournoyait sur elle-même quand le courant était coupé et était jetée à la
dérive sur les flots révulsés. D'autres fois c'était un bateau de nacre
semblable *[plusieurs mots illisibles]* enfants. D'autres fois encore une poupe
écumeuse *[plusieurs mots illisibles]* orage électrique fronçait jusqu'à le rider
le voile de crème.   *add.*] / À cause   *plac. 1*   : nous rendait *[comme dans
plac. 1, avec lég. var.]* ou même : bonjour. / À cause   *plac. 2*   : les besognes
[...] en retard. Elle ne pouvait [être suppléée en rien par son jeune valet
de pied. Après avoir pris chez moi, à l'exemple de Victor, tout mon papier
à lettres, il s'était mis   *biffé]* [ni ne voulait être suppléée par son jeune
valet de pied. Certes elle avait apporté de Combray [...] dans mon bureau,
[p. 617, dernière ligne] il s'était mis   *corr.*] de plus à emporter des volumes
de vers [de ma bibliothèque   *add.*]. Il les lisait [...] À cause   *plac. 3* ◆◆
b. reste de la vie, est un grand stratège, et qui dans un moment périlleux
et après avoir réfléchi un instant conclut pour ce qui militairement est
le plus sage et dit : « Faites   *dactyl.*   : reste de la vie, ému par sa
décision au moment où le sort de la patrie se joue, quand après avoir
hésité un instant, conclut par ce qui militairement est le plus sage :
« Faites   *plac. 1*

1. Survivance d'une métaphore que Proust avait plus longuement
développée dans les esquisses préliminaires. Le Cahier 14 assimile
la maladie à une cage : « Nous touchions, à faux la plupart du temps
et sans que nos coups portassent, le mal de ma grand-mère à peu
près comme si une personne que nous aimions étant entrée dans la
cage d'un lion qu'on ne peut plus rouvrir, nous essayions dans
l'obscurité de porter des coups au lion dont nous attrapions une fois

l'oreille, une fois la crinière, sans être sûr que notre seul résultat n'était pas de l'exaspérer et de faire dépecer plus vite le malheureux captif. Le médecin disait : "L'insomnie et l'étouffement seront justiciables d'un peu de morphine." On donnait de la morphine, ma grand-mère passait une bonne nuit, n'étouffait plus et au matin la quantité d'albumine éliminée avait triplé. Et de tout ainsi. En réalité nous ne pouvions faire porter des coups à la maladie que par son corps à elle, et chaque fois le coup insuffisant à la maladie avait meurtri la partie du corps que nous avions chargé de frapper. C'est comme si nous avions pris le corps du captif comme arme à travers les barreaux de la cage pour frapper le lion » (f° 21 r°).

Page 619.

a. la captive *[p. 618, 12ᵉ ligne du 2ᵉ §]* serait dévorée. [Les jours où la dose d'albumine avait été trop forte et où on refusait la morphine, alors *biffé*] [Les jours où la dose d'albumine *[...]* n'avait pas de morphine, *corr.*] les douleurs devenaient intolérables ; *[p. 618, 6ᵉ ligne en bas de page]* [Ma grand-mère recommençait perpétuellement *[...]* souffrait ainsi, *add.*] la sueur *dactyl.* ◆◆ *b.* apercevait ma mère [(qui pour que ma grand-mère lui permît de rester dans la chambre, de ne pas sortir, de ne pas recevoir, de rester près d'elle, était obligée d'inventer mille prétextes, un mal de *[un blanc]*, un papier égaré à chercher dans cette chambre qui lui ferait faute si ma grand-mère la forçait à s'en aller, tandis que ma grand-mère de son côté faisait à tout moment semblant d'avoir envie de dormir pour décider ma mère à sortir) *biffé*] aussitôt *dactyl.*

Page 620.

a. Pour le passage qui suit, jusqu'à la page 628, var. b, on trouvera le « fil » des leçons de dactyl., plac. 1 et plac. 2 dans la variante citée, plac. 3 donnant le texte définitif au prix de corrections manuscrites ; dans les variantes qui viennent, jusqu'à var. b, p. 628, nous nous bornerons à rendre compte de points de détail pour les leçons existantes. ◆◆ *b.* à certain type que *plac. 1, plac. 2* ◆◆ *c.* connaissons pas. Travail de sculpture est d'autant plus exact que si la figure *plac. 1* : connaissons pas. Ce travail de statuaire touchait à sa fin et si la figure *plac. 3, orig. Nous adoptons la leçon de plac. 2.* ◆◆ *d.* non pas du marbre mais *plac. 1* : non pas de marbre mais *plac. 2* ◆◆ *e.* pour ce praticien *plac. 2*

1. Frappé, en 1911, à Cabourg, par la lecture de *La Mort* de Maurice Maeterlinck, paru en feuilleton dans *Le Figaro* (août 1911), Proust s'expliqua à Georges de Lauris sur sa conception de l'épisode racontant l'agonie : « [...] je me souviens que je me suis permis devant vous de petites irrévérences à l'endroit de Maeterlinck. [...] Mais ici mon objection est plus grave ; et mon livre [...] vous montrera en quoi elle consiste. Il y avait bien longtemps que ce que j'y ai écrit sur la Mort était terminé quand [les articles de Maeterlinck] ont paru, mais vous verrez que tout mon effort a été en sens inverse, pour ne pas considérer la mort comme une négation ce qui n'a aucun sens

et ce qui est [...] contraire à tout ce qu'elle nous fait éprouver. Elle se manifeste d'une façon terriblement positive. Et toute la beauté dont Maeterlinck veut l'entourer n'est qu'une manière de nous détourner de ce que nous sentons véritablement en face d'elle » (*Correspondance*, t. X, p. 337-338). La statue de la grand-mère brisée, est reconstituée à la fin du chapitre où la vieille femme prend l'apparence d'une jeune fille (p. 640-641). Le motif de la statue est l'un des leitmotive du *Côté de Guermantes II*. Albertine revenue sera évoquée comme une statue dégagée de sa gaine (p. 646), ensuite comme une statue de marbre posée sur un socle (p. 684) ; enfin le salon de la duchesse sera orné de beaux marbres qui reflètent, statues vivantes, les anciennes amours de son mari (p. 772-773).

2. Dans l'*Odyssée* (chant X), Éole, maître des vents, confie à Ulysse une outre où sont enfermés tous les vents, sauf celui qui pourra pousser son navire vers Ithaque. Les compagnons d'Ulysse, croyant que l'outre contient de l'or, l'ouvrent et en laissent échapper les vents, déchaînant ainsi une terrible tempête qui éloigne le vaisseau des côtes d'Ithaque.

Page 621.

a. lequel les uns ou *plac. 2, plac. 3, orig. Nous adoptons la leçon de plac. 1.* ◆◆ *b.* dont des fiançailles *plac. 1.* ◆◆ *c. La dactylographie contient une première version biffée, du développement sur Bergotte. Elle introduit l'écrivain parmi quelques-uns des principaux personnages du roman :* La nouvelle de la maladie de ma grand-mère s'était très vite répandue et par des personnes <que> nous n'aurions même pas soupçonnées l'avoir apprise jamais. / De l'intérêt manifesté par les gens qui venaient sans cesse prendre des nouvelles, nous découvrîmes comme dans une glace non seulement la gravité de la maladie, mais la maladie même que jusque-là nous n'avions pas séparée, retirée des mille impressions douloureuses que nous éprouvions auprès de ma grand-mère, dans la vie de qui elle restait indistincte et engagée. Plusieurs personnes furent pendant ces jours-là ce que nous attendions d'elles. D'autres nous étonnèrent, les unes par leur absence, les autres par leur assiduité, soit que nous ayons mal apprécié jusque-là le degré de leur affection à notre égard, soit que leur conduite fût dictée en pareil cas par des traditions de famille, ou une *[un blanc]* personnelle à courir vers les maisons visitées par la maladie ou la mort ou à s'en éloigner. Les Guermantes, comme on pouvait penser, envoyaient dès le matin savoir comment avait été la nuit et venaient en personne l'après-midi. Aller voir un malade n'ennuyait pas plus Mme de Guermantes que de paraître un moment dans une matinée. Mais elle y mettait beaucoup de charme. Et bien des parents pauvres à qui elle était allée voir au moment d'un deuil, avant de rentrer dîner ou d'aller au Bois, comme <ils> croyaient que les occupations mondaines offraient des plaisirs délicieux et l'entretien des personnes affligées un ennui mortel, rappelaient toute leur vie ce beau soir quand on jugeait mal la duchesse, et voyaient dans ce qui n'était que l'effet d'une habitude une preuve de cœur. Bloch vint souvent et en demandant des nouvelles il pleurait si fort que ma mère déconcertée ne pouvait s'empêcher d'attacher sur lui un regard scrutateur, pour tâcher de percer à travers ses larmes jusqu'à un chagrin auquel elle eût tant aimé à croire et qui lui aurait fait tant de bien. Bergotte que nous *La suite du développement manque. Ensuite Proust a rédigé dans le Cahier 62 (ff.os 27 r.o à 28 r.o) une première version du texte définitif :* Bergotte, très malade [de diabète *biffé*] [de l'albumine, *corr.*] quelques-uns ont dit d'une tumeur, allait d'ailleurs en s'affaiblissant. C'est difficilement qu'il montait notre escalier, plus difficilement qu'il le descendait. Il trébuchait souvent et je crois qu'il serait resté chez lui s'il n'avait craint de se déshabituer tout à fait de sortir. Sa parole était souvent embarrassée. Et « l'homme à lorgnon » que j'avais connu il n'y avait pas si longtemps n'y voyait plus goutte. Mais en même temps et tout au contraire, ses œuvres, pendant que leur auteur s'affaiblissait, avaient pris dans le grand public une force d'expansion extraordinaire. Sans doute il arrive qu'après sa mort seulement un écrivain devient célèbre. Mais pour Bergotte c'était en vie encore et au long de son acheminement vers la mort, qu'il voyait celui de ses œuvres vers la gloire. Un auteur mort du moins peut être illustre sans fatigue. Le rayonnement de ses œuvres ne perce pas la pierre de sa tombe. Dans son sommeil éternel il n'est pas importuné par la gloire. Il y avait malaise au contraire pour Bergotte. Certes la mort pour lui, la renommée pour ses œuvres, c'était bien comme dans les glorifications posthumes, cette antithèse existait bien, mais au lieu que définitivement posée, en voie seulement d'immobilisation. Ses œuvres grandissaient en force mais lui existait encore. Il marchait difficilement tandis qu'elles bondissaient de plus en plus sûrement vers des admirateurs nouveaux, et leur voix retentissait toujours plus loin tandis qu'il parlait plus difficilement mais parlait encore. Elles étaient pour lui comme des filles aimées mais lassantes, dont la bruyante jeunesse amenait jusqu'auprès de son lit, où la faiblesse réclamait silencieusement la solitude, une foule toujours accrue de prétendants et d'adorateurs. Et pourtant cette éclatante renommée avait ses ombres. Une œuvre n'est jamais entièrement comprise et victorieuse sans qu'une autre, obscure, ait commencé, auprès de quelques esprits plus difficiles, de substituer un nouveau culte à celui qui a presque fini de s'imposer. C'est ainsi que moi, par exemple, Bergotte ne m'intéressait plus. Suit l'artiste nouveau. *La suite du développement est rédigée aux versos des folios 102 à 105 du Cahier 60, où Proust a ajouté ce passage, incorporé au texte sous une forme modifiée dans le montage de l'épisode sur les épreuves :* Quand Bergotte vient me faire de longues visites pour avoir des nouvelles de ma grand-mère : [À ce propos dire que Bergotte s'intéressait peu à ce qu'on disait, ne lisait presque rien. Déjà la plus grande partie de sa pensée avait passé de son cerveau dans ses livres. Et alors son instinct reproducteur ne l'induisait plus à l'activité. Il avait été comme opéré de ses livres et vivait la vie végétative des convalescents. Ses beaux yeux restaient immobiles, dans cette sorte de rêverie heureuse et vague qu'ont les femmes qui viennent d'accoucher, ou toute personne qui couchée au bord de la mer, regarde sans penser à rien, chaque petit flot se former et mourir. *add.*] Seulement je ne l'admirais plus. Ses livres que je relisais souvent m'étaient aussi aisés à suivre que mes propres pensées, les meubles y étaient placés comme dans ma chambre, les voitures y passaient comme dans la rue, enfin toutes choses s'y voyaient facilement et sinon telles qu'on les avait toujours vues, du moins telles qu'on avait l'habitude de les voir maintenant. Or un nouvel écrivain avait commencé à publier des livres où entre les choses au contraire les rapports étaient si différents de ceux qui les liaient presque invinciblement pour moi, que je ne comprenais absolument rien à ce qu'il écrivait. Il disait par exemple : les arroseurs admiraient le bel entretien des routes (et cela c'était facile, je glissais le long de ces routes) qui partent de Briand et de Claudel. Alors je ne comprenais plus, parce que j'avais attendu un nom de ville et non de personnes. Mais je sentais < que > ce n'était pas de faux rapports entre les choses, mais des rapports situés à une hauteur où je ne pouvais pas atteindre parce que je n'étais pas aussi agile ni aussi fort que le nouvel écrivain. En lisant chacune de ses phrases je reprenais mon élan, m'aidais des pieds et des mains pour arriver jusqu'à cet endroit d'où je verrais < aussi > clairement que lui le même rapport entre les choses. Chaque fois je retombais sans avoir vu ; mais je comprenais que si cela m'avait l'air de ne vouloir rien dire, ce n'était pas que l'auteur fût mauvais mais que j'étais moins fort en gymnastique. Et je l'admirais comme fait un enfant gauche devant un enfant plus adroit. Dès lors j'admirai beaucoup moins Bergotte où je voyais tout aussi facilement que dans une glace. [Ce qui me semblait maintenant une insuffisance. Il y eut un an où on reconnaissait bien les choses quand c'était Fromentin qui les peignait et où on ne les reconnaissait plus quand c'était Renoir. Maintenant on reconnaît très bien les choses dans Renoir mais elles semblent plus vraies que dans Meissonnier. Il a fallu un grand effort pour cela et qu'il est stupide d'oublier pour trouver tout simple ce point d'arrivée où les femmes dans la rue sont des Renoir. On dit Renoir peintre du XVIIIe siècle. On oublie qu'il a fallu du temps pour qu'il fût au XIXe siècle un grand peintre du XIXe siècle. Le goût dit : XVIIIe, mais il méconnaît cet effort dans le temps qui est la vie. C'est du reste une chose étonnante que ces métamorphoses en somme assez fréquentes et sans qu'il soit besoin de remonter au déluge et aux périodes antéhistoriques de l'univers. Chaque fois que survient un peintre original, il se met comme ferait un oculiste, à nous soigner les yeux. Le traitement (par sa peinture) nous est fort pénible, dure quelque temps. Après quoi il nous ôte le bandeau et nous dit : « C'est terminé, maintenant vous n'avez plus qu'à regarder. » Son traitement a efficacement agi sur nos yeux, et maintenant ce sont nos yeux qui agissent efficacement sur le monde. Au lieu que ce soit le monde que peignaient si ressemblant les derniers peintres qui avaient précédé, voici que les femmes ont pris exactement cette forme que dans la peinture de l'artiste qui vient de nous traiter, nous n'arrivions pas à identifier à une forme de femme. Cette femme nouvelle est diaprée des couleurs que nous lui avions cru ajoutées par démence. Les forêts sont comme ce qui dans les tableaux du nouveau peintre nous avait paru une espèce de tapisserie de toutes nuances, sans que l'idée que ce fût une forêt. Tel est cet univers nouveau et périssable. Il durera jusqu'à la prochaine catastrophe géologique que sera la venue d'un nouveau peintre original ou d'un nouvel écrivain original. *add.*] Ce n'était pas l'incohérence des phrases du nouvel écrivain qui me faisait l'admirer plus que Bergotte mais au contraire la cohérence parfaite entre des rapports inconnus de moi. Je sentais cette cohérence à ce que, ayant commencé facilement chaque phrase, je retombais toutes les fois exactement de la même manière, pas tout à fait arrivé au milieu, à bout de forces. Et cela pas dix fois, ni cent, mais mille fois, au cours de mille phrases où, dans chacune, je dégringolais toujours avant la fin. Et cette cohérence n'était pas seule à me convaincre que c'était la force, non la faiblesse de l'écrivain qui m'empêchait de le suivre dans cette espèce de promenade côte à côte qu'est la lecture ; parfois une phrase laissait passer sa signification, et cette signification était toujours une drôlerie, un charme, une vérité, comme c'était dans Bergotte quand j'avais commencé à le lire. Mais différents, nouveaux, délicieux. Je songeai qu'il n'y avait pas tant d'années que ce renouvellement du monde c'était Bergotte qui me l'avait apporté. Et j'en arrivai à me demander si ce n'est pas une bêtise que cette distinction sur laquelle je vivais et qui fait que les sciences vont sans cesse en progressant, mais que la littérature n'a pas pu faire de progrès depuis Homère. Il me semblait maintenant que chaque nouvel écrivain original était en grand progrès sur celui qu'il rejetait dans l'ombre. Peut-être c'était au contraire comme dans les sciences ; et peut-être dans vingt ans, quand je serais arrivé à doubler la boucle aussi facilement que le nouvel écrivain, en viendrait-il un autre derrière lequel celui qui était nouveau aujourd'hui filerait très loin, comme en ce moment, pour moi, Bergotte. Je parlai à ce dernier du nouvel écrivain. Mais depuis longtemps le maître que j'avais tant admiré ne lisait plus rien, ne s'intéressant qu'à ses propres œuvres. Pourtant la jalousie avait dû lui faire ouvrir un livre du nouvel écrivain ; car il me dit que son art était facile, rugueux, et qu'il n'avait rien à dire. Je fus impressionné moins encore que par la description du nouvel écrivain (je ne l'avais jamais vu) et qui, me dit Bergotte, ressemblait beaucoup à Bloch. Aussitôt plus je lus les livres du nouvel écrivain, l'image de Bloch me poursuivit, j'aimai moins ces livres et me donnai moins de mal pour les comprendre. ♦♦ *d. Nous suivons ici la leçon d'orig. b ; voir var. a, p. 622.* ♦♦ *e. Le Cahier 62, où figurent les premières esquisses de la maladie de Bergotte, contient des allusions aux faux écrivains admirés par les lettrés :* À côté se faisait admirer des lettrés toute une école classique qui changeait la place des virgules et rendait aux adverbes, verbes, etc., leur sens ancien. Mais parce qu'un écrivain, copiant d'ailleurs un plus savant qui a seulement voulu s'amuser un jour, écrira « des portraits peints à la rigueur », « est-ce pas la vérité même » (au lieu de « n'est-ce pas »), « surveiller à » (prendre les autres expressions dans l'autre cahier), est-ce que cet écrivain aura pour cela du talent ? n'est-ce même pas trop de l'appeler écrivain ? Si. Il cherche seulement à amuser par une syntaxe vieux neuf qui fausserait l'expression de ce qu'il a à dire, s'il avait en effet quelque chose à dire. Journaliste bon pour attirer les badauds ignorants de la grammaire qu'il peut ne pas connaître bien profondément lui-même, car imiter les curiosités grammaticales, aussi bien qu'on imiterait autre chose, c'est plutôt prouver qu'on est imitateur que grammairien, grammairien peut-être (à mettre les choses au mieux), écrivain nullement. *Sous la rubrique* Pour les lettrés *Proust note dans le Cahier 61 (« l'autre cahier »), au folio 28 r⁰, les exemples suivants :* d'abord qu'ils l'ont connu pour dès que, le renoncer, préférer de, on supposa des lettrés (vérifier dans Littré) ; *au folio 40 r⁰ :* surveiller à quelque chose / envisager quelqu'un pour le regarder / offusquer dans le sens de cacher, cette interprétation offusque le sens véritable de l'œuvre[1] / C'est la même vertu pour C'est la vertu même (exemple dans Hermant, *Le Rival inconnu*[2]) /

---

1. Quelques-unes de ces expressions seront placées par Proust dans la bouche de Saniette (voir *La Prisonnière*, t. III de la présente édition).
2. Abel Hermant (1862-1950) aimait les archaïsmes et les tours désuets. Son roman *Le Rival inconnu* (1918) fait partie du cycle *Scènes de la vie cosmopolite*.

il peut l'avouer (contraire de désavouer)   ; *au folio 62 r⁰ :*   Elle le dévoue aux dieux infernaux. — Elle m'assure pour elle fait ma sécurité / environ le milieu du siècle   ; *au folio 61 v⁰ :*   Les mauvais élèves échappent ce mensonge (Abel Hermant) pour échappe à mensonge[1]. / L'âme a aussi une langue maternelle et ne la parle point de même *qu'elle fait les langues enseignées.* / Environ le XIX⁰ siècle.

Page 622.

    a. tout au contraire, *[p. 621, début du dernier §]* [la somme de *biffé*] ses œuvres, [...] yeux de tous, [avait *biffé*] [avaient *corr.*] pris *orig.* b

    1. Ce « nouvel écrivain » est inspiré de Jean Giraudoux qui avait publié « Nuit à Châteauroux » dans la *NRF* du 1ᵉʳ juillet 1919. Giraudoux écrivait : « De Melun je filai sur Provins. Dans le périmètre du Grand Quartier Général, il n'y a pas de troupes ni de convois étrangers. Les routes qui partent en éventail de Foch ou de Pétain sont pures, pendant quarante kilomètres, de toute autre race que la française. [...] Les balayeuses à jupon vert sous leur chapeau à queue de chamois arrosaient déjà le macadam. [...] Quand la sentinelle du duc Carl Théodor avait le pantalon noir des Prussiens, nous criions : "Vive la Bavière !" et nous nous sauvions, soulevant les tuyaux d'arrosage en soulevant nos manteaux et nos traînes, comme des dames » (« Nuit à Châteauroux », p. 226, 249 et 250). Proust parle de Giraudoux dans la préface à *Tendres stocks* de Paul Morand (*La Revue de Paris*, 15 novembre 1920), préface qui est une réponse à certaines déclarations d'Anatole France : « La vérité (et M. France la connaît mieux que personne, car mieux que personne il connaît tout), c'est que de temps en temps, il survient un nouvel écrivain original (appelons-le, si vous le voulez, Jean Giraudoux ou Paul Morand, puisqu'on rapproche toujours, je ne sais pourquoi, Morand de Giraudoux, comme dans la merveilleuse "Nuit à Châteauroux", Natoire de Falconet, et sans qu'ils aient aucune ressemblance). Ce nouvel écrivain est généralement assez fatigant à lire et difficile à comprendre parce qu'il unit les choses par des rapports nouveaux. On suit bien jusqu'à la première moitié de la phrase, mais là on retombe. Et on sent que c'est seulement parce que le nouvel écrivain est plus agile que nous » (Marcel Proust, *Essais et articles*, éd. citée, p. 615 et n. 2 ; voir Jean-Yves Tadié, « Proust et le "nouvel écrivain" », *Revue d'histoire littéraire de la France*, janvier-mars 1967, p. 79-81). Quant aux deux noms propres par lesquels Proust remplace ceux de Foch et de Pétain, ils désignent deux personnages qu'admirait Jean Giraudoux et qui eurent quelque influence sur sa carrière diplomatique : Aristide Briand fut plusieurs fois président du Conseil et ministre des Affaires étrangères ; Paul Claudel fut vice-consul, consul puis ambassadeur de France dans de nombreux pays, de 1893 à 1936.

    1. *Sic.*

Page 623.

1. Rare renseignement sur le service militaire du narrateur.

2. Proust n'appréciait guère l'œuvre picturale d'Eugène Fromentin (1820-1876) : « Passons l'éponge sur le peintre », écrit-il en 1919 (*Essais et articles*, éd. citée, p. 580). Quant au critique littéraire, il lui reprochait de n'avoir pas nommé, dans *Les Maîtres d'autrefois*, « écrits pourtant plusieurs siècles après la mort de ces peintres hollandais, le plus grand d'entre eux, Ver Meer de Delft » (*ibid.*).

3. Dans sa préface à *Tendres stocks* (voir n. 1, p. 622), Proust établit un parallèle semblable entre le « nouvel écrivain » et Renoir : « Or il advient des écrivains originaux comme des peintres originaux. Quand Renoir commença de peindre, on ne reconnaissait pas les choses qu'il montrait. Il est facile de dire aujourd'hui que c'est un peintre du XVIIIe siècle. Mais on omet, en disant cela, le facteur temps, et qu'il en a fallu beaucoup, même en plein XIXe, pour que Renoir fût reconnu grand artiste. Pour y réussir, le peintre original, l'écrivain original, procèdent à la façon des oculistes. Le traitement — par leur peinture, leur littérature — n'est pas toujours agréable. Quand il est fini, ils nous disent : "Maintenant regardez." Et voici que le monde, qui n'a pas été créé une fois, mais l'est aussi souvent que survient un nouvel artiste, nous apparaît — si différent de l'ancien — parfaitement clair. Nous adorons les femmes de Renoir, Morand ou Giraudoux, dans lesquelles, avant le traitement, nous nous refusions à voir des femmes. Et nous avons envie de nous promener dans la forêt qui nous avait semblé, le premier jour, tout, excepté une forêt, et par exemple, une tapisserie de mille nuances, où manqueraient justement les nuances des forêts. Tel est l'univers périssable et nouveau que crée l'artiste et qui durera jusqu'à ce qu'un nouveau survienne » (*Essais et articles*, éd. citée, p. 615).

Page 624.

a. Proust avait voulu, en corrigeant les troisièmes épreuves, introduire un alinéa après Bergotte *, mais s'est ravisé. Toutes les éditions suivent la leçon de l'imprimeur, qui a mal compris l'indication de l'auteur. Nous rectifions.* ◆◆ *b.* de sorte qu'on aurait pu *plac. 3, orig. Nous adoptons la leçon autographe de plac. 2.* ◆◆ *c.* plaisir à causer avec moi *plac. 2*

1. La subite répulsion du narrateur est comme une caricature de l'idée maîtresse de *Contre Sainte-Beuve*, qui établit une distinction entre l'œuvre et son auteur.

Page 625.

a. assiduité. Mais elle *plac. 1, plac. 2.* ◆◆ *b.* si nous aimions le service d'un homme, allait « se mettre en campagne » et mieux, devant nos refus *orig. Nous adoptons la leçon de plac. 3.* ◆◆ *c.* reprenant *orig. Nous adoptons la leçon de plac. 3.*

1. Lucien Daudet signale que, avec d'autres « formules nobles » et quelques « expressions que l'on croit *pittoresques* et qui ne le sont plus depuis longtemps », les mots « "ma camériste" (pour "ma femme de chambre") » avaient le don de déclencher le fou rire de Marcel Proust (Lucien Daudet, *Autour de soixante lettres de Marcel Proust*, Gallimard, 1929, p. 30 ; voir, ici, n. 1, p. 663).

2. Proust écrit : « On verra plus tard », mais le texte sur l'infidélité de Cottard ne devait pas figurer dans *À la recherche du temps perdu*. Longtemps perdu, il n'a été publié qu'en 1983, par Denise Mayer (« Un chapitre inédit du *Temps retrouvé* », *Commentaire*, n° 22, 1983, p. 370-378).

3. Voir p. 827.

4. Voir *Du côté de chez Swann*, t. I de la présente édition, p. 20.

Page 626.

a. refuser à Jupien   *plac. 2, plac. 3, orig. Nous rétablissons la leçon de plac. 1.*

1. Si la France se manifesta comme alliée de la Russie lors de la guerre russo-japonaise, qui dura dix-huit mois, en 1904 et 1905, elle ne fit rien pour contrecarrer les ambitions territoriales du Japon en Chine, lesquelles étaient à l'origine du conflit.

Page 627.

a. ainsi   *plac. 3, orig. Nous adoptons la leçon de plac. 2.* ◆◆ *b. L'épisode des cousins de Françoise figure pour la première fois dans le Cahier 60, au verso du folio 95. Le début est presque identique au texte définitif, mais la conclusion n'a pas été conservée par l'auteur :* flattaient particulièrement. *[6 lignes plus haut]* Le père se fût ruiné pour une danseuse de l'Opéra que, dans sa douleur, il n'en eût pas tiré plus de gloire. Françoise aimait tant de mise en scène. Celle de la maladie de ma grand-mère, pas plus extraordinaire que pour des gens dans la misère, l'humiliait au fond. Elle la trouvait un peu pauvre.

Page 628.

a. sans sourire   *dactyl., plac. 1, plac. 2, plac. 3, orig. Nous adoptons la correction de Clarac et Ferré.* ◆◆ *b.* d'un sanglot ou d'un sourire. *[p. 620, var. a]* [Puis les douleurs *biffé*] [La maladie de ma grand-mère *[p. 621, début du 2ᵉ §]* donna lieu [...] nous surprirent également. Prévenues par dépêche les sœurs de ma grand-mère ne quittèrent pas Combray. *[comme dans le texte définitif, avec lég. var.]* paraître insolite. En revanche, Bergotte vint *[...]* avec moi. Il était tellement homme d'habitude *[p. 624, 10ᵉ ligne en bas de page]* que les plus luxueuses ou les plus simples, *[...]* un certain temps. Il venait à la maison comme il eût été au café, pour rester assis et parler, de sorte que son assiduité n'était pas en somme une preuve qu'il fût ému de notre chagrin, ou même eût plaisir à causer avec moi. Pourtant cette assiduité ne parut pas indifférente à ma mère laquelle était facilement touchée de tout ce qui pouvait être un hommage à ma grand-mère et qui me disait chaque jour : « Surtout n'oublie pas *[p. 625,*

4ᵉ ligne] de bien le remercier » [; l'autre fut Mme Swann. Elle n'aimait
pas que Bergotte allât ailleurs que chez elle. Elle avait souvent la déception
d'apprendre qu'il avait passé des heures chez telle personne qu'elle jugeait
fort médiocre. Et si pour lui faire plaisir on lui disait *biffé]* / Maman,
à la prière de grand-mère *[p. 625, dernière ligne]* dut la quitter *[comme dans
le texte définitif, avec lég. var.]* de si bonnes paroles pour nous » *[p. 626,
6ᵉ ligne en bas de page]* et à qui elle aurait voulu qu'on ne fît pas une
malhonnêteté, comme, même à la mort de ma grand-mère, elle eût cru
en faire une, en n'allant pas s'excuser *[...]* tant de dérangement *[p. 627,
fin du 1ᵉʳ §]* / Il sera sans doute bien de joindre là que le bruit de la
maladie de ma grand-mère se répandit afin que je puisse ajouter : et
beaucoup je pense par le moyen de la conversation sur le « carré » de
l'escalier de service avec l'ouvrier électricien, conversation que j'avais eu
d'autant plus à cœur d'interrompre que je la devinais semée de récits
et de prophéties sinistres qui me faisaient horreur. / Il y eut un moment
[p. 627, début du dernier §] où les troubles *[...]* amabilité exagérée. *[p. 628,
14ᵉ ligne]* / Puis la vue revint complètement. Les douleurs *corr.]*
diminuèrent mais l'embarras de la parole augmenta. *dactyl.* : d'un
sanglot ou d'un sourire. / *[Ma grand-mère essayait [comme dans le texte
définitif, avec lég. var.]* contraction — descendre. *[p. 620, fin du 1ᵉʳ §]* add.]
La maladie de ma grand-mère donna lieu *[...]* nous surprirent également.
[Même le genre de hasard [...] ressenties auprès de ma grand-mère dans
la vie de qui il n'était presque pas distinct. *add.]* Prévenues par dépêche
[comme dans dactyl., avec lég. var.] de si bonnes paroles pour nous » ; c'était
un effet *[...]* tant de dérangement. / Il y eut un moment *[comme dans dactyl.]*
parole augmenta. *plac. 1* : d'un sanglot ou d'un sourire. Ma grand-
mère essayait *[...]* contraction — descendre. / [Dans un de ces moments
[comme dans le texte définitif, avec lég. var.] nous étions déjà malades *add.]*
La maladie de ma grand-mère donna lieu *[...]* à jamais séparés. / En
revanche Bergotte *[...]* avec moi. [Il était tellement *[comme dans dactyl.]*
le remercier. » *biffé]* [Ses visites venaient *[p. 622, début du 2ᵉ §]* pour
moi quelques années trop tard car je ne l'admirais plus autant. Dans ses
livres, que je relisais souvent, ses phrases *[comme dans le texte définitif, avec
lég. var.]* bien le remercier. » *corr.]* / [Maman, à la prière de
grand-mère *biffé]* [Le sixième jour, Maman, pour obéir aux prières de
grand-mère *corr.]* dut la quitter *[...]* tant de dérangement. / [Nous fûmes
heureusement *[p. 627, début du 2ᵉ §]* très vite débarrassés *[...]* théâtre de
province. *add.]* / Il y eut un moment *[...]* revint complètement [et des
yeux *[...]* d'écouter avec les yeux. Enfin *add.]* les douleurs *[...]*
augmenta. *plac. 2. Des additions manuscrites sur plac. 3 aboutissent au texte
définitif.* ◆◆ *c.* obligé de < lui > faire répéter ce qu'elle disait, il y avait
des moments où on ne la comprenait plus du tout. [Par moments elle
recommençait à parler, mais beaucoup moins de nous que de sa
mère — que Maman avait à peine connue. Des scènes de sa jeunesse,
telle discussion qu'elle avait eue enfant avec sa mère qui était fort dure,
reprenaient pour elle un intérêt actuel. Ce qui nous fait attacher de
l'importance en effet à un fait, c'est uniquement le degré de vivacité avec
lequel il se peint à nous. Tout n'est qu'impression. Par exemple l'offense
que nous a faite un adversaire mort aujourd'hui ne perd pas de son
importance parce que celui qui nous a offensé est mort mais parce que
notre impression s'est affaiblie. Qu'elle se réveille et nous en souffrirons
autant que s'il vivait. Or si les modifications physiologiques que produit

sur nous une belle journée ou l'assoupissement dans une position inaccoutumée peuvent suffire à nous faire chanter un air oublié depuis des années ou rêver de personnes à qui nous n'avions pas pensé depuis longtemps, comme si la mémoire était un kaléidoscope qu'il suffit de remuer pour modifier les images qu'il présente, on admettra que la secousse nerveuse produite par les approches de la mort est plus profonde que < celle > d'un changement de < temps > ou d'un changement de lit < et peut > mettre à jour des séries de souvenirs entièrement différentes de celles qui occupaient jusqu'ici la pensée. *add.*[1]] Maintenant *dactyl.*

1. « [Maman] me sait si incapable de vivre sans elle, si désarmé de toutes façons devant la vie, que si elle a eu, comme j'en ai la peur et l'angoisse, le sentiment qu'elle allait peut-être me quitter pour jamais, elle a dû connaître des minutes anxieuses et atroces qui me sont à imaginer le plus horrible supplice. Je voudrais que nous puissions lui dire et lui faire partager nos espoirs, notre rassurement. Peut-être ne nous croirait-elle pas. En tous cas son calme absolu nous empêche de savoir ce qu'elle croit et ce qu'elle souffre » (Lettre à Montesquiou, peu avant le 26 septembre 1905, *Correspondance*, t. V, p. 341-342).

Page 629.

a. je n'osai pas le hâter *dactyl.* : je n'osai pas [la *biffé*] [le *corr.*] hâter *plac. 1* : je n'osai pas la hâter *plac. 2, plac. 3, orig. Les typographes n'ont pas respecté la correction, que nous reprenons.*

Page 630.

a. qui radote. *[p. 629, fin du 3ᵉ §]* [On la levait tous les jours sans la quitter d'un pas. Françoise qui croyait toujours que les malades se sentaient mieux s'ils étaient propres et *[un blanc]*, n'avait qu'une pensée : comme cette pauvre Madame Hortense doit être malheureuse de ne pas avoir été peignée depuis plusieurs jours *biffé*] À force de demander à ma grand-mère si [...] être peignée. » C'est-à-dire qu'[une autre personne peut toujours vous peigner. On peut peigner une morte. Mais être peigné c'est autre chose. Pour ma grand-mère, être peignée, se laisser peigner, c'était plus que le constant éplorement, l'effondrement incessant, l'écroulement irrémédiable de tout son être, que rien ne soutenait plus, ne pouvait supporter. Les cheveux fuyaient sous le peigne dont ils n'étaient *[un blanc]* pour supporter et garder le contact, sa tête s'échappait de la pose qu'on voulait lui donner et retombait, l'attention, ou seulement l'immobilité, ou le plus léger *[un blanc]* par lesquels on voulait la tirer de ce perpétuel effondrement sur elle-même, de sa fatigue, de son malaise et de sa douleur, étaient bien trop pour elle, sa tête retombait de tous côtés. Françoise approcha une glace pour que ma grand-mère vît comment elle voulait avoir sa raie, je bondis sur elle et lui arrachait sa glace. Si ma grand-mère s'était aperçue ainsi, avec le chef tremblant d'une octogénaire ! Le jour où je l'embrassai, elle leva la tête et me regarda

---

1. Cette addition sera déplacée un peu plus loin avant d'être abandonnée (voir var. *a*, p. 631).

d'un air scandalisé, étonné ; elle ne me reconnaissait pas. *biffé*] [on n'est jamais trop faible pour qu'une autre personne ne puisse, en ce qui la concerne, vous peigner. *[Mais les cheveux ne sont pas des fils morts et ils peuvent être trop faibl < es > biffé*] Quand j'entrai dans la chambre [...] approcha une glace *[où ma grand-mère eût aperçu le chef tremblant d'une octogénaire biffé]*. Je fus d'abord heureux [...] elle ne m'avait pas reconnu. *corr.*] / Selon notre médecin [tous ces phénomènes dus à l'empoisonnement du sang par l'albumine *[un blanc]* avec la crise albuminique elle-même. Mais il fallait *biffé*] [c'était un symptôme [...]. Il fallait le *corr.*] dégager [le cerveau. On recoucha ma grand-mère. On dit d'aller chercher *biffé*] [. Cottard hésita un instant, je vis dans ses yeux cette pensée qui tourne un instant comme la boule qui court sur le tapis et dont on ne sait pas encore où elle va s'arrêter, rotation si grandiose dans les yeux du général où c'est peut-être le sort du pays qui se joue < en > ce moment tandis que le bon sens ou l'inspiration choisit entre les principes. Cottard haussa les épaules comme quelqu'un qui n'a guère d'espoir et prescrivit *corr.*] des sangsues. Quand *dactyl.* : qui radote. [...] Cottard hésita un instant, *[comme dans dactyl.]* va s'arrêter [, rotation *[comme dans dactyl.]* principes *biffé*]. Cottard haussa *[comme dans dactyl.]* des sangsues. Quand *plac.* 1 Le texte définitif apparaît dans plac. 2. ◆◆ b. Pour la suite du texte dans dactyl. et dans plac. 1, jusqu'à var. a, p. 635, on se reportera à cette dernière variante ; nous ne relevons d'ici là, pour ces deux états, que des variantes de détail.

1. Le 23 août 1906 décédait Georges Weil, oncle de Marcel Proust. « J'y suis allé pendant son agonie sans être reconnu par lui », écrit Proust à Mme Catusse, en septembre. « Il meurt de la même maladie que Maman » (*Correspondance*, t. VI, p. 200). D'autre part, dans *Contre Sainte-Beuve*, Proust évoque un épisode de l'agonie de Baudelaire : « [...] s'étant aperçu dans une glace qu'une amie (une de ces amies barbares qui croient vous faire du bien en vous forçant à "être soigné" et qui ne craignent pas de tendre une glace à un visage moribond qui s'ignore et qui de ses yeux presque déjà fermés s'imagine un visage de vie) lui avait apportée pour qu'il se peignât, ne se reconnaissant pas, il salua ! » (*Contre Sainte-Beuve*, éd. citée, p. 260-261).

2. Les beaux cheveux de Méduse, l'une des trois Gorgones, avaient été transformés en serpents par Athéna. Persée, pour tuer Méduse, utilisa son bouclier poli dont il se servit comme d'un miroir afin d'éviter le regard de la Gorgone, qui pétrifiait ses ennemis. Après avoir coupé la tête du monstre, il la fixa au centre de son égide.

Page 631.

a. Les premiers placards sont ici très raturés : Proust a barré, sur la fin du placard 25 et le début du placard 26, le passage sur les souvenirs de jeunesse de la grand-mère (voir var. c, p. 628), qu'il a remplacé par deux ajouts manuscrits, le premier sur la réaction de Françoise aux sangsues, le second sur ses absences. Ce dernier développement fut préalablement rédigé pendant la correction des épreuves au folio 88 r° du Cahier 60, où, précédé de l'indication Fugitifs éclipses de Françoise qui m'intriguaient *, on lit :* C'était pour retrouver une couturière qu'avait fait venir la nièce pour lui faire une robe de crêpe car avec la plupart des femmes tout se ramène à des questions d'essayage. ◆◆ *b. Deux brouillons de ce passage furent rédigés dans le Cahier 60 pendant la correction des épreuves. Le premier (ff^os 85r° à 86r°) faisait suite à une méditation sur l'effet du réveille-matin, qui fut ensuite abandonnée :* Après le réveille-matin (vérifier l'ort[h]ographe) — à moins que, après quelques commencements d'éveil qui sont plutôt des rêves que des commencements d'éveil, le sommeil plus puissant n'ait pris sur lui d'arrêter tout à fait l'horloge remontée, alors les heures se valent. On ne peut plus les compter en s'éveillant. *Le second brouillon est précédé (f° 88r°) de la note :* Et un peu plus loin dans le même morceau : et jusqu'à cette brillante étoile qui à l'instant du réveil éclaire derrière le dormeur son sommeil tout entier, lui fait croire pendant quelques secondes que c'était la veille ; étoile filante à vrai dire qui s'est vite évanouie et permet à celui qui vient en réalité de s'éveiller, de se dire enfin : j'ai dormi.

Page 632.

1. Georges Dieulafoy (1839-1911), professeur de pathologie interne à la faculté de médecine de Paris, fut l'un des grands médecins de son époque. Élu à l'Académie de médecine en 1890, il est l'auteur de travaux sur le mal de Bright, la tuberculose, l'appendicite, etc.

2. Françoise Marie Amélie d'Orléans (1844-1925) avait épousé son cousin, le duc de Chartres, en 1863.

Page 633.

a. entrechats, toute la cérémonie *dactyl.* : entrechats, [toute *biffé*] [et il allait commencer *corr.*] la cérémonie *plac.* 1

1. C'est dans les *Mémoires* de Saint-Simon que Proust a découvert ce nom de Mortemart. Déçu de voir que Saint-Simon parlait de « l'esprit des Mortemart » mais n'en donnait aucun exemple, il fit « la gageure d'inventer "l'esprit des Guermantes" » (lettre à Paul Souday du 17 juin 1921, *Correspondance générale*, éd. Proust-Brach, Plon, 1930-1936, t. III, p. 95). La famille de Mortemart fait remonter sa filiation à Aimery Ier, vicomte de Rochechouart.

2. Poiré Blanche, ou *À la dame blanche*, était un glacier et pâtissier, établi au 196, boulevard Saint-Germain. Rebattet, le confiseur, se trouvait sur la rive droite, au 12, rue du Faubourg Saint-Honoré. Voir t. I de la présente édition, p. 593.

Page 634.

a. vu entrer Saint-Loup arrivé le matin même à Paris et accouru *[comme dans texte définitif, avec lég. var.]* attrapant son neveu par <un> bouton qu'il faillit arracher, [...] Saint-Loup n'était pas je crois malgré son sincère chagrin autrement fâché d'éviter *plac.* 1 : vu entrer Saint-Loup arrivé le matin même et accouru [...] d'éviter *plac.* 2, plac. 3, orig. L'indication à Paris *omise par plac.* 2 *étant ici indispensable au sens, nous la rétablissons.*

a. me pressa légèrement *[p. 630, var. b]* la main. [Le sentiment de la vie, l'espoir de la guérison lui étaient revenus ; une sorte d'égoïsme et de dénouement *[sic]* à nous aussi, l'attachait à ce mieux ; elle ne cherchait plus à ne pas penser, à ne pas mesurer l'étendue de son malheur. Aussi c'était la première fois qu'elle m'avait serré la main. Elle ne pouvait plus rester sans penser, car elle se disait : il faut vivre. Hélas ! le lendemain l'albumine reprit plus fort. Elle semblait pourtant un peu mieux. Mais le médecin dit qu'elle était dans un état désespéré. La nuit suivante on vint me chercher. C'était la fin. Je vis que mon père qui était venu me chercher pleurait. Je lui dis de s'essuyer les yeux avant d'entrer dans la chambre ; il me dit que cela ne faisait plus rien, que ma grand-mère ne voyait plus. Nous entrâmes ; le corps couché, elle s'agitait, geignait, faisait remuer ses jambes, respirait bruyamment. Mais il paraît qu'elle n'avait pas conscience de nous ni d'elle. Toute cette agitation ne s'adressait pas à nous ; elle-même, les yeux clos, scellés, n'en savait plus rien ; c'était en elle cette bête étrange à laquelle elle était liée, qu'elle ne connaissait pas, qu'elle ne savait pas soigner, mais dont les jours comptaient les siens, à qui elle était condamnée à ne pas survivre, et qui même comme *[un blanc]* devait être tuée par elle avant qu'elle ne meure, c'était cette bête qui s'agitait ainsi et que nous regardions. C'était toujours le visage de ma grand-mère quoique très enlaidi mais ses yeux étaient fermés ou parfois à demi ouverts, mais avec à la place du regard quelque chose *[un blanc]*, de vide, d'imperceptible qui indique l'extrême *[un blanc]* de la conscience, le coma. C'était pourtant toujours son visage quoique enlaidi, creusé, méconnaissable, son visage qui voulait dire : elle est là, et elle n'était plus là ; c'était ses yeux à mi clos qui signifiaient : je vois, et qui douloureusement entrouverts sur nous ne voyaient plus ; et c'était de ses gestes, comme d'écarter la couverture, qui voulaient dire : cette couverture me gêne, je vais l'écarter pour avoir moins chaud et elle ne savait rien de tout cela ; nous pouvions nous approcher d'elle, mettre notre visage près du sien, ses paupières baissées l'empêchaient de nous voir ou plutôt n'était-ce pas parce qu'elle ne voyait plus que ses paupières étaient baissées, le peu de prunelle — peut-on dire de regard — qui passait, c'était simplement parce que ses paupières fermaient mal. Mais on sentait qu'il n'y avait pas de regard sous ses paupières, aucune présence sur son visage. La respiration étant très difficile quand on apporta *biffé*] [Hélas aussitôt les sangsues retirées *[p. 631, début du 2ᵉ §]* la congestion reprit. Quelques jours *[p. 631, début du 3ᵉ §]* après, comme je dormais, ma mère vint m'appeler *[comme dans le texte définitif, avec lég. var.]* les rappelons plus. *[p. 631, 16ᵉ ligne en bas de page]*. D'une voix si douce *[p. 631, 8ᵉ ligne en bas de page]* qu'elle avait l'air d'avoir peur de me faire mal, *[comme dans le texte définitif, avec lég. var.]* de très bon goût. *[p. 633, 5ᵉ ligne]* À ce moment *[p. 633, début du 2ᵉ §]* ma mère *[comme dans le texte définitif, avec lég. var.]* au contraire *[p. 633, avant-dernière ligne]* laissé seul dans l'antichambre finit par partir. Il fut si étonné *[p. 634, 12ᵉ ligne en bas de page]* d'un accueil pourtant si naturel qu'il dit plus tard que ma mère était aussi désagréable *[comme dans le texte définitif, avec lég. var.]* demanda des *corr.*] ballons d'oxygène. *dactyl.* : légèrement la main. / Par moments, elle recommençait *[comme dans var. c, p. 628]* jusqu'ici la pensée *biffé*] / [Je savais quel dégoût [...] même pas l'air d'entendre. *corr.*] / Hélas aussitôt les sangsues retirées la congestion reprit [, de plus en plus grave. Je fus surpris [...] question d'essayage. *add.*] Quelques jours plus tard, comme je dormais [...] les rappelons plus. [Et quand luit *[...]* « J'ai dormi. » / *add.*] D'une voix si douce [...] très bon goût. [Son conseil du reste *[...]* faire demander Dieulafoy. *add.*] / À ce moment ma mère [...] au contraire laissé seul dans l'antichambre [finit par partir. Il fut *biffé*] [eût fini par sortir si au même moment *[comme dans orig., avec lég. var.]* resta *corr.*] si étonné *[comme dans orig., avec lég. var.]* ballons d'oxygène. *plac. 1* ↔ *b.* Ma mère,   *On trouvera la leçon de dactyl., à partir d'ici, et jusqu'à var. a, p. 640, à la variante citée.*

1. La présence de cette religieuse anonyme semble un souvenir des derniers jours de Mme Proust. Dans une lettre à Reynaldo Hahn (août 1912), l'auteur se rappelle les visites d'« une des sœurs de la rue Bizet » (*Correspondance*, t. XI, p. 204-205).

Page 636.

    a. appelait maintenant dédaigneusement la « cambrousse »   *plac. 1* ↔ *b.* une source s'épuise. [Françoise, *[début du § précédent]* quand elle avait un grand chagrin [...] le lui « raconter ». *add.*] Depuis   *plac. 1*

1. *Pétrousse*, pour *pétrousquin* (badaud, paysan), par apocope.

Page 637.

    a. Pour la suite du texte dans plac. 1, jusqu'à var. a, p. 639, voir cette dernière variante.

Page 638.

1. Dans *Le Malade imaginaire*, un médecin s'appelle M. Diafoirus et un notaire M. Bonnefoy.

Page 639.

    a. sourirent imperceptiblement *[var. a, p. 637]* [car c'était lui qui « pensait toujours à tout ». *biffé*] [de la satisfaction d'y avoir pensé. / À ce moment mon père se précipita, [...] auprès d'elle. *corr.*] / — Vous savez   *plac. 1*

1. Voir p. 621, où les sœurs de la grand-mère ont découvert un artiste qui leur donne des « séances d'excellente musique de chambre », et la lettre à Sydney Schiff de novembre 1920, où Proust est plus explicite que dans son roman : « Dans la dernière maladie de ma grand-mère (*Guermantes II*, imprimé mais qui ne sera publié que dans quelques mois), [...] les sœurs de ma grand-mère [...] ne viennent pas la voir parce qu'elles ont découvert un musicien qui jouait si bien du Beethoven » (*Correspondance générale*, éd. citée, t. III, p. 23-24).

Page 640.

    a. Ma mère, *[var. b, p. 635]* le docteur, la sœur en tenaient dans leurs mains, dès que l'un était fini, on leur en passait un autre [pour qu'il n'y

eût pas d'interruption sauf quand le docteur le disait. Alors peu après
qu'eut commencé dans la chambre le petit bruit incessant de l'oxygène
qui s'échappait comme de l'eau, la respiration de ma grand-mère se
trouvait complètement modifiée et son effort soulagé, elle ne fut plus lente
et < geignante > comme elle avait été jusque-là mais au contraire rapide,
légère, élancée et glissante comme quelqu'un qui < patine >, avide, la
bouche suspendue à cet air délicieux comme un enfant qui tèterait. Et
sans que ce fût positivement un râle de bien-être dû à l'oxygène et à la
morphine, plutôt < par > la modification de ces bruits réflexes, comme
un ronflement change dans le sommeil, à la plainte oppressée de ma
grand-mère succéda un soupir de bien-être de quelqu'un qui respire enfin,
et qui suivit les rythmes de la respiration et de son *[un blanc]*, s'élançant
à la poursuite de l'oxygène, la dégageant avec d'incessantes délices,
s'éleva, devint doux, musical, comme une sorte de chant de soprano, un
même plaisir inachevé, toujours *[un blanc]*, s'élançant toujours plus haut,
retombant, s'élançant encore, accompagné par le petit grésillement de
l'oxygène qui s'échappait. Je vis que ma grand-mère ne sentait rien, ne
voulait rien exprimer. Et pourtant ce chant s'élevait si fort, si pressant,
si doux, à la fois comme une supplication et comme un soupir de bien-être,
qu'il était impossible à qui la voyait de ne pas croire que, ne pouvant
parler, agitée ainsi sur son lit, elle ne s'adressait pas à nous avec une
prolixité, une agitation, une tendresse infinie. J'étais sorti *[p. 635, dernier §,
5e ligne]* un instant de la chambre pour dire qu'on allât chercher de
l'oxygène, je n'y rentrai qu'à ce moment-là. Au premier abord je fus saisi
comme à la vue d'un miracle, j'entendais ma grand-mère s'exprimer par
cette sorte de plainte heureuse, de soupir, de chant incessant, je ne savais
pas ce qui était arrivé, mais non seulement je croyais qu'elle était en pleine
conscience, mais en même temps qu'il venait de se passer quelque chose
d'extraordinaire, qu'elle *[un blanc]* avec cette indescriptible agitation et
ces flots d'harmonie et qui était certainement réel puisque mes parents
autour d'elle ne lui disaient pas : « Mais non, tu te trompes, calme-toi ».
On m'assura bientôt qu'elle était aussi absente de ce chant que de tout
à l'heure. *biffé]* [« Quoi ? demanda d'une voix forte *[p. 637, vers le milieu
de la page]* mon grand-père qui était devenu un peu sourd et qui n'avait
pas entendu quelque chose qu'un de nos cousins venait de dire à mon
père. « Rien, répondit le cousin. Je disais seulement *[...]* le baromètre
est très bas », dit mon père. Depuis plusieurs nuits mon père, mon
grand-père, mon cousin veillaient. Leur dévouement continu *[p. 636,
4e ligne en bas de page]* finissait par prendre un masque d'indifférence *[...]*
que vous ne viendrez pas « demain ». Faites-le pour « elle ». Elle
[aurait   biffé] *[vous aurait   corr.]* demandé de ne pas venir *[« là-bas » (au
cimetière)   biffé].* Certainement Maman demandait à sa femme d'user de
son influence. « Ah ! vous savez, il ne fait qu'à sa tête. Il l'aimait tant ! »
« Mais aussi si ses fatigues pouvaient être utiles à quelque chose pour
"lui", je serais le premier... Mais puisque, hélas... » Rien n'y ferait ; il
serait le premier à la « maison ». « Au moins, ne venez pas "là-bas" »
[disait la veuve   biffé] lui dirait Maman éplorée en désignant le cimetière.
Il irait « à tout » *[.* Et, avant, il avait « pensé à tout » *biffé]* comme
il faisait toujours, ce qui lui avait valu dans un autre milieu le surnom
[...] on ne vous dit pas merci. » « Où dites-vous qu'il fait mauvais
temps ? », demanda mon grand-père. « À Combray », répondit mon
cousin. « Ah ! cela ne m'étonne pas, *[...]* a-t-on pensé à prévenir [ses

sœurs, Céline et Gisèle ? *biffé*] [Legrandin *corr.*] ? » « Oui, ne vous tourmentez pas *[...]* imperceptiblement, car c'est lui qui « pensait toujours à tout ». « Vous savez *[var. a, p. 639]* ce que ses sœurs nous ont télégraphié ? » demanda mon grand-père. « Oui, Beethoven, *[...]* plus d'oxygène ? » Le médecin venait de dire que l'on pouvait s'arrêter un moment. *corr.*] [À ce moment le médecin dit qu'on pouvait cesser un peu l'oxygène, *biffé*] Maman dit : / « Mais, si, elle doit recommencer à mal respirer. » / Le médecin dit : / « Oh ! non, l'effet de l'oxygène demeure encore un bon moment, nous recommencerons tout à l'heure. » / Il me semblait qu'on n'aurait pas dit cela pour une mourante, que si ce bon effet devait durer, c'est donc qu'on pouvait quelque chose sur sa vie. Le bruit de l'oxygène cessa pendant quelques instants. Mais la plainte heureuse s'élançait toujours légère, tourmentée, inachevée, élancée, recommençante. Comme on dit que tel architecte gothique s'inspira de la vue de la forêt, que tel musicien essaya de reproduire le rythme de la mer et du vent, je ne sais si Wagner a assisté à une telle mort, et a essayé de reproduire la véritable mélodie que ce bruit pourtant naturel, la mort, ayant < libéré > au milieu d'une chambre une puissance naturelle, aveugle, sans signification comme la mer, ou le vent, là où était avant une personne. Mais c'étaient les élans, les chants, surtout l'éternel recommencement, comme l'incessant besoin de respirer, de la mort d'Yseult. Par moments, il semblait que tout fût fini, sa respiration s'arrêtait, soit par ces changements d'octaves qu'il y a dans la respiration d'un dormeur, [par exemple, soit à cause du rythme même de l'anesthésie par l'oxygène, qui ne s'exerçant pas d'une façon continue, < par > le progrès aussi de l'asphyxie de l'agonisante et des défaillances des muscles de son cœur, elle reprenait différente, comme ces mélodies branchées sur la tige défaillante de la première dans la mort d'Yseult, comme si la source principale de la vie s'arrêtait, d'autres affluents, *[un blanc]* encore leurs cours à épancher leur murmure, à < se > faire entendre. Elle voulait avoir encore un thème de bonheur à dire, à goûter avant de mourir ; n'y a-t-il pas en effet en nous divers thèmes dont plusieurs se taisent parfois pendant bien longtemps. Et ce thème heureux avait été en ma grand-mère, la souffrance de l'agonie l'avait fait taire, mais l'action de l'oxygène, faisant faire silence à la plainte de la souffrance, lui permettait de nouveau de se faire entendre, de se développer, d'employer à son exécution les derniers souffles de la mourante jusqu'à ce qu'elle n'en eût plus un seul, ou que tout se confondît dans le silence de *[un blanc]* dernier. Elle avait encore une fois éloigné sa couverture. Je m'approchai pour la découvrir un peu. Ma mère me dit : « Tu vois, son visage est très calme, c'est bien elle, elle ne souffre pas. Tu peux l'embrasser si tu veux, mon chéri. » Alors au moment où ma lèvre toucha son front, je sentis un frémissement infini de son corps comme si, sans pouvoir me l'exprimer, toute sa tendresse pour moi < l'eût > agitée. Peut-être était-ce un simple mouvement réflexe. Peut-être y avait-il cette tendresse profonde pour moi. Ce qui était en elle le plus près de sa vie, à qui elle tenait plus qu'à la vie, avait-elle pu me percevoir, espèce d'hyperesthésie qui lui permettait de me voir et de me sentir quand elle ne voyait plus ni ne sentait plus, comme les nerveux qui lisent à travers un bandeau, ou qui devinent un fait à distance. La plainte de sa respiration semblait à ce moment l'expression passionnée, désespérée, déchirante de douceur, de ses derniers adieux. « Ne restez pas près d'elle en pleurant », dit le médecin.

« Mais si elle ne voit plus ? » « On ne sait jamais, elle peut retrouver < de la conscience >, c'est < improbable >, mais c'est possible. » Je m'éloignai, on recommença l'oxygène, et le bruit de l'air qui s'échappait faisait accompagnement à la plainte chantée. *biffé*] [soit par l'intermittence naturelle de la respiration, effet de l'anesthésie, progrès de l'asphyxie, défaillance du cœur. Le médecin reprenait le pouls de ma grand-mère. Mais déjà un affluent venait apporter son tribut au courant desséché, un nouveau < chant > s'était embranché à la phrase interrompue. Et celle-ci reprenait, à un autre diapason, avec le même élan inépuisable. Qui sait si, sans même qu'elle en eût conscience, tant d'états heureux et tendres, refoulés par la souffrance, ne s'échappaient pas maintenant comme les gaz plus légers d'une bouteille longtemps bouchée ? On aurait dit que tout ce qu'elle avait à nous dire s'épanchait, que c'est à nous qu'elle s'adressait avec cette prolixité, cet empressement, cette effusion. Si Wagner a jamais assisté à une telle mort, lui qui a fait entrer dans sa musique tant de rythmes de la nature et de la vie, depuis le reflux de la mer jusqu'au martèlement du cordonnier, et des coups de forgeron, au chant de l'oiseau, on peut croire, s'il a jamais assisté à une telle mort, qu'il en a dégagé, pour les éterniser dans la mort d'Yseult, les inexhaustibles recommencements. Au pied du lit, *[p. 640, 10ᵉ ligne]* convulsée [...] n'ont presque pas besoin des sens pour chérir. *corr.*] Tout d'un coup *dactyl.* ↔ *b*. Ma grand-mère était morte. / [Comment comprendre qu'au moment où on va mourir, c'est-à-dire où on ne sera plus, à la minute qui précède ce qui n'est plus quelque chose, mais qui justement est : rien, on recueille toutes ses forces, comme un blessé qui court pour échapper au danger, qui se dresse, qui se traîne, qui fait ce que physiquement il lui est impossible de faire ? Pourtant il n'y avait rien devant ma grand-mère à ce moment-là, < puisque[1] > la mort c'est justement rien. Ce qui était la minute suivante, c'était plus rien. Donc à cette minute-là c'était déjà presque plus rien, et elle avait dressé toutes ses forces, contre... son propre néant, elle s'était dressée dans le vide, dans le vide où déjà elle n'était plus. Sa révolte s'appuyait sur rien. / [Alors Françoise < put > cette fois sans me faire souffrir peigner ces beaux cheveux. Il lui semblait qu'elle faisait à ma grand-mère un dernier plaisir, que jusqu'à la fin elle n'avait pas voulu laisser toucher les cheveux de ma grand-mère par une autre qu'elle. Cette pensée de sa propre fidélité < l'émut >, elle pleurait. D'ailleurs elle pleurait constamment et nous trouvait des sauvages de ne pas pleurer. Ma mère pensant que ma grand-mère ne souffrait plus, ne pensait plus qu'elle nous quittait, sentant que ce n'était plus qu'à elle à être malheureuse, eût été plutôt heureuse. Mais elle se disait qu'elle n'avait plus que quelques heures à posséder le corps chéri. Le visage de ma grand-mère était devenu pour ainsi dire son vrai visage, celui que je n'avais jamais connu, débarrassé avec la vie de tout ce que la vie lui avait apporté, de tous les empâtements, les rides, les sillons de la douleur. Sur le lit funèbre où elle reposait comme sur sa tombe, il semblait que la mort, comme ces sculpteurs du Moyen Âge < commençant, avant le temps riche qui suit, qui représentent[2] > la morte couchée sous les traits d'une jeune femme, lui avait donné l'effigie

---

1. Le ou la dactylographe a en fait écrit « jusque », qui semble être une erreur de lecture.

2. Nous reprenons ici le texte d'une esquisse que suit la dactylographie.

de sa jeunesse. C'était elle, telle qu'elle était dans le portrait qui était chez mon oncle, comme au jour de ses fiançailles, avec un visage de pureté et < de soumission > , mais aussi d'une espérance et d'un désir de bonheur que la vie avait déçus avant même que je la connaisse, et dont j'avais brisé les derniers ressorts. Alors elle entrait dans la maison de son époux, gaie, avec ses rêves de jeune fille, croyant au bonheur, mais infiniment pure et soumise, servante de l'époux. Et c'est avec cette pureté et cette soumission que devait se faire, quand elle avait compris que le bonheur n'était pas pour elle et quand il fut remplacé par le désir douloureux de bonheur pour nous qui ne nous y prêtions pas, cette abnégation, cette douleur que j'avais toujours vue sur son visage, qui l'avait vieillie, qui avait empâté ses joues, durci ses traits, creusé ses sillons sous ses yeux. La vie lui avait apporté tout cela, elle venait de l'emporter. Dans sa pureté virginale, un sourire d'espérance sur les lèvres, immobile et soumise, ma grand-mère semblait prête à recommencer la vie, prête à ce qu'un nouveau cortège la conduisît chez l'époux. *biffé*] Quelques heures plus tard Françoise *dactyl.*

Page 641.

a. Avec le début du chapitre II s'achève la dactylographie consacrée à la mort de la grand-mère (voir notre Note sur le texte, p. 1685). L'indication CHAPITRE DEUXIÈME *n'apparaît cependant pas avant l'édition originale. Dans* plac. 1, l'apparence d'une jeune fille. *est suivi d'un blanc de quinze lignes et le placard 27 commence par* Bien que ce fût simplement un dimanche *. Seul un astérisque ajouté à l'encre indique qu'il s'agit d'un nouveau chapitre. Sur le placard 27 de plac. 2, aucune ligne blanche ne sépare les deux chapitres, mais Proust a écrit en marge :* Nota bene : laisser toute une fin de page vide, car on passe ici à un autre chapitre, puis avant les mots : Bien que ce fût simplement un dimanche d'automne mettre au-dessus d'eux / *** *Malgré cette note, le placard 27 de plac. 3 ne contient toujours pas de coupure entre l'épisode consacré à la mort de la grand-mère et le réveil du narrateur. Proust a rédigé une nouvelle note :* laisser 10 lignes de la page en blanc. / Blanc / Tête de chapitre à indiquer ultérieurement *Rappelons qu'il n'existe pas de dactylo-graphie pour le chapitre II du « Côté de Guermantes II ». En revanche, le manuscrit commence ici.* ◆◆ *b. Le premier cahier manuscrit (N.a.fr. 16 705) commence ici. Sur le folio 2 recto figurent plusieurs débuts que Proust a successivement barrés. Nous donnons les plus importants :* [À partir de maintenant tout ce qui suit fait suite à la mort de ma grand-mère. / J'étais allé, sans être bien certain si ma mère eût approuvé que je < le > fisse malgré notre deuil, à une petite soirée chez Mme de Villeparisis, profitant de l'absence de mes parents, partis pour quelques jours à Combray. Eux revenus, je n'aurais peut-être pas osé le faire ; ma mère, par respect pour le souvenir de ma grand-mère et pour les sentiments qu'il lui inspirait, voulant que les marques de regret qui lui étaient données le fussent librement, sincèrement, probablement n'aurait pas défendu cette sortie mais ne l'eût pas approuvée. De Combray, au contraire, consultée, elle ne se fût pas bornée à un triste et sévère : « Fais ce que tu veux », mais se reprochant de m'avoir laissé se seul m'aurait permis de voir du monde ; car, jugeant d'après le sien mon chagrin, elle pensait qu'il avait besoin pour que je ne tombasse pas malade de distractions qu'à elle-même elle se fût refusées. Comme on venait de jouer une petite saynète, j'étais encore assis sur un petit canapé à deux places dont la seconde était vide et j'attendais pour sortir que le gros des invités se fût écoulé, quand je vis en grande robe de satin jaune la duchesse de Guermantes qui sortait du premier salon où elle avait sans doute été assise au premier rang pendant la représentation. *biffé*] [Un après-midi du second automne qui suivit la mort de ma grand-mère, il faisait mauvais temps, mais comme c'était dimanche tous nos domestiques étaient sortis sauf Françoise et, m'attendant à être seul, et comme mes parents étaient pour quelques jours à Combray *biffé*] / [C'était un dimanche d'automne ; aux jours doux qui avaient régné jusque-là avait succédé depuis le matin un jour froid et brumeux, par un de ces simples changements de temps mais qui changent tellement non seulement dehors les aspects mais en effet en nous le désir des choses, que j'y reconnaissais cette même puissance de la nature qui autrefois, au moindre coup de vent qui ébranlait la cheminée, plus émouvant qu'un coup de théâtre, plus impérieux, semblait amener un nouvel avenir, quand dans ma cheminée le vent, plus émouvant qu'un coup de théâtre qui va amener un changement à vue, frappait mystérieusement comme les premières mesures de la 5e symphonie les appels irrésistibles du destin. *biffé*] / [C'était un dimanche d'automne ; pour ma bénédiction, aux jours doux qui avaient régné jusque-là avaient succédé depuis le matin le brouillard et le froid. Or de même que jadis au moindre vent qui s'élevait dans ma cheminée j'écoutais les coups qu'il frappait contre la trappe, avec autant d'émotion que si pareils aux fameux coups d'archet par lesquels débute la 5e Symphonie, ils avaient été les appels irrésistibles d'un mystérieux destin, tout changement de temps, tout changement à vue de la nature faisait disparaître avec les aspects anciens des choses toutes les défroques de l'existence que j'y avais menée [et me faisait renaître à ma vie encore *biffé*], adaptant au mode nouveau du spectacle extérieur mes désirs harmonisés *biffé*] *Le texte définitif apparaît dans une addition marginale de ms.* ←→ *c.* apportée naguère à Doncières, *ms.* : apportée [naguère *biffé*] [environ une année auparavant *corr.*] à Doncières, *plac. 1* : apportée une année environ auparavant à Doncières, *plac. 2, plac. 3, orig. Nous adoptons la leçon de plac. 1.*

1. Comme la grand-mère du narrateur, la mère de Marcel Proust avait rajeuni dans la mort : « Elle meurt à cinquante-six ans, en paraissant trente depuis que la maladie l'avait maigrie et surtout depuis que la mort lui a rendu sa jeunesse d'avant ses chagrins, elle n'avait pas un cheveu blanc » (lettre à Mme de Noailles, 27 septembre 1905, *Correspondance*, t. V, p. 345).

2. La *Cinquième symphonie* op. 67 de Beethoven. Dans un article de 1895, Proust a décrit une audition de cette œuvre (« Un dimanche au Conservatoire », *Essais et articles*, éd. citée, p. 367-372).

3. Allusion au début de *Du côté de chez Swann* (t. I de la présente édition, p. 4-5) : « Quelquefois, comme Ève naquit d'une côte d'Adam, une femme naissait pendant mon sommeil d'une fausse position de ma cuisse. » Voir, ici, n. 2, p. 649.

Page 643.

a. chaque fois que [je me serais *biffé*] [(un peu) *corr.*] déshabitué *plac. 2* : chaque fois que [(un peu) *biffé*] déshabitué *plac. 3. Orig.
n'a pas intégré la correction de plac. 3 ; on trouvera la leçon de ms. et de plac. 1
pour le présent paragraphe à la variante b.* ◆◆ *b.* m'eût conseillées. *[p. 642,
fin de l'avant-dernier §]* / [Depuis le matin on avait allumé le nouveau
calorifère à eau. [...] mes souvenirs de Doncières. Mais leur insistance
en moi ce jour-là allait leur faire contracter avec lui une affinité telle que
chaque fois que je me serais déshabitué de lui et l'entendrais de nouveau,
il me les rappellerait. *add.*] / Il n'y avait *ms. Plac. 1 intègre l'addition
à quelques variantes près.* ◆◆ *c.* une lettre à Mlle de Kermaria. *[10 lignes
plus haut]* Robert de Saint-Loup en mission au Maroc depuis qu'il avait
rompu avec Rachel et qui rentrait ces jours-ci en France, m'avait écrit
un mot que j'avais reçu la veille. Il m'y disait, pour me montrer qu'il
pensait à moi, qu'il avait rencontré *ms.* Kermaria *est corrigé en* Stermaria *sur plac. 2 ; on trouvera déjà cette correction dans plac. 1, mais plus
loin dans le texte : voir var. a, p. 665.*

Page 644.

1. Sur les « anémones du Ponte Vecchio » et sur le style persan
de l'église de Balbec, voir *Du côté de chez Swann,* t. I de la présente
édition, p. 379-385, et *Le Côté de Guermantes I,* p. 446-447.

Page 645.

a. qu'elle était plus commodément qu'elle n'eût été ailleurs, près de
son corps de vieil ami, qu'elle se retrouvait *plac. 1* : qu'elle était plus
commodément qu'elle n'eût été ailleurs, près de son corps, qu'elle se
retrouvait *plac. 2. On trouvera dans la variante b l'état de l'ensemble de ce
passage dans ms. et plac. 1.* ◆◆ *b.* certainement arrivée. *[p. 643, 7ᵉ ligne en
bas de page]* J'avais été d'autant plus troublé par la lettre de Robert que
je lisais *ms.* : certainement arrivée. [J'avais *biffé*] [La lettre de
Saint-Loup ne m'avait pas étonné *[comme dans le texte définitif, avec lég. var.]*
travail à faire, une chose si parfaitement usuelle qu'elle communique du
repos et ne peut gêner. / Pour revenir en arrière, j'avais *corr.*] été
d'autant plus troublé par la lettre que Saint-Loup m'avait écrite du Maroc
que je lisais *plac. 1*

Page 646.

a. connaissait pas, comme une ouvrière qui s'est installée près de la
fenêtre pour voir plus clair en faisant sa besogne et ne s'occupe pas de
la personne qui est dans la chambre, quand, sans *ms.* : connaissait pas
plus qu'une ouvrière *[comme dans ms.]* chambre, quand, sans *plac. 1* :
connaissait pas plus qu'une ouvrière *[comme dans ms.]* besogne ne s'occupe
de la personne [...] chambre. Tout d'un coup sans *plac. 2* ◆◆ *b.* jamais
retourné. *[19 lignes plus haut]* Même *ms.* : jamais retourné. [Sans doute
chaque fois *[comme dans le texte définitif, avec lég. var.]* il y avait plusieurs
autres choses. Certes *add. plac. 1*] Même *plac. 1, plac. 2*

Page 648.

a. comme on a de lorgnettes *plac. 1* : comme on a des lorgnettes *plac. 2, plac. 3, orig. Nous donnons la leçon autographe de plac. 1 en adoptant la correction de l'édition Clarac et Ferré de 1954 (ajout de* en *)* ◆◆ *b.* sur la plage. *[p. 647, fin de l'avant-dernier §]* Cette fois-ci elle venait *ms.* : sur la plage. *[Je peux le dire ici [comme dans le texte définitif, avec lég. var.]* une lorgnette nouvelle et plus rare. *add.]* / Cette fois-ci elle venait *plac. 1.* Sur le placard 27 de *plac. 1* figure cette phrase inachevée mais non biffée : Et encore qu'allais-je dire à Mlle de Kermaria dans l'île des Cygnes. Je connaissais par expérience ces rêveries amoureuses qui, après avoir hésité un instant, se fixent sur une certaine femme. ◆◆ *c.* de percer. *[début du §]* Des choses nouvelles s'y étaient peut-être passées — ou c'était peut-être seulement parce qu'on change vite à l'âge qu'elle avait. *[Je sentais* biffé*]* *[*Par exemple, son intelligence se montrait mieux *[...]* pas développée. Il y avait d'autres changements en elle. Je sentais, dans *corr.]* la même jeune fille *ms.* : de percer. / *[*Des choses nouvelles *[comme dans ms.]* à l'âge qu'elle avait. *biffé]* *[*Certains signes pourtant semblaient indiquer qu'avaient dû se passer dans cette vie des choses nouvelles. Mais *[...]* à l'âge qu'avait Albertine. *corr.]* Par exemple *[...]* dans la même jeune fille *plac. 1*

1. Voir *À l'ombre des jeunes filles en fleurs*, p. 264-267.

Page 649.

a. de rester encore. *[*Ce n'était pas très facile à obtenir *[...]* dans ma compagnie comme elle faisait autrefois. Pourtant *add.]* chaque fois après *ms.* ◆◆ *b.* sa montre, *[17 lignes plus haut]* elle se rasseyait *[*de sorte qu'elle avait passé presque toute la journée avec moi sans que je lui eusse rien demandé ; mais alors les choses que je lui disais se rattachaient à celles que je lui avais dites *[*non à celles auxquelles je pensais et *biffé]* pendant les heures précédentes *[...]* indéfiniment parallèles *add.]*. Certes je ne l'aimais nullement, fille de la brume *ms.* ◆◆ *c. On trouvera à la variante b, p. 652, les leçons de ms. et plac. 1, à partir d'ici, et jusqu'à la variante citée.*

1. Proust a souvent corrigé « cathédrale » en « église » sur le manuscrit, sans unifier sur les placards.
2. Voir la Genèse, II, 21-22. Cette partie du *Côté de Guermantes II* reprend un thème esquissé dans *Du côté de chez Swann*. Voir t. I, p. 4-5.

Page 650.

1. On peut voir des amours ailés sur les fresques découvertes à Pompéi (maisons de la Vénus marine, des Vettii, villa des Mystères) ou à Herculanum (maison du Bicentenaire, maison des Cerfs). Dans une note de *La Bible d'Amiens*, Proust expose l'idée de Ruskin, pour lequel l'art antique et païen survit dans l'imagerie religieuse du Moyen Âge, et cite *Saint Mark's Rest* où Ruskin décrit la basilique Saint-Marc de Venise : « Le Chérubin à dix ailes qui est dans le retrait derrière l'autel porte écrit sur sa poitrine *Plénitude de la Sagesse*. Il

symbolise la largeur de l'Esprit, mais il n'est qu'une Harpie grecque et sur ses membres bien peu de chair dissimule à peine les griffes d'oiseaux qu'ils étaient. Au-dessus s'élève le Christ porté dans un tourbillon d'anges [...]. Ces mosaïques ne sont pas antérieures au XIIIᵉ siècle » (John Ruskin, *La Bible d'Amiens*, trad. de Marcel Proust, Mercure de France, 1904, p. 245).

2. Le golf de Fontainebleau ne fut ouvert qu'en 1909.

3. Le 6 février 1897, Proust se battit en duel contre Jean Lorrain. Ses témoins étaient Gustave de Borda, « merveilleux duelliste », « légendaire sous le surnom de "Borda Coup d'épée" », et « le grand peintre » Jean Béraud (*Essais et articles*, éd. citée, p. 549).

Page 651.

a. la meilleure solution. » Sans doute   *ms.*

1. Voir p. 753, où la même phrase est placée dans la bouche de « Guermantes un peu cultivés ».

2. Les travaux de Darwin ont porté sur l'évolution des espèces. Son principal ouvrage, *On the Origin of Species by Means of Natural Selection, or the Preservation of Favoured Races in the Struggle for Life* (1859), fut traduit en français en 1862 sous le titre *De l'origine des espèces, ou des lois du progrès chez les êtres organisés*, titre ainsi modifié en 1866 : *De l'origine des espèces par sélection naturelle, ou des lois de transformation des êtres organisés*. Littré donne la définition suivante : « Sélection naturelle, prédominance que la nature accorde à une espèce, à une variété, grâce à une adaptation plus grande de ses caractères à ceux du milieu, au point de vue de la nutrition, de la conservation, de la reproduction, etc. avec disparition des espèces, des variétés qui ne peuvent lutter. Ce mot de sélection est entré en français par l'anglais. »

Page 652.

a. Après avoir ouvert une parenthèse, Proust oublie de la refermer et d'achever sa phrase. Le texte de ms. *et celui biffé sur* plac. *1 (voir var. c) permettent de reconstituer le premier état d'un texte que les corrections ont rendu incompréhensible.* ◆◆ *b. Dans le Cahier 61 (ffᵒˢ 66 et 67 rᵒˢ) figure la note suivante :* Pour ajouter au Côté de Guermantes pour la première visite d'Albertine. Capital. / Il y a des expressions qu'on remarque pour la première fois dans les conversations d'une femme et qui sont comme ces bijoux encore jamais vus, ces montres-bracelets, dont l'indifférent dit simplement : « Hé bien, j'espère, d'où cela vient-il ? », tandis que, en se posant la même question : « Qui lui a donné cela ? », le jaloux se torture sans fin. ◆◆ *c.* tenait à peine *[var. c, p. 649]* [au corps *biffé*] [par les pieds à la hanche   *corr.*] d'Adam [ou les pieds du Christ dans les mains de la Vierge *biffé*] [au corps duquel elle est presque perpendiculaire *corr.*] aux bas-reliefs romans [qui figuraient *biffé*] [du porche *corr.*] de la cathédrale de Balbec qui figuraient d'une façon si large et si paisible [...] la création de la femme [ou la déposition de croix. *biffé*] [et où Dieu est partout suivi, comme par deux ministres, par deux Anges [...] surprises et épargnées et qu'on trouve encore dans l'air glacé — deux amours

d'Herculanum *[...]* une sélection. » *[p. 650, fin de l'avant-dernier §]* Non
pas qu'Albertine n'eût possédé un lot *[comme dans le texte définitif avec lég.
var.]* travaux de Darwin. *[p. 651, vers le milieu de la page]* Enfin m'apparut
l'évidence *[...]* arriver de mieux » et « J'estime que c'est la meilleure
solution ». *[*Sans doute il arrive que des hommes peu cultivés, épousant
une femme lettrée, reçoivent dans leur apport dotal de telles expressions
que, peu de temps après leur mariage, on est tout étonné de voir
apparaître. *biffé]* Sans doute il arrive que des femmes peu cultivées,
[comme dans le texte définitif, avec lég. var.] « C'est un type » *[p. 652, 4ᵉ ligne]*
ou à celle de ses amies de la petite bande si elle se montrait exigeante
et faisait un reproche qu'Albertine jugeait injustifié : « Ah ! vraiment je
vous trouve magnifique » qu'on emploie dans ces cas-là par une sorte
de tradition *[...]* ou à saluer — ou bien si on lui proposait un jeu d'argent :
« Je n'ai pas d'argent à perdre », (locution que Mme Bontemps lui avait
apprise en même temps que la haine des Juifs et qu'elle lui avait dit être
toujours convenable, comme une robe noire), qu'entre <ce> vocabu-
laire-là et celui où le mot distingué figurait dans son acception nouvelle
et le mot sélection, il y avait un aussi grand changement qu'entre un texte
français où le mot *[un blanc]* signifie encore : *[un blanc]* et un texte
postérieur par exemple à l'ouvrage de Darwin. *add.]* / Non seulement *ms.* : tenait à peine *[comme dans le texte définitif, avec lég. var.]* tout
à fait une sélection. / [À propos d'un duel *[...]* la moustache ». *add.]*
Certes non pas qu'Albertine *[comme dans le texte définitif, avec lég. var.]*
travaux de Darwin. Enfin m'apparut l'évidence *[comme dans le texte définitif,
avec lég. var.]* sa prière ou à saluer [ou bien si on lui proposait *[comme
dans ms.]* l'ouvrage de Darwin *biffé]* [les lui avait apprises en même temps
que la haine des Juifs et l'estime pour le noir où on est toujours convenable
et comme il faut. Malgré tout, sélection me parut allogène *[...]* pas de
même. *add.]* / Non seulement *plac. 1*

1. Le texte du *Magnificat*, cantique que l'on chante à vêpres et au
salut, est tiré de l'Évangile selon Luc (I, 46-55). Il s'agit de la réponse
de Marie à Élisabeth lors de la Visitation.
2. Noter la parodie de la théorie darwinienne, qui explique
l'évolution par l'effet que produisent des apports « naturels » ou
« étrangers ».

Page 653.

a. pas de grands scrupules *[p. 652, 9ᵉ ligne en bas de page]* [et au moment
où il eût fallu que je lui dise au revoir pour qu'elle rentrât à temps pour
dîner et pour que je me levasse pour le mien, je lui dis tout d'un
coup *biffé*] [. Mais je crois que ce qui me décida fut *[...]* d'une évolution
interne. « Mousmé » m'autorisait à aider. Malheureusement il était
l'heure *[...]* en retard. Malgré toutes ces raisons, je me hâtai de dire à
Albertine *add.]* : « Imaginez-vous *ms.*

1. Ce mot a été introduit en France par Pierre Loti dans son roman
Madame Chrysanthème publié en 1887 : « *Mousmé* est un mot qui
signifie jeune fille ou très jeune femme. C'est un des plus jolis de
la langue nipponne ; il semble qu'il y ait, dans ce mot, de la *moue*

(de la petite moue gentille et drôle comme elles en font) et surtout de la *frimousse* (de la frimousse chiffonnée comme est la leur). Je l'emploierai souvent, n'en connaissant aucun en français qui le vaille » (Calmann-Lévy, 1925, chap. XI, p. 75).

2. Une scène semblable figure déjà dans *Jean Santeuil*. Une amie du héros passe sous son toit plusieurs jours « dans une solitude complète ». La troisième nuit, leurs jeux éveillent le désir de Jean : « Il ne l'avait jamais désirée et pourtant en aurait voulu de la tendresse. Il dit : "J'ai mal au poignet." Elle lui prit la main et dit : "Tenez, je vais vous le masser" et elle passait doucement sa main grasse, brillante et chaude sur son poignet, et tout d'un coup dans ses yeux il eut l'idée qu'elle sentait qu'elle lui faisait plaisir et le faisait pour cela, dévoilant sous son aspect indifférent et aimé le consentement à lui faire plaisir d'une autre manière » (*Jean Santeuil*, éd. citée, p. 837-838).

Page 654.

a. de nul appareil, Fabre. Mais   *ms.*   : de nul appareil [, Fabre   *biffé*]. Mais   *plac. 1* ◆◆ *b.* rapportait le récit   *ms., plac. 1, plac. 2*

1. Peut-être Proust songe-t-il aux diverses idées exposées dans *Le Banquet* de Platon, où figure le célèbre discours d'Aristophane sur les êtres humains doubles et sur les androgynes que Zeus coupa en deux pour les châtier d'avoir voulu escalader le ciel, et où le même convive fait l'éloge de l'homosexualité (voir n. 1, p. 655).

2. Au recto du folio 11 du manuscrit, Proust indique le nom de Fabre (voir var. *a*), déjà cité dans « Combray », à propos de Françoise et de sa cruauté envers les domestiques de tante Léonie (voir t. I de la présente édition, n. 1, p. 122). Les travaux du savant, exposés dans ses *Souvenirs entomologiques* (1879-1907), sont fondés sur l'observation des insectes dans leur milieu naturel.

Page 655.

a. vernis ensoleillé qui à Balbec m'avait charmé comme celui qui fait les pierres roses comme un monument d'Égypte, par les beaux matins d'hiver. Ce visage   *ms.*

1. Proust a parsemé son texte d'allusions, fort discrètes, au thème de l'ambivalence sexuelle, préparant ainsi les développements de *Sodome et Gomorrhe* et de *La Prisonnière* : après Ève née de la cuisse d'Adam, après les « fables auxquelles Platon croyait », c'est le mythe de Tirésias qu'il sollicite. Ce personnage de la mythologie grecque fut en effet changé en femme, puis redevint homme, et fut ainsi le seul à pouvoir trancher dans la dispute qui opposait Zeus et Héra : qui, de l'homme ou de la femme, éprouve la plus grande jouissance dans l'amour ? Zeus lui accorda ensuite le don de prophétie. Françoise allie ainsi le style énigmatique du devin à la concision de l'historien romain Tacite.

2. De son vrai nom John Henry Brodribb, Sir Henry Irving (1838-1905) fut, en Angleterre, le comédien le plus célèbre de son époque et s'illustra dans le répertoire shakespearien. Selon le témoignage des contemporains, il ravissait son public par un style qui rompait avec l'académisme de la première moitié du XIXᵉ siècle.

3. L'acteur français Antoine Louis Prosper Lemaître, dit Frédérick Lemaître (1800-1876) interpréta les grands drames romantiques (*Lucrèce Borgia*, *Ruy Blas*, etc.) et fut étroitement mêlé aux projets de théâtre de Balzac (*Vautrin*).

4. Ce titre est à rapprocher de celui du tableau peint en 1808 par Pierre Prud'hon, *La Justice et la Vengeance divine poursuivant le Crime*. Il est remarquable que Proust, qui avait vu cette œuvre au Louvre, où elle est exposée, substitue dans son titre « éclairant » à « poursuivant ». À côté de la Justice, portant un glaive et une balance, la Vengeance, ailée, est en effet représentée tenant un flambeau à la main.

Page 656.

a. certaines fleurs (dire lesquelles). Surpris   *ms.* ◆◆ *b.* tout de suite à cette invitation. Et pourtant   *ms.*

Page 658.

a. En tout cas, [*p. 657, 12ᵉ ligne*] même s'il n'y avait pas eu l'attrait romanesque de cette découverte, [il restait que cette figure avait pour moi une histoire, un passé, un nom, ce qu'il faut pour lui donner de l'intérêt, pour ajouter au désir charnel des désirs plus spirituels, plus inassouvissables qui s'élèvent en tempête à ses côtés, le grossissent, ne peuvent le suivre jusqu'à l'accomplissement mais l'attendent à mi-chemin et au moment du souvenir, lui faisant escorte, l'enflent de nouveau ; il restait qu'à côté des joues de la première venue, si fraîches soient-elles mais assouvissables, sans secret, sans prestige, baiser ces joues auxquelles j'avais si longtemps rêvé serait comme, au lieu de voir un portrait, par hasard, même beau, finir par en voir une femme depuis longtemps, dont on a désiré connaître la couleur pendant qu'on n'en voyait que des photographies. Ici la sensation qu'on avait cherché à imaginer, ce n'était pas la couleur d'une forme bien connue comme pour le portrait, c'était le goût, la saveur, d'une couleur bien souvent regardée. Cette saveur des joues, le rose des joues d'Albertine, j'allais enfin le *biffé*] de cet enseignement d'une plus grande richesse de plans apportée à la vie — cet attrait inverse — parmi tous ces visages que la vie superpose et enlève tour à tour comme des masques — que celui que Saint-Loup trouvait à Balbec, à trouver dans une calme figure des traits qu'il avait jadis tenus sous ses lèvres — (inverse et plus complexe aussi), cet attrait-là était le plus grand car il y avait quelque chose de plus agréable, de plus intéressant que ce n'allait même être de baiser ces joues, c'était de savoir, de découvrir qu'on pouvait, contrairement à ce qu'on avait cru, les baiser. Quelle différence <entre> posséder une femme sur laquelle notre corps seulement s'applique parce qu'elle n'est qu'un morceau de chair, ou qu'elle soit la petite qu'on apercevait sur la plage [...] tout au long tout le roman de cette petite, a placé en vous un instrument puis un autre, puis tant d'autres que sa seule pensée réveillait et qui ferait au désir charnel un accompagnement qui le centuple et le diversifie de désirs plus spirituels. On a vu une femme [...] Albertine inconnue, silhouette toute plate profilée sur la mer, et puis cette image on   *ms.* ←→ *b.* l'image humaine, comme si on déplaçait incessamment les vues de la lorgnette, c'est une leçon   *ms.*

1. Dans une lettre de juillet 1912 à Mme Caillavet, Proust note : « Ma mémoire et mon imagination m'offrent de temps en temps des séances de stéréoscope du sourire de votre fille et des phonographes de sa voix. J'appelle cela, qui a un titre un peu démodé : "les Plaisirs de la Solitude" » (*Correspondance*, t. XI, p. 157-158). Pour la métaphore du stéréoscope, voir p. 712.

2. Allusion, moins aux marines d'Elstir (voir p. 191), qu'à celles créées par le regard du narrateur, qui observe les changements de la mer à partir de la fenêtre du Grand-Hôtel (voir p. 160-164).

Page 659.

a. Je vous en referai *[p. 658, 15ᵉ ligne en bas de page]* de temps en temps. [« Dites-moi, encore un mot, [...] votre amie Fernande a sauté à pieds joints par-dessus la chaise où était assis un vieux monsieur, le Premier Président de Caen (?) Tâchez de vous rappeler ce que vous avez pensé à ce moment-là *[,* ce que vous vous êtes dit. » « J'ai dû dire que   *biffé]* Fernande était *[*commune et mal élevée. Du reste c'était   *biffé]* celle que nous fréquentions le moins, elle était [...] avant de l'embrasser, pouvoir retrouver en elle le pays où elle avait vécu *[.* Du moins, en elle il y avait   *biffé]* à la place duquel il y avait au moins tous les souvenirs de notre vie à Balbec, le bruit du flot [...] Et puis   *add.]* En laissant mon regard   *ms.*

Page 660.

a. Bref, si à Balbec Albertine m'avait si souvent paru différente, maintenant (je n'irai pas jusqu'à dire comme si j'avais été l'Éternel pour qui les siècles sont des secondes), [comme si, en accélérant [...] toutes les possibilités qu'il renferme   *add.]* dans ce court trajet   *ms.*

1. À Venise, la Piazzetta, bordée d'un côté par le palais des Doges et, de l'autre, par la Libreria Marciana, relie la place Saint-Marc à la lagune. Sur le quai sont érigées deux colonnes, portant les statues de saint Théodore et du lion de Saint-Marc. L'église Santa Maria della Salute se trouve sur la rive droite du Grand Canal, peu distante, en effet, de la Piazzetta.

Page 661.

a. dont elle dut bien s'apercevoir [. Comme je n'avais rien souhaité de plus, tout me semblait terminé, mais on eût dit qu'elle avait trouvé qu'il y avait de sa part une certaine grossièreté à trouver que cela finissait quelque chose. Elle semblait gênée de partir là-dessus, presque par politesse, comme Françoise, même si elle n'avait pas soif, n'aurait pas voulu refuser un verre de vin d'un étranger, et encore moins s'en aller, quelque devoir qui la rappelât aussitôt après l'avoir bu, comme si elle n'était venue que pour cela. *biffé* [et dont j'avais même craint [...] aux Champs-Élysées. Ce fut tout le contraire. *corr.*] Déjà au moment *ms.*

1. Voir *À l'ombre des jeunes filles en fleurs*, p. 283-286.
2. Voir *À l'ombre des jeunes filles en fleurs*, t. I de la présente édition, p. 485.

Page 662.

a. professionnelles [, une sorte < de > dévouement subit et conventionnel ; et [...] qu'elle était revenue *add.*]. Tandis qu'à moi qui n'avais rien souhaité de plus qu'un apaisement physique, maintenant atteint, [je considérai tout comme terminé, Albertine, incarnation de cette petite Française paysanne qui est sculptée — et c'était peut-être à mon insu ce qui me l'avait fait désirer — de cette petite Française paysanne qui est sculptée à Saint-André-des-Champs — semblait trouver qu'il y eût eu de sa part quelque grossièreté à paraître, *biffé*] : [Albertine *corr.*] semblait trouver *ms.* ◆◆ *b.* quelque chose. [J'avais beau lui dire, à elle qui à Balbec n'entendait même pas ce qu'on lui disait quand elle était pressée, qu'elle allait arriver en retard pour son dîner *biffé*] [Elle si pressée tout à l'heure se disant sans doute maintenant que les baisers [...] tout mon temps. » *corr.*] Elle *ms.* ◆◆ *c.* qui l'eût rappelée. [C'est qu' *biffé*] [Cet ajoutage sera peut-être ôté ? / Ce serait sans doute absurde de croire que c'était parce que Gilberte avait un père juif, que chez elle l'impression avait été autre. Car non seulement par sa mère elle plongeait dans le fond, on peut dire dans la lie du peuple, mais encore par sa famille, son enfance, elle était, comme on le verra plus tard, bien de Combray, de Méséglise. Mais enfin *add.*] Albertine *ms. Comme l'indique la note de Proust, cet ajout sera biffé sur plac.* 1.

1. Comme à la grand-mère, redevenue sur son lit de mort une sculpture de jeune fille. Voir p. 641.
2. Voir *Du côté de chez Swann*, t. I de la présente édition, p. 149-150.

Page 663.

1. « Marcel Proust pouvait être plus gai que personne, et son rire était communicatif. Mais le fou rire, qu'il m'avait donné comme une scarlatine, devint bientôt une gêne pour nous deux : nous ne pouvions plus aller nulle part ensemble, ou alors nous devions nous résigner à être muets et grimaçants » (Lucien Daudet, *Autour de soixante lettres de Marcel Proust*, p. 31).

Page 664.

a. crois toujours. » *[p. 663, 9e ligne]* D'elle-même elle me raconta sur sa famille et un [frère *biffé*] oncle d'Andrée, une histoire [...] secrets pour moi. Maintenant *ms.* : crois toujours. » / [D'elle-même elle me   *biffé*] [Elle me parla de moi, [...] un bon point qu'ils ne méritaient pas. *[p. 663, fin de l'avant-dernier §]* / Spontanément, par un devoir de confidence que le rapprochement [...] Albertine me   *corr.*] raconta sur sa famille [...] Maintenant   *plac. 1, plac. 2 avec lég. var.*

Page 665.

  a. C'est à partir d'ici dans plac. 1 *(placard 28 de ces épreuves) que Proust commence à corriger* Kermaria *en* Stermaria *; voir également var. c, p. 643.*

Page 666.

  a. qui s'écoulait [en commentant la grande nouvelle, la séparation *[...]* et la duchesse de Guermantes   *add.*], je m'étais   *ms.* ✦✦ *b.* Un certain jour, [m'imposant les mains *[...]* de la peine, *add.*] en me disant :   *ms.* ✦✦ *c.* se moque de toi. » Ma mère m'avait d'un seul coup, comme un hypnotiseur qui vous fait [revenir *[...]* croyez être, *add.*] rouvrir les yeux, éveillé de mon songe amoureux, ou comme le médecin [...] Ma souffrance, mon amour qui remplissaient pourtant mon esprit depuis des années *[un mot illisible]* se détachant d'eux, par une sorte de dédoublement, les avait regardés avec horreur, comme quelque chose d'étranger, comme un monstrueux parasite, sans lequel j'eusse pu très bien vivre. La journée   *ms.* ✦✦ *d.* plus tard, dans l'épisode le plus important de cet ouvrage, que je m'habituerais   *ms.*

  1. C'est le musicien allemand August Heinrich von Weyrauch (1788-?) qui composa ce lied, sur un poème de Wetzel, et le publia, sous son nom, en 1824. Il s'intitulait alors *Nach Osten*. En 1840, Bélanger s'empara de la mélodie, décréta qu'elle était de Schubert et la publia sous le titre *Adieu* : « Voici l'instant suprême, / l'instant de nos adieux ! / ô toi ! seul bien que j'aime ! / sans moi retourne aux cieux ! » (*Seule collection complète des mélodies de François Schubert,* paroles françaises de M. Bélanger, Paris, S. Richault, 1845, t. II, p. 230). L'attribution à Schubert fut ensuite reprise dans diverses éditions des *Lieder* ; le texte et le titre de Bélanger furent retradduits en allemand (*Lebewohl*). Enfin, la chanson fut une nouvelle fois adaptée en français par Émile Deschamps. C'est cette version de l'*Adieu*, dont le texte est incorrectement cité par Proust, que chante le narrateur : « Adieu ! des voix étranges / T'appellent dans les airs ; / Charmante sœur des anges, / Leurs bras te sont ouverts ; / Parmi le chœur céleste / Vas-tu prier un peu / Pour le banni qui reste / Et qui te dit adieu ? » (*Quarante mélodies choisies, avec accompagnement de piano, par F. Schubert*, traduction française par Émile Deschamps, Paris, Brandus et Cie, 1851, p. 1-3). Voir l'Esquisse XVIII, p. 1161.

Page 668.

  a. voir une femme. *[p. 667, 1re ligne]* Et ces sorties, j'avais pu les recommencer ensuite. [Car je ne les faisais plus dans le même but. Depuis longtemps déjà dans mes sorties du matin, selon ce que j' < avais à faire >, le plus insignifiant journal à acheter, je choisissais le chemin le plus direct, sans regret *[...]* sans dissimulation *biffé* [Ayant conscience de ne plus le faire dans le but de rencontrer Mme de Guermantes, je les faisais fort librement. Ainsi une femme qui prend des précautions *[...]* cessé de le commettre. Depuis longtemps déjà *[p. 668, vers le milieu de la page]* dans mes sorties du matin, selon ce que j'avais *[...]* sans dissimulation *corr.*] parce qu'il avait cessé de me paraître le chemin défendu *[...]* malgré elle, depuis que je savais que ce n'était plus dans le but de la rencontrer que je le prenais. Mais je n'avais pas songé que ma guérison en me rendant à l'égard de Mme de Guermantes une attitude *ms.* : voir une femme. Et ces sorties j'avais pu les recommencer ensuite et fort librement car j'avais conscience de ne plus le faire dans le but de rencontrer Mme de Guermantes. Telle une femme qui prend des précautions *[...]* commettre. [Souvent c'était M. de Norpois que je rencontrais. Il arrivait *[comme dans le texte définitif, avec lég. var.]* à parler avec leur collègue de l'équilibre européen. Une grande femme *[...]* me souriait, faisait le geste de m'embrasser, de se donner. Elle reprenait un air froid si elle rencontrait quelqu'un qu'elle connût. *add.*] Depuis longtemps déjà *[...]* attitude *plac. 1, plac. 2 avec lég. var.* : voir une femme. [Et ces sorties, j'avais pu les recommencer ensuite et fort librement *biffé*] [Et quand ensuite Françoise m'eut raconté que Jupien, *[...]* j'avais pu recommencer ces sorties. Fort librement du reste *corr.*] car j'avais *[...]* attitude *plac. 3*

Page 669.

a. d'aucune utilité. L'enchantement eût tout annihilé. Je n'étais pas seulement un indifférent, mais l'indifférent qui aime, c'est-à-dire celui qu'on fuit alors qu'on recherche tant d'autres indifférents. Or peut-être était-il écrit que le funeste enchantement dont j'étais victime et qui, repoussant *[comme une odeur irrespirable biffé]* Mme de Guermantes, l'empêchait de céder aux désirs qu'avaient qu'elle fût aimable avec leur ami sa tante et son neveu, ne serait rompu que le jour où j'aurais devant elle cet air d'indifférence que l'amour s'ingénie avec tant de zèle et de maladresse à affecter et que seule l'indifférence, qui n'en a que faire, trouve du premier coup. Au moment où elle traversait le salon *ms.* : d'aucune utilité. Je n'étais pas seulement *[comme dans ms.]* d'autres indifférents. [Même dans les détails *[...]* parvenir. *add.*] / Au moment où elle traversait le salon *plac. 1* ◆◆ *b.* du soir de l'Opéra-Comique et que le sentiment *ms., plac. 1, plac. 2, plac. 3, orig. Nous corrigeons.* ◆◆ *c.* venir dîner [jeudi *biffé*] [mercredi *corr.*] avec elle ? » *ms.*

Page 670.

a. Et *[p. 669, dernière ligne]* [le mardi suivant. *biffé*] [samedi *corr.*] ? » / Ma mère *ms.* ◆◆ *b.* n'avait coûté que dix francs. [C'était du reste *[...]* peintes par la marquise. *add.*] C'est ennuyeux *ms.* ◆◆ *c.* Ce passage, qui figure sur un ajout manuscrit de *plac. 2* *(voir var. d)*, a été mal lu par le typographe : *plac. 3 et orig.* donnent : *que* c'était la duchesse, non le duc, qui demandait la séparation à cause de moi . ◆◆ *d.* dîner avec moi *[3ᵉ § de la page, avant-dernière ligne]* chez ma tante [où je reconnais que ce n'est pas toujours très folichon, vous

devriez venir dîner chez moi. Mercredi, vous ne seriez pas libre, en petit
comité ? » C'était la veille du jour où je devais dîner avec Mlle de
Kermaria, mes parents ne seraient pas encore rentrés, j'acceptai. « Ce
sera un gentil dîner, il y a la princesse de Parme qui est charmante, d'abord
je ne vous inviterais pas si ce n'était pas pour rencontrer des gens
agréables. *[Il est dit au livre d'Esther que add.]* Les princes persans,
quand ils ne pouvaient dormir, se faisaient lire les registres[1] où étaient
inscrits les noms de ceux qui leur avaient montré du zèle. Peut-être la
duchesse de Guermantes consultait-elle pareillement dans ses insomnies
la liste des mortels qui lui avaient mis des cartes, et par ce moyen s'était-elle
récemment souvenue que j'étais passé une fois en laisser à sa porte, comme
le nom du Juif Mardochée qui se tenait pour l'ordinaire à la porte du
palais d'Assuérus, avait une nuit, au cours d'une telle lecture, *[fait se
souvenir de lui* « de soins tumultueux ce prince environné, Vers de
nouveaux objets... sans cesse entraîné, *biffé]* réveilla les souvenirs de ce
prince oublieux. / Pas plus que *[nous ne savons évaluer biffé]* la grandeur
relative des objets qui sont loin de nous, nous *[ne savons évaluer la place
que nous tenons dans la pensée des autres, et que nous sommes toujours
portés à imaginer biffé]* n'évaluons jamais exactement mais tantôt en
l'amplifiant, tantôt en le diminuant *[inachevé]* / Probablement l'amitié que
Mme de Villeparisis avait pour moi, corroborée par celle de Robert de
Saint-Loup *[inachevé]* / Ainsi non seulement Mme de Guermantes
m'ouvrait cette maison que j'avais cru m'être à jamais fermée mais encore
me l'ouvrait dans les condi<tions> *[inachevé]* / Ces dîners pour la
princesse de Parme étaient réservés par la duchesse de Guermantes aux
personnes à qui elle cherchait à être le plus agréable, et j'eusse été bien
loin de croire quelques minutes auparavant qu'elle m'eût invité même
un jour où elle n'aurait eu personne, comme ces gens qui vous disent[2] :
« Venez, il n'y aura *absolument* que nous » *[cherchant à nous faire prendre
pour une faveur leur crainte de nous mêler à leurs invités plus
brillants. biffé]* *[Sans doute, dans le monde du faubourg Saint-Germain. biffé]* feignant d'attribuer à nous et non à eux, la crainte que nous
soyons mêlés à leurs invités, et de nous faire prendre ce rigoureux
tête-à-tête pour une concession à notre timidité et aussi comme une sorte
de faveur. *biffé]* [Vous ne voulez pas venir dîner chez moi ? » corr.]* /
Il y avait seulement deux minutes j'eusse *ms.* : chez ma tante, vous
ne voulez pas venir dîner chez moi ? / Il y avait seulement deux minutes
j'eusse *plac. 1* : chez ma tante, pourquoi ne viendriez-vous pas dîner
chez moi ? / *[Il y avait seulement deux minutes biffé]* [Certaines
personnes [...] qui lui plaisaient. / Deux minutes auparavant corr.]*
j'eusse *plac. 2*

Page 671.

   a. soupçonnais pas. [Nous nous imaginons que les grands seigneurs
n'ont en tête que ducs et princes, cela est vrai, mais c'est que le prince
est le frère et le duc le cousin. Ils ont d'eux une connaissance familiale,
quotidienne, vulgaire, fort différente de la contemplation d'empyrée que

---

1. Voir p. 673, 2e §.
2. Voir le début de la page 671.

nous imaginons et où, si nous nous y trouvons compris, loin que nos
actions que nous jugeons y être intolérables soient expulsées du souvenir,
comme *[...]* de la trachée-artère, peuvent rester gravées *[...]*, oubliées,
dans le Palais où elles n'ont pas été jugées plus indignes que dans la loge
de la concierge. Nous sommes stupéfaits de les y retrouver comme une
lettre de nous dans une précieuse collection d'autographes. *add.*] Une
simple femme élégante [m' *biffé*] eût peut-être défendu sa porte *ms.,
plac. 1 avec lég. var.*

1. Sur ces personnages de *La Chartreuse de Parme*, voir n. 1, p. 405.

Page 673.

a. qu'elle conférait *[p. 672, 3ᵉ ligne]* et ne pouvait recevoir. [Elle ne
pensait qu'à ses qualités réelles, Mme de Villeparisis et Saint-Loup lui
avaient dit qu'il en avait. Et sans doute *[...]* faisait partie des « gens
agréables ». *add.*] Aussi non seulement en se décidant à lui demander
d'entrer, tout naturellement comme dans un beau jardin où on goûte en
tout petit nombre sous les arbres, elle allait lui faire l'honneur avec grâce
de tout ce qu'elle avait de meilleur dans sa collation, mais encore allait
tâcher que quelques amis à elle qu'elle savait ennuyeux ne le dégoûtassent
pas de revenir. Telles étaient sans doute les réflexions que ma personne,
depuis que je n'aimais plus la duchesse, lui avait inspirées. Elle avait dû
se dire : « Il faudra que nous l'invitions. » Mais comme je ne l'avais pas
su, j'avais été stupéfait quand je l'avais vue dévier de sa marche stellaire,
venir s'asseoir à côté de moi et m'inviter à dîner, effet de causes que j'avais
ignorées, parce que parmi les nombreux sens dont nous sommes
dépourvus, il y a celui qui nous permettrait d'apprécier la place que nous
tenons ou non dans la pensée, l'estime et les conversations des gens qui
vivent loin de nous. Dans notre naïveté nous croyons qu'y jouent un rôle
les choses que nous avons tâché qu'ils sussent, et qui ne parviennent jamais
jusqu'à eux, et celles que nous avons pris beaucoup de peine pour qu'on
ignore, tassées, soigneusement enveloppées dans un : « Mais jurez-moi
d'abord que vous ne < le > direz pas », sur lesquelles l'expéditeur met
ce visa : « Vous savez bien que je ne répète jamais rien. » Dans notre
naïveté nous croyons connaître une toute petite partie de cet inconnaissable ; ainsi nous nous figurons que ces gens sont informés des choses
flatteuses pour nous que nous nous sommes arrangés qu'ils sussent et qui,
dénuées de force d'expansion, arrivent rarement jusqu'à eux, et en
revanche en ignorent d'autres que nous avons pris beaucoup de précaution
pour leur cacher, lesquelles soigneusement enveloppées dans un :
« Jurez-moi d'abord que vous ne le direz pas » avec le visa : « Vous
savez bien que je ne répète jamais rien » ont beaucoup plus de chance
de leur parvenir. Mais en dehors de ces sortes de choses, ce que nous
imaginons être la pensée des autres à notre égard, est simplement le reflet
de leurs rapports extérieurs avec nous. [D'abord une simple parole de
nous, une simple visite que nous faisons, est racontée par huit ou dix
personnes. Et si nous y pensons, cela donne quelque ampleur et quelque
solidité à nos menues occupations qui se trouvent ainsi prolongées,
multipliées, étendues même hors de l'espace que nous pouvons franchir.
Et la satisfaction que nous en avons est d'ailleurs absurde. Car nous savons
combien insignifiantes sont les conversations que nous entendons

nous-mêmes : « Qu'y avait-il chez Mme de Villeparisis ? » « Il y avait
le petit X qui a dit que etc. » *[plusieurs mots illisibles]* l'agrandissement
de la visite et des propos du petit X.   *add.*] Nous nous les figurons ne
pensant jamais à nous s'ils ne nous voient pas, ou une fois par hasard
y pensant avec bienveillance, parce qu'une fois qu'ils nous ont rencontré
ils nous ont parlé avec politesse. Or cet oubli idéal *[p. 672, 4ᵉ ligne en
bas de page]* [...] arbitraire. Des circonstances dont nous ne sommes pas
informés, jointes à l'ignorance de notre valeur ou non valeur et de l'image
qu'elle projette habituellement, font retentir notre nom dans des salons
où nous aurions juré qu'il fût inconnu, non sans l'accompagnement de
commentaires généralement défavorables de la part d'une personne que
nous nous figurions pleine de bonnes intentions, qui en est peut-être
d'ailleurs animée à notre égard et qui n'a pas cru y manquer en portant
sur nous une opinion qui ne nous paraît surprenante et désagréable que
parce que nous sommes seuls à ignorer que sur notre compte elle est
courante. De sorte que pendant que dans le silence [...] à dîner ou un
potin.   *ms.* : qu'elle conférait [...] « gens agréables ». Aussi non
seulement *[comme dans ms.]* que nous l'invitions. » [Il fallait voir avec
quelle confiance, parlant de femmes qu'elle n'aimait guère, elle changeait
[comme dans le texte définitif, avec lég. var.] accapare leur attention.   *add.*]
Je n'avais pas su à quoi attribuer le changement de route de la duchesse
quand je l'avais vue dévier [...] potin.   *plac. 1*

1. Dans le livre d'Esther, Mardochée découvre et dénonce un
complot dirigé contre Xerxès, roi de Perse (également connu sous
le nom d'Assuérus). Le souverain, se faisant lire, au cours d'une nuit
d'insomnie, le « livre des mémoires » où sont consignés les faits
importants de son règne (voir *Du côté de chez Swann*, t. I de la présente
édition, n. 1, p. 51), apprend que Mardochée, cousin de sa femme
Esther, n'a pas été remercié de son geste. Il s'empresse de le
récompenser en lui offrant un vêtement et un cheval royaux (Esther,
VI, 1-11). Le récit biblique a inspiré la tragédie de Racine, où
Mardochée est l'oncle d'Esther. Juif, et donc indésirable au palais
du roi de Perse, qui a ordonné l'extermination des Hébreux,
Mardochée finit par y être accueilli et honoré, et son peuple est sauvé
grâce à l'intervention d'Esther.
2. Proust cite précisément les vers de Racine par lesquels Assuérus
déplore de n'avoir pas récompensé plus tôt Mardochée : « Ô d'un
si grand service oubli trop condamnable ! / Des embarras du trône
effet inévitable ! / De soins tumultueux un prince environné, / Vers
de nouveaux objets est sans cesse entraîné » (*Esther*, acte II, sc. III,
v. 541-544).
3. Dans le livre d'Esther, Mardochée est désigné comme « le
Juif qui est assis à la porte royale » (VI, 10). Voir Racine, *Esther*,
acte II, sc. III ; Assuérus demande si le « mortel qui montra tant
de zèle » pour lui vit encore ; Asaph, officier du roi, répond :
« Assis le plus souvent aux portes du palais, / Sans se plaindre
de vous, ni de sa destinée, / Il y traîne, seigneur, sa vie infortunée »
(v. 560-562).

Page 674.

1. Le deuxième fils du roi Louis-Philippe et de la reine Marie-Amélie porta le titre de duc de Nemours ; leur troisième fils fut prince de Joinville. Leur fils aîné, Ferdinand Philippe, duc d'Orléans, donna le titre de comte de Paris à son fils Louis Philippe Albert, et celui de duc de Chartres à son deuxième fils Robert Louis Eugène Ferdinand.

Page 675.

a. déjà vus ici *[p. 673, 10ᵉ ligne en bas de page].* » Quand je répondis : « Oui Madame la duchesse. Et je connais aussi M. de Charlus qui a été très bon pour moi à Balbec, et à Paris. », Mme de Guermantes parut étonnée et ses regards semblèrent se reporter, comme pour une vérification, à une page déjà plus ancienne du livre intérieur. « Comment, vous connaissez Palamède ? » Ce nom prenait dans la bouche [...] élevée, à cause aussi de la distinction qu'il y avait à parler comme d'un des êtres qui lui étaient en effet le plus proches de tous, d'un si grand seigneur. Et dans le gris confus qu'était pour moi comme les choses qu'on distingue mal, la vie de la duchesse [...] jeune fille, à Guermantes, en robe de jardin. Et les regards de la duchesse semblaient se reporter comme pour une vérification, à quelque page invisible pour moi du livre intérieur : « Quel cachottier *[p. 674, avant-dernier §]* que ce Mémé, s'écria-t-elle. [...] drôle ! Mais vous êtes sûr que vous ne confondez pas, [...] Palamède, ajouta-t-elle avec une légère impertinence [...] simplicité. / Disons d'ailleurs en passant [...] Chartres, Paris ». / « Quel cachottier que ce Mémé [...] drôle ! Mais vous êtes sûr que vous ne confondez pas, [...] Palamède, ajouta-t-elle avec une légère impertinence. » Je répondis *ms.* : déjà vus ici. Quand *[comme dans ms.]* en robe de jardin. / Disons d'ailleurs en passant [...] drôle ! Mais vous êtes sûr que vous ne confondez pas, [...] Palamède, ajouta-t-elle avec une légère impertinence [...] simplicité. / Je répondis *plac. 1* : déjà vus ici. » En répondant [...] jardin. Disons d'ailleurs en passant [...] drôle ! *[et ce qui n'est pas très gentil [...] d'un fort !... » add.]* Je répondis *plac. 2* ⬥ *b.* je me réjouis pour mercredi. / Que M. de Charlus *ms., plac. 1, plac. 2, plac. 3, orig. Nous corrigeons (voir var. c, p. 669 et a, p. 670).*

1. Fernand Labori (1860-1917), l'un des plus brillants avocats de son temps, plaida dans des procès restés fameux. Il défendit ainsi Lemoine, Zola, Picquart, Dreyfus, Thérèse Humbert, Mme Caillaux, etc. Proust, dans un de ses pastiches, a évoqué son éloquence (« L'Affaire Lemoine par Gustave Flaubert », *Pastiches et mélanges*, *Contre Sainte-Beuve*, éd. citée, p. 14 ; voir aussi *Jean Santeuil*, éd. citée, p. 623 et 630). Le 14 août 1899, lors de la révision du procès Dreyfus, à Rennes, un inconnu tira une balle sur Labori, qui ne fut que légèrement blessé. Proust lui envoya aussitôt un télégramme par lequel il rendait « hommage au bon géant invincible à qui cette consécration sanglante manquait seule pour que ce ne fût pas au figuré qu'on parlât pour lui de combat et de victoire » (*Correspondance*, t. II, p. 295).

2. Proust a établi de multiples liens de cousinage fictifs entre la maison de Guermantes et les principales familles aristocratiques d'Europe. Les princes de Ligne étaient les chefs d'une ancienne famille originaire du Hainaut. Voir aussi p. 831.

Page 676.

a. purification. Sa conduite dans ces cas-là avait tout naturellement et probablement sans qu'elle y eût même pensé les belles lignes audacieusement simples de son [corps et de son *add. plac.* 1] visage. / Mais si j'étais surpris *ms., plac.* 1. ◆◆ *b.* N'y avait-il pas eu un moment où, après quelques minutes de renoncement à la voir, à me trouver sur son chemin, de peur que son idée de moi devînt de plus en plus méprisante, je ne reprenais vie et force que si j'avais échafaudé quelque projet où je pourrais lui faire parler de moi, où on allait la voir, lui expliquer qu'il fallait qu'elle me reçût, et après ce premier bonheur, combien d'autres parlaient à mon cœur de plus en plus exigeant. *ms., plac.* 1 avec lég. var.

Page 677.

a. l'explication dans quelques pages. Donc, *plac.* 2. Ce long paragraphe n'apparaît que dans plac. 2 (voir var. b) ◆◆ *b.* et non de Mme de Guermantes. *[p. 676, fin de l'avant-dernier §]* / Les jours *ms., plac.* 1

1. Les révélations sur l'homosexualité du baron de Charlus font l'objet de la première partie de *Sodome et Gomorrhe*, publiée avec *Le Côté de Guermantes II* en 1921.

Page 679.

1. Le Cahier 29 (f° 46 r°) de 1909-1910 juxtapose la mort de la grand-mère au plaisir et à l'oubli, projet qui existe encore dans le Cahier 48, qui date de 1911. Voir l'Esquisse XXVII, p. 1211. En 1913-1914, ces rédactions continues sont remplacées par un schéma, qui sépare cette mort des amours pour Mme de Stermaria, puis pour Albertine. À l'origine, donc, le passage concernant l'île du Bois faisait partie de l'épisode sur la mort de la grand-mère.

2. Le dernier bal de l'année semble avoir exercé sur Proust une attraction mélancolique. Voir sa lettre à Mme de Caillavet de juillet 1912, où il avoue qu'il « aime aller à la dernière soirée de l'année pour [se] rappeler des visages [...] » (*Correspondance*, t. XI, p. 155).

3. Voir le texte sur les « mésanges bleues », que nous reproduisons dans l'Esquisse XXVII, p. 1214.

4. Un panorama semblable, avec ses perspectives illusoires, est déjà décrit dans *Jean Santeuil* (éd. citée, p. 306-307). Adam Frans Van der Meulen (1632-1690), peintre français d'origine flamande, accompagna Louis XIV dans ses campagnes et se spécialisa dans les scènes d'histoire militaire, aux vastes horizons. La ville de Nimègue, aux Pays-Bas, fut prise par Turenne en 1672 ; la bataille de Fleurus, en

Belgique, eut lieu en 1690. Il ne semble pas que Van der Meulen ait jamais peint ces deux villes.

Page 680.

1. Sur le sourire de l'enfant que l'on croit endormi, voir le beau texte de *Jean Santeuil* : « Sans doute il vous est arrivé de traverser le soir la chambre d'un petit enfant qui dort et que la lumière a réveillé. Il n'a pas bougé et vous croyez qu'il ne s'est pas réveillé. Mais vous le voyez qui vous regarde de ses yeux grands ouverts. Peut-être même si vous approchez de lui, étonné, heureux, sentant son calme il sourira et si vous l'embrassez, il vous embrassera » (éd. citée, p. 862).

2. Dans *Les Plaisirs et les Jours*, le personnage de Cydalise est déjà, comme Proust l'expliquait à Reynaldo Hahn dans une lettre du 1ᵉʳ août 1907, le portrait d'une « créature du songe, qui dépasse infiniment la beauté que nous nous sommes faite avec la Bretagne, mais qui doit être la vraie beauté de Cornouailles [...]. Je suis sûr que c'est cela la vraie beauté de Bretagne et j'irai jusqu'à Pontaven, jusqu'en Helgoat voir si les lacs n'y ont pas la couleur des yeux de Mme de Reszké. [...] Que ses yeux, son visage, aient un mystère qu'elle ne connaisse pas elle-même, cela n'empêche pas que ce mystère est ce qu'un poète doit s'efforcer de saisir et d'exprimer [...] » (*Correspondance*, t. VII, p. 240-241). Voir aussi *Les Plaisirs et les Jours, Jean Santeuil*, Bibl. de la Pléiade, p. 41-42, et surtout ce passage : « Puis j'imaginais de vous comme d'une princesse venue de très loin, à travers les siècles, qui s'ennuyait ici pour toujours avec une langueur résignée, princesse aux vêtements d'une harmonie ancienne et rare et dont la contemplation serait vite devenue pour les yeux une douce et enivrante habitude. » Le modèle de ce passage est Mme Jean de Reszké, comtesse de Mailly-Nesle.

Page 681.

a. un autre sentier. *[p. 678, 11ᵉ ligne en bas de page]* Posséder Mme de Kermaria dans l'île du Bois de Boulogne où je l'avais invitée à dîner, tel était le plaisir que j'imaginais à toute minute. Dîner dans cette île — l'île des Cygnes — sans Mme de Kermaria l'eût, naturellement, détruit, mais peut-être aussi dîner avec Mlle de Kermaria, ailleurs que dans l'île des Cygnes — l'eût fort diminué. / [Certes bien avant d'avoir reçu la lettre de Saint-Loup et même en dehors des raisons nouvelles qu'allait y ajouter la personnalité de Mme de Kermaria, l'île du Bois était un lieu qui me semblait particulièrement fait pour le plaisir, parce que je m'étais toujours trouvé y aller seul, quand j'étais particulièrement triste de ne pas en avoir à y abriter. Après les derniers bals de l'année où on devient si souvent amoureux d'une jeune fille qu'on n'aura plus l'occasion de rencontrer dans le monde cette année, qui dans quelques jours sera peut-être partie pour la mer ou pour la montagne, ne sachant comment la revoir, pensant qu'elle est peut-être encore à Paris bien que la saison mondaine soit terminée, on erre à la fin de l'après-midi non dans l'Allée des Acacias < qui > n'est plus fréquentée, mais au bord du lac où les Parisiennes qui ne sont pas encore parties vont encore faire un tour. On suit, plein d'espérance et d'inquiétude, ces belles allées qui longent l'eau frémissante, on scrute cet horizon où par un artifice inverse de celui de ces panoramas dans lesquels la personne réelle du premier plan donne au fond peint l'apparence illusoire de la profondeur et de la réalité, les yeux pareils à ces oiseaux rares *[p. 679, 14ᵉ ligne en bas de page]* élevés *[...]* note exotique, passant sans transition *[p. 679, 19ᵉ ligne en bas de page]* du parc cultivé *[...]* d'elle-même son artifice et son agrément. C'est ainsi qu'à Versailles le parc nous transporte tellement hors de la nature que là où elle recommence, au bout du grand canal, on ne serait pas étonné si ce qu'on ne peut distinguer dans l'éblouissement du lointain s'appelait Fleurus ou Nimègue, et que du haut de cet observatoire factice où la Terrasse nous élève, c'est en obéissant au style de Van der Meulen que les nuages ont l'air d'avoir été accumulés sur le ciel bleu. *biffé]* Sans doute *[p. 679, 2ᵉ §]* déjà *[comme dans le texte définitif, avec lég. var.]* Fleurus ou Nimègue. / Les dernières voitures passent ; elle ne viendra pas ; on éprouve une tristesse mêlée d'amour à goûter le luxe inutile de demeurer parmi ces beaux arbres comme chez des amis à elle où elle ne se doute pas que nous l'attendons, où nous ne la rencontrerons plus aujourd'hui et qui eux-mêmes, dans leur faiblesse qui tremble de toutes ses feuilles aux moindres impressions du soir, dévalant par troupes les pentes du lac ou s'isolant à l'écart, semblent des amants punis, dont les bras ont été changés en branches au moment où ils allaient étreindre le ciel ou embrasser l'eau. La dernière voiture passée, on va dîner dans l'Île. Au-dessus des peupliers tremblants qui rappellent sans fin les mystères du soir plus qu'ils n'y répondent, un nuage rose met une dernière couleur de vie dans le ciel apaisé. Devant l'embarcadère où la petite flottille de barques attend des dîneurs qui ne viennent point, déjà le soir baigne la même pourpre immémorialement mystérieuse qu'il ferait dans un port de Bretagne ou d'Extrême-Orient. Quelques gouttes de pluie *[...]* qu'on peut se croire loin. Mais combien je serais plus heureux d'emmener *[...]* dans mon imagination monotonement nostalgique. Certaines femmes nous semblent une émanation, une parcelle, d'un certain genre de vie, d'un certain pays que nous espérons étreindre en elle et du désir duquel en tous cas elles saturent et colorent nos rêves aussi puissamment que ferait le retour d'une saison, car la persistance têtue d'un même désir — par exemple en ce moment le désir de Mme de Kermaria — répète indéfiniment les mêmes images, enveloppe la vie d'une harmonie nouvelle et uniforme, réalise une atmosphère. Même plus tard, quand le désir a fini par dresser assez complètement l'imagination à la chasse des femmes et qu'on peut, sur le seul nom d'une jeune fille lu dans le compte rendu d'un bal, tomber en arrêt et devenir amoureux d'elle, il peut arriver, à grand renfort d'annuaire des châteaux et de guides Joanne, qu'on vive dans la province d'une beauté qu'on n'a jamais vue. De sorte qu'en somme l'intermittence de nos désirs pour telle femme, rentre dans la loi plus générale de l'alternance de nos rêves, et se relie à celle de nos envies de voyager, soit que le désir de la femme crée le désir du pays, soit, ce qui arrive d'autres fois, que ce soit le désir du pays qui fasse naître celui de la femme. Mais une fois déclenchés, les rêves qui nous font vivre dans une certaine ambiance ne cessent plus de renforcer notre désir pour la femme, parce que le désir, si physique soit-il, a toujours des conditions cérébrales. Or d'une part ces rêves, en ramenant sans cesse les images éveillées par un nouveau genre de désir physique, en renouvelaient la fréquence, en exagéraient la violence ; d'autre part en vertu de ce qu'a d'exclusif toute atmosphère imaginative, je ne pensais plus aux autres manières d'aimer la femme, je ne pensais plus aux autres femmes, donc je ne les désirais plus, comme jadis, du jour où je recommençais de désirer les tempêtes, les brumes, le sombre gothique de Balbec, sortaient de mon esprit pour longtemps les anémones et les lys du Ponte Vecchio. Mais comme cet accord entre une femme et un pays ne renforce pas moins le désir du pays que celui de la femme, l'homme mûr sait parfois en faire son profit, en tâchant de connaître une jolie femme originaire du pays auquel pour des raisons d'études il désire s'intéresser. « Je voudrais une jolie femme soit d'une des villes où il y a des Ver Meer, soit d'une ville à église romane », avait coutume de dire Swann à ses amis. Sans descendre jusqu'à ces applications préméditées et utilitaires d'une loi naturelle, il est certain que pour qui voudrait écrire la géographie et dresser la carte des pays successifs où un homme a vécu par l'imagination, le plus grand nombre d'heures de la journée pendant toute sa vie, un des éléments le plus utiles aux cartographes serait la liste des femmes que cet homme désira, chaque femme d'ailleurs pouvant décrire autour d'elle, suivant les années, des pays différents, ceux dont elle fait rêver quand on vient seulement de la connaître, et plus tard ceux où on l'a connue, ceux auxquels son souvenir est associé. Même, pour moi qui restais beaucoup chez moi, le goût de masser des plaisirs différents en une seule sortie, me faisait souhaiter d'aller voir à la campagne, par un beau jour, une femme qui dès lors exciterait un désir d'autant plus fort qu'il ne s'adressait pas seulement à elle, comme je le croyais, mais à ces belles journées ensoleillées et fleuries où je l'imaginais toujours sans y prendre garde. On ne peut évidemment d'un seul coup bouleverser toutes les règles du récit et jusqu'au système d'écriture littéraire dont on use dans nos pays, mais enfin, s'il s'est glissé dans la manière habituelle des non littérateurs certains artifices devenus presque rituels et qu'il serait fort utile d'en expulser (par exemple la « notation » purement arbitraire — habitude héritée sans doute des récits de voyage, du cadre accidentel dans lequel l'écrivain s'est trouvé avoir telle pensée, ce qui lui crée l'obligation ridicule de dire si le soleil était intolérable ou si à un paysage pelé commençaient à succéder de riantes collines) en revanche il y a certaines réalités bien nécessaires que notre graphisme ne retient pas. De même que pour donner la couleur vraie d'une chose la peinture est obligée de tenir compte des reflets des objets avoisinants, de même la littérature ne devrait montrer une femme que portant, comme si elle était un miroir, les couleurs de l'arbre ou de la rivière près desquels nous avons l'habitude de nous la représenter ; le total du désir devient inexplicable si nous avons négligé dans l'addition la plus grande partie des éléments qui la composent. Pour en revenir à ces climats où nous situons une femme, le brouillard qui depuis la veille s'était élevé *[p. 680, 14ᵉ ligne en bas de page]* même à Paris [...] île de Bretagne où vivait Mme de Kermaria, et par l'atmosphère maritime et brumeuse de laquelle la pâle silhouette de Mme de Kermaria avait toujours continué d'être entourée, comme par un inséparable costume. Certes, pour le désir, quand on est jeune, *[comme dans orig. avec lég. var.]* en religieuse.   *ms.*   : un autre sentier. *[comme dans ms., avec lég. var.]* prendre garde. [On ne peut évidemment *[comme dans ms.]* dans nos pays, mais enfin   *biffé]* S'il s'est glissé *[comme dans ms., avec lég. var.]* en religieuse.   *plac. 1*   : un autre sentier. Posséder Mme de Kermaria [...] fuyantes autant qu'elles. / Sans doute *[p. 679, 2ᵉ §]* déjà *[comme dans plac. 1]* en religieuse.   *plac. 2* ◆◆ *b.* faire le menu. À ma proposition le visage   *ms.*

1. Proust a déjà fait de l'île du Bois le lieu de rencontre d'amours différentes. Dans [« Dialogue »], Françoise accompagne Henri au restaurant du Bois, mais cet endroit fait pour le bonheur renforce la tristesse du héros, qui n'oublie pas le souvenir d'« Elle », qui ne l'aime plus et le trompe (*Essais et articles*, éd. citée, p. 431-435).

Page 682.

1. Le boulevard des Capucines doit son nom au couvent des Filles-de-la-Passion (ou Capucines), installé en 1687 et dont il longeait les jardins. La rue du Bac suit le tracé d'un chemin qui conduisait au bac établi en 1550 pour transporter sur la rive droite les pierres destinées au chantier des Tuileries.

Page 683.

a. seul souvenir, mais ne pensant pourtant plus — encore bien davantage — qu'à la revoir)   *plac. 1*   : seul souvenir, mais ne pensant plus qu'à la revoir)   *plac. 2. Pour la leçon de ms., voir var. b.* ◆◆ *b.* de ce commencement d'amour *[p. 682, 21ᵉ ligne en bas de page]* pour Mme de Stermaria. Mais Saint-Loup n'exagérait   *ms.* ◆◆ *c.* sa lettre était claire ! *Ici finit le dernier placard de plac. 2, c'est-à-dire du jeu incomplet des deuxièmes épreuves pour lequel nous disposons des corrections de Marcel Proust.* ◆◆ *d.* le vent que la longueur de leur attache   *ms., plac. 1*   : le vent que [*durant add.]* la longueur de leur attache   *plac. 3*   : le vent que de la longueur de leur attache   *orig. Nous adoptons la leçon de plac. 3.* ◆◆ *e.* à terre et le rattrapaient   *ms., plac. 1*   : à terre et [*alors elles add.]* le rattrapaient   *plac. 3*

Page 684.

a. Le lendemain [la brume reprit, s'épaissit dans l'après-midi   *biffé]* : [il fit froid et beau ; on sentait l'automne ; en m'éveillant [...] l'après-midi.   *corr.]* Le jour   *ms., plac. 1*

1. Cette évocation du parc de Saint-Cloud est à rapprocher de celle qui figure dans *Jean Santeuil* (éd. citée, p. 308-309).

Page 686.

1. Proust se souvient peut-être ici de l'article de Baudelaire sur « Richard Wagner et *Tannhäuser* à Paris » (1859-1860). À propos de l'ouverture de cet opéra, le poète note : « Aux titillations

sataniques d'un vague amour succèdent bientôt des entraînements, des éblouissements, des cris de victoire, des *gémissements* de gratitude, et puis des hurlements de férocité, des reproches de victimes et des hosanna impies de sacrificateurs, comme si la barbarie devait toujours prendre sa place dans le drame de l'amour, et la jouissance charnelle conduire, par une logique satanique inéluctable, aux délices du crime. Quand le thème religieux, faisant invasion à travers le mal déchaîné, vient peu à peu rétablir l'ordre et reprendre l'ascendant, quand il se dresse de nouveau, avec toute sa solide beauté, au-dessus de ce chaos de *voluptés* agonisantes, toute l'âme éprouve comme un rafraîchissement, une béatitude de rédemption [...] » (Charles Baudelaire, *Œuvres complètes*, Bibl. de la Pléiade, t. II, p. 795 ; nous soulignons).

Page 687.

a. jours sont finis. » / Ce qui ajoutait *ms., plac. 1. Le développement sur l'hiver fut ajouté sur plac. 3 ;* Proust en a d'abord rédigé un brouillon dans le *Cahier 62, f° 21 r°* : Quand je m'attriste sur les tapis défaits avant l'arrivée de Saint-Loup (après le télégramme de Mlle de Stermaria) et que je dis que ce sera bientôt l'hiver et un hiver qui semblait devoir être particulièrement rigoureux : L'hiver ! Au coin de la fenêtre, comme sur un verre de Gallé, une veine de neige durcie. Et même aux Champs-Élysées, au lieu des jeunes filles qu'on attend en vain, tout seuls, des moineaux.

1. Une image semblable, associant la neige aux verreries d'Émile Gallé, apparaît dans *À l'ombre des jeunes filles en fleurs* (p. 160).

Page 688.

1. Les anciens Juifs, en signe de deuil, déchiraient leurs vêtements, se revêtaient d'un sac ou répandaient de la cendre sur leur tête. Voir Josué, VII, 6 ; deuxième livre de Samuel, XIII, 19 ; Esther, IV, 1 : « Mardochée déchira ses habits ; il se revêtit d'un sac et de cendre [...] ». Voir aussi Racine, *Esther* (que Proust cite p. 673), acte I, sc. III, v. 159-160 (Esther à Mardochée) : « Mais d'où vient cet air sombre et ce silice affreux, / Et cette cendre enfin qui couvre vos cheveux ? »

2. Voir *À l'ombre des jeunes filles en fleurs*, p. 95-97 et 260-261.

Page 689.

a. un moi superficiel, qui [sous les noms de goût pour la bonté d'un ami, estime pour son intelligence, prédilection pour une vie passée auprès de lui, *biffé*] ne trouve *ms.*

1. Nietzsche consacra une grande partie de son œuvre à l'examen de l'amitié. En dehors d'*Ainsi parlait Zarathoustra*, le thème apparaît dans *Humain trop humain* (1878), *Aurores* (1881), *Le Gai Savoir* (1883-1887). Après avoir adressé à son ami Wagner des louanges mêlées de réserves dans la quatrième des *Considérations inactuelles*

(1876), il s'en prit violemment au compositeur dans *Le Cas Wagner* (1888), lui reprochant son pangermanisme et une grandiloquence de la forme destinée à masquer une indigence du fond. Proust évoque de nouveau la rupture de cette amitié dans *La Prisonnière* (t. III de la présente édition, p. 665). Toutefois, dans *Le Côté de Guermantes II*, les réflexions de Proust sur ce sujet sont liées, semble-t-il, à un article que publia son ami Daniel Halévy, biographe de Nietzsche, dans *Le Journal des débats* du 18 août 1909 (voir Marcel Proust, *Le Carnet de 1908*, établi et présenté par Philip Kolb, Gallimard, 1976, p. 189). Nietzsche, écrivait Halévy, « avait rompu avec maint camarade : l'amitié virile sans l'accord spirituel, jugeait-il, est indigne » (« Mademoiselle de Meysenbug et Frédéric Nietzsche », *Le Journal des débats*, 18 août 1909, p. 3). Une lettre de Nietzsche à Mlle de Meysenbug, qui l'accusait d'avoir commis un « acte indélicat » en publiant *Le Cas Wagner*, était citée : « Vous n'avez jamais compris ni une de mes pensées ni un de mes désirs... Wagner est un génie, mais un génie de *mensonge* ; et j'ai l'honneur d'être le contraire : un génie de *vérité*... » Dans le Carnet 1, Proust a noté ces réflexions : « On sait ce que je pense de l'amitié ; je la crois si nulle que je ne suis même pas exigeant intellectuellement pour elle, et quand Nietzsche dit (*Le Journal des débats* du 17 août 1909) qu'il n'admet pas une amitié où il n'y ait pas estime intellectuelle cela me semble bien mensonger pour ce détracteur de Wagner "génie du mensonge" (même journal). D'ailleurs sa visite à... sur la destruction du Louvre est bien menteuse aussi. Que peut nous faire ce qui n'est pas en nous. Que signifie pour exprimer quelque chose, une action (aller voir, signer une liste) etc. [...] Aucun homme n'a jamais eu d'influence sur moi [...]. Aucune action extérieure à soi n'a d'importance : Nietzsche et la guerre, Nietzsche et Wagner, Nietzsche et ses scrupules. La réalité est en soi. » (Carnet 1, n.a.fr. 16637, ff^{os} 38 v°, 39 r° et 40 v°). Quant à l'attitude de Nietzsche apprenant « la fausse nouvelle de l'incendie du Louvre », elle illustre bien le reproche que Proust adresse au philosophe. Le 21 mai 1871, « une rumeur erronée se répandit à Bâle : le Louvre était en flammes. Nietzsche fut suffoqué d'émotion. Il courut chez Jacob Burckhardt, qui déjà aussi le cherchait. Ils se rejoignirent enfin, et ne purent que se serrer la main, les yeux remplis de pleurs. » (Charles Andler, *Nietzsche, sa vie et sa pensée*, Gallimard, 1958, t. I, p. 345-346.) Le 21 juin 1871, Nietzsche écrit à Gersdorff : « Lorsque j'ai entendu parler de l'incendie de Paris, j'ai été anéanti pendant quelques jours, effondré dans le doute et les larmes : toute l'existence scientifique, philosophique et artistique m'est apparue comme une absurdité dès lors qu'un unique jour pouvait abolir les chefs-d'œuvre les plus magnifiques et même des périodes entières de l'art » (Friedrich Nietzsche, *Œuvres philosophiques complètes*, t. I*, *La Naissance de la Tragédie*, Gallimard, 1977, p. 503 ; cette anecdote et cette lettre sont également citées dans *La Vie de Frédéric Nietzsche* de Daniel Halévy, Calmann-Lévy, 1909, p. 104-105).

Page 691.

1. Noter la mention capitale du véritable sujet du roman, indiqué par anticipation et comme en passant.

Page 692.

a. le lendemain *[p. 691, fin du 1ᵉʳ §]* il serait reparti. / [Il m'avait prévenu *[p. 692, début du 2ᵉ §]* qu'il y avait beaucoup de brouillard *biffé*] [Si en descendant l'escalier *[...]* à peine étoilée çà et là d'un *[un blanc]* qui ne brillait pas plus qu'un cierge. Quel abîme entre cette année, d'ailleurs impossible à situer exactement, de Combray, et les soirs de Rivebelle où j'avais passé un moment il y a quelques heures, quand de mon lit j'avais vu la raie du jour diminuer au-dessus des rideaux *[* ; ce n'était pas seulement entre les soirs de Rivebelle et les années de Combray une distance de temps, mais de nature, comme si les uns et les autres appartenaient à des univers différents, où les éléments n'ont aucune ressemblance. J'ai souvent parlé de la couleur noirâtre des rues de Combray, d'une odeur de confitures et de renfermé. Pour restituer la plus banale de mes soirées à Rivebelle, je sentais en ce moment qu'il m'eût fallu, dans un ouvrage, ne plus me servir de la matière dont j'aurais usé jusque-là, mais en choisir une toute nouvelle, aussi différente que possible du grès noirâtre de Combray, compacte, fraîchissante et rose, d'une transparence et d'une sonorité spéciale *biffé].* J'avais éprouvé à la percevoir une sorte d'enthousiasme et peut-être si j'avais été seul ce soir-là au lieu d'être avec Robert, le but auquel je devais parvenir un jour aurait-il été atteint et aurais-je évité le détour de bien des années inutiles par lesquelles j'allais encore passer. Ces souvenirs différents de Rivebelle, de Doncières, de Combray éveillaient en moi de l'enthousiasme, et la voiture dans laquelle j'étais monté pendant que Saint-Loup expliquait au cocher où nous allions, aurait pu être plus mémorable *[p. 691, 4ᵉ ligne en bas de page]* pour moi *[...]* sur le siège de laquelle j'avais écrit le petit morceau sur les clochers de Martinville que j'avais retrouvé, du même coup arrangé, et vainement envoyé au *Figaro.* [J'avais en ce moment et tandis que Robert faisait toutes les recommandations de prudence au cocher, un sentiment profond des mondes distincts, alors, lointains les uns des autres comme des planètes, que sont des années différentes — même de plus courtes périodes de nos vies, au point que le fait le plus insignifiant arrivé dans l'une et que nous rappelons, fait vibrer pour y résonner une atmosphère inconnue dans l'univers différent qu'est une autre année, et où nous nous retrouvons replongés comme dans un fluide unique et enchanteur. *biffé]* Est-ce parce que nos années, nous ne les revivons pas dans leur suite et leur continuité, jour par jour, mais dans le souvenir de tel moment figé dans telle fraîcheur ou telle insolation du matin ou du soir, recevant l'ombre de tel site, isolé, enclos, immobile, arrêté et perdu loin de tout le reste et qu'ainsi les menus changements gradués *[...]* dans la vie à telle heure très différente se trouvant supprimés, si nous revivons un autre souvenir, puis à un autre lieu, prélevé sur une année différente, nous trouvons entre eux, grâce à des lacunes, à d'immenses pans d'oubli, comme l'abîme d'une différence d'altitude, comme deux qualités incomparables d'atmosphère respirées *[p. 692, 14ᵉ ligne]* et de colorations ambiantes ? *[...]* analogue *[10 lignes]* au grès sombre et rude de Combray. J'aurais bien voulu me rappeler une certaine impression que j'avais eue une fois en revenant de Rivebelle. La demander à Robert, c'était bien inutile ; je ne la lui avais pas dite alors et d'ailleurs eussé-je pu ? pas plus que dans ses explications verbales, le musicien ne peut nous faire même pressentir une impression qu'il a éprouvée, impression que sa musique nous transmet, mais qui sans elle reste incommunicable. Et justement voici que me revenait machinalement un air que je chantonnais ce soir-là, et qui, compagnon intime, lui, bien plus que Robert, de mon impression, s'en souvenait peut-être mieux que moi et allait pouvoir me la rendre. Mais à ce moment Robert ayant fini de donner des explications *[...]* apportent leur message comme l'ange de l'annonciation. Mais dès qu'on est deux *[...]* beaucoup de brouillard   *corr.*] mais tandis   *ms.*

1. Voir *Du Côté de chez Swann*, t. I de la présente édition, p. 178-180.

Page 694.

    a. guida les *[10ᵉ ligne de la page]* Hébreux. [Il y en avait d'ailleurs beaucoup dans la clientèle et qui dans les jours révolutionnaires du procès Zola, où on se soutenait pendant les longues audiences en buvant du café et en mangeant des sandwiches, comme au concours général ou aux compositions du baccalauréat, avaient pris l'habitude de venir discuter le soir sur la matière exaltante et fugitive de ces débats, exaltés par la passion politique et par le régime inaccoutumé. Ils étaient mal vus   *biffé*] [Il y en avait d'ailleurs *[...]* Bloch et ses amis *[*avaient pris l'habitude   *biffé*] [venaient le soir   *corr.*]*, ivres de café, de jeûne, d'insomnie et de curiosité politique de venir se retrouver le soir. *[comme dans le texte définitif, avec lég. var.]* l'oiseau Rock. Le petit clan qui se retrouvait pour tâcher de perpétuer, d'approfondir, les émotions fugitives de l'affaire Dreyfus, attachait de même une grande importance à ce café. Mais il y était mal vu   *corr.*] des jeunes nobles   *ms.*

1. Exode, XIII, 21. Voir *A l'ombre des jeunes filles en fleurs*, p. 305.
2. Proust a évoqué ces soirées dans *Jean Santeuil* : « Chaque soir, maintenant, quand Henri voulait voir Jean, il devait aller au café où il le trouvait avec Durrieux, car chaque soir Jean voulait voir Durrieux. C'est qu'en effet, depuis un mois que sa vie était changée, que le matin il partait de bonne heure pour arriver à la Cour d'assises au procès Zola, emportant à peine quelques sandwiches et un peu de café dans une gourde et y restant, à jeun, excité, passionné, jusqu'à cinq heures, le soir quand il revenait dans Paris au milieu de gens qui n'étaient pas dans cet état physique, si doux, de ceux dont la vie est brusquement modifiée par une excitation spéciale, il éprouvait bien de la tristesse et de l'isolement à sentir cette vie excitante tout à coup finie » (éd. citée, p. 620).
3. Cet animal fabuleux apparaît dans *Les Mille et Une Nuits*. Il est ainsi décrit dans l'« Histoire de Sindbad le marin » : « *[...]* Je me rappelai ce que *[...]* des voyageurs et des marins m'avaient raconté au sujet d'un oiseau de grosseur extraordinaire appelé "rokh", qui se trouvait dans une île fort éloignée, et qui pouvait soulever un

éléphant » (trad. Joseph Charles Mardrus, Fasquelle, grand in-8°, 8 vol., s. d., t. III, p. 208).

Page 695.

a. décoré de verdure. *[p. 694, 4ᵉ ligne en bas de page]* Le malheur   *ms.*

1. Sur la comtesse de Pourtalès, voir n. 5, p. 430. Florence-Georgina, marquise de Galliffet (1842 ?-1901), femme du général (voir n. 1, p. 426), était la fille du célèbre financier Jacques Laffitte. Elle vécut presque toujours séparée de son mari. Proust a décrit une des toilettes de la première en mai 1894 dans « Une fête littéraire à Versailles » : « [...] la comtesse de Pourtalès, taffetas gris perle, parsemé de fleurs foncées, les parements clairs, le chapeau surmonté d'une aigrette jaune » (*Essais et articles*, éd. citée, p. 360). En 1919, dans la préface aux *Propos de peintre* de Jacques-Émile Blanche, il fait allusion à l'« élégance aujourd'hui à peu près indescriptible » de la marquise de Galliffet et de la princesse de Sagan, « anciennes belles de l'Empire » (*ibid.*, p. 572).

2. En anglais : « porte qui tourne ».

3. « Il est digne d'entrer », en latin macaronique. La formule est de Molière, dans *Le Malade imaginaire*. Elle est prononcée lors de la cérémonie finale au cours de laquelle Argan se voit remettre son diplôme de médecin.

Page 696.

a. causeries qui rendait l'élasticité aux oreilles engourdies. Le caractère exceptionnel du cataclysme[1] avait d'ailleurs établi au sein du restaurant, même entre la petite salle et la grande, une familiarité de laquelle j'étais seul exclu et à laquelle devait ressembler celle qui régnait certainement dans l'arche de Noé. Les arrivants que le patron n'avait pas encore vus avaient peine à garder le silence. *ms.*

Page 698.

a. Sur orig. b, Proust a corrigé Canourque *en* Canourgue *. Quant aux leçons, pour ce passage, de ms. et plac. 1, voir var. a, p. 699.*

1. Souvenir d'événements que Proust commente dans une lettre à Louisa de Mornand, écrite le 13 juillet 1904 : « On dit que Guiche se marie, il s'en défend, mais ce n'étant bien que n'étant pas officiel je crois que c'est tout à fait décidé. En tous cas il ne faut pas en parler parce que cela le contrarierait. [...] Je n'ai pas besoin de vous dire que le mariage de Louis excite de grandes jalousies. Les jeunes gens sont furieux et surtout leurs parents leur font des scènes en disant : "Ce n'est pas toi qui feras un mariage pareil !" » Le duc de Guiche

---

1. Voir p. 700, 6ᵉ ligne en bas de page.

épousa la fille de la comtesse Greffulhe, Louis d'Albuféra la fille de la princesse d'Essling (*Correspondance*, éd. citée, t. IV, p. 188-189).

Page 699.

 a. Le prince ne goûta pas *[p. 696, 7ᵉ ligne en bas de page]* cette parole de rapprochement. Néanmoins, répondant à la cantonade *[p. 699, 5ᵉ ligne en bas de page]* à celui qui, à la faveur [...] dans les brumes, il déclara sentencieusement : « Ce n'est pas tout *ms.* : Le prince ne goûta [...] sèchement *[p. 697, fin du 1ᵉʳ §]* refusées à vingt ans. / Malgré la manière d'être *[p. 699, dernier §]* du prince [...] « Ce n'est pas tout *plac. 1*

Page 700.

 a. Les historiens n'ont pas eu tort qui ont renoncé à expliquer les actes des peuples par la volonté des rois. Mais en retour il faut revenir à l'individu, à l'individu médiocre si l'on veut comprendre les actes des peuples. Tout se ramène toujours aux lois de l'esprit. / En politique le patron *ms.* : Les historiens [...] médiocre. Tout se ramène toujours aux lois de l'esprit. / En politique le patron *plac. 1*

 1. Depuis 1905 et la visite de Guillaume II à Tanger, l'Allemagne cherchait à contrer la prépondérance croissante que la France prenait au Maroc. Malgré la conférence d'Algésiras, réunie en 1906, et l'accord franco-allemand de 1907, cette position dominante ne cessait de se renforcer, grâce, notamment, à l'appui de la Grande-Bretagne, tandis que la situation internationale de l'Allemagne s'affaiblissait, à la suite de l'accord anglo-russe d'août 1907. Après l'entrée de troupes françaises à Fès (4 mai 1911), le gouvernement allemand décida de réagir par l'envoi de la canonnière *Panther*, qui, le 1ᵉʳ juillet 1911, mouilla devant le port d'Agadir. Des négociations s'ouvrirent. La France dut céder à l'Allemagne une portion du Congo ; en contrepartie, l'Allemagne permit à la France d'étendre son autorité sur le Maroc. Proust se renseigna sur l'« incident d'Agadir » auprès de Robert de Billy, qui était alors secrétaire d'ambassade à Tanger (voir la *Correspondance*, t. X, p. 318).
 2. Cette expression revient en effet souvent sous la plume du Dr Mardrus, traducteur des *Mille et Une Nuits*, dès la première page : « Et ils furent tous deux à la limite de la dilatation et de l'épanouissement » (« Histoire du roi Schahriar et de son frère, le roi Schahzaman », *Les Mille et Une Nuits*, Éditions Fasquelle, s. d., t. I, p. 3).
 3. Le personnage de Noé avait pour l'auteur une signification particulière : « Quand j'étais tout enfant, le sort d'aucun personnage de l'histoire sainte ne me semblait aussi misérable que celui de Noé, à cause du déluge qui le tint enfermé dans l'arche pendant quarante jours. Plus tard, je fus souvent malade, et pendant de longs jours je dus rester aussi dans l'"arche". Je compris alors que jamais Noé ne put si bien voir le monde que de l'arche, malgré qu'elle fût close et qu'il fît nuit sur la terre. Quand commença ma convalescence, ma

mère, qui ne m'avait pas quitté, et, la nuit même, restait auprès de moi, "ouvrit la porte de l'arche" et sortit. Pourtant comme la colombe "elle revint encore ce soir-là". Puis je fus tout à fait guéri, et comme la colombe "elle ne revint plus" » (préface des *Plaisirs et les Jours*, éd. citée, p. 6-7).

Page 702.

a. une sympathie *[p. 701, fin de l'avant-dernier §]* toute personnelle. / Cependant *ms., plac. 1*

1. Cravate haute, nouée, engonçante, faisant plusieurs fois le tour du cou.

Page 703.

a. « Oui je le connais », répondit Saint-Loup. [« Hé bien, dites-lui de venir. » « Non, je vais aller lui parler, tu permets, deux minutes ? » et pour ne pas me déranger, il recommença sa voltige sur les banquettes et revint au bout d'un instant. Je compris ce qu'il était allé faire quand je vis arriver le prince de Foix pourvu de sa cape que, après avoir prié Saint-Loup de < me > le présenter, il me demanda d'accepter pour jeter sur mes épaules. Je me rappelais Doncières, le restaurant où nous allions chaque soir et les petites salles à manger oubliées. Nous ne profitons guère *biffé*] Je voulais raconter *ms.*

1. « Les Allemands se sont imaginé longtemps qu'ils avaient inventé l'art gothique. [...] Dès 1845, M. de Verneille proclama que l'art gothique était né en France. Quelques années après, les premiers volumes de Viollet-le-Duc mettaient cette vérité hors de doute [...] Il fallut que la science allemande s'inclinât [...] Kraus, dans son Manuel, croit bon d'ajouter quelques arguments à ceux de ses prédécesseurs : "l'art gothique, dit-il, a été appelé en Allemagne, au Moyen Âge, l'art français, *opus francigenum*. Mais la France d'alors, c'est le pays des Francs." [...] Deux hommes [...] ont enfin tenté de dire la vérité à leurs compatriotes. Ils leur ont avoué que l'art allemand du XIIe siècle n'était pas autre chose qu'une imitation de l'art français » (Émile Mâle, *L'Art allemand et l'Art français du Moyen Âge*, Armand Colin, 1917, p. 109-114).

Page 704.

a. dans la petite salle. *[7e ligne de la page]* / Je demandai au patron de me faire *ms., plac. 1*

1. Le passage sur le grand-duc héritier du Luxembourg a été ajouté par Proust sur les placards, à la fin de 1920 (voir var. *a*, p. 704). George Painter pense que ce personnage a été inspiré par Pierre de Polignac qui, le 29 mars 1920, avait épousé Charlotte Grimaldi, duchesse de Valentinois, petite-fille adoptive du prince Albert de Monaco et princesse héritière (*Marcel Proust*, Mercure de France,

1966, t. II, p. 377-378 ; voir aussi Marcel Proust, *Lettres retrouvées*, présentées et annotées par Philip Kolb, Plon, 1966, p. 133-135). Proust s'était brouillé avec lui peu après ce mariage, et il écrivait à Sydney Schiff, en novembre 1920 : « J'ai rompu avec lui (tout en gardant grande estime de son intelligence et grande gratitude de ses gentillesses). Tout ce qu'on dit de lui (qu'il se croit devenu un petit Roi, etc.) est idiot, et malheureusement tout le monde le dit et invente les histoires les plus ridicules » (*Correspondance générale*, éd. citée, t. III, p. 24 ; voir aussi Céleste Albaret, *Monsieur Proust*, Laffont, 1973, p. 156).

Page 705.

a. Je ne suis pas convié. Hé bien, va chez mon oncle Palamède après. Je crois que de son côté il dîne en ville, je lui dirai que tu seras chez lui à onze heures. Il est très susceptible [...] de bonne heure chez Oriane. Si tu ne fais qu'y dîner, tu peux très bien être à onze heures chez mon oncle. / Du reste moi,   *ms., plac. 1. La dernière phrase est biffée sur plac. 3, mais figure toujours dans orig. Nous corrigeons.*

1. Sur les sources biographiques de cet épisode, voir notre Notice, p. 1678-1679.

Page 706.

a. *Götterdämmerung.* Peut-être ici Mandchourie. / Il me parla   *ms.*

1. On note ici un anachronisme. La soirée au restaurant avec Saint-Loup se déroule en décembre 1898. Or, le Maroc ne devint un sujet de dissension entre la France et l'Allemagne qu'après la visite de Guillaume II à Tanger, le 31 mars 1905 (voir n. 1, p. 700). C'est peu après (le 6 juin 1905) que, comme le dit Proust dans *La Prisonnière*, « diverses personnes, parmi lesquelles le prince de Monaco, ayant suggéré au gouvernement français l'idée que, s'il ne se séparait pas de M. Delcassé, l'Allemagne menaçante ferait effectivement la guerre, le ministre des Affaires étrangères avait été prié de démissionner » (t. III de la présente édition, p. 863). L'analogie avec le poker s'applique bien aux tensions qui existaient durant la crise marocaine : le jeu consiste à faire croire à ses adversaires que l'on possède la combinaison de cartes la plus forte. Proust utilise d'ailleurs la même image dans la suite du texte de *La Prisonnière*, employant à plusieurs reprises le mot « bluff », emprunté au vocabulaire du poker. — Albert Ier de Monaco (1848-1922) régna sur la principauté de 1889 à sa mort, et promulgua, en 1911, une constitution instituant une monarchie parlementaire.

2. *Le Déluge*, oratorio de Camille Saint-Saëns, fut composé en 1875 sur un « poème biblique » de Louis Gallet et joué pour la première fois aux Concerts du Châtelet en mars 1876.

3. La quatrième et dernière partie de *L'Anneau du Nibelung* de Wagner, *Le Crépuscule des dieux*, composé entre 1869 et 1874.

Page 707.

a. héritée *[p. 706, 6ᵉ ligne en bas de page]* de sa race. [Derrière ce corps non pas opaque et obscur *[p. 707, 20ᵉ ligne en bas de page]* comme eût été le mien /ou celui de Bloch *add.*] mais si limpide, ce qui transparaissait c'était cette assurance aristocratique qui libérait Robert de la crainte aussi bien d'être ridicule aux yeux des autres que de paraître trop empressé aux miens, *biffé*] [Une certitude du goût *[...]* d'aucune autre considération, *corr.*] dont tant *ms.*

1. Proust pense aux frises du Parthénon représentant la procession des Panathénées (voir l'Esquisse XXX, var. *a,* p. 1226).

Page 708.

a. Proust, dans ms., sépare la fin de ce paragraphe et le début du suivant par un astérisque.

1. Voir *Le Côté de Guermantes I,* p. 481.
2. Le prince de Foix est ainsi le descendant de Catherine de Foix (1470-1517), reine de Navarre, épouse de Jean d'Albret et petite-fille du roi de France Charles VII.

Page 709.

a. plus réels, c'est-à-dire plus concevables à l'esprit, et ils ne peuvent l'être plus que s'ils sont renforcés, spiritualisés par l'art. Mais enfin si *ms.,* plac. 1. ◆◆ *b.* et m'ôter lui-même mon pardessus. [Le passé est beaucoup moins fugace que nous ne croyons[1]. Bien des années après un crime demeuré obscur, un juge peut encore trouver sur place les éléments qui serviront à l'éclaircir. Après des dizaines, des vingtaines de siècles, le savant étudiant au jour le jour dans une région lointaine les coutumes, les cérémonies, la langue, la toponymie, saisira en elles une légende bien antérieure au Christianisme, déjà presque incomprise ou même oubliée au temps d'Hérodote et qui survit sur place, au milieu du présent, comme une émanation antique, persistante, stable. Il n'est donc pas extraordinaire que dans les façons de M. de Guermantes et de ses pareils survécût *biffé*] / « Mme de Guermantes *ms.*

1. Mme Geoffrin, née Marie-Thérèse Rodet (1699-1777), femme d'un riche bourgeois, fondateur de la Manufacture des glaces, tint, rue Saint-Honoré, un brillant salon que fréquentaient Vernet, Boucher, La Tour, Marivaux, d'Alembert, etc. Sainte-Beuve l'a évoqué dans un article paru le 22 juillet 1850 : « Mme Geoffrin n'a rien écrit que quatre ou cinq lettres qu'on a publiées ; on cite d'elle quantité de mots justes et piquants ; mais ce ne serait pas assez pour la faire vivre : ce qui la caractérise en propre et lui mérite le souvenir

1. Voir p. 711, 18ᵉ ligne.

de la poſtérité, c'eſt d'avoir eu le salon le plus complet, le mieux organisé et, si je puis dire, le mieux *adminiſtré* de son temps, le salon le mieux établi qu'il y ait eu en France depuis la fondation des salons, c'eſt-à-dire l'hôtel Rambouillet. Le salon de Mme Geoffrin a été l'une des inſtitutions du XVIIIe siècle. [...] La Mme Geoffrin de nos jours, Mme Récamier, eut de plus que l'autre la jeuneſse, la beauté, la poésie, les grâces, l'étoile au front, ajoutons, une bonté non pas plus ingénieuse, mais plus angélique. Ce que Mme Geoffrin eut de plus dans son gouvernement de salon bien autrement étendu et considérable, ce fut une raison plus ferme et plus à domicile en quelque sorte, qui faisait moins de frais et d'avances, moins de sacrifices au goût des autres » (« Madame Geoffrin », *Causeries du lundi*, Garnier, 1858, p. 309, 329). Sainte-Beuve a également parlé de Mme Récamier, née Jeanne Françoise Julie Adélaïde Bernard (1777-1849), l'amie de Benjamin Conſtant, de Mme de Staël et de Chateaubriand, et de son célèbre salon de l'Abbaye-aux-Bois : « Au mois de mai dernier a disparu une figure unique entre les femmes qui ont régné par leur beauté et par leur grâce ; un salon s'eſt fermé, qui avait réuni longtemps, sous une influence charmante, les personnages les plus illuſtres et les plus divers, où les plus obscurs même, un jour ou l'autre, avaient eu chance de passer. [...] Le salon de Mme Récamier était [...] un centre et un foyer littéraire. Ce genre de création sociale [...] ne remonte pas au-delà du XVIIe siècle. C'eſt au célèbre hôtel de Rambouillet qu'on eſt convenu de fixer l'établissement de la société polie [...]. Il y eut bien des salons diſtingués au XVIIIe siècle, ceux de Mme Geoffrin, de Mme d'Houdetot, de Mme Suard [...] » (« Madame Récamier », 26 novembre 1849, *Causeries du lundi*, Garnier, 1857, t. I, p. 121, 123). Sur Mme de Boigne, dont Prouſt avait lu les Mémoires et qui a inspiré certains aspeĉts du personnage de Mme de Villeparisis (voir la Notice du *Côté de Guermantes I*, p. 1513-1516, et la note 1, p. 481), il a écrit un article nécrologique dans *Le Conſtitutionnel* du 18 mai 1866 : « Son salon fut des plus brillants, des mieux informés toujours. [...] Elle se plaisait à réunir les hommes d'État les plus diſtingués » (*Nouveaux lundis*, M. Lévy Frères, 1868, t. X, p. 458).

Page 710.

a. persuasif. *[p. 709, dernière ligne]* Et il était si mauvais mari, *ms., plac. 1*

1. Les Réveillon se caractérisent, dans *Jean Santeuil*, par le même « code héréditaire de savoir-vivre » (éd. citée, p. 443).

2. Pour l'allusion à Hannibal et à la bataille de Cannes, voir n. 4, p. 411.

3. Prouſt emprunte ici une image et des arguments à l'œuvre que Maurice Barrès publia en 1914 sous le titre *La Grande Pitié des églises de France*. Le chapitre XI, intitulé « *Homo sapiens* », raconte une promenade au Jardin des plantes. Barrès, y préparant un discours qu'il doit prononcer contre la loi de séparation des Églises et de l'État,

s'arrête devant un fossile de l'*homo sapiens* qu'il regarde avec
« sympathie » : « Ce qui est venu jusqu'à nous, cela seul que nous
savons de certain sur ce lointain ancêtre, c'est ce qu'il y a de plus
immatériel, de plus insaisissable, de plus fugitif au monde, la dernière
angoisse, la suprême lassitude de tout le corps d'un pauvre être. [...]
Nous sommes étonnés quand nous lisons les vieux chefs-d'œuvre,
de voir que des sentiments subtils, délicats, poétiques, que nous
croyons rares aujourd'hui, existaient chez les hommes d'il y a des
siècles. Nous sommes encore plus étonnés quand nous voyons par
les dessins comment ils marchaient, saluaient, s'accoudaient pour
converser ou réfléchir » (Paris, Émile-Paul Frères, 1914, p. 192).
Proust a pu consulter l'ouvrage de Barrès au moment où il republia
ses propres articles sur la loi Briand en 1919.

Page 711.

   a. fonctions d'amabilité. *[p. 710, dernière ligne]* Pourtant le passé le plus
éloigné est encore assez proche si l'on songe que *[inachevé]* / [Peut-être
garder cette annotation pour autre chose, par exemple pour une Étude
sur les *Mille et Une Nuits* de Mardrus. / Et c'est même sans doute une
des raisons *[2ᵉ ligne de la page]* qui permettent [...] Un traducteur de talent
n'a qu'à ajouter à l'Ancien qu'il restitue [...] il donne une sorte
d'immensité à son auteur qui joue en effet ainsi sur le clavier de plusieurs
siècles. Ce traducteur n'eût fait qu'une médiocre œuvre originale. Sa
traduction est une œuvre et semble la traduction d'un chef-d'œuvre.
add.] / Mais surtout de sa nature le passé n'est point fuyant, parce que
la vie ne se passe pas, il reste sur place.   *ms.*

   1. Parmi les grands écrivains qui admiraient Ossian, citons Goethe,
Mme de Staël, Chateaubriand, et Byron. Le véritable auteur des
poèmes épiques d'Ossian, guerrier-poète gaélique qui aurait vécu au
IIIᵉ siècle de notre ère, est l'écrivain écossais James Macpherson
(1736-1796) qui les publia entre 1760 et 1763. Une première
traduction de ces poèmes par Letourneur parut en France en 1777,
et inspira les théories de Mme de Staël sur les littératures du Nord
et du Midi. Ginguené préfaça une nouvelle traduction en 1810.
   2. C'est-à-dire au Vᵉ siècle avant J.-C., les dates présumées de
l'historien grec étant v. 484-v. 425.

Page 712.

   a. quand je retournai un peu plus tard *[p. 711, fin du 1ᵉʳ §]* au salon
de M. de Guermantes. [Car avant d'y entrer, ayant aperçu et reconnu
à sa couleur unique — dans un cabinet dont la porte était ouverte — un
petit fragment de cet astre différent de la planète terre, du moins tel que
les yeux vulgaires la voient, qu'était le monde intérieur d'Elstir, et ayant
dit à M. de Guermantes combien j'aimerais voir ses Elstir, et même rester
seul un instant avec eux, il s'était empressé de me conduire devant eux,
et m'avait quitté en me disant que je n'aurais qu'à le rejoindre au salon

quand serait finie la contemplation qu'il ne voulait pas troubler *[par sa présence   biffé]*. Or celle-ci dura fort longtemps car j'oubliai complètement le dîner devant les toiles, et M. de Guermantes par raffinement de politesse n'avait pas voulu venir interrompre ma rêverie en venant me chercher.   *biffé]* [Car je n'y étais pas entré tout de suite. [...]* est-il donc *de vos amis ? me dit avec affectation M. de Guermantes qui avait recueilli cette expression dans les livres du XVIIe siècle. Mais fort peu « ancien régime » [...] glisser jusqu'à nous, s'incarner en bien d'autres Guermantes et bien d'autres visiteurs.   corr.]* Et comme   *ms.*

Page 713.

a. à la racine même *[p. 712, 5e ligne en bas de page]* de l'impression de représenter une chose par une autre que dans l'éclair d'une illusion première on prend pour elle ? Quand on voit le monde ainsi, on se rend compte que les surfaces et les volumes [...] leur impose quand nous les avons reconnus, et qu'avant d'avoir bien examiné, il n'y a pas qu'une femme laide qui puisse nous suggérer l'idée d'une belle. Et l'on s'intéresse aux volumes et aux surfaces pour eux-mêmes et on s'efforce de dépouiller ce qu'on sait, de dissoudre cet agrégat de raisonnements que nous appelons vision. Les gens   *ms.*

1. Proust aimait la peinture de Chardin, en qui il voyait l'un de ces artistes qui, représentant une réalité en apparence médiocre et insipide, la font aimer par la seule puissance de leur génie (voir « Chardin et Rembrandt », *Essais et articles*, éd. citée, p. 372-382). Jean-Baptiste Perronneau (1715-1783), moins connu que Chardin ou La Tour, auxquels on le compara souvent, fut le peintre de la bourgeoisie, portraitiste doué, plus soucieux du traitement esthétique de la réalité que de la fidélité à son modèle.

2. L'*Olympia* d'Édouard Manet, peinte en 1863, scandalisa les visiteurs du Salon de 1865 où on put la voir pour la première fois. Une nouvelle controverse s'éleva en 1890, lorsque le tableau fut donné au musée du Louvre, si bien qu'il fut en premier lieu exposé au musée du Luxembourg et n'entra au Louvre qu'en 1907. Il fut alors accroché dans la salle des États, près de la *Grande Odalisque* d'Ingres (1814 ; voir le catalogue *Manet 1832-1883*, Réunion des musées nationaux, 1983, p. 176). Proust, qui admirait ce tableau de Manet (voir *Essais et articles*, éd. citée, p. 601), l'a cité plusieurs fois comme l'exemple d'une œuvre que le temps a rendue familière à un public d'abord hostile. Ainsi, en réponse à une enquête sur le classicisme et le romantisme parue dans *La Renaissance politique, littéraire, artistique* du 8 janvier 1921, il écrivait : « Manet avait beau soutenir que son *Olympia* était classique et dire à ceux qui la regardaient : "Voilà justement ce que vous admirez chez les Maîtres", le public ne voyait là qu'une dérision. Mais aujourd'hui, on goûte devant l'*Olympia* le même genre de plaisir que donnent les chefs-d'œuvre plus anciens qui l'entourent [...] » (*Essais et articles*, p. 617). Et en 1922, il affirme que les écoles « ne sont qu'un symbole matériel du temps qu'il faut à un grand artiste pour être compris et

situé entre ses pairs, pour que l'*Olympia* honnie repose auprès des Ingres, pour que Baudelaire, son procès révisé, fraternise avec Racine [...] » (*ibid.*, p. 641). Dans une note sur Reynaldo Hahn, écrite entre 1909 et 1914, Proust utilisait déjà une argumentation semblable à celle qu'il développe dans *Le Côté de Guermantes*, mais en évoquant cette fois le temps où Ingres lui-même était mal aimé : « [...] tous les amateurs "avancés" qui vivaient à l'époque d'Ingres croyaient de bonne foi qu'Ingres était un "pompier", un arriéré et lui préféraient infiniment des élèves médiocres de Delacroix qu'ils s'imaginaient plus "avancés" parce qu'ils usaient de l'écriture à la mode. Si on parle aujourd'hui à M. Degas, peut-être aussi "avancé" que lesdits amateurs, de ces mauvais élèves de Delacroix, il hausse les épaules, tandis qu'il proclame Ingres un des plus grands peintres de tous les temps » (*ibid.*, p. 555).

3. Ces deux tableaux « plus réalistes » semblent inspirés par ceux d'Auguste Renoir, et le « monsieur » dont la présence intrigue le narrateur dans les toiles d'Elstir est sans doute un sosie de Charles Ephrussi (1849-1905), collectionneur, historien d'art, éditeur de *La Gazette des beaux-arts* et banquier. Il a posé, en jaquette et vêtu d'un chapeau haut de forme, pour *Le Déjeuner des canotiers* de Renoir (1880-1881), tableau qui correspond bien à la description de Proust. Le second tableau est évoqué plus longuement dans l'Esquisse XXXII (p. 1241). Il s'agit peut-être d'un autre Renoir, *Madame Charpentier et ses enfants.*

4. Carpaccio a représenté divers membres de la famille Loredan ou de la compagnie de la Calza dans certains tableaux de *La Légende de sainte Ursule* (1490-1496) ou dans *Le Miracle des reliques de la Croix* (1494).

5. Le *Trio pour piano, violon et violoncelle* op. 97, dit « L'Archiduc » (1811), fut dédié par Beethoven à Rodolphe (1788-1831), prince-évêque d'Olmütz, fils de Leopold II d'Allemagne. Le compositeur dédia aussi à son élève et ami, en dehors du *Trio*, les *Quatrième* et *Cinquième concertos pour piano et orchestre*, op. 58 (1806) et 73 (1809, « L'Empereur »), les deux *Sonates pour piano* op. 81A (26ᵉ, 1810) et 106 (29ᵉ, « Hammerklavier », 1819), enfin la *Missa solemnis* op. 123 (1823).

Page 714.

a. en présence *[p. 713, 2ᵉ §, avant-dernière ligne]* d'une expérience nouvelle. [Je fus ému de retrouver *[...]* Cette fête au bord de l'eau *[13 lignes]* avait quelque chose d'enchanteur. Dans le carré d'une merveilleuse après-midi des reflets innombrables voisinaient. Mais tout ce qui était dans l'un d'eux était également beau, mais encore beau de la même manière, la robe d'une femme qui s'arrêtait de danser comme la toile d'une voile arrêtée, comme l'eau du petit port, comme le ponton de bois et le feuillage et le ciel. Et brisant toutes les idoles que j'avais adorées, que j'avais cherché à isoler en fermant mes yeux au reste, en

mettant ma main sur tout ce qui les entourait, de même que dans les
tableaux que j'avais vus à Balbec, l'hôpital carré aussi beau sous son ciel
de lapis que la cathédrale semblait crier, plus hardi que le théoricien Elstir :
« Il n'y a pas de gothique, il n'y a pas de chef-d'œuvre, l'hôpital sans
style vaut le glorieux portail », de même tout ici semblait dire : « La
grosse femme qu'un artiste levant les yeux vers le ciel croit faire tache,
s'il se promène, est aussi belle que le ciel, sa robe reçoit la même lumière
que la voile du bateau[1], il n'y a pas d'objets plus ou moins précieux, ni
même différents, le prix est dans la lumière, la matière est dans la lumière,
la voile et la femme sont deux miroirs du même reflet. » Le peintre avait
arrêté à jamais le mouvement des heures à cet instant lumineux, où la
dame avait eu chaud et s'était arrêtée de danser, où l'arbre donnait de
l'ombre au ponton, où les voiles semblaient glisser sur un vernis d'or.
Mais justement parce que l'instant pesait sur nous avec tant de force, nous
forçait à retrouver en nous-même ce qu'est un instant, justement à cause
de cela cette toile si fixée donnait l'impression la plus fugitive parce qu'on
sentait que la dame allait bientôt s'en retourner, les bateaux rentrer,
l'ombre changer de place, la nuit venir, que le plaisir finit, que la vie
passe et que les instants, ces instants montrés à la fois par toutes les lumières
qui coexistent et voisinent dans un seul, fuient et ne se retrouvent
pas. / Un autre aspect de l'instant était marqué dans des aquarelles datant
des débuts d'Elstir < qui > avaient généralement des sujets mythologiques. *add.*] Les gens du monde *ms.*

1. Ces « aquarelles à sujets mythologiques » sont inspirées des
tableaux de Gustave Moreau. Le manuscrit (voir var. *a*) donne
quelques précisions sur les œuvres auxquelles pense Proust : *Hercule
et l'Hydre de Lerne* (1876) ou *La Jeune Fille thrace portant la tête d'Orphée*
(1865 ; Moreau représenta dix fois ce sujet), *Le Retour des Argonautes*
(1897). Mais le tableau décrit dans le texte définitif est sans aucun
doute *Les Muses quittant Apollon leur père pour aller éclairer le monde*
que Proust avait pu voir au musée Gustave Moreau et qu'il cite en
1900 dans un article sur Ruskin (*Pastiches et mélanges*, éd. citée, p. 105 ;
voir aussi « Sainte-Beuve et Baudelaire », *Contre Sainte-Beuve*, éd.
citée, p. 255, et « Notes sur le monde mystérieux de Gustave
Moreau », *Essais et articles*, éd. citée, p. 667-674).

Page 715.

a. et le relate au passé défini, et de son côté l'action légendaire qui
s'y passe et dont il est par conséquent contemporain, donne une grandeur
singulière à ce paysage. Le mythe faisait dater le paysage ; il entraîne avec
lui le ciel, le soleil, les montagnes, qui en furent les témoins, jusque dans
un passé indéfini dans les profondeurs duquel ils m'apparaissaient déjà
semblables à ce qu'elles sont aujourd'hui. Il reculait dans les siècles des
siècles ce déroulement des vagues de la mer que j'avais vu à Balbec. Je
me disais : ce coucher de soleil, cet océan, comme je pourrai à nouveau

---

1. Voir var. *a*, p. 713.

quand je le voudrai contempler [de la digue *biffé*] des fenêtres du Grand
Hôtel, ou de la falaise où j'allais jouer avec Andrée, et ces années, ces
flots toujours identiques, c'est un décor analogue surtout l'été quand la
lumière l'orientalise, à celui où Hercule tua l'Hydre de Lerne, ou les
Bacchantes déchirèrent Orphée. Alors, dans ces temps immémoriaux où
vécurent les Rois dont les archéologues retrouvent les palais et dont la
mythologie a fait ses demi-dieux, la mer dans le soir qui tombait remontait
déjà vers le rivage avec cette plainte qui éveilla tant de soirs chez moi
une inquiétude vague comme elle. Et quand je me promenais le soir à
la fin du jour sur la digue, la mer que j'étais obligé de faire entrer pour
une large part dans le tableau que j'avais sous les yeux et qui se composait
de tant d'images contemporaines, comme le kiosque à musique et le casino,
c'est la mer que vit Argo, c'est la mer préhistorique, et c'est seulement
par ce que j'introduisais en elle qu'elle était d'aujourd'hui, parce que je
la mettais à l'heure de ma vision quotidienne, que je trouvais un accent
familier à la triste rumeur qu'entendait déjà Thésée. Pendant que je
regardais les peintures d'Elstir, les coups de sonnette, évidemment
d'invités qui arrivaient, se succédaient et me berçaient doucement ; mais
le silence *ms., plac. 1 avec lég. var.* ◆ *b.* une heure *[10 lignes plus haut]*
encore [et je pensai avec effroi à l'heure tardive où l'on allait dîner *[...]*
à onze heures chez M. de Charlus. *add.*]. M. de Guermantes me
conduisit *ms.* : une heure encore *[...]* chez M. de Charlus. / Le
ministre espagnol me conduisit *plac. 1*

1. Allusion à deux autres œuvres de Gustave Moreau : *Hésiode et
la Muse* et *Poète mort porté par un centaure*.
2. Dans *Le Barbier de Séville* (1775) de Beaumarchais, le comte
Almaviva, déguisé en maître de musique, se présente sous le nom
de Lindor et adresse un chant d'amour à Rosine, devant Bartholo
qui s'assoupit. Le chant s'arrête : « L'absence de bruit qui avait
endormi Bartholo le réveille » (voir *Œuvres*, nouv. éd., Bibl. de la
Pléiade ; acte III, sc. IV, p. 329).

Page 716.

a. aux présentations. Il fallait me présenter à tout le monde car je ne
connaissais personne. [M. de Guermantes en fut peut-être surpris car il
ne voyait aucune raison pour que quelqu'un que sa femme invitait et qui
avait par conséquent des titres à faire partie de leur société n'y connût
pas tout le monde. En tout cas, assez intimidé par moi dont il ignorait
le genre exact de supériorité et fort à l'aise avec ses autres invités à qui
et de qui il n'avait plus depuis longtemps rien à apprendre, il parut à
sa manière de me mener à eux qu'il estimait que, s'ils ne me connaissaient
pas, c'était pour eux en somme que la circonstance était surtout fâcheuse.
D'ailleurs la façon dont tous m'accueillirent put me fortifier, un peu à
tort, un peu à raison, dans cette idée. Un peu à tort car, peu habitué
à une si excessive politesse, je la pris certainement la première fois pour
l'aveu enfin permis d'une sympathie que depuis longtemps ces gens
nourrissaient pour moi, alors qu'ils ignoraient ou même ignoraient mon
existence. Habitué à Combray et à Paris à être traité sèchement ou tout
au moins en enfant par tant de bourgeoises rechignées et toujours ou

proteƈtrices ou sur la défensive, ce fut pour un changement de décor
(partiellement préparé il eƒt vrai par le ƒtage chez Mme Swann) aussi
complet que celui qui introduit Parsifal au milieu des filles fleurs
q<ue> *biffé*] Mais alors, je m'aperçus *ms.* ◆◆ *b.* décolletées, et
d'ailleurs tout aussi honnêtes ne me dirent *ms.* : décolletées [...]
d'une rose) (mais pour les mœurs entièrement honnêtes) ne me
dirent *plac. 1* ◆◆ *c.* de m'embrasser. [Ce charmant coup de théâtre me
surprit d'autant plus que parmi ces tentatrices se trouvait la duchesse de
Souvré qui avait ⌈fait chez Mme de Vil<leparisis> *biffé*] répondu à mon
salut de la façon la plus revêche. « La main qui le présente en dit assez
le prix » doit avoir dans le monde une signification assez précise, car cette
main étant devenue celle de M. de Guermantes, ce fut comme une amie
que m'accueillit Mme de Souvré. Pour la plupart de ces femmes *add.*]
Il fallait me nommer à chacune et à chacun et M. de Guermantes en fut
peut-être surpris, ne voyant aucune raison pour qu'un jeune homme que
sa femme invitait et qui par conséquent avait des titres à faire partie de
leur société n'en connût pas tous les habitués. En tout cas comme le
duc *ms., plac. 1 avec lég. var.*

1. *Parsifal*, drame musical de Wagner, fut représenté pour la
première fois en 1882 à Bayreuth. Le livret, conçu dès 1857, suit
l'itinéraire du héros, tenté par l'enchanteresse Kundry et par les
filles-fleurs, dans sa quête du Saint-Graal. La scène à laquelle Prouƒt
fait allusion se déroule à l'aƈte II, lorsque Klingsor, le magicien,
détruit d'un geƒte un château pour le remplacer par un jardin plein
de fleurs merveilleuses.

2. « Les minisƒtres avaient su persuader au roi l'abaissement de tout
ce qui était élevé, et que leur refuser ce traitement, c'était mépriser
son autorité et son service dont ils étaient les organes, parce que
d'ailleurs, et par eux-mêmes ils n'étaient rien. Le roi, séduit par ce
reflet prétendu de grandeur sur lui-même, s'expliqua si durement
à cet égard, qu'il ne fut plus question que de ployer sous ce nouveau
ƒtyle, ou de quitter le service, et tomber en même temps, ceux qui
quittaient, et ceux qui ne servaient pas même, dans la disgrâce
marquée du roi, et sous la persécution des minisƒtres, dont les occasions
se rencontraient à tous moments » (Saint-Simon, *Mémoires*, Bibl. de
la Pléiade, t. V, p. 482).

Page 718.

a. Tous les états du texte, ainsi que l'édition originale, donnent Opéra-
Comique *. Nous corrigeons. Voir var. a, p. 359.*

1. Voir *À l'ombre des jeunes filles en fleurs*, p. 58-60.
2. Prouƒt a écrit « Opéra-Comique » et a oublié de corriger
(var. *a*). Voir p. 337-358.

1. L'invraisemblance historique des personnages dans les pièces de Sardou — dont les reines Cléopâtre, Théodora et Fédora — était telle, qu'on s'amusait à les parodier dans les salons de la Belle Époque.

2. « C'est un lieu commun du reste parmi les gens du monde, que le monde juge tout sur les apparences [...]. » (*Jean Santeuil*, éd. citée, p. 628).

3. C'est-à-dire à Venise.

4. La Sanseverina est, dans *La Chartreuse de Parme* de Stendhal, la tante du héros, Fabrice del Dongo, et la maîtresse du comte Mosca. Voir n. 1, p. 671.

a. qu'ils feraient sur moi *[p. 717, fin du 1ᵉʳ §].* [La seule personne de la réunion à qui je fus présenté comme si ç'avait été un honneur pour moi fut la princesse de Parme, parce que c'était une Altesse et que M. et Mme de Guermantes considéraient comme un devoir plus essentiel que la charité, la chasteté, la pitié, la justice, de lui parler à la troisième personne. Quant à elle, son amabilité fut telle que je crus à quelque arrangement préparé d'avance par la bonté et la puissance de mes parents, comme devant les souliers de Noël. Son regard était celui d'une femme qui depuis dix ans ne pense qu'à vous, et sa main pas même tendue mais qui prend et retient la vôtre, celle d'une vieille amie qui vous retrouve. D'une famille royale et possédant d'immenses richesses, son visage semblait dire à tous moments ce qu'avait dû lui redire souvent une mère pieuse et *biffé*] [J'oubliai de dire qu'avant ces présentations la duchesse de Souvré, à la marquise d'Arpajon, à la duchesse de Rebenac et à d'autres, un petit imbroglio avait eu lieu. Au moment *[...]* surprise à cette personne *[*vers une dame assez petite et assez forte, aux doux yeux noirs qui de loin me reconnaissaient et me souriaient. Je faisais semblant de ne pas la voir avant d'être arrivé à elle car ne sachant pas qui c'était, j'étais très embarrassé de ce que je devais faire. Malheureusement la présentation, comme le duc ne prononça pas ou que je n'entendis pas le nom de la dame, laissa aussi obscur <pour moi> ce qui semblait au contraire fort clair pour elle, comment elle me connaissait. Ce qui m'avait donné l'idée que ce fût assez intimement, c'était la hâte du duc comme s'il *1ʳᵉ rédaction non biffée]* à laquelle il semblait dire : *[comme dans le texte définitif, avec lég. var.]* tiré d'embarras. *[11 lignes]* Mais M. de Guermantes *[10 lignes]* le fit si mal que je n'entendis pas le nom de la personne inconnue, laquelle n'eut pas le bon esprit *[comme dans le texte définitif, avec lég. var.]* Enfin *[p. 718, 14ᵉ ligne]* l'explication de cette scène qui m'intriguait comme la péripétie obscure d'une comédie italienne <me fut donnée> quand j'appris que la dame à qui je venais d'être présenté ne connaissait nullement ma famille ni moi-même, mais possédait une des plus immenses fortunes du monde et issue de la race la plus noble, car c'était la princesse de Parme, désirant dans sa gratitude au Créateur, témoigner au prochain, si pauvre *[comme dans le texte définitif, avec lég. var.]* encor plus contrastés. *[p. 719, 1ʳᵉ ligne]* Que si M. de Guermantes avait mis tant de hâte *[comme dans le texte définitif, avec lég. var.]* dans l'algèbre *[p. 719, 12ᵉ ligne en bas* *de page]* du voyage *[au pays du Parmesan biffé]* *[*à la ville de Giorgione   *corr.],* comme une première équation à cette inconnue. Mais *[comme dans le texte définitif, avec lég. var.]* gare Saint-Lazare. *[p. 720, fin du 1ᵉʳ §]* Ce n'est pas que la princesse n'eût des particularités mais qui ne dérivaient en rien du nom de Parme. *corr.]* Au moment où on me nomma à la princesse, son sourire exprima si naïvement la joie qu'on a à revoir un ami cher après une longue absence, sa main au lieu de se tendre vers moi prit si furtivement la mienne comme celle d'un camarade à côté de qui on passe que je supposai que la princesse avait dû me voir enfant chez mes parents qui sans doute avaient préparé cette surprise comme autrefois ils mettaient des cadeaux aussi précieux que ceux des rois mages dans mes chaussons boursouflés jusqu'à l'extrême limite de leur élasticité, en me laissant croire que ces jouets m'avaient été spontanément offerts par le petit Noël. Or cette fois-ci le petit Noël c'est-à-dire la princesse de Parme avait au contraire agi par elle-même mais à vrai dire nullement par sympathie particulière pour moi. / Son amabilité *ms.*   : qu'ils feraient sur moi. Avant ces *[comme dans ms.]* Au moment même *[comme dans le texte définitif, avec lég. var.]* contrastés. Que si M. de Guermantes *[comme dans ms., avec lég. var.]* dérivaient en rien du nom de Parme. / Son amabilité *plac. 1* ⟷ *b.* Sa mère lui avait dès son plus jeune âge inculqué les préceptes *ms.* ⟷ *c.* sois bonne *[14 lignes plus haut]* pour les humbles, n'aie pas l'air de te rappeler tout le temps que tu es infiniment plus riche et mieux née que quiconque, c'est inutile puisque tout le monde le sait. Sois secourable aux malheureux, fournis à tous ceux que la volonté divine a placés au-dessous *ms.*

1. Le quartier de l'Europe, à Paris, fut construit derrière la gare Saint-Lazare à partir de 1826 ; toutes les rues y portent des noms de villes. La rue de Parme se trouve entre la rue d'Amsterdam et la rue de Clichy.

2. Les maisons de Clèves et de Juliers sont effectivement parmi les plus anciennes d'Europe. Le comté puis duché de Clèves, situé près du Rhin et de la frontière hollandaise, fit partie du Saint-Empire. La ville de Juliers — Juliacum —, située en Rhénanie-Westphalie, près d'Aix-la-Chapelle, fut fondée par Jules César ; elle devint au XIᵉ siècle le centre d'un comté, puis d'un duché, avant d'être rattachée à celui de Clèves, en 1423. Le dernier duc de Clèves, mort sans héritier, provoqua la guerre de Succession de Juliers, en 1609. La princesse de Parme est ainsi d'origine allemande, puisque le duché passa à la Bavière en 1777, avant d'être rattaché en 1815 à la Prusse.

3. Le principal actionnaire de la Compagnie universelle du canal maritime de Suez était, au début du siècle, le gouvernement de la reine Victoria, qui profita de ce que l'opération de Ferdinand de Lesseps menaçait de s'effondrer, pour acheter les titres du vice-roi Saʿîd Pacha, en 1875.

4. Proust était lui-même actionnaire de cette compagnie pétrolière hollandaise : il confia à Louis d'Albuféra qu'il avait beaucoup gagné sur « une *seule action* » de la Royal Dutch en 1908. « Cela donne aujourd'hui 22 % de capital primitif, autant que je me souvienne » (*Correspondance*, t. VIII, p. 295-297).

5. Edmond de Rothschild (1845-1934), frère du régent de la Banque de France, fut administrateur du Chemin de fer de l'Est et membre de l'Institut. En novembre 1912, Proust, projetant d'acheter des actions de la *Royal Dutch*, confiait à Lionel Hauser qu'il avait entendu Edmond de Rothschild affirmer qu'elles allaient « donner du 8 % » (*Correspondance*, t. XI, p. 283).

Page 721.

a. les anciens domestiques. / L'autre raison [...] plus particulière. / *[un blanc]* / mais nullement par sympathie pour moi. Mais je n'eus pas le temps d'approfondir à ce moment-là le caractère de cette princesse dans l'aspect de laquelle je remarquai seulement avec déception que le charme particulier aux personnages de la *Chartreuse* et le clair parfum des violettes en étaient aussi absents qu'ils le sont, près de la gare Saint-Lazare, de la rue de Parme, peu différente en vérité de la rue *[un blanc]* / Déjà en effet le duc qui *ms.* : les anciens domestiques. L'autre raison [...] particulière, mais nullement dictée par une mystérieuse < sympathie > pour moi. Mais cette seconde [...] ce moment-là. / Déjà, en effet, le duc qui *plac. 1* : les anciens domestiques. / Déjà, en effet, le duc qui *plac. 3, orig. Nous adoptons la leçon de plac. 1, nécessaire à la compréhension du* Déjà, en effet .

1. La famille de Brancas, originaire du royaume de Sicile, s'installa en France au XVIe siècle. Proust a trouvé à maintes reprises le nom dans les *Mémoires* de Saint-Simon. Une comtesse de Brancas vivait encore à Paris au temps de Proust. Voir *Almanach de Gotha*, 1906, p. 296.

2. François Mansart ou Mansard (1598-1666) et son petit-neveu Jules Hardouin, dit Hardouin-Mansart (1646-1708), furent parmi les créateurs en France du style classique en architecture.

Page 722.

a. comme personne. » Qui qualifie devant nous une chose ou un être les dénature, et transforme parallèlement la valeur du qualificatif. L'image que je m'étais faite jusqu'ici de la « grande dame » ne représentait pas la princesse de Parme puisque je n'avais jamais vu celle-ci. D'autre part la femme brune que je venais de voir ne m'avait, comme tout être individuel, nullement fait penser à une abstraction. Mais M. de Guermantes me dit qu'elle était « grande dame ». À ces paroles magiques, l'image antérieure de la grande dame se désossa, se vida complètement, et avec l'agilité d'une femme de théâtre se débarrassant de ses haillons et entrant dans la robe de la reine des fées, la dame brune à la simple toilette entra tout entière dans l'épithète que M. de Guermantes venait de lui assigner. Je ne doutai plus que j'eusse devant les yeux une grande dame et l'intérêt de la réunion en fut accru. / Mais pendant *ms.*

1. Le nom de M. de Bréauté, associé dans « Un amour de Swann » à la Normandie, comme un point douloureux sur la carte de la jalousie (voir t. I de la présente édition, p. 354-355), prend ici une profondeur historique, grâce à l'alliance avec les Consalvi. Cardinal et secrétaire

d'État au Saint-Siège, Ercole Consalvi (1757-1824) signa à Paris le Concordat de 1801. Il fut l'un des « cardinaux noirs » hostiles à Napoléon et représenta le Saint-Siège au Congrès de Vienne.

2. Le prince de Galles, devenu Édouard VII en 1901, vint à Paris seul en 1903, et sa francophilie eut une action déterminante sur la conclusion de l'Entente cordiale (1904). Sa visite en France avec la reine Alexandra n'eut lieu qu'en 1907.

3. Le « génie » d'Édouard Detaille (1848-1912), membre de l'Académie des beaux-arts, se manifesta surtout dans des tableaux à sujets historiques ou militaires, tels *Sortie de la garnison de Huningue*, *Bonaparte en Égypte*, *Le Rêve*, etc. Il était l'ami de Madeleine Lemaire, illustratrice des *Plaisirs et les Jours* (voir *Essais et articles*, éd. citée, p. 458). Le 5 février 1907, Reynaldo Hahn fut convié à un dîner donné par un conseiller de l'ambassade d'Angleterre en l'honneur des souverains britanniques en visite à Paris. Dans une lettre qui ne nous est pas parvenue, Hahn fit à Proust le récit de cette réception : parmi les invités figurait Édouard Detaille (voir la *Correspondance*, t. VII, p. 73). De même, en 1910, Mme Greffulhe — l'un des modèles de la duchesse de Guermantes —, reçut Édouard VII et la reine Alexandra, qui avaient demandé qu'elle invitât Detaille (voir George Painter, *Marcel Proust*, t. I, p. 204-205).

4. Proust a pu trouver ce nom de Courvoisier dans le récit fait par Mme de Boigne des dernières années du règne de Charles X et des intrigues concernant la Charte (voir ses *Mémoires*, Mercure de France, 1982, t. II, p. 148-158).

5. Alexandre Ribot fut ministre des Affaires étrangères de 1890 à 1893 (voir *À l'ombre des jeunes filles en fleurs*, t. I de la présente édition, n. 2, p. 428).

Page 723.

a. ouvert à ses investigations. Cependant il pensa que j'étais peut-être tout simplement le nouvel *ms.* ◆◆ *b.* quelque célébrité. Il commença à se pourlécher *ms.* ◆◆ *c.* au déjeuner du duc [d'Aumale *biffé*] [de Chartres *corr.*] Il n'était pas encore *ms.* ◆◆ *d.* au Théâtre-Français, [mais grand amateur de voyages et en train d'écrire pour la *Revue des Deux Mondes* un essai sur les Mormons, il multipliait à mon adresse les révérences, les signes d'intelligence, les sourires que ne manquait pas de filtrer son monocle, soit par satisfaction réelle et ignorance de la langue exacte qu'il devait me parler comme à un « naturel » d'une terre lointaine où un radeau l'eût conduit et avec lequel il se fût proposé d'échanger des œufs d'autruche contre des verroteries, soit *biffé*] mais grand intellectuel, *ms.*

1. Le duc de Guermantes, souvent comparé à Louis XIV pour ses manières, est assimilé — à cause de ses goûts — à Hermann-Maurice, comte de Saxe, maréchal de France (1696-1750). Amant de la comédienne Adrienne Lecouvreur, il fut célèbre autant par ses prouesses militaires que par l'agitation de sa vie privée.

2. Suzanne Angélique Charlotte, baronne de Bourgoing, née Reichenberg (1853-1924) fit ses débuts dans *L'École des femmes* et,

jusqu'à son mariage en 1898, tint l'emploi d'ingénue à la Comédie-Française. Proust l'évoque dans son article sur « Une fête littéraire à Versailles », « toute gracieuse, habillée de rose pâle et coiffée d'un large chapeau blanc que couvrent de grandes plumes roses ». Elle récite Coppée, Verlaine, Robert de Montesquiou et Marceline Desbordes-Valmore, puis, accompagnée de Sarah Bernhardt et de Mlle Bartet, l'« Ode à Versailles » d'André Chénier. Dans [« Le Salon de la comtesse Aimery de La Rochefoucauld »], elle déclame *Les Chauves-souris* de Montesquiou (voir *Essais et articles*, éd. citée, p. 362-363, 436).

3. Charles Marie Widor (1844-1937) fut titulaire des orgues de Saint-Sulpice de 1896 à 1905, et professeur d'orgue et de composition au Conservatoire national de musique et de déclamation de 1891 à 1905.

4. Voir n. 2, p. 491.

5. Sur le monocle de M. de Bréauté, voir *Du côté de chez Swann*, t. I de la présente édition, n. 1, p. 321.

Page 724.

a. L'imprimeur a mal lu la correction sur plac. 1. Proust a remplacé ni perdre de vue, d'échanger de grands cris et des marques de bienveillance, de troquer *par* ni de pousser comme eux de grands cris de bienveillance, de troquer *.La leçon déjà fautive :* ni de pousser comme eux de grands cris, de troquer *, devient, dans orig.,* ni pousser comme eux de grands cris, de troquer *. Notre texte est celui de plac. 1.* ⬥ *b. La Bibliothèque nationale possède (achat 26803, lot n° 20) une paperole, vraisemblablement détachée du manuscrit, et contenant un développement sur Ferdinand et le prince allemand, commençant au milieu d'une phrase. La demi-révélation sur les mœurs de ce dernier, contenue dans ce brouillon, fut remplacée sur les deuxièmes placards par le passage (p. 799) où le prince fait allusion à Saint-Loup et au prince de Foix :* qui s'appelait Ferdinand. Jusqu'à ce jour on n'a pas vu dans le milieu des Guermantes éclore le chef-d'œuvre, en vue duquel sans doute on remplaçait consciencieusement par Bibi le nom de Biencourt. Quelque application que missent à supprimer ainsi une syllabe les personnes liées avec ce vieux marquis, et celles qui, l'étant moins, voulaient le paraître, l'économie de temps réalisée ne semble pas avoir été bien utile. Le prince Von, rouge et superbe sous ses cheveux grisonnants, accueillit mon salut avec une gaieté cordiale dont je ne comprends pas très bien le sens. Puis, comme je l'ai vu faire à quelques autres Allemands, il me serra la main longuement, avec une force qui semblait vouloir la broyer, puis, la tenant toujours, l'appuya sur le plastron de sa chemise, à la place du cœur. Mais ayant sans doute trouvé cette démonstration, quasi involontaire, excessive, il me lâcha. J'avais remarqué qu'il ne riait plus au moment où il me faisait toucher sa chemise. Il se détourna de moi et se mit à « plaisanter » avec d'autres invités. Un seul n'était pas encore là, c'était le mari de Mme de Grouchy, née Guermantes, et descendant de celui dont l'absence au début de l'action, passe pour avoir été une des causes de la défaite de Waterloo. Comme il était allé à la chasse, Mme de Grouchy était venue de son côté et ils devaient se retrouver au dîner de la duchesse.

1. Souvenir probable du surnom donné à l'arrière-grand-mère de Robert de Montesquiou : « Maman Quiou » fut gouvernante du roi de Rome.

Page 725.

a. de mon mieux *[p. 724, 9ᵉ ligne]* à sa joie, je m'inclinai devant le prince de *[Proust omet le nom]* que j'avais déjà rencontré chez Mme de Villeparisis de laquelle il me dit que c'était une fine mouche et qu'il s'était fait une pinte de bon sang à l'écouter, et ensuite   *ms.*   : de mon mieux [...] fine mouche, et ensuite   *plac. 1*

1. Située près de la côte sud-ouest de la Sicile, la ville d'Agrigente est construite autour des ruines de l'antique Akragas, où se trouvent les temples doriques de la Concorde, de Junon, de Jupiter Olympien, de Castor et Pollux, et d'Hercule.

Page 726.

a. l'était le moins. Il était d'ailleurs fort heureux de l'être mais [...] sans se soucier d'ailleurs si cette mine répond   *ms., plac. 1,*   : l'était le moins. [Il était d'ailleurs   *biffé*] [D'ailleurs   *corr.*] fort heureux de l'être mais [...] sans se soucier [d'ailleurs   *biffé*] si cette mine répond   *plac. 3.* *L'imprimeur ayant négligé la correction de plac. 3, orig. donne le texte de plac. 1 avec la répétition de « d'ailleurs ». Nous adoptons la leçon de plac. 3.* ◆◆ *b.* la mine Premier. Parmi les autres convives masculins il y avait le prince de *[un blanc]* que j'avais vu chez Mme de Villeparisis et le comte Hannibal de Bréauté-Consalvi. Celui-ci arrivé tard, ignorait que je dusse dîner et / Cependant   *ms.* ◆◆ *c.* que l'on pouvait servir. *[fin du 1ᵉʳ § de la page]* Aussitôt   *ms., plac. 1*

1. Toujours soucieux de rechercher sous les noms utilitaires une correspondance avec l'art ou avec le passé, Proust cite ces noms d'actions boursières parce qu'ils lui évoquent le roman de Walter Scott, et une pièce de Flers et Caillavet (*Primerose*, comédie en trois actes créée en 1911 ; « primerose » est l'un des noms donnés à l'alcée ou rose trémière). Sans doute certaines de ses spéculations malheureuses lui furent-elles inspirées par la découverte de semblables analogies poétiques (voir Philip Kolb, « Marcel Proust spéculateur », *Études proustiennes*, I, Gallimard, 1973, p. 179). Toujours est-il que dans son portefeuille figuraient en bonne place des actions minières (voir la lettre à Robert de Billy, février 1912, *Correspondance*, t. XI, p. 40-42), et qu'il se montra intéressé, en 1909, par celles offertes par la mine Ivanhoé (voir la lettre à Lionel Hauser, peu après le 3 mai 1909, *ibid.*, t. IX, p. 86). Dans les rubriques boursières des quotidiens de l'époque, on trouve mention des mines Primerose, cotées sur le marché à terme (en banque), et des actions de la société Premier Diamond, valeurs sud-africaines.

2. Emmanuel, marquis de Grouchy (1766-1847), maréchal de France, commandait la cavalerie de réserve de l'armée du Nord durant les Cent-Jours. Chargé de poursuivre les Prussiens de Blücher

battus à Ligny le 15 juin 1815, et de les empêcher de rejoindre les troupes anglaises de Wellington, il faillit à sa mission et fut en partie responsable de la défaite de Waterloo, le 18 juin. Il se réfugia en Amérique mais revint en France en 1821 et fut nommé pair de France.

3. Citation d'« un des plus beaux mouvements d'éloquence de Bossuet, dans l'oraison funèbre de Henriette d'Angleterre, duchesse d'Orléans, morte subitement à la fleur de l'âge » (*Grand dictionnaire universel du XIXe siècle* par Pierre Larousse, art. « mourir ») : « Ô nuit désastreuse ! ô nuit effroyable où retentit tout à coup, comme un éclat de tonnerre, cette étonnante nouvelle : Madame se meurt ! Madame est morte » (Bossuet, *Œuvres*, Bibl. de la Pléiade, p. 91).

Page 727.

a. s'ouvrirent *[p. 726, 5e ligne en bas de page]* à deux battants, [un maître d'hôtel s'inclina devant la duchesse, *biffé*] [un maître d'hôtel qui avait l'air *[...]* et comme l'été à Robinson que *corr.*] les couples *ms.* ◆◆ *b.* derrière eux *[5e ligne de la page]* leur chaise, [tandis que d'autres remplissaient leur assiette *biffé*] [la dernière, Mme de Guermantes s'avança vers moi *[...]* moins intimidé que chez un ignorant ; *corr.*] d'autres portes *ms.*

1. Traditionnel lieu de promenade et de distraction des Parisiens, Le Plessis-Robinson, ou Robinson (dans l'ancien département de la Seine), était connu pour ses guinguettes et ses bals populaires.

2. En italien « marionnettes ».

3. La métaphore souligne la ressemblance entre la « mécanique » de Versailles, décrite par Saint-Simon, et le faste héréditaire des Guermantes. À l'article « mécanique », Littré ne donne pas moins de trois citations des *Mémoires* dans lesquelles figure le mot, pris au sens figuré. Voir *Du côté de chez Swann*, t. I de la présente édition, p. 117, et n. 1, p. 304.

Page 728.

a. mais qu'il voulait *[p. 727, 8e ligne en bas de page]* honorer. [Ce n'est pas que M. de Guermantes *[...]* ces merveilleux meubles, que cette aristocratie-là possède de famille et qu'on découvre chez elle comme si en creusant la terre on avait trouvé le palais de Darius dans une fouille, comme dans certaines villes, après avoir pris une petite impasse sordide, on pousse une porte et on se trouve dans une merveilleuse église, rutilante d'or ancien. *add.*] Quand il voulait *ms.* ◆◆ *b.* qui vient *[7 lignes plus haut]* le solliciter. [Comme le voyageur qui en visitant l'Orient actuel et ses maisons couvertes de terre reconnaît la persistance d'une civilisation que traversèrent Xénophon et saint Paul[1], dans les manières de M. de Guermantes, homme rempli de gentillesse et dénué de cœur, qui se riait des devoirs les plus sacrés et s'asservissait aux plus petits, je me plaisais à constater la persistance de cette déviation particulière de la morale qu'on observe chez Louis XIV. Celui-ci élabore les instructions les plus précises

1. Voir p. 729.

pour savoir qui passera <au-> devant d'un prince du sang ou d'un souverain étranger ; dans certains cas, dans l'impossibilité d'arriver à une entente[1] on convient que le fils de Louis XIV, Monseigneur, ne recevra le souverain étranger que dehors, en plein air, pour qu'il ne soit pas dit que l'un est entré devant l'autre, et quand ils se promènent en voiture, aucun ne voulant être le second, ils montent ensemble chacun par un côté différent ; et l'Électeur palatin recevant chez lui le duc de Chevreuse, plutôt que de lui laisser la main, fait semblant d'être malade et lui donne à dîner mais couché, ce qui tranche la difficulté. *biffé*] Seulement cette simplicité alternait de minute en minute chez M. de Guermantes, comme le soleil et l'ombre dans une journée incertaine, avec des ridicules d'homme trop riche, avec l'orgueil du parvenu qu'il n'était pas. De sorte qu'il était tour à tour grand et vulgaire, insupportable et attendrissant. Puis même dans l'ordre de la politesse aristocratique, il fallait se rappeler en vivant avec M. de Guermantes comme en lisant les Mémoires du XVIIᵉ siècle, que c'était de la politesse et que ce n'était pas davantage. On peut prendre comme exemple de ce souci de l'étiquette et de politesse à la cour de Versailles Louis XIV lui-même. Sans doute le rigorisme du roi à cet égard n'est pas encore suffisant au gré des entichés de noblesse de l'époque (Louis XIV ayant consenti à ce qu'on dise en parlant de l'Électeur de Bavière : « l'Électeur » au lieu de « Monsieur l'Électeur » [(cette dernière appellation étant moins honorifi<que)> *biffé*] Saint-Simon parle de la « légèreté française » qui laisse passer une telle gangrène, sur ce ton : « L'électeur tout court s'introduisit comme on dit : le roi d'Angleterre, le roi de Suède. *Ainsi tout passe, tout s'élève, tout s'avilit, tout se détruit, tout devient chaos, et il se peut dire et prouver que le Roi n'a été pour le rang qu'un fort petit roi en comparaison de Philippe de Valois, Charles V etc.* ») Mais enfin si Louis XIV a la faiblesse de laisser dire « l'Électeur », il n'en rédige pas moins les instructions *ms.* : solliciter. / Encore faut-il (et même en laissant de côté pour les moments de vulgarité qui on l'a vu étaient si fréquents chez M. de Guermantes) dans les deux cas, qu'il s'agisse de vivre, par l'imagination, au « grand siècle » que cette politesse n'allait pas au-delà de ce que ce mot signifie. / Louis XIV [...] les instructions *plac. 1* : solliciter. Encore [...] cette politesse [n'allait *biffé*] [ne va *corr.²*] pas au-delà [...] instructions *plac. 3* ◆◆ *c.* l'Électeur palatin, [recevant *biffé*] [ayant *corr.*] le duc de Chevreuse *orig. b*

1. Le héros de *Jean Santeuil* constate qu'au château de Réveillon « on se croyait obligé de faire des promenades en voiture pour distraire l'invité » (éd. citée, p. 506).

2. Dans « Le Caractère de Louis XIV » (*Mémoires*, éd. citée, t. V, p. 485), Saint-Simon affirme que « quelque prévenu qu'il fût, quelque mécontentement qu'il crût avoir lieu de sentir, il écoutait avec patience, avec bonté, avec envie de s'éclaircir et de s'instruire ; il n'interrompait que pour y parvenir ». L'auteur ajoute cependant : « Là, tout se pouvait dire, pourvu encore une fois que ce fût avec cet air de respect, de soumission, de dépendance, sans lequel on se serait encore plus perdu que devant [...]. »

1. Voir le dernier paragraphe de cette page, 8ᵉ ligne.

2. *Orig.* ne tient pas compte de la correction portée sur *plac. 3* et donne « n'allait » comme *plac. 1*. Nous rétablissons.

3. Saint-Simon raconte deux incidents pour illustrer l'ignorance de Louis XIV en matière de généalogies : la naissance du chevalier de Chevery et celle du marquis de Saint-Hérem. L'auteur affirme que le roi « demeura tellement ignorant que les choses le plus connues d'histoire, d'événements, de fortunes, de conduites, de naissance, de lois, il n'en sut jamais un mot » et qu'il « tomba, par ce défaut et quelquefois en public, dans les absurdités les plus grossières ». Quand Louis XIV apprit que Saint-Hérem appartenait à la maison de Montmorin, il fallut, affirme le mémorialiste, « expliquer quelles étaient ces maisons, que leur nom ne lui apprenait pas » (*Mémoires*, éd. citée, t. V, p. 478-479). Quant à l'expression « un fort petit roi », elle figure dans le récit de la venue à Paris, en 1709, de l'Électeur de Bavière, que Proust cite dans le manuscrit (voir la variante *b*). L'Électeur était habituellement nommé « Monsieur l'Électeur ». « *Monsieur l'Électeur* fut une façon de parler vieillie et abolie et, sans aucune réflexion, *l'Électeur* tout court s'introduisit : tellement que depuis on ne dit plus que *l'électeur de Bavière, l'électeur de Saxe, l'électeur de Mayence*, ainsi des autres, comme on dit simplement *le roi d'Angleterre, le roi de Suède*, et des autres rois. Ainsi tout passe, tout s'élève, tout s'avilit, tout se détruit, tout devient chaos, et il se peut dire et prouver, qui voudrait descendre dans le détail, que le roi, dans la plus grande prospérité de ses affaires et plus encore depuis leur décadence, n'a été, pour le rang et la supériorité pratique et reconnue de tous les autres rois et de tous les souverains non rois, qu'un fort petit roi en comparaison de ce qu'ont été à leur égard à tous, et sans difficulté aucune, nos rois Philippe de Valois, Jean, Charles V, Charles VI, que je choisis parmi les autres comme ayant régné dans les temps les plus malheureux et les plus affaiblis de la monarchie » (*Mémoires*, éd. citée, t. III, p. 619). Proust avait noté ce passage des *Mémoires* dans le Carnet 3 (« Ne pas oublier pour un pastiche de Saint-Simon la page [...] sur Tout s'avilit à cause de la gangrène de dire l'électeur [...] » ; voir *Les Pastiches de Proust*, édition critique et commentée par Jean Milly, Armand Colin, 1970, p. 250), et en avait fait le pastiche en 1919 : « Ainsi tout décline, tout s'avilit, tout est rongé dès le principe, dans un État où le fer rouge n'est pas porté d'abord sur les prétentions pour qu'elles ne puissent plus renaître » (« Dans les *Mémoires* de Saint-Simon », *Pastiches et mélanges*, éd. citée, p. 54-55).

4. « Laisser la main », c'est « donner la droite à quelqu'un [...], soit en s'asseyant soit en marchant auprès de lui » (Littré).

5. Le souverain dont parle Saint-Simon est précisément l'Électeur de Bavière, Maximilien Marie Emmanuel (1662-1726), qui, lors de son séjour en France de 1709, fut invité à Meudon par le grand Dauphin, Louis (1661-1711) : « Monseigneur, étant allé de Marly à Meudon, y voulut donner à dîner à l'Électeur ; mais la surprise fut grande de la prétention qu'il forma d'y avoir la main. Elle était en tout sens également nouvelle et insoutenable : jamais électeur n'en avait imaginé une semblable sur l'héritier de la couronne [...] ; il y eut des pourparlers, qui aboutirent à quelque chose de fort ridicule.

[...] Monseigneur le reçut en dehors ; ils n'entrèrent point dans la maison, à cause de la main ; il se trouva une calèche, dans laquelle ils montèrent tous deux en même temps, par chacun un côté ; ils se promenèrent beaucoup ; au sortir de la calèche, l'Électeur prit congé et s'en alla à Paris, et de manière que Monseigneur ne le vit, ni en arrivant, ni en partant, descendre ni monter en carrosse. De cette façon, quoique Monseigneur fût à droit dans la calèche, la main fut couverte par monter en même temps par différent côté, et par cette affectation de n'entrer pas dans la maison et ne la voir que par les dehors » (_Mémoires_, éd. citée, t. III, p. 618).

6. L'électeur palatin, Charles-Louis Ier de Bavière (1617-1680), recevait Charles-Honoré d'Albert, duc de Chevreuse (1646-1712), à Heidelberg. Saint-Simon rapporte que « l'électeur palatin se tint au lit, se prétextant malade, apparemment pour éviter la main, mais il lui donna à dîner dans son lit au duc de Chevreuse » (_Mémoires_, éd. citée, t. II, p. 766).

7. Rendre le service : être préposé au service de la chambre (qui comprend la présentation de la chemise) du roi, des princes et princesses du sang. Voir n. 8.

8. Louis III de Bourbon-Condé, Monsieur le Duc (1668-1710), petit-fils du grand Condé, était le cousin de Louis XIV et de son frère Philippe Ier duc d'Orléans, Monsieur (1640-1701). Saint-Simon raconte que Monsieur le Duc refusait de rendre le service à Monsieur qui, sur le conseil du roi, imagina le stratagème suivant pour obtenir satisfaction. Au moment de son lever, à Marly, il « vit par sa fenêtre Monsieur le Duc dans le jardin ; il l'ouvre vite et l'appelle. Monsieur le Duc vient ; Monsieur se recule, lui demande où il va, l'oblige, toujours reculant, d'entrer et d'avancer pour lui répondre, et, de propos en propos, dont l'un n'attendait pas l'autre, tire sa robe de chambre. À l'instant, le premier valet de chambre présente la chemise à Monsieur le Duc, à qui le premier gentilhomme de la chambre de Monsieur fit signe de le faire, Monsieur cependant défaisant la sienne ; et Monsieur le Duc, pris ainsi au trébuchet, n'osa faire la moindre difficulté de la donner à Monsieur » (_Mémoires_, éd. citée, t. II, p. 16). — Le « trébuchet » est un « piège à prendre les petits oiseaux » : « Prendre quelqu'un au trébuchet, l'amener par adresse à faire une chose qui lui est désavantageuse ou désagréable » (Littré).

Page 729.

_a._ une des personnes [qu'il a le plus aimées _biffé_] [qui lui furent le plus chères _corr._], quand Monsieur, _orig. b_ ◆◆ _b._ actions mondaines et [concentrées _biffé_] [concertées _corr._], mais dans le langage _orig. b_ ◆◆ _c._ le même contraste. Comme _ms._ ◆◆ _d._ Prou_st a copié après ce paragraphe les Esquisses de 1910-1911 consacrées à Hugo et Zola, puis les a barrées en croix. Voir p. 786-787._

1. Le jour de la mort de Monsieur, le roi « pleura beaucoup », dit Saint-Simon. Mais dès le lendemain, « des dames du palais entrant chez Mme de Maintenon, où était le roi avec elle et Mme la duchesse

de Bourgogne, sur le midi, elles l'entendirent, de la pièce où elles se tenaient joignant la sienne, chantant des prologues d'opéra. Un peu après, le roi, voyant Mme la duchesse de Bourgogne fort triste en un coin de la chambre, demanda avec surprise à Mme de Maintenon ce qu'elle avait pour être si mélancolique, et se mit à la réveiller, puis à jouer avec elle et quelques dames du palais qu'il fit entrer pour les amuser tous deux. Ce ne fut pas tout que ce particulier. Au sortir du dîner ordinaire, c'est-à-dire un peu après deux heures, et vingt-six heures après la mort de Monsieur, Mgr le duc de Bourgogne demanda au duc de Montfort s'il voulait jouer au brelan. "Au brelan ! s'écria Montfort dans un étonnement extrême, vous n'y songez donc pas ! Monsieur est encore tout chaud. — Pardonnez-moi, répondit le Prince, j'y songe fort bien ; mais le roi ne veut pas qu'on s'ennuie à Marly, m'a ordonné de faire jouer tout le monde, et, de peur que personne ne l'osât faire le premier, d'en donner, moi, l'exemple." De sorte qu'ils se mirent à faire un brelan et que le salon fut bientôt rempli de tables de jeu » (Saint-Simon, *Mémoires*, éd. citée, t. II, p. 11). — Honoré Charles d'Albert de Luynes, duc de Montfort (1669-1704), était le fils du duc de Chevreuse. — Marie-Adélaïde de Savoie (1685-1714), qui, en 1697, épousa le duc de Bourgogne, fils aîné du Grand Dauphin, était la fille de Monsieur et d'Henriette d'Angleterre.

2. Xénophon, au IVe siècle avant Jésus-Christ, et saint Paul, au Ier siècle, ont tous deux voyagé en Asie Mineure.

3. Mme de Thianges, dans *Jean Santeuil*, « aussi bien née, aussi bien apparentée, aussi bien posée que qui que ce fût », trouve toujours tout beaucoup plus parfait chez les autres que chez elle (éd. citée, p. 665). Ce trait, prêté à Mme de Thianges et à la princesse de Parme, repose sur la maxime : « Mais si nos défauts nous paraissent moins graves que ceux des autres, nos privilèges nous semblent aussi moins prestigieux » (*ibid.*).

Page 730.

a. des femmes et des hommes, je ne pouvais avoir que l'impression d'une mauvaise féerie où des actrices qui immobiles au lever du rideau figurent une rangée d'œuvres d'art, lesquelles vont être censées s'animer, s'en détachent pour venir chanter des couplets quelconques, en faisant des mouvements qui « déplacent les lignes ». Mais de même *ms.*

1. À propos de Mme de Montespan, l'une des trois filles de Gabriel de Rochechouart, duc de Mortemart, Saint-Simon écrit : « Il n'était pas possible d'avoir plus d'esprit, de fine politesse, des expressions singulières, une éloquence, une justesse naturelle qui lui formait comme un langage particulier, mais qui était délicieux, et qu'elle communiquait si bien par l'habitude, que ses nièces et les personnes assidues auprès d'elle, ses femmes, celles que, sans l'avoir été, elle avait élevées chez elle, le prenaient toutes, et qu'on le sent et on le reconnaît encore aujourd'hui dans le peu de personnes qui en restent : c'était le langage naturel de la famille, de son frère et de

ses sœurs » (_Mémoires_, éd. citée, t. II, p. 972). Mme de Castries, nièce de Mme de Montespan, « savait tout : histoire, philosophie, mathématiques, langues savantes, et jamais il ne paraissait qu'elle sût mieux que parler français ; mais son parler avait une justesse, une énergie, une éloquence, une grâce jusque dans les choses les plus communes, avec ce tour unique qui n'est propre qu'aux Mortemart » (_Mémoires_, éd. citée, t. I, p. 353 ; voir la note 6, p. 353 et le t. II, p. 473-474). Sur « l'esprit des Guermantes » et « l'esprit des Mortemart », voir notre Notice, p. 1680-1681.

Page 731.

_a._ on se disait : que doivent-ils penser de moi quand ils me voient marcher, saluer, m'asseoir, et n'ont-ils vraiment pas le droit quoiqu'ils ne le laissent pas voir quand ils se trouvent en présence de nous de se dire intérieurement que nous étions d'une espèce animale vraiment différente et qu'ils étaient eux les princes de la terre ? Quand le duc de Châtellerault < me disait > je vous ai aperçu l'autre jour qui entriez au concert, je tremblais en pensant à ce que cette « entrée » avait pu représenter à ce jeune homme pour qui marcher ou saluer devenait quelque chose de plus gracieux que le vol de l'hirondelle ou l'inclinaison de la rose. Plus tard je _ms._

Page 732.

1. Proust pastiche ici Saint-Simon, et sur un ton très proche de celui employé dans son pastiche déclaré de cet auteur : « J'ai suffisamment parlé de ces Montesquiou à propos de leur plaisante chimère de descendre de Pharamond, comme si leur antiquité n'était pas assez grande et assez reconnue pour ne pas avoir besoin de la barbouiller de fables [...] » (_Pastiches et mélanges_, éd. citée, p. 51).

Page 733.

_a._ les raisons de son acceptation. _[p. 732, 6ᵉ ligne en bas de page]_ Le génie _ms._ ◆◆ _b. On trouve dans le Cahier 61 (fᵒ 32 vᵒ) deux expressions destinées aux Guermantes :_ c'est quelqu'un de gentil / C'est quelqu'un de bien. ◆◆ _c._ aux Courvoisier qui étaient l'autre partie de la famille _ms._ ◆◆ _d._ par sa mère Courvoisier _ms. plac._ 1

1. Emblème auquel Flaubert fait allusion dans le chapitre X de _Salammbô_, intitulé « Le Serpent » (_Œuvres_, Bibl. de la Pléiade, t. I, p. 869). L'expression « génie de la famille » figure dans la réponse de Flaubert aux articles de Sainte-Beuve sur _Salammbô_ : « Il n'y a ni _vice malicieux_ ni _bagatelle_ dans mon serpent. [...] Salammbô, avant de quitter sa maison, s'enlace au génie de sa famille, à la religion même de sa patrie en son symbole le plus antique » (_ibid._, p. 1001). La famille Barca est celle d'Hamilcar et de sa fille, Salammbô. Voir l'Esquisse V, p. 1045.

Page 734.

a. Mme de Gallardon. [D'ailleurs ce genre de gens avaient-ils un âge ? Oui, mais comme les chevaux ou les chiens et il aurait fallu l'aide d'un vétérinaire pour le savoir. *biffé*] Bien plus, *ms.*

1. La maison de Ligne, connue depuis le XIIe siècle, comportait plusieurs branches : Barbançon, Arenberg, Croÿ et Chimay. Par Robert de Montesquiou, Proust connaissait surtout la branche des Chimay : la comtesse Greffulhe, Clara et Marie de Chimay étaient les cousines de Montesquiou. Proust releva leurs alliances prestigieuses dans son pastiche de Saint-Simon, affirmant que les Bibesco, « avec les Noailles, les Montesquiou, les Chimay, et les Bauffremont [...] sont de la race capétienne et pourraient revendiquer avec beaucoup de raison la couronne de France, comme j'ai souvent dit » (*Pastiches et mélanges*, éd. citée, p. 48). Pour la maison de La Trémoïlle, voir t. I de la présente édition, n. 1, p. 254.

Page 735.

1. Dans les premières esquisses de *Du côté de chez Swann*, Proust parle du « côté de Villebon », le futur « côté de Guermantes » (voir Claudine Quémar, « Sur deux versions anciennes des "côtés" de Combray », *Études proustiennes*, II, p. 159, 224-225, et, au tome I de la présente édition, l'Esquisse LIII, p. 805).

2. Dernier vers d'« *Ultima verba* » de Victor Hugo, poème recueilli dans *Les Châtiments* (1853).

3. Racine, *Andromaque*, acte V, sc. V, v. 1613. C'est Oreste qui parle.

4. « Oui, je te loue, ô Ciel ! de ta persévérance » (*ibid.*, v. 1614).

5. On trouve, rue de Grenelle, quelques-uns des hôtels des XVIIe et XVIIIe siècles les plus beaux de Paris.

Page 737.

1. Les *Lettres* de Pline le Jeune constituent l'essentiel de son œuvre. Celles de Mme de Simiane furent publiées en 1773 dans le recueil des *Lettres nouvelles ou nouvellement recouvrées de la marquise de Sévigné et de la marquise de Simiane, sa petite-fille, pour servir de suite aux différentes éditions des lettres de la marquise de Sévigné* (Paris, Lacombe) et furent ensuite reprises dans la plupart des éditions des *Lettres* de Mme de Sévigné. Fille de Françoise-Marguerite de Grignan, Pauline Adhémar de Monteil de Grignan, marquise de Simiane (1674-1737), était en effet la petite-fille de Mme de Sévigné. C'est elle qui autorisa la publication des lettres de sa grand-mère en 1695.

Page 738.

a. de la princesse de Guermantes *ms., plac.* 1 ◆◆ b. les entrechats compliqués et rapides du duc de Châtellerault, les pas *ms., plac.* 1

Page 739.

a. sa mère était *ms.*

1. Peut-être l'un des six fils du tsar Alexandre II, ou un personnage inventé d'après le modèle d'Alexandre III qui, en politique, se rapprocha de la France et signa avec elle une convention militaire en 1892, commémorée à Paris par le pont qui porte son nom, sur la Seine.

2. Tolstoï, qui avait condamné l'État et l'argent, ne pouvait que déplaire à la famille impériale russe.

3. La duchesse se révèle ainsi alliée à deux familles royales : Antoine Marie Philippe Louis d'Orléans, duc de Montpensier (1824-1890), était le cinquième fils du roi Louis-Philippe. Il épousa en 1846 la sœur de la reine Isabelle d'Espagne.

Page 740.

a. cette gymnastique à renversements, ces saluts décomposés. Mais   *ms.*

1. La beauté de ce personnage des *Mille et Une Nuits* inspira une grande passion à Aladin qui, désobéissant aux ordres du sultan, père de la princesse, osa la contempler.

Page 741.

1. Le 15 juillet 1910, Reynaldo Hahn publia, dans *Fémina*, un article intitulé « Le Mois musical : Notes sur des notes ». À propos de *Salomé*, opéra en un acte de Richard Strauss d'après l'œuvre d'Oscar Wilde, créé en 1905 et repris en mai 1910 à l'Opéra de Paris, Hahn écrivait : « On peut détester la musique de *Salomé*, on ne peut point ne pas la subir, et c'est, je pense, le plus grand éloge qu'on en puisse faire si, comme je le crois, le dessein de M. Richard Strauss a été de dompter l'auditeur par la force, de le subjuguer par une formidable dépense de magnétisme, de le soumettre à l'impitoyable ascendant de sa volonté » (p. 381). Dans une lettre à Reynaldo Hahn du 18 juillet 1910, Proust considéra que ce jugement était empreint de « méchanceté » (*Correspondance*, t. X, p. 148) et ajouta, dans une lettre au même moment datant d'août 1912 : « Je ne me contrains pas d'aimer ce que vous n'aimez pas, *Pelléas*, *Salomé* » (*ibid.*, t. XI, p. 191). — *Les Diamants de la Couronne* (1841), opéra-comique en trois actes, musique de Daniel François Esprit Auber, livret d'Eugène Scribe et de Jules H. Vernoy de Saint-Georges, figura au répertoire de l'Opéra-Comique de 1841 à 1877. Voir aussi n. 4, p. 781.

Page 742.

a. de mérite littéraire *[p. 741, 5ᵉ ligne en bas de page]* et de qualité de cœur, *[(et comme si la marquise, pour quelques jours, [...] surmonté de la couronne ducale) add.]* c'était   *ms.*

1. « Je me souviens qu'au jour désolé de son enterrement dans l'église où les grands draps noirs portaient haut en écarlate la couronne fermée, la seule lettre était un P. Son individualité s'était effacée, il était rentré dans sa famille. / Il n'était plus qu'un

Polignac » : Proust se souvient de l'article qu'il avait donné au *Figaro*
(6 septembre 1903) sous le nom d'« Horatio », intitulé « Le Salon
de la princesse Edmond de Polignac » (*Essais et articles*, éd. citée,
p. 465). Le prince de Polignac, fils du ministre de Charles X, dont
il est souvent question dans les *Mémoires* de Mme de Boigne, était
mort en août 1901.

Page 743.

a. qu'elle est « cccharmante », *ms.* ↔ *b.* le [snobisme *biffé*] [gé-
nie *corr.*] des Guermantes *ms.* ↔ *c.* ce [snobisme *biffé*] [génie vigilant *corr.*] empêchait *ms.* ↔ *d.* d'inviter Édouard Detaille, le musicien *ms.* : d'inviter le Maître Bouguereau, le musicien *plac. 1*

1. Évariste Désiré de Forges, vicomte de Parny (1753-1814), chanta
la grâce féminine (*Poésies érotiques, Enfin, ma chère Éléonore*), et
l'isolement préromantique (*Projet de solitude*). Sa poésie délicate
annonce les *Méditations* de Lamartine.

Page 744.

*a. Dans le Cahier 61 (ff^os 58 à 59 r^os) figurent trois développements
supplémentaires sur les Guermantes et sur les Courvoisier, que l'auteur n'a pas
inséré dans le texte :* Les Guermantes (dans le portrait en opposition aux
Courvoisier) disaient facilement en parlant de leur maison ou de leur
château : « J'ai tel ou tel tableau que vous verrez si vous me faites une
fois le plaisir de venir. » Ou bien : « Voulez-vous que nous vous prenions
en voiture si vous êtes sur notre chemin ? » Et même quand M. de Bréauté
qui était célibataire donnait un dîner, la duchesse de Guermantes avec
une simplicité de jeune fille offrait le café et le sucre à des invités qu'elle
n'eût pas reçus chez elle. / Dans les hôtels ils étaient polis avec les patrons
qui, se souvenant d'avoir été cuisiniers, appelaient à cause de cela — et
croyaient — les Guermantes des « gentilshommes démocratiques ». / Les
Courvoisier disaient avec inquiétude : « Est-ce que vous les connaissez ? »

1. Jean Eugène Gaston Lemaire (1854-1928) a surtout composé de
la musique légère, dont plusieurs opérettes : *Les Maris de Juanita,
Le Supplice de Jeannot, Le Rêve de Manette*, etc. — Charles Grandmougin
(1850-1930), poète patriotique et auteur dramatique français, jouissait
d'une solide réputation mondaine. Après *Prométhée* (1878) et *Orphée*
(1882), il fit représenter *Le Sang du Calvaire* en 1905, puis, en 1911,
Jeanne d'Arc.

2. Marie-Christine de Habsbourg-Lorraine (1858-1929), fille de
l'archiduc Ferdinand-Charles d'Autriche, avait épousé le roi d'Espagne Alphonse XII en 1879. À la mort de celui-ci, en 1885, elle
se vit confier la régence du pays, qu'elle assuma jusqu'en 1902.

3. Proust se souvient de ce passage de « Ruskin à Notre-Dame
d'Amiens, à Rouen, etc. », paru dans le *Mercure de France* (avril 1900) :
« [...] les paroles du génie peuvent aussi bien que le ciseau donner
aux choses une forme immortelle. La littérature aussi est une "lampe
du sacrifice" qui se consume pour éclairer les descendants » (*Pastiches
et mélanges*, éd. citée, p. 104).

Page 745.

a. la duchesse de Souvré   *ms.*

1. Après l'anecdote sur Musset, reproduite dans *À l'ombre des jeunes filles en fleurs* (t. I de la présente édition, p. 533), Proust constate, dans l'article sur « Le Salon de S.A.I. la princesse Mathilde » : « Mais aujourd'hui encore c'est une des seules maisons de Paris où l'on soit invité à venir dîner à sept heures et demie » (*Essais et articles*, éd. citée, p. 446). L'article fut écrit en 1903, un an avant la mort de la princesse.

2. « En ce moment, les invités du soir ne sont pas encore arrivés. Seules, les personnes qui ont dîné sont là » (*ibid.*).

Page 746.

a. fiduciaire et perd tout d'un coup sa garantie réelle, par exemple les assignats. Mais   *ms.*

1. « Après le dîner, la princesse vient s'asseoir au petit salon, dans un grand fauteuil qu'on aperçoit à droite en venant du dehors, mais au fond de la pièce. En venant du grand hall, ce fauteuil serait au contraire à gauche, et fait face à la porte de la petite pièce où, tout à l'heure, seront servis les rafraîchissements » (art. cité, *Essais et articles*, éd. citée, p. 446).

2. Voir n. 2, p. 720, pour l'origine allemande de la princesse de Parme. Rappelons que la mère de la princesse Mathilde était la princesse Catherine de Wurtemberg.

3. « Quand la princesse Jeanne est à mi-chemin de la princesse, celle-ci se lève et accueille à la fois la princesse Jeanne et la duchesse de Trévise qui vient d'entrer avec la duchesse d'Albuféra » (*Essais et articles*, éd. citée, p. 448).

4. « Chaque dame qui entre fait la révérence, baise la main de la princesse, qui la relève et l'embrasse, ou lui rend sa révérence, si elle la connaît moins » *(ibid.)*.

5. Dans leur édition du *Côté de Guermantes* (t. II, p. 1163), Pierre Clarac et André Ferré signalent que cette réflexion est à rapprocher d'une remarque d'un des personnages du *Mannequin d'osier*, roman d'Anatole France paru en 1897, deuxième partie de *L'Histoire contemporaine*. En effet, à la fin du chapitre X, au cours d'une conversation sur les alliances de la France, le préfet Worms-Clavelin déclare à son ami Frémont : « Tu sais bien que nous n'en avons pas, de politique extérieure, et que nous ne pouvons pas en avoir » (*Œuvres*, Bibl. de la Pléiade, t. II, p. 944).

6. Proust, on le sait, était opposé aux lois sur la séparation des Églises et de l'État, et à toute politique anticléricale. Voir « La Mort des cathédrales », *Pastiches et mélanges*, éd. citée, p. 141-149, et « L'Irréligion d'État », *Essais et articles*, éd. citée, p. 348-349.

Page 747.

1. Un argument semblable figure dans un ouvrage de Léon Brunschvicg que Proust cite dans une note de *La Bible d'Amiens*.

Ruskin avait écrit : « Les formes architecturales [d'une cathédrale] ne pourront jamais vraiment nous ravir, si nous ne sommes pas en sympathie avec la conception spirituelle d'où elles sont sorties » (éd. citée, p. 253-254). Voici la « note du traducteur » : « Cf. l'idée contraire dans le beau livre de Léon Brunschvicg *Introduction à la vie de l'esprit*, chap. III : "Pour éprouver la joie esthétique, pour apprécier l'édifice, non plus comme bien construit mais comme vraiment beau, il faut... le sentir en harmonie, non plus avec quelque fin extérieure, mais avec l'état intime de la conscience actuelle. [...] *Une cathédrale est une œuvre d'art quand on ne voit plus en elle l'instrument du salut, le centre de la vie sociale dans une cité ;* pour le croyant qui la voit autrement, elle est autre chose" (page 97). [...] La phrase précédente n'est pas en italique dans le texte. Mais j'ai voulu l'isoler parce qu'elle me semble la contrepartie même de *La Bible d'Amiens* et, plus généralement, de toutes les études de Ruskin sur l'art religieux, en général » (*ibid.*, p. 254). Proust a repris cette « idée forte » dans une lettre du 6 janvier 1905 à Paul Grunebaum-Ballin : « Nous ne trouvons plus les choses belles que quand elles ne sont plus pour nous un objet de foi mais de contemplation désintéressée » (*Correspondance*, t. V, p. 27). D'autre part, Émile Mâle écrit : « Dès la seconde moitié du XVIᵉ siècle, l'art du Moyen Âge devient une énigme. [...] Au XVIIᵉ et au XVIIIᵉ siècle, les bénédictins de Saint-Maur, quand ils parlent de nos vieilles églises, font preuve d'une ignorance choquante chez de si grands érudits » (*L'Art religieux du XIIIᵉ siècle en France*, Armand Colin, 1958, p. VII).

2. La maison de Bourbon-Parme cessa de régner en 1859.

3. Voir *À l'ombre des jeunes filles en fleurs*, t. I de la présente édition, p. 524-525.

Page 750.

1. Le costume traditionnel des Facultés, avec sa coiffure sans bords, de forme cylindrique ou tronconique, remonte au XVᵉ siècle.

2. Le Conseil vénitien, créé en 1310 pour contrôler le pouvoir des doges, devint par la suite et jusqu'en 1797 le principal organe exécutif de l'État.

3. Molière fut saisi d'une convulsion et d'un crachement de sang au cours de la quatrième représentation du *Malade imaginaire* (1673). Il mourut quelques heures plus tard. Le troisième intermède, écrit en latin macaronique, qui termine la pièce est une parodie des statuts de la faculté de médecine de Paris. À la question, posée par le *Praeses* : *Juras gardare statuta / Per Facultatem praescripta / Cum sensu et jugeamento*, Molière, qui jouait le rôle du *Bachelierus*, devait répondre : *Juro.*

Page 751.

a. préféré la vie *[p. 749, 4ᵉ ligne avant la fin du 1ᵉʳ §]* de coterie. [Chez certains, *[...]* était celui de gens ayant volontairement (à ce qu'ils croyaient du moins) résolument préféré leur vie de coterie à une carrière ; de ceux qui, selon l'opinion de leurs anciens confrères, ont manqué leur vie, le type du raté, peut-être cette préférence nullement due à l'hostilité d'un esprit de corps eût-elle pu être expliquée non pas seulement comme ils le croyaient par leur préférence, mais plus au fond par un certain manque.   *add.*] Peut-être cette préférence aurait-elle dû être expliquée par un certain manque d'originalité ou d'initiative, ou de volonté, ou de santé, ou de chance ou par le snobisme. Et les gens qui savaient qu'autrefois   *ms. Après cette longue addition, Proust a écrit :*   Ajouter au milieu de ce morceau au sujet des professeurs : l'esprit des Guermantes, la politesse des Guermantes[1] les repoussait en ce collègue exclu, comme quelque chose d'indéfinissable. Ils lui reconnaissaient des qualités brillantes, mais les augures se mettaient à rire dès qu'on parlait de lui. On se rattrapait sur le manque de précision des griefs en parlant de la morale qui en effet était généralement plus relâchée chez ces savants mondains.

1. « Si un être doué vient dans le monde, sans doute il y deviendra automate et ne fera plus rien » (*Jean Santeuil*, éd. citée, p. 525).

Page 752.

a. le bien-fondé *[p. 751, fin de l'avant-dernier §]* de ce jugement. [S'ils se croyaient — et Swann avait été l'un d'eux — `biffé*] [Aussi faut-il dire que la délicatesse *[comme dans le texte définitif, avec lég. var.]* se jugeaient *corr.*] supérieurs *ms.* ←→ *b.* imbécillité. Et encore Swann n'était-il pas tout à fait un membre « étranger », « libre », associé à la coterie Guermantes, car il n'était pas que cela, pas plus que M. de Charlus n'était qu'un Guermantes. L'un et l'autre valaient mieux que cela. Si Swann avait vu son essor intellectuel fort amorti par les habitudes de l'esprit Guermantes, chez M. de Charlus l'esprit Guermantes avait pris au contact de Swann plus d'éloquence et de couleur. Encore eût-il fallu les avoir connus dès leur jeunesse pour savoir lequel avait le plus pris de l'autre. Swann était évidemment supérieur. Mais ne voit-on pas même des écrivains originaux et puissants être tributaires quant à la conversation d'un moindre esprit mais plus original d'élocution, de diction, de manière de scander ce qu'il dit ? Un écrivain de troisième ordre, Robert de Bonnières, a inventé la manière de parler de grands écrivains qui n'ont jamais pu qu'imiter son débit, suivis à leur tour par tout un cénacle. Quant aux Guermantes   *ms. Voir l'Esquisse XXXII, p. 1290-1291.* ←→ *c. Sur plac. 3, Proust a corrigé* les faire à ravir *en* le réussir à la perfection *. L'édition originale ne tient pas compte de cette correction.*

Page 753.

a. comme le duc sa manière   *plac. 3, orig. Nous rétablissons le texte de ms. et plac. 1 (voir p. 757).*

1. Cet emploi du mot est une des particularités du langage de Mme de Boigne qui écrit, dans ses *Mémoires* : « On pouvait passer des soirées entières avec [M. Lainé] en lui entendant jeter, çà et là,

1. Voir la 5e ligne de la page.

dans la conversation des phrases courtes, sans rédaction et sans effet »
(éd. citée, t. II, p. 40).

Page 754.

a. par discrétion *[2ᵉ ligne de la page].* C'était comme une exposition *ms.* : par discrétion. À peine [...] — Ah ! quel talent ! *[vers les
2/3 de la page]* Non, mon petit, ne faites pas de thé pour nous, causons
tranquillement, nous sommes des gens simples, à la bonne franquette.
Du reste nous n'avons qu'un quart d'heure à vous donner. » Il était rempli
tout entier par une sorte d'exposition *plac. 1*

1. Gustave-Louis-Édouard de Lamarzelle (1852-1929), sénateur
catholique du Morbihan, fut aussi député de 1883 à 1893. Son
éloquence était fameuse.

Page 756.

1. Le château de Brézé est situé en Anjou, à douze kilomètres de
Saumur. Il fut bâti au XVIᵉ siècle, sur les ruines d'un autre édifice.
La maison de Brézé, connue depuis le XIIᵉ siècle, s'est fondue dans
la famille de Dreux-Brézé et de Maillé. Parmi ses membres les plus
illustres, citons Jacques (v. 1440-1490 ou 1494), grand sénéchal de
Normandie, qui épousa Charlotte de France, fille du roi Charles VII
et d'Agnès Sorel, et son fils Louis II, mort en 1531, qui épousa Diane
de Poitiers, future maîtresse de Henri II.

2. Fernand Gregh donne la source de ce mot : « C'est à Trouville
que j'ai connu les Finaly qui venaient d'acheter les beaux Frémonts
aux Arthur Baignères. L'intermédiaire avait été Marcel Proust à qui
M. Landau, l'oncle de Mme Finaly, pour le remercier de son
entremise, avait fait cadeau d'une canne somptueuse [...]. La rumeur
disait que M. Landau avait donné les Frémonts à sa nièce pour la
taquiner à la suite de je ne sais quel pari, et Arthur Baignères s'était
écrié : "C'est Taquin le Superbe", jeu de mots que se répéta tout
le haut Trouville et que j'ai d'ailleurs retrouvé, pieusement conservé,
dans l'énorme livre où Proust [...] a mis toute son adolescence et
sa première jeunesse » (*L'Âge d'or, Souvenirs d'enfance et de jeunesse,*
Grasset, 1947, p. 163-164).

3. Selon la tradition, Tarquin le Superbe (*Lucius Tarquinius
Superbus*), septième et dernier roi de Rome, régna de 534 à 510 avant
Jésus-Christ, et mourut en 494.

4. Françoise de La Rochefoucauld (née en 1844) épousa le prince
de Sarsina (1845-1885) en 1865. À la fin du XIXᵉ siècle, elle habitait
à Rome, au palais Aldobrandini, ou à Paris, 102, rue de l'Université.

Page 757.

a. lui répondait la princesse de..., comme si elle avait dit : « Il ne tenait
qu'à vous d'assister à la création du monde. » « Qu'est-ce que vous *ms.*
Sur le manuscrit, Proust n'a pas encore choisi le nom Épinay *et laisse un blanc
chaque fois qu'il parle de cette princesse.*

1. Marie-Caroline-Félix Miolan (1825-1897), cantatrice française, épouse de Léon Carvalho, débuta à l'Opéra-Comique en 1850. Elle créa, entre autres, plusieurs opéras de Gounod : *Faust* (1859), *Mireille* (1864) et *Roméo et Juliette* (1867). Elle fit ses adieux en 1885. Léon Carvalho a été directeur de l'Opéra-Comique.

2. Le mot de Jean Santeuil sur « les cheveux filasse » de la marquise de Lavardin (éd. citée, p. 663-664) produit le même effet : « "Filasse" fut raconté pendant huit jours [...]. »

3. En corrigeant les épreuves, Proust oublia le nom de l'amie que la princesse de Parme veut inviter à l'Opéra. Il l'appelle parfois la princesse d'Épinay, parfois (p. 773) Mme d'Heudicourt. Voir var. *a*, p. 775.

Page 758.

a. au bout de la visite. » Il est vrai que Mme de *[un blanc]* ignorait l'intention qu'avait la princesse de l'inviter à l'Opéra. / Quant aux Courvoisier *ms.*

1. Ainsi fut nommée la plaine, située entre Guînes et Ardres (Pas-de-Calais), où, en 1520, François Ier et Henri VIII, roi d'Angleterre, se rencontrèrent pour tenter, en vain, de s'allier contre Charles Quint. Une grande magnificence avait été étalée par les deux souverains.

Page 759.

a. la matière de leurs œuvres. D'ailleurs les Courvoisier *ms.* : la matière de leurs œuvres. Les Courvoisier *plac. 1* : la matière de leurs œuvres. [Une Guermantes mésalliée avait épousé un Grouchy, petit-fils de celui de Waterloo. À un grand dîner chez les Guermantes, Mme de Grouchy née Guermantes étant allée « de son côté » parce que son mari revenait de la chasse, M. de Grouchy, vainement attendu, ne fit son entrée qu'après le potage. « Pardonnez-moi, dit-il tout confus à la duchesse, je me suis laissé mettre en retard. » Une Courvoisier eût été contrariée, honteuse. Mais Mme de Grouchy n'était pas Guermantes « pour rien ». « Oui, vous êtes en retard, dit-elle gracieusement à son mari. Décidément c'est une tradition dans votre famille[1]. » Bonne famille, du reste, et que seul n'avalait pas le prince de Guermantes (Gilbert) lequel n'admettait pas qu'une Guermantes épousât moins qu'un prince « médiatisé ». « Ah ! disait-il de la mère de Mme de Grouchy, ma pauvre tante, c'est malheureux qu'elle n'ait pas pu marier ses filles. » Et une de ses nièces lui ayant répondu une fois, naïvement : « Mon oncle, vous faites erreur, vous oubliez que l'aînée a épousé M. de Grouchy », le prince répliqua le plus sérieusement du monde : « Mais, mon enfant, je n'appelle pas cela un mariage. Enfin, on prétend que M. de Gustaut a demandé la cadette. Comme cela elles ne seront pas toutes restées filles[2]. » *biffé*] / Les Courvoisier *plac. 3 ↔ b.* quelqu'un qui voudrait parvenir dans la politique en « vivant » un roman d'Alexandre Dumas, ou plaire à une femme en se conformant à la lettre de maximes livresques. Si les Courvoisier *ms.*

1. Voir p. 773, dernier §.
2. Voir p. 726, 2e §.

1. Voir le texte de la variante *b*, qui explique l'allusion. Louis de Clermont d'Amboise, seigneur de Bussy, dit Bussy d'Amboise (1549-1579), fut gouverneur de l'Anjou. Ses duels et ses conquêtes amoureuses lui valurent une réputation d'aventurier. Il fut tué, près de Saumur, par le comte de Montsoreau, dont il avait séduit la femme. Alexandre Dumas père s'est inspiré de sa vie pour écrire un roman, *La Dame de Montsoreau* (1845), dont il tira ensuite un drame (1860). « Je suis au milieu du second volume de *La Dame de Montsoreau* », écrivait Proust à Reynaldo Hahn, en août 1896. « Si j'avais des peines, elles seraient effacées par le plaisir qu'a pour le moment Bussy. Et plaisirs ou peines ne me paraîtraient pas beaucoup plus réels que celles du livre, dont je prends mon parti » (*Correspondance*, t. II, p. 105-106).

2. Pour Pascal, il y a « deux sortes d'esprits ; l'une, de pénétrer vivement et profondément les conséquences des principes, et c'est là l'esprit de justesse ; l'autre, de comprendre un grand nombre de principes sans les confondre, et c'est là l'esprit de géométrie » (*Pensées*, Hachette, 1904, Coll. des Grands écrivains de la France, t. XII, p. 16, pensée 2).

3. Proust mentionne, parmi les invités de la princesse Mathilde, le duc et la duchesse de Gramont, le comte et la comtesse de Pourtalès, le prince Giovanni Borghèse, le marquis de La Borde, etc. (art. cité, *Essais et articles*, éd. citée, p. 449).

Page 760.

1. Voir n. 2, p. 808.

2. Les goûts littéraires de la princesse Mathilde, qui comptait Flaubert, Mérimée et Goncourt parmi les habitués de son salon, sont prêtés, non pas à la princesse de Parme, mais à la duchesse de Guermantes. Proust avait constaté que la princesse Mathilde était « très en avance sur le goût de ses contemporains » (art. cité, p. 450). Plus moderne que sa tante, Mme de Villeparisis — la contemporaine spirituelle de Sainte-Beuve et Mme de Boigne —, la duchesse de Guermantes reflète la génération de critiques et d'écrivains représentée par Barbey d'Aurevilly et Edmond de Goncourt.

3. On trouve cette réflexion dans le *Journal* des Goncourt : « Plus Flaubert avance en âge, plus il se provincialise. [...] Par Dieu ! cette ressemblance bourgeoise de sa cervelle avec la cervelle de tout le monde, — ce dont il enrage, je suis sûr, au fond, — cette ressemblance, il la dissimule par des paradoxes truculents, des axiomes dépopulateurs, des beuglements révolutionnaires, un contre-pied brutal, mal élevé même, de toutes les idées reçues et acceptées » (3 mai 1873, éd. Robert Ricatte, Fasquelle-Flammarion, 1956, t. II, p. 932).

4. Les écoles artistiques qui renient leurs prédécesseurs sont un sujet que Proust caricaturait déjà dans *Les Plaisirs et les Jours* : la mélomanie de Bouvard (« Mondanité et mélomanie de Bouvard et Pécuchet », éd. citée, p. 63) révèle la même perversité que celle de la duchesse de Guermantes. Le *Liebesverbot* (1836) et *Rienzi* (1842) sont les plus

« italiens » des opéras wagnériens. « Wagner n'avait nullement pour la musique italienne la sévérité des wagnériens », écrira Proust en 1922 dans ses [« Réponses à une enquête des *Annales* »] (*Essais et articles*, éd. citée, p. 641).

Page 761.

a. celle de Pradon [, ou que le grand peintre du XIXe siècle, ce ne fut ni Delacroix, ni Ingres, ni Manet, mais cette année Eugène Lami, celle-ci Winterhalter, jusqu'à ce qu'ils remontent tous d'autant plus haut qu'ils furent honnis, en vertu du s'il s'abaisse, je l'élève *biffé*]. Quand une femme *ms.*

1. Proust a annexé, en cet endroit, les conclusions sur les fluctuations de l'esprit mondain qui accompagnaient l'épisode sur l'affaire Dreyfus dans *Jean Santeuil* : « C'est une sorte de loi du talion du monde moral, que ceux, si brillante que soit leur intelligence, si vive que soit leur sensibilité, qui, par paresse ou pour toute autre raison, n'ont pas à leur activité un objet intérieur et désintéressé, se trouvent dans leurs diverses appréciations sur la vie tenir un compte énorme de la forme pure » (éd. citée, p. 627). Durant la composition du *Côté de Guermantes*, Proust proposa à Jacques Rivière, alors directeur de la *NRF*, un article sur « la manière défectueuse qu'on a de juger les grands écrivains, en général ». L'offre fut acceptée, et Proust répondit à Thibaudet (« À propos du "style" de Flaubert », *Essais et articles*, éd. citée, p. 586-600) par un article brillant auquel correspond la conversation fictive de la duchesse de Guermantes. Voir aussi le pastiche de La Rochefoucauld : « Un milieu élégant est celui où l'opinion de chacun est faite de l'opinion des autres. Est-elle faite du contre-pied de l'opinion des autres ? c'est un milieu littéraire » (*Les Plaisirs et les Jours*, éd. citée, p. 47).

2. En moins de trois années furent créés, à l'Académie royale de musique de Paris, deux opéras inspirés du même sujet et portant le même titre : *Iphigénie en Tauride*. L'œuvre de Christoph Willibald Gluck (1714-1787), sur un livret de Nicolas-François Guillard, fut représentée en 1779 ; celle de Niccolo Piccinni (1728-1800), sur un livret d'A. Du Congé Dubreuil, en 1781. Le second opéra avait, en réalité, été composé pour éclipser le premier et faire triompher, face aux « gluckistes », les conceptions des « piccinnistes ». Les partisans des deux rivaux, représentants respectifs des musiques française et italienne, s'affrontaient en effet avec violence, n'hésitant pas à recourir aux armes et à verser le sang. La version de Gluck remporta un grand succès, celle de Piccinni fut un échec.

3. La *Phèdre* de Racine fut créée le 1er janvier 1677 à l'hôtel de Bourgogne ; deux jours plus tard, Pradon (1644-1698) fit représenter sa propre *Phèdre et Hippolyte* par la troupe du théâtre Guénégaud. Le but des puissants amis de Pradon semble avoir été de « faire tomber » la pièce de Racine. Mais le triomphe de Nicolas Pradon, qui faillit en effet entraîner la chute du chef-d'œuvre de Racine, fut de courte durée.

4. Voir l'Esquisse XXXII, p. 1302-1303, où la duchesse de Guermantes décrie Mme de Villeparisis.

5. Troisième exemple d'une célèbre querelle littéraire : grâce en partie au triomphe de *Lucrèce* (1843) et à l'échec, la même année, des *Burgraves* de Victor Hugo, François Ponsard (1814-1867) devint le chef de file de la réaction antiromantique et antihugolienne. Sa position sembla confirmée par le succès, en 1866, de sa pièce *Le Lion amoureux*. Dans une lettre, du 23 mai 1909 à Georges de Lauris, Proust note, chez Henri de Régnier, une tendance à encenser des auteurs médiocres. « Il parle ce soir de l'*admirable* livre de *Monsieur* le vicomte Eugène Melchior etc. [...] Ponsard, Sardou, *les Danichef* etc. etc. ont été portés aux nues (non, Ponsard seulement loué) » (*Correspondance*, t. IX, p. 103-104).

Page 762.

a. *Lion amoureux [p. 761, 11ᵉ ligne en bas de page]*. Mais dans son maladif besoin de nouveautés arbitraires [la critique ne se contente pas de replonger un génie depuis trop longtemps radieux dans l'ombre où elle va chercher pour le < s > mettre à sa place Bellini, Winterhalter, [des architectes *biffé*] les constructeurs de style [jésuite *biffé*] rococo ou un ébéniste de Louis-Philippe *biffé en définitive*] [De même encore si depuis sa jeunesse on plaignait [...] voué à l'obscurité définitive. *corr.*] Je *ms.* — b. neurasthéniques *[6ᵉ ligne de la page]*. J'avais cru dans mon enfance que Sainte-Beuve < était > un grand critique et un poète de second ordre ; Musset un grand poète avant tout. Erreur, avait-on dit ensuite, ce qui est délicieux chez Sainte-Beuve c'est le poète, chez Musset c'est le prosateur. Mais les comédies de celui-ci ont en effet si belles qu'il n'y a pas une saveur assez étrange à cette prédilection ; on revient donc à ses vers, mais en laissant de côté ce qui passait pour les chefs-d'œuvre, les *Nuits*, l'*Espoir en Dieu*. Il croyait lui-même valoir par les cris, les pensées venues du cœur, il se trompait, il a fait quelques beaux vers plastiques : « La neige tombe en paix sur tes épaules nues. » Mais ici encore le vers semble apporter la preuve de ce qu'on dit, on ira plus loin, ce dont on va raffoler, c'est ce qui semblait franchement détestable : / À Venise, à l'affreux Lido / et dans la pâle Adriatique / ou *[un blanc]* / Et si même il y a à ce goût apparence de raison, que justifie non le talent de l'auteur mais cet intérêt documentaire de l'époque qui fait que dans Corneille certains préfèrent aux scènes célèbres du *Cid* ou de *Polyeucte* des vers du *Menteur* qui donnent comme un plan ancien des renseignements sur le Paris de l'époque, ce sera encore trop pour le critique hystérique ; alors dans Musset ce seront les vers de banalité sans excuse et sans compensation qu'il préférera : / Jamais d'un œil plus pur... / Sondé la profondeur et réfléchi l'azur. J'avais vu jouer le même jeu avec Molière où on s'était mis à préférer au *Misanthrope* et au *Tartuffe* certaines indications de mise en scène de l'*Amour médecin*, tel vers pittoresque de *L'Étourdi*. Et tout en trouvant *ms.* : neurasthéniques. J'avais vu [...] un vers de *L'Étourdi*, tout Hugo pour un vers et demi de Musset : « Jamais d'un œil plus pur / Sondé la profondeur et réfléchi l'azur. » Et tout en trouvant *plac. 1* ◆◆ c. la chasse. [Ce plaisir dépravé du critique, Mme de Guermantes le ressentait *biffé*] Aussi fut-ce ce plaisir dépravé du critique qui m'aida *ms.*

1. La famille Bellini, de Venise, compte trois peintres : Jacopo (v. 1423-1470 ou 1471), père de Gentile (1429-1507 ; voir t. I, n. 1, p. 96) et de Giovanni (v. 1430-1516). Rien ne permet ici de déterminer à quel Bellini songe Proust. Pour Winterhalter, voir le même volume, n. 1, p. 532.

2. On a ici l'exemple, peu commun, d'un passage d'*À la recherche du temps perdu* qui réfute les opinions avancées dans des brouillons précédents. L'auteur infirme en effet ici le jugement qu'il portait sur Sainte-Beuve vers 1908 : « Je me demande par moments si ce qu'il y a encore de mieux dans l'œuvre de Sainte-Beuve, ce ne sont pas ses vers. [...] Il y a plus de sentiment direct dans les *Rayons jaunes*, dans les *Larmes de Racine*, dans tous ses vers, que dans toute sa prose » (*Contre Sainte-Beuve*, éd. citée, p. 231-232).

3. Proust avait également parlé de Musset dans le projet du *Contre Sainte-Beuve* : « Quand Musset écrit ses *Contes*, on sent encore à un je ne sais quoi, par moments, le frémissement, le soyeux, le prêt à s'envoler des ailes qui ne se soulèveront pas. [...] Un poète qui écrit en prose [...], Musset, quand il écrit ses *Contes*, ses essais de critique, ses discours d'Académie, c'est quelqu'un qui a laissé de côté son génie, qui a cessé de tirer de lui des formes qu'il prend dans un monde surnaturel et exclusivement personnel à lui et qui pourtant s'en ressouvient, nous en fait souvenir. Par moments, à un développement, nous pensons à des vers célèbres, invisibles, absents, mais dont la forme vague, indécise, semble transparaître derrière des propos que pourrait cependant tenir tout le monde et leur donne une sorte de grâce, de majesté, d'émouvante allusion. Le poète a déjà fui, mais derrière les nuages on aperçoit son reflet encore. Dans l'homme, dans l'homme de la vie, des dîners, de l'ambition, il ne reste plus rien, et c'est celui-là à qui Sainte-Beuve prétend demander l'essence de l'autre, dont il n'a rien gardé » (éd. citée, p. 249-250). À Jacques Rivière, Proust écrit le 26 janvier 1920 : « J'ai entendu [...] quand j'étais enfant les plus grands Parnassiens dire qu'il n'y avait que deux vers dans Musset [...]. J'avoue que si cela me révolte ce n'est pas que j'aime le moins du monde Musset, mais à cause du manque de conscience des Parnassiens qui insoucieux de ce que Musset a cherché à faire (et qui n'est pas fameux) se sont ingéniés à découvrir chez lui juste le contraire de ce à quoi il visait. Le jeu a changé mais n'est pas meilleur. Musset maintenant est le plus grand poète du XIXᵉ siècle pour Mme de Noailles (Cocteau), Mme de Régnier et Régnier qui ont entendu leur père et beau-père répéter que c'en était le plus mauvais. Mais ce qu'ils aiment chez Musset est tellement peu Musset (par exemple / *Plus ennuyeux que Milan / Où du moins deux ou trois fois l'an / Cerrito danse*) que l'engouement ne représente pas un effort vers la justice » (Marcel Proust-Jacques Rivière, *Correspondance*, Gallimard, 1976, p. 84-85 ; voir t. I de la présente édition, p. 89). La même idée est reprise, et les mêmes vers sont cités, mais accompagnés d'un jugement plus favorable, dans son article de juin 1921, « À propos de Baudelaire » (*Essais et articles*, éd. citée, p. 633-634). En 1920, il avait évoqué la chanson « À Saint-Blaise... », déclarant qu'il y avait « quelque cruauté » à la

préférer aux *Nuits* (« À propos du "style" de Flaubert », *ibid.*, p. 598). Dans la variante *b*, sont cités d'autres vers de Musset, qui figurent dans *À l'ombre des jeunes filles en fleurs* (p. 127).

4. Corneille, *Le Menteur* (1643), acte II, sc. v, où Dorante et Géronte s'émerveillent de la rapidité avec laquelle Paris se transforme.

5. *L'Étourdi ou les Contretemps* (1655) de Molière, s'inspire de la *commedia sostenuta*, comédie littéraire italienne. À Jacques-Émile Blanche, Proust écrivait en 1919 : « En principe, je trouve, et par raison de doctrine, absurde, de préférer une première version, une esquisse, etc. Sainte-Beuve prétendait toujours "ne pas retrouver dans les éditions suivantes, la flamme, etc.". C'est vraiment trop nier le travail organique selon lequel un atome se développe et se fructifie. Je trouverais donc idiot de déclarer vos secondes versions inférieures. Je me ferais l'effet des gens qui aiment dans Molière, non *Le Misanthrope* mais *L'Étourdi*, dans Musset, non les *Nuits* mais la *Ballade à la Lune*, c'est-à-dire tout ce que Molière et Musset ont tâché d'abandonner pour des formes plus hautes » (*Correspondance générale*, éd. citée, t. III, p. 139).

6. Au début de l'acte II de *Tristan et Isolde* (1859) de Wagner, Brangaine et Isolde entendent des cors jouant dans le lointain : c'est Marke qui a décidé une chasse nocturne.

Page 763.

a. Proust a corrigé une de ces volontés *en* d'une volonté *[p. 762, dernière ligne]* , *leçon qui figure sur* plac. *3. Il a oublié de changer* des-quelles *en* de laquelle *; orig. donne* d'une volonté [...] sous la loi des-quelles *. Nous corrigeons.* ◆◆ *b.* attelages. Chaque fois *plac. 3, orig. Nous adoptons le texte de ms. et de plac. 1.*

Page 764.

a. un alexandrin (par exemple quand M. de Guermantes siégeait à la Chambre) ceci qu'il faut lire tout ensemble car tout y a la même valeur comme chaque syllabe compte un dans un vers : / Monsieur *ms.* : un alexandrin (par exemple [...] Chambre). Voici par exemple une phrase du genre de celles qui forment l'opinion du lecteur de bon sens : / « Monsieur *plac. 1*

1. « En dehors de ce qu'on appelle à proprement parler le monde, et où pourtant des hommes vivent réunis sans avoir d'objet intérieur et désintéressé à leur activité, on peut dire encore que la chose où on ne met rien de soi, qui n'exige aucun effort personnel est la plus importante, étiquettes d'école, affirmations brutales de haines ou de ferveurs littéraires dans les cénacles, étiquettes de partis, cris de "Vive un tel, À bas un tel", votes, etc., dans les assemblées politiques peu sérieuses » (*Jean Santeuil*, éd. citée, p. 629). Voir n. 1, p. 761.

2. Cette exclamation fut provoquée par un incident survenu pendant l'affaire Dreyfus : « Quand le général Gonse parla à la cour d'assises "du traquenard où voulait le faire tomber Labori", Rustinlor et tous ses amis furent secoués dans leur sensibilité inemployée et chargés

d'une secousse électrique. Ils parcouraient les groupes après cela dans la galerie de Harlay en criant : "C'est une infamie, c'est une infamie, on ne dit pas cela à un avocat ! L'avocat général n'a rien dit. C'est très grave, c'est très grave, c'est très grave, c'est très grave..." » (*Jean Santeuil*, éd. citée, p. 630-631).

Page 765.

a. d'interprétation et qu'on désigne par les mots de lire entre les lignes. *ms.* : d'interprétation [et qu'on désigne *biffé*] [souvent désignée par la locution *corr.*] par les mots de « lire entre les lignes ». *plac. 1* : souvent désignée par « lire entre les lignes » *plac. 3, orig. Nous adoptons la leçon de plac. 1, en supprimant les mots* par les mots *que Proust a omis de biffer.*

1. Proust a déjà établi les ressemblances entre la critique et les discours politiques, lorsqu'il évoquait Sainte-Beuve « dans le petit jour d'hiver, [...] dans son lit à hautes colonnes », imaginant Mme de Boigne, parcourant un article de lui. Il conclut : « Il en est d'un article comme de ces phrases que nous lisons en frémissant, dans le journal, au compte rendu de la Chambre : « M. LE PRÉSIDENT DU CONSEIL, MINISTRE DE L'INTÉRIEUR ET DES CULTES : 'Vous verrez...' (*Vives protestations à droite, salve d'applaudissements à gauche, rumeur prolongée.*)" et dans la composition desquelles l'indication qui la précède, et les marques d'émotion qui la suivent, entrent pour une partie aussi intégrante que les mots prononcés. En réalité, à "vous verrez" la phrase n'est nullement finie, elle commence à peine, et "vives protestations à droite, etc." est sa fin, plus belle que son milieu, digne de son début. Ainsi la beauté journalistique n'est pas tout entière dans l'article ; détachée des esprits où elle s'achève, ce n'est qu'une Vénus brisée » (*Contre Sainte-Beuve*, éd. citée, p. 227-228).

Page 766.

a. véritable *[fin du 1ᵉʳ § de la page]* homme d'État. [M. de Guermantes d'ailleurs, à cette époque de sa vie, [...] celle des politiciens. *add.*] Mme de Guermantes *ms.*

1. Marie de Bourgogne (1457-1482), fille de Charles le Téméraire, épouse de Maximilien d'Autriche, ou, plus probablement, Marie-Adélaïde de Savoie (1685-1714), femme du duc de Bourgogne, fils aîné du Grand Dauphin Louis : on a son portrait par Gobert, et Saint-Simon parle souvent d'elle.

Page 767.

a. celui de la duchesse *[p. 766, 3ᵉ ligne en bas de page].* L'un pensait qu'elle préférerait être en Marie Stuart, l'autre en princesse de Deyabar, *ms. La leçon de plac. 1 est identique à celle d'orig. mais le nom « Deyabar » est orthographié « Dujabar ». Le texte définitif apparaît sur plac. 3, mais « Dujabar » subsiste et figure encore sur orig. Nous adoptons sur ce point la leçon de ms., en écrivant toutefois « Deryabar » et non « Deyabar » (voir n. 1).* ✦✦ *b.* d'où ils viennent quand nous ne recevons même pas nos propres parents français qui n'ont que le seul tort de vivre le plus souvent en province. » Naturellement *ms.*

1. La princesse de Deryabar est une héroïne des *Mille et Une Nuits* qui apparaît dans l'« Histoire de Codadad » et dans l'« Histoire de la princesse de Deryabar ». Dans le premier conte, elle est décrite comme « une dame parfaitement belle, mais parée de sa seule beauté ; car elle avait les cheveux épars, des habits déchirés, et l'on remarquait sur son visage toutes les marques d'une profonde affliction » (trad. Galland, Garnier, 1960, t. II, p. 133).

2. Psyché, personnage des *Métamorphoses* d'Apulée, était une jeune fille d'une beauté si extraordinaire, « si éclatante qu'on ne pouvait l'exprimer ni la louer de façon suffisante à cause de la pauvreté du langage humain » (IV, 28, trad. Pierre Grimal, *Romans grecs et latins*, Bibl. de la Pléiade, p. 218). Aimée du dieu Amour, elle obtiendra l'immortalité après avoir triomphé de plusieurs épreuves imposées par Vénus. Le mythe de Psyché a inspiré de nombreux peintres ou sculpteurs, qui la représentent toujours très dénudée.

3. Le général Auguste Mercier (1833-1921) fut ministre de la guerre de 1893 à 1895, donc au moment de l'arrestation de Dreyfus (1894).

Page 768.

a. au point que la duchesse de Lauville qui à force de trop parler, de vouloir faire de la psychologie et de manquer de sensibilité *ms., plac. 1* ⬌ *b.* en croisière pour [deux mois *biffé*] [visiter les fjords de la Norvège qui l'intéressaient *corr.*], les deux mois où la saison allait battre son plein. Les gens *ms. Le typographe de plac. 1 a omis de composer la fin de la phrase.*

1. En mars 1910, Proust reçut l'annonce publicitaire d'une croisière « dans le monde polaire » sur l'*Île-de-France*. L'itinéraire comprenait la Norvège, le Spitzberg et la Banquise. « C'est très froid, n'est-ce pas ? moins de 0 degré ? D'ailleurs je n'ai aucun désir d'y aller », écrivit-il à Robert de Billy (*Correspondance*, t. X, p. 54).

2. Kant affirme que l'impératif « catégorique », donné dans la conscience commune de la moralité, est fondé sur la liberté — autonomie de la volonté par rapport à la loi naturelle des phénomènes. L'ironie sera renforcée dans *La Prisonnière* (t. III de la présente édition, p. 786). Proust cite le philosophe à la même époque dans « À propos du "style" de Flaubert » : ce dernier « a renouvelé presque autant notre vision des choses que Kant [...] » (*Essais et articles*, éd. citée, p. 586).

3. Le roman de Jules Verne fut publié, par livraisons successives, à partir de 1869.

4. L'évêché de Mâcon fut réuni à celui d'Autun en 1790. Il n'y avait donc pas d'évêque de Mâcon à l'époque de Proust.

Page 769.

a. patriotique *[p. 768, avant-dernière ligne]* au cardinal X, [quand chacun *biffé*] [évêque de Mâcon (que d'habitude M. de Guermantes [...]*

de Mascon », comme on eût dit autrefois de Mgr de Thibouville, parce que le duc trouvait cela plus vieille France) comme chacun *corr.*] cherchant à imaginer comment la lettre serait tournée, trouvait *ms.* ◂◂ *b.* ou par « Mon cousin », à cause du cousinage des princes de l'Église, des souverains et de la famille de Guermantes. Les difficultés en face desquelles se trouvait la duchesse n'étaient pas toujours aussi simples. Et la solution qu'elle leur trouvait n'en présentait que plus d'élégance. C'est ainsi qu'au moment du boulangisme où Mme de Guermantes (alors princesse des Laumes) était toute jeune mariée, comme elle allait donner, contrairement aux habitudes de réceptions restreintes qu'elle prit plus tard, une grande fête, le comte de Paris lui exprima le désir que certain financier qui était un peu l'agent électoral de l'affaire fût invité à cette fête. Mme des Laumes fit, comme disait M. des Laumes, la sourde oreille. Le financier, ayant déjà annoncé qu'on le verrait chez les Laumes, alla trouver le comte de Paris lequel, pris entre des nécessités politiques importantes et une chose aussi futile qu'une invitation à une grande fête, récrivit à Mme des Laumes en donnant cette fois à sa prière une forme pressante qui de sa part équivalait à un ordre. Que va faire Oriane ? se demandait chacun. Cette fois-ci elle est prise, ou bien elle désobéira au Prince, ce qui manquera de grâce, ou bien elle aura chez elle le politicien financier dont elle avait assuré qu'on ne le verrait pas chez elle et elle compromettra ainsi sa réputation de surélégance. En recevant la lettre du prince, Mme des Laumes écrivit au financier pour l'inviter à sa fête laquelle avait lieu huit jours plus tard. « Oriane a cédé, elle ne pouvait du reste pas faire autrement, rugirent de joie les Courvoisier. Mais au moins elle ne nous la fera plus à l'oseille (expression héréditaire chez les Courvoisier, que les fils recevaient des pères en même temps que le droit de sortir seuls et qui avait le don de déchaîner leur hilarité). Elle ne nous dira plus que son salon est le seul de Paris où on ne verra pas cet individu. » Mais le matin de la fête on put lire aux nouvelles mondaines des journaux cette note : « La princesse des Laumes étant indisposée, la soirée qui devait avoir lieu aujourd'hui chez elle a été décommandée. » Elle avait obéi au prince sans recevoir pourtant le financier. On commenta pendant près de trois semaines cette « dernière d'Oriane ». Mais il n'en fallait pas tant pour *ms.*

1. Sur *La Monadologie* de Leibniz, voir n. 1, p. 413.

Page 770.

1. Cette vicomtesse d'Arpajon est parfois appelée comtesse (voir la note de Philip Kolb, *Correspondance*, t. X, p. 247).

Page 771.

1. À la fin du siècle dernier, les courses de Deauville ne commençaient qu'au début du mois d'août.

2. Les Anglais parlent de *dinner jacket*. Le terme « smoking » fut introduit en France en 1888 ; le *smoking jacket* n'est, en anglais, qu'une veste d'intérieur.

Page 774.

a. Sur orig. b, *Proust a supprimé l'alinéa après* dit le duc. *et a, par conséquent, accordé* forcée *au masculin. On trouvera, pour ce passage, les leçons de ms. et de plac.* 1 *à la variante a, p. 775.* ✦✦ *b.* faisans [, d'autre gibier encore *add.*]. / Une idée *plac. 3. Cette addition n'est pas passée dans l'édition originale.*

1. Nemrod, roi de Babel et fondateur de Ninive (Genèse, X, 8-12), est traditionnellement associé au dieu suméro-akkadien de la chasse et de la guerre, Ninurta.

Page 775.

a. Cependant en se mettant à table *[p. 773, début du 2ᵉ §]* la princesse de Parme se rappela qu'elle voulait inviter à l'Opéra la princesse de … et désirant savoir *[…]* chercha à la sonder. « Oriane, lui dit-elle, j'ai eu l'autre jour la visite de votre cousine Bellerive. Évidemment *ms.* : Cependant *[comme dans ms.]* cousine d'Heudicourt. Évidemment *plac.* 1 ✦✦ *b.* plus vieille France encore que M. de Guermantes quand elle n'y tâchait pas, *ms., plac.* 1

Page 776.

1. Le drame d'Alphonse Daudet, tiré d'un des contes des *Lettres de mon moulin* (recueillis en 1869), fut créé, avec une musique de scène de Bizet, en 1872. Le frère du héros, un simple d'esprit, est surnommé « l'Innocent ». Dans une lettre de septembre 1918 adressée à Lucien Daudet, Proust parle de *L'Arlésienne*, une œuvre dont il ne s'est « jamais consolé » : « Le mortel chagrin qu'elle inocule est la cause de presque toutes les folies que j'ai faites dans la vie et de celles que j'ai encore à faire. Au lieu que mon petit garçon, dans mon livre, soit halluciné par l'exemple de *Swann*, c'est *L'Arlésienne* que j'aurais dû dire. *L'Arlésienne* et *Sapho*, connais-tu d'autres œuvres qui causent d'aussi inguérissables blessures ? » (Lucien Daudet, *Autour de soixante lettres de Marcel Proust*, Gallimard, 1927, p. 212).

Page 777.

a. — C'est très bien, reprit le duc ; on reste *ms., plac.* 1. *Dans le Cahier 62 (fᵒ 21 rᵒ), Proust a noté cette expression:* langage du peuple : un petzouil . ✦✦ *b.* comme cure alors c'est autre chose. C'est évidemment *ms., plac.* 1

Page 779.

a. De Pendant ce temps la comtesse *[p. 778, avant-dernier §] à* forte en littérature *, le texte a été biffé sur plac.* 1, *et n'apparaît plus sur plac.* 3 *ni sur orig. Nous rétablissons le passage, indispensable à la compréhension de ce qui suit.*

1. Henri, vicomte de Bornier (1825-1901), poète dramatique, membre de l'Académie française (1893), est l'auteur de *La Fille de Roland*, drame historique en quatre actes et en vers créé au Théâtre-Français en 1875. Cette œuvre, fort prisée en son temps, met en scène des personnages de *La Chanson de Roland* : l'empereur Charlemagne, le traître Ganelon et son fils Gérald, qui épouse Berthe, fille du paladin Roland.

2. Marie Bonaparte (1882-1962), fille du prince Roland Bonaparte (1858-1924), épousa le prince Georges de Grèce (1869-1957), fils du roi Georges Ier (1845-1913), le 12 décembre 1907.

3. Le comte Hoyos-Sprinzenstein (1834-1895) fut ambassadeur d'Autriche à Paris de 1883 à 1894.

4. « Que de femmes, déplorant les œuvres d'un écrivain de leurs amis, ajoutent : "Et si vous saviez quels ravissants billets il écrit quand il se laisse aller ! Ses lettres sont infiniment supérieures à ses livres." » (« À propos du "style" de Flaubert », janvier 1920, *Essais et articles*, éd. citée, p. 592).

Page 780.

 a. *Comme dans la variante précédente, le texte qui va de* Je trouve du reste un charme particulier *[p. 779, avant-dernier §]* à un homme doué. *a été biffé sur plac.* 1 *et ne figure pas dans plac.* 3 *ni dans orig. On trouvera les leçons de ms. et d'orig.* b, *depuis le 3ᵉ paragraphe en bas de la page 779, dans la variante* a, *p. 781.*

1. Paul Bert (1833-1886), physiologiste et homme politique, fut le promoteur de la loi sur la gratuité et l'obligation de l'enseignement primaire (1882). Dans un article de l'« Hommage à Marcel Proust » (*La Nouvelle Revue française*, 1ᵉʳ janvier 1923, p. 70), Gabriel de La Rochefoucauld raconte l'anecdote suivante : « [Proust] avait dîné avec une femme du monde qui, au cours du repas, s'était tournée vers lui, et lui avait dit : "Vous avez entendu parler d'un livre qui s'appelle *Salammbô* ?" Proust la regarda avec ses yeux enfantins et étonnés, et ne répondit pas. Elle reprit brusquement : "Vous devez le connaître, puisque vous vous occupez de littérature." Timidement il risqua à mi-voix : "Je crois bien que c'est de Flaubert." Évidemment la dame n'entendit pas distinctement le nom, car elle s'écria : "Enfin cela n'a pas d'importance, que ce soit de Paul Bert ou d'un autre, cela n'empêche pas que le livre m'ait plu." »

2. L'histoire a retenu le nom de deux Fulbert. Le premier (vers 960-1028) fut évêque de Chartres — dont il fit reconstruire la cathédrale qui avait été incendiée — et auteur de *Lettres* sur la société féodale. Le second, chanoine parisien du XIᵉ siècle, oncle et tuteur d'Héloïse, fut responsable de l'émasculation d'Abélard.

3. Proust s'est souvent élevé contre cette idée qu'il a pu lire chez Sainte-Beuve, Lemaitre ou Thibaudet. En 1908, il reproche au premier de n'avoir pas compris « ce qu'il y a de particulier dans l'inspiration et le travail littéraire ». « En aucun temps de sa vie Sainte-Beuve ne semble avoir conçu la littérature d'une façon

vraiment profonde. Il la met sur le même plan que la conversation » (*Contre Sainte-Beuve*, éd. citée, p. 224-225). Dans *Chateaubriand et son groupe littéraire*, Sainte-Beuve considérait en effet que le « galant homme littéraire » est celui qui sait « donner plus à l'intimité qu'au public », « qui ne laisse pas trop le métier et la besogne empiéter sur l'essentiel de son âme et de ses pensées » (cité par Pierre Clarac, *ibid.*, n. 2, p. 224). « En réalité, [répond Proust,] ce qu'on donne au public, c'est ce qu'on a écrit seul, pour soi-même, c'est bien l'œuvre de soi... Ce qu'on donne à l'intimité, c'est-à-dire à la conversation [...] et à ces productions destinées à l'intimité, c'est-à-dire rapetissées au goût de quelques personnes et qui ne sont guère que de la conversation écrite, c'est l'œuvre d'un soi bien plus extérieur [...] » (*ibid.*, p. 224). Le 24 janvier 1913, Jules Lemaître avait prononcé une conférence qui parut dans *La Revue hebdomadaire* du 1er février. Le critique ne comprenait pas que Flaubert « puisse réellement mettre huit jours et huit nuits à écrire cinquante ou soixante lignes » et il le jugeait « très flâneur, peut-être très paresseux » (cité par Philip Kolb, *Correspondance*, t. XII, n. 8, p. 282). Voir aussi la lettre de Proust à André Beaunier écrite en octobre 1913 (*ibid.*, p. 280) et une lettre d'avril 1920 à Léon Daudet (Marcel Proust, *Lettres retrouvées*, Plon, 1966, p. 141). Enfin, dans « À propos du "style" de Flaubert », Proust précise : « [...] tout grand artiste qui volontairement laisse la réalité s'épanouir dans ses livres se prive de laisser paraître en eux une intelligence, un jugement critique qu'il tient pour inférieurs à son génie. Mais tout cela qui n'est pas dans son œuvre, déborde dans sa conversation, dans ses lettres. Celles de Flaubert n'en font rien paraître. Il nous est impossible d'y reconnaître, avec M. Thibaudet, les "idées d'un cerveau de premier ordre" » (*Essais et articles*, éd. citée, p. 592-593 ; ce texte est la suite de celui cité dans notre n. 4, p. 779).

4. Un choix des lettres de Léon Gambetta (1838-1882) parut en 1909 sous le titre *Gambetta par Gambetta, lettres intimes et souvenirs de famille*, publiés par Pierre-Barthélemy Gheusi (Ollendorff).

5. *Suave, mari magno turbantibus aequora ventis. / E terra magnum alterius spectare laborem* (« Il est doux, quand la vaste mer est soulevée par les vents / d'assister du rivage à la détresse d'autrui ») ; Lucrèce, *De natura rerum*, II, 1-2.

Page 781.

a. M. de Guermantes qui avait atteint *[p. 779, 3e § en bas de page]* son but secret examina à la dérobée [...] dit M. de Guermantes *[p. 780, 20e ligne en bas de page]* qui en était resté à M. de Bornier, avec la satisfaction [...] sentiment patriotique. *[6 lignes]* Je dois avouer à Madame *[p. 781, 3e ligne]* qu'en lecture, en musique, je suis terriblement vieux jeu, [...] En revanche pour Wagner, que le prince ne le prenne pas en mauvaise part, du reste la duchesse va me honnir, mais cela m'endort immédiatement. — Quoiqu'il soit mon compatriote, dit le prince, j'avoue que je préfère *La Dame blanche.* — Vous avez tort tous les deux, dit Mme de Guermantes. Avec des longueurs insupportables, Wagner est un génie. [...] çà et là une page exquise. Et le Chœur [...] silence menaçant. Et ses yeux de chasseur avaient l'air de deux pistolets chargés. Cependant   *ms.*   : M. de Guermantes [...] silence menaçant. [Et ses yeux de chasseur avaient l'air de deux pistolets chargés.   *biffé]* Cependant   *orig. b : Proust supprime sur son exemplaire du « Côté de Guermantes II » cette phrase qui est un pastiche de Balzac.*

1. De même, le père de Saint-Loup « avait bâillé à Wagner » (*À l'ombre des jeunes filles en fleurs*, p. 93).

2. Le « chœur des fileuses », au début de l'acte II du *Vaisseau fantôme* (1841), est l'une des plus fameuses pages de Wagner.

3. Ainsi commence le duo chanté par Girot et Nicette au premier acte du *Pré-aux-Clercs* (1832), opéra-comique de Louis Joseph Ferdinand Hérold (1791-1833) sur un livret de François Antoine Eugène de Planard (1784-1853). Avec *Zampa* (1831), cette œuvre assura la célébrité du compositeur à l'époque romantique.

4. Le duc cite dans le plus grand désordre et prise indifféremment des chefs-d'œuvre de Mozart (*La Flûte enchantée* sur un livret d'Emmanuel Schikaneder [1791], *Les Noces de Figaro* sur un livret de Lorenzo da Ponte [1786]) et des partitions qui, pour estimables et admirées qu'elles aient été en leur temps, ne sauraient être placées sur le même plan : les opéras comiques d'Auber sur des livrets de Scribe, *Fra Diavolo* (1830) et *Les Diamants de la Couronne* (1841 ; voir t. I de la présente édition, n. 1, p. 73) ; celui d'Adolphe Adam (1803-1856), sur un livret de Scribe et Mélesville, *Le Chalet* (1834).

5. Si *Le Bal de Sceaux* (1830) est l'une des nouvelles des *Scènes de la vie privée* de Balzac, *Les Mohicans de Paris* (1854) sont d'Alexandre Dumas père. Dans *Contre Sainte-Beuve*, le comte de Guermantes s'exclame : « Ah ! Balzac ! Balzac ! Il faudrait du temps ! *Le Bal de Sceaux* par exemple ! Vous avez lu *Le Bal de Sceaux* ? C'est charmant ! » Et il attribue à Balzac des romans de Roger de Beauvoir et de Céleste de Chabrillan, parce qu'ils sont « tous reliés pareils » (éd. citée, p. 282). Voir aussi l'Esquisse I, p. 1022, et l'Esquisse XXXII, p. 1250.

Page 782.

a. tant *[5ᵉ ligne de la page]* d'imagination [, de si belles pensées, et j'ai la faiblesse en poésie d'aimer les belles pensées   *biffé]* ! » Quand dans le petit discours dont je n'avais pas entendu le début [et que je venais de saisir au vol, adressé à la princesse de Parme entre le potage et l'entrée   *biffé]* j'eus fini par comprendre non seulement que le poète incapable de distinguer le beau du laid était Victor Hugo, mais encore [...] que du Victor Hugo de la *Légende des Siècles*, loin de trouver Mme d'Arpajon ridicule [je la vis soudain la première de cette table si *réelle, si quelconque* où je m'étais assis avec tant de déception, rentrer dans un monde de rêves où je me plaisais bien mieux, sinon tout à fait, dans celui que les noms des habitués de l'hôtel Guermantes avaient édifié pour moi et s'était évanoui dès que j'avais cru y pénétrer. *[Par ce jugement sur les premières poésies d'Hugo, le même que portèrent les grandes dames les plus cultivées de l'époque, Mme d'Arpajon dégageait pour moi une poésie délicieuse.   biffé]* Par les yeux de l'esprit   *add.*] je crus la voir, Mme d'Arpajon, sous ce bonnet de dentelles [...] et l'*Imitation*, mais où nous voyons la lecture des premières poésies de Lamartine leur inspirer cet effroi [...] de Stéphane Mallarmé. [D'ailleurs il y a dans l'aristocratie comme dans le peuple un conservatisme bien précieux pour celui qui aime à rêver.   *biffé*] / — Mme d'Arpajon   *ms.*

1. Ce poème, dont Proust cite les premiers vers, est le dix-neuvième des *Feuilles d'automne* (1831). Victor Hugo l'a daté du 28 mai 1830 : il avait alors vingt-huit ans et était plus proche du ton lyrique et idyllique de Mme Deshoulières que du génie épique et visionnaire qui devait s'exprimer dans *La Légende des siècles*, publiée entre 1859 et 1883. Mme Deshoulières (ou Des Houlières), née Antoinette de Ligier de la Garde (1637 ou 1638-1694), est l'auteur de *Poésies* publiées en 1688 et fut à la tête de la cabale qui faillit faire tomber la *Phèdre* de Racine.

2. Repentirs : « Cheveux roulés en hélice ou en tire-bouchons que quelques femmes laissent pendre des deux côtés du visage » (Littré).

3. Claire Élisabeth Gravier de Vergennes, comtesse de Rémusat (1780-1821), fut dame d'honneur de l'impératrice Joséphine. Elle écrivit deux romans et un *Essai sur l'éducation des femmes* (édité en 1824). On a publié ses *Mémoires* en 1879 et ses *Lettres* en 1881. — Sur Mme de Broglie, voir n. 8, p. 571. — Louise Charlotte Victorine de Grimoard de Beauvoir du Roure-Brison épousa Louis-Clair de Beaupoil, comte de Sainte-Aulaire (1778-1854), chambellan de Napoléon et membre de l'Académie française (1841), en 1809 (la graphie « Sainte-Aulaire » est plus fréquente que celle utilisée par Proust, mais les deux sont acceptées).

4. Il s'agit, bien entendu, de l'*Imitation de Jésus-Christ*.

5. Proust admire Stéphane Mallarmé dont il connaît de nombreux vers par cœur (lettre à Sydney Schiff, septembre 1922, *Correspondance générale*, éd. citée, t. III, p. 56). Certes, en 1896, il reproche leur hermétisme aux disciples du maître : « En prétendant négliger les "accidents de temps et d'espace" pour ne nous montrer que des vérités éternelles, [le symbolisme] méconnaît une autre loi de la vie qui est de réaliser l'universel ou éternel, mais seulement dans des individus » (« Contre l'obscurité », *Essais et articles*, éd. citée, p. 394 ; voir la réponse de Mallarmé dans Anne Henry, *Marcel Proust, théories pour une esthétique*, Klincksieck, 1981, p. 55-65). Mais, en juillet 1893, il prend la défense du poète face à Mme Straus (« c'est de la poésie pure et rien ne peut adoucir votre ennui si elle vous en fait éprouver » ; *Correspondance*, t. IV, p. 411-412) ; en 1894, il qualifie d'« imbéciles » les gens du monde qui trouvent Mallarmé « insensé » (*Essais et articles*, p. 405), et, en novembre 1895, il écrit à Reynaldo Hahn : « Daudet est délicieux [...] mais trop simpliste d'intelligence. Il croit que Mallarmé mystifie. Il faut toujours supposer que les pactes sont faits entre l'intelligence du poète et sa sensibilité et qu'il les ignore lui-même, qu'il en est le jouet » (*Correspondance*, t. I, p. 444).

Page 783.

a. ce n'est pas extraordinaire *[2ᵉ ligne de la page].* Mme d'Arpajon
assommait *ms.* : ce n'est pas extraordinaire. Ce n'est [...] trompailler
avec elle. Tout cela est assommant, conclut langoureusement [...]
assommait *plac. 1* ◆◆ *b.* Surgis-le-Duc *[fin du 1ᵉʳ §].* Ce nom me plut
infiniment par l'ancienneté moins encore de l'illustre Surgis que de
l'adjonction Le Duc. On sait en effet que jadis les noms de lieu (et par
conséquent de personnes en faveur de qui ce lieu avait été érigé en comté,
en marquisat etc.) portaient souvent le titre du personnage dont ils
dépendaient. (Pont-l'Évêque, Villeneuve-la-Comtesse, Bar-le-Duc,
Fontenay-le-Comte etc. etc.) « Mais *ms.*

1. Cet analgésique, succédané de l'antipyrine, fut introduit en
France par Filhelme et Spiro en 1893.
2. Mme de Guermantes préfère les recueils antérieurs à l'exil
(11 décembre 1851) : *Les Feuilles d'automne* (1831) et *Les Chants du
crépuscule* (1835). *Les Contemplations,* publiées en 1856 — mais les trois
premiers livres furent composés entre 1830 et 1843 —, comprennent
des poèmes élégiaques et visionnaires, et font ainsi le lien entre les
deux périodes de la vie de Victor Hugo. En revanche, *La Légende
des siècles* délaisse le lyrisme pur pour l'épopée historique et
métaphysique.

Page 784.

1. Derniers vers de « L'Enfance » (janvier 1835, *Les Contemplations,*
livre I, poème XXIII).
2. « Les morts durent bien peu. Laissons-les sous la pierre ! /
Hélas ! dans le cercueil ils tombent en poussière / Moins vite qu'en
nos cœurs » (« À un voyageur », 6 juillet 1829, *Les Feuilles d'automne,*
v. 76-78). Mme Straus « n'est pas de ceux pour qui a été écrit le
vers qu'elle aime / *Les morts durent bien peu* », écrivait Proust le
29 octobre 1915 à Émile Straus (*Correspondance,* t. XIV, p. 264).

Page 785.

a. Jeanne Granier ont fait *ms., plac. 1* ◆◆ *b.* de ses yeux, le ciel de
Champagne, bleuâtre, oblique, avec le même angle [...] Saint-Loup, se
tendre, comme je l'avais vu tant de fois au-dessus des marches usées de
Saint-Hilaire, au-dessus de la voix dure, patinée, de la duchesse, cette
voix où s'étalait, traînait, blondissait grassement, un long soleil de
province. / (Peut-être mieux à un autre endroit du dîner où elle ne voudra
pas me dire des vers et où elle aura pourtant regardé *[lacune]* / Ainsi
par *ms.* : de ses yeux *[comme dans ms.]* soleil de province. / Ainsi
par *plac. 1* ◆

1. Gabrielle Réju, dite Réjane (1856-1920), actrice française,
excella aussi bien dans la comédie (*Madame Sans-Gêne,* de V. Sardou)
que dans le drame (*Germinie Lacerteux,* de Goncourt). Proust se
souvient d'elle, jouant avec Massenet et Saint-Saëns une saynète chez

Madeleine Lemaire (*Essais et articles*, éd. citée, p. 458-459). Voir aussi les propos, rapportés par Louis Handler dans *Comœdia* (20 janvier 1920 ; voir *ibid.*, p. 600-601), où l'auteur avoue son culte pour Réjane : « J'ai contracté jadis, en entendant Réjane jouer Sapho et Germinie Lacerteux, une tristesse récurrente dont les accès intermittents, après tant d'années, me reprennent encore. » L'année précédente, il avait séjourné quelques mois chez l'actrice, au 8 *bis*, rue Laurent-Pichat. Jeanne Granier (1852-1939), comédienne française qui fit ses débuts en 1874, fut l'une des actrices préférées du prince de Galles.

Page 786.

1. Ce substantif est formé sur le nom d'Édouard Jules Henri Pailleron (1834-1899), auteur de comédies spirituelles (*L'Étincelle* [1879], *Le monde où l'on s'ennuie* [1881], *Cabotins* [1894], etc.) et membre de l'Académie française (1882).

2. Alfred de Musset, *La Nuit d'octobre* (1837), v. 209.

Page 787.

a. Ce jeune homme doit être émerveillé. [Il peut dire qu'il a devant lui la grande dame dans toute l'acception du mot. *biffé*] » Voilà ce que semblaient dire à tout le monde les regards ravis de M. de Guermantes ; il les posait cependant plus particulièrement sur moi parce que j'étais l'étranger, l'invité le plus récent, le plus jeune, sur lequel il devait veiller avec le plus de sollicitude, [comme sur un petit camarade qu'on eût confié à ses soins particuliers, *add.*] et il observait du coin de l'œil si la récitation de Victor Hugo m'avait plu, en bon maître de maison et comme si j'avais été un petit camarade plus spécial à lui et de la même manière qu'il ne négligeait pas de se rendre compte si j'avais repris du poulet financière. « Mais *ms.* : Ce jeune homme doit être émerveillé. » Voilà ce que semblait *[comme dans ms.]* sollicitude, et il observait *[comme dans ms.]* « Mais *plac. 1*

1. Mme de Brissac, qui ne paraît qu'une seule fois dans le roman, reproche à Hugo les défauts que la marquise de Villeparisis reproche à Balzac, dans *Contre Sainte-Beuve* : « Du reste, ce Balzac, c'était un mauvais homme. Il n'y a pas un bon sentiment dans ce qu'il écrit, il n'y a pas de bonnes natures. C'est toujours désagréable à lire, il ne voit jamais que le mauvais côté de tout. Toujours le mal » (*Contre Sainte-Beuve*, éd. citée, p. 284). Mais Proust songe aussi à Barbey d'Aurevilly, qui, à propos de Victor Hugo, parlait de « poétique du *Laid* » (*Le Roman contemporain*, Lemerre, 1902, p. 239).

2. Jean Baptiste Edmond Jurien de La Gravière (1812-1892), amiral français, collabora à *La Revue des Deux Mondes* et écrivit des ouvrages sur l'histoire de la marine. Il fut élu à l'Académie française en 1888.

Page 789.

a. quoi que ce fût à voir *[p. 788, 2ᵉ ligne]* avec ce marin célèbre mais qui m'était inconnu. / « Mais Zola *ms., plac. 1* : quoi que ce fût à voir [...] totalement inconnu. [« Elle n'est *[p. 789, 2ᵉ ligne]* pas très forte

[...] favorites. add.] / « Mais Zola *plac. 3. Dans le Cahier 60 (f° 121 v°),
Proust a noté :* M. de Guermantes, je crois qu'elle est légèrement sous
l'influence de Bacchus. *Le passage qui va de* L'obstination de la dame
d'honneur *[p. 788, 3ᵉ ligne] à* l'ennuyeux amiral Jurien de La
Gravière *[p. 789, 2ᵉ ligne] figure sur une paperole collée sur le manuscrit.
Toutefois, ce texte n'est ni dans* plac. 1 *ni dans* plac. 3 *et n'apparaît pas avant
l'édition originale.*

1. Mme de Guermantes partage l'opinion de Barbey d'Aurevilly
qui, à propos de *L'Assommoir*, écrit : « M. Zola a voulu travailler
exclusivement dans le Dégoûtant... Nous avons su par lui qu'on
pouvait tailler largement dans l'excrément humain, et qu'un livre fait
de cela seul avait la prétention d'être beau ! » Plus loin, le critique
appelle Zola « cet Hercule souillé qui remue le fumier d'Augias et
qui y ajoute ». « M. Émile Zola croit qu'on peut être un grand artiste
en fange, comme on est un grand artiste en marbre. Sa spécialité,
à lui, c'est la fange. Il croit qu'il peut y avoir très bien un Michel-Ange
de la crotte » (*Le Roman contemporain*, éd. citée, p. 231-232).

2. Le château de Schönbrunn, résidence d'été des Habsbourg, est
situé non loin de Vienne.

Page 790.

a. « Tenez, *[p. 789, 8ᵉ ligne en bas de page]* justement, [je crois qu'un
des Elstir que vous avez été voir tout à l'heure lui a été inspiré par un
roman de Zola, me dit Mme de Guermantes. Vous connaissez M. Elstir,
je crois. Je ne raffole pas de l'œuvre, mais il paraît que l'homme est
agréable, intelligent, et même, à ce qu'on m'a dit, plus qu'intelligent,
assez spirituel. Je ne le connais pas. » *biffé]* [me dit Mme de Guermantes
[...] qu'on me redonnât un peu de bœuf Stroganof, tenez [...] tout ce
qui était chez elle. *add.]* Je demandai *ms.*

1. Zola publia une étude sur *Édouard Manet* en 1867.

2. Voir p. 713.

3. Ingres peignit *La Source* en 1856. Hippolyte de La Roche, dit
Paul Delaroche (1797-1856), peintre académique, spécialiste de sujets
historiques, exposa son tableau *Les Enfants d'Édouard* au Salon de 1831
(voir l'Esquisse XXXII, p. 1242).

Page 791.

1. C'est le titre d'un tableau de Manet (voir n. 1, p. 520) qui peignit
également, en 1880, *L'Asperge*. « On connaît la charmante histoire
de ce tableau : Manet avait vendu à Charles Ephrussi *Une botte
d'asperges* pour 800 francs. Ephrussi lui en envoie mille, et Manet,
qui n'était pas en reste d'élégance et d'esprit, peignit cette asperge
et la lui envoya avec ce petit mot : "Il en manquait une à votre
botte." » (*Manet*, Éditions de la Réunion des musées nationaux, 1983,
p. 450-451).

2. Jehan-Georges (ou Jean) Vibert (1840-1902), peintre et auteur
dramatique français, fut l'un des fondateurs de la Société des

aquarellistes français. Sa série de tableaux représentent des prêtres ou des moines fut très appréciée. L'œuvre que décrit Proust est *Le Récit du missionnaire* (1883), dont le titre est incorrectement cité dans l'Esquisse XXXII (p. 1242).

Page 792.

a. savoureux comme ces cuisines devenues si rares, *ms., plac. 1*

1. Nom de plume de Marthe Allard, cousine de Léon Daudet, qui l'épousa en secondes noces le 3 août 1903. Elle donna des articles sur la gastronomie, la mode, etc., dans *L'Action française*, et publia des contes et *Les Bons Plats de France : cuisine régionale*. Dans une lettre de mai ou juin 1916 adressée à Lucien Daudet, Proust dit qu'elle « écrit des livres charmants » (*Correspondance*, t. XV, p. 150).

2. Voir Pampille, *Les Bons Plats de France* (Fayard, s. d. [1913 ?]), p. 28-29 : « Le meilleur sel est le sel de marais salants et l'on a grand avantage à s'en faire expédier [...] soit de Piriac, soit du Bourg-de-Batz, soit de Guérande, ou de toute autre région où il y a des marais salants » (cité par L. A. Bisson, « Marcel Proust and Mme Léon Daudet : a Source and an Example of "Affective Memory" », *Modern Language Review*, n° 36, 1941, p. 474).

Page 793.

a. même en amour. *[fin du 1ᵉʳ §]* J'en étais encore au point si Mme de Guermantes me disait que j'étais mille fois inférieur à M. de Bréauté à n'en pas douter un instant et à en être profondément triste. « Ce qui plaît aux uns déplaît aux autres et vice versa. Dans la province de Canton, *ms.* : même en amour. J'en étais *[comme dans ms.]* inférieur à « Babal » à n'en pas douter *[comme dans ms.]* triste. Celui-ci prit justement la parole. M. de Guermantes ayant déclaré [...] Canton, *plac. 1*

1. Dans l'*Almanach des bonnes choses de France*, Antonia Corisande Élisabeth de Gramont, duchesse de Clermont-Tonnerre (1875-1954), écrit : « Les asperges vertes poussées à l'air, minces et complètement vertes, et qui n'ont pas la rigidité impressionnante de leurs sœurs, rentrent dans la norme du légume, qui est d'être vert avec un goût d'herbe. Elles accompagnent merveilleusement les œufs » (Georges Crès et Cie, 1920, p. 49). Mme de Clermont-Tonnerre, amie de Marcel Proust auquel elle a consacré deux livres (*Robert de Montesquiou et Marcel Proust*, Flammarion, 1925 ; *Marcel Proust*, Flammarion, 1948), a signé certains de ses nombreux ouvrages de son nom de jeune fille. En 1921, Proust lui dédicaça ainsi un exemplaire du *Côté de Guermantes II, Sodome et Gomorrhe I* : « À Madame la duchesse de Clermont-Tonnerre qui trouvera à la page 172 je crois, une allusion à sa description des asperges. Son respectueux et reconnaissant admirateur : Marcel Proust » (Catalogue de la vente du 10 avril 1987, hôtel Drouot, n° 164 ; voir aussi *Sodome et Gomorrhe*, t. III de la présente édition, p. 399).

Page 794.

a. qu'on serve des choses pourries mais   *ms.*

Page 795.

a. je ne sais plus *[p. 794, 7ᵉ ligne en bas de page]* quel poâte qu'il [quel poête qu'il   *plac. 1]* était sublime. Ma tante Villeparisis qui n'a pas sa langue   *ms., plac. 1* : je ne sais plus quel poite (poète) qu'il était sublime. [Mon frère Charlus   *biffé*] [Châtelleraut   *corr.* ¹] avait beau casser [...] genou de mon [frère   *biffé*] [neveu   *corr.*] destinés [...] voilà. Bref, [Mme de Villeparisis   *biffé*] [la tante Madeleine   *corr.*] qui n'a pas sa langue   *plac. 3. L'expression « casser les tibias » est notée dans le Cahier 61 (fᵒ 53 rᵒ)* : M. de Guermantes : « Il avait beau me casser les tibias, je ne comprenais rien. »

1. Norpois prononce une réplique semblable dans *Le Côté de Guermantes I*, p. 520.
2. Bossuet était issu d'une famille de magistrats roturiers (voir l'Esquisse XXXII, p. 1250).
3. Proust appréciait peu l'œuvre de François Coppée (1842-1908). Le « poète des humbles », élu à l'Académie française en 1884, avait été l'un des fondateurs de la Ligue de la patrie française (voir n. 1, p. 533). Proust l'avait rencontré chez Alphonse Daudet en novembre 1895 (voir la *Correspondance*, t. I, p. 443) et, en septembre 1904, dans une lettre à Lucien Daudet, il jugeait qu'il avait toujours gardé une « figure intacte » (*ibid.*, t. IV, p. 290). Mais, en avril ou mai 1905, il écrivait à Mme Fortoul : un seul poème de Baudelaire (« Le Vin des chiffonniers ») « est d'une fraternité démocratique délicieuse et si ce n'était pas admirable comme forme on se rendrait compte qu'il y a là autant de vraie tendresse pour les humbles que dans tout François Coppée » (*ibid.*, t. V, p. 127). Dans le Cahier 31, Proust cite Edmond Rostand (voir l'Esquisse XII, p. 1110).

Page 796.

a. têtes impossibles *[p. 795, fin de l'avant-dernier §]* ! — Je crois   *ms., plac. 1* ↔ *b.* Cette allusion à M. de Charlus est un oubli de l'auteur, qui a corrigé Charlus en Châtellerault sur *plac. 3 (voir var. a, p. 795).* ↔ *c.* pas plus tard *[4ᵉ ligne du §]* qu'hier. » [« Écoutez, Oriane, dit le duc, je respecte infiniment votre tante. Mais enfin il ne faudrait tout de même pas nous la faire passer pour une vertu. Rappelez-vous ce qu'on vous disait encore dernièrement qu'elle a autrefois ruiné le vieux Coislin. » « Ce que Basin dit est parfaitement exact, dit la duchesse à la princesse de Parme qui paraissait sceptique. Il ne veut pas dire bien entendu que ma tante fût vénale ! Mais elle ne comptait pas, elle était très élégante, elle était une écuyère extraordinaire, tout ça coûtait beaucoup d'argent et elle a fait manger au père Coislin tout, jusqu'au dernier *fermage*, ajouta-t-elle en souriant de ce dernier mot comme pour s'excuser de son vocabulaire et de

1. Proust oubliera de faire cette correction à la page suivante : voir var. *b*, p. 796.

ses connaissances terriennes que nous n'avions pas, mais qu'elle savait seyantes. Et cela n'empêche pas que si j'avais une fille, je la lui confierais les yeux fermés, parce que je sais que personne ne lui donnerait de meilleurs principes, les principes qu'elle-même n'a pas suivis. Mais ce que je voulais dire quand Basin m'a interrompu, et ce que Mémé disait avec moi, c'est ceci :   *add.*] ma pauvre tante, elle   *ms.*

Page 798.

a. Sur plac. 3, *Proust a corrigé la proposition* car on peut appartenir à une famille princière, et à une famille d'esprits fort populaires   *en* car on peut appartenir par le sang à une famille princière, et par l'esprit à une famille fort populaire   . *L'imprimeur a mal compris la correction. L'édition originale donne :* appartenir à une famille princière et à une famille par le sang, par l'esprit fort populaire.   *Nous rétablissons.* ◆◆ *b.* fort populaire. [Je continuais à me demander si je ne devrais pas dire que M. de Charlus m'avait fait prier de passer chez lui le soir même et je n'avais pas grand loisir pour cet examen de conscience car ma ravissante voisine, la duchesse de Souvré, la mince et altière dame au rose visage qui chez Mme de Villeparisis n'avait même pas daigné lever sur moi son face-à-main, ne cessait pas un instant de me parler avec une familiarité caressante et presque humble, me laissant émerveillé de voir que ce que j'avais cru à jamais un inaccessible nuage rose flottant dans les hauteurs du ciel, avait pu, par la grâce des Guermantes, se changer en une délicieuse crème à la fraise presque à portée de mon assiette.   *biffé*] « Puisque   *ms. (voir var. c, p. 716).* ◆◆ *c.* ennuyeux. » Croyant Robert un génie, la princesse de Parme goûta une surprise délicieuse à entendre dire qu'il était ennuyeux et réfugia ses regards du côté de M. de Guermantes, dans l'espoir d'apprendre de celui-ci si vraiment M. de Saint-Loup était bête. Mais le duc absorbé par l'inquiétude que sa femme voulût rendre un service compliqué à Robert restait maussade, si bien que la princesse fut obligée de poser la question à Mme de Guermantes. Celle-ci, m'entendant protester que Robert était remarquablement intelligent : « Ah, mais vous, dit-elle, l'amitié vous aveugle et vous avez raison, parce qu'il vous aime énormément aussi. Mais dans le fond vous savez bien qu'il n'a rien de remarquable. Mon Dieu, il ne serait pas plus stupide   *ms., plac. 1* ◆◆ *d.* c'est une espèce [d'évaporée [...] une sorte   *add.*] de « Dame aux camélias »   *plac. 3. Proust avait noté les termes «* dégrafée *» et «* évaporée *» sur le folio 21 r⁰ du Cahier 62.*

1. Une « *dégrafée* » est, en langage familier, une femme galante (voir var. *d*).

2. *La Dame aux camélias*, roman d'Alexandre Dumas fils mettant en scène une femme du demi-monde, parut en 1848 : le prince Von se tient au courant avec quelques décennies de retard.

Page 799.

a. du Maroc, c'est affreux *[p. 798, 19ᵉ ligne en bas de page].* Justement   *ms., plac. 1*

1. Mots latins signifiant : « Ainsi passe la gloire du monde » ; « conclusion morale, tirée de l'*Imitation de Jésus-Christ*, pour tenir lieu

d'oraison funèbre sur une disgrâce, l'oubli succédant à la gloire, etc. »
(*Larousse universel*, 1923).

2. Élisabeth de Wittelsbach, impératrice d'Autriche, fut assassinée
à Genève, le 10 septembre 1898, par un anarchiste italien.

Page 800.

a. pour ne pas [*p. 799, 12ᵉ ligne en bas de page*] l'avaler. » La princesse
ne put contenir un long fou rire, après lequel reprenant un ton apitoyé
elle dit : « Il faut justement que j'aille voir sa pauvre sœur, la reine de
Naples, quel chagrin elle doit avoir. — Ah! non, répondit *ms.,
plac. 1* : pour ne pas l'avaler. — Cette Rachel [...] préférait même à
elle [me dit le prince Von [...] toutes les dents. *add.*] — Mais alors elle
doit [...] Ah! non, répondit *plac. 3*

1. La reine de Naples, Marie Sophie Amélie de Wittelsbach,
duchesse en Bavière (1841-1925), sœur de l'impératrice d'Autriche,
avait épousé, en 1859, François II (1836-1894), roi des Deux-Siciles
et de Jérusalem, duc de Parme, Plaisance, Guastalla, grand-prince
héritier de Toscane. Après avoir quitté leurs États en 1861, ils
vécurent à Rome et à Paris.

Page 801.

a. quoiqu'elle sût très bien. Si (en affublant leur nom merveilleux d'un
visage et d'un esprit semblables ou inférieurs à ceux que je connaissais)
tous les invités de cette réunion et les maîtres de la maison eux-mêmes
m'avaient profondément déçu, du moins la poésie qui s'était échappée
d'eux-mêmes survivait encore pour moi, réfugiée dans cette vie dont ils
devaient vivre dans l'hôtel Guermantes quelques-unes des heures les plus
particulières. Aussi éprouvais-je non seulement beaucoup de regret mais
encore quelque confusion à penser que c'était ma présence à moi, étranger,
profane, impur, qui les empêchait de célébrer les mystères qui étaient
évidemment le but de la réunion¹ ; car je ne pouvais croire que c'était
de parler de Franz Hals ou de l'avarice comme des gens de la bourgeoisie.
On ne disait que des riens sans doute parce qu'on ne pouvait rien dire
devant moi et j'éprouvais quelque honte en voyant les magnifiques
toilettes que ces dames avaient mises pour rien, puisque la présence d'un
intrus les empêchait, elles qui étaient du faubourg Saint-Germain, et se
trouvaient ce soir dans le premier salon du faubourg Saint-Germain, de
mener en rien la vie si spéciale du faubourg Saint-Germain. « Il aurait
voulu *ms., plac. 1* ↔ *b. L'identité du général change à plusieurs reprises. Sur
le manuscrit, Proust corrige* Saint-Joseph *en* Beaucerfeuil *; puis, sur
plac. 3, en* Monserfeuil *ou* Beauserfeuil *(voir var. b, p. 819).*

1. Sophie Charlotte Augustine de Wittelsbach (1847-1897), sœur
de l'impératrice d'Autriche et de la reine de Naples, épousa
Ferdinand, prince d'Orléans, duc d'Alençon, en 1868. Elle avait
d'abord été fiancée à Louis II de Bavière. Elle trouva la mort le
4 mai 1897, au cours de l'incendie du Bazar de la Charité, à Paris.

1. Voir p. 832, 2ᵉ §.

a. s'écria la princesse. « Mais parfaitement, Madame. Vous ne connaissez pas le mot que Mme de Guermantes a fait à ce sujet ? » « Mais non. » « Voyons, Basin, vous êtes assommant, dit la duchesse en riant. D'abord je ne me rappelle pas avoir rien dit. Et puis qu'est-ce que c'est que ce genre de citer ses propres mots ? » La princesse insista. « Je ne peux pas, Princesse, dit le duc qui excellait à accroître le plaisir en prolongeant l'attente. D'abord c'est très inconvenant. Et vous savez que je suis un homme pudique. » La princesse n'avait que plus envie de savoir. « Je dois reconnaître, ajouta le duc, que c'est fort bien rédigé, comme tout ce que dit ma femme. Mais le fond est abominable. Eh ! bien, voici. Quand après le nouveau blackboulage du général par les électeurs j'ai dit à Mme de Guermantes que Mme de Saint-Joseph était encore enceinte, elle m'a répondu (et ma parole d'honneur, aussi rapidement que je vous le dis là) : « Décidément, c'est le seul *arrondissement* où le pauvre général n'a jamais échoué. » « Mais Basin, cela n'a rien de drôle à répéter, et du reste ce n'est pas inconvenant », dit la duchesse, ravie. Plusieurs des convives, bien qu'animés du plus pur « esprit des Guermantes » ayant déjà entendu plus de vingt fois le duc citer ce « mot », n'eurent pas la force de s'arracher à eux-mêmes plus qu'un pâle sourire, de mauvaise foi d'ailleurs. Car ils connaissaient trop le mot pour pouvoir être amusés par lui. C'était tout au plus le sourire de bon goût de l'abonné du Conservatoire qui, quoique connaissant par cœur une symphonie de Haydn, cligne encore faiblement des yeux à des finesses qu'il ne peut pas avoir l'air de méconnaître. Cependant le duc promenait çà et là autour de la table des regards rieurs et provocants qui ralliassent l'enthousiasme des convives. Regards qui se changèrent en clignements de la plus grande et moins dissimulée impolitesse à l'égard de la princesse de Parme quand il vit que celle-ci n'avait pas saisi la plaisanterie. Il fixait en riant M. de Bréauté d'un air de dire à la fois : « Est-elle assez bête ? » et « Est-elle assez innocente. » La princesse le sentit confusément et rougit. Cependant j'avais été frappé par les tendres paroles que M. de Guermantes avait prononcées au sujet de son frère, et je me demandais si je ne devais pas dire à mes hôtes que M. de Charlus m'attendait le soir même. Mais je n'avais guère le loisir pour cet examen de conscience, car ma ravissante voisine *[comme dans var. b, p. 798]* de voir que cette apparition céleste que j'avais cru à jamais inaccessible, nuage rose flottant parmi les hauteurs de l'empyrée d'où rien ne lui permettait de m'apercevoir, se fût par l'intercession des Guermantes changée en une délicieuse crème à la fraise presque à portée de mon assiette. Car si le duc et la duchesse de Guermantes avaient le luxe de table le plus raffiné, même quand ils m'invitaient dans des dîners plus intimes, ils ne gardaient pas moins entre eux et leurs amis les distances de politesse que mettaient les robes décolletées, les habits noirs, même si on n'était que trois ou quatre personnes, les « Monseigneur » et les « ma chère Princesse ». Ces repas, dont je m'étais autrefois figuré les convives comme les Apôtres de la Sainte-Chapelle, les réunissaient en effet comme les premiers chrétiens, non pour partager seulement une nourriture matérielle et d'ailleurs exquise, mais dans une sorte de [communion *biffé*] [Cène *corr.*] sociale ; de sorte qu'en peu de dîners j'assimilai la connaissance de tous les convives de mes hôtes auxquels ils me présentaient *ms., plac. 1 avec lég. var.*

1. Voir *Le Côté de Guermantes I*, p. 331.

2. « Je sais que vous êtes malade ; mais pourquoi guérissez-vous quand il s'agit de l'*orangeade* La Rochefoucauld », écrivait Robert de Montesquiou à Proust, le 22 avril 1905 (*Correspondance*, t. V, p. 109). Dans *Jean Santeuil*, la duchesse de Réveillon offre à Jean le verre d'orangeade du duc de Lithuanie (éd. citée, p. 692-693).

Page 803.

a. d'en prendre un peu [et (après m'avoir dit d'un air de concupiscence qui m'exaspérait car je savais ce qui allait suivre) me disait : « Mais comme cela a l'air bon ce que vous buvez là. » *add.*] De [sorte que *corrigé en* la sorte] chaque fois M. d'Agrigente, *orig. b. Cette addition s'intégrant mal au texte, nous ne la reportons pas. On trouvera à la variante b les leçons antérieures pour ce passage.* ◆◆ *b.* petit bout [*p. 802, 9ᵉ ligne en bas de page*] de jardin rectangulaire. Sous *ms.* : jardin rectangulaire. [On n'avait jamais connu […] visite à la princesse de Guermantes par exemple. On admira mon influence parce que je pus à l'orangeade, faire ajouter des carafes contenant du jus de cerise cuite, de poire cuite. Cette transposition de la couleur des fruits en saveur m'enchantait. Du fruit ; pas même ; il semblait que cuit, il rétrogradait vers la saison des fleurs, le jus s'empourprait comme un verger au printemps, ou incolore et frais coulait comme l'air sous les arbres fruitiers. On le respirait goutte à goutte sans être jamais rassasié. La duchesse de Guermantes apprenant ce goût que j'avais pour les [compotes *biffé*] [fruits cuits *corr.*] m'en faisait faire régulièrement et clandestinement par ses voisines et cousines, la princesse de Silistrie et sa sœur que je ne connaissais pas mais qui excellait en l'art des compotes. L'orangeade traditionnelle n'en subsista pas moins comme le tilleul. *add.*] Sous *plac. 1* : jardin rectangulaire. On n'avait jamais connu […] visite à la princesse de Guermantes par exemple. [On *biffé*] [Je dois ajouter, relativement à ma « situation » chez les Guermantes, qu'à cette époque et pour longtemps, elle resta fort petite au point de vue intellectuel. On tenait fort peu compte de mes opinions. Si elles étaient contraires à celles de quelqu'un qui était très écouté de la duchesse, on les tenait pour des niaiseries de blanc-bec. Mais même en ce temps-là on *corr.*] admira mon influence […] le prince d'Agrigente [qui, comme tous *biffé*] [semblable à tous *corr.*] les gens dépourvus d'imagination, mais non d'avarice, [lesquels *add.*] s'émerveillent[1] de ce que vous buvez [*comme dans le texte définitif, avec lég. var.*] tilleul. Sous *plac. 3.* Voir la variante a pour la leçon d'orig. b.

1. Alphonse XIII (1886-1941), roi d'Espagne de 1886 à 1931, régna d'abord, jusqu'en 1902, sous la tutelle de sa mère (voir p. 744 et n. 2). Il se rendit à Paris le 27 mai 1905.

---

1. L'édition originale donne : « le prince d'Agrigente qui, comme tous les gens dépourvus d'imagination, mais non d'avarice, s'émerveillent ». Nous adoptons, pour ce passage précis, la leçon corrigée de *plac. 3*, seule correcte.

Page 804.

a. après dîner, comme je l'avais été avant à la duchesse de Souvré, au moment où Mme de Guermantes m'offrait du café en me disant : « J'ai vu que vous aviez un flirt avec Blanche de Souvré. Elle a dû être ravie de dîner avec vous. Allez la voir un jour après déjeuner, vous lui ferez grand plaisir », le hasard fit qu'il y eut ce général de Saint-Joseph dont [général de Beaucerfeuil dont *plac. 1*[1]] avait parlé *ms., plac. 1*

Page 805.

a. je m'en occuperais. *[p. 804, 4ᵉ ligne en bas de page]* On *ms.* : je m'en occuperais. [J'en aurais parlé à Saint-Joseph [...] vois ou à Beautreillis. Mais si je ne les vois pas, ne plaignez pas trop Robert. *add.*] On *plac. 1* : je m'en occuperais. J'en [...] vois ou à Beautreillis. [Mais *biffé*] [Valry serait mieux en place pour nous servir, mais le nouveau ministre de la Guerre ne l'aime pas. Il vaut mieux ne pas lui en parler. Quant à Saint-Joseph et à Beautreillis, *corr.*] si je ne les vois pas, ne plaignez pas trop Robert. On *plac. 3* ↔ *b.* vous plaise, [elle a un nom affreux, une assez mauvaise odeur, mais ces fleurs doublées de satinette mauve sont très bell<es> *biffé*] elles sont ravissantes, d'une élégance incomparable, regardez *ms.*

1. Voir *À l'ombre des jeunes filles en fleurs*, p. 202-203.
2. Proust utilise un livre de Maurice Maeterlinck, *L'Intelligence des fleurs* (Charpentier, 1907), où est décrite une variété d'orchidées que « Darwin n'a pas étudiée », le « Loroglosse à odeur de bouc » (*loroglossum hircinum*). « Figurez-vous un thyrse, dans le genre de celui de la Jacinthe, mais un peu plus haut. Il est symétriquement garni de fleurs hargneuses, à trois cornes, d'un blanc verdâtre pointillé de violet pâle. Le pétale inférieur orné à sa naissance de caroncules bronzées, de moustaches mérovingiennes, et de bubons lilas de mauvais augure, s'allonge interminablement, follement, invraisemblablement, en forme de ruban tire-bouchonné, de la couleur que prennent les noyés après un mois de séjour dans la rivière. De l'ensemble, qui évoque l'idée des pires maladies et paraît s'épanouir dans on ne sait quel pays de cauchemars ironiques et de maléfices, se dégage une affreuse et puissante odeur de bouc empoisonné qui se répand au loin et décèle la présence du monstre » (p. 66-67).
3. Dans *L'Intelligence des fleurs*, Maeterlinck décrit la fécondation d'une orchidée par un insecte : « Il se pose sur la lèvre inférieure, étalée pour le recevoir, et, attiré par l'odeur du nectar, cherche à atteindre, tout au fond, le cornet qui le contient » (*ibid.*, p. 62). Mais Proust a également consulté la préface du professeur Coutance à l'ouvrage de Darwin, *Des différentes formes de fleurs dans les plantes de la même espèce* (C. Reinwald et Cie, 1878 ; voir en particulier p. XIII).

1. Voir var. *b*, p. 801.

Page 806.

  a. Albins, *plac. 1, plac. 3, orig. Nous adoptons la leçon de ms.* ◆◆
b. mariages extraordinaires dans les plantes. On n'avait *ms.* : mariages
extraordinaires chez les plantes. On n'avait *plac. 1* : mariages
extraordinaires [...] mariages de gens [et a lieu d'ailleurs *add.*] sans
lunch, et sans sacristie. On n'avait *plac. 3* : mariages extraordinaires
[...] mariages de gens, sans lunch et sans sacristie. On n'avait *orig. Nous
adoptons la leçon de plac. 3.* ◆◆ *c.* beaucoup plus extraordinaire et qui
rend *ms.* : beaucoup plus étonnant et qui rend *plac. 1* : beaucoup
plus étonnant [que les mariages de fleurs *add.*] et qui rend *plac. 3*

  1. Le vanillier, originaire du Mexique, appartient à la famille des
orchidées. « Les organes sexuels de la fleur sont séparés par le rostellum
qui s'oppose à la pollinisation directe. Dans la nature, la pollinisation
est opérée par des insectes et des oiseaux mouches qui visitent les
fleurs » (Gilbert Bouriquet, *Le Vanillier et la vanille dans le monde*, Paul
Lechevalier, 1954, p. 446). C'est en 1841, sur l'île de la Réunion
(ancienne île Bourbon), qu'un esclave noir du nom d'Edmond Albius
(1829-1880) imagina un moyen de féconder la vanille : « Il consiste à
soulever, au moyen d'un stylet en bambou, la membrane séparatrice
et à la faire glisser, sous l'anthère, de manière à ce que celle-ci se trouve
en contact direct avec le stigmate » (A. Delteil, *La Vanille, sa culture
et sa préparation*, Augustin Challamel, 1897, p. 13-14).

Page 807.

  a. Dans une première rédaction biffée sur ms., on lit : « Quel magnifique
fauteuil vous avez là, dit la princesse de Parme, craignant que M. de
Beauserfeuil n'entendît la conversation. — N'est-ce pas ? répondit la
duchesse, je suis très contente que vous l'aimiez. Du reste en soi-même
c'est une pièce magnifique. ◆◆ *b. Proust oublie que le* fauteuil *de la
première rédaction (voir la variante précédente) s'est transformé en* commode .

  1. En dehors des ouvrages de Darwin, Maeterlinck évoque les
travaux « du docteur H. Müller de Lippstadt, de Hildebrandt, de
l'Italien Delpino, de Hooker, de Robert Brown et de bien d'autres »
(*L'Intelligence des fleurs*, éd. citée, p. 58). Dans sa préface à l'ouvrage
de Darwin (voir n. 3, p. 805), le professeur Coutance cite également
les noms de Kobreuter, de Lubbock et de Lecoq (p. XIV).
  2. Dans « Un amour de Swann », la princesse des Laumes dénonce
l'« horrible style » des meubles Empire qu'elle laisse dans les
greniers de Guermantes (t. I de la présente édition, p. 333).
  3. Josiah Wedgwood (1730-1795), céramiste anglais, mit au point
un procédé permettant d'obtenir une faïence couleur crème dite
« pâte de la reine », découvrit le secret de la peinture mate sur
porcelaine et réalisa diverses copies de l'Antique : camées, statuettes,
etc. Il fut le grand-père de Charles Darwin.

Page 808.

  a. impressionnée. Mais alors, chez les Iéna, ajouta la duchesse, en ayant
l'air de chercher ses mots pour mieux en faire valoir le choix comme

les poètes qui, fût-ce au prix d'un bégaiement factice, font attendre la rime, là, *ms.*

1. En 1806, Napoléon donna le titre de duchesse de Guastalla à sa sœur Pauline, princesse Borghèse (1780-1825), après l'annexion du duché de Parme et de Plaisance (1802). En 1814, Parme fut offerte, avec Guastalla, à l'ex-impératrice des Français, Marie-Louise de Habsbourg, puis, à sa mort, revint dans la famille des Bourbon-Parme.

2. Dans son article sur la princesse Mathilde, Proust évoque les rapports entre les Bonaparte et la famille de Louis-Philippe : « Admirablement traitée par la famille royale en 1841, quand [la princesse Mathilde] revint en France, elle n'avait jamais oublié ce qu'elle lui devait, et ne permit jamais, en aucun temps, qu'on dît devant elle quoi que ce fût qui pût être blessant pour les Orléans. [...] Plus tard, à la suite d'un discours prononcé par le prince Napoléon, on se souvient de la lettre effroyable, admirable, que lui écrivit le duc d'Aumale » (*Essais et articles*, éd. citée, p. 451). En effet, le 1er mars 1861, à la tribune du Sénat, Napoléon Joseph Charles Paul Bonaparte, dit le prince Jérôme (1822-1891), frère de la princesse Mathilde, avait vivement critiqué les Bourbons et les Orléans. Le duc d'Aumale riposta par une *Lettre sur l'Histoire de France* signée Henri d'Orléans et datée du 15 mars 1861 (H. Dumineray, 1861). La phrase que Proust lui attribue semble toutefois apocryphe et ne figure pas dans la lettre. « Il semblait, après cela, que la princesse ne dût jamais revoir le duc d'Aumale », écrit Proust. « Ils vécurent, en effet, loin l'un de l'autre pendant de longues années. Puis, le temps effaça le ressentiment sans diminuer la reconnaissance et aussi comme une certaine admiration réciproque [...]. » Quelques amis tentèrent un rapprochement. « Puis enfin, un jour, ménagée par Alexandre Dumas fils, l'entrevue eut lieu dans l'atelier de Bonnat. [...] Une véritable intimité s'ensuivit, qui dura jusqu'à la mort du prince » (*Essais et articles*, éd. citée, p. 452).

3. Élu à la Convention en 1792, Joseph Fouché (1759-1820) siégea avec les Montagnards et vota la mort de Louis XVI. Ministre de la Police en 1799 et sous l'Empire, il fut membre du gouvernement provisoire après Waterloo, puis nommé par Louis XVIII au même poste ministériel. Mais, déclaré régicide en 1816, il fut contraint à l'exil.

4. La princesse Murat revendiquait également le titre de reine de Naples. Napoléon avait en effet donné le royaume de Naples à Joachim Murat en 1808.

5. Pour rédiger ce passage, Proust a consulté l'*Almanach de Gotha* qui explique que la ligne cadette de la maison de Nassau, régnante aux Pays-Bas, a acquis par héritage la principauté d'Orange, « avec trente-deux seigneuries en Bourgogne, par suite du mariage du comte Henri (né 1483, † 1538) avec Claude de Châlons († 1521), sœur et héritière du dernier prince d'Orange de la maison de Châlons, 3 août 1530 ». La principauté fut réacquise par héritage le 19 mars 1702, puis cédée à la France le 11 avril 1713, mais « le titre de prince d'Orange confirmé par un traité conclu avec la Prusse » le 16 juin

1732 (édition de 1898, p. 74). En 1914, le marquis de Mailly-Nesle, prince d'Orange, habitait 3, rue de Boccador, dans le VIIIᵉ arrondissement (_Tout-Paris_, 1914, p. 32). Voir p. 877-879. — Le prince Léopold Philippe Charles Albert Meinrad Hubert Marie Miguel (1901-1983), fils aîné d'Albert Iᵉʳ (1875-1934), roi des Belges, fut duc de Brabant jusqu'à son accession au trône en 1934.

Page 809.

   _a._ très agréable. Ce _ms., plac. 1_ : très agréable. [— Ah ! Napoléonette ! s'écria l'ambassadrice de Turquie qui confondait deux « Napoléon » de la même famille. — Non celui-là c'est Papo Gui, répondit Mme de Guermantes, qui, infectée par la maladie des prénoms abrégés et des surnoms, en vulgarisait des noms même sans prestige. _biffé_] Ce _plac. 3_

   1. Dans le Cahier 49, Proust décrit, dans le vestibule de l'hôtel Marengo, un meuble où, « entre deux sphinx ramenés d'Égypte, l'Empire surchargé de victoires a croisé ses faisceaux et déposé ses lauriers [...] » (fᵒ 15 rᵒ).

Page 810.

   1. Sur Gustave Moreau, voir n. 1, p. 714, n. 1, p. 715 et « Un amour de Swann », t. I de la présente édition, n. 2, p. 263. Proust appréciait particulièrement _Le Jeune Homme et la Mort_ (1865 ; musée Gustave Moreau) qu'il cite à plusieurs reprises (voir _Pastiches et mélanges_, éd. citée, p. 135, et _Essais et articles_, éd. citée, p. 418).

   2. Hortense de Beauharnais (1783-1837), mariée contre son gré à Louis Bonaparte en 1802, fut reine de Hollande de 1806 à 1810. Son troisième fils, Charles Louis, devint Napoléon III.

Page 811.

   _a._ aux mots grâce _ms., plac. 1_

   1. Anna Murat (1841-1924), fille de Napoléon Lucien Charles Murat et de l'Américaine Caroline-Georgine Fraser, épousa Antoine de Noailles, sixième duc de Mouchy et prince de Poix, en 1865.

   2. Le comte Gaston de Brigode de Kemlandt est né en 1850 (voir la lettre à Antoine Bibesco du 11 juin 1903, _Correspondance_, t. III, p. 343 et n. 6).

   3. Il s'agit de l'un des trois quatuors à cordes de l'opus 59 (1806), dédiés au comte de Razoumovski, ambassadeur de Russie à Vienne, et sans doute le nᵒ 2, dans lequel intervient un thème russe qui sera repris par Rimsky-Korsakov et par Moussorgsky.

   4. Voir n. 1, p. 762. Dans _L'Art chinois_, Maurice Paléologue écrit : « Vers 1830, un peintre de Canton nommé _Lan-koua_, ayant reçu quelques leçons d'un artiste anglais, [...] ouvrit un atelier et chercha à appliquer les procédés de dessin et de peinture de l'Europe. Il s'efforça de donner à ses personnages des formes modelées et

vivantes, de reproduire les effets de la lumière et des ombres, de respecter dans l'indication des plans de ses compositions les lois de la perspective linéaire et celles du clair-obscur. Ce fut, malgré toute l'application de l'artiste et en dépit d'une certaine facilité d'assimilation, une tentative bâtarde où l'art chinois n'acquit aucune qualité nouvelle et eût fini par perdre toute originalité » (Paris, Quantin, 1887, p. 293-294).

Page 812.

a. le mur d'une langue étrangère. C'est pour cela que la vie est une chose horrible, puisque personne ne peut comprendre personne, conclut Mme de Guermantes d'un air volontairement découragé, mais aussi avec l'animation que lui donnait le plaisir de briller devant la princesse de Parme. Et moi, en voyant faire tant de frais pour une personne si médiocre à une femme si difficile qui avait prétendu être morte d'ennui quand elle avait dîné avec M. et Mme Ribot, je comprenais que Swann, cet homme si fin, pût se plaire avec M. Bontemps. D'ailleurs si elle avait eu des raisons pour adopter ce dernier, la duchesse eût pu le préférer au ministre académicien car en dehors des rangs princiers, seuls l'agrément éprouvé ou l'agrément qu'on décrète, comme le roi anoblit, comptait dans le milieu Guermantes. Les hiérarchies politiques ou professionnelles n'y comptaient pas. Et si Cottard, professeur et académicien qui n'y était pas reçu, y était venu en consultation, il aurait pu y trouver un pur inconnu, le docteur Percepied pour des raisons d'intérêt il était commode à la duchesse d'avoir quelquefois à déjeuner et qu'elle déclarait assez agréable, parce qu'elle le recevait. « Vraiment ? répondit la princesse étonnée par l'assertion que la vie est affreuse. Du moins, ajouta l'altesse, on peut faire beaucoup de bien. » « Mais même pas, répondit la duchesse, craignant que la conversation ne tombât sur la philanthropie qu'elle trouvait assommante. Comment pourrait-on faire du bien à des gens qu'on ne comprend pas ? Et puis on ne sait pas les gens à qui < on > devrait faire du bien, on cherche à faire aux gens à qui on ne devrait pas. C'est tout ça qui est affreux ! Mais pour en revenir à Humbert, choqué que vous alliez chez les Iéna, Votre Altesse a trop d'esprit *ms., plac. 1 avec lég. var. Sur plac. 1,* Humbert *est corrigé en* Gilbert *. Nous ne signalerons plus cette variante.* ◆◆ *b.* l'autre monde. — Voyons, Oriane, dit M. de Guermantes avec une adresse de picador, ne dites pas de mal d'Humbert, d'abord c'est votre cousin et ensuite vous savez que c'est un très brave homme. — Écoutez, Basin, laissez-moi vous dire qu'il n'y a rien qui me soit aussi étranger que l'âme d'Humbert, et au fond qui vous soit aussi étranger à vous aussi. Je me sens plus rapprochée, *ms., plac. 1* ◆◆ *c.* manants.″ Basin peut trouver ça bien, moi c'est ce que j'appelle un monstre. Je suis au fond *ms., plac. 1* ◆◆ *d.* le prince de X... qui pensait à l'Académie *ms., plac. 1*

1. Voir n. 2, p. 713.
2. Marie Paulowna de Mecklembourg (1854-1920) avait épousé, en 1874, le grand-duc Wladimir Alexandrovitch, oncle de Nicolas II. Voir l'Esquisse XXI, p. 1184.
3. Philippe III le Hardi (1245-1285) et Louis VI le Gros (1081-1137) furent respectivement rois de France en 1270 et 1108.

Page 813.

1. Proust aimait à citer ce tableau (voir « Un amour de Swann », t. I de la présente édition, n. 2, p. 250). Dans sa préface aux *Propos de peintre* de Jacques-Émile Blanche (1919), il affirme que les portraits du docteur Émile Blanche et de sa femme « font penser aux Régents et Régentes de l'Hôpital, de Hals » (*Essais et articles*, éd. citée, p. 572). Frans Hals peignit en effet deux œuvres jumelles, en 1664, qu'Eugène Fromentin, dans *Les Maîtres d'autrefois*, présente ainsi : « Enfin Hals est vieux, très vieux : il a quatre-vingts ans. Nous sommes en 1664. Cette même année, il signe [...] les portraits de *Régents* et les portraits de *Régentes de l'hôpital des Vieillards*. Le sujet coïncidait avec son âge. La main n'y est plus. Il étale au lieu de peindre ; il n'exécute pas, il enduit ; les perceptions de l'œil sont toujours vives et justes, les couleurs tout à fait sommaires. Peut-être en leur composition première ont-elles une qualité simple et mâle qui trahit le dernier effort d'un œil admirable et dit le dernier mot d'une éducation consommée » (*Œuvres complètes*, Bibl. de la Pléiade, p. 730). Fromentin considère ensuite que les jeunes peintres qui s'inspirent de cette dernière manière commettent « une erreur d'à-propos » : « [...] ils conviendront que l'exemple d'un maître de quatre-vingts ans n'est pas le meilleur qu'on ait à suivre ». Or, le *Carnet III* de Fromentin, que Proust ne connaissait pas, nous apprend que l'un de ces jeunes peintres est Manet (*ibid.*, p. 731 et n. 1).

2. En octobre 1902, Proust visita la Hollande en compagnie de Bertrand de Fénelon. Il se rendit à Amsterdam, à Vollendam, à La Haye, à Delft et à Haarlem pour voir les tableaux de Hals (lettre du 17 octobre 1902 à Mme Proust, *Correspondance*, t. III, p. 163).

3. La *Vue de Delft*, peinte par Vermeer entre 1658 et 1660, appartient au Mauritshuis de La Haye depuis 1822. Proust l'y admira le 18 octobre 1902. « Le tableau que j'ai le plus aimé en Hollande », écrivait-il en juin 1907 à Mme de Caraman-Chimay, « c'est la *Vue de Delft* de Van Meer [sic], au musée de La Haye » (*Correspondance*, t. VII, p. 184-185). À Jean-Louis Vaudoyer, il confiait le 2 mai 1921 : « Depuis que j'ai vu au musée de La Haye une *Vue de Delft*, j'ai su que j'avais vu le plus beau tableau du monde » (*Correspondance générale*, éd. citée, t. IV, p. 86) Quelques jours plus tard, dans une lettre au même, il précisait : « Vous savez que Ver Meer est mon peintre préféré depuis l'âge de vingt ans » (*ibid.*, p. 88) Proust revit le tableau à Paris le 24 mai 1921, lors de l'exposition hollandaise du Jeu de Paume. On sait le parti qu'il tira de cette visite pour décrire la mort de Bergotte dans *La Prisonnière*.

Page 814.

a. Louis-Philippe. Pareille aux autres femmes, mon premier mouvement était une déception qu'elle le fût, le second un émerveillement. C'est ce qui nous arrive d'ailleurs avec certains personnages célèbres mais que nous avons connus d'abord par la littérature, en dehors de la série des siècles, et restés, au moins pour les ignorants, un peu en marge de cette connaissance rationnelle du passé qu'on appelle l'histoire et qui est pour notre esprit ce qu'est l'expérience pour notre propre vie. Un Don Juan d'Autriche, une Isabelle d'Este, *ms., plac. 1*

1. Don Juan d'Autriche (1547-1578), fils naturel de Charles Quint et d'une bourgeoise de Ratisbonne, fut le vainqueur de Lépante et gouverneur des Pays-Bas. Son personnage a inspiré une comédie de Casimir Delavigne : *Don Juan d'Autriche* (1835).

2. Isabelle d'Este (1474-1539), épouse de François de Gonzague, marquis de Mantoue, est une figure importante de la Renaissance italienne. Elle pratiqua un mécénat éclairé en appelant auprès d'elle des poètes, des philosophes, des architectes, des peintres. À partir de 1491, elle commanda à plusieurs peintres (Mantegna, le Pérugin, le Corrège, etc.) des tableaux pour orner son *studiolo*. Elle demanda également à Mantegna de faire son portrait, mais le projet n'aboutit pas. En revanche, un portrait d'Isabelle d'Este par Titien (Kunsthistorisches Museum, Vienne) intéressa Proust qui se renseigna sur cette œuvre auprès d'Auguste Marguillier en décembre 1902 (voir la *Correspondance*, t. III, p. 202). Enfin, Proust avait lu deux articles de Robert de La Sizeranne consacrés à Isabelle d'Este. Le critique écrivait : « Nul n'est plus digne d'être déchiffré. Belle-sœur de Lucrèce Borgia et de Ludovic le More, femme de François Gonzague, le héros de Fornoue, tante du Connétable de Bourbon qui prit Rome, l'histoire ne se fait pas sans elle et, dans cette tapisserie bariolée qu'est le XVᵉ et le XVIᵉ siècle italien, le fil d'or de sa destinée court partout » (« Les Masques et les visages au Louvre — I. Devant un portrait d'Isabelle d'Este », *La Revue des Deux-Mondes*, 15 novembre 1911, p. 396-397 ; le second article parut dans la même revue, le 1ᵉʳ décembre 1911, sous le titre « II. Devant les tableaux d'Isabelle d'Este » ; voir l'Esquisse XXXII, var. *c*, p. 1254).

3. Georges Édouard Lafenestre (1837-1919) poète, romancier, critique d'art, était également professeur à l'école du Louvre et conservateur des peintures au musée du Louvre. Il est l'auteur, avec Eugène Richtenberger, d'un catalogue illustré des peintures de ce musée (*Le Musée national du Louvre*, Libraires-Imprimeurs réunis, 1893), et a publié des études sur *La Peinture italienne* (1885) et sur *Les Primitifs à Bruges et à Paris* (1904).

Page 815.

a. La Bibliothèque nationale possède le brouillon de ce passage (achat 26 803, lot nº 17). La conclusion manque : Ainsi comme dans les vallons sauvages de l'Amérique centrale ou de l'Afrique du nord par lesquels nous cherchons à déduire l'étrangeté des mœurs de l'éloignement géographique, de la singularité des dénominations, de l'exotisme de la faune et au cœur desquels, protégés par le rideau d'aloès géants ou de manceniliers, nous trouvons les habitants en train de jouer *Alzire* ou *Mérope* — ou bien quelque colonne antique dédiée à Vénus, de même en pénétrant dans la pensée, dans l'érudition de cette duchesse de Guermantes que j'imaginais dérivée d'une essence autre que la nôtre et qui pouvait donner que des produits inconnus et singuliers, ce qu'on rencontrait en elle, avec surprise, avec attendrissement et avec un certain trouble aussi, c'était la meilleure méthode pour jouer Scarlatti et Weber et une connaissance approfondie des tableaux de Rembrandt qu'on avait dans les différents musées de l'Europe. Existant là si loin de notre vieux monde intellectuel et bourgeois où elles sont si connues, séparées de lui par toute l'étendue de son ◆◆ *b.* érudition [spéciale *add.*] en matière *plac. 3* ◆◆ *c. Sur plac. 3, Proust a corrigé* son frère avait épousé ma sœur *en* mon frère avait épousé sa sœur *. Cette modification est surprenante, le frère de M. de Guermantes, Charlus, ayant été marié à une princesse de Bourbon. Orig. donne cependant la première leçon, qui est celle de ms. et de plac. 1, et qui suppose l'existence d'une seconde sœur de M. de Guermantes (la première étant Mme de Marsantes, la mère de Saint-Loup), personnage qui n'apparaît nulle part ailleurs dans « À la recherche du temps perdu ».*

1. Ces tragédies de Voltaire furent respectivement créées en 1743 et 1736.

2. Maison de Lituanie dont la filiation remonte à 1412. Il y avait de nombreux Radziwill vivant au temps de Proust, qui connaissait le prince Léon (voir l'Esquisse VII, n. 2, p. 1051).

Page 816.

a. est vraiment ancienne, *ms., plac. 1* : est [vraiment *biffé*] ancienne, *plac. 3* ◆◆ *b.* si ses yeux restent trocken, on *ms. ; « trocken », en allemand, signifie « sec ».* ◆◆ *c.* Potsdam, toutes les pièces dont *ms., plac. 1* : Potsdam, [toutes les pièces *corrigé en* tous les opéras] dont *plac. 3*

Page 817.

a. que prêche M. de Norpois. » « Je crois qu'il est surtout préoccupé par un rapprochement Villeparisis-Norpois », dit la duchesse pour changer de conversation. « Mais est-ce qu'il y a encore lieu à plus grand rapprochement de ce côté-là ? demanda le prince. Je croyais qu'ils étaient déjà très près. » « Mon Dieu, je crois du moins qu'ils l'ont été, dit la duchesse en esquissant un mouvement d'effroi devant l'image d'accouplement que le prince lui suggérait. Mais on prétend, si ridicule que ça paraisse, que ma tante voudrait l'épouser. Non, sérieusement, cela a l'air inouï, mais je crois que c'est elle qui le désire et que c'est lui qui ne veut pas parce qu'elle l'ennuie déjà assez comme cela. Vraiment il faut qu'elle n'ait pas le sentiment < du > ridicule. Je me demande quand dans sa vie on < a > aussi rarement "résisté", quel besoin on a de donner comme consécration à une liaison le mariage dont tant d'autres fois on s'est passé. Ce n'est vraiment pas la peine de s'être fait fermer toutes les portes pour ne pas pouvoir supporter qu'une union reste illégitime, surtout quand l'union est aussi respectable que celle-là et, nous l'espérons tous, aussi platonique. Vous le connaissez, *ms., plac. 1*

1. Au début de la guerre des Boers (1899-1902), Guillaume II soutenait Paul Kruger contre Cecil John Rhodes et le gouvernement britannique. Il retira son soutien aux insurgés après des négociations avec le ministre anglais des colonies, Joseph Chamberlain. Le général Louis Botha (1862-1919) commanda les forces boers à partir de 1900 et jusqu'à la signature du traité de paix. Il devint premier ministre du Transvaal en 1907.

2. Voir n. 4, p. 540.

3. Voir *À l'ombre des jeunes filles en fleurs*, t. I de la présente édition, p. 469.

Page 818.

a. pour eux. Il est vrai qu'il ne l'avait guère été en ne transmettant aucune de mes déclarations à Mme Swann. Mais s'il s'était montré moins réservé devant Mme de Guermantes c'est que malgré la fausse maxime « qui peut le plus peut le moins », il pouvait davantage avec la duchesse de Guermantes qu'il connaissait davantage. C'est aussi que je n'étais plus vis-à-vis de Mme de Guermantes, comme je l'étais alors à l'égard de Mme Swann, frappé de cette impuissance partielle à faire rien réussir qui, tant qu'on est amoureux, s'applique aux seules choses qu'on désire, celles qui concernent notre amour. « Cela *ms.* : pour eux. Il est vrai *[comme dans ms.]* rien réussir qui dure tant qu'on est amoureux. « Cela *plac. 1* ◆◆ *b.* depuis longtemps, elle n'est plus que confite en dévotion et je crois que Booz-Norpois *ms.* : depuis longtemps, elle [n'est plus que *corrigé par biffures en* est plus] confite en dévotion. Booz-Norpois *plac. 1* : depuis longtemps, [elle est plus confite en dévotion. *biffé*] [Elle n'a de rapports qu'avec le bon Dieu. Elle est plus bigote que vous ne croyez et *add.*] Booz-Norpois *plac. 3* : depuis longtemps, elle est plus confite en dévotion. Booz-Norpois *orig.* Nous adoptons la leçon de *plac. 3.*

Page 819.

a. Vraiment il faut que ma pauvre tante n'ait pas le sentiment du ridicule. / *[une lacune]* avant-garde *ms.* : Vraiment [il faut que ma pauvre tante n'ait pas le sentiment de l' *corrigé par biffures et en interligne en* ma pauvre tante est comme ces artistes d'] avant-garde *plac. 1* : Vraiment ma pauvre tante [voulant absolument se marier "régulièrement" *add.*] est comme ces artistes d'avant-garde *plac. 3* ◆◆ *b. Proust oublie que ce général est déjà parti (voir p. 805). Il peut cependant s'agir d'une erreur de nom : il conviendrait alors de lire ici* Beauserfeuil *ou* Monserfeuil *(les deux noms ne désignant, semble-t-il, qu'un seul et même personnage). Dans la première rédaction de ms., le seul général présent était* Saint-Joseph *. Dans les additions, ce personnage fut nommé* Beaucerfeuil *. Certains* Saint-Joseph *subsistaient cependant sur plac. 1. Proust les a corrigés en* Beaucerfeuil *(qui deviendra par la suite)* Beauserfeuil *ou* Monserfeuil *) mais ne l'a pas fait de manière systématique, et a introduit un nouveau général, auquel il a donné l'ancien nom de Beaucerfeuil :* Saint-Joseph *. Nous ne signalerons plus cette variante.* ◆◆ *c.* la princesse était malade. J'étais accompagnée de Mme d'Hunolstein. Le prince est venu [...] ne pas voir Mme d'Hunolstein. Nous sommes montés au premier *ms., plac. 1* : la princesse était malade. J'étais accompagnée de Petite [(c'est un surnom qu'on donnait à Mme d'Hunolstein parce qu'elle était énorme). *biffé*] Le prince est venu m'attendre [...] ne pas voir Petite. [» « C'est presque une flatterie », interrompit le duc et faisant allusion à la taille gigantesque et à la poitrine énorme de Mme de Montpeyroux née Hunolstein *add.*]. Nous sommes montés au premier *plac. 3*

1. Victor Hugo, « Booz endormi », *La Légende des siècles*, v. 45-46. Voir aussi p. 849 et n. 1.

2. En réalité, Mme de Villeparisis est la fille de Cyrus de Bouillon (voir *À l'ombre des jeunes filles en fleurs*, p. 82 et 84). Florimond est le prénom de son grand-père (voir *Le Côté de Guermantes I*, p. 489). Le duché de Guise passa à la maison d'Orléans en 1832, après avoir été l'apanage des Condé.

Page 820.

a. de l'avis *[p. 819, 5ᵉ ligne en bas de page]* de Bruno. Quand on est née Bouillon, épouser un Norpois ce serait comme on dit à faire rire les poules. Notez que les Norpois *ms.* : de l'avis de Gilbert. Être la fille de Bruno de Guise ce serait [...] poules. Notez que les Norpois *plac.* 1 ↔ *b.* de la branche *[7 lignes plus haut]* des ducs de [Doudeauville *biffé*] [La Rochefoucauld *corr.*] mais ma grand-mère est [de la branche aînée des de La Rochefoucauld *biffé*] [des ducs de Doudeauville *corr.*] et les deux rameaux ne se sont pas réunis depuis Louis XIV, ce serait un peu loin. [Non, mais *[sa mère biffé]* [la tante de son père *corr.*]* était *[*Noailles comme la grand-mère d'Oriane *biffé]* la sœur du duc de Luynes », dit M. de Guermantes, imposant par ce beau nom historique de Luynes au terne et connu d'une manière si différente par moi, de Norpois, une ciselure qui le rendait tout à coup précieux comme une médaille. *biffé*] « Tiens c'est *ms.*

1. Jean Poton, seigneur de Xaintrailles ou Saintrailles (mort en 1461), combattit aux côtés de Jeanne d'Arc et devint maréchal de France en 1451.

Page 821.

a. et comme nous en descendons en ligne directe... » *[p. 820, fin de l'avant-dernier §]* « Saintrailles, le compagnon de Jeanne d'Arc », dis-je, en me souvenant brusquement pour la première fois qu'il y avait à Combray une rue de Saintrailles qui descendait depuis la rue de l'Oiseau jusqu'à la Vivonne, des rues et une rivière qui me semblaient exister aussi < bien > en dehors de la France, de la terre, du monde réel que les pavés de l'Enfer ou les Fleuves du Paradis. « Parfaitement, Saintrailles était comte de Combray, il épousa l'héritière de Guermantes, < ce > qui mit dans notre maison le comté de Combray. Dans l'église de Combray, au bas d'un vitrail représentant Saintrailles, les armes de Saintrailles sont écartelées (?) de celles de Guermantes. » Je tombai dans une profonde rêverie, je venais seulement de me rappeler que le nom de la duchesse de Guermantes désignait la charmante femme chez qui j'étais venu dîner, celle dont j'avais été amoureux il y avait quelques années, la nièce de Mme de Villeparisis, la tante de Saint-Loup, je venais de me rappeler qu'il avait eu pour moi autrefois un tout autre son, avait éveillé de tout autres images. Ainsi le nom de la duchesse de Guermantes avait été un nom collectif, ce n'était pas seulement dans l'Histoire, par l'addition de toutes les femmes qui avaient porté le nom de duchesse de Guermantes, mais même dans ma courte jeunesse, où en cette seule duchesse de Guermantes tant de femmes différentes s'étaient juxtaposées, chacune disparaissant quand la suivante avait pris assez de consistance. Les noms ne changent pas tant de signification dans toute l'histoire d'une langue que les noms ne varient pour nous dans l'espace de quelques années. Sous la moindre

phrase que nous disons on trouverait des serments parjurés, des
métamorphoses inobservées, des tombeaux que nous ne visitons plus. Car
la mémoire et le cœur ne sont pas fidèles, nous n'avons pas assez de place
dans notre pensée actuelle pour y garder les morts à côté des vivants,
et nous faisons comme les anciens qui, quand ils construisaient une ville
neuve, enterraient sous elle celles qui l'avaient précédée. Il faut des
fouilles pour les retrouver. M. de Guermantes venait de m'en faire faire
une. J'exhumais Combray, l'obscure rue de l'Oiseau avec les marches de
grès noirâtre devant chaque porte, la rue de Saintrailles que j'avais oubliée,
ce château des comtes de Combray enfoui sous les boutons d'or au bord
de la Vivonne. C'était cela le lieu réel où situer le compagnon de Jeanne
d'Arc. Ainsi un passé plus lointain encore de l'histoire de France, situé
hors de l'espace, venait, en hésitant, chercher, adopter mon sombre et
presque indiscernable passé situé hors du temps. Cet être presque
imaginaire, Saintrailles, venait prendre de la réalité et de la poésie à
Combray, et comme les personnages de ma lanterne magique venait s'y
peindre en belles couleurs de vitrail sur un passé qu'assombrissait un
double crépuscule. Mme de Guermantes me tira de ma rêverie. *ms.,
plac. 1* ◆◆ *b. L'édition originale donne* Hamlet *; cependant, sur plac. 1,
Proust a noté :* Pas d'italiques.

1. Cette tragédie de Shakespeare est située en grande partie à
l'intérieur du château d'Elseneur, au Danemark. Voir aussi « Marcel
Proust par lui-même » : « *Mes héros dans la fiction.* — Hamlet » (*Essais
et articles*, éd. citée, p. 337).

Page 822.

a. mais nullement sensibles à l'imagination. Mais voilà qu'une de ces
particularités que leur éducation laissait en eux, et où plus encore que
des préjugés de Saint-Simon, il entrait de l'enfantillage des *Historiettes* de
Tallemant qui réduit les grandeurs nobiliaires à n'être qu'un avantage
domestique qui rend la sœur jalouse de sa sœur comme quand dans une
famille bourgeoise l'aînée est mariée avant la cadette, de ce Tallemant
aimant à noter que M. de Guéménée criait *[8ᵉ ligne en bas de page]* à son
frère [...] « Lui du moins est prince », rendait aux amis de M. et Mme de
Guermantes leur poésie perdue. *ms., plac. 1 avec lég. var.* ◆◆ *b.* mieux
que moi que la comtesse d'Eu était princesse de Clèves, duchesse de Guise,
princesse de Porcien, etc., mais ils avaient connu, avant même tous ces
noms, le visage de la comtesse d'Eu que dès lors *ms.* : mieux que moi
que la duchesse de Milan était princesse de Clèves, duchesse d'Orléans
et de Guise, princesse de Porcien, etc., mais ils avaient connu, avant même
tous ces noms, le visage de la duchesse de Milan que dès lors *plac. 1*

1. Le comté carolingien du Porcien, dans le Bassin parisien, passa
à la couronne de France au XIIᵉ siècle. Aux XVIᵉ et XVIIᵉ siècles,
il fut une principauté. Catherine de Clèves, princesse de Porcien,
épousa Henri Iᵉʳ de Lorraine, prince de Joinville et duc de Guise.
La princesse Isabelle d'Orléans (1878-1961) épousa le duc de Guise
(1874-1940) en 1899 : par son mariage, elle était à la fois duchesse
de Guise, princesse d'Orléans, et princesse de Clèves et de Porcien.

2. Voir var. *a.* Gédéon Tallemant des Réaux (1619-1692),
mémorialiste français, est l'auteur des *Historiettes* (1657), parues en

1834. Le premier mot cité par Proust est attribué à Louis VII de Rohan, prince de Guéménée et duc de Montbazon : « Luy et d'Avaugour se raillent tousjours sur leur principauté. Il y a trois ans que d'Avaugour pretendit entrer en carrosse au Louvre : il ne put l'obtenir. Le prince de Guimené disoit : "Ah ! du moins a-t-il droit d'y entrer par la cour des cuisines." Une fois le cocher d'Avaugour mit ses chevaux sous les porches de la maison de Guimené, durant un grand soleil. "Entre, entre", luy cria Guimené, "ce n'est pas le Louvre" » (*Historiettes*, Bibl. de la Pléiade, t. II, p. 227). La seconde anecdote concerne l'un des fils du prince de Guéménée : « En monstrant le chevalier de Rohan, il disoit : "Pour celuy-là on ne dira pas qu'il n'est pas prince." C'est qu'on trouva un billet de Mme de Guimené à Monsieur le Comte où il y avoit : "Je vous meneray votre filz" ; et c'est cetuy-là » (*ibid.*) Le véritable père du chevalier de Rohan était en effet Louis de Bourbon, comte de Soissons, et non, comme le dit Proust, le duc de Clermont.

Page 823.

1. Il existe, dans la forêt de Fontainebleau, une croix du Grand-Veneur et une route Casimir-Perier distantes de 8 kilomètres environ.

2. Xénophon raconte, dans *L'Anabase*, l'histoire des dix mille Grecs que, en 401 avant Jésus-Christ, Cyrus le Jeune avait entraînés à la conquête de l'empire perse gouverné par son frère Artaxerxès. Après la défaite de Cunaxa, les Grecs retournèrent dans leur pays sous la conduite de Cléarque, puis de Xénophon lui-même.

Page 824.

a. leur reflétait *[p. 822, avant-dernière ligne du 2ᵉ §].* Sans doute pour moi aussi, la femme, en toutes les fées finissait par chasser la poésie du nom. Du moins j'étais parti de la fée, eux étaient partis de la femme, pareille aux autres femmes de notre temps. Ils étaient fort imbus de la noblesse d'une famille mais n'en parlaient que comme d'un avantage personnel, aussi matériel que l'argent par exemple. Et ce n'était pas d'ailleurs pour leur donner moins l'occasion d'en parler, car si à cause de cela ils mettaient quelque pudeur à parler de leurs avantages propres, en revanche ils étaient pleins d'admiration pour ceux d'autrui comme les gens très riches qui aiment à dire de ceux qui le sont presque autant qu'eux : « Il a un gros sac, c'est un vieux malin, c'est un vrai marquis de Carabas », de même M. de Guermantes, comme si placé trop près d'elle il ne voyait plus sa propre noblesse, disait : « C'est tout ce qu'il y a de plus grand, c'est tout ce qu'il y a de plus ancien, de mieux comme alliances, comme illustrations » en parlant des Rohan, des La Rochefoucauld, des Harcourt, desquels tous, pratiquement, la noblesse lui paraissait inférieure à la sienne, puisqu'il prétendait passer devant eux, mais l'enivrait davantage imaginativement. Ce petit détachement de lui-même, < dont > il avait besoin pour voir la noblesse dans une lumière agréable comme ces tableaux auxquels il faut un certain recul, était probablement la cause qu'il trouvait quelque chose de si merveilleux à être parent de gens qui le trouvaient au même degré à l'être de lui. Que ce fût pour cette raison ou pour tout autre, les mots « mais c'est ma cousine », « mais je crois bien, c'est une cousine à Oriane » explosaient à intervalles sinon réguliers du moins extrêmement courts dans la conversation de M. de Guermantes. Les mots : « ma tante Condé », « ma belle-sœur La Rochefoucauld », « mon cousin Argencourt » semblaient procurer à Mme de Guermantes une satisfaction particulière, avoir dans ses phrases la même utilité que certaines épithètes commodes aux poètes latins pour leur fournir dans leurs hexamètres là où il fallait un dactyle ou un spondée, et donner par eux-mêmes du sel à des histoires qu'elle eût peut-être sans cela trouvées insignifiantes. Or ces parentés s'étendaient fort loin, Mme de Guermantes se faisant un devoir de dire « ma tante » à des personnes avec qui on ne lui eût pas trouvé un ancêtre commun avant de remonter au Régent [ou à Louvois *biffé*], tout aussi bien que chaque fois que le malheur *ms.* : leur reflétait. Sans doute pour moi aussi, chez toutes les fées, la femme réelle finissait par chasser la poésie du nom. J'avais commencé [...] par la femme. Ils étaient fort imbus *[comme dans ms., avec lég. var.]* d'admiration pour ceux d'autrui, pareils en cela aux alliés des Rothschild (et ayant encore accumulé d'autres héritages) qui si on donne devant eux un pourboire trouvent spirituel de s'écrier : « Voyez-moi ce Rothschild ! », aux gens très riches qui aiment à dire *[comme dans ms., avec lég. var.]* chaque fois que le malheur *plac. 1*

1. Allusion au vers qui sert de transition entre les fables XI (« Le Lion et le Rat ») et XII (« La Colombe et la Fourmi ») du livre II des *Fables* de La Fontaine, illustrant toutes deux la même « vérité » : « L'autre exemple est tiré d'animaux plus petits. » Proust employait cette phrase dans les contextes les plus divers. Voir la *Correspondance*, t. XI, p. 103, t. XII, p. 265, et t. XIII, p. 229.

2. Les mariages d'aristocrates français désargentés avec de riches Américaines furent fréquents à la Belle Époque : ainsi, en 1893, le prince Edmond de Polignac (1834-1901) avait épousé Winnaretta Singer (1865-1943), fille des fabricants de machines à coudre (voir p. 826, et « Le Salon de la princesse Edmond de Polignac », *Essais et articles*, éd. citée, p. 469), et en 1895 furent célébrées les noces de Boniface de Castellane et d'Anna Gould, fille du « roi des chemins de fer américains », laquelle devait ensuite demander le divorce et se remarier avec le prince de Sagan en 1908.

3. François Michel Le Tellier, marquis de Louvois (1639-1691), fut ministre de la Guerre sous Louis XIV. Voir l'Esquisse XXXII, p. 1274.

Page 825.

a. d'en extraire. [En effet devant mon imagination ils replaçaient, désincarnés, ce que j'avais cessé de voir depuis que j'avais atterri au paillasson désiré des noms, des noms qui par la révélation d'alliances que j'ignorais entièrement changeaient brusquement de place par rapport les uns aux autres dans mon esprit jusque-là sclérosé où ils étaient immobilisés depuis longtemps, et auquel leurs positions nouvelles donnaient une nouvelle vie. *biffé*] / Parfois, *ms.* ⬥⬥ b. Tallien ou de Mlle de

Sabran. / Quelquefois en dehors même des portraits anciens que, plus instruit [...] posséder dans ses souvenirs de < s > portraits médiocres, mais authentiques et majestueux et qui donnaient [...] a grand air, quelquefois comme quand le prince d'Agrigente ayant demandé pourquoi le prince de *[un blanc]* avait dit en parlant du duc [...] Louis-Philippe », ce n'était pas une simple relique que je voyais ; c'était, pareille à celle si aimée d'Elstir, un des buts de mon futur voyage à Venise que Carpaccio peignit pour la confrérie de *[un blanc]*, toute une châsse depuis le premier compartiment où je me peignais la princesse aux fêtes de mariage de son frère le duc d'Orléans, habillée *ms*.

1. Proust fait allusion à deux meurtres dont il a lu le récit dans les *Mémoires* de Mme de Boigne. Fanny Sebastiani (1807-1847) avait épousé Charles de Choiseul, duc de Praslin, en 1824. Le 18 août 1847, elle fut assassinée par son mari, qui s'empoisonna et mourut le 24 (éd. citée, t. II, p. 450-451 ; voir *À l'ombre des jeunes filles en fleurs*, p. 84-85). Proust connaissait le comte Horace de Choiseul (1836-1915), petit-fils du duc de Praslin (voir la *Correspondance*, t. II, p. 355). Le second drame se déroula le 13 février 1820. Charles Ferdinand, duc de Berry (1778-1820), fut poignardé par un ouvrier. Avant de mourir, raconte Mme de Boigne, le duc de Berry « recommanda à sa femme deux jeunes filles qu'il avait eues en Angleterre d'une Mme Brown et dont il avait toujours été fort occupé. On les envoya chercher. Ces pauvres enfants arrivèrent dans l'état qu'on peut imaginer ; Mme la duchesse de Berry les serra sur son cœur. / Elle a été fidèle à cet engagement pris au lit de mort, les a élevées, dotées, mariées, placées près d'elle et leur a montré une affection qui ne s'est jamais démentie. Nous les avons vues paraître à la Cour, d'abord comme Mlles d'Issoudun et de Vierzon, puis comme princesse de Lucinge et comtesse de Charette » (*Mémoires*, tome cité, p. 29). Par la suite, « la duchesse de Berry fit élever à Rosny un tombeau renfermant le cœur de son malheureux époux sur lequel elle fit inscrire : "Tombé sous les coups des factieux." Cela choqua le pays qui avait pris une part si généreuse à sa douleur » (*ibid.*, p. 37-38 ; voir aussi p. 100).

2. Maria Juana Iñigo Teresa de Cabarrus (1773-1835), dite Mme Tallien, était la fille de l'ambassadeur d'Espagne à Paris avant la Révolution. Elle se maria avec le marquis de Fontenay, fut emprisonnée pendant la Terreur, et libérée par Jean-Lambert Tallien, qu'elle devait épouser en secondes noces, en 1794. Elle fut, dit-on, l'inspiratrice de la journée du 9 Thermidor, dont Tallien fut l'un des organisateurs. On la surnomma alors « Notre-Dame de Thermidor ». Par son esprit et son élégance, elle régna sur le monde du Directoire. En 1802, elle divorça de Tallien et se remaria trois ans plus tard avec le comte de Caraman, futur prince de Chimay. Le nom de Mme Tallien a-t-il été suggéré à Proust par le personnage de la princesse Alexandre de Caraman-Chimay, à qui il avait dédié en 1906 la préface de *Sésame et les lys* ? Quant à Madeleine Louise Charlotte de Poix, comtesse de Sabran (1693-1768), elle fut l'une des maîtresses du régent Philippe d'Orléans. Proust la fait paraître dans son pastiche

de Saint-Simon (*Pastiches et mélanges*, éd. citée, p. 57 ; mais peut-être s'agit-il de la princesse de Poix ; voir n. 3, p. 493).

3. Marie-Christine d'Orléans (1813-1839), fille de Louis-Philippe et sœur du duc d'Aumale, avait épousé le duc Alexandre de Wurtemberg (1804-1885) en 1837. Les lignes qui suivent ont été esquissées par Proust en 1908 : voir *Contre Sainte-Beuve*, éd. Fallois, chap. XIV.

4. Vittore Carpaccio a peint le cycle de *La Légende de sainte Ursule* entre 1490 et 1496 (Accademia de Venise), et Hans Memling (vers 1430 ou 1440-1494) la *Châsse de sainte Ursule* en 1489 (hôpital Saint-Jean de Bruges). Proust a pu voir les deux œuvres, la première en 1900, à l'occasion de ses deux séjours à Venise, la seconde au cours de son voyage hollandais de 1902. Voir l'Esquisse XXXII, p. 1273.

5. Les trois premiers tableaux de *La Légende de sainte Ursule* de Carpaccio représentent *L'Arrivée des ambassadeurs anglais chez le roi de Bretagne*, *Le Départ des ambassadeurs* et *Le Retour des ambassadeurs en Angleterre*. Ils illustrent le récit de Jacques de Voragine dans *La Légende dorée*. L'ambassade a été envoyée par le fils du roi d'Angleterre qui souhaite demander au roi de Bretagne la main de sa fille Ursule. Celle-ci répond qu'elle ne renoncera à sa virginité que si le prince païen se fait baptiser et consent à l'accompagner dans un pèlerinage de trois ans. Les ambassadeurs retournent dans leur pays pour transmettre ces conditions au fils de leur souverain, qui les accepte. Proust adapte cette trame à une histoire mettant en scène de nouveaux personnages, suite une fois de plus, des *Mémoires* de Mme de Boigne : en 1834, « le prince Léopold de Naples [comte de Syracuse, 1813-1860] se querella [...] avec le roi son frère. Il vint chercher un abri à la cour de France [...]. Le prince Léopold témoigna bientôt un vif désir de contracter avec la princesse Marie une alliance dont il avait déjà été question. La reine douairière de Naples le souhaitait extrêmement, le roi ne s'y opposait pas formellement, mais se refusait à tous les arrangements nécessaires à l'accomplissement de cette union [...]. L'amiral de Rigny fut envoyé à Naples pour forcer le roi à s'expliquer catégoriquement. Une conversation de dix minutes entre l'ambassadeur extraordinaire et Sa Majesté Napolitaine amena une rupture ouverte » (éd. citée, t. II, p. 382). Trois ans plus tard, en mai 1837, eut lieu, à Fontainebleau, le mariage du frère de la princesse Marie, Ferdinand Philippe, duc d'Orléans (1810-1842), avec la princesse Hélène de Mecklembourg-Schwerin (1814-1858). La cérémonie fut somptueuse et les fêtes durèrent plusieurs jours. Au milieu de ces réjouissances, Mme de Boigne fut « frappée » de la tristesse de la princesse Marie. « Son attitude de mécontentement s'étendait jusqu'au choix de sa toilette. Tandis que nous étions toutes couvertes de broderies, de dentelles, de plumes, elle seule avait adopté un costume d'une simplicité qui faisait un étrange contraste. [...] Regrettait-elle le premier rang que cette gracieuse étrangère venait lui ravir, ou bien ces noces renouvelaient-elles le chagrin qu'elle commençait à ressentir de n'être point encore mariée ? » (*ibid.*, p. 347-348).

6. Le sixième tableau de *La Légende de sainte Ursule*, intitulé *Le Songe de sainte Ursule* (cité par Proust en 1908 ; voir *Contre Sainte-Beuve*, éd. Fallois, chap. XIV), représente la jeune fille endormie dans un lit au pied duquel se tient l'ange qui vient lui annoncer son prochain martyre. Après le mariage du duc d'Orléans, la reine Marie-Amélie chercha un époux pour la princesse Marie. « Le roi des Belges proposa le duc Alexandre de Wurtemberg, sixième cadet de cadet, mais appartenant à la maison royale. » Le mariage fut célébré en 1837, et la duchesse de Wurtemberg fut bientôt enceinte. « Quoique la fin de sa grossesse fût pénible, elle accoucha très heureusement, le 30 juillet 1838, d'un enfant si énorme qu'on attribua ses souffrances précédentes à cette cause, et, pendant quelques semaines, son état ne donna nulle inquiétude ; mais, loin de se rétablir, elle s'affaiblissait de plus en plus et son dépérissement augmentait » (Mme de Boigne, *Mémoires*, éd. citée, t. II, p. 384 et 389). Elle devait mourir le 2 janvier 1839. Dans *Contre Sainte-Beuve* (éd. Fallois, chap. XIV), l'histoire de la princesse Marie n'est pas peinte sur une châsse mais se présente sous la forme d'un vitrail imaginaire. Avant la scène de l'accouchement, Proust y décrit un tableau supplémentaire, qui correspond à la quatrième partie du cycle de Carpaccio (*La Rencontre des fiancés et le Départ en pèlerinage*) et qui n'apparaît plus dans *Le Côté de Guermantes II* : « Puis voici un beau jeune homme, le duc de Wurtemberg qui vient demander sa main et elle est si heureuse de partir avec lui qu'elle embrasse en souriant sur le seuil ses parents en larmes, ce que jugent sévèrement les domestiques immobiles dans le fond [...] »

7. Si le duc de Wurtemberg est le frère de la mère du prince Von, comme M. de Guermantes le dit plus haut, le fils de la princesse Marie n'est pas l'oncle de ce prince, comme Proust l'écrit ici, mais son cousin.

Page 826.

a. *À trois reprises, Proust a écrit*   le prince de X.   *pour ne pas répéter toute la liste des titres. Nous avons remplacé l'abréviation par*   prince Von   . ◆◆
b. car il en avait hérité d'un duc de Wurtemberg. Tel est en effet l'aspect domestique, privé, que l'aristocratie donne à l'histoire ; et quand M. de Guermantes pour   *ms.*

1. Mme de Boigne affirme que la princesse Marie « exprimait volontiers sa joie » que son mari ne « possédât pour tout état qu'une maison de campagne en Saxe, portant le singulier nom de *Fantaisie* » (*Mémoires*, éd. citée, t. II, p. 386). La jeune femme mourut sans avoir vu le château, situé près de Bayreuth, et où furent par la suite recueillis des tableaux qu'elle avait peints. Le texte sur Fantaisie figure dans l'une des premières esquisses d'*À la recherche du temps perdu*, comme en témoigne une note du Carnet 1 : « *Pages écrites.* / [...] La petite-fille de Louis-Philippe, Fantaisie [...] » (Marcel Proust, *Le Carnet de 1908*, Gallimard, 1976, p. 56). Cette page fait partie des

soixante-quinze feuillets rédigés en 1908 et partiellement publiés par Bernard de Fallois (*Contre Sainte-Beuve*, éd. Fallois, chap. XIV).

2. Sophie-Wilhelmine (1709-1758), sœur de Frédéric le Grand, épousa en 1731 l'héritier du margraviat de Bayreuth. Elle a écrit des *Mémoires* en français. Ils couvrent la période allant de 1706 à 1742 et furent publiés en 1810. Voltaire a écrit une ode sur la mort de la margravine.

3. Louis II de Wittelsbach (1845-1886), roi de Bavière, fut le protecteur de Wagner qu'il aida financièrement dans la construction du nouveau théâtre de Bayreuth, inauguré en 1876. En 1908, Proust évoquait le château de Fantaisie dans lequel un prince, « fantaisiste lui aussi », devait « mourir jeune », après d'« étranges amours, Louis II de Bavière » (*Contre Sainte-Beuve*, éd. Fallois, chap. XIV). En vérité, Louis II mourut noyé dans le lac de Starnberg, près du château de Berg.

4. Voir n. 2, p. 824. Le prince de Polignac était « un grand esprit et un puissant musicien », écrivait Proust en 1903. « Sa musique religieuse et ses mélodies sont aujourd'hui consacrées de l'admiration des plus raffinés. [...] Cet homme dont la vie était perpétuellement tendue vers les buts les plus hauts et l'on peut dire les plus religieux, avait ses heures de détente pour ainsi dire enfantine et folle, et les délicats, "qui sont malheureux", trouveraient bien grossiers les divertissements où condescendait ce grand délicat » (*Essais et articles*, éd. citée, p. 464-466).

5. Proust utilise ici un article d'Anatole France sur Balzac, paru dans *Le Temps* du 29 mai 1887 et repris dans *La Vie littéraire*, première série, en 1888 : « C'est ainsi que l'homme qui domine le siècle, Napoléon, ne figure que six fois dans toute *La Comédie humaine*, et de loin, dans des circonstances tout à fait accessoires (Voyez le livre de MM. Cerfberr et Christophe, p. 47) » (Anatole France, *Œuvres complètes*, Calmann-Lévy, 1928, t. VI, p. 141). En effet, dans *Une ténébreuse affaire*, à la veille de la bataille d'Iéna, Laurence de Cinq-Cygne, jeune femme aux opinions royalistes, va demander la grâce des conjurés à l'Empereur, « objet de sa haine et de son mépris » (*La Comédie humaine*, Bibl. de la Pléiade, t. VIII, p. 676-682). — Proust a souvent consulté le *Répertoire de la « Comédie humaine » de H. de Balzac* par Anatole Cerfberr et Jules Christophe (Calmann Lévy, 1887). En 1921, Georges de Traz lui proposa de composer un tel dictionnaire consacré à son œuvre. Proust fut séduit par cette idée, tout en émettant des réserves (voir Marcel Proust, *Choix de lettres*, Plon, 1965, p. 263-264 et *Lettres à la NRF*, Gallimard, 1932, p. 144).

Page 827.

1. *Fables*, III, 1, « Le Meunier, son fils et l'âne ». Le mot cité par Proust fut prononcé, à l'occasion de la visite en France du roi d'Angleterre, en 1907, par Camille Groult (1832-1908), un collection-

neur de tableaux dont la fortune reposait sur le commerce de la farine et des pâtes alimentaires. « On avait demandé au marquis de Breteuil [...] d'organiser chez M. Groult, pour le roi, un déjeuner suivi de la visite de ses collections. Pour être sûr qu'on n'inviterait personne d'indésirable, M. de Breteuil réclama une liste complète des invités. M. Groult répondit [...] : "Ne vous inquiétez pas, nous déjeunerons en petit comité, il n'y aura que le meunier, son fils et vous." » (George Painter, *Marcel Proust*, ouvr. cité, t. I, p. 254).

Page 829.

a. leur impose la sienne *[p. 826, 3e ligne en bas de page]. Il arriva ms., plac. 1* ◆◆ *b. À propos de cette expression, voir var. c, p. 820.* ◆◆ *c.* tout en noir. Mme de Norpois, née [Luynes *biffé*] [La Rochefoucauld *corr.*] ! Bien que je fusse si habitué à ce nom de Luynes il me paraissait tout d'un coup quelque chose de nouveau, d'extraordinaire, de merveilleux, possédé par une Norpois, comme ce bout de jardin, cette parcelle de ciel qui paraîtraient peu de chose à la campagne et qui semblent un tel luxe à Paris. D'ailleurs cette mobilité *ms.*

Page 830.

a. village lointain, comme ces mortels qu'un Dieu a changés en rocher, en fleur ou en source. Un jour *ms.*

1. Le duché de Reggio, qui appartenait depuis 1290 à la famille d'Este, fut donné en 1809 à Nicolas-Charles Oudinot, maréchal de France, par Napoléon, après la bataille de Wagram. — Ce passage fait double emploi avec celui de la p. 808.

2. Guermantes est situé, en réalité, en Seine-et-Marne, près de Lagny-sur-Marne (voir Elyane Dezon-Jones, « Guermantes », *Bulletin de la Société des amis de Marcel Proust*, 1982, n° 32, p. 475-479).

Page 831.

a. des désordres de Guermantes pareilles à Mme de Villeparisis alternant avec le genre de vertu de Guermantes semblables à la duchesse Oriane, avec toujours une génération d'intervalle, et des barons de Charlus, et des ducs de Guermantes presque *ms.* ◆◆ *b.* correspondants *[10 lignes plus haut]* leurs amis depuis Mme de Motteville jusqu'à la duchesse de Broglie en passant par le prince de Ligne, intérêt moins grand pourtant que le mien qui venu plus tard et pouvant comparer plus de documents, avait une plus riche série d'« observations » entre les mains. Mais cet intérêt historique était relativement au principal qui était l'incantation des Noms nouveaux que M. de Guermantes citait comme étant ceux de parents et d'alliés glorieux et fort imprévus pour moi de ses hôtes, de désincarner les noms de ces derniers devenus invisibles pour moi sous leur masque de chair vulgaire et d'intelligence commune, depuis que j'avais atterri au paillasson *ms.*

1. Sur Théodore, voir *Du côté de chez Swann*, t. I de la présente édition, p. 61 ; sur le livre écrit par le curé de Combray, voir le même volume, p. 101-102, et n. 3, p. 104.

2. Sur la princesse palatine (1652-1722), voir t. I de la présente édition, n. 4, p. 532.

3. Françoise Bertaut, dame Langlois de Motteville (1621-1689), fut femme de chambre de la reine d'Autriche. Elle est l'auteur des *Mémoires pour servir à l'histoire d'Anne d'Autriche*, publiés en 1723.

4. Charles-Joseph, prince de Ligne (1735-1814), diplomate et littérateur belge, feld-maréchal d'Autriche, fit de nombreux voyages dans toute l'Europe et fréquenta les personnalités les plus marquantes de son temps : Frédéric II de Prusse, Catherine de Russie, Joseph II, Voltaire, Rousseau, Goethe, etc. Ses écrits ont été réunis sous le titre de *Mélanges militaires, littéraires et sentimentaires* (trente-quatre volumes ; 1795-1811). Mme de Staël en a publié un choix dans les *Lettres et pensées du prince de Ligne* (1809). Voir la *Correspondance*, t. XV, p. 293.

5. La famille de Damas est originaire de Bourgogne et connue depuis le XIe siècle.

6. Le duché de Modène fut constitué en 1452 au profit de la maison d'Este. Le dernier duc de Modène, François V (1819-1875) régna jusqu'à l'annexion du duché au royaume d'Italie, en 1859.

Page 832.

a. couleur différente (Guise, York, Chevreuse, Soubise, Joinville, Tournay-Charente, Aumale) se détachaient *ms.* ◆◆ *b.* femmes si parées, *plac. 3. Nous donnons des états antérieurs, pour ce passage, à la variante c.* ◆◆ *c.* voulu me retirer *[début du 2e §],* moins encore à cause de mon rendez-vous avec M. de Charlus qu'à cause de l'insignifiance que je sentais que ma présence imposait à une de ces réunions si belles jadis quand se les représentait mon imagination. Chaque fois, M. et Mme de Guermantes *ms., plac. 1 avec lég. var.*

1. Antoine de Bourbon (1518-1562), duc de Vendôme, devint roi de Navarre en 1555 par son mariage avec Jeanne d'Albret.

2. Anne Geneviève de Bourbon-Condé (1619-1679), sœur du grand Condé, épousa Henri II, duc de Longueville. Elle tint un célèbre salon littéraire, fut la maîtresse de La Rochefoucauld, l'auteur des *Maximes*, et participa à la Fronde. Après la mort de son fils, elle se retira chez les carmélites.

3. L'« arbre de Jessé » est l'arbre généalogique du Christ, dont Jessé, père de David, constitue le premier « rejeton ». Dans *L'Art religieux du XIIIe siècle en France*, Émile Mâle a consacré deux pages à ce sujet : « De toutes les prophéties, il n'en est, à vrai dire, qu'une seule qui ait inspiré l'art d'une façon durable, c'est celle d'Isaïe sur le rejeton de Jessé : "Il sortira un rejeton de la tige de Jessé, et une fleur s'épanouira au sommet de la tige, et sur elle reposera l'esprit du Seigneur, l'esprit de Sagesse et d'Intelligence, l'esprit de Conseil et l'esprit de Force, l'esprit de Science et de Piété, l'esprit de Crainte du Seigneur le remplira... En ce temps-là le rejeton de Jessé sera exposé devant tous les peuples comme un étendard" [Isaïe, XI, 1-2, 10]. [...] Les artistes du Moyen Âge ne se laissèrent pas effrayer par un motif si abstrait. Ils trouvèrent pour rendre le texte

d'Isaïe quelque chose de naïf et de magnifique. [...] Combinant les versets d'Isaïe avec la généalogie de Jésus-Christ, telle qu'elle est rapportée dans l'Évangile de saint Matthieu [I, 1-17] [...], ils représentèrent un grand arbre sortant du ventre de Jessé endormi ; le long de la tige ils étagèrent les rois de Juda ; au-dessus d'elle Jésus-Christ ; enfin, ils firent à Jésus une auréole de sept colombes, pour rappeler que sur lui s'étaient reposés les sept dons du Saint-Esprit. C'était vraiment là l'arbre héraldique du Christ : sa noblesse devenait ainsi manifeste aux yeux. Mais, pour donner à la composition tout son sens, ils mirent, à côté des ancêtres selon la chair, les ancêtres selon l'esprit. Aux vitraux de Saint-Denis, de Chartres et de la Sainte-Chapelle, on voit, auprès des rois de Juda, les prophètes, le doigt levé, annonçant le Messie qui doit venir. L'art ici a égalé, sinon surpassé, la poésie du texte » (éd. citée, p. 166-167). L'image de l'arbre de Jessé, déjà présente dans les soixante-quinze feuillets de 1908 (voir *Contre Sainte-Beuve*, éd. Fallois, chap. XIV), est encore employée par Proust, en octobre 1912, dans une lettre à Mme Straus, à qui il révèle ses projets littéraires : « Ce désir d'écrire sur ce Sainte-Beuve, c'est-à-dire à la fois sur votre famille considérée comme un Arbre de Jessé dont vous êtes la fleur — et aussi sur Sainte-Beuve est ancien » (*Correspondance*, t. XI, p. 240).

Page 833.

a. trop absurde ; en effet j'aurais été empressé à le chasser pour la seule cause qu'il décevait un des plus vieux rêves de mon imagination ; mais j'aurais résisté à me donner cette satisfaction et j'aurais préféré à une illusion poétique une vérité cruelle ; fort heureusement il n'était pas moins choquant pour la raison et le simple bon sens défendait de s'y arrêter. Je dus pourtant reconnaître que ces dames étaient   *ms., plac. 1 avec lég. var.*

1. Rappel du leitmotiv — devenu rare — de *Parsifal*. Voir n. 1, p. 716.

Page 835.

1. En 1828, Franz Schubert a composé six brèves pièces pour piano intitulées *Moments musicaux* (*Musikalische Momente*, op. 94).

2. Proust a entendu cette phrase chez la princesse Mathilde : « Il y avait [...], parmi les intimes de la princesse, une personne [...] qui égayait tout le monde à ses dépens tant elle était simple d'esprit [...]. / "Mon cher, disait à un de ses amis la princesse, après le dîner, un soir de neige, puisque vous voulez absolument partir, prenez au moins un parapluie. Il ne neige plus en ce moment, mais il peut reneiger. / — C'est inutile, il ne neigera plus, princesse, interrompit la personne en question, car elle intervenait volontiers. Il ne neigera plus. / — Qu'en savez-vous ? demanda la princesse. / — Je le sais, princesse, il ne neigera plus... Il ne peut plus neiger... On a mis du sel !" » (*Essais et articles*, éd. citée, p. 447).

Page 836.

a. impossible *[p. 835, 4ᵉ ligne en bas de page],* on a jeté du sel dans les rues. D'ailleurs, ajouta-t-elle en <ne> tenant pas compte de mes dénégations au sujet de M. Jurien de La Gravière, Monsieur doit avoir le pied marin. Bon sang *ms.*

1. Voir *Du côté de chez Swann,* t. I de la présente édition, p. 177-180.
2. Voir *À l'ombre des jeunes filles en fleurs,* p. 77.

Page 837.

a. dans la suite [de même que ce fut grâce à elle qui n'entendait rien à la littérature que je connus un recueil de lettres d'Emerson qui me serait peut-être resté inconnu sans cela *biffé*]. Les vers *ms.*

Page 838.

a. crépuscule. Je *ms.*

1. En juillet 1904, Proust fut invité à Vallières, château du duc de Gramont. « Quand je fus arrivé le duc de Gramont m'a demandé de signer sur le registre où il avait fait signer les autres invités de ce soir-là et j'allais apposer ma signature au-dessous d'un tout petit Gutmann suivi d'un énorme Fitz-James et d'un immense Cholet suivi d'un tout petit Chevreau et d'un Mailly Nesle-La Rochefoucauld d'égale grandeur, quand le duc de Gramont, que mon attitude humble et confuse (jointe à ce qu'il savait que j'écrivais) remplissait d'inquiétude, m'adressa d'un ton à la fois suppliant et énergique ces paroles lapidaires : "Votre nom, monsieur Proust, mais... *pas de pensée !*" Le désir d'avoir le nom et la crainte d'avoir la "pensée" eussent été plus justifiés si c'était moi qui l'avais eu à dîner et lui avais demandé de signer : "Votre nom, monsieur le Duc, mais pas de pensée" » (lettre à Bertrand de Fénelon, peu après le 17 juillet 1904, *Correspondance,* t. IV, p. 198). Proust a également cité cette anecdote dans son pastiche des Goncourt rédigé en juillet 1912 sur l'album de la comtesse de Lauris (voir la *Correspondance,* t. XI, p. 161, n. 5).

Page 839.

a. On lit cette note sur le folio 34 rº du Cahier 61, rédigée pendant la correction des épreuves : À propos de la citation sur la Préface de *La Chartreuse de Parme :* — conception d'ailleurs que je blâme, car elle fait de la littérature (voir mon annotation dans mon exemplaire.) *Voir n. 1.* ◆◆ *b.* des lettres de Louis XIII, pour *ms., plac. 1 :* des lettres d'Henri IV, pour *plac. 3* ◆◆ *c.* acheter des Burne-Jones et *ms.* ◆◆ *d.* leurs merveilleux Gouthière et leurs meubles *ms.*

1. La préface de Balzac à *La Chartreuse de Parme* et les lettres de Joubert ne sont pas ici associées par hasard. Ce sont des œuvres qui

déprécient la littérature au profit d'activités secondaires, pense Proust qui, toutefois, fait une confusion en ce qui concerne Balzac. L'étude que celui-ci consacra à *La Chartreuse de Parme*, et qui parut le 25 septembre 1840 dans *La Revue parisienne*, fut publiée en tête de l'édition de 1846, suivie de la lettre de Stendhal remerciant Balzac. L'exemplaire du roman de Stendhal ayant appartenu à Proust (voir var. *a*, p. 839), contient cette note manuscrite : « Ainsi la littérature n'est qu'un équivalent d'une bonne soirée où le zambajon [sabayon] est délicieux » (voir Jacques Suffel, *Marcel Proust en son temps*, catalogue de l'exposition du musée Jacquemart-André, 1971, p. 58). Néanmoins, cette remarque de Proust ne concerne pas la préface de Balzac mais l'« Avertissement » de Stendhal. Proust l'a développée dans sa préface à *Tendres stocks* : « [Beyle] plaçait la littérature non seulement au-dessous de la vie, dont elle est au contraire l'aboutissement, mais des plus fades distractions. J'avoue que, si elle était sincère, rien ne me scandaliserait autant que cette phrase de Stendhal : "Quelques personnes survinrent et l'on ne se sépara que fort tard. Le neveu fit venir du café Pedroti un excellent zambajon. Dans le pays où je vais, dis-je à mes amis, je ne trouverai guère de maison comme celle-ci, et pour passer les longues heures du soir, je ferai une nouvelle de votre aimable duchesse Sanseverina." *La Chartreuse de Parme* écrite faute de maisons où l'on cause agréablement et où l'on serve du zambajon, voilà qui est tout à l'opposé de ce poème ou même de cet alexandrin unique vers lequel tendent, selon Mallarmé, les diverses et vaines activités de la vie universelle » (*Essais et articles*, éd. citée, p. 612 ; voir Stendhal, *Romans et nouvelles*, Bibl. de la Pléiade, t. II, p. 23). Quant à Joubert (voir *À l'ombre des jeunes filles en fleurs*, p. 86, et *Le Côté de Guermantes I*, n. 1, p. 499), Proust lui reprochait de chercher à « plaire dans sa correspondance » : « [...] il y a chez Joubert une rareté qui exprime à sa manière la solitude (l'inspiration, le moment où l'esprit prend contact avec soi-même, où la parole intérieure n'a plus rien de la conversation et nie l'homme en tant qu'être causeur et discuteur) et malgré cela quelque chose de perpétuellement social, tout aux lettres, aux conversations, aux retours sur sa propre personne à lui Joubert, sur la vie conçue comme faite pour la société (ce qui est aussi le faible de Stendhal, combien différent, d'ailleurs) » (*Essais et articles*, éd. citée, p. 650).

2. Sur Eugène Carrière, voir *À l'ombre des jeunes filles en fleurs*, n. 1, p. 114.

3. André Charles Boulle (ou Boule), ébéniste français (1642-1732), a produit des meubles en bois précieux incrustés d'écaille, de cuivre doré, de nacre, etc., qui représentent le triomphe du style Louis XIV.

4. Nous n'avons pu retrouver la signification de cette expression, qui était déjà une curiosité pour Proust.

Page 840.

    a. au bleu, etc., *[1ʳᵉ ligne de la page]* tout le pittoresque détail de la vie auquel un artiste ne fait pas attention dans son enfance, absorbé qu'il est dans les visions lointaines de son imagination qui s'éveille, et qu'il trouve, à retrouver plus tard chez ceux qui en sont les aimables conservateurs, un plaisir qui n'est d'ailleurs pas sans danger. Car *ms.* ◆◆ *b.* cela se dit ainsi. » *[10 lignes plus haut]* Conversations aristocratiques gardant tout de même un certain confortable français, qui rendait légitime dans son injustice même l'hilarité qu'excitaient chez Mme de Guermantes les mots « vatique », « pythique », « cosmique » etc., dans la conversation de Saint-Loup aussi bien que des meubles de chez Bing dans son appartement. Enfin, pour revenir à ce soir-là et à ce qui, différent de l'aristocratie, était particulier à l'esprit de Mme de Guermantes, les plaisanteries qu'elle avait faites sur la fécondation des orchidées donnaient à la vie de la nature un caractère drôle, humain, qui la rapetissait et lui retirait pour moi toute poésie ; une fois cette impression oubliée, ce qu'elle m'avait dit de son jardin, de son orchidée, de l'arbre de la cour eut pour effet de < faire > revivre en moi ce désir que j'avais eu à Balbec d'assister à la fécondation des fleurs et me fit me jurer qu'une fois que la belle saison serait revenue j'irais à la campagne, non plus comme je m'en étais fait, en enfant, la promesse, que mon état de santé m'avait empêché de tenir, pour aller rendre visite aux aubépines, mais pour, dans une campagne plus riche, plus lourde de pollen, plus traversée d'abeilles, assister aux visites que celles-ci feraient aux fleurs, suivre le trajet que le pollen ferait de l'une à l'autre et être le témoin de ces pluies fécondantes comme celle de Jupiter (?) dont Mme de Guermantes avait parlé devant moi à la princesse de Parme. / Mais si au moment où je l'éprouvais cette exaltation était assez forte, comme elle n'avait pas pour cause une impression personnelle que je pusse approfondir, d'où je pusse essayer de tirer ce qu'elle contenait, elle ne me dirigeait pas vers moi-même comme avait fait autrefois l'odeur des aubépines ou le goût d'une madeleine. Mais cette excitation était bien différente de celle qui m'avait penché vers moi-même pour essayer d'y capter une impression personnelle, quand j'étais à regarder des aubépines, ou un jour que je buvais une tasse de thé ; les histoires *ms.* ◆◆ *c.* force centrifuge qui, contrairement à l'exaltation poétique, le détournait de se fixer sur soi-même. Comme elle était sociale, pour la prolonger, je rêvais de pouvoir la partager avec de nouvelles gens du monde, à qui je pusse redire les anecdotes du prince, les mots de Mme de Guermantes et qui eux-mêmes m'en diraient d'autres. Aussi *ms.*

1. Ce sont les enfants consacrés à la Vierge, dont le bleu est la couleur symbolique.

2. Voir n. 2, p. 423.

3. Siegfried [dit Samuel] Bing (1838-1905), collectionneur français, publia de 1888 à 1891 la revue *Le Japon artistique*. Ainsi que les Goncourt, il favorisa le goût japonais et chinois, et introduisit le *modern style* dans l'ameublement. Marie Nordlinger, la cousine de Reynaldo Hahn, qui fournit à Proust des renseignements pour sa traduction de Ruskin, travailla pendant quelque temps chez lui dans les ateliers de *L'Art nouveau*, 22, rue de Provence. Voir la lettre du 30 janvier 1904 où Proust lui propose de la retrouver « chez Bing » (*Correspondance*, t. IV, p. 50-51).

Page 841.

a. oublié *[p. 840, dernière ligne]*, dans cette pièce dont [...] dire qu'elle était immense, *plac. 3. Pour les états antérieurs, voir var. b.* ◆◆ *b.* ivresse de

paroles *[p. 840, 3ᵉ ligne en bas de page]*. Résigné pourtant j'allais *ms.* :
ivresse de paroles. Ces vingt-cinq minutes ne m'avaient d'ailleurs donné
le loisir de rien observer et j'aurais été bien en peine de dire de ce salon
autre chose que ceci, qu'il était immense et [tout en boiseries *biffé*]
verdâtre, avec quelques portraits. Le besoin de parler empêche non
seulement d'écouter, mais de voir et en ne décrivant pas le salon de M. de
Charlus, je décris par là-même, en dehors de l'incapacité que j'ai toujours
eue à observer certaines choses, l'état particulier où je me trouvais.
J'allais *plac. 1* ◆◆ *c. La majeure partie de l'épisode concernant la visite chez*
M. de Charlus fut rédigée avant la conclusion du « Côté de Guermantes II ».
Une note de ms. *indique la manière dont Proust a rédigé la fin du*
manuscrit :   Tout ceci maintenant est la suite de 17 pages moins loin, j'ai
laissé 17 pages de blanc, bien qu'il ne doive y avoir aucun intervalle mais
parce qu'ayant écrit d'avance ce qui vient, j'avais mal calculé la place qu'il
me faudrait.   *Le texte est remarquable par l'absence de ratures, et suppose une*
étape de rédaction intermédiaire qui a disparu. Seul le début a été remanié. On
trouve au commencement de l'épisode ce passage biffé :   laissé attendre ainsi parce
qu'il ignorait mon arrivée. Peut-être le valet de pied avait-il téléphoné
à un valet de chambre qui était couché et s'était rendormi sans prévenir
son maître. J'attendis cependant jusqu'à minuit moins vingt et j'allais sortir
du salon pour tâcher de retrouver mon chemin par les antichambres et
de me faire ouvrir pour rentrer chez moi sans faire réveiller M. de Charlus
quand un maître d'hôtel entra, l'air préoccupé. *ms.* ◆◆ *d.* ne lui
reparlaient pas de quinze jours, par jalousie : *orig. Nous adoptons la*
correction de plac. 3.

    1. Saint-Simon rapporte que François-Louis de Bourbon, prince de
Conti (1664-1709) « galant avec toutes les femmes, amoureux de
plusieurs, bien traité de beaucoup, [...] était encore coquet avec tous
les hommes : il prenait à tâche de plaire au cordonnier, au laquais,
au porteur de chaise, comme au ministre d'État, au grand seigneur,
au général d'armée, et si naturellement que le succès en était certain »
(*Mémoires*, Bibl. de la Pléiade, t. III, p. 368).

Page 842.

    a. étendu sur une chaise longue. Le valet *ms., plac. 1* : étendu sur
un canapé. Je fus [...] reflets » [posé *add.*] sur une chaise [...] Le
valet *plac. 3*

    1. Dans son pastiche de Saint-Simon, Proust écrit : « Montesquiou
[...] jouait fort au roi, avec des faveurs et des disgrâces jusqu'à
l'injustice à en crier [...] » (*Pastiches et mélanges*, éd. citée, p. 50).

Page 843.

    a. devant. *[10 lignes plus haut]* Vous n'avez pas reconnu dans la reliure
le linteau *ms.*

    1. Voir *À l'ombre des jeunes filles en fleurs*, p. 125-126.

    2. « Ne m'oubliez pas » est en effet un autre nom du myosotis.

a. même s'il y avait tantôt   *orig. Nous intégrons l'addition portée par Proust sur plac. 3.*

1. Vélasquez peignit *La Reddition de Breda*, ou *Les Lances*, en 1635. Le tableau, destiné à orner un salon du palais du Retiro, représente le général génois commandant l'armée espagnole, Ambrogio Spinola, qui reçoit les clefs de la ville de Breda des mains de Justin de Nassau après le long siège de 1625. Cette œuvre appartient au musée du Prado (Madrid).

2. Le 16 juillet 1895, Proust écrivait à Robert de Montesquiou : « Même sur des points d'expérience, une théorie comme celle de l'"épreuve de la très grande amabilité" est un de ces clous d'or par lesquels toute pensée indécise, toute conversation vacillante de nous autres qui sommes encore si peu fermes et sûrs de nous, est éblouie et fixée » (*Correspondance*, t. I, p. 410). Après la parution du *Côté de Guermantes II*, Montesquiou s'étant reconnu dans Charlus, Proust tenta de l'apaiser en faisant quelques concessions qui, portant sur des points de détail, détournaient l'attention de son ami du motif essentiel. Ainsi, en juin 1921, Proust lui confiait : « L'éloge que vous dites que je vous adresse est, sans doute, "ce que le seul homme supérieur de notre monde nomme l'épreuve de la trop grande amabilité". Vous me faites injure en croyant que je laisserai d'autres se targuer du titre et du mot, et si cela vous plaît ainsi je ferai suivre les mots : "le seul homme supérieur de notre monde" de votre nom imprimé, si l'on fait un nouveau tirage » (*Correspondance générale*, éd. citée, t. I, p. 286-287). Dans un brouillon de 1910-1911, Proust avait d'ailleurs parlé d'« un homme de grand talent qui est l'homme le plus spirituel d'aujourd'hui, Robert de Montesquiou » (Esquisse XXXII, p. 1285). Notons qu'il n'a, semble-t-il, pas hésité à laisser d'autres « se targuer [...] du mot ». Élisabeth de Clermont-Tonnerre cite en effet une lettre de Proust à un correspondant qui n'est pas nommé : « Vous êtes de ceux dont le cher prince de Polignac disait qu'ils se montrent incapables de supporter la redoutable et décisive épreuve de l'excessive amabilité » (*Robert de Montesquiou et Marcel Proust*, ouvr. cité, p. 236).

1. Thomas Chippendale (1718-1779), ébéniste anglais, a inventé un style de mobilier qui développe les motifs « rocaille » du style Louis XV, et emprunte à l'art chinois et au gothique flamboyant.

2. Saint Bonaventure, Giovanni di Fidanza (1221-1274), surnommé « le Docteur séraphique », est l'auteur de plusieurs ouvrages théologiques, dont une *Vie de saint François*. Alberto Beretta Anguissola a montré que l'anecdote citée par Charlus ne concerne pas saint Bonaventure, mais l'un de ses contemporains, « le Docteur angélique », saint Thomas d'Aquin, et il ne s'agit pas d'un bœuf, mais d'un âne (Marcel Proust, *Alla ricerca del tempo perduto*, Milan, Mondadori, t. II, 1986, p. 1133). Un jour, alors

que Thomas était encore novice, un de ses camarades affirma qu'il voyait un âne voler parmi les nuages. Thomas leva les yeux vers le ciel, ce qui provoqua l'hilarité de l'assistance. Il répondit qu'il aurait plus volontiers pensé qu'un âne pouvait voler plutôt qu'un religieux mentir, même pour plaisanter (voir Mme Desmousseaux de Givré, *Vie de saint Thomas d'Aquin*, Retaux-Bray, 1888, p. 80-81). Les condisciples de Thomas à Cologne, où il suivait l'enseignement de saint Albert le Grand, l'avaient surnommé « le grand Bœuf muet de Sicile », par allusion à son caractère taciturne.

Page 847.

1. Cette scène est inspirée d'un épisode de la vie de Proust, que celui-ci a conté à sa mère dans une lettre du 6 décembre 1902 : « J'étais par ta faute dans un tel état d'énervement que quand le pauvre Fénelon est venu avec Lauris, à un mot, fort désagréable je dois le dire qu'il m'a dit, je suis tombé sur lui à coups de poing (sur Fénelon, pas sur Lauris) et ne sachant plus ce que je faisais j'ai pris le chapeau neuf qu'il venait d'acheter, je l'ai piétiné, mis en pièces et j'ai ensuite arraché l'intérieur. Comme tu pourrais croire que j'exagère je joins à cette lettre un morceau de la coiffe pour que tu voies que c'est vrai » (*Correspondance*, t. III, p. 190).

2. Citation du texte de la Vulgate : « *Et nunc, reges, intelligite : erudimini, qui judicatis terram* » (Psaumes, II, 10 : « Et maintenant, rois, comprenez ; instruisez-vous, vous qui décidez du sort de la terre »). Bossuet a commenté cette phrase dans l'*Oraison funèbre d'Henriette de France, reine d'Angleterre*. Elle est citée pour rappeler que l'expérience d'autrui est utile à tous. Proust, quant à lui, l'utilise dans les circonstances les plus variées, à propos d'un porte-cigarettes qu'il voulait offrir à Calmette et que celui-ci refusa d'accepter (voir la lettre à Mme Straus, 14 janvier 1913, *Correspondance*, t. XII, p. 27) ou à l'occasion d'une querelle avec Montesquiou, en octobre 1917 : « Du haut de la chaire où je reconnais que vous êtes sans rival, vous me dites : *Et nunc erudimini*. Mais *intelligere* est utile pour cela » (*Correspondance générale*, éd. citée, t. I, p. 250).

Page 848.

a. jusqu'à mes augustes [*p. 846, fin de l'avant-dernier §*] orteils ? » Hélas je ne puis me rappeler sans honte que ce fut par les lieux communs les plus vulgaires, tels que « Je n'ai pas l'habitude de m'entendre parler sur ce ton », que je répondis à ces paroles lancées comme des vagues avec un bruit de tonnerre dans un délire de folie, mais que M. de Charlus, heureux sans doute que quelqu'un lui donnât la possibilité de < les > prononcer, regardait lui-même s'écrouler devant moi avec une majesté telle, que quand il dit « mes augustes orteils » il avait l'air de se donner à lui-même la fête de sa propre déification. Je m'étais levé. « Si vous voulez　*ms, plac. 1*

1. L'allusion aux « propos abjects » du héros ne se comprend que si l'on se réfère à une phrase du manuscrit que Proust a supprimée (voir var. *a*).

2. Voir la lettre du 13 décembre 1895 à Robert de Montesquiou : « J'invoque votre axiome : "un mot répété n'est jamais vrai" » (*Correspondance*, t. I, p. 452).

Page 849.

1. Victor Hugo, *La Légende des siècles*, « Booz endormi », v. 54. Voir n. 1, p. 819.

2. Sur ce sculpteur, voir *À l'ombre des jeunes filles en fleurs*, n. 2, p. 84.

Page 850.

a. et sur moi [p. 849, fin de l'avant-dernier §] le soir tombe. Je cherche à consoler cette solitude en cherchant de beaux tableaux, de beaux livres, de beaux meubles. Mais naturellement une personne serait quelque chose de plus précieux, la vraie perle dont parle l'Écriture, s'il s'en trouvait une assez loyale pour qu'on pût devant elle comme dans les combats de jadis, abaisser sa visière, et montrer son véritable visage. Auriez-vous pu être celui-là ? C'est pour le savoir, me dit-il, tout en m'offrant des gâteaux qu'on venait d'apporter, que je vous ai soumis à ce que le maître dont je vous parlais appelle l'épreuve de l'amabilité excessive. Les grands hommes seuls la supportent, prennent une d'autant plus haute idée de celui qui leur témoigne tant de grâce et par là se montrent dignes de lui ; mais les petits hommes se disent : "Si celui-ci est si aimable pour moi, c'est que je vaux beaucoup et qu'il vaut peu" ; ils vous parlent de haut en bas en profitant pour cela de ce piédestal que vous leur avez fourni. Alors il ne reste plus à celui qui aurait tant voulu qu'ils se montrassent dignes de la grandeur, qu'à retirer le piédestal, et à faire retomber les indignes dans le néant d'où ils n'auraient jamais dû sortir. Vous avez porté contre vous-même *ms.*

1. En 1917, Lucien Daudet séjourna parfois au domicile parisien du comte et de la comtesse d'Hinnisdal (ou d'Hinnisdael), situé 60, rue de Varenne (*Autour de soixante lettres de Marcel Proust*, éd. citée, p. 199 ; voir aussi la *Correspondance*, t. XIII, p. 353-355). C'était l'ancien hôtel du Prat, construit en 1728 pour Charlotte de Bourgoin, veuve de Bernard du Prat. Les façades sur rue et trois salons ont été inscrits à l'inventaire des monuments historiques.

2. L'hôtel Chimay, 15-17, quai Malaquais, est l'ancien hôtel de la Bazinière ou de Bouillon, construit en 1640 par Mansart, et embelli par Charles Le Brun et Le Nôtre. En 1884, le prince de Caraman-Chimay le vendit à l'État qui l'affecta à l'École des Beaux-Arts (voir Jacques Hillairet, *Dictionnaire historique des rues de Paris*, Minuit, 1963, t. II, p. 92).

3. Né à Troyes, Pierre Mignard (1612-1695) passa plus de vingt ans en Italie, où il apprit l'art du portrait. De retour en France, il peignit des œuvres à sujets religieux, et les portraits des personnages de la Cour de Versailles.

4. C'est-à-dire de trois augustes victimes : la reine Marie-Antoinette, guillotinée en 1793 ; Madame Élisabeth (1764-1794), sœur de Louis XVI, elle aussi morte guillotinée ; Marie-Thérèse Louise de

Savoie-Carignan (1749-1792), princesse de Lamballe, assassinée
pendant les massacres de septembre.

5. Dans la *Sixième Symphonie*, « *Pastorale* », en fa majeur de
Beethoven, op. 68 (1806-1808), ce mouvement — en fait, le
cinquième et dernier — succède aux coups de foudre de l'orage.

Page 851.

a. Proust a ajouté toujours *après* savez *sur les troisièmes placards ; cette
addition ne figure pas dans* orig. *Il s'agissait de resserrer les liens entre cette
conversation et celle qui lui fait pendant dans « Le Côté de Guermantes I » (voir
p. 591).*

1. « [...] Le clair de lune bleu qui baignait l'horizon » — dernier
vers de « La Fête chez Thérèse » *(Les Contemplations)* de Victor
Hugo — est cité par Proust en 1913 dans une lettre à Emmanuel
Bibesco *(Correspondance*, t. XII, p. 119, avec *baignera* pour *qui baignait).*

2. Le Congrès de Vienne, réuni afin de rétablir la paix après les
guerres napoléoniennes, dura de septembre 1814 à juin 1815.

Page 852.

a. bien insignifiant *[p. 851, 13ᵉ ligne]* me dit-il. J'espère que je ne vous
froisse pas en vous disant cela, je vous trouvais assommant, prétentieux.
Ce serait du reste diminuer la valeur de la gentillesse que je vous trouve
aujourd'hui que de feindre de l'avoir trouvée à une époque où j'aurais
eu plus de plaisir à me trouver avec n'importe qui... avec M. Bloch
lui-même. » J'aurais pu ne pas croire M. de Charlus quand il disait cela,
il était si comédien, et puis ses paroles étaient si en contradiction avec
celles de tout à l'heure en me reconnaissant une gentillesse qu'il me
refusait il y a un quart d'heure, que j'aurais pu aussi bien croire qu'il
mentait quand il me disait n'avoir eu longtemps aucun plaisir à me voir.
Et pourtant, même maintenant je crois qu'il était en cela sincère. Et que
vraiment n'ayant eu aucun plaisir à me voir à l'époque, (il faudra dire
laquelle, pas au début, ce sera donc bien difficile à placer, ce serait
peut-être mieux pour un autre) conscient de cette indifférence il était agacé
d'avance à l'idée que je pourrais, d'après d'autres sentiments, me tromper
dans ce cas-là par fausse analogie. Bientôt il me tendit la main. « Allons,
bonsoir. » [La conversation sur le Bois serait mieux devant ma
porte. *add.*] Il demanda une pelisse et un chapeau. Arrivé devant ma
porte il me garda encore quelques instants dans la voiture. « J'avais fait
relier un ouvrage sur Mme de Sévigné en souvenir de votre grand-mère,
me dit-il, avant l'incident qui a pour jamais mis un terme à nos relations.
J'ai oublié de vous le donner tout à l'heure. Ne venez surtout pas le
chercher au hasard, car je ne permets à personne de venir chez moi sans
autorisation, mais mon secrétaire vous écrira dans quelques jours quand
vous pourrez vous présenter chez moi. Voyons, je dîne demain chez ma
merveilleuse cousine, la princesse de Guermantes, peut-être pourriez-vous
venir chez moi, après ? » Joints au souvenir encore cuisant de sa récente
algarade, le ton aigre et le dédaigneux froncement de sourcils dont il
accompagna cette proposition me la firent décliner. Je lui demandai si

la princesse de Guermantes était aussi intelligente que la duchesse. « Oh ! dit-il en fronçant de nouveau les sourcils et sur un ton pointu et affecté, c'est bien difficile de répondre à une pareille question. Ma belle-sœur est une personne curieuse, d'une ravissante élégance. » Et il se mit à me décrire avec un goût d'expressions charmantes des toilettes, des idées de fêtes qu'avait eues Mme de Guermantes, et à me citer des mots d'elle qu'il trouvait admirables, et qui dits par lui le devenaient comme une pièce de Sardou jouée par Sarah Bernhardt ou par Coquelin. M. de Charlus possédait cette connaissance du décor, des usages, des anecdotes du monde qu'avaient les gens de cette haute aristocratie. Mais supérieur à eux de plusieurs degrés, s'il tirait de ces réalités la matière de sa conversation, il savait en extraire leur charme délicieux que les gens du monde étaient incapables de voir[1], et même un charme qui n'était peut-être pas dans ces choses, un charme très différent < qu'il > y projetait. Il eût été, s'il avait écrit, la voix de ce monde qui n'eût pas su l'entendre car le dialecte eût été trop exquis pour le monde, mais il n'eût fait aimer pour l'avenir d'artistes à qui il restera inconnu et qui peut-être, s'ils y avaient été admis, n'eussent pas su le dégager directement. M. de Charlus eût été pour eux ce qu'est le renne pour les Esquimaux, arrachant pour eux sur des roches désertiques des lichens, des mousses qu'ils ne sauraient ni découvrir, ni utiliser, mais qui, une fois digérés par le renne, deviennent pour ces habitants un aliment assimilable. Mais après m'avoir cité des mots de la duchesse qu'il mettait en relief avec un enthousiasme où se mêlaient son goût et sa frivolité : « Malgré tout, je ne peux pas la mettre en parallèle avec ma cousine qui est une créature unique, la belle-fille de la grande amie de Wagner, cette Esther de Mecklembourg qui était elle-même une étonnante personne ! La tante Esther ! Je me la rappelle quand j'étais petit garçon. Cette femme qui était la personne la plus élégante qu'on pût voir, qui avait le plus beau jardin de Paris, les plus belles fleurs, les plus beaux cheveux, portait une extraordinaire perruque qui complétait sa ressemblance frappante avec la Grande Mademoiselle. Quand elle allait à *[un mot illisible]* elle faisait arrêter sa victoria découverte à deux chevaux, pour marcher un peu, et pour ne pas avoir trop chaud, devant tout le monde elle ôtait sa perruque, la posait sur les coussins ; et le cocher à côté duquel était assis un grand valet de pied faisait aller les chevaux au pas, promenant gravement aux yeux de tous la perruque, pendant que la tante Esther faisait le tour du lac. C'est son hôtel qu'habite maintenant la princesse de Guermantes, ma cousine. Elle a pris tout enfant des leçons de piano avec Liszt. Il y a tout de même là la beauté qui naît de l'enchaînement des circonstances, ajouta-t-il en conjoignant figurativement ses phalanges raidies. La duchesse de Guermantes, dit-il comme s'il voulait me tenir à distance d'elle en disant ce titre au lieu de dire Oriane, a beaucoup d'esprit, mais enfin elle ne parle jamais de rien, ce sont des plaisanteries mondaines. La princesse de Guermantes est, avec une incomparable beauté, ce que les foules ignorantes s'imaginent à tort qu'a été la princesse de Metternich, qui croient qu'elle a lancé Wagner, parce qu'elles la confondent avec Victor Maurel. D'ailleurs même dans le domaine de l'élégance, personne n'admire plus que moi ma belle-sœur, mais enfin elle n'a pas la foudroyante imagination d'Edwige. D'abord elle ne possède pas comme elle — je suppose que vous le saviez — les émeraudes de

---

1. Voir p. 856, vers le bas de la page.

la grande Catherine et les chrysoprases des rois de Jérusalem », ajouta
M. de Charlus en me laissant tout ébloui de cette révélation. Il me parla
de l'hôtel de la princesse de Guermantes comme de quelque chose de
plus beau que Versailles. « Vous savez, me dit-il, que depuis qu'il y a
un nouveau conservateur à Versailles, M. de Nolhac, on a découvert tous
les jours dans ce Palais Enchanté, d'abord des meubles, des pendules,
des bustes, des tableaux qui ne cessent de faire d'émouvants chassés-croisés
pour aller retrouver leurs voisins, leur maître, leurs amis du XVIIᵉ siècle,
mais depuis quelque temps cela ne suffit plus, on retrouve un jour une
salle entière avec de merveilleux panneaux, un escalier peint par Lebrun,
des châteaux inconnus dans le château. Hé bien, chez ma cousine, c'est
la même chose. Si on demande un coin où on pourrait se mettre pour brosser
un instant, on vous fait introduire en s'excusant beaucoup dans un débarras
qui est tout simplement une divine salle de musique couverte de peintures
persanes que le maître de la maison ne connaissait pas, ce qui vaut du
reste mieux pour les peintures, car qui sait, il les eût peut-être fait gratter,
on ne sait jamais, dit M. de Charlus qui mêlait toujours le débinage à
l'admiration. Un jour de verglas ils gardèrent Swann à coucher dans une
chambre où un affreux rideau de peluche rouge exaspéra tellement Swann
qu'il finit par le tirer, il découvrit, derrière, le plus beau Fragonard de
l'Europe que l'on avait caché comme indécent. » Swann couchant chez
le prince de Guermantes m'étonna. Je demandai à M. de Charlus si sa
situation mondaine n'était pas de second ordre quoique brillante. « Mais
voyons, pas du tout. Il s'est mal marié. Mais lui personnellement, c'était
un des piliers du monde, l'homme le plus écouté par tous nos parents.
Il n'y a eu personne d'aussi élégant que Swann, l'inséparable de
Doudeauville et de Fezensac. Il passait des mois chez eux à la campagne.
On ne faisait rien sans lui. » Et Swann redevint celui que s'était figuré
mon enfance, juste au moment où, à cause de l'affaire Dreyfus, il allait
cesser de l'être. « Et la princesse d'Iéna, est-elle vraiment intelligente ? »
M. de Charlus m'arrêta d'un ton plus méprisant que tous ceux que je
lui avais encore entendu prendre, tant était riche en nuances le registre
de sa voix. « Ah Monsieur vous   *ms.*

1. En 1888, Whistler publia une plaquette intitulée *Ten o'clock*, que
Mallarmé traduisit et publia la même année dans *La Revue
indépendante*. Whistler reprit ce texte en 1890 dans un recueil d'articles
et de lettres, *The Gentle Art of Making Enemies* (*Le Noble Art de se faire
des ennemis*), que Montesquiou, lui-même auteur d'une étude sur
Whistler, offrit à Proust qui, à son tour, le donna à Marie Nordlinger
en 1904 (voir la *Correspondance*, t. IV, p. 54). Un an plus tard, Marie
Nordlinger fit cadeau à Proust d'un exemplaire de l'édition anglaise
du *Ten o'clock* (voir la *Correspondance*, t. V, p. 43). C'est sans doute
à ce texte que pense Charlus : « Le soleil resplendit, le vent souffle
d'est, le ciel est vide de nuages, et, au-dehors, tout est de fer. Les
vitres du Palais de Cristal s'aperçoivent de tous les points de Londres.
Le promeneur du dimanche se réjouit d'une journée glorieuse et le
peintre se détourne pour fermer les yeux. / Combien peu l'on perçoit
cela, et avec quelle obéissance le quelconque dans la nature s'accepte
pour du sublime, on le peut conclure de l'admiration illimitée
produite quotidiennement par le plus niais coucher de soleil. [...]

Et quand la brume du soir vêt de poésie un bord de rivière, ainsi que d'un voile et que les pauvres constructions se perdent dans le firmament sombre, et que les cheminées hautes se font campaniles, et que les magasins sont, dans la nuit, des palais, et que la cité entière est comme suspendue aux cieux — et qu'une contrée féerique gît devant nous — le passant se hâte vers le logis, travailleur et celui qui pense ; le sage et l'homme de plaisir cessent de comprendre comme ils ont cessé de voir, et la nature qui, pour une fois, a chanté juste, chante un chant exquis pour le seul artiste, son fils et son maître — son fils en ce qu'il aime, son maître en cela qu'il la connaît » (« Le "ten o'clock" de M. Whistler », Stéphane Mallarmé, *Œuvres complètes*, Bibl. de la Pléiade, p. 574).

2. L'histoire de la famille royale de Tahiti était très connue au XIXᵉ siècle : la reine Pomaré expulsa les missionnaires français en 1836, mais accepta en 1842 la protection de la France. Son fils, Pomaré V, abandonna ses droits en 1880, trois ans après avoir succédé à sa mère, et Tahiti devint une colonie française.

3. Pour la « mobilité » du titre de Guastalla, voir n. 1, p. 808.

4. Charlus utilise presque les mêmes termes de mépris, en parlant de cette noblesse d'Empire, qu'Oriane. Voir « Un amour de Swann », où la princesse des Laumes fait allusion aux Iéna « qui ont un nom de pont » (t. I de la présente édition, p. 332).

5. C'est le nom d'un club tenu, autour de 1880, par un groupe anarchiste qui se réunissait rue de Lévis, dans le quartier des Batignolles (voir M. A. Vogely, *A Proust Dictionary*, Trog, Whitson Publishing Company, 1981, p. 519).

6. Allusion, sans doute, à Andrew Carnegie (1835-1919), industriel qui domina le marché américain du fer et de l'acier, qui fut le type du *self-made man* et que l'on surnommait « le roi du fer ». Ces titres amusaient Proust : voir l'allusion à « la Reine de Philadelphie » dans une lettre à Montesquiou (*Correspondance*, t. VII, p. 177-178) et le terme « le roi des impressarios [*sic*] », dans une lettre écrite à Cabourg en 1911 (*ibid.*, t. X, p. 334).

7. En 1908 et 1910, Proust eut recours aux services d'un agent de change nommé Gustave Guastalla (voir la *Correspondance*, t. VIII, p. 304 et 307 ; t. X, p. 218).

Page 853.

1. Victor Maurel (1848-1923), illustre baryton français, a chanté Wagner à Londres, mais non à Paris.

2. Voir Racine, *Esther*, acte III, sc. 1, v. 826 : « C'est donc ici d'Esther le superbe jardin ». L'allusion à ces « jardins d'Esther » ne s'explique guère que par le texte, sacrifié par Proust, de la variante *a*, p. 852.

Page 854.

1. *L'Histoire des Treize* est composée de deux romans, *Ferragus* et *La Duchesse de Langeais*, et d'une nouvelle, *La Fille aux yeux d'or*, que

Balzac publia de 1833 à 1835, et qui font partie des « Scènes de la vie parisienne » de *La Comédie humaine*. Les Treize, recrutés parmi les hommes d'élite, devaient former un « monde à part dans le monde, hostile au monde, n'admettant aucune des idées du monde, n'en reconnaissant aucune loi, ne se soumettant qu'à la conscience de sa nécessité, n'obéissant qu'à un dévouement, agissant tout entier pour un seul des associés quand l'un d'eux réclamerait l'assistance de tous » : « cette religion de plaisir et d'égoïsme fanatisa treize hommes qui recommencèrent la Société de Jésus au profit du diable » (*La Comédie humaine*, Bibl. de la Pléiade, t. V, p. 791-792).

2. Dans *Les Trois Mousquetaires* (1844), qu'Alexandre Dumas père écrivit en collaboration avec Auguste Maquet, Athos, Porthos et Aramis, mousquetaires du roi, accueillent parmi eux d'Artagnan qui, arrivé de Gascogne, deviendra le héros du roman. On connaît la devise des quatre amis : « Tous pour un, un pour tous ». Robert de Montesquiou comptait d'Artagnan parmi ses ancêtres.

3. La lettre qui suit a pu être inspirée par l'une de celles que Robert Ulrich, neveu de Félicie Fitau, cuisinière de la famille Proust, recevait de sa maîtresse. Proust en recopie quelques extraits dans une lettre à Reynaldo Hahn que Philip Kolb date de 1907 : « Il y avait aussi une "citation" dans la lettre / *L'amour est un sentiment / Pour qui tout ou rien n'existe / Et souvent ce seul penchant / Suffit à rendre le cœur triste*. / Ça, c'est certainement de Victor Hugo, m'a dit Ulrich d'un ton péremptoire » (*Correspondance*, t. VII, p. 283-284).

4. Alfred de Musset, « La Nuit d'octobre » (*Poésies nouvelles*), v. 208-209 : « Ces reliques du cœur ont aussi leur poussière ; / Sur leurs restes sacrés ne portons pas les mains. » Voir p. 786.

5. Victor Hugo, « Écrit en 1827 » (*Les Chansons des rues et des bois*), v. 95-96 : « L'insecte est au bout du brin d'herbe / Comme un matelot au grand mât. »

6. La « vallée obscure » est un lieu commun de la poésie romantique. Citons « Le Vallon » (*Méditations poétiques*) de Lamartine : « Voici l'étroit sentier de l'obscure vallée » (v. 5), ou « La Nuit de mai » (*Poésies nouvelles*) de Musset : « Comme il fait noir dans la vallée » (v. 7).

7. Alfred de Musset, « La Nuit d'octobre », v. 205 : « À défaut du pardon, laisse venir l'oubli. »

Page 855.

1. Peut-être y a-t-il ici une nouvelle allusion à « La Nuit de mai », v. 124 : « Prends ton luth ! prends ton luth ! je ne peux plus me taire ».

2. Alfred de Musset, « Lettre à M. de Lamartine », (*Poésies nouvelles*), v. 126 : « L'ivresse du malheur emporte sa raison ».

3. Charles-Julien Lioult de Chênedollé (1769-1833) fut un disciple de Chateaubriand. Sa poésie (*Le Génie de l'homme, Études*) annonce le romantisme.

4. Refrain de la populaire chanson de Frédéric Bérat (1801-1855), « Ma Normandie » : « Lorsque ma muse refroidie / Aura fini ses chants d'amour, / J'irai revoir ma Normandie, / C'est le pays qui m'a donné le jour. »

5. Alfred de Musset, « La Nuit de mai », v. 153-156 : « Lorsque le pélican, lassé d'un long voyage, / Dans les brouillards du soir retourne à ses roseaux, / Ses petits affamés courent sur le rivage / En le voyant au loin s'abattre sur les eaux. »

6. François de Malherbe, « Consolation à M. du Périer, Gentilhomme d'Aix-en-Provence, sur la mort de sa fille » (1599) : « Mais elle était du monde où les plus belles choses / Ont le pire destin ; / Et, rose, elle a vécu ce que vivent les roses, / L'espace d'un matin. »

7. La postérité n'a retenu le nom de Félix Arvers (1806-1850) que pour un seul sonnet mélancolique, extrait du recueil *Mes heures perdues* (1833). Proust le cite encore dans *Sodome et Gomorrhe*, t. III de la présente édition, p. 39.

8. Dans l'Esquisse XXXII, Proust cite la date du 2 avril (p. 1306). Voir n. 1, p. 859.

Page 856.

1. Il serait vain de chercher tous ces Mémoires dans les bibliothèques : leur présence dans le texte du *Côté de Guermantes II* ne s'explique que par les corrections négligentes de Proust. Voir var. *a*, p. 857.

2. Louis II de Bourbon, dit le Grand Condé (1621-1686), était le frère de la duchesse de Longueville (voir n. 2, p. 832).

Page 857.

a. Le texte de ms. a été ici profondément bouleversé sur plac. 1 où Proust a biffé, ajouté, déplacé, interverti des paragraphes entiers. Les typographes ont eu d'évidentes difficultés à comprendre toutes ces corrections et, leurs erreurs s'étant ajoutées aux négligences de Proust, orig. donne un texte parfois douteux, avec quelques répétitions et des phrases surprenantes qui sont le résultat des ultimes et économiques tentatives de Proust pour débrouiller un texte confus qu'il ne reconnaissait plus. Voici d'abord le long développement de ms. : avait fait s'envoler [p. 854, fin du 2ᵉ §] bien loin de moi. / [Quelques jours après j'allai faire une visite à Mme d'Arpajon, visite suivie de quelques autres à des dames que la duchesse de Guermantes me demanda d'aller voir. Mme d'Arpajon était-elle aussi intelligente que Mme de Souvré et que la princesse de Ligne, était-elle ou non snob, quels étaient les trois salons les plus élégants de Paris, voilà les questions que je me posais biffé] / Ces paroles que M. de Charlus m'avait dites au sujet de la princesse de Guermantes avaient donné à mon imagination un vigoureux coup de barre et [l'avaient orientée vers cette dame couverte des émeraudes de Catherine de Russie et élève de Liszt biffé] lui faisant oublier combien la réalité l'avait désappointée chez la duchesse de Guermantes, l'avaient orientée vers la princesse, comme ma déception de Balbec ne m'empêchait pas d'abriter dans les noms de Quimperlé, de Florence, de Venise mes rêves qu'avait refoulés plus loin la vue de la place où voisinaient la cathédrale si peu persane et le Comptoir d'escompte. D'ailleurs le langage de M. de Charlus mêlant à l'instar de Swann (à moins que ce ne fût celui-ci qui l'eût pris de lui) les plus simples réalités mondaines d'une poésie mystérieuse qui exaltait mon imagination et me préparant par là *[interrompu]* Sans doute cette première déception-là tenait en partie à ce que j'avais bâti trop de choses sur le mot « persan » ; quand, pour dire qu'une église comprend dans sa construction des pierres rosées et des pierres bleuâtres, ce qui aux yeux fait assez peu d'effet, un écrivain assez expert en magie vous dit qu'elle scintille de rubis et de saphirs et qu'elle s'ouvre sur le ciel comme la porte de l'Orient, il ne fait que préparer une déception au lecteur imaginatif qui bâtit d'avance l'église avec tous les trésors des *Mille et une Nuits.* Et c'en était du même genre, transposées du monde du voyage à celui de la vie sociale, que préparait M. de Charlus en enduisant de la poésie la plus mystérieuse, en vous parlant en baissant la voix pour vous les faire apercevoir dans une pénombre de théâtre, de femmes dont à lui seul le nom, tant que vous ne les connaissiez pas, suffisait à vous jeter en de longues rêveries. Pour aller plus au fond de ce prestige, M. de Charlus ne me trompa *[p. 856, 7ᵉ ligne du 2ᵉ §]* quelque temps sur la valeur et la variété réelles des gens du monde *[comme dans le texte définitif, avec lég. var.]* sérieuse et approfondie et que malgré tout il était un artiste, un artiste qui n'avait pas trouvé sa voie, qui s'était égaré dans le monde, et par l'effet des hallucinations consécutives au manque de nourriture spirituelle véritable, voyait sur les gens du monde ces teintes diverses dont son imagination était remplie et qu'il eût cherchées plus efficacement dans les œuvres d'art. Je ne nierai pas qu'en plus de cette raison beaucoup de vie était ajoutée aux tableaux qu'il se faisait et qu'il me faisait du monde, par le mélange *[p. 857, 3ᵉ ligne]* de haines féroces et de sympathies ardentes qu'il éprouvait, haines et sympathies qui atteignaient à une sorte de délire — les haines surtout — quand il s'agissait de jeunes gens. Car on a vu à Balbec qu'il les haïssait à peu près tous, à cause du genre efféminé qu'il leur trouvait et que tout au plus parfois il en distinguait un à qui il trouvait alors une sorte de génie et pour lequel il était prêt, comme il l'avait été pour moi, à donner largement de son temps et de sa peine. Cette période de foi en l'avenir d'un jeune homme durait d'ailleurs généralement peu et la sympathie déçue venait accroître le nombre des haines. Ainsi à cause du caractère de M. de Charlus les gens étaient, à qui les jugeait d'après ses récits, meilleurs ou pires qu'ils ne sont en réalité, l'emploi d'ange ou de monstre étant souvent tenu à peu de temps de distance par une même personne. Et sans doute cette conception d'une humanité partagée en êtres maléfiques (pour le plus grand nombre du sexe masculin) et en êtres enchanteurs (pour le plus grand nombre du sexe féminin) contribuait pour sa part à rendre particulièrement vivante l'image qu'il me présentait du monde. Mais ce n'était rien auprès du fait que, faute de cultiver les lettres, un art, M. de Charlus voyait les gens du monde en littérateur, en artiste ; il les différenciait, il les grandissait ; il les baignait dans un clair-obscur surnaturel, peut-être bien un peu parce que, fort habile malgré ses exaltations, il aimait à accroître le prix de ce qu'il vous laissait entendre qu'il vous ferait connaître, mais surtout parce que cette clarté magique était dans son esprit et que, ne s'en servant pas comme il aurait dû, il la répandait sur les êtres qu'il faisait ainsi paraître tout différents de ce qu'ils étaient en réalité, et que sa parole, colorée richement quoique à faux, et peut-être un peu volontairement, me peignait comme aux petits enfants émerveillés d'un conte qu'on leur fait, comme autant de fées, de princes charmants, d'ogres, de bons et de mauvais génies qu'on brûle naturellement de connaître tant ils diffèrent des hommes et des femmes qu'on a rencontrés jusque-là, personnages merveilleux, enchanteurs ou enchantés et auxquels il ne manque que d'exister réellement. Je les voyais, donc je croyais à leur existence quand M. de Charlus me disait que si je savais le mériter il me ferait connaître ces magiciens ; et la suprême récompense serait de pénétrer grâce à lui, qui seul possédait le Sésame, dans le Palais de la princesse de Guermantes, auprès duquel celui d'Aladin m'eût laissé froid. Mais si cet excitant particulier, que par son langage artificieusement adultéré d'art et de mondanité, lui restait spécial (il n'y avait guère que Swann qui en eût été un peu infecté), il n'est personne des gens du monde encore peu nombreux que je connusse qui, en me parlant des salons où il fréquentait et où je n'étais allé, ne me les décrivît comme quelque chose de tout autre que tel que je connaissais (par exemple que celui de la duchesse de Guermantes) et en me disant que je ne pouvais l'imaginer d'après lui, me poussait par cela même à en imaginer. / [Même avant que M. de Charlus ne m'eût ainsi parlé de la princesse de Guermantes, celle-ci se présentait à moi comme quelque chose de tout autre que la duchesse de Guermantes. Sans doute au point de vue de la raison, n'était-il pas très sage de penser que l'intelligence d'une femme, et surtout d'une femme du monde, pût être composée d'une essence si hétérogène à celle d'une autre femme ; et héraldiquement, je savais *biffé*] Ces mystérieuses paroles par lesquelles M. de Charlus m'avait amené à imaginer la princesse de Guermantes comme un être extraordinaire et différent de ce que je connaissais, ne suffisaient pas d'ailleurs à expliquer la stupéfaction où je fus, bientôt suivie de la crainte *[p. 855, 14ᵉ ligne en bas de page]* que je fusse victime d'une mauvaise farce *[comme dans le texte définitif, avec lég. var.]* supérieur à celui de duc, tout aussi bien que ma raison me disait qu'il était peu sage, malgré ce que m'avait dit M. de Charlus, que l'intelligence d'une femme et surtout d'une femme du monde pût être d'une essence si hétérogène à celle d'une autre femme. Mais mon imagination, semblable à Turner en train [...] savais mais ce qu'elle voyait ; ce qu'elle voyait, c'est ce que lui montrait le nom. Or même quand je ne connaissais pas la duchesse, le nom [...] quelque chose de tout différent. Il y avait longtemps que le nom de Guermantes avait cessé de se rattacher pour moi à Combray, au côté de Guermantes, quand j'avais connu l'existence de la princesse de Guermantes. Précédé de ce titre, le nom se trouve surtout dans les Mémoires du temps de Louis XIII et de Louis XIV à peu près équivalent de celui de duchesse de Montpensier. Le nom de princesse de Guermantes me représentait donc quelque chose de tout autre que n'avait fait la duchesse de Guermantes, et comme l'église de Balbec décrite par Elstir différait de l'église persane au milieu des flots, avait fait remonter le nom pour moi à quelque chose de moins poétique et de plus historique que Geneviève de Brabant, comme les Guise. En effet on ne le voit précédé de ce titre que dans les Mémoires du temps de Louis XIV, [de Louis XV *biffé*] et de Louis XVI. Les noms alliés de la reine d'Angleterre, de la reine d'Écosse, de la duchesse d'Aumale, de la duchesse de Nemours, de Madame Élisabeth, empêchent de songer au côté féodal, voilent presque tout ce qu'il y a dans le nom de

Guermantes, c'est un autre nom. Le monde que nous font les noms ne tient guère compte des temps comme le nom de Parme m'affirmant plutôt la présence dans les rues de cette ville de Fabrice du Dongo que celle de M. Giolitti, je me figurais l'hôtel de la princesse de Guermantes comme plus ou moins fréquenté par la reine de Pologne et par le prince de Condé, dont la présence y rendait peu vraisemblable que j'y pénétrasse jamais. Sans doute des difficultés de même ordre, quoique empreintes d'un autre genre de charme, auraient dû me faire paraître extraordinaire que j'eusse été reçu chez la duchesse. Mais enfin je l'avais été, celle-ci avait, comme Balbec, cessé d'être un nom comme Quimperlé, comme Pont-Aven, comme Sienne, la princesse de Guermantes gardait la supériorité d'en être encore un. Sans doute je l'avais vue une fois chez sa cousine, et les couleurs ineffables du nom de « Guise » ne composaient pas son teint, lequel eût été ravissant pour une femme, mais bien charnel pour un nom. Mais il restait son hôtel, sa vie, ses réceptions, ses amitiés. Pourquoi ne m'inviterait-elle jamais ? peut-être parce qu'elle était princesse, peut-être parce qu'elle était sœur du duc de Bavière, peut-être parce que là où la duchesse de Guermantes avait l'habitude de dire : Madame de Sagan, Madame de Doudeauville, Madame de La Trémoïlle, la princesse de Guermantes disait : la princesse de Sagan, la duchesse de La Trémoïlle, la duchesse de Doudeauville ; peut-être parce que, quand on lui présentait quelqu'un, la princesse de [Bavière   *biffé*] Guermantes lui tendait la main, ce que la duchesse ne faisait qu'au bout de quelque temps et ne disait pas comme la duchesse : « Monsieur » mais familièrement « vous » ; peut-être parce qu'elle avait une avant-scène à l'Opéra et à l'Opéra-Comique, peut-être parce qu'elle avait un immense hôtel, peut-être parce qu'elle ne connaissait pas la duchesse de Montmorency et était peu liée avec M. de Bréauté, toutes particularités qui composaient peut-être dans ces existences mystérieuses les attributs de la personne chez laquelle je ne serais jamais invité. [D'ailleurs ne sommes-nous pas attirés par toute vie qui ne nous représente pas quelque chose de déjà connu, dont l'image exacte mille fois répétée par l'expérience n'apparaît pas à notre mémoire aussitôt que nous y pensons, toute vie où il y a encore quelque os inconnu à ronger, quelque illusion préservée à détruire ? On s'imagine qu'ailleurs ce sera autrement, que la seconde duchesse promet sans mentir ce que la première n'a pas tenu, et après les avoir épuisées toutes, on a la curiosité des petits salons bourgeois qui ne sont pas plus merveilleux.   *add.*] Une fois la différence entre le monde de la duchesse de Guermantes, c'est-à-dire une réunion de femmes et d'hommes avec qui j'avais causé, et le monde de la princesse de Guermantes, c'est-à-dire un nom creusant lui-même les magnifiques salons qu'il remplissait et qu'il multipliait à l'infini comme les glaces de la grande galerie de Versailles, tout ce que les amis de la princesse de Guermantes purent me dire d'elle eut pour effet, comme ce que nous disent les voyageurs d'un pays que nous ne connaissons pas, de me faire paraître ce monde encore plus merveilleux. Et sans doute ils le faisaient de bonne foi ; car n'ayant pas, eux, d'imagination, le fait que l'hôtel de la princesse fût une maison et le prince et la princesse des gens d'aujourd'hui, ne les avait pas plus déçus que les gens de goût qui avaient été à Balbec de n'avoir pas trouvé une église persane au milieu des vagues. Pour être sûr de ne pas échafauder un rêve inexistant, je leur demandais si le prince et la princesse ne ressemblaient pas au duc et à la duchesse de Guermantes. Ils affirmaient que c'était tout autre chose, ce qui faisait encore plus travailler mon imagination dans le faux, alors qu'eux cependant, en parlant ainsi, pouvaient très bien être, pour une certaine mesure, dans le vrai. Or les différences étaient évidemment bien moindres que je ne me le figurais, tant la palette des sens qui perçoivent est pauvre auprès de celle de la rêverie qui imagine, et tant, d'autre part, sont chétives les réalités mondaines, comme on peut s'en rendre compte en lisant tel « Lundi » où Sainte-Beuve s'efforce de nous présenter ce qu'avait de caractéristique, d'absolument unique, le salon de Mme Récamier, de Mme de Boigne ou tout autre et qui n'est rien qu'un peu de grise écume séchée qu'on s'étonne qu'il ait pris tant de peine à nous garder. Sans doute aussi pour expliquer notre déception il faut faire la part de l'exagération des gens qui nous parlent. Ils ne sont < pas > fâchés de croire, ou de dire, que ce qu'ils connaissent a son intérêt particulier. Cet intérêt est d'ailleurs d'autant plus grand pour eux qu'ils ont moins d'imagination et gagnent au lieu de perdre quand ils reçoivent des autres au lieu de tirer d'eux-mêmes. Enfin ils peuvent sincèrement avoir plus de goût pour le genre d'esprit, de caractère, pour le groupement particulier d'amis de Mme de Montmorency que de Mme de Guermantes, sans compter que le hasard des circonstances et des inclinations a pu faire que la première de ces dames leur a manifesté d'abord plus de sympathie que la seconde, et qu'une fois fixés chez l'une, l'intimité qui en est résultée avec la première et l'éloignement de l'autre n'ont fait qu'accroître cette disproportion qu'ils trouvent à la valeur de l'une et de l'autre par tout ce que les souvenirs, l'attachement, mettent de poids dans l'un des plateaux, ce que le néant de toute habitude, le dénigrement au cours de conversations entendues chaque jour dans la coterie rivale ont enlevé à l'autre. Il n'en fallait pas plus pour que, si j'entendais un ami de Mme de Montmorency me parler d'elle et me dire que c'était une autre femme que la duchesse de Guermantes, je me figurasse qu'entre ces deux dames existait un abîme aussi profond qu'entre le passage de l'Opéra et le Ponte Vecchio. Malgré ce qui tient à ces divers points de vue subjectifs dans les grossissements artificiels *ms. :* avait fait s'envoler bien loin de moi. [/ En rentrant je vis sur mon bureau *[comme dans le texte définitif, avec lég. var.]* Périgot Joseph. *[p. 855, fin du 1ᵉʳ §]* add.] / [Ces paroles que M. de Charlus m'avait dites *[comme dans ms.]* l'imaginer d'après lui, me poussant *[un blanc]* / Ces *biffé*] [Nous sommes attirés *[p. 855, début du 2ᵉ §]* par toute vie [...] détruire. Malgré cela les *corr.*[1] [mystérieuses paroles par lesquelles *[comme dans ms.]* bientôt suivie de la crainte que je *biffé*] [Beaucoup de choses *[p. 856, début du 2ᵉ §]* que M. de Charlus *[comme dans le texte définitif, avec lég. var.]* suffisent pas à expliquer *[p. 857, fin du 2ᵉ §]* ma stupéfaction, suivie bientôt par la crainte d'être le jouet d'une farce add.*[2] fusse victime d'une mauvaise farce *[p. 855, 8ᵉ ligne du 2ᵉ §]* machinée [...] supérieur à celui du duc, aussi bien que ma raison me disait *[qu'il était peu sage, malgré ce que m'avait dit M. de Charlus, biffé]* que l'intelligence d'une femme [et surtout d'une femme du monde pût *biffé*]

---

1. Il est vraisemblable que Proust a omis de biffer cette correction.
2. Sans doute cette addition devait-elle s'enchaîner sur le texte qui suit et dont Proust aurait alors omis de biffer les mots « fusse victime d'une mauvaise farce ».

[du monde ne peut pas *[...]* prétendait M. de Charlus.   *corr.*] et[1] d'une essence si hétérogène à celle d'une autre femme. Mais mon imagination, semblable *[comme dans ms., avec lég. var.]* le nom de Guermantes avait cessé de se rattacher pour moi à Combray, au côté de Guermantes, [quand j'avais connu l'existence de la princesse de Guermantes.   *biffé*] Précédé du titre de prince le nom se trouve surtout dans les mémoires du temps de Louis XIII et de Louis XIV [à peu près équivalent *[comme dans ms.]* alliés de la reine   *biffé*] d'Angleterre, de la reine d'Écosse, de la duchesse d'Aumale, de la[2] [duchesse de Nemours, *[comme dans ms.]* M. Giolitti *biffé*] [; et   *corr.*] je me figurais l'hôtel de la princesse *[comme dans ms.]* pénétrasse jamais. [Sans doute des difficultés *[comme dans ms.]* certaine mesure, dans le vrai. / D'ailleurs ne sommes-nous pas attirés *[comme dans ms., avec lég. var.]* bourgeois qui ne sont pas plus merveilleux. / Or les différences étaient évidemment bien moindres *[comme dans ms.]* tant de peine à nous garder.   *biffé*] Sans doute aussi pour expliquer *[comme dans ms.]* grossissements artificiels   *plac.* 1 : avait fait s'envoler bien loin de moi. / En rentrant [...] et de Louis XIV, [de la cour   *add.*] d'Angleterre, de la reine [...] grossissements artificiels   *plac.* 3

1. Le prince Frédéric-Charles de Prusse (1828-1885), neveu de Guillaume Ier, général prussien, se signala, pendant la guerre de 1870, par la brutalité avec laquelle il traita les vaincus.

2. Jeanne Antoinette Poisson, marquise de Pompadour (1721-1764), fut la favorite de Louis XV.

Page 858.

a. ordonnance des fêtes. De même Mme de Guermantes parlait avec beaucoup d'esprit de frivolités, et la princesse de Guermantes avec une grande médiocrité d'expression de choses intéressantes. Était-ce Mme de Montmorency heureuse de me froisser et prête à me servir, ou Mme de Guermantes souffrant [...] effort pour moi qui était une véritable amie ; l'intelligence que je devais être heureux de trouver chez une femme était-ce dans les « rédactions » de Mme de Guermantes qu'il me la fallait chercher ou dans les préoccupations de sa cousine ? Mme de Guermantes ne disait aucune des bêtises qu'elle raillait chez sa cousine, laquelle en revanche avait le droit de trouver celle-ci frivole. Et même en évitant de parler de rien de sérieux, Mme de Guermantes avait parfois des interjections, des questions, des parenthèses d'une bêtise ineffable que sa cousine n'aurait pas eues, quoique d'ailleurs elle eût les siennes. Les formes d'esprit   *ms.* ⟷ *b.* « Oriane est snob. » (Ces différences subsistent.) Nous-mêmes si pareils aux autres que les gens nous aient paru, relativement aux différences trop profondes que

1. On lit « et » mais on voit à la suite un blanc correspondant aux lettres « re » du verbe « être ». Ainsi, il ne s'agit sans doute pas d'une erreur de lecture du manuscrit mais d'une mauvaise qualité de l'impression ou de la chute de deux caractères typographiques. Ce « et » va cependant passer, avec la fin de la phrase (que Proust aurait peut-être dû biffer après sa correction), dans l'édition originale.

2. Proust, rayant chaque ligne de ce passage, a omis de biffer celle-ci. On voit, dans la leçon de *plac.* 3, que, retrouvant cette scorie au milieu de son texte, il la rattachera avec arbitraire et désinvolture au reste du passage, sans se préoccuper du sens.

l'imagination avait établies entre eux, ces différences supprimées par le niveau de la perception des sens, l'intelligence leur en donnera d'autres pour équivalent, et nous serons bien obligés de dire que ces gens n'étaient pas pareils, que ces salons étaient différents quand on nous demandera de répondre en toute vérité si Mme d'Arpajon était semblable à Mme de Guermantes, à Mme de Villeparisis, à Mme Swann, à Mme de Cambremer, à la princesse de Parme etc., de même qu'Elstir avait bien été obligé de m'enseigner que l'église de Balbec était particulière encore qu'elle m'eût paru d'une essence moins persane et moins jaillie des flots que je ne l'avais cru pendant des années. Or parmi *ms.*

1. Baudelaire admirait au contraire Mérimée, auquel il comparait Delacroix : « C'était la même froideur apparente, légèrement affectée, le même manteau de glace recouvrant une pudique sensibilité et une ardente passion pour le bien et pour le beau ; c'était, sous la même hypocrisie d'égoïsme, le même dévouement aux amis secrets et aux idées de prédilection » (Baudelaire, *Œuvres complètes*, Bibl. de la Pléiade, t. II, p. 757-758). En 1866, plusieurs hommes de lettres rédigèrent une pétition en faveur de Baudelaire qui venait d'être victime d'une attaque de paralysie et l'adressèrent au ministère de l'Instruction publique. On relève les signatures de Théodore de Banville, de Leconte de Lisle, de Gobineau et de Mérimée, qui joignait ce mot : « Je n'ai pas besoin d'exprimer ici toute l'estime que j'ai pour ses œuvres et son talent littéraire. Je puis ajouter que j'ai toujours aimé la bonté et la candeur de son caractère » (Prosper Mérimée, *Correspondance générale*, établie et annotée par Maurice Parturier, Toulouse, Privat, 2e série, t. VII, 1959, p. 190-191). Mais dans une lettre à Jenny Dacquin, le 29 juin 1869, Mérimée écrivait : « Baudelaire était fou ! Il est mort à l'hôpital après avoir fait des vers qui lui ont valu l'estime de Victor Hugo, et qui n'avaient d'autre mérite que d'être contraires aux mœurs » (*ibid.*, t. VIII, 1961, p. 531).

Page 859.

a. envoyée par un mystificateur. Aussi je m'étais trop intéressé à eux, j'avais posé trop de questions sur eux depuis quelque temps. J'aurais agacé quelque mauvais plaisant qui avait voulu me donner une leçon. Un célèbre historien ami de la princesse n'avait-il pas eu en effet l'air de se moquer de moi ? Il aurait pourtant dû m'être reconnaissant de l'occasion que je lui avais donnée de me dire que le salon de la princesse était un salon de trois cents ans en arrière sur celui de la duchesse et où on ne tenait aucun compte de l'intelligence, où on n'avait aucune considération pour le mérite. Car c'est un fait constant que chaque fois qu'un homme de valeur est reçu dans un milieu élégant, il désire persuader les naïfs, et commence par persuader lui-même de tous qui est lui-même, que la plus profonde indifférence à la valeur règne dans ce milieu où ainsi des hommes aussi éminents que lui n'entreront jamais. Même pour l'Académie française, il est très visible que Sainte-Beuve cherchait à faire croire aux

hommes de talent, à Baudelaire, à Gautier, à Goncourt, que ce n'était
pas la peine d'y songer, que les fauteuils étaient réservés aux familiers
d'une certaine société presque impénétrable sur laquelle régnaient le
comte Molé et le chancelier Pasquier. D'ailleurs toutes ces différences
qu'on s'ingéniait à m'indiquer entre le salon de la princesse et celui de
la duchesse et qui se seraient réduites à assez peu de chose si elles n'avaient
servi de canevas aux broderies de mon imagination, n'avaient pas à
beaucoup près pour celle-ci l'attrait des particularités que, grâce à la
sorcellerie de son langage artiste en même temps que mondain, m'avait
précisément suggérées M. de Charlus. Il avait donné à mes rêves un si
rigoureux coup de barre en les orientant vers la princesse que j'en avais
oublié combien j'avais été désappointé au dîner de Mme de Guermantes.
Quand dans un livre d'un écrivain un peu magicien, je lisais de l'église
(pour dire qu'elle était bâtie de pierres bleuâtres et roses) qu'elle scintillait
de rubis, de saphirs et de tous les trésors de l'Orient, c'est là qu'allaient
se réfugier mes rêves chassés de Balbec par le tramway, par la façade
du Comptoir d'escompte qui avaient pris leur place. De même quand
M. de Charlus, baissant l'éclat de sa voix, lui donnant le mystère d'une
pénombre de théâtre avant d'y faire apparaître le nom de la princesse
de Guermantes, parlait d'elle dans un langage — peut-être un peu
emprunté à Swann, à moins qu'il n'eût été jadis imité par celui-ci — où
la mondanité s'adultérait d'art en un ambigu subtil et corrupteur, j'oubliais
le désappointement que j'avais éprouvé chez la duchesse de Guermantes,
les paroles mêmes de M. de Charlus donnaient un vigoureux coup de
barre à mes rêves, les orientaient vers la princesse « constellée des
émeraudes de Catherine de Russie » et me faisaient imaginer une étrange
beauté poétique dans de simples réalités sociales. / Si encore *ms.* ◆◆
b. était véritable. *[6 lignes plus haut]* Quant à M. de Charlus je craignais
plutôt qu'il ne la fît retirer, si je lui en parlais, puisque sa prétention était
qu'on ne pénétrât que par sa volonté chez la princesse, c'est-à-dire comme
salaire d'une fidélité que je sentais trop que je ne lui avais pas montrée.
Il ne pourrait qu'être fâché que l'événement semblât donner un démenti
à ses paroles, et s'arrangerait pour en avoir raison en faisant changer
l'événement, ce qui ne lui serait pas difficile, car la princesse, tenant
évidemment plus à lui qu'à moi, ne trouverait pas difficile de me faire
savoir de ne pas venir, à supposer même qu'elle m'eût réellement invité.
Le doute où j'étais à cet égard doit depuis un moment déjà faire dire
au lecteur mondain que je ne suis guère un homme du monde. En quoi,
si la raison de son diagnostic était vraie, il ferait un grand compliment
à l'auteur. Celui-ci doit en effet écrire avec un désintéressement assez
complet pour ne plus faire partie d'aucune des castes auxquelles, tant qu'il
était un homme < du monde >, il appartenait. Il doit, par peur qu'avec
les mots il ne conserve leur point de vue particulier, prendre garde de
se dépouiller de leur dialecte quand il écrit. Par exemple, ce que le peuple
et la bourgeoisie appellent les nobles appelle les autres nobles « les gens
du monde », par un tour de langage analogue encore qu'inverse de celui
des Romains qui appelaient barbare tout ce qui n'était pas romain.
L'auteur, si habitué qu'il ait été dans la vie à dire, lui aussi, « les gens
du monde », doit, autant qu'il le peut, depuis que pour décrire tous les
milieux il doit être au-dessus de tous et ne plus appartenir à aucun, dire,
en parlant des nobles : « les nobles ». Mais en réalité le doute où j'étais
n'est pas même, comme je m'en étais un moment flatté, de ces sentiments

qu'un « homme du monde » n'éprouverait pas et que devrait en conséquence savoir reproduire un auteur, qu'il ait été ou non « homme du monde » mais qui ambitionne de peindre différentes classes. J'ai en effet trouvé *ms.*

1. Joseph-Othenin-Bernard de Cléron, comte d'Haussonville (1809-1884), diplomate et homme politique, membre de l'Académie française, est l'auteur de Mémoires intitulés *Ma jeunesse (1814-1830)*, dans lesquels on peut lire : « Le salon de Mme Delessert, qui demeurait alors avec ses parents et ses sœurs dans la rue d'Artois, plus tard la rue Laffite, était le centre d'un cercle de gens aimables, au sein duquel Georges [d'Harcourt] et moi grillions si fort d'être admis, que, ayant, dans cette année 1830, reçu d'elle une invitation à dîner datée du 1er avril, nous crûmes prudent de nous assurer, chacun de notre côté, que nous n'étions pas les dupes de quelque poisson d'avril » (Calmann Lévy, 1885, p. 301). En novembre 1920, Proust expliquait à Paul Souday que certains mots de Mme Straus lui avaient permis d'illustrer « l'esprit des Guermantes », et il ajoutait : « Dans *Guermantes II*, que vous ne connaissez pas, mon héros reçoit une invitation chez la princesse de Guermantes (cousine de la duchesse). Cela lui paraît si élégant qu'il a peur qu'on lui ait fait une farce. Or, ce trait n'est pas de moi. M. d'Haussonville, le père, raconte, dans ses Mémoires, que lui et son ami, M. d'Aramon, avaient si envie d'être invités chez M. Delessert, que, l'ayant été, ils allèrent s'informer chacun de leur côté si c'était bien vrai, ne pouvant croire à leur bonheur. Ce sont peut-être les deux seules fois dans toute mon œuvre que je n'ai pas "inventées" de toutes pièces » (*Correspondance générale*, éd. citée, t. III, p. 85-86 ; voir n. 8, p. 855).
— Valentine de Laborde (1806-1894) épousa en 1824 Gabriel Delessert, préfet de police de Paris de 1836 à 1848. Elle fut la maîtresse de Mérimée, de Maxime du Camp et de Charles de Rémusat. Flaubert a fait son portrait, sous les traits de Mme Dambreuse, dans *L'Éducation sentimentale*. — En 1836, le comte d'Haussonville avait épousé Louise-Albertine de Broglie, princesse du Saint-Empire (1818-1882), fille du duc Léonce-Victor de Broglie (1785-1870) et petite-fille de Mme de Staël. Elle a écrit des ouvrages d'érudition sous le nom de Robert Emmet. Ingres fit son portrait. Elle était la mère du comte Othenin d'Haussonville, que connaissait Proust (voir « Le Salon de la comtesse d'Haussonville », *Essais et articles*, éd. citée, p. 482-487). — Dans ses Souvenirs, le comte d'Haussonville écrit : « Ayant brusquement passé, en 1828, des bancs du collège Louis-le-Grand dans les rangs du corps diplomatique à l'étranger, je n'avais de camarades parmi la génération du faubourg Saint-Germain, à laquelle j'appartenais, que mes amis Georges d'Harcourt et Hely de Chalais » (*Ma jeunesse*, éd. citée, p. 228). Ces « deux inséparables amis » sont Georges Trévor Douglas Bernard, marquis d'Harcourt (1808-1883), diplomate et membre de la Chambre des pairs, dont la fille épousa le fils du comte d'Haussonville, et Élie Louis Roger de Talleyrand-Périgord, duc de Périgord, prince de Chalais et grand d'Espagne (1809-1889).

Page 860.

a. l'hôtel de la marquise de Tresmes (Walpurgis) et de la duchesse de Villars (Isabeau), cousines très nobles *plac. 1* : l'hôtel de la [marquise de Citri (Walpurge) *biffé*] [princesse de Silistrie *corr.*] et de la [duchesse de Montrose (Isabeau) *biffé*] [marquise de Plassac *corr.*], cousines très nobles *plac. 3. Nous ne signalerons plus cette variante de nom et de titre. Pour le texte de ms., jusqu'à var. e, p. 861, voir ladite variante.* ◆◆ *b.* cet hôtel, rien *plac. 1*

1. Isabeau de Bavière (1371-1435) était la femme de Charles VI.
2. Ces phrases sur les cheminées de Venise, les tulipes de Delft ou de Haarlem, la jeune fille que peigne une vieille femme et les « cent tableaux hollandais juxtaposés » reparaissent, presque textuellement, dans *Albertine disparue* (*CF*, t. III, p. 650 et p. 646-647).

Page 861.

a. ouvertes pour [faire *add.*] le ménage *orig. b* ◆◆ *b.* des tapis [ou promenaient des plumeaux *add.*], le même plaisir *orig. b* ◆◆ *c.* l'hôtel de Tresmes. Mais cette attente *plac. 1* ◆◆ *d.* précéder d'abord par celui de [ma visite *corrigé en* la visite que je fis] aux Guermantes [quand je sus *biffé*] [dès que j'appris *corr.*] qu'ils étaient rentrés. *orig. b* ◆◆ *e.* depuis la veille *[p. 860, première ligne].* Et je résolus d'aller la voir [avant le dîner pour qu'elle pût *biffé*]. / *[sur un nouveau folio :]* (Suite et fin) / *Du Côté de Guermantes / Fin / [sur un nouveau folio :]* [Quelque temps après avoir entendu la porte cochère s'ouvrir à deux battants et la duchesse rentrer, j'allai la voir. Elle était en train de s'habiller *biffé*] Ce fut le duc qui me reçut *ms.*

1. En 1802, Turner tint un carnet de croquis sur les *St. Gothard and Mont Blanc*. Un dessin de 1819 (encre et lavis), intitulé *Devil's Bridge, St. Gothard* (British Museum), représente des personnages sur le pont du Diable. Une diligence figure dans un autre tableau montrant le col du Splügen, entre l'Italie et la Suisse.
2. Voir *Sodome et Gomorrhe*, t. III de la présente édition, p. 3.

Page 862.

a. Sur ms., on lit une première version biffée de ce texte : Comme Swann doit venir tout à l'heure lui apporter la photographie grandeur nature d'un tableau sur lequel il a fait un article (que je me suis du reste empressé de ne pas lire) dans la *Gazette des Beaux-Arts*, elle a préféré s'habiller d'abord pour pouvoir rester avec lui ◆◆ *b.* ou amies, comme la princesse de Silistrie, la marquise d'Osmond, vinrent *plac. 1. Pour la leçon de ms., jusqu'à var. a, p. 864, voir ladite variante.*

1. L'ordre des Hospitaliers de Saint-Jean-de-Jérusalem fut fondé en 1113 pour défendre le royaume latin de Jérusalem constitué à l'issue de la première croisade (1099), et pour accueillir les pèlerins en Terre sainte. Chassés de Palestine en 1291, les hospitaliers se réfugièrent d'abord à Chypre (1291), à Rhodes où ils prirent le titre de « chevaliers de Rhodes » (1309), puis à Malte où ils devinrent les « chevaliers de Malte » (1530).

2. Après la prise de Malte par Bonaparte en 1798 et la conquête de l'île par les Anglais en 1800, les chevaliers de Malte s'installèrent à Rome. Pie VII modifia les statuts de l'Ordre, et Léon XIII, en 1880, lui concéda le prieuré du mont Aventin. Il ne joue plus aujourd'hui qu'un rôle honorifique et charitable.

3. L'ordre des Chevaliers de la milice du Temple fut fondé en 1119. Sa grande richesse et son indépendance suscitèrent la convoitise et la malveillance : soupçonnés d'avidité et d'immoralité, accusés de pratiquer la débauche et l'idolâtrie, les Templiers furent persécutés par Philippe le Bel, et leur ordre fut supprimé en 1311. Les hospitaliers héritèrent de leurs possessions.

4. La famille de Lusignan régna sur Chypre de 1192 à 1489. Voir n. 1, p. 311.

Page 863.

a. Pauvre [Valpurge *biffé*] Momo ! C'est *plac. 1* ◆◆ *b.* costume de François Ier pour lui et de Marie Stuart pour la duchesse *plac. 1, plac. 3* ◆◆ *c.* souffrance du bon Valpurge. Deux autres dames porteuses de canne vinrent ensuite [...] cousin Valpurge ne laissait plus d'espoir. *plac. 1. Nous ne signalerons plus la variante « Valpurge / Amanien d'Osmond ».* ◆◆ *d.* Comme le duc Timoléon était *plac. 1. Timoléon est le prénom de Valpurge.* ◆◆ *e.* peu aimable *[7 lignes plus haut].* Aussi ne restèrent-elles pas longtemps. Je *plac. 1*

1. Ce passage fait double emploi avec celui de la p. 860.
2. Allusion aux *Mémoires* de Mme de Boigne : ils furent écrits pour son neveu, le comte Rainulphe d'Osmond, dont Proust croyait garder le souvenir, mais dont il connaissait, en réalité, le fils : « [...] j'ai vu bien souvent au bal, quand j'étais adolescent, sa nièce, la vieille duchesse de Maillé née d'Osmond, plus qu'octogénaire, mais superbe encore sous ses cheveux gris qui relevés sur le front faisaient penser à la perruque à trois marteaux d'un président à mortier. Et je me souviens que mes parents ont bien souvent dîné avec le neveu de Mme de Boigne, M. d'Osmond, pour qui elle a écrit ces Mémoires et dont j'ai trouvé la photographie dans leurs papiers avec beaucoup de lettres qu'il leur avait adressées. De sorte que mes premiers souvenirs [...] rejoignent par un lien déjà presque immatériel les souvenirs que Mme de Boigne avait gardés [...], pont léger jeté du présent jusqu'à un passé déjà lointain, et qui unit, pour rendre plus vivante l'histoire, et presque historique la vie, la vie à l'histoire » (*Essais et articles*, éd. citée, p. 532).

Page 864.

a. savoir sur les Lusignan. » *[p. 862, 10e ligne en bas de page]* Le duc parut *ms.* ◆◆ *b.* décidez à aller [à la soirée *biffé*] [chez mes cousins *corr.*], je n'ai pas besoin *orig. b*

Page 865.

   a. qui va chez Humbert. Vous *ms. Nous ne signalerons plus cette variante.* ◆◆ *b.* d'Altesses étrangères, enfin tout ce qu'on fait de mieux dans le genre. Mais les personnes *[un mot illisible]* Kermaria sont inconnues rue de Varenne. Tenez, *ms. Le passage concernant Mme de Stermaria figure donc déjà dans ms. (avec l'hésitation Stermaria/Kermaria) ; Proust avait songé à l'enrichir par des additions aux épreuves, comme en témoigne une note du Cahier 59 (f° 68 r°)* : Épreuves de Gallimard : « Stermaria, oui je sais très bien, ils ont dans leurs armes une étoile (Ster en breton) et par extraordinaire la devise n'est pas en breton mais en latin et d'ailleurs assez belle : Lumen in caelo. »

   1. Philippe de Champaigne ou Champagne (1602-1674), peintre flamand installé à Paris dès 1621, est l'auteur de portraits de Richelieu, de Louis XIII, de Gaston de Foix, etc.

Page 866.

   a. propos fâcheux. *[p. 865, dernière ligne]* Enfin il a beau être très aimé de tout le monde, très lié avec Humbert, étant donné les circonstances... » Je n'avais pas vu *ms.* : propos fâcheux. [Le duc rappela *[...]* envoyé chez le cousin Gombaud était revenu. En effet *[...]* le temps de « claquer » et de lui faire rater sa redoute. *add.*] Enfin il a beau *[comme dans ms.]* circonstances... » Je n'avais pas vu *plac. 1*

   1. Chapelier, au 24, boulevard des Capucines, 15-25, passage Jouffroy et 223, boulevard Saint-Germain.

   2. Sur le prince de Sagan, voir t. I de la présente édition, n. 2, p. 629.

   3. Gabriel Astruc, créateur du théâtre des Champs-Élysées et ami de Proust, a connu ce marquis de Modène et décrit « ses longs favoris flottants et son allure de lévrier vanné » (*Le Pavillon des fantômes*, Grasset, 1929, p. 155). Comme Charles Haas (voir n. 4), il faisait partie de la société élégante dont le prince de Galles était le symbole à la fin du XIXe siècle.

   4. Charles Haas (1832-1902), fils d'un agent de change, était, avec les Rothschild, le seul juif à faire partie du Jockey Club. Il était l'ami de Mme Straus, mais Proust le fréquenta peu. Il est cependant le principal modèle de Charles Swann. Proust, pour une fois, n'a guère dissimulé cette « clef ». « Comment, vous avez reconnu Haas ? » écrivait-il en décembre 1913 à Gabriel Astruc qui venait de lire *Du côté de chez Swann*. « Haas est en effet la seule personne, non que j'aie voulu peindre, mais enfin qui a été (rempli d'ailleurs par moi d'une humanité différente) qui a été au point de départ de mon Swann » (*Correspondance*, t. XII, p. 387). Une photographie représente Charles Haas, coiffé de ce « tube gris de forme évasé », en compagnie de Mme Straus et de Degas (voir François Cruciani, *Marcel Proust*, Pierre Charron, 1971, p. 102). Il porte un chapeau identique dans le tableau de James Tissot, *Le Cercle de la rue Royale en 1867*, qu'évoque Proust dans *La Prisonnière* (t. III de la présente édition, p. 705 ; voir

Pierre-Louis Rey, *Marcel Proust, sa vie, son œuvre*, Frédéric Birr, 1984, p. 35).

5. Sur Louis, comte de Turenne d'Aynac, voir n. 2, p. 343.

Page 867.

a. salissant, et (mais il ne le disait pas) fort seyant. *ms.* : salissant, en réalité (mais il ne le disait pas) parce que c'était fort seyant. *plac. 1*

Page 868.

1. Hyacinthe Rigau y Ros, dit Rigaud (1659-1743), peintre français de la cour de Louis XIV, fut spécialiste du portrait d'apparat. Son tableau le plus fameux, représentant le roi en costume de sacre (1701), est au Louvre.

2. Le mot apparaît dans la comédie de Georges de Porto-Riche (1849-1930), *Le Passé*, « peut-être la plus belle pièce de théâtre en France depuis *Andromaque* » (lettre de Proust à Édouard Rod, 30 janvier 1909, *Correspondance*, t. IX, p. 29). Créée en cinq actes à l'Odéon (1897), la pièce fut réduite à quatre actes pour la reprise du Théâtre-Français, en 1902. C'est dans cette seconde version que figure la réplique. Dominique Brienne, l'héroïne, a acheté des bibelots et un « petit tableau » qui n'est pas signé. « À qui pourrait-on l'attribuer ? » demande-t-elle à l'un de ses amis, le peintre Bracony, lequel répond : « Moi, je l'attribuerais... à la malveillance » (*Le Passé*, Ollendorff, 1903, acte I, sc. III, p. 11). Mais peut-être le véritable auteur de ce mot est-il Charles Haas. En effet, Reynaldo Hahn rapporte l'anecdote suivante : « Saint-Maurice qui vient d'acheter un affreux tableau italien noirâtre, embu et craquelé, demande à Charles Haas : "À qui l'attribuez-vous ?" Haas lui répond : "À la malveillance." » (*Notes (Journal d'un musicien)*, Plon, 1933, p. 189).

Page 869.

a. princesse des Laumes, à cause du plaisir que c'est de découvrir quelque chose d'autre que le présent au fond de soi, et aussi d'en étonner un peu les autres. Son esprit *ms.* ●● *b.* dans leur opinion, de même que je crois que mon sang juif n'est pour rien dans la mienne. De bonne foi je suis persuadé qu'il n'y est pour rien, mais il peut agir inconsciemment en moi comme agit la même maladie dont ma mère est morte. » « Mais Robert *ms.*

Page 870.

a. Proust a ébauché le passage sur Swann et le dreyfusisme dans le Cahier 61, pendant qu'il corrigeait les épreuves. Une esquisse inachevée est rédigée sur le folio 106 r° : Penser dans la soirée Guermantes quand il est question de l'affaire Dreyfus que Swann parlera de Clemenceau, et ayant oublié non seulement ses idées littéraires et sa langue mais même sa façon de s'exprimer, me dira : « Je ne suis pas anticlérical, mais c'est tout de même un très grand monsieur, le père Clemenceau. Comme il sait... *un peu plus loin, figure une deuxième ébauche plus complète (ff^os 110 r° à 111 r°), précédée d'une « note de régie » :* Pour le *Côté de Guermantes.* Capital, et même si c'est déjà écrit substituer ces formules plus nettes : [Swann était d'ailleurs subitement devenu d'une naïveté extraordinaire *biffé*] Le dreyfusisme avait rendu Swann d'une naïveté extraordinaire, et donné à sa façon de voir une impulsion, un déraillement plus notable encore que n'avait fait autrefois son mariage avec Odette. Ce nouveau déclassement qui n'était qu'honorable pour lui puisqu'il le ramenait à ce qu'avaient été ses grands-parents, lui causait, au moment même où il était si lucide < et où il > voyait la vérité cachée aux hommes du monde, un aveuglement comique. Swann reclassait toutes ses admirations et tous ses dédains, suivant un critérium nouveau unique qui était le dreyfusisme. Non seulement en tant qu'il s'agissait des êtres — ce qui n'était pas bien grave ; n'avaient-ils pas subi d'ailleurs une altération aussi complète de leur essence quand le mariage de Swann lui avait fait trouver Mme Bontemps intelligente, avec cette seule différence qu'il la trouvait bête maintenant (et attribuait sa bêtise à son origine de bourgeoisie cléricale qui lui revenait — dire le nom de sa famille, cité je crois dans *À l'ombre des jeunes filles en fleurs* —), parce qu'elle était antidreyfusarde, son mari était chef de cabinet de Méline. La vague nouvelle atteignait en lui aussi les jugements politiques, au point qu'il niait, sincèrement, avoir dit, comme les gens du milieu Guermantes, que Clemenceau était un homme d'argent, et le proclamait maintenant une conscience, comme Cornély. Bien plus, la vague dépassait ces jugements politiques, renversait entièrement ses jugements littéraires. Swann trouvait « remarquables » de niaises ou abominables chroniques de journaux dreyfusards et trouvait, en revanche, subitement que Barrès n'avait plus aucun talent et même, rétrospectivement, n'avait écrit en somme que des livres de second ordre.

1. Le 20 décembre 1892, Paul Déroulède accusa Georges Clemenceau, alors député de Paris et directeur du journal *La Justice*, d'avoir reçu de Cornelius Herz, l'un des financiers du Canal de Panama, des sommes destinées à lancer une campagne de presse favorable au projet. Herz s'étant réfugié en Grande-Bretagne, pour échapper aux poursuites judiciaires, Clemenceau fut accusé d'être un agent de l'Angleterre. Compromis par le scandale, il fut battu aux élections législatives de 1893, bien qu'il eût pris soin de se présenter dans une nouvelle circonscription.

2. Jean-Joseph, dit Jules Cornély (1845-1907), était fondateur et directeur d'un journal royaliste, *Le Clairon*, qui fusionna avec *Le Gaulois*. En décembre 1897, après avoir publié un article en faveur de Dreyfus et contre le général Mercier, il fut contraint de démissionner et entra au *Figaro*. Il y resta jusqu'en 1901 et finit sa carrière au *Siècle* et dans divers journaux radicaux. Il est l'auteur de plusieurs recueils d'articles, dont des *Notes sur l'affaire Dreyfus*.

3. Proust, ayant « longtemps eu avec une immense admiration pour le talent de Barrès, une profonde antipathie pour ce [qu'il croyait] son mauvais cœur » (lettre à Mme de Noailles, octobre 1909, *Correspondance*, t. IX, p. 196), reprochait à l'auteur du *Culte du moi* d'avoir « délaissé la littérature au profit de la politique » (René de Chantal, *Marcel Proust critique littéraire*, Presses de l'université de Montréal, 1967, t. I, p. 189).

Page 871.

a. rubis », dit Swann en montrant les boucles d'oreille de la duchesse. « Ah ! *ms.*

1. Antoine de Noailles (1841-1909) était duc de Mouchy (voir n. 1, p. 811).

Page 872.

1. En vérité, le héros ne fera la connaissance de la princesse qu'au cours de la soirée décrite dans *Sodome et Gomorrhe* (t. III de la présente édition p. 34 et suiv.).

2. Marie Pauline Cécile Dupont-White (1841-1898), fille d'un célèbre économiste, épousa François Sadi Carnot (1837-1894), qui fut président de la République de 1887 à sa mort. Elle inaugura la tradition des réceptions mondaines du palais de l'Élysée.

Page 873.

a. une carte *[p. 872, 3ᵉ ligne en bas de page]* à Mme Carnot. [Mais, mon petit Charles, dit la duchesse pour changer de conversation, vous savez que vous ne m'avez pas envoyé la photographie de ce Ver Meer[1] dont vous avez parlé. Votre article m'en a dit si joliment tant de bien que je voudrais le connaître. *biffé*] [Mais, mon petit Charles, [...] cessé de regarder sa femme fixement : *corr.*] « Oriane *ms.*

1. Durant la présidence de Sadi Carnot, il y eut deux ambassadeurs de Grande-Bretagne à Paris : Robert Edward Bulwer, comte Lytton (1831-1891) fut nommé en 1887 ; Frederick Temple Blackwood, marquis de Dufferin et Ava (1826-1902), accrédité en 1892, « avait épousé en 1862 une femme remarquable par son esprit et son savoir », lady Georgina de Killybeagh Castlebown, laquelle publia un livre sur l'Inde traduit en France en 1890 (*Nouveau Larousse illustré*, Supplément, 1907, p. 191). Dans son pastiche de Saint-Simon, Proust parle de « cet air de grandeur et de rêverie qui frappait tant chez B. Lytton » et du « singulier visage et qui ne se pouvait oublier de milord Dufferin » (*Pastiches et mélanges*, éd. citée, p. 55).

2. Pendant la Révolution, Lazare Nicolas Marguerite Carnot (1753-1823), surnommé le « Grand Carnot », fut conventionnel et membre du Comité de salut public.

3. Voir n. 1, p. 334.

4. Louis Philippe Joseph, duc d'Orléans, dit Philippe-Égalité (1747-1793), père du futur Louis-Philippe, adhéra à la cause des révolutionnaires par calcul politique. Conventionnel en 1792, il vota la mort de son cousin Louis XVI, mais, accusé de trahison, il fut à son tour condamné et guillotiné.

Page 874.

a. le marquis d'Ancenis ? demanda-t-il. *plac. 1. Pour la leçon de ms., voir var. c, p. 875.*

1. Voir var. *a*, p. 862.

Page 875.

   a. remarqua et comprit. « Mais non Basin qu'il   *plac.* 1 ◆◆ *b.* valet
de pied de Baud-Baud, j'aime   *plac.* 1 ◆◆ *c.* comme tous les Orléans. »
[p. 874, 2ᵉ ligne] Un valet de pied entra.   *ms.* ◆◆ *d.* savez que Gombaud
est très malade, Charles). Jules qui était allé prendre des nouvelles de
M. le marquis d'Ancenis est-il revenu ?   *plac.* 1. *Pour la leçon de ms., on
se reportera à la variante a, p. 876.*

Page 876.

   a. Swann a fait porter ? *[p. 875, 8ᵉ ligne en bas de page]* — Madame   *ms.*

   1. Sans doute Robert de Montesquiou avait-il raconté à Proust
l'anecdote suivante : « Au cours de la dernière maladie de mon frère
Gontran, il y eut un bal costumé qui fit assez de fureur ; c'est une
forme du comique macabre du séjour des grandes villes que les
perplexités auxquelles ces sortes de circonstances livrent les mondains
pris entre le désir de se mettre en chienlits, et la crainte d'un deuil
possible qui rendrait la dépense vaine. [...] Telle fut, alors, la passe
dans laquelle une agonie indiscrète jetait nos cousins A*** ; voici
comment ils s'y prirent pour ménager le crêpe et le tulle [...] Pour
commencer, quotidiennement, des nouvelles, aussi intéressantes
qu'intéressées, furent prises, de leur part, avec beaucoup de
sollicitude, au domicile du gêneur [...]. Le jour du gala, nous en étions
à réciter les prières des agonisants, le malade râlait. Cet après-midi-là,
le bulletin fut consulté plus tôt que de coutume pour lui laisser le
temps de devenir le dernier ; quant au dernier soupir, comme il n'était
pas encore rendu, rien n'empêchait, n'est-ce pas ? de remettre les
lacrymatoires au lendemain et d'être tout aux flûtes, les unes
d'harmonie, les autres d'ambroisie. » Le malade expira peu avant
le début du bal, et le cousin A*** (Aimery de La Rochefoucauld)
fut avisé du décès au moment où il se dirigeait vers la salle de danse ;
« il lança nettement cette verte réponse, à laquelle le noir aurait
mieux convenu : "ON EXAGÈRE" » (R. de Montesquiou, *Les Pas
effacés*, Émile-Paul, 1923, t. I, p. 277-279). Une autre source de
l'épisode peut être trouvée dans les *Mémoires* de Mme de Boigne.
À l'occasion du carnaval de 1820, le duc de Berry donnait un grand
bal à l'Élysée. « La maladie du duc de Kent avait fait hésiter à le
remettre, un léger mieux encouragea à le donner. Le télégraphe
apporta la nouvelle de la mort le jour même où il devait avoir lieu.
Je l'appris par M. le duc de Berry. / [...] Je lui trouvai, dès en arrivant,
l'air que je lui connaissais quand il était mécontent. Le bal était si
beau, si brillant, si animé que je ne comprenais pas qu'il n'en fût
pas satisfait. Il s'approcha de moi. / "Hé bien ! vous savez que le
Palais-Royal ne vient pas ; ils ont envoyé leurs excuses. / — Vraiment,
monseigneur ? / — C'est fort déplacé. Le roi avait décidé que la
nouvelle de la mort du duc de Kent ne serait sue que demain ; et
voilà qu'ils la répandent par leur absence qu'il faut bien expliquer...
C'est pour me donner un tort" » (*Mémoires*, éd. citée, t. II, p. 22-23).

Page 877.

1. Voir n. 5, p. 808. L'État de Hesse-Cassel (ou Hesse électorale) fut réuni à la Prusse en 1866. Le grand-duché de Hesse-Darmstadt entra lui aussi dans la Confédération d'Allemagne du Nord mais conserva son indépendance politique.

2. Le grand-père d'Oscar II (voir p. 723 et n. 2, p. 491) était Jean-Baptiste Bernadotte (1764-1844). Né à Pau, ce simple soldat se distingua lors des guerres de la Révolution et de l'Empire, et devint maréchal de France. Adopté par le roi de Suède, Charles XIII, il lui succéda en 1818, sous le nom de Charles XIV Jean.

Page 878.

a. après votre photographie. Je voudrais voir celui qui a tué le crocodile. — Ah ! Déodat de Gozon, extinctor draconis, dit Swann.　*ms., plac. 1*

1. Ce passage assez obscur peut être éclairé par la variante *a*. Sans doute la médaille de l'ordre de Saint-Jean-de-Jérusalem, dont Swann a apporté une reproduction photographique à la duchesse, représente-t-elle Déodat (ou Dieudonné) de Gozon, qui fut grand maître de l'Ordre de 1346 à 1353. Alberto Beretta Anguissola (Marcel Proust, *Alla ricerca del tempo perduto*, éd. citée, t. II, p. 1146-1147) signale que, dans un ouvrage intitulé *Numismatique de l'Orient latin*, Gustave Schlumberger (voir n. 4, p. 510) rapporte la légende suivante, contée avant lui par René Aubert de Vertot d'Aubœuf dans son *Histoire des chevaliers hospitaliers de S. Jean de Jérusalem* (1726) : « Issu d'une vieille famille du Languedoc, [Dieudonné de Gozon] s'était fait connaître dans toute la chrétienté, par un combat singulier avec un monstre ou dragon de taille énorme, un crocodile suivant toute apparence, amené d'Afrique par quelque jongleur, et qui, pendant de longues années, avait été la terreur de Rhodes. [...] Lorsque Dieudonné mourut, on mit sur son tombeau, dans l'église de Saint-Étienne, cette inscription : *Ci-gît le vainqueur du dragon*, et Thévenot, qui était à Rhodes, au commencement du XVIIᵉ siècle, vit, au-dessus de la porte du port, la tête du prétendu dragon, une simple tête de crocodile » (*Numismatique de l'Orient latin*, Ernest Leroux, 1878, p. 225). Schlumberger ajoute : « Dieudonné de Gozon paraît avoir été le premier grand maître qui ait fait frapper monnaie d'or, n'imitant encore que la face principale du sequin de Venise, mais ses ducats ne nous sont malheureusement connus que par la gravure qu'en donnent les historiens de l'Ordre » (*ibid.*, p. 240). Il publie toutefois la description de ces monnaies sur lesquelles figure l'inscription : « + FR . DEODAT . D . GOSONO . DI . GRA . MGR » (*ibid.*, p. 245-246). Les mots latins *extinctor draconis* signifient « tueur du dragon ». — Quant à l'expression *latrator Anubis* (« Anubis aboyant »), elle est employée par Virgile pour décrire l'une des scènes gravées par Vulcain sur le bouclier d'Énée : « *Omnigenumque deum monstra et latrator Anubis / Contra Neptunum et Venerem contraque Mineruam / Tela tenent* (*Énéide*, VIII, v. 698-700 : « Des dieux monstrueux mêlés de toutes natures, l'aboyeur Anubis, pointent leurs traits contre Neptune et Vénus et contre Minerve » ; trad. Jacques

Perret, Les Belles Lettres, t. II, 1982, p. 145). Anubis, dieu des morts
égyptien, est en effet représenté avec un corps d'homme et une tête
de chacal. Le rapprochement qu'établit Proust entre Dieudonné de
Gozon et le texte de Virgile peut être expliqué par le chapitre II
du *Repos de Saint-Marc*, intitulé « *Latrator Anubis* » et consacré aux
« colonnes sœurs » de la Piazzetta de Venise (voir n. 1, p. 660).
Ruskin y décrit la statue de saint Théodore, « protecteur et
porte-étendard » de Venise : « Saint Théodore représente la force
de l'Esprit de Dieu se manifestant dans toute vie animale noble et
utile, pour triompher de ce qui est mauvais, inutile ou corrompu.
Il diffère de saint Georges par sa lutte contre le mal matériel, au
lieu de la passion coupable. Le crocodile qu'il foule aux pieds est
le Dragon de l'ancienne Égypte, jadis né du limon, adoré comme
un dieu dans sa force malfaisante » (trad. K. Johnston, Hachette,
1908, p. 21). Ruskin étudie ensuite les origines du mythe du dragon,
« symbole vivant qui, depuis plus de trois mille ans, personnifie la
force du dieu reptile de l'Égypte [...]. Lui et ses compagnons issus
du sol, à tête bestiale, n'ayant pour toute voix que des cris
d'animaux : / *Omni genumque Deum monstra et Latrator Anubis. / Contra
Neptunum et Venerem, contraque Minervam.* / [...] La grande victoire
de saint Théodore est d'avoir fait de la terre son piédestal et non
son ennemi ; en lui est la force de la vie noble et sensée l'emportant
sur les folles créatures et les forces stupides de ce monde. / Le *Latrator
Anubis*, gardien de l'enfer à la fois le plus cruel et le plus insensé,
devenant, grâce à la pitié humaine, le plus fidèle ami de l'homme
parmi les animaux » (*ibid.*, p. 24-25).

Page 879.

   a. ni l'un ni l'autre. Ce   *ms.*

   1. Sous la rubrique « Hesse (Maison de Brabant) », l'*Almanach de
Gotha* donne la notice suivante : « Duc de Brabant et margrave
d'Anvers 1128-1139 et depuis 1141 (1190) ; Landgrave, seigneur de
Hesse [...] par suite du mariage, conclu [en] 1241, de Henri II duc de
Brabant († 1248) avec Sophie, fille de Louis IV landgrave de Thuringe
et de Hesse, à la mort du dernier landgrave de Thuringe, Henri Raspe,
qui ne laissa pas d'enfants, 1247 » (édition de 1898, p. 45).
   2. Ce cri de guerre commémore la victoire remportée par Jean Ier
de Brabant sur les ducs de Limbourg (bataille de Worringen, 1288).
Il figure, sous une forme légèrement différente, dans le *Supplément
au dictionnaire des devises historiques et héraldiques* d'Henri Tausin :
« Limbourg à celui qui l'a conquis ! (*Cri.*) — Jean, le Victorieux,
comte de Louvain, après s'être emparé de Limbourg, en 1288 »
(Librairie historique des provinces Émile Lechevalier, 1895, t. I,
p. 294). Pour les autres cris d'armes des Guermantes, voir *À l'ombre
des jeunes filles en fleurs* (p. 113 : « Passavant » — en vérité, la devise
des comtes de Vendôme ; voir le *Dictionnaire des devises* de Tausin,
J.-B. Dumoulin, 1878, t. II, p. 584 — et « Combraysis »), et *Sodome
et Gomorrhe* (t. III de la présente édition, p. 342).
   3. La maison de Gramont a retenu les armes des vicomtes d'Aster,
auxquels elle s'est alliée en 1534.

4. La domination de l'Espagne sur les Pays-Bas et le Brabant remonte à l'époque de Charles Quint (1516) et dura jusqu'en 1648.

5. Alphonse XIII se proclamait en effet « roi d'Espagne, de Castille, de Léon, d'Aragon, des Deux-Siciles, de Jérusalem, de Grenade, de Tolède, de Valence, de Galice, de Majorque, de Minorque, [...] des Indes orientales et occidentales, de l'Inde et du continent océanien, archiduc d'Autriche, duc de Bourgogne, de Brabant et de Milan », etc. (*Almanach de Gotha*, 1898, p. 37). Parmi les titres de François-Joseph Ier, empereur d'Autriche, on relève les suivants : « roi apostolique de Hongrie, roi de Bohême, de Dalmatie, de Croatie, d'Esclavonie, de Galicie, de Lodomérie et d'Illyrie, roi de Jérusalem » (*ibid.*, p. 6).

6. Voir l'Esquisse VII, p. 1050.

7. Voir n. 2, p. 880.

Page 880.

a. la volonté de Napoléon qu'il le fût. — Écoutez, *ms.*

1. Jeanne la Folle (1479-1555), reine de Castille, fut la mère de Charles Quint.

2. L'*Almanach de Gotha* de 1862 donne la notice suivante : « Au commencement du XIe siècle, Pierre de Poitou, d'une ligne cadette, ayant eu pour apanage la seigneurie de la Trimouille, prit le nom de cette possession. Gui VI qui vivait vers la fin du XIVe siècle, était le premier grand-chambellan héréditaire de Bourgogne ; son petit-fils Louis Ier eut, par son mariage avec Marguerite d'Amboise, le comté de Thouars, érigé en duché Pairie, et la principauté de Talmond ; son arrière-petit-fils François prince de Talmond se maria en 1521 à Anne de Laval, fille du comte Gui XVI de Laval et de Charlotte d'Aragon princesse de Tarente ; d'après les droits de succession existant alors à Naples, les descendants de cette dernière fille du dernier roi de Naples de la famille aragonaise, Frédéric d'Aragon qui fut dépouillé de la couronne en 1501 par Ferdinand le Catholique, auraient dû succéder au trône de ce royaume, et la maison de la Trémoïlle ayant plusieurs fois vainement tâché de faire valoir ses réclamations, elle protesta formellement pour conserver ses droits. — Depuis cette époque, le fils aîné de cette maison, laquelle s'estime égale aux maisons souveraines, porte le titre de prince de Tarente. [...] De trois lignes que fondèrent trois fils du prince François de Laval, la moyenne du marquisat de Royan et du comté d'Olonne s'éteignit en 1708 ; la ligne cadette des barons puis ducs de Noirmoutiers, s'éteignit en 1733 ; la ligne aînée de Thouars fondée par Louis III fleurit encore » (p. 150-151). Voir la *Correspondance*, t. VIII, p. 174.

3. Jacques Étienne Joseph Alexandre Macdonald (1765-1840), issu d'une famille écossaise installée en France au début du XVIIIe siècle, participa à la campagne de Hollande en 1784 et devint général de brigade en 1795. Après Wagram (1809), où son intervention décida du succès des troupes impériales, il fut nommé maréchal de France sur le champ de bataille et, en 1810, à son retour à Paris, Napoléon lui donna le titre de duc de Tarente.

4. Le « titre de duc de Montmorency, héréditaire, érigé par lettres patentes de juillet 1551, et recueilli par héritage, en 1862, par la maison de Talleyrand, [fut] rétabli et confirmé en faveur de Nicolas Raoul Adalbert de Talleyrand-Périgord » (1837-1915), par décret impérial du 14 mai 1864 (A. Révérend, *Les Familles titrées et anoblies au XIXᵉ siècle — Titres et confirmations de titres [...] 1830-1908*, Champion, 1974, p. 520). Il était le deuxième fils d'Anne Louise Charlotte Alix de Montmorency-Fosseux (1810-1858), sœur de Raoul, dernier duc de Montmorency (1790-1862). Voir t. I de la présente édition, n. 3, p. 629, et *Sodome et Gomorrhe*, t. III de la présente édition, Esquisse XI, p. 1025.

5. Gustave Louis Adolphe Victor Charles Chaix d'Est-Ange (1800-1876), jurisconsulte, magistrat et homme politique, plaida dans quelques-uns des procès les plus marquants de son époque. Il est cité par Proust dans son pastiche de Sainte-Beuve sur l'affaire Lemoine : ses « discours publiés ont perdu non certes toute l'impulsion et le sel, mais l'à-propos et le colloque » (*Pastiches et mélanges*, éd. citée, p. 20 ; voir aussi la *Correspondance*, t. X, p. 325). Son fils, Gustave (1832-1887), avocat lui aussi, défendit Baudelaire lors du procès des *Fleurs du mal* en 1857.

6. Soupçonné d'avoir comploté contre Bonaparte, Louis Antoine Henri de Bourbon-Condé, duc d'Enghien, né en 1772, fils unique du « dernier des Condé », fut fusillé le 21 mars 1804 dans les fossés du château de Vincennes, après un procès où ne comparut aucun témoin et où il n'eut droit à aucun défenseur. Après la mort, en 1632, de Henri II, quatrième duc de Montmorency, le duché-pairie était entré dans la maison de Condé dont le chef, Henri II de Bourbon, avait épousé Charlotte de Montmorency.

Page 882.

a. plus favorisée *[p. 881, 3ᵉ ligne en bas de page]* que nous. Je voudrais *ms., plac. 1*

Page 883.

a. Ici s'achèvent les premiers placards. ✦✦ *b. Ici s'achèvent les troisièmes placards.*

1. Proust a ainsi dédicacé un exemplaire du *Côté de Guermantes II* : « À Monsieur et Madame Émile Straus, en les priant de lire l'épisode des souliers rouges que j'allai un soir chercher, et de ne pas oublier, non plus, le respectueux attachement de leur reconnaissant ami » (*Correspondance générale*, éd. citée, t. VI, p. 263 et p. 232 ; voir aussi la *Correspondance*, t. XI, p. 240).

Page 884.

a. des ânes. Vous nous enterrerez tous ! » *ms. Proust a noté l'avant-dernière phrase du duc de Guermantes dans le Cahier 61, fᵒ 65 vᵒ :* Pour C<ôté> de Guermantes. M. de Guermantes à Swann : « Vous vous portez comme le Pont-Neuf. »

ESQUISSES

On trouvera dans la Note sur la présente édition, t. I, p. CLXXIII-CLXXIV et suiv., toutes les indications concernant la nature de ces états préparatoires du roman de Proust.

Dans l'appareil critique, nous donnons, pour chaque Esquisse, une notule qui précise le numéro du Cahier ou du Carnet d'où est tiré le texte qu'on va lire, et procure la liste des folios sur lesquels Proust a écrit ledit texte. Lorsque cela a été jugé nécessaire, nous avons fait suivre cette liste d'un commentaire.

Un choix de variantes renseigne le lecteur sur l'établissement du texte de chaque fragment et rend compte des hésitations de Proust. Pour la lecture de ces variantes, voir la Note sur la présente édition, t. I, p. CLXXV-CLXXVI. Le sigle ms. *désigne le manuscrit, composé des Cahiers ou Carnets dont nous donnons les numéros dans les notules.*

Enfin, quelques notes de caractère historique ou littéraire éclairent le texte des Esquisses.

NOTES ET VARIANTES

Page 887.

À l'ombre
des jeunes filles en fleurs
[suite]

NOMS DE PAYS : LE PAYS

Esquisse XXVIII

Cahier 32, ff^os 6 à 17 r^os (certains rectos de pages sont barrés et plus ou moins remplacés par des ajouts sur certains versos). Voir p. 3 et suiv. Ce fragment, qui date vraisemblablement du printemps 1909, fait partie d'une rêverie sur les noms de lieux. Les premiers feuillets du cahier révèlent le rôle de Ruskin, inspirateur d'un désir de voyage vers le Nord (Amiens) et vers l'Italie ; ils forment la matrice commune aux dernières pages de « Noms de pays : le nom » (voir t. I, p. 382 à 386) et aux premières de « Noms de pays : le pays ».

a. début du paragraphe dans ms. : [Quand l'été fut venu *biffé*] [Le printemps vint *corr.*], le . *Jusqu'à* n'avaient-elles pas un nom ?

le texte est abondamment raturé et corrigé. ◆◆ *b.* les nostalgies, *[9 lignes biffées]* [l'instabilité du rêve [...] provinces   *corr.*]. Mais   *ms.* ◆◆ *c.* « L'Orient » et   *add. ms.* ◆◆ *d.* par Amiens [que je désirais tant voir   *biffé*] [, le Pont-Audemer   *add.*], [en traversant la Normandie, puis la Basse-Normandie par   *biffé*] Caen   *ms.*

1. Voir n. 1, p. 7.

Page 888.

a. Quimperlé ou [Coutances   *biffé*] [Concarneau   *biffé*] Roscoff   *ms.* ◆◆ *b. Ce paragraphe finit vers le bas du folio 10 r°. Nous le reconstituons en fonction d'un montage indiqué par Proust au folio 6 v°.* ◆◆ *c.* regarder [...] couchant   *biffé ms. Nous maintenons ces mots faute de pouvoir déchiffrer la correction interlinéaire.* ◆◆ *d.* où ne sachant [...] sienne   *add. ms.* ◆◆ *e.* de [ses solives   *biffé*] [sa porte   *corr.*] ou de   *ms.* ◆◆ *f.* alors [il commençait à me torturer de ses révoltes ; je ne fis plus mes préparatifs de voyage qu'avec la pâleur du héros poltron   *biffé*] mon   *ms.*

1. Proust orthographie généralement « Pennmarch » le nom de cette localité de la côte sud-ouest du Finistère. Jean Santeuil et son ami y assistèrent à une tempête (voir *Jean Santeuil*, Bibl. de la Pléiade, p. 374-375).
2. Le passage qui s'achève ici, développant la magie des noms, prépare plutôt la fin de « Noms de pays : le nom ».

Page 889.

a. Nous maintenons rencontra   *, corrigé dans ms. en* rencontrèrent   *, ainsi qu'à la ligne suivante* sembla   *, corrigé en* semblèrent   *. En interligne on peut lire* surprises   *dans un ajout difficile à déchiffrer.* ◆◆ *b.* fille du [fleuriste   *biffé*] [concierge   *corr.*] qui   *ms.*

1. Voir n. 1, p. 289.
2. Proust, avec l'aide de sa mère et de Marie Nordlinger, traduisit de l'anglais *La Bible d'Amiens*, de John Ruskin. Des fragments en parurent dans *La Renaissance latine* du 15 février et du 15 mars 1903, l'ensemble fut publié au Mercure de France le 15 février 1904. Voir, pour plus de détails, *Pastiches et mélanges, Contre Sainte-Beuve*, Bibl. de la Pléiade, p. 717-726. Dans « Journées de pèlerinage », Proust citait un passage de *La Bible d'Amiens* où Ruskin évoque la halte d'un voyageur anglais en gare d'Amiens, « une ville qui a été un jour la Venise de la France » (*ibid.*, p. 75).

Page 890.

a. Pont-Aven, [même à Quimperlé,   *biffé*] comment   *ms.* ◆◆ *b.* à me sentir [...] Querqueville,   *add. ms.* ◆◆ *c.* faisait subir [...] air   *add. ms.*

1. Voir n. 2, p. 21.

Page 891.

a. Lecture incertaine.

1. Samuel Prout (1783-1852), aquarelliste anglais qui peignit notamment des paysages de ruines.

2. Voir n. 2, p. 10.

3. Proust enchaîne ensuite avec la nuit passée en train, passage déjà assez proche du texte définitif.

Esquisse XXIX

Cahier 32, f⁰ 2 v⁰. On ne retrouve pas ce passage dans le texte définitif. En marge du folio 24 r⁰ (voir l'Esquisse XXXI, var. *b*, p. 894), Proust a écrit : « Un bon nom aussi : Bouillebec. » Ce fragment doit être postérieur à cette note. Bouillebec évoque La Bouille, village situé sur la rive gauche de la Seine, à 18 km en aval de Rouen. À l'époque de Proust, où n'avaient pas été encore effectués les travaux qui atténueraient le phénomène, le mascaret attirait les touristes plutôt à Quillebœuf, à Villequier ou à Caudebec-en-Caux, c'est-à-dire plus près de l'embouchure de la Seine. La « ville qui était à côté » de Bouillebec ne peut guère être que Rouen. Sur le Christ miraculeux, voir n. 3, p. 19.

b. désir [de Florence, de la Méditerranée *biffé*] de Venise, *ms.*

Page 892.

Esquisse XXX

Cahier 2 ; XXX. 1 : ff⁰ˢ 7 et 8 r⁰ˢ ; XXX. 2 : ff⁰ˢ 29 à 27 r⁰ˢ et 28 à 26 v⁰ˢ. Voir p. 16 à 19 et n. 1, p. 16. Ce passage, figurant dans un des tout premiers « Cahiers Sainte-Beuve », date vraisemblablement de la fin de 1908.

a. Ms donne en fait : moment et [je *biffé*] me rappelle . ◆ *b. Ce passage est écrit à l'envers, aux folios 29 à 27 r⁰ˢ et 28 à 26 v⁰ˢ. Il a été transcrit par B. de Fallois dans son édition du « Contre Sainte-Beuve » chap. V.*

1. C'est vers sa mère que le train pour Évian entraînait Proust, train dont l'itinéraire nourrit ici ses souvenirs.

Page 893.

a. de telles nuits que j'apercevais tandis *ms. Proust a omis de biffer* que j'apercevais *, qu'il reprend à la ligne suivante. Nous le supprimons.*

Page 894.

a. s'unissent [et après avoir contemplé les sculptures du porche
nord *biffé*] et *ms.*

Esquisse XXXI

Cahier 32, ff⁰ˢ 24 r°, 28 à 31 v⁰ˢ, 30 et 31 r⁰ˢ. Voir p. 21-22. En
tête de ce fragment, écrit à la suite de plusieurs intercalages, Proust
a écrit : « Reprenons » (voir la notule de l'Esquisse XXVIII).

b. En marge, en regard de ces lignes, figure cette note : Un bon nom aussi :
Bouillebec. *Voir la notule de l'Esquisse XXIX.*

Page 895.

a. sur [Nantes *biffé*] [Brest *biffé*] [Saint-Malo *biffé*] Rennes *ms.* ◆◆ *b. Fin du folio 24 r° ; voir n. 1.* ◆◆ *c.* un peu rouge et *add.*
ms. ◆◆ *d.* de quelques boutiques [...] Paris *add. ms.* ◆◆ *e.* le patron [...]
distraction *add. ms.* ◆◆ *f.* d'un air [...] rester *add. ms., en très petits*
caractères, d'une lecture peu sûre.

1. Suit une rêverie sur les noms des stations du chemin de fer :
Troussinville, Pinçonville...
2. Voir n. 1, p. 36.

Page 896.

a. En marge, Proust a écrit : Mettre plutôt cela que nous avions lu cela
et que ma grand-mère avait été tentée par la vue et le vent de la mer.
Et alors maintenant après « Comment pouvait-il y avoir des gens qui
aiment voyager ? » je dirai simplement : « Je me rappelais ces réclames
que nous avions lues sur le Grand-Hôtel *[un mot illisible en interligne[1]],*
lieu de délices, où les châles étaient d'un confort moelleux et la chère
exquise. Mais qu'importe le confort si l'angoisse nous empêche de dormir,
et menus variés — si elle empêche de manger. Y avait-il vraiment des
gens qui pouvaient y espérer plus que d'être le moins malheureux possible,
en tâchant de s'habituer, en se rappelant qu'un jour viendrait où on
pourrait *[un mot illisible]* rentrer chez soi. / En opposition à cela je mettrai
mes regrets de partir et me persuader que cela restera dans ma vie, que
je voudrai revenir (voir si dans ce 2ᵉ morceau il ne faudrait pas mettre
mon morceau de la 1ʳᵉ partie me disait M. de Quimperlé etc.). *Voir*
l'Esquisse LXXVI. ◆◆ *b. Ce passage, dont le début est porté au folio 30 v°, se*
poursuit aux folios 31 v°, 29 v° et 31 r°, avec additions au folio 30 r°. ◆◆ *c.* qui
fait au reste [tout ce qu'il faut pour les retenir *biffé*] qui me recule *ms.*
Nous supprimons également le début de la relative, que Proust a manifestement
omis de biffer. ◆◆ *d.* cigares [ne put *biffé*] et *ms.* ◆◆ *e.* ajoutant [la
tristesse du soir à la tristesse de l'endroit nouveau *biffé*] et *ms. Nous*
maintenons le fragment biffé pour la cohérence de la phrase.

---

1. Peut-être « Querqueville ».

Page 898.

Esquisse XXXII

Cahier 32, ff[os] 37 à 40 v[os], 44 et 45 v[os], 40 v°, 41 à 43 r[os] avec ajouts sur 42 v°. On trouve une version un peu différente du début au folio 38 r°. La matière de cette Esquisse ne se retrouve pas dans le texte définitif.

a. de la plus petite parcelle *add. ms.*

1. Peut-être Vitré, dont l'église Notre-Dame est effectivement de style flamboyant ? Ou Saint-Lô (voir n. 2, p. 8) ?

Page 899.

a. que sont finies [...] rayonnantes et *add. ms.* ◆◆ *b. Ms. donne en fait :* arrivée fut donnée la *. Nous supprimons le second verbe de la proposition.* ◆◆ *c. La fin de ce paragraphe est surchargée d'additions interlinéaires qui se chevauchent et se répètent. Nous donnons à partir d'ici, faute de mieux, le premier état du texte.* ◆◆ *d. Début du fragment des folios 44 et 45 v[os].*

1. Proust a séjourné à Dordrecht du 11 au 13 octobre 1902.
2. Voir t. I, n. 2, p. 546.
3. Roman de George Du Maurier, paru en 1894.
4. Publié en 1859, *Adam Bede* raconte les amours malheureuses d'un menuisier, Adam, avec la belle et égoïste Hetty, qui est la nièce d'un fermier. *Middlemarch,* sous-titré *Étude de la vie de province,* est paru en 1871-1872 ; G. Eliot y décrit les mœurs de la bourgeoisie anglaise dans la première moitié du XIXe siècle. Proust, le 22 octobre 1896, demandait à sa mère de lui envoyer « *illico* » *Middlemarch* avec quelques autres ouvrages (*Correspondance,* t. II, p. 144).

Page 900.

a. Début du fragment des folios 40 v° et 41 à 43 r[os] avec ajouts sur 42 v°. ◆◆ *b. Peut-être* prunes *?*

1. *Les Secrets de la princesse de Cadignan* relatent des événements qui se situent, précise le début de l'œuvre « après les désastres de la révolution de juillet » et ne traitent que par allusion de la vie sous la Restauration.
2. Sur Beaudenord, voir t. I, n. 3, p. 411.
3. Premier nom de celle qui deviendra la duchesse Sanseverina dans *La Chartreuse de Parme*.

Page 901.

a. d'opale. [Un de ces jours comme nous allions à la salle à manger, nous tombâmes littéralement sur Mme de Villeparisis il n'y eut pas moyen de nous ignorer. *biffé*] Cependant *ms.*

1. Voir n. 1, p. 34.
2. Baudelaire, *Les Fleurs du Mal,* « Moesta et errabunda », premier vers du deuxième quatrain.
3. À Marie Nordlinger, Proust parle le 24 juin 1905 des « *Bretagne en opale* » qu'il a vus à l'exposition Whistler (voir n. 1, p. 10), et le 1er juillet, il lui demande si elle a remarqué « une *Plage d'opale* et une *Mer d'opale* » (*Correspondance,* t. V, p. 260 et 282). Signalons que Charles Lang Freer, qui avait réuni les tableaux de cette exposition, a aussi réuni une remarquable collection de Whistler à Washington (Freer Gallery of Art) parmi lesquels on compte une *Composition en bleu et opale,* et un *Nocturne en opale et argent.* Au demeurant, la côte dite « d'opale » s'étend sur la mer du Nord, entre Calais et le cap Gris-Nez.
4. Voir n. 1, p. 68.

Page 902.

a. Le folio 56 r⁰ de ms. donne une nouvelle rédaction de ce passage, plus proche de l'état définitif (voir p. 44-45). ◆◆ *b. On trouve au folio 57 r⁰ de ms. une version un peu différente du début de la phrase :* L'idée qu'il pût y avoir une parenté quelconque entre une famille historique, légendaire, plus que royale, qui descendait de Mélusine [...]. ◆◆ *c.* (elle en avait [...] chevaux etc.) *add. ms. dans la marge du folio 42 v⁰.* ◆◆ *d. Au folio 58 r⁰, c'est un* « *avoué* » *qui loge au deuxième, et le marquis loge au cinquième. En marge du fragment que nous transcrivons (f⁰ 43 r⁰), Proust a écrit :* Mettre peut-être cela dans le chapitre Combray. ◆◆ *e. Au folio 59 r⁰, on lit :* [...] les *Maximes* de la Rochefoucauld ou les [Édits de Richelieu *biffé*][carpes à la Chambord *corr.*].

1. Voir var. *d.* Notons que le héros semble loger au troisième... Les parents de Proust habitaient au deuxième étage du 9, boulevard Malesherbes.

Esquisse XXXIII

Cahier 26, ff⁰ˢ 56 et 57 r⁰ˢ, 57 v⁰, 59 r⁰, 58 v⁰, 60 r⁰. Voir p. 31-32. Ce fragment vient dans le Cahier après de nombreux ajouts sur les jeunes filles (voir l'Esquisse LI).

Page 903.

a. parfaites, [nous voulons *biffé*] et préférons *ms. Nous rétablissons.* ◆◆ *b.* , et mon intelligence [...] inconstance, *add. ms.* ◆◆ *c. Ce paragraphe figure au folio 57 v⁰.*

1. Ces paroles se retrouveront à peu près dans la bouche de Swann, p. 31.

Page 904.

*a. Le texte est désormais donné par les folios 59 rº, 58 vº et 60 rº ** b. pour* l'[Algérie *biffé*] l'Amérique *ms.* ** *c. Ms. donne en fait :* me disait [à mon *biffé*] cœur : « Qu'importe . *Nous supprimons également le mot* cœur .

1. Sur M. de Penhoët, voir notule de l'Esquisse XXXV.
2. Voir n. 1, p. 903.

Page 905.

*a. Raccord approximatif du folio 58 vº au folio 59 rº de ms. ** b. où la* plainte des plus humbles éléments condamnés de notre moi [arrive plus distincte et plus douloureuse à notre conscience *1ᵉʳ jet non biffé*] [encore qu'intelligible [...] conscience *2ᵈ jet marginal*], l'effarement *ms.* ** *c. Ici se trouve dans ms. une addition interlinéaire que nous ne pouvons déchiffrer.* ** *d. En marge, dans ms., figure cette reprise, dont le début est difficile à raccorder :* présence d'un avenir, déjà le présent, où elle mourra, qui se sent frappée à mort, qui se révolte, jusqu'au jour où elle meurt enfin et ne peut plus nous torturer de ses plaintes ** *e. Et* [nous *biffé*] [notre raison *corr.*] aurons beau *ms. Proust a omis d'accorder le verbe ; nous corrigeons.*

Esquisse XXXIV

Cahier 38, fº 3 vº. Voir p. 33-34. Ce Cahier, que Proust appelle le « Cahier Mer » et qui contient de nombreux paysages marins, doit pouvoir être daté de 1910.

Page 906.

a. Sans doute j'étais un peu gêné [...] sur la mer corr. ms.

1. Voir n. 1, p. 34.

Esquisse XXXV

XXXV.1 : Cahier 36, ffᵒˢ 66 et 65 vᵒˢ ; XXXV.2 : Cahier 12, ffᵒˢ 52 à 58 rᵒˢ. Voir p. 39-40 et 48 à 50. Ces textes ont sans doute été écrits en 1909. Il existe au moins cinq fragments de présentation de celle qui deviendra Mlle de Stermaria, quatre au Cahier 36 et une au Cahier 12 ; on en trouvera une transcription plus complète et une analyse serrée dues à Georgette Tupinier dans *Études proustiennes*, I, Gallimard, 1973, « Autour de cinq ébauches de Mlle de Stermaria », p. 211-275. Proust la nomme Mlle de Quimperlé ou de Penhoët, puis Mlle de Caudéran ou de Quimperlé, puis Mlle de Silaria (c'est le nom qu'elle porte sur les placards Grasset) et enfin de Stermaria.

M. de Penhoët ou de Quimperlé (voir les Esquisses XXXIII et LXXVI), son père, semblait promis à un rôle plus important que celui auquel il sera réduit dans le roman. Mais sa fille semble elle-même s'être un peu estompée (voir n. 1 p. 40).

b. Fragment du Cahier 36, ff⁰ˢ 66 et 65 v⁰ˢ.

2. Écrit peut-être vers l'été 1909, ce fragment fait suite à une esquisse assez proche, mais plus brève.

Page 907.

a. ouvert. [Sa faiblesse, ce qu'on croyait deviner de la faiblesse de sa volonté, de la douceur de son désir, de la force de son corps, c'était comme un espoir. *biffé]* Et *ms.* ◆◆ *b. Après un blanc de trois lignes, une nouvelle esquisse peu différente commence au folio 64 v⁰ de ms.* ◆◆ *c. Cahier 12, ff⁰ˢ 52 à 58 r⁰ˢ.* ◆◆ *d.* Mlle de [Caudéran *biffé]* [Quimperlé *corr.*] qui *ms.* ◆◆ *e.* bleuté, [de sa chevelure qui avait plutôt le lustre et le frisé de certains pelages et la douceur de la soie *biffé]* de *ms.*

1. Le nom de « Caudéran » biffé en « Quimperlé » (voir var. *d*) paraît signaler ce passage comme légèrement postérieur au précédent, mais il doit dater lui aussi de 1909.

Page 908.

a. Le verbe avait *est biffé dans ms. Nous le maintenons pour la cohérence de la phrase.* ◆◆ *b.* Guermantes [breton *biffé]* [armoricain *corr.*] perdu *ms.* ◆◆ *c. Sic.*

Page 909.

a. L'adjectif blanches *, dans ms., a été porté en marge, sans qu'il soit possible de savoir s'il était destiné à se substituer à éventuellement* bleuâtres *, ou à se juxtaposer à lui.* ◆◆ *b. Le participe* montrant *est biffé dans ms. ; nous le maintenons.*

Page 910.

Esquisse XXXVI

Cahier 4, ff⁰ˢ 62 à 65 r⁰ˢ. Voir p. 35 et 44 à 46. Ce « Cahier Sainte-Beuve » donne déjà des linéaments du roman ; on peut le dater de fin 1908-début 1909. Cette esquisse fait suite à des développements sur « la Comtesse » (future duchesse de Guermantes) et à des souvenirs de vacances à Combray qui préfigurent nettement le premier chapitre du roman. Mais Swann, le visiteur de Combray, est encore, à ce stade, présent aussi au bord de la mer.

a. La parenthèse n'est pas fermée.

1. Romans de George Sand ; voir t. I, p. 39. L'emploi de « affolés » est curieux.

Page 911.

a. (je ne sais [...] Swann) *add. ms.* ◆◆ *b.* par un [président de république de l'Amérique *biffé*] prétendant *ms.*

Page 912.

a. comparaison, et [l'attention *biffé*] de piédestal *ms. Nous corrigeons.*

Esquisse XXXVII

Cahier 13, ff^{os} 68 à 66 v^{os}. Voir p. 46. Ce fragment a été écrit vers 1910.

b. Depuis Quant à sa situation *, nous suivons le texte d'un second jet marginal. Le fil du texte, qui n'est pas biffé, comporte de nombreuses additions et corrections interlinéaires et biffures partielles, peu cohérentes ; nous en donnons ici le jet originel :* Quant à ce que pouvait être la famille de Mme de Villeparisis, si elle était une grande dame, ou une personne riche affublée d'un nom, je crois qu'à cet égard les opinions dans l'hôtel devaient être aussi variées qu'il y avait de personnes, ou du moins de groupes.

Page 913.

Esquisse XXXVIII

Cahier 12, ff^{os} 66 à 68 r^{os}. Voir p. 48. Ce passage date vraisemblablement de 1909.

Page 914.

1. Jean-Marie Guyau (1854-1888), philosophe français, auteur notamment d'*Esquisse d'une morale sans obligation ni sanction.*
2. Paul Dukas (1865-1935) fut connu surtout à partir de 1897 grâce à *L'Apprenti sorcier* (rappelons que l'été à Balbec se situe vraisemblablement en 1898). Quant à Vincent d'Indy (1851-1931), il était déjà cité, p. 900, par opposition à Gounod, comme un symbole de modernité ; fondateur de la Schola Cantorum en 1894, il fut un admirateur de Wagner, mais ses œuvres apparaissent plus traditionnelles que celles des trois autres musiciens français cités ici par Proust.
3. On sait que dans la version définitive, Mme de Cambremer passe pour avoir été « très éprise » de Swann (voir t. I de la présente édition, p. 525).

Page 915.

Esquisse XXXIX

Cahier 29, ff^{os} 12 à 14 r^{os} et 13 v°. Voir p. 65. Fin 1909-début 1910.

a. baie, [Querqueville-le-vieux à l'ouest, *biffé*] Querqueville-le-vieux *ms.* ◆◆ *b.* de la [falaise *biffé*] [colline *corr.*], et *ms.*

Page 916.

> *a. En marge du folio 13 v° se trouve dans ms. ce texte, sans doute destiné à remplacer celui que nous transcrivons, mais dont le point de raccord initial n'est pas précisé :* par bonheur il n'écarte de sa toile ni le rivage de sable, ni quelques bateaux ni ces heures un peu éblouissantes et bleu pâle de l'après-midi qui sans cela m'eussent paru, en y joignant les sables ensoleillés, un peu ennuyeuses, un peu modernes, un peu plages pour m'y plaire. Justement c'est celles qu'il choisit. Et alors j'allais devant la mer assoupie et je cherchais à me persuader ↔ *b. Ms. donne en fait :* un [*peu biffé*] avant *.Nous maintenons l'adverbe biffé pour la cohérence de la phrase.*

1. Voir n. 3, p. 901.
2. À l'exposition Whistler de Paris, Proust a pu voir un *Valparaiso :* il le recommande à sa mère dans une lettre du 15 juin 1905 (*Correspondance*, t. V, p. 221). Il existe au moins deux *Valparaiso* de Whistler : *Crépuscule en chair et vert : Valparaiso*, exposé à la Tate Gallery de Londres, et *Nocturne en bleu et or : Valparaiso*, exposé à la Freer Gallery of Art de Washington.

Page 917.

Esquisse XL

Cahier 30, ff^os 22 à 24 r^os. Voir p. 72. Vraisemblablement milieu de l'année 1910. En tête du folio 22 r°, Proust a écrit : « Femmes ». Suivent plusieurs passages à peine ébauchés sur les promenades avec Mme de Villeparisis, précédant celui que nous transcrivons.

a. que nous descendions à fond de train   add. ms.

Page 918.

Esquisse XLI

Cahier 32, ff^os 48 à 50 r^os. Voir p. 90-91. Printemps-été 1909. À partir du folio 47 r° est mentionnée l'arrivée du neveu de Mme de Villeparisis, Guy de Montargis. De même sur les folios 41 v° et 42 v°, sans doute écrits à la suite des folios 48 à 50 r^os : « Un jour un nouveau personnage arriva, un jeune blond, à nez busqué à teint rose un peu couperosé [...]. » À la suite du fragment que nous transcrivons, il sera nommé Guy de Villeparisis (f° 50 r°) et Proust parle de son amour fou pour une actrice du Théâtre-Français.

a. Dans ms., le mot   redescendre   est surchargé par un autre mot illisible.

1. Saint-Michel-en-Mer (il existe un Saint-Michel-en-Grève dans les Côtes-du-Nord), aussi bien que Bricquebœuf un peu plus bas, sont des noms imaginaires.

Page 919.

a. et fixe [...] dominateurs *add. ms.* ◆◆ *b.* et lui-même me dit [...] anniversaire. » *add. ms.*

1. Dans *Le Côté de Guermantes II*, au restaurant, Saint-Loup accomplira des miracles de voltige pour aller chercher le manteau de son ami (voir p. 705).

Esquisse XLII

Cahier 28, ff^{os} 53 et 52 v^{os}, 53 et 52 r^{os}. Voir p. 109-110. Ces pages, datant de 1909, à la rigueur du tout début de 1910, suivent dans l'ordre du Cahier de nombreux fragments sur Elstir (voir les Esquisses LVI à LX). Le marquis de Guercy est parfois appelé Gurcy ou Guercœur dans le Cahier 7. Son prénom est Manfred (voir les « Textes retrouvés » recueillis et présentés par Ph. Kolb, *Cahiers Marcel Proust*, n° 3, Gallimard, 1971, p. 272). Il deviendra ensuite le baron de Fleurus, à partir de 1913, le baron de Charlus. Son prénom sera alors Palamède. Proust note dans le *Carnet de 1908* : « Gurcy toujours l'air d'un conspirateur qui craint d'être découvert. Yeux faisant craquer son déguisement (Royer) » (éd. citée, p. 118).

Page 920.

a. se soit [plu *biffé*] en route [dans *biffé*] une *ms. Nous rétablissons les mots biffés.* ◆◆ *b.* elle [se serait liée *biffé*] l'aurait *[un mot illisible en surcharge sur un autre mot, lui-même illisible]* s'il *ms. Faute de pouvoir lire la correction, nous donnons le verbe biffé.* ◆◆ *c.* l'une [et nous arrivâmes vite à l'hôtel *biffé*], lestement *ms.*

Page 921.

1. Référence au « Cahier vert Querqueville » (Cahier 65) ? — On lit dans ce Cahier : « Ma grand-mère me dit que Montargis lui avait demandé de faire sa photographie et qu'elle aimerait mieux que ce fût dès^a le lendemain parce qu'elle se sentait bien disposée et je remarquai qu'elle s'était^b fait préparer pour le lendemain une robe plus habillée qui donnait presque un air de fête à sa robe de toilette habituelle. » — Ou au Cahier 7 ? (voir notre Notice, p. 1323).

Esquisse XLIII

Cahier 7, ff^{os} 30 à 39 r^{os}. Voir p. 119 à 126. Ces pages font dans le Cahier suite à une version moins détaillée — et sans doute antérieure (elle date du début 1909) — que celle de l'Esquisse XLII de l'annonce par Montargis de l'arrivée de son oncle. Nombreux ajouts ou variantes sur les versos.

a. fût [aujourd'hui *biffé*] dès
b. Le Cahier donne en fait ; qu'elle avait ajouté quelques ornements s'était

a. des cheveux [gris	*biffé*], une	ms. *Nous rétablissons l'adjectif, Proust
n'ayant pas corrigé.* ◆◆ *b*. son chapeau [...] sombre	*add. ms.*

Page 922.

a. *À partir d'ici, toute la fin de la phrase, jusqu'à*	espion	*, est biffée dans
ms. Nous la maintenons pour l'intelligence du texte.*

Page 924.

a. trouver [plus	*biffé*] de	ms. *Le maintien de*	plus	*paraît s'imposer.*

Page 925.

a. La parenthèse n'est pas fermée.

Page 926.

1. Après un assez grand espace blanc, Proust enchaîne sur le même
feuillet avec une description de M. de Guercy à Paris, traversant tous
les jours la cour de l'hôtel de Guermantes pour aller voir sa « sœur
Guermantes ».

Esquisse XLIV

Cahier 13, f° 28 r°. Pour la datation de cette page capitale, voir
notre Notice, p. 1328-1329. À ce stade de l'élaboration du roman,
Proust prévoit de réserver pour un deuxième séjour à Balbec
l'apparition de la bande de jeunes filles. Le dernier paragraphe
ébauche en outre un troisième séjour.

a. Je m'amourache de [Maria	*biffé*] [Albertine	*corr.*]. [Est-ce que je
pourrai *[...]* Andrée. *add.*] Jeu	ms. ◆◆ *b*. Déception.	*add. ms.* ◆◆
c. peut-être	*add. ms.* ◆◆ *d*. Guermantes. [Mort de ma grand-mère.	*biffé*]
[Matinée	*biffé*] [Visite chez Mme de Villeparisis	*corr.*] M.	*ms.* ◆◆
e. grand-mère. [Montargis et Mme	*en surcharge sur*	Mlle] de Sila-
ria	*ms.* ◆◆ *f*. Guermantes. [Visite d'Albertine.	*biffé*] Je	*ms.*

Page 927.

Esquisse XLV

Cahier 25, ff°s 47 à 37 v°s, avec ajout aux folios 46, 44 et 43 r°s ;
Cahier 12, ff°s 111 à 117 r°s, avec ajout au folio 112 v° ; Cahier 34 ;
f° 24 r°. Voir p. 146 à 156. Le passage du Cahier 25 est
vraisemblablement à dater du printemps ou de l'été 1909 ; celui du
Cahier 12 est sans doute très légèrement antérieur, le Cahier 25
renvoyant au Cahier 12 (voir n. 1, p. 934) ; enfin la page du Cahier 34
qui clôt cette Esquisse a sans doute été écrite en 1913.

a. [Anna   *biffé*] [Maria   *corr.*] et [Septimie   *biffé*] [Solange   *corr.*]
étaient   *ms.* ↩ *b. Proust laisse un espace blanc, et poursuit au bas de la page.*

Page *928.*

a. Anna [...] Célimène.   *add. ms.*

Page *929.*

a. Et à partir *[p. 928, 5ᵉ ligne en bas de page]* de ce moment [...]
Chateaubriand   *add. ms. (au folio 46 rᵒ)*

Page *932.*

a. Une époque *[p. 931, 4ᵉ ligne]* vint [...] comptait pas   *add. ms. (ffᵒˢ 44*
et 43 rᵒˢ) ↩ *b. Ce fragment commence au fᵒ 41 vᵒ pour s'achever au fᵒ 37 vᵒ*
de ms. ↩ *c.* , parfois l'une [...] vite,   *add. ms.* ↩ *d.* hésitant, [tous riant
de tout *[...]* que le rire   *add.*[1]] [puis un même fou rire *[...]* nébuleuses
de   *biffé*] de   *ms. La suite de la phrase impose le maintien du passage*
biffé. ↩ *e.* Elles m'aperçurent qui les regardais   *add. ms.* ↩ *f. Le même*
dessin se retrouve dans le Cahier 12 ; au folio 111 vᵒ ; voir var. d, p. 935.

Page *933.*

a. d'une [lycéenne   *biffé*] écolière   *ms.*

1. Voir t. I de la présente édition, n. 4, p. 525 — encore que Proust
puisse songer ici à une autre fresque.

Page *934.*

a. d'agents de change, [de riches industriels   *biffé*] mais   *ms.*

1. Vraisemblablement le Cahier 12.

Page *935.*

a. Nous donnons à présent la version du Cahier 12, ffᵒˢ 111 à 117 rᵒˢ. ↩
b. fièvre on [m'avait recommandé   *biffé*] il   *ms. Nous supprimons le on*
que Proust a manifestement omis de biffer. ↩ *c.* quatre [jeunes filles   *biffé*]
fillettes   *ms.* ↩ *d. C'est à peu près en face de ce passage écrit sur le folio 112 rᵒ,*
donc sur le folio 111 vᵒ, qu'est dessiné le paon qui renvoie au Cahier 25 (voir
var. f, p. 932). ↩ *e. Ms. donne en fait :* et quand s'il . *Nous supprimons*
ce quand *que Proust a manifestement omis de biffer.*

1. *Le Corsaire*, poème d'inspiration orientale, fut écrit par George
Byron en 1824.

---

1. Une nouvelle addition à l'addition que nous signalons ici, « où l'on ne distingue
personne », est difficile à placer.

Page 937.

a. La phrase n'est pas construite. ◆◆ *b. d'une configuration [...] vue add. ms.* ◆◆ *c. sur un petit visage [rose et add.] parfait add. ms.* ◆◆ *d. Suit dans ms. un espace blanc avant la suite.*

1. Cette brune « espagnole », ailleurs appelée Maria, préfigure dans une large mesure le personnage d'Albertine.

Page 938.

a. Ajout au passage précédent sur le folio 112 v° de ms. ◆◆ *b. Ce paragraphe appartient au Cahier 34 (f° 24 r°).* ◆◆ *c. Grand Hôtel [de la Plage biffé] de ms.* ◆◆ *d. par l'aspect et les façons add. ms.*

1. La suite du passage diffère très peu de la version définitive.

Page 939.

Esquisse XLVI

Cahier 34, f° 34 v°. Voir p. 153-154. Même date que l'Esquisse précédente.

Esquisse XLVII

Cahier 25, ff^os 22 à 16 v^os avec ajout sur 17 r°. Voir p. 151 à 156. Écrit sans doute dans le prolongement du premier texte de l'Esquisse XLV (voir la notule de celle-ci).

Page 940.

a. les lèvres [...] pénétrer add. ms.

1. Allusion à *La Vierge des rochers*, Calmann Lévy, 1897, roman de G. D'Annunzio inspiré par le tableau de Léonard de Vinci.
2. Emily Brontë (1818-1848) est l'auteur des *Hauts de Hurlevent* (1847). Le goût pour la « simple existence » ne fait-il pas plutôt songer aux romans de sa sœur Charlotte ?

Page 941.

a. On croit lire dans ms. sur *; le sens commande* par *.*

Page 942.

a. avec résignation add. ms.

Page 943.

a. qui ont pour notre imagination [...] concentriques à elle add. ms (au folio 17 r°) ◆◆ *b. et des sujétions de la vie add. ms.*

Page 944.

Esquisse XLVIII

Cahier 26, ff^os 28 à 43 r^os et 37 à 43 v^os. Fait de notations pour la plupart assez générales, qui ne se retrouvent guère dans la version définitive, ces textes ont été vraisemblablement écrits au printemps-été 1909.

a. si vaste *add. ms.* ◆◆ *b.* la méchante [...] fière *add. ms.*

1. Allusion probable à la jeune fille au feutre gris, qui deviendra Mlle de Stermaria dans la version définitive et n'entretiendra aucun rapport avec la bande des jeunes filles (voir l'Esquisse XXXV).

2. Allusion à la brune à l'air espagnol, esquisse de Maria, puis d'Albertine (voir p. 937 et n. 1)? Voir cependant le dernier paragraphe de la page 948, où c'est Mlle Swann qui est présentée comme la « golfeuse ».

Page 945.

a. en [cette *biffé*] société *ms* ◆◆ *b.* ces [jolies *biffé*] [toutes *corr.*] jeunes *ms.* ◆◆ *c. Ms. donne en fait :* tant, [notre regard *biffé*] nos yeux en les regardant le fait, le . *Nous accordons le verbe suivant la correction.* ◆◆ *d.* et dans un seul regard *add. ms.* ◆◆ *e.* l'avaient [prise *biffé*] [mise *add.*] sur *ms.*

1. Allusion probable à Mlle Swann.

Page 946.

a. jeunes filles, [il y *biffé*] s'oppose . *La phrase n'est pas construite.* ◆◆ *b. Suivent dans ms. trois lignes biffées.* ◆◆ *c.* petite *add. ms.*

1. Voir un développement de ce passage dans l'Esquisse XLIX, p. 955.

2. Cette importante idée est développée aux pages 95-96 et 260-261 du texte définitif.

Page 947.

a. et spirituels *add. ms.* ◆◆ *b.* yeux [bleus *add.*] profonds *ms.* ◆◆ *c.* l'[écorce *biffé*] amande *ms.*

1. Au Cahier 25, le précédent séjour à Querqueville où le héros a aperçu les jeunes filles est situé « un an ou deux » auparavant (voir p. 933, 3e ligne en bas de page).

Page 948.

a. Ce paragraphe, jusqu'à morte à jamais *, écrit sur le folio 38 r°, est marqué d'une croix, avec l'indication* à mettre avant *, c'est-à-dire à intercaler dans le folio 36 r°, ce que nous faisons.* ◆◆ *b. La fin du paragraphe, à partir de ce mot, est portée d'abord en marge du folio 38 r°, puis, à partir de* en faisons. Hier soir *, au folio 37 v°. Il se poursuit sur les folios 38 et 39 r^os.* ◆◆ *c. Retour au folio 36 r° après l'intercalage indiqué à la variante a.*

1. La présence de Mlle Swann dans la bande de jeunes filles surprend, d'autant qu'au début de l'esquisse, Swann semblait occuper la position qui sera finalement celle du narrateur.

2. Voir n. 1, p. 944, et l'Esquisse xxxv, p. 906 et suiv.

Page 949.

1. Dans la version définitive (voir *Albertine disparue*, t. IV de la présente édition), Mlle Swann deviendra Mlle de Forcheville après la mort de son père.

Page 950.

a. Ce qu'elles *[p. 949, 13ᵉ ligne en bas de page]* furent [...] désiré   *add. ms.* ◆◆ *b. Ce paragraphe, jusqu'à* elles contenaient du bonheur *(p. 951 fin du 1ᵉʳ §), se trouve aux folios 37 et 38 vᵒˢ. En tête de ce passage, Proust a écrit :* À copier dans le cahier rouge *, vraisemblablement le Cahier 64.* ◆◆ *c. En interligne, Proust a porté* avoir conquis *, mais sans achever sa correction ; la phrase n'est pas construite.*

Page 951.

a. Ce paragraphe apparaît dans ms. aux folios 38 et 39 vᵒˢ. ◆◆ *b. Ce paragraphe est porté sur les folios 39 et 40 vᵒˢ de ms.* ◆◆ *c.* Jouez, rêvez [...] du vent   *add. ms.*

Page 952.

a. Ce paragraphe se trouve sur les folios 39 à 41 vᵒˢ de ms. ◆◆ *b.* garde ; [ce goût délicieux de fruit que laisse à nos lèvres *biffé*] notre incessant désir nos regards apporte *ms. Nous supprimons* nos regards *dont Proust n'a pas tenu compte dans la suite de la phrase.*

Page 953.

a. Et quand [elles sont bien entrées dans nos cœurs *biffé*] par *ms.* ◆◆ *b. On lit plutôt :* suspect *. Nous interprétons.* ◆◆ *c. La fin de cette Esquisse, commencée aux folios 41 et 42 rᵒˢ de ms., se poursuit aux folios 42 et 43 vᵒˢ.*

Page 954.

a. gaieté [elles le disent *biffé*] qui *ms.* ◆◆ *b.* et chaque syllabe [...] musique *add. ms.* ◆◆ *c. Le mot* grand *, biffé dans ms., donne lieu à des corrections interlinéaires peu lisibles et apparemment peu cohérentes. Nous le maintenons.* ◆◆ *d. En marge, dans ms., un essai de reprise de ce passage :* [Car les très jeunes filles ont tant de force et de joie à dépenser et ont un si grand amour des jeux que comme ce musicien qui entre deux phrases d'un nocturne brode d'étincelantes fantaisies ne pouvait aller d'un lieu *biffé*] se mettait à tous moments à danser, [à chanter *biffé*] à rire, fredonner de sa voix affaiblie et gaie, [ne pouvait aller d'un lieu à un autre sans courir et sauter par-dessus les obstacles qu'elle rencontrait, et faisait mille farces à ses amies, comme de leur glisser des morceaux de glace dans le cou, *biffé*] qui faisaient rire et briller son pâle visage douloureux.

1. Probablement les anges qui entourent la mandorle où est figuré le Christ dans *Le Jugement dernier* de Padoue.

Page 955.

Esquisse XLIX

Cahier 26, f° 29 v°. Voir la notule de l'Esquisse précédente.

Page 956.

Esquisse L

Cahier 26, ff°s 46 r° et 46 v°. Voir la notule de l'Esquisse XLVIII.

Esquisse LI

Cahier 26, ff°s 43 et 44 r°s, 44 à 46 r°s, 47 et 48 r°s, 53 à 56 r°s. Le premier de ces fragments fait suite à celui que nous transcrivons dans la première partie de l'Esquisse XLVIII (s'achevant à la page 950).

a. Ce premier fragment (ff°s 43 et 44 r°s de ms.) est immédiatement précédé par ce bref texte : À ajouter à Venus Aurea. / Quand au soir tombant il regardait la ligne infinie de l'écume violette qui semblait lever de l'encre sur le sable.

Page 957.

a. Deuxième fragment (ff°s 44 à 46 r°s de ms.).

1. Dans « Autour de Mme Swann », Proust émettra l'hypothèse qu'il n'existe qu'une seule intelligence « dont tout le monde est co-locataire » (t. I de la présente édition, p. 558).

Page 958.

a. Troisième fragment (ff°s 47 et 48 r°s de ms. ◆◆ *b. Ms. donne en fait :* une vieille pièce antique légende . *Nous supprimons le premier groupe nominal.* ◆◆ *c. Ms. donne en réalité :* Elle [nous *biffé*] m'a vu, et déjà elle nous aime ; *ms. Nous opérons la correction que Proust semble avoir omise.*

Page 959.

a. Quatrième fragment (ff°s 53 à 56 r°s de ms.) ◆◆ *b. Ms. donne :* la [scintillation *add.*] primitive étincelle . Scintillation *semble avoir été ajouté pour remplacer* étincelle *, que Proust a dû oublier de biffer.*

Page 960.

1. On a émis l'hypothèse que dans *La Vierge et l'Enfant entourés de saints*, tableau qui se trouve dans l'église Saint-Jacques d'Anvers, Rubens avait représenté ses épouses (Isabelle Brant, morte en 1626, et Hélène Fourment, qu'il épousa en 1630) sous les traits de la Vierge et de Marie-Madeleine, lui-même figurant dans le tableau sous les traits de saint Georges.

Esquisse LII

Cahier 34, ff^{os} 36 à 38 v^{os}. Voir p. 158 à 164. Même date que le fragment du Cahier 34 que nous donnons à la fin de l'Esquisse XLV, p. 938, et que l'Esquisse XLVI, p. 939.

a. supplier [mon père *biffé*] [Mme de Guermantes *biffé*] Saint-Loup *ms.*

2. La page 10 correspond au folio 38 r°. Proust y évoque la nébuleuse aperçue à partir du folio 24 r° (voir la fin de l'Esquisse XLV, p. 938) ; le héros commence à individualiser les traits des jeunes filles : « Maintenant leurs traits charmants ne flottaient plus indistincts à travers le petit groupe. »

Page 961.

Esquisse LIII

Cahier 38, ff^{os} 7 et 8 r^{os}. Voir p. 162, ainsi que n. 1, p. 989.

a. La mer était basse, *add. ms.* ●● *b.* quelques mouettes [...] nymphéas, *add. ms.*

Page 962.

a. arrondi et *add. ms.* ●● *b.* comme un simple paraphe [...] nocturne *add. ms.*

Esquisse LIV

Cahier 34, ff^{os} 41 à 43 r^{os}. Voir p. 180-181. Ce fragment peut sans doute, comme les précédents du Cahier 34, être daté de 1913 ; l'allusion à la « première année » à Balbec le signale en tout cas comme encore antérieur à la décision de Proust de placer l'intervention de la bande de jeunes filles au cours du premier séjour. Notons enfin que sur le Cahier, ce fragment fait suite à un passage qui ébauche celui qu'on peut lire à la page 156 du texte définitif et qui s'achève par les mots : « vers laquelle il navigue ».

c. Biffures et corrections, de lignes entières parfois, sont très nombreuses tout au long de cette Esquisse.

Page 963.

Esquisse LV

Cahier 28, ff^os 83 à 76 v^os avec ajouts et reports sur les folios 78 à 76 r^os. Voir p. 184-185 et 209-210, ainsi que la notule de l'Esquisse XLII. Sur le nom d'Elstir, voir n. 2, p. 14.

Page 964.

a. à [Amsterdam *biffé*] La Haye *ms.* ♦♦ *b.* Il n'y avait pas de pays [*10 lignes plus haut*] [...] tableau de Vermeer etc. *add. ms. (sur un becquet de f° 83 r°)* ♦♦ *c.* et qui en art a le plus de goût *add. ms.*

1. La *Vue de Delft*, de Vermeer, que Proust avait sans doute vue le 18 octobre 1902 au musée Mauritshuis de La Haye (« J'ai su que j'avais vu le plus beau tableau du monde », écrira-t-il à J.-L. Vaudoyer, le 2 mai 1921) jouera un rôle important dans *La Prisonnière* lors de la mort de Bergotte (voir t. III de la présente édition, p. 692).

2. Proust a séjourné en Hollande du 11 au 20 octobre 1902. De Dordrecht, il adresse à Reynaldo Hahn un poème accompagné d'un dessin qui, note Ph. Kolb, montrant une « église sortant des eaux, et des bateaux derrière la ville », annonce un peu l'intuition qui inspirera *Le Port de Carquethuit* d'Elstir (*Correspondance*, t. III, p. 160-162, avec fac-similé de ce dessin).

3. Voir notamment p. 34, 54 et 67. Baudelaire s'est inspiré de la Hollande dans son poème des *Fleurs du mal* intitulé « L'Invitation au voyage », mais plus visiblement encore dans le « petit poème en prose » qui porte le même titre. Il n'y est pourtant jamais allé. Mais, ainsi que le soulignent J. Crépet et G. Blin dans leur édition critique des *Fleurs du mal* (J. Corti, 1942, p. 389) et R. Kopp dans son édition critique des *Petits poèmes en prose* (J. Corti, 1969, p. 250 et suiv.), la Hollande était à la mode au milieu du XIXe siècle grâce à Nerval, Champfleury, Gautier, etc. Voir aussi K. R. Gallas « "L'Invitation au voyage" de Baudelaire et la Hollande », *Neophilologus*, III, 1918, p. 184 à 188.

4. *La Fiancée juive* est l'un des derniers et des plus célèbres tableaux de Rembrandt. Il est exposé au Rijksmuseum d'Amsterdam.

5. Il existe trois Sotteville en Normandie : le château de Sotteville près de Cherbourg, Sotteville-lès-Rouen et Sotteville-sur-Mer près de Dieppe.

Page 965.

1. Voir n. 1, p. 888. « En descendant vers la Bretagne » paraît exclure que le séjour du peintre se situe, dès la date de cette Esquisse, en Bretagne, même si les références demeurent les mêmes que dans *Jean Santeuil*. Voir aussi l'Esquisse LX, p. 985, 6e ligne.

2. L'Enfer de Plogoff est une sorte d'entonnoir situé près de la Pointe du Raz, où les flots s'engouffrent dans un grand fracas.

3. Suivent des considérations sur Caen : une demi-page barrée où Elstir vante Caen, « admirablement restauré » ; également en marge : « et puis la jolie maison de Morlaix qui n'est d'ailleurs qu'une maison de riches marchands du XVIᵉ siècle mais qui donne l'idée d'un bien grand raffinement de goût. Il y a un adorable escalier. »

4. Voir n. 3, p. 901.

Page 966.

1. Voir la fin de l'Esquisse XXVIII, p. 891, et n. 2, p. 10.

Page 967.

a. Du reste *[p. 966, avant-dernière ligne]* je crois [...] parce que *add. ms. (au folio 78 rº). Nous sommes ici au folio 77 vº. Du folio 81 rº au folio 78 rº se trouve un portrait de l'oncle Guercy par Montargis (voir n. 1).*

1. Parallèlement au texte que nous transcrivons, sur les pages de recto (voir var. *a*), un portrait de l'oncle Guercy par Montargis reprend et développe celui qui a été donné un peu avant dans le même Cahier et que nous transcrivons dans l'Esquisse XLII, p. 919 et suiv. Ainsi Proust continue-t-il de mêler dans ce Cahier la présentation de M. de Guercy et la visite du héros à Elstir, avant de les dissocier dans la version définitive. Si Saint-Loup n'accompagne pas son ami chez le peintre, ce ne sera plus à cause d'un hasard tout extérieur.

2. Lucienne semble être le prénom que Proust donne ici à celle qui sera Gilberte Swann un peu plus tard (Cahier 27).

Page 968.

Esquisse LVI

Cahier 28, ffᵒˢ 2 à 13 rᵒˢ et 17 à 20 rᵒˢ avec ajouts sur certains versos. Voir p. 184-185 et 195 à 205, ainsi que la notule de l'Esquisse XLII, p. 1851.

a. il [habitait toute l'année *biffé*] [avait habité plusieurs années *corr.*] près *ms.* ◆◆ *b.* , à sa plus vivante *add. ms.* ◆◆ *c.* une intention [subtile *biffé*] [de raffiné *corr.*]. Je *ms.*

1. Ralph Waldo Emerson (1803-1882), auteur notamment des *Hommes représentatifs de l'humanité*, dans lequel Proust décèle un « excès de système » comparable à celui de Ruskin (*Pastiches et mélanges*, éd. citée, p. 112). Dans un article consacré aux *Éblouissements* d'Anna de Noailles (*Le Figaro*, 15 juin 1907), Proust écrit qu'il lui semble que ce soit en son honneur qu'Emerson ait composé ce « magnifique éloge » qui illustre le propos de cette esquisse : « Pourquoi un amateur viendrait-il chercher le poète pour lui faire admirer une cascade ou un nuage doré, quand il ne peut ouvrir les yeux sans voir

de la splendeur et de la grâce ? Combien est vain ce choix d'une étincelle éparse çà et là, quand la nécessité inhérente aux choses sème la rose de la beauté sur le front du chaos. Ô Poète, vrai seigneur de l'eau, de la terre, de l'air, dusses-tu traverser l'univers entier, tu ne parviendrais pas à trouver une chose sans poésie et sans beauté » (*Essais et articles, Contre Sainte-Beuve*, Bibl. de la Pléiade, p. 540).

Page 969.

   a. vallon [*mystérieux   biffé*] [sombre   *corr.*] et   *ms.* ⬥ *b.* inspiration, [serpent conscient de la lutte qu'il entreprend contre le héros,   *biffé*] muse   *ms.*

Page 970.

   a. Seulement ses Japonaises [...] d'un Dieu   *add. ms. Portée sans mention de renvoi sur le folio 7 v°, cette phrase nous paraît pouvoir être insérée à cet endroit du folio 8 r°.*

Page 971.

   a. et commença [...] Et alors.   *add. ms.* ⬥ *b.* Peut-être d'ailleurs *[16 lignes plus haut]* en est-il ainsi [...] c'est une voile.   *add. ms.*
   1. Alors qu'il était presque un enfant, le héros avait été déçu par la Berma parce qu'elle n'avait rien « ajouté » au texte de *Phèdre* (voir t. I de la présente édition, p. 440) — conception naïve du génie.
   2. Ces lieux de séjour rapprochent Elstir de Whistler, qui naquit aux États-Unis et passa de nombreuses années à Londres, où il mourut.
   3. Passage déjà écrit : voir le début de l'Esquisse LV, p. 963.
   4. On trouve déjà chez Turner (voir n. 2, p. 194) et chez Corot, à plus forte raison chez les impressionnistes, ce principe de soumission à la réalité.

Page 973.

   a. et sans ligne de frontière [...] des bateaux   *add. ms.* ⬥ *b.* où le soir [...] sur l'eau   *add. ms. (se poursuivant sur le folio 10 v°)* ⬥ *c. Après ce mot dans ms., vient en addition interlinéaire l'adverbe*   parfois   *suivi d'un mot illisible.* ⬥ *d. Suivent plusieurs lignes biffées. Nous enchaînons sur l'addition signalée à la variante f. Tout ce passage, abondamment corrigé, est d'une lecture difficile.* ⬥ *e. Lecture douteuse.* ⬥ *f.* qui dessinait [...] réseau noir   *add. ms.* ⬥ *g. De*   bateau   à   pâle feuillage   *[p. 974, 2ᵉ ligne], le texte est donné dans ms. par une addition au bas du folio 11 v° ; le point d'insertion en est incertain.* ⬥ *h.* dans la [mer   *biffé*] flots plus   *ms. La suite impose de maintenir*   mer   .

Page 974.

   a. dont il avait dans son atelier plusieurs études   *add. ms.* ⬥ *b.* rose ou   *add. ms.* ⬥ *c.* des lignes de fuite [aussi hautes, aussi

monstrueuses *corrigé par biffure et en interligne en*   aussi immobiles, aussi
hautes], des *ms.* ◆◆ *d. À la suite de* lignes des rochers *, des intercalages,
dont celui que nous transcrivons séparément dans l'Esquisse LVII, p. 975-976.
Puis Proust écrit sur le f° 17 r° :* Reprendre la visite à Elstir *et
enchaîne.* ◆◆ *e. Tout au bas du folio 17 r°, Proust a écrit :* [...] salle à manger,
les lois *, puis a enchaîné différemment en haut du folio 18 r°.*

1. Maeterlinck parle du cadran solaire, qui « disparaît de nos
jardins », dans « La Mesure des heures » (*L'Intelligence des fleurs*,
Fasquelle, 1907, p. 129).

Page 975.

a. dégagé sa *[p. 974, dernière ligne]* signification [le génie de Chardin
libéré *biffé*] en *ms.* ◆◆ *b.* grâce à lui [le pauvre devient plus riche que
le riche et que[1] *biffé*] le plus modeste *ms.*

1. Tableau de 1728, exposé au musée du Louvre.
2. Rembrandt a plusieurs fois illustré la parabole du Bon
Samaritain. La description de l'esquisse peut faire songer à l'huile
sur bois (vers 1632) conservée à la Wallace Collection, à Londres.
3. De nombreux peintres ont représenté les Noces de Cana, le
plus célèbre étant Véronèse dont le tableau est au musée du Louvre.

Esquisse LVII

Cahier 28, f° 16 v°. Voir var. *d*, p. 974. Ce fragment témoigne
de l'indécision originelle de Proust sur les rôles qu'il attribuerait à
Bergotte et à Elstir dans la formation artistique de son héros. Voir
également l'Esquisse LIX.

Page 976.

Esquisse LVIII

Cahier 28, ff^os 75 à 72 v^os avec ajouts sur les folios 75 r° et 73 r°.

Page 977.

a. en [goûtant *biffé*] cette *ms. Faute de correction de la part de Proust,
nous maintenons le verbe.* ◆◆ *b.* une de celles dont le nom [...]
sombres *add. ms. (au folio 75 r°)*

Page 978.

a. C'est le propre *[22 lignes plus haut]* de tous [...] « à mon sens »
etc. *add. ms. (au folio 73 r°)*

1. Voir l'Esquisse LVI, p. 968 et suiv. On trouve ensuite, dans le Cahier
(ff^os 72 à 66 v^os), une « entrée de port à Viraville » qui ressemble déjà
beaucoup au « port de Carquethuit » (voir p. 192 à 195).

1. Proust a en fait omis de biffer le second « riche » ainsi que le second « que ».

Page 979.

Esquisse LIX

Cahier 28, f⁰ 68 r⁰.

1. Camille Saint-Saëns (1835-1921) et Charles Gounod (1818-1893) furent parmi les compositeurs préférés de Proust dans sa jeunesse. « Génie inspiré de la musique, doué d'une sensibilité profonde », écrivait-il de Saint-Saëns en 1895 (*Essais et articles*, éd. citée, p. 385) ; il admirait alors les « tristes accents » d'*Henri VIII* (*ibid.*, p. 384). Quant à Gounod, il le plaçait à côté de Mozart dans le premier « Questionnaire » (*ibid.*, p. 336). En 1903 encore, il sait gré à Mme de Pierrebourg d'avoir dans son livre *Le Plus Fort* (signé du pseudonyme Claude Ferval) montré un personnage qui « réhabilite justement Gounod » (*Correspondance*, t. III, p. 359). Le temps aidant, il les situera à leur juste place dans la hiérarchie des grands musiciens.

Esquisse LX

Cahier 28, ff⁰ˢ 66 à 56 v⁰ avec ajouts sur les folios 65 r⁰ et 64 r⁰. Voir p. 191 à 206.

Page 980.

a. Ms donne en fait : mer, avait des tableaux de lui j'aurais . ⬩⬩ *b. Après le blanc, on trouve, biffé, le mot* astrologues . ⬩⬩ *c. de* me [montrer *biffé*] tous . *Le sens impose de maintenir le mot biffé.* ⬩⬩ *d. Proust a écrit en note, en bas de page :* Par exemple Ver Meer de Delft ses marines étant reconnues d'après ses meubles , *et en marge :* Mettre plutôt cela pour Elstir que pour un peintre hollandais.

Page 981.

a. à sa propre [*p. 980, 4ᵉ ligne en bas de page*] interprétation [...] avait vu *add. ms. (au f⁰ 65 r⁰)* ⬩⬩ *b.* Mais si un peintre [...] un autre *add. ms. (au f⁰ 64 r⁰)*

Page 982.

a. On trouve ici dans ms. une addition interlinéaire difficile à raccorder : froide, bleue, ronde et nue

1. Dans *Jean Santeuil* était déjà décrit un tableau de dégel de Monet appartenant à Ch. Éphrussi (*Jean Santeuil*, Bibl. de la Pléiade, p. 893). Le tableau esquissé ici se retrouvera dans le Cahier 34 sous le titre « Effet de dégel à Apollonville » (ff⁰ˢ 18 et 19 r⁰ˢ), puis sur les placards Grasset de 1914 sous le titre « Effet de dégel à Briseville » (voir var. *c*, p. 220). Le tableau de Monet qui inspire Proust dans *Jean Santeuil* et dans ces états préparatoires d'*À la Recherche du temps perdu* est *Débâcle sur la Seine* (voir l'étude de J. Theodore Johnson Jr.

dans *Études proustiennes*, I, 1973, p. 163-176). Dans le texte définitif, il ne sera plus mentionné que dans *Le Côté de Guermantes*, p. 423.

2. Les « Creuniers » dans la version définitive. Voir n. 4, p. 254.

Page 984.

a. En marge de cette dernière phrase dans ms., Proust a écrit : voir plus haut. ↔ *b.* bizarre [que quand *biffé*] [qu'au lieu de *corr.*] l'usage *ms. La correction n'a pas été poursuivie.* ↔ *c.* des soleils, des jardins, *add. ms.*

1. Voir n. 1, p. 974.

Page 985.

a. retourné une [esquisse sans doute fort ancienne, c' *biffé*] jolie aquarelle était *Nous rétablissons le pronom démonstratif.* ↔ *b. Lecture conjecturale, une tache masquant le mot.* ↔ *c. Proust a écrit ici en interligne :* Reprendre à partir de là. ↔ *d.* aperçu [Lala des îles 1869 *biffé*] miss *ms.* ↔ *e. En marge dans ms., divers essais de Proust :* [1892 *biffé*] / [40 *biffé*] / 40 ans / 1892 / [1852 *biffé*] / [1872 *biffé*] ↔ *f.* qu'est-elle [devenue Mlle Lala des îles *biffé*] miss *ms. Nous rétablissons* devenue *biffé par erreur par Proust.*

1. Voir n. 1, p. 965.

2. « Lala des îles 1869 » que Proust a biffé avant d'écrire, du même mouvement semble-t-il, « miss Sacripant 1873 » (voir var. *d*) reculerait un peu dans le temps la jeunesse d'Odette. La variante *e* montre les hésitations de Proust sur les dates ; on peut supposer que 1852 est la date de naissance que Proust prête à Odette, 1872 la date approximative de sa carrière d'actrice avant son mariage avec M. de Crécy, 1892 l'époque où elle a quarante ans et où le héros l'admire au Bois et joue avec sa fille aux Champs-Élysées. Lisant « Lola des îles », Jo Yoshida se demande si Proust ne s'est pas inspiré de Lola de Valence, peinte par Manet et chantée par Baudelaire, ou de Lola Montès (« La Genèse de l'atelier d'Elstir », *Bulletin d'informations proustiennes*, n° 8, automne 1978, p. 23, n. 45) ; mais il nous paraît bien que Proust a écrit « Lala ».

3. Les folios suivants contiennent un portrait de Mme Elstir, déjà assez proche du texte définitif, en marge duquel Proust a écrit : « Mettre cela plus loin dans une visite l'année suivante chez Elstir avec tout le morceau qui est excellent dans le manuscrit détaché » (f° 55 v°). « L'année suivante » signifie, vraisemblablement, la troisième année à la mer (voir l'Esquisse XLIV, p. 926, et la notule de cette Esquisse).

Page 986.

Esquisse LXI

Cahier 34, ff°ˢ 10 à 13 r°ˢ. Voir var. *a*, p. 198, qui date ce passage d'avant 1914. Le folio 9 r°, barré, raconte comment Elstir a appris au héros à voir des choses qu'il ne voyait pas jusque-là.

a. Le début du folio 10 r° est en fait : pour rien. Mais dans Sans doute enchaîne-t-il avec une page manquante, ou avec une page d'un autre cahier. ◆◆ *b. L'adjectif* brillante *est surchargé dans ms., peut-être en* brûlante *.* ◆◆ *c.* ces [dieux cachés *biffé*] [déesses cachées *corr.*] qui *ms.* ◆◆ *d.* l'horizon [ensoleillé et blanc — par leur beauté fraîche et leurs prunelles sombres. C'est ainsi encore que si à Balbec j'aurais voulu séparer l'église du petit café où on lisait Billard, des gens qui passaient. Mais des croquis et aussi des tableaux d'église d'Elstir n'exerçaient pas cet ostracisme *biffé*]. Et *ms.* ◆◆ *e.* l'autre [une caserne *biffé*] [un hôpital *biffé*] [une banque *corr.*] *ms. Suivent 12 lignes biffées.* ◆◆ *f.* non [spiritualisée *biffé*] [sentie *corr.*] et *ms. Peut-être Proust a-t-il omis de biffer également* non *.*

Page 987.

Esquisse LXII

Cahier 34, ff⁰ˢ 18 à 21 r⁰ˢ avec ajout sur le folio 19 v°. Pour la date même remarque que pour l'Esquisse LXI (voir la notule de celle-ci).

Page 988.

a. d'ailleurs stérile *add. ms.* ◆◆ *b. Sic.*

1. Voir t. I de la présente édition, p. 390. La suite (effet de dégel à Apollonville) prépare l'« effet de dégel à Briseville » (var. *c*, p. 220), ébauché dans le Cahier 28 (voir n. 1, p. 982).
2. Voir p. 209 : « Ah ! que j'aimerais aller à Carquethuit ! »

Page 989.

a. Suivent dans ms. huit lignes biffées, plus ou ou moins reprises dans la suite du texte.

1. Le héros raconte ensuite comment il collectionnait les rares revues où on avait publié des études sur l'art d'Elstir.

Esquisse LXIII

Cahier 12, ff⁰ˢ 117 à 122 r⁰ˢ et 121 à 122 v⁰ˢ. Voir p. 224 à 230. Sans doute écrit en 1909. Vient dans l'ordre du cahier après l'apparition et la première description de la bande des jeunes filles (voir l'Esquisse XLV, p. 935 et suiv.).

b. que [je rencontrerais *1ʳᵉ réd. non biffée*] [je me retrouvais auprès de *2ᵈᵉ réd. interl.*] la *ms.* ◆◆ *c.* dans un [salon *biffé*] atelier *ms.*

Page 990.

a. entièrement *add. ms.* ◆◆ *b.* en jaune *add. ms.*

Page 991.

a. Sic.

Page 992.

1. Suit une version de la scène où, quelques jours après, il rencontre la jeune fille alors qu'il se trouve avec le peintre.

Esquisse LXIV

Cahier 33, f° 8 v°. Voir p. 224 à 226. Écrit en 1913.

Page 993.

Esquisse LXV

Cahier 12, ff^os 122 à 124 r^os. Voir p. 225 à 229. Écrit sur le cahier dans le prolongement de l'Esquisse LXIII (voir p. 989 à 992). Après un intercalage, Proust enchaîne en disant qu'au salut imperceptible de la brune espagnole, il a compris que « le fait d'être chez le peintre n'était rien pour elle et que cela ne m'avait nullement classé dans la race de ses amis ». Fragment interrompu : Proust enchaîne de nouveau avec le passage que nous transcrivons.

a. et bleue *add. ms.*

Page 994.

Esquisse LXVI

Cahier 33, ff^os 11 et 12 r^os. Voir p. 228. Écrit en 1913. Cette « première année » signifie, non la première année où le héros séjourne à la mer, mais la première année où il connaît les jeunes filles, ces pages étant antérieures à la décision de Proust d'avancer l'intervention de la bande des jeunes filles au cours du premier séjour (voir notre Notice, p. 1327-1328).

1. Allusion probable au Cahier 64, f° 93 v°-92 v°.
2. Voir p. 156.
3. Le Cahier s'achève ici.

Page 995.

Esquisse LXVII

Cahier 12, ff^os 122 à 127 v^os. Voir p. 231 et suiv. Écrit sans doute en 1909.

a. venait de descendre [...] première fois   *add. ms.*

Page 996.

a. Dans ms. en interligne, on lit pouvait   *; il s'agit sans doute d'une correction inachevée.* ◆◆ *b.* de lui faire ensuite [remarquer *biffé*] le lendemain *Proust a dû biffer* remarquer *au lieu de* ensuite *; nous rétablissons.*

Page 997.

1. Voir l'Esquisse LXV, p. 993-994.

Page 998.

a. petits éclats [...] cils noirs   *add. ms.* ◆◆ *b.* s'approcha de [nous *biffé*], vint   *ms. Nous supprimons également la préposition.*

1. Voir n. 1, p. 891.
2. Commentant ce que dit Ruskin de Saint-Wulfran d'Abbeville, Proust ajoute qu'il « alla même plus loin ; il ne sépara pas les cathédrales de ce fond de rivières et de vallées où elles apparaissent au voyageur qui les approche, comme dans un tableau de primitif » (*Pastiches et mélanges*, éd. citée, p. 120).
3. Cette indication renvoie au Cahier 64, f° 117 v°-113 v°.

Esquisse LXVIII

Cahier 29, ff^os 1 à 11 r°. Voir p. 229 et suiv. Sans doute écrit en 1909.

Page 999.

a. et par ce fait [...] diabolique   *add. ms.* ◆◆ *b.* Encore un bal,   *add. ms.*

1. Ceci renvoie à un épisode non conservé ou non écrit de l'histoire du héros avec Gilberte. Au moins peut-on voir qu'ici, Gilberte est franchement dissociée de la bande des jeunes filles à laquelle elle a, fût-ce sous un autre nom, paru mêlée dans des textes sans doute à peine antérieurs (voir la notule de cette Esquisse, et p. 1002 : « Je reviens l'année suivante »).

Page 1001.

a. Proust a écrit en marge : Mettre cela au début de l'année suivante pour me redonner inconsciemment quelque goût pour Maria. *Cette année* suivante *suppose un troisième séjour au bord de la mer. Voir p. 1002.* ◆◆ *b. Début du paragraphe dans* ms. : [le lendemain *biffé*] ce ◆◆ *c.* partie [et elle m'a présenté à Solange qui est très gentille avec moi *biffé*] ; un *ms.*

1. Version apparemment un peu différente, peut-être non écrite, de l'Esquisse XI d'« Autour de Mme Swann » (voir t. I de la présente édition, p. 1012 et suiv.).

2. Voir l'Esquisse LXXI, p. 1006 et suiv.

3. Voir la note précédente.

Page 1002.

a. Suivent huit lignes biffées. ◆◆ *b.* année suivante chez les interrompu *et biffé*

Page 1003.

a. avec l'espoir de l'aimer longtemps *add. ms.* ◆◆ *b.* « J'aime [vraiment *add.*] [Maria *biffé*] [Solange *corr.*], à cause *ms.* ◆◆ *c.* que [Maria *biffé*] [Solange *corr.*] ne *ms.* ◆◆ *d. Le manuscrit est déchiré.*

1. Voir le « mystérieux malentendu, parfaitement fictif », qui sépare le héros et Gilberte dans « Autour de Mme Swann » (t. I de la présente édition, p. 621).

Esquisse LXIX

Cahier 64, ff^os 1 et 2 r^os. Voir p. 240. Écrit sans doute en 1909. Le début au moins de ce cahier doit être contemporain du Cahier 12 puisqu'ils se renvoient mutuellement l'un à l'autre (voir la note de régie que nous donnons à la fin de l'Esquisse LXVII, p. 998, et la note 3 de cette page, ainsi que, dans la présente Esquisse, n. 4, p. 1004).

e. Suit dans ms. une ligne biffée.

Page 1004.

a. À la suite du prénom, apparaît dans ms. un sigle peu lisible (deux majuscules ?).

1. Renvoi non élucidé (nous sommes à la première page du Cahier). Ce nom d'Alberte qui intervient si tôt dans l'élaboration du roman est intéressant : Proust, après avoir évoqué le départ d'une jeune fille sans nom (Esquisse LXXII, p. 1010), évoquera celui d'Albertine.

2. L'adjectif « fantasque » sera appliqué à Andrée (p. 240).

3. Voir l'Esquisse LXV, p. 993-994.

4. Ce plan du séjour à « Querqueville » paraît mêler le premier séjour (importance des noms et de la grand-mère) et le second (les filles).

Esquisse LXX

Cahier 23, ff^os 1 à 3 r^os. Ce passage ne se retrouve pas dans le texte définitif, mais on apprendra dans la suite du roman qu'Albertine est allée à Amsterdam. Écrit en 1909, peut-être en 1910. Voir l'article d'Henri Bonnet, « Maria ou l'Épisode hollandais », *Bulletin de la Société des amis de Marcel Proust*, n° 28, 1978.

Page 1005.

a. En marge du folio 1 r°, à hauteur de ces mots, Proust a noté : Détestable. ◆◆ *b. Hésitations entre singulier et pluriel tout au long de cette phrase dans* ms.

Page 1006.

a. un [futur comptable *1ᵉʳ jet non biffé*] [fils de comptable *2ᵈ jet interlinéaire*] qui *ms.* ◆◆ *b.* sur les [lèvres *biffé*] d'un *ms. Proust n'ayant pas corrigé, nous conservons le mot biffé.*

1. Suit un fragment intitulé : « Pour la femme de chambre de Mme Putbus. »

Esquisse LXXI

Cahier 25, ffᵒˢ 37 à 32 vᵒˢ. Voir p. 281 à 286. Écrit sans doute au printemps-été 1909. Voir, dans l'Esquisse LXVIII, p. 1001, les deux mentions de la « scène du lit », qui semblent indiquer l'emplacement d'un fragment déjà écrit. *Jean Santeuil* offrait une scène assez semblable (voir n. 3, p. 286).

Page 1007.

1. De même Maria, dans l'Esquisse LXVIII, p. 1000.

Page 1008.

a. 15 [août *biffé*] [septembre *corr.*]. Comme *ms.* ◆◆ *b.* ainsi prenaient [quelque chose de *biffé*] présentaient *ms. Nous supprimons également le premier verbe, que Proust a sans doute omis de biffer.*

1. Proust mettra finalement ce compliment dans la bouche d'Odette au début de sa liaison avec Swann. Celui-ci ayant oublié son étui à cigarettes chez elle, elle lui dit : « Que n'y avez-vous oublié aussi votre cœur, je ne vous aurais pas laissé le reprendre » (t. I de la présente édition, p. 219).

Page 1009.

Esquisse LXXII

Cahier 12, f° 69 r°. Voir p. 302. Écrit au printemps-été 1909.

Page 1010.

a. mais je [m'imaginais *biffé*] en *ms.*

Esquisse LXXIII

Cahier 26, ff° 49 à 53 r°s. Écrit en 1909. On se rappelle qu'au stade des premières esquisses, avec sa manie d'ouvrir les fenêtres par tous les temps, la grand-mère se fait mettre à la porte avec son petit-fils (voir l'Esquisse XXXVI, p. 910-911). On se rappellera aussi qu'en compagnie de M. de Guercy, elle a visité une maison d'armateur du XVIIIe siècle avec l'idée qu'ils pourraient l'habiter (voir l'Esquisse XLIII, p. 925). Ainsi le séjour est-il d'abord moins fermement fixé au Grand-Hôtel qu'il ne le sera dans le roman. Celui-ci ne porte plus trace de ce petit hôtel où, au lieu de la « phalange » masculine (p. 303) que présente le Grand-Hôtel, s'offre une légion de serveuses qui organisent les habitudes du héros. Mais on peut en trouver un souvenir dans l'hôtel de Flandre, « ancien petit palais du XVIIIe siècle » situé à Doncières où le héros couchera dans *Le Côté de Guermantes* (voir p. 371).

b. C'était [un petit   *biffé*] hôtel   *ms. Nous rétablissons l'article.* ◆◆ *c.* tout le temps où je venais [d'être souffrant   *biffé*] de   *ms. Nous supprimons également le début de la relative.*

1. Voir la notule de cette Esquisse, et p. 925.

Page 1011.

a. On me servait ainsi [...] couchant.   *add. ms.* ◆◆ *b.* venait [...] au-dessus   *biffé ms. Proust n'est pas allé au bout de sa correction ; nous maintenons la fin de la phrase.* ◆◆ *c.* en cette saison des grands vents   *add. ms.* ◆◆ *d. Ms. donne en réalité :* y [apprendre   *biffé*] à tout moment [un type de beauté inconnu de quelque grande blonde, aux traits majestueux, aux yeux [bleus   *biffé*] gris, ou quelque [noire   *biffé*] brune à la figure carrée et   *biffé en définitive*] inconnue et voir . *Proust a sans doute omis de biffer* y *au début de la variante, ainsi que* inconnue et *à la fin.*

Page 1012.

1. Au retour du premier séjour à Balbec, c'est dans un appartement dépendant de l'hôtel de Guermantes qu'emménageront les parents du héros.

Page 1013.

Esquisse LXXIV

Ces deux fragments, contenus dans une plaquette publiée par M. Saucier et tirée à cinq exemplaires, ont été transcrits dans leur version manuscrite en note de l'édition de P. Clarac et A. Ferré. C'est cette version que nous reproduisons. P. Clarac et A. Ferré signalent qu'ils avaient été collés arbitrairement sur le dépliant du manuscrit

après « aux doigts de pourpre » (p. 135, 10ᵉ ligne en bas de page).
De fait, rien ne permet de trancher l'indécision manifestée par Proust
en tête de ces deux fragments, qui ne se retrouvent pas dans le texte
définitif. Santois, d'abord appelé Félix au début du Cahier 54,
deviendra Charles Morel dans le roman. Il apparaît à partir du *Côté
de Guermantes I*.

a. Proust a biffé un quintette de Franck (mettre un autre nom) *, mais
n'a pas corrigé.*

Page *1016.*

Esquisse LXXV

Cahier 30, ffᵒˢ 95 à 92 vᵒˢ et 95 rᵒ-94 rᵒ. Voir, quoique très
différentes, les pages 302 à 304. Écrit sans doute en 1910.

Page *1017.*

*a. de [*violon *biffé*] [piano *corr.*], un *ms.* ◆◆ *b. Dans ms., Proust
écrit* Shumann *et* Shubert *; nous corrigeons.*

1. Voir n. 1, p. 303.

Page *1018.*

a. les jours où [...] vent *add. ms.* ◆◆ *b. Ms. donne en fait :* travailler
avec des pierres *.Proust recopie ici une version antérieure, biffée de cette page ;
il a sans doute recopié* avec des pierres *par inadvertance.* ◆◆ *c.* bercé par
le vent [...] la mer *add. ms. (en marge du folio 94 rᵒ)* ◆◆ *d.* dans ces jours
gris [...] disparaître *add. ms. (en marge du folio 94 rᵒ).*

Page *1019.*

Esquisse LXXVI

Cahier 38, ffᵒˢ 3 et 4 vᵒˢ. Voir p. 304-305. Écrit sans doute en 1910.
Fait suite dans l'ordre du cahier à l'Esquisse XXXIV (voir p. 905 et
906).

a. Suivent dans ms. 9 lignes biffées.

1. Voir n. 1, p. 40, ainsi que la notule de l'Esquisse XXXV.

Page *1020.*

a. De Sa présence *à la fin de cette Esquisse, nous donnons le texte d'une
seconde rédaction marginale, qui dans ms. remplace le premier jet du folio 4 vᵒ,
presque entièrement biffé.* ◆◆ *b. En interligne, dans ms., apparaît un mot illisible,
suivi de* dans le passé *; il s'agit sans doute d'une correction
pour* jusqu'ici *.* ◆◆ *c. Conjecture. On croit lire :* sur la ville *.* ◆◆
d. Cinq ou six mots illisibles suivent séjour *.Toute cette fin du passage est
écrite en bas de page et en très petits caractères.*

1. Il faut, bien entendu, comprendre que le vent tordait les vagues.

Page 1021.

Le Côté de Guermantes

I

Esquisse I

Cahier 5, ff⁰ˢ 39 v° à 45 r°. Ce texte a été partiellement publié dans l'édition du *Contre Sainte-Beuve* établie par B. de Fallois, Gallimard, 1954 (p. 231 à 236), et dans celle de P. Clarac (Bibl. de la Pléiade, p. 297-298). Rédigé en 1908-1909, il sera partagé entre *À l'ombre des jeunes filles en fleurs* et *Le Côté de Guermantes* (p. 331 à 333, 781, 802 à 804).

a. Nous restituons l'article ses *et les quatre premières lettres du mot* appels *effacés par l'usure dans ms.*

Page 1022.

a. Le nom Pruns *n'est pas sûr. Bernard de Fallois lit :* Praus *.*

1. Augustin-Colas Roger, dit Eugène Roger de Bully, puis Roger de Beauvoir (1809-1866), auteur de romans historiques. — Alexandre-Vincent Pineux, dit Alexandre Duval (1767-1842) ; matelot, architecte, acteur, directeur du théâtre de l'Odéon, académicien français, il est l'auteur d'une soixantaine de pièces de théâtre, drames historiques (*La Jeunesse de Henri V*, 1806), comédies (*Le Naufrage ou les Héritiers*, 1796) et livrets d'opéra (*Joseph*, de Méhul, 1807). Voir *Contre Sainte-Beuve*, Bibl. de la Pléiade, p. 282.

2. Louise-Marie-Julienne Béchet (1800-1880), libraire éditeur, 59, quai des Augustins. De 1834 à 1837, elle publia, en douze volumes, les *Études de mœurs au XIXᵉ siècle*, de Balzac.

Page 1023.

1. *Mademoiselle de Choisy* est en effet un livre de Roger de Beauvoir, publié par Michel Lévy, en 1859.

2. Laure Permon, duchesse d'Abrantès (1784-1838), femme de Junot. Elle est l'auteur de romans et de *Souvenirs historiques sur Napoléon*. Elle fut la maîtresse de Balzac qui lui dédia *La Femme abandonnée*.

Page 1024.

a. « il court encore » [, « il est riche comme Rothschild » biffé]. Si la *ms.*

1. Le Cercle agricole, 284, boulevard Saint-Germain (voir *La Prisonnière*, t. III de la présente édition, p. 704).

Page 1025.

a. Sur la page opposée (f° 43 v°), Proust a noté quelques expressions : Ce n'est pas banal / Ah ! Je trouve ça exquis / C'est un rien / Charmante soirée. ◆◆ *b. Lecture conjecturale.* ◆◆ *c.* sourd [» ce qui le faisait trouver un causeur charmant quand on pouvait « le mettre sur ses souvenirs ». « *biffé*]. Du reste *ms.*

1. Paul Bourget (1852-1935), poète, romancier, critique, auteur des *Essais de psychologie contemporaine* (1883 et 1885).

2. Proust prend quelques libertés avec l'histoire : Louise-Marie-Élizabeth, grande duchesse de Bade (1838-1907) était la fille de Guillaume Ier, roi de Prusse. Son frère, le prince royal Frédéric-Guillaume-Nicolas-Charles de Hohenzollern (1831-1888) avait épousé en 1858 une princesse royale de Grande-Bretagne et d'Irlande, fille de Victoria. Il devait devenir roi de Prusse et empereur d'Allemagne sous le nom de Frédéric III.

Esquisse II

Cahier 5 (1908-1909), ff^{os} 56 r° à 67 r°. Voir p. 312 à 315, 328 à 330 et 731-732. Ce portrait des Guermantes a été publié dans l'édition du *Contre Sainte-Beuve* de B. de Fallois, p. 267-273. L'opposition entre l'imaginaire et la réalité conduit le narrateur, en quelques pages seulement, rédigées en 1908-1909, de l'âge des noms à l'âge des mots.

Page 1026.

a. À la suite de tantôt à sa droite *, Proust a commencé, dans ms., cette phrase qu'il a ensuite biffée ligne à ligne :* Ç'avait été cette Mme de Villeparisis dont ma grand-mère parlait souvent et que j'avais enfin connue à Querqueville, où à vrai dire elle n'avait d'autre intérêt pour moi que de donner une bonne opinion de moi à Mlle de Quimperlé, ce G < ? >. *Puis Proust refait sa phrase, mais la barre d'un trait oblique :* Sans doute souvent je n'y avais pas pris garde au moment même, et par exemple à Querqueville Mme de Villeparisis ne m'avait présenté d'intérêt que pour donner une bonne opinion de moi à Mlle de Quimperlé. Mais maintenant, cela me plaisait de penser que cette race mystérieuse, comme pouvaient être pour les anciens les familles de dieux, s'é < ? > . *Enfin, il reprend une troisième fois, s'interrompt, mais ne biffe pas sa phrase inachevée :* Sans doute la plupart du temps ces approches de ma vie par quelque Guermantes avaient eu leur cause dans quelque circonstance particulière qui m'avait empêché ◆◆ *b. Lecture incertaine.*

1. Mlle de Stermaria dans le texte définitif.

Page 1027.

1. Dans la superbe description que Ruskin fait de la façade de la basilique Saint-Marc dans *Les Pierres de Venise*, il n'est jamais question de rubis ou de saphir, mais d'or, d'opale, de nacre, d'albâtre, d'ivoire,

de jaspe, de porphyre, de corail, d'améthyste, etc. (*Les Pierres de Venise*, trad. M. Crémieux, Hermann, 1983, p. 60-62).

Page 1028.

1. Françoise-Marie-Amélie, princesse d'Orléans, née en 1844, épousa en 1863 Robert-Philippe-Louis-Eugène-Ferdinand, duc de Chartres (1840-1910), petit-fils de Louis-Philippe.

2. Proust oublie qu'il n'avait annoncé que « deux traits ».

Page 1029.

a. aussi bien que lui. [Et le second trait était une extrême prétention, *en* gens qui n'avaient craint ni les nouveautés de la Révolution, ni les philosophes du XVIIIe siècle, à ne pas craindre les mots nouveaux, les idées neuves quand elles ont du bon. Ils disaient : « Nous sommes socialistes », mais en réalité *biffé*] / Mais cette originalité *ms.* ↤↦ *b.* connus, et qui [tenait à la sonorité de leur nom, à la couleur des verres de lanterne magique, aux statues des sires de Guermantes à l'église de Combray, aux statuettes de Saxe, à l'idée que leur société constituait un monde fermé au reste des humains et que la rareté de leur essence avait passé dans le précieux de leur corps *biffé*] les faisait poétiques *ms.*

1. *L'Orme du Mail* est la première partie de l'*Histoire contemporaine* d'Anatole France, publiée en 1897. Le héros, Bergeret, est professeur à l'université de Tourcoing.

Page 1030.

1. Ces deux noms « fin de siècle » ont longtemps fasciné Proust qui les fait apparaître à plusieurs reprises dans *Les Plaisirs et les Jours* : « Mélancolique villégiature de Mme de Breyves », où un personnage se nomme Geneviève d'Alériouvre Buivres ; princesse d'Alériouvre dans « La Fin de la jalousie » (*Les Plaisirs et les Jours, Jean Santeuil*, Bibl. de la Pléiade, p. 147) où la série est « déclinée » : « Gouvres, Alériouvre, Buivres, Breyves » (*ibid.*, p. 160). Il ne devait jamais se résoudre à les abandonner totalement. En 1893, il chercha à les imposer dans le roman épistolaire qu'il écrivait en collaboration avec Louis de La Salle, Daniel Halévy et Fernand Gregh (voir la lettre à Daniel Halévy, 20 juillet 1893, *Correspondance*, t. IV, p. 414-416) ; il les attribua aux correspondants des « Lettres de Perse et d'ailleurs », en 1899 (*Contre Sainte-Beuve*, éd. citée, p. 424-430) ; dans *Jean Santeuil* figure une Mme d'Aleriouvres (p. 398) ; en juillet 1908 encore, il suggérait à Henry Bernstein, qui était en quête de noms pour les personnages d'une pièce, de prendre celui du « prince d'Aleriouvres et de Bruivres » (*Correspondance*, t. VIII, p. 174).

Esquisse III

Cahier 1, ff[os] 23 v° à 21 v°. Ce portrait de Françoise, très sommaire, date de la fin de 1908 ou du début de 1909. Certains traits de caractère passeront dans le texte définitif — respect pour le « brodeur », peur de la guerre — mais trop modifiés pour qu'il soit possible de renvoyer à un passage précis du *Côté de Guermantes*.

Page 1032.

Esquisse IV

Cahier 5, ff^os 20 r° à 39 r°. Ce texte a été publié par Jean-Yves Tadié, sous le titre « Portrait de Françoise », dans la *Revue d'histoire littéraire de la France*, septembre-décembre 1971, p. 753-764. Cette esquisse, qui date de 1908-1909, éclatera par la suite pour alimenter les diverses parties de l'œuvre où apparaît le personnage de Françoise. Voir *Du côté de chez Swann*, t. I de la présente édition, p. 28, 54, 82, 105, 120 à 122, 151-152 ; *À l'ombre des jeunes filles en fleurs*, p. 10, 137-138 ; *Le Côté de Guermantes I*, p. 316 à 327, 362, 365-366 ; *Le Temps retrouvé*, CF, t. III, p. 748 à 750.

Page 1033.

a. Proust laisse un blanc dans ms. Le mot qu'il cherche est sans doute « hyménoptère ». Voir « Un amour de Swann », t. I de la présente édition, p. 122.

1. Allusion au titre d'un drame de René-Charles Guilbert de Pixérécourt et Anicet Bourgeois : *Latude ou Trente-Cinq Ans de captivité* (1834). Voir *Sodome et Gomorrhe*, t. III de la présente édition, p. 212. Françoise a-t-elle vingt-cinq ans de service ?

Page 1034.

a. Voir « À l'ombre des jeunes filles en fleurs », p. 10, où on lit : maison de paysan .

1. *Arrangement en gris et noir n° 1, portrait de la mère de l'artiste* (1871 ; Paris, musée d'Orsay) et *Arrangement en gris et noir n° 2, portrait de Carlyle* (1872 ; Glasgow Art Gallery). En février 1905, Proust affirmait que dans sa « chambre volontairement *nue* il y [avait] une seule reproduction d'œuvre d'art : une admirable photographie du *Carlyle* de Whistler au pardessus serpentin comme la robe de *Sa mère* » (lettre à Marie Nordlinger, *Correspondance*, t. V, p. 42-43 ; voir dans les *Lettres à Reynaldo Hahn*, Gallimard, 1956, p. 163, le dessin que Proust fait de ce tableau).

Page 1035.

a. les principes dont ils vivent. [Dans le monde moral nous vivons tous en symbiose. biffé] Françoise ms.

Page 1036.

a. mes enfants, [on aperçoit les Pyrénées comme un nuage, et quand j'allais pêcher la truite avec mes frères, je vous assure qu'il faisait plus frais que dans cette cuisine. Pauvre Françoise, qui sait, tu ne reverras peut-être pas Gelos avant de mourir, et peut-être avant tes frères seront couchés dans le petit cimetière sous le grand seringa *biffé*], les garçons *ms.* ↔ *b. Nous tentons de restaurer un texte que les ratures et additions successives de ms. ont rendu incohérent. On lit en réalité :* intime et [comme un *biffé*] des élèves [se mettent à rire quand le professeur *biffé*] comme un professeur [de lycée *add.*] quand du haut ↔ *c. Proust écrit, dans ms :* Lessets .

1. Commune des Pyrénées-Atlantiques (Basses-Pyrénées en 1908), à 2 kilomètres de Pau, sur le Gave de Pau.

2. Après avoir dirigé les travaux du canal de Suez, Ferdinand de Lesseps (1805-1894) avait créé, en 1880, une compagnie pour le percement de l'isthme de Panama. Pour financer l'opération, Lesseps émit des obligations à lots, et obtint le soutien de parlementaires et de journalistes qu'il avait achetés. Le scandale financier et politique éclata en 1889, avec la faillite de la Compagnie qui entraîna la ruine de 800 000 souscripteurs.

Page 1037.

a. une familiarité [populaire *biffé*] [de fille[1], parce qu'ils sont les pères du peuple *corr.*], disant *ms.* ↔ *b.* Ses idées sur la [noblesse *biffé*] [société *1re rédaction non biffée*] [noblesse *2e rédaction interlinéaire*] auraient *ms.*

1. Marie-Amélie-Louise-Hélène de Bourbon-Orléans, fille du comte de Paris. En 1886, elle épousa le prince royal de Portugal qui devint roi en 1889, sous le nom de Carlos Ier. Son frère était Philippe, duc d'Orléans (1869-1926), chef de la maison de France. Voir *À l'ombre des jeunes filles en fleurs*, p. 137.

2. Le comte et la comtesse Aimery de La Rochefoucauld et leur fils, Gabriel de La Rochefoucauld, ami de Proust, habitaient au 93, rue de l'Université (voir « Le Salon de la comtesse Aimery de La Rochefoucauld », *Essais et articles*, *Contre Sainte-Beuve*, Bibl. de la Pléiade, p. 436-439).

3. Alexandre-Jules-Paul-Philippe-François de La Rochefoucauld, quatrième duc d'Estissac (1854-1905) habitait au 28, rue Saint-Dominique.

4. Proust renvoie au *Port-Royal* de Sainte-Beuve (voir n. 1, p. 323).

1. La lecture de ce mot est incertaine ; on peut également déchiffrer « famille » ou « halle ».

Page 1038.

a. Cette phrase inachevée sera reprise plus loin dans ms. Nous insérons à la suite une addition rédigée sur les versos. ◆◆ *b. Lecture incertaine. On peut également déchiffrer :* renégation .

1. François, vicomte de Pâris, dont la famille possédait le château de Guermantes, près de Lagny, en Seine-et-Marne. Sur le manuscrit, Proust omet l'accent circonflexe sur Pâris, ce qui renforce la confusion. — Le comte de Paris (1838-1894), petit-fils du roi Louis-Philippe. — Gaston Paris (1839-1903), professeur au Collège de France, membre de l'Académie française, spécialiste de littérature médiévale.

Page 1039.

a. Fin de l'addition sur versos dans ms.

Page 1041.

Esquisse V

Ce portrait de la comtesse est extrait du Cahier 4, ff^{os} 9 v° à 18 r° et 70 v°. Il date de la fin de 1908 ou du début de 1909. Bernard de Fallois l'a publié dans son édition du *Contre Sainte-Beuve* (p. 86-92). Voir p. 315-316, 328 à 330 et 358 à 363.

Page 1043.

a. Lacune due à l'usure du papier

1. Sir Edward Burne-Jones (1833-1898). Ce peintre anglais préraphaélite admirait Mantegna qu'il découvrit en Italie, au cours d'un voyage en compagnie de John Ruskin. En 1907, Proust parlait à Reynaldo Hahn des « figures qui paraissent trop conventionnelles dans l'art pour être "crues" par qui les regarde dans Burne-Jones ou dans Gustave Moreau, mais que la nature réalise une fois pour montrer qu'une beauté si "artistique" peut être vraie » (*Correspondance*, t. VII, p. 239).

Page 1045.

a. Ce dernier paragraphe figure sur le folio 70 v° du Cahier 4.

1. Voir n. 1, p. 733.

Esquisse VI

Cahier 7, ff^{os} 10 r° à 14 r° (1908-1909). Texte publié dans le *Contre Sainte-Beuve*, éd. Fallois, p. 284-289. Voir p. 310 à 315.

Page 1046.

a. reconnaît bien. [Et le temps de Frédégonde *biffé*] [Dans la crypte de l'église *biffé*] Quand on entre *ms.*

1. L'abbaye de Jumièges, près de Rouen, a été fondée en 654. Il n'en reste plus aujourd'hui que des ruines. Proust a dû lire le *Guide Joanne* : « Les ruines de l'abbaye sont entourées des jardins pittoresques de la propriétaire [...] qui habite des dépendances de l'ancien monastère, converties en une belle demeure. On peut visiter les ruines en sonnant à la porte de la grande grille d'entrée ; le concierge accompagne les étrangers » (Paul Joanne, *Itinéraire général de la France : Normandie*, Hachette, 1901, p. 56).

2. Saint-Wandrille est un village à 27 kilomètres de Rouen, où se trouvent les ruines d'une abbaye fondée en 645. Proust visita vraisemblablement Jumièges et Saint-Wandrille en août 1907 (voir la *Correspondance*, t. VII, p. 255-256).

3. Jean-Philippe Rameau a composé plusieurs tragédies lyriques inspirées de l'antiquité, mais son œuvre la plus célèbre est un opéra-ballet : *Les Indes galantes* (1735).

4. Proust confond les noms et les crimes. Chilpéric Ier (539-584), roi de Neustrie, ne pouvait tuer les enfants de Clotaire, à moins d'être fratricide. Clotaire Ier était en effet son père. Clotaire Ier (497-561), roi des Francs, Childebert Ier (v. 495-558), roi de Paris, et Clodomir (v. 495-524) roi d'Orléans, étaient tous trois fils de Clovis et de Clotilde. Clotaire et Childebert tuèrent deux des trois fils de Clodomir.

Page 1047.

1. Voir n. 4, p. 314.

2. Les forêts sont en effet nombreuses dans le théâtre de Shakespeare et de Maeterlinck. Ce dernier a d'ailleurs publié une traduction de *Macbeth* en 1909 (voir n. 2, p. 1203).

3. Proust fait souvent allusion, dans ses brouillons, à la légende des « énervés de Jumièges », fils de Clovis révoltés contre leur mère, qui auraient été mutilés et abandonnés sur une barque par leur propre père, avant d'être recueillis par les moines de l'abbaye de Jumièges. Voir Claudine Quémar, « L'Église de Combray, son curé et le Narrateur », *Études proustiennes*, I, p. 339.

4. Mathilde de France (morte en 1083), dite la reine Mathilde, duchesse de Normandie, puis reine d'Angleterre, était l'épouse de Guillaume le Conquérant. On lui a attribué, à tort, l'exécution de la tapisserie de Bayeux (voir la *Correspondance*, t. VII, p. 250). — Charles le Mauvais est le surnom donné à Charles II (1322-1387), roi de Navarre et comte d'Évreux.

5. En 1066.

Page 1048.

1. L'une des tours de la cathédrale de Rouen est appelée la Tour de Beurre. Mais l'expression est ici davantage une métaphore qu'une

référence architecturale précise. — Harcourt est le nom d'une famille normande dont l'extraction chevaleresque remonte au IXᵉ siècle. Elle fut d'abord une seigneurie, puis un comté, et devint enfin un duché en 1700. Dans *Du côté de chez Swann*, t. I de la présente édition, p. 381-382, c'est le nom de Coutances qui évoque une tour de beurre (voir Claudine Quémar, « Rêveries onomastiques proustiennes », *Essais de critique génétique*, Flammarion, 1979, p. 98-99).

2. La famille d'Albert de Luynes est originaire de Toscane. Le château de Luynes, bâti aux XIIIᵉ et XVᵉ siècles, est situé en Touraine.

3. La maison d'Albert a acquis les terres de Luynes (Bouches-du-Rhône), de Cadenet et de Brantes (Vaucluse) par le mariage d'Honoré d'Albert avec Jeanne de Ségur en 1535. Le duché de Chevreuse lui est revenu par héritage (succession de Claude de Lorraine, prince de Joinville) : le titre, confirmé en 1667, fut transféré au comté de Montfort l'Amaury (Seine-et-Oise) en 1692. Les titres suivants entrèrent également dans la maison d'Albert de Luynes : duc de Montfort en 1694 ; vicomte de Châteaudun par le mariage du duc Charles-Philippe avec Louise-Jacqueline de Bourbon-Soissons, princesse de Neuchâtel, en 1710. Dans l'Esquisse VII, Proust explique les rapports existant entre tous ces noms (voir p. 1050-1051 et n. 1 et 7, p. 1050).

Esquisse VII

Cahier 13, ffᵒˢ 5 à 8 rᵒˢ, 8 vᵒ et 9 vᵒ, 13 rᵒ et 13 vᵒ. Fragments rédigés en 1909.

Page 1049.

a. Proust écrit dans ms. : différente *.* ◆◆ *b. Début d'une série d'additions aux folios 8 vᵒ et 9 vᵒ de ms.*

1. Proust indique qu'il veut placer ici les réflexions du narrateur concernant les porcelaines de Saxe (voir p. 315) et la phrase que lui dit un ami de son père sur Mme de Guermantes qui a « le premier salon du faubourg Saint-Germain » (p. 328). Il développe d'ailleurs ces deux thèmes à la suite.

Page 1050.

a. Sans doute Proust cherchait-il la date « 1622 » (voir n. 1). ◆◆ b. La lecture des deux mots Spécieux *et* Mouvants *est incertaine dans ms. On peut également déchiffrer* Spacieux *et* Mouvante *. ◆◆ c. Début du texte des folios 13 rᵒ et 13 vᵒ, dans ms.*

1. En 1617, Marie de Rohan (1600-1679), fille d'Hercule de Rohan, duc de Montbazon et de Madeleine de Lenoncourt, épouse Charles de Luynes (1578-1621). Elle se remarie en 1622 avec Claude de Lorraine, prince de Joinville, puis duc de Chevreuse. Le titre de duc de Chevreuse deviendra par la suite l'apanage de ses enfants du

premier lit, car les trois filles qu'elle conçut au cours de ce second mariage moururent sans postérité. Ainsi, le petit-fils du connétable de Luynes, Charles-Honoré d'Albert (1646-1712) sera duc de Chevreuse.

2. La famille de Toulongeon, originaire de Franche-Comté, apparaît au XIIIe siècle. Elle s'est alliée aux Gramont au XVIIe siècle, et les comtes de Gramont portèrent longtemps le titre de comte de Toulongeon.

3. Ce n'est pas Mme de Sévigné qui parle de ce mariage, mais Mme de Simiane, dans une lettre de 1731 au marquis de Caumont recueillie dans l'édition Monmerqué des *Lettres de Mme de Sévigné* : « La noce Galéan a paru ici ; je ne l'ai pas vue, mais on dit que la mariée est charmante. » Une note précise : « Charles-Hyacinte de Galiens (ou Galéan), marquis de Salerne et des Issards, qui avait servi dans la guerre d'Allemagne comme aide de camp du prince de Conti, et qui fut ambassadeur en Pologne et en Savoie, chevalier de l'ordre de l'Aigle blanc, épousa en 1731 Charlotte-Yolande-Félicité de Forbin, fille de Gaspard-Palamède de Forbin, seigneur de la Barben » (*Lettres de Mme de Sévigné*, Hachette, 1862, t. XI, p. 94). Proust, qui intervertit les noms des époux, a dû noter le prénom Palamède, qui est un de ceux du baron de Charlus.

4. Dans *Le Bal de Sceaux*, Maximilien Longueville porte le nom d'une famille noble éteinte depuis 1793. Mais il devient pair de France et vicomte de Longueville à la fin de la nouvelle (*La Comédie humaine*, Bibl. de la Pléiade, t. I, p. 150 et 163). Le chevalier de Valois apparaît dans de nombreux romans. Dans *La Vieille Fille*, Balzac écrit : « Beaucoup de personnes ont dû rencontrer dans certaines provinces de France plus ou moins de chevaliers de Valois, car il en existait un en Normandie, il s'en trouvait un autre à Bourges, un troisième florissait en 1816 dans la ville d'Alençon, et peut-être le Midi possédait-il le sien. [...] Accepté par la haute aristocratie de la province pour un vrai Valois, le chevalier de Valois d'Alençon se faisait distinguer, comme ses homonymes, par d'excellentes manières et paraissait homme de haute compagnie » (*La Comédie humaine*, t. IV, p. 811-812).

5. Thury-Harcourt, petite ville du Calvados, près de Falaise.

6. La maison de Chabot, ancienne maison féodale d'Angoumois, connue dès le XIe siècle, s'est alliée aux Rohan, donnant la maison de Rohan-Chabot.

7. Marcel Proust connaissait Mme Sauvage de Brantes, née Louise Lacuée de Cessac, tante de Robert de Montesquiou. Il a correspondu avec elle (voir la *Correspondance*, t. II) et cite son nom dans un pastiche de Saint-Simon (*Pastiches et mélanges*, *Contre Sainte-Beuve*, Bibl. de la Pléiade, p. 50). Mais c'est chez Mme de Sévigné qu'il a lu l'histoire de M. de Cessac. La marquise fait en effet allusion à ce personnage dans une lettre à Mme de Grignan du 31 janvier 1680. Il s'agit de Louis-Guilhem de Castelnau, comte de Clermont-Lodève, marquis de Cessac. L'index de l'édition Monmerqué signale qu'il fut « compromis dans l'affaire des poisons », ce scandale qui, entre 1676

et 1680, éclaboussa nombre de proches de Louis XIV, accusés de s'être livrés à des pratiques de sorcellerie et d'avoir fait usage de drogues pour se procurer certains avantages ou certaines faveurs. La femme du marquis de Cessac était Jeanne-Thérèse-Pélagie-Charlotte d'Albert de Luynes (*Lettres de Mme de Sévigné*, Hachette, 1862, t. XII, p. 77). Cependant, le nom de Brantes n'est entré dans la famille que lorsque Gérard-Jean Lacuée, comte de Cessac (1752-1841), épousa une fille du marquis de Brantes.

Page 1051.

a. devenus l'un [le marquis de Guercy *biffé*] la duchesse de Guermantes, l'autre la princesse de Saxe-Meiningen, le troisième le marquis de [Mont < morency *?* > *biffé*] Châtillon, *ms.*

1. Dans le texte définitif (p. 552-553), c'est le prince de Faffenheim-Munsterburg-Weinigen qui inspire ces réflexions au narrateur. Dans le Cahier 13, le nom « Meiningen » peut d'ailleurs être lu « Meinigen », plus proche de Weinigen.

2. Abréviations de Radziwill et de Castellane. Proust était l'ami du prince Léon Radziwill (1880-1927), issu d'une illustre et ancienne famille polonaise (il fit son portrait : *Essais et articles*, éd. citée, p. 474-477), et du comte Boni de Castellane (1867-1932). Dans sa préface à *Tendres stocks* de Paul Morand, il rappelle que Mme de Sévigné était fière d'avoir des Castellane parmi ses ancêtres (*Essais et articles*, éd. citée, p. 614).

3. Ce bref scénario de l'évolution du baron de Gurcy (Charlus) est développé dans *Sodome et Gomorrhe* (t. III de la présente édition, p. 53-54 et 332) et dans *Le Temps retrouvé* (*CF*, t. III, p. 853).

Esquisse VIII

Cahier 66, ff[os] 1 à 25 r[os] et 18 et 19 v[os]. Il s'agit du cahier à couverture orange de marque « Studio », acquis en 1984 par la Bibliothèque nationale. Voir p. 310 à 333.

b. Dans la marge du premier folio de ce cahier, Proust a copié six alexandrins : Ont dit au dévouement qui leur prêtait ses ailes / Hippogriffe puissant mène-moi jusqu'au ciel // L'une par sa patrie au malheur exercée // Ses bras vaincus jetés comme de vaines armes / Tout servait, tout parait sa fragile beauté // Toi mon âme et mon cœur, mon tout et ma moitié[1]. *Le texte que nous transcrivons est lui-même précédé de ces quelques mots biffés :* Il n'y a pas que

---

1. Tous ces vers sont de Baudelaire, dans *Les Fleurs du mal*. Les trois premiers sont extraits des « Petites Vieilles » (v. 43-45), les autres des « Femmes damnées : Delphine et Hippolyte » (v. 11-12 et 36). Proust les cite et les commente dans sa préface à *Tendres stocks* de Paul Morand, parue en novembre 1920 (*Essais et articles*, éd. citée, p. 609) et dans son article sur Baudelaire de juin 1921 (*ibid.*, p. 627). Sans doute les a-t-il copiés, en 1920-1921, sur le premier Cahier qui lui est tombé sous la main.

Page 1052.

   a. féodale [des Lusign < an >   *biffé*] qui ne devait   *ms.*

1. Proust voulait sans doute dire : « qui sont aussi des noms de villes et de terres ».

2. Proust songe, ainsi que le montre la variante *a*, à la maison des Lusignan.

Page 1053.

   a. Lecture conjecturale.

Page 1055.

   a. et de terre. [Nous avons beau penser qu'un Bourbon de Parme est un Bourbon comme un autre, toute la vie du royaume de Parme dans la *Chartreuse* est *[un mot illisible]* dans le nom et nous avons beau savoir qu'il ne le contient pas, nous le voyons encore en lui par un mirage. J'avais beau comprendre que Mme de Guermantes n'était pas un Saxe, le pouvoir de ce mot durait encore. Il semblait que cette beauté ne fût qu'un masque délicieux qu'avait pris le nom pour se faire reconnaître, de sorte que sous le visage, sous les yeux cléments, en se disant c'est la princesse de Guermantes, on voyait autre chose qu'elle-même qui mettait en fête la beauté même, lui donnait quelque chose de scintillant, de mobile, d'insaisissable, à cause de la chose différente qu'on pensait à la fois. Et même dans le regard des femmes qui lui disaient bonjour il y avait le mélange de la déférence pour son rang et de l'admiration purement de femme à femme pour sa beauté. *biffé*] // J'avais   *ms.*

1. Proust fait sans doute allusion à la marquise d'Hervey de Saint-Denys qu'il avait rencontrée à l'occasion d'une fête donnée par Robert de Montesquiou, le 30 mai 1894 (voir « Une fête littéraire à Versailles », *Essais et articles*, éd. citée, p. 360). Elle était la « fille naturelle du dernier prince régnant de Parme » (George D. Painter, *Marcel Proust*, t. I, p. 214).

Page 1057.

   a. Saxe, car [Montargis m'avait   *biffé*] on   *ms.* •• *b. Lecture incertaine.*

Page 1058.

1. Proust indique qu'il souhaite placer ici un développement sur Françoise qui, tout en coiffant la mère du narrateur, regarde dans la cour de l'hôtel, puis discute avec Borniche, le fleuriste (Jupien dans le texte définitif ; voir p. 316 et 318-319, ainsi que var. *a*, p. 319).

2. Le « pain à chanter » est l'hostie non consacrée.

3. Voir p. 1065.

4. L'évolution du narrateur est ici comparable à celle de Proust qui s'était laissé séduire tour à tour par toutes ces visions artistiques

de Venise, comme le montre le compte rendu de la traduction des *Pierres de Venise* paru en mai 1906 (voir *Essais et articles*, éd. citée, p. 521). La Venise de Maurice Barrès est toute dans *Amori et dolori sacrum : la mort de Venise* (1902) ; celle de Henri de Régnier principalement dans *Esquisses vénitiennes* (1906). Turner fit plusieurs séjours à Venise, entre 1819 et 1834. Il en rapporta d'innombrables dessins et aquarelles, dont il devait s'inspirer ensuite pour composer des toiles lumineuses. On sait que Ruskin admirait fort Turner : il prit sa défense dans *Modern Painters*. Sans doute la vision de Venise donnée par le peintre n'est-elle pas étrangère à la prédilection marquée par le critique pour la cité des doges, à laquelle il consacra deux livres majeurs : *Le Repos de Saint-Marc* et *Les Pierres de Venise* (1851-1853).

Page 1059.

a. salon chambre   *lecture incertaine.*

Page 1060.

a. Saint-Germain. [Elle en était de naissance paraît-il et   *biffé*] Dès le matin   *ms.*

1. Voir le texte définitif, p. 331 à 333.

Page 1061.

a. Après   décrets de la mode   , *Proust saute une ligne. Nous donnons à la suite plusieurs additions figurant sur les folios 18 et 19 versos de ms.*

1. Voir *Les Plaisirs et les Jours* : « Les pièces de Shakespeare sont plus belles, vues dans la chambre de travail, que représentées au théâtre » (éd. citée, p. 111).

Page 1062.

a. inscriptions. [J'ai su plus tard qu'alors Mme de Villeparisis avait demandé à mon père de me laisser aller à un de ces dîners de Mme de Guermantes. Mon père refusa car on trouvait que j'étais encore bien jeune pour « sortir le soir ». J'ai su les personnes qu'il y avait à ce dîner.   *biffé*] Si j' <avais> assisté   *ms.* ✦✦ *b. Les additions sur versos s'achèvent dans ms. avec le paragraphe précédent. Le fragment que nous donnons maintenant est rédigé sur le folio 24 recto.*

1. Le cèdre et le santal sont cités parmi les bois précieux que Salomon fit venir à Jérusalem pour servir de matériaux à la construction du Temple (Deuxième livre des Chroniques, II, 7), mais les deux colonnes, appelées Yakîn et Boaz, étaient de bronze (*ibid.*, III, 15 et IV, 12 ; Premier livre des Rois, VII, 15-21). En revanche, les colonnes du palais royal étaient en cèdre et en santal, ainsi que les « appuis » du Temple (Premier livre des Rois, VII, 2 et X, 12).

Page 1063.

   a. Ce paragraphe figure en addition marginale dans ms. ◆◆ *b. Ce paragraphe est rédigé sur les folios 24 et 25 rectos.*

Esquisse IX

Cahier 39, ff^{os} 10 v°, 24 r° à 32 r°. Une partie du Cahier 39, rédigé entre avril 1910 et février 1911, a servi de manuscrit pour la dactylographie du début du *Côté de Guermantes I*. Nous donnons ici un ajout du folio 10 v°, et la suite des rectos et versos des folios 24 à 32, correspondant aux pages 330 à 333 et 447 du texte définitif.

   c. Guermantes). [Si c'est ici ce pourrait être après les diverses images du nom de Guermantes : Tout cela, volatilisé, confondu, indiscernable était *biffé*] Et sera *ms.* ◆◆ *d.* c'était [retrouver dans une bibliothèque obscure et fraîche, par un dimanche d'été, au-dessus du jardin brûlant au bout duquel j'entendais retentir la sonnette des invités et je songeais avec tristesse que tout cela ne pouvait être en elle *biffé*] retrouver *ms.*

   1. Ces titres sont ceux de cinq livres de Walter Scott : *Chroniques de la Canongate* (1827), *Les Eaux de Saint-Ronan* (1824), *Woodstock* (1826), *Waverley* (1814) et *Peveril du Pic* (1822) que Proust a pu lire dans une des nombreuses éditions de la traduction de Defauconpret. L'œuvre de Scott lui était familière ; il la fréquenta à différentes époques de sa vie.

Page 1064.

   a. Dans ms., *Proust a biffé jusqu'ici la relative, mais sans corriger. Nous maintenons le passage biffé.* ◆◆ *b. Fin du folio 10 v°.* ◆◆ *c. Début du folio 24 r°, qui fait suite au dernier feuillet du Cahier 39 ayant servi à l'établissement de la dactylographie du « Côté de Guermantes I » (voir var. a, p. 330).*

Page 1065.

   a. la voûte [du ciel *biffé*] n'étant [...] obligés... / [Phrase sur Jumièges[1] (voir) *biffé*] // Au reste *ms.*

   1. Voir n. 2, p. 1058.
   2. Proust n'achève pas sa phrase, voulant, dans un premier temps tout au moins, se reporter à un passage déjà écrit (voir var. *a*).

Page 1066.

   a. Depuis descendant dans l'obscurité , *nous suivons le texte d'une seconde rédaction marginale, dans* ms., *de la fin de la phrase. Le premier jet, non biffé, est le suivant :* y prenaient les liqueurs ou y fumaient leur cigare, assis sur des chaises de fer. ◆◆ *b.* le paillasson usé du rivage. / [Peu de temps après notre déménagement dans la maison, Mme de Villeparisis

   1. Proust renvoie sans doute ici à un autre cahier où il parle de Jumièges.

m'avait fait demander par ma grand-mère d'aller la voir, disant que moi qui commençais à écrire, je trouverais chez elle des écrivains. Mais mon père trouvait que j'étais trop jeune pour ajouter à ceux tout à fait inévitables que j'avais assez rarement d'ailleurs des prétextes nouveaux d'aller dans le monde. Et la perspective de me voir rencontrer des écrivains, ce qui ne pourrait que m'entraîner davantage dans la voie littéraire, ne pouvait que lui déplaire. Mais mon père qui *biffé* / Si l'hôtel *ms.* ◆◆ *c.* le [comte *biffé*] [duc *corr.*] en *ms.* ◆◆ *d.* la [comtesse *biffé*] [duchesse *corr.*] fait *ms.*

Page 1067.

a. Proust, qui a sans doute sous les yeux au moment où il écrit le Cahier 5 (voir l'Esquisse I, p. 1021 et suiv.), omet de substituer ici dans ms. duc à comte , *comme il l'a fait à la page précédente (voir var. c, p. 1066).* ◆◆ *b.* Citoyen Norbois ? [Vraiment les gens ont des façons ! *biffé* » Un jour *ms.*

Page 1068.

a. Ms. donne en fait : au moment où M. [et Mme de Guermantes *biffé*] sortaient ensemble en voiture [avec sa femme *add.*] et . Nous corrigeons. ◆◆ *b. Le texte de la fin de cette phrase est très confus dans ms., Proust ayant omis de raturer certains mots :* pour ajouter inutilement aux [rares *biffé*] [des *add.*] occasions [d'aller dans le monde *biffé*] que j'avais alors et jugées [déjà trop fréquentes par mon père *biffé*] quoique [inévitables parce qu'il s'agissait d'aller chez de vieux amis *biffé*] [nouvelles [de sorties *biffé* de nouvelles sorties *add.*]

1. Proust a lui-même suivi les cours de l'École libre des sciences politiques pour complaire à son père. Voir la *Correspondance*, t. I, p. 58-59 et 283, et *Jean Santeuil*, Bibl. de la Pléiade, p. 202-203.

Page 1069.

Esquisse X

Cahier 30, ff⁰ˢ 1 v⁰ à 17 r⁰, 24 r⁰ à 28 r⁰ et 33 r⁰ à 39 r⁰ (fin 1908-début 1909). Voir p. 334 et 336 à 358.

a. avait [à l'Opéra *biffé*] [au théâtre *corr.*] quelques *ms.* ◆◆ *b. Nous avons omis la suite du fragment consacrée à la description de la salle du théâtre et qui sera reprise et développée un peu plus loin.* ◆◆ *c. Ce paragraphe figure sur les folios 1 à 4 v⁰ˢ.*

1. Comédie en un acte, en vers, de François Coppée, représentée pour la première fois à l'Odéon, le 14 janvier 1869. Sarah Bernhardt jouait le rôle d'un jeune bohémien, Zanetto.
2. Cette nouvelle rédaction modifie sensiblement le début de la scène. Elle ne sera pas, comme nous le verrons, retenue. Cependant, le rôle joué par les domestiques, ainsi que le thème de l'exclusivisme social de Mme de Guermantes, serviront à l'élaboration de

l' « ouverture » du *Côté de Guermantes*, qui précède et annonce la soirée à l'Opéra, première scène mondaine où la coterie de la duchesse tient la vedette.

3. Élisabeth, princesse de Saxe-Altenbourg (1826-1896), qui avait épousé en 1852 Nicolas-Frédéric-Pierre, grand-duc d'Oldenbourg (1827-1900).

Page 1070.

a. chez la [duchesse   *biffé*] marquise de D.   *ms* ◆◆ *b. Lecture conjectu-rale.* ◆◆ *c. Sur le folio 4 v⁰ de ms., Proust répète les premiers mots du fragment qui viendra se placer tout de suite après et indique dans une note de régie la manière dont il entend procéder au montage :* J'étais à l'orchestre. Suit le morceau d'en face sur Mme de Guermantes au théâtre. Mais je crois que la vraie version est la dernière. *Sa préférence va donc à la première rédaction qui fait débuter la scène de façon plus directe. Celle-ci a été récrite, une fois encore, aux folios 6 à 9 v⁰ˢ :* Mon père avait reçu d'un de ses amis un fauteuil pour la représentation de gala du Théâtre de XXX. L'abonnement était organisé par S.A. la princesse de Bourbon qui dès le début de la saison avait placé les loges et les baignoires à ses amis du faubourg Saint-Germain. Les fauteuils d'orchestre et du balcon étaient seuls mis en vente au bureau, où toutes les personnes désireuses de contempler les gens dont ils entendaient tant parler les payaient fort cher. J'étais à l'orchestre. À côté de moi les baignoires étaient comme les royaumes mystérieux < dans les > profondeurs obscures desquelles habitaient une Déesse, des créatures fabuleuses que les simples mortels ne pouvaient approcher. D'abord je ne distinguais rien, et tout à coup, comme une pierre qui jette brusquement son feu si un rayon la touche, ou si on s'est placé par rapport à elle dans une position instantanée qu'on ne retrouvera plus, je sentais sur moi, tout près, le scintillement de deux yeux célèbres. La salle s'éclaira davantage, les belles images des divinités dans un remous indistinct d'amis qui se produisait pour les laisser passer sortirent du fond obscur et apparurent à la surface plus éclairée de l' < atmosphère > où se peignaient leur belle stature, leurs visages, leurs diamants et où finissait leur obscur royaume. Leur regard même, comme le miroir réfléchissant des eaux, en indiquait l'exacte démarcation. S'il s'y reflétait en effet un mortel de l'orchestre qui les connaissait et qu'elles ne connaissaient pas, c'était comme un objet inanimé, et elles-mêmes si notre regard les réfléchissait à leur tour, c'était comme des images de la divinité non douées d'une vie analogue à la nôtre. Connaître quelqu'un, être en relations avec lui, c'est lui attribuer une existence analogue à la sienne, sur laquelle on peut agir, c'est si on le regarde, supposer que ce regard peut éveiller en lui quelque sentiment. Ainsi on lui sourit, on lui fait signe que quelque décor qu'on admire est beau. Ne pas connaître quelqu'un c'est supposer qu'il est aussi incapable d'être influencé par notre volonté et nous par la sienne qu'une table ou un nuage. Aussi l'immobilité de notre visage indique-t- < elle > devant les personnes que nous ne connaissons pas le sentiment désespéré que nous avons de < ne > pouvoir en aucun cas se voir être entendu de leur âme d'une autre sorte. Mais tandis qu'à la surface de l'ombreux miroir les déesses, de la ligne sévère de leur regard, marquaient la démarcation de leur inaccessible royaume, à tout moment au contraire à un mot que quelqu'un se penchant prononçait derrière elles et qui les faisait se retourner à demi et sourire, au remous des masses confuses des hommes qui se pressaient en grappes aux parois pour voir quelque détail du jeu de la scène qu'elles leur indiquaient, on sentait s'opposer au monde extérieur qu'elles ne connaissaient pas, la vie des êtres qu'elles connaissaient, qu'elles désignaient par le fait même qu'elles leur parlaient, qu'elles échangeaient avec eux des impressions, comme des êtres également pourvus de noms mystérieux, des amis avec qui elles étaient, leur vie en un mot qui se déplaçait mystérieusement dans l'ombre. Le secret de cette existence qui hantait les rêves de tant d'inconnus, sans doute qu'il n'était pas visible ; à cause du monde extérieur si près, elles ne faisaient rien de particulier. Mais peut-être était-il proféré dans ces mots qu'une bouche se retournait pour dire à ces hommes qui riaient ou qui parlaient. Car cette vie spéciale ne pouvait même pour un moment aussi court consister seulement en la contemplation d'un spectacle théâtral puisqu'en cela elle eût été semblable à la nôtre, la vue du spectacle nous étant connue, quoique les mots de « milieu raffiné, choisi », de « cercle exclusif », de « distinction extraordinaire », de « vieille race » < fissent > penser que les mêmes choses pénétrant dans ces âmes extraordinaires, réfracté par le cristal ancien et inappréciable de ces bibelots historiques, devaient éveiller des impressions uniques que nous ne pouvions concevoir. Par moments du fond obscur et traversé de lueurs se détachait, se déplaçant lentement, une sorte de brochet humain, le duc de Belcour qui venait souffler un moment à la surface, gardant sur son œil de brochet un large morceau de l'aquarium à travers lequel on assistait à ses lentes évolutions.

Page 1071.

a. C'est Proust qui, sur le folio 7 r⁰ de ms., souligne et note juste au-dessus *cette réflexion :* ceci sera plutôt mis plus tard quand je vais dedans *. Une* *addition (f⁰ 12 v⁰) est consacrée à l'émerveillement qu'éprouve le héros devant les* *gens du monde qu'il identifie à leur nom. Nous la plaçons ici faute d'indication* *précise quant à son insertion dans le récit :* En toutes ces personnes habitait pour moi un dieu, de même que la baignoire était mystérieuse, parce que je croyais encore en elles, la petite essence qui était en leur nom les pénétrait, me les faisait trouver et supposer différentes, je ne m'arrêtais pas aux traits, à la chair, tout cela était soulevé, soutenu, vivifié par l'âme mystérieuse et c'était leur nom qui était leur âme. Je pensais ce qu'elles pensaient, ce qu'elles disaient, dérivait de ce nom, portait sa couleur, était original comme lui. Je pensais qu'elles étaient vraiment ce que leur nom disait au lieu d'être de femmes, des hommes, des figures avec un nez plus ou moins long, des yeux plus ou moins clairs. Le visage avec le nez busqué ou en l'air m'apparaissait comme la légère voilure, le fin gréement d'un être qui s'avançait, entrait en soirée, venait au théâtre avec cette âme qui, ruisselant de son nom, pénétrait chaque atome de sa chair de ce charme et de cette essence particulière. J'étais choqué de la ressemblance des visages avec d'autres visages. *Signalons aussi que* *dans la marge gauche du folio 7 r⁰, en regard de notre appel, encadré d'un* *dessin, nous lisons :* ne pas oublier / Kœchlin, / Mme Brun /

Mme Ganderax[1] . ◆◆ *b. Nous avons omis une rédaction inachevée (f°s 7 à 9 r^{os}) décrivant, elle aussi, les personnalités célèbres qu'aperçoit le héros dans l'obscurité de la salle. La suite du texte a été considérablement remaniée. Nous en transcrivons la première version où apparaît, comme figure centrale qui attire le regard de notre héros, la princesse de B**** : Il y avait des baignoires toutes sombres, que j'aurais pu croire obscures de toute façon, non remplies d'êtres illustres, et tout d'un coup de l'obscurité, comme une pierre qui ne jette soudain son feu que quand on se trouve par rapport à elle dans une position qu'on perd aussitôt, où elle est touchée par un rayon, je sentais dans la nuit, posé là devant moi, le scintillement de deux yeux célèbres. Le spectacle s'éclaira. Les baignoires présentaient où finissait le sombre royaume une paroi de beauté qui les séparait de l'inconnu du monde extérieur de l'orchestre, de ce qui ne les connaissait pas et de ce qu'elles ne connaissaient pas, paroi où se peignaient toutes ces solennelles images de femmes belles écoutant, de leurs bustes décolletés, de leurs éventails. Leurs regards marquaient que c'était la démarcation, la fin de leur monde car elles nous regardaient comme le monde matériel c'est-à-dire ce avec quoi on n'échange pas d'impression. Et nous de même nous les regardions comme le monde matériel, et tout en les regardant oubliions qu'c'étaient des personnes et qu'on aurait pu d'un regard les interroger sur ce qu'elles pensaient, ou les complimenter même si elles avaient une âme capable d'être heureuse qu'on les trouv<ât> belles. Mais ne pas connaître c'est que les êtres nous présentent leur ligne de démarcation matérielle, finissant devant nous comme la toile cirée d'une table de salle à manger, c'est refuser de leur supposer des âmes, et des possibilités de changer à notre appel, la possibilité pour nous d'éveiller en <eux> un sentiment par notre sourire, une réponse par notre question. Mais à l'intérieur de ce monde était tout ce pour quoi elles étaient des personnes, ce qui nous faisait sentir qu'elles avaient une vie, des amis, des gens vers qui elles se retournaient, qui s'approchaient pour mieux voir du fond de la ruche où pendaient leurs *[un mot illisible]* parois d'habits noirs comme des abeilles, quand elles désignaient quelque chose sur la scène d'intéressant, l'intérieur de leur vie, leurs amitiés, tout ce qui était connu de leur nom et le complétait. Par moments j'apercevais le coude, la nuque de la ravissante princesse de B*** aux membres et à la gesticulation de qui est immanente leur effigie particulière, la personnalité comme extérieure à elle-même de sa beauté, si on peut appeler d'un terme général une chose particulière à elle, qui n'avait d'équivalent de nature en aucune autre comme pourrait être *[un mot illisible]* tel pouvoir particulier qu'avait eu la fée Urgèle ou Viviane et que l'on ne pourrait nommer parce que personne d'autre ne l'aurait cru. À aucun moment on ne contemplait cette effigie entière, car dès qu'on la voyait entièrement on ne la percevait plus car cette effigie était immatérielle. Mais dans la ligne de la nuque, dans la forme du visage, dans le *[un mot illisible]* de la taille, tout commencement de l'effigie, engendrait aussitôt le reste de

---

1. Allusion à la comtesse René de Maupéou, née Kœchlin, qui « avait une belle voix de contralto qu'elle faisait parfois entendre chez Mme Lemaire et dans d'autres salons » (*Correspondance*, t. VII, p. 268, n. 7) ; à Mme Armand Brun, née Chevalier, dont Proust disait : « Si elle est aussi irréprochable dans sa vie que dans ses costumes — c'est une femme de choix » (*Correspondance*, t. III, p. 402) ; à Mme Louis Ganderax, née Nina Vimercati (1855 ?-1920), femme de l'auteur dramatique.

l'effigie insaisissable. Dans la baignoire j'apercevais sa nuque et je sentais aussitôt circuler dans sa nuque, dans son mouvement, cette chose particulière qui était sa Personnalité esthétique, qui était Elle, et que je retrouvais un instant après en fuite dans le mouvement de son regard, arrêtée un instant dans son coude posé. Elle n'était, posément et < de façon > consistante, en aucun de ses membres, mais à cause de ce qu'on l'y sentait fuir, on sentait que c'étaient les siens, et à cause de cela ils apparaissaient comme empreints d'une grâce surnaturelle.

Page 1072.

a. Nous avons écarté un fragment (ff^os 9 et 10 v^os, se poursuivant dans la marge du folio 11 r°) destiné à introduire dans cette description quelques détails, mentionnés ailleurs, concernant les gentilshommes qui se trouvent en compagnie de la princesse de Guermantes.

Page 1073.

a. Lecture conjecturale.

Page 1074.

a. Début du fragment des folios 24 à 28 r^os de ms. ; d'après la note de régie initiale, il n'est pas douteux que ce fragment fait suite au récit de la soirée de gala, interrompu plus haut, et le prolonge jusqu'au moment de la sortie. ◆◆ *b. Lecture conjecturale.*

Page 1075.

a. Lecture conjecturale. ◆◆ *b. Le premier jet de ms. présentait un autre personnage :* Mais Mme de Chemisey avait invité une de ses voisines de campagne [la duchesse de Reux *biffé*] [le prince de Tasslane *corr.*] qui était . *Ce nom de* Tasslane *est d'une lecture douteuse.*

Page 1076.

a. ce soir-là célèbre [. À la sortie toutes les dames étaient assemblées dans le vestibule attendant leurs voitures. La duchesse de Guermantes passa au bras du duc de Vantoue, ◆◆ *b. En regard de la rédaction principale, le même texte a été repris aux versos de ms. (ff^os 23 à 27 v^os). On y trouve des personnages qui disparaîtront par la suite :* Les unes à côté des autres, sur toute la courbure du cintre de la salle, les loges y semblaient attachées chacune comme par deux brides rouges qui les maintenaient bien droites et bien soufflées, comme des bourriches par leurs deux petites séparations, et elles étaient piquées sur deux rangs, quelquefois davantage, de fleurs humaines, gracieuses et droites. Ces femmes n'avaient pas besoin d'être jolies. Leur prestige résidait dans leur nom, et après quelques hésitations de la lorgnette qui, voyant un nez crochu, des cheveux relevés en arrière et une taille assez haute, hésitait entre deux duchesses et une Américaine, la duchesse de Limoges, la duchesse d'Étampes, Mme Goolfred, et la marquise des Portes, la

longueur exacte de ce nez crochu et son rapport avec la largeur de la
joue ne laissaient plus de doute et signaient clairement : duchesse
d'Étampes. La duchesse d'Étampes venait de se lever ainsi que des hommes
qui étaient au fond de la loge parce que la duchesse de Laon qu'elle avait
invitée venait d'entrer, la duchesse de Laon lui dit bonjour puis se retourna
la main tendue aux hommes et s'assit à côté de la duchesse d'Étampes.
À un certain apprêt, à une certaine tension dans sa toilette pour être bien,
à un intérêt plus soutenu pour le spectacle par amabilité pour son hôtesse,
on sentait que c'était la duchesse de Laon l'invitée, et à plus de détente,
plus de souci de la duchesse de Laon que du spectacle et d'elle-même
que c'était la duchesse d'Étampes qui était propriétaire de la loge. *À
partir d'ici, nous reproduisons la deuxième version de la reprise car la première
— d'ailleurs beaucoup moins développée — a été partiellement biffée :* « Oui,
voilà la duchesse d'Étampes qui est avec la duchesse de Laon, le marquis
de Prins et *[un nom illisible]* », se disait Mme de Chemisey qui, de l'autre
côté de la petite bride qui ne lui venait pas à l'épaule, était aussi près
de la duchesse d'Étampes que celle-ci l'était de la duchesse de Laon son
invitée. Mais comme elle ne connaissait aucunement ces deux dames
— elle espérait y arriver dans deux ou trois ans mais atteinte d'une maladie
mortelle elle ne savait pas si elle arriverait jusque-là — elle pouvait les
regarder sans crainte <ni> scrupule, puisqu'il n'y avait aucun risque que
le regard fut autre chose que de contemplation et put provoquer un
bonjour. Elle les regardait comme des personnes connues, qu'on connaît
de vue tout en ne les connaissant pas, et d'ailleurs elle admirait
profondément toutes ces personnes. Quant à elles et aux deux ducs, ils
jetèrent de l'autre côté de la petite bride un regard plus discret qui
signifiait qu'ils se trouvaient près de personnes qu'ils ne connaissaient pas,
l'ensemble de signatures que faisait tout ce personnel de leur loge
indiquant assez un monde fort spécial et extrêmement aristocratique. Son
Altesse Royale pour que tout l'abonnement fût souscrit avait fait prendre
quelques loges par certaines femmes riches qui l'aidaient dans ses œuvres
de charité, femmes de financiers ou dames titrées de second ou troisième
rang comme Mme de Chemisey qui ne faisait pas partie de la tout à fait
haute société aristocratique. Mais bientôt arriva dans la loge de Mme de
Chemisey le vicomte de Saint-Preux frère de Mme de Valognes qu'elle
avait invité et qui appartenant à la plus haute société en fréquentait aussi
quelques autres. C'était un charmant jeune homme, de la plus jolie
élégance de manière, assis derrière Mme de Chemisey en attendant son
amie, il regardait autour de lui dans les loges où il connaissait tout le
monde, droit sur sa chaise posée de travers pour regarder. Quand il
apercevait dans *[deux mots illisibles]* les duchesses de Laon et d'Étampes,
il saluait en se levant à demi le corps droit, un beau sourire dans les yeux.
Et dans le rectangle oblique d'atmosphère il gravait un salut, charmant
et courtois, comme une intaille. Extérieurement la différence entre Mme
de Guermantes et des femmes comme la duchesse d'Étampes ou de Laon
est que, tandis que celles-là faisaient reconnaître leurs noms prestigieux
<par> un nez crochu et de grosses joues, elle se servait à la place comme
signature, comme les peintres qui en bas du tableau mettaient une fleur
ou un papillon qui est leur manière de signer, <de> sa merveilleuse
beauté. ◆◆ *c. Les deux fragments qui suivent occupent dans ms. les folios 33
à 39 r^os.*

Page 1077.

a. La suite du texte a été récrite aux folios 32 à 34 v[os]. *Bien que cette seconde version semble mieux satisfaire l'auteur, comme le suggère la note qui l'accompagne,* Mettre plutôt *, elle reste inachevée :* Comme si — après tous les efforts impuissants que j'avais fait pour tâcher de comprendre en quoi consistait le génie de la grande artiste, alors que ses camarades me semblaient montrer presque plus de mérite saisissable qu'elle, pleins d'intentions ingénieuses et marquées dans leur jeu, dans leur diction — le long et indifférent oubli où j'avais laissé depuis des années sommeiller l'analyse de mes impressions d'art, la recherche de l'essence du talent, avait été pour moi analogue au sommeil etc. ou pour que la phrase fût moins longue je mettrais après me fût accordé maintenant. Alors je faisais d'impuissants efforts etc. Mais maintenant comme si, le long et indifférent oubli etc. avait été comme le sommeil sur le fond obscur duquel s'inscrit tout à coup d'elle-même la leçon que dans le labeur impuissant de la veille nous ne pouvions apprendre, la solution arithmétique que nous ne pouvions trouver, le visage chéri [que *biffé*] dont notre mémoire ne pouvait en représenter les traits et qui, recomposé avec la précision et le relief de la vie, s'éclaire doucement devant nous au fond du songe, ainsi le plaisir donné par le jeu de la grande artiste, maintenant que je ne le frappais pas moi-même d'irréalité en lui cherchant une cause dont l'absence semblait la convaincre d'être factice et suggérée par l'opinion des autres, apparaissait devant moi avec tout l'éclat de l'évidence, rejetant bien loin derrière l'actrice ces comparses dont la médiocrité m'apparaissait maintenant pour les raisons mêmes qu'ils me donnaient jadis de leur talent, contre ma propre impression, sur la réquisition de mon intelligence qui voulait des preuves. (suite du verso précédent, c'est-à-dire version meilleure de ce qui est en face) Cherchant à isoler les artistes de ce < qu'ils > disaient pour voir les intentions de < leur > diction, les particularités de < leur > jeu, chez elle je ne trouvais rien, il me semblait qu'elle jouait tout bonnement son rôle et chez eux je trouvais des intentions, des effets curieux. Car médiocres artistes, à qui on avait appris dans une certaine mesure les intentions des tirades, des vers, < ils > les manifestaient, mais étaient incapables de les faire absorber entièrement à leurs membres, à leur voix, à leurs inflexions, à leurs regards, jusqu'à ce qu'ils fussent tout dématérialisés. Une intention de colère indignée poussait devant elle la voix qui restait purement matérielle, en sa brutalité commune, en ses inflexions habituelles, nullement pénétrée de ce qu'elle avait exprimé. Mais leur intention était d'autant plus visible qu'elle n'était pas bue par leur voix ou leurs gestes, qu'il en flottait autour un surplus, un excès, gauche et déplaisant mais clair pour l'esprit. Ils ne me donnaient aucun plaisir, à tout moment j'avais devant moi un coude, resté impénétrable au sentiment du rôle qui s'abaissait vers la hanche par un mouvement naturel chez lui et étranger au rôle, ou faussement majestueux pour le dissimuler et après une intention de coquetterie qui cherchait à cingler, à enlever désespérément la voix en notes flûtées, un reste tout matériel du volume de la voix qui essayait de suivre ce mouvement de coquetterie, tout en protestant de sa vulgarité native et de sa boudeuse et maladroite obéissance. Mais quand la grande actrice parut, quel plaisir. Cette voix où je n'avais pas su isoler une seule intention des choses qu'elle disait parce qu'elle les avait reçues, elle les avait assimilées, était devenue semblable à elles — comme le son d'un violon joué par un Thibaud[1] qui n'avait plus un atome < de > son matériel resté étranger et inharmonique à ce qu'il joue, mais < était > délicatement courbé par la *[un mot illisible]* en ses moindres cellules sonores, et aussi délicatement influencé par elle et coloré < qu'il > offrait aux reflets de la mélodie la docilité de l'eau et la transparence de l'atmosphère, comme toute matière dont l'art a expulsé tout ce qui ne le révèle pas si bien que percevant la matière, nous témoignons naïvement que nous savons que nous percevons de l'esprit puisque nous félicitons l'artiste de son beau « *son* » comme d'une qualité intrinsèque à sa sensibilité artistique et non à son instrument — ces gestes qui *[un blanc]* cette voix, ces gestes qui sortirent ensemble de sa poitrine, comme si le même souffle qui sortait de sa poitrine murmurait les vers, agitait naturelle-ment ses draperies et ses bras,   *La rédaction s'interrompt ici. Il faut ajouter qu'en haut du folio 34 v°, Proust écrit :* Peut-être dire les acteurs, qui, qui, *(Madame Bovary)* . *(Voir var. a, p. 1079.)*

Page 1078.

a. Une addition au folio 36 v°, écrite sans doute à une date plus tardive, doit venir s'incorporer à cette phrase : Quand je dis qu'on ne peut distinguer d'inten-tions particulières dans le jeu de la grande artiste ajouter. / Toutes ces intentions qui ne se détachaient pas grossièrement parce qu'elles n'étaient pas superposées au rôle mais intériorisées et qu'ainsi il m'avait semblé avoir autrefois tout simplement devant moi le personnage < de > Phèdre, entendre les vers de *Phèdre* et rien de plus, maintenant un de ces vers de *Phèdre* que < j'avais > entendus sans que l'artiste eût semblé n'y ajouter rien, cette Phèdre que j'avais vue, < me > montrent au contraire cette pensée invisible d'abord cachée dans les moindres molécules et jusque dans le timbre de la voix, de la gesticulation, du costume lui-même qui semble lui aussi émané de l'œuvre, qui n'a pas un pli qui n'en soit imprégné et dont les blancs voiles exténués, douloureux et fidèles ont l'air, en leurs précieuses soies, d'avoir été sécrétés et tissés par le < martyre de > l'héroïne autour de laquelle ils s'enroulaient comme un frileux, fraternel et vivant cocon.

Page 1079.

a. Voir p. 1072. La fin du fragment est accompagnée de diverses remarques, inscrites dans la marge gauche du folio 39 r° : tâcher de mettre les généralités plus haut dans la personne même. Sa voix comme un instrument, ses gestes comme « il lui fait l'onction sur les pieds sur les mains *(Bovary[2])* » tâcher

---

1. Jacques Thibaud (1880-1953), pianiste français. « Chaque écrivain est obligé de se faire sa langue, comme chaque violoniste est obligé de se faire son « *son* »... Et entre le son de tel violoniste médiocre, et le son (pour la même note) de Thibaud, il y a un infiniment petit, qui est un monde ! » (lettre du 6 novembre 1908 à Mme Straus, *Correspondance*, t. VIII, p. 276-277).

2. Voir *Madame Bovary*, troisième partie, chap. VIII (mort d'Emma Bovary) : le prêtre « trempa son pouce droit dans l'huile et commença les onctions : d'abord sur les yeux, qui avaient tant convoité toutes les somptuosités terrestres ; puis sur les narines, friandes de brises tièdes et de senteurs amoureuses ; puis sur la bouche, qui s'était ouverte pour le mensonge, qui avait gémi d'orgueil et crié dans la luxure ; puis sur les mains, qui se délectaient aux contacts suaves, et enfin sur la plante des pieds si rapides autrefois quand elle courait à l'assouvissance de ses désirs, et qui maintenant ne marcheraient plus » (Flaubert, *Œuvres*, Bibl. de la Pléiade, t. I, p. 588). C'est l'une des scènes que condamna l'avocat impérial Pinard au cours du procès de *Madame Bovary*. (Voir la *Correspondance* de Proust, t. V, p. 283).

que le morceau quelques années avant soit exactement symétrique. Ne pas oublier les allées à la sortie du théâtre pour apercevoir l'actrice et l'indifférence au théâtre avec Montargis. ◆◆ *b. le dernier paragraphe figure au folio 35 v°.*

Page 1080.

Esquisse XI

Cahier 40, ff^os 7 r° à 32 r° et 66 v° (1910). Voir p. 336 à 358.

a. Et comme [Sarah Bernhardt dut y jouer un acte de *Phèdre biffé*] pour être agréable *ms.*

1. Il s'agit de la princesse de Brunswick. Elle apparaît, dans ce brouillon, tantôt sous le titre de « princesse », tantôt sous celui de « duchesse ».

2. C'est l'une des initiales dont Proust se sert pour désigner la grande actrice.

Page 1081.

a. Dans ms., au folio 8 r°, l'auteur a mis un point final après fait deux pas . La suite a été ajoutée, par inadvertance, dans la marge d'un autre feuillet (f° 10 r°).

Page 1082.

a. Cette phrase est une addition dans ms. Les autres allusions à la duchesse d'Évreux ont été également ajoutées après le premier jet.

Page 1083.

a. Ces mots sont biffés par Proust mais sont indispensables au sens.

Page 1084.

a. la duchesse de Bavière. [Et tandis que le nom des autres célébrités de la salle était mentionné sur leur visage par des traits indifféremment beaux ou laids qui n'avaient qu'une valeur scripturale et n'étaient destinés qu'à les faire reconnaître par cette marque d'identité, par cette signature de son nom affiché sur son visage, la princesse de Guermantes, comme ces peintres qui signent leurs toiles non de lettres sans beauté mais d'un ravissant papillon ou d'une fleur, avait les yeux les plus merveilleux, cette figure la plus délicieuse qui se peut voir, qui n'eût pas moins enchanté si elle eût été celle d'une femme obscure au lieu de la princesse de Guermantes et n'eût pas donné à lire le grand nom, mais qui chargé de le signifier donnait à son image comme une sorte de valeur allégorique, de second sens qui ajoutait quelque chose de trouble à la vue qu'on avait d'elle, parce qu'en même temps qu'on la voyait, tremblait comme un éclair autour de son corps admirable le nom prestigieux qu'il signifiait au-delà de la propre harmonie de ses formes. Et ce qui ajoutait du reste à cette impression de trémulation que donnait l'apparition de la princesse de Guermantes, c'est que sa beauté en effet commencée, engendrée, suggérée à tout moment par quelque mouvement d'une grâce indicible de sa nuque, par son merveilleux regard, par sa tête incomparable, n'était incluse entièrement dans aucun de ses membres ni dans leur totalité mais projetée hors d'elle par l'imagination qui l'achevait comme une figure surnaturelle. Aussi quand on apercevait au-dessus du rebord de sa baignoire, son haut visage, la construction de son corps et de l'édifice de sa chevelure dont chaque arête architecturale était dessinée d'un trait de perles hors desquelles seuls son cou et son visage apparaissaient, ses traits reconnus suggéraient à la fois la forme idéale de sa beauté et l'essence précieuse des êtres qui se trouvaient dans cette baignoire, la sienne, la seule où elle allait, car elle n'acceptait jamais d'invitation dans aucune < autre >, et qu'elle trouvait dignes de causer avec elle, d'être chez elle, dans cette pièce annexe de sa demeure, ayant vue sur la scène de l'Opéra. Souvent mon père m'avait dit avoir admiré en passant son hôtel qui avait l'air d'un vrai palais de conte de fées, et je savais que la princesse y vivait comme une fée un peu, entourée des souvenirs de Marie-Antoinette, sa grand-tante *[et des princesses d< e >   biffé] [, de Madame Élisa-beth   biffé]*, à qui elle ressemblait un peu et dont elle imitait souvent les toilettes. On me l'avait montrée une fois qui passait en voiture, jetant sur la foule un regard dédaigneux et doux, se rendant à Versailles où elle vivait le plus souvent dans une maison qui lui venait de Madame Élisabeth. À côté d'elle je < ne > m'imaginais jamais que les figures de la reine et de ses belles-sœurs et elle me semble diminuée d'être surprise ainsi, elle dont on disait qu'elle n'allait jamais dans le monde, < menant > la vie d'une femme du monde quelconque, avec des gens du monde qui menaient la vie mondaine d'aujourd'hui, sans rapport avec le souvenir de Marie-Antoinette. *biffé en définitive]* Au fond restait   *ms.* ●● *b. Le mot illisible vient dans ms. en correction du mot*   tige *, biffé.*

Page 1085.

a. cet œil [d'une dureté matérielle et ce regard d'une douceur angélique, ces bras *biffé]* taillé   *ms.*

Page 1087.

a. À cet endroit vient se greffer une longue addition qui va jusqu'à la fin du paragraphe. Elle commence dans la marge du folio 18 rº et se poursuit au folio 17 vº.
1. Ruskin a décrit l'arrivée à Venise par bateau dans *Les Pierres de Venise* (Hermann, 1983, p. 36).
2. Dans *Pêcheur d'Islande* (1886) de Pierre Loti, les « Islandais » sont les marins du pays de Paimpol et de Tréguier qui vont pêcher la morue dans le Grand Nord.

Page 1088.

a. L'auteur a eu l'intention de faire débuter différemment ce paragraphe : [Je levais par moments les yeux sur la baignoire de la princesse de

Guermantes. Faisant dériver des noms non seulement le charme des corps mais la qualité des esprits, je me demandais quelles impressions particulières d'une noblesse, d'une délicatesse incomparables, mystérieuses comme des syllabes sans significations, irréductibles à tout raisonnement logique, à ce qui pourrait exister chez d'autres, la tragédie de Racine pouvait éveiller chez la petite-nièce de Marie-Antoinette. *biffé*] Puis [je ramenai mon regard vers la scène, car Mme B *biffé*] ce fut le moment *Mais il a changé d'avis et a transféré ces réflexions à un autre moment du récit.*

Page 1089.

a. Sa voix [dont la moindre cellule sonore était infléchie par le sentiment du vers qu'elle disait et pénétrait tout entière était devenue transparente comme un violon <qui>, quand Thibaud en joue, ne présentait plus aucune aspérité purement matérielle et inconnue par l'expression du morceau qu'il joue, mais était <si> délicatement courbée dans ses moindres cellules sonores par un sentiment, par une influence spirituelle, que ce n'est pas une constatation matérielle mais un éloge de talent et d'âme qu'on prétend faire quand on dit : un beau son. *biffé*] qui ne présentait *ms.* ◆◆ *b.* <ses> [gestes qui semblaient *biffé*] bras que les vers semblaient *ms.* ◆◆ *c. Depuis* cette attitude même *[14 lignes plus haut], nous transcrivons une addition portée au folio 21 v°, que nous avons incorporée à la phrase selon l'indication donnée par Proust :* Mettre ce morceau *après* ces gestes qui, *avant* ces voiles qui .

Page 1090.

a. les riches costumes [d'une cour persane *biffé*] des seigneurs persans *ms.*

Page 1091.

1. Sainte-Beuve dans les *Portraits littéraires* et dans *Port-Royal* ; Jules Lemaitre dans *Jean Racine* (1908) que Proust tenait pour un « livre merveilleux, incomparable » (*Contre Sainte-Beuve*, éd. citée, p. 236).

Page 1092.

a. qu'un vers de [Corneille *biffé*] Boileau. *ms.* ◆◆ *b. Au récit consacré à l'entrée de Mme de Guermantes devrait venir se greffer une addition de ms., en tête de laquelle l'auteur écrit :* Quand la phrase en face sur l'entrée de Mme de Guermantes est finie dire . *Le fragment occupe la marge gauche du f° 26 v° et toute la largeur du papier collé (genre papier à lettre, vergé, uni, sans filigrane, de dimensions 17 × 22 cm, numéroté 27 au compostage) où l'on peut lire une inscription précisant :* Ce papier est la suite de ce qui est ici en marge . *Mais le raccord n'a pas été refait ni la rédaction achevée. Voici ce fragment :* Elle était enveloppée de mousselines toutes blanches qui donnaient à son visage, à ses blonds cheveux crêpelés et diadémés de

perles, une douceur que je ne lui connaissais pas. Son nez si busqué, qui
avait habituellement quelque chose de presque aigu semblait s'effacer dans
la douceur de tout son visage à qui il donnait seulement son originalité
unique. Ses yeux brillaient peut-être davantage au milieu de tout ce blanc,
mais leur éclat était adouci, par cette feinte de timidité et de confusion
d'entrer au milieu du spectacle qu'elle crut fini, et par — adressé à tous
ces hommes du club, ses amis — un sourire d'entente et de familiarité,
qui, ayant l'air de faire allusion à leur amitié, à leur soirée de la veille,
à tout ce passé, cet au jour le jour des relations avec chacun qu'on porte
en soi au moment où on lui dit bonjour, me donnait plus anxieusement
que sa vue même la sensation de sa vie inconnue en la déterminant par
l'évocation de ceux qui y participaient. Celui à qui elle fit le sourire le
plus aimable, et à qui elle abandonna avec le plus d'intimité sa main, en
lui faisant de ses yeux bleus, un signe d'intelligence et d'amitié, fut comme
c'était assez compréhensible un des plus grands seigneurs et un des cousins
les plus < proches > à Mme de Paris, le marquis d'Albon. À ce moment
en pensant à la situation de M. d'Albon, [au prestige universel qu'il
exerçait   *biffé*] j'eus le sentiment de quelque chose d'inaccessible, et que
quelque regard de bonté que je pusse arriver à obtenir un moment de
Mme de Guermantes, ce ne serait jamais que dans un intervalle de sa
vraie vie, sur le chemin où elle passerait en allant rejoindre ceux pour
qui étaient son estime, son goût, [et plus que d'être Bonaparte j'avais
envie d'être   *biffé*] [celui que j'enviais plus que tous   *corr.*] < était >
M. d'Albon. < Si l'on > pouvait résoudre en ses éléments comme on fait
pour un corps composé la pellicule métallique qui se produit à la surface
de certains yeux au moment où ils sourient, j'aurais pu savoir à quoi
correspondait dans la pensée de Mme de Guermantes, le regard
d'intelligence et d'amitié qu'elle avait en ce moment pour les personnes
de la loge et notamment pour M. d'Albon et comment apparaissaient à
son esprit, cette vie, les intimités, ce souper de la veille et ce déjeuner
du lendemain que je ne pouvais me figurer. Mais ses sourires finis, son
visage prit une expression mélancolique qui pour me donner une autre
sensation d'inconnu que ses sourires me troubla peut-être davantage, car
elle semblait refléter une partie plus profonde d'elle-même, que peut-être
elle était seule à connaître. (peut-être développer ici Mme de Mailly qui
ne reflétait rien de terrestre — les yeux de Mme Straus, la fée dont j'ai
parlé). J'imaginai qu'une partie d'elle-même était supérieure à sa vie et
ne s'y plaisait pas, [je lui savais gré d'avoir une   *biffé*] et sa tristesse   *Signalons par ailleurs que, sur le papier collé, figure un autre texte, raturé :*   Dans
le sourire qu'elle a à d'Albon (à moins de le mettre chez Mme de
Villeparisis) C'était là dans ce fil étincelant, ce confluent frémissant et
argenté, où se rencontraient son regard et l'image de M. d'Albon, que
ses réacti < ons >

Page 1093.

a. *La suite du récit a été réorganisée après coup. Notre transcription se
conformera au montage indiqué par cette note, située au folio 26 v° :*   Après
« mon cœur battait » prendre au milieu de la page qui vient après la
suivante. Je la regardais. Tous ces hommes avec qui elle causait jusqu'en
haut de la page qui vient encore après : « tout en semblant le découvrir ».
Alors prendre ici en face. Il était douloureux pour moi qu'elle ne me

connût pas jusqu'en bas de la page puis cela suit au verso si raturé puis au recto : « Mais au moment où je sentais, ». Il faut alors passer une page déjà écrite, aller à la suivante « coule dans ses prunelles » jusqu'à la fin. ◆◆ *b. Les mots par lesquels s'achève ce fragment ne correspondent pas à la citation qui figure dans l'indication de montage transcrite ci-dessus* (« tout en semblant le découvrir »). *C'est que Proust, en se relisant, a quelque peu modifié son texte.* ◆◆ *c. À partir de cette phrase, et jusqu'à la fin du paragraphe, nous reproduisons le texte d'une reprise.*

Page 1094.

a. Ce paragraphe, dans ms., est une addition rédigée aux folios 30 et 31 v^{os}.

Page 1095.

a. Nous donnons à la suite une série de notes et de fragments figurant sur les versos. ◆◆ *b. Ce paragraphe et le suivant sont portés sur les folios 6 à 9 v^{os} de ms. (voir le texte définitif, p. 337). Ces pages ont pour point de départ une brève ébauche que voici :* Au moment où je montais l'escalier j'aperçus un homme dont l'élégance me frappa. Un instant je crus que c'était M. de Fleurus [et en effet il y avait une certaine ligne de taille qu'on aurait pu *biffé*]. Quand j'aperçus son visage je vis que ce n'était pas lui mais je pensai que ce pouvait être le prince de Saxe neveu de l'empereur [d'Autriche *biffé*] [de Russie *corr.*] et du roi d'Angleterre que je savais de passage à Paris où des fêtes avaient été données en son honneur. *Signalons aussi que deux autres versions du passage se trouvent parmi les feuilles volantes reliées par le soin de la Bibliothèque nationale sous le titre* « Reliquat manuscrit de la Recherche » *(n. a. fr. 16 729). Il s'agit des feuilles numérotées 94 à 97 au compostage. Elles sont du même papier et des mêmes dimensions que la page collée dans le Cahier 40 (voir var. b, p. 1092). La principale divergence avec notre texte — qui leur est sans doute postérieur — réside dans le fait qu'elles mettent en scène d'autres personnages auxquels l'auteur confère le rôle joué par le prince de Saxe. Dans une variante, c'est le prince de Mauléon que le héros aperçoit en train de demander des renseignements. Dans l'autre, la dame que celui-ci ne peut identifier avec exactitude pourrait être la princesse de Guermantes elle-même.* ◆◆ *c. Proust écrit en fait sur ms. :* indifférences .

Page 1096.

a. Proust laisse ensuite dans ms. une ligne de blanc avant de reprendre la fin de ce fragment.

Page 1097.

a. Cette note se trouve dans la marge du folio 9 v° de ms. ◆◆ *b. Lecture conjecturale.* ◆◆ *c. Ce fragment débute dans la marge du folio 10 r° et se poursuit au folio 9 v° de ms.* ◆◆ *d. En haut du feuillet (f° 10 v° de ms.), nous lisons une brève note :* Quelque part là . *Nous transcrivons à présent une ébauche inachevée, portée sur le même folio, où sont décrits quelques détails de la coiffure et de la robe de la princesse de Guermantes :* La coiffure de la princesse de Guermantes avec ce long [*un mot illisible*] qui dans l'ombre semblait quelque fleur sous-marine, sa longue robe enveloppée de voiles ne me semblait pas une toilette détachée d'elle mais quelque plumage merveilleux appartenant exclusivement à sa naissance, et à l'abri duquel il lui plaisait de se •• *e.* de leur puissance [. La duchesse de Guermantes me semblait sortir de son flot de linon, comme Aphrodite d'une vague ou s'envelopper d'un nuage de mousselines, comme Héra d'une nuée. Quant à la splendide toilette *biffé*], et aussi une prérogative *ms.*

Page 1098.

a. Ce fragment figure au folio 15 v° de ms. •• *b. Ce fragment est porté sur le folio 18 v° de ms.* •• *c. Lecture conjecturale.* •• *d. Aucune indication n'a été fournie à propos de la destination de ce long ajout (ff^{os} 22 à 24 v° de ms.). Seule l'allusion aux* raisons de mon plaisir que j'ai dites tout à l'heure *prouve son appartenance au passage où le héros analyse le jeu de la grande actrice et le plaisir qu'il éprouve cette fois à l'écouter. Quant à la place qu'il trouvera en définitive dans l'œuvre, voir n. 2.*

1. C'est une des initiales employées pour désigner la grande actrice.

2. Ce paragraphe va plus tard nourrir la première audition de la Berma dans *À l'ombre des jeunes filles en fleurs*. Nous y retrouvons, d'une part, l'anecdote concernant les applaudissements du public (voir t. I, p. 442), et de l'autre, les réflexions d'ordre général — issues de l'expérience qu'a faite le héros confronté aux opinions des autres qu'il croit plus compétents — qui ne seront plus annoncées comme telles mais suggérées, nuancées et rendues plus vivantes sous forme de conversations, notamment celle avec M. de Norpois.

3. Jean-Paul Habans, dit Paulus (1845-1908), était le créateur de la chanson boulangiste *En r'venant d'la r'vue* (1886). Proust l'entendit en 1887 (voir la *Correspondance*, t. I, p. 99).

4. Félix Mayol (1872-1941). Dans *Sodome et Gomorrhe*, Morel chante son grand succès : *Viens poupoule* (voir t. III de la présente édition, p. 452).

5. Proust a rencontré Harry Pot, dit Fragson (1869-1913) en mars 1905, à l'occasion d'un dîner organisé par Reynaldo Hahn : « Fragson vu ainsi de près est charmant, il a chanté sans s'arrêter » (*Correspondance*, t. V, p. 74).

Page 1099.

a. À partir d'ici, et jusqu'à la fin du fragment, nous suivons le texte d'une reprise qui, dans ms., débute au folio 23 v° et se poursuit dans la marge du folio 24 r°, puis au folio 24 v°. Pour la distinguer de la première version biffée en partie, qui se trouve à proximité, l'auteur note sur ce dernier feuillet : Ceci est la suite non de ce qui est au-dessus de la barre mais de la colonne du recto précédent. Seulement il faudra choisir entre cette 2e version (la meilleure) et l'autre, ou les mêler en ce qu'elles ont de mieux. *Nous plaçons donc ici la rédaction jugée moins satisfaisante mais qui n'a pas été définitivement abandonnée :* de mon plaisir. [Dans combien de circonstances de la vie ne recevons-nous pas de plaisir d'art *biffé*] de choses qui donnent du plaisir aux autres pour de tout autres raisons, et n'ayant pas su voir clairement l'essence de notre plaisir, nous acceptons la raison qu'ils nous en donnent, et pendant bien des années nous croyons avoir des goûts que nous n'avons pas, et être les semblables de gens qui étaient si différents de nous pour avoir cru que l'identité du spectacle signifiait l'identité des émotions, que si les gens lisaient eux aussi des vers, aimaient eux aussi à faire des voyages, à entendre Mayol, c'est qu'ils étaient doués de la même manière que nous, et que du moment qu'ils nous disaient avec autorité que Bergotte n'avait pas de talent, que c'était assez de passer un jour à Venise, que ce qui était agréable dans Mayol c'était l'heureux choix de ses chansons, que Mme de X était supérieurement intelligente, ils avaient raison ayant plus l'habitude que nous, des mêmes impressions que nous, et étant même plus doués que nous, plus intelligents, puisque quand nous en étions encore à savoir au juste ce que nous aimions dans Bergotte, dans Venise, dans Mayol, dans Mme de X, eux avaient dépassé depuis longtemps cette incertitude et pouvaient nous dire avec autorité : « À Venise il n'y a à voir que la peinture, le reste ne compte pas », « Mme de X est supérieurement intelligente », « Ce qui amuse dans Mayol c'est le choix heureux de ses chansons, toutes spirituelles ». Le dernier acte de Phèdre venait de finir etc.   *Rappelons qu'un seul acte de Phèdre est inscrit au programme de la soirée. Proust se serait sans doute trompé lorsqu'il écrit ici : le dernier acte . Ne s'agirait-il pas plutôt du dernier vers que l'actrice avait à dire ?* ◆◆ *b. Ms. donne en fait :* Mme de [X *biffé*] [Guermantes *biffé*] est . *Nous maintenons le second nom biffé.* ◆◆ *c. Ce fragment figure au folio 25 v⁰ dans ms.* ◆◆ *d. Voici la suite du texte dans ms., rayée de plusieurs traits verticaux :* Mais ces grandes lignes d'art, ces lignes si pures, supérieures à ce qu'elle disait, où les mots s'ordonnaient [comme des panaches *biffé dans un 1ᵉʳ temps*], entraient dans un système plus simple et plus grand qu'eux, je me rendais compte dans les occasions que j'eus de l'entendre dans les mois qui suivaient, dans ces pièces détestables où elle était peut-être encore plus remarquable, que c'était ◆◆ *e. Ce fragment se trouve au folio 26 v⁰ dans ms.*

Page 1100.

a. Le montage de cette longue addition portée aux folios 29 v⁰ et 66 v⁰ sera effectué dans un des Cahiers de mise au net (Cahier 45). ◆◆ *b. Au changement de folio, Proust écrit :* (voir la fin de ceci à l'avant-dernier verso du cahier) . *C'est que, par manque de place, la suite ne figure pas à proximité. Du folio 29 v⁰, il faut aller jusqu'au folio 66 v⁰ pour trouver ce qui va suivre.*

1. Les ayants droit de Richard Wagner avaient interdit que *Parsifal*, créé en 1882, soit représenté ailleurs qu'à Bayreuth, et il fallut attendre 1914 pour que l'opéra soit joué à Paris (voir la *Correspondance*, t. XIII, p. 87-88).

Page 1101.

a. Ce fragment apparaît dans ms. au folio 31 v⁰.

Esquisse XII

Cahier 31, fᶠᵒˢ 37 r⁰ à 49 r⁰, 64 r⁰ à 71 r⁰ et Cahier 36, f⁰ 1 r⁰ (fin 1908-début 1909). Voir p. 369 à 438.

b. Variante du nom de Guermantes. Les deux graphies coexistent dans ce Cahier.

Page 1102.

a. Mais il [était parti en permission *biffé*] me répondit *ms.*

Page 1103.

a. Dans ms., l'heure indiquée est écrite en surcharge sur neuf . ◆◆ *b.* Il est sept heures, je [demande ma permission *biffé*] m'échappe sans permission *ms.*

1. Voir le texte définitif, p. 361 à 363.

Page 1105.

a. le premier Empire, [mon **grand-père** *en surcharge sur* ma grand-mère] qui était [maréchal *biffé*] grande maîtresse *ms.* ◆◆ *b. Il s'agit d'un rectangle, signifiant probablement qu'un plus long développement sera consacré au personnage.* ◆◆ *c. Lecture conjecturale.*

Page 1106.

a. Lecture conjecturale. ◆◆ *b. Ce paragraphe est porté dans ms. au folio 45 v°.* ◆◆ *c.* disait au [caporal de semaine *biffé*] [capit < aine > fourrier *biffé*] commis du major *ms.* ◆◆ *d. C'est aux folios 41 à 44 v°s de ms. que Proust reprend, après la rédaction de l'ensemble du Cahier, le passage décrivant l'admiration qu'ont les soldats pour Montargis. Remarquons que le nom de* Borodino *remplace celui donné plus haut au capitaine, représentant de la noblesse d'Empire.*

Page 1107.

a. Je rengagerais plutôt [quinze *biffé*] dix ans de suite *ms.*

Page 1108.

a. Nous revenons au folio 47 r° de ms., après les deux reprises que nous signalons dans les variantes b et d, p. 1106.

Page 1109.

a. Ce paragraphe (ff°s 64 r° à 71 r°) suit immédiatement l'invitation aux « cinq heures » de Mme de Villeparisis (voir l'Esquisse XIX). ◆◆ *b.* à la campagne chez [ses parents *biffé*] sa mère *ms.*

Page 1111.

a. Lecture conjecturale. ◆◆ *b. Proust a en fait écrit dans ms., sans doute par mégarde :* la duchesse de T

Page 1112.

a. Le texte se poursuit au folio 1 r⁰ du Cahier 36.

1. Maurice Donnay (1859-1945), auteur dramatique, élu à l'Académie française en 1907, a remporté de grands succès avec *La Douloureuse*, *L'Autre Danger*, *Paraître*, *Le Roi Candaule*, etc.

Page 1113.

Esquisse XIII

Cahier 38, f⁰ˢ 12 r⁰ à 14 r⁰ (1909).

a. La première ébauche de ce début est laissée inachevée dans ms. : Je venais avec cette idée du grand fleuve noir. J'allai sur ses bords, je tâchais de penser à son rôle apostolique, et je ne voyais que ses rives dénudées par l'hiver, où le soleil dormait sur des arbres jaunis tandis que le vent soufflait fort sur ses eaux bleues. Ce fut une déception. [Je /lus dans un livre le n <om> *biffé*] / reçus une lettre de Montargis avec l'en-tête du papier de l'hôtel et je sentis *biffé en définitive*] Quand [le vent souffle au soleil comme alors, je suis pris d'un grand désir de *biffé* ◆◆ *b. En marge de ms., en regard de ces lignes, cette note de Proust :* On me dit que certaines parties ressemblent à la Hollande. Leur *souvenir* m'aidera à me figurer quand Maria me parlera de la Hollande[1]. ◆◆ *c. Peut-être est-ce plutôt* par-dessus. ◆◆ *d. Nous avons omis deux rédactions évoquant les sentiments contradictoires entre lesquels le héros se trouve partagé.* ◆◆ *e. Lecture conjecturale.* — *Le pronom* elles *nous renvoie sans doute à toutes les oppositions qui viennent d'être énumérées.*

Page 1114.

a. Deux bribes de phrases biffées et un blanc séparent ces lignes du fragment précédent. ◆◆ *b. En marge de ms., en regard de ces lignes, figure cette note de Proust :* Ne pas oublier l'idée *d'existence* (capital) jointe dans ces résurrections à l'imagination = réalité.

Esquisse XIV

Cahier 66, ff⁰ˢ 24 r⁰ à 28 r⁰ (fin 1909-début 1910). Suite de l'Esquisse VIII. Voir p. 374, 379, 398 à 402.

c. Les répliques échangées entre le héros et Montargis sont accompagnées dans ms. d'une longue indication de montage (ff⁰ˢ 25 et 26 r⁰ˢ) : Suite / J'ai vu Mme de Guermantes à l'Opéra-Comique. La pensée qu'elle ne sait pas que je connais Montargis me fait souffrir. Mais Montargis ne venait presque plus. Quand il venait ce n'était pas agréable. [Peu de temps *biffé*] Scènes avec

---

1. Maria est une jeune fille dont le narrateur est amoureux et avec qui il rêve de visiter la Hollande où elle a passé sa jeunesse. Ce personnage disparaîtra du roman quand Proust y introduira Albertine (voir Henri Bonnet, « Maria ou l'épisode hollandais », *Bulletin de la Société des amis de Marcel Proust*, 1978, n⁰ 28, p. 602-613).

sa maîtresse au théâtre (ceci devait peut-être être mis avant la soirée de l'Opéra-Comique uniquement à cause de la suite des impressions, des illusions etc. du théâtre ; ne pas oublier que la grande actrice sera un peu Coquelin). Je sentais que je n'avancerais à rien, que les bonjours de Mme de Guermantes étaient plutôt plus froids. Je demande à partir pour Orléans. J'y arrive. Tout cela est écrit mais il faut mettre là-bas une conversation avec Montargis peut-être la nuit du champagne, en mangeant.   *Ainsi, le travail auquel se livre l'auteur dans ce Cahier 66 consiste à rassembler les passages déjà écrits — essentiellement dans les Cahiers 30 et 31 — en les complétant dans certaines parties. C'est immédiatement après les pages consacrées à la « poésie des noms » (voir les Esquisses I à VIII) qu'il met en place, pour le récit qui va suivre, le « canevas », susceptible d'être modifié, que nous avons transcrit ci-dessus. Signalons qu'il y ajoute un peu plus tard un fragment rédigé aux folios 24 et 25 v⁰ˢ : Suite /* En revenant du théâtre sans sentir la pluie qui tombait je me disais : « Quelle inclination elle doit avoir pour moi, pour m'avoir adressé ce doux sourire où puisqu'il n'y avait pas le souvenir d'une familiarité déjà ancienne, il ne pouvait y avoir que l'aveu simple et franc d'une sympathie si profonde que nous étions déjà amis ! Elle a aperçu dans la foule celui à qui sans doute elle pense sans cesse. Et dire qu'il a fallu le hasard de l'Opéra-Comique pour qu'elle me rencontre. Pauvre femme, elle a dû être bien heureuse, car sans doute elle ne s'en doutait pas. Mais nous étions loin l'un de l'autre, elle ne pouvait me parler sans se compromettre. Peut-être a-t-elle vingt fois fait des brouillons de lettre qu'elle a renoncé à m'envoyer. Comment, habitant la même maison que moi, n'eût-elle pas cherché à épier mes sorties, à me rencontrer dans la rue ? Dès demain puisque je sais qu'elle se promène à pied tous les matins, j'irai me poster au bout de la rue. » La pluie redoublait, je fis signe <à> deux fiacres qui étaient pris. Je venais de faire signe à un troisième dont le cocher m'avait fait comprendre par son geste qu'il n'était pas libre, quand le client qui était dedans frappa de l'intérieur et fit arrêter la voiture et me héla. ↦ *d. Lecture conjecturale.* • *e. Nous avons omis une ébauche abandonnée de ce passage (f⁰ 28 r⁰)*

Page 1115.

a. *Ce fragment débute dans la marge du f⁰ 26 r⁰ et se poursuit aux folios 25 et 26 v⁰.*

Page 1116.

a. *Lecture conjecturale.*

Esquisse XV

Cahier 40, ff⁰ˢ 32 r⁰ à 69 r⁰ et Cahier 41, ff⁰ˢ 3 r⁰ à 14 r⁰ (1910). Voir p. 358 à 407, ainsi que *Jean Santeuil*, éd. citée, p. 540 à 578 et 619 à 659.

Le fragment du Cahier 40 y suit immédiatement l'épisode de la soirée à l'Opéra que nous donnons dans l'Esquisse XI.

Page 1117.

a. Nous avons effectué le montage selon la consigne donnée dans la marge gauche du folio 32 r° : Ajouter ici La première fois, persuadé qu'elle m'aimait etc. de 2 pages plus loin, jusqu'à au bout de quelques jours. ◆◆ *b. Le texte reprend au folio 32 r°.*

1. Il s'agit de la princesse de Guermantes.

Page 1118.

a. Cette phrase eſt écrite au folio 32 v° et accompagnée du dessin d'une fleur en corolle à trois piſtils et à longue tige.

Page 1119.

a. Quoique les hésitations subsiſtent chez l'auteur au sujet de leur emplacement exact, nous avons choisi d'intercaler ici dans le récit un ensemble de fragments portés aux folios 32 à 35 v^{os} de ms. et mal raccordés par endroits, qui, aussi bien d'après leur contenu que d'après une des indications de montage (voir var. a, p. 1120), pourraient venir se placer avant la suite du texte inscrite aux rectos, que nous retrouvons à partir du second paragraphe de la page 1121. ◆◆ *b. Au-dessus de ces lignes dans la marge supérieure de ms., figure une brève remarque :* Il faudra insiſter avant mes promenades sur son aspect de loin, le petit cheveu, les hautes jambes etc. *Proust songe ainsi à multiplier les rappels afin de mettre en relief la succession des différentes images qu'a le héros de Mme de Guermantes.*

Page 1120.

a. En bas du feuillet (f° 34 v° de ms.), une note précède un court fragment qui se poursuit sur le folio 35 v° et résume quelques idées à développer ultérieurement : Je laisse en suspens la queſtion de savoir si ce passage inspiré à Cabourg sera pour Mme de Guermantes et comment il se reliera, s'il vient avant ce passage en face duquel il y a un *[dessin identique à celui qui figure au f° 32 v°]* (2 pages avant). / Et aussi si je dois intercaler ici après le mot « un besoin qui n'était plus libre » ou mettre après : « Si l'amour tombe sur un être qui eſt doué à nos yeux de qualités faisant impression sur nous mais qu'ont d'autres êtres, noblesse, intelligence, grande gentillesse pour nous, beauté, possibilité de coucher etc. c'eſt que l'amour n'eſt qu'une sélection, un exclusivisme ajouté après coup à un goût ou à une attention plus vives que pour quelques autres personnes du même genre, et qui tout d'un coup n'eſt plus libre. ◆◆ *b. Ce paragraphe, qui, dans ms., suit immédiatement la note transcrite dans la variante a, eſt précédé de l'indication que voici :* Et à la fin de ceci avant de dire je l'aimais vraiment, *[dire ceci (ou plutôt peut-être après je l'aimais vraiment, j'aurais voulu qu'il lui arriv<ât>) biffé]* quand j'ai dit que je l'aimais.

Page 1121.

a. Nous revenons au folio 35 r° de ms. après les intercalages signalés à la variante a, p. 1119. ◆◆ *b. En regard de cette phrase, nous lisons dans la marge de ms. :* Peut-être mettre ici heure féconde remplacée par cette pensée stérile je suis riche etc.

1. Dans *Le Roman russe*, ouvrage paru en 1886, le vicomte Eugène Melchior de Vogüé (1848-1910) remarque que « cette consolation du quiétisme, révélée par un humble apôtre, qui est l'apothéose finale de tous les romans de Tolstoï, le ciel la lui réservait ». Et, toujours à propos de Tolstoï, il ajoute : « L'illustre romancier voudra bien me pardonner. Je sais qu'il préférerait me voir louer son Évangile et dénigrer ses romans ; je ne le puis. Lecteur passionné de ces derniers, j'en veux d'autant plus à sa doctrine, qu'elle me prive de chefs-d'œuvre condamnés à l'avortement. Je ne lui ai pas marchandé les éloges, tant que ma raison a pu le suivre et le goûter ; aujourd'hui qu'il se dit heureux, il n'a plus besoin d'éloges, et la critique doit lui être indifférente. Puisse-t-il, dans son quiétisme chèrement conquis, n'avoir jamais besoin qu'un ami lui dise ce que Fénelon écrivait à Mme Guyon, dans une de ses *Lettres spirituelles* : "Je vous plains seulement de cette plaie secrète, dont le cœur demeure comme flétri." » (*Le Roman russe*, L'Âge d'homme, 1971, p. 294 et 300.) Ce n'est donc pas la *Lettre sur les occupations de l'Académie* (1714) de Fénelon que Proust veut citer, mais une des lettres du même auteur publiées pendant la Restauration sous le titre : *Lettres spirituelles*.

Page 1122.

a. cache [un pouvoir réel que les autres ne savent pas et qui par peur de le méconnaître chez celui qui le détient devrait avoir pour effet qu'on conserverait une sorte d'estime a priori pour l'homme intéressant que le médiocre qu'on rencontre peut être. Qui dit à une femme que l'homme qu'on lui a présenté dans le monde, obscur et insignifiant, n'est pas l'amant de cœur d'un rat d'Opéra tout puissant sur le cœur de son mari et à qui il a offert de divorcer le jour où le rat le voudrait, dans une lettre qui est précisément en possession du jeune homme insignifiant ? Qui lui dit qu'ainsi il ne vit pas sans la connaître dans son intimité, voyant ses lettres que son mari apporte au rat, sachant ce qu'elle fera cet été avant elle-même, possédant tous les secrets de sa vie qu'elle croit seule connaître, et d'autres plus graves encore pour elle et qu'elle ne sait pas encore ? *biffé*] chez quelqu'un *ms.*

Page 1123.

a. La décision de partir voir Montargis dans la ville de garnison a fait l'objet de multiples rédactions dans ms. Nous n'en avons retenu pour cette variante que le premier jet où l'auteur, avant de donner le plein développement à son texte, a résumé en quelques lignes l'essentiel : Mais chaque jour je sentais le salut de Mme de Guermantes plus froid, je revenais plus malheureux, je souhaitai partir auprès de quelqu'un que je <sentirais> être encore un peu elle, quelqu'un qui la connaissait, qui pourrait me parler d'elle, lui parler de moi, tel que si elle me savait près de lui, elle me sût dans un lieu où elle pourrait et aimerait être, qui sait viendrait peut-être nous y retrouver et j'allai passer quelques jours à XXX où Montargis était en garnison. ◆◆ *b. Le fragment qui suit, jusqu'à la fin du 1er § de la page 1124, est rédigé sur le folio 40 v° de ms. Dans le texte définitif, nous le retrouverons transféré à un autre moment du récit, à savoir au retour de Doncières (voir le texte définitif, p. 442-443). Ajoutons qu'il y sera mêlé à une description de Mme de Guermantes en promenade, écrite dans ce même Cahier (f° 30 v°). Nous en transcrivons la version la plus développée, biffée d'un trait :* Mettre à un moment sur ses promenades matinales (Galliffet[1]) / Elle avançait, son ombrelle rose à la main, d'une marche un peu trémoussée, et parfois je me rappelais qu'elle était la dernière et la plus élégante de ce petit groupe de femmes qui dans le faubourg Saint-Germain avait succédé aux grandes *[un mot illisible]* de l'Empire et les avait éclipsées. Ces pas que je lui voyais faire, c'était, exécutée par elle-même, cette célèbre démarche de Mme de Guermantes, <comme> des gammes que j'eusse entendu faire à la Malibran[2], des coups de pinceau que j'eusse vu donner à Léonard de Vinci lui-même, quelque chose de célèbre, d'inestimable, comme une pochade de démarche qu'elle faisait le matin pour se dégourdir. Son élégance était si célèbre, son nom si glorieux et elle avait si peu l'air d'avoir conscience de l'une et de l'autre qu'elle avait l'air de marcher à côté de son nom et de s'ennuyer avec sa célébrité, l'air étonné, maussade d'une bête gracieuse qui ne peut pas dans son corps innocent et ses jambes grêles absorber tout ce que nous pensons d'elle.

Page 1124.

a. À proximité, Proust écrit dans ms. : l'adjectif sur sa robe de satin blanc sera « vivant, doux, aimant, nacré, doré, souriant comme une perle ou encore un rayon de soleil qui l'eût enveloppée tout entière ». ◆◆ *b. Initialement, le séjour à la ville de garnison débute dans* ms. *par l'arrivée du héros à l'hôtel où dîne souvent Montargis pour y prendre une chambre. Cette première rédaction occupe les folios 37 à 39 r°s, que Proust a rayés de traits transversaux ou en croix :* À l'hôtel où je savais qu'il venait souvent dîner et où j'allai prendre <une> chambre et un salon, on me dit qu'il devait aujourd'hui même prendre la semaine et avait prévenu la veille qu'il ne viendrait pas de huit jours. Dans cette ville qui au XVIIIe siècle avait été une sorte de résidence royale, l'hôtel où j'étais descendu était un ancien palais, situé à côté d'autres qui étaient devenus l'hôtel des Contributions indirectes et la Préfecture. Pour la première fois je ne me sentais pas trop malheureux dans un lieu nouveau. Tous ces organes de la vieille et somptueuse demeure, inutiles dans un hôtel moderne, qui ne répondaient plus à rien, ce couloir avec un vieux et épais tapis rose, orné d'assez médiocres tableaux et qui ne conduisait nulle part et où si je ne dormais pas cette nuit je pourrais me promener pieds nus en regardant le clair de lune par les fenêtres, comme dans une sorte de promenoir ajouté à ma chambre, le petit escalier privé qui n'était que pour moi et dont les marches étaient si douces à monter qu'on les eût dites ménagées à des distances qu'on eût calculées exprès en vue d'une volupté de la montée et de la descente, comme des couleurs ou des goûts sont harmonisés pour exciter un certain bien-être de l'œil ou du palais, tout ce surplus de luxe

1. Voir n. 1, p. 695.
2. Maria de la Felicidad García, dite la Malibran (1808-1836), chanteuse française d'origine espagnole, inspira à Musset les *Stances à la Malibran* (1836).

aujourd'hui inutilisé de l'ancien palais, se convertissait comme en autant
de prévenances, d'attentions particulières pour moi, pour mes yeux, pour
mes pas, réservait au milieu de l'hôtel comme une libre et particulière
demeure, complétée d'une galerie de tableaux, pour moi seul, dissimulait
les lieux nouveaux non seulement sous les profondes tentures et les tapis,
sous la douceur de l'habitude qu'en avaient eue tant de maîtres et qui
à défaut de celle que je n'en avais pas encore et qui n'y avait pu loger
mon âme, leur en avait donné une pourtant, humaine, civilisée, aimable,
empressée, dès la porte tendant discrètement et si à propos les degrés
de l'escalier privé à mes pas que je les montais avec autant de facilité
que si je les avais montés tous les soirs et qui ne devaient être nouveaux
pour moi que < par > le plaisir plus vif de leur charme que l'accoutumance
ne pourrait me dissiper. Le texte que nous donnons commence au
f° 41 r°. ◆◆ *c. Nous faisons accorder ce participe passé, laissé dans ms. au pluriel
par l'auteur, avec ce qui précède. Un autre choix serait tout aussi légitime :
conserver entourées et mettre au pluriel anciennes résidences royales et
princières* .

Page 1126.

    a. Mais si Montargis *[p. 1125, 11ᵉ ligne en bas de page]* était […]
quartier. *add. ms.*

Page 1127.

    a. La porte s'ouvrit et [Henri *biffé*] Montargis *ms.* ◆◆ *b. En face
de ces lignes (f° 45 r°) figure, d'une grosse écriture ronde, le nom de
Cocteau* . ◆◆ *c. Sic.*

Page 1130.

    *a. Proust, qui écrivait sur les rectos, passe ici sur les versos (f°ˢ 47 à 49 v°ˢ),
puis revient sur le folio 50 r°. Nous donnons dans le texte la version la plus aboutie
et, en variante, un fragment antérieur.* Au bout de deux jours Montargis
avait obtenu de faire prendre la semaine à un de ses camarades à sa place.
Mais il n'était libre que le soir et sauf quand il me faisait dire que je
pouvais aller passer une heure au quartier, je ne le voyais pas avant l'heure
du dîner et j'étais seul tout le jour. Parfois le matin, quand je dormais
encore, le régiment passait de bonne heure sous les fenêtres de l'hôtel.
Mon sommeil interposé effaçait entièrement comme avec un linge mouillé
les sons de la fanfare. Quelquefois pourtant il cédait un instant et elle
posait alors sur ma conscience, encore trop veloutée d'avoir dormi pour
ne sentir son contact qu'avec douceur, le frais jaillissement matinal de
quelques-unes de ses tiges gazouilleuses, mais après cette étroite
interruption où le silence s'était fait musique, il reprenait avec mon
sommeil, dérobant les autres gerbes épanouies du bouquet sonore. Et le
souvenir qui m'en revenait tout d'un coup dans la journée était si faible,
si fragmentaire, si circonvenu de sommeil, que je ne pouvais en
l'interrogeant décider si c'était vraiment la fanfare du régiment partant

en marche, ou si c'en avait été dans un rêve, l'illusion produite soit par la crainte d'être réveillé si le régiment passait, soit de ne pas l'être et de ne pas le voir défiler. Je restais tard le matin à songer dans mon lit et je sentais dans ma tête ma pensée devenue, grâce à la solitude, belle comme une statue de Memnon et < qu'il > suffirait du premier rayon de soleil pour la faire chanter. Après le déjeuner je sortais soulevé par le vent qui devenait un vrai vent d'hiver, porté par des pavés qui résonnaient comme des cymbales sous mes talons enivrés. Je rentrais de bonne heure *. Un ajout, écrit au folio 46 v°, devrait venir compléter les impressions évoquées ci-dessus :* le mêler au verso suivant. Il faisait un de ces temps des derniers jours d'automne si joliment ensoleillés mais si froids que dès le matin, comme une Mélusine faite de deux espèces différentes à qui les mêmes choses ne convenaient pas, ou comme un être à mi-chemin d'une métamorphose et encore partiellement enveloppé dans sa chrysalide, < je > m'enchantais le regard à le tenir fixé sur la fenêtre, mais gardais le corps caché sous mes couvertures. ◆◆ *b. Après ce mot, Proust revient sur le folio 50 r°.*

Page 1132.

1. Allusion aux noces de Cana (Jean, II, 1-11). Un célèbre tableau de Véronèse, au Louvre, représente cette scène.
2. Voir *À l'ombre des jeunes filles en fleurs*, p. 87.

Page 1133.

a. Le prince de Borodino [dont la grand-mère était proche parente de l'empereur Napoléon III et le grand-père de l'empereur Napoléon *biffé*] dont le grand-père ◆◆ *b.* avait été [sous son règne premier ministre *corrigé par biffure et en interligne en* deux fois ministre sous son règne], se doutait *ms.*

Page 1134.

a. son père à lui qui, [ancien ambassad < eur > *biffé*] ministre, *ms.* ◆◆ *b. Nous omettons un fragment inachevé qui, placé dans un premier temps immédiatement après ce passage, sera repris plus tard dans la suite du récit.*

Page 1135.

a. À partir d'ici, et jusqu'à la variante a, p. 1136, nous suivons le texte récrit aux folios 58 v° et 59 v° pour la troisième fois. Nous n'avons pas retenu les deux premières versions. ◆◆ *b.* qui faisait servir [dans la salle à manger ornée de tant de portraits de l'empereur *biffé*] non seulement [l'argenterie *biffé*] la vaisselle *ms.*

Page 1136.

a. À ce moment de la rédaction intervient un important remaniement du récit. Nous revenons au folio 60 r° (voir var. a, p. 1135) où nous lisons : Après

cette phrase qui finit le morceau sur Borodino [(relique mystérieuse et
survivante de son regard) reprendre sept pages plus haut au signe *[un
dessin représentant un bâtiment à deux tours et un dôme central]* Allant *biffé*]
Mettre ceci : *Le travail de réorganisation s'effectue ainsi en deux temps.
D'abord, il s'agit d'un simple déplacement : le passage qui se trouve « sept pages
plus haut » (f° 53 v°) doit venir se placer après le fragment consacré au prince
de Borodino. Mais Proust ne se contente pas de mettre bout à bout ce qu'il a déjà
écrit. Il refait la transition en ajoutant d'abord, sur le folio 60 r°, les quelques
lignes qui vont de* Mais c'était surtout *jusqu'à* entrée dans ma vie .
*Il faut signaler en outre qu'à côté des notes reproduites ci-dessus en figure une
troisième : [un dessin représentant un profil d'homme]* voir 8 ou 9 pages plus
loin comment ceci s'enchaîne . *Elle nous renvoie au folio 68 r° qui a été
rédigé, de toute évidence, après l'ensemble du Cahier 40. C'est qu'à la relecture
l'auteur apporte une modification de dernière heure afin de mieux introduire les
anecdotes concernant les personnages secondaires dans le contexte romanesque, à
savoir la discussion qu'a le héros avec Montargis et ses amis pendant les dîners
au restaurant :* La chaleur de cette salle à manger d'hôtel, l'amabilité
des convives, l'influence de la nourriture et des vins, donnaient à ma
pensée une puissance si grande de refléter alors tout ce qui l'entourait
que le reste de ma vie était comme anéanti pendant les heures que j'y
passais. Les conversations tout ce que celui qui m'y plaisaient le mieux étaient celles qui
avaient trait au métier de mes nouveaux amis, celles qui me permettaient
de connaître leur vie dont je n'apercevais que le décor et n'entendais
que la musique, ce qu'ils pensaient de leurs camarades et de leurs chefs.
Je compris tout de suite que celui qui m'intéressait le plus, parce que
c'était le seul que j'eusse entrevu au quartier le soir de mon arrivée, et
que d'ailleurs j'allais passer une soirée chez lui, car obligé par une
circonstance particulière d'inviter pour la première fois Montargis il lui
avait demandé de m'amener, sachant que j'étais venu passer quelques jours
pour le voir, le capitaine de Borodino n'était pas aimé de Montargis (suivi
en cela de sa petite bande) et que s'il considérait l'officier médiocre,
uniquement préoccupé de l'habillement de sa compagnie, il n'était pas
non plus avec l'homme dans cette liaison, ces rapports presque amicaux
où il était avec les autres officiers titrés du régiment. Tous en effet etc.
suivre le passage Borodino. / Puis / Mais plus que de la sympathie qu'ils
avaient pour la personne de tel ou tel officier, c'était plutôt de leur valeur
militaire etc. ceci est indiqué à la page *[un dessin représentant un profil
d'homme]* ◆◆ *b. Dans ms., le passage débute initialement par cette phrase,
interrompue et biffée :* Je fus invité à une fête que donna l'un de ces amis
de Montargis qui jadis à Paris, jeune homme à la mode, ne vivait que
dans la coterie la plus aristocratique et dépensait beaucoup d'argent, il
était venu habiter

Page 1137.

    a. mal vu qui fréquentait [le commandant franc-maçon *biffé*] les
officiers *ms.*

Page 1138.

    a. Ce sont ces lois qui font que tandis que nous craignons que tel témoin
de l'innocence dans une affaire criminelle quelconque se laisse circonvenir,

influencer par les puissants, intimider par la menace et la prison, que nous voudrions pouvoir lui faire parvenir de l'or, l'espoir de grandes places, lui après dix mois comme après dix jours, agit encore suivant l'idée qui est en lui, insensible aux considérations intéressées que nous nous imaginons avoir du poids pour lui puisque nous craignons qu'il ne cède au danger et que c'est par les biens matériels désirés habituellement par la cupidité et [l'ambition *biffé*] que nous voudrions qu'il sût que sa vertu sera récompensée, il reste invinciblement dans le chemin droit et périlleux, le champion de l'innocence. En réalité *Ce premier jet n'a pas été biffé. L'auteur n'a pas fait un choix définitif entre les deux rédactions et met une note en bas du feuillet :* (ce passage ou au choix celui qui est en marge et dont la fin est au dos)

1. Vincent d'Indy (1851-1931) fut l'un des fondateurs de la Schola cantorum (voir n. 1, p. 332).

Page 1139.

a. toute la journée [dans les parfums *biffé*] au milieu des *ms.* ◆◆ *b. Proust a cependant tenté d'achever, puis de reprendre cette dernière phrase ; après* où *, ms. donne :* [dès le matin, dans ce mystérieux palais où je vais, le vent me soulevait, (où un ray < on > *biffé*] / Mais [j'y avais rencontré des plaisirs que je n'imag < inais > *biffé*] *Il faut signaler par ailleurs qu'au milieu de ce paragraphe, porté au folio 67 r°, figure, occupant toute la largeur du feuillet, un dessin d'une forme architecturale.*

Page 1140.

a. Proust a ensuite ébauché dans ms. deux phrases, qu'il a successivement biffées : où elle finirait. Et si mon réveil dans le palais enchanté et vivant, dans la compagnie des *[mot illisible]* et : Mon âme était si pleine que quand je me levais *. Le Cahier 40 s'arrête donc à ce moment du récit. Nous plaçons ensuite les fragments écrits aux versos. Ajoutons qu'après la rédaction de l'ensemble du Cahier, un remaniement a été envisagé au folio 52 v° :* Après avoir parlé de celui qui avait de la sympathie pour moi, il faudra dire. Il y en avait un le plus titré etc. suivre le morceau sur le dreyfusard. Puis à leur petite bande se joignait tous les soirs un civil suit le morceau sur le civil noble. Puis. Je n'étais venu à XX que pour entendre Montargis parler de Mme de Guermantes, pour lui avouer le désir que j'avais de la voir et lui demander de me rapprocher d'elle. Voir. [Mais dans l'exaltation de cette vie nouvelle de soli < tude > *biffé*] [ce bel hiver ensoleillé *biffé*] ◆◆ *b. Ce fragment est porté au folio 43 v° de ms.* ◆◆ *c. Ce fragment fait suite au précédent au folio 43 v° de ms. Il débute ainsi :* [Dire à un de ces moments *biffé*] Puis ◆◆ *d. Fragment du folio 46 v° de ms.* ◆◆ *e. Fragment du folio 50 v° de ms.* ◆◆ *f. Ce long ajout débute à la page de garde (numéroté 69 au compostage) et se poursuit au f° 68 v° de ms.*

1. Proust fait ici sans aucun doute allusion à l'accueil chaleureux que Montargis réserve à son ami qui vient d'arriver.

Page 1141.

a. certaine partie de la [fête　*biffé*] cérémonie du [lendemain　*biffé*] dimanche,　*ms.*

1. Cette initiale désigne toujours « l'officier qui avait de la sympathie pour moi », de même qu'au bas de cette page, « M. de T*** ».

Page 1142.

a. Lecture conjecturale. ◆◆ *b. Tous les fragments qui vont suivre sont extraits du Cahier 41. — Le premier est rédigé aux folios 3 et 4 r^{os}. Remarquons la ressemblance avec un passage ajouté aux folios 46 à 48 v^{os} du Cahier 40 (voir var. a, p. 1130). Ce dernier en serait la reprise.* ◆◆ *c.* que mon sommeil [réduisait pour moi comme une épaisse tenture　*biffé*] changeait　*ms.* ◆◆ *d. La rédaction reprend au folio 4 r° de ms. après des lignes laissées en blanc.*

1. Une tradition rapporte que la statue de Memnon (en réalité, l'une des deux statues colossales d'Aménophis III que les Grecs confondaient avec le héros de la guerre de Troie, fils de Thétis et de l'Aurore), érigée près de Thèbes, en Égypte, faisait entendre des sons mélodieux quand les premiers rayons du soleil venaient la frapper. Proust évoque cette statue dans les esquisses de l'Ouverture de *La Prisonnière* (voir t. III de la présente édition, Esquisse I, p. 1096).

Page 1143.

a. la ferais demander vers [quatre heures　*biffé*] trois heures　*ms.* ◆◆ *b. Lecture conjecturale.*

Page 1147.

a. Lecture conjecturale. ◆◆ *b. Cette note et la phrase qui suit sont en addition en marge du folio 3 r° de ms.* ◆◆ *c. Cet ajout figure sur les folios 4 et 5 v^{os} de ms.*

Page 1148.

a. Les préparatifs du départ font l'objet d'une addition aux folios 7 et 8 v^{os}. ◆◆ *b.* le matin à [7 h　*biffé*] 8 h 45.　*ms.*

Page 1149.

a. En bas du folio 8 v° de ms., l'auteur reprend ses réflexions à propos de la photographie de Mme de Guermantes. ◆◆ *b. Cette note est rédigée en travers du folio 10 v° de ms.*

Page 1150.

Esquisse XVI

Cahier 31, ff.^{os} 39 v° à 41 v° (fin 1908-début 1909). Voir p. 462, 476 à 478, 550 et 574 à 577.

Page 1151.

Esquisse XVII

Cahier 39, ff.^{os} 63 r° à 69 r° (1910). Suite de l'Esquisse XXII. Voir p. 369, 470-471, 462 à 464, 344-345, 474 à 478, 551 et 573 à 579.

Page 1152.

a. Le morceau sur le théâtre *doit être le développement des folios 65 et 66 r*^{os} *du présent Cahier (voir p. 1154-1155). Le cahier 2 et le ca-hier 3* sont les Cahiers 40 et 41. Nous n'avons pas retrouvé les *feuilles* volantes *auxquelles Proust renvoie.*

1. Voir *À l'ombre des jeunes filles en fleurs*, p. 165 à 173, et le Cahier 38, ff.^{os} 15 à 16 r^{os} et 13 v° : « Morceau à ajouter au Restaurant de plaisir ». « Il y avait bien peu^a de ces femmes qui se trouvaient là, les unes femmes mariées, d'autres cocottes, venues par hasard l'une parce qu'elle était depuis peu avec un amant qui était venu au bord de la mer, l'autre parce qu'elle y était venue pour tâcher d'en trouver un, que Montargis ne connût. Il ne les saluait pas, mais il y avait plus d'un de ces visages qu'il regardait sans broncher, ou avec qui il échangeait un salut insignifiant, qu'il pouvait se rappeler les cheveux défaits, les yeux à demi clos, les lèvres tendres, recevant ses baisers ; car avant de connaître son actrice, il avait beaucoup fait la noce. [...] Et à moi-même par ce qu'il me disait il me rendait intéressants ces visages qui m'auraient paru plats, mais qui me charmaient maintenant que je savais qu'ils s'ouvriraient comme des médaillons sur des souvenirs d'amour. »

2. Personnages du *Capitaine Fracasse* (1861-1863) de Théophile Gautier, œuvre qui est inspirée du *Roman comique* de Scarron et emprunte certains traits aux *Années d'apprentissage de Wilhelm Meister* de Goethe. L'Isabelle (l'ingénue), le Léandre (l'amant, le bellâtre) et la Zerbine (la soubrette) font partie de la troupe de comédiens ambulants auxquels se joint le baron de Sigognac. Théophile Gautier se plaît à mettre en parallèle les amours « réelles » de Sigognac et d'Isabelle, de Léandre et de la marquise de Bruyères, de la Zerbine et du marquis de Bruyères avec celles que les comédiens représentent dans les *Rodomontades du capitaine Matamore*.

a. Le Cahier donne : Il n'y avait [presque *biffé*] bien peu *. Proust a omis de biffer* la négation.

Page 1153.

   a. Cette note de régie est destinée à indiquer l'ordre dans lequel doivent se succéder diverses séquences déjà rédigées. Ainsi, Montargis connaissait si bien la vie des actrices, les passions etc. *et ce qui est au-dessus,* la double comédie *renvoient au texte des folios 62 vᵒ et 63 vᵒ (p. 1152). Les réflexions concernant « Wilhelm Meister » sont notées sur les folios 65 et 66 rᵒˢ (p. 1155).* ◆◆ *b. Ms. donne :* aimé que l'amie de Montargis que *. Nous supprimons* que l'amie de Montargis *que Proust a sans doute omis de biffer lorsqu'il a repris le début de la subordonnée.* ◆◆ *c. Les mots* et si je les quittais *sont biffés dans ms. Nous les maintenons, Proust n'ayant pas corrigé.* ◆◆ *d. Proust n'a pas achevé ses corrections ; ms. donne :* ils ne me faisaient aucune [allusion à ce qui *biffé*] [ne m'adressaient aucune excuse sur la scène à laquelle ils m'avaient fait assister *biffé*] [de ce qui s'était passé une heure avant, *corr.*] n'y faisant aucune allusion,

   1. Cette page détachée a dû disparaître, mais on peut facilement en reconstituer l'esprit. Il suffit pour cela de se reporter au texte définitif, p. 470-471, où la dissolution des « individualités éphémères et vivaces que sont les personnages d'une pièce », « après la fin du spectacle », fait douter de « la réalité du moi et méditer sur le mystère de la mort ». Cette soudaine et brève irruption de la mort peut surprendre le lecteur, bercé depuis plusieurs pages par les sirènes de la mondanité et du plaisir. Proust s'amuse ici à citer Pascal. La référence est patente dans le Cahier 39, où les mots « philosophique » et « divertissement » sont associés au « moi » que Proust souligne en le mettant entre guillemets. On sait que, pour Pascal, il n'est pas de divertissement « qui soit plus à craindre que la comédie » qui empêche les hommes de voir la vanité du monde (Pascal, *Pensées*, Bibl. de la Pléiade, p. 1145, pensée 208 — Brunschvicg 11). Proust, ici, semble répondre à Pascal qu'il n'y a rien de tel que la comédie pour nous faire méditer sur la fragilité du moi. C'est, déjà, ce qu'il avait écrit en marge d'une édition des *Pensées* : « À côté de la vie méditative, la complexité et l'imperfection de l'homme réclame [*sic*] d'autres vies. Vie selon l'entendement, selon le sentiment, selon l'énergie physique » (cité par Annie Barnes, « Proust lecteur de Pascal », *Bulletin de la Société des amis de Marcel Proust*, nᵒ 27, 1977, p. 404-406.) Cependant, Proust rejoint Pascal en cela que la méditation n'intervient qu'à la fin du divertissement, au moment où il sent le néant sans le connaître : « Car c'est bien être malheureux que d'être dans une tristesse insupportable, aussitôt qu'on est réduit à se considérer et à n'en être point diverti » (Pascal, éd. citée, p. 1146, pensée 211 — Brunschvicg 164). Il faut voir dans ce retournement un des discrets mais impérieux leitmotive qui ramènent le héros vers sa vocation.

   2. Remarquons que le thème de la « double comédie », qui est le ressort commun de tous les romans comiques, est également présent dans *Wilhelm Meister* (« la comédie dans la comédie » ; Goethe, *Romans*, Bibl. de la Pléiade, p. 389 ; voir aussi p. 556).

Page 1154.

a. En bas de page dans ms., appelée après pas *par un* 1 , *cette note de Proust :* Au théâtre (plutôt que seulement la scène, je pourrai mettre ici le morceau sur le théâtre, c'est toujours pareil et finir par quelques mots sur la scène).

Page 1155.

a. Proust a biffé dans ms. une première version du portrait du danseur : jusqu'aux frises. / [C'était un danseur génial en train de répéter pour la centième fois le pas de ballet sur lequel le rideau allait se lever tout à l'heure, que ce jeune fou au visage pastellisé, aux sourires d'espoir, suivis de gestes désespérés qui poursuivait son rêve en glissant, en sautant, en fendant l'air légèrement de son vol bleu et rose, au milieu de ces gens raisonnables et habillés de noir dont il ne semblait pas soupçonner la présence et à la façon de penser, de vivre, de se comporter desquels était si étrangère l'inconstante expression de ses ébats fardés et rapides, que, pour tout ce qu'il me révélait d'une forme différente de la vie et de la civilisation, en dehors de l'humanité comme d'un autre règne de la nature je restais ébloui comme j'aurais fait devant un papillon égaré au milieu d'une foule, à suivre le rythme de sa grâce ailée, capricieuse et multicolore. *biffé*] / C'était un célèbre ↔ *b.* génial danseur [d'une troupe [...] différents, et *add.*] répétant *ms.*

1. Voir *Essais et articles*, éd. citée, p. 480 : « [...] Wilhelm Meister n'est tout de même pas, comme ont trop eu l'air de le dire Emerson (*Les Hommes représentatifs de l'humanité*) et Carlyle (*Les Héros*), toute la nature ; ce serait tout au plus toute l'humanité. "Humain, trop humain", serions-nous tentés de redire devant ce livre admirable [...] » (Texte paru dans *La Chronique des arts et de la curiosité*, 2 janvier 1904.)

2. La première partie de *Wilhelm Meister*, les « Années d'apprentissage » est presque entièrement consacrée à la « vocation théâtrale de Wilhelm Meister ». Goethe y décrit longuement la vie des comédiens. Dans le livre I, chapitre XV, il évoque la passion qu'éprouve son héros pour les décors et les coulisses d'un théâtre : « [...] il se sentait, parmi cet enchevêtrement de poutres et de lattes, éperdu de bonheur, emporté dans la félicité d'un paradis » (Goethe, ouvr. cité, p. 414-415). Proust supprimera cette allusion à Goethe sur les placards du *Côté de Guermantes I* (voir var. *a*, p. 475). — Dans *Jean Santeuil*, le héros visite les coulisses d'un théâtre au moment du procès Zola. Manifestement, Proust se souvient ici de cet épisode (voir *Jean Santeuil*, éd. citée, p. 644-648.)

3. Voir *Pastiches et Mélanges*, éd. citée, p. 141. La désaffection du narrateur pour le théâtre reproduit ici l'itinéraire spirituel de Wilhelm Meister, qui après n'avoir longtemps vécu que pour la scène, s'en détache peu à peu et se plonge dans la vie sociale.

Page 1156.

   a. Les mots des journaux qui leur apportaient *sont biffés dans ms. Faute d'une correction de la part de Proust, nous les maintenons.*

   1. Peut-être faut-il voir ici une allusion au peintre Léon Bakst (1866-1924) qui avait dessiné les costumes et les décors du *Shéhérazade* donné à Paris, en 1910, par les Ballets russes, et que Proust admirait.

   2. Le « génial danseur » (voir p. 1155, début du 2ᵉ §) ressemble par certains traits à Vatslav Nijinski (1890-1950), que Proust eut l'occasion de voir danser une première fois le 4 juin 1910 et une seconde fois le 11 juin de la même année. Le « grand succès » remporté par la « troupe étrangère » à laquelle il appartient est, sans aucun doute, celui des Ballets russes en 1910. Emporté par son enthousiasme, Proust laisse en effet échapper une indication anachronique : « Comme les dreyfusards quelques années auparavant... » En écrivant ces mots, l'auteur ne se situe plus dans le passé, mais dans le présent qu'il est en train de vivre, dans « l'actualité » de 1910. Or, la saison de ballet ne peut se dérouler qu'en 1898, puisqu'elle est contemporaine de la matinée chez Mme de Villeparisis, laquelle a lieu pendant le procès Zola.   Les noms cités [« *Chartreuse de Parme* Vigano (Gautier) »] ne laissent de surprendre dans ce contexte. Nous savons qu'en juin 1910 Proust venait de relire *La Chartreuse de Parme* (*Correspondance*, t. X, p. 119) et qu'il avait annoté son exemplaire. — Salvatore Viganò est un chorégraphe et danseur italien, né à Naples en 1769, mort à Milan en 1821, maître de ballet à la Scala de Milan à partir de 1813. Stendhal fut ébloui par lui, dont il ne cesse de parler dans sa *Correspondance*, dans le *Courrier anglais*, dans la *Vie de Henri Brulard*, dans *De l'amour*. Viganò est également cité dans *La Chartreuse de Parme*. — L'allusion à Gautier est plus difficile à décrypter : peut-être Proust se rappelle-t-il simplement que Théophile Gautier est l'auteur du livret d'un ballet fameux : *Giselle*. En réalité, l'énigmatique association de *La Chartreuse de Parme*, de Viganò et de Gautier ne peut guère s'expliquer que par la lecture d'un article de Jean-Louis Vaudoyer, « Variations sur les Ballets russes », paru dans la *Revue de Paris* du 15 juillet 1910. Proust a lu ce texte et a tenu à féliciter son auteur. Il a sans doute été particulièrement retenu par la description de Nijinski et par la quatrième partie de l'article, où Vaudoyer fait le récit d'un rêve : il se trouve dans un théâtre inconnu et, grâce à une lorgnette miraculeuse, en découvre l'assistance, composée d'artistes disparus, de personnages de romans — parmi lesquels Marguerite Gautier —, d'écrivains et de poètes ; la comtesse Mosca, ancienne comtesse Pietranera, est présente, accompagnée par Henri Beyle. « Paul de Musset, que la comtesse avait reçu à *Vignano*, vint les rejoindre » (article cité, p. 344 ; nous soulignons). Théophile Gautier, enfin, est assis dans une loge. Comme dans notre Esquisse, les allusions à *La Chartreuse de Parme* et à Gautier sont donc ici explicites. Cependant, nous lisons *Vignano*, et non *Viganó*, dans l'article de Vaudoyer. Vignano est le palais où la comtesse Mosca tient sa cour dans *La*

Chartreuse de Parme. Proust a-t-il pensé *Vignano* et écrit *Vigano* ? A-t-il confondu le chorégraphe et le palais ? A-t-il mal formé les lettres qui composent le mot ? Contentons-nous de noter cette étrange coïncidence qui veut que deux noms, si proches par l'orthographe et d'un emploi si rare, tous deux présents dans un roman de Stendhal, soient également pertinents dans un brouillon proustien. Quoi qu'il en soit — Viganò ou Vignano —, il apparaît clairement que Proust, en décrivant le danseur, avait présent à l'esprit l'article de Vaudoyer et l'idée qui le sous-tend : l'art, dans sa perfection, a un pouvoir résurrectif. D'autre part, M. Jean-Michel Nectoux nous signale que le ballet auquel pense Proust pourrait être *Le Pavillon d'Armide*, créé à Saint-Pétersbourg en 1907 et repris à Paris le 18 mai 1909 (livret et décors d'Alexandre Benois, chorégraphie de Fokine, musique de Tcherepnine). Nijinski portait un costume semblable à celui décrit dans notre Esquisse, comprenant une toque et une jupe (voir *Diaghilev : les Ballets russes*, Bibliothèque nationale, 1979, p. 21-22).

3. *Chiner* : critiquer sur le ton de la plaisanterie ironique. *Se gober* : avoir une haute opinion de soi-même.

Page 1157.

a. Seuls sont biffés dans ms. les mots   pourrait pas la recevoir   *, mais sans doute faut-il considérer que ceux qui précèdent,* qu'elles ne   *, doivent l'être également.*

Page 1159.

a. Le   Cahier 3   *est le Cahier 30. Voir l'Esquisse XXIII, p. 1200.*

Esquisse XVIII

Cahier 41, ff^os 14 r° à 21 r° (1910). Voir p. 440-441 et 550 à 552.

b. Alors j'écrivis [...] pour elle.   *add. au folio 13 v° de ms.*

Page 1160.

a. Dans les choses *[11ᵉ ligne de la page]* les plus simples [...] aucune importance.   *add. ms. Ce long ajout occupe la marge du folio 15 r°, ainsi qu'une partie du folio 14 v°.*

Page 1161.

a. la baronne de Villeparisis, [mademoiselle de Blois,   *biffé]* il faudra que   *ms.* ◆◆ *b. Faisant face à ces lignes (f° 16 r° de ms.), un fragment inscrit dans la marge semble y ajouter l'anecdote de l'envoi du poème. Comme il n'y a aucune indication de montage, nous le donnons ici :* Je ne priai plus Montargis que d'une chose, savoir si elle avait reçu mon poème. Il me dit peu de temps après que oui. J'étais si étonné qu'elle n'eût pas été touchée par ces vers qui me semblaient irrésistibles, parce que quand j'essayais de voir l'impression qu'ils devaient faire sur tout le monde, je croyais mettre devant mon intention seulement mes vers, mais j'y mettais aussi ma propre pensée qui, entre mes vers et moi, ajoutait à chaque mot les rêves qu'ils éveillaient en elle, que je soupçonnai Montargis de ne pas lui en avoir parlé et je lui demandai : « Tu es bien sûr de lui en avoir parlé, d'avoir bien compris ce qu'elle t'a répondu ? », d'une façon qui finit par le blesser. ◆◆ *c.* penser à elle, [au cours [...] l'hiver suivant, *add.*] mon cœur *ms.*

1. Voir *Le Côté de Guermantes II*, p. 666.

Page 1162.

*a. L'auteur a considérablement écourté la fin de ce passage. Nous transcrivons ci-après la première version (folios 18 et 19 r*os *de ms.) qui a été biffée, hormis quelques lignes par oubli :* quelque chose de cela [. Toutes les simulations d'indifférence, de haine, sont impuissantes à cacher qu'on aime à celle qui n'a pas d'autre raison de ne pas avoir d'amitié pour vous que l'amour que vous avez pour elle. Vous pouvez cacher cet amour pour décider cette amitié à sortir, rien n' *biffé*] y fait, elle le reconnaît toujours. Une seule chose peut la persuader qu'il n'est plus, c'est en effet quand il n'est plus, alors nous pouvons avoir l'amitié souhaitée, quand nous ne la souhaitons plus. [/ Sans doute le contraste qu'offre l'attitude d'une femme avec nous quand nous l'aimons et quand nous ne l'aimons plus est peut-être grandi par le fait que sa dureté est rendue plus grande par le fait que nous désirons d'elle davantage et que nous éprouvons des tristesses de choses qui plus tard nous laisseraient indifférents, tandis que plus tard nous nous sentons comblés avec un peu d'excès de gentillesses qui autrefois ne nous eussent pas suffi. Dire qu'elle est si gentille aujourd'hui, nous disons-nous, mais sans doute quand nous l'aimions, cela ne nous eût pas paru si gentil. Nous la voyons très souvent maintenant, mais autrefois où les jours où <nous> ne la voyions pas étaient des jours de mort, cela ne nous eût pas paru si souvent. Elle a été charmante pour nous pendant toute la soirée. Mais quelques minutes avant la fin elle nous a quittés en nous disant qu'elle devait revenir <avec> un de ses amis, ce qui autrefois eût anéanti le plaisir de l'avoir vue et nous eût fait revenir blessé à mort *biffé*], comme si *Signalons aussi qu'en face de ce paragraphe raturé, nous lisons cette réflexion :* Ceci est bien mais il vaut mieux ne pas le mettre pour Mme de Guermantes puisqu'en effet je la vois bien plus dans la seconde phase. ◆◆ *b. Nous plaçons ici, jusqu'à la fin de la page 1163, un fragment qui occupe les folios 16 à 19 v*os *et une partie du folio 20 r*o *de ms.*

Page 1164.

*a. Cette addition est écrite en marge du fragment qui vient de finir dans ms. (ff*os *17 à 19 v*os *et 20 r*o*).*

1. Le musée Condé de Chantilly possède quarante feuillets du chef-d'œuvre du peintre et miniaturiste français Jean Fouquet (1420-1477/1481) : *Les Heures d'Étienne Chevalier.* En 1904, Proust visita, au musée du Louvre, une exposition des Primitifs français dont laquelle étaient exposés des tableaux de cet artiste (voir la *Correspondance*, t. IV, p. 111-113).

Page 1165.

Esquisse XIX

Cahier 31, ff^{os} 49 r° à 64 r° (fin 1908-début 1909). Voir p. 481 à 486, 540-541, 538 à 540 et 513.

a. Dans la marge du manuscrit, accompagnée d'une croix, figure cette note : Avant [cela *biffé*] dernier morceau.

1. Le lien de parenté entre les deux personnages n'est pas fixé une fois pour toutes dans ce Cahier. Mme de Villeparisis apparaît alternativement comme la tante ou la grand-tante de Montargis.

Page 1166.

a. Lecture conjecturale. ↔ b. Sic.

1. Ce personnage, vieil ami de Mme de Villeparisis, sera un peu plus loin « ambassadeur » (voir p. 1167, 8e ligne).

Page 1167.

a. Ce paragraphe se trouve en addition au folio 53 v° du Cahier.

1. Ce mot est sans doute un lapsus pour « invités ».

Page 1168.

1. Quotidien libéral fondé en 1815 par Gémond sous le titre *L'Indépendant.* Il ne prit le titre de *Constitutionnel* qu'en 1819 et cessa de paraître en 1914.

2. Voir n. 1, p. 859.

Page 1169.

a. Lecture conjecturale.

Page 1170.

a. Au-dessous de ces lignes figurent dans ms. quelques dessins de Proust. ↔ b. Le feuillet qui débute ici est très abîmé dans le manuscrit et certains mots sont tronqués, surtout à la fin de la ligne. ↔ c. dès que [...] mar<iée> *biffé ms. Nous conservons ces mots pour l'entente de la phrase. ↔ d. Mot illisible par usure du papier. Il s'agit peut-être du* Prince d'Ar<ricourt> .

Page 1171.

a. avait sorti la pièce [« canaille *biffé*] appelée *ms.*

Page 1172.

a. Après cette phrase, un trait a été ajouté dans ms. pour signaler que le fragment suivant doit être considéré comme autonome.

Esquisse XX

Cahier 28, ff^{os} 24 r° à 26 r°. Texte publié par Philip Kolb dans *Textes retrouvés*, Gallimard, 1971, p. 269-272. Dans cette Esquisse, rédigée vers 1909, il n'est pas question du salon de Mme de Villeparisis. Mais les réflexions qu'inspirent au narrateur les titres d'un noble allemand seront reprises dans le texte définitif (p. 553-554) à propos du prince von Faffenheim-Munsterburg-Weinigen, présent à la matinée chez la marquise de Villeparisis.

b. Depuis Kurhaus *, la fin de la phrase est biffée dans ms. Nous la maintenons.*

1. Proust met en titre de ce fragment le nom d'une ville d'eaux allemande, Bad Kreuznach, où il séjourna avec sa mère en 1895 et 1897 (voir n. 3, p. 553).

Page 1173.

a. Les mots c'étaient eux le rhingraviat *sont suivis dans ms. d'un point d'exclamation et d'un texte que Proust ne biffe pas mais qu'il reprend et développe sur les versos. C'est cette seconde version que nous donnons ; nous transcrivons ici le début de la première rédaction qui, seul, n'a pas été repris par l'auteur :* Sans doute n'avais-je nulle part je n'avais rien vu qui me prévînt que là était le rhingraviat. Et peut-être s'il y avait dans quelque site féerique de la contrée le château du rhingrave il devait être ou en ruines, simple donjon à tout le monde, ou quelque château confortable où on lit le *Rire* et la *Revue des Deux Mondes.*

Page 1174.

Esquisse XXI

Cahier 39, ff^{os} 32 r° à 57 r° (1910). Suite de l'Esquisse IX. Voir p. 481 à 581.

Page 1175.

a. Après intelligence *, figurent sur le Cahier cinq reprises fragmentaires du même passage (définition de l'intelligence de Mme de Villeparisis). Nous ne donnons que la dernière.*

1. Lapsus de Proust ; sans doute voulait-il écrire « ses Mémoires ».

Page 1176.

a. La lecture du mot conduite *est incertaine.*

1. Proust est plus explicite dans le Cahier 40 (ff^{os} 32 et 33 r^{os}) où la comparaison zoologique s'applique, dans un contexte différent, à Mme de Guermantes : « Chacune de ces apparitions différentes modifiait la manière dont je pensais ensuite à elle, car ces caractères qu'elle m'offrait ne me semblaient pas de simples détails de sa

personne, mais des traits définissant une espèce de femme, comme pour un naturaliste la forme du bec et des ailes est plus qu'un trait à décrire, l'affirmation d'un genre. »

Page 1177.

a. d'ailleurs que [le salon   *biffé*] [les réceptions   *corr.*] de Mme de Villeparisis fût le plus élégant de Paris. *ms. Nous accordons.* ←→ *b.* portraits offerts par eux [des princes d'O < rléans >   *biffé*] [du duc de Berry, de Charles X, de la Dauphine,   *corr.*] du roi [Louis-Philippe et   *add.*] de la reine [Marie-Amélie   *add.*], [du duc d'Aumale   *biffé*], du prince   *ms.*

1. Voir n. 1, p. 485 et n. 1, p. 486. Proust a d'abord noté (voir var. *b*) les noms de six membres de la maison d'Orléans (Mme de Villeparisis est orléaniste ; voir l'Esquisse XIX, p. 1170) ; Clémentine d'Orléans (1817-1907), princesse de Saxe-Cobourg-Gotha est l'une des trois filles de Louis-Philippe. Puis, lors d'une correction, il a ajouté les noms de trois membres de la maison de Bourbon : Charles X (1757-1836), roi de France (1824-1830) ; son fils, Charles Ferdinand (1778-1820) duc de Berry ; Marie-Thérèse Charlotte, fille de Louis XVI, duchesse d'Angoulême (1778-1851) qui épousa son cousin Louis Antoine de Bourbon, duc d'Angoulême (1775-1844), fils aîné de Charles X et dernier dauphin de France.

Page 1178.

a. pas d'esprit [comme on a pu le voir [dans sa réception   *biffé*] [quand   *corr.*] il reçut à l'Académie M. de Vigny   *biffé en définitive*]. Je le vois   *ms. Voir « À l'ombre des jeunes filles en fleurs », p. 82.* ←→ *b.* dîner à [Villeparisis   *biffé*] Bourgueil   *ms.* ←→ *c.* peur d'une visite [pour voir, disait-il, si je descendrais au-devant de la reine jusque dans la cour   *biffé*]. Le docteur   *ms.* ←→ *d. En réalité, à la suite de*   mais   *, Proust a biffé dans ms. le passage suivant :*   Mme de Villeparisis ne disait pas qu'elle avait laissé entendre à la reine qu'elle aimerait chez Mme Leroi, et que la reine, qui pourtant du haut de son trône voyait les situations plus ou moins hautes au même niveau, avait trouvé cela un peu difficile et ne l'invitait jamais au dîner de personnes plus à la mode, auquel elle invitait Mme Leroi. Mais le docteur Cottard ne pouvait soupçonner ces nuances. Les lecteurs des Mémoires aujourd'hui ne le peuvent pas non plus. L'élégance exclusive d'une femme comme Mme Leroi est toute viagère, elle ne donnerait aucun résidu dans des Mémoires que d'ailleurs une femme douée du talent qu'il faut pour se faire un salon de ce genre, ne saurait pas écrire, n'aurait même pas le temps d'écrire. Le nom de Mme Leroi même n'ajouterait rien aux Mémoires de Mme de Villeparisis. Pour le public, qui compose la postérité et qui n'a pas changé depuis Homère, et Pindare [, l'élégance ce n'est pas de recevoir telle américaine   *biffé dans un premier temps*]. Qu'un prince se déclasse en recevant un financier et qu'une américaine ou une Mme Leroi s'anoblisse à ne recevoir que des ducs, c'est ce que le public, le public qui compose la postérité ne comprend pas. / Ce qui donne l'impression des grandeurs de la chair, c'est la naissance, l'extraction royale ou quasi royale, l'amitié des chefs du peuple et des hommes illustres. La différence entre une situation mondaine de premier ordre et de second ordre est surtout marquée par certaines personnes, habituellement peu célèbres que fréquentent les personnes de la première catégorie et pas celles de la seconde. Or leur absence passe inaperçue dans des Mémoires.

Page 1179.

a. m'intriguaient beaucoup [et qui me permettraient *[...]* pas reconnu *add.*]. Elle *ms.* ◆◆ *b.* ma vie. [Mais ma nièce Guermantes pourrait vous la faire connaître, ajouta-t-elle *biffé* » Mme de Villeparisis *ms.*

1. Cette allusion à Mme de Guermantes (voir var. *a*) est une addition tardive. Proust essaye de modifier le texte déjà rédigé en tenant compte de la présence de la duchesse dans le salon Villeparisis, présence qui n'était pas prévue dans le plan primitif. Voir également plus loin, p. 1192 et var. *a.*

Page 1181.

1. Proust emploie encore ce mot à la page 1194. Il s'agit sans doute d'un anglicisme (*to perform*, jouer, représenter une pièce de théâtre).

Page 1182.

a. faire sa connaissance. [En entendant ce nom *[...]* remercia avec effusion. *add.*] Cette comédie *ms.*

Page 1183.

a. Le début de la phrase est biffée jusqu'ici dans le manuscrit ; nous le maintenons. ◆◆ *b.* d'argent, lui disant [à l'homme de lettres *[...]* prix *add.*] des choses *ms. Nous supprimons le lui que Proust a manifestement omis de biffer en rédigeant son addition.* ◆◆ *c. Les trois derniers mots ont été biffés dans ms. Nous les maintenons.*

Page 1184.

1. Voir n. 2, p. 812.

Page 1185.

a. l'audience. [Sans doute le colonel Picquart comme tout ce qui a été longtemps l'objet d'un rêve n'y avait pas complètement répondu. Mais il avait eu vite fait une fois quitté le Palais de Justice de se le représenter, en parlant avec ses camarades. *biffé*] Il était désireux *ms.*

1. Le commandant Jules-Maximilien Lauth, attaché à la section de Statistique, fut cité comme témoin à charge dans le procès Zola.

2. *Giaour* : terme de mépris appliqué aux chrétiens en Turquie. On reconnaît dans cette vision fugitive une influence de la vogue orientaliste du XIXe siècle, de quelques lectures de Proust (*Les Mille et Une Nuits*, *Les Orientales* de Hugo, etc.) et, plus vraisemblablement, le souvenir de tel ou tel tableau de Decamps, Ingres (*La Grande Odalisque*, *Odalisque à l'esclave*) ou Delacroix (*Combat du giaour et du pacha*, *La Confession du giaour*, inspirés du poème de Byron).

3. Cette comparaison se justifie par le fait que Picquart, qui comparut dans un « dolman bleu de ciel » (l'uniforme des tirailleurs algériens) avait été mis aux arrêts le 13 janvier 1898 (voir n. 4, p. 404, n. 1, p. 407 et n. 3, p. 593 ; voir également *Jean Santeuil*, p. 633).

Page 1186.

a. Le reste du folio est occupé dans ms. par un dessin de Proust représentant une femme de profil, portant un chapeau et tenant à la main une ombrelle fermée. ◆◆ *b.* rien changer [et où il laissait comprendre à son gouvernement qu'il blâmait absolument l'empereur d'Allemagne d'avoir ajouté tel mot inutile et dangereux, de ces toasts *biffé*] où la prodigieuse *ms.* ◆◆ *c. Lecture incertaine.*

Page 1187.

1. Voir, au tome I, *À l'ombre des jeunes filles en fleurs*, p. 451 à 476.

Page 1189.

a. une instruction. [Il faut bien avouer que ce qu'on raconte de ses agissements comme officier de police judiciaire si cela se trouvait être exact, ne serait pas pour apporter un démenti. *biffé*] En revanche *ms.*

1. La personnalité d'Esterhazy a suscité bien des commentaires. Cet officier peu scrupuleux n'a pas craint, semble-t-il, d'usurper un titre de comte, d'être à la fois souteneur et homme du monde, escroc et chevalier de la Légion d'honneur. Il avait sur le mariage des opinions bien arrêtées : « Même tarée, la fille ira, pourvu qu'elle ait un million au moins. [...] Dans un mariage, il y a toujours l'un des deux qui est dupé ; il faut tâcher d'être l'autre. » En 1886, il épousa Mlle de Nettancourt-Vaubecourt et se trouva allié aux Bauffremont et aux Clermont-Tonnerre. Mais la séparation de biens lui fut imposée en 1888 (Henri Guillemin, *L'Énigme Esterhazy*, Gallimard, 1962, p. 147-149. Voir Jean-Denis Bredin, *L'Affaire*, Julliard, 1983, p. 150-154).

Page 1190.

a. Proust a noté dans la marge du manuscrit : Penser à dire plus haut quand je dis qu'elle savait faire parler les hommes politiques qu'ils venaient chez elle parce qu'ils savaient qu'il n'y avait pas d'autre moyen de faire sa cour à M. de Norpois. *Proust oublie qu'il l'a déjà dit* (p. 1179).

Page 1191.

1. La maison de Bragance régna sur le Portugal de 1640 à 1910.

Page 1192.

a. *Nous plaçons ici, et jusqu'au haut de la page 1194, une addition tardive rédigée sur les versos 36 à 38 du Cahier 39 de ms. Elle introduit une modification capitale dans le récit de la matinée chez Mme de Villeparisis. Alors que dans la première version, Mme de Guermantes n'apparaissait pas dans le salon de sa tante, elle est présente dès l'entrée du narrateur dans cet ajout, contemporain de celui signalé à la note 1 et à la variante a, p. 1179.* ✦✦ b. *Proust renvoie au folio 36 r° du Cahier (voir p. 1177, début du 3ᵉ §).* ✦✦ c. *En regard de ce passage dans ms., Proust a noté :* il vaudra mieux à partir d'ici continuer ce qui se passe chez Mme de Villeparisis. Et à un moment quand je pourrai interrompre ce que dit Mme de Villeparisis aux Cottard étonnés et ravis, je dirai : « Mais je ne pensais guère qu'à Mme de Guermantes puis tout ce qui est en face. (Comme son nom etc.) ✦✦ d. *La suite de la phrase est très confuse dans ms.*

Page 1193.

a. *Dans ms., Proust note sur le recto :* Mettre dans le morceau d'en face. Et de toutes les lignes où sa vie et le monde se rencontraient, influaient l'un sur l'autre, réagissaient, le plus extrême n'était-il pas le fil même de ce regard souriant qu'elle adressait à Mme de Villeparisis, ou à tel homme que par exception elle connaissait dans ce salon ? Dans son regard n'y avait-il pas à la fois elle et ce qu'elle voyait, et leur action réciproque (mais ne pas mettre tout de suite après elle semblait regarder des fourrés de Guermantes, car les yeux ne sont pas les mêmes. ✦✦ b. *Lecture incertaine.* ✦✦ c. féminin. [Bonjour poney. C'est assez josli et j'espère que tu l'aimeras petit peu. Trop faschant que Ketersbourg *biffé*[1]] Mme de Villeparisis *ms.*

Page 1194.

a. *Proust avait d'abord écrit dans ms. :* le choc *[p. 1193, 8ᵉ ligne en bas de page]* de sentir Mme de Guermantes se pencher hors d'un parc

1. On reconnaît dans cet aparté biffé la langue et le style des lettres de Proust à Reynaldo Hahn. À l'origine, « poney » est un surnom donné à Proust par Hahn. Mais peu à peu, il désigne aussi bien l'un que l'autre (voir la *Correspondance*, t. I, p. 327 ; les *Lettres à Reynaldo Hahn*, p. 165 ; la *Correspondance*, t. X, p. 61-62). L'expression « trop faschant » est employée par Proust dans plusieurs lettres, avec le sens de « quelle contrariété ! » (voir la *Correspondance*, t. VII, p. 327 et t. X, p. 176 et 387). « Ketersbourg » est une déformation de Saint-Pétersbourg. Reynaldo Hahn passa un mois, en février-mars 1911, dans cette ville (*Correspondance*, t. X, p. 252, p. 258-259). On peut reconstituer la scène suivante : Hahn rend visite à Proust qui lui fait lire sur son Cahier l'addition qu'il est en train de rédiger. Malade ou fatigué, Proust ne peut parler à son ami, mais s'adresse à lui en écrivant à la suite du texte. Reynaldo Hahn dit qu'il va partir pour Saint-Pétersbourg et Proust déplore de devoir être privé de son ami. Après quoi il biffe ce qu'il a noté et reprend le cours de son récit.

mystérieux qu'était sa vie et dans lequel même tout en étant là en visite de routine, elle continuait à rester enfermée. Puis elle dit *Il n'a pas biffé ce passage, mais une reprise, interlinéaire puis marginale, de* tout d'un coup l'Opéra à Stendhal *, est manifestement destinée à le remplacer.* ◆◆ *b. Le texte qui vient est une addition portée aux versos des folios 50 et 51 du Cahier 39.*

1. Voir n. 1, p. 1181.
2. Voir n. 2, p. 526.
3. La pièce de Maeterlinck n'est pas écrite en vers.

Page 1195.

Esquisse XXII

Cahier 39, ff⁰ˢ 56 v⁰ à 62 v⁰. Ce texte de 1910-1911 suit immédiatement sur le Cahier 39 le récit de la matinée chez Mme de Villeparisis (voir l'Esquisse XXI). Il est extrêmement travaillé, Proust réécrivant plusieurs fois le même passage, passant d'un verso au recto lui faisant face, changeant sans cesse les noms de personnes ou de lieux. Une partie seulement de cette Esquisse a été reprise dans le texte définitif (p. 335-336).

Page 1197.

a. Des corrections contradictoires, des ratures incomplètes rendent ce passage particulièrement confus. Proust le reprend une dernière fois sur un recto : sorte de matérialisation mondaine en elle, réelle et positive — de cette rareté habituellement chimérique que nous semble posséder l'être que nous aimons et qui nous fait toujours craindre si nous allons pour l'apercevoir dans quelque réjouissance publique où se rend tout le monde, que lui justement n'y assistera pas, si nous prenons un chemin qu'il en ait suivi un autre, que le jour où nous le cherchons bien loin il soit justement resté chez lui, en vertu d'empêchements fortuits, ou d'habitudes fixes mais inconnues de nous, ou de caprice du dernier moment comme en ont tous les autres êtres.

Page 1198.

a. fête de la [reine de Naples *biffé*] [princesse de Parme *biffé*] prince d'Agrigente. *ms.* ◆◆ *b.* chez la [reine *biffé*] princesse, *ms.* ◆◆ *c.* chez le prince [de Léon *biffé*] [d'Agrigente et peut-être à l'Opéra dans la /loge du prince des Baux *biffé*] corr.] parce que *ms.* Nous maintenons la fin de la correction. ◆◆ *d.* chez la [duchesse de Sagan *biffé*] princesse de [Bavière *biffé*] Parme *ms.* ◆◆ *e. Nous sautons ensuite quatre reprises partielles du passage sur les endroits où se rend Mme de Guermantes. Ces textes sont tous biffés dans ms.* ◆◆ *f.* loge de la [duchesse de Bavière, à Trouville chez la princesse de Sagan *biffé*] princesse *ms.*

Page 1199.

a. Depuis assistant du fond *le texte est barré en croix. Nous le maintenons.* ◆◆ *b. Ce paragraphe et le suivant sont en addition, sur le folio 61 v⁰, dans ms.*

Page 1200.

a. *Nous donnons ici un dernier fragment que Proust a barré en croix dans le manuscrit :* Toutes ces fêtes, ces grands dîners où elle se rendait, dont chacun me semblait entièrement différent des autres, où on pénétrait dans un plaisir particulier, unique comme le nom de celle qui le donnait, tous ces endroits où elle transvasait sa vie me semblaient remplis comme autant de réservoirs, d'autant de mystère que son hôtel. Ils l'entouraient avec la société qui s'y trouvait d'une matière inconnue et précieuse qui lui apportait comme autant de déterminations différentes, et où elle me semblait plus mince, plus réduite à elle-même dévêtue du rayonnement qui s'étendait autour d'elle dans son hôtel pour n'être plus à l'époque des courses qu'une des amies de Mme de Sagan ou le soir de *Tristan* une des invitées de la duchesse de Bavière, mais plus nouvelle, moins fatiguée par mon rêve antérieur, plus réelle par conséquent et plus émouvante dans cette métamorphose qui lui apportait une détermination, une couleur nouvelle, lui laissant toujours une ambiance impénétrable d'amis « du faubourg Saint-Germain » qui lui permettait de se déplacer, d'assister aux mêmes spectacles que la foule, beauté de la Méditerranée ou d'un opéra de Wagner, mais au sein d'une société inconcevable qui l'empêchait d'être mêlée aux autres comme une carafe bouchée qui plongée dans la rivière empêche l'eau qu'elle contient de s'y confondre. Comme elle allait passer huit jours <à Cannes> mais chez la duchesse de Bavière, une heure à l'Opéra mais chez la princesse du Vermandois, cette intimité qu'elle avait avec ces princesses du sang mettait entre elles une parenté qui me confirmait dans l'idée *[inachevé]* / Sa familiarité avec des princesses du sang me confirmait dans l'idée que sa vie même dans les actions communes à d'autres restait particulière et inaccessible puisque si elle allait huit jours à Cannes c'était dans la villa de Mme du Vermandois et une heure à l'Opéra dans la loge de la duchesse de Bavière. Et si je pouvais l'imaginer se promenant avant déjeuner en costume de drap blanc sur une plage ensoleillée, ou assistant du fond d'une baignoire à une représentation de Racine, c'était dans la modalité de cette société mystérieuse où la crudité du grand jour marin ou le crépuscule des lustres du théâtre prenaient une qualité spéciale, c'était entre ces êtres habitués de l'hôtel Guermantes, invités de Mme de Bavière ou de Mme de Vermandois, ces complices toujours les mêmes de cette vie mystérieuse qui mettaient autour d'elle, au milieu même de la clarté crue d'un rivage ou du crépuscule doré d'une salle de théâtre la modalité particulière d'un microcosme impénétrable et de félicités inconnues. Mon père reçut précisément ce jour d'un de ses amis un fauteuil pour une de ces soirées d'abonnement etc.[1]

1. Dans la mythologie romaine, Pomone est la nymphe des fruits (et non des fleurs).

Esquisse XXIII

Cahier 40, ff⁰ˢ 1 r⁰ à 7 r⁰ (1910-1911). Voir p. 323 et 334 à 336.

b. Dans la marge supérieure du feuillet, l'auteur a inscrit les derniers mots du passage qui devrait précéder immédiatement celui-ci dans ms. : [Et *biffé*] : je n'avais pas vu Mme de Guermantes. *On les retrouve au moment où le héros quitte le salon de Mme de Villeparisis sans avoir rencontré Mme de Guermantes (voir l'Esquisse XXI, p. 1192). Signalons que le texte a été dicté à un secrétaire non identifié jusqu'à* une sorte de matérialisation mondaine *(5ᵉ ligne en bas de page).*

Page 1201.

a. La marquise *en surcharge sur* Le marquis *dans ms.*

Page 1202.

a. Sic. ◆◆ *b. Sic.* ◆◆ *c.* chez le [prince d'Agrigente *biffé*] duc d'Aumale *ms.* ◆◆ *d.* fête de la [reine de Naples *biffé*] princesse de Parme. *ms.* ◆◆ *e.* chez le prince [de Vermandois *biffé*] d'Agrigente *ms.* ◆◆ *f.* elle va souvent le [jeudi *biffé*] mardi *ms.* ◆◆ *g.* le patronage de la [grande *biffé*] duchesse de [Prusse *biffé*] [Brunswick *biffé*] Macduff *ms.* ◆◆ *h. Lecture conjecturale.* ◆◆ *i.* elle ira dans la [loge *biffé*] baignoire de la [duchesse de Bavière *biffé*] princesse de Guermantes. » *ms.* ◆◆ *j.* née [duchesse de Bavière *biffé*] archiduchesse *ms.* ◆◆ *k.* quelquefois simplement [la duchesse Edwige de Bavière *biffé*] l'archiduchesse Éléonore. *ms.*

Page 1203.

a. L'auteur indique qu'un autre fragment, qui se trouve en haut du folio 4 v⁰ de ms., doit venir se placer après celui-ci. Nous le donnons dans les lignes qui suivent, jusqu'à la variante c. Il est abondamment corrigé, souvent incohérent : de nombreux mots y sont biffés qui doivent être maintenus. ◆◆ *b.* princesse de Parme [que j'imaginais aussi différente de toute femme possible que j'imaginais Parme différente de n'importe quelle ville parce qu'elles avaient l'une et l'autre la couleur et le charme uniques de ce nom de Parme et du roman de Stendhal *biffé*] qui m'apparaissait *ms.* ◆◆ *c. Nous revenons à la conversation entre Françoise et le maître d'hôtel des Guermantes, au folio 5 de ms. (voir var. a).* ◆◆ *d.* villa de la princesse de [Vermandois *biffé*] Parme. » *ms.* ◆◆ *e. Le début du §, jusqu'ici, semble biffé par deux traits à peine visibles. Proust a-t-il voulu remplacer le début du passage par la reprise, écrite au folio 2 v⁰, que nous donnons ici ? Ce n'est pas impossible ; mais le raccord n'a pas été refait :* La vie mondaine de toutes les femmes de son milieu ne coïncidait pas exactement, car elle était comme un poème qui est asservi aux nécessités générales de la mesure et de la rime, mais où le talent pourtant peut suivre sa fantaisie. Si cette vie est remplie jusqu'aux bords de plaisirs mondains, certains de ces plaisirs s'excluant les uns des autres différencient déjà la soirée des différentes femmes. Si Mme de Guermantes avait accepté à dîner chez la princesse de Parme, elle ne pouvait aller au dîner qu'il y avait le même soir chez la princesse de Guermantes, si elle était allée passer deux jours à la campagne chez le duc de Chartres, elle manquait forcément à la soirée du prince d'Agrigente où tout le monde était. Enfin dans l'intervalle des occupations obligées, ses goûts individuels lui faisaient élire tel ou tel plaisir et sur le canevas fleuri des plaisirs préparés par la société, broder çà et là une fleur préférée. C'est ainsi que de Guermantes, etc.

1. Philippine Marie Hélène, Madame Élisabeth de France (1764-1794), sœur de Louis XVI.

2. En 1907, Maeterlinck s'installa dans l'abbaye de Saint-Wandrille-le-Rançon, abandonnée par les Bénédictins. C'est au milieu des ruines du cloître et devant l'église Saint-Pierre de Fontenelle que Georgette Leblanc organisa des représentations théâtrales pour quelques privilégiés. Le 29 août 1909, à l'occasion d'une « unique soirée d'art », on joua *Macbeth* dans la traduction de Maeterlinck (publiée par *L'Illustration théâtrale* du 28 août 1909 et reprise dans l'édition des *Œuvres complètes* de Shakespeare de la Bibliothèque de la Pléiade ; voir Georges Bourdon, « Maeterlinck reçoit Shakespeare », *Le Figaro*, 30 août 1909, p. 1). En septembre 1910 fut représentée la pièce *Pelléas et Mélisande* (Éli de Wissocq, « Pelléas et Mélisande ont vécu leurs amours aux mystères de Saint-Wandrille », *Gil Blas*, 4 septembre 1910, p. 3).

3. Excuse pour ne pas aller à Guermantes. Voir le texte définitif, p. 334 : « C'est la première fois que nous n'y serons pas : à cause des rhumatismes à M. le duc [...]. »

Page 1204.

a. d'Agrigente ou du [duc *biffé*] prince de Parme, *ms.*

Page 1205.

II

Esquisse XXIV

Cahier 14, f° 86 v° (1909-1910). La note de régie qui précède ce fragment indique qu'il s'agit d'un ajout postérieur à la rédaction principale. Le passage ne figure pas dans le récit définitif, mais se situerait pendant le retour à la maison après la « petite attaque » dont la grand-mère a été victime aux Champs Élysées (voir p. 608). Pour la rédaction principale, voir l'Esquisse XXV.

Page 1206.

Esquisse XXV

Cahier 14, ff^os 92 r°, 91 v°, 93 r° à 96 r°, 96 v°, 97 r°, 97 v°, 85 r°, 85 v° (1909-1910). Voir le texte définitif, chap. I, p. 631-632, 635-636 et 639 à 641. Les premières esquisses consacrées à la mort de la grand-mère se trouvent au Cahier 29 (1909) ; elles sont reprises dans le Cahier 14, dans un montage auquel s'ajoutent des rédactions postérieures. Le récit principal se trouve entre les folios 85 r° et 97 r°. Nous en donnons le résumé : Retour en voiture (f° 86 v° ; voir l'Esquisse XXIV) ; réactions de Maman, sa tendresse, les souffrances de grand-mère. Les visites. Les progrès de la maladie. Françoise veut coiffer grand-mère, les sangsues. Une bête étrangère. Ballons d'oxygène. La mort. Après la mort.

1. Diomède, roi fabuleux de Thrace, nourrissait ses chevaux de chair humaine. Héraclès, à l'occasion de son huitième travail, s'empare des juments du roi, et leur fait dévorer le cadavre de leur maître.

Page 1207.

a. Proust a indiqué en marge, au haut du folio 94 r° de ms. : En même temps, on fait une piqûre de morphine. *Voir le texte définitif, p. 618 et 635.* ◆◆ *b.* elle ne s'adressait pas à nous, *ms. Nous corrigeons.*

Page 1208.

a. En face de la phrase sur l'indescriptible agitation, qui se trouve au début du folio 96 r° de ms., apparaît cette note : Mettre à un endroit de cette agonie : Ma mère penchée au pied du lit, convulsée tout entière par les souffles de cette agonie, avait la désolation infinie et sans pensée de certains feuillages retournés par le vent. *Voir le texte définitif, p. 640.*

1. À la dernière scène du troisième acte du *Tristan und Isolde* de Wagner (créé en 1865), Isolde, près du corps de Tristan, chante : « Suis-je seule à entendre / cette mélodie / qui, avec une douceur / si merveilleuse, / bienheureusement plaintive, / exprimant tout, / s'irradiant de lui / en réconciliatrice, / m'investit, / s'élève, / me baigne de ses sons / aux prolongements suaves ?... [...] Vais-je respirer ?... / Vais-je prêter l'oreille ?... / Vais-je me griser, / m'immerger ?... / Me dissoudre / suavement en senteurs ?... / Dans la houle des vagues, / dans les sons retentissants, / dans le tourbillon / de la respiration universelle, / être submergée, / m'engloutir, / inconsciente !... / Joie suprême !... » (trad. Jean d'Arièges, Aubier-Flammarion, 1974, p. 239-241).

Page 1209.

a. moment où ma [main *biffé*] [lèvre *corr.*] toucha son [corps *biffé*] front, *ms.* ◆◆ *b. Ce paragraphe figure sur le folio 85 r° et sur son verso.*

Page 1210.

1. Voir, dans le texte définitif, la variante *b,* p. 640.

Esquisse XXVI

Cahier 29, f⁰ 46 r⁰ (1909). Le Cahier 29 contient les premières esquisses consacrées à la mort de la grand-mère ; il s'agit de deux fragments, respectivement intitulés par Proust « Après la mort de ma grand-mère », au folio 46 r⁰ ; « Crainte de mort de ma grand-mère », aux folios 83 r⁰, 84 r⁰, 84 v⁰, 85 v⁰ ; et d'un troisième racontant la mort de la grand-mère au folio 80 r⁰. Le premier fragment que nous donnons ici ne se retrouve pas dans le texte définitif, mais se situerait dans l'intervalle qui sépare les deux chapitres du *Côté de Guermantes, II.*

Page 1211.

a. À la fin du développement se trouve ta note : Fils de coulissier avec qui ma grand-mère me prie de ne pas me lier. Ami de Montargis. Dis-lui donc de ne pas fréquenter Bloch que je n'approuve pas.

Esquisse XXVII

Cahier 48, ff⁰ˢ 9 r⁰ à 11 r⁰, 8 v⁰, 10 v⁰, 12 r⁰, 11 v⁰, 25 r⁰-26 r⁰, 12 v⁰, 13 r⁰ à 15 r⁰ (1911). Ce cahier contient une rédaction suivie, qui annonce les intermittences du cœur, et qui juxtapose la mort à l'amour. Les folios 2 r⁰ à 8 r⁰ reproduisent le récit de la mort de la grand-mère du Cahier 14, à partir de l'épisode des sangsues. Aux folios 8 r⁰ à 9 r⁰, un passage de transition semble le brouillon du passage que nous reproduisons : « Tant qu'avait vécu ma grand-mère, me demandant peu du reste ce que j'étais et plus attentif au reste du monde, j'avais pu garder des illusions sur moi. Mais quand elle fut morte, je sus que ma nature était sécheresse et ingratitude. [...] Je me sentais presque libre, si je n'avais été mal portant, [...] mais du moins j'étais libre de l'être et paresseux, sans avoir le tourment de sentir mes maux et mon oisiveté reflétés dans un être chéri qu'elles désolaient. » Après la refonte du roman, ce développement, qui devait suivre la mort de la grand-mère, est annexé au retour d'Albertine. Voir p. 642 et 679 à 681.

b. À partir d'ici, la fin du paragraphe est rédigée au verso du folio 8.

Page 1212.

a. dit [le soir *biffé*] à [Astolphe *biffé*] [Basin *corr.*] en rentrant *ms.*

1. La carrière de Jacob van Ruysdael, ou Ruisdael (1628 ou 1629-1682), peintre et graveur hollandais, s'est presque entièrement déroulée dans sa ville natale, Haarlem. Il a surtout peint des paysages.

Page 1213.

a. Proust a rédigé deux développements au verso du folio 10, en regard du passage sur Mlle de Quimperlé, dont voici le premier : Je voyais peu ma mère qui toute la journée s'enfermait dans la chambre de grand-mère, et restait là sur une chaise, courbée dans ses vêtements noirs, les yeux à terre, cherchant à se rappeler, à comprendre, à comparer ce qui avait été et ce qui était, à se rappeler les heures de l'agonie, comme si ces choses déchirantes de la souffrance devaient mieux fixer à jamais en elle l'image qu'elle ne voulait jamais oublier. Car dans l'excès de sa douleur elle ne se trouvait pas assez triste, à force de penser à sa mère, elle ne pouvait voir son visage, elle portait sa douleur en elle, sans en avoir la sensation, comme une œuvre qu'un artiste met toutes ses forces à produire et n'a pas la sensation du talent. Elle commençait à lire les lettres qu'elle avait reçues, et en prenait prétexte comme de tout pour rappeler quelque parole de ma grand-mère. M. de Guermantes, possédant plus le savoir du vocabulaire que la divination de ses usages, lui avait écrit : « Je viens à vous, madame, dans ces heures macabres. » « Tu sais, ta pauvre grand-mère, même avant de le connaître, quand elle l'avait rencontré chez Mme de Villeparisis, disait : "Ah ! ma fille, comme il est commun." » *Nous transcrivons à présent le second fragment :* Je suivais ces belles allées que longe en fuyant une eau frémissante, sans savoir si elle avait l'habitude d'y passer, si même elle n'avait pas quitté Paris ; mes yeux scrutaient l'horizon avec ce trouble qu'ajoute à l'incertitude de voir ce qu'on aime la pensée d'un déplaisir ; bleutées et déjà à demi jaunissantes, elles étaient restées pour moi comme un lieu situé entre la saison heureuse de Paris où j'aurais pu la connaître et les villégiatures de l'automne où il serait impossible de la rencontrer, rempli d'espérances menteuses, de trompeuses promesses, de tendres regrets, amoureux et mélancolique. ◆◆ *b.* Boulogne [ne sachant pas si elle avait l'habitude de se promener là et si même elle était encore à Paris, j'allais par les belles allées que l'on suit en *biffé*] [où les Parisiens *[...]* avant le dîner. *corr.*]. J'avais *ms.*

Page 1214.

a. Dans une première rédaction abandonnée, Proust a d'abord écrit : Un arbre japonais effeuillé et jauni par l'automne portait sur toutes ses branches des mésanges [bleues *biffé*] qui s'envolaient puis revenaient s'y poser. Mais [cette *biffé*] *Une addition tardive complète ce développement :* Albertine qui n'avait guère parlé tout le long de la route me dit : « Ce sont des mésanges bleues. Je les connais. Il y en avait dans la propriété de ma tante. » Je lui dis : « Ah ! c'est bien de savoir ça, vous êtes gentille, comme nous pourrions passer des jours agréables ensemble. » Elle me dit : « Je suis à votre disposition », mais je ne pensais qu'à Mlle de Silaria [et à Saint-Clou < d > *biffé*].

1. Katsushika Hokusaï (1760-1849), dessinateur et graveur japonais, auquel, en 1896, Edmond de Goncourt consacra une étude dans son livre sur *L'Art japonais du XVIIIe siècle* (voir *Jean Santeuil*, éd. citée, p. 436). Il fut admiré par de nombreux peintres occidentaux : Whistler, Degas, Gauguin, Monet, etc. On appelle kakémonos des peintures et des calligraphies japonaises sur toile ou sur papier, étroites et hautes, que l'on peut enrouler autour d'une baguette.

Page 1215.

a. *Dans la marge de ms. figure cette note de Proust* : À cet endroit voir le morceau qui suit page KALM *[f° 25 r°]* , onze pages après ceci. Et quand ce morceau sera fini alors reprendre ici : *À l'origine l'épisode s'enchaînait au passage qui évoque les souvenirs de Querqueville (Rivebelle) — voir le texte définitif, p. 684.* ◆◆ b. des flots. [Même si le vent se calmait, [...] le silence qui suit les crises. *add.*] Quand *ms.*

Page 1216.

a. *En marge, Proust a noté sur le Cahier* : Allusion en son temps. ◆◆ b. *Au folio suivant de ms. (f° 27 r°) on trouve l'esquisse d'un schéma, que Proust a abandonné* : Quelque temps après (ceci vient après la scène au restaurant avec Montargis) De retour, Maman qui entrait le matin dans ma chambre avec le courrier[1], le pose sur mon lit avec négligence, en ayant l'air de penser à autre chose.

Page 1217.

Esquisse XXVIII

Cahier 46, ff^os 47 et 48 r^os, 47 v° à 50 v°, 51 r°, 51 v° à 53 v° (1915). L'intégration d'Albertine au *Côté de Guermantes* a lieu dans le Cahier qui contient le récit du deuxième séjour à Balbec. Voir p. 641 à 643, 646 à 662, et 665.

a. *Les grandes étapes du récit annonçant le retour d'Albertine sont numérotées par Proust de I à III. Nous ne transcrivons que les deux premières (pour la troisième, « III. Jour du dîner avec Mlle de Silaria », voir la var. a, p. 1221). Le début du Cahier 46 (f° 1 r°) comprend un plan du « 3e volume » que nous reproduisons ici* : 1er chapitre. Douleur de la mort de ma grand-mère. Les Filles. Désir de vivre avec Albertine. Elle veut sonner, je ne pense plus à elle. / 2e chapitre, retour à Paris. Soirée chez Mme de Villeparisis. Mme de Guermantes. [Avant le départ pour les chasses. *Albertine vient me voir quelquefois. Plaisir sans sensualité. Soirée où je dois voir Mlle de Silaria au Bois. Albertine me conduit. Le soir Saint-Loup me parle des maisons de passe dans le restaurant, jeune fille (Mlle de Forcheville) et femme de chambre de la baronne Putbus. Visites chez les Guermantes. Visite d'Albertine changée. Reste très longtemps. Caresses. Regard méfiant de Françoise. Leur milieu. Un jour que je vais chez eux. Visites d'Albertine. Rencontre de Gilberte. biffé*] Retour de cette soirée : première réapparition d'Albertine (écrite dans ce même cahier). Visite chez les Guermantes. Visite d'Albertine après une assez longue absence d'elle. Reste très longtemps. Caresses. Regard méfiant de Françoise. Promenade à Saint-Cloud. Soirée chez la princesse de Guermantes, retour, attente d'Albertine, mieux vaut tard que jamais. *Sur le folio 46 v°, Proust a noté* : Je commence ici (en face) tout ce qui concerne *Albertine depuis* le chapitre : À l'ombre des jeunes filles en fleurs. *Ce même cahier contient cinq versions successives de la première visite, que l'auteur a biffées. Ensuite on lit ce développement (ff^os 43 r° à 46 r°)* : J'allais me raser quand Françoise m'annonça Albertine. Je la fis entrer tout de suite, indifférent à ce que

---

1. Il s'agit sans doute de l'article imprimé dans *Le Figaro*.

me trouvât enlaidi d'un menton noir cette jeune fille pour qui pendant un temps je ne me fusse jamais estimé assez beau. Je rentrai (de la soirée chez Mme de Villeparisis). Françoise me dit : « Monsieur ne s'imaginera jamais qui est venu... Mlle Albertine. » Je fus désolé. J'aurais été si heureux <de> revoir ce visage, ce petit toquet, il paraît qu'elle s'en était coiffée pour venir, reliques intactes, authentiques, du mystère que je lui trouvais quand, ne la connaissant pas encore, je la voyais passer sur la digue, et de l'amour à qui ce mystère avait frayé le chemin. Depuis qu'elle avait refusé de se laisser embrasser, mon amour exigeant des satisfactions inavouées qu'il savait ne plus pouvoir trouver en elle s'était retiré vers d'autres ; même ma bouche n'était plus tentée par ses joues rebondies où je ne devais jamais trouver plus de plaisir que si elles avaient été des joues de cire, mais mes regards aimaient encore à se poser sur elles. Sans m'arrêter à ce qu'Albertine me dit de la joie qu'elle avait eue à voir, dès la porte, le visage de Françoise qui lui avait rappelé Balbec et annoncé le mien, soucieux seulement que le dîner fît la meilleure impression possible à Mlle de Silaria et pensant qu'Albertine saurait le commander mieux que moi, je lui demandai si elle ne voulait pas m'accompagner jusqu'à l'Île. Son visage rose, rieur et docile sous son toquet posé assez bas sur les yeux, parut hésiter ; elle avait sans doute d'autres projets. Mais en ce cas elle me les sacrifia aisément, et nous partîmes ensemble : nos relations sociales avec une femme que nous avons voulu faire nôtre sont à cause de cela assez étroites, si insuffisantes qu'elles paraissent au gré du sentiment qui nous les avait fait nouer. Et notre vie, comme un atelier, garde mêlées et remet de temps en temps sous nos yeux, quelle que soit celle qui excite actuellement notre fièvre, les ébauches abandonnées où avait cru pouvoir se fixer notre besoin d'un grand amour. *Enfin, deux aide-mémoire, au f° 46 v°, précèdent les esquisses qui tracent la réapparition d'Albertine : Très important.* Il faudra pendant que j'aime Mme de Guermantes, par exemple le jour où je pars pour chez Saint-Loup, que Maman me dise que la tante d'Albertine doit venir la voir, que *peut-être* Albertine l'accompagnera. Je dirai que cela m'est bien égal, que je la supplie de ne pas me faire rester, car alors j'aime Mme de Guermantes, tout en ayant déjà aimé Albertine que je crois devenue à jamais indifférente, alors que quelques années plus tard je ne descendrai pas chez les Guermantes pour ne pas laisser une heure Albertine seule. / *Capitalissime* : Pour ce que je crois posséder dans Albertine il faudra que ce soient quelques-unes des plus belles images de Balbec, par exemple les montagnes bleues de la mer (que je pourrai peut-être indiquer comme réaperçues quand j'entends la musique le matin, de sorte qu'Albertine me rappelant la musique me rappelle les montagnes bleues mais ce n'est pas nécessaire (d'autant plus que la musique n'est peut-être que plus tard). En tous cas, images solides et les mêmes, bien liées. Peut-être faudrait-il que l'entrée dans l'hôtel devant les glaces soit d'Albertine au lieu de Saint-Loup, mais je ne crois pas).

Page 1218.

a. *À partir d'ici, le développement se poursuit dans ms., comme l'indique Proust, au verso de la page suivante (f° 48 v°). Mais en marge du folio 48 r° se trouve la note :* Peut-être pourrais-je mettre ma vie couchée, mes sensations de saison avant ceci et après le milieu Guermantes. Mais cela mettrait peut-être la soirée chez la duchesse de Guermantes trop longtemps après ma connaissance des Guermantes. Pourtant cela serait bien qu'il fît un temps spécial que plus tard je me rappellerais et ce pourrait être ce jour-là que j'aurai reçu le matin l'invitation pour la soirée de la princesse de Guermantes. ◆◆ *b. Après ces mots, dans ms., Proust a biffé un développement sur les jeux du narrateur et d'Albertine qui le chatouille.* ◆◆ *c. Proust a biffé la fin de la phrase :* que le dîner était servi *. Nous la rétablissons.*

Page 1219.

a. En regard de ces mots dans ms., se trouve une longue addition, difficilement raccordable : Ainsi à un moment où je parlai d'Elstir, comme elle disait qu'il était bête, pour que je ne me méprisse pas sur ce qu'elle voulait dire, elle ajouta en souriant « Bête en cela, mais bien entendu je sais que c'est quelqu'un de tout à fait distingué ». Dans le même sens qui n'a nullement trait aux manières, mais seulement à l'intelligence, mon père disait aussi de tel de ses collègues : « Il paraît que c'est quelqu'un de tout à fait distingué. » Mais Albertine, Albertine si inculte (mettre en son temps) à Balbec. De trouver dans son langage d'aujourd'hui le mot distingué dans ce sens indiquait qu'autant de choses s'étaient passées que, quand nous lisons un texte français où le mot étonné (choisir mieux) est pris dans le sens de et dans le sens de, nous pouvons le faire dater de deux époques différentes. C'est ainsi encore que parlant du cercle du golf qu'elle s'imaginait chic, elle me dit : « Si, malgré tout, c'est une "sélection". » Qui avait pu lui apprendre ce mot-là ? Il est de ceux qu'un gentilhomme campagnard reçoit comme apport dotal pour toute sa vie de son mariage avec une intellectuelle. Enfin, d'une des filles, elle me dit : « Certainement elle est très intelligente ». Le second *l* ajouté à « intelligence » indiquait que ce n'était plus la petite fille de Balbec qui parlait, mais une petite femme sachant la vie, qui à chacun selon ses mérites reconnaissait en toute impartialité (de sa compétence il n'y avait même pas à douter) plus ou moins d'intelligence. Enfin d'une autre fille, très petite, très brune, elle dit en souriant : « Oui elle est gentille, c'est une petite mousmé. » Je souris aussi. Albertine était trop jolie pour que ces façons de dire pussent m'exaspérer comme elles eussent fait d'une autre. Mais je souris parce que je me dis à part moi qu'elle n'avait pas trouvé « mousmé » toute seule.

Page 1220.

a. En regard de la scène du lit, on lit la note suivante : Capitalissime : Il faudra dire d'abord que j'étais resté couché et après que je l'embrasse je dirai : C'était la scène inverse de celle qui s'était passée à Balbec, et si la conclusion avait été autre et si j'avais pu l'embrasser était-ce pour quelque chose en cela — comme si elle craignait les états brutaux et non les caresses légères, qu'elle restait maîtresse du gouvernail — que ce fût moi ce jour-là qui fus couché et elle debout et libre à côté de mon lit ? ◆◆ *b. Après ces mots, Proust a ajouté une paperole qui correspond aux pages 654 à 656 du texte définitif. Elle est précédée de la note :* Pour ajouter au bas de ce verso (où je mettrai peut-être plutôt que ce que je dis de l'art de Françoise de connaître ce qui peut nous ennuyer que j'avais mis d'abord pour la duchesse de Guermantes, ou du moins une partie).

1. Voir n. 4, p. 655.

Page 1221.

a. Depuis n'était plus qu'un point , *la fin du paragraphe est biffée dans ms. ; nous la maintenons, faute de correction de la part de Proust. Relevons deux notes rédigées par Proust au sujet du baiser. La première figure au folio 52 v° :* N.B. il vaudra mieux peut-être mettre le nez et les lèvres après les yeux ? ; *La seconde est au folio 53 v° :* [Il vaudrait sans doute mieux laisser les planètes pour la fin du livre[1] et m'arrêter à sa moralité particulière (au bas de l'autre page et continuer ainsi) en finissant la phrase ainsi : « ... mais qui séparée de moi déjà par un long intervalle de temps n'était plus qu'un point lumineux pareil à bien d'autres au ciel de mon souvenir. » *biffé*]. Mettre les planètes à la fin du livre tout en laissant peut-être le mot « planète » dans la page précédente. *La troisième étape (Jour du dîner avec Mlle de Silaria) reproduit en grande partie le développement cité a, p. 1217. Nous transcrivons une partie de cette esquisse qui se trouve aux folios 50 r°, 51 r° et 52 r° :* « Je passerai à tout hasard un après-midi comme aujourd'hui. Si vous ne pouvez pas me recevoir, cela ne fait rien. » / Elle revint justement le jour que Mme de Silaria m'avait fait fixer et où je devais dîner avec celle-ci dans l'Île du Bois. Pour tromper mon anxiété (Copier ce qui est dans le cahier noir) j'avais décidé d'aller dans l'après-midi commander le dîner dans l'Île[2]. J'allais me raser quand on m'annonça Albertine. *[comme var. a, p. 1217]* ou avait cru pouvoir se fixer notre besoin d'un grand amour. Récit de la promenade[3]. Au milieu. Albertine me parlait peu, elle sentait que j'étais préoccupé de Mme de Silaria avec qui je lui avais dit que je dînais mais par bonne éducation faisait semblant de ne pas s'en apercevoir. Elle me quitta (sans doute après la statue de Saint-Cloud) en me demandant quand elle me verrait. Sa tante était absente et elle ne savait si elle coucherait dans l'appartement ou chez une amie[4]. Je lui dis : « Je ne sais trop quand vous dire. » J'avais pensé à la voir après Mme de Silaria en revenant du Bois. Mais comme j'étais persuadé que je posséderais Mme de Silaria, ce premier soir, dans l'Île, je trouvais qu'Albertine serait inutile. J'étais amoureux de Mme de Silaria, bien plus inconnue pour moi et je n'étais nullement amoureux d'Albertine. Mais je trouvais un tel charme au corps de cette dernière, duquel mes

1. Voir l'Esquisse qui reproduit l'« Adoration perpétuelle » (*Le Temps retrouvé*, t. IV de la présente édition).
2. Voir l'Esquisse XXVII, p. 1215.
3. Voir l'Esquisse XXVII, p. 1213 et suiv.
4. En marge, en regard de ces mots, Proust a noté : « Ajouter dans cette promenade : Çà et là devant le ciel bleu qui l'ensoleillait, quelque chêne énorme, isolé et mourant, était rose comme un pommier en fleurs. Ne pas oublier : Elle monta sur un tertre pour regarder de plus près la statue. Et elle-même vue ainsi d'en bas, non plus grosse et rebondie comme sur mon lit l'autre jour mais fine et ciselée semblait résumer toutes les heures heureuses que j'avais passées à l'attendre sur la digue à Balbec comme une délicieuse statuette à qui elles donnaient une sorte de patine voluptueuse. »

rêves de Balbec avaient mûri la saveur, j'avais tant de plaisir à la caresser et à me faire caresser par elle, il me semblait avec elle *[interrompu] Une reprise se trouve plus loin dans le même cahier, accompagnée de la note :* Ajouter un peu avant cela. *Après l'arrivée d'Albertine, le narrateur lui demande tout de suite de l'accompagner au Bois :* Souriante et docile comme une personne qui a peut-être d'autres plaisirs en vue pour sa soirée mais les lâchera au besoin, elle accepta. Nous traversâmes le bois. (Situer tout ce que j'ai écrit de description. Et les mésanges bleues, etc.) Elle me parlait très peu ; elle sentait sans doute que j'étais préoccupé de la personne que je devais voir le soir. (Quand je raconte ma promenade avec Albertine (cela doit être tout près de la, devant la statue de Saint-Cloud), je dirai :) Elle me dit : « Alors, quand se reverra-t-on ? » Je lui dis : « Je vous ferai signe. » J'étais persuadé d'arriver à un résultat le soir même avec Mlle de Silaria et de la posséder dans l'Île. Mais sans rien faire, j'aurais donné rendez-vous à Albertine pour minuit. Certes j'aimais bien plus Mlle de Silaria, elle m'échappait davantage, j'étais mille fois plus amoureux d'elle, je me sentais plus disposé à en être amoureux. Mais je trouvais un tel charme à ce corps d'Albertine dont mes rêves de Balbec avaient mûri la saveur, j'avais tant de plaisir à le caresser, il me semblait avec elle tenir près de moi tant de vie, de grâce, d'air salin, de sang rose, que si j'avais pensé rester plein de force ce soir-là, j'aurais aimé passer une heure calme avec elle, pour oublier les émotions de ce qui serait peut-être bientôt un commencement d'amour pour Mlle de Silaria.

Esquisse XXIX

Cahier 48, ff^{os} 16 r° à 18 r° (1911). Esquisse d'une partie du dernier volume du roman, tel qu'il était conçu avant son remaniement après 1913, ce fragment juxtapose à l'amour (pour Mlle de Quimperlé/Stermaria), le thème de la vocation, suggéré par des souvenirs involontaires. Proust n'a pas conservé l'épisode de la chanson oubliée ; elle est remplacée par une série d'impressions musicales, fournies par les bruits de l'appartement parisien. Voir p. 685-686.

b. Proust, après jeter les yeux *, avait commencé dans ms. une nouvelle phrase :* Nous sommes seuls *; il a omis de biffer ce début lorsqu'il a décidé de continuer la phrase précédente ; nous le supprimons.*

Page 1223.

Esquisse XXX

Cahier 48, ff^{os} 20 r°, 19 v°, 20 v° (1911). Suite de l'Esquisse précédente. Le développement oppose vocation et amitié. La source de l'épisode est très ancienne : l'auteur a repris l'un des réveils dans la chambre du narrateur du Cahier 4 (1908-1909). L'accident de voiture et l'odeur du pétrole ont disparu dans le texte définitif ; l'exploit de Saint-Loup/Montargis a subi des modifications importantes sur les épreuves. Voir p. 693 à 708.

a. remonter un peu. » *[Sa voiturette attendait devant la porte.* biffé*]* Mais à peine *ms.* ◆◆ *b. On lit une nouvelle rédaction de ce passage, au verso*

du folio 19 de ms. ; l'odeur du pétrole semble l'« émanation naturelle de l'été »
et le ronflement de la machine ressuscite les promesses d'autrefois : C'étaient
des promesses toutes pures, des promesses de rien, qu'aucun but mondain,
archéologique ou sentimental ne terminait. Mais qu'importait, puisque
le charme des buts évanouis < se > ravivait dans la joie dont m'animait
la promesse, au point que, tout en ne désirant rien de plus que cette joie
désintéressée et pure, je chérissais les buts auxquels elle me conduisait
jadis, et souhaitais, sans oser m'avouer que cette réalisation était inutile,
de pouvoir prochainement aller dîner à la campagne chez des amis, visiter
des églises, ramener une jeune fille de la campagne. Et chaque secousse
de la voiture jetant à poignées toutes les bonnes routes d'autrefois qui
se déroulaient des deux côtés de la rue, je voyais scintiller, seuls ou en
groupe, le sombre bleuet, le coquelicot, la luzerne et le trèfle incarnat.

1. On rapprochera ce passage d'un fragment du Cahier 4 (f° 9 r° ;
voir la notule de la présente Esquisse) : « Parfois l'odeur de pétrole
d'un automobile[1] qui passait dans la rue pénétrait dans ma chambre,
cette odeur que les délicats prétendent leur gâter la campagne, car
les délicats sont presque toujours des matérialistes et ne savent pas
que l'odeur de pétrole peut aussi bien que celle des aubépines se
charger de toute la félicité d'un jour de printemps. Cette odeur
n'entrait pas seule, par ma fenêtre close elle jetait à poignée dans
ma chambre les bleuets, les coquelicots, les trèfles violets, entre
lesquels l'automobile m'entraînait jadis vers un pays désiré. Il
m'entraînait encore et son odeur m'offrait toute la campagne, et le
pouvoir de rejoindre tout de suite une amie à l'heure où elle serait
encore chez elle, versant du cidre — si glacial qu'en passant tout
à l'heure il appuiera brutalement sur les parois de la gorge en une
adhérence totale et embaumée —, dans un de ces verres troubles
et trop épais où le cristal trouble aussi rose, aussi mousseux, aussi
humide et frais que le breuvage, nous fait voir trouble, nous tente
comme s'il était un breuvage lui-même, et ne mettant entre les lèvres
qu'un irritant obstacle, nous donne envie comme certaines chairs de
femme, de pousser jusqu'à la morsure l'insuffisance du baiser. »

Page 1224.

a. Le texte que nous reproduisons à partir d'ici et jusqu'à la fin du deuxième
paragraphe de l'Esquisse est une rédaction postérieure au développement primitif
du folio 21 r° de ms. Le début est incomplet, Proust n'ayant pas copié le
commencement du développement supprimé. Il avait d'abord écrit : Tandis qu'il
retournait dire un mot au prince de Foix qui sortit un moment de la
salle de restaurant, je croyais le voir encore comme il était il y a un
instant, si charmant à voir tandis qu'il enjambait en venant à moi fils
électriques et tables. C'est que tous ses mouvements dans cette course
légère étaient si bien en rapport avec lui-même, il mettait à son insu
tant de lui, de sa supériorité au qu'en-dira-t-on, aux conventions et aux
craintes bourgeoises, de la souplesse héréditaire de son corps, de la
connaissance innée, comme un musicien seul connaît dans quel sentiment
et avec quelles ressources de doigté il faut jouer un morceau qu'il ne

1. « Quelques-uns font ce mot masculin » (*Nouveau Larousse illustré*, t. I, 1897,
p. 600, art. « AUTOMOBILE »).

connaît pas, dans la circonstance la plus imprévue de ce que son cœur pouvait faire de plus gentil. *Un ajout marginal, qui n'est pas intégré au texte, se trouve en face du passage* : son aspect, au lieu de présenter ces parties opaques et inutiles que nous offrent toutes les créatures vivantes, devenait tout entier intelligible et transparent comme un texte dans une langue qu'on a apprise ; *enfin, Proust rédige, aux versos des folios 21, 22 et 23 et au recto du folio 24, le texte que nous donnons.*

Page 1226.

a. On lit cette note, en marge du folio 23 v° de ms. : il faudrait, je crois, mettre ici ou en face la frise du Parthénon (cavalier, etc.) que j'extrairais de la phrase du cahier jaune sur Cricquebec en amenant à la fin le cavalier.

Page 1227.

Esquisse XXXI

Cahier 66, ff°ˢ 29 r°, 32 r° à 43 r°, 43 v°, 44 r° à 49 r° (1909-1910). C'est un cahier d'esquisses préparatoires, qui serviront au montage du manuscrit de la version de 1910-1916 du *Côté de Guermantes* (voir l'Esquisse suivante). On y distingue trois étapes principales : l'analyse des rapports entre la duchesse et le narrateur, repris dans le texte définitif, p. 669 à 676 ; l'entrée dans l'hôtel, qui ne forme plus un développement suivi dans le texte définitif ; et la poésie des noms, que l'on trouve principalement dans le second chapitre, p. 719 à 726. La suite des esquisses préparatoires se trouve au Cahier 37.

a. Début du passage dans ms. : [Puis un beau jour *biffé*] Alors [comme si elle eût été /télépathique < ment > *biffé*/ avertie que je ne l'aimais plus, l'espèce de malédiction, d'ensorcellement qui pesait sur moi fut dissipée et sans que je puisse croire que cela tînt seulement à une nouvelle manière d' *biffé*] avec mon amour disparut comme [si de mon amour seul émanait *biffé*] [par enchantement *corr.*] l'espèce ◄► *b.* Villeparisis. [Sans doute elle ne vit plus dans mon regard cette faim d'elle qui lui *biffé*] Les êtres *ms.*

Page 1229.

a. Une croix, après voulu , *renvoie à une ébauche barrée, qui se trouve au verso du folio 35 de ms. :* Fut-ce alors parce que du moment qu'elle voulut me considérer comme un personnage intéressant, et voulut m'inviter, elle était ◄► *b. En regard de ces mots, une note marginale contient l'aide-mémoire suivant :* Mettre plus haut les mots « comme il s'en produit souvent dans la vie sociale (des renversements) ».

Page 1230.

a. L'enchaînement primitif était dans ms. : j'allai voir Mme de Guermantes. *[p. 1229, fin du 1ᵉʳ §]* Elle portait *Une croix après* Mme de Guermantes *renvoie au développement donné dans le dernier paragraphe de la page 1229, rédigé dans ms. au folio 35 vᵒ.* ◆◆ *b. On trouve cette réflexion, au folio 36 vᵒ de ms., en regard du mot* pensées *:* Pensée / L'habitude crée le style de l'écrivain comme le caractère de l'homme. Quand plusieurs fois on s'est contenté et satisfait dans l'expression de sa pensée d'atteindre à un certain agrément [cet agrément-là finit par devenir le talent que vous ne pouvez pas dépasser *biffé*] on a fixé soi-même les bornes de son talent et les particularités de sa manière comme en cédant plusieurs fois de suite dans l'action à l'attrait du plaisir ou simplement à la paresse, à l'ennui de vouloir, on a désigné ses vices, et tracé les limites de ses vertus. ◆◆ *c.* que [je ne me l'étais jamais demandé et ce sujet faisait *biffé*] j'avais oublié. *ms.*

1. Voir le texte définitif, p. 722 à 724.

Page 1231.

1. Proust songe aux premières pages des *Secrets de la princesse de Cadignan* de Balzac : « En France, le titre de duc prime tous les autres, même celui de prince, quoiqu'en thèse héraldique pure de tout sophisme, les titres ne signifient absolument rien, et qu'il y ait égalité parfaite entre les gentilshommes » (*La Comédie humaine,* Bibl. de la Pléiade, t. VI, p. 949), Balzac emploie l'expression « grandes choses » un peu plus loin : « Les grandes choses sont toujours si vivement senties en France, que la princesse regagna par sa retraite tout ce qu'elle avait pu perdre dans l'opinion publique au milieu de ses splendeurs » (*ibid.,* p. 951).

2. Voir le texte définitif, p. 802-803.

Page 1232.

a. d'aller à [Venise *biffé*] un théâtre, *ms.* ◆◆ *b. Les hésitations de l'auteur révèlent l'importance de ce texte qui structurera une partie du « Côté de Guermantes, II ». Voir p. 719, 725-726. Il a d'abord annoncé les trois noms dont la poésie disparaîtra au cours du dîner :* Les convives les plus assidus étaient le prince d'Agrigente, le duc d'Hanovre Weiningen et le prince de Parme. *La phrase est biffée, ainsi que celle qui la remplace :* Je dînais avec ces mêmes convives ([arranger *biffé*] Fondre cela avec ci-dessus quand je dis que je dînais avec les meilleurs convives et peut-être faudra-t-il dire ces noms, même peut-être l'idée que je m'en fais, quand Mme de Guermantes ne me reçoit pas.) Le prince d'Agrigente etc. *Ensuite une troisième tentative pour introduire les noms est rejetée :* J'avais été plus ému encore (détestable) autrefois d'entendre dire que leur cousin le duc d'Hanovre Weiningen dînait chez eux, le prince de Parme... *La solution sera de séparer la poésie et la déception :*　Mettre plus haut quand je dis qu'elle m'invitait avec ses plus beaux convives, le prince d'Agrigente, le duc d'Hanovre Weiningen, le prince de Parme. Hélas..., puis les pages qui précèdent. *Les trois débuts de développements sont donnés dans notre texte. Quand il reprendra ce Cahier (voir l'Esquisse XXXII, p. 1236 à 1239 et 1243 à 1248), le schéma que nous avons reproduit fournira la structure de l'épisode.* ↔ *c. Le Cahier 66 propose un schéma très simple : la transformation de la duchesse à l'égard du narrateur (p. 1227 à 1229) ; l'entrée dans l'hôtel (p. 1229 à 1232) ; et la déception causée par les Noms (p. 1232). Une note du folio 43 r° révèle que le salon Guermantes devait servir d'introduction à d'autres salons :*　Peut-être mettre seulement après tout le développement sur les Guermantes le fait que l'appartement des Guermantes me paraissait du faubourg Saint-Germain pour servir de charnière, dire qu'il me le paraissait un peu encore : Tant que les personnes nous semblent différentes, nous semblent des personnes, des fées, elles nous semblent avoir chacune son empire spécial et Paris, ces années-là, les premières où je fis des visites, soit à des amis des Guermantes ou de Montargis, soit à des personnes d'autres milieux qui n'avaient guère fait attention à moi jusqu'ici, mais qui m'invitaient depuis que j'allais chez les Guermantes, m'apparaissait comme semé de palais magiques, chacun doté d'une atmosphère particulière, d'usages à lui. *Suivent un brouillon du développement sur les quartiers déserts derrière l'Arc de Triomphe, trois esquisses des églises mondaines et des tabernacles de chaleur, et deux esquisses sur la galerie des Guermantes, avec ses fauteuils de velours vert. Tous ces brouillons sont repris dans le texte que nous donnons.*

1. Personnages du théâtre de Shakespeare : Titania, reine des fées, apparaît dans *Le Songe d'une nuit d'été* ; César, dans *Jules César*. Voir p. 1253.

Page 1233.

1. Cela sera transféré à *Sodome et Gomorrhe*, t. III de la présente édition, p. 138.

Page 1234.

1. Le développement illustre le passage, cité dans la variante *c*, p. 1232, sur les personnes qui n'invitent le narrateur que depuis qu'il fréquente les Guermantes. On retrouve ce thème dans le manuscrit du texte définitif : voir var. *c*, p. 716.

2. Proust pense peut-être à Marie-Amélie Le Hon qui, en 1911, épousa le comte Robert d'Hautpoul (voir la *Correspondance*, t. XII, p. 270, n. 11).

Esquisse XXXII

Cahier 41, ff^{os} 25 v°, 26 v°, 27 et 28 r^{os}, 31 et 32 r^{os}, 31 v°, 33 r° à 35 r°, 34 v° à 37 v°, 36 r° à 46 r°, 41 v°, 47 r° à 50 r°, 57 v°, 58 v°,

59 v°, 51 r°, 49 v°, 50 v°, 52 r°, 47 v°, 53 r°, 54 v° à 56 v°, 54 r° à 60 r°, 54 et 55 v°ˢ, 60 r°, 61 v°, 62 r° à 64 r°, 63 v°, 65 r°, 64 v°, 66 r°, 65 v°, 67 r°, 66 v° (1910-1916). Proust a continué à remanier son texte jusqu'en 1916, quoique la rédaction principale date d'avril-mai à juillet-août 1910.

Cahier 42, ff°ˢ 1 r° à 13 r°, 12 v°, 14 r° à 19 r°, 13 et 14 v°ˢ, 20 r°, 20 et 21 v°ˢ, 27 r° à 30 r°, 21 v°, 31 et 32 r°ˢ, 31 v°, 22 r°, 33 r°, 21 et 22 r°ˢ, 22 v°, 24 r° à 26 r°, 23 v° à 29 v°, 34 et 35 r°ˢ, 34 v°, 35 r° à 52 r°, 51 v° (1910-1916).

Cahier 43, ff°ˢ 8 et 9 r°ˢ, 8 v°, 10 et 11 r°ˢ, 10 v°, 1 à 17 r°ˢ, 11 et 12 v°ˢ, 17 r° à 27 r° (1910-1916). Suite des Cahiers 39 et 40, les Cahiers 41 à 43 forment un ensemble de manuscrits, numérotés de 1 à 5, destinés au *Côté de Guermantes* avant la refonte du roman.

b. Nous reproduisons le Cahier 41 à partir du folio 25 v°. Les folios 23 r° à 26 r°, qui relatent la visite chez Mme de Villeparisis (dans le texte définitif, p. 669 à 673), reprennent quelquefois textuellement les folios 32 r° à 36 r° du Cahier 66 (voir l'Esquisse XXXI, p. 1227 à 1230). Il est amusant de noter que la tante qui a fait de mauvais placements, la cousine bien laide et qui sera difficile à marier *et* le cousin qui a triché au jeu ou qui vit avec une actrice *du Cahier 66, f° 35 r° (p. 1228-1229) sont devenus, au Cahier 41 (f° 25 r°)* la tante Léonie qui n'aime pas sortir son champagne inutilement, la nièce Ursule bien laide et difficile à marier *et* l'oncle Timoléon qui vient de faire un mauvais placement.

3. Voir p. 670-671.

Page 1236.

a. C'est-à-dire avec la jeune baronne de Villeparisis : une phrase biffée, dans ms., mentionne celle-ci, en train de saluer sa tante. ◆◆ *b. Les folios 28 r° à 31 r° contiennent des passages qui seront utilisés dans « Le Côté de Guermantes, I » : l'archiviste, le jeune homme de lettres (Bloch) écoutent Mme de Villeparisis donner son opinion sur Balzac (f°ˢ 28 r°, 29 r°). On discute des amours de Montargis/Saint-Loup (f° 31 r°). Nous reprenons au paragraphe suivant la transcription du Cahier 41, à partir du folio 31 r°.*

1. Voir p. 669.
2. La jeune baronne de Villeparisis (voir var. *a*).

Page 1237.

a. sa cour [et un peu à cause desquels [...] du milieu Guermantes *add.*] vinrent la voir. *ms.* ◆◆ *b. Addition tardive, rédigée au folio 31 v° de ms. M. de Bréauté ne figure pas, dans le Cahier 66, parmi les invités qui déçoivent.*

1. Ce portrait du prince de X se retrouvera dans celui de M. de Bréauté (voir p. 723-724). — Sur la guerre de Mandchourie, voir var. *b*, p. 414 et la note 4 au bas de la page 1578.

Page 1238.

1. Le général marquis de X deviendra le général de Monserfeuil (voir p. 804).
2. Voir n. 1, p. 1231.
3. Voir p. 709.

Page 1239.

a. s'incarnant *[15ᵉ ligne de la page]* en des acteurs successifs [, comme s'il fallait sans effort faire remonter la politesse banale *[...]* et les curiosités minimes de leur vie   *add. marg.*]. Je restai   *ms.*

1. Voir p. 710.
2. Voir p. 715.

Page 1240.

a. En m'apercevant [et tandis que je saluais Mme de Guermantes *[...]* et qu'elle me nommait aux différentes personnes,   *add.*] il réprima   *ms. Les robes de couleurs différentes portées par la duchesse correspondent aux étapes successives de la rédaction.* ◆◆ *b.* tout de suite. [Il était visible que dans certains cas *[...]* d'offrir le bras à la duchesse   *add.*] Aussitôt   *ms.* ◆◆ *c. Folio 34 vᵒ de ms. ; l'ajout n'est pas rattaché au texte. Proust a noté en marge :*   Voir aussi verso suivant sur Elstir et encore sans doute à bien d'autres endroits.

1. Voir p. 728.
2. Voir n. 2, p. 727.
3. Voir p. 791 et 813.

Page 1241.

a. Folio 34 vᵒ de ms. ; l'ajout n'est pas rattaché au texte. Sur le même folio figure encore ce passage concernant Swann et la duchesse :   Il faudra plus tard qu'elle dise (Swann étant mort) qu'il collectionnait ses chapeaux[1]. « Je ne crois pas que Mme Swann appréciait beaucoup cela, je crois qu'il s'en cachait un peu. Mais il était si amusant, il écrivait de si jolies lettres à ma femme de chambre pour avoir mes chapeaux, même des vieux. Je les ai gardées. J'ai tout cela à Guermantes. — Avait-il le chapeau de bleuets que vous aviez le jour où je vous ai vue chez Mme de Villeparisis ? demandai-je à la duchesse. — Je ne me souviens pas que j'avais un chapeau de bleuets, me dit-elle ravie et regardant en riant les personnes qui étaient alentour pour leur faire prendre note de mon admiration. Mais je vois à peu près à quelle époque vous voulez dire, Swann était déjà malade, sa collection devait être faite. » (Cela pourra être dans le dernier cahier à la dernière matinée ou bien à une des soirées pour les *meubler*.) ◆◆ *b. À partir d'ici, et jusqu'à la fin de la page 1242, nous intégrons un ajout postérieur, porté aux folios 35 vᵒ, 36 vᵒ, 37 vᵒ de ms. On trouve aussi en marge la note :*   Ne pas oublier : La cheminée fume, m'invitant aux plaisirs pâles d'un matin

---

1. Voir le texte définitif p. 849-850.

ensoleillé d'hiver dans un hôtel luxueux comme j'en avais goûté dans le petit salon < chez > la princesse d'Urcanges. *Pour cette allusion, voir l'Esquisse XXXI, p. 1233-1234, où le nouvel invité des Guermantes visite d'autres hôtels parisiens.* ◆◆ *c.* de l'autre tableau [Comme me l'apprit M. de Guermantes, à qui Swann avait fait acheter ces deux tableaux, et qui le regrettait car il ne les appréciait pas, le Monsieur en haute forme (« un homme assez connu dans sa spécialité et dont j'ai le nom sur le bout de la langue mais qui ne me revient pas », me dit M. de Guermantes, soit par affectation de ne pas se rappeler les noms, soit par oubli momentané, soit que l'histoire de ces tableaux que Swann lui avait fait acheter, ce qu'il regrettait car il ne les appréciait pas, l'intéressait peu. *biffé*] Ce n'était *ms.*

1. Le premier tableau décrit par Proust est sans doute inspiré de *Madame Charpentier et ses enfants* (1878) de Renoir, dans lequel, toutefois, l'éditeur Georges Charpentier (1846-1901), ami du peintre auquel il acheta ou commanda plusieurs œuvres, n'apparaît pas. Le second est *Le Déjeuner des canotiers* (voir n. 3, p. 713).

Page 1242.

1. Voir n. 3, p. 790.
2. Voir p. 1287.
3. Voir n. 2, p. 791.

Page 1243.

a. Mme de Guermantes [, à la beauté de qui une robe de satin blanc *[...]* était atténuée de face *add.*]. « Mais non *ms. Voir var. a, p. 1240.*
1. Voir p. 794-795.
2. Voir p. 725-726.

Page 1244.

a. moins que lui. [Il n'y avait pas plus en lui *[...]* le nom de rue de Venise. *add.*] Comme *ms.*
1. Voir p. 719-720. Proust n'a pas encore fait de la princesse l'invitée d'honneur, dont la présence structurera l'épisode du dîner. Elle figure ici comme un convive parmi d'autres, selon le plan établi dans le Cahier 66 (voir var. *b*, p. 1232).
2. Dans *La Chartreuse de Parme* de Stendhal, Ranuce-Ernest IV est le prince de Parme.

Page 1245.

a. à la princesse de Parme [, avant que je ne me trouvasse *[...]* de l'argent pour ses œuvres, *add.*] cette *ms. Voir l'Esquisse XXXI, var. b, p. 1232.* ◆◆ *b.* Après du Rhin *Proust a biffé dans ms.* et de la Forêt Noire *, mais a ajouté en marge :* comme [le sont *biffé*] par le vent les rameaux murmurants de la forêt noire. *Cette addition, bien que Proust en ait indiqué le point d'insertion après* couleur de dragées *, nous semble inachevée et difficilement raccordable. On trouve aussi à la suite ce développement biffé :* Quand après ces deux premières syllabes, aspirées entre chaque souffle le langage du peuple sérieux lance une dernière syllabe fort nourrissante et indigeste qui est elle-même toute une simple finale, semble-t-il, une idée nouvelle, un mot nouveau dresse un « berg », comme une montagne, ou un « burg » comme un château, cependant qu'à la fin du deuxième nom *[interrompu]* ↔ *c.* du commencement. [Enfin le troisième nom *[...]* du XVIIIᵉ siècle allemand. *add.*] [Le nom tout entier était fort guttural et long, et M. de Guermantes, riant de la difficulté qu'il y avait à le prononcer, en avait pris prétexte et comme pour s'amuser à l'exagérer encore, mais en réalité pour me montrer l'importance de son convive, à me dire d'autres nombreux titres qu'il portait encore. *biffé*] Mais *ms.*

1. Sur l'admiration que Proust portait au roman de Tolstoï, voir *Essais et articles*, éd. citée, p. 657-658.

2. Voir le texte définitif, p. 723-724, et p. 553-554.

3. *Durchlaucht* : « Monseigneur », en allemand. Voir *Sodome et Gomorrhe*, t. III de la présente édition, p. 338, et *Le Temps retrouvé*, CF, t. III, p. 765.

Page 1246.

a. de son convive [(que pour plus de clarté *[...]* le frère au duc de Saxe » *add.*] il *ms. Proust a porté dans la marge, en regard de ces mots, le nom* Joseph del Bosco .

Page 1247.

1. Nom d'un hôtel de Kreuznach (voir n. 2. p. 553) dont l'une des sources s'appelle l'Oranienquelle. Proust séjourna dans cet établissement en septembre 1897 (voir la *Correspondance*, t. II, p. 212).

2. L'action des *Burgraves*, drame historique de Victor Hugo créé en 1843, se déroule dans un château, au bord du Rhin.

3. « Le Lévrier de Magnus », trentième pièce des *Poèmes tragiques* de Leconte de Lisle (voir *Du côté de chez Swann*, t. I de la présente édition, p. 89), évoque les coteaux du Rhin.

4. La société Panhard et Levassor fut fondée en 1886 ; celle des frères Renault en 1899. Dans le texte définitif, p. 554, il s'agit d'automobiles Charron.

Page 1248.

a. Ajout postérieur, rédigé au folio 41 vº. On trouve encore, dans la marge de ce folio, une autre addition inachevée : Et cette simplicité comme involontaire était d'une distinction d'autant plus grande que l'homme qui lui était tellement plus familier que les autres qu'elle n'eût pas songé à en tirer avantage et à penser qu'il était un grand seigneur, était justement un des plus grands de tous. Dans la vie de Mme de Guermantes qui apparaissait grise, de ce gris des choses que nous ne distinguons pas, d'un prisme qui tourne trop vite pour que nous puissions en voir les différents côtés, ce mot Palamède mettait en lumière une petite patrie, les jeux avec son cousin chez leurs deux grand-mères, la duchesse de Longueville et

la [duchesse *biffé*] comtesse de *[interrompu]* ⬩⬩ *b. Retour au folio 46 rº,
après l'ajoutage signalé à la variante précédente.*

1. Voir p. 673-674.

Page 1249.

a. raffiné [mais qui *[...]* une audition *add.*]. « Je *ms.* ⬩⬩ *b.* pour
Votre Altesse, [il trouverait *[...]* dans la note *add.*] », et il se hâta *ms.*

1. Nombreux sont les compositeurs français qui ont mis en musique
des vers de Musset, lequel avait publié dans ses *Premières poésies* des
« Chansons à mettre en musique » : citons Hippolyte Mompou
(*Avez-vous vu dans Barcelone ?*) et Gounod (*Venise*).
2. Voir n. 2, p. 546.
3. Francisque Sarcey (1827-1899), critique dramatique français,
avait reçu le sobriquet de « l'Oncle ». Proust a souvent raillé la
lourdeur de son style (voir *Sodome et Gomorrhe*, t. III de la présente
édition, p. 284, et *Essais et articles*, éd. citée, p. 341).

Page 1250.

a. L'auteur a écrit par mégarde dans le Cahier : la princesse de
Guermantes .

1. Voir p. 781. *Le Marquis de Létorière* est un roman d'Eugène Sue
paru en 1839.

Page 1251.

*a. Nous plaçons ici un développement qui fut sans doute rédigé tardivement ;
il commence au verso du folio 57 de ms., puis se poursuit sur les folios 58 et 59 vºˢ.
Une ébauche de note de régie, biffée en tête du folio 57 vº, reste mystérieuse :* Mettre
quand M. de Guermantes dira : « Il est très prince, très "grand", très
"haut" » (ou bien il dira du duc de Berri en riant beaucoup : « Je ne
sais pas ce qu'ils font de plus. ») Peut-être raconter que Mme
[interrompu] ⬩⬩ *b. Depuis* ce qui n'aurait peut-être pas été possible ,
*la phrase a été corrigée dans ms. et demeure peu lisible. Nous donnons la première
rédaction.*

1. Marie Dorothée Amélie, princesse impériale et archiduchesse
d'Autriche, épousa Philippe, duc d'Orléans (1869-1926), petit-fils de
Louis-Philippe et chef de la maison de France, en 1896 (voir *À l'ombre
des jeunes filles en fleurs*, t. I de la présente édition, n. 1, p. 510).

Page 1252.

1. Voir n. 3, p. 583.

Page 1253.

a. Autre développement postérieur, rédigé aux folios 49 vº et 50 vº de ms.

1. D'après Saint-Simon, Philippe, duc d'Orléans (1674-1723), Régent de France, « n'approchait jamais de [Louis XV] en public et en quelque particulier qu'ils fussent, qu'avec le même air de respect qu'il se présentait devant le feu Roi. Jamais la moindre liberté, bien moins de familiarité, mais avec grâce, sans rien d'imposant par l'âge et la place, conversation à sa portée, et à lui et devant lui, avec quelque gaieté, mais très mesurée, et qui ne faisait que bannir les rides du sérieux et doucement apprivoiser l'enfant ». En 1719, le duc d'Orléans disait au jeune monarque qui avait alors neuf ans : « Mais n'êtes-vous pas le maître ? Je ne suis ici que pour vous rendre compte, vous proposer, recevoir vos ordres et les exécuter » (*Mémoires*, Bibl. de la Pléiade, t. VII, p. 563).

2. Voir p. 821.

3. Voir n. 1, p. 1232.

4. Voir p. 832.

Page 1254.

a. Retour au folio 51 r⁰ après les ajoutages signalés var. a, p. 1251 et var. a, p. 1253. ←→ *b.* maîtresse de maison. [Elle se dit heureuse [...] lui rappelait. *add.*] M. de Guermantes *ms.* ←→ *c. On trouve en face de ce développement, rédigé au folio 51 v⁰, celui-ci :* À ajouter à ce qui est en face et à quelque jugement fin sur la musique (Chevigné¹, Louvre, début de l'article de La Sizeranne² sur Isabelle d'Este³, jeu de la Legrand⁴) : Une fois le nom de Guermantes m'ayant paru une créature différente de tout ce que je connaissais, faite d'un nom, j'avais cherché à m'imaginer quelle âme elle avait, ce qu'elle cherchait à faire, quelle était sa vie spéciale. Or je voyais à mon grand étonnement que, loin des autres femmes, inconnue d'elles, séparée d'elles par tant de distances, et m'apparaissant encore si autre, en elle-même redescendant à leur niveau, c'étaient les mêmes notions littéraires et artistiques qu'elle estimait, où elle avait essayé de se cultiver, sans raison, sans pouvoir espérer que cela lui ferait une situation pour elle-même, reconnaissant ainsi leur supériorité, et à quelque   *L'ajout n'est pas achevé, mais une deuxième addition le prolonge jusque sur le folio 53 v⁰ :* Ainsi comme dans ces vallons sauvages de l'Amérique centrale ou de l'Afrique du Nord, pour lesquels nous cherchons à déduire l'étrangeté des mœurs de l'éloignement géographique, de la singularité des dénominations, de l'exotisme de la faune et de la flore, ne pensant pas qu'il y puisse rien avoir de commun avec ce qu'il y a chez nous, et auprès desquels, après avoir traversé un rideau d'aloès géants ou de mancenilliers, nous trouvons les habitants en train de jouer quelque tragédie de notre XVIIIᵉ siècle, *Alzire* ou *Mérope* — ou bien quelque fragment de colonne antique dont on lit encore la dédicace à Minerve, de même une fois qu'ayant gravi les hauteurs légendaires, inaccessibles

1. Voir n. 1, p. 358.

2. Robert de Monier de La Sizeranne (1866-1932), critique d'art à *La Revue des Deux Mondes*, est l'auteur de *Ruskin ou la Religion de la beauté*.

3. Voir n. 2, p. 814.

4. Il s'agit peut-être de Mme Gaston Legrand, née Clotilde de Fournès (voir la *Correspondance*, t. I, p. 380).

et mystérieuses du nom de Guermantes, on redescendait au fond de la pensée de la duchesse, on avait la surprise, l'attendrissement, la déception, de rencontrer, exilées, à jamais inconnues aux yeux de notre vieux monde qui auraient pu les reconnaître et les apprécier, la connaissance détaillée des divers tableaux de Rembrandt dans les principales galeries de l'Europe et la meilleure méthode pour jouer avec mesure et avec simplicité la musique de Weber et de Scarlatti. Quelque excellent professeur exilé dans le faubourg Saint-Germain avait dû laisser là ces vestiges d'autant plus poétiques qu'il y était dépaysé, d'une civilisation différente et d'un autre hémisphère. Considérés comme de précieux avantages pour les femmes quelconques, on était touché que cette femme qui par elle-même était au-dehors et au-dessus des autres ait cru devoir s'abaisser et se mettre sur leur rang — reconnaissant les mêmes supériorités qu'elles et l'étendue du nom de Guermantes mettant entre elle et le reste un espace, qui les désignait comme autres et empêchait qu'on pût apercevoir ces connaissances (mieux rédiger) qui lui donnaient quelque chose de méritoire, d'inutilisable et de touchant, comme une érudition en matière de vieux chine ou de monnaies antiques chez un médecin célèbre ou un homme politique. Elles m'intéressaient en m'aidant certes à réaliser un peu de ce qu'était la vie cachée de ce nom, en ces demeures, en ces éducations, mais elles me décevaient en me montrant que cette vie n'était pas différente. Et d'autre part elles me renseignaient sur l'histoire de ces notions, de ces éducations que je connaissais en me montrant leur incarnation dans des milieux différents. Ces connaissances étaient précises, pouvaient ajouter à ce que je savais (phrase sur Schumann, Béarn, Figuier, Chevigné, nymphéa Saint-Marceaux[1] etc. etc. etc. (les chercher)) mais pas de sentiment intéressant. Mais comme ce qui me manque c'est la connaissance précise, <elles> pouvaient avoir pour moi un intérêt réel, comme si je causais avec un marin ou un ébéniste. Et comme cela me fournissait une raison à m'être plu légitimement chez elle, où mes parents complices abonderaient, soulevé par l'exaltation que j'avais en la quittant, comme ces valeurs qui dans les périodes de boom atteignent des prix exagérés, en revenant je me répétais cela avec exaltation : « J'aime bien ces gens-là, quelle science ! », comme si c'était la raison de mon plaisir (mais éviter que cela ressemble à Swann et les Verdurin). *Une dernière ébauche, interrompue, se trouve au bas du folio 52 v⁰* : Leur nom et leur titre les avaient enfermés jusque-là comme dans la tourelle d'un château où ils devaient mener la vie particulière aux Guermantes et aux ducs. Quand je l'apercevais, ce n'était que sur le seuil du mystérieux château, au bord de son nom. M'était-il interdit de la voir jamais autrement que dans ces moments-là, et les mystères de la vie du faubourg Saint-Germain, eussent-ils, comme par un châtiment d'être célébrés ainsi *[interrompu]*

1. Voir p. 815.
2. Voir p. 813.

---

1. Proust connaissait Mme René de Saint-Marceaux, née Fred-Jourdain, « très amie et voisine », épouse d'un sculpteur alors célèbre (*Correspondance*, t. III, p. 75).

Page 1255.

a. Cet ajout se trouve au folio 47 v° de ms. Nous l'insérons à l'endroit indiqué par l'auteur. ●● b. Retour au folio 52 r° de ms. ●● c. Dans la marge, Proust a noté : Voir aussi deux versos plus loin (faute de place) des impressions en revenant de chez eux. *Il s'agit d'un important développement que l'on peut suivre à partir du folio 54 v° ; il continue en marge du folio 55 r°, puis en marge du folio 56 r° et enfin au folio 56 v°. Nous l'avons inséré au texte à l'endroit qui est indiqué par l'auteur. ●● d. L'ajout signalé dans la variante précédente commençait, à l'origine, aux mots* En revenant de chez la duchesse de Guermantes *[§ suivant, p. 1256]. Le nouveau début fut ajouté en marge, et est postérieur à la rédaction principale. Celle-ci est précédée de l'indication :* Verso pour les impressions en revenant de chez les Guermantes, *indiqué au recto en marge, deux pages avant.*

1. Boniface, dit Boni, comte, puis marquis de Castellane, avait épousé Anna Gould (voir n. 2, p. 824, et l'Esquisse VII, n. 2, p. 1051). Dans un article de 1903, Proust le décrit ainsi : « Plein d'égards pour sa jeune femme, il s'inquiète du courant d'air froid que pourrait lui envoyer la porte du jardin [...] » (*Essais et articles*, éd. citée, p. 460).

2. Voir var. *a*, p. 781.

Page 1256.

a. Retour au folio 53 r° de ms. après l'addition signalée var. c, p. 1255.

1. Voir p. 836-837.
2. Voir n. 1, p. 817.

Page 1257.

a. le plaisir. [Mais même après que j'avais vu *[...]* à m'animer de plaisir et *add.*] mon admiration *ms.*

1. « Ζεύς νεφεληγερέτα » : littéralement, « Zeus accumulateur de nuages » (Homère, *Iliade*, VII, v. 280).

Page 1258.

a. critiques ? [Pour ce qu'ils disaient *[...]* tout inconnu. *add.*] Peut-être *ms.*

Page 1259.

a. ma plume posée [, me roulant sur mon lit *biffé*] ou immobile *ms.*

1. C'est sans doute l'origine du développement qui clôt l'épisode, dans *Du côté de chez Swann*, sur les clochers de Martinville : « Je ne repensai jamais à cette page, mais à ce moment-là, [...] je me trouvai si heureux, je sentais qu'elle m'avait si parfaitement débarrassé de ces clochers et de ce qu'ils cachaient derrière eux, que comme si j'avais été moi-même une poule et si je venais de pondre un œuf, je me mis à chanter à tue-tête » (t. I de la présente édition, p. 180).

Page 1260.

*a. Ce passage, capital pour la genèse du roman, se trouve aux folios 54 v°
et 55 v° de ms. Il constitue la suite des* impressions en revenant de chez
les Guermantes *annoncées par Proust dans la note de régie citée à la fin de
la variante d, p. 1255.* ✦✦ *b. Ce paragraphe est situé dans la marge du folio
55 v°.*

1. Voir p. 836.

Page 1261.

*a. Retour au folio 60 r° de ms. après les additions signalées var. a et b,
p. 1260.* ✦✦ *b. Après* se connaissaient depuis vingt ans *on lit dans ms.
la phrase :* On sentait qu'il y avait dans tout cela une fonction, des devoirs
d'amabilité auxquels M. de Guermantes n'aurait pas cru pouvoir manquer.
Et mourant, il se serait mis en habit pour dîner, se serait incliné devant
une femme et aurait parlé à la troisième personne à une reine. *Le
développement est barré, et Proust note en marge :* Laisser seulement (le reste
étant au début et dire) Certes M. de Guermantes mourant se serait mis
en habit pour dîner et aurait parlé à la troisième personne à une reine. *La
suite du texte figure sur le folio 61 v°.*

1. Voir p. 802.
2. Pierres ayant l'apparence du cristal.
3. Rare allusion au modèle de Balbec (voir *Du côté de chez Swann*,
t. I de la présente édition, p. 354).

Page 1262.

*a. À partir d'ici, le texte est rédigé au verso du folio 62 et se poursuit sur
les folios 63 et 64 r°s de ms. On lit d'abord l'ébauche d'un développement, resté
inachevé, qui commence par la même phrase :* Cette sorte de manducation
mystique qui pouvait d'ailleurs pour [ceux *biffé*] qui n'en étaient pas à
leur premier dîner chez Mme de Guermantes et venaient seulement la
voir après le dîner — c'était presque chaque soir l'un ou l'autre d'un
certain nombre d'hommes dont quelques-uns étaient intelligents, anciens
militaires ou diplomates qui parlaient d'une manière fort intéressante de
leur ancien métier, tous profondément hostiles au régime actuel, mais
qui dans leur parfaite *[interrompu]*

1. Voir la réaction du général de Beautreillis au nom de Zola,
p. 787.

Page 1263.

*a. On lit ensuite le début d'une phrase que Proust a biffée, et qui commence
par :* Le duc d'Étampes . ✦✦ *b. La suite du texte, jusqu'à la fin du 1er §
de la page 1265, est rédigée dans la marge du folio 64 r° et se prolonge sur les
folios 63 v°, 65 r°, 64 v°, 66 r°.*

1. Le duc d'Étampes ; voir var. *a.*

Page 1264.

1. Voir p. 820.

Page 1265.

a. était une [Villeparisis *biffé*] [Bouillon *corr.*] de la branche allemande. *ms.* ◆◆ *b. Ce dernier passage du Cahier 41, rédigé sur le folio 66 v°, est plus tardif. La rédaction primitive s'arrête à* en connaissant son histoire. *Proust a commencé une autre phrase au folio 67 r°, qu'il a abandonnée faute de place ; les propos de Mme de Guermantes se trouvent au folio 66 v°.* ◆◆ *c. On lit dans ms. cette reprise interrompue de la fin de la phrase, rédigée dans la marge en haut du folio 66 v° :* les seuls où reprissent vie ces êtres imaginaires qui s'étaient évanouis dans le salon de Mme de Guermantes au contact des hommes qui les portaient — les noms — et qui retrouvaient leur beauté maintenant qu'ils n'étaient plus, cités seulement dans la conversation, que des noms, maintenant que, désincarnés *[interrompu]* ◆◆ *d. Début du Cahier 42 (f° 1 r°).*

1. Voir p. 831.

Page 1266.

a. Ce paragraphe est, dans ms. un ajout tardif, rédigé en marge du folio 2 r°.

1. Proust abrège les noms de Mme de Castellane, née Cordelia Greffulhe (voir n. 4, p. 571) et de Mme de Beaulaincourt (n. 5, p. 499). Mme de Castellane était la mère de Mme de Beaulaincourt, laquelle était la grand-tante du marquis Boni de Castellane (voir n. 1, p. 1255).

2. Sur les lettres de Mme de Broglie, voir n. 8, p. 571.

3. C'est-à-dire par le rapprochement des noms. L'enchaînement était clair, avant l'ajout marginal signalé dans la variante *a*.

4. Voir p. 826.

Page 1267.

a. le duc *[16 lignes plus haut]* de [Mortemart *biffé*] [Montmorency *corr.*]. » [C'était alors [...] haut du pavé *add.*] Je voyais *ms.* ◆◆ *b. Après ce paragraphe, le folio 6 r° de ms. est resté blanc ; au verso on lit :* C'est une erreur de ma part (Cornet), *puis cet aide-mémoire :* M. de Guermantes écrira des Louis et Monsieur de Mascon (pour Mgr de Thibouville, évêque de Mâcon). *Voir le texte définitif, p. 768, où l'allusion, sans le nom de Thibouville, devient un anachronisme. La rédaction se poursuit au folio 7 r°.* ◆◆ *c. En face de ce développement, Proust a rédigé un important passage sur Mme de Guermantes, d'une date postérieure au début du cahier (voir le texte définitif, p. 785) :* Capitalissime. Dans cette première réunion chez Mme de Guermantes. Ce fut alors que je commençai à connaître un peu les yeux et la voix de Mme de Guermantes. Dans l'affectation avec laquelle cette voix remontait à son terroir, approchait sa province, il y avait sans doute bien des choses ; d'abord une origine provinciale, d'une branche plus locale, plus hardie, ayant le ton, plus provocant, des Guermantes. Ensuite l'habitude de gens distingués et de gens d'esprit qui savent que ce n'est pas être distingué que de parler du bout des lèvres, et qui fraternisaient plus volontiers avec leurs paysans qu'avec des bourgeois, tout cela renforcé par l'école du naturel qu'elle tenait de l'admiration de Mérimée, de Meilhac et Halévy. De sorte que c'était peut-être par désir de prosaïsme qu'elle arrivait à la poésie et par esprit de société qu'elle créait des paysages. D'ailleurs elle était bien capable de choisir la prononciation qui lui paraissait le plus Île-de-France, puisque, ainsi que sa belle-mère Marsantes pourtant elle s'en tenait à ce vocabulaire. De sorte que quand on était fatigué du composite langage moderne et tout en sachant qu'elles comprenaient moins de choses, c'était un repos de les entendre parler dans ce langage si simple, si français, sans une abstraction, sans un mot de livre, plein de vieilles expressions toujours fleuries comme *[un mot illisible]* à quatre bras, etc., comme si on avait écouté une vieille chanson. Mais il me fallait, pour goûter tout cela, pas seulement ne pas l'aimer, c'est-à-dire ne pas trop lui demander, mais encore ne plus aimer le monde, c'est-à-dire être dans un état d'esprit désintéressé. Alors j'allais passer une heure chez elle, presque comme si j'étais seul à me jouer de vieilles chansons ; la porte de la partie de nous-même où nous pouvons trouver quelque chose d'original et que nous fermons dès que nous ne sommes pas seuls, s'entrouvrait, et sur sa voix douce pendant qu'elle parlait, mieux encore dans sa voix quand l'ayant quittée je l'écoutais en moi-même, je voyais au-dessus de la lumière baigner le ciel qui était prisonnier dans ses yeux, comme sur les marches rocheuses de l'église de Combray, je vis se superposer, étalé et traînant, un long soleil de province.

1. Dans le récit que Saint-Simon fait de la bataille de Neerwinden (1693), aux Pays-Bas, il est question du comte de Montchevreuil, « lieutenant général, gouverneur d'Arras et lieutenant général d'Artois », « frère du chevalier de l'Ordre », qui fut tué lors du combat (*Mémoires*, éd. citée, t. I, p. 98).

2. Voir p. 829.

Page 1268.

1. Voir p. 832.
2. Voir *Du côté de chez Swann*, t. I de la présente édition, n. 2, p. 73.

Page 1269.

a. On trouve l'ébauche du début de cette phrase au verso du folio 8 : M. de Guermantes avait cette histoire très présente à l'esprit, même pour ↔ *b. La question de la duchesse et son ton impertinent semblent avoir suggéré à Proust la comparaison avec Tallemant des Réaux. On lit, en face du développement, rédigé au folio 9 vᵒ :* Cette société gardait peut-être plus même que les préjugés de Saint-Simon, l'enfantillage de Tallemant, les historiettes des gens qui veulent faire le prince, de M. de G < uéménée *criant à son beau-frère :* « Tu peux entrer, ce n'est pas le Louvre » *et disant du chevalier de Rohan, fils naturel de M. de Clermont :* « Lui du moins est prince. » Car la stagnation humaine est plus grande qu'on ne croit, et de même que dix ans après on peut trouver sur place les preuves d'un crime, de même que les paysans d'Asie Mineure répètent des cultes qu'Homère déjà ne comprenait plus, de même M. de Guermantes continuait dans cette société qui ne se renouvelle pas à donner l'exemple vivant, conservé et non simulé, beaucoup plus que quand il disait Louis et M. de Mascon et de Bossuet, de ce monde des Bassompierre et de la comtesse de Vertus (?) *Proust songeait à insérer le passage au début du dîner :*   Dire cela après le moment où il dit qu'on peut servir et après avoir montré la grandeur de cela, dire : la survivance était aussi en certaines parties moins agréables. Et alors ce que je vais dire de Tallemant. *Voir p. 822.*

Page 1270.

1. Voir p. 826.
2. Voir p. 879-880 et l'Esquisse VII, n. 1, 2, 6, p. 1050.

Page 1272.

a. Proust a écrit au folio 15 v° de ms. en face de ce développement :   M. de Bellencourt : Bébé. M. d'Agrigente Grigi.

Page 1273.

1. Sur la duchesse de Praslin et Mlle d'Issoudun, voir n. 1, p. 825.
2. Sur Mme Tallien, voir n. 2, p. 825.
3. Voir n. 3, p. 825.
4. Voir n. 4, p. 825.
5. Voir n. 5 et 6, p. 825, et n. 1, p. 826.

Page 1274.

a. En marge de ms., au folio 20 r° en regard de ces mots, cette note :   Chute du 1ᵉʳ Empire et la mort de Napoléon à Sainte-Hélène. ◆◆ *b. Ce paragraphe est un ajout postérieur, au verso du folio 13 de ms.* ◆◆ *c. Dans une première rédaction du passage dans ms., le nom était* Tiriville . ◆◆ *d. Nouvel ajout postérieur, aux folios 13 et 14 v°ˢ de ms.*

1. Voir n. 3, p. 824.
2. Il deviendra le château de Féterne. Voir p. 830.

Page 1275.

a. Retour au folio 20 r° après les additions signalées aux variantes b et d, p. 1274. ◆◆ *b. Depuis* des traits que le raisonnement *[7 lignes plus haut], nous suivons le texte d'une seconde rédaction marginale de ms. Après* traits uniques, *Proust avait d'abord écrit :* physionomie particulière, qui plus tard quand il les énumère à des hommes d'imagination qui ne l'ont pas vue, leur donnera la soif de joies qu'ils enverront au voyageur qui les suggère mais ne les a pas ressenties.

1. Voir *Sodome et Gomorrhe*, t. III de la présente édition, p. 126.
2. Voir l'Esquisse V, n. 1, p. 1043.

Page 1278.

a. Depuis le début de cette phrase, nous suivons le texte d'une reprise marginale, au folio 30 r⁰ de ms. Voici le premier jet : Mais ces constatations de l'expérience des traits particuliers d'un être, d'une société, d'un pays qui nous sont données par la nature à partir du moment où nous nous sommes trouvés en leur présence, pour remplacer le rêve que nous avons formé d'eux, ↔ *b.* avec nous. [Or cette manière de [...] le reste du monde. *add.*] Pendant *ms.*

1. On retrouvera ces réflexions au sein d'un dialogue entre Bloch et le narrateur dans *Le Temps retrouvé*, *CF*, t. III, p. 954 : « Alors le prince de Guermantes ne peut me donner aucune idée ni de Swann, ni de M. de Charlus ? me demandait Bloch [...]. — Nullement. — Mais en quoi consistait la différence ? — Il aurait fallu vous faire causer avec eux, mais c'est impossible, Swann est mort et M. de Charlus ne vaut guère mieux. Mais ces différences étaient énormes. »

Page 1279.

a. chacun d'eux. [Celui-ci eût adhéré [...] les mêmes théories. *add.*] Certes *ms.* ↔ *b. Nous donnons à présent une addition portée au folio 31 v⁰ de ms., accompagnée de cette note :* Peut-être mettre cela quand on me demandera : « Mais essayez de m'expliquer ce que c'était que cet esprit des Guermantes. »

1. Villiers de l'Isle-Adam, « La Machine à Gloire S.G.D.G. », *Contes cruels*, *Œuvres complètes*, Bibl. de la Pléiade, t. I, p. 583-596.

Page 1280.

a. au temps de notre jeunesse [dans des heures [...] qu'il n'est plus, *add.*] [et dont le sourire [...] ne verra plus *add.*], nous ne sommes *ms.*

Page 1281.

a. Retour au folio 22 r⁰ de ms.

1. Lors de son voyage en Hollande d'octobre 1902, Proust se rendit en coche d'eau à Volendam, « endroit fort curieux et peu visité » (*Correspondance*, t. III, p. 163).
2. Ici commence le développement sur la spécificité des Guermantes, présenté comme une illustration des mornes constatations de l'intelligence. En établissant le manuscrit du *Côté de Guermantes, II*, Proust transformera l'argument, le détachera de la comparaison avec

la ville, et le présentera comme l'une des raisons qui expliquent l'admiration que la princesse de Parme témoigne à Oriane. Voir p. 721.

Page 1282.

a. La « version d'en face » (au folio 23 rº de ms.) est donnée avec le dernier paragraphe de cette page. ◆◆ b. Cette note indique que Proust ne fait qu'esquisser cette partie du paragraphe suivant. ◆◆ c. Voir p. 1281, 4ᵉ ligne en bas de page. ◆◆ d. instable [qu'ils créaient à tout moment *[...]* fabrique ses notes. *add. marg.*], après *ms.*

1. Voir p. 731.

Page 1284.

a. Une tache d'encre a oblitéré, dans ms., les mots entre morale *et* caté-chisme . ◆◆ *b.* que cela différait. [La vie leur semblait trop courte *[...]* le « dessous des cartes ». *add.*] La piété *ms.*

1. Sur Anatole France, voir *Du côté de chez Swann*, t. I de la présente édition, p. 129, et l'Esquisse II, n. 1, p. 1029.

Page 1285.

1. Voir n. 2, p. 844.
2. Voir l'Esquisse XIX, p. 1170.

Page 1286.

a. Le passage qui vient, jusqu'à var. a, p. 1288, est rédigé au verso du folio 26 de ms. Cet ajout est tardif ; dix pages plus loin, on trouve cette note : Je veux dire quelque chose sur la voix et le costume des Guermantes, je vais le mettre à la description physique plus haut, au signe *[dessin représentant une fleur ?], signe qui se trouve effectivement au folio 26 vº.*

Page 1287.

a. Le mot Stradivarius *est biffé dans ms., sans que Proust y ait substitué autre chose. ◆◆ b.* leurs d et leurs a [à serrer la bouche et à plisser les lèvres de manière à filer d'un trait les mots qu'on sépare généralement, à morceler dans la gorge ceux qui sont inséparables pour le vulgaire, à donner aux noms propres une physionomie verbale qui faisait que les personnes non initiées ne pouvaient savoir de qui ils parlaient *biffé*], à adopter *ms.*

Page 1288.

a. Fin de l'addition de verso signalée var. a, p. 1286. ◆◆ b. gens du monde, [et d'une partie tout à fait stupide de leur famille *biffé*] les Guer-mantes *ms.* ◆◆ *c.* estime. [Mais l'intelligence leur paraissait quelque chose de différent chez quelqu'un qui n'était pas de leur société, qu'ils rencontraient par exemple une fois par an chez Mme des Laumes qui recevait cette personne par hasard, pour des raisons personnelles. Quand d'une telle personne M. d'Agrigente ou les Courvoisier disaient : « Oh ! elle est intelligente », autant dire qu'elle leur était souverainement antipathique, qu'elle devait avoir assassiné « père et mère », qu'elle avait l'art de vouloir « bien se faufiler partout » *biffé*] // M. d'Agrigente *ms.* *Le paragraphe qui commence ici figure sur le folio 34 v° et se prolonge sur les folios 35 r° et suivants.*

1. Voir p. 733-734.

Page 1290.

1. Phrase boiteuse, que l'auteur n'a pas corrigée dans le manuscrit.

Page 1291.

1. Robert de Wierre de Bonnières (1850-1905), journaliste et romancier, collaborateur du *Figaro*, puis du *Gaulois*, auteur du *Baiser de Maïna* (1886), a réuni ses chroniques dans *Mémoires d'aujourd'hui* (1883-1888).

2. Sur l'expression « génie de la famille », voir p. 732-736.

Page 1292.

a. Sic. ⇝ b. *Prout a rédigé dans ms. un aide-mémoire en regard de ce développement :* Choses à ne pas oublier. Reynaldo chantant *Hérodiade*, je ne me suis plus jamais rappelé ce Reynaldo qui est encadré dans un paysage de mer. Montargis Guermantes Villeparisis etc. comme Pont-l'Abbé, Douarnenez, Pont-Aven et Guermantes et Méséglise. Ne pas oublier ailleurs : « C'était *justement* chez les de Nyons » avec un sourire à mon adresse. Entrée des personnes ordinaires sur musique guerrière. Bruits de Venise et de Combray. Heureux que bruits renferment ce qu'on sent (musique suggestion) car c'est par cela qu'on enfermait la vie. Après soirées Montargis à Querqueville, plaisir d'y rester seul etc. Comme on change. Et cela est le secret que *[interrompu]*

1. Voir p. 753-754.
2. Une rue du faubourg Saint-Germain.

Page 1293.

a. la marquise de [Villeparisis *biffé*] Montargis, *ms.*

1. Il s'agit sans doute du personnage qui deviendra Mme de Marsantes.

2. Ces deux phrases résument un important développement, rédigé au Cahier 49 (folio 27 v°) : « Capital. À propos du salon Guermantes. / La duchesse de Guermantes obéissait à merveille, si même elle se l'était jamais formulée, à une loi qui régit les salons

au point de vue social, pareille à celle qui les régit en fait de leur ameublement. Ce sont deux lois d'exclusion. Pour avoir une jolie maison (et si l'on voulait aller plus loin pour faire un joli livre) la première règle est une règle de courage, de modestie, une règle de sacrifice, qui consiste à n'y laisser que les objets qui vous y semblent jolis ou y sont utiles, et à ne pas laisser tel canapé qui, moins bien, impressionnerait tout de même le visiteur en lui montrant que vous avez de l'argent, beaucoup de meubles, etc. Il y a des preuves de richesse (richesse de mobilier, d'intelligence, d'érudition) qu'il faut avoir le courage de cacher si l'on ne veut pas avoir une vilaine maison, ou faire un livre de second ordre. Il en est de même pour un salon. Il y avait des personnes qui n'étaient pas tout à fait la fleur de l'aristocratie première mais enfin qui pouvaient se justifier par le fait que leur demi-sœur était duchesse ou leur mère altesse et qui auraient fait nombre. Telle autre personne était ennuyeuse et bavarde, mais elle était la veuve d'un illustre écrivain, ce qu'on pourrait faire valoir aux visiteurs. Mme de Guermantes ne cédait pas à cette peur que les visiteurs ignorent toujours que si vous aviez voulu vous auriez pu laisser là le somptueux canapé, que vous avez donné, parce que vous trouviez qu'il n'était pas ravissant et indispensable ; elle refusait impitoyablement d'inviter la demi-sœur de la duchesse ou la veuve du grand écrivain. De plus, elle poussait ce même esprit de sacrifice jusqu'à ne pas dire non seulement qu'elle avait été obligée de résister à de grandes sollicitations pour tenir à l'écart des invitations à la demi-sœur de la duchesse (elle ne se vantait jamais de ces choses-là) mais encore si une visiteuse venait et la trouvait seule quand cinq minutes avant on eût trouvé cinq duchesses, elle la gardait seule une heure sans lui dire : "Dix minutes plus tôt vous auriez trouvé chez moi, etc." Il y a une espèce de sécurité dans ces choses si vraies qu'on n'en parle jamais. Le malade ne nous dit jamais : je suis malade, il tâche de le paraître le moins possible, et la maladie s'affirme en lui ; les personnes qui ont un grand chagrin font un sujet de conversation peut-être de la mort, mais pas de leur chagrin ; les duchesses de Guermantes songent plutôt à cacher les personnes qui viennent chez elles pour ne pas exciter trop de jalousies ou d'encombrement chez elles ; et elles ont beau se taire, l'élégance s'enfonce (?) tous les soirs dans leur salon. »   Voir également le texte définitif, p. 743-744.

Page 1294.

a. du milieu Courvoisier [*/la marquise biffé*] de Courvoisier par exemple *add.*] en rentrant *ms. Proust n'ayant pas corrigé, nous n'intégrons pas l'addition.*

1. Voir p. 753.
2. Annonce du *Temps retrouvé* (t. IV de la présente édition), où la situation mondaine de la duchesse de Guermantes sera beaucoup moins dominante.

Page 1295.

1. Voir p. 747-748.
2. Voir p. 742-743.

Page 1296.

a. Le passage qui suit, concernant les anciennes maîtresses du duc, a été rédigé plusieurs fois dans ms. Nous donnons les esquisses biffées selon l'ordre de leur composition. Voici la première : Il y avait dans le salon de Mme de Guermantes trois ou quatre femmes, belles ou qui l'avaient été, et qui successivement avaient été les maîtresses de M. de Guermantes, et à qui il parlait encore avec cette vivacité, cet agrément particulier qui survit aux relations intimes ; appartenant généralement à une société aristocratique un peu inférieure au milieu de Mme de Guermantes, le prestige de la femme n'avait pas été une des moindres raisons qui les eussent fait céder à l'amour du mari qui avait d'ailleurs été fort beau. Peu à peu elles avaient cherché à faire la connaissance de sa femme, et généralement pleines d'admiration pour elle, n'avaient cherché qu'à rendre M. de Guermantes plus agréable dans son ménage, plus docile aux désirs de sa femme. Elles s'étaient d'autant plus rapprochées de Mme de Guermantes quand une autre leur avait succédé dans les bonnes grâces de son mari. *Deuxième rédaction :* Il y avait dans le salon de Mme de Guermantes trois ou quatre femmes, belles ou qui l'avaient été qui, d'une société aristocratique inférieure à celle de Mme de Guermantes et traitées avec beaucoup de prévenances par M. de Guermantes, *[plusieurs mots illisibles]* à penser à l'observateur superficiel que M. de Guermantes les faisait inviter par sa femme pour tâcher de les avoir pour maîtresses. Il les avait au contraire eues il y a longtemps et s'était successivement détaché de toutes, sauf de la dernière en date, qu'il était d'ailleurs sur le point de quitter. *Nous donnons enfin la troisième ébauche :* Il y avait dans le salon de Mme de Guermantes trois ou quatre femmes qui n'étaient pas tout à fait de cette société et douées de cette beauté particulière qui fait tout de suite penser à celui qui les voit assises dans le salon : le mari doit être un amateur de femmes comme le *[interrompu]* Non, comme un observateur superficiel l'aurait pu croire, qu'il les attirât dans l'espoir de devenir leur amant. Il y avait longtemps qu'il avait cessé de l'être d'elles toutes sauf de la dernière en date avec laquelle d'ailleurs il était sur le point de rompre. Mme de Guermantes possédait pour elles un prestige sans lequel elles n'eussent peut-être jamais cédé aux désirs de son mari qui cependant avait été fort beau. Pour chacune M. de Guermantes avait cru au commencement qu'il se lançait dans une simple passade et sans conséquence ; mais enflammé par leur résistance il avait fini par promettre pour un simple baiser ces invitations chez lui dont il savait que même pour obtenir la possession complète il aurait pu se dispenser. Mais pendant qu'il aimait, être généreux, promettre ce à quoi elles attachaient le plus de prix, le rendait heureux. Mme de Guermantes n'eût peut-être pas en principe opposé trop de résistance à la réalisation de cette promesse car elle sut, pour trois d'entre elles au moins, qu'elles usaient toujours en sa faveur, et, pour qu'elle vît toujours sa volonté obéie par lui, de leur influence sur M. de Guermantes qui alors n'était pas le mari docile et prévenant qu'il avait été au début de son mariage quand il était amoureux de sa femme et qu'il était redevenu à l'approche de la vieillesse, au moment où je le connus. ◆◆ *b. En regard de ces mots, dans la marge de ms., cet ajout difficile à raccorder :* si l'autre, à ces yeux qu'il avait tant regardés, tant implorés, qu'ils semblaient regarder plus clair que d'autres dans sa conscience *[interrompu]*

1. Sur le vicomte de Parny, voir n. 1, p. 743.
2. Sur Leibniz, voir le texte définitif, p. 769, et n. 1, p. 413.

Page 1297.

a. Sur le dernier folio du Cahier 42 figure cette note, dont la lecture est difficile : Faire demain : l'arbre aux mésanges bleues[1] ; « ah il sait très bien, pour ses cravates » ; M. Drenner en Gurcy et en la petite de *[un mot illisible]* ; Vogue Montargis, et vogue Guermantes. Oiseau émissaire pressé. Couloir Kreuznach[2]. Cloches : chose voulant envie dès l'instant que le carnet (pour livret). C'est gentil, c'est très propre *[un mot illisible]* pour une courrière. Celui qui nous l'a donné ne nous l'a pas rendu. *Ne pas oublier :* Bénerville, Ménerville[3]. Mais plus tard dans toutes les stations en ville de chez Mme de Chemisey, comtesses de Blanzay, de Croissy[4]. M. de Sagan aux Frémonts[5]. Jolie petite relation. Quelle est sa naissance. Pour que le monde ne se sauve pas. Son valet. Guiche[6] est un de mes amis. « Ah ! en effet. » Je comprends que c'est cher. Tout ça est ancien, ça doit valoir de l'argent. ◆◆ *b. Cahier 43, f° 8 r°. Les folios 1 r° à 7 r° contiennent presque textuellement le passage sur les anciennes amours du duc, tel qu'il se trouve dans le texte définitif (p. 770 à 773). Au folio 8 v° figure la note :* Prendre note qu'aux premiers versos du cahier noir (où il y a au premier recto « Monsieur je suis très touché de votre proposition »), j'ai mis, parce que je l'avais sous la main, quelque chose de capital sur les petits mercredis de la duchesse, l'esprit Guermantes, la princesse de Parme, les rapports de la duchesse et Saint-Loup. Cela pourra être dans mon premier dîner chez eux et la princesse de Parme viendrait après le dîner pour faire un seul tableau Guermantes ? *Il s'agit des folios 1 r° à 3 r° du Cahier 49, qui contient une esquisse donnant quasiment le texte définitif de la conversation sur les mots latins de Saint-Loup et le chagrin de la reine de Naples (Mme de Gallardon dans l'esquisse) ; voir p. 798 à 801. Le développement est précédé de la note :* Capital. Chez Mme de Guermantes bien que ce ne soit pas le cahier. Je le mets là pour facilité plus grande. Place que je trouve blanche. Tout cela entrera dans un seul tableau du salon Guermantes analogue à la soirée Saint-Euverte etc. Et servira à montrer que la duchesse disait du mal de Robert, ne voulait pas le servir et que pourtant elle le pleurera. ◆◆ *c. Proust a noté en marge :* Serrebrune Clio. [Mme de Silais *[?]* biffé]

1. Voir l'Esquisse XXVII, p. 1214.
2. Voir l'Esquisse XX, p. 1172.
3. Bénerville, station balnéaire du Calvados ; Ménerville, localité proche de Mantes-la-Jolie, dans l'ancien département de Seine-et-Oise (actuel département des Yvelines).
4. Mme de Chemisey est, dans le texte définitif, Mme de Cambremer. Dans le Cahier 23, Proust a noté : « Une chose choisie entre toutes et le pays : premier voyage à Cabourg avec Croissy » (cité par Maurice Bardèche, *Marcel Proust romancier*, Les Sept Couleurs, 1971, t. II, p. 166).
5. Les Frémonts, villa située à Trouville (voir George D. Painter, *Marcel Proust*, t. I, p. 127).
6. Armand, duc de Guiche, ami de Proust.

Page 1299.

a. La fin de la phrase, depuis comme fait la critique *[p. 1298, 6ᵉ ligne en bas de page], est un ajout postérieur, rédigé au verso du folio 8.*

1. Pour les allusions à Zola, voir p. 789 ; pour Flaubert, Sainte-Beuve et Wagner, voir p. 760-761. Il est intéressant de noter dans le Cahier 43 l'absence de Victor Hugo : les allusions au poète n'apparaissent que sur le manuscrit du texte définitif (voir var. *a*, p. 782).

2. Analyse qui sera traduite en termes dramatiques, dans l'épisode de Taquin le Superbe ; voir p. 756-757.

Page 1302.

1. Ce développement est conçu comme le pendant de l'épisode des souliers rouges, avec lequel s'achèvent les esquisses du Cahier 43 consacrées au duc et à la duchesse, de même que le texte définitif du *Côté de Guermantes.* On y trouve aussi des analogies avec l'analyse de Charlus, artiste manqué (voir p. 855). Proust a éliminé la scène, peut-être afin de souligner le caractère dramatique de la conclusion, mais on en voit des traces encore dans la conversation de la duchesse à propos de Mme de Villeparisis, p. 796.

Page 1304.

a. Ce paragraphe est en addition tardive aux versos des folios 11 et 12 de ms. ◆◆ *b. Proust a écrit, au-dessus de* persan *dans ms. :* normand *.* ◆◆ *c. Retour au folio 17 rº de ms.*

1. Dans une lettre inédite, adressée peut-être à Émile Mâle en 1912-1913, Proust demande à son correspondant s'il peut dire « que sous Louis XIV les duchesses de Guermantes avaient rang de *cousines* du roi » (Catalogue de vente Ader, Drouot, 22 novembre 1985).

Page 1305.

a. Ce passage est la refonte d'un brouillon appartenant à la Bibliothèque nationale (achat 26 803, carton rouge, lot nº 16) ; il est rédigé sur deux feuillets : Elle ne se chamarrait d'aucune défense de ces prérogatives que Louis XIV eût respectées, que la reine d'Espagne respectait encore. Mon audace ou ma pudeur agissaient directement sur la timidité ou l'amour-propre de cette femme en robe simple, à la peau trop rouge, qui réagissait à mes paroles suivant les lois habituelles de la psychologie et de la politesse ; une plus particulière s'appliquait en ma faveur, qu'entendant qu'on m'avait difficilement, elle me considérait comme plus précieux qu'elle-même. À la réflexion, je pouvais trouver qu'elle était prude ou distinguée, mais je ne sentais pas entre elle et moi la matérialisation de ce que comme nos semblables, comme une ciselure de *[un mot illisible]* à qui *[un mot illisible]* les égards du XVIIᵉ siècle et de nos jours des rois. À la réflexion je pouvais me dire que cette simplicité était d'une grande dame. Elle était l'arrière-petite-nièce de la princesse de Lamballe et on n'y pensait pas dans ses relations avec elle. C'était un souvenir postiche et qui n'ajoutait aucune grandeur à nos relations parce qu'en effet cela ne lui était pas *[un mot illisible]*. T.S.V.P. au verso. / C'était l'arrière-petite-nièce de la princesse de Lamballe, Louis XIV traitait les duchesses de Guermantes de cousines, les faisait passer avant les Guise, elle était l'amie intime de la reine d'Angleterre, mais tout cela ne se marquait pas sur elle, ne superposait rien à ses joues rouges, à son corsage tailleur. Je pouvais me dire par raisonnement qu'elle était tout cela, l'impression qui guidait mes jambes et mes gestes pendant que je lui parlais était qu'elle était une femme pareille aux autres, à joues rouges et au corsage tailleur. Et certainement quelque connaissance qu'elle eût des grandeurs de sa famille et l'orgueil qu'elle en tirait *[un mot illisible]* son impression aussi était qu'elle était une femme comme toutes les autres car c'est comme telle qu'elle se comportait ; son amabilité ou sa froideur, sans traverser *[un mot illisible]* aucune cause seconde les prérogatives princières, réagissait sur des raisons de psychologie générale à ma gentillesse pour elle ou à quelque *[un mot illisible]*. Et même il arrivait que si des exceptions psychologiques se produisaient, c'était plutôt moi qui en étais le privilégié ; la froideur involontaire que je tirais de mon indifférence au monde, de la maladie, de la distraction de ma pensée qui cherchait à s'approfondir, de ma timidité même ou de ma souffrance, me donnait quelque chose de plus précieux pour cette femme qui alors faisait plus <de> frais pour moi, les privilèges même *[un mot illisible]* qu'elle tenait de Mme de Lamballe s'anéantissait à ses yeux par le fait que je semblais — bien involontairement — par mon indifférence — les méconnaître, et la femme sans marques extérieures qu'elle avait la conscience <d'être> s'humiliait devant quelqu'un qui avait l'air de se considérer comme plus qu'elle. Et dans les soirées elle se levait dix fois pour venir près de moi, me parlait plus longtemps qu'aux autres. *Proust a ajouté l'indication :* finir cette phrase par la précédente. •• *b. Ici, Proust avait noté dans ms. un aide-mémoire que sa rédaction est obligée de contourner :* Ne pas oublier carte postale de Mme de Guermantes (Illan[1]) ; couteau à papier et comparaison Esprit des Guermantes, esprit des Mortemart[2]. Peintre c'était moi. / Golf[3]. / Cause de la différence d'un fait à différentes époques, matin. Gris de Sollier[4].

Page 1306.

 a. chez elle le [1er *biffé*] 2 avril. *ms.*

Page 1307.

 1. Voir p. 859.

1. Proust pense sans doute à son ami Illan, marquis de Casa Fuerte.
2. Sur l'esprit des Guermantes et l'esprit des Mortemart, voir la Notice, p. 1680 et suiv.
3. Voir p. 1250.
4. Peut-être y a-t-il ici une allusion au sanatorium du docteur Paul Sollier, où Proust séjourna en décembre 1905 et janvier 1906.

2. Emprunt au *Contre Sainte-Beuve*, où la pluie qui tombe inspire un morceau sur la « substance fragile et précieuse » de *La Pluie* de Chopin (Bibl. de la Pléiade, p. 281).

Page 1309.

a. *Fin du folio 27 r°. Pour la suite du Cahier 43, voir l'Esquisse VI de « Sodome et Gomorrhe », t. III de la présente édition, p. 962 et suiv.*

RÉSUMÉ

RÉSUMÉ

scandale (33). Les personnalités éminentes qui fréquentent
l'hôtel ; le roi d'Océanie ; le jeune gommeux (35). La vieille dame
riche en butte aux sarcasmes (Mme de Villeparisis) (38). M. et
Mlle de Stermaria ; leur morgue (40). Une actrice à la mode,
son amant et deux aristocrates font bande à part. L'aquarium de
l'hôtel. Le petit restaurant où vont dîner les quatre élégants (40).
Je voudrais attirer l'attention du beau-frère de Legrandin, la
sympathie du roi d'Océanie, du jeune gommeux, des notabilités (42). Je souffre surtout du mépris de M. de Stermaria, dont
la fille présente des charmes héréditaires d'autant plus désirables
qu'ils sont inaccessibles (44). Mon plaisir quand j'apprends que
la vieille dame riche n'est autre que Mme de Villeparisis ; mais
ma grand-mère s'obstine à ignorer son amie (44). Papotages des
notabilités à propos des Cambremer (47). Singularités de Mlle de
Stermaria ; mon rêve de la posséder dans un paysage romanesque (48). Le bâtonnier répète tout le temps le nom d'Aimé,
le maître d'hôtel (50). Le directeur général des palaces (51).
Comment Françoise, en nouant des relations, contrarie notre vie
quotidienne (52).

Mme de Villeparisis. Les promenades en voiture. Mme de Villeparisis
et ma grand-mère finissent par s'aborder. Balbec, pointe extrême
de la terre (54). Comportements différents d'Aimé et de
Françoise (55). Mme de Villeparisis trouve que Mme de Sévigné
manque de naturel (56). Elle a été autrefois ravissante (57). La
princesse de Luxembourg. Elle nous traite comme des bêtes
sympathiques (58). Mme de Villeparisis au courant du voyage
que mon père fait en Espagne avec M. de Norpois (61).
Nouveaux papotages des notabilités (61). Comment la bourgeoisie et le faubourg Saint-Germain se considèrent mutuellement (63).

Promenades en voiture avec Mme de Villeparisis. Les Mers
différentes (64). Préparatifs aux promenades. Les branches des
pommiers. La mer vue entre les feuillages (65). Mme de
Villeparisis, femme de goût ; son libéralisme ; à l'exemple de
Sainte-Beuve, elle juge les écrivains d'après ceux qui les ont vus
de près (68). Je suis curieux de l'âme des belles filles qui passent.
L'impossibilité de m'arrêter auprès d'elles me fait croire à leur
beauté. On m'apporte une lettre : elle n'est que de Bergotte (71).
L'église couverte de lierre de Carqueville. La belle pêcheuse :
je sens qu'elle se souviendra de moi (75). Les trois arbres
d'Hudimesnil. Rêve ? Réminiscence ? Faux souvenir ? Ma
tristesse quand je les vois s'éloigner (76). La route du retour (79).
Les grands écrivains du XIXᵉ siècle vus par Mme de Villeparisis.
Ses anecdotes : le duc de Nemours, la grosse duchesse de La
Rochefoucauld (81). Ma grand-mère me vante Mme de Villeparisis. « Sans toi je ne pourrai pas vivre. » Je souffre plus de son
angoisse que de la mienne (86).

Robert de Saint-Loup. Bloch. Le baron de Charlus. Un jeune neveu de Mme de Villeparisis : Robert de Saint-Loup. Je me désole de sa froideur (87). En me présentant à lui, Mme de Villeparisis me donne involontairement une preuve supplémentaire de son insolence. Son témoignage de sympathie me conduit à réinterpréter son salut (90). Je découvre un Saint-Loup « intellectuel », différent de celui que je soupçonnais et qui parle son père avec un peu de mépris (92). Par son naturel, Saint-Loup fait la conquête de ma grand-mère ; ses prévenances pour moi (93). Les séductions de l'amitié (95).

Un antisémite : Bloch. La colonie juive de Balbec (97). Les fautes de prononciation de Bloch. Il m'accuse d'être snob (99). La variété des défauts n'est pas moins admirable que la similitude des vertus. Chaque vice exige et développe un savoir spécial (100). Mauvaises manières et conversation inégale de Bloch ; ses gentillesses (103). Il désire se lier avec Saint-Loup. Le stéréoscope de M. Bloch père (106).

Saint-Loup me parle de son oncle Palamède (107). Je suis épié par un homme que je prends pour un escroc d'hôtel. Il s'agit du baron de Charlus, oncle de Saint-Loup (110). Mme de Villeparisis est donc une Guermantes (113). Origine du nom du baron de Charlus. Je reconnais en lui l'homme du raidillon de Tansonville (114). Ma grand-mère enchantée de M. de Charlus. Celui-ci m'invite à prendre le thé chez sa tante (115). Son curieux comportement (118). Les yeux de M. de Charlus. Son horreur des jeunes gens efféminés (119). Ma grand-mère lui trouve des délicatesses féminines. Ses goûts littéraires. Diatribe contre les Israël (121). Il m'apporte dans ma chambre un volume de Bergotte, puis me le reprend le lendemain en m'adressant un surprenant sermon (124).

Le dîner chez M. Bloch. Saint-Loup et sa maîtresse. Avec Saint-Loup, je vais dîner chez les Bloch. Les admirations d'enfance (126). Comment M. Bloch père « connaît » les gens célèbres, et notamment Bergotte. Il passe dans sa famille pour un homme supérieur (129). Le cercle des Ganaches. M. Bloch invective son oncle, M. Nissim Bernard. Celui-ci commet avec Saint-Loup un nouvel impair (131). Libéralités de M. Bloch. Une « gaffe » de son fils. Celui-ci a rencontré Mme Swann dans le train de Ceinture (134). Françoise déçue quand elle voit Bloch ; elle ne croit pas au républicanisme de Saint-Loup (137). Les partis pris de Saint-Loup (138). Ce qu'il doit à sa maîtresse ; comment celle-ci l'a pris en horreur ; les sacrifices auxquels il consent pour elle. Elle a récité des vers chez la tante de Saint-Loup. Souffrances de Saint-Loup (138). Ma grand-mère met une belle toilette pour se faire photographier ; elle a paru me fuir (144).

Apparition des jeunes filles. Les dîners à Rivebelle. Mon désir de
la Beauté. Cinq ou six fillettes, telle une bande de mouettes...
Leur accoutrement (145). La maîtrise de gestes que donnent un
parfait assouplissement de son propre corps et un mépris sincère
du reste de l'humanité (147). Leur beauté fluide, collective et
mobile. Ce qui a pu les réunir (147). « C'pauvre vieux, i m'fait
d'la peine » (149). Première individualisation : une fille aux yeux
brillants, rieurs, aux grosses joues mates, sous un « polo » noir
(Albertine). Je croise ses regards. Désir de la posséder (150).
Cette brune n'est pas celle qui me plaît le plus : le type physique de Gilberte demeure mon idéal (153). Le bonheur de
connaître ces jeunes filles est-il irréalisable ? Les circonstances
dont elles bénéficient. Ce bonheur est celui que j'eusse choisi
entre tous (153). Le langage du lift (156). Le nom de
Simonet (158). La vue vers la colline. Tableau de mer depuis
ma fenêtre (159). Je suis dans des dispositions frivoles (161).
Couchers de soleil (162). Je ne sais pas laquelle des jeunes filles
est Mlle Simonet (164).

Dîners à Rivebelle. J'oublie mes règles d'hygiène. L'harmonie
des tables astrales. Sensation de bien-être (165). La galerie des
goûters, la salle de restaurant (170). Je perds toute crainte du
danger. L'ivresse réalise pour quelques heures l'idéalisme
subjectif (171). Les succès de Saint-Loup auprès des femmes (174).
Rêves d'après dîner. Difficultés du réveil : celui-ci m'ouvre une
nouvelle vie. Brusque remontée d'un souvenir jusque-là contenu
parmi les autres (176).

Une photographie ancienne des jeunes filles, alors enfants, me
montre comme elles ont changé (179).

*La rencontre avec Elstir. L'atelier du peintre. Il connaît Albertine
et ses amies.* Un dîneur isolé à Rivebelle : le célèbre peintre Elstir.
Saint-Loup et moi lui écrivons une lettre. Il m'invite à aller le
voir à son atelier. Pourquoi il a choisi la solitude (181). Je croise
une jeune fille qui porte un polo noir. Maintenant encore, je
revois Albertine silhouettée sur la mer (185). Un petit monde
à part où je rêve de pénétrer (186). Les habitudes des jeunes
filles me sont inconnues. Je n'en aimais aucune, les aimant toutes.
Quand nous sommes amoureux d'une femme, nous projetons
simplement sur elle un état de notre âme (186).

Ma visite à l'atelier d'Elstir (190). Comment mon intelligence
intervenait pour corriger mes impressions. Les métaphores
d'Elstir : *Le Port de Carquethuit* (191). Nouveauté de l'art d'Elstir :
il peint les choses telles qu'elles lui apparaissent, en se dépouillant
de toutes les notions de son intelligence (194). Le porche de
l'église de Balbec (196). Les sculptures, le chapiteau (197). Plus
de rêve guérit du rêve (198). Elstir connaît Albertine et ses
amies (199). Simonet avec un *n*. Les innombrables images

d'Albertine (201). Mon hésitation entre les diverses jeunes filles de la petite bande cause peut-être les intermittences de mon amour pour Albertine (202). Elstir n'est plus que l'intermédiaire nécessaire entre les jeunes filles et moi (202). Le portrait de miss Sacripant (203). Mme Elstir. La beauté de la vie, refuge de l'artiste vieillissant (205). Mon amour-propre a pu abuser sur ma vraie nature (208). « Que j'aimerais aller à Carquethuit ! » (209). Je manque une occasion d'être présenté aux jeunes filles (210). Variations de la croyance. L'Albertine réelle et la série des Albertines imaginées (212). Miss Sacripant, c'était Odette. La manière de l'artiste date un tableau autant que la toilette du modèle (215). M. Biche, c'était Elstir. Elstir agit avec moi en vrai maître (218). Je suis apaisé par la probabilité de connaître les jeunes filles (219).

Départ de Saint-Loup. Je fais la connaissance d'Albertine, puis de ses amies. Ma grand-mère offre à Saint-Loup des lettres de Proudhon. Départ de Saint-Loup pour Doncières. Manque de tact de Bloch. Une lettre de Saint-Loup (220).

Beauté des natures mortes (224). Matinée chez Elstir. La volonté compense les illusions de l'intelligence et de la sensibilité. Nouveau visage d'Albertine. Je lui suis présenté : elle m'apparaît intimidée et « comme il faut » (224). Je repense aux différentes Albertines (228). Albertine m'aborde sur la digue : je retrouve son ton rude et ses manières « petite bande ». Le grain de beauté (231). « Je suis dans les choux » (232). Bloch assez joli garçon, mais antipathique, aux yeux d'Albertine (234). Albertine et moi projetons de sortir ensemble. Papotages et confidences d'Albertine. Froideur d'Andrée à mon égard (236). Saint-Loup serait fiancé à une d'Ambresac. Intelligence d'Albertine (238). Mensonge d'Andrée (240). Comment j'interprète le comportement de Gisèle. Dureté d'Albertine à son égard. Perspectives d'amour pour Gisèle : Albertine ne me plaît plus (241). Les jeunes filles à la saison des fleurs ; que seront-elles plus tard ? Mes journées avec elles (244). Andrée préfère causer avec moi. Ressemblances de nos amours successives (247). Singularités du caractère de Françoise (249). J'ai appris à voir Balbec par beau temps ; les courses de chevaux, les régates. Les étoffes de Fortuny. Rêves de luxe d'Albertine (251). Esquisse des Creuniers. Comment je vois désormais la mer (254). Les sœurs de Bloch (256). Goûters sur la falaise ; pourquoi je préfère les gâteaux aux sandwiches (257). Mes jeux avec les jeunes filles. Le spectacle de formes toujours mobiles que m'offrent les jeunes filles (258). L'amitié est une abdication de soi : les artistes ont le devoir de vivre pour eux-mêmes (260). Le plaisir que je goûtais près des jeunes filles : aimer aide à discerner, à différencier ; pourtant, l'individu baigne dans quelque chose de plus général

que lui ; le langage des jeunes filles (261). La composition de
Gisèle : lettre de Sophocle à Racine (264). Commentaires
pertinents et érudits d'Andrée (266). Amoureux de plusieurs
jeunes filles à la fois, c'est au désir d'aimer que je suis avant tout
attaché (268). Le souvenir et la perception : chaque être est détruit
quand nous cessons de le voir (270).

Je préfère Albertine. Le baiser refusé. Harmonieuse cohésion
rompue en faveur d'Albertine : la partie de furet ; les mains
d'Andrée et celles d'Albertine (271). Ruse d'Albertine ; ma
méprise et sa colère contre moi (273). Promenade aux Creuniers
avec Andrée : ce que me disent les aubépines (274). Je doute
de la bonté profonde d'Andrée (275). Les Creuniers ; je sais
maintenant que j'aime Albertine ; au retour, j'observe ma
chambre du point de vue égoïste qui est celui de l'amour (277).
Je feins de préférer Andrée à Albertine (279). Le « justement »
d'Andrée (280). Je cherche à connaître Mme Bontemps (280).
Albertine doit venir passer une nuit au Grand-Hôtel (281). Le
golf et le diabolo. Octave considère Mme de Villeparisis comme
une « arriviste » (282). Albertine me propose d'aller passer la
soirée dans sa chambre. L'Albertine réelle s'incarne dans
l'Albertine imaginaire (283). Je trouve Albertine dans son lit.
Mon ivresse. Le baiser refusé (285).

Ce que sont devenues pour moi les jeunes filles. Fin du séjour à Balbec.
Souvenirs de l'été. Mes rêves se détachent d'Albertine. L'attraction
qu'elle exerce, la vogue qu'elle a obtenue : ainsi s'explique qu'elle
ait gardé le silence sur la scène qu'elle a eue avec moi auprès
de son lit (286). Pourquoi m'a-t-elle fait venir ce soir-là ? Le petit
crayon d'or (292). Sa franchise m'a donné une grande estime
pour elle ; le noyau moral qui subsiste au milieu de mon
amour (293). Comment je me suis trompé au sujet d'Andrée :
elle en qui je voyais une créature saine et primitive est trop
semblable à moi (294). Mon amour pour les jeunes filles demeure
indivis ; mais les traits de leurs visages ont commencé à se
fixer (296). Les différentes Albertines ont créé autant de « moi »
différents (298). Les vierges impitoyables et sensuelles sont
devenues à mes yeux d'honnêtes jeunes filles bourgeoises. Un
peu de merveilleux subsiste pourtant dans les rapports que j'ai
avec elles (300).

Arrivée du mauvais temps. Départ soudain d'Albertine (302).
L'hôtel se vide. Mécontentement et projets du directeur (302).
Jours de pluie : de nouvelles relations (303). Mon désir de revenir
à Balbec, dans la même chambre (304).

Souvenirs de l'été : la lumière de la belle saison, mes amies
sur la digue tandis que je suis encore couché, Françoise ouvrant
mes rideaux (305).

Le Côté de Guermantes

I

L'Âge des Noms : la duchesse de Guermantes. À Paris. Installation dans un nouvel appartement dépendant de l'hôtel de Guermantes. Tristesse de Françoise ; joie de son jeune valet de pied (309). Françoise s'habitue cependant au nouvel immeuble dans lequel nous sommes venus habiter à cause de la santé de ma grand-mère (310).

La poésie des noms s'attache aussi bien aux lieux qu'aux personnes (310). Les rêves dont l'imagination emplissait le nom de Guermantes en sont chassés l'un après l'autre par l'usage (311). On peut retrouver leur charme en revenant sur le passé (311) : évocation du mariage de Mlle Percepied, évocation du maréchal de Guermantes. Images successives du nom : le château médiéval (313), l'hôtel (315), les fêtes (315). Françoise observe les Guermantes (316). Le déjeuner des domestiques (317). Plaintes de Françoise, nostalgique de Combray (318). Son nouvel ami Jupien (318) ; ses idées sur la richesse et la vertu (321), son intérêt pour la famille Guermantes (322). Douceur de la vie à Combray (324) comparée à celle que l'on mène à Paris (326). Fin du déjeuner (327).

Mme de Guermantes a « la plus grande situation dans le faubourg Saint-Germain » (328). Elle n'est pourtant qu'une femme semblable aux autres (328). Le paillasson du vestibule de son hôtel est le seuil d'un monde mystérieux (329). Le duc de Guermantes considère les habitants de l'immeuble comme des manants (331). Les occupations de Mme de Guermantes : l'Opéra, les villégiatures (333).

Une soirée d'abonnement de la princesse de Parme. La Berma doit jouer un acte de *Phèdre* à l'Opéra. Son art ne m'intéresse plus (336). Je vais cependant à la soirée pour tenter d'apercevoir Mme de Guermantes. Au contrôle, un homme ressemble au prince de Saxe (337). Description des spectateurs de l'orchestre : snobs, curieux, un étudiant génial (338). Description des loges et des baignoires : dans l'obscurité, les aristocrates apparaissent comme des déités vivant au fond de la mer (339). La princesse de Guermantes (340). Début de la représentation (344). La vieille dame jalouse de la Berma (346). Le talent de la Berma ne fait qu'un avec son rôle (347). Je comprends enfin son génie, qui est de créer en interprétant, comme Elstir (348). Début d'une seconde pièce (350). Arrivée de la duchesse de Guermantes (352). Élégances différentes de la princesse et de la duchesse (353). Mme de Cambremer rêve d'être reçue chez la duchesse (354). Le sourire de la duchesse (357).

Je guette le passage de Mme de Guermantes dans ses promenades matinales (358). Apparitions successives de son visage (360). Altération du caractère de Françoise : sa gentillesse est-elle sincère ? (363). Mon manège quotidien déplaît à Mme de Guermantes (367). Pour tenter de me rapprocher d'elle, je décide d'aller voir Saint-Loup dans sa garnison (369).

Doncières. Accueil de Saint-Loup « préoccupé de me voir passer seul cette première nuit » (370). Impression de sérénité dans sa chambre (373). Différentes qualités du bruit et du silence (374). Le capitaine m'autorise à dormir près de Saint-Loup (377). La photographie de Mme de Guermantes (379). Paysage de Doncières, le matin (380).

L'hôtel de Flandre (381), un « féerique domaine » (383). Les divers sommeils et le rêve (384). Réveils (387). Le service en campagne : je suis les manœuvres « pendant plusieurs jours » (390). Le quartier de cavalerie (391). Saint-Loup est très aimé des jeunes engagés (391). Promenade dans la ville nocturne (393).

Dîner avec Saint-Loup et ses amis (397). Je lui demande de m'introduire auprès de Mme de Guermantes et de me donner la photographie de celle-ci (398). L'amitié admirative de Saint-Loup qui veut me faire briller devant ses camarades (402). Il dément le bruit de ses fiançailles avec Mlle d'Ambresac (403). Le sous-officier dreyfusard (404). Le commandant Duroc (404). L'affaire Dreyfus et l'armée (407). Discussions sur la stratégie : une bataille est l'expression d'une idée (408). Ces théories me rendent heureux (411). Y a-t-il une esthétique, un art militaires ? (412). Prévisions sur une future guerre (415). La découverte du particulier sous le général (416). « Le plaisir d'être là », l'oubli des préoccupations extérieures (416).

Le souvenir de Mme de Guermantes est parfois oppressant (418). Brouille entre Saint-Loup et sa maîtresse (419). La force cruelle du silence et les souffrances liées à l'incertitude (420). Un rêve de Saint-Loup (422). La rupture est évitée (422). Un prétexte pour rendre visite à Mme de Guermantes : désir de voir ses tableaux d'Elstir (423). Le prince de Borodino et son coiffeur (425). Les divers mérites des officiers (426). Le prince de Borodino et Saint-Loup : deux noblesses qui s'affrontent (427).

Appel téléphonique de ma grand-mère (431). Les demoiselles du téléphone (431). Le miracle de la voix entendue à travers la distance (432). « Un besoin anxieux et fou de revenir » auprès de ma grand-mère (434). Étrange salut de Saint-Loup (436).

Discussion avec un groupe de soldats du rang (437). Le départ du régiment (437).

Retour à Paris. Je découvre combien la maladie a changé ma grand-mère (438). Pressentiment de la mort (439). Mme de Guermantes ne m'invite pas à voir les tableaux d'Elstir (440). L'hiver finit (440). Promenades matinales qui croisent le chemin de la duchesse (441). « La rue est à tout le monde » (443). Rêve et sommeil de l'après-midi (443). Brève visite de Saint-Loup (445). Corruption du parler de Françoise (445). Souvenir d'un projet de voyage en Italie (446). Mon père se résigne à me voir devenir écrivain (447). La page blanche inéluctable (447). Mon père change d'avis sur M. de Guermantes et me conseille de fréquenter le salon de Mme de Villeparisis (448). Son étrange rencontre avec Mme Sazerat, devenue dreyfusarde (449).

À Paris, avec Saint-Loup. Saint-Loup vient en permission à Paris (451). Rencontre de Legrandin qui professe le mépris du monde et des salons (451). Le printemps commence (453). Un village des environs de Paris, où habite la maîtresse de Saint-Loup (453). Saint-Loup est prêt à tout sacrifier pour elle (454). Il veut lui offrir un collier de Boucheron (454). Les cerisiers et les poiriers en fleurs (455). La maîtresse de Saint-Loup n'est autre que « Rachel quand du Seigneur » (456). Elle est interpellée par deux « poules » (459). Peut-être Saint-Loup a-t-il alors la révélation de la vraie personnalité de la femme qu'il aime (460). Rachel émue par le sort de Dreyfus (462). Au restaurant, jalousie de Saint-Loup (462). Aimé, maître d'hôtel de Balbec (463). Conversation littéraire avec Rachel (464). Sa malveillance (465). M. de Charlus cherche son neveu (467). Dispute entre Rachel et Saint-Loup (467). Celui-ci va se réfugier dans un cabinet particulier où il nous fait appeler (468). La querelle est oubliée (468). Joie de l'ivresse (469).

Au théâtre (470). Les « individualités éphémères et vivaces que sont les personnages d'une pièce » (470). L'acharnement de Rachel contre une débutante (471). Sur la scène, Rachel se métamorphose (472). Dans les coulisses (473). Explication de l'étrange salut de Doncières (474). Le danseur poursuivant son rêve au milieu de la foule éveille de nouveau la jalousie de Saint-Loup qui menace de garder le collier de Boucheron (475). Cruauté de Rachel (476). Robert gifle un journaliste (477), puis corrige un « promeneur passionné » qui lui a fait des propositions (480).

Le salon de Mme de Villeparisis. Sa déchéance mondaine due à son intelligence d'artiste (481). La grâce de sa conversation et de ses Mémoires (482). Son désir de reconstituer un salon brillant (484) et d'y attirer Mme Leroi (485). Elle reste étrangère à l'affaire Dreyfus (487). Bloch et « l'admirable puissance de la

II

CHAPITRE PREMIER

CHAPITRE DEUXIÈME

« mousmé » (652). Chatouillements sur le lit (653). Françoise, une lampe à la main, entre dans la chambre (653). Sa « connaissance instinctive et presque divinatoire » de mes actes et de mes pensées (654). Les paroles, les silences, les signes par lesquels elle manifeste sa désapprobation (655). Françoise sortie, Albertine me fait comprendre que je peux l'embrasser (656). « Confrontation d'images empreintes de beauté » : la jeune fille imaginaire et désirée à Balbec, la jeune fille réelle et refusant le baiser, la jeune fille réelle, désirée et « facile », de Paris (656). Les « bons pour un baiser » (658). La saveur décevante du baiser : les lèvres, organes imparfaits, et la joue (659). Changements de perspective lorsque mon visage s'approche de celui d'Albertine (660). Pourquoi elle m'accorde à Paris ce qu'elle m'a refusé à Balbec (661). Le plaisir matériel ; Albertine, comme Françoise, est « une des incarnations de la petite paysanne française » de Saint-André-des-Champs (662). Ses notions sociales : Robert Forestier et Suzanne Delage (663). Après le départ d'Albertine, Françoise m'apporte une lettre de Mme de Stermaria qui accepte à dîner pour mercredi (665).

Soirée chez Mme de Villeparisis. Dès mon arrivée, je vois la duchesse de Guermantes, mais ma mère m'a guéri de mon amour pour elle (666). Mes pérégrinations matinales ont changé de but : je cherche une nouvelle boutique pour Jupien (667). Diverses rencontres lors de mes promenades : Norpois qui reste distant, une grande femme qui me sourit (668). Mme de Guermantes vient s'asseoir à côté de moi (669) et m'invite à dîner « en petit comité » pour vendredi (670). Les raisons de sa curiosité : l'amitié que me témoigne sa famille (671), ma qualité d'« étranger » (672). Quand je lui dis que je connais le baron de Charlus (673), elle répond qu'il ne lui a jamais parlé de moi et qu'il est « un peu fou » (674). Départ de Mme de Guermantes (675). La faculté qu'elle a d'oublier ses griefs (676). Charlus refuse de saluer Bloch (677).

Mme de Stermaria. L'attente du plaisir (678). Évocation d'une ancienne promenade au Bois (679). Mme de Stermaria associée aux brumes de la Bretagne (680). Le mardi, Albertine me rend visite ; je lui demande de m'accompagner au Bois où je vais retenir un cabinet pour le dîner du lendemain (681). Albertine pourrait venir à la fin de la soirée si Mme de Stermaria ne se donne pas (682), mais cette précaution est inutile (683). « Notre vie sociale est, comme un atelier d'artiste, remplie des ébauches délaissées où nous avions cru un moment pouvoir fixer notre besoin d'un grand amour » (684). Le lendemain est un jour de brume (684). Je me prépare pour le dîner (685). Mme de Stermaria écrit qu'elle ne pourra venir (686). « Ma déception, ma colère, mon désir désespéré de ressaisir celle qui venait de

se refuser » (687). Je sanglote sur les tapis enroulés de la salle
à manger (688).

Le soir de l'amitié. Arrivée de Saint-Loup qui m'invite au
restaurant (688). Critique de l'amitié (688). Souvenirs des dîners
de Doncières (690). Nous sortons. Enthousiasme suscité par le
brouillard. L'amitié me détourne de « la vocation invisible dont
cet ouvrage est l'histoire » (691). En voiture, Saint-Loup
m'apprend qu'il a dit à Bloch que je ne l'aimais « pas du tout
tant que ça » (693). Nous arrivons au restaurant dont la clientèle
est composée de deux coteries : les intellectuels dreyfusards et
les jeunes nobles (694). Je franchis, seul, la porte tambour ; le
patron me chasse de la salle réservée à l'aristocratie (695). Chaque
arrivant raconte comment il s'est perdu et retrouvé dans le
brouillard (696). L'insolence du prince de Foix (696). Perspective
d'un riche mariage pour quelques amis de Saint-Loup (697).
Certains princes ruinés passent avant tel duc milliardaire (698).
Saint-Loup et trois de ses amis sont appelés « les quatre
gigolos » (699). La mentalité du patron de café (700) qui, après
l'entrée de Robert, me témoigne davantage de respect (701). La
grâce intellectuelle et physique de mon ami est exclusivement
française (702). Il me présente au prince de Foix (703).
Médisances sur le grand-duc héritier de Luxembourg (704).
Saint-Loup m'apporte un manteau en accomplissant un exercice
de voltige sur les banquettes (705). Conversations sur le Maroc
et l'Allemagne (705). En Robert, j'admire la nature qu'il a héritée
de sa race (706). Plaisir d'amitié et plaisir d'art (707). Distinction
physique et distinction d'esprit (708).

Dîner chez les Guermantes. Le lendemain, M. de Guermantes
me reçoit sur le seuil de l'antichambre (709). Son langage et sa
politesse sont des survivances du passé (710) qui « n'est pas si
fugace » (711). Avant d'aller au salon, je demande à admirer
les Elstir du duc (712). Certains tableaux recréent des illusions
d'optique « par retour à la racine même de l'impression » (712).
Dans deux œuvres plus réalistes, il a peint l'un de ses amis (713).
Des aquarelles à sujets mythologiques représentent une troisième
manière (714). Je quitte le cabinet des Elstir ; un domestique
ressemblant à un ministre espagnol me conduit au salon (715).
Le duc et la duchesse me présentent aux invités (716). Une dame
assez petite (717) est la princesse de Parme (718). J'expulse de
son nom « tout parfum stendhalien » (719). La princesse est
aimable avec moi par « snobisme évangélique » (720). Une autre
dame possède un château non loin de Balbec (721). M. de Bréauté
cherche à savoir si je suis une notabilité (722). Le « prince
Von » ; la manie des surnoms (724). Le prince d'Agrigente,
« vulgaire hanneton », ne correspond pas aux rêves que j'ai
formés autour de son nom (725). M. de Grouchy est absent (726).

L'ordre de servir étant donné, une « fastueuse horlogerie mécanique et humaine » se déclenche : nous passons à table (727). Les façons de M. de Guermantes et celles décrites par Saint-Simon (728). La princesse de Parme est persuadée de la supériorité de tout ce qu'elle voit chez les Guermantes (729). Ceux-ci sont plus précieux et plus rares que le reste de la société (730). Traits physiques communs aux membres de la famille (730) ; leur flexibilité (731). Caractéristiques morales : l'intelligence et le talent comptent plus que la naissance (732). Le « génie de la famille » (733). Comparaison des Guermantes et des Courvoisier (733). Mme de Villebon snobe la comtesse de G*** (735). Les Guermantes et les Courvoisier se rencontrent dans l'art de marquer les distances (736). Variétés dans la cérémonie du salut (736). La parcimonie des Courvoisier et l'art du paraître des Guermantes. La scandaleuse « sortie » d'Oriane sur Tolstoï (739). Les Courvoisier espéraient qu'elle ferait un mauvais mariage (741), mais ses théories sur l'intelligence et le talent, seules supériorités sociales, ne l'empêchèrent pas d'épouser l'homme le plus riche et le mieux né (742). Les Guermantes ne reconnaissent que l'intelligence de ceux qui ont une valeur mondaine (743). Le duc de Guermantes aide son épouse à défendre la porte de son salon (744). La princesse de Parme, elle, reçoit de nombreuses personnes (745). La révérence des femmes devant l'Altesse (746). Le hall de son hôtel, « musée des archives de la monarchie » (747). Quand Mme de Guermantes vient dîner, la princesse choisit ses invités, moins nombreux que d'habitude (748). Certains intimes de la duchesse sont devenus Guermantes par l'esprit (749). La fréquentation de son salon a nui à la carrière de quelques-uns d'entre eux (750). D'autres ont renoncé à toute activité qui ne soit pas mondaine (751). Les « imitations » de Mme de Guermantes (752). Sa présence chez la princesse d'Épinay intimide les autres visiteurs (753). M. de Guermantes se renseigne sur la vicomtesse de Tours, née Lamarzelle (754). L'exposition des mots de la duchesse (755) : « Taquin le Superbe » (756) est répété pendant une semaine (757). Son esprit laisse les Courvoisier insensibles (758). Ils sont incapables d'innover en matière sociale (759). Relations avec la noblesse d'Empire (759). Les goûts artistiques de la duchesse de Guermantes (760). Son besoin maladif de nouveautés (761). La « critique folle » condamne les chefs-d'œuvre d'un artiste pour louer ses productions les plus insignifiantes (762). M. de Guermantes met en valeur l'esprit de sa femme (763). Je comprends le plaisir qu'elle éprouve à émettre des jugements imprévus, en observant la vie politique (764). Les surprises des séances de la Chambre (765). Le duc, lorsqu'il était député, était plus simple que tous ses collègues (766). Oriane n'ira pas au bal travesti du nouveau ministre de Grèce (766). Elle rompt avec les usages par plaisir de surprendre et de provoquer des commentaires (767). La « dernière d'Oriane » (768). Les maîtresses de M. de Guermantes, « belles figurantes » du salon de la duchesse (769), qui recherche souvent en elles des alliées « contre son terrible époux » (771). M. de Guermantes ne l'aime pas et n'a jamais cessé de la tromper (772). Elle console et reçoit les femmes qu'il a abandonnées (773). Arrivée tardive de M. de Grouchy (773). Cruauté de Mme de Guermantes envers le valet de pied fiancé (774). Elle médit de Mme d'Heudicourt, « supérieurement grosse », bête (775) et « rapiate » (777) ; un mot « bien rédigé » à propos de son avarice (778). M. de Bornier, « académicien empesté » (779). Les Guermantes jugent que « souvent les lettres d'un écrivain sont supérieures au reste de son œuvre » (779) : Flaubert, confondu avec Paul Bert et Fulbert, et Gambetta (780). Les goûts du duc de Guermantes, qui reconnaît être « vieux jeu » : en littérature, *La Fille de Roland* de Bornier (780) et Balzac ; en musique, Auber, Beethoven, Mozart, etc., mais Wagner, que défend la duchesse, l'endort (781). Propos sur la poésie (782) : l'ennuyeuse Mme d'Arpajon, ancienne maîtresse de M. de Guermantes, aime Victor Hugo (783). Les yeux et la voix de la duchesse citant des vers (784). Le « désir de prosaïsme » qui lui fait apprécier Mérimée, Meilhac et Halévy (785). Mme d'Arpajon cite à son tour un vers de Musset qu'elle attribue à Hugo (786). La duchesse aime les idées en poésie (787). La dame d'honneur de la princesse de Parme me prend pour un parent de l'amiral Jurien de la Gravière (787). Un ami des Guermantes est persuadé que je suis intime avec les Chaussegros (788). Nouveau paradoxe de la duchesse : « Zola n'est pas un réaliste, [...] c'est un poète » (789). Les Guermantes détestent la peinture d'Elstir (790) qui a fait un portrait de la duchesse (791). La pureté du langage de Mme de Guermantes est le signe que son esprit est resté fermé aux nouveautés (792). Le snobisme de M. de Bréauté qui ne fréquente que des salons aristocratiques mais prétend rechercher l'intelligence (793). Une réplique de Mme de Villeparisis à propos d'un poète que louait Bloch (794). Mme de Guermantes, qui se souvient de m'avoir vu chez sa tante (795), trace d'elle un portrait peu complaisant (796). Le chagrin de M. de Charlus après la mort de sa femme (797). Saint-Loup est venu demander un service à Mme de Guermantes (798), que le langage de son neveu exaspère (799). Le deuil de la reine de Naples (800). Saint-Loup ne veut pas retourner au Maroc (801). La cérémonie rituelle de l'orangeade après le dîner (802). La duchesse refuse de recommander Robert au général de Monserfeuil (804). La fécondation des orchidées (805). Mariages de gens et mariages de fleurs : Swann (806). Le goût de Mme de Guermantes pour le style Empire (807). Rapprochements avec la noblesse d'Empire : le duc d'Aumale et la princesse Mathilde, la reine de Naples et la princesse Murat (808). Chez les Iéna (809). Le duc de Guastalla (810). « Chaque fois que quelqu'un regarde les choses d'une façon un peu nouvelle, les quatre quarts des gens ne voient goutte à ce qu'il leur montre » (811). La duchesse prétend aimer « dès le début » tout ce qui est nouveau (812). Propos sur la peinture hollandaise : Hals et Vermeer (813). Les Guermantes sont retirés de leur nom (814). Le Hals du grand-duc de Hesse (815). L'intelligence de l'empereur Guillaume (816) ; la simplicité du roi Édouard (817). J'apprends avec surprise que M. de Norpois m'aime beaucoup (818). Si Mme de Villeparisis l'épouse, ce sera une mésalliance (819). Les généalogies du duc de Guermantes : le nom de Saintrailles me rappelle une rue de Combray (820). Les « préjugés d'autrefois » rendent aux amis des Guermantes leur poésie perdue (822). À chaque nom cité, le duc dit : « C'est un cousin d'Oriane » (823). L'ambassadrice de Turquie (823). Les noms évoquent des faits particuliers : l'assassinat de Mme de Praslin, celui du duc de Berri (825) ; une châsse représentant l'histoire de Marie d'Orléans (825). La malveillance du faubourg Saint-Germain, à propos de M. de Luxembourg (827). Invraisemblables insinuations de l'ambassadrice de Turquie sur les mœurs du duc de Guermantes (828). La mobilité des noms qui passent d'une famille à l'autre (829). Ceux qui sont éteints et oubliés survivent dans de vieilles pierres (830). Les noms cités désincarnent les invités (831). Après mon départ, ils pourront célébrer leurs rites mystérieux (832). Le départ des « dames fleurs » (833). Le luxe des Guermantes n'est pas seulement matériel, c'est un luxe de « paroles charmantes » (834). Fin de la soirée. « Il ne peut plus neiger [...] : on a jeté du sel » (835). Dans la voiture qui me mène chez M. de Charlus après le dîner chez les Guermantes : exaltation et mélancolie (836). Ma pensée donne du relief aux scènes que je viens de vivre (837). L'évolution littéraire de Victor Hugo (838). On apprend autant des grands seigneurs que des paysans (839).

M. de Charlus continue de me déconcerter. Un valet de pied m'introduit dans un salon où j'attends vingt-cinq minutes (840). M. de Charlus et ses domestiques (841). Il me reçoit en robe de chambre et avec hauteur (842). La reliure du livre de Bergotte (843). Il m'a soumis à « l'épreuve de la trop grande amabilité » (844) et me reproche divers torts que j'aurais à son égard (845). Dans un mouvement de colère, je piétine son chapeau haute-forme (847). Il refuse de me dire qui m'a calomnié (848), se radoucit et décide de me reconduire en

voiture (849). Description de son « grand salon verdâtre » (850).
Il prétend que nous ne nous reverrons jamais, puis trouve un
prétexte pour ménager une dernière entrevue (851). Son mépris
pour les Iéna (852) et son admiration pour la princesse de
Guermantes (853). En rentrant, je trouve sur mon bureau une
lettre du valet de pied de Françoise à son cousin (854).

Deux mois après, je reçois une invitation de la princesse de
Guermantes (855). « La valeur et la variété imaginaires des gens
du monde » (856). Nous désirons connaître les personnes dont
nous parlent les Mémoires alors qu'elles devaient être aussi
ennuyeuses que celles que nous fréquentons (857). La « tyrannie
de la réalité » nous empêche de décider si telle femme est
supérieure à telle autre (858). L'exclusivisme du salon de la
princesse de Guermantes. Je vais voir le duc et la duchesse de
Guermantes pour savoir si l'invitation est véritable (859). En
guettant leur arrivée, j'observe notre cour et les hôtels
voisins (860). Swann doit venir apporter une photographie d'une
monnaie de l'ordre de Rhodes (862). La maladie du cousin
Amanien d'Osmond (863). Le duc devient méfiant quand je lui
demande si la princesse m'a réellement invité (864). Swann entre,
très changé : il est malade (866). Le « Vélasquez » du duc, que
Swann attribue « à la malveillance » (867). Le dreyfusisme
aveugle de Swann influence tous ses jugements (868). La toilette
de Mme de Guermantes (871). Son opinion sur la princesse et
le prince de Guermantes (872) qui « a pris le lit » parce qu'elle
avait mis une carte à Mme Carnot (873). Le frère du roi
Théodose (874). Nouvelle cruauté de la duchesse envers son
laquais fiancé (875). Le duc refuse de croire que le marquis
d'Osmond agonise, ce qui l'empêcherait de se rendre à une
redoute (876). Le titre de Brabant et la famille royale de
Belgique. La carte de la comtesse Molé (877). Les titres et les
prétentions de certains souverains (879). La photographie et
l'enveloppe démesurées apportées par Swann (881). Celui-ci
affirme qu'il n'a plus que « trois ou quatre mois à vivre » (882).
Incrédulité de Mme de Guermantes (883). Les souliers rouges
de la duchesse (884).

TABLE DE CONCORDANCE

Un grand nombre de travaux critiques se référant à l'édition d'À la recherche du temps perdu *parue dans la Bibliothèque de la Pléiade en 1954, il a semblé utile de procurer, volume par volume, une table de concordance entre cette édition et la nôtre.*

Le texte du tome II de notre édition correspond aux pages 642 à 955 du tome I et aux pages 9 à 597 du tome II de l'édition de 1954.

La numérotation est donnée de 5 pages en 5 pages.

édition de 1954 tome I	nouvelle édition	édition de 1954 tome I	nouvelle édition
642	3	712	71-72
647	7-8	717	76-77
652	12-13	722	81-82
657	17-18	727	86-87
662	22-23	732	91-92
667	27-28	737	96-97
672	32-33	742	101-102
677	37-38	747	106-107
682	42-43	752	111-112
687	47-48	757	116-117
692	52-53	762	120-121
697	57	767	125-126
702	61-62	772	130-131
707	66-67	777	135-136

édition de 1954 tome I	nouvelle édition		édition de 1954 tome I	nouvelle édition
782	140-141		872	226-227
787	145-146		877	231-232
792	150-151		882	236-237
797	154-155		887	241-242
802	159-160		892	245-246
807	164-165		897	250-251
812	169-170		902	255-256
817	174-175		907	260-261
822	178-179		912	265-266
827	183-184		917	270-271
832	188-189		922	274-275
837	193-194		927	279-280
842	197-198		932	284-285
847	202-203		937	289-290
852	207-208		942	294
857	212-213		947	298-299
862	217-218		952	303-304
867	221-222		955	306

tome II			tome II	
9	309-310		104	402-403
14	314-315		109	407-408
19	319-320		114	412-413
24	324-325		119	417-418
29	329-330		124	422-423
34	333-334		129	427-428
39	338-339		134	432-433
44	343-344		139	437-438
49	348-349		144	442-443
54	353-354		149	447-448
59	358-359		154	452-453
64	363-364		159	457-458
69	368-369		164	461-462
74	373-374		169	466-467
79	378-379		174	471-472
84	383-384		179	476-477
89	388-389		184	481-482
94	392-393		189	486-487
99	397-398		194	491-492

édition de 1954 tome II	nouvelle édition		édition de 1954 tome II	nouvelle édition
199	497-498		404	697-698
204	501-502		409	702-703
209	505-506		414	707-708
214	511-512		419	712-713
219	516-517		424	716-717
224	520-521		429	721-722
229	525-526		434	726-727
234	530-531		439	731-732
239	535-536		444	736-737
244	540-541		449	740-741
249	545-546		454	745-746
254	550-551		459	750-751
259	555-556		464	755-756
264	560-561		469	759-760
269	565-566		474	764-765
274	570-571		479	769-770
279	575-576		484	774-775
284	580-581		489	779-780
289	585-586		494	783-784
294	590		499	788-789
299	594-595		504	793-794
304	599-600		509	798-799
309	604-605		514	803-804
314	610		519	808-809
319	614-615		524	813-814
324	619-620		529	818-819
329	624-625		534	823-824
334	629-630		539	828-829
339	634-635		544	832-833
344	639-640		549	837-838
349	644-645		554	842-843
354	649-650		559	847-848
359	654-655		564	852-853
364	659-660		569	857-858
369	664-665		574	861-862
374	669-670		579	866-867
379	674-675		584	871-872
384	679		589	876-877
389	683-684		594	881-882
394	688-689		597	884
399	693-694			

TABLE

Esquisses

Table 1989

Le Côté de Guermantes

I

NOTICES, NOTES
ET VARIANTES

Esquisses